La date ci-dessus est celle du **premier tirage**, et répond à une obligation administrative. Elle n'a aucun rapport avec la date de la présente réimpression.

LAROUSSE DE POCHE

Larousse

de poche

PRÉCIS DE GRAMMAIRE
LOCUTIONS LATINES ET
ÉTRANGÈRES

LIBRAIRIE LAROUSSE

ABRÉVIATIONS

Abrév.	Abréviation.
Absol.	Absolument.
Abusiv.	Abusivement.
Adj.	Adjectif.
Adv.	Adverbe.
Agr.	Agriculture.
Alg.	Algèbre.
All.	Allemand.
Anat.	Anatomie.
Angl.	Anglais.
Ar.	Arabe.
Arg.	Argot.
Archit.	Architecture.
Arr.	Arrondissement.
Art.	Article.
Astr.	Astronomie.
Auxil.	Auxiliaire.
Blas.	Blason.
Bot.	Botanique.
Chim.	Chimie.
Cond.	Conditionnel.
Conj.	Conjonction.
Dém.	Démonstratif.
Dét.	Déterminatif.
Dimin.	Diminutif.
Dr.	Droit.
Electr.	Electricité.
Esp.	Espagnol.
Ex.	Exemple.
Fam.	Familier.
Fig.	Figuré.
Fin.	Finances.
Fr.	Français.
Fut.	Futur.
Géogr.	Géographie.
Géom.	Géométrie.
Gramm.	Grammaire.
Impers.	Impersonnel.
Ind.	Indicatif.
Interj.	Interjection.
Invar.	Invariable.
Iron.	Ironique.
Irr.	Irrégulier.
Ital.	Italien.
Litt.	Littérature.
Loc. adv.	Locution adverbiale.
Loc. conj.	Locution conjonctive.
Loc. lat.	Locution latine.
Loc. prép.	Locution prépositive.
Mar.	Marine.
Math.	Mathématiques.
Méc.	Mécanique.
Méd.	Médecine.
Minér.	Minéralogie.
Mus.	Musique.
Myth.	Mythologie.
Néol.	Néologisme.
N.	Nom.
N. f.	Nom féminin.
N. m.	Nom masculin.
Num.	Numéral.
Onomat.	Onomatopée.
Par ext.	Par extension.
Part. hist.	Partie historique.
Part. pass.	Participe passé.
Partic.	Particulièrement.
Peint.	Peinture.
Pers.	Personne.
Peu us.	Peu usité.
Phys.	Physique.
Pl.	Pluriel.
Pop.	Populaire.
Poss.	Possessif.
Pr.	Pronom.
Préf.	Préfixe.
Prép.	Préposition.
Prés.	Présent.
Rhét.	Rhétorique.
Sing.	Singulier.
Substantiv.	Substantivement.
Suff.	Suffixe.
Syn.	Synonyme.
T.	Terme.
V.	Verbe.
V.	Voir.
V. intr.	Verbe intransitif.
V. pr.	Verbe pronominal.
V. tr.	Verbe transitif.

L'astérisque (*) placé après une forme d'adjectif indique qu'en ajoutant le suffixe *-ment* à cette forme on obtient l'adverbe correspondant, avec le sens : *d'une manière*, etc.

LANGUE FRANÇAISE

A

a n. m. La première lettre de l'alphabet, et la première des voyelles.

à prép. (Prend l'accent grave.) Marque un rapport de direction, de but ou d'attribution; de situation; d'instrument; de manière; d'origine.

abaissement n. m. Action d'abaisser; état de ce qui est abaissé. *Fig.* Humiliation. Amoindrissement.

abaisser v. tr. Faire descendre. Mettre plus bas. Diminuer, réduire. *Fig.* Affaiblir, humilier : *abaisser l'orgueil.*

abandon n. m. Délaissement : *abandon d'un navire.* Renonciation : *abandon d'un droit. Fig.* Laisser-aller. *A l'abandon,* loc. Sans soin.

abandonner v. tr. Quitter, délaisser. Confier : *abandonner un soin à quelqu'un.* V. pr. Se livrer : *s'abandonner à la joie.* Se décourager.

abasourdir v. tr. Assourdir. Stupéfier : *cet événement m'abasourdit.*

abâtardir v. tr. Faire dégénérer.

abâtardissement n. m. Dégénération.

abat-jour n. m. invar. Réflecteur de lampe. Fenêtre oblique. Visière.

abats n. m. pl. Pieds, rognons, foie, etc., des animaux de boucherie ou de basse-cour.

abattage n. m. Action d'abattre. *Fig.* et *fam.* Verte semonce, réprimande.

abattant n. m. Pièce de menuiserie, qui s'élève ou s'abaisse à volonté.

abattement n. m. Accablement. Réduction : *abattement à la base.*

abattis n. m. Choses abattues ou tuées. Abats de volaille.

abattoir n. m. Etablissement où l'on tue les animaux de boucherie.

abattre v. tr. (Se conj. comme *battre.*) Renverser, démolir. Tuer : *abattre un bœuf. Fig.* Affaiblir. Décourager : *le malheur l'abat.* Expédier : *abattre sa besogne.* Etaler : *abattre son jeu.* V. pr. Tomber. Se précipiter sur. Cesser (vent).

abbatial [*sial*], **e, aux** adj. Relatif à l'abbé, à l'abbesse, à l'abbaye.

abbaye [*abé-i*] n. f. Monastère gouverné par un abbé ou une abbesse.

abbé n. m. Supérieur d'une abbaye. Ecclésiastique.

abbesse n. f. Supérieure d'un monastère de religieuses.

a b c n. m. Petit livre contenant l'alphabet. *Fig.* Rudiments d'un art.

abcès n. m. Amas de pus.

abdication n. f. Action d'abdiquer.

abdiquer v. tr. Renoncer à, abandonner. *Absol.* Renoncer au pouvoir.

abdomen n. m. Le ventre.

abdominal, e, aux adj. Qui appartient, qui se rapporte à l'abdomen.

abeille n. f. Insecte hyménoptère produisant le miel et la cire.

aberration n. f. *Optiq.* Dispersion des rayons lumineux. *Fig.* Erreur de jugement, égarement.

abêtir v. tr. Rendre stupide.

abêtissement n. m. Action d'abêtir. Etat de celui qui est abêti.

abhorrer v. tr. Avoir en horreur.

abîme n. m. Gouffre très profond. *Fig.* Ce qui est impénétrable. Différence énorme.

abîmer v. tr. Jeter dans un abîme, renverser (vx). Endommager. *S'abîmer,* v. pr. S'écrouler. *Fig.* Se plonger.

abject, e adj. Bas, vil, méprisable.

abjection n. f. Avilissement.

abjuration n. f. Action d'abjurer.

abjurer v. tr. Renoncer solennellement à une religion. *Fig.* Renoncer à une opinion, à une doctrine, etc.

ablatif n. m. Cas des langues à déclinaison, indiquant l'origine, l'instrument, etc.

ablation n. f. *Chir.* Action de retrancher.

ablette n. f. Petit poisson d'eau douce à écailles argentées.

ablution n. f. Purification religieuse qui consiste à se laver. *Fam.* Action de se laver : *faire ses ablutions.*

abnégation n. f. Renoncement.

aboiement n. m. Cri du chien.

abois n. m. pl. Dernières extrémités où le cerf est réduit. *Fig.* Situation désespérée.

abolir v. tr. Supprimer, annuler.

abolition n. f. Suppression.

abominable* adj. Détestable, odieux.

abomination n. f. Horreur.

abominer v. tr. Avoir en horreur.

abondamment adv. Avec abondance.

abondance n. f. Grande quantité; grandes ressources. *Fig.* Richesse, facilité d'élocution.

abondant, e adj. Qui abonde. *Fig.* Riche en quelque chose.

abonder v. intr. Etre, avoir en abondance. *Abonder dans le sens de quelqu'un,* se ranger à son avis.

abonné, e n. Qui a pris un abonnement : *abonné à une revue, au chemin de fer.*

abonnement n. m. Convention ou marché à forfait pour un temps.
abonner v. tr. Prendre pour autrui un abonnement. *S'abonner,* v. pr. Prendre un abonnement pour soi.
abord n. m. Accès : *port d'abord facile.* Accueil : *abord aimable.* Pl. Environs.
abordable adj. Accessible. *Fig.* Accueillant : *personne abordable.*
abordage n. m. Assaut donné à un vaisseau. Choc de deux navires.
aborder v. intr. Prendre terre : *aborder dans une île.* V. tr. *Fig.* Accoster : *aborder un passant.* Entreprendre : *aborder un sujet.* V. pr. Se heurter (navires). S'accoster.
abortif, ive adj. Qui fait avorter.
aboucher v. tr. Joindre bout à bout. *Fig.* Réunir. V. pr. Entrer en rapport.
aboulie n. f. Absence de volonté..
aboutir v. intr. Toucher par un bout, arriver à : *ce pré aboutit à la route. Fig.* Avoir pour résultat : *aboutir à la ruine.* Réussir : *ses démarches ont abouti.*
aboutissement n. m. Résultat.
aboyer v. intr. (Change l'*y* en *i* devant un *e* muet : *il aboie.* Prend un *y* et un *i* de suite dans *aboyions* et *aboyiez* [ind. imparf. et subj. prés.].) Crier, en parlant du chien. *Fig.* Crier après quelqu'un.
abracadabrant, e adj. Stupéfiant.
abrégé n. m. Réduction. Ouvrage résumé : *abrégé d'histoire. En abrégé* loc. adv. En raccourci.
abrégement n. m. Action d'abréger.
abréger v. tr. (Prend un *è* ouvert devant une syllabe muette : *il abrège,* excepté au fut. et au cond. : *j'abrégerai, nous abrégerions.* Prend un *e* muet après le *g* devant *a* et *o* : *il abrégea, nous abrégeons.*) Raccourcir.
abreuver v. tr. Faire boire (bestiaux). Arroser. *Fig.* Accabler : *abreuver d'injures.* V. pr. Boire.
abreuvoir n. m. Lieu où l'on mène boire les bestiaux.
abréviation n. f. Action d'abréger. Mot abrégé.
abri n. m. Lieu où l'on peut se mettre à couvert. *Fig.* Refuge. *A l'abri de* loc. prép. En sûreté.
abricot n. m. Fruit à noyau dont la chair et la peau tirent sur le jaune.
abricotier n. m. Arbre fruitier, du genre prunier, donnant l'abricot.
abriter v. tr. Mettre à l'abri.
abrogation n. f. Annulation.
abroger v. tr. (Prend un *e* muet après le *g* devant *a* et *o* : *il abrogea, nous abrogeons.*) Annuler, abolir.
abrupt, e* adj. Escarpé. *Fig.* Rude.
abrutir v. tr. Rendre stupide.
abrutissement n. m. Dégradation de l'intelligence : *tomber dans l'abrutissement.*
abscisse n. f. L'une des coordonnées qui fixent un point dans un plan.
absence n. f. Eloignement. Défaut de présence. Manque. Distraction.
absent, e adj. Hors de sa demeure; non présent. *Fig.* Distrait.
absentéisme n. m. Manque d'assiduité.
absenter (s') v. pr. S'éloigner momentanément.
abside n. f. Extrémité d'une église, située derrière le chœur.
absinthe n. f. Plante amère et aromatique. Liqueur.
absolu*, e adj. Complet, souverain : *vérité absolue, monarque absolu.* Impérieux : *un ton absolu. Gramm.* Se dit d'une proposition participiale indépendante.
absolution n. f. Grâce, pardon.
absolutisme n. m. Théorie ou pratique d'une autorité absolue.
absolutiste adj. Relatif à l'absolutisme. N. Partisan de l'absolutisme.
absorber v. tr. S'imbiber de. Neutraliser, faire disparaître. Boire, manger. *Fig.* Dissiper entièrement. Occuper fortement. V. pr. Etre absorbé. *Fig.* Se plonger.
absorption n. f. Action d'absorber.
absoudre v. tr. (*J'absous, tu absous, il absout, nous absolvons, vous absolvez, ils absolvent. J'absolvais, nous absolvions.* Passé simple manque. *J'absoudrai, nous absoudrons. J'absoudrais, nous absoudrions. Absous, absolvons, absolvez. Que j'absolve, que nous absolvions.* Imp. du subj. manque. *Absolvant. Absous, absoute.*) Remettre les péchés. Acquitter. Pardonner, excuser.
absoute n. f. *Liturg.* Prières après l'office des morts.
abstenir (s') v. pr. (Se conj. comme *tenir.*) S'empêcher de faire une chose, d'en user. Pratiquer l'abstinence. Ne pas se prononcer sur.
abstention n. f. Action de s'abstenir, de ne pas prendre part à un vote.
abstentionniste n. Qui s'abstient (vote, discussion).
abstinence n. f. Action de s'abstenir de certains aliments. Diète, jeûne.
abstinent, e adj. Sobre.
abstraction n. f. Action de séparer par la pensée : *faire abstraction de.* Idée générale considérée en dehors du sujet dont elle dépend : VERTU, SAVOIR, PESANTEUR *sont des abstractions.* Idée confuse.
abstraire v. tr. (Se conj. comme *traire.*) Faire abstraction. V. pr. S'absorber.
abstrait, e* adj. Se dit d'une qualité considérée en dehors du sujet : RONDEUR, BONTÉ *sont des termes abstraits.* Difficile à saisir, obscur.
absurde* adj. Contraire à la raison.
absurdité n. f. Caractère de ce qui est absurde; stupidité.
abus n. m. Usage mauvais, excessif ou injuste : *abus de sa force.* Erreur : *c'est un abus de croire.*
abuser v. tr. Tromper. V. intr. User mal : *abuser de ses droits.* V. pr. Se tromper.
abusif, ive* adj. Où il y a de l'abus. Contraire aux règles, aux lois, à la justice.
abyssinien, enne adj. et n. D'Abyssinie.
acabit n. m. Qualité bonne ou mauvaise. *Fig.* Nature, caractère.
acacia n. m. Arbre épineux de la famille des légumineuses.
académicien n. m. Membre d'une académie : *fauteuil d'académicien.*
académie n. f. Société de gens de lettres, de savants ou d'artistes. Division universitaire en France. Figure dessinée d'après un modèle nu. Ce modèle lui-même.
académique* adj. Propre à une académie.

acajou n. m. Arbre d'Amérique, au bois rougeâtre.
acanthe n. f. Plante épineuse, à feuilles larges et découpées. Ornement d'architecture sur les chapiteaux corinthiens.
acariâtre adj. D'humeur difficile.
accablement n. m. Abattement.
accabler v. tr. Faire succomber sous le poids. *Fig.* Surcharger. Combler : *accabler d'honneurs.* Epuiser : *accablé de fatigue.* Humilier, écraser.
accalmie n. f. Calme momentané.
accaparement n. m. Action d'accaparer : *accaparement de denrées.*
accaparer v. tr. Amasser une denrée quelconque pour faire hausser les prix. *Fig.* Prendre pour soi au détriment des autres.
accapareur, euse n. Qui accapare.
accéder v. intr. (Se conj. comme *accélérer.*) Avoir accès dans un lieu, arriver, parvenir. *Fig.* Consentir.
accélérateur, trice adj. Qui accélère. N. m. Mécanisme qui accélère.
accélération n. f. Augmentation de vitesse. Action d'accélérer.
accélérer v. tr. (Prend un *è* ouvert devant une syllabe muette : *j'accélère,* excepté au fut. et au cond., où il conserve l'*é* fermé : *j'accélérerai, nous accélérerions.*) Accroître la vitesse : *accélérer le pas.* Hâter : *accélérer un travail.*
accent n. m. Elévation de la voix sur une syllabe : *accent tonique.* Prononciation particulière : *accent gascon.* Intonation : *accent plaintif.* Signe sur une voyelle : *accent aigu, grave, circonflexe.*
accentuation n. f. Action ou manière d'accentuer : *accentuation vicieuse.*
accentuer v. tr. Marquer d'un accent. Prononcer avec l'accent tonique. Exprimer avec intensité.
acceptable adj. Qui peut être accepté.
acceptation n. f. Action d'accepter.
accepter v. tr. Agréer. Consentir à : *accepter la lutte. Accepter une lettre de change,* s'engager à la payer.
acception n. f. Préférence : *ne pas faire acception de personnes.* Sens d'un mot : *acception figurée.*
accès n. m. Abord : *côte de facile accès.* Facilité d'approcher : *avoir accès auprès de.* Attaque : *accès de fièvre.* Mouvement : *accès de rage.*
accessible adj. D'accès facile. Sensible.
accession n. f. Arrivée : *l'accession au trône.*
accessit [*sitt*] n. m. Distinction pour ceux qui ont approché du prix.
accessoire* adj. et n. m. Qui accompagne le principal ou l'essentiel. N. m. Objet servant au théâtre. Objet utilisé avec un autre : *accessoires d'automobile.*
accident n. m. Evénement fortuit, souvent fâcheux.
accidenté, e adj. Varié dans ses aspects, mouvementé. *Fig.* Agité. Inégal. *Néol.* Victime d'un accident.
accidentel, elle* adj. Qui arrive par accident, par hasard.
accidenter v. tr. Rendre accidenté.
acclamation n. f. Action d'acclamer. Cri de joie, d'admiration. *Par acclamation* loc. adv. Sans scrutin.
acclamer v. tr. Saluer par des cris de joie, etc. Nommer sans scrutin.
acclimatation n. f. Action d'acclimater : *jardin d'acclimatation.*
acclimater v. tr. Accoutumer à un climat. *Fig. Acclimater une mode.*
accointance n. f. Fréquentation.
accolade n. f. Embrassement. Petit coup du plat d'une épée, donné sur l'épaule d'un chevalier au moment de sa réception. Trait de plume pour réunir plusieurs articles en un seul.
accoler v. tr. Réunir étroitement. Lier la vigne à l'échalas.
accommodant, e adj. Complaisant, de caractère facile.
accommodateur adj. m. Relatif à l'accommodation.
accommodation n. f. Action de s'accommoder. Adaptation de l'œil aux diverses distances de vision.
accommodement n. m. Arrangement.
accommoder v. tr. Rendre commode, propre à. Concilier, arranger. Apprêter (un mets). V. pr. Etre satisfait de.
accompagnateur, trice n. Qui exécute un accompagnement.
accompagnement n. m. Action d'accompagner. Accessoires. *Mus.* Une ou plusieurs mélodies ou parties qui accompagnent la principale.
accompagner v. tr. Aller de compagnie : *accompagner un ami.* Escorter : *accompagner un convoi.* Ajouter : *accompagner ses mots d'un geste. Mus.* Exécuter l'accompagnement. V. pr. *S'accompagner de,* avoir pour résultat.
accompli, e adj. Réalisé : *vœu accompli.* Révolu : *vingt ans accomplis.* Parfait : *un homme accompli.*
accomplir v. tr. Achever. Exécuter.
accomplissement n. m. Achèvement. Réalisation.
accord n. m. Conformité de sentiment. Harmonie : *accord entre le geste et la parole.* Concordance : *l'accord du participe. Mus.* Harmonie de sons.
accordage n. m. Action d'accorder un instrument.
accordailles n. f. pl. Fiançailles. (Vx.)
accordé, e n. Fiancé, fiancée. (Vx.)
accordéon n. m. Instrument de musique, composé d'anches de métal actionnées par un soufflet.
accordéoniste n. Joueur d'accordéon.
accorder v. tr. Mettre d'accord : *accorder deux adversaires.* Octroyer : *accorder un délai.* Consentir, admettre. Mettre en concordance : *accorder un adjectif. Mus.* Mettre au même ton les cordes d'un instrument ou divers instruments ensemble.
accordeur n. m. Qui accorde les instruments de musique.
accort, e* adj. Avenant, affable.
accostage n. m. Action d'accoster.
accoster v. tr. Aborder quelqu'un. *Mar.* S'approcher très près.
accotement n. m. *P. et ch.* Espace compris entre la chaussée et le fossé, le ruisseau et la maison.
accoter v. tr. Appuyer d'un côté.
accouchée n. f. Femme qui vient de mettre un enfant au monde.
accouchement n. m. Action d'accoucher.

accoucher v. intr. Enfanter. V. tr. Aider une femme à accoucher.
accoucheur, euse n. et adj. Qui fait les accouchements.
accouder (s') v. pr. S'appuyer sur le coude : *accoudé sur une table.*
accoudoir n. m. Appui pour le coude.
accouplement n. m. Action d'accoupler ou de s'accoupler.
accoupler v. tr. Unir deux à deux : *accoupler deux bœufs, deux mots, deux machines.* Unir le mâle et la femelle : *accoupler des pigeons.*
accourir v. intr. (Se conj. comme *courir.* Prend *avoir* ou *être,* selon que l'on veut exprimer l'action ou l'état.) Venir en hâte
accoutrement n. m. Habillement bizarre, ridicule.
accoutrer v. tr. Habiller bizarrement.
accoutumance n. f. Habitude.
accoutumé, e adj. Ordinaire, habituel.
accoutumer v. tr. Faire prendre une habitude. V. intr. Avoir coutume.
accréditer v. tr. Ouvrir un crédit : *accréditer auprès d'une banque.* Donner des lettres de créance : *accréditer un ambassadeur.* Propager : *accréditer une nouvelle.*
accroc [*kro*] n. m. Déchirure. *Fig.* Difficulté, embarras : *accroc imprévu.*
accrochage n. m. Action d'accrocher. Son résultat.
accroche-cœur n. m. invar. Boucle de cheveux en crochet sur la tempe.
accrocher v. tr. Suspendre à un crochet. Arrêter, heurter : *accrocher une voiture. Fig. : c'est une affaire accrochée* (retardée). Obtenir par ruse. *S'accrocher à quelqu'un,* l'importuner.
accroire (faire) v. tr. Faire croire ce qui n'est pas. *En faire accroire,* en imposer. V. pr. *S'en faire accroire,* présumer trop de soi-même.
accroissement n. m. Action de croître. Augmentation.
accroître v. tr. (Se conj. comme *croître,* mais le part. pass. *accru* ne prend pas d'accent circonflexe.) Augmenter : *accroître sa fortune.* V. intr. et pr. Augmenter.
accroupir (s') v. pr. S'asseoir sur la croupe ou sur les talons.
accroupissement n. m. Position d'un être accroupi.
accu n. m. Abrév. d'ACCUMULATEUR.
accueil n. m. Action, manière d'accueillir. *Faire accueil,* bien recevoir.
accueillant, e adj. Qui fait bon accueil : *caractère accueillant.*
accueillir v. tr. (Se conj. comme *cueillir.*) Recevoir bien ou mal. Agréer.
acculer v. tr. Pousser dans un endroit sans issue. *Fig.* Mettre dans l'impossibilité de répondre, d'agir.
accumulateur, trice n. et adj. Qui accumule. N. m. Appareil électrique, emmagasinant l'énergie.
accumulation n. f. Entassement.
accumuler v. tr. Entasser et mettre l'un sur l'autre. Au *pr.* et au *fig.* Amasser, amonceler, rassembler.
accusateur, trice n. et adj. Qui accuse : *indice accusateur.*
accusatif n. m. Cas régime des langues à déclinaison.
accusation n. f. Action d'accuser en justice. Imputation, reproche. *Acte d'accusation,* exposé des faits imputés à un accusé.
accusé, e n. Personne à qui l'on impute un délit. Avis : *accusé de réception.* Adj. Accentué : *traits accusés.*
accuser v. tr. Imputer une faute, un délit : *accuser de lâcheté.* Avouer : *accuser son âge.* Dénoncer : *les apparences l'accusent. Fig.* Indiquer. *Bx-Arts.* Faire ressortir.
acerbe adj. D'un goût âpre. *Fig.* Piquant, mordant, agressif.
acéré, e adj. Très aigu. *Fig.* Mordant, blessant.
acétate n. m. Sel de l'acide acétique.
acétique adj. Se dit de l'acide auquel le vinaigre doit sa saveur.
acétone n. f. Liquide provenant de la distillation d'un acétate.
acétylène n. m. Gaz hydrocarburé que l'on obtient en traitant le carbure de calcium par l'eau.
achalander v. tr. Fournir de clients. *Fam.* Fournir de marchandises.
acharnement n. m. Action de s'acharner. Ardeur opiniâtre.
acharner v. pr. Poursuivre opiniâtrement. S'obstiner.
achat n. m. Action d'acheter. Emplette.
acheminement n. m. Marche en avant, progrès. Direction donnée.
acheminer v. tr. Diriger.
acheter v. tr. (Prend un *è* ouvert devant une syllabe muette : *j'achète, il achètera.*) Acquérir à prix d'argent. *Fig.* Obtenir : *acheter au prix de son sang.* Corrompre : *acheter un juge.*
acheteur, euse n. Qui achète.
achèvement n. m. Action d'achever. Etat de ce qui est achevé.
achever v. tr. (Prend un *è* ouvert devant une syllabe muette : *achève, achèvera.*) Finir : *achever un tableau.* Donner le coup de grâce : *achever un blessé. Fig. : un malheur l'a achevé.*
achoppement n. m. Obstacle, choc. *Pierre d'achoppement,* embarras, difficulté. Occasion de faillir.
achopper v. intr. Heurter contre un obstacle. Echouer.
acide adj. Qui a une saveur aigre. N. m. *Chim.* Composé hydrogéné qui peut former des sels avec les bases.
acidifier v. tr. (Se conj. comme *prier.*) Convertir en acide.
acidité n. f. Saveur acide.
acidulé, e adj. Légèrement acide.
acier n. m. Fer combiné avec une faible quantité de carbone : *acier trempé. Fig. Jarret d'acier,* jarret vigoureux.
aciérage n. m. Opération qui donne à un métal la dureté de l'acier.
aciérer v. tr. (Se conj. comme *accélérer.*) Convertir du fer en acier.
aciérie n. f. Usine où l'on fabrique l'acier : *les aciéries de Lorraine.*
acné n. f. Maladie de la peau.
acolyte n. m. Clerc chargé dans l'église des bas offices. Aide subalterne. Compagnon.

acompte n. m. Paiement partiel à valoir sur le montant d'une dette. Adverbialem., s'écrit en deux mots : *donner cent francs à compte.*

aconit [*nitt*] n. m. Plante vénéneuse, de la famille des renonculacées.

acoquiner (s') v. pr. S'attacher (souvent en mauvaise part).

à-côté n. m. Détail, avantage ou inconvénient accessoire. Pl. des *à-côtés.*

à-coup n. m. Mouvement brusque, ou temps d'arrêt subit. Pl. des *à-coups.*

acoustique adj. Relatif aux sons. N. f. Théorie des sons. Propagation du son dans un local.

acquéreur n. m. Qui acquiert.

acquérir v. tr. (*J'acquiers, tu acquiers, il acquiert, nous acquérons, vous acquérez, ils acquièrent. J'acquérais, nous acquérions. J'acquis, nous acquîmes. J'acquerrai, nous acquerrons. Acquiers, acquérons, acquérez. Que j'acquière, que nous acquérions. Que j'acquisse, que nous acquissions. Acquérant. Acquis, e.*) Devenir possesseur par achat : *acquérir un pré.* Obtenir : *acquérir de l'autorité, une preuve; qualité acquise. Etre acquis à quelqu'un,* lui être dévoué.

acquêt n. m. *Dr.* Acquisition. Bien acquis à titre onéreux pendant le mariage, par opposition aux *propres.*

acquiescement n. m. Consentement.

acquiescer v. intr. (Se conj. comme *amorcer.*) Consentir.

acquis n. m. Savoir, expérience.

acquisition n. f. Action d'acquérir. Chose acquise.

acquit n. m. Quittance, décharge : *mettre son acquit sur un billet.* Reçu (douane). *A l'acquit de,* au bénéfice de. *Fig. Par acquit de conscience,* pour sa tranquillité.

acquittement n. m. Action d'acquitter. Jugement de non-culpabilité.

acquitter v. tr. Payer ce qu'on doit. Constater le paiement de. Rendre quitte d'une obligation. Déclarer non coupable. *S'acquitter* v. pr. *Fig.* Remplir un devoir.

acre n. f. Mesure agraire ancienne (environ 52 ares).

âcre* adj. Piquant, irritant au goût, à l'odorat. *Fig.* Mordant.

âcreté n. f. Qualité de ce qui est âcre (au pr. et au fig.).

acrimonie n. f. Âcreté. *Fig.* Ton mordant, aigreur.

acrimonieux, euse adj. Aigre.

acrobate n. Danseur, danseuse de corde. *Par ext.* clown, jongleur.

acrobatie n. f. Exercice de l'acrobate. Exercice difficile (aviation).

acrobatique adj. D'acrobate.

acrostiche n. m. Poésie dont les premières lettres de chaque vers, lues verticalement, forment le nom voulu. Adj. : *des vers acrostiches.*

acte n. m. Action : *acte de courage.* Mouvement de l'âme, prière : *acte de contrition.* Manifestation d'autorité, de bonne volonté, d'hostilité, etc. *Faire acte de,* montrer : *faire acte de présence.* Pièce légale : *acte de naissance, acte notarié, sous seing privé.* Déclaration, constatation légale : *prendre acte d'une déclaration.* Division d'une pièce (théâtre).

acteur, trice n. Personne qui joue un rôle dans. Artiste dramatique.

actif, ive* adj. Qui agit. Vif, laborieux. *Forme active,* forme du verbe transitif ou intransitif, qui présente l'action comme faite par le sujet. N. m. *Comm.* Ce qu'on possède, par opposition à *passif.*

action n. f. Manifestation d'une énergie : *l'action du feu.* Mouvement, occupation : *mettre en action.* Chose que l'on fait : *une bonne action.* Evénement : *l'action d'une tragédie.* Poursuite en justice. Part dans une société commerciale : *action nominative.*

actionnaire n. Qui a des actions dans une entreprise commerciale.

actionner v. tr. Intenter une action en justice. Mettre en mouvement.

activer v. tr. Presser, accélérer. Donner de l'activité à.

activité n. f. Puissance d'agir. Promptitude. *En activité,* en service (soldat, fonctionnaire).

actuaire n. m. Spécialiste qui fait des calculs pour les assurances.

actualité n. f. Qualité de ce qui est actuel. Chose du moment. Pl. Journal cinématographique.

actuel, elle* adj. Présent : *le cas actuel.*

acuité n. f. Qualité de ce qui est aigu, pointu.

acuponcture n. f. *Chir.* Opération consistant à piquer une partie malade avec une aiguille très fine.

adage n. m. Proverbe, maxime.

adaptation n. f. Action d'adapter.

adapter v. tr. Appliquer : *adapter un cadre.* Conformer à : *adapter les moyens au but.* Modifier en vue d'un usage différent : *adapter un roman au cinéma.*

addenda n. m. invar. Ce par quoi on complète un ouvrage.

additif, ive adj. et n. m. Qui doit être ajouté.

addition n. f. Opération mathématique qui ajoute des chiffres, des quantités. Action d'ajouter : *une addition d'eau.* Note de dépense au restaurant.

additionnel, elle adj. Ajouté en sus.

additionner v. tr. Ajouter : *additionner six nombres; vin additionné d'eau.*

adduction n. f. Action d'amener : *adduction d'eau potable.*

adénoïde adj. En forme de tissu glandulaire. *Végétations adénoïdes,* hypertrophie des glandes du larynx.

adepte n. Partisan d'une doctrine, d'une secte. etc. Initié à une science.

adéquat, e [*koua*] adj. Equivalent : *expressions adéquates.*

adhérence n. f. Etat de ce qui adhère.

adhérent, e adj. Qui adhère. N. m. Attaché à un parti, à une doctrine.

adhérer v. intr. (Se conj. comme *accélérer.*) S'attacher : *adhérer au mur, adhérer à un parti.*

adhésif, ive adj. Qui adhère.

adhésion n. f. Union, jonction. *Fig.* Consentement, approbation.

adieu loc. elliptique. Terme de civilité quand on se quitte. N. m. : *des adieux touchants.*

adipeux, euse adj. Qui a les caractères de la graisse.

adjacent, e adj. Attenant, contigu.
adjectif, ive* adj. Joint à un nom pour le qualifier ou le déterminer. N. m. Mot adjectif.
adjoindre v. tr. (Se conj. comme *craindre.*) Joindre à, avec.
adjoint, e adj. et n. Qui aide : *professeur adjoint.* N. m. Officier public qui assiste le maire ou le supplée.
adjonction n. f. Action d'adjoindre.
adjudant n. m. Sous-officier dont le grade est intermédiaire entre celui de sergent-chef et celui d'adjudant-chef. *Adjudant-chef,* le plus élevé des sous-officiers.
adjudicataire n. A qui une chose est attribuée dans une adjudication.
adjudication n. f. Action d'adjuger. Marché de travaux ou de fournitures fait avec publicité et concurrence.
adjuger v. tr. (Prend un *e* muet après le *g* devant *a* et *o.*) Attribuer par jugement. Donner des travaux ou vendre par adjudication publique. Attribuer : *adjuger un prix.*
adjuration n. f. Action d'adjurer; formule d'exorcisme. Prière instante.
adjurer v. tr. Ordonner au nom de Dieu. Supplier avec instance.
adjuvant, e adj. et n. m. Qui aide l'action d'un autre (médicament).
admettre v. tr. (Se conj. comme *mettre.*) Recevoir, agréer : *admis au concours.* Estimer vrai : *admettre un fait.* Accueillir favorablement. Comporter : *cela n'admet pas de discussion.*
administrateur, trice n. Qui administre, régit, dirige.
administratif, ive* adj. Qui tient ou a rapport à l'administration.
administration n. f. Action d'administrer les affaires publiques ou privées, de régir des biens. Pouvoir administratif. Science et art de gouverner un Etat. Ensemble des employés d'un service public : *administration des postes. Administration publique,* pouvoirs chargés de l'exécution des lois. *Conseil d'administration,* corps des administrateurs d'une société.
administrer v. tr. Gouverner, diriger. Conférer : *administrer les sacrements.* Faire prendre : *administrer une purge.* Appliquer : *administrer une correction. Administrer quelqu'un,* lui donner l'extrême-onction.
admirable* adj. Digne d'admiration.
admirateur, trice n. Qui admire.
admiratif, ive* adj. Qui marque de l'admiration.
admiration n. f. Action d'admirer. Enthousiasme.
admirer v. tr. Considérer avec un étonnement mêlé de plaisir, d'enthousiasme. Trouver étrange.
admissibilité n. f. Qualité de ce qui est admissible. Fait d'être admissible à une fonction, à un concours.
admissible adj. et n. Qui peut être admis. Qui est reçu dans un concours à une première épreuve. Valable.
admission n. f. Réception. Action d'admettre. Le fait d'être admis.
admonestation n. f. Réprimande.
admonester v. tr. Réprimander.
adolescence n. f. Age de la vie, qui suit l'enfance et s'étend jusqu'à l'âge viril.
adolescent, e n. et adj. Qui est dans l'adolescence.
adonis n. m. Jeune homme très beau. (V. *Part. hist.*)
adonner (s') v. pr. Se livrer à.
adopter v. tr. Prendre légalement pour fils ou pour fille. *Fig.* Embrasser, choisir. Admettre. Sanctionner.
adoptif, ive adj. Qui a été adopté.
adoption n. f. Action d'adopter.
adorable* adj. Digne d'être adoré.
adorateur, trice n. Qui adore.
adoration n. f. Action d'adorer. Affection, amour extrême.
adorer v. tr. Rendre à Dieu ou à un dieu le culte qui lui est dû. Aimer avec passion : *adorer ses enfants.*
adosser v. tr. Appuyer contre.
adoucir v. tr. Rendre plus doux : *adoucir la température.* Polir : *adoucir une glace. Fig.* Rendre supportable : *adoucir un chagrin.*
adoucissement n. m. Action d'adoucir. *Fig.* Soulagement.
ad patres [èss] loc. lat. *Envoyer « ad patres »,* tuer.
adrénaline n. f. Substance vaso-constrictive, extraite des capsules surrénales.
adresse n. f. Dextérité du corps. Finesse de l'esprit. Suscription d'une lettre. Domicile : *changer d'adresse.* Ecrit collectif : *adresse de blâme.*
adresser v. tr. Envoyer directement. *Adresser la parole à quelqu'un,* lui parler. V. pr. *S'adresser à quelqu'un,* lui parler; avoir recours à lui.
adroit, e* adj. Qui a de la dextérité : *adroit de ses mains. Fig.* Rusé.
adulateur, trice adj. et n. Flatteur.
adulation n. f. Flatterie servile.
aduler v. tr. Flatter bassement.
adulte adj. et n. Qui se trouve entre l'adolescence et la vieillesse.
adultération n. f. Action d'adultérer.
adultère adj. et n. Qui viole la foi conjugale. N. m. Violation de la foi conjugale.
adultérer v. tr. (Se conj. comme *accélérer.*) Falsifier, altérer.
adultérin, e adj. Né de l'adultère.
ad valorem loc. lat. Selon la valeur.
advenir v. intr. (Ce verbe n'est usité qu'aux 3es pers. et à l'infin.) Arriver par accident. *Advienne que pourra* loc. Quelles que soient les conséquences de notre résolution.
adventif, ive adj. *Bot.* Se dit d'un organe qui se développe hors de son siège normal : *racine adventive.*
adverbe n. m. *Gramm.* Mot invariable, qui modifie le verbe, l'adjectif ou un autre adverbe.
adverbial, e*, aux adj. Qui tient de l'adverbe : *locution adverbiale.*
adversaire n. Celui, celle contre qui on a à combattre, à lutter. Concurrent, rival.
adverse adj. Contraire. *Partie adverse,* contre qui l'on plaide.
adversité n. f. Infortune.
aède n. m. Poète grec ancien.
aération n. f. Action d'aérer.

aérer v. tr. Donner de l'air.
aérien, enne adj. Formé d'air : *corps aérien.* Qui se passe dans l'air : *phénomène aérien.* Qui vit dans l'air.
aéro-club n. m. Centre de formation et d'entraînement de pilotes. Pl. des *aéro-clubs.*
aérodrome n. m. Terrain réservé aux évolutions des avions.
aérodynamique n. f. Partie de la mécanique relative au mouvement des fluides. *Abusiv.* Adj. Dont la forme est calculée pour offrir la moindre résistance à l'avancement dans un fluide.
aérogare n. f. Partie d'un aéroport réservée à la réception des voyageurs et des marchandises.
aérolithe ou **aérolite** n. m. Pierre tombée du ciel.
aéronaute n. Qui parcourt les airs en aérostat.
aéronautique adj. Relatif à la navigation aérienne. N. f. Art de la navigation aérienne.
aéronaval, e adj. Relatif à la fois à l'aviation et à la marine.
aéronef n. m. Tout appareil grâce auquel on peut voyager dans les airs.
aérophagie n. f. Déglutition d'air.
aéroplane n. m. Avion.
aéroport n. m. Ensemble, en un lieu, des installations permettant le trafic aérien.
aéroporté adj. Transporté par avion.
aéropostal adj. Relatif à la poste aérienne.
aérosol n. m. Produit chimique utilisé en inhalation sous forme de brouillard.
aérostat n. m. Ballon.
aérostation n. f. Art de construire et de diriger les aérostats.
aérostatique adj. Relatif à l'aérostation. N. f. Etude des lois de l'équilibre de l'air.
aérostier n. m. Qui manœuvre un aérostat.
affabilité n. f. Aménité, courtoisie.
affable adj. Qui a de l'affabilité.
affabulation n. f. Sens moral d'une fable. Intrigue d'un roman.
affadir v. tr. Rendre fade. Causer du dégoût. *Fig.* Rendre froid, insipide.
affadissement n. m. Action d'affadir.
affaiblir v. tr. Rendre faible.
affaiblissement n. m. Etat de ce qui est affaibli.
affaire n. f. Ce qui est à faire. Occupation. Transaction commerciale. Procès. Combat : *l'affaire a été chaude.* Duel : *une affaire d'honneur. Avoir affaire à quelqu'un,* avoir besoin de lui parler ou être en rapport avec lui. *J'en fais mon affaire,* je m'en charge. *Il fait mon affaire,* il me convient. *Se tirer d'affaire,* se procurer une position honorable, sortir d'un mauvais pas.
affairé, e adj. Qui a ou paraît avoir beaucoup à faire.
affairement n. m. Etat d'une personne affairée.
affaissement n. m. Etat de ce qui est affaissé. *Fig.* Accablement.
affaisser v. tr. Abaisser, enfoncer, courber. *Fig.* Accabler.
affaler v. tr. *Mar.* Faire descendre. *S'affaler* v. pr. *Fam.* Se laisser tomber.
affamer v. tr. Faire souffrir de la faim; priver de vivres.
affameur, euse n. et adj. Qui affame.
affectation n. f. Attribution : *affectation d'une somme.* Manque de naturel.
affecté, e adj. Non naturel. Exagéré.
affecter v. tr. Destiner à un usage : *affecter des fonds.* Faire ostentation de : *affecter l'indifférence.* Prendre une forme : *affecter une forme ronde.* Toucher, émouvoir. *S'affecter* v. pr. Etre ému : *s'affecter d'un rien.*
affectif, ive adj. Relatif aux affections de l'âme : *phénomènes affectifs.*
affection n. f. Attachement, amitié tendre : *affection filiale.* Impression : *les affections de l'âme. Méd.* Etat maladif : *affection nerveuse.*
affectionner v. tr. Aimer.
affectivité n. f. Caractère ou ensemble des phénomènes affectifs.
affectueux, euse* adj. Plein d'affection : *un enfant affectueux.*
afférent, e adj. Qui revient à chacun : *part afférente. Anat.* Qui apporte un liquide à un organe : *vaisseaux afférents.*
affermage n. m. Action d'affermer.
affermer v. tr. Donner ou prendre à ferme : *affermer une propriété.*
affermir v. tr. Rendre ferme.
affermissement n. m. Action d'affermir. Etat de la chose affermie.
affété, e adj. Plein d'afféterie.
afféterie n. f. Recherche.
affichage n. m. Action d'afficher.
affiche n. f. Avis, réclame placardés.
afficher v. tr. Poser une affiche. *Fig.* Rendre public : *afficher une liaison.* Faire parade de. *S'afficher* v. pr. Se faire remarquer.
afficheur n. m. Qui pose les affiches.
affilée (d') loc. adv. Sans s'arrêter, sans discontinuer.
affiler v. tr. Donner le fil à, aiguiser.
affiliation n. f. Association à une corporation, à une société.
affilier v. tr. (Se conj. comme *prier.*) Associer à une corporation, etc.
affinage n. m. Action d'affiner; son résultat.
affiner v. tr. Rendre plus fin, plus pur : *affiner de l'or, affiner l'esprit.*
affineur n. m. Qui affine les métaux.
affinité n. f. Lien de parenté par alliance. Conformité, rapport : *il y a affinité entre la musique et la poésie. Chim.* Tendance des corps à se combiner.
affirmatif, ive* adj. Qui affirme. *Affirmative* n. f. Proposition qui affirme.
affirmation n. f. Action d'affirmer.
affirmer v. tr. Assurer, soutenir.
affleurement n. m. Action d'affleurer.
affleurer v. tr. Mettre de niveau. V. intr. Etre au niveau de.
affliction n. f. Chagrin vif, peine.
affliger v. tr. (Se conj. comme *manger.*) Causer de l'affliction : *affliger un enfant.* Désoler : *la peste affligea le pays.*
affluence n. f. Grand concours de personnes. Grande abondance.
affluent, e n. et adj. Cours d'eau qui se jette dans un autre.
affluer v. intr. Couler vers : *le sang afflue au cœur.* Aboutir au même point. Arriver en grand nombre.
afflux n. m. Arrivée soudaine.

affolement n. m. Etat d'une personne affolée.
affoler v. tr. Troubler complètement.
affouage n. m. Droit de prendre du bois dans les forêts d'une commune.
affouiller v. tr. Creuser, dégrader : *l'eau affouille les berges.*
affranchi n. Esclave libéré.
affranchir v. tr. Rendre libre : *affranchir un esclave.* Exempter d'une charge : *affranchir une propriété.* Payer le port d'un envoi : *affranchir une lettre.* Délivrer : *affranchir de la misère.*
affranchissement n. m. Action d'affranchir. Acquittement du port.
affres n. f. pl. Angoisse.
affrètement n. m. Location (navire).
affréter v. tr. (Se conj. comme *accélérer.*) Prendre un navire en louage.
affréteur n. m. Qui loue un navire.
affreux, euse* adj. Qui cause de l'effroi. Repoussant, méchant.
affriander v. tr. Rendre friand. Attirer par un appât (au *pr.* et au *fig.*).
affrioler v. tr. Attirer, allécher par.
affront n. m. Outrage en public : *recevoir un affront.* Honte : *être l'affront des siens.*
affronter v. tr. Attaquer de front : *affronter l'ennemi. Fig. Affronter la mort.* V. pr. S'opposer : *théories qui s'affrontent.*
affubler v. tr. Accoutrer.
affût n. m. Support d'un canon. Endroit où l'on se poste pour attendre le gibier. *Etre à l'affût,* épier.
affûtage n. m. Action d'affûter.
affûter v. tr. Aiguiser un outil.
affûteur n. m. Qui aiguise les outils.
afin que ou **de,** loc. conj. ou prép. qui marque l'intention, le but.
africain, e adj. et n. De l'Afrique.
agacement n. m. Sensation irritante.
agacer v. tr. (Se conj. comme *amorcer.*) Causer de l'irritation : *agacer les nerfs. Fig. Enfant qui agace. Fig.* Faire des agaceries.
agacerie n. f. Petites manières pour attirer l'attention.
agape n. f. Repas en commun des premiers chrétiens. *Fam.* Repas.
agar-agar n. m. Sorte de glu extraite d'une algue marine des Indes.
agaric n. m. Nom de divers champignons comestibles.
agate n. f. Variété de quartz calcédoine, de couleurs vives et variées.
age n. m. Timon de charrue.
âge n. m. Durée ordinaire de la vie. Degré d'âge : *à l'âge de vingt ans, âge mûr, du même âge.* Vieillesse : *mûri par l'âge.* Nombre d'années requis : *dispense d'âge.* Epoque : *le Moyen Age, l'âge de la pierre taillée.*
âgé, e adj. Qui a tel âge. Vieux.
agence n. f. Entreprise administrée par un ou des agents. Bureaux d'une telle entreprise.
agencement n. m. Arrangement.
agencer v. tr. (Se conj. comme *amorcer.*) Ajuster, arranger.
agenda [*jin*] n. m. Carnet pour noter ce qu'on doit faire. Pl. des *agendas.*
agenouillement n. m. Action de s'agenouiller.
agenouiller (s') v. pr. Se mettre à genoux.
agent n. m. Tout ce qui agit : *la lumière et la chaleur sont des agents de la nature.* Chargé d'une fonction : *agent de police.* Celui qui s'occupe d'une chose : *agent d'affaires, d'assurances. Agent de change,* intermédiaire pour la négociation de certaines valeurs. *Agent voyer,* ancien nom des ingénieurs du service vicinal.
agglomérat n. m. Agrégation naturelle de substances minérales.
agglomération n. f. Action d'agglomérer. Etat de ce qui est aggloméré.
aggloméré n. m. Briquette de combustible en poudre agglomérée.
agglomérer v. tr. (Se conj. comme *accélérer.*) Réunir en une masse : *sable aggloméré.*
agglutinant, e adj. Se dit des langues qui procèdent par agglutination : *le hongrois est agglutinant.*
agglutination n. f. Action d'agglutiner. *Ling.* Formation de mots par adjonction d'éléments ayant une existence indépendante.
agglutiner v. tr. Coller.
aggravation n. f. Augmentation.
aggraver v. tr. Rendre plus grave, plus pesant. Augmenter.
agile* adj. Léger, dispos, souple.
agilité n. f. Légèreté, souplesse.
agio n. m. Différence entre la valeur nominale et la valeur réelle des monnaies. Escompte, change et commission du banquier sur les effets de commerce.
agiotage n. m. Spéculation excessive.
agioteur, euse n. Qui pratique l'agiotage.
agir v. intr. Faire quelque action : *il est tard pour agir.* Produire effet : *faire agir un ressort.* Poursuivre en justice : *agir civilement.* Se comporter : *agir honnêtement.* Intervenir : *agir auprès de.* Impers. *Il s'agit,* il est question de.
agissement n. m. Façon d'agir.
agitateur n. m. Qui provoque des troubles.
agitation n. f. Mouvement irrégulier. Mouvement désordonné. *Fig.* Inquiétude, trouble.
agiter v. tr. Ebranler, secouer en divers sens. *Fig.* Troubler : *agité par l'inquiétude.* Exciter. Discuter : *agiter une question.*
agneau n. m. Petit de la brebis. *Fig.* Personne douce. Fém. *Agnelle.*
agnelet n. m. Petit agneau.
agnosticisme n. m. Doctrine qui déclare l'absolu inconnaissable.
agnostique adj. et n. Relatif à l'agnosticisme. Qui en est partisan.
agonie n. f. Dernière lutte contre la mort. Fin : *l'agonie d'un monde.*
agonir v. tr. Accabler d'injures.
agoniser v. intr. Etre à l'agonie.
agoraphobie n. f. Peur morbide en traversant une place, une rue.
agrafe n. f. Crochet de métal qui joint les bords d'un vêtement. Crampon pour divers usages.
agrafer v. tr. Attacher avec une agrafe : *agrafer un manteau.*
agraire adj. Relatif aux terres.

agrandir v. tr. Rendre plus grand. Faire paraître plus grand. *Fig.* Elever : *la lecture agrandit l'esprit.*
agrandissement n. m. Accroissement, augmentation.
agrandisseur n. m. Appareil pour les agrandissements photographiques.
agréable* adj. Qui plaît. *Avoir pour agréable,* trouver bon.
agréé n. m. Homme de loi admis par un tribunal de commerce pour représenter les parties devant lui.
agréer v. tr. Recevoir favorablement : *agréer une demande.* V. intr. Plaire.
agrégat n. m. Assemblage.
agrégation n. f. Admission dans un corps. Concours donnant droit d'enseigner dans un lycée ou dans certaines facultés. Titre d'agrégé : *agrégation des lettres, de droit.* Assemblage de parties homogènes.
agrégé, e n. Celui, celle qui a été reçu à un concours d'agrégation.
agréger v. tr. (Se conj. comme *abréger.*) Admettre dans un corps.
agrément n. m. Approbation, consentement : *donner son agrément.* Qualité par laquelle on plaît. Plaisir. *Arts d'agrément,* la musique, la peinture, la danse, l'escrime, etc. Pl. Charmes, ornements.
agrémenter v. tr. Orner.
agrès n. m. pl. Tout ce qui sert à la manœuvre d'un navire. Appareils de gymnase.
agresseur n. m. Qui attaque.
agressif, ive* adj. Qui a un caractère d'agression : *ton agressif.*
agression n. f. Attaque.
agressivité n. f. Caractère agressif.
agreste adj. Rustique. Rude.
agricole adj. Adonné à l'agriculture. Relatif à l'agriculture.
agriculteur n. m. Qui cultive la terre.
agriculture n. f. Art de la culture.
agripper v. tr. Saisir avidement.
agronome n. m. Qui est versé dans la théorie de l'agriculture.
agronomique adj. Relatif à la science de l'agriculture : *institut agronomique.*
agrumes n. m. pl. Nom collectif des oranges, citrons, etc.
aguerrir v. tr. Accoutumer à la guerre. *Fig.* Accoutumer, habituer.
aguets n. m. pl. Surveillance attentive : *être aux aguets.*
aguicher v. tr. *Fam.* Attirer, agacer.
ah! interj. qui marque les impressions vives (joie, douleur, etc.).
ahurir v. tr. Troubler, étourdir.
ahurissement n. m. Etat d'une personne ahurie. Stupéfaction.
aide n. f. Secours, assistance. N. m. et f. Qui aide : *un aide bénévole. Aide de camp,* officier d'ordonnance.
aide-mémoire n. m. invar. Abrégé.
aider v. tr. Secourir, assister. V. intr. Prêter son concours à, contribuer à.
aïe! interj. de douleur.
aïeul, e n. Le grand-père, la grand-mère. Pl. des *aïeuls, aïeules.* N. m. pl. *Les aïeux,* les ancêtres.
aigle n. m. Un des plus forts oiseaux de proie. *Fig.* Homme supérieur : *aigle d'éloquence.* Insigne. N. f. Aigle femelle. Etendard : *les aigles impériales.*
aiglefin ou **églefin** n. m. Sorte de petite morue.
aiglon, onne n. Petit de l'aigle.
aigre* adj. Acide, piquant : *vin aigre. Fig.* Criard, aigu : *voix aigre.* Revêche : *femme aigre.*
aigre-doux, ce adj. Mêlé d'aigre et de doux. *Fig. : paroles aigres-douces.*
aigrefin n. m. Homme rusé, indélicat. Chevalier d'industrie.
aigrelet, ette adj. Un peu aigre.
aigrette n. f. Faisceau de plumes qui orne la tête de certains oiseaux. Panache. Bouquet de diamants. *Zool.* Sorte de héron.
aigreur n. f. Etat de ce qui est aigre. Renvoi aigre : *avoir des aigreurs. Fig. Parler avec aigreur,* dire des choses désagréables.
aigrir v. tr. Rendre aigre. *Fig.* Irriter. V. intr. Devenir aigre. V. pr. Devenir aigre, ou, au *fig.*, irritable.
aigu, ë adj. Terminé en pointe. *Fig.* Clair et perçant. Vif et cuisant. *Maladie aiguë,* à marche rapide.
aigue-marine n. f. Emeraude vert de mer. Pl. des *aigues-marines.*
aiguière [*ghi*] n. f. Vase à anse et à bec.
aiguillage [*ghui*] n. m. Manœuvre des aiguilles d'une voie ferrée.
aiguille n. f. Petite tige d'acier pointue, percée d'un trou, qui sert pour coudre : *aiguille à tapisserie.* Petite tige de métal, etc., pour divers usages : *aiguille à tricoter; l'aiguille aimantée de la boussole.* Portion de rail mobile, pour changement de voie (v. AIGUILLER).
aiguillée n. f. Longueur de fil enfilée dans l'aiguille.
aiguiller v. tr. Manœuvrer les aiguilles des rails pour changer la voie. *Fig.* Orienter : *aiguiller des recherches.*
aiguillette n. f. Cordon ferré par les deux bouts. Ornement militaire. *Fig. Cuis.* Tranche de chair effilée.
aiguilleur n. m. Qui manœuvre les aiguilles sur une voie ferrée.
aiguillon n. m. Bâton ferré pour piquer les bœufs. Dard d'insectes. Epine des plantes. *Fig.* Stimulant.
aiguillonner v. tr. Piquer avec l'aiguillon. *Fig.* Stimuler, exciter.
aiguiser [*ghi* ou *ghui*] v. tr. Rendre aigu, tranchant. Exciter : *aiguiser l'appétit.*
aiguisoir n. m. Outil à aiguiser.
ail n. m. Oignon d'une odeur très forte. Pl. des *aulx.* (En bot. : *ails.*)
aile n. f. Organe du vol chez les oiseaux, etc. Plan d'un avion. Garde-boue d'auto. *Ailes d'un moulin,* ses châssis garnis de toiles. *Ailes d'un bâtiment,* ses côtés. *Ailes d'une armée,* ses flancs. *Ailes du nez,* parois extérieures des narines.
ailé, e adj. Qui a des ailes.
aileron n. m. Extrémité de l'aile. Nageoire : *aileron de requin.*
ailleurs adv. En un autre lieu. *D'ailleurs* loc. adv. D'un autre lieu. De plus. Pour une autre cause.
ailloli n. m. Coulis d'ail finement pilé avec de l'huile d'olive.
aimable* adj. Digne d'être aimé. De nature à plaire.

aimant n. m. Oxyde de fer qui attire le fer, etc. Barreau aimanté, aiguille aimantée. *Fig.* Attrait.
aimantation n. f. Action d'aimanter.
aimanter v. tr. Communiquer à un corps la propriété de l'aimant.
aimer v. tr. Avoir de l'amour, de l'affection, de l'attachement, du goût, du penchant pour quelqu'un ou quelque chose.
aine n. f. Jonction de la cuisse et du bas-ventre.
aîné, e adj. et n. Né le premier : *fils aîné.* Plus âgé qu'un autre : *je suis son aîné de trois ans.*
aînesse n. f. Priorité d'âge entre frères et sœurs.
ainsi adv. De cette façon. Conj. De même, donc. *Ainsi que* loc. conj. Comme. *Ainsi soit-il* loc. adv. Qu'il en soit selon la volonté de Dieu!
air n. m. Fluide gazeux qui forme l'atmosphère. Vent. *Prendre l'air,* se promener. Pl. L'atmosphère.
air n. m. Manière, façon. Expression des traits : *air triste.* Ressemblance : *air de parenté. Avoir l'air,* paraître. *Prendre des airs,* affecter des manières au-dessus de son état.
air n. m. Suite de notes composant un chant.
airain n. m. Bronze.
aire n. f. Lieu où l'on bat le grain. *Géom.* Mesure d'une surface limitée. Nid des oiseaux de proie. *Mar.* Direction du vent.
airelle n. f. Genre d'arbrisseaux à baies acides, rafraîchissantes.
aisance n. f. Facilité qui se montre dans les actions, les manières, le langage. Libre jeu d'une machine, etc. Fortune suffisante : *vivre dans l'aisance. Lieux, cabinets d'aisances,* destinés aux besoins naturels.
aise n. f. Absence de gêne, commodité. *A l'aise, à son aise* loc. adv. Sans peine, sans se gêner. Pl. Commodités de la vie : *aimer ses aises.*
aise adj. Content : *être bien aise.*
aisé, e adj. Commode. Fortuné.
aisément adv. Avec aisance.
aisselle n. f. Cavité au-dessous de la jonction du bras avec l'épaule.
ajonc n. m. Arbuste épineux.
ajourer v. tr. Pratiquer des jours : *ajourer une étoffe.*
ajournement n. m. Remise d'une affaire, d'un procès à un autre jour.
ajourner v. tr. Renvoyer à un autre jour : *ajourner une cause.*
ajouter v. tr. Joindre, augmenter. *Ajouter foi,* croire.
ajustage n. m. Action d'ajuster les pièces d'une machine.
ajustement n. m. Action d'ajuster. Parure.
ajuster v. tr. Rendre juste : *ajuster une balance.* Adapter : *ajuster un couvercle.* Mettre en état de fonctionner. Viser : *ajuster un lièvre.* Disposer avec goût. Habiller, parer.
ajusteur n. m. Qui ajuste.
alaise, alèse ou **alèze** n. f. Drap plié sous le corps d'un malade.
alambic n. m. Appareil pour distiller.
alambiquer v. tr. Distiller à l'alambic. *Fig.* Rendre trop subtil.
alanguir v. tr. Rendre languissant.
alarme n. f. Cri, appel aux armes. Frayeur subite. Pl. Inquiétudes.
alarmer v. tr. Donner l'alarme. Causer de l'inquiétude, de la frayeur.
alarmiste n. et adj. Qui répand l'alarme : *propos alarmistes.*
albâtre n. m. Marbre transparent et tendre. *Fig.* Blancheur extrême.
albatros n. m. Gros oiseau palmipède des mers australes.
albinisme n. m. Anomalie caractérisée par la blancheur de la peau et des cheveux et la rougeur des yeux.
albinos n. et adj. Affecté d'albinisme.
album n. m. Registre pour vers, dessins, etc. Recueil de musique. Sorte de livre pour conserver des photographies, etc. Pl. des *albums.*
albumen n. m. Blanc d'œuf. Partie de la graine entourant l'embryon.
albumine n. f. Substance organique azotée de la nature du blanc d'œuf.
albuminoïde n. m. et adj. Qui ressemble à l'albumine.
albuminurie n. f. Présence d'albumine dans les urines.
albuminurique adj. Atteint d'albuminurie.
alcali n. m. *Chim.* Substance dont les propriétés chimiques sont analogues à celles de la soude et de la potasse. *Alcali volatil,* ammoniaque.
alcalin, e adj. Relatif aux alcalis : *sel alcalin.*
alcalinité n. f. Etat alcalin.
alcaloïde n. m. Substance organique rappelant les alcalis par ses propriétés (*morphine, nicotine*).
alcarazas n. m. Vase de terre poreux qui rafraîchit l'eau par évaporation.
alchimie n. f. Recherche chimérique de la transmutation des métaux.
alchimiste n. m. Qui s'occupait d'alchimie.
alcool n. m. Liquide obtenu par la distillation de liqueurs fermentées. Liquide analogue obtenu par distillation : *alcool méthylique.*
alcoolique adj. Qui contient de l'alcool : *liqueur alcoolique.* N. m. Personne atteinte d'alcoolisme.
alcoolisation n. f. Production, addition d'alcool dans les liquides.
alcooliser v. tr. Transformer en alcool. Ajouter de l'alcool. Rendre alcoolique. V. pr. Devenir alcoolique.
alcoolisme n. m. Maladie produite par l'abus des liqueurs alcooliques.
alcoomètre n. m. Aréomètre pour mesurer la quantité d'alcool contenue dans un liquide.
alcôve n. f. Enfoncement dans une chambre pour recevoir un ou plusieurs lits. *Fig.* Intimite conjugale.
alcyon n. m. Oiseau de mer fabuleux.
aléa n. m. Chance, hasard.
aléatoire* adj. Hasardeux.
alêne n. f. Poinçon de cordonnier.
alénois adj. m. Se dit du cresson des jardins.
alentour adv. Aux environs.
alentours n. m. pl. Environs.
alerte n. f. Alarme : *l'alerte a été vive.* Adj. Vif. Interj. Debout, garde à vous!

alerter v. tr. Donner l'alerte. Avertir de se tenir prêt.
alésage n. m. Action d'aléser. Diamètre intérieur d'un cylindre.
alèse, alèze. V. ALAISE.
aléser v. tr. Régulariser l'intérieur d'un tube : *aléser un cylindre.*
alevin n. m. Menu poisson.
alevinage n. m. Art de propager l'alevin ou d'aleviner un étang.
aleviner v. tr. Peupler un étang.
alexandrin n. m. Vers français de douze syllabes.
alezan, e n. et adj. Cheval dont la robe est fauve.
alfa n. m. Graminacée d'Algérie.
algarade n. f. Sortie brusque et peu motivée contre quelqu'un.
algèbre n. f. Science du calcul des grandeurs représentées par des lettres.
algébrique* adj. Relatif à l'algèbre.
algérien, enne adj. et n. D'Algérie.
algue n. f. Plante aquatique.
alibi n. m. Absence d'un lieu, prouvée par la présence dans un autre.
aliboron n. m. Ane. Ignorant.
alidade n. f. Règle de bois ou de métal mobile autour d'un de ses points, et dont l'une des extrémités se meut sur un cadran divisé.
aliénabilité n. f. Cessibilité.
aliénable adj. Qui peut s'aliéner.
aliénation n. f. Action d'aliéner : *aliénation d'immeubles. Fig.* Folie.
aliéné, e n. et adj. Fou, folle.
aliéner v. tr. (Se conj. comme *accélérer.*) Céder à un autre la propriété d'une chose. Rendre hostile à... : *s'aliéner les sympathies.*
aliéniste n. et adj. Médecin qui soigne les aliénés.
alignement n. m. Action d'aligner. Situation de plusieurs objets sur une ligne : *alignement de maisons.*
aligner v. tr. Ranger en ligne.
aliment n. m. Tout ce qui nourrit. *Fig. : un aliment de l'esprit.*
alimentaire adj. Propre à servir d'aliment ou à procurer l'assistance, l'entretien : *pension alimentaire.*
alimentation n. f. Action de se nourrir Approvisionnement.
alimenter v. tr. Nourrir.
alinéa n. m. Ligne dont le premier mot est en retrait. Passage commençant par cette ligne jusqu'à une autre de même disposition.
alise n. f. Fruit rouge de l'alisier, aigrelet, mais d'un goût agréable.
alisier n. m. Genre d'arbres, de la famille des rosacées.
alitement n. m. Séjour au lit.
aliter v. tr. Forcer à garder le lit.
alizé n. m. et adj. Se dit des vents réguliers qui soufflent de l'est à l'ouest entre les tropiques.
allaitement n. m. Action d'allaiter.
allaiter v. tr. Nourrir de son lait.
allant, e adj. Qui va, qui vient. Qui a de la vigueur. N. m. pl. Qui vont, qui viennent. Sing. Entrain.
allèchement n. m. Action d'allécher.
allécher v. tr. (Se conj. comme *accélérer.*) Attirer par un appât.
allée n. f. Passage étroit. Chemin bordé d'arbres. *Allées et venues,* courses réitérées.
allégation n. f. Action d'alléguer. Ce qui est allégué.
allège n. f. Embarcation servant au chargement ou au déchargement des navires. Petit mur d'appui sous la baie d'une fenêtre.
allégeance n. f. Adoucissement. *Serment d'allégeance,* serment de fidélité prêté au roi, en Angleterre.
allégement n. m. Diminution de poids, de charge.
alléger v. tr. (Se conj. comme *abréger.*) Rendre plus léger : *alléger des impôts.*
allégorie n. f. Discours figuré qui présente sous un sens littéral un sens caché. Peinture ou sculpture représentant une idée abstraite.
allégorique* adj. Qui appartient à l'allégorie : *figure allégorique.*
allègre adj. Gai, vif.
allégrement adv. D'une façon allègre.
allégresse n. f. Grande joie.
allégro adv. *Mus.* Vivement et gaiement. N. m. : *des allégros.*
alléguer v. tr. (Se conj. comme *accélérer.*) Mettre en avant, prétexter.
alléluia n. m. Mot hébreu qui signifie *louez Dieu* et marque l'allégresse.
allemand, e adj. et n. D'Allemagne.
aller v. intr. (*Je vais, tu vas, il va, nous allons, vous allez, ils vont. J'allais. J'allai. J'irai. Je suis allé. J'irais. Va, allons, allez. Que j'aille, que nous allions, que vous alliez, qu'ils aillent. Que j'allasse. Allant. Allé, e.*) Se mouvoir d'un lieu dans un autre : *aller au pas.* Conduire : *tous les chemins vont à Rome.* Marcher, avancer : *le travail ne va pas.* S'ajuster : *cet habit va mal.* Etre sur le point de : *je vais sortir.* Se porter : *comment vas-tu? Se laisser aller,* s'abandonner. Impers. *Il y va de,* il s'agit de.
aller n. m. Action d'aller : *billet d'aller et retour.*
allergie n. f. Modification apportée dans l'état de l'organisme par l'introduction d'un virus ou de certaines substances.
alliacé, e adj. D'ail : *goût alliacé.*
alliage n. m. Combinaison de métaux par la fusion. *Fig.* Mélange impur.
alliance n. f. Mariage; parenté qui en résulte. Anneau de mariage. Ligue, coalition, confédération entre Etats ou souverains. *Fig.* Union, mélange de plusieurs choses.
allié, e n. Personne unie à d'autres par parenté, par mariage. Peuple qui a un traité d'alliance avec un autre.
allier v. tr. (Se conj. comme *prier.*) Mêler, combiner, unir.
alligator n. m. Crocodile d'Amérique.
allitération n. f. Répétition de lettres, de syllabes.
allocation n. f. Action d'allouer. Secours en argent.
allocution n. f. Petite harangue.
allonge n. f. Pièce pour allonger. Crochet pour suspendre la viande.
allongé, e adj. Rendu plus long. *Mine, figure allongée,* déconfite.

allongement n. m. Augmentation de longueur : *l'allongement des jours.*
allonger v. tr. (Se conj. comme *manger.*) Rendre plus long. Porter : *allonger un coup à quelqu'un.*
allotropie n. f. Propriété qu'ont certains corps de pouvoir affecter plusieurs aspects différents.
allouer v. tr. Accorder un crédit, une indemnité, etc.
allumage n. m. Action d'allumer.
allumer v. tr. Produire, communiquer le feu, et par suite la lumière. *Fig.* Susciter : *allumer la discorde.*
allumette n. f. Brin de bois ou de carton imprégné à son extrémité d'une matière inflammable.
allumeur, euse adj. et n. Qui allume. *Fig.* Qui a une allure provocante.
allumoir n. m. Appareil pour allumer.
allure n. f. Façon de marcher. *Fig.* Manière de se conduire : *allures cavalières.* Tournure d'une chose.
allusion n. f. Mot, phrase qui évoque une personne, une chose, etc., sans la nommer : *allusion claire.*
alluvial, e adj. Qui est le produit d'une alluvion.
alluvion n. f. Dépôt laissé par un cours d'eau.
alluvionnaire adj. D'alluvion.
almanach n. m. Calendrier avec indications astronomiques, etc.
almée n. f. Danseuse égyptienne.
aloès n. m. Genre de plantes liliacées, à feuilles épaisses. Résine d'aloès.
aloi n. m. Titre légal de l'or et de l'argent. *Fig.* Qualité d'une chose : *noblesse de bon aloi.*
alors adv. En ce temps-là. En ce cas-là, *Jusqu'alors* loc. adv. Jusqu'à ce moment-là. *Alors que* loc. conj. Quand bien même. Lorsque.
alose n. f. Poisson de mer et d'eau douce, de la famille des harengs.
alouette n. f. Petit oiseau des champs à plumage gris tacheté.
alourdir v. tr. Rendre lourd.
alourdissement n. m. Etat de celui qui ou de ce qui est alourdi.
aloyau n. m. Pièce de bœuf coupée le long des reins.
alpaga n. m. Lama de l'Amérique du Sud. Etoffe faite avec son poil.
alpage n. m. Pâturage élevé.
alpenstock n. m. Long bâton ferré.
alpestre adj. Des Alpes, qui ressemble aux Alpes : *site alpestre.*
alpha n. m. Première lettre de l'alphabet grec.
alphabet n. m. Liste de toutes les lettres d'une langue. Petit livre qui contient les éléments de la lecture.
alphabétique* adj. Selon l'ordre de l'alphabet.
alpin, e adj. Qui vit, qui croît sur les Alpes.
alpinisme n. m. Pratique des ascensions.
alpiniste n. Qui fait des ascensions dans les montagnes.
alsacien, enne adj. et n. De l'Alsace.
altérable adj. Qui peut être altéré.
altération n. f. Changement en mal. Falsification : *altération des monnaies.*
altercation n. f. Vif débat.
altérer v. tr. (Se conj. comme *accélérer.*) Changer en mal. Falsifier : *altérer la vérité.* Exciter la soif.
alternance n. f. Action d'alterner. Disposition alternée.
alternateur n. m. Machine dynamo-électrique à courants alternatifs.
alternatif, ive* adj. Qui agit, qui change tour à tour : *courant électrique alternatif.*
alternative n. f. Succession de choses qui reviennent tour à tour. *Fig.* Choix : *je vous laisse l'alternative.*
alterner v. intr. Se succéder régulièrement. V. tr. Varier la culture.
altesse n. f. Titre d'honneur donné aux princes et aux princesses. Qui a ce titre.
altier, ère* adj. Fier, hautain.
altimètre n. m. Appareil pour mesurer l'altitude.
altitude n. f. Elévation d'un lieu au-dessus du niveau de la mer.
alto n. m. Grand violon. Instrument de cuivre à vent et à pistons. Pl. des *altos.*
altruisme n. m. Amour d'autrui.
altruiste n. et adj. Qui professe l'altruisme. Généreux. ANT. *Egoïste.*
aluminium n. m. Métal blanc, léger, solide, qui a l'éclat de l'argent.
alun n. m. Sulfate double d'alumine et de potasse. Sel analogue.
alunir v. i. Prendre contact avec la lune.
alunissage n. m. Action d'alunir.
alvéolaire adj. Des alvéoles.
alvéole n. m. Cellule d'abeille. *Anat.* Cavité où la dent est enchâssée.
amabilité n. f. Caractère aimable.
amadou n. m. Substance spongieuse provenant d'un agaric, et préparée pour prendre feu aisément.
amadouer v. tr. Gagner, calmer par des amabilités adroites.
amaigrir v. tr. Rendre maigre. V. intr. Devenir maigre.
amaigrissement n. m. Diminution d'embonpoint.
amalgamation n. f. Action d'amalgamer (au pr. et au fig.).
amalgame n. m. Alliage du mercure avec un autre métal. *Fig.* Mélange bizarre : *amalgame de théories.*
amalgamer v. tr. Faire un amalgame (au *pr.* et au *fig.*).
aman n. m. Octroi de la vie sauve à un ennemi (en Islam) : *demander l'aman.*
amande n. f. Fruit de l'amandier. Graine contenue dans un noyau.
amandier n. m. Arbre de la famille des rosacées, produisant l'amande.
amant, e n. Qui a de l'amour pour une personne d'un autre sexe. Qui est passionné pour.
amarante n. f. Herbe annuelle, qui donne en automne une fleur d'un pourpre velouté. Adj. invar. De la couleur de l'amarante : *des coussins amarante.*
amarrage n. m. *Mar.* Action d'amarrer. Position de ce qui est amarré.
amarre n. f. Câble pour amarrer.
amarrer v. tr. Fixer. *Mar.* Retenir au moyen d'une amarre.
amaryllis n. f. Plante bulbeuse, à belles fleurs d'odeur suave.
amas n. m. Monceau, tas.

amasser v. tr. Réunir, entasser plusieurs choses ensemble. Thésauriser.
amateur n. et adj. m. Qui a du goût, du penchant pour. *Fig.* Qui cultive la poésie, les arts, un sport, etc., sans en faire profession.
amateurisme n. m. Qualité d'un sportif non professionnel.
amazone n. f. Femme d'un courage mâle et guerrier. Femme qui monte à cheval. Longue jupe de femme pour monter à cheval.
ambages (sans) loc. adv. Franchement.
ambassade n. f. Fonctions d'ambassadeur. Hôtel et bureaux de l'ambassadeur.
ambassadeur n. m. Représentant d'un Etat près d'une puissance étrangère.
ambassadrice n. f. Femme d'ambassadeur.
ambiance n. f. Ce qui environne, entoure : *une ambiance intellectuelle.*
ambiant, e adj. Qui enveloppe.
ambidextre n. et adj. Qui se sert également bien des deux mains.
ambigu*, ë adj. Dont le sens est équivoque : *réponse ambiguë.*
ambiguïté n. f. Défaut de ce qui est ambigu.
ambitieux, euse* adj. et n. Qui a ou qui dénote de l'ambition.
ambition n. f. Désir de gloire, de fortune, etc.
ambitionner v. tr. Désirer vivement.
amble n. m. Allure d'un quadrupède qui fait mouvoir en même temps les deux jambes du même côté.
ambon n. m. *Archit.* Chaire.
ambre n. m. Substance translucide et aromatique : *l'ambre est une résine fossile. Fig. Fin comme l'ambre,* adroit, subtil. *Ambre gris,* substance musquée produite dans l'intestin du cachalot.
ambrer v. tr. Parfumer d'ambre gris.
ambroisie n. f. *Myth.* Nourriture des dieux. *Fig.* Mets exquis.
ambrosiaque adj. Qui a un parfum d'ambroisie.
ambulance n. f. Etablissement provisoire où l'on donne des soins médicaux. Voiture pour le transport des malades.
ambulancier, ère n. Personne attachée au service d'une ambulance.
ambulant, e adj. Qui va d'un lieu à un autre. N. et adj. *Post.* Qui transporte les correspondances sur les voies ferrées et en opère le tri.
ambulatoire adj. Sans siège fixe.
âme n. f. Principe de la vie. Ensemble des sentiments, de l'intelligence, de la volonté : *une âme élevée.* Habitant : *ville de vingt mille âmes.* Agent principal : *l'âme d'un complot. Chanter avec âme,* avec expression. *Rendre l'âme,* expirer.
améliorable adj. Qui peut être amélioré : *situation améliorable.*
amélioration n. f. Progrès.
améliorer v. tr. Rendre meilleur.
amen [*mèn*] n. m. invar. Mot hébreu signifiant *ainsi soit-il. Dire, répondre amen,* consentir à une chose.
aménagement n. m. Action d'aménager. Son résultat.
aménager v. tr. (Se conj. comme *manger.*) Disposer avec ordre.
amende n. f. Peine pécuniaire. *Fam. Faire amende honorable,* avouer ses torts.
amendement n. m. Changement en mieux. Modification (lois, etc.). Chaux, marne, argile, etc., qui servent à rendre une terre plus fertile.
amender v. tr. Améliorer.
amener v. tr. (Se conj. comme *mener.*) Conduire en menant. *Fig.* Introduire : *amener une mode.* Préparer, occasionner : *amener un incident. Mar. Amener les voiles, les couleurs,* les baisser, se rendre.
aménité n. f. Affabilité.
amenuiser v. tr. Rendre plus menu.
amer, ère* adj. Qui a une saveur rude et désagréable. Irritant, offensant. N. m. Ce qui est amer.
amer n. m. *Mar.* Objet fixe et remarquable servant de repère.
américain, e adj. et n. D'Amérique.
américanisation n. f. Action d'américaniser.
américaniser v. tr. Donner le caractère américain.
américanisme n. m. Manière d'être des Américains.
amerrir v. intr. Se poser sur l'eau.
amertume n. f. Saveur amère. *Fig.* Aigreur. Affliction.
améthyste n. f. Pierre précieuse de couleur violette.
ameublement n. m. Ensemble des meubles d'un appartement, etc.
ameublir v. tr. Rendre une terre plus meuble.
ameublissement n. m. Action d'ameublir.
ameuter v. tr. Assembler des chiens en meute. *Par ext.* Attrouper, soulever : *ameuter la foule.*
ami, e n. Personne avec qui on est lié d'une affection réciproque. *Fig.* Partisan.
amiable* adj. Fait par la voie de la conciliation : *partage amiable. A l'amiable* loc. adv. Par conciliation, sans procès.
amiante n. m. Minéral filamenteux qui résiste à l'action du feu.
amical, e*, aux adj. Inspiré par l'amitié : *conseils amicaux.*
amidon n. m. Fécule extraite de certaines céréales.
amidonnage n. m. Action d'amidonner.
amidonner v. tr. Enduire d'amidon. Empeser le linge.
amincir v. tr. Rendre plus mince.
amincissement n. m. Action d'amincir.
amiral n. m. Officier général dans la marine de guerre.
amirauté n. f. Dignité de grand amiral. Tribunal maritime. Administration supérieure de la marine.
amitié n. f. Attachement mutuel. Plaisir, bon office : *faites-moi l'amitié de.* Pl. Marques d'amitié.
ammoniac n. m. Gaz à l'odeur très piquante, formé d'azote et d'hydrogène combinés (NH_3).
ammoniacal, e, aux adj. *Chim.* Relatif à l'ammoniac.
ammonite n. f. Genre de coquilles fossiles, appelées *cornes d'Ammon.*
amnésie n. f. Diminution ou perte de la mémoire.
amnésique adj. et n. Qui est atteint d'amnésie.

amnistie n. f. Acte du pouvoir législatif qui efface un fait punissable, arrête les poursuites et anéantit les condamnations. Pardon général.
amnistier v. tr. Accorder une amnistie. Pardonner.
amodier v. tr. (Se conj. comme *prier.*) Affermer une terre.
amoindrir v. tr. Rendre moindre.
amoindrissement n. m. Diminution.
amollir v. tr. Rendre mou : *le feu amollit la cire. Fig.* Rendre efféminé, affaiblir.
amollissement n. m. Action d'amollir. Mollesse.
amonceler v. tr. (Prend deux *l* devant une syllabe muette : *il amoncelle.*) Accumuler, entasser.
amoncellement n. m. Entassement.
amont n. m. Partie d'un cours d'eau qui, par rapport à une autre, est plus proche de la source. *En amont de* loc. prép. Au-dessus de : *en amont de Paris.*
amoral, e, aux adj. Qui n'a pas la notion des prescriptions de la morale.
amorçage n. m. Action d'amorcer.
amorce n. f. Appât pour le poisson. Poudre qu'on mettait dans le bassinet d'une arme à feu pour enflammer la charge. Début : *amorce d'une route. Fig.* Ce qui attire.
amorcer v. tr. (Prend une cédille sous le *c* devant *a* et *o* : *il amorça, nous amorçons.*) Garnir d'une amorce. Commencer : *amorcer un travail. Fig.* Attirer par un appât.
amorphe adj. Sans forme régulière.
amortir v. tr. Rendre moins violent. *Fig. Amortir une rente,* l'éteindre en en payant le capital.
amortissable adj. Qui peut être amorti : *rente amortissable.*
amortissement n. m. Extinction graduelle d'une rente, d'une dette, etc. Affaiblissement : *amortissement d'un bruit.*
amortisseur n. m. Dispositif qui amortit les chocs, les sons, etc.
amour n. m. Elan du cœur, attachement, passion : *amour de la patrie, amour maternel.* Goût passionné : *amour des arts.*
amouracher (s') v. pr. S'éprendre d'un fol amour.
amourette n. f. Amour passager. Nom de diverses fleurs des champs.
amoureux, euse* adj. Qui aime avec amour. N. amant, amante.
amour-propre n. m. Amour de soi. Opinion avantageuse de soi. Sentiment qu'on a de sa dignité. Pl. des *amours-propres.*
amovibilité n. f. Etat de ce qui est amovible.
amovible adj. Qui peut être changé de place; qui peut être déplacé.
ampère n. m. *Phys.* Unité pratique d'intensité des courants électriques.
ampère-heure n. m. Unité électrique de quantité. Pl. des *ampères-heures.*
ampèremètre n. m. Appareil destiné à mesurer l'intensité d'un courant.
amphibie adj. Qui peut vivre dans l'air et dans l'eau.
amphibologie n. f. Ambiguïté, sens équivoque.
amphibologique* adj. Equivoque.
amphigouri n. m. Langage ou écrit embrouillé, inintelligible.
amphigourique adj. Embrouillé, inintelligible.
amphithéâtre n. m. Lieu garni de gradins, où un professeur fait son cours. Chez les Romains, vaste enceinte, avec gradins, pour les fêtes publiques. Salle de dissection. *Terrain en amphithéâtre,* qui va en s'élevant graduellement.
amphitryon n. m. Celui chez qui l'on dîne.
amphore n. f. Vase antique, de forme ovoïde et à deux anses.
ample* adj. Large, vaste. *Fig.* Copieux : *ample repas.*
ampleur n. f. Qualité de ce qui est ample.
ampliation n. f. Action de rendre plus ample. Augmentation. *Dr.* Double authentique d'un acte.
amplificateur, trice adj. Qui amplifie, exagère.
amplification n. f. Développement d'un sujet donné. Grossissement du volume apparent des objets. *Fig.* Exagération.
amplifier v. tr. (Se conj. comme *prier.*) Etendre. Exagérer.
amplitude n. f. Degré d'ampleur. Grandeur angulaire.
ampoule n. f. Petite accumulation de sérosité sous l'épiderme. Petite fiole renflée, terminée en pointe : *ampoule de sérum.* Récipient de verre, qui renferme le filament d'une lampe électrique.
ampoulé, e adj. Boursouflé, emphatique.
amputation n. f. Action d'amputer. Retranchement.
amputer v. tr. *Chir.* Couper un membre, un organe, etc.
amulette n. f. Objet auquel on attribue un effet protecteur par superstition.
amusant, e adj. Propre à amuser.
amusement n. m. Action d'amuser, de s'amuser. Ce qui amuse.
amuser v. tr. Divertir. Récréer. *Fig.* Occuper à l'aide d'artifices, abuser. Duper, repaître de vaines espérances.
amusette n. f. Petit amusement.
amuseur, euse n. Qui amuse.
amygdale n. f. *Anat.* Glande en amande, de chaque côté de la gorge.
amylacé, e adj. De la nature de l'amidon : *substance amylacée.*
an n. m. Année. *Le jour de l'an,* le 1er janvier. *Bon an, mal an,* compensation obtenue par la moyenne des bonnes et des mauvaises années.
ana n. m. invar. Recueil de bons mots.
anachorète n. m. Religieux qui vit dans la solitude.
anachronique adj. Entaché d'anachronisme.
anachronisme n. m. Faute contre la chronologie. Chose non conforme aux mœurs d'une époque.
anacoluthe n. f. *Gramm.* Changement brusque de construction dans la phrase.
anaérobie adj. Se dit d'organismes vivant dans un milieu privé d'air.
anaglyphe n. m. Ouvrage en relief. Mode de projection stéréoscopique.
anagramme n. f. Mot formé par la transposition des lettres d'un autre mot, comme GARE, RAGE.
anal, e, aux adj. Relatif à l'anus.
analgésique adj. Qui supprime la douleur.

analogie n. f. Rapport, similitude partielle d'une chose avec une autre.
analogique* adj. Qui tient de l'analogie : *raisonnement analogique.*
analogue adj. Qui a de l'analogie avec autre chose.
analphabète n. m. Qui ne sait pas lire.
analphabétisme n. m. Etat d'analphabète.
analysable adj. Qu'on peut analyser.
analyse n. f. Décomposition d'un corps, d'un tout en ses principes constituants. Résumé d'un texte, d'un discours. *Philos.* Méthode qui va du composé au simple. *Gramm.* Décomposition du discours en ses éléments. ANT. *Synthèse.*
analyser v. tr. Faire une analyse.
analytique* adj. Qui procède par analyse : *méthode analytique.*
ananas n. m. Plante de la famille des broméliacées. Fruit de l'ananas.
anapeste n. m. Pied de vers grec ou latin (deux brèves et une longue).
anaphylaxie n. f. Augmentation de la sensibilité d'un organisme à un poison.
anarchie n. f. Absence d'autorité dans un Etat. *Par ext.* Désordre, confusion.
anarchique* adj. Qui tient de l'anarchie : *situation anarchique.*
anarchiste adj. et n. Partisan de l'anarchie. Rebelle à toute autorité.
anastigmate ou **anastigmatique** adj. Dépourvu d'astigmatisme.
anathématiser v. tr. Frapper d'anathème, excommunier. Désapprouver, blâmer avec force, avec solennité.
anathème n. m. Excommunication. Blâme solennel. N. Personne anathématisée.
anatomie n. f. Etude de la structure des êtres organisés. Action de disséquer. *Fam.* Conformation du corps.
anatomique adj. Qui appartient à l'anatomie.
anatoxine n. f. Toxine rendue inoffensive et immunisante.
ancestral, e, aux adj. Relatif aux ancêtres, aux siècles écoulés.
ancêtres n. m. pl. Ceux de qui l'on descend, ceux qui ont vécu avant nous. Sing. Un, une *ancêtre.*
anche n. f. Languette vibrante de certains instruments à vent.
anchois n. m. Petit poisson de mer.
ancien, enne* adj. Qui existe depuis longtemps, antique, vieux. Qui a existé autrefois. Qui n'est plus en fonction. N. m. Personnage de l'Antiquité. Vieillard.
ancienneté n. f. Etat de ce qui est vieux, ancien. Priorité d'âge.
ancillaire adj. Relatif aux servantes.
ancrage n. m. Lieu pour ancrer.
ancre n. f. *Mar.* Instrument en fer à deux crochets, qu'on laisse tomber à la mer pour fixer un navire. Pièce d'horlogerie réglant l'échappement. Pièce de fer consolidant un mur.
ancrer v. intr. Jeter l'ancre. V. tr. Attacher avec une ancre. *Fig.* Consolider, affermir.
andalou, ouse adj. et n. De l'Andalousie.
andante adv. *Mus.* Modérément. N. m. Air de mouvement modéré.
andouille n. f. Boyau de porc rempli de tripes ou de chair de l'animal.
andouiller n. m. Petite corne ou bois du cerf, du daim, du chevreuil.
andouillette n. f. Petite andouille.
andrinople n. f. Etoffe de coton bon marché, généralement rouge.
androgyne n. m. et adj. Qui tient des deux sexes.
âne n. m. Mammifère solipède domestique. *Fig.* Homme ignorant ou entêté. *En dos d'âne,* présentant une arête médiane et deux versants opposés. *Pont aux ânes,* difficulté qui n'arrête que les ignorants.
aneantir v. tr. Détruire entièrement, réduire à néant. *Par ext.* Rendre stupéfait, confondre. Accabler de fatigue.
anéantissement n. m. Action d'anéantir. *Par ext.* Accablement.
anecdote n. f. Petit fait historique. Historiette. Petit récit piquant.
anecdotique adj. Qui tient de l'anecdote : *chronique anecdotique.*
anémie n. f. Etat morbide dû à l'appauvrissement du sang.
anémier v. tr. (Se conj. comme *prier.*) Causer l'anémie.
anémique adj. Causé par l'anémie. Atteint par l'anémie.
anémomètre n. m. *Phys.* Instrument pour mesurer la vitesse du vent.
anémone n. f. *Bot.* Genre de renonculacées. *Zool.* Genre de polypes.
ânerie n. f. *Fam.* Grande ignorance. Faute grossière.
ânesse n. f. Femelle de l'âne.
anesthésie n. f. Privation, complète ou non, de la faculté de sentir.
anesthésier v. tr. Endormir avec un anesthésique.
anesthésique adj. Qui produit l'anesthésie. N. m. : *un anesthésique.*
anévrisme n. m. Poche formée par les parois distendues d'une artère.
anfractuosité n. f. Cavité.
ange n. m. Créature céleste, dans diverses religions. *Fig.* Personne très bonne, très douce ou très belle. *Etre aux anges,* dans le ravissement.
angélique* adj. Très bon, très pur.
angélique n. f. *Bot.* Plante ombellifère très odorante.
angelot n. m. Petit ange.
angélus n. m. Prière commençant par ce mot. Sonnerie de cloche indiquant l'heure de cette prière (6 h, 12 h, 18 h).
angevin, e adj. et n. De l'Anjou.
angine n. f. Inflammation de la gorge : *angine diphtérique.*
anglais, e adj. et n. D'Angleterre. N. m. La langue anglaise. N. f. Ecriture penchée à droite. N. f. pl. Boucles de cheveux en spirale.
angle n. m. Coin, encoignure. *Géom.* Portion de plan entre deux droites qui se rencontrent et sont limitées à leur point d'intersection : *angle aigu, droit, obtus.*
anglican, e adj. Relatif à l'anglicanisme. N. Qui le professe.
anglicanisme n. m. Religion de l'Etat en Angleterre.
angliciser v. tr. Donner un air, un accent anglais. V. pr. Se façonner aux usages anglais : *s'angliciser dans sa toilette.*
anglicisme n. m. Locution propre à la langue anglaise.

anglo-arabe adj. et n. Cheval qui tient de l'anglais et de l'arabe.
anglomanie n. f. Imitation outrée des usages anglais.
anglo-normand, e adj. et n. Qui tient à la fois de l'anglais et du normand.
anglophile adj. et n. Partisan des Anglais.
anglophobie n. f. Aversion pour les Anglais.
anglo-saxon, onne adj. et n. Relatif aux Anglo-Saxons. (V. *Part. hist.*)
angoisse n. f. Douleur morale, inquiétude profonde.
angoisser v. tr. Causer de l'angoisse.
angora n. et adj. Chat, lapin, chèvre, à poil long, originaires d'Angora.
angstrœm [*ongstreum*] n. m. Unité de longueur en microphysique.
anguille n. f. Poisson d'eau douce ou de mer, en forme de serpent, à peau visqueuse. *Il y a anguille sous roche,* il se trame quelque intrigue.
angulaire adj. Qui a un ou plusieurs angles. *Pierre angulaire,* pierre qui fait l'angle d'un bâtiment et, au *fig.,* base, soutien essentiel.
anguleux, euse adj. Qui a des angles. *Visage anguleux,* visage dont les traits ont une saillie excessive.
anhydre adj. *Chim.* Sans eau.
annydride n. m. Corps qui donne naissance à un acide en se combinant avec l'eau.
anicroche n. f. Petit obstacle.
ânier, ère n. Qui conduit des ânes.
aniline n. f. Corps extrait de la houille par distillation.
animadversion n. f. Réprobation, blâme.
animal n. m. Etre organisé, doué de mouvement et de sensibilité. *Fig.* Personne grossière, brutale.
animal, e, aux adj. Qui appartient à l'animal. Propre à l'animal.
animalcule n. m. Animal très petit.
animalier n. et adj. Peintre ou sculpteur d'animaux.
animateur, trice n. et adj. Qui anime.
animation n. f. Vivacité, mouvement : *l'animation des villes.*
animé, e adj. Doué de vie. Plein d'animation : *discours animé.*
animer v. tr. Donner la vie. *Fig.* Exciter, encourager. Donner de la force, de la vigueur à.
animisme n. m. Système dans lequel l'âme est la cause première des faits vitaux.
animosité n. f. Vive disposition malveillante envers quelqu'un. Emportement où perce la malveillance.
anis n. m. Plante ombellifère odorante. Dragée faite avec sa graine.
aniser v. tr. Parfumer à l'anis.
anisette n. f. Liqueur d'anis.
ankylose n. f. Privation du mouvement d'une articulation.
ankyloser v. tr. Causer une ankylose.
annales n. f. pl. Ouvrage qui rapporte les événements année par année. Histoire.
annaliste n. m. Auteur d'annales.
annamite adj. et n. De l'Annam.
anneau n. m. Cercle de matière dure, auquel on attache quelque chose. Bague. *Fig.* Dont la forme rappelle un anneau.
annee n. f. Durée de douze mois. *Année scolaire,* temps qui s'écoule entre l'ouverture des classes et les vacances. *Année civile,* année courante de 365 jours. *Année solaire,* durée d'une révolution de la Terre autour du Soleil. *Année bissextile,* année de 366 jours.
annelé, e adj. Disposé en anneaux. *Zool.* N. m. pl. Embranchement du règne animal, comprenant les arthropodes et les vers.
annexe adj. Ce qui est relié à une chose principale. N. f. : *une annexe.*
annexer v. tr. Joindre, réunir.
annexion n. f. Action d'annexer.
annihilation n. f. Action d'annihiler.
annihiler v. tr. Réduire à rien, détruire : *annihiler un effort.*
anniversaire n. m. et adj. Qui rappelle le souvenir d'un événement arrivé à pareille date. Cérémonie commémorative.
annonce n. f. Avis d'un fait quelconque. Avis donné au public.
annoncer v. tr. (Se conj. comme *amorcer.*) Faire savoir à. Dire à haute voix le nom des visiteurs qui entrent dans un salon.
annonciation n. f. Message de l'ange Gabriel à la Vierge pour lui annoncer l'Incarnation.
annoncier n. m. Qui est chargé des annonces dans les journaux.
annotateur n. et adj. m. Qui annote.
annotation n. f. Note sur un texte.
annoter v. tr. Mettre des notes.
annuaire n. m. Recueil annuel, contenant le résumé des événements de l'année précédente et des renseignements statistiques, administratifs, etc., pour l'année. Sorte d'almanach indiquant l'état du personnel de certaines professions.
annuel, elle* adj. Qui dure un an. Qui revient chaque année.
annuité n. f. Paiement annuel.
annulaire adj. En forme d'anneau. N. m. Quatrième doigt de la main.
annulation n. f. Action d'annuler.
annuler v. tr. Rendre, déclarer nul.
anoblir v. tr. Accorder un titre de noblesse.
anoblissement n. m. Action d'anoblir.
anode n. f. Nom donné à l'électrode positive d'une pile.
anodin, e adj. et n. *Méd.* Qui apaise la douleur. Inoffensif, insignifiant.
anomalie n. f. Irrégularité.
ânon n. m. Petit âne.
ânonnement n. m. Action d'ânonner.
ânonner v. intr. Lire, parler avec peine et en hésitant.
anonymat n. m. Etat de ce qui est anonyme : *garder l'anonymat.*
anonyme* adj. Qui est sans nom d'auteur : *lettre anonyme.* N. Qui ne donne pas son nom. N. m. Anonymat.
anophèle n. m. Moustique dont la piqûre propage le paludisme.
anorak n. m. Vareuse à capuchon.
anormal, e*, aux adj. Contraire aux règles. Irrégulier.
anse n. f. Partie courbée en arc, par laquelle on prend un vase, un panier. Petite baie.
antagonisme n. m. Rivalité, lutte.
antagoniste n. et adj. Adversaire, ennemi. Opposé : *ressort antagoniste.*
antan n. m. L'année d'avant. *Les neiges d'antan,* chose à jamais disparue.

antarctique adj. Du pôle Sud.
antécédent, e adj. Qui précède. N. m. *Gramm.* Mot que remplace le pronom relatif. N. m. pl. Circonstances du passé de quelqu'un : *de bons antécédents.*
antéchrist n. m. Imposteur qui, suivant l'Apocalypse, doit venir quelque temps avant la fin du monde pour remplir la terre d'impiété.
antédiluvien, enne adj. D'avant le déluge : *animal antédiluvien.*
antenne n. f. *Mar.* Longue vergue qui soutient les voiles. Corne mobile que plusieurs insectes portent sur la tête. Long conducteur électrique employé en télégraphie sans fil.
antérieur, e* adj. Qui précède.
antériorité n. f. Priorité de temps, de date : *l'antériorité d'un brevet.*
anthère n. f. *Bot.* Petit sac de l'étamine qui renferme le pollen.
anthéridie n. f. *Bot.* Cellule où se trouvent les anthérozoïdes.
anthérozoïde n. m. Elément fécondateur des cryptogames.
anthologie n. f. Recueil de poésies, de morceaux choisis.
anthracite n. m. Charbon brûlant avec une flamme courte, sans odeur ni fumée.
anthrax n. m. Tumeur inflammatoire plus grosse que le furoncle.
anthropoïde n. et adj. Singe qui ressemble à l'homme.
anthropologie n. f. Histoire naturelle de l'homme.
anthropologiste ou **anthropologue** n. m. Qui s'occupe d'anthropologie.
anthropométrie n. f. Art de mesurer les parties du corps humain.
anthropométrique adj. De l'anthropométrie : *fiche anthropométrique.*
anthropomorphe adj. Qui a la forme, l'apparence humaine.
anthropomorphisme n. m. Croyance à des dieux de forme humaine. Tendance à attribuer à la divinité des passions semblables à celles des hommes.
anthropophage n. et adj. Qui pratique l'anthropophagie.
anthropophagie n. f. Habitude de se nourrir de chair humaine.
anthropopithèque n. m. Fossile hypothétique dans lequel on a cru voir le précurseur de l'homme.
anti, préfixe signif. *contraire, opposé à.*
antiaérien, enne adj. Destiné à attaquer du sol les avions ennemis.
antialcoolique adj. Qui combat l'abus de l'alcool : *ligue antialcoolique.*
antibiotique n. m. Substance d'origine végétale (champignons), détruisant ou paralysant certains microbes.
antichambre n. f. Pièce qui précède un appartement. *Faire antichambre,* attendre avant d'être introduit.
antichar adj. Destiné à attaquer ou à arrêter les chars.
anticipation n. f. Action d'anticiper. Empiétement. *Mus.* Manifestation prématurée d'un son appartenant à l'accord suivant. *Rhét.* Réfutation anticipée d'une objection. *Par anticipation,* par avance.
anticiper v. tr. Devancer, prévenir.
anticlérical, e, aux adj. et n. Qui est opposé au clergé.
anticléricalisme n. m. Opposition à l'influence du clergé dans les affaires publiques.
anticlinal n. m. *Géol.* Pli en voûte.
anticorps n. m. Substance défensive engendrée dans un organisme par l'introduction de substances étrangères (microbes, cellules, etc.).
anticyclone n. m. Centre de hautes pressions atmosphériques.
antidate n. f. Date antérieure à la véritable.
antidater v. tr. Mettre une antidate : *antidater un document.*
antidote n. m. Contrepoison. *Fig.* Préservatif contre.
antienne n. f. Verset qu'on annonce avant un psaume ou un cantique. Chant en l'honneur de la Vierge, à la fin des vêpres et des complies.
antihalo adj. invar. Se dit des substances propres à éviter le halo sur la plaque photographique.
antilope n. f. Genre de mammifères ruminants, comme la gazelle.
antimilitarisme n. m. Opposition à l'esprit et aux institutions militaires.
antimilitariste n. Partisan de l'antimilitarisme.
antimoine n. m. Métal d'un blanc bleuâtre, cassant, qui n'est ni ductile ni malléable.
antinomie n. f. Contradiction.
antinomique adj. Contradictoire.
antiparasite adj. et n. m. Qui s'oppose aux perturbations affectant les émissions radiophoniques ou télévisées.
antipathie n. f. Aversion, répugnance instinctive.
antipathique adj. Qui inspire de l'aversion, de la répugnance.
antiphonaire n. m. Livre d'église, contenant les diverses parties de l'office notées en plain-chant.
antiphrase n. f. *Rhét.* Locution employée par ironie et qui exprime le contraire de ce qu'on veut dire.
antipode n. m. Lieu de la Terre diamétralement opposé à un autre lieu. *Fig.* Tout à fait contraire.
antipyrine n. f. Poudre blanche, alcaline, employée comme fébrifuge.
antiquaille n. f. Vieillerie.
antiquaire n. m. Marchand d'objets anciens.
antique* adj. Relatif aux Grecs et aux Romains, ou à des civilisations contemporaines de ces peuples : *vase antique.*
antiquité n. f. Ancienneté reculée. Les Anciens. Objet d'art, monument antique : *antiquités grecques.*
antirabique adj. Se dit d'un remède contre la rage.
antirouille n. m. Substance qui préserve de la rouille ou l'enlève.
antiscorbutique adj. Propre à guérir le scorbut.
antisémite n. Ennemi des Juifs.
antisémitisme n. m. Hostilité contre les Juifs.
antisepsie n. f. Méthodes thérapeutiques contre les microbes.
antiseptique adj. Qui est propre à arrêter la pullulation microbienne.

antithèse n. f. *Rhét.* Opposition, dans une même période, de pensées, de mots de sens contraire : *la nature est* GRANDE *dans les* PETITES *choses.*

antithétique adj. Qui se rapporte à l'antithèse.

antitoxine n. f. Substance qui détruit ou annihile les toxines.

antivol n. m. Dispositif pour empêcher le vol d'un véhicule.

antonyme n. m. Mot qui a un sens opposé à celui d'un autre.

antre n. m. Caverne, tanière. Retraite des bêtes féroces. *Fig.* Lieu où l'on court un risque.

anurie ou **anurèse** n. f. Diminution, suppression de l'élimination urinaire.

anus n. m. Orifice du rectum.

anxiété n. f. Grande inquiétude.

anxieux, euse* adj. Soucieux, inquiet.

aoriste n. m. Temps de la conjugaison grecque qui indique un passé.

aorte n. f. Artère qui naît de la base du ventricule gauche du cœur et est le tronc commun des artères portant le sang rouge dans le corps.

aortite n. f. Inflammation de l'aorte.

août n. m. Huitième mois de l'année.

aoûtat n. m. Trombidion, un insecte.

apache n. m. Indien d'Amérique du Nord. *Par ext.* Bandit de grande ville.

apaisement n. m. Action d'apaiser. Etat de ce qui est apaisé.

apaiser v. tr. Adoucir, calmer.

apanage n. m. Portion du domaine que les souverains assignaient à leurs fils, à leurs frères, mais qui revenait à la couronne à la mort de ceux-ci. *Fig.* Lot. Ce qui est propre a une personne.

aparté n. m. Ce qu'un acteur dit à part soi sur la scène. Réflexion, entretien faits à l'écart.

apathie n. f. Insensibilité, indolence, mollesse, nonchalance.

apathique* adj. Indolent.

apatride n. m. Personne sans nationalité.

aperception n. f. *Philos.* Intuition. Perception immédiate.

apercevoir v. tr. Voir subitement. Découvrir, voir à une certaine distance. *S'apercevoir de, que.* V. pr. Remarquer.

aperçu n. m. Première vue d'un objet. Exposé sommaire.

apéritif, ive n. m. et adj. Qui stimule l'appétit : *vin apéritif.*

apétale adj. Qui n'a pas de pétales.

a peu près loc. adv. Environ.

à-peu-près n. m. Approximation.

apeuré, e adj. Effrayé.

aphasie n. f. Perte de la parole.

aphasique n. Atteint d'aphasie.

aphélie n. m. Point de l'orbite d'une planète le plus éloigné du soleil.

aphone adj. Sans voix.

aphonie n. f. Extinction de voix.

aphorisme n. m. Pensée énoncée en peu de mots : *tel père, tel fils.*

aphrodisiaque n. m. et adj. Qui excite à l'amour.

aphte n. m. Ulcération à la bouche.

aphteux, euse adj. De la nature de l'aphte. *Fièvre aphteuse,* fièvre épidémique des bestiaux.

api n. m. Sorte de petite pomme.

apiculteur n. m. Qui pratique l'apiculture.

apiculture n. f. Art d'élever les abeilles.

apitoiement n. m. Compassion.

apitoyer v. tr. (Se conj. comme *aboyer.*) Exciter la pitié. V. pr. Compatir : *s'apitoyer sur quelqu'un.*

aplanir v. tr. Rendre uni. *Fig.* Faire disparaître.

aplanisseur, euse n. Qui aplanit.

aplatir v. tr. Rendre plat. V. pr. *Fig.* S'abaisser.

aplatissement n. m. Action d'aplatir. Etat de ce qui est aplati. *Fig.* Abaissement.

aplatisseur n. m. Qui aplatit.

aplomb n. m. Direction verticale. Equilibre : *perdre l'aplomb. Fig.* Assurance hardie : *parler avec aplomb. D'aplomb* loc. adv. Perpendiculairement. Solidement en équilibre.

apocalypse n. f. Livre du Nouveau Testament. *Fig.* Ecrit obscur.

apocalyptique adj. Obscur, trop allégorique : *style apocalyptique.*

apocope n. f. *Gramm.* Ellipse d'une lettre à la fin d'un mot : ENCOR *pour* ENCORE.

apocryphe adj. Non authentique : *histoire apocryphe.* N. m. Faux.

apode adj. Sans pieds, sans pattes.

apogée n. m. Point de l'orbite d'un astre où il se trouve à sa plus grande distance de la terre, par opposition à PÉRIGÉE. *Fig.* Le plus haut degré d'élévation.

apologétique adj. Qui contient une apologie : *discours apologétique.*

apologie n. f. Défense, justification d'une personne, d'une chose.

apologiste n. Qui fait l'apologie de quelqu'un, de quelque chose. Docteur qui défend la foi chrétienne.

apologue n. m. Fable.

apophtegme n. m. Parole, sentence mémorable.

apophyse n. f. Protubérance osseuse servant d'attache aux muscles.

apoplectique n. et adj. Prédisposé à l'apoplexie : *tempérament apoplectique.*

apoplexie n. f. Maladie caractérisée par une hémorragie cérébrale qui suspend connaissance et mouvement.

apostasie n. f. Abandon public d'une religion. Désertion d'un parti.

apostasier v. intr. (Se conj. comme *prier.*) Faire acte d'apostasie.

apostat adj. Qui a apostasié. N. m. : *un apostat.*

aposter v. tr. Poster quelqu'un pour observer ou dans un mauvais dessein.

a posteriori loc. adv. En remontant de l'effet à la cause.

apostille n. f. Note placée à la marge ou au bas d'un écrit. Recommandation ajoutée à une lettre.

apostiller v. tr. Mettre une apostille.

apostolat n. m. Ministère d'apôtre. *Par ext.* Prédication d'une doctrine.

apostolique adj. D'apôtre. Qui émane du Saint-Siège.

apostrophe n. f. Brusque, soudaine interpellation. Signe (') qui marque la suppression des voyelles *a, e, i.*

apostropher v. tr. Interpeller.

apothème n. m. *Géom.* Perpendiculaire menée du centre d'un polygone régulier sur un des côtés. Perpendiculaire abaissée du sommet d'une pyramide régulière sur un des côtés du polygone de base.

apothéose n. f. Déification. *Fig.* Honneurs extraordinaires.

apothicaire n. m. Se disait autrefois pour PHARMACIEN. *Compte d'apothicaire,* où les prix sont exagérés.

apôtre n. m. Chacun des douze disciples de Jésus-Christ. Qui se voue à la propagation d'une doctrine. *Fig. Faire le bon apôtre,* afficher la franchise.

apparaître v. intr. (Se conj. comme *connaître.*) Devenir visible. Se montrer tout à coup.

apparat n. m. Caractère pompeux.

appareil n. m. Apprêt solennel. Machine; assemblage d'instruments : *appareil de sauvetage. Constr.* Disposition des pierres. *Chir.* Pièces nécessaires à un pansement : *appareil plâtré. Anat.* Ensemble des organes qui concourent à une fonction : *appareil digestif.*

appareillage n. m. *Mar.* Action d'appareiller.

appareiller v. tr. Mettre ensemble des choses pareilles. V. intr. *Mar.* Se disposer à partir. Partir.

apparemment adv. D'après les apparences.

apparence n. f. Ce qui apparaît au-dehors. Beaux dehors : *apparences trompeuses.* Vraisemblance, probabilité : *selon toute apparence. En apparence* loc. adv. Extérieurement.

apparent, e adj. Visible.

apparentement n. m. Rattachement d'un candidat ou d'une liste à d'autres afin d'obtenir certains avantages électoraux.

apparenter (s') v. pr. S'allier à quelqu'un.

apparier v. tr. (Se conj. comme *prier.*) Unir par paire, par couple.

appariteur n. m. Huissier d'une faculté.

apparition n. f. Manifestation subite. Séjour bref : *ne faire qu'une apparition.* Spectre, vision.

apparoir v. impers. (Usité à l'infin. et dans *il appert.*) Résulter.

appartement n. m. Logement composé de plusieurs pièces.

appartenance n. f. Dépendance.

appartenir v. intr. (Se conj. comme *tenir.*) Etre de droit à quelqu'un. Etre propre à : *la gaieté appartient à l'enfance.* Faire partie de : *appartenir à un groupe.*

appas n. m. pl. Attraits, charmes.

appât n. m. Pâture placée dans un piège ou fixée à un hameçon. *Fig.* Tout ce qui attire.

appâter v. tr. Attirer avec un appât. Donner la pâture à la volaille.

appauvrir v. tr. Rendre pauvre.

appauvrissement n. m. Etat de pauvreté où l'on tombe peu à peu.

appeau n. m. Sifflet imitant le cri des oiseaux pour les attirer.

appel n. m. Action d'appeler. Action d'appeler les conscrits sous les drapeaux : *devancer l'appel.* Recours à un juge, à un tribunal supérieur : *faire appel d'un jugement.* Signal militaire : *sonner l'appel.*

appelant, e n. et adj. Qui appelle d'un jugement. N. m. *Chass.* Oiseau captif qui attire les autres.

appeler v. tr. (Se conj. comme *amonceler.*) Inviter à venir par la voix, le geste. Convoquer : *appeler les réserves.* Citer en justice. Désigner par un nom : *appeler un enfant Louis. Fig.* Destiner à : *appeler à un poste.* V. intr. Recourir à un tribunal supérieur. V. pr. Avoir tel ou tel nom.

appellation n. f. Dénomination.

appendice [*pin*] n. m. Supplément à la fin d'un ouvrage. Prolongement d'une partie principale.

appendicite n. f. Inflammation de l'appendice du cæcum.

appentis [*pan*] n. m. Petit toit à une seule pente, petit bâtiment appuyé à un mur.

appert (il). V. APPAROIR.

appesantir v. tr. Rendre pesant, alourdir. V. pr. *Fig.* Insister sur.

appesantissement n. m. Lourdeur.

appétissant, e adj. Qui excite l'appétit ou, *au fig.,* le désir.

appétit n. m. Désir de manger.

applaudir v. tr. Battre des mains en signe d'approbation. V. intr. Approuver, louer : *applaudir a un dessein.* V. pr. Se glorifier, se féliciter.

applaudissement n. m. Approbation qui se manifeste par des battements de mains, des acclamations. Eloge.

applicable adj. Qui doit ou peut être appliqué.

application n. f. Action d'appliquer ou de s'appliquer (au *pr.* et au *fig.*).

applique n. f. Tout ce qu'on applique sur un objet pour l'orner. Candélabre fixé au mur.

appliquer v. tr. Mettre une chose sur une autre. Donner : *appliquer un coup. Fig.* Diriger avec attention : *appliquer l'oreille.* Mettre en pratique. Faire servir, adapter à. V. pr. Mettre toute son attention : *s'appliquer à bien faire.* Rapporter à soi : *s'appliquer des louanges.*

appoint n. m. Complément d'un compte : *faire l'appoint; monnaie d'appoint.*

appointements n. m. pl. Salaire fixe.

appointer v. tr. Donner des appointements : *appointer un employé.*

appointer v. tr. Tailler en pointe.

appontement n. m. Construction pour le chargement et le déchargement des navires.

apponter v. intr. Se poser sur le pont d'un porte-avions.

apport n. m. Ce qu'apporte un époux, un associé, etc., dans la communauté.

apporter v. tr. Porter à quelqu'un. Fournir. *Fig.* Alléguer, indiquer : *apporter des raisons.* Employer : *apporter des soins.*

apposer v. tr. Appliquer, mettre.

apposition n. f. Action d'apposer. Union de deux noms, dont le second qualifie le premier : *Jean lapin.*

appréciable adj. Assez important : *progrès appréciable.*

appréciation n. f. Action d'apprécier. Evaluation, jugement.

apprécier v. tr. (Se conj. comme *prier.*) Evaluer, priser. Faire cas de.

appréhender v. tr. Saisir : *appréhender un voleur.* Craindre : *appréhender la mort.*

appréhension n. f. Crainte vague. Acte par lequel l'esprit conçoit un objet.
apprendre v. tr. (Se conj. comme *prendre.*) Acquérir des connaissances, une habitude. Informer, être informé : *apprendre une nouvelle.* Enseigner.
apprenti, e n. Qui apprend un métier, une profession. *Fig.* Personne peu habile, peu exercée.
apprentissage n. m. Etat d'apprenti. Le temps passé à apprendre un métier. *Fig.* Premiers essais.
apprêt n. m. Manière d'apprêter les étoffes, les cuirs, etc. Matière qui sert à l'apprêt. Assaisonnement : *apprêt des viandes. Fig.* Affectation. Pl. Préparatifs.
apprêté, e adj. Qui a de l'apprêt. Affecté : *style apprêté.*
apprêter v. tr. Préparer. Accommoder : *apprêter un mets.*
apprivoiser v. tr. Rendre un animal moins farouche. *Fig.* Rendre une personne plus sociable. V. pr. Se familiariser.
approbateur, trice n. et adj. Qui approuve.
approbatif, ive* adj. Qui marque l'approbation : *geste approbatif.*
approbation n. f. Action d'approuver.
approchant, e adj. Voisin, presque semblable. Approximatif.
approche n. f. Action d'approcher, de s'approcher. Pl. Abords, accès.
approcher v. tr. Mettre proche. V. intr. Devenir proche.
approfondir v. tr. Rendre plus profond. *Fig.* Examiner à fond.
approfondissement n. m. Action d'approfondir (au *pr.* et au *fig.*).
appropriation n. f. Action de rendre propre à. Action de s'approprier.
approprier v. tr. (Se conj. comme *prier.*) Rendre propre à une destination. *Fig.* Conformer. V. pr. S'attribuer : *s'approprier un objet.*
approuver v. tr. Agréer une chose. Juger bon, louable.
approvisionnement n. m. Action de munir de provisions. Provisions.
approvisionner v. tr. Munir de provisions.
approximatif, ive* adj. Fait par approximation.
approximation n. f. Estimation, évaluation par à-peu-près.
appui n. m. Soutien, support.
appuyer v. tr. (Se conj. comme *aboyer.*) Soutenir par un appui. Au *pr.* et au *fig.* Appliquer. V. intr. Peser. *Fig.* Insister.
âpre* adj. Rude au goût, au toucher. *Fig.* Violent : *ton âpre.* Avide : *âpre au gain.*
après prép. A la suite. *D'après* loc. prép. Selon. Adv. Ensuite.
après-demain adv. Le second jour après celui où l'on est. N. m. invar.
après-midi n. m. ou f. invar. Partie du jour depuis midi jusqu'au soir.
âpreté n. f. Etat de ce qui est âpre. *Fig.* Sévérité, rudesse.
a priori loc. adv. En raisonnant d'après les principes, sans consulter l'expérience.
à-propos n. m. Ce qui vient en temps et lieu convenables. Pièce de circonstance.
apte adj. Propre à.
aptère adj. Sans ailes.
aptitude n. f. Disposition naturelle.
apurement n. m. Action d'apurer.
apurer v. tr. Vérifier un compte.
aquafortiste [*koua*] n. m. Graveur à l'eau-forte.
aquaplane [*koua*] n. m. Planche remorquée par un canot et sur laquelle on se tient debout.
aquarelle [*koua*] n. f. Peinture exécutée avec des couleurs délayées dans l'eau.
aquarelliste n. Peintre à l'aquarelle.
aquarium [*koua*] n. m. Réservoir où l'on entretient des plantes et des animaux d'eau douce ou d'eau salée.
aquatique [*koua*] adj. Qui croît, qui vit dans l'eau : *plante aquatique.*
aqueduc [*ak'*] n. m. Canal en maçonnerie pour conduire l'eau.
aqueux, euse [*keu, euz'*] adj. De la nature de l'eau.
aquifère [*kui*] adj. Qui porte, qui contient de l'eau : *terrains aquifères.*
aquilin, e [*ki*] adj. En bec d'aigle.
aquilon [*ki*] n. m. Vent du nord.
ara n. m. Perroquet d'Amérique.
arabe adj. et n. De l'Arabie.
arabesque adj. Propre aux Arabes. N. f. Entrelacement de feuillages et de figures : *orner d'arabesques.*
arabisant, e n. Celui qui étudie l'arabe.
arable adj. Labourable.
arachide n. f. Plante oléagineuse dont la graine est la *cacahuète.*
arachnéen, enne [*rak*] adj. Propre à l'araignée. *Fig. : fil arachnéen.*
arachnides [*rak*] n. m. pl. Classe d'animaux articulés, comprenant les araignées, scorpions, etc.
araignée n. f. Animal articulé à huit pattes. Crochet de fer pour tirer les seaux des puits. Filet ténu à mailles carrées pour prendre les petits poissons.
araire n. m. Charrue sans avant-train.
aramon n. m. Cépage du Midi (Gard).
arasement n. m. Action d'araser.
araser v. tr. Mettre de niveau les assises d'une construction. Réduire l'épaisseur d'une pièce à emboîter.
aratoire adj. Qui concerne le labour.
arbalète n. f. Arc d'acier monté sur un fût et se bandant avec un ressort.
arbalétrier n. m. Soldat armé d'une arbalète. Pièces de bois qui soutiennent un toit.
arbitrage n. m. Jugement amiable par arbitre. Sentence d'un arbitre. Opération de Bourse, consistant à remplacer une valeur par une autre.
arbitraire* adj. Qui dépend de la seule volonté. Despotique : *pouvoir arbitraire.* N. m. Despotisme.
arbitral, e*, aux adj. D'arbitre : *sentence arbitrale.*
arbitre n. m. Qui est choisi par un tribunal ou par les parties pour prononcer dans un différend. Maître absolu : *Dieu est l'arbitre de nos destinées.* Qui a une grande influence : *un arbitre de la mode. Libre arbitre,* faculté qu'a la volonté de choisir, de se déterminer.
arbitrer v. tr. Juger comme arbitre.
arborer v. tr. Hisser, déployer (drapeau, etc.). *Fam.* Faire parade de quelque chose.
arborescence n. f. Etat d'un végétal arborescent. Forme arborescente.

arborescent, e adj. Qui a le port, la forme d'un arbre.
arboriculture n. f. Culture des arbres.
arborisation n. f. Dessin naturel représentant des ramifications.
arbouse n. f. Fruit de l'arbousier.
arbousier n. m. Arbre du Midi.
arbre n. m. Végétal ligneux dont la tige ou *tronc,* fixée au sol par ses *racines,* est nue à la base et chargée de *branches* et de *feuilles* à son sommet. *Méc.* Axe de bois ou de métal, servant à transmettre le mouvement dans les machines : *arbre d'un moulin. Arbre généalogique,* arbre figuré d'où sortent les diverses branches d une famille.
arbrisseau n. m. Petit arbre qui se ramifie dès sa base.
arbuste n. m. Plante ligneuse plus petite que l'arbrisseau.
arc n. m. Arme servant à lancer des flèches. *Géom.* Portion de courbe : *arc de cercle. Archit.* Courbe fermant une baie : *arc ogival. Arc de triomphe,* monument formant un grand portique cintré.
arcade n. f. Ouverture en arc.
arcane n. m. Opération mystérieuse.
arcature n. f. Suite de petites arcades aveugles.
arc-boutant n. m. Pilier qui se termine en demi-arc, et qui sert à soutenir un mur, une voûte. Pl. des *arcs-boutants.*
arc-bouter v. tr. Soutenir par un arc-boutant. V. pr. S'appuyer.
arceau n. m. Partie cintrée d'une voûte. Petite arche.
arc-en-ciel n. m. Météore en forme d'arc, présentant les sept couleurs du spectre. Pl. des *arcs-en-ciel.*
archaïque adj. Relatif à l'archaïsme.
archaïsme [*arka*] n. m. Mot, tour de phrase vieilli. Imitation de la manière des Anciens.
archange [*kan*] n. m. Ange d'un ordre supérieur : *l'archange Gabriel.*
arche n. f. Voûte en arc : *arche de pont.* Nef de Noé. *Fam. L'arche de Noé,* maison où logent toutes sortes de gens.
archéologie [*ké*] n. f. Science des monuments et des arts antiques.
archéologique [*ké*] adj. Relatif à l'archéologie : *fouilles archéologiques.*
archéologue [*ké*] n. m. Qui s'occupe d'archéologie.
archer n. m. Soldat armé de l'arc.
archet n. m. Baguette tendue de crins pour jouer de certains instruments. Arc d'acier pour actionner un foret.
archevêché n. m. Palais d'un archevêque. Diocèse sous sa juridiction.
archevêque n. m. Prélat chef d'une province ecclésiastique.
archi, préfixe exprimant un degré extrême.
archidiacre n. m. Supérieur ecclésiastique ayant droit de visite sur les curés d'un diocèse.
archiduc n. m. Titre des princes de la maison d'Autriche.
archiduché n. m. Nom donné à tort au domaine d'un archiduc.
archiduchesse n. f. Princesse de la maison d'Autriche. Femme d'un archiduc.
archiépiscopal, e [*ki*] adj. Appartenant à l'archevêque.
archipel n. m. Groupe d'îles.
archiprêtre n. m. Titre qui donne aux curés de certaines églises une prééminence honorifique.
architecte n. m. Qui exerce l'art de l'architecture : *cabinet d'architecte.*
architectural, e, aux adj. Qui appartient à l'architecture.
architecture n. f. Art de construire, de disposer et d'orner les édifices.
architrave n. f. Partie de l'entablement qui porte immédiatement sur les chapiteaux des colonnes.
archives n. f. pl. Anciens titres, chartes, manuscrits et autres documents importants. Lieu où on les garde.
archiviste n. m. Garde des archives.
archivolte n. f. Ensemble des voussures concentriques d'un portail.
arçon n. m. Armature de la selle. *Vider les arçons,* tomber de cheval. Rameau de vigne courbé en arc. Instrument pour nettoyer la laine.
arctique adj. Septentrional, boréal.
ardemment adv. Avec ardeur.
ardent, e adj. En feu, brûlant. *Fig.* Violent, plein d'ardeur.
ardeur n. f. Chaleur extrême. *Fig.* Activité, vivacité, fougue.
ardillon n. m. Pointe de métal d'une boucle, pour arrêter la courroie.
ardoise n. f. Pierre tendre et bleuâtre, qui sert à couvrir les maisons, à faire des crayons, etc.
ardoisé, e adj. Bleu ardoise.
ardoisier, ère ou **ardoiseux, euse** adj. De la nature de l'ardoise.
ardoisière n. f. Carrière d'ardoise.
ardu, e adj. Escarpé. *Fig.* Difficile.
are n. m. Unité agraire (100 m^2).
arène n. f. Espace sablé, au centre d'un amphithéâtre. *Fig.* Terrain où se combattent les idées : *arène politique.*
arénicole adj. Qui vit dans le sable.
aréole n. f. *Méd.* Cercle rougeâtre.
aréomètre n. m. Instrument qui sert à déterminer la densité des liquides.
aréopage n. m. Ancien tribunal d'Athènes. *Fig.* Réunion de gens compétents.
arête n. f. Os de certains poissons. Angle saillant.
arêtier n. m. Pièce de charpente, qui forme l'encoignure d'un comble.
argent n. m. Métal blanc. Toute sorte de monnaie. *Fig.* Richesse.
argentan n. m. V. MAILLECHORT.
argenter v. tr. Couvrir d'une feuille d'argent ou d'un dépôt d'argent. Donner l'éclat de l'argent.
argenterie n. f. Vaisselle et autres ustensiles d'argent.
argentier n. m. Anc. surintendant des finances. Meuble propre à contenir de l'argenterie.
argentifère adj. Qui renferme de l'argent.
argentin, e adj. Qui a le son clair de l'argent : *tintement argentin.* Adj. et n. De la république Argentine.
argenture n. f. Couche d'argent appliquée sur un corps : *argenture des glaces.* Action d'argenter.
argile n. f. Terre molle, grasse.
argileux, euse adj. Qui tient de l'argile : *terre argileuse.*

argon n. m. Gaz simple qui entre pour un centième dans la composition de l'air.
argonaute n. m. Mollusque céphalopode.
argot n. m. Langue spéciale aux gueux, au bas peuple, etc. Langage particulier : *l'argot des écoles.*
argotique adj. De la nature de l'argot : *tournure argotique.*
argousin n. m. Surveillant des forçats, garde-chiourme.
arguer [*argu-é*] v. intr. Conclure.
argument n. m. Raisonnement qui appuie une affirmation. Sommaire d'un livre, d'un chapitre, etc.
argumentation n. f. Action, art d'argumenter.
argumenter v. intr. Présenter des arguments.
argus [*guss*] n. m. Surveillant incommode, espion. Espèce de papillon. Sorte de faisan.
argutie [*sî*] n. f. Subtilité.
aria n. m. *Pop.* Embarras, ennui.
aria n. f. Air, mélodie.
aride adj. Sec, stérile : *sol aride.*
aridité n. f. Sécheresse, stérilité : *aridité d'une terre, du cœur.*
ariette n. f. Air de musique légère.
aristocrate n. et adj. Partisan, membre de l'aristocratie.
aristocratie [*sî*] n. f. Classe des nobles. Gouvernement des nobles.
aristocratique* adj. De l'aristocratie.
aristotélicien, enne adj. Conforme à la doctrine d'Aristote.
arithméticien, enne n. Qui sait, qui pratique l'arithmétique.
arithmétique n. f. Science des nombres. Art de calculer. *Adjectiv.* Fondé sur l'arithmétique.
arlequin n. m. Personnage comique au vêtement formé de pièces de diverses couleurs. (Fém. : *arlequine.*) *Pop.* Restes de mets divers. Petite embarcation.
arlequinade n. f. Bouffonnerie d'arlequin. Ecrit, composition ridicule.
armagnac n. m. Eau-de-vie renommée de l'Armagnac.
armateur n. m. Qui arme ou équipe un navire à ses frais.
armature n. f. Assemblage de liens de métal soutenant les parties d'un ouvrage mécanique. *Mus.* Dièses ou bémols qui se trouvent à la clef.
arme n. f. Instrument qui sert à attaquer ou à défendre. Les différents corps de l'armée : *changer d'arme.* Pl. Métier militaire. Escrime : *faire des armes.* Emblèmes figurés sur l'écu. *Passer par les armes,* fusiller.
armé adj. m. Pourvu d'une armature de métal : *ciment armé.*
armée n. f. Ensemble des troupes régulières d'un Etat. Réunion nombreuse de troupes.
armement n. m. Action d'armer. Appareil de guerre : *armement moderne.* Equipement d'un vaisseau.
arménien, enne adj. et n. D'Arménie.
armer v. tr. Fournir d'armes. Lever des troupes. Equiper un vaisseau. Tendre le ressort d'une arme à feu. Renforcer, fortifier.
armet n. m. Casque en fer.
armistice n. m. Suspension d'armes, des hostilités, par accord mutuel.
armoire n. f. Meuble haut, fermé d'une ou deux portes.
armoiries n. f. pl. Signes, devises et ornements de l'écu d'une ville, d'une famille.
armoise n. f. Plante composée aromatique.
armorial n. m. Recueil d'armoiries.
armoricain, e adj. et n. De l'Armorique, breton.
armure n. f. Ensemble de défenses métalliques (*cuirasse, casque,* etc.). *Agric.* Appareil pour protéger les arbres. *Mus.* Syn. de ARMATURE.
armurerie n. f. Profession d'armurier. Commerce, fabrique d'armes.
armurier n. m. Qui fabrique, qui vend des armes.
arnica n. f. *Bot.* Genre de composacées employées en médecine.
aromate n. m. Toute substance végétale à l'odeur suave.
aromatique adj. Parfumé.
aromatiser v. tr. Parfumer.
arôme n. m. Odeur qui s'exhale de certaines substances.
arpège n. m. Accord dont on fait entendre les notes successivement.
arpent n. m. Ancienne mesure agraire.
arpentage n. m. Action d'arpenter.
arpenter v. tr. Mesurer la superficie des terres. *Fig.* Parcourir à grands pas : *arpenter une salle.*
arpenteur n. m. Qui arpente.
arpete n. f. *Fam.* Apprentie (mode).
arquebuse n. f. Ancienne arme à feu.
arquebusier n. m. Soldat armé d'une arquebuse. Anc. armurier.
arquer v. tr. Courber en arc. V. intr. Fléchir, se courber.
arrachage, arrachement n. m. Action d'arracher : *arrachage des betteraves; l'arrachement d'une dent.*
arrache-pied (d') loc. adv. Sans interruption.
arracher v. tr. Détacher avec effort. *Fig.* Obtenir avec peine : *arracher un mot.* Détacher : *arracher à l'oisiveté.*
arraisonnement n. m. *Mar.* Action d'arraisonner.
arraisonner v. tr. Constater l'état sanitaire, la nationalité, la composition de l'équipage d'un bateau.
arrangeant, e adj. Facile en affaires.
arrangement n. m. Action d'arranger. Conciliation.
arranger v. tr. (Se conj. comme *manger.*) Mettre en ordre. Terminer à l'amiable. *Cela m'arrange,* me convient. V. pr. Terminer à l'amiable un différend.
arrérages n. m. pl. Ce qui est dû, échu d'un revenu quelconque.
arrestation n. f. Action d'arrêter, de retenir prisonnier. Emprisonnement.
arrêt n. m. Action d'arrêter : *arrêt brusque.* Jugement : *arrêt de la Cour de cassation.* Décision, jugement. *Fig.* Saisie d'une personne ou de ses biens. *Maison d'arrêt,* prison. *Mandat d'arrêt,* ordre d'arrêter quelqu'un. *Chien d'arrêt,* qui arrête le gibier. Pl. Punition qui consiste à défendre à un officier de sortir de chez lui.

arrêté n. m. Décision de l'autorité, ordonnance : *arrêté municipal. Arrêté de compte,* règlement.
arrêter v. tr. Empêcher de marcher : *arrêter un cheval, une montre.* Appréhender, emprisonner. Fixer : *arrêter un plan.* Engager à son service : *arrêter un employé.* Déterminer. Interrompre : *arrêter une dispute. Chass. Absol.* Se dit du chien qui, après avoir approché le gibier, se tient immobile.
arrêtoir n. m. Saillie, butoir.
arrhes n. f. pl. Argent donné en gage d'une commande. *Fig.* Gage.
arrière interj. Ecartez-vous! N. m. Partie postérieure (d'un navire, d'une voiture, etc.).
arriéré, e adj. Qui est en retard (au pr. et au fig.). N. m. Ce qui reste dû.
arrière-bouche n. f. Le fond de la bouche.
arrière-boutique n. f. Pièce de plain-pied derrière la boutique. Pl. des *arrière-boutiques.*
arrière-garde n. f. Corps de troupes qui ferme la marche. Pl. des *arrière-gardes.*
arrière-goût n. m. Goût qui revient dans la bouche. Pl. des *arrière-goûts.*
arrière-grand-mère n. f. Mère du grand-père ou de la grand-mère. Bisaïeule. Pl. des *arrière-grand-mères.*
arrière-grand-père n. m. Père du grand-père ou de la grand-mère. Bisaïeul. Pl. des *arrière-grands-pères.*
arrière-neveu n. m. Le fils du neveu ou de la nièce. Pl. des *arrière-neveux.* Descendants.
arrière-pensée n. f. Pensée, intention cachée, alors qu'on en manifeste une autre. Pl. des *arrière-pensées.*
arrière-petit-fils n. m. **arrière-petite-fille** n. f. Le fils, la fille du petit-fils ou de la petite-fille. Pl. des *arrière-petits-fils,* des *arrière-petites-filles.*
arrière-petits-enfants n. m. pl. Enfants du petit-fils, de la petite-fille.
arrière-plan n. m. Ligne de perspective la plus éloignée du spectateur. Pl. des *arrière-plans.*
arriérer v. tr. (Se conj. comme *accélérer.*) Mettre en retard.
arrière-saison n. f. Fin de l'automne. Pl. des *arrière-saisons.*
arrière-train n. m. Partie d'un véhicule portée par les roues de derrière. Train postérieur d'un animal.
arrimage n. m. Action d'arrimer.
arrimer v. tr. Arranger méthodiquement et solidement une cargaison.
arrimeur n. m. Qui arrime.
arrivage n. m. Arrivée de marchandises, de matériel, par un moyen de transport quelconque. Ces marchandises mêmes.
arrivée n. f. Action d'arriver. Moment précis de cette action.
arriver v. intr. Parvenir dans un lieu : *arriver chez soi.* Atteindre à : *je n'y arrive pas.* Venir : *la nuit arrive.* V. imp. : *il m'est arrivé un malheur.*
arriviste n. Personne qui veut arriver, réussir à tout prix.
arrogamment adv. Avec arrogance.
arrogance n. f. Morgue, manières hautaines, méprisantes.
arrogant, e adj. Qui a ou qui indique de l'arrogance.
arroger (s') v. pr. (Se conj. comme *manger.*) S'attribuer : *s'arroger le droit.*
arrondir v. tr. Rendre rond. *Fig. Arrondir son bien,* l'augmenter.
arrondissement n. m. Circonscription administrative.
arrosage n. m. Action d'arroser.
arroser v. tr. Humecter par irrigation ou par aspersion. Couler à travers : *la Seine arrose Paris.*
arroseur, euse n. Personne préposée à l'arrosage. N. f. Machine à arroser.
arrosoir n. m. Ustensile pour arroser.
arrow-root [*a-ro-rout'*] n. m. Fécule comestible, tirée de diverses racines.
arsenal n. m. Fabrique et magasin d'armes et de munitions de guerre. Etablissement maritime où se construisent les bâtiments de guerre.
arséniate n. m. *Chim.* Sel dérivant de l'acide arsénique.
arsenic [*nik*] n. m. Métalloïde solide d'un gris métallique.
arsénieux, arsénique adj. m. Nom de deux acides de l'arsenic.
arsouille n. *Pop.* Vaurien, crapule.
art n. m. Manière de faire quelque chose selon les règles. Talent, habileté : *travailler avec art.* Peinture, sculpture, architecture. *Arts d'agrément,* la musique, la danse, etc.
artère n. f. Vaisseau qui porte le sang du cœur aux extrémités. *Fig.* Grande voie de communication.
arteriel, elle adj. Qui appartient aux artères : *le sang artériel.*
artériole n. f. Petite artère.
artériosclérose n. f. Durcissement des artères.
artésien, enne adj. et n. De l'Artois. *Puits artésien,* v. PUITS.
arthrite n. f. Inflammation d'une articulation.
arthritique adj. Relatif aux articulations. N. Qui est atteint d'arthrite.
arthritisme n. m. Affection caractérisée par la goutte, le diabète, etc.
arthropodes n. m. pl. Embranchement du règne animal, comprenant les insectes, arachnides, crustacés, etc.
artichaut n. m. Plante potagère.
article n. m. Division d'un traité, d'une loi, d'un contrat, etc. Tout objet de commerce : *article de mercerie. Faire l'article,* faire valoir une chose. *Gramm.* Particule qui précède un nom. *A l'article de la mort,* au dernier moment de la vie.
articulaire adj. Relatif aux articulations : *rhumatisme articulaire.*
articulation n. f. Jointure des os. Prononciation : *articulation nette.*
articulé, e adj. Qui a une ou plusieurs articulations.
articuler v. tr. Affirmer : *articuler des preuves.* Prononcer.
artifice n. m. Déguisement, fraude, ruse.
artificiel, elle* adj. Produit par art : *fleur artificielle. Fig.* Factice.
artificier n. m. Qui fait des feux d'artifice, qui s'occupe de pyrotechnie.
artificieux, euse adj. Rusé.

artillerie n. f. Partie du matériel de guerre qui comprend les canons. Le corps des artilleurs.
artilleur n. m. Soldat d'artillerie.
artisan n. m. Homme de métier. Ouvrier qui travaille seul ou avec sa famille. *Fig.* Auteur : *artisan de la paix.*
artisanal, e adj. Relatif à l'artisan.
artisanat n. m. Qualité d'artisan.
artiste n. m. Qui exerce un art libéral.
artistement adj. Avec art.
artistique* adj. Relatif aux arts.
arum [*rom*] n. m. Plante ornementale.
aryen, enne adj. Qui concerne les Aryens.
as n. m. Carte à jouer, dé, marqués d'un seul point. Unité de poids, de monnaie, de mesure des Romains. *Fig.* Le premier dans son genre.
ascendance n. f. Ensemble des générations précédentes.
ascendant, e adj. Qui va en montant, et, au *fig.*, en progressant. N. m. *Fig.* Autorité, influence : *prendre de l'ascendant.* Pl. *Dr.* Les parents dont on descend.
ascenseur n. m. Appareil pour monter les personnes ou les fardeaux.
ascension n. f. Action de grimper. Montée de Jésus-Christ au ciel. Fête qui la commémore.
ascensionnel, elle adj. Qui tend à faire monter : *force ascensionnelle.*
ascète n. Qui se consacre aux exercices de piété, aux mortifications.
ascétique* adj. Relatif à l'ascétisme.
ascétisme n. m. Vie d'ascète.
asepsie [*ass*] n. f. *Méd.* Absence ou élimination de germes infectieux.
aseptique adj. Qui tient de l'asepsie.
aseptiser v. tr. Rendre aseptique.
asexué, e adj. Sans sexe.
asiatique adj. et n. De l'Asie.
asile n. m. Lieu de refuge : *asile de vieillards. Fig.* Protection, retraite.
aspect [*pè*] n. m. Apparence d'un objet. *Fig.* Face d'une affaire.
asperge n. f. Plante potagère, de la famille des liliacées.
asperger v. tr. (Se conj. comme *manger.*) Arroser légèrement.
aspérité n. f. Rugosité. *Fig.* Rudesse.
aspersion n. f. Action d'asperger.
asphalte n. m. Bitume dont on garnit la chaussée des rues.
asphalter v. tr. Couvrir d'asphalte.
asphodèle n. m. Plante liliacée.
asphyxie n. f. Suspension ou ralentissement de la respiration.
asphyxier v. tr. (Se conj. comme *prier.*) Causer l'asphyxie, étouffer.
aspic n. m. Sorte de vipère. Viande ou poisson en gelée.
aspic n. m. Grande lavande.
aspidistra n. m. Plante liliacée à jolies feuilles fines.
aspirant n. m. Elève officier.
aspirateur n. m. Appareil qui aspire l'air, la poussière.
aspiration n. f. Action d'aspirer en faisant le vide. *Gramm.* Action de prononcer en expirant fortement. *Fig.* Mouvement de l'âme vers Dieu.
aspiré, e n. et adj. Lettre prononcée avec une forte expiration : H *aspiré.*
aspirer v. tr. Attirer l'air avec la bouche. Elever l'eau par le vide. Emettre un son avec un souffle. V. intr. Prétendre : *aspirer aux honneurs.*
aspirine n. f. Remède calmant.
assagir v. tr. Rendre sage.
assaillir v. tr. (Se conj. comme *tressaillir.*) Attaquer vivement. Importuner : *assaillir de questions.*
assainir v. tr. Rendre sain.
assainissement n. m. Action d'assainir. Son résultat.
assaisonnement n. m. Action, manière d'assaisonner. Condiment.
assaisonner v. tr. Accommoder un mets. *Fig.* Donner un agrément piquant à...
assassin n. m. Meurtrier.
assassinat n. m. Meurtre.
assassiner v. tr. Tuer. *Fig.* Fatiguer, importuner à l'excès.
assaut n. m. Attaque pour emporter une place de guerre. Combat courtois : *assaut de boxe. Fig. Faire assaut de,* rivaliser.
assèchement n. m. Action d'assécher : *l'assèchement d'un marais.*
assécher v. tr. (Se conj. comme *accélérer.*) Priver d'eau. Mettre à sec.
assemblage n. m. Action d'assembler. Réunion de plusieurs choses. *Menuis.* Manière de joindre ensemble des pièces de bois.
assemblée n. f. Réunion de personnes.
assembler v. tr. Mettre ensemble. Joindre. Convoquer, réunir.
assener v. tr. (Se conj. comme *mener.*) Porter avec violence : *assener un coup.*
assentiment n. m. Consentement.
asseoir v. tr. (*J'assieds, tu assieds, il assied, nous asseyons, vous asseyez, ils asseyent,* ou *j'assois,* etc. *J'asseyais, nous asseyions* ou *j'assoyais,* etc. *J'assis, nous assîmes. J'assiérai, nous assiérons,* ou *j'assoirai,* etc. *Assieds, asseyons,* ou *assois, assoyons,* etc. *Que j'asseye, que nous asseyions,* ou *que j'assoie, que nous assoyions,* etc. *Que j'assisse, que nous assissions. Asseyant* ou *assoyant. Assis, e.* On dit au *fig.* : *j'assois, j'assoyais, j'assoirai,* etc.) Mettre sur un siège. Poser sur quelque chose de solide. *Fig.* Etablir : *asseoir une théorie.*
assermenté, e adj. Qui a prêté serment devant une autorité.
assertion n. f. Proposition affirmée.
asservir v. tr. Réduire à l'esclavage.
asservissement n. m. Servitude.
assesseur n. m. Juge adjoint.
assez adv. En quantité suffisante. Moyennement.
assidu, e adj. Qui montre de l'assiduité.
assiduité n. f. Application; présence fréquente à un poste.
assidûment adv. Avec assiduité.
assiéger v. tr. (Se conj. comme *abréger.*) Faire le siège d'une place. *Fig.* Obséder : *assiéger de questions.*
assiette n. f. Manière d'être assis, placé. Position stable d'un corps. Pièce de vaisselle. Son contenu. *Fig.* Disposition, situation. *Fam. Assiette au beurre,* la source des profits, des faveurs.
assiettée n. f. Contenu d'une assiette.
assignat n. m. Papier-monnaie sous la Révolution française.

assignation n. f. Citation devant le juge. Attribution de fonds à un paiement.
assigner v. tr. Appeler quelqu'un en justice. Affecter des fonds à un paiement. *Fig.* Affecter, donner.
assimilation n. f. Action d'assimiler.
assimiler v. tr. Rendre semblable. Etablir une comparaison. Incorporer à l'organisme : *assimiler un aliment.*
assis, e adj. Qui est sur son séant. Situé. *Fig.* Bien établi.
assise n. f. Rang de pierres horizontales. Pl. *Cour d'assises, les assises,* tribunal qui juge les causes criminelles.
assistance n. f. Action d'assister, de secourir. Auditoire : *assistance choisie. Assistance publique,* administration publique de secours et de bienfaisance. *Assistance judiciaire,* celle qui assure aux indigents la défense gratuite en justice.
assistant, e n. Aide. Pl. Auditoire, spectateurs.
assister v. intr. Etre présent. V. tr. Secourir, aider.
association n. f. Action d'associer. Union de personnes, de choses.
associer v. tr. (Se conj. comme *prier.*) Faire entrer en participation, en communauté. Réunir, joindre.
assoiffé, e adj. Altéré (surtout au *fig.*) : *assoiffé de vengeance.*
assolement n. m. Action d'assoler.
assoler v. tr. Alterner les cultures.
assombrir v. tr. Rendre sombre.
assommant, e adj. *Fam.* Fatigant, ennuyeux a l'excès.
assommer v. tr. Tuer avec un corps pesant. Battre avec excès. *Fig.* Accabler. Importuner à l'excès.
assommoir n. m. Tout instrument qui sert à assommer. *Pop.* Débit de boissons de bas étage.
assomption n. f. Enlèvement de la Sainte Vierge au ciel par les anges. Fête qui le commémore (15 août).
assonance n. f. Rime réduite à l'identité de la voyelle accentuée.
assortiment n. m. Assemblage complet de choses, de marchandises du même genre.
assortir v. tr. Réunir des personnes, des choses qui se conviennent. Approvisionner de choses assorties.
assoupir v. tr. Endormir à demi.
assoupissement n. m. Etat d'une personne assoupie. *Fig.* Nonchalance.
assouplir v. tr. Rendre souple.
assouplissement n. m. Action d'assouplir (au pr. et au fig.).
assourdir v. tr. Rendre comme sourd. Rendre moins éclatant.
assourdissement n. m. Action d'assourdir. Son résultat.
assouvir v. tr. Rassasier pleinement.
assouvissement n. m. Action d'assouvir. Etat de ce qui est assouvi.
assujettir v. tr. Soumettre, asservir. Astreindre. Fixer.
assujettissement n. m. Action d'assujettir. Etat de soumission.
assumer v. tr. Se charger de.
assurance n. f. Confiance : *parler avec assurance.* Garantie, gage : *donner une assurance sérieuse.* Promesse formelle : *assurance de fidélité. Compagnie d'assurance,* société qui, moyennant le paiement d'une prime, garantit contre un certain risque.
assuré, e adj. Ferme, hardi : *maintien assuré.* Certain : *gain assuré.* Garanti par un contrat d'assurance.
assurément adv. Certainement.
assurer v. tr. Rendre sûr. Garantir contre un dommage : *assurer contre la grêle.* Affirmer : *assurer un fait.* Donner une certitude : *assurer du succès.* V. pr. Acquérir la certitude.
assureur n. m. Qui assure contre des risques.
assyrien, enne adj. et n. D'Assyrie.
assyriologue n. m. Qui étudie les antiquités assyriennes.
aster n. m. *Bot.* Reine-marguerite.
astérie n. f. Etoile de mer.
astérisque n. m. Signe typographique en forme d'étoile (*).
astéroïde n. m. Petite planète.
asthmatique adj. De la nature de l'asthme. Adj. et n. Affecté d'un asthme.
asthme [*asm'*] n. m. Maladie caractérisée par des accès de suffocation.
asticot n. m. Larve de mouche.
asticoter v. tr. *Fam.* Harceler.
astigmate adj. Affecté d'astigmatisme.
astigmatisme n. m. Trouble visuel dû à une inégalité de courbure du cristallin.
astiquer v. tr. Frotter, polir.
astrakan n. m. Fourrure d'agneau frisé.
astral, e, aux adj. Des astres.
astre n. m. Corps céleste.
astreindre v. tr. (Se conj. comme *craindre.*) Obliger ou assujettir à.
astringence n. f. Qualité de ce qui est astringent.
astringent, e n. m. et adj. *Méd.* Qui resserre : *l'alun est un astringent.*
astrologie n. f. Art de prédire les événements d'après les astres.
astrologue n. m. Qui s'adonne à l'astrologie.
astronaute n. Voyageur interplanétaire.
astronautique n. f. Science qui a pour objet l'étude et la réalisation de la navigation interplanétaire.
astronef n. m. Véhicule conçu pour la navigation interplanétaire.
astronome n. m. Qui s'occupe d'astronomie.
astronomie n. f. Etude des astres.
astronomique* adj. Qui concerne l'astronomie. *Fig.* Très grand, exagéré.
astuce n. f. Ruse. Finesse maligne.
astucieux, euse* adj. Qui a de l'astuce.
asymétrie n. f. Défaut de symétrie.
asymétrique adj. Sans symétrie.
asymptote n. f. *Géom.* Droite liée à une courbe dont elle s'approche indéfiniment sans pouvoir l'atteindre.
atavique* adj. Relatif à l'atavisme.
atavisme n. m. Hérédité.
atelier n. m. Lieu où travaillent des ouvriers, des artistes, etc.
atermoiement n. m. Action d'atermoyer.
atermoyer v. intr. (Se conj. comme *aboyer.*) Chercher à gagner du temps.
athée n. et adj. Qui nie l'existence de Dieu.
athéisme n. m. Doctrine des athées.

athlète n. m. Celui qui pratique l'athlétisme.
athlétique adj. Qui appartient aux athlètes.
athlétisme n. m. Ensemble des exercices sportifs, comme la course, le lancer du javelot, etc.
atlantique adj. Relatif à l'océan Atlantique : *littoral atlantique.*
atlas n. m. Première vertèbre du cou. Recueil de cartes géographiques.
atmosphère n. f. Masse d'air qui environne la terre. Poids d'une colonne de mercure de 76 cm de hauteur et 1 cm^2 de base, prise pour unité de pression.
atmosphérique adj. Relatif à l'atmosphère : *pression atmosphérique.*
atoll n. m. Ile de corail.
atome n. m. Elément d'une molécule. *Fig.* Corps très petit.
atomique adj. Relatif aux atomes. D'une énergie prodigieuse.
atomisme n. m. Système expliquant la formation de l'univers par la combinaison des atomes.
atone adj. Sans vigueur : *regard atone.* Sans accent : *voyelle atone.*
atonie n. f. Manque de vitalité.
atours n. m. pl. Toute la parure féminine.
atout n. m. Carte de la couleur supérieure.
âtre n. m. Foyer de la cheminée.
atroce* adj. Très cruel. Horrible à supporter : *douleur atroce.*
atrocité n. f. Action atroce, cruelle.
atrophie n. f. *Méd.* Dépérissement.
atrophier v. tr. (Se conj. comme *prier.*) *Méd.* Causer l'atrophie.
atropine n. f. Alcaloïde de la belladone, dilatant la pupille.
attabler (s') v. pr. Se mettre à table.
attache n. f. Ce qui attache, lien, courroie, etc. Endroit où est fixé un muscle. Poignet, cheville : *attaches fines.* Attachement, affection.
attaché n. m. Membre du personnel d'une ambassade, d'une légation.
attachement n. m. Sentiment d'affection. Application.
attacher v. tr. Joindre fortement une chose à une autre. Fixer : *le lierre s'attache aux murs. Fig.* Lier : *attacher quelqu'un à son service.* Attribuer : *attacher de l'importance. Absol.* Intéresser vivement. V. pr. S'appliquer : *s'attacher à l'étude.*
attaque n. f. Action d'attaquer, agression. *Fig.* Accès subit d'un mal.
attaquer v. tr. Assaillir. *Fig.* Provoquer. Intenter une action judiciaire. Ronger : *la rouille attaque le fer.*
attarder v. tr. Mettre en retard.
atteindre v. tr. (Se conj. comme *craindre.*) Toucher : *atteindre d'une flèche.* Joindre : *atteindre un courrier.* Parvenir à : *atteindre le but.*
atteinte n. f. Coup dont on est atteint. *Fig.* Dommage, préjudice moral.
attelage n. m. Action ou manière d'atteler. Bêtes attelées.
atteler v. tr. (Se conj. comme *amonceler.*) Attacher des animaux de trait à une voiture.
attelle n. f. Partie en bois du collier des chevaux, où les traits sont attachés. Eclisse pour fractures.
attenant, e adj. Contigu.
attendant (en) loc. prép. Jusqu'à. *En attendant que* loc. conj. Jusqu'à ce que.
attendre v. tr. Rester dans un lieu jusqu'à ce qu'arrive quelqu'un, quelque chose : *attendre le train.* V. intr. Différer : *il faut attendre. S'attendre à* v. pr. Compter sur, prévoir.
attendrir v. tr. Rendre tendre. *Fig.* Emouvoir : *attendrir les cœurs.*
attendrissement n. m. Emotion. Mouvement de tendresse, de compassion.
attendu prép. Vu, eu égard. *Attendu que* loc. conj. Vu que, puisque.
attentat n. m. Tentative criminelle.
attente n. f. Temps pendant lequel on attend.
attenter v. intr. Faire une tentative contre : *attenter à ses jours.*
attentif, ive* adj. Qui a de l'attention.
attention n. f. Application d'esprit. Prévenance, sollicitude, égard. Interj. *Attention!* soyez attentif.
attentionné, e adj. Prévenant.
attentiste n. m. Qui pratique une politique d'attente.
atténuant, e adj. Qui atténue. *Circonstances atténuantes,* qui diminuent la gravité d'un délit, etc.
atténuation n. f. Action d'atténuer.
atténuer v. tr. Diminuer : *atténuer la gravité d'un acte.*
atterrer v. tr. *Fig.* Accabler.
atterrir v. intr. Prendre terre.
atterrissage n. m. Action d'atterrir.
atterrissement n. m. Amas de terres, de sables, apportés par les eaux.
attestation n. f. Témoignage.
attester v. tr. Certifier, assurer la vérité ou la réalité d'une chose. Prendre à témoin.
atticisme n. m. Finesse du goût littéraire.
attiédir v. tr. Rendre tiède.
attifer v. tr. Parer avec affectation.
attique adj. Qui se rapporte aux anciens Athéniens.
attirail n. m. Quantité de choses nécessaires pour un usage déterminé. *Fam.* Accompagnement inutile.
attirer v. tr. Tirer à soi : *l'aimant attire le fer. Fig.* Appeler sur soi : *attirer l'attention.* Faire venir. Causer, occasionner.
attiser v. tr. Rapprocher les tisons, activer le feu. *Fig.* Exciter, allumer.
attitré, e adj. Chargé en titre d'une fonction : *dépositaire attitré.*
attitude n. f. Façon de se tenir. Manifestation extérieure de sentiments.
attouchement n. m. Action de toucher.
attractif, ive adj. Qui attire.
attraction n. f. Action d'attirer. Pl. Plaisirs, distractions.
attrait n. m. Ce qui attire : *l'attrait des plaisirs.* Penchant, inclination : *suivre son attrait.* Pl. Charmes.
attrape n. f. Piège pour les animaux. *Fam.* Ruse, apparence trompeuse. Petite tromperie faite par plaisanterie.
attrape-mouches n. m. Piège à mouches.
attrape-nigaud n. m. Ruse grossière. Pl. des *attrape-nigauds.*
attraper v. tr. Prendre à un piège. Saisir : *attraper au vol. Fig.* Tromper. Atteindre : *attraper une place.* Imiter : *attraper la ressemblance.*

attrayant, e adj. Qui attire agréablement : *manières attrayantes.*
attribuer v. tr. Assigner, conférer. *Fig.* Imputer : *attribuer au hasard.*
attribut n. m. Ce qui est propre à un être. Emblème distinctif, symbole : *les attributs de la justice. Gramm.* Adjectif ou nom rattaché au sujet par un verbe d'état (être, sembler, etc.).
attribution n. f. Action d'attribuer. Fonction, compétence : *cela dépasse mes attributions.* Rapport grammatical marqué en général par la préposition *à.*
attrister v. tr. Rendre triste, affliger.
attroupement n. m. Rassemblement : *disperser un attroupement.*
attrouper v. tr. Rassembler en troupe.
au, aux art. contractés, pour *à le, à les.*
aubade n. f. Concert donné à l'aube sous les fenêtres de quelqu'un.
aubaine n. f. Profit inespéré.
aube n. f. Première lueur du jour. Vêtement blanc des prêtres catholiques.
aube n. f. Palette d'une roue, d'une turbine.
aubépine n. f. Arbrisseau épineux de la famille des rosacées.
auberge n. f. Hôtellerie de campagne.
aubergine n. f. Fruit d'une plante solanacée comestible.
aubergiste n. Qui tient auberge.
aubier n. m. Bois tendre entre l'écorce et le cœur d'un arbre.
aucun, e adj. ou pron. indéf. Pas un.
aucunement adv. Nullement, point.
audace n. f. Grande hardiesse.
audacieux, euse* n. et adj. Qui a de l'audace.
au-dessous adv. A un point inférieur.
au-dessus adv. A un point supérieur.
au-devant adv. A la rencontre.
audience n. f. Temps fixé pour entendre quelqu'un ou pour être reçu par quelqu'un : *donner audience à un solliciteur.* Séance d'un tribunal.
auditeur, trice n. et adj. Qui écoute un discours, une lecture, etc. Fonctionnaire de la Cour des comptes, etc.
auditif, ive adj. Qui concerne l'ouïe.
audition n. f. Action d'entendre.
auditoire n. m. Régime de ceux qui écoutent un discours, etc.
auge n. f. Récipient où mangent et boivent les bestiaux, etc. Récipient de bois à l'usage des maçons. Godet d'une roue hydraulique.
augmentation n. f. Accroissement. Elévation d'un salaire.
augmenter v. tr. Accroître. Ajouter au salaire.
augure n. m. Présage : *événement de bon augure.*
augurer v. tr. Présager, conjecturer.
auguste adj. Majestueux, imposant.
aujourd'hui adv. Dans le jour où l'on est. Dans le temps présent.
aulne. V. AUNE.
aulx [ô] n. Un des pluriels de *ail.*
aumône n. f. Don fait aux pauvres.
aumônier n. m. Prêtre attaché à un établissement, etc.
aumônière n. f. Bourse en étoffe qu'on tient à la main.
aune n. f. Anc. mesure de longueur.
aune n. m. Arbre du genre bouleau.
auner v. tr. Mesurer à l'aune.
auparavant adv. D'abord, avant.
auprès adv. Proche. *Auprès de* loc. prép. Près de. En comparaison.
auquel pr. rel. V. LEQUEL.
auréole n. f. Cercle lumineux dont les peintres entourent la tête des saints. *Fig.* Gloire, prestige.
auréoler v. tr. Orner d'une auréole.
auriculaire adj. Relatif à l'oreille. Qui entend, a entendu : *témoin auriculaire.* N. m. Le petit doigt de la main.
aurifère adj. Qui renferme de l'or.
aurifier v. tr. (Se conj. comme *prier.*) Obturer une dent creuse avec de l'or.
aurochs [*roks*] n. m. Espèce de bœuf aujourd'hui éteinte.
aurore n. f. Lumière qui précède le lever du soleil. *Fig.* Commencement. *Aurore boréale,* météore lumineux qui paraît dans le ciel dans les régions arctiques.
auscultation n. f. Action d'ausculter.
ausculter v. tr. Ecouter en appliquant l'oreille sur la poitrine ou le dos.
auspices n. m. pl. Protection : *sous les auspices de. Sous d'heureux auspices,* avec espoir de succès.
aussi adv. Pareillement. De plus, en outre. De même. C'est pourquoi. Loc. conj. *Aussi bien,* car, parce que. *Aussi bien que,* de même que. *Aussi peu que,* pas plus que.
aussitôt adv. Au moment même. *Aussitôt que* loc. conj. Dès que.
austère* adj. Rigoureux, sévère.
austérité n. f. Rigueur. Mortification.
austral, e, als ou **aux** adj. Méridional.
australien, enne adj. et n. De l'Australie.
autan n. m. Vent impétueux.
autant adv. marquant égalité de quantité. Loc. conj. *Autant que,* dans la proportion ou de la même manière que; *d'autant que,* vu que. Loc. adv. : *D'autant,* dans la même proportion; *tout autant,* autant que : *d'autant plus, d'autant moins,* expriment l'augmentation ou la diminution de la proportion.
autarcie n. f. Etat d'un pays qui vit sur ses propres ressources, sans emprunts à l'étranger.
autel n. m. Table pour les sacrifices. Table consacrée où se dit la messe.
auteur n. m. Qui cause une chose. Inventeur. Ecrivain qui a fait une œuvre quelconque.
authenticité n. f. Qualité de ce qui est authentique.
authentifier v. tr. Affirmer l'authenticité de quelque chose.
authentique* adj. Revêtu des formes légales requises : *acte authentique.* Certain, vrai.
auto n. f. Automobile.
autobiographie n. f. Vie d'un personnage écrite par lui-même.
autobus n. m. Grande auto de transport en commun.
autocar n. m. Grande auto de tourisme.
autochenille n. f. Automobile montée sur chenille.
autochtone n. et adj. Originaire du pays qu'il habite.
autoclave n. m. et adj. Marmite pour la cuisson en vase clos. Appareil pour la stérilisation chirurgicale.
autocrate n. m. Souverain absolu.

autocratie n. f. Gouvernement d'un souverain absolu.
autocratique* adj. Relatif à l'autocratie : *monarchie autocratique.*
autodafé n. m. Supplice du feu qu'ordonnait l'Inquisition.
autodétermination n. f. Action de décider par soi-même.
autodidacte n. et adj. Qui s'est instruit lui-même.
autogène adj. Se dit de la soudure de deux métaux par fusion partielle au chalumeau.
autogire n. m. Avion à hélice horizontale.
autographe n. et adj. Ecrit de la main de l'auteur.
automate n. m. Machine qui imite le mouvement d'un corps animé.
automatique* adj. Qui tient de l'automate. *Fig.* : *geste automatique.*
automatisme n. m. Caractère de ce qui est automatique, machinal.
automnal, e adj. D'automne.
automne n. m. Saison de l'année (22 septembre au 21 décembre).
automobile adj. Qui se meut de soi-même. N. f. Voiture actionnée par un moteur.
automobilisme n. m. Tout ce qui concerne les automobiles.
automobiliste n. Conducteur d'automobile.
automoteur, trice adj. Qui se meut de soi-même : *voiture automotrice.*
autonome adj. Qui possède l'autonomie.
autonomie n. f. Liberté de se gouverner par ses propres lois.
autopropulsion n. f. Caractère d'engins qui se propulsent par leurs propres moyens.
autopsie n. f. *Méd.* Ouverture et examen d'un cadavre.
autorail n. m. Automotrice sur pneus pour voie ferrée.
autorisation n. f. Action d'autoriser. Ecrit constatant l'autorisation.
autoriser v. tr. Donner pouvoir. Accorder permission. *S'autoriser de* v. pr. S'appuyer sur.
autoritaire n. et adj. Qui agit d'autorité.
autoritarisme n. m. Caractère, système autoritaire.
autorité n. f. Puissance légitime. Influence morale : *homme de grande autorité.* Auteur, opinion dont on s'autorise. *D'autorité,* sans consulter personne, sans ménagement. Pl. Représentants du pouvoir.
autoroute ou **autostrade** n. f. Route réservée aux autos.
auto-stop n. m. Pratique consistant à arrêter un automobiliste pour obtenir de lui d'être transporté gratuitement.
autosuggestion n. f. Suggestion que l'on exerce sur soi-même.
autour adv. Dans l'espace environnant. Marque aussi le voisinage. *Fam.* Environ. *Tout autour* loc. adv. De tous côtés.
autre adj. indéf. Distinct, différent, second. *Autre part,* ailleurs. *D'autre part,* en outre. *De temps à autre,* parfois. Pron. indéf. : *un autre, les autres.*
autrefois adv. Anciennement.
autrement adv. D'une autre façon. Sinon.
autrichien, enne adj. et n. De l'Autriche.
autruche n. f. Grand oiseau coureur.
autrui pron. indéf. Les autres, le prochain : *le bien d'autrui.*
auvent n. m. Petit toit en saillie.
auvergnat, e adj. et n. D'Auvergne.
auxiliaire* adj. et n. Qui aide. *Gramm. Verbes auxiliaires,* les verbes *avoir* et *être.*
avachir (s') v. pr. *Fam.* Se déformer. *Fig.* Perdre son énergie.
avachissement n. m. Etat de ce qui est avachi.
aval n. m. Garantie donnée sur un effet de commerce par un tiers. (Pl. des *avals.*) Le côté vers lequel descend la rivière. *En aval de* loc. adv. En dessous de.
avalanche n. f. Masse considérable de neige, qui se détache des montagnes.
avaler v. tr. Faire descendre par le gosier jusque dans l'estomac. *Fig.* et *fam.* Croire sottement. Supporter : *avaler un affront.*
avaliser v. tr. Revêtir d'un aval.
avance n. f. Partie de bâtiment en saillie. Paiement anticipé : *verser une avance. Fig.* Pl. Première démarche : *faire des avances.* Loc. adv. *D'avance, par avance,* par anticipation; *en avance,* avant l'heure.
avancé, e adj. Mis en avant : *poste avancé.* Enoncé, affirmé : *prouver les faits avancés.* Payé avant le terme : *somme avancée.* Presque terminé : *ouvrage très avancé.* Qui devance les autres dans la voie du progrès, etc. : *civilisation avancée.* Qui est plus à gauche que les autres : *partis avancés.* Près de se gâter : *viande avancée.*
avancement n. m. Action d'avancer. Progrès, succès, élévation en grade.
avancer v. tr. (Se conj. comme *amorcer.*) Porter en avant : *avancer la tête.* Payer par anticipation. *Fig.* Hâter : *avancer son travail.* Mettre en avant : *avancer une idée.* V. intr. Aller en avant. Aller trop vite : *la montre avance.* Sortir de l'alignement : *mur qui avance.* Faire des progrès. Approcher du terme.
avanie n. f. Affront public.
avant, prép. ou adv. marquant une priorité de temps, d'ordre ou de lieu. *En avant* loc. adv. Devant.
avant n. m. La partie antérieure. Dans les sports d'équipe, joueur qui fait partie de la ligne d'attaque.
avantage n. m. Ce qui est profitable. Ce qui donne quelque supériorité. Succès, victoire.
avantager v. tr. (Se conj. comme *abréger.*) Favoriser.
avantageux, euse* adj. Qui produit des avantages. Qui sied bien.
avant-bras n. m. Partie du bras qui va du coude au poignet.
avant-corps n. m. Partie d'une construction en saillie.
avant-coureur adj. et n. Qui précède quelqu'un. *Fig.* Tout ce qui annonce un événement proche. Pl. des *avant-coureurs.*
avant-dernier, ère adj. et n. Qui est avant le dernier. Pl. des *avant-derniers.*
avant-garde n. f. Première ligne d'une armée, d'une flotte, etc. Pl. des *avant-gardes.*
avant-goût n. m. Goût qu'on a par avance. Pl. des *avant-goûts.*
avant-hier loc. adv. Avant-veille.
avant-port n. m. Petit port à l'entrée d'un grand. Pl. des *avant-ports.*

avant-poste n. m. Poste placé en avant. Pl. des *avant-postes.*
avant-projet n. m. Rédaction préparatoire d'un projet. Pl. des *avant-projets.*
avant-propos n. m. Préface, introduction en tête d'un livre.
avant-scène n. f. Partie antérieure de la scène d'un théâtre. Loge près de la scène. Pl. des *avant-scènes.*
avant-train n. m. Roues de devant et timon d'une voiture. Pl. des *avant-trains.*
avant-veille n. f. Le jour qui est avant la veille. Pl. des *avant-veilles.*
avare* adj. et n. Qui aime l'argent et se plaît à l'accumuler.
avarice n. f. Attachement excessif à l'argent.
avaricieux, euse* adj. Qui lésine.
avarie n. f. *Mar.* Dommage arrivé à un navire ou à sa cargaison. Détérioration d'un véhicule.
avarier v. tr. (Se conj. comme *prier.*) Endommager, gâter (marchandises).
avatar n. m. Dans l'Inde, incarnation d'un dieu. *Par anal.* Métamorphose, nouvel état de quelqu'un.
à vau-l'eau loc. adv. Au courant de l'eau. *Fig.* A la dérive.
ave ou **ave Maria** n. m. invar. Prière catholique à la Vierge.
avec prép. En même temps que. En compagnie de. Au moyen de. Envers. Malgré, sauf.
aven [*vèn*] n. m. Gouffre.
avenant n. m. Acte modificatif d'une police d'assurance.
avenant, e adj. Qui arrive à quelqu'un. Qui plaît, a bonne grâce. Qui s'accorde avec : *le reste à l'avenant.*
avenement n. m. Elévation à une dignité : *avènement au trône.*
avenir n. m. Temps futur. *Fig.* Belle situation future. Postérité. *A l'avenir* loc. adv. Désormais.
avent n. m. Temps destiné par l'Eglise pour se préparer à la Noël.
aventure n. f. Evénement inopiné, fortuit, surprenant. Entreprise extraordinaire. *La bonne aventure,* la prédiction de l'avenir. Loc. adv. *A l'aventure,* sans dessein arrêté ; *par aventure, d'aventure,* par hasard.
aventurer v. tr. Hasarder, risquer.
aventureux, euse* adj. Qui s'expose, se hasarde. Abandonné au hasard.
aventurier, ère n. Qui court les aventures. Qui vit d'intrigues.
avenu, e adj. Ne s'emploie que dans *non avenu,* considéré comme nul.
avenue n. f. Allée d'arbres. Grande voie plantée d'arbres.
avéré, e adj. Vérifié et reconnu comme vrai : *c'est un fait avéré.*
averse n. f. Pluie subite, abondante et de peu de durée. V. VERSE.
aversion n. f. Vive antipathie.
averti, e adj. Expérimenté, avisé.
avertir v. tr. Informer, prévenir.
avertissement n. m. Avis.
avertisseur adj. et n. m. Qui avertit.
aveu n. m. Action d'avouer. Consentement, approbation. Témoignage. *Homme sans aveu,* dont personne ne garantit l'honorabilite.
aveuglant, e adj. Qui éblouit.
aveugle adj. et n. Privé de la vue. *Fig.* Qui manque de jugement : *être aveugle sur ses défauts. Archit.* Se dit d'une fenêtre, etc., murée.
aveuglement n. m. *Fig.* Manque de prudence.
aveuglément adv. Sans discernement.
aveugle-né, e n. et adj. Aveugle de naissance. Pl. des *aveugles-nés.*
aveugler v. tr. Priver de la vue. *Fig.* Eblouir. Oter l'usage de la raison : *la colère l'aveugle.* Boucher une ouverture.
aveuglette (à l') loc. adv. A tâtons, sans y voir. *Fig.* Au hasard.
aveulir v. tr. Rendre veule.
aveulissement n. m. Veulerie.
aviateur, trice n. Qui pratique l'aviation.
aviation n. f. Navigation en avion.
aviculteur n. m. Eleveur d'oiseaux.
aviculture n. f. Elevage d'oiseaux.
avide* adj. Qui a un désir immodéré de. Cupide, insatiable. Vorace.
avidité n. f. Désir ardent et insatiable. Convoitise. Gloutonnerie.
avilir v. tr. Déprécier. Rendre vil.
avilissement n. m. Etat d'une personne, d'une chose avilie.
aviné, e adj. Qui est dans l'ivresse.
avion n. m. Machine de transport aérien, mue par un moteur à hélice ou à réaction.
aviron n. m. Rame d'embarcation.
avis n. m. Opinion, sentiment. Délibération, vote. Conseil, avertissement : *avis au public, au lecteur.*
aviser v. tr. Apercevoir : *aviser quelqu'un dans la rue.* Avertir, donner avis. V. intr. Réfléchir à ce qu'on doit faire. V. pr. Avoir tout à coup l'idée de : *s'aviser de sortir.*
aviso n. m. Navire chargé de porter des ordres, etc., d'effectuer des reconnaissances.
aviver v. tr. Rendre plus ardent, plus éclatant. Envenimer, irriter : *aviver une douleur.*
avocat n. m. Qui fait profession de plaider en justice. *Fig.* Intercesseur : *se faire l'avocat de quelqu'un auprès de... Avocat général,* officier du ministère public.
avoine n. f. Graminacée dont le grain sert à la nourriture des chevaux.
avoir v. tr. (*J'ai, tu as, il a, nous avons, vous avez, ils ont. J'avais, nous avions. J'eus, nous eûmes. J'aurai, nous aurons. J'aurais, nous aurions. Aie, ayons, ayez. Que j'aie, que nous ayons. Que j'eusse, que nous eussions. Ayant. Eu, e.*) Posséder : *avoir un livre.* Eprouver : *avoir faim.* Etre d'une dimension de. *Avoir à,* devoir. *Impers. Il y a,* il est, il existe.
avoir n. m. Ce qu'on possède. Partie d'un compte où l'on porte les sommes dues : *le Doit et l'Avoir.*
avoisiner v. tr. Etre voisin.
avortement n. m. Action d'avorter. *Fig.* Insuccès.
avorter v. intr. Accoucher avant terme. *Bot.* Ne pas mûrir. *Fig.* Ne pas réussir.
avorton n. m. Animal venu avant terme. *Fam.* Petit homme mal fait.
avoué n. m. Officier ministériel chargé de diriger les procédures pour les parties devant les tribunaux.

avouer v. tr. Confesser, reconnaître. Reconnaître comme sien.
avril n. m. Quatrième mois de l'année. *Poisson d'avril,* attrape.
axe n. m. Principal diamètre d'un corps. Pièce qui passe par le centre d'un corps et le fait tourner sur lui-même.
axiome n. m. Vérité évidente par elle-même. Proposition générale.
axonge n. f. Saindoux.
ayant droit n. m. Qui a des droits à quelque chose. Pl. des *ayants droit.*
azalée n. f. Plante à fleurs de couleurs variées, sans parfum.
azimut [*ut'*] n. m. Angle que fait un plan vertical fixe avec un plan vertical passant par un corps céleste.
azotate n. m. *Chim.* Sel de l'acide azotique ; nitrate.
azote n. m. *Chim.* Gaz simple, incolore, inodore et insipide (N).
azoté, e adj. *Chim.* Qui contient de l'azote.
azotique adj. Acide nitrique, eau-forte.
aztèque adj. Relatif aux Aztèques. N. *Pop.* Individu chétif ; avorton.
azur n. m. Couleur bleue. L'air, le ciel.
azurer v. tr. Teindre en bleu.
azyme adj. Sans levain.

B

b n. m. Deuxième lettre de l'alphabet ; la première des consonnes.
baba n. m. Gâteau imbibé de rhum.
babeurre n. m. Petit-lait qui reste après le barattage de la crème.
babil n. m. Bavardage enfantin.
babillage n. m. Babil.
babillard, e adj. et n. Qui babille.
babiller v. intr. Bavarder d'une manière futile, enfantine.
babine n. f. Lèvre pendante.
babiole n. f. Jouet d'enfant. *Fig.* Chose menue, bagatelle.
bâbord n. m. Côté gauche d'un navire, quand on regarde vers l'avant.
babouche n. f. Pantoufle orientale en cuir, sans quartier ni talon.
babouin n. m. Espèce de gros singe d'Afrique. *Fam.* Enfant turbulent.
baby [*bébi*] n. m. Syn. angl. de BÉBÉ.
babylonien, enne adj. et n. De Babylone ou de Babylonie.
bac n. m. Bateau long et plat qui sert à passer un cours d'eau. Grand baquet de bois.
baccalauréat n. m. Premier grade universitaire.
baccara n. m. Jeu de cartes.
baccarat n. m. Cristal de la manufacture de Baccarat.
bacchanale n. f. Fête païenne en l'honneur de Bacchus. *Fam.* Orgie.
bacchante n. f. Prêtresse de Bacchus. *Fig.* Femme sans retenue.
bâche n. f. Pièce de cuir ou de grosse toile pour abriter les chargements des voitures, etc.
bachelier, ère n. Qui a été reçu au baccalauréat.
bâcher v. tr. Couvrir d'une bâche.
bachique adj. Relatif à l'ivresse.
bachot n. m. Petit bateau. *Fam.* Baccalauréat.
bacillaire adj. *Méd.* Se dit des maladies produites par un bacille.
bacille [*sil*] n. m. Organisme microscopique en forme de bâtonnet.
bâcler v. tr. Faire à la hâte *Fig. C'est une affaire bâclée,* terminée.
bactéricide adj. Se dit des substances qui détruisent les bactéries.
bactérie n. f. Syn. de MICROBE.
bactérien, enne adj. Relatif aux bactéries : *maladie bactérienne.*
bactériologie n. f. Microbiologie.
bactériologiste ou **bactériologue** n. m. Qui s'occupe de bactériologie.
bactériophage n. m. Microbe capable de détruire certaines bactéries.
badaud, e n. et adj. Qui perd son temps à regarder, à écouter.
badauder v. intr. Faire le badaud.
badauderie n. f. Caractère, action, discours de badaud.
baderne n. f. Personne, chose vieille, hors de service.
badiane n. f. Anis étoilé.
badigeon n. m. Couleur en détrempe, dont on peint les murs.
badigeonnage n. m. Action de badigeonner.
badigeonner v. tr. Peindre un mur avec du badigeon. Enduire : *badigeonner de teinture d'iode.*
badin, e adj. et n. Qui aime à jouer, à rire, qui plaisante agréablement.
badinage n. m. Action de badiner.
badine n. f. Canne mince et flexible.
badiner v. intr. Faire le badin ; plaisanter agréablement. Parler, écrire avec agrément, avec enjouement.
badinerie n. f. Ce qu'on dit, ce qu'on fait en badinant. Enfantillage.
badminton [*bad'min'ton'*] n. m. Sorte de jeu de volant.
bafouer v. tr. Plaisanter, railler d'une manière outrageante.
bafouillage n. m. *Fam.* Action de bafouiller.
bafouiller v. intr. *Fam.* Bredouiller. Parler peu clairement.
bafouilleur, euse n. Qui bafouille.
bâfre ou **bâfrée** n. f. *Pop.* Ripaille.
bâfrer v. tr. et intr. *Pop.* Manger goulûment et avec excès.
bagage n. m. Ce qu'on emporte en voyage. *Fig. Plier bagage,* s'enfuir, mourir.
bagarre n. f. Dispute, querelle.
bagatelle n. f. Chose de peu de prix et peu nécessaire. *Fig.* Chose frivole.
bagnard n. m. Forçat.

bagne n. m. Lieu où étaient enfermés les forçats dans un port.
bagnole n. f. *Fam.* Mauvaise voiture.
bagou n. m. Loquacité banale.
bague n. f. Anneau que l'on met au doigt. Moulure en anneau, coupant une colonne.
baguenauder v. intr. S'amuser à des choses vaines et frivoles.
baguenauderie n. f. Action de baguenauder.
baguer v. tr. Garnir de bagues.
baguette n. f. Bâton fort menu, plus ou moins long et flexible. *Archit.* Petite moulure ronde.
bah! interj. qui marque l'étonnement, le doute, l'insouciance.
bahut n. m. Coffre de bois à couvercle bombé. Meuble en forme d'armoire. *Arg.* Le lycée, l'école.
bai, e adj. Se dit d'un cheval dont la robe est brunâtre, avec crins et extrémités noirs.
baie n. f. Rade, petit golfe. Ouverture de porte, de fenêtre.
baie n. f. Fruit charnu.
baignade n. f. Action de se baigner. Endroit où l'on se baigne.
baigner v. tr. Mettre dans un bain. *Fig.* Arroser, mouiller. Couler auprès. V. intr. Etre entièrement plongé : *baigner dans l'eau.*
baigneur, euse n. Qui se baigne.
baignoire n. f. Cuve dans laquelle on se baigne. Loge de théâtre, au rez-de-chaussée.
bail [*bay'*] n. m. Contrat de louage pour un temps donné. Pl. des *baux.*
baille n. f. Baquet. *Arg. scol.* Ecole navale.
bâillement n. m. Action de bâiller.
bâiller v. intr. Respirer en ouvrant convulsivement la bouche. *Par ext.* Etre entrouvert.
bailleur, eresse n. Qui donne à bail. *Bailleur de fonds,* qui fournit de l'argent.
bailli n. m. Officier qui rendait la justice au nom du roi, du seigneur.
bâillon n. m. Tampon mis dans la bouche pour empêcher de crier.
bâillonnement n. m. Action de bâillonner.
bâillonner v. tr. Mettre un bâillon. *Fig.* Réduire au silence.
bain n. m. Eau ou autre liquide dans lequel on se baigne. Immersion du corps. Liquide dans lequel on plonge une substance : *bain de paraffine.* Pl. Etablissement de bains. Eaux thermales ou minérales : *les bains de Luchon. Bain-marie,* eau bouillante dans laquelle on met un vase contenant ce qu'on veut faire chauffer. (Pl. des *bains-marie.*).
baïonnette n. f. Long poignard qui s'adapte au bout d'un fusil.
baisemain n. m. Geste de politesse qui consiste à baiser la main d'une dame.
baiser v. tr. Appliquer, poser les lèvres sur : *baiser la main.*
baiser n. m. Action d'embrasser.
baisoter v. tr. Donner de petits baisers répétés.
baisse n. f. Décroissance : *baisse d'un fleuve.* Diminution de prix. *Jouer à la baisse,* spéculer sur la baisse des valeurs.
baisser v. tr. Abaisser : *baisser un store.* Diminuer de hauteur : *baisser le ton. Fig. Baisser l'oreille,* être honteux. *Baisser pavillon,* céder. V. intr. Aller en diminuant : *la température baisse.* Perdre son prix. S'affaiblir.
baissier n. m. Qui, à la Bourse, spécule sur la baisse des valeurs.
bajoue n. f. Partie de la tête d'un animal depuis l'œil jusqu'à la mâchoire. Joue humaine pendante.
Bakélite n. f. (nom déposé). Matière plastique artificielle.
bal n. m. Assemblée, local où l'on danse. Pl. des *bals.*
balade n. f. *Pop.* Promenade.
balader (se) v. pr. *Pop.* Flâner, se promener sans but.
baladeuse n. f. Voiture de marchand ambulant. Lampe mobile.
baladin, e n. Saltimbanque.
balafre n. f. Longue blessure au visage. La cicatrice qui en reste.
balafrer v. tr. Faire une balafre.
balai n. m. Faisceau de jonc, de crin, de bruyère, etc., fixé à un manche, pour nettoyer. *Electr.* Assemblage de fils de cuivre établissant le contact dans une dynamo. *Fig. Donner un coup de balai,* renvoyer des domestiques, des employés.
balance n. f. Instrument pour peser : *la balance est l'emblème de la justice.* Filet pour les écrevisses. *Comm.* Equilibre entre le débit et le crédit.
balancement n. m. Mouvement par lequel un corps penche en balançant. *Fig.* Hésitation.
balancer v. tr. (Se conj. comme *amorcer.*) Mouvoir tantôt d'un côté, tantôt de l'autre. *Fig.* Peser, examiner. Etablir la différence entre le débit et le crédit. Compenser : *balancer les pertes. Fam.* Renvoyer brusquement. V. intr. Hésiter.
balancier n. m. Pièce dont le balancement règle un mouvement : *balancier d'horloge.* Long bâton des danseurs de corde, qui leur sert à tenir l'équilibre.
balançoire n. f. Siège suspendu entre deux cordes et sur lequel on se balance. Bascule. *Fig.* et *fam.* Baliverne, sornette, conte en l'air.
balayage n. m. Action de balayer.
balayer v. tr. (*Je balaye* ou *balaie, tu balayes* ou *balaies, nous balayons. Je balayais, nous balayions. Je balayai, nous balayâmes. Je balayerai* ou *balaierai. Balaye* ou *balaie, balayons, balayez. Je balayerais* ou *balaierais. Que je balaye, que nous balayions. Que je balayasse. Balayant. Balayé, e.*) Nettoyer avec un *balai. Fig.* Chasser, disperser.
balayette n. f. Petit balai.
balayeur, euse n. Qui balaye.
balayeuse n. f. Machine pour balayer. Volant au bas d'une jupe.
balayures n. f. pl. Ordures balayées.
balbutiement n. m. Action de balbutier.
balbutier [*syé*] v. intr. Articuler imparfaitement, avec difficulté. V. tr. Prononcer en balbutiant.
balcon n. m. Plate-forme en saillie sur une façade. Dans les salles de spectacle, prolongement de la première galerie.
baldaquin n. m. Dais en demi-cercle.
baleine n. f. Le plus gros des mammifères marins. Lamelle métallique flexible.
baleiné, e adj. Garni de baleines.

baleinier n. m. Qui pêche à la baleine. *Adjectiv.* : *navire baleinier.*
baleinière n. f. Embarcation pour la pêche de la baleine.
balisage n. m. Action de baliser.
balise n. f. *Mar.* Appareil indiquant les dangers que présentent un port, une passe, une rivière. *Aviat.* Borne indiquant le tracé d'une piste d'atterrissage.
baliser v. tr. Mettre des balises.
balistique adj. Relatif à l'art de lancer des projectiles. N. f. Etude des mouvements des projectiles.
baliveau n. m. Arbre réservé dans la coupe d'un bois taillis.
baliverne n. f. Discours frivole.
balkanique adj. Des Balkans.
ballade n. f. Poème composé de trois strophes et d'un couplet plus court appelé *envoi,* terminés par un refrain. Poésie généralement légendaire et fantastique.
ballant, e adj. Qui pend et oscille. N. m. Mouvement d'oscillation.
ballast n. m. Sable, gravier, pierres concassées sur une voie ferrée.
balle n. f. Petite pelote ronde, servant à jouer : *balle de tennis.* Projectile des armes à feu : *balle de fusil.* Gros paquet de marchandises. Enveloppe du grain. *Prendre la balle au bond,* saisir l'occasion.
ballerine n. f. Danseuse de profession.
ballet n. m. Danse figurée, représentant un sujet. *Corps de ballet,* personnel qui exécute les ballets.
ballon n. m. Vessie gonflée d'air et recouverte de cuir : *ballon de football.* Sphère en caoutchouc gonflée de gaz. Aérostat : *ballon dirigeable. Chim.* Vase de verre de forme sphérique, à col. *Géogr.* Montagne arrondie : *ballon d'Alsace. Fig. Ballon d'essai,* nouvelle qu'on lance pour tâter l'opinion.
ballonné, e adj. Gonflé, distendu.
ballonnement n. m. Distension considérable du ventre.
ballonnet n. m. Petit ballon.
ballon-sonde n. m. Ballon sans pilote, muni d'appareils enregistreurs, pour observations météorologiques.
ballot n. m. Petite balle, paquet. *Pop.* Lourdaud.
ballottage n. m. Résultat négatif au premier tour de scrutin dans une élection.
ballottement n. m. Agitation.
ballotter v. tr. Agiter en tous sens. V. intr. Remuer.
ballottine n. f. Sorte de galantine.
balluchon n. m. *Fam.* Paquet d'effets.
balnéaire adj. Relatif aux bains.
balourd, e adj. Lourd, obtus.
balourdise n. f. Caractère du balourd. Grosse sottise.
balsamine n. f. Plante dont le fruit, à sa maturité, éclate si on le touche.
balsamique n. m. et adj. Qui a les propriétés du baume.
balustrade n. f. Rampe de pierre soutenue par des petits piliers.
bambin, e n. *Fam.* Petit enfant.
bambochard, e adj. et n. Bambocheur.
bamboche n. f. Personne contrefaite. *Pop.* Débauche, ripaille.
bambocher v. intr. *Pop.* Faire des bamboches, des ripailles.
bambocheur, euse adj. et n. *Pop.* Qui a l'habitude de bambocher.
bambou n. m. Roseau arborescent des pays chauds. Canne de ce roseau.
ban n. m. Proclamation, publication. Roulement de tambour et sonnerie de clairon, précédant ou suivant une proclamation aux troupes. Applaudissements rythmés. Promesse de mariage : *publier les bans.* Jugement qui interdit ou assigne certaines résidences à un condamné libéré : *être en rupture de ban. Mettre au ban de,* bannir.
banal, e*, als ou aux adj. Accessible à tous. Sans originalité : *histoire banale.*
banalité n. f. Caractère de ce qui est banal.
banane n. f. Fruit du bananier.
bananier n. m. Plante tropicale à fruit alimentaire. Bateau transportant des bananes.
banc n. m. Siège étroit et long. *Mar.* Ecueil, masse de sable cachée sous l'eau. Troupe nombreuse de poissons : *banc de harengs.* Couche ou assise géologique : *banc d'argile.*
bancaire adj. Relatif à la banque.
bancal, e, als adj. Qui a les jambes tordues. N. m. Sabre recourbé.
bancroche adj. et n. Bancal, tortu.
bandage n. m. Action d'assujettir avec des bandes. Cercle de métal, de caoutchouc entourant la jante d'une roue. Appareil pour contenir les hernies.
bandagiste n. et adj. m. Qui fait ou vend des bandages herniaires.
bande n. f. Lien plat qui sert à bander. Lanière de linge pour envelopper certaines parties du corps. Ornement plus long que large. Rebord élastique d'un tapis de billard. *Mar.* Inclinaison transversale d'un navire : *donner de la bande.*
bande n. f. Troupe, compagnie.
bandeau n. m. Bande pour ceindre le front, la tête, ou couvrir les yeux.
bandelette n. f. Petite bande.
bander v. tr. Lier avec une bande. *Bander les yeux,* les couvrir d'un bandeau. Tendre : *bander l'arc.*
banderille n. f. Dard orné de rubans dans les courses de taureaux.
banderole n. f. Bande d'étoffe étroite terminée en double pointe.
bandit n. m. Malfaiteur qui vit d'attaques à main armée.
banditisme n. m. Condition, mœurs de bandit : *réprimer le banditisme.*
bandoulière n. f. Bande de cuir ou d'étoffe pour suspendre une arme.
banjo n. m. Sorte de guitare.
banlieue n. f. Territoire entourant une grande ville et en dépendant.
banne n. f. Hotte de vendangeur. Manne d'osier. Bâche, toile tendue.
banni, e adj. et n. Proscrit, exilé. *Fig.* Ecarté, repoussé.
bannière n. f. Enseigne, pavillon, étendard. *Iron. La croix et la bannière,* beaucoup de formalités.
bannir v. tr. Expulser, proscrire. *Fig.* Eloigner, repousser.
bannissement n. m. Exil.

banque n. f. Commerce qui consiste à avancer des fonds, à en recevoir à intérêt, à escompter des effets moyennant une prime. Lieu où s'exerce ce commerce. Etablissement public de crédit autorisé par une loi, sous le contrôle de l'Etat. A certains jeux, fonds d'argent qu'a devant lui celui qui tient le jeu.

banqueroute n. f. Faillite d'un commerçant, punie par la loi. *Fig.* Violation d'un engagement.

banqueroutier, ère n. Qui fait banqueroute.

banquet n. m. Grand repas; festin.

banqueter v. intr. (Se conj. comme *jeter.*) Prendre part à un banquet. Faire bonne chère.

banquette n. f. Banc rembourré et sans dossier. Appui en pierre d'une fenêtre. Plate-forme de tir derrière le parapet d'un rempart.

banquier, ère n. Qui fait le commerce de la banque. Celui qui tient le jeu contre tous les autres joueurs.

banquise n. f. Amas de glaces côtières.

baobab n. m. Le plus gros des arbres connus.

baptême n. m. Le premier des sacrements de l'Eglise chrétienne. *Baptême d'une cloche, d'un navire,* etc., cérémonie solennelle pour les bénir. *Nom de baptême,* prénom qu'on reçoit au baptême.

baptiser v. tr. Conférer le baptême. Bénir (une cloche, un navire, etc.). Donner un nom. *Fam. Baptiser du vin,* y mettre de l'eau.

baptismal, e, aux adj. Relatif au baptême : *fonts baptismaux.*

baptistère n. m. Chapelle d'une église où l'on baptise.

baquet n. m. Petit cuvier de bois.

bar n. m. Poisson de mer estimé.

bar n. m. Débit de boissons où l'on consomme généralement debout.

bar n. m. Unité de pression atmosphérique (environ 750 mm de la colonne barométrique).

baragouin n. m. Langage inintelligible.

baragouiner v. tr. et intr. Parler mal une langue.

baraque n. f. Hutte en planches. Boutique en planches. *Fig.* Maison mal bâtie ou mal tenue.

baraquement n. m. Ensemble de constructions en planches. Installation des troupes dans des baraques.

baratin n. m. *Arg.* Boniment.

baratiner v. tr. Faire du boniment à quelqu'un.

baratte n. f. Récipient de bois où l'on bat la crème, pour en extraire le beurre.

baratter v. tr. Agiter la crème dans la baratte.

barbare* adj. et n. Chez les Grecs et les Romains, tout étranger. Peu civilisé, sauvage : *peuples barbares. Par ext.* Cruel, inhumain. Inculte, grossier. Incorrect : *style barbare.* N. m. pl. Peuples non civilisés.

barbarie n. f. Manque de civilisation. Cruauté, inhumanité.

barbarisme n. m. Mot forgé par ignorance de la vraie forme.

barbe n. f. Poil du menton et des joues. Longs poils de certains animaux. Pointe des épis. Filets fixés au tuyau des plumes. Moisissure. Bavure d'une pièce de métal. *Rire dans sa barbe,* intérieurement. *A la barbe de quelqu'un,* en sa présence.

barbeau n. m. Poisson d'eau douce.

barbe-de-capucin n. f. Chicorée sauvage.

barbelé, e adj. Garni de dents et de pointes : *flèche barbelée.*

barbet, ette n. et adj. Espèce d'épagneul à poil long et frisé.

barbiche n. f. Barbe courte au menton.

barbier n. m. Celui qui a pour métier de faire la barbe.

barbifier v. tr. (Se conj. comme *prier.*) *Fam.* Faire la barbe, raser.

barbillon n. m. Petit barbeau. Barbelure de flèche. Dard d'hameçon.

barbon n. m. Homme d'âge mûr.

barbotage ou **barbotement** n. m. Action de barboter. Son délayé dans l'eau pour les bestiaux.

barboter v. intr. Fouiller avec le bec dans l'eau ou dans la boue. Marcher dans une eau bourbeuse. *Arg.* Voler.

barboteuse n. f. Vêtement d'enfant.

barbouillage ou **barbouillis** n. m. Grossière application de couleur. Mauvaise peinture. Ecriture illisible. *Fig.* Discours embrouillé.

barbouiller v. tr. Peindre grossièrement. Griffonner. Ecrire en mauvais style. *Fig.* Troubler : *avoir le cœur barbouillé.* V. intr. Prononcer inintelligiblement.

barbouilleur, euse n. Qui barbouille.

barbu, e adj. Qui a de la barbe.

barbue n. f. Poisson de mer, du genre turbot.

barcarolle n. f. Chanson de gondolier vénitien.

barde n. m. Poète et chanteur celtique. Poète national primitif.

barde n. f. Tranche de lard dont on entoure les pièces à rôtir.

bardé, e adj. Armé de lames de fer. Couvert de tranches de lard.

bardeau n. m. Planchette en forme de tuile, pour couvrir les toitures.

barder v. tr. Couvrir d'une armure. Envelopper de tranches de lard.

barème n. m. Livre contenant des calculs tout faits.

barguigner (sans). Sans hésiter.

baril n. m. Petit tonnelet.

barillet n. m. Petit baril. *Horl.* Boîte cylindrique contenant le grand ressort d'une montre, d'une pendule. *Armur.* Pièce cylindrique du revolver recevant les cartouches.

bariolage n. m. Bigarrure.

bariolé, e adj. Bigarré.

barioler v. tr. Bigarrer.

barman [*man'*] n. m. Serveur d'un bar.

baromètre n. m. Instrument servant à faire connaître la pression de l'air.

barométrique adj. Relatif au baromètre.

baron n. m. Titre de noblesse au-dessous de celui de vicomte.

baronne n. f. Femme d'un baron.

baroque adj. Irrégulier, bizarre.

barque n. f. Petit bateau.

barquette n. f. Petite barque.

barrage n. m. Barrière élevée sur un chemin. *Fig. : tir de barrage.* Obstacle en travers d'un cours d'eau.

barre n. f. Longue et étroite pièce de bois, de fer, etc. Trait de plume. Barrière qui, dans un tribunal, sépare les magistrats du public : *appeler un témoin à la barre. Mar.* Tige fixée à la mèche du gouvernail. Obstacle formé par du sable, des rochers, à l'entrée d'un port, d'un fleuve. Pl. Jeu de course.

barreau n. m. Petite barre. *Fig.* Espace réservé aux avocats dans un prétoire. Leur ordre, leur profession.

barrer v. tr. Fermer avec une barre. Obstruer. Biffer, rayer d'un trait de plume.

barrette n. f. Petit bonnet plat. Bonnet noir des ecclésiastiques. Bonnet rouge des cardinaux.

barreur n. m. Qui tient la barre du gouvernail dans une embarcation.

barricade n. f. Retranchement fait dans une rue, avec des voitures, des pavés, etc. : *dresser une barricade.*

barricader v. tr. Faire des barricades. *Barricader une porte,* en défendre solidement l'entrée.

barrière n. f. Assemblage de pièces de bois fermant un passage. Obstacle.

barrique n. f. Tonneau servant au transport des liquides. Son contenu. Mesure qui tient environ 300 litres.

barrir v. intr. Crier (éléphant).

barrissement n. m. Cri de l'éléphant.

baryton n. m. Voix entre le ténor et la basse. Qui a une voix de baryton. Instrument de musique.

bas, basse* adj. Peu élevé. *Par ext.* Inférieur : *basse Loire. Fig.* Vil, abject : *sentiments bas.* Modique. Trivial : *mot bas. Avoir la vue basse,* ne voir que de près. *Avoir l'oreille basse,* être humilié. *Bas âge,* première enfance. *Messe basse,* non chantée. *Mer basse,* mer dont le niveau a baissé. *Faire main basse,* piller.

bas adv. Doucement, sans bruit. *Mettre bas,* déposer; faire des petits, en parlant des animaux. *Ce malade est bien bas,* près de mourir. *A bas!* cri d'improbation. *En bas, par en bas* loc. adv. Du côté le plus bas.

bas n. m. Partie basse, inférieure. Vêtement du pied et de la jambe.

basalte n. m. Roche volcanique compacte, noire, à cassure mate.

basaltique adj. Formé de basalte.

basane n. f. Peau de mouton tannée. Peau souple recouvrant les pantalons de cavalerie.

basaner v. tr. Hâler, brunir.

bas-bleu n. m. Femme auteur pédante. Pl. des *bas-bleus.*

bas-côté n. m. Nef latérale d'une église.

bascule n. f. Machine dont l'un des bouts s'élève quand on pèse sur l'autre. Jeu d'enfant, appelé aussi *balançoire.* Balance servant à peser de lourds fardeaux.

basculer v. intr. Exécuter un mouvement de bascule. Tomber.

base n. f. Surface sur laquelle un corps est posé. Partie inférieure d'un corps. *Fig.* Principe, soutien. *Géom.* Ligne ou surface à partir de laquelle on compte perpendiculairement la hauteur d'un corps. *Chim.* Substance qui, avec un acide, produit un sel. *Base d'opération d'une armée,* ligne sur laquelle une armée opère. Port, aérodrome d'attache pour sous-marins ou avions.

baser v. tr. Fonder, établir.

bas-fond n. m. Terrain bas et enfoncé. Surélévation du fond de la mer, recouvert par les eaux et sur lequel un bateau peut passer. Pl. *Les bas-fonds,* couche sociale inférieure.

basilique n. f. Chez les Romains, édifice où l'on rendait la justice et où s'assemblaient les marchands, les banquiers, etc. Ancienne église chrétienne. Titre de quelques églises.

basique adj. *Chim.* Se dit des sels qui contiennent un excès de base.

basket-ball [*kèt-bôl*] n. m. Sport consistant à lancer un ballon dans un panier.

basoche n. f. Corps et juridiction des anciens clercs de procureur. *Fam.* Ensemble des gens de loi.

basque n. f. Partie découpée et tombante de certains vêtements.

basque adj. Qui se rapporte aux Basques. N. m. La langue des Basques.

bas-relief n. m. Ouvrage de sculpture, qui fait saillie sur un fond. Pl. des *bas-reliefs.*

basse n. f. *Mus.* Partie, voix, instrument ne faisant entendre que des sons graves. Qui a une voix de basse. Artiste, musicien qui chante ou joue la partie de basse.

basse-cour n. f. Partie d'une maison, d'une ferme, où l'on élève la volaille. Ensemble des animaux qui y vivent. Pl. des *basses-cours.*

bassesse n. f. Caractère de ce qui est bas, vil. Action basse, vile.

basset n. et adj. m. Chien courant à jambes courtes.

bassin n. m. Récipient large, profond. Son contenu. Plateau de balance. *Bassin d'un fleuve,* tout le pays arrosé par ce fleuve et ses affluents. *Anat.* Ceinture osseuse, qui termine le tronc des animaux vertébrés. *Min.* Groupement de gisements.

bassine n. f. Récipient circulaire en métal : *bassine à confitures.*

bassiner v. tr. Chauffer avec une bassinoire. Humecter avec un liquide. Arroser légèrement. *Pop.* Ennuyer.

bassinet n. m. Petit bassin; cuvette.

bassinoire n. f. Bassin de métal à couvercle troué, servant à chauffer un lit. *Pop.* Personne ennuyeuse.

basson n. m. Instrument à anche qui forme dans l'orchestre la basse du quatuor des instruments en bois.

baste! ou **bast!** interj. qui marque l'indifférence et le dédain.

bastide n. f. Maison de campagne dans le Midi.

bastille n. f. Autref., ouvrage détaché de fortification. Château fort. Ancienne prison d'Etat de Paris. (V. *Part. hist.*)

bastingage n. m. *Mar.* Partie de la muraille dépassant le pont.

bastion n. m. *Fortif.* Ouvrage avancé, à deux flancs et à deux faces.

bastonnade n. f. Volée de coups de bâton.

bastringue n. m. *Pop.* Guinguette.

bas-ventre n. m. Le bas du ventre.

bât n. m. Selle grossière de bête de somme. LOC. *Savoir, sentir où le bât blesse,* connaître les inconvénients de la situation, les causes secrètes de souffrance, de chagrin.

bataclan n. m. *Fam.* Attirail insolite et encombrant.

bataille n. f. Combat entre deux armées. *Fig.* Combat quelconque; querelle, discussion.

batailler v. intr. Livrer bataille, lutter. *Fig.* Contester, se disputer.

batailleur, euse n. et adj. Qui aime à batailler, à disputer.

bataillon n. m. Corps d'infanterie ou d'artillerie à pied.

bâtard, e adj. et n. Né hors mariage. Dégénéré ou altéré (au *pr.* et au *fig.*). N. f. Ecriture à jambages pleins, à liaisons arrondies.

batardeau n. m. Digue provisoire établie pour mettre à sec un endroit.

bâtardise n. f. Etat de bâtard.

bâté adj. *Ane bâté,* personne très ignorante.

bateau n. m. Construction flottante appropriée à la navigation. *Pop. Monter un bateau,* faire croire une histoire inventée.

bateler v. tr. (Se conj. comme *amonceler.*) Transporter sur un bateau. V. intr. Faire des tours de bateleur.

bateleur, euse n. Qui amuse le public, en plein vent, par des tours d'adresse, etc.

batelier, ère n. Qui conduit un bateau.

batellerie n. f. Industrie du transport par bateaux. Ensemble des bateaux d'une rivière.

bâter v. tr. Mettre un bât.

bat-flanc n. m. invar. Pièce de bois pour séparer dans les écuries deux chevaux l'un de l'autre.

bâti n. m. Assemblage de plusieurs pièces de menuiserie ou de charpente. Assemblage faufilé des pièces d'un vêtement. Gros fil qui sert à ce travail.

batifoler v. intr. *Fam.* Folâtrer.

bâtiment n. m. Construction en maçonnerie destinée à l'habitation. Construction navale, navire.

bâtir v. tr. Edifier, construire. Assembler, faufiler les parties d'un vêtement. *Fig.* Etablir.

bâtisse n. f. Maçonnerie d'un bâtiment. Construction sans caractère.

bâtisseur n. m. Qui bâtit, qui fait bâtir.

batiste n. f. Toile le lin très fine.

bâton n. m. Long morceau de bois rond et mince. Marque de certaines dignités. Objet de forme cylindrique : *bâton de réglisse.* Se dit des barres que font les débutants en écriture. *Fig. A bâtons rompus,* sans suite. *Tour de bâton,* profit illicite. Loc. *Mettre des bâtons dans les roues,* susciter des obstacles. *Mener une vie de bâton de chaise,* une vie désordonnée.

bâtonnat n. m. Dignité de bâtonnier.

bâtonner v. tr. Donner des coups de bâton. Effacer, rayer.

bâtonnet n. m. Petit bâton.

bâtonnier n. m. Chef de l'ordre des avocats près une cour ou un tribunal.

batraciens n. m. pl. Classe de vertébrés dont le type est la *grenouille.*

battage n. m. Action de battre les blés, les laines, les cotons.

battant n. m. Espèce de marteau suspendu dans l'intérieur d'une cloche. Vantail de porte.

battant, e adj. Qui bat. *Pluie battante,* qui tombe avec violence. *Fig. Tambour battant,* rondement, rapidement.

batte n. f. Outil pour aplanir ou écraser. Petit banc de blanchisseuse. Sabre de bois d'Arlequin. Battoir ou longue massue qui sert à frapper la balle (jeu de paume, de base-ball).

battée n. f. Ecuelle pour le lavage des sables aurifères.

battement n. m. Choc, coup répété en succession rapide. Mouvement alternatif. Pulsation rythmique : *battement du cœur.* Mouvement de danse exécuté par une jambe qui est en l'air, l'autre reposant à terre.

batterie n. f. Querelle accompagnée de coups. Groupement de pièces d'artillerie : *batterie de campagne.* Groupement d'objets, en général : *batterie d'accumulateurs. En batterie,* en disposition pour faire feu. *Fig.* Pl. Machinations.

batteuse n. f. Machine pour battre les céréales.

battoir n. m. Palette pour battre le linge, pour jouer à la paume. *Pop.* Main très large.

battre v. tr. (*Je bats, nous battons. Je battais. Je battis. Je battrai. Je battrais. Bats, battons, battez. Que je batte. Que je battisse, qu'il battît. Battant. Battu, e.*) Frapper, donner des coups. Agiter fortement : *battre des œufs.* Vaincre : *battre l'ennemi.* Amincir, réduire en feuille un métal. Parcourir en chassant. Loc. div. *Battre le pavé,* aller et venir. *Battre des mains,* applaudir. *Battre monnaie,* fabriquer de la monnaie et, au *fig.,* chercher à se procurer de l'argent. *Battre les cartes,* les mêler. *Fig. Battre en retraite,* se retirer en bon ordre. *Battre la campagne,* divaguer. V. intr. S'agiter : *son cœur bat.*

battu, e adj. Foulé, durci : *sol battu.* Fréquenté : *chemin battu. Fig.* Vulgaire, banal. *Yeux battus,* fatigués.

battue n. f. Chasse qu'on fait avec des rabatteurs.

baudet n. m. Ane. Homme ignorant, stupide. Tréteau de scieur de bois.

baudrier n. m. Bande de cuir ou d'étoffe, en écharpe, soutenant un sabre ou une épée.

baudruche n. f. Pellicule fabriquée avec l'intestin du bœuf, du mouton.

bauge n. f. Gîte du sanglier.

baume n. m. Résine odoriférante, qui coule de certains arbres. Médicament balsamique. *Fig.* Consolation.

bauxite n. f. Minerai d'aluminium.

bavard, e adj. et n. Qui parle beaucoup, qui aime à parler. Indiscret.

bavardage n. m. Action de bavarder, de babiller. Choses insignifiantes.

bavarder v. intr. Parler de choses frivoles, ou qu'on devrait taire.

bave n. f. Salive qui découle de la bouche. Espèce d'écume que jettent certains ani-

maux. *Fig.* Propos ou écrits haineux, venimeux.
baver v. intr. Jeter de la bave.
bavette n. f. Linge qui protège la poitrine des enfants contre leur bave. (On dit aussi BAVOIR.) Partie inférieure de l'aloyau, près de la tranche grasse. *Fam. Tailler une bavette,* bavarder.
baveux, euse adj. Qui bave. Qui est empâté : *lettre baveuse.*
bavocher v. intr. Présenter des bavures, des empâtements.
bavoir n. m. V. BAVETTE.
bavure n. f. Traces que laissent sur l'objet moulé les joints du moule.
bayer [*ba-yé*] v. intr. (Se conj. comme *balayer.*) Tenir la bouche ouverte en regardant longtemps quelque chose.
bazar n. m. Marché couvert en Orient. Endroit couvert où l'on vend toute espèce d'objets. *Pop.* Maison mal tenue. Petit mobilier, vêtements, etc.
bazarder v. tr. *Pop.* Vendre à bas prix.
béant, e adj. Qui baye ou qui bée. Largement ouvert.
béat, e* adj. et n. Calme et sans inquiétude. Béatifié par l'Eglise. Très dévot, ou qui affecte la dévotion.
béatification n. f. Acte par lequel le pape béatifie.
béatifier v. tr. (Se conj. comme *prier.*) Mettre au nombre des bienheureux.
béatitude n. f. Félicité dont jouissent les bienheureux.
beau (**bel** devant une voyelle), **belle*** adj. Qui plaît à l'œil ou à l'esprit. Pur, calme, agréable. Noble, élevé : *belle âme.* Bienséant. Grand : *une belle peur. Le beau sexe,* les femmes. *Bel esprit,* homme lettré, affecté, prétentieux. (Pl. des *beaux esprits.*) *Un beau jour, un beau matin...,* inopinément. *L'échapper belle,* échapper à un danger. N. *Faire le beau, la belle,* se pavaner. N. m. Ce qui est excellent : *aimer le beau.* Adv. En vain : *avoir beau faire.* N. f. Partie décisive au jeu. Loc. adv. *De plus belle,* de plus en plus.
beaucoup adv. En quantité. Fort, grandement. Un grand nombre.
beau-fils n. m. Celui dont on a épousé le père ou la mère. Pl. des *beaux-fils.*
beau-frère n. m. Mari de la sœur ou de la belle-sœur. Frère du mari ou de la femme. Pl. des *beaux-frères.*
beau-père n. m. Père de la femme par rapport au mari, ou du mari par rapport à la femme, ou second mari de la mère par rapport aux enfants de celle-ci. Pl. des *beaux-pères.*
beaupré n. m. Mât d'un bâtiment à voiles qui sort de son avant.
beauté n. f. Harmonie physique, morale ou artistique.
beaux-arts n. m. pl. Arts qui ont pour objet la représentation du beau (musique, peinture, etc.).
beaux-parents n. m. pl. Père et mère de la femme par rapport au mari, ou du mari par rapport à la femme.
bébé n. m. Tout petit enfant.
bec n. m. Partie cornée qui termine la tête des oiseaux. *Fam.* Bouche de l'homme. *Par ext.* Langue, faconde. Ce qui termine un objet : *bec de plume. Géogr.* Pointe au confluent de deux cours d'eau : *le bec d'Ambès.*
bécane n. f. *Fam.* Bicyclette.
bécarre n. m. *Mus.* Signe accidentel qui ramène à son ton naturel une note précédemment altérée.
bécasse n. f. Oiseau échassier à long bec. *Fam.* Femme peu intelligente.
bécassine n. f. Petit échassier.
bec-d'âne ou **bédane** n. m. *Techn.* Outil tranchant pour mortaiser.
bec-de-cane n. m. Clou à crochet. Le deuxième pêne d'une serrure. Poignée de porte, en forme de bec. Pl. des *becs-de-cane.*
bec-de-lièvre n. m. Lèvre supérieure fendue comme celle du lièvre. Pl. des *becs-de-lièvre.*
béchamel adj. et n. f. Sauce blanche faite avec de la crème.
bêche n. f. Lame de fer large, plate et tranchante, à fort manche.
bêcher v. tr. Remuer la terre avec une bêche. *Fig.* Dire du mal de.
bécot n. m. *Fam.* Petit baiser.
bécoter v. tr. Donner des bécots.
becquée n. f. Ce qu'un oiseau prend dans son bec.
becqueter v. tr. (Se conj. comme *acheter.*) Donner des coups de bec. Caresser avec le bec.
bedaine n. f. *Fam.* Gros ventre.
bédane n. m. *Techn.* V. BEC-D'ÂNE.
bedeau n. m. Employé laïque subalterne d'une église.
bedon n. m. *Fam.* Ventre rebondi.
bedonnant, e adj. *Fam.* Qui a du ventre.
bedonner v. intr. *Fam.* Prendre du ventre.
bédouin, e adj. et n. Qui se rapporte aux Bédouins.
bée adj. f. Béante : *bouche bée.*
beffroi n. m. Tour ou clocher où l'on sonnait l'alarme; la cloche elle-même.
bégaiement n. m. Le fait de bégayer.
bégayer v. intr. (Se conj. comme *balayer.*) Parler comme un bègue. Commencer à parler.
bégonia n. m. Plante de jardin au feuillage élégant, coloré.
bègue adj. et n. Qui parle en hésitant ou en se reprenant.
bégueule n. f. *Fam.* Femme d'une pruderie excessive.
bégueulerie n. f. *Fam.* Manière d'être d'une bégueule.
béguin n. m. Coiffe à capuchon, que portaient les béguines. Bonnet de petit enfant. *Fam.* Passion amoureuse passagère. Personne qui en est l'objet.
béguinage n. m. Couvent de béguines.
béguines n. f. pl. Religieuses des Pays-Bas, qui, sans prononcer de vœux, vivent dans des couvents.
beige adj. Se dit de la couleur naturelle de certains tissus (gris jaunâtre).
beignet n. m. Pâte frite à la poêle.
béjaune n. m. Jeune ignorant.
bêlement n. m. Cri des moutons et des chèvres.
bêler v. tr. Faire un bêlement.
belette n. f. Petit mammifère carnassier du genre putois.
belge adj. et n. De Belgique.

bélier n. m. Mâle de la brebis. Anc. machine de guerre pour battre ou renverser les murailles.
bélière n. f. Sonnette suspendue au cou du bélier. Anneau qui supporte le battant d'une cloche. Anneau mobile : *bélière de montre.* Morceau de cuir pour accrocher le sabre au ceinturon.
belinogramme n. m. Image, photographie transmise à distance.
bélître n. m. Coquin, homme de rien.
belladone n. f. Plante employée en médecine comme calmant.
bellâtre n. et adj. Qui a une beauté fade, ou qui se croit beau.
belle-fille n. f. Femme du fils. Celle dont on a épousé le père ou la mère. Pl. des *belles-filles.*
belle-mère n. f. Mère du mari ou de la femme. Par rapport aux enfants, celle qui a épousé leur père. Pl. des *belles-mères.* (On dit aussi *fam.* BELLE-MAMAN.)
belles-lettres n. f. pl. La grammaire, l'éloquence et la poésie.
belle-sœur n. f. Celle dont on a épousé le frère ou la sœur. Pl. des *belles-sœurs.*
belligérance n. f. Etat, qualité de belligérant.
belligérant, e adj. et n. Qui fait la guerre : *nations belligérantes.*
belliqueux, euse adj. Guerrier, martial. Qui aime la guerre.
belluaire n. m. Dompteur.
belote n. f. Jeu de cartes.
belvédère n. m. Pavillon ou terrasse au sommet d'un édifice.
bémol n. m. *Mus.* Signe qui baisse la note d'un demi-ton.
bémoliser v. tr. Marquer d'un bémol : *clef bémolisée.*
bénédicité n. m. Prière avant le repas.
bénédictin, e n. Religieux, religieuse de l'ordre de Saint-Benoît.
bénédiction n. f. Action de bénir. *Bénédiction nuptiale,* cérémonie du mariage religieux.
bénéfice n. m. Gain, profit. Avantage, privilège. Dignité ecclésiastique avec revenu. *Sous bénéfice d'inventaire,* après vérification.
bénéficiaire adj. et n. Celui, celle qui bénéficie de quelque chose.
bénéficier v. intr. (Se conj. comme *prier.*) Profiter d'un avantage; tirer bénéfice de.
benêt adj. et n. m. Niais, nigaud.
bénévole* adj. Bien disposé, indulgent, gratuit. Qui agit sans y être tenu.
bengali adj. et n. Du Bengale. N. m. Petit oiseau originaire de ce pays.
bénignité n. f. Indulgence, douceur, condescendance. Caractère peu grave d'une maladie.
bénin, igne* adj. Doux, indulgent jusqu'à la faiblesse. *Fig.* Sans gravité : *abcès bénin.* Favorable, propice : *ciel bénin.*
bénir v. tr. Consacrer au culte. Appeler les bénédictions du ciel sur... Remercier, glorifier. *Bénir* a deux part. pass. : *béni, e* et *bénit, e.* Ce dernier ne se dit que pour les choses consacrées : *eau bénite.*
bénisseur, euse n. et adj. *Fam.* Qui a l'habitude de bénir.
bénitier n. m. Vase à eau bénite.
benjamin, e [*bin*] n. Enfant préféré, d'ordinaire le plus jeune.
benjoin [*bin*] n. m. Résine parfumée.
benne n. f. Caisse en forme de tonneau employée dans les mines. Caisse basculante d'un camion.
benzine [*bin*] n. f. Hydrocarbure volatil, provenant du goudron de houille.
benzol [*bin*] n. m. Carburant, mélange de benzine et de toluène.
béquille n. f. Bâton surmonté d'une petite traverse, utilisé par les infirmes pour s'appuyer. *Techn.* Poignée de serrure.
béquiller v. intr. Marcher à l'aide d'une béquille.
bercail n. m. (sans pluriel). Bergerie. *Fig.* Le sein de l'Eglise. Famille, maison paternelle.
berceau n. m. Lit d'un tout jeune enfant. *Fig.* Enfance. Origine : *berceau modeste. Jard.* Treillage en voûte. Voûte cylindrique. Ciseau de graveur. Partie d'un affût de canon.
bercelonnette n. f. Berceau pour les nouveau-nés.
bercement n. m. Action de bercer.
bercer v. tr. (Se conj. comme *agacer.*) Balancer pour endormir. *Fig.* Amuser d'espérances.
berceuse n. f. Qui berce les enfants. Chanson pour endormir les enfants. Siège sur lequel on peut se balancer.
béret n. m. Espèce de toque ronde et plate : *béret basque.*
bergamote n. f. Espèce d'orange. Poire fondante.
berge n. f. Bord escarpé d'une rivière. Talus d'un chemin, d'un fossé.
berger, ère n. Qui garde les moutons. *Fig.* Chef ou pasteur. *Etoile du berger,* nom donné à la planète Vénus.
bergère n. f. Fauteuil large et profond, garni d'un coussin.
bergerie n. f. Lieu où l'on enferme les moutons. *Fig.* Poésie pastorale.
bergeronnette n. f. Oiseau noir et blanc nommé aussi lavandière, hochequeue.
béribéri n. m. Maladie infectieuse des pays chauds.
berlingot n. m. Bonbon de sucre cuit.
berlue n. f. Eblouissement passager. *Avoir la berlue,* juger de travers.
bernard-l'ermite n. m. Crustacé.
berne n. f. *Pavillon en berne,* pavillon hissé à mi-hauteur et incomplètement déployé.
berner v. tr. Faire sauter quelqu'un en l'air sur une couverture qu'on tient aux quatre coins. *Fig.* Tromper en se moquant.
bernique n. f. Patelle.
bernique! *Pop.* Interj. qui exprime un mécompte.
bernois, e adj. et n. De Berne.
berrichon, onne adj. et n. Du Berry.
béryl n. m. Sorte d'émeraude.
besace n. f. Sac à deux poches.
besacier n. m. Qui porte la besace.
besicles n. f. pl. Grosses lunettes.
bésigue n. m. Jeu de cartes.
besogne n. f. Travail, ouvrage. *Fig. Tailler de la besogne,* préparer une tâche; donner de l'embarras.
besogner v. intr. Travailler.

besogneux, euse adj. et n. Qui est dans la gêne, le besoin.
besoin n. m. Manque d'une chose nécessaire. Indigence : *être dans le besoin.* Nécessité d'une chose. *Au besoin* loc. adv. En cas de nécessité, s'il le faut. Pl. Nécessités physiologiques. Choses nécessaires à l'existence : *avoir peu de besoins.*
bestiaire n. m. Gladiateur.
bestial, e*, aux adj. Qui tient de la bête, fait ressembler à la bête.
bestialité n. f. Caractère bestial.
bestiaux n. m. pl. Animaux domestiques élevés en troupeaux. (Sert de plur. à *bétail.*)
bestiole n. f. Petite bête.
bêta n. m. Deuxième lettre de l'alphabet grec, correspondant au *b.*
bêta, asse n. et adj. *Pop.* Bête.
bétail n. m. Nom collectif des animaux de pâture dans une ferme.
bête n. f. Tout animal autre que l'homme. *Bête à bon Dieu,* coccinelle. *Bête de somme,* qui porte les fardeaux; *de trait,* qui les tire. *Fig. Bête noire,* personne qu'on déteste le plus.
bête* adj. Sot, stupide.
bêtifier v. tr. (Se conj. comme *prier.*) Rendre bête, abrutir.
bêtise n. f. Manque d'intelligence. Action ou propos bête. Chose sans valeur. Motif futile.
béton n. m. Mélange de ciment, d'eau, de gravier et de sable employé dans les constructions. *Béton armé,* renfermant une armature métallique.
bétonner v. tr. Construire avec du béton.
bétonnière n. f. Machine à béton.
bette n. f. Genre de chénopodiacées, comme la poirée, la betterave.
betterave n. f. Plante potagère à racine d'où l'on extrait du sucre.
betteravier, ère adj. Relatif à la betterave : *culture betteravière.*
beuglement n. m. Cri du bœuf, de la vache et du taureau.
beugler v. intr. Pousser des beuglements. *Fig.* Jeter de grands cris. V. tr. *Pop.* Chanter très fort.
beurre n. m. Substance grasse et onctueuse, extraite du lait. Substance grasse extraite de divers végétaux.
beurré n. m. Sorte de poire fondante.
beurrée n. f. Tartine de beurre.
beurrer v. tr. Couvrir de beurre.
beuverie n. f. Partie de plaisir où l'on boit beaucoup.
bévue n. f. Méprise, erreur grossière.
bey n. m. Ancien titre turc.
beylical, e, aux adj. Relatif au bey.
beylicat n. m. Gouvernement d'un bey. Contrée soumise au bey.
bi ou **bis,** préfixe indiquant la répétition.
biais n. m. Obliquité, ligne, direction oblique. *Fig.* Moyen détourné : *chercher un biais. En biais, de biais,* loc. adv. Obliquement et, au *fig.,* d'une façon indirecte.
biais, e adj. Qui est de biais.
biaiser v. intr. Etre de biais, aller de biais. *Fig.* User de biais.
bibelot n. m. Menu objet de curiosité, de luxe. Objet sans valeur.
bibeloter v. intr. Marchander, acheter des bibelots. S'occuper à de petits travaux sans importance.
biberon n. m. Vase à bec pour faire boire les malades couchés. Fiole pour l'allaitement artificiel.
bible n. f. Les Ecritures des juifs et des chrétiens.
bibliobus n. m. Bibliothèque circulante automobile.
bibliographe n. m. Celui qui est versé dans la bibliographie.
bibliographie n. f. Etude des livres, des éditions. Note critique sur un livre. Liste de livres sur une question, un auteur.
bibliophile n. m. Qui aime les livres, les éditions rares.
bibliophilie n. f. Art, science du bibliophile. Amour des livres.
bibliothécaire n. Préposé à la garde d'une bibliothèque.
bibliothèque n. f. Collection de livres, manuscrits, etc., classés. Armoire à rayons où ils sont rangés. Lieu qui les contient.
biblique adj. Relatif à la Bible.
bicarbonate n. m. Sel de l'acide carbonique.
bicéphale adj. et n. Qui a deux têtes.
biceps n. m. et adj. m. Se dit d'un muscle du bras dont une extrémité se divise en deux cordes tendineuses.
biche n. f. Femelle du cerf.
bichon, onne n. Petit chien ou petite chienne à poil long.
bichonner v. tr. Friser, boucler comme un bichon. Parer, attifer.
bicoque n. f. Maison sans valeur.
bicorne adj. Qui a deux pointes. N. m. Chapeau bicorne : *un bicorne.*
bicyclette n. f. Vélocipède à deux roues, dont la seconde est motrice.
bidet n. m. Petit cheval de selle. Cuvette oblongue, montée sur pieds.
bidon n. m. Récipient de fer-blanc pour le pétrole, l'huile. Gourde en fer-blanc des soldats.
bief n. m. Canal de dérivation qui conduit les eaux au moulin. Espace qui sépare deux écluses d'un canal.
bielle n. f. Pièce d'une machine, qui communique un mouvement.
bien n. m. Ce qui est conforme au devoir. Ce qui est agréable, avantageux ou utile. Richesse : *abondance de biens ne nuit pas.* Propriété : *un bien de famille. Le bien public,* ce qui est utile à tous. Adv. Conformément au devoir : *bien agir.* Beaucoup, très : *bien fort; pensez-y bien.* Loc. conj. : *Bien que,* quoique; *si bien que,* de sorte que. *Eh bien!* interj. qui marque l'interrogation, l'étonnement.
bien-aimé, e adj. et n. Chéri tendrement. Préféré.
bien-être n. m. Situation agréable de corps, d'esprit et de fortune.
bienfaisance n. f. Inclination à faire le bien. Action de faire du bien à quelqu'un : *œuvre de bienfaisance.*
bienfaisant, e adj. Qui aime à faire, fait du bien. Ce qui est salutaire.
bienfait n. m. Bien que l'on fait, service, faveur. Avantage.
bienfaiteur, trice n. Qui fait du bien.
bien-fondé n. m. Conformité au droit (d'une prétention).

bien-fonds n. m. Immeuble (terre ou maison). Pl. des *biens-fonds.*
bienheureux, euse adj. Extrêmement heureux. N. Qui jouit de la félicité éternelle.
biennal, e, aux adj. Qui dure deux ans. Qui se fait tous les deux ans.
bienséance n. f. Ce qui sied bien. Pl. Convenances sociales.
bienséant, e adj. Ce qu'il sied de faire, de dire.
bientôt adv. Dans peu de temps.
bienveillance n. f. Disposition favorable envers quelqu'un.
bienveillant, e adj. Qui marque de la bienveillance : *air bienveillant.*
bienvenu, e adj. et n. Qui est accueilli avec plaisir, qui arrive à propos : *soyez le bienvenu.* N. f. Arrivée qui fait plaisir, qui se produit à propos. Régal qu'on paye en entrant dans un corps.
bière n. f. Boisson fermentée, faite avec de l'orge et du houblon.
bière n. f. Cercueil.
biffer v. tr. Rayer ce qui est écrit.
bifteck n. m. Tranche de bœuf grillée ou poêlée. Pl. des *biftecks.*
bifurcation n. f. Endroit où une chose se divise en deux.
bifurquer v. tr. Diviser en deux, à la façon d'une fourche. V. intr. Quitter une voie pour une autre : *le train bifurque ici.*
bigame adj. et n. Marié à deux personnes simultanément.
bigamie n. f. Etat de bigame.
bigarré, e adj. Qui a des couleurs ou des dessins variés : *fleur bigarrée.*
bigarreau n. m. Cerise rouge et blanc, à chair très ferme et sucrée.
bigarrer v. tr. Diversifier par des couleurs ou des dessins variés.
bigarrure n. f. Variété de couleurs ou de dessins. *Fig.* Mélange.
bigle adj. Louche. N. Qui louche.
bigophone n. m. Instrument de musique de formes diverses.
bigorne n. f. Enclume à deux pointes. *Arg. milit.* Artillerie de marine.
bigorneau n. m. Petite bigorne. Petit coquillage comestible.
bigorner v. tr. Forger, façonner sur la bigorne.
bigot, e* n. et adj. Qui est d'une dévotion minutieuse, étroite, exagérée.
bigoterie n. f. Dévotion exagérée.
bigoudi n. m. Petite tige métallique entourée de cuir, autour de laquelle les femmes frisent leurs cheveux.
bihebdomadaire adj. Qui paraît, qui a lieu deux fois par semaine.
bijou n. m. Joyau, petit ouvrage d'une matière ou d'un travail précieux. Chose particulièrement élégante, achevée. Joli enfant. Pl. des *bijoux.*
bijouterie n. f. Commerce de bijoux. Objets fabriqués par le bijoutier.
bijoutier, ère n. Qui fait ou vend des bijoux.
bilan n. m. Balance de l'actif et du passif d'une maison de commerce. Etat de la situation d'un commerçant en faillite. *Déposer son bilan,* se déclarer en faillite.
bilatéral, e*, aux adj. Qui a deux côtés. *Dr.* Qui engage les deux parties.
bilboquet n. m. Jouet formé d'une boule percée s'enfilant sur une tige.
bile n. f. Liquide amer, jaune verdâtre, sécrété par le foie. *Fig.* Colère. Inquiétude : *se faire de la bile.*
biliaire adj. Relatif à la bile.
bilieux, euse adj. *Fig.* Acariâtre.
bilingue adj. Qui est en deux langues. Adj. et n. Qui parle deux langues.
bilinguisme [*ghuism'*] n. m. Coexistence de deux langues dans un pays. Qualité d'un individu ou d'une population bilingue.
billard n. m. Table couverte d'un tapis et entourée de bandes élastiques, sur laquelle on fait rouler des billes. Salle où l'on joue à ce jeu.
bille n. f. Boule de billard. Petite boule d'argile, de pierre, etc. Bloc de bois non travaillé.
billet n. m. Petite lettre, missive. Carte, bulletin : *billet de théâtre, de loterie.* Imprimé pour annoncer un mariage, un décès, etc. *Billet de logement,* écrit qui donne à un militaire le droit de loger chez l'habitant. *Billet à ordre,* engagement de payer une somme à telle personne ou à *son ordre,* c'est-à-dire à telle autre à qui la première aura transmis le billet.
billevesée n. f. Chose frivole.
billion n. m. Un million de millions, ou mille milliards.
billon n. m. Monnaie de cuivre ou de bronze.
billot n. m. Tronçon de bois gros et court. Pièce de bois sur laquelle on coupe de la viande, du bois. Masse de bois portant une enclume.
bimensuel, elle* adj. Qui a lieu deux fois par mois : *revue bimensuelle.*
bimestriel, elle* adj. Qui a lieu tous les deux mois.
bimétallisme n. m. Système monétaire établi sur un double étalon.
bimoteur adj. et n. m. A deux moteurs.
binage n. m. Action de biner.
binaire adj. Qui a 2 pour base.
biner v. tr. Ameublir le sol avec la binette. Donner une seconde façon aux terres.
binette n. f. Outil de jardinier.
biniou n. m. Cornemuse bretonne.
binocle n. m. Lorgnon à deux verres.
binoculaire adj. Qui concerne les deux yeux : *vision binoculaire.*
binôme n. m. *Alg.* Expression algébrique à deux termes.
biochimie n. f. Chimie biologique.
biographe n. m. Auteur de biographies.
biographie n. f. Histoire de la vie d'un personnage.
biographique adj. Relatif à la biographie : *notes biographiques.*
biologie n. f. Science de la vie des corps organisés.
biologique adj. Relatif à la biologie.
biologiste n. m. Qui s'occupe de biologie.
bipartition n. f. Division en deux parties : *la bipartition d'une graine.*
bipède adj. et n. Qui a deux pieds.
biplan n. m. Avion à deux plans parallèles réunis par des montants.
bipolaire adj. Qui a deux pôles.
bique n. f. *Fam.* Chèvre.
biquet n. m. Petit d'une bique.
biquette n. f. Chevrette.
biribi n. m. Jeu de hasard. *Arg.* Compagnie de discipline d'Afrique.

bis, e [*bi, biz'*] adj. Gris-brun. *Pain bis,* pain de couleur grise.
bis [*biss*] adv. Pour la seconde fois. Interj. Cri par lequel on demande la répétition d'un passage, d'un morceau de chant, etc. : *Bis!*
bisaïeul, e n. Père, mère de l'aïeul ou de l'aïeule. Pl. des *bisaïeuls, eules.*
bisannuel, elle adj. Qui revient tous les deux ans. *Bot.* Qui ne fleurit, ne fructifie et ne meurt qu'au bout de deux ans (carotte, betterave, etc.).
bisbille n. f. *Fam.* Petite querelle.
biscornu, e adj. Qui a deux cornes (vx). D'une forme irrégulière. *Fig.* Bizarre : *idées biscornues.*
biscotte n. f. Tranche de pain séchée au four.
biscuit n. m. Pain en forme de galette, qui a subi plusieurs cuissons pour se conserver : *le biscuit sert de pain aux marins.* Sorte de pâtisserie. Ouvrage de porcelaine qui, après avoir reçu deux cuissons, est laissé dans son blanc mat.
biscuiter v. tr. Amener la porcelaine à l'état de biscuit.
biscuiterie n. f. Fabrique de biscuits.
bise n. f. Vent du nord. Hiver. *Pop.* Baiser.
biseau n. m. Bord taillé obliquement.
biseautage n. m. Action de biseauter.
biseauter v. tr. Tailler en biseau. Marquer les cartes pour tricher.
bismuth n. m. Métal blanc tirant sur le jaune, utilisé en médecine.
bison n. m. Bœuf sauvage à garrot relevé en bosse.
bisontin, e adj. et n. De Besançon.
bisque n. f. Potage. *Fam.* Dépit.
bisquer v. intr. *Fam.* Eprouver du dépit.
bissac n. m. Besace.
bisser v. tr. Répéter un chant, etc.
bissextile adj. Se dit de l'année de 366 jours, qui revient tous les quatre ans.
bissexué, e adj. *Bot.* Qui a à la fois des étamines et des pistils.
bistouri n. m. Petit couteau chirurgical pour pratiquer des incisions dans les chairs.
bistre n. m. Couleur d'un brun noirâtre. Adj. invar. Qui est de couleur bistre.
bistrot n. m. *Pop.* Cabaret.
bisulfite n. m. Sel de l'acide sulfureux.
bitte n. f. Billot de bois ou de fonte pour l'amarrage des bateaux.
bitume n. m. Substance minérale dont l'asphalte est une variété.
bitumer v. tr. Enduire de bitume.
bitumineux, euse adj. Qui a les qualités du bitume.
bivalve adj. et n. m. *Hist. nat.* A deux valves : *mollusque bivalve.*
bivouac n. m. Campement provisoire et en plein air d'une armée. Le lieu du bivouac. Troupe qui bivouaque.
bivouaquer v. intr. Camper en plein air.
bizarre* adj. Fantasque, étrange.
bizarrerie n. f. Caractère de ce qui est bizarre. Extravagance.
bizut ou **bizuth** [*zu*] n. m. *Arg.* Elève (classes secondaires ou grandes écoles) de première année. (Le f. est *bizute.*)
blackbouler v. tr. *Fam.* Refuser à un examen. Evincer par un vote.
blafard, e adj. D'un blanc terne.
blague n. f. Petit sac de poche pour le tabac. *Fam.* Mensonge, hâblerie. Plaisanterie : *prendre à la blague.*
blaguer v. intr. Dire des blagues. V. tr. *Fam.* Railler.
blagueur, euse adj. et n. *Fam.* Qui dit des blagues.
blaireau n. m. Mammifère plantigrade puant. Pinceau de poils de blaireau. Pinceau à barbe.
blâme n. m. Désapprobation.
blâmer v. tr. Désapprouver.
blanc, blanche adj. Qui est de la couleur du lait, de la neige. Innocent, pur : *blanc comme neige. Arme blanche,* tranchante ou pointue. *Vers blancs,* sans rimes. *Papier blanc,* non écrit. *Nuit blanche,* passée sans dormir. *Donner carte blanche,* donner plein pouvoir. N. m. et f. Personne de race blanche : *les Blancs ont peuplé l'Europe.* N. m. La couleur blanche. Espace vide dans une page : *remplir des blancs.*
blanc-bec n. m. Jeune homme sans expérience. Pl. des *blancs-becs.*
blanchâtre adj. Tirant sur le blanc.
blanche n. f. *Mus.* Note qui vaut la moitié de la ronde, ou deux noires, ou quatre croches.
blancheur n. f. Qualité de ce qui est blanc : *la blancheur du lis.*
blanchiment n. m. Action ou art de blanchir.
blanchir v. tr. Rendre blanc. Rendre propre : *blanchir le linge. Cuis.* Passer à l'eau bouillante : *blanchir des choux. Fig.* Disculper : *revenir blanchi.* V. intr. Devenir blanc : *blanchir avant l'âge.*
blanchissage n. m. Action de blanchir le linge.
blanchisserie n. f. Lieu où l'on blanchit du linge, etc.
blanchisseur, euse n. Dont la profession est le blanchissage du linge.
blanc-manger n. m. Crème en gelée blanche. Gelée de viande blanche. Pl. des *blancs-mangers.*
blanc-seing n. m. Papier en blanc, au bas duquel on met sa signature. Pl. des *blancs-seings.*
blanquette n. f. Petite poire d'été. Ragoût de viandes blanches à la sauce blanche. Sorte de vin blanc mousseux.
blasé, e adj. Dégoûté de tout.
blaser v. tr. Emousser les sens.
blason n. m. Ensemble des armoiries ou des signes qui composent un écu armorial. Science des armoiries.
blasonner v. tr. Peindre ou interpréter des armoiries.
blasphémateur, trice n. Qui blasphème.
blasphématoire adj. Qui contient des blasphèmes.
blasphème n. m. Parole qui outrage la Divinité, la religion. Parole outrageante en général.
blasphémer v. tr. et intr. (Se conj. comme *accélérer.*) Proférer un blasphème. Proférer des jurements.
blatte n. f. Insecte nocturne orthoptère, appelé aussi *cafard, cancrelat.*
blé n. m. Nom vulgaire d'une espèce de graminacées qui donne le grain dont on

fait le pain. PROV. : *Manger son blé en herbe,* dépenser par avance son revenu.
bled n. m. En Afrique du Nord, l'intérieur des terres.
blême adj. Très pâle.
blêmir v. intr. Devenir blême.
blende n. f. Sulfure naturel de zinc.
bléser v. intr. (Se conj. comme *accélérer.*) Prononcer une consonne faible pour une forte (*zerbe, seval, pizon,* pour *gerbe, cheval, pigeon*).
blésois, e adj. et n. De Blois.
blesser v. tr. Donner un coup qui fait plaie, fracture ou contusion. Faire du mal. Affecter désagréablement : *cette musique blesse l'oreille. Fig.* Choquer, offenser : *vos paroles m'ont blessé.*
blessure n. f. Plaie, contusion. *Fig.* Ce qui blesse, afflige.
blet, ette adj. Trop mûr.
blettir v. intr. Devenir blet.
bleu, e adj. De couleur d'azur. *Contes bleus,* contes de fées. *Colère bleue,* violente colère. *Fam. En être, en rester bleu,* être stupéfait. N. m. La couleur bleue. Marque sur la chair après un coup. *Fam. Passer au bleu,* ne pas mentionner. *Un bleu,* un conscrit. *Bleu horizon,* teinte bleuâtre des uniformes militaires français (1915-1927).
bleuâtre adj. Qui tire sur le bleu.
bleuet n. m. Petite plante à fleurs bleues.
bleuir v. tr. Rendre bleu. V. intr. Devenir bleu.
bleuté, e adj. De nuance bleue.
blindage n. m. Action de blinder. Cuirasse d'acier : *blindage de navire, de coffre-fort.*
blinder v. tr. Garnir de blindages.
blizzard n. m. Vent glacial avec tempête de neige.
bloc n. m. Masse pesante : *bloc de fer.* Coalition : *bloc politique.* Loc. adv. *En bloc,* en gros. *A bloc,* à fond ; jusqu'en haut : *serrer à bloc.*
blocage n. m. ou **blocaille** n. f. Débris de moellons, de briques.
blocage n. m. Action de bloquer.
blockhaus n. m. invar. *Fortif.* Ouvrage défensif, parfois improvisé.
bloc-notes n. m. Réunion de feuillets détachables pour prendre des notes. Pl. des *blocs-notes.*
blocus [*uss*] n. m. Investissement.
blond, e adj. D'une couleur intermédiaire entre le doré et le châtain clair. N. Qui est blond. N. m. La couleur blonde.
blondasse adj. et n. D'un blond fade.
blondin, e adj. et n. Blond.
blondir v. intr. Devenir blond.
bloquer v. tr. Faire le blocus d'une place, d'une ville. Réserver. *Maçonn.* Remplir les vides de blocage et de mortier, etc. Arrêter en bloquant les freins : *bloquer un train.* Serrer à fond : *bloquer les freins.* Empêcher la sortie.
blottir (se) v. pr. Se pelotonner.
blouse n. f. Surtout de toile ou de cotonnade : *blouse d'ouvrier, d'écolier.* Corsage : *blouse de soie.*
blouser (se) v. pr. *Pop.* Se tromper.
blouson n. m. Vêtement masculin, civil ou militaire, s'arrêtant aux hanches.
bluette n. f. Petite étincelle. *Fig.* Petit ouvrage spirituel.
bluff [*euf*] n. m. Parole, action propres à donner le change, à leurrer.
bluffer [*bleu*] v. tr. Faire du bluff.
bluffeur, euse n. et adj. Qui bluffe.
blutage n. m. Action de bluter.
bluter v. tr. Tamiser la farine.
blutoir ou **bluteau** n. m. Tamis.
boa n. m. Serpent d'Amérique, atteignant plusieurs mètres de long.
bobard n. m. *Arg.* Mensonge, hâblerie.
bobèche n. f. Disque de verre ou de métal, adapté à un bougeoir. N. m. Bouffon, pitre.
bobinage n. m. Action de bobiner.
bobine n. f. Petit cylindre de bois pour dévider du fil, de la soie, etc. *Pop.* Figure ridicule, grimaçante. *Electr.* Cylindre creux autour duquel est enroulé un fil métallique isolé.
bobiner v. tr. Enrouler de la soie, du fil, etc., sur une bobine.
bobo n. m. *Fam.* Mal : *faire bobo.*
bocage n. m. Bosquet, petit bois.
bocager, ère adj. Qui habite les bocages, Coupé de bocages.
bocal n. m. Vase de verre, de faïence, etc., à large ouverture.
boche n. et adj. *Pop.* Allemand.
bock n. m. Verre à bière, équivalant à un quart de litre. Contenu de ce verre. Récipient à injections.
bœuf n. m. Taureau châtré. Sa chair : *bœuf à la mode.*
boggie n. m. Petit chariot à deux essieux portant le châssis d'un wagon.
bogue n. f. Enveloppe de la châtaigne armée de piquants.
bohème n. Qui vit au jour le jour, d'une façon désordonnée. N. f. L'ensemble des bohèmes.
bohémien, enne adj. et n. De Bohême. N. Vagabond.
boire v. tr. (*Je bois, tu bois, il boit, nous buvons, vous buvez, ils boivent. Je buvais. Je bus. Je boirai. Je boirais. Bois, buvons, buvez. Que je boive, que nous buvions. Que je busse. Buvant. Bu, bue.*) Absorber un liquide. *Absol.* S'enivrer.
bois n. m. Substance dure et compacte des arbres. Lieu planté d'arbres : *à l'ombre d'un bois.* Objet de bois : *bois sculpté.* Hampe d'un drapeau, bâton d'une lance. Loc. *Trouver visage de bois,* trouver la porte fermée ou ne trouver personne.
boisage n. m. Revêtement de bois : *boisage d'un puits.*
boiser v. tr. Garnir d'une boiserie ou d'un boisage. Plancher de bois.
boiserie n. f. Menuiserie qui couvre les murs d'un appartement.
boisseau n. m. Anc. mesure de capacité pour les matières sèches (13 litres) : *un boisseau de pommes.* Son contenu. Poteries s'emboîtant les unes dans les autres pour former les cheminées.
boisson n. f. Ce qu'on boit : *boisson sucrée.* Habitude de boire : *adonné à la boisson. Pris de boisson,* ivre.
boîte n. f. Coffret de bois, de carton ou de métal. Son contenu. Nom de divers récipients : *boîte aux lettres, boîte à graisse. Arg.* Collège, atelier ou magasin.
boiter v. intr. Marcher en penchant d'un côté plus que de l'autre.

boiterie n. f. Action de boiter.
boiteux, euse adj. et n. Qui boite.
boîtier n. m. Boîte métallique renfermant le mouvement d'une montre.
bol n. m. Vase demi-sphérique. Son contenu : *un bol de cidre.* Grosse pilule. *Bol alimentaire,* masse formée par les aliments mâchés.
bolchevisme n. m. Doctrine de la dictature du prolétariat.
bolcheviste ou **bolchevik** n. En Russie, partisan du bolchevisme.
boléro n. m. Danse espagnole; air sur lequel elle s'exécute. Petite veste de femme. Pl. des *boléros.*
bolet n. m. Sorte de champignon.
bolide n. m. Corps errant dans l'espace, qui traverse parfois notre atmosphère ou tombe sur la Terre.
bolivien, enne adj. et n. De Bolivie.
bombance n. f. Grande chère, ripaille : *faire bombance.*
bombarde n. f. Machine de guerre qui servait à lancer de grosses pierres. Mortier d'artillerie.
bombardement n. m. Action de bombarder.
bombarder v. tr. Lancer des bombes. Nommer quelqu'un à un emploi pour lequel il n'était pas désigné.
bombardier n. m. Avion de bombardement. *Zool.* Genre de coléoptères.
bombe n. f. Projectile plein de poudre et muni d'une mèche qui le fait éclater. Appareil explosible. *Bombe atomique,* bombe dégageant par la désintégration des atomes une énergie formidable. *Arriver comme une bombe,* à l'improviste. *Bombe glacée,* glace moulée. *Pop.* Ripaille : *faire la bombe.*
bombé, e adj. Convexe.
bombement n. m. Convexité, renflement : *le bombement d'un couvercle.*
bomber v. tr. Renfler, rendre convexe. V. intr. Devenir convexe.
bombyx n. m. Genre de papillons dont l'espèce la plus connue a pour chenille le ver à soie.
bon, bonne adj. Qui a de la bienveillance, de l'indulgence, est humain, sensible, charitable : *un bon père.* Qui est habile, expert : *bon ouvrier.* Qui a les qualités convenables : *bon outil.* Ingénieux, spirituel, fin : *bon mot.* Heureux. Avantageux, favorable : *bonne affaire. Fam. Bon!* exclamation de doute, de surprise, d'incrédulité. *C'est bon,* cela suffit. N. m. Ce qui est bon. Pl. Gens de bien.
bon n. m. Billet qui autorise à toucher de l'argent, des objets, etc.
bonace n. f. Calme de la mer.
bonapartiste n. Partisan des Bonapartes.
bonasse adj. D'une bonté, d'une simplicité excessives.
bonbon n. m. Dragée ou autre friandise confite : *bonbon de chocolat.*
bonbonne n. f. Sorte de dame-jeanne de verre ou de grès.
bonbonnière n. f. Boîte à bonbons. *Fig.* Petite maison élégante.
bond n. m. Rejaillissement d'un corps élastique. Saut subit. *Prendre la balle au bond,* profiter de l'occasion. *Faire faux bond,* manquer à un engagement.
bonde n. f. Pièce de bois qui permet de vider l'eau d'un étang. Trou rond dans une des douves d'un tonneau, pour y verser le liquide; bouchon qui ferme ce trou. Rondelle qui bouche le trou d'un évier.
bonder v. tr. Remplir entièrement.
bondir v. intr. Faire des bonds.
bondon n. m. Bouchon de la bonde d'un tonneau. Petit fromage rond.
bonheur n. m. Etat heureux. Evénement prospère. Hasard favorable. Félicité, joie, béatitude.
bonhomie n. f. Bonté du cœur. Simplicité des manières. Crédulité.
bonhomme n. m. Homme simple, doux, sans malice. Homme facile à abuser. Figure dessinée grossièrement.
boni n. m. Excédent de la dépense prévue sur les sommes réellement dépensées. Tout bénéfice.
bonification n. f. Amélioration. Rabais, remise.
bonifier v. tr. (Se conj. comme *prier.*) Rendre meilleur.
boniment n. m. Annonce pompeuse de charlatan. Discours artificieux.
bonjour n. m. Formule de salutation.
bonne n. f. Servante.
bonnement adv. De bonne foi. Simplement, sans détour.
bonnet n. m. Coiffure d'homme, sans rebords. Coiffure de femme, en lingerie. Coiffure de certains dignitaires : *bonnet de docteur. Bonnet phrygien,* coiffure que l'on met aux images de la République. *Bonnet de police,* coiffure de petite tenue des soldats. *Fig. Gros bonnet,* personnage important. Loc. prov. *Prendre sous son bonnet,* imaginer, inventer.
bonneteau n. m. Jeu de hasard.
bonneterie n. f. Commerce de bonnetier. Objets qu'il vend.
bonneteur n. m. Qui tient un jeu de bonneteau. Tricheur.
bonnetier, ère n. Fabricant, marchand de bonnets, de bas, etc.
bonnette n. f. *Mar.* Petite voile supplémentaire. *Phot.* Lentille supplémentaire d'un objectif.
bonsoir n. m. Formule de salutation.
bonté n. f. Qualité de ce qui est bon. Penchant à être bon. Bienveillance, douceur : *parler avec bonté.* Pl. Actes de bienveillance.
boqueteau n. m. Petit bois.
borax n. m. *Chim.* Borate de soude.
borborygme n. m. Bruit produit par les gaz dans l'abdomen.
bord n. m. Extrémité d'une surface. Orifice : *bord d'un puits.* Rivage, côte. Côté d'un navire. Le navire même : *monter à bord. Etre du bord de quelqu'un,* de son parti.
bordage n. m. Action de border. Revêtement des membrures du navire.
bordée n. f. *Mar.* Ensemble des marins affectés au service d'un des côtés du navire. Ensemble des canons sur un des côtés du navire. Décharge simultanée de tous ces canons. *Fig. : une bordée d'injures. Mar.* Chemin que parcourt un navire au plus près sans virer de bord. *Tirer une bordée,* louvoyer et, au *fig.,* faire une escapade.
bordelais, e adj. et n. De Bordeaux.

bordelaise n. f. Futaille employée dans le commerce des vins de Bordeaux. Bouteille de forme spéciale.
border v. tr. Mettre un bord, un bordage. Entourer; disposer le long de : *border de fleurs.* Côtoyer.
bordereau n. m. Détail des articles d'un compte, des pièces d'un dossier, d'une série d'effets de commerce.
bordure n. f. Ce qui borde, sert d'ornement. Pierres bordant le trottoir.
bore n. m. *Chim.* Corps simple, solide, cristallisable et noirâtre.
boréal, e, aux adj. Du nord.
borgne adj. et n. Qui ne voit que d'un œil. *Fig.* Malfamé : *hôtel borgne.*
borique adj. m. Se dit d'un acide extrait du borax.
boriqué, e adj. Qui contient de l'acide borique : *eau boriquée.*
bornage n. m. Limitation d'une terre par des bornes. Cabotage.
borne n. f. Pierre ou autre marque de séparation, division : *borne kilométrique.* Pierre à l'angle d'un mur, sur les côtés d'une porte, etc., pour préserver du choc des véhicules. Serre-fil pour établir le contact électrique : *bornes d'une lampe.* Pl. Frontière. Limite.
borné, e adj. De peu d'étendue, limité. *Fig.* Peu intelligent.
borne-fontaine n. f. Petite fontaine en forme de borne. Pl. des *bornes-fontaines.*
borner v. tr. Mettre des bornes. Limiter. *Fig.* Modérer.
bosquet n. m. Petit bois.
bossage n. m. Saillie en pierre.
bosse n. f. Grosseur contre nature au dos ou à l'estomac. Enflure : *une bosse au front.* Elévation arrondie. Relief : *dessin d'après la bosse.* Protubérance du crâne, considérée comme indice d'une aptitude : *la bosse du calcul. Mar.* Fort cordage.
bosselage n. m. Travail en relief.
bosseler v. tr. (Se conj. comme *amonceler.*) Travailler en bosse la vaisselle, etc. Déformer par des bosses.
bossellement n. m. Action de bosseler. Son résultat.
bosser v. tr. *Pop.* Travailler.
bossette n. f. Ornement en saillie.
bossoir n. m. *Mar.* Pièce de bois ou de fer qui supporte l'ancre. Portemanteau pour embarcation.
bossu, e n. et adj. Qui a une bosse sur le dos ou sur le ventre.
bossuer v. tr. Bosseler.
boston n. m. Danse.
bot, e adj. Se dit d'une difformité du pied, de la main : *pied bot.*
botanique n. f. Science des végétaux. Adjectiv. Relatif à cette science.
botaniste n. Spécialiste de botanique.
botte n. f. Assemblage de choses de même nature liées ensemble : *botte d'oignons.* Coup de fleuret ou d'épée. Chaussure de cuir qui enferme le pied et la jambe.
botteler v. tr. (Se conj. comme *amonceler.*) Lier en bottes.
botter v. tr. Fournir de bottes. Mettre des bottes. S'adapter au pied. *Pop.* Convenir : *cela me botte.*
bottier n. m. Qui fait des bottes.
bottine n. f. Chaussure montante.
bouc n. m. Mâle de la chèvre. *Fig. Bouc émissaire,* celui sur qui on fait retomber les responsabilités.
boucan n. m. *Fam.* Vacarme.
bouchage n. m. Action de boucher. Ce qui sert à boucher.
bouche n. f. Orifice du visage humain, qui reçoit les aliments et donne passage à la voix. S'applique à certains animaux (cheval, etc.). Loc. fam. : *Faire venir l'eau à la bouche,* exciter le désir. *Faire la petite bouche,* le difficile, le dégoûté. *Bouche à feu,* pièce d'artillerie. Pl. Embouchure d'un fleuve.
bouché, e adj. Fermé, obstrué. *Fig.* Sans intelligence. *Temps bouché,* temps couvert.
bouchée n. f. Ce qu'on met de nourriture, en une fois, dans la bouche. Petit vol-au-vent : *bouchée au poisson.*
boucher v. tr. Fermer une ouverture. Barrer, obstruer.
boucher n. m. Qui tue les bestiaux et vend leur chair.
bouchère n. f. Femme d'un boucher.
boucherie n. f. Lieu où l'on vend la viande au détail. Commerce de boucher. *Fig.* Massacre, carnage.
bouche-trou n. m. Qui ne sert qu'à combler une place vide, à figurer.
bouchon n. m. Ce qui sert à boucher. *Spécialem.* Morceau de liège ou de verre pour boucher une bouteille. Flotteur d'une ligne à pêche. Jeu d'adresse.
bouchonner v. tr. Frotter, essuyer un cheval avec un bouchon de paille.
boucle n. f. Anneau ou rectangle de métal avec ardillon. Large agrafe. Bijou pour les oreilles. Spirale de cheveux frisés. Grande courbe d'un cours d'eau.
boucler v. tr. Serrer avec une boucle. Mettre en boucle. *Boucler un circuit,* le terminer. *Pop.* Enfermer. V. intr. Etre en boucles : *cheveux qui bouclent.*
bouclette n. f. Petite boucle.
bouclier n. m. Plaque de métal, de cuir, etc., pour se protéger contre les coups de l'ennemi. *Fig.* Défenseur, appui.
bouddhique adj. Relatif au bouddhisme.
bouddhisme n. m. Religion fondée par le Bouddha.
bouddhiste n. Disciple de Bouddha.
bouder v. intr. Témoigner, laisser voir du dépit, de l'humeur.
bouderie n. f. Action de bouder.
boudeur, euse adj. et n. Qui a l'habitude de bouder.
boudin n. m. Boyau rempli de sang et de graisse de porc assaisonnés. Spirale d'acier, de fil de fer : *ressort à boudin.* Moulure demi-cylindrique. Saillie interne de la jante des roues sur rails.
boudiner v. tr. Tordre légèrement.
boudoir n. m. Petit salon de dame.
boue n. f. Poussière détrempée d'eau. Mortier de terre. *Fig.* Abjection.
bouée n. f. Appareil flottant, indiquant la route en mer, un obstacle, ou servant au sauvetage.
boueur n. m. Qui est chargé de l'enlèvement des boues et des ordures.
boueux, euse adj. Plein de boue.
bouffarde n. f. *Pop.* Grosse pipe.
bouffée n. f. Souffle rapide et passager : *bouffée de chaleur. Fig.* Accès brusque, fugitif : *bouffée de colère.*

bouffer v. intr. Se gonfler. *Pop.* Intr. et tr. Manger avec avidité; manger quelque chose.
bouffette n. f. Nœud de ruban.
bouffi, e adj. Plein, gonflé. *Fig.* Enflé, ampoulé : *bouffi d'orgueil.*
bouffir v. tr. Enfler, gonfler. V. intr. Devenir enflé.
bouffissure n. f. Enflure. *Fig.* Vanité extrême.
bouffon, onne adj. Plaisant, d'un comique bas. N. m. Acteur d'un comique bas. Personnage grotesque qui amusait les rois par ses facéties.
bouffonner v. intr. Faire le bouffon.
bouffonnerie n. f. Plaisanterie, facétie grossière.
bouge n. m. Taudis.
bougeoir n. m. Chandelier bas.
bouger v. intr. (Se conj. comme *manger.*) Se mouvoir.
bougie n. f. Chandelle de cire, de stéarine, à mèche tressée. *Chir.* Sonde. *Autom.* Organe d'allumage d'un moteur.
bougon, onne n. et adj. Qui bougonne.
bougonner v. intr. *Fam.* Murmurer.
bougre, esse n. *Pop.* Individu.
boui-boui n. m. *Pop.* Café malfamé. Pl. des *bouis-bouis.*
bouillabaisse n. f. Mets provençal, composé de poissons cuits dans de l'eau ou du vin blanc avec assaisonnements.
bouilleur n. m. Distillateur d'eau-de-vie. *Bouilleur de cru,* propriétaire qui distille les produits de sa récolte.
bouilli n. m. Viande cuite dans l'eau pour faire du bouillon.
bouillie n. f. Aliment composé de lait et de farine bouillis ensemble. Pâte liquide.
bouillir v. intr. (*Je bous, tu bous, il bout, nous bouillons, vous bouillez, ils bouillent. Je bouillais, nous bouillions. Je bouillis, nous bouillîmes. Je bouillirai. Bous, bouillons, bouillez. Que je bouille, que nous bouillions. Que je bouillisse. Bouillant. Bouilli, e.*) Etre en ébullition. Etre brûlant. *Fig.* Etre excité, enflammé.
bouilloire n. f. Récipient de métal, pansu, pour faire bouillir de l'eau.
bouillon n. m. Potage qu'on obtient en faisant bouillir dans l'eau de la viande, des légumes ou des herbes. Bulle à la surface d'un liquide bouillant : *cuire à gros bouillons.* Pli bouffant d'une étoffe. Ensemble d'exemplaires invendus de livres ou de journaux. *Fam. Boire un bouillon,* subir une perte.
bouillonnement n. m. Etat d'un liquide qui bouillonne. *Fig.* Agitation, effervescence.
bouillonner v. intr. S'élever en bouillons. *Fig.* Etre en effervescence, s'agiter. V. tr. Faire des bouillons, des plis à : *bouillonner une jupe.*
bouillotte n. f. Récipient de métal ou de caoutchouc que l'on remplit d'eau bouillante.
boulanger, ère n. Qui fait et vend du pain.
boulanger v. i. (Se conj. comme *manger.*) Faire du pain.
boulangerie n. f. Fabrication du pain. Magasin du boulanger.
boule n. f. Corps sphérique. Pl. Jeu de boules.
bouleau n. m. Arbre à bois blanc.
bouledogue n. m. Petit dogue à mâchoire proéminente.
bouler v. intr. Rouler comme une boule. *Pop. Envoyer bouler,* envoyer promener, repousser.
boulet n. m. Sphère de fer dont on chargeait les canons. Loc. fam. *Traîner son boulet,* mener une vie misérable.
boulette n. f. Petite boule. Petite boule de pâte ou de chair hachée. *Fig.* et *fam.* Bévue : *faire une boulette.*
boulevard n. m. Promenade, large rue plantée d'arbres.
bouleversement n. m. Trouble violent, grand désordre.
bouleverser v. tr. Mettre en grand désordre. Agiter violemment, ruiner, abattre. *Fig.* Troubler violemment.
boulier n. m. Appareil comprenant des tringles de fer sur lesquelles sont enfilées des boules et qui sert à apprendre le calcul aux enfants.
boulimie n. f. Faim insatiable.
boulon n. m. Cheville de fer à pas de vis pour fixer un écrou.
boulonner v. tr. Fixer avec un boulon. *Pop.* Travailler.
boulot, otte adj. et n. *Fam.* Gros, gras et rond. N. m. *Pop.* Travail.
boulotter v. intr. *Pop.* Vivoter doucement, sans ambition. Manger.
bouquet n. m. Assemblage de fleurs, etc., liées ensemble. *Bouquet d'arbres,* très petit bois. *Fig.* Parfum agréable du vin. Pièce qui termine un feu d'artifice. Grosse crevette rose. *Fam. C'est le bouquet,* c'est le plus étonnant.
bouquetière n. f. Marchande de bouquets, de fleurs naturelles.
bouquetin n. m. Genre de mammifères ruminants montagnards.
bouquin n. m. Vieux livre.
bouquiner v. intr. Chercher ou consulter de vieux livres.
bouquiniste n. m. Qui fait le commerce des vieux livres.
bourbe n. f. Amas de boue.
bourbeux, euse adj. Plein de bourbe.
bourbier n. m. Lieu creux plein de boue. Situation difficile. Infamie.
bourbillon n. m. Pus épais et blanc, au centre d'un furoncle.
bourde n. f. *Fam.* Erreur.
bourdon n. m. Bâton de pèlerin. Genre d'insectes hyménoptères, à corps gros et velu. Grosse cloche : *sonner le bourdon.* Un des jeux de l'orgue, qui fait la basse. *Faux bourdon,* mâle des abeilles.
bourdonnement n. m. Bruit que fait le vol des insectes, etc. *Fig.* Bruit sourd et confus.
bourdonner v. intr. Faire entendre un bourdonnement. Murmurer.
bourg [*bour*] n. m. Gros village.
bourgade n. f. Petit bourg.
bourgeois, e* n. Personne de la classe moyenne. Adj. Propre aux bourgeois : *préjugés bourgeois.* Commun. Antilibéral, antiartistique. Confortable.
bourgeoisie n. f. Qualité de bourgeois. Classe moyenne.
bourgeon n. m. Bouton des branches des arbres. Nouveau jet de la vigne.

bourgeonnement n. m. Développement des bourgeons.
bourgeonner v. intr. Pousser des bourgeons. *Fig.* Avoir des boutons.
bourgeron n. m. Courte blouse.
bourgmestre [*bourgh'*] n. m. Premier magistrat des villes de certains pays.
bourguignon, onne adj. et n. De Bourgogne.
bourlinguer v. intr. *Pop.* Mener une vie de voyages et d'aventures.
bourrache n. f. Plante à larges fleurs utilisées en médecine.
bourrade n. f. Coup brusque.
bourrasque n. f. Coup de vent violent. *Fig.* Accès de mauvaise humeur. Attaque soudaine et violente.
bourre n. f. Amas de poils arrachés à une bête. Poils servant à garnir les selles, les bâts, etc. Ce qu'on met par-dessus la charge des armes à feu pour la maintenir. Partie grossière de la soie, de la laine.
bourreau n. m. Qui est chargé de mettre à exécution les peines corporelles prononcées, notamment la peine de mort. *Fig.* Homme cruel.
bourrée n. f. Danse d'Auvergne.
bourreler v. tr. (Se conj. comme *amonceler.*) Tourmenter.
bourrelet n. m. Gaine cylindrique remplie de bourre pour préserver d'un choc, des courants d'air. Repli de graisse.
bourrelier n. m. Fabricant, marchand de harnais.
bourrellerie n. f. Etat et commerce du bourrelier.
bourrer v. tr. Enfoncer la bourre dans une arme à feu. Garnir de bourre. Faire manger beaucoup.
bourriche n. f. Panier pour envoyer du gibier, du poisson; son contenu.
bourricot n. m. Anon ou âne de petite taille.
bourrique n. f. Anesse. *Fig.* Personne têtue, ou qui ne comprend rien.
bourru, e adj. et n. Inégal, rude. *Fig.* D'humeur brusque et chagrine.
bourse n. f. Petit sac à argent. *Fig.* L'argent qu'on y met. Pension accordée pour des études : *bourse de licence.* Lieu, édifice où se font les opérations financières sur les valeurs publiques. Marché de ces valeurs.
boursicoter v. intr. Faire de petites opérations à la Bourse.
boursier, ère n. Qui fait par profession des opérations de Bourse. Qui fabrique des bourses. Qui jouit d'une bourse, d'une pension.
boursouflement n. m. Etat de ce qui est boursouflé.
boursoufler v. tr. Distendre, gonfler.
boursouflure n. f. Enflure.
bousculade n. f. Action de bousculer.
bousculer v. tr. Rompre vivement les rangs de l'ennemi. Pousser avec violence. *Fam.* Tirailler quelqu'un de côté et d'autre, sans repos. *Fig.* et *fam.* Gronder, exciter. Hâter.
bouse n. f. Fiente de bœuf, de vache.
bousier n. m. Scarabée.
bousiller v. tr. Faire mal une chose. Briser, détruire.
bousilleur, euse n. Qui bousille.
boussole n. f. Cadran dont l'aiguille, aimantée, se tourne toujours vers le nord. *Fig.* Guide. *Fam. Perdre la boussole,* perdre l'esprit.
boustifaille n. f. *Pop.* Festin, bombance. *Par ext.* Nourriture.
bout n. m. Extrémité : *bout d'un bâton.* Fin : *voir le bout d'un travail.* Fragment : *bout de papier.* Très petite quantité. Loc. div. : *Pousser à bout,* faire perdre patience. *Etre à bout,* ne savoir que devenir. *Venir à bout de,* réussir à. *A tout bout de champ,* à tout propos. *Bout à bout,* l'un ajouté à l'autre. *A bout portant,* de tout près. *Au bout du compte,* en définitive.
boutade n. f. Caprice brusque. Saillie d'esprit ou d'humour.
boute-en-train n. m. invar. Qui met les autres en train, en gaieté.
bouteille n. f. Récipient à goulot étroit, pour les liquides; son contenu. *C'est la bouteille à l'encre,* c'est très embrouillé, très difficile à comprendre.
boutique n. f. Lieu d'étalage et de vente au détail.
boutiquier, ère n. Petit marchand.
boutoir n. m. Groin du sanglier.
bouton n. m. Pousse, bourgeon à fleurs. Papule sur la peau. Petite pièce en bois, etc., pour attacher les vêtements. Ce qui a la forme d'un bouton : *bouton de fleuret, de porte.*
bouton-d'or n. m. Renoncule jaune.
boutonner v. intr. Se couvrir de boutons. V. tr. Fixer avec des boutons.
boutonneux, euse adj. Qui a des boutons sur la peau.
boutonnière n. f. Fente faite à un vêtement pour passer le bouton.
bouts-rimés n. m. pl. Vers faits sur des rimes imposées.
bouturage n. m. Multiplication des végétaux par bouture.
bouture n. f. Pousse ou rejeton d'un arbre qui prend racine.
bouturer v. intr. Pousser des tiges par le pied, des drageons. V. tr. Reproduire par boutures.
bouvier, ère n. Qui garde les bœufs.
bouvillon n. m. Jeune bœuf.
bouvreuil n. m. Genre de passereaux.
bovin, e adj. De l'espèce du bœuf.
bow-window [*bô-ouindô*] n. m. Fenêtre en saillie sur une façade.
box n. m. Loge d'écurie, de garage. Pl. des *boxes.*
box-calf n. m. Veau tanné au chrome.
boxe n. f. Art, action de boxer.
boxer v. intr. Se battre à coups de poing, d'après les règles de la boxe.
boxeur, euse n. et adj. Qui se livre ou s'exerce aux combats de boxe.
boy [*boï*] n. m. Domestique indigène.
boyau n. m. Intestin. Conduit de cuir, de toile, de caoutchouc, etc. : *boyau de pompe.* Corde de boyau : *boyaux de raquette. Fig.* Chemin long et étroit. Tranchée en zigzag, reliant les ouvrages des assiégeants.
boycottage [*boï*] n. m. Action de boycotter.
boycotter [*boï*] v. tr. Mettre en interdit : *boycotter une usine.*

boy-scout [*boï-skout'*] n. m. Membre d'une troupe d'enfants éclaireurs.
brabançon, onne adj. et n. Du Brabant.
bracelet n. m. Ornement de bras.
brachial [*ki*], **e, aux** adj. Relatif au bras.
brachycéphale [*ki*] adj. et n. Dont le crâne est presque aussi large que long.
braconnage n. m. Action de braconner : *se livrer au braconnage.*
braconner v. intr. Chasser (et *par ext.* pêcher) en des temps défendus, ou avec des engins prohibés, etc.
braconnier, ère n. et adj. Qui braconne. Relatif au braconnage.
braderie n. f. Vente publique, à bas prix, dans le Nord.
braguette n. f. Fente sur le devant d'un pantalon.
brahmane n. m. Membre de la caste sacerdotale dans l'Hindoustan.
brahmanisme n. m. Religion des brahmanes.
brai n. m. Résine du pin. Goudron.
braillard, e adj. et n. Qui braille.
braille n. m. Ecriture à l'usage des aveugles.
braillement n. m. Action de brailler.
brailler v. intr. Parler, crier, chanter, avec des éclats de voix.
braiment n. m. Cri prolongé de l'âne.
braire v. intr. Crier, en parlant de l'âne.
braise n. f. Bois réduit en charbon par la combustion.
braiser v. tr. Faire cuire à feu doux, sans évaporation : *bœuf braisé.*
bramer v. intr. Crier en parlant du cerf.
brancard n. m. Civière pour porter des malades, des blessés, etc. Chacune des deux prolonges de bois entre lesquelles on attelle le cheval.
brancardier n. m. Préposé au service des brancards.
branchage n. m. Toutes les branches d'un arbre. Amas de branches.
branche n. f. Bois que pousse le tronc d'un arbre, etc. *Par ext.* Division : *branche d'un fleuve. Fig.* Ramification : *branche d'un art.*
branchement n. m. Tuyau secondaire aboutissant au tuyau principal.
brancher v. intr. Percher sur des branches d'arbre. V. tr. Etablir un branchement de tuyaux ou de fils électriques. Mettre un appareil dans le circuit électrique.
branchette n. f. Petite branche.
branchies n. f. pl. Organes respiratoires des poissons, ouïes.
brandade n. f. Préparation de morue à la provençale.
brandebourg n. m. Passementerie, galon à dessins variés.
brandir v. tr. Balancer dans la main avec menace : *brandir un sabre.*
brandon n. m. Flambeau de paille tortillée. Corps enflammé qui s'élève d'un incendie. *Fig. : brandon de discorde.*
branle n. m. Oscillation d'un corps. Première impulsion donnée à une chose : *mettre en branle.* Hamac de matelot. Danse en rond. *Fig. Donner le branle,* mettre les autres en train.
branle-bas n. m. invar. *Mar.* Préparatifs de combat à bord d'un vaisseau. *Fig.* Bouleversement, tapage.
branler v. tr. Agiter, remuer. V. intr. Chanceler, osciller.
braque n. m. Chien de chasse à poil ras. Adj. *Fam.* Très écervelé.
braquer v. tr. Diriger vers, en visant : *braquer une arme, les regards.* Orienter les roues d'une auto pour exécuter un virage.
bras n. m. Chacun des deux membres supérieurs, de l'épaule au coude. Partie du membre antérieur du cheval, entre le genou et l'épaule. Support latéral d'un siège. Tige qui transmet un mouvement : *bras de levier.* Partie d'un fleuve, d'une mer. Loc. : *Fig. Couper bras et jambes,* décourager. *Avoir quelqu'un sur les bras,* l'avoir à sa charge. *Avoir le bras long,* avoir de l'influence. *A tour de bras,* avec force. *A bras-le-corps,* par le milieu du corps. *A bras raccourcis,* avec violence.
braser v. tr. Souder deux morceaux de métal, grâce à un métal plus fusible.
brasero [*zé*] n. m. Bassine remplie de braise, de charbon allumé.
brasier n. m. Feu incandescent.
brasiller [*yé*] v. tr. Faire griller sur la braise. V. intr. Scintiller.
brassage n. m. Action de brasser.
brassard n. m. Bande d'étoffe, ruban porté au bras comme insigne.
brasse n. f. *Mar.* Mesure d'environ 1,62 m. Manière de nager en portant simultanément les deux bras en avant.
brassée n. f. Ce que peuvent contenir les deux bras. Mouvement simultané des bras du nageur.
brasser v. tr. Préparer la bière en opérant le mélange du malt avec l'eau. Remuer, agiter, mêler. *Fig.* Entreprendre beaucoup d'affaires.
brasserie n. f. Lieu où l'on brasse la bière. Débit de bière.
brasseur, euse n. Qui fait de la bière et la vend en gros.
brassière n. f. Camisole pour enfant.
bravache n. m. Fanfaron, faux brave. Adj. : *air bravache.*
bravade n. f. Action ou parole de défi, de forfanterie : *de vaines bravades.*
brave* adj. et n. m. Vaillant, courageux. Honnête, bon (placé avant le nom).
braver v. tr. Défier, affronter.
bravo! interj. Très bien! N. m. Approbation, applaudissement.
bravoure n. f. Vaillance, intrépidité.
brebis n. f. Femelle du mouton.
brèche n. f. Ouverture faite dans un mur. Brisure au tranchant d'une lame. *Fig.* Tort, dommage. Loc. fam. : *Etre sur la brèche,* lutter, agir. *Battre en brèche,* attaquer vivement.
brèche-dent adj. et n. Qui a perdu une ou plusieurs dents de devant.
bréchet n. m. Sternum des oiseaux.
bredouillage ou **bredouillement** n. m. Action de bredouiller.
bredouille n. f. Déconfiture d'un chasseur qui n'a rien tué. *Fig.* Echec. Adj. : *rentrer bredouille de la chasse.*
bredouiller v. intr. Parler d'une manière précipitée et peu distincte.
bredouilleur, euse adj. et n. Qui bredouille.
bref, ève adj. Court. Brusque, impératif : *ton bref.* N. f. Syllabe brève. *Bref* adv. Enfin, en un mot.

bref n. m. Lettre pastorale du pape.
brelan n. m. Jeu de cartes. Réunion de trois cartes semblables : *brelan d'as.* Tripot : *tenir brelan.*
breloque n. f. Petit bijou attaché à une chaîne de montre.
brème n. f. Poisson d'eau douce.
brésilien, enne adj. et n. Du Brésil.
bressan, e adj. et n. De Bresse.
bretailler v. intr. Fréquenter les salles d'armes. Aimer à ferrailler.
bretelle n. f. Courroie pour porter un fardeau, un fusil. Bande de tissu élastique ou de cuir pour soutenir le pantalon.
breton, onne adj. et n. De Bretagne.
bretonnant, e adj. Parlant breton.
bretteur n. m. Ferrailleur; spadassin.
breuvage n. m. Boisson.
brevet n. m. Diplôme délivré par l'Etat et conférant certains droits.
breveter v. tr. (Se conj. comme *jeter.*) Donner un brevet.
bréviaire n. m. Livre contenant les offices que les prêtres doivent lire chaque jour. L'office même.
bribe n. f. Au pl. Restes d'un repas. *Fam.* Parcelle, fragment.
bric-à-brac n. m. invar. Marchandises diverses d'occasion, vieux objets à vendre.
brick n. m. Petit navire à voiles.
bricole n. f. Partie du harnais qui s'attache au poitrail. Bretelle de portefaix. *Fig.* Petit travail mal payé. Chose sans importance.
bricoler v. intr. *Fam.* Faire des besognes variées et de peu d'importance.
bricoleur, euse n. Qui bricole.
bride n. f. Partie du harnais d'un cheval qui porte le mors. Lien pour retenir certaines coiffures. Boutonnière en points de chaînette. Lien de fer unissant deux pièces. Loc. : *Fig. Lâcher la bride,* céder. *Tenir la bride haute,* se montrer sévère.
brider v. tr. Mettre la bride à. Ficeler une volaille. *Fig.* Réprimer.
bridge n. m. Jeu de cartes. Appareil dentaire formant pont entre deux dents.
brièvement adv. En très peu de mots.
brièveté n. f. Courte durée. *Littér.* Concision : *brièveté de style.*
brigade n. f. Corps de deux régiments.
brigadier n. m. Qui occupe le grade le moins élevé dans la cavalerie. *Par abrév.* Général de brigade.
brigand n. m. Qui vole et pille à main armée. *Fig.* Vaurien, bandit.
brigandage n. m. Acte de brigand.
brigue n. f. Intrigue. Cabale. Faction.
briguer v. tr. Tâcher d'obtenir par brigue : *briguer un poste.*
brillamment adv. Avec éclat.
brillant, e adj. Qui brille. *Fig.* Somptueux. Illustre. Séduisant : *orateur brillant.* Florissant : *santé brillante.* N. m. Eclat : *le brillant de l'or.* Diamant taillé à facettes.
brillantine n. f. Huile parfumée pour les cheveux.
briller v. intr. Avoir de l'éclat, luire. *Fig.* Paraître avec éclat.
brimade n. f. Epreuve imposée aux nouveaux par les anciens soldats, les anciens élèves.
brimborion n. m. Chose sans valeur.
brimer v. tr. Faire subir des brimades.
brin n. m. Jet de bois droit. *Fig. Un beau brin de fille,* une fille élancée et robuste. Filament : *brin d'herbe, de laine.* Chacune des cordelettes dont est faite la corde. Petit bout : *brin de paille;* au *fig. : brin de causerie.*
brindille n. f. Branche menue.
bringuebaler v. intr. Etre agité de mouvements brusques et irréguliers.
brio n. m. Exécution musicale entraînante. Entrain, chaleur en général.
brioche n. f. Sorte de pâtisserie.
brique n. f. Terre argileuse pétrie et moulée, séchée au soleil et cuite au four. Ce qui en a la forme : *brique de savon.*
briquet n. m. Tout appareil servant à produire du feu : *briquet à essence.*
briqueter v. tr. (Se conj. comme *jeter.*) Garnir de briques. Imiter la brique.
briqueterie n. f. Lieu où se fait la brique.
briquetier n. m. Qui fait ou vend de la brique.
briquette n. f. Brique faite de tourbe ou de poussière de charbon.
bris n. m. Fracture d'une porte, d'une glace, etc. : *bris de clôture.*
brisant n. m. Rocher à fleur d'eau.
brise n. f. Petit vent frais et doux.
brisé, e adj. Formé de pièces qui se replient. Formé de droites ou de plans qui se coupent.
brise-bise n. m. invar. Petit rideau au bas d'une fenêtre.
brisées n. f. pl. Branches rompues marquant l'endroit où une bête a passé. *Fig. Aller sur les brisées de quelqu'un,* entrer en concurrence avec lui.
brise-glace ou **brise-glaces** n. m. Arc-boutant en avant des piles d'un pont. Navire muni d'un éperon pour briser la glace.
brise-jet n. m. invar. Ajutage d'un robinet d'eau pour modérer le jet.
brise-lames n. m. Ouvrage en avant d'un port pour amortir la force des lames.
briser v. tr. Rompre, mettre en pièces. *Fig.* Fatiguer : *brisé de fatigue.* Détruire, supprimer : *briser une résistance.* V. intr. Heurter contre un obstacle (vagues). Rompre avec quelqu'un.
brise-tout n. invar. Maladroit.
brisque n. f. Chevron de soldat rengagé.
bristol n. m. Carton fin.
brisure n. f. Solution de continuité dans un objet brisé. Joint de deux parties d'un ouvrage qui se replient par charnières.
britannique adj. et n. De Grande-Bretagne.
broc [*bro*] n. m. Grand récipient à anse et à bec : *un broc de vin, de toilette.*
brocante n. f. Commerce, industrie du brocanteur.
brocanter v. intr. et tr. Acheter, vendre, échanger au hasard.
brocanteur, euse n. Qui brocante.
brocard n. m. *Fam.* Raillerie.
brocart n. m. Etoffe brochée.
brocatelle n. f. Etoffe imitant le brocart. Marbre de plusieurs couleurs.
brochage n. m. Action de brocher.
broche n. f. Verge de fer pour faire rôtir la viande. Tige recevant les bobines des métiers à tisser. Tige d'une serrure, pénétrant dans le trou d'une clef. Bijou de femme, muni d'une épingle.

brocher v. tr. Passer de l'or, de la soie, etc., dans une étoffe. Coudre les cahiers d'un livre. *Fam.* Faire en hâte un ouvrage.
brochet n. m. Poisson d'eau douce.
brochette n. f. Petite broche pour enfiler et faire cuire des petits oiseaux, etc.
brocheur, euse n. Qui broche.
brochure n. f. Action de brocher. Ouvrage broché, peu volumineux.
brodequin n. m. Chaussure des personnages de la comédie antique. Chaussure lacée sur le cou-de-pied. Pl. Anc. instrument de torture qui écrasait les jambes.
broder v. tr. Faire des dessins en relief sur une étoffe. *Fig.* Embellir.
broderie n. f. Ouvrage du brodeur. *Fig.* Amplification, détails ajoutés.
brodeur, euse n. et adj. Qui brode.
brome n. m. *Chim.* Corps simple, d'une odeur fétide.
bromure n. m. Combinaison du brome avec un corps simple.
bronche n. f. Chacun des deux conduits par lesquels l'air s'introduit dans les poumons.
broncher v. intr. Faire un faux pas. Bouger, remuer. *Fig.* Hésiter, se tromper.
bronchiole n. f. Ramification terminale des bronches.
bronchite n. f. Inflammation des bronches.
broncho-pneumonie [*ko*] n. f. Inflammation des bronches et du poumon.
bronzage n. m. Action de bronzer.
bronze n. m. Alliance de cuivre, d'étain et de zinc. Statue, médaille de bronze. *Poét.* Canon. Cloche.
bronzer v. tr. Donner la couleur du bronze : *bronzer une statue ; teint bronzé.*
brosse n. f. Ustensile de nettoyage : *brosse à habits, à dents.* Sorte de pinceau pour étaler les couleurs.
brosser v. tr. Nettoyer avec une brosse. V. pr. *Fam.* Se passer de.
brosserie n. f. Fabrique, commerce de brosses.
brou n. m. Enveloppe verte des fruits à écale. *Brou de noix,* couleur brune tirée de l'enveloppe des noix.
brouet n. m. Mauvais ragoût.
brouette n. f. Petit tombereau à une roue et à deux brancards.
brouettée n. f. Contenu d'une brouette.
brouetter v. tr. Transporter avec une brouette : *brouetter du sable.*
brouhaha n. m. *Fam.* Bruit de voix confus et tumultueux.
brouillage n. m. Action de troubler une émission radiophonique.
brouillamini n. m. *Fig.* Confusion.
brouillard n. m. Amas de vapeur d'eau qui obscurcit l'air. *Comm.* Registre sur lequel on inscrit les opérations à leur date. *Adjectiv. Papier brouillard,* sorte de buvard employé pour filtrer, etc.
brouillasse n. f. Léger brouillard.
brouillasser v. intr. Commencer à tomber, en parlant du brouillard.
brouille n. f. *Fam.* Mésintelligence.
brouiller v. tr. Mêler, troubler, agiter. Troubler une émission radiophonique. *Fig.* Embrouiller, mettre de la désunion : *brouiller des amis.* V. pr. Se couvrir de nuages (temps, ciel).
brouillerie n. f. Désunion.
brouillon, onne adj. et n. Qui ne fait que brouiller ou s'embrouiller. N. m. Première forme d'un écrit.
broussaille n. f. Epines, ronces entremêlées. *Fig. : sourcils en broussaille.*
broussailleux, euse adj. Couvert de broussailles.
brousse n. f. Etendue couverte de broussailles : *la brousse africaine.*
brouter v. tr. Paître l'herbe, les jeunes pousses : *chèvre qui broute.*
broutille n. f. Menu branchage. *Fig.* Objet sans importance.
broyage n. m. Action de broyer.
broyer v. tr. (Se conj. comme *aboyer.*) Ecraser, réduire en poudre : *broyer du sucre. Broyer du noir,* avoir des idées sombres.
broyeur, euse n. et adj. Qui broie.
brrr! interj. qui marque une sensation de froid, etc.
bru n. f. Femme du fils, belle-fille.
brugnon n. m. Pêche à peau lisse.
bruine n. f. Pluie fine et froide.
bruiner v. impers. Tomber, en parlant de la bruine.
bruire v. intr. et défect. Emettre des rumeurs confuses. (Ne s'emploie que dans : *bruit, bruissent, bruissait, bruissaient, bruissant.*)
bruissement n. m. Bruit faible et confus : *le bruissement des feuilles.*
bruit n. m. Mélange confus de sons. *Fig.* Nouvelle : *un bruit qui court.* Eclat : *nouvelle qui fait grand bruit.*
bruiter v. intr. Imiter artificiellement les bruits, au théâtre, au cinéma, etc.
brûlage n. m. Action de brûler.
brûlé n. m. Odeur répandue par une chose brûlée : *sentir le brûlé.*
brûle-gueule n. m. invar. *Pop.* Pipe à tuyau très court.
brûle-parfums n. m. Réchaud pour faire brûler des parfums.
brûle-pourpoint (à) loc. adv. A bout portant. Brusquement.
brûler v. tr. Consumer par le feu. Causer une douleur vive par le contact du feu, d'un objet très chaud. Dessécher : *brûlé par le soleil.* Employer comme combustible et pour l'éclairage : *brûler du pétrole. Fig. Brûler une étape,* passer outre, sans s'y arrêter. V. intr. Etre consumé, être très chaud : *brûler de fièvre. Fig.* Etre enflammé d'un violent désir : *brûler d'amour.*
brûleur, euse n. m. Appareil à combustion : *brûleur à gaz.*
brûloir n. m. Ustensile pour torréfier.
brûlot n. m. Bâtiment chargé de matières combustibles pour incendier les vaisseaux ennemis. Eau-de-vie brûlée avec du sucre.
brûlure n. f. Lésion produite par le feu, etc. : *panser une brûlure.*
brumaire n. m. Deuxième mois du calendrier républicain (21 octobre - 23 novembre).
brume n. f. Brouillard épais.
brumeux, euse adj. Couvert de brume : *paysage brumeux.*
brun, e adj. et n. De couleur entre le roux et le noir, mais tirant sur le noir. Qui a les cheveux bruns. N. m. Couleur brune.
brunâtre adj. Tirant sur le brun.

brune n. f. Moment où le jour baisse.
brunir v. tr. Rendre brun. Polir un métal. V. intr. Devenir brun.
brunissage n. m. Action de brunir.
brunisseur, euse n. Qui brunit.
brusque* adj. Prompt, subit. Vif. Rude, incivil : *parler d'un ton brusque.*
brusquer v. tr. Traiter d'une manière brusque. *Fig.* : *brusquer une affaire.*
brusquerie n. f. Action ou paroles brusques.
brut, e [*brut'*] adj. Non façonné : *produit brut.* Non raffiné : *sucre brut.* Sans éducation, sans culture. *Poids brut,* emballage non défalqué. Adv. Sans défalcation : *cela pèse brut 2 tonnes.*
brutal, e, aux adj. Tenant de la bête brute : *instinct brutal.* Grossier, emporté : *procédé brutal.* Soudain, violent. N. Personne brutale.
brutaliser v. tr. Traiter brutalement.
brutalité n. f. Caractère de ce qui est brutal. Action ou parole brutale.
brute n. f. Animal privé de raison. *Fig.* Personne grossière, brutale.
bruyamment adv. Avec grand bruit.
bruyant, e adj. Qui fait du bruit.
bruyère n. f. Nom de diverses plantes qui poussent dans les terrains incultes.
buanderie n. f. Lieu où se fait la lessive.
bubon n. m. Ganglion enflammé.
bubonique adj. Qui tient du bubon, qui présente des bubons : *peste bubonique.*
buccal, e, aux adj. De la bouche.
bûche n. f. Morceau de bois de chauffage. *Fig.* Personne stupide.
bucher n. m. Lieu où l'on serre le bois à brûler. Amas de bois sur lequel on brûle un corps : *condamner au bûcher.*
bûcher v. intr. *Fam.* Travailler dur.
bûcheron, onne n. Qui abat du bois dans une forêt.
bûchette n. f. Menu morceau de bois.
bûcheur, euse n. *Fam.* Travailleur.
bucolique adj. Relatif à la vie des bergers ou à la poésie pastorale. N. f. Poésie pastorale.
budget n. m. Etat de prévision des recettes et des dépenses d'un Etat, d'un département, etc. *Par ext.* Recettes ou dépenses d'un particulier.
budgétaire adj. Du budget.
budgétivore adj. et n. *Iron.* Qui vit aux dépens de l'Etat.
buée n. f. Vapeur qui se dégage d'un liquide en ébullition.
buffet n. m. Armoire pour renfermer la vaisselle, etc. Table où sont dressés des mets, des vins, etc. Restaurant de gare. Menuiserie de l'orgue.
buffetier, ère n. Qui tient un buffet.
buffle n. m. Espèce de bœuf sauvage. Cuir de buffle : *collet de buffle.*
buffleterie n. f. Partie de l'équipement militaire, en peau de buffle.
bugle n. m. Sorte de trompette à pistons. N. f. Genre de plantes labiées.
buis n. m. Arbuste toujours vert, à bois dur. Outil de cordonnier.
buisson n. m. Touffe d'arbrisseaux sauvages et rameux. Petit taillis d'arbres. Plat disposé en pyramide : *servir un buisson d'écrevisses.*
buissonneux, euse adj. Couvert de buissons : *terrain buissonneux.*
buissonnier, ère adj. *Fig. Faire l'école buissonnière,* se promener au lieu d'aller en classe.
bulbe n. m. Oignon de plante. *Anat.* Partie renflée, globuleuse. *Bulbe rachidien,* partie supérieure de la moelle épinière.
bulbeux, euse adj. *Bot.* Formé d'un bulbe. *Anat.* Pourvu d'un bulbe.
bulgare adj. et n. De Bulgarie.
bulldozer [*boul-do-zèr*] n. m. Engin à chenilles pour aplanir le sol.
bulle n. f. Globule d'air à la surface d'un liquide. Petite ampoule sur la peau. Boule de plomb, jadis sceau des actes officiels. L'acte lui-même. *Admin. eccl.* Lettre patente du pape avec le sceau pontifical. N. et adj. m. *Papier bulle,* papier jaunâtre pour les paquets, etc.
bulletin n. m. Billet de vote. Publication officielle : *bulletin des lois.* Rapport succinct sur : *bulletin scolaire.* Reçu : *bulletin de bagages.*
bungalow [*lô*] n. m. Dans l'Inde, habitation d'un étage, à véranda.
buraliste n. Qui est préposé à un bureau de paiement, de recette, etc. *Adjectiv.* : *receveur buraliste.*
bure n. f. Grosse étoffe de laine. Puits dans une galerie de mine.
bureau n. m. Table ou meuble à tiroirs, pour écrire. Endroit où s'expédient les affaires : *bureau d'avocat.* Lieu où se réunissent les commissions d'une assemblée. Président, vice-président et secrétaires d'une assemblée : *le bureau se réunit.* Etablissement public : *bureau de poste.* Pl. L'administration.
bureaucrate n. m. Employé dans les bureaux d'une administration.
bureaucratie n. f. Pouvoir, influence abusive des bureaux.
bureaucratique adj. Relatif à la bureaucratie : *esprit bureaucratique.*
burette n. f. Petit vase à goulot.
burin n. m. Ciseau à métaux. Instrument d'acier pour graver. Manière d'un graveur : *il a le burin net.*
buriner v. tr. Travailler au burin, graver.
burlesque adj. D'un comique extravagant : *poésie, situation burlesque.* N. m. Le genre burlesque.
burnous n. m. Grand manteau des Arabes, en laine et à capuchon.
buse n. f. Genre d'oiseaux rapaces, voisins des faucons. *Fig.* Ignorant et sot : *c'est une buse.*
buse n. f. Canal qui amène l'eau d'un bief sur la roue du moulin. Tuyau : *buse d'aération, d'échappement.*
busqué, e adj. D'une courbure convexe : *Condé avait le nez busqué.*
buste n. m. Partie supérieure du corps humain. Portrait de buste.
but [*but'*] n. m. Point visé : *toucher le but.* Terme qu'on s'efforce d'atteindre : *dépasser son but.* Fin qu'on se propose. *De but en blanc* loc. adv. Brusquement.
butane n. m. Gaz combustible qu'on vend liquéfié en bouteilles métalliques.
butée n. f. Massif de pierres aux deux extrémités d'un pont.
buter v. intr. Venir s'appuyer contre quelque chose. Se heurter le pied contre un obstacle. V. pr. S'opiniâtrer, s'obstiner.

butin n. m. Ce qu'on enlève à l'ennemi. *Fig.* Profit.
butiner v. intr. Faire du butin sur l'ennemi. V. tr. Recueillir le suc des fleurs, en parlant des abeilles.
butoir n. m. Pièce contre laquelle vient buter une pièce coulissante. Obstacle terminant une voie.
butor n. m. Genre d'oiseaux échassiers, à voix retentissante. *Fig.* Personne grossière.
butte n. f. Petite colline, tertre : *butte de tir. Fig. Etre en butte à,* être exposé à (des plaisanteries, etc.).
butter v. tr. Entourer de terre exhaussée (pommes de terre, etc.).
buvard adj. m. *Papier buvard,* papier non collé, propre à absorber l'encre fraîche. N. m. Cahier, sous-main contenant du papier buvard.
buvetier, ère n. Qui tient une buvette.
buvette n. f. Endroit où l'on boit. Débit de boissons.
buveur, euse n. Qui boit. Qui aime à boire du vin, etc.
buvoter v. intr. Boire à petits coups.
byzantin, e adj. et n. De Byzance.

C

c n. m. Troisième lettre de l'alphabet et la deuxième des consonnes. C, chiffre romain, vaut 100.
ça pr. dém. contr. pour *cela.*
çà. *Çà et là* loc. adv. De côté et d'autre.
çà! interj. qui marque l'encouragement, l'exhortation. *Ah! çà* loc. interj. qui marque la surprise.
cabale n. f. Chez les Juifs, doctrine mystique transmise par initiation. Coterie, intrigue : *monter une cabale.*
cabaler v. intr. Comploter.
cabaliste n. Versé dans la cabale.
cabalistique adj. Mystérieux, magique.
cabane n. f. Hutte, baraque, bicoque. Petite loge pour les animaux.
cabanon n. m. Petite cabane. Cellule pour les fous furieux.
cabaret n. m. Débit de boissons au détail. Restaurant élégant.
cabaretier, ère n. Qui tient un cabaret.
cabas n. m. Panier plat en paille. Panier de jonc : *cabas à provisions.*
cabestan n. m. Treuil vertical à barres horizontales pour rouler ou dérouler un câble, etc. : *virer au cabestan.*
cabillaud n. m. Morue fraîche.
cabine n. f. Chambrette à bord d'un navire. Logette de baigneur. Réduit spécial : *cabine téléphonique.*
cabinet n. m. Petite chambre. Bureau : *cabinet de travail.* Etude de notaire, bureau d'avocat, d'homme d'affaires. Ensemble des ministres d'un Etat : *conseil de cabinet.* Collection scientifique. Pl. Lieux d'aisances.
câble n. m. Gros cordage. Faisceau de fils métalliques sous enveloppes isolantes : *câble sous-marin.*
câblé n. m. Gros cordon formé de brins tordus ensemble.
câbler v. intr. Tordre plusieurs cordes ensemble pour n'en faire qu'une. V. tr. Télégraphier par câble.
câblogramme n. m. Dépêche envoyée par câble.
cabochard, e adj. et n. Entêté.
caboche n. f. Grosse tête. *Comm.* Clou à tête large et ronde.
cabochon n. m. Pierre précieuse polie, mais non taillée. Clou de cuivre doré, argenté, à tête décorée.
cabosser v. tr. Bosseler.
cabot n. m. *Arg.* Chien. Caporal. Acteur.
cabotage n. m. Navigation marchande côtière : *grand, petit cabotage.*
caboter v. intr. Faire le cabotage.
caboteur adj. et n. m. Bâtiment marin qui fait le cabotage.
cabotin, e n. Mauvais acteur. Comédien ambulant. *Fam.* Charlatan.
cabotinage n. m. Métier ou façons de cabotin.
caboulot n. m. *Pop.* Café borgne.
cabrer (se) v. pr. Se dresser sur les pieds de derrière, en parlant des chevaux. *Fig.* Se révolter.
cabri n. m. Chevreau.
cabriole n. f. Saut agile fait en se retournant sur soi-même.
cabrioler v. intr. Faire des cabrioles.
cabriolet n. m. Voiture légère à deux ou quatre roues, avec capote.
caca n. m. Excrément.
cacahuète n. f. Nom vulgaire des fruits de l'arachide.
cacao n. m. Amande de cacaoyer réduite en poudre, servant à faire une décoction et à fabriquer le chocolat.
cacaoyer n. m. Arbre d'origine américaine.
cachalot n. m. Grand mammifère cétacé à tête énorme.
cache n. f. Lieu secret pour cacher. N. m. *Phot.* Papier noir pour cacher à la lumière certaines parties d'un cliché photographique.
cache-cache n. m. Jeu d'enfants.
cachemire n. m. Tissu fin en poil de chèvre du Cachemire.
cache-nez n. m. Echarpe longue, épaisse, pour se garantir du froid.
cache-poussière n. m. invar. Manteau léger qui protège de la poussière.
cacher v. tr. Soustraire aux regards. Dissimuler : *cacher son jeu.*
cachet n. m. Petit sceau gravé; son empreinte : *un cachet de cire.* Médicament en poudre enfermé dans du pain azyme. *Fig.* Marque caractéristique : *un cachet d'élégance.*

cacheter v. tr. (Se conj. comme *jeter*.) Fermer, sceller avec un cachet. Fermer : *cacheter une enveloppe*. Boucher à la cire : *vin cacheté*.
cachette n. f. Petite cache. *En cachette* loc. adv. A la dérobée.
cachot n. m. Cellule étroite, obscure. Prison en général.
cachotterie n. f. *Fam.* Mystère sur des choses sans importance.
cachottier, ère adj. et n. Qui se plaît aux cachotteries.
cachou n. m. Substance stomachique et stimulante. *Adjectiv.* De couleur tabac.
cacophonie n. f. Rencontre de mots ou de syllabes qui blessent l'oreille. *Mus.* Mélange de sons discordants.
cacophonique adj. Discordant.
cactus n. m. Genre de plantes grasses et épineuses.
c.-à-d. Abrév. pour *c'est-à-dire*.
cadastral, e, aux adj. Du cadastre.
cadastre n. m. Registre public qui porte le relevé détaillé des propriétés territoriales d'une commune, etc.
cadavéreux, euse adj. Qui tient du cadavre : *aspect cadavéreux*.
cadavérique adj. Relatif au cadavre.
cadavre n. m. Corps d'un homme ou d'un animal mort. *Par exagér.* Corps pâle, décharné.
cadeau n. m. Présent, don.
cadenas n. m. Serrure mobile qui se passe dans des pitons fermés.
cadenasser v. tr. Mettre un cadenas.
cadence n. f. Répétition de sons ou de mouvements d'une façon régulière ou mesurée.
cadencer v. intr. (Se conj. comme *amorcer*.) Faire des cadences. V. tr. Donner de l'harmonie et du rythme à.
cadet, ette adj. et n. Puîné, ou, plus particul., enfant né le second. N. m. Le plus jeune. *Fig.* Moins âgé.
cadran n. m. Surface portant les chiffres des heures, etc., et sur laquelle courent des aiguilles : *cadran d'une horloge*.
cadre n. m. Bordure de bois, de bronze, etc., qui entoure une glace, un tableau, etc. Châssis en général. *Fig.* Limites d'un espace; espace ainsi renfermé : *sortir du cadre tracé*. Pl. Ensemble des gradés d'une troupe militaire. Ensemble des chefs de service.
cadrer v. intr. Avoir du rapport, concorder : *ceci cadre avec mon plan*.
caduc, uque adj. Vieux, cassé, faible. Sujet à tomber : *feuillage caduc*. *Fig.* Non avenu : *legs caduc*.
caducée n. m. Baguette surmontée de deux ailes et entourée de deux serpents, attribut de Mercure.
caducité n. f. Etat de ce qui est caduc.
cæcum [*sé-kom*] n. m. Partie du gros intestin faisant suite à l'intestin grêle.
cafard, e n. *Fam.* Hypocrite, faux dévot. Adj. Qui marque l'hypocrisie.
cafard n. m. Nom vulgaire de la blatte. *Fam.* Idées noires.
cafarder v. tr. *Fam.* Espionner, rapporter. V. intr. Faire le cafard.
café n. m. Fruit du caféier. Infusion faite avec ce fruit torréfié. Lieu public où l'on prend du café, etc.
café-concert n. m. Sorte de théâtre, où le public consommait en écoutant des chansonniers. Pl. des *cafés-concerts*.
caféier n. m. Arbuste qui produit le café : *le caféier vient d'Arabie*.
caféine n. f. Alcaloïde extrait du café.
cafetan n. m. Robe orientale.
cafetier n. m. Qui tient un café.
cafetière n. f. Vase qui sert à faire ou à verser le café.
cafouiller v. intr. *Pop.* Agir, fonctionner de façon désordonnée.
cafre adj. et n. Noir d'Afrique australe.
cage n. f. Loge grillée pour enfermer des oiseaux, des animaux, etc. Espace recevant un escalier, un ascenseur. *Min.* Benne qui remonte les ouvriers, le minerai.
cageot n. m. Petite cage. Cage d'osier pour transporter volaille, fruits, etc.
cagne n. f. *Arg. scol.* Classe préparatoire à l'Ecole normale supérieure (lettres).
cagneux, euse n. et adj. Qui a les jambes tordues (genoux rapprochés, pieds écartés).
cagnotte n. f. Sorte de tirelire pour les contributions imposées aux joueurs. Somme ainsi recueillie.
cagot, e n. et adj. D'une dévotion outrée et hypocrite.
cagoterie n. f. Action, parole de cagot.
cagoule n. f. Manteau de moine, sans manches et surmonté d'un capuchon. Capuchon percé à l'endroit des yeux.
cahier n. m. Assemblage de feuilles de papier. *Cahier des charges*, conditions imposées à un adjudicataire.
cahin-caha loc. adv. *Fam.* Tant bien que mal : *l'affaire va cahin-caha*.
cahot n. m. Bond d'un véhicule roulant sur un chemin raboteux.
cahotement n. m. Action de cahoter.
cahoter v. intr. Eprouver des cahots. V. tr. Secouer. *Fam.* Ballotter.
cahoteux, euse adj. Qui fait éprouver des cahots : *chemin cahoteux*.
cahute n. f. Petite hutte.
caïd n. m. En Algérie et en Tunisie, magistrat indigène. *Arg.* Chef.
caïeu n. m. Bourgeon souterrain, sur le côté d'un bulbe.
caille n. f. Genre de gallinacés, voisin des perdrix : *grasse comme une caille*.
caillé n. m. Lait caillé.
caillebotis n. m. Assemblage de lattes placé sur le sol pour faciliter le passage.
cailler v. tr. Figer, coaguler, épaissir.
caillette n. f. Personne frivole. Quatrième estomac des ruminants.
caillot n. m. Petite masse de liquide coagulé. (Se dit surtout du sang.)
caillou n. m. Petite pierre.
cailloutage n. m. Action de garnir de cailloux. Maçonnerie, pavage en caillou.
caillouteux, euse adj. Rempli de cailloux.
cailloutis n. m. Amas de cailloux.
caïman n. m. Espèce de crocodile.
caisse n. f. Coffre de bois, à usages divers. Coffre à argent. Bureau où il se trouve; son contenu : *faire sa caisse* (la vérifier). Corps d'une voiture : *caisse mal suspendue*. Boîte d'une horloge. Tambour. Récipient de bois pour plantes. Etablissement qui reçoit des fonds pour les administrer : *caisse d'épargne*. *Grosse caisse*, sorte de gros tambour.

caissette n. f. Petite caisse.
caissier, ère n. Qui tient la caisse d'un établissement.
caisson n. m. Chariot couvert : *caisson de munitions*. Coffre d'une voiture. Grande caisse pour établir des fondations sous l'eau. Compartiment de plafond.
cajoler v. tr. Flatter, caresser.
cajolerie n. f. Action de cajoler. Pl. Paroles et manières caressantes.
cajoleur, euse adj. et n. Qui cajole.
cal n. m. Durillon. Cicatrice saillante d'un os fracturé. Pl. des *cals*.
calage n. m. Action de caler, d'étayer.
calamine n. f. Silicate naturel de zinc. *Autom.* Dépôt charbonneux dans les cylindres d'un moteur à explosion.
calamistrer v. tr. Friser, onduler.
calamité n. f. Grand malheur public.
calamiteux, euse adj. Qui a le caractère d'une calamité.
calandre n. f. Machine pour lisser et lustrer les étoffes, glacer les papiers. Grosse alouette. Charançon.
calandrer v. tr. Faire passer à la calandre.
calanque n. f. Petite crique en Méditerranée.
calcaire adj. Qui contient de la chaux. N. m. Roche calcaire.
calcification n. f. Dépôt de sels calcaires dans les tissus organiques.
calciner v. tr. Réduire en chaux par l'action du feu. *Par ext.* Dessécher par une chaleur excessive.
calcium n. m. Métal blanc jaunâtre, qui entre dans la composition de la chaux.
calcul n. m. Opération que l'on fait pour trouver le résultat de la combinaison de plusieurs nombres. Art de résoudre les problèmes de l'arithmétique. *Fig.* Mesures, combinaisons, projets. *Méd.* Concrétion pierreuse : *calculs biliaires*.
calculateur, trice adj. et n. Qui sait calculer (au *pr.* et au *fig.*). Machine qui effectue des opérations arithmétiques.
calculer v. tr. Faire une opération de calcul. *Fig.* Régler, combiner : *calculer l'installation de succursales*.
cale n. f. Objet qu'on place sous un autre pour le mettre d'aplomb.
cale n. f. Partie basse dans l'intérieur d'un vaisseau. Partie inclinée d'un port, où l'on construit et répare les bâtiments : *mettre en cale sèche*.
calé, e adj. *Pop.* Instruit, savant, fort.
calebasse n. f. Grosse courge. Courge vidée et séchée, servant de récipient.
calèche n. f. Voiture découverte, suspendue, à quatre roues.
caleçon n. m. Sorte de pantalon ou de culotte de dessous. Culotte courte des baigneurs, des lutteurs.
calembour n. m. Jeu de mots fondé sur une similitude de sons.
calembredaine n. f. Vain propos.
calendrier n. m. Tableau des jours, des mois, des saisons, des fêtes de l'année.
calepin n. m. Carnet pour notes.
caler v. tr. Assujettir avec des cales.
caler v. tr. Laisser glisser les voiles. V. intr. Enfoncer dans l'eau. *Fig.* et *pop.* Céder, reculer. S'arrêter brusquement (moteur).
calfat n. et adj. m. Qui calfate.
calfatage n. m. Action de calfater.
calfater v. tr. Garnir d'étoupe, de poix, les fentes d'un vaisseau.
calfeutrage ou **calfeutrement** n. m. Action de calfeutrer.
calfeutrer v. tr. Boucher les fentes d'une porte, etc. V. pr. Se tenir enfermé chez soi.
calibrage n. m. Action de calibrer.
calibre n. m. Diamètre d'un cylindre creux. Modèle servant à vérifier le diamètre des armes à feu, des projectiles. Grosseur d'un boulet, d'une balle. Pièce servant de mesure, d'étalon.
calibrer v. tr. Donner le calibre à. Mesurer le calibre d'une arme à feu.
calice n. m. Enveloppe extérieure des fleurs. Coupe, vase à boire, chez les anciens. Vase sacré, dans lequel on verse le vin à la messe.
calicot n. m. Toile de coton. *Pop.* Commis de magasin de nouveautés.
calife n. m. Titre que prirent les successeurs de Mahomet.
califourchon (à) loc. adv. Jambe d'un côté, jambe de l'autre : *monter à califourchon*.
câlin, e* adj. et n. Doux et caressant.
câliner v. tr. Caresser doucement.
câlinerie n. f. Action de câliner; manières câlines.
calleux, euse adj. Où il y a des cals.
calligraphie n. f. Belle écriture.
calligraphier v. tr. (Se conj. comme *prier*.) Ecrire d'une façon élégante et ornée.
callosité n. f. Epaississement et durcissement de l'épiderme.
calmant, e adj. Qui calme. N. m. Remède. *Fig.* Ce qui calme, apaise.
calme* adj. Tranquille. N. m. Absence d'agitation. *Fig.* Tranquillité.
calmer v. tr. Apaiser, atténuer.
calomel n. m. Chlorure de mercure.
calomniateur, trice n. et adj. Qui calomnie : *n'écoutez pas les calomniateurs*.
calomnie n. f. Accusation fausse.
calomnier v. tr. (Se conj. comme *prier*.) Dénigrer par la calomnie.
calomnieux, euse adj. Qui contient des calomnies : *lettre calomnieuse*.
calorie n. f. Unité de quantité de chaleur.
calorifère adj. Qui porte, répand la chaleur. N. m. Appareil destiné à chauffer une maison, un édifice, etc.
calorifique adj. Qui concerne la chaleur.
calorifuge adj. Se dit des substances qui conservent la chaleur : *l'amiante est un calorifuge*.
calorimètre n. m. Instrument pour mesurer les quantités de chaleur.
calorimétrie n. f. Mesure de la chaleur.
calorimétrique adj. Relatif à la calorimétrie : *échelle calorimétrique*.
calot n. m. *Fam.* Bonnet de police.
calotin ou **calottin** n. m. *Par dénigr.* Prêtre, partisan des prêtres.
calotte n. f. Petit bonnet rond, ne couvrant que le sommet du crâne. *Par dénigr.* et *fam.* Le clergé. *Par anal.* Petit dôme. *Calotte des cieux*, le ciel. *Fam.* Tape sur la tête : *donner des calottes*.
calotter v. tr. Donner une calotte.

calque n. m. Copie, reproduction d'un dessin sur un transparent. *Fig.* Imitation servile d'un ouvrage.
calquer v. tr. Reproduire par calque. *Fig.* Reproduire servilement.
calvados n. m. Eau-de-vie de cidre.
calvaire n. m. Endroit où l'on a planté une croix. *Fig.* Affliction.
calvinisme n. m. Doctrine de Calvin.
calviniste adj. Qui concerne la religion de Calvin. N. Qui la suit.
calvitie n. f. Etat d'une tête chauve.
camarade n. Compagnon de travail, d'étude, de chambre. Ami. *Fig.* Egal, de même condition.
camaraderie n. f. Union familière entre camarades. Aide que se prêtent d'anciens camarades : *esprit de camaraderie.*
camard, e adj. et n. Qui a le nez plat et comme écrasé. *Pop. La camarde,* la mort.
cambouis n. m. Graisse noircie par le frottement des roues, des organes d'une machine.
cambrer v. tr. Courber en arc.
cambriolage n. m. Action de cambrioler.
cambrioler v. tr. Dévaliser une maison, un appartement par effraction.
cambrioleur, euse n. Qui cambriole.
cambrure n. f. Courbure en arc. Pièce de milieu, dans la semelle d'une chaussure.
cambuse n. f. *Mar.* Magasin à vivres dans un navire. Cantine de chantier. *Pop.* Maison mal tenue.
came n. f. Dent ou saillie pour transmettre et transformer le mouvement d'une machine, d'une serrure, etc.
camée n. m. Pierre fine sculptée en relief. Peinture en grisaille.
caméléon n. m. Sorte de reptile de couleur changeante. *Fig.* Qui change d'opinion et de conduite.
camélia n. m. Arbrisseau à belles fleurs, originaire d'Asie.
camelot n. m. Marchand de camelote. Crieur de journaux.
camelote n. f. *Fam.* Marchandise inférieure. Ouvrage mal fait.
camembert n. m. Fromage gras estimé.
caméra n. f. Appareil de prise de vues cinématographiques.
camion n. m. Grand chariot à quatre roues. Automobile pour gros transports. Seau à peinture.
camionnage n. m. Transport par camion. Prix de ce transport.
camionnette n. f. Petit camion.
camionneur n. m. Qui conduit un camion.
camisole n. f. Vêtement de femme, court et à manches. *Camisole de force,* sorte de camisole de toile forte, paralysant les bras, pour maîtriser les fous.
camomille n. f. Plante odoriférante vivace, à fleurs jaunes. Sa fleur.
camouflage n. m. Action de camoufler. Objets servant à camoufler.
camoufler v. tr. Cacher un objectif militaire sous des branches, etc.
camouflet n. m. *Mil.* Contremine. *Fig.* et *fam.* Affront : *recevoir un camouflet.*
camp n. m. Lieu où s'établit une armée. L'armée campée. *Camp retranché,* place entourée de forts. *Fig. En camp volant,* sans être définitivement installé.
campagnard, e n. Qui habite la campagne. Adj. : *vie campagnarde.*
campagne n. f. Etendue de pays plat et découvert. Les champs en général : *vivre à la campagne.* Les campagnards : *les mœurs de la campagne. Fig.* Le temps que durent une expédition militaire ou certains travaux : *campagne de publicité. Battre la campagne,* l'explorer, et, au *fig.*, divaguer.
campanule n. f. Plante à fleurs en clochette, répandue dans les bois.
campement n. m. Action de camper. Le lieu où l'on campe. Troupe campée : *campement de bohémiens.*
camper v. intr. Etablir son camp. Habiter passagèrement. V. tr. Etablir dans un camp. *Fam.* Installer, poser. Quitter quelqu'un : *il l'a campé là.* V. pr. *Particul.* Se placer dans une posture hardie.
camphre n. m. Substance aromatique, cristallisée, tirée du camphrier.
camphré, e adj. Qui contient du camphre.
camphrier n. m. Laurier du Japon, dont on extrait le camphre.
camping [*ign'*] n. m. Sport qui consiste à camper en plein air. Terrain aménagé pour camper.
camus, e adj. Court et plat, en parlant du nez. Qui a le nez court et plat.
canadien, enne adj. et n. Du Canada.
canadienne n. f. Sorte de canot. Sorte de veste doublée de fourrure.
canaille n. f. Populace. Personne malhonnête. Adjectiv. : *rire canaille.*
canaillerie n. f. Action de celui qui se conduit comme une canaille.
canal n. m. Conduit artificiel pour l'eau, le gaz, etc. Voie navigable faite de main d'homme. Mer resserrée entre deux rivages. *Fig.* Voie, moyen intermédiaire. *Anat.* Vaisseau du corps.
canalisable adj. Susceptible d'être canalisé : *fleuve canalisable.*
canalisation n. f. Action de canaliser. Réseau de canaux, de conduits.
canaliser v. tr. Ouvrir des canaux. Transformer un cours d'eau en canal, rendre navigable. *Fig.* Centraliser.
canapé n. m. Long siège à dossier.
canard n. m. Oiseau aquatique palmipède. *Fig.* Journal. Fausse nouvelle. Note fausse. Morceau de sucre trempé dans le café, l'eau-de-vie, etc.
canarder v. tr. Tirer, d'un lieu abrité.
canardière n. f. Mare établie pour canards. Long fusil pour tirer les canards sauvages.
canari n. m. Serin jaune.
cancan n. m. Commérage, médisance. Sorte de danse excentrique.
cancaner v. intr. *Fam.* Faire des cancans.
cancanier, ère adj. et n. Qui cancane.
cancer [*sèr*] n. m. *Méd.* Tumeur solide maligne, qui détruit les tissus organiques.
cancéreux, euse adj. De la nature du cancer. N. Atteint d'un cancer.
cancre n. m. Crabe. Mauvais élève.
cancrelat n. m. Blatte, cafard.
candélabre n. m. Grand chandelier à plusieurs branches. Appareil d'éclairage public; torchère.
candeur n. f. Ingénuité, naïveté.
candi adj. Cristallisé (sucre).

candidat, e n. Personne qui aspire à un emploi, une fonction, un titre.
candidature n. f. Qualité de candidat.
candide* adj. et n. Qui a de la candeur. Qui marque la candeur.
candir (se) v. pr. Se cristalliser (sucre). Se couvrir de sucre : *les confitures trop cuites se candissent.*
cane n. f. Femelle du canard.
caner v. intr. *Pop.* Avoir peur, reculer, céder.
caneton n. m. Jeune canard.
canette n. f. Petite cane. Bouteille en verre épais : *canette de bière.* Petit cylindre sur lequel on enroule le fil dans la navette.
canevas n. m. Grosse toile claire pour faire la tapisserie. *Fig.* Fond, plan d'un ouvrage : *canevas de roman.*
caniche n. m. Variété de chien barbet.
caniculaire adj. Relatif à la canicule.
canicule n. f. Epoque des plus grandes chaleurs.
canif n. m. Petit couteau de poche.
canin, e adj. Qui tient du chien. *Faim canine,* très grande. N. f. *Anat.* Nom des quatre dents pointues. Adjectiv. : *une dent canine.*
caniveau n. m. Pierre creusée, rigole pour faire écouler les eaux, pour poser des tuyaux, des câbles, etc.
cannage n. m. Action de canner.
canne n. f. Nom vulgaire de plusieurs grands roseaux. Jonc, bâton, pour s'appuyer : *canne à pomme d'ivoire.* Baguette résistante et flexible, qui sert en gymnastique pour une sorte d'escrime.
canneler v. tr. (Se conj. comme *amonceler.*) Orner de cannelures.
cannelle n. f. Ecorce odoriférante d'un laurier des Indes. Robinet.
cannelure n. f. Rainure creuse, strie : *cannelure de colonne.*
canner v. tr. Garnir les fonds de sièges avec un treillis de jonc.
cannibale adj. et n. Anthropophage.
cannibalisme n. m. Anthropophagie.
canoë n. m. Pirogue légère.
canon n. m. Pièce d'artillerie. Tube d'une arme à feu : *canon de fusil.* Partie forée d'une clef.
canon n. m. Règle religieuse. Décret d'un concile. Air reproduit intégralement et successivement par les différentes parties d'un chœur. *Droit canon* ou *canonique,* droit ecclésiastique.
cañon [*gnon*] n. m. Gorge profonde, creusée par un cours d'eau.
canonial, e, aux adj. Réglé par les canons de l'Eglise. Conforme à la règle. Relatif à un canonicat.
canonicat n. m. Dignité de chanoine.
canonique adj. Conforme aux canons de l'Eglise catholique. *Age canonique,* âge de quarante ans, imposé aux servantes des prêtres.
canonisation n. f. Action de canoniser.
canoniser v. tr. Mettre au nombre des saints. *Fig.* et *fam.* Prôner, louer.
canonnade n. f. Suite de coups de canon.
canonner v. tr. Battre à coups de canon : *canonner une place.*
canonnier n. m. Artilleur.
canonnière n. f. Jouet d'enfants fait d'un tuyau de sureau avec lequel on lance des boulettes. Petit navire armé de plusieurs canons.
canot n. m. Petite embarcation non pontée : *canot de sauvetage.*
canotage n. m. Action de canoter.
canoter v. intr. Manœuvrer un canot; se promener en canot.
canotier n. m. Amateur qui canote. Chapeau de paille, à bords plats.
cantaloup n. m. Melon à grosses côtes.
cantate n. f. Musique composée sur un poème lyrique.
cantatrice n. f. Chanteuse professionnelle de talent.
cantine n. f. Lieu où l'on vend à boire et à manger aux ouvriers d'un chantier, aux enfants des écoles, aux soldats, etc. Malle d'ordonnance.
cantinier, ère n. Qui tient une cantine.
cantique n. m. Chant religieux.
canton n. m. Subdivision d'un arrondissement. Certaine étendue de pays.
cantonade n. f. *Parler à la cantonade,* à un personnage non en scène ou sans y être soi-même.
cantonal, e, aux adj. Relatif au canton.
cantonnement n. m. Lieu où les troupes cantonnent : *rentrer dans ses cantonnements.*
cantonner v. tr. Distribuer des troupes dans les habitations ou les quartiers d'une localité. V. pr. Se renfermer, se maintenir dans : *se cantonner dans son rôle.*
cantonnier n. m. Ouvrier chargé de l'entretien des routes.
canule n. f. Petit tuyau d'une seringue. Tube chirurgical.
caoutchouc [*chou*] n. m. Substance élastique obtenue par le traitement du latex de diverses plantes tropicales.
caoutchouter v. tr. Enduire de caoutchouc.
cap n. m. Pointe de terre qui s'avance en mer : *le cap Gris-Nez.*
capable adj. Qui peut faire une chose, atteindre tel ou tel résultat : *enfant capable de lire.* Habile, expert : *ouvrier capable.* Investi de droits légaux.
capacité n. f. Contenance : *mesures de capacité.* Science, aptitude, habileté. La personne même ainsi douée. Droit légal : *capacité de tester.*
caparaçon n. m. Housse d'ornement des chevaux dans les cérémonies.
caparaçonner v. tr. Couvrir d'un caparaçon.
cape n. f. Manteau sans manches. *Rire sous cape,* en dessous. *Etre à la cape,* mettre dehors le moins de voiles possible.
capeline n. f. Coiffure de femme et d'enfant, couvrant la tête et les épaules. Bandage chirurgical de tête.
capharnaüm [*om*] n. m. Lieu où les objets sont entassés confusément.
capillaire adj. Relatif aux cheveux. Fin comme un cheveu. *Vaisseaux capillaires,* ramifications des artères et des veines. N. m. Sorte de fougère.
capillarité n. f. Propriété des tubes très fins de favoriser l'ascension des liquides qu'ils renferment.
capilotade n. f. Ragoût de viande rôtie. *Fig. Mettre en capilotade,* mettre en pièces; médire sans ménagement.

capitaine n. m. Chef d'une troupe. Commandant d'un navire, d'un port.
capital, e, aux adj. Essentiel, fondamental : *point capital.* Où il y va de la tête : *peine capitale. Lettre capitale,* majuscule. N. f. Ville principale d'un Etat. Lettre majuscule.
capital n. m. La chose essentielle. Somme qui rapporte intérêt. Fonds d'une société : *capitaux de roulement.* Biens possédés.
capitalisation n. f. Action de capitaliser ou, au *fig.,* d'amasser.
capitaliser v. tr. Convertir en capital. V. intr. Thésauriser.
capitalisme n. m. Puissance des capitaux. Ensemble des capitalistes.
capitaliste n. et adj. Qui a des capitaux. Bailleur de fonds.
capiteux, euse adj. Qui porte à la tête : *vin capiteux.*
capitolin, e adj. Du Capitole.
capitonnage n. m. Action de capitonner. Ouvrage capitonné.
capitonner v. tr. Rembourrer un siège.
capitulation n. f. Convention pour la reddition d'une place.
capituler v. intr. Rendre une place. *Fig.* Entrer en accommodement.
capon, onne adj. et n. *Pop.* Poltron, lâche.
caporal n. m. Militaire du grade le moins élevé dans l'infanterie. Tabac à fumer.
capot n. m. Couverture métallique du moteur d'une automobile.
capot adj. invar. Se dit du joueur de cartes qui n'a pas fait de levée.
capotage n. m. Retournement complet d'une automobile, etc.
capote n. f. Manteau à capuchon. Redingote des soldats. Couverture d'un cabriolet, d'une automobile.
capoter v. intr. Se renverser (auto).
câpre n. f. Bouton à fleur du câprier.
caprice n. m. Décision, volonté subite et irréfléchie. Amour soudain et passager. Irrégularité de certaines choses : *caprice du sort.* Fantaisie.
capricieux, euse* n. et adj. Qui a des caprices : *femme capricieuse.*
câprier n. m. Plante dont la fleur en bouton (*câpre*) est comestible.
capsule n. f. Enveloppe sèche, qui renferme les semences et les graines. Enveloppe de cuivre, contenant une amorce : *capsule pour carabine.* Enveloppe de certains médicaments. Coiffe métallique d'une bouteille. Enveloppe membraneuse.
captation n. f. Action de capter.
capter v. tr. Saisir, obtenir par des moyens artificieux. Gagner, obtenir d'une manière insinuante : *capter un héritage.* Amener des eaux de source au moyen d'aqueducs, etc. Recueillir une émission radiophonique.
captieux, euse* adj. Insidieux, qui tend à induire en erreur.
captif, ive adj. et n. Prisonnier. Asservi, dépendant, contraint. *Ballon captif,* ballon retenu par un câble.
captiver v. tr. Assujettir. Charmer.
captivité n. f. Privation de liberté. *Fig.* Assujettissement moral.
capture n. f. Action de capturer.
capturer v. tr. S'emparer de.
capuche n. f. Sorte de capuchon.
capuchon n. m. Partie de vêtement pour la tête, pouvant se rabattre en arrière. Garniture qui protège un tube, un tuyau.
capucin n. m. Religieux d'un ordre mendiant. *Fam.* Lièvre.
capucine n. f. Plante ornementale.
caque n. f. Barrique où l'on presse les harengs salés.
caquet n. m. Gloussement de la poule. Babil importun. *Rabattre le caquet,* faire taire. Pl. Propos médisants.
caquetage n. m. Action de caqueter.
caqueter v. intr. (Se conj. comme *jeter.*) Glousser (poule). *Fig.* Babiller.
car, conj. marquant la preuve, la raison de la proposition avancée.
car n. m. Abrév. d'AUTOCAR.
carabin n. m. *Fam.* Etudiant en médecine.
carabine n. f. Fusil court, léger.
carabiné, e adj. *Fam.* Violent.
carabinier n. m. Soldat armé d'une carabine. En Italie, gendarme; en Espagne, douanier.
caraco n. m. Vêtement de dessus féminin, en forme de camisole.
caracoler v. intr. Tourner à droite ou à gauche, en terme d'équitation.
caractère n. m. Trait gravé, écrit. Type dont on se sert dans l'imprimerie : *caractères gothiques. Fig.* Ensemble des traits qui composent la nature morale : *un beau caractère.* Le trait saillant. Ce qui est propre, particulier à : *caractères physiques.* Marque, empreinte. Titre, dignité : *le caractère de prêtre.* Fermeté, énergie. *Littér.* Peinture des sentiments, etc., d'un personnage.
caractériel, elle n. Enfant inadapté dont le caractère présente certains troubles.
caractériser v. tr. Déterminer avec précision : *caractériser un siècle.*
caractéristique adj. Qui caractérise.
carafe n. f. Bouteille à base large; son contenu : *carafe d'eau.*
carafon n. m. Petite carafe.
carambolage n. m. Action de caramboler.
caramboler v. intr. Au billard, pousser une bille et lui faire du même coup toucher les deux autres.
carambouilleur n. m. Escroc qui se fait livrer des marchandises à crédit, sans intention de les payer, et les revend comptant.
caramel n. m. Sucre fondu. Bonbon.
caraméliser v. tr. Réduire le sucre en caramel. Mêler de caramel.
carapace n. f. Enveloppe protégeant le corps des tortues, etc.
carat n. m. Partie d'or fin pesant un vingt-quatrième du poids total d'un alliage. Unité de poids de 20 centigrammes (diamants, perles, etc.).
caravane n. f. Troupe de voyageurs réunis pour franchir un désert, une contrée peu sûre, etc. Remorque de camping.
caravanier n. m. Conducteur des bêtes de somme, dans une caravane.
caravansérail n. m. En Orient, abri réservé aux caravanes.
caravelle n. f. Anc. navire turc, italien, espagnol ou portugais.
carbonate n. m. *Chim.* Sel de l'acide carbonique : *carbonate de sodium.*

carbone n. m. *Chim.* Corps simple, soit cristallisé, soit amorphe.
carbonifère adj. Qui contient du charbon : *terrain carbonifère.*
carbonique adj. Se dit d'un gaz résultant de la combinaison du carbone avec l'oxygène.
carboniser v. tr. Réduire en charbon.
carbonnade n. f. Viande grillée.
carburant, e adj. Qui contient du carbure d'hydrogène. N. m. Combustible des moteurs à explosion.
carburateur n. m. Appareil où se produit la carburation dans un moteur.
carburation n. f. Action de mélanger un carburant à l'air, pour former un mélange détonant.
carbure n. m. *Chim.* Combinaison du carbone avec un autre corps simple.
carcan n. m. Autref., collier de fer pour attacher un criminel au poteau d'exposition. Cette peine. *Pop.* Mauvais cheval.
carcasse n. f. Charpente osseuse d'un animal. *Fam.* Le corps humain. Armature : *carcasse d'abat-jour.*
cardage n. m. Action de carder.
carde n. f. Machine pour carder.
carder v. tr. Peigner la laine.
carderie n. f. Atelier où l'on carde.
cardeur, euse n. Qui carde. N. f. Machine à carder.
cardiaque adj. Relatif au cœur. N. Qui a une maladie de cœur.
cardinal, e, aux adj. Principal. *Points cardinaux,* l'est, le sud, l'ouest et le nord. *Nombre cardinal,* qui exprime le nombre : *un, deux, trois, quatre,* etc.
cardinal n. m. Un des prélats du sacré collège qui élisent le pape. Genre d'oiseaux à plumage rouge.
cardinalat n. m. Dignité de cardinal.
carême n. m. Temps d'abstinence des catholiques, du mercredi des Cendres au jour de Pâques.
carence n. f. Action de se dérober, de manquer à un engagement. *Méd.* Insuffisance, manque de quelque chose.
carène n. f. Partie immergée d'un navire ou œuvres vives.
caréner v. tr. (Se conj. comme *accélérer.*) Nettoyer ou réparer la carène.
caréné, e adj. Profilé.
caresse n. f. Attouchement tendre. Démonstration vive d'amitié.
caresser v. tr. Faire des caresses. Flatter, cajoler. *Fig.* Nourrir (des espérances, etc.).
cargaison n. f. Ensemble des marchandises qui font la charge entière d'un navire.
cargo n. m. Navire pour le transport des marchandises.
carguer v. tr. Serrer les voiles.
cariatide n. f. Statue qui soutient une corniche.
caricatural, e, aux adj. Grotesque.
caricature n. f. Reproduction grotesque d'une personne. Image grotesque. *Fig.* et *fam.* Personne ridicule.
caricaturer v. tr. Faire la caricature de quelqu'un.
caricaturiste n. m. Qui fait des caricatures : *caricaturiste habile.*
carie n. f. Maladie inflammatoire des os et des dents. Maladie des plantes.
carier v. tr. (Se conj. comme *prier.*) Gâter par l'effet de la carie.
carillon n. m. Réunion de cloches accordées à différents tons. Sonnerie de ces cloches. *Par ext.* Sonnerie vive et précipitée. *Fig.* Grand bruit.
carillonner v. intr. Sonner le carillon. Agiter vivement une sonnette à une porte. Annoncer à grand bruit.
carlingue n. f. Grosse pièce de bois servant à consolider la carène du navire. Partie de l'avion pour le pilote et les passagers.
carmagnole n. f. Veste courte en usage pendant la Révolution. Ronde et chanson révolutionnaire en 1793.
carmélite n. f. Religieuse du Carmel.
carmin n. m. Couleur d'un rouge vif.
carminer v. tr. Colorier en carmin.
carnage n. m. Massacre, tuerie. Chair donnée en pâture aux chiens.
carnassier, ère adj. et n. Animal qui se repaît généralement de chair crue.
carnassière n. f. Sac pour le gibier.
carnation n. f. Teint, coloration des chairs. *Peint.* Coloris des chairs.
carnaval n. m. Temps destiné aux divertissements, du jour des Rois ou Epiphanie au mercredi des Cendres. Ces divertissements. Pl. des *carnavals.*
carnavalesque adj. Du carnaval.
carne n. f. *Pop.* Mauvaise viande.
carné, e adj. Relatif à la chair.
carnet n. m. Petit registre de poche.
carnier n. m. Syn. de CARNASSIÈRE.
carnivore adj. et n. Qui se nourrit de viande (par oppos. à *végétarien*).
carolingien, enne adj. Relatif à la dynastie issue de Charles Martel.
carotide n. f. Chacune des deux artères qui portent le sang du cœur à la tête. Adj. *l'artère carotide.*
carotte n. f. Plante potagère, dont la racine est rouge et comestible. Feuilles de tabac roulées en forme de carotte. *Fam.* Tromperie.
carotter v. tr. *Fam.* Soutirer quelque chose par tromperie.
carotteur, euse n. *Fam.* Qui carotte. (On dit aussi CAROTTIER, ÈRE.)
carpe n. f. Poisson d'eau douce.
carpette n. f. Tapis non fixé au sol.
carquois n. m. Etui à flèches.
carre n. f. Epaisseur d'un objet plat, coupé carrément. Coin, angle.
carré, e* adj. Qui a la forme d'un carré.
carré n. m. Quadrilatère plan à côtés égaux et à angles droits. Palier d'un escalier. Compartiment de jardin, où l'on cultive une même plante. Sur un navire, salle de repas des officiers. Troupe faisant tête sur quatre faces. Produit d'un nombre par lui-même : *élever un nombre au carré.*
carreau n. m. Petit carré. Espèce de pavé plat, en terre cuite, en pierre, etc. Verre de fenêtre. Aux cartes, couleur marquée par des carrés rouges. *Rester sur le carreau,* être tué sur place. *Fam. Se garder à carreau,* prendre ses précautions.
carrefour n. m. Lieu où se croisent plusieurs rues, etc.
carrelage n. m. Action de carreler.
carreler v. tr. (Se conj. comme *amonceler.*) Paver en carreaux : *cuisine carrelée.*

carrer v. tr. Rendre carré. V. pr. Se mettre à l'aise : *se carrer dans un fauteuil.* Se donner un air important.
carrier n. m. Qui extrait la pierre.
carrière n. f. Cours de la vie. Profession : *carrière libérale. Absol.* La carrière diplomatique. *Donner carrière,* donner libre cours à (sa colère, sa verve, etc.).
carrière n. f. Terrain d'où l'on extrait un minéral à ciel ouvert.
carriole n. f. Petite charrette.
carrossable adj. Que les voitures peuvent parcourir : *route carrossable.*
carrosse n. m. Voiture de luxe. *Rouler carrosse,* être riche.
carrosser v. tr. Munir d'une carrosserie : *carrosser une auto.*
carrosserie n. f. Art ou commerce du carrossier. Caisse d'une voiture.
carrossier n. m. Qui fabrique et entretient des carrosseries.
carrousel n. m. Exercice de parade pour cavaliers.
carrure n. f. Largeur du dos.
cartable n. m. Carton d'écolier.
carte n. f. Carton mince. Petit carton fin, portant des figures et servant à jouer. Billet d'identité et d'admission : *carte d'électeur.* Liste des mets dans un restaurant : *manger à la carte.* Représentation géographique : *carte murale. Tirer les cartes,* prédire l'avenir par les cartes. *Le dessous des cartes,* le secret d'une affaire. *Donner carte blanche,* pleins pouvoirs. *Perdre la carte,* se troubler.
cartel n. m. Pendule murale. Entente industrielle ou politique.
carte-lettre n. f. Carte postale fermée. Pl. des *cartes-lettres.*
carter [*tèr*] n. m. Pièce abritant les organes d'un mécanisme.
cartésianisme n. m. Philosophie de Descartes.
cartésien, enne adj. Relatif à la doctrine de Descartes.
cartilage n. m. Tissu blanc, dur et élastique, qui recouvre les extrémités des os.
cartilagineux, euse adj. De la nature du cartilage : *tissu cartilagineux.*
cartographe n. Qui dresse les cartes de géographie.
cartographique adj. Relatif à la cartographie : *dessin cartographique.*
cartomancie n. f. Art prétendu de prédire l'avenir par les cartes.
cartomancien, enne n. Qui pratique la cartomancie.
carton n. m. Carte grossière. Boîte en carton. Portefeuille de dessin.
cartonnage n. m. Fabrication des objets en carton. Ouvrage en carton.
cartonner v. tr. Relier un livre en carton. *Fam.* Jouer aux cartes.
cartonnerie n. f. Fabrique de carton.
cartonnier, ère n. Qui fabrique des objets en carton. N. m. Casier garni de cartons.
carton-pâte n. m. Carton dur pour fabriquer des objets moulés.
cartouche n. m. Encadrement d'enroulements et de décorations. N. f. Cylindre renfermant la charge d'un fusil, d'un pistolet, etc.
cartoucherie n. f. Usine où l'on fabrique des cartouches.
cartouchière n. f. Sac à cartouches.
cas n. m. Evénement fortuit : *un cas curieux.* Circonstance, situation. *Cas de conscience,* où la conscience est engagée. *Faire cas,* estimer. *En ce cas,* alors. *En tout cas,* quoi qu'il arrive. *Gramm.* Désinence des substantifs, pronoms, adjectifs, suivant leur rôle dans le discours.
casanier, ère n. Qui aime à rester chez soi. Adj. : *goûts casaniers.*
casaque n. f. Surtout à manches très larges. Vêtement de dessus pour femme. Jaquette en soie de couleur voyante, que portent les jockeys. *Fig. Tourner casaque,* changer de parti, d'opinion.
cascade n. f. Chute d'eau.
cascader v. intr. Tomber en cascade.
cascatelle n. f. Petite cascade.
case n. f. Cabane primitive, en Afrique et en Amérique. Compartiment d'un meuble, d'un coffre, etc. Carré de l'échiquier. Compartiment d'un papier rayé.
caséine n. f. Substance du lait constituant le fromage.
casemate n. f. Souterrain voûté d'un fort, d'une citadelle, etc.
caser v. tr. Mettre en ordre. Loger tant bien que mal. *Fig.* Procurer un emploi.
caserne n. f. Bâtiment affecté au logement des soldats. La troupe casernée. *Fig.* Vaste maison.
casernement n. m. Constructions et annexes d'une caserne.
caserner v. tr. Etablir en caserne.
casier n. m. Meuble garni de cases. Nasse : *casier à homards. Casier judiciaire,* livret indiquant les antécédents judiciaires de quelqu'un : *un casier judiciaire vierge.*
casino n. m. Lieu de réunion et de plaisirs divers.
casque n. m. Coiffure qui protège la tête.
casqué, e adj. Coiffé d'un casque.
casquette n. f. Coiffure à visière.
cassant, e adj. Peu flexible, qui se casse facilement. *Fig.* Raide, tranchant : *ton cassant ; c'est un homme cassant.*
cassation n. f. Annulation juridique d'un arrêt, d'une procédure. *Cour de cassation,* cour suprême de justice. Peine militaire privant de son grade un sous-officier.
casse n. f. Action de casser. Objets cassés : *payer la casse.*
casse n. f. Gousse du cassier.
casse n. f. Boîte à compartiments pour les caractères d'imprimerie. Nom de divers récipients industriels.
cassé, e adj. *Fig.* Vieux, infirme. Tremblant, hésitant : *avoir la voix cassée.*
casse-cou n. m. invar. Endroit dangereux. Individu téméraire. Interj. Cri au jeu de colin-maillard.
casse-croûte n. m. invar. Repas sommaire.
cassement n. m. Action de casser. *Cassement de tête,* grande fatigue causée par le bruit, le souci, etc.
casse-noisettes, casse-noix n. m. Instrument pour casser des noix, des noisettes.
casse-pieds n. m. *Fam.* Importun.
casser v. tr. Briser, rompre. *Fig.* Annuler : *casser un arrêt.* Affaiblir fortement. Priver de son grade. *A tout casser,* sans retenue. *Casser la tête,* assourdir. V. pr. *Se casser la tête,* s'appliquer fortement.
casserole n. f. Ustensile de cuisine en métal, à fond plat et à manche.

casse-tête n. m. invar. Massue des sauvages. *Fig.* Bruit assourdissant. Travail absorbant.
cassette n. f. Petit coffre. Trésor particulier d'un souverain.
casseur, euse n. Qui casse : *casseur de pierres. Fam. Casseur d'assiettes,* tapageur.
cassier n. m. Sorte d'acacia.
cassis [*siss*] n. m. Groseillier à fruits noirs. Liqueur de cassis.
cassis [*si*] n. m. Rigole en travers d'une route.
cassolette n. f. Brûle-parfums.
cassonade n. f. Sucre de canne brut.
cassoulet n. m. Ragoût languedocien.
cassure n. f. Endroit où un objet est cassé : *la cassure d'une pierre.*
castagnettes n. f. pl. Double pièce de buis ou d'ivoire qu'on s'attache aux doigts et qu'on fait résonner.
caste n. f. Division hiérarchique de la société : *orgueil de caste.*
castor n. m. Genre de mammifères rongeurs, qui font des digues.
casuel, elle adj. Fortuit, accidentel. N. m. Revenu variable s'ajoutant à un traitement : *le casuel d'une cure.*
casuiste n. m. Théologien qui étudie les cas de conscience.
casuistique n. f. Partie de la théologie traitant des cas de conscience. *Par ext.* Disposition à subtiliser.
cataclysme n. m. Grand bouleversement géologique ou social.
catacombes n. f. pl. Souterrains servant ou ayant servi de sépultures.
catadioptre n. m. Dispositif de sécurité à surface réfléchissante.
catafalque n. m. Estrade sur laquelle on place un cercueil.
catalepsie n. f. Suppression apparente et momentanée de la vie par la suspension du mouvement.
catalogue n. m. Liste par ordre.
cataloguer v. tr. Inscrire par ordre.
catalyse n. f. Action qu'exercent certains corps sur d'autres, sans être modifiés.
cataplasme n. m. Bouillie médicinale épaisse qu'on applique sur la peau.
catapulte n. f. *Antiq.* Machine de guerre pour lancer des pierres. Appareil pour le lancement des avions.
cataracte n. f. Chute d'eau. Opacité du cristallin : *opération de la cataracte.*
catarrhe n. m. Inflammation aiguë des muqueuses. Gros rhume.
catastrophe n. f. Renversement. Evénement soudain, décisif, funeste.
catéchiser v. tr. Faire le catéchisme. *Par ext.* Prêcher, endoctriner.
catéchisme n. m. Instruction sur les principes et les mystères d'une religion. Livre contenant cette instruction.
catégorie n. f. Classe d'êtres de même nature.
catégorique* adj. Qui affirme d'une manière absolue.
caténaire adj. et n. f. Se dit du système de suspension du câble électrique servant à l'alimentation des locomotives électriques.
cathédrale n. f. Eglise épiscopale.
cathode n. f. *Electr.* Pôle négatif d'une pile, d'une ampoule.
cathodique adj. De la cathode.
catholicisme n. m. Religion catholique.
catholicité n. f. Doctrine de l'Eglise catholique. Ensemble des peuples catholiques.
catholique adj. Qui est relatif à l'Eglise chrétienne soumise au pape de Rome. *Fam.* Conforme à la règle : *ceci n'est pas très catholique.* N. Qui professe la religion catholique romaine.
cati n. m. Apprêt gommé, qui rend les étoffes fermes et lustrées.
catimini (en) loc. adv. *Fam.* En cachette.
catir v. tr. Donner du cati.
cauchemar n. m. Rêve pénible, avec oppression. *Fig.* et *fam.* Objet effrayant qui poursuit l'imagination.
caudal, e, aux adj. De la queue : *nageoire caudale.*
causal, e adj. De cause à effet.
causalité n. f. Rapport causal.
cause n. f. Ce par quoi une chose arrive. Motif, raison : *la cause de ma conduite.* Intérêt, parti : *la cause de la justice. A cause de* loc. prép. En considération de.
causer v. tr. Etre cause de.
causer v. intr. S'entretenir familièrement : *causer avec* [et non pas *à*] *un ami.*
causerie n. f. Action de causer. Conversation familière.
causette n. f. *Fam.* Petite causerie.
causeur, euse adj. et n. Qui aime à causer : *agréable causeur.*
causeuse n. f. Canapé pour deux personnes.
causse n. m. [f. Acad.] Nom des plateaux calcaires bordant les Cévennes.
causticité n. f. Qualité de ce qui est caustique. Caractère mordant.
caustique adj., et n. m. Corrosif. *Fig.* Mordant, satirique.
cauteleux, euse* adj. Fin, rusé.
cautérisation n. f. Action de cautériser.
cautériser v. tr. Brûler (médecine).
caution n. f. Garantie. Somme donnée en garantie d'un engagement. Engagement de satisfaire à l'obligation contractée par autrui. La personne même qui s'engage. *Sujet, sujette à caution,* suspect.
cautionnement n. m. Garantie.
cautionner v. tr. Se rendre caution.
cavalcade n. f. Promenade à cheval. Troupe de cavaliers.
cavalcader v. intr. Se promener à cheval et en troupe. *Abusiv.* S'enfuir.
cavale n. f. Jument.
cavalerie n. f. Troupes à cheval.
cavalier n. m. Homme à cheval. Soldat de cavalerie. Homme aux manières élégantes. Homme qui accompagne une dame, par exemple à la danse (fém. CAVALIÈRE). Pièce du jeu d'échecs.
cavalier, ère* adj. Aisé, dégagé.
cave adj. Creux. *Veines caves,* celles qui déversent dans le cœur le sang veineux. N. f. Lieu souterrain où l'on conserve le vin, etc. Le vin même : *avoir une bonne cave.* Meuble à compartiments pour les liqueurs. Enjeu à certains jeux.
caveau n. m. Petite cave. Sépulture.
caverne n. f. Excavation profonde. Retraite de malfaiteurs. Cavité dans un organe malade (poumon, etc.).
caverneux, euse adj. Plein de cavernes. *Fig. Voix caverneuse,* sourde.
caviar n. m. Œufs d'esturgeon.
cavité n. f. Creux, vide dans un corps.

ce pr. dém. m. sing. Cela, la chose ou la personne dont il a été ou dont il va être question.
ce, cet adj. dém. m. sing. ; **cette** f. sing. ; **ces** pl. des deux genres, déterminant la personne ou la chose qu'on désigne.
ceci pr. dém. Cette chose-ci.
cécité n. f. Infirmité de l'aveugle.
céder v. tr. (Se conj. comme *accélérer.*). Laisser, abandonner. Vendre : *céder son magasin.* V. intr. Fléchir, se soumettre : *céder à la force.* Plier, s'affaisser : *la branche céda sous le poids.*
cédille n. f. Signe orthographique placé sous la lettre *c* devant *a, o, u,* pour lui donner le son de *s* dur.
cédrat n. m. Arbre de l'espèce du citronnier. Son fruit.
cèdre n. m. Arbre conifère à branches étalées : *les cèdres du Liban.*
cédulaire adj. Relatif aux cédules.
cédule n. f. Billet sous seing privé qui reconnaît une dette. Catégorie où sont rangés les revenus imposables.
ceindre v. tr. (Se conj. comme *craindre.*) Entourer, environner. Coiffer : *ceindre la couronne.*
ceinture n. f. Bande de cuir, d'étoffe, etc., mise autour de la taille. Taille : *serré à la ceinture.* Ce qui entoure : *ceinture de forts.* Bande métallique : *ceinture d'obus.*
ceinturer v. tr. Entourer.
ceinturon n. m. Ceinture de cuir à laquelle on suspend un sabre, un étui de revolver.
cela pr. dém. Cette chose-là.
célébrant n. m. Prêtre qui officie.
célébration n. f. Action de célébrer.
célèbre adj. Fameux, renommé.
célébrer v. tr. (Se conj. comme *accélérer.*) Exalter, louer avec éclat. Accomplir avec une certaine pompe.
célébrité n. f. Grande réputation. Personnage célèbre.
celer v. tr. (Prend un *è* ouvert devant une syllabe muette.) Cacher. Taire, dissimuler.
céleri n. m. Plante comestible.
célérité n. f. Vitesse, promptitude.
céleste adj. Qui appartient, qui est relatif au ciel. Divin.
célibat n. m. Etat d'une personne non mariée : *le célibat des prêtres.*
célibataire adj. et n. Qui vit dans le célibat : *vieux célibataire.*
celle, celles pr. dém. f. V. CELUI.
cellier n. m. Hangar ou cave non voûtée, où se fait la vinification.
cellulaire adj. Formé de cellules.
cellule n. f. Petite chambre d'un religieux. Cachot isolé. Alvéole des abeilles. *Anat.* Elément anatomique des êtres vivants. *Par ext.* Groupement élémentaire d'un parti.
Celluloïd n. m. (nom déposé). Matière plastique très inflammable : *col en Celluloïd.*
cellulose n. f. Substance organisée formant le tissu végétal.
celui, celle pr. dém. ; pl. **ceux, celles.** Se disent des personnes et des choses; **celui-ci, celle-ci,** etc., servent à représenter ce qui est le plus proche; **celui-là, celle-là,** etc., ce qui est le plus éloigné.
cément n. m. Charbon en poudre dont on entoure un métal pour le cémenter. Substance qui couvre la racine des dents.
cémenter v. tr. Chauffer un métal avec du cément pour en modifier la composition.
cénacle n. m. Salle à manger où Jésus réunit ses disciples pour la Cène. *Fig.* Réunion de littérateurs, etc.
cendre n. f. Résidu de toute combustion. Pl. Restes des morts, par allusion à l'habitude antique de brûler les morts.
cendré, e adj. Couleur de cendre.
cendrée n. f. Petit plomb de chasse. Piste de mâchefer (sports).
cendrer v. tr. Donner une couleur de cendre à. Mêler de cendres.
cendrier n. m. Partie d'un foyer où tombe la cendre. Petit plateau pour la cendre des cigares, etc.
cendrillon n. f. *Fam.* Jeune fille ou servante malpropre.
cène n. f. Dernier repas de Jésus-Christ avec ses apôtres, la veille de la Passion. Communion sous les deux espèces, chez les protestants.
cenelle n. f. Baie de l'aubépine.
cénobite n. m. Moine qui vit en communauté. Personne qui mène une vie austère, retirée : *vivre en cénobite.*
cénotaphe n. m. Tombeau vide dressé à la mémoire d'un mort.
cens [*sanss*] n. m. Dénombrement des citoyens. Minimum d'impôt à payer pour voter.
censé, e adj. Considéré, réputé.
censément adv. Par supposition.
censeur n. m. *Antiq.* Magistrat romain. Critique. Personne préposée à l'examen des pièces de théâtre, des chansons, etc. Fonctionnaire chargé de la discipline dans un lycée : *censeur des études.*
censure n. f. Critique d'un ouvrage. Blâme : *censure ecclésiastique.* Examen officiel d'ouvrages artistiques ou littéraires afin d'en permettre la publication.
censurer v. tr. Blâmer vivement. Critiquer. Infliger la censure.
cent adj. num. Dix fois dix.
centaine n. f. Cent. Un grand nombre.
centaure n. m. Etre fabuleux, mi-homme, mi-cheval. (Le f. est CENTAURESSE.)
centenaire adj. et n. Qui a cent ans ou plus. N. m. Centième anniversaire d'un événement mémorable.
centésimal, e, aux adj. Divisé en cent parties : *échelle centésimale.*
centi, préfixe indiquant la division d'une grandeur par cent : *centi*are (centième d'un are), *centi*gramme, *centi*litre, etc.
centième adj. ord. de *cent.* Qui occupe le rang marqué par le numéro *cent.* N. m. La centième partie.
centigrade adj. Divisé en 100 degrés.
centime n. m. Centième du franc.
centimètre n. m. Centième partie du mètre. *Abusiv.* Ruban de toute longueur divisé en centimètres.
centon n. m. Pièce, poésie, ouvrage composés d'emprunts.
central, e, aux adj. Qui est au centre.
centralisateur, trice adj. et n. Qui centralise : *organe centralisateur.*
centralisation n. f. Action de centraliser : *centralisation administrative.*
centraliser v. tr. Réunir dans un centre commun d'action, d'autorité.
centre n. m. Point situé à égale distance de tous les points d'une circonférence,

d'une sphère. *Par anal.* Point également éloigné des extrémités d'une étendue : *centre d'un tableau. Fig.* Siège principal.

centrer v. tr. Fixer l'axe central d'une pièce, déterminer son centre. Ramener le ballon vers le centre du terrain.

centrifuge adj. Qui tend à éloigner du centre : *force centrifuge.*

centripète adj. Qui tend à rapprocher du centre.

centuple n. m. et adj. Qui vaut cent fois autant. *Au centuple* loc. adv. Cent fois plus, beaucoup plus.

centupler v. tr. Porter au centuple.

cep [*sèp*] n. m. Pied de vigne.

cepage n. m. Plant de vigne.

cèpe n. m. Bolet comestible.

cependant adv. Pendant ce temps-là. Néanmoins, toutefois.

céphalopodes n. m. pl. Classe de mollusques à huit bras garnis de ventouses (pieuvre, seiche, etc.).

céramique adj. Qui concerne la fabrication des vases de terre cuite. N. f. Art de fabriquer des poteries.

céramiste adj. et n. Qui fabrique des vases de terre, etc.

cerbère n. m. Portier brutal, grossier, intraitable. Gardien sévère.

cerceau n. m. Cercle de bois ou de fer propre à divers usages : *cerceau de tonneau.* Jeu d'enfants.

cerclage n. m. Action de cercler.

cercle n. m. Surface plane limitée par une circonférence. La circonférence elle-même : *tracer un cercle.* Réunion, assemblée, association. Lieu où elle se tient. *Fig.* Sphère, étendue, limites : *cercle d'influence. Cercle vicieux,* raisonnement où l'on donne comme preuve ce qu'il faudrait prouver.

cercler v. tr. Garnir de cercles.

cercueil [*keuy'*] n. m. Bière où l'on renferme le corps d'un mort.

céréale adj. et n. f. Se dit des graminées dont les grains servent à la nourriture de l'homme et des animaux domestiques.

cérébral, e, aux adj. Qui appartient au cerveau. Qui le concerne.

cérébro-spinal, e, aux adj. Du cerveau et de la moelle épinière.

cérémonial n. m. sans plur. Ensemble des règles qui président aux cérémonies. *Par ext.* Formalités.

cérémonie n. f. Forme extérieure et régulière d'un culte. Pompe, appareil. Politesse, déférence. Civilité gênante. *Sans cérémonie,* sans façon.

cérémonieux, euse* adj. Qui fait des cérémonies. Fait avec cérémonie.

cerf [*sèrf,* pl. *sèr*] n. m. Mammifère ruminant à la tête garnie de bois.

cerfeuil n. m. Genre d'ombellifères.

cerf-volant [*sèr*] n. m. Insecte du genre lucane. Planeur en toile ou en papier retenu au sol par une corde : *lancer un cerf-volant.* Pl. des *cerfs-volants.*

cerise n. f. Fruit du cerisier. Adjectiv. De la couleur de la cerise.

cerisier n. m. Genre de rosacées produisant la cerise : *cerisier de plein vent.*

cerne n. m. Cercle. Couche concentrique d'un arbre coupé en travers. Cercle bleuâtre : *le cerne d'une plaie.*

cerner v. tr. Entourer, investir. *Fam.* Circonvenir.

certain, e* adj. Sûr, assuré : *chose certaine.* Qui n'a aucun doute : *être certain de.* Exactement déterminé. Adj. indéf. Un, quelque : *certains jours.* N. m. Chose certaine. Pour les changes, monnaie de base.

certes adv. Certainement.

certificat n. m. Ecrit qui atteste un fait. *Par ext.* Garantie. Assurance.

certifier v. tr. (Se conj. comme *prier.*) Donner, assurer comme certain.

certitude n. f. Qualité de ce qui est certain. Conviction absolue, ferme.

cérumen [*mèn*] n. m. Matière jaune et épaisse qui se forme dans l'oreille.

céruse n. f. Carbonate de plomb.

cerveau n. m. *Anat.* Masse nerveuse logée dans le crâne. *Fig.* Esprit, intelligence, jugement. *Cerveau brûlé,* homme exalté, extravagant, téméraire.

cervelas n. m. Grosse saucisse.

cervelet n. m. Partie postérieure et inférieure de l'encéphale.

cervelle n. f. Substance du cerveau. *Fig.* Jugement, raison : *il n'a pas de cervelle.*

cervical, e, aux adj. Du cou.

ces adj. dém. V. CE.

césar n. m. Titre d'empereurs romains. Roi, empereur, souverain.

cessation n. f. Arrêt, fin.

cesse n. f. Répit, trêve. *Sans cesse,* loc. adv. Sans répit, continûment.

cesser v. tr. Discontinuer. V. intr. Prendre fin : *le vent a cessé.*

cession n. f. Action de céder : *la cession d'un droit.*

cessionnaire n. Bénéficiaire d'une cession.

c'est-à-dire, loc. conj. qui indique explication ou rectification.

césure n. f. Repos ménagé dans un vers pour en régler la cadence.

cet, cette adj. dém. V. CE.

cétacés n. m. pl. Ordre de grands mammifères marins (baleines, etc.).

cétoine n. f. Genre de coléoptères.

ceux, celles pr. dém. V. CELUI.

cévenol, e adj. et n. Des Cévennes.

chacal n. m. Quadrupède carnassier qui tient du loup. Pl. des *chacals.*

chacun, e pr. indéf. sing. Chaque personne ou chaque chose. Tout le monde : *chacun sait cela.*

chafouin, e adj. et n. *Fam.* Sournois.

chagrin, e adj. Triste. Mélancolique. De mauvaise humeur : *vieillard chagrin.* N. m. Peine : *avoir du chagrin.* Cuir grenu : *reliure en chagrin.*

chagriner v. tr. Attrister.

chah n. m. V. SCHAH.

chahut n. m. Danse désordonnée. *Fam.* Désordre, tumulte d'écoliers, d'étudiants.

chahuter v. tr. *Arg.* Culbuter, mettre en désordre. V. intr. Faire du chahut. Danser le chahut.

chai n. m. Lieu où l'on emmagasine les vins, les eaux-de-vie.

chaîne n. f. Lien composé d'anneaux passés les uns dans les autres : *chaîne à rouleaux.* Pile verticale en pierre de taille servant à consolider un mur : *chaîne d'encoignure.* Série de choses qui se suivent : *chaîne de montagnes.* Suite non interrompue de personnes qui se passent quelque chose : *faire la chaîne.* Fils tendus entre lesquels passe la trame. *Fig.* Captivité, servitude, dépendance : *briser ses chaînes.* Enchaînement : *la chaîne des idées.*

chaînette n. f. Petite chaîne.

chaînon n. m. Anneau de chaîne. Partie d'une chaîne : *chaînon de montagnes.*

chair n. f. Substance musculaire de l'animal : *la chair couvre les os. Fig.* Nature humaine; corps humain : *la chair est faible.* Pulpe des fruits : *la chair du melon. Avoir la chair de poule,* frissonner.

chaire n. f. Tribune plus ou moins élevée : *monter en chaire. Fig.* Prédication religieuse : *éloquence de la chaire. La chaire de saint Pierre,* le siège apostolique. Fonction de professeur : *chaire de philosophie.*

chaise n. f. Siège sans bras. Support d'une machine, d'un arbre de transmission.

chaisier, ière n. Qui fabrique des chaises. N. f. Préposée à la location des chaises dans une église, etc.

chaland n. m. Bateau plat.

chaland, e n. Acheteur, client.

chalcographie [*kal*] n. f. Gravure sur cuivre et sur d'autres métaux.

chaldéen, enne [*kal*] adj. et n. De Chaldée.

châle n. m. Grande pièce de laine, de soie, couvrant les épaules.

chalet n. m. Petite maison de bois, surtout en montagne.

chaleur n. f. Phénomène physique par lequel la température s'élève : *dégagement de chaleur.* Qualité de ce qui est chaud. Sensation que produit un corps chaud. Temps chaud : *les fortes chaleurs de l'été.* Sensation de chaleur due à certains malaises : *la chaleur de la fièvre. Fig. Ardeur, vivacité, zèle.*

chaleureux, euse* adj. Qui a de la chaleur : *chaleureuse protestation.*

châlit n. m. Bois de lit.

challenge n. m. Epreuve sportive dans laquelle le gagnant détient un objet jusqu'à ce qu'il en soit dépossédé.

chaloir v. intr. Importer, intéresser. (Employé dans : *il ne m'en chaut, peu m'en chaut* ou *peu me chaut.*)

chaloupe n. f. Grand et fort canot.

chalumeau n. m. Tuyau de paille, de roseau. Flûte champêtre. Tuyau métallique avec lequel on souffle sur une flamme pour l'activer.

chalut n. m. Sorte de filet de pêche.

chalutier n. m. Pêcheur qui use du chalut. Bateau qui traîne le chalut.

chamade n. f. Sonnerie annonçant le désir de parlementer. *Fig. Son cœur bat la chamade,* il est très ému.

chamailler (se) v. pr. Se quereller.

chamaillerie n. f. Querelle bruyante.

chamarrer v. tr. Orner à l'excès.

chamarrure n. f. Ornements de mauvais goût. *Fig. : la chamarrure de son style.*

chambard n. m. *Pop.* Vacarme.

chambardement n. m. *Pop.* Action de chambarder.

chambarder v. tr. *Pop.* Renverser, bouleverser de fond en comble.

chambellan n. m. Officier chargé de la chambre d'un prince.

chambranle n. m. Encadrement de porte, de fenêtre, etc.

chambre n. f. Pièce d'une maison. Celle où l'on couche : *chambre à deux lits. Garder la chambre,* ne pas sortir. Lieu où se réunissent certaines assemblées : *la Chambre des députés.* Assemblée. Section d'un tribunal : *toutes chambres réunies.*

chambrée n. f. L'ensemble des soldats logeant dans une chambre.

chambrer v. tr. Tenir en chambre.

chameau n. m. Mammifère ruminant qui a deux bosses sur le dos.

chamelier n. m. Qui soigne et conduit les chameaux.

chamelle n. f. Femelle du chameau.

chamois n. m. Antilope des montagnes. Sa peau préparée. N. et adj. Couleur jaune clair : *gants chamois.*

champ n. m. Etendue de terre labourable. Au plur., la campagne en général. *Fig.* Perspective, sujet, matière : *le champ des hypothèses. Champ de courses,* hippodrome. *Champ de tir,* terrain pour exercices de tir. Fond sur lequel on représente quelque chose : *décor rouge sur champ bleu. Battre, sonner aux champs,* rendre, avec les tambours, les trompettes, les honneurs militaires. *Sur-le-champ,* sans délai. *A tout bout de champ,* à tout propos. *A travers champs,* hors des routes.

champagne n. m. Vin blanc mousseux. N. f. *Fine champagne,* eau-de-vie de qualité supérieure.

champagniser v. tr. Préparer à la manière du champagne.

champenois, e adj. et n. De Champagne.

champêtre adj. Relatif aux champs.

champignon n. m. Genre de végétaux cryptogames. Support à extrémité arrondie.

champignonnière n. f. Endroit où l'on cultive les champignons.

champion n. m. Celui qui combattait en champ clos, pour sa cause ou pour la cause d'autrui. Vainqueur d'une épreuve sportive. Défenseur.

championnat n. m. Epreuve sportive.

chançard, e n. et adj. *Pop.* Qui a de la chance.

chance n. f. Hasard. Bonne fortune. Pl. Probabilités.

chanceler v. intr. (Se conj. comme *amonceler.*) Vaciller sur ses pieds, sur sa base. *Fig.* Hésiter, balancer.

chancelier n. m. Garde des sceaux.

chancelière n. f. Coussin fourré ouvert d'un côté pour tenir les pieds chauds.

chancellerie n. f. Lieu où l'on scelle avec le sceau de l'Etat. Ministère de la Justice. Bureaux du chancelier.

chanceux, euse adj. Qui a de la chance.

chancre n. m. Nom vulgaire des ulcères. Maladie des arbres. *Fig.* Cause de destruction progressive.

chancreux, euse adj. De la nature du chancre. Attaqué par le chancre.

chandail n. m. Maillot à col roulé.

chandelier n. m. Support pour recevoir la chandelle, la bougie.

chandelle n. f. Flambeau de suif.

chanfrein n. m. Partie de la tête d'un animal, des oreilles aux naseaux. Arête abattue d'une pierre ou d'une pièce de bois.

chanfreiner v. tr. Biseauter.

change n. m. Changement. (Vx.) Troc d'une chose contre une autre. Vente ou échange des monnaies. Taux auquel on fait cette opération. *Fig. Prendre le change,* se laisser tromper. *Donner le change,* tromper. *Comm. Lettre de change,* effet de commerce qui contient l'ordre de payer à une époque dite, à telle ou telle personne, une certaine somme.

changement n. m. Action de changer. Son résultat : *aimer le changement.*

changer v. tr. (Se conj. comme *manger.*) Faire un change, un troc. Remplacer : *changer son chapeau.* Transformer : *changer une chose en une autre.* V. intr. Passer d'un état à un autre.

changeur, euse n. Qui se livre aux opérations du change.

chanoine n. m. Dignitaire ecclésiastique.

chanoinesse n. f. Dignité de certaines religieuses.

chanson n. f. Chant. Pièce de vers divisée en couplets. *Chanson de geste,* poème épique du Moyen Age. Pl. *Fig.* Sornettes, discours frivoles.

chansonner v. tr. Faire une chanson contre quelqu'un.

chansonnette n. f. Petite chanson.

chansonnier, ère n. Qui fait, qui chante des chansons.

chant n. m. Suite de sons modulés émis par la voix. Mélodie. Chacune des divisions d'un poème : *poème en dix chants. Chant grégorien,* chant ordinaire de l'Eglise catholique.

chant n. m. Côté étroit d'un objet : *poser une brique de chant.*

chantage n. m. Extorsion d'argent sous la menace du scandale.

chanteau n. m. Morceau coupé à un grand pain ou à une pièce d'étoffe.

chanter v. tr. Former avec la voix des sons variés. Célébrer, louer. Chansonner, railler. *Faire chanter,* pratiquer un chantage.

chanterelle n. f. Corde d'un violon, etc., qui a le son le plus aigu. *Fig.* et *fam. Appuyer sur la chanterelle,* insister sur un point délicat.

chanteur, euse n. Qui chante souvent ou par métier. *Fig. Maître chanteur,* qui se livre au chantage.

chantier n. m. Emplacement où les marchands entassent le bois, le charbon. Atelier à l'air libre. Lieu de construction pour les vaisseaux. *Sur le chantier,* en voie de se faire.

chantonner v. tr. et intr. Chanter à demi-voix : *chantonner en se promenant.*

chantourner v. tr. Tailler d'après un profil contourné.

chantre n. m. Qui chante, spécialem. au lutrin. *Fig.* Poète.

chanvre n. m. Sorte de plante textile. Filasse du chanvre.

chaos [*kaô*] n. m. Confusion.

chaotique adj. Qui tient du chaos.

chaparder v. tr. *Fam.* Voler, marauder.

chape n. f. Sorte de grand manteau d'église. Enveloppe. Bourre de soie.

chapeau n. m. Coiffure à bords.

chapelain n. m. Aumônier d'un prince. Desservant d'une chapelle.

chapelet n. m. Objet de piété formé de grains enfilés qu'on fait glisser entre ses doigts en priant. *Fig.* Série.

chapelier, ère n. et adj. Qui fait ou vend des chapeaux.

chapelle n. f. Petite église. Toute partie d'une église ayant un autel.

chapellerie n. f. Industrie, commerce ou boutique de chapelier.

chapelure n. f. Croûte de pain râpée.

chaperon n. m. Personne qui chaperonne.

chaperonner v. tr. Couvrir d'un chaperon. *Fig.* Accompagner, surveiller, protéger une personne jeune.

chapiteau n. m. Partie sculptée au-dessus d'un fût de colonne.

chapitre n. m. Division d'un livre. Conseil de religieux, de chanoines; lieu où il s'assemble. Assemblée.

chapitrer v. tr. Réprimander.

chapon n. m. Coq châtré et engraissé. Croûte de pain frottée d'ail.

chaque adj. indéf. (sans plur.). Toute chose ou personne, sans exception.

char n. m. *Antiq.* Voiture à deux roues pour les combats, les jeux, etc. *Char* (*de combat*), véhicule blindé sur chenilles.

charabia n. m. Langage inintelligible.

charade n. f. Sorte d'énigme.

charançon n. m. Petit coléoptère qui ronge les grains.

charbon n. m. Produit qui résulte du bois brûlé à l'abri du contact de l'air. Houille. *Fig. Etre sur les charbons,* éprouver une vive anxiété. *Méd.* Maladie infectieuse.

charbonnage n. m. Exploitation d'une houillère.

charbonner v. tr. Réduire en charbon. Ecrire, dessiner avec du charbon. V. intr. Se réduire en charbon.

charbonnier, ère n. Qui fait ou vend du charbon. N. m. Bâtiment qui transporte du charbon.

charcuter v. tr. Couper maladroitement de la viande. *Fam.* Couper, entailler maladroitement.

charcuterie n. f. Commerce, boutique ou marchandises du charcutier.

charcutier, ère n. et adj. Qui prépare ou vend de la chair de porc.

chardon n. m. Plante épineuse.

chardonneret n. m. Genre de passereaux chanteurs, à plumage coloré.

charge n. f. Faix, fardeau. Ce que peut porter, supporter un homme, un cheval, une voiture, etc. *Fig.* Obligation onéreuse, embarras. Impôt : *charges fiscales.* Caricature. Fonctions publiques : *occuper de hautes charges.* Mission, mandat : *avoir charge de vendre un bien.* Présomption, preuve de culpabilité. Batterie de tambour, sonnerie de trompette, pour attaquer. Attaque impétueuse : *charge de cavalerie.* Poudre, projectiles, etc., que l'on met dans une arme à feu. Quantité d'électricité contenue dans un appareil. *A charge de* loc. adv. Sous la condition de.

chargé, e adj. *Fig.* Comblé : *chargé d'honneurs. Lettre chargée,* contenant des valeurs. N. m. *Chargé d'affaires,* diplomate représentant momentanément son gouvernement à l'étranger.

chargement n. m. Action de charger. Charge d'une voiture, d'une bête de somme, etc. Lettre chargée.

charger v. tr. (Se conj. comme *manger.*) Mettre une charge sur : *charger d'impôts.* Déposer contre : *charger un accusé.* Donner un ordre, une commission : *charger quelqu'un d'un achat.* Attaquer avec impétuosité : *charger l'ennemi.* Mettre dans une arme à feu de la poudre, des projectiles. V. pr. *Se charger de quelque chose,* en accepter le soin, la responsabilité. Se couvrir (temps).

chargeur n. m. Qui charge. Dispositif pour charger une arme.

chariot n. m. Voiture pour les fardeaux. Partie d'une machine à écrire qui se déplace.

charitable* adj. Qui a de la charité.

charité n. f. Amour de Dieu et du prochain. Vertu qui porte à faire ou à désirer le bien d'autrui. Aumône : *faire la charité ; actes de charité.*

charivari n. m. Bruit tumultueux pour se moquer de quelqu'un. *Fig.* Musique discordante. Tapage.

charlatan n. m. Médecin ignorant et impudent. Imposteur.

charlatanesque adj. De charlatan.

charlatanisme n. m. Procédés de charlatan : *c'est du pur charlatanisme!*

charme n. m. Chant, enchantement magique (vx). Séduction : *le charme d'une voix.* Pl. Appas, beautés.

charme n. m. Arbre à bois dur.

charmer v. tr. Fasciner. *Fig.* Plaire extrêmement, ravir : *charmer l'oreille.*

charmeur, euse n. Qui fascine : *un charmeur de serpents. Fig.* Qui charme.

charmille n. f. Plants de petits charmes. Allée, berceau d'arbustes.

charnel, elle* adj. Voluptueux. Relatif aux sens : *amour charnel.*

charnier n. m. Dépôt d'ossements humains. Entassement de cadavres.

charnière n. f. Appareil composé de deux pièces métalliques assemblées sur un axe commun : *la charnière d'un compas.*

charnu, e adj. Bien fourni de chair.

charogne n. f. Cadavre d'une bête en décomposition : *puant comme une charogne.*

charpente n. f. Assemblage de pièces de bois ou de métal dans une construction. *Fig.* Assemblage des os. Structure d'un ouvrage de l'esprit.

charpenter v. tr. Tailler, équarrir. *Fig.* Disposer le plan de : *roman bien charpenté.*

charpentier n. m. Qui travaille dans la charpente.

charpie n. f. Filaments de linge usé.

charretée n. f. Contenu d'une charrette.

charretier, ère adj. Par où les charrettes peuvent passer. N. m. Qui conduit une charrette : *jurer comme un charretier.*

charrette n. f. Voiture à deux roues.

charrier v. tr. (Se conj. comme *prier.*) Transporter dans une charrette. Emporter dans son cours (fleuve). *Pop.* Exagérer.

charroi n. m. Transport par chariot.

charron n. m. Qui fait des charrettes, des charrues, des voitures.

charrue n. f. Machine à labourer.

charte n. f. Ancien titre concédant un privilège. Lois constitutionnelles d'un Etat. *Par ext.* Loi, règle fondamentale.

chartiste n. Elève de l'Ecole des chartes.

chartreuse n. f. Couvent de religieux de l'ordre de Saint-Bruno.

chas n. m. Trou d'une aiguille.

chasse n. f. Action de chasser. *Chasse à courre,* où l'on attrape le gibier à la course. Equipage de la chasse : *accompagner la chasse.* Poursuite : *donner la chasse.* Ecoulement rapide des eaux. Corps de l'aviation destiné à poursuivre les avions ennemis.

châsse n. f. Coffre où l'on conserve les reliques d'un saint. Monture d'une pièce.

chassé-croisé n. m. Sorte de pas de danse. *Par ext.* Mouvement par lequel deux personnes se croisent. Pl. des *chassés-croisés.*

chasselas n. m. Variété de raisin.

chasse-mouches n. m. Petit balai pour chasser les mouches.

chasse-neige n. m. Appareil pour débarrasser une voie de la neige.

chasser v. tr. Mettre dehors avec violence. Pousser, enfoncer : *chasser un clou.* Ecarter ce qui importune. Dissiper : *chasser les soucis.* Poursuivre un gibier.

chasseresse n. et adj. f. *Poét.* Chasseuse.

chasseur, euse n. Qui chasse, poursuit un gibier. N. m. Soldat de char de combat. Soldat d'un corps de montagne. Dans les cafés, les hôtels, celui qui fait les courses.

chassie n. f. Humeur visqueuse, qui découle des yeux.

chassieux, euse adj. Qui a de la chassie.

châssis n. m. Encadrement en bois, en fer, pour enchâsser, contenir. Cadre supportant la caisse d'un véhicule, l'affût de certains canons, etc. : *châssis d'auto.* Abri vitré : *culture sous châssis.*

chaste* adj. Pur, ennemi de tout ce qui blesse la pudeur, la modestie.

chasteté n. f. Abstention des plaisirs charnels : *faire vœu de chasteté.*

chasuble n. f. Ornement du prêtre catholique quand il célèbre la messe.

•**chat** n. m. Genre de mammifères, dont une espèce est domestiquée et chasse les souris. *Il n'y a pas un chat,* il n'y a personne. *Avoir un chat dans la gorge,* être enroué.

châtaigne n. f. Fruit du châtaignier.

châtaigneraie n. f. Lieu planté de châtaigniers.

châtaignier n. m. Grand arbre qui produit les châtaignes.

châtain, e adj. De la couleur de la châtaigne : *cheveux châtains.*

château n. m. Demeure féodale fortifiée. Habitation royale ou seigneuriale. Grande et belle maison de campagne.

chateaubriand n. m. Filet de bœuf grillé, garni de pommes de terre frites.

châtelain n. m. Possesseur ou gouverneur d'un château féodal. Habitant d'une belle maison de plaisance.

châtelaine n. f. Femme d'un châtelain. Maîtresse d'un château. Chaîne de femme à laquelle on suspend des bijoux.

chat-huant [*h* asp.] n. m. Hulotte, espèce de chouette. Pl. des *chats-huants.*

châtier v. tr. (Se conj. comme *prier.*) Punir, corriger. *Fig.* Polir.

chatière n. f. Ouverture au bas d'une porte, pour laisser passer les chats.

châtiment n. m. Peine sévère.

chatoiement n. m. Reflet brillant et changeant : *chatoiement d'un rubis.*

chaton n. m. Petit chat.

chaton n. m. Partie d'une bague, où une pierre précieuse est sertie; cette pierre même. Pl. Fleurs attachées ensemble sur un même pédoncule.

chatouillement n. m. Action de chatouiller. Sensation qui en résulte.

chatouiller v. tr. Causer, par des attouchements très légers et répétés, un tres-

saillement agréable ou pénible. *Fig.* Flatter agréablement : *chatouiller la vanité.*
chatouilleux, euse adj. Sensible au chatouillement. *Fig.* Susceptible.
chatoyer v. intr. (Se conj. comme *aboyer.*) Jeter des reflets changeant selon l'éclairage : *étoffe qui chatoie.*
châtrer v. tr. Faire l'ablation d'un organe nécessaire à la génération.
chatte n. f. Femelle du chat.
chatterie n. f. Caresse insinuante. Friandise délicate : *aimer les chatteries.*
chatterton [*ton'*] n. m. Ruban collant enduit d'un isolant.
chaud, e* adj. Qui a ou donne de la chaleur : *climat chaud. Fig.* Vif, animé : *chaude dispute; tête chaude.* Empressé : *ami chaud.* Récent : *nouvelle toute chaude. Fièvre chaude,* accompagnée de délire. *Pleurer à chaudes larmes,* pleurer abondamment. Adverbialem. : *servez chaud.*
chaud-froid n. m. Morceaux de volaille rôtis et servis froids avec gelée ou mayonnaise. Pl. des *chauds-froids.*
chaudière n. f. Grand récipient métallique. Son contenu : *une chaudière de sucre. Chaudière à vapeur,* appareil qui produit de la vapeur.
chaudron n. m. Petite chaudière.
chaudronnerie n. f. Profession, marchandise du chaudronnier.
chaudronnier, ère n. Qui fait ou vend des chaudrons.
chauffage n. m. Ce qui sert à chauffer. Action, manière de chauffer.
chauffe n. f. Action de chauffer.
chauffe-eau n. m. invar. Appareil de ménage pour fournir de l'eau chaude.
chauffe-bain n. m. Appareil pour chauffer l'eau d'une baignoire. Pl. des *chauffe-bains.*
chauffe-plat n. m. Réchaud pour tenir les plats au chaud. Pl. des *chauffe-plats.*
chauffer v. tr. Rendre chaud. Mettre en activité un appareil à vapeur. V. intr. Devenir chaud : *le bain chauffe.* Avoir ses feux allumés (machine à vapeur). *Fig. Ça chauffe,* la dispute devient vive.
chaufferette n. f. Appareil pour chauffer les pieds.
chaufferie n. f. Forge où se réduit le fer en barres. Chambre de chauffe.
chauffeur n. m. Qui entretient le feu d'une forge, d'une machine à vapeur. Conducteur d'automobile, d'autobus.
chaufournier n. m. Ouvrier attaché à un four à chaux.
chauler v. tr. Passer à l'eau de chaux pour détruire les parasites : *chauler du blé.* Amender avec de la chaux.
chaume n. m. Tige des graminées. Tige des blés coupés qui reste dans les champs. Paille longue qui sert à faire des toitures. *Poét.* Chaumière.
chaumière n. f. Petite maison couverte de chaume : *une humble chaumière.*
chaumine n. f. Petite chaumière.
chausse n. f. Epitoge de professeur. N. f. pl. Culotte ancienne.
chaussée n. f. Elévation de terre pour retenir l'eau d'une rivière, d'un étang. Partie bombée d'une rue ou d'une route.
chausse-pied n. m. Morceau de corne ou de métal, pour chausser un soulier. Pl. des *chausse-pieds.*
chausser v. tr. Mettre des bas, des souliers. V. tr. et intr. Aller bien au pied.
chausse-trape n. f. Piège à renards et autres bêtes. *Fig.* Ruse. Pl. des *chausse-trapes.*
chaussette n. f. Bas qui ne monte qu'à mi-jambe.
chausson n. m. Chaussure d'étoffe. Sorte de lutte à coups de pied.
chaussure n. f. Ce qui se met au pied pour le protéger contre les aspérités du sol.
chauve adj. Sans cheveux. Pelé.
chauve-souris n. f. Mammifère à ailes membraneuses, ressemblant à une souris. Pl. des *chauves-souris.*
chauvin, e adj. Patriote fanatique.
chauvinisme n. m. Patriotisme outré.
chaux n. f. Oxyde de calcium obtenu par calcination de pierres calcaires.
chavirement n. m. Action de chavirer. *Fig.* Bouleversement.
chavirer v. intr. Se renverser sens dessus dessous. *Fig. : avoir le cœur chaviré.*
chéchia n. f. Coiffure en drap rouge de certaines populations d'Afrique.
cheddite n. f. Explosif puissant.
chef n. m. Tête de l'homme (vx). Qui est à la tête, a l'autorité, la direction. Fondateur. *Fig.* Point essentiel, capital : *chef d'accusation.*
chef-d'œuvre [*chè-*] n. m. Ouvrage que tout aspirant à la maîtrise devait soumettre à un jury. Travail parfait. Pl. des *chefs-d'œuvre.*
chefferie n. f. Circonscription militaire dans le service du génie.
chef-lieu n. m. Ville principale d'une division administrative. Pl. des *chefs-lieux.*
cheik n. m. Chef de tribu arabe.
chelem [*chlèm*] n. m. invar. Réunion de toutes les levées chez un seul joueur.
chemin n. m. Voie, terrain préparé pour aller d'un lieu à un autre. Voie de communication quelconque. *Chemin battu,* chemin fréquenté et, au *fig.,* routine. *Chemin de fer,* dont la voie est formée par deux lignes parallèles de rails d'acier. *Fig.* Voie qui conduit à un but : *le chemin de la fortune. Faire son chemin,* réussir, parvenir, s'enrichir.
chemineau n. m. Mendiant vagabond.
cheminée n. f. Foyer dans lequel on fait du feu. Partie de la cheminée qui fait saillie dans la chambre. Conduit par où passe la fumée : *feu de cheminée.*
cheminement n. m. Action de cheminer. Voie par où l'on chemine.
cheminer v. intr. Marcher.
cheminot n. m. Employé de chemin de fer.
chemise n. f. Vêtement porté sur la peau. Enveloppe de papier renfermant d'autres papiers. Enveloppe, revêtement : *chemise de moteur.*
chemiserie n. f. Fabrique, magasin de chemises.
chemisette n. f. Chemise d'homme à manches courtes.
chemisier, ère n. Qui fait ou vend des chemises. N. m. Corsage de lingerie.
chenal n. m. Passage resserré entre des terres ou des hauts-fonds.
chenapan n. m. Vaurien, bandit.
chêne n. m. Arbre à bois fort dur dont le fruit est le gland.

chéneau n. m. Conduit de bois ou de métal, qui dirige les eaux vers la gouttière ou le tuyau de descente.
chenet n. m. Ustensile pour supporter le bois dans le foyer.
chenevotte n. f. Partie ligneuse du chanvre, une fois la filasse enlevée.
chenil [*ni*] n. m. Lieu où l'on renferme les chiens. *Fig.* Logement sale.
chenille [*niy'*] n. f. Larve de papillon. Passement de soie veloutée. *Autom.* Bande sans fin interposée entre les roues du véhicule et le sol, lui permettant d'avancer sur les terrains les plus divers.
chenu, e adj. Blanchi par l'âge.
cheptel n. m. Bétail d'une ferme.
chèque n. m. Bon de paiement sur un compte courant : *chèque postal.*
cher, ère* adj. Tendrement aimé : *un être cher.* D'un prix élevé : *un bijou cher.* Précieux: *le temps est cher.* Adverbialem. *Vendre trop cher,* à haut prix.
chercher v. tr. S'efforcer de trouver une chose. S'efforcer de, en général.
chercheur, euse adj. et n. Qui cherche.
chère n. f. Les mets, par rapport à la qualité : *faire bonne chère.*
chérif n. m. Prince arabe.
chérir v. tr. Aimer tendrement. Etre attaché à, se complaire dans.
cherté n. f. Haut prix : *cherté de la vie.*
chérubin n. m. Génie ailé (Bible). Une des catégories d'anges. *Fig.* Charmant enfant.
chétif, ive* adj. Faible, misérable.
cheval n. m. Animal solipède qui sert de monture et de bête de trait. *Fig.* Homme fort et courageux. *A cheval,* à califourchon, de chaque côté de, et, au *fig.,* ferme, inflexible : *à cheval sur la discipline.*
chevaleresque* adj. Qui a le caractère généreux de l'ancienne chevalerie.
chevalerie n. f. Qualité, rang de chevalier. L'institution elle-même. *Ordre de chevalerie,* corps militaire et religieux institué pour combattre les Infidèles. Ordre honorifique institué par un souverain.
chevalet n. m. Anc. instrument de torture. Support des cordes d'un violon. Support en bois pour soutenir un objet.
chevalier n. m. Citoyen romain du second ordre. Noble admis dans l'ordre de la chevalerie. Membre d'un ordre militaire. Noble du rang inférieur à celui de baron. Porteur d'une décoration.
chevalière n. f. Bague à large chaton.
chevalin, e adj. Relatif au cheval.
chevauchée n. f. Tournée à cheval.
chevauchement n. m. Action de chevaucher : *chevauchement de deux ardoises.*
chevaucher v. intr. Aller à cheval. Se recouvrir partiellement (tuiles, lignes d'écriture, etc.). V. tr. Etre à califourchon sur.
chevelu, e adj. A longs cheveux.
chevelure n. f. L'ensemble des cheveux. Traînée de feu d'une comète.
chevet n. m. Tête du lit : *s'asseoir au chevet d'un malade. Livre de chevet,* livre favori. Hémicycle terminant le chœur d'une église.
cheveu n. m. Poil de la tête de l'homme.
cheville n. f. Morceau de bois ou de métal, pour boucher un trou, faire un assemblage, pour tendre les cordes d'un instrument de musique, etc. Saillie des os de l'articulation du pied. *Poét.* Remplissage pour finir le vers. *Cheville ouvrière,* principal agent, mobile d'une affaire.
cheviller v. tr. Assembler avec des chevilles. Remplir de mots inutiles.
cheviotte n. f. Laine d'agneau d'Ecosse. Etoffe de cette laine.
chèvre n. f. Mammifère de l'ordre des ruminants, à menton garni d'une barbe. Appareil pour élever les fardeaux.
chevreau n. m. Petit de la chèvre. Sa peau : *gants de chevreau.*
chèvrefeuille n. m. Genre d'arbrisseaux grimpants.
chevrette n. f. Petite chèvre. Femelle du chevreuil.
chevreuil n. m. Mammifère ruminant beaucoup plus petit que le cerf.
chevrier, ère n. Gardeur, gardeuse de chèvres. N. m. Sorte de haricot.
chevron n. m. Pièce de bois qui soutient les lattes sur la pente d'un toit. Galon en V renversé, sur la manche des soldats, marquant leur ancienneté.
chevronner v. tr. Garnir de chevrons.
chevrotement n. m. Action de chevroter. Tremblement de la voix.
chevroter v. intr. Chanter, parler d'une voix tremblotante.
chevrotin n. m. Mammifère ruminant, sans cornes, d'Asie et d'Afrique.
chevrotine n. f. Gros plomb de chasse.
chez prép. Au logis de : *chez moi.* Dans le pays de : *chez les Turcs.* Du temps de : *chez les Romains.*
chiasse n. f. Ecume des métaux. Excrément de mouche, de ver.
chic n. m. Savoir-faire. Elégance. Adj. Bien tourné et, *fam.,* sympathique.
chicane n. f. Procédure artificieuse. Procès. Ensemble des gens du Palais. Controverse subtile. Querelle de mauvaise foi. Passage en zigzag.
chicaner v. intr. User de chicane en procès. V. tr. Contester sans motif.
chicanerie n. f. Difficulté suscitée par esprit de chicane.
chicaneur, euse ou **chicanier, ère** adj. et n. Qui aime à chicaner.
chiche* adj. Mesquin. Parcimonieux.
chichi n. m. *Pop.* Manières très affectées : *faire du chichi.*
chicon n. m. Laitue romaine.
chicorée n. f. Sorte de salade. Poudre de racine de chicorée torréfiée.
chicot n. m. Ce qui reste d'un arbre rompu. Racine d'une dent cassée.
chien, enne n. Mammifère carnivore, le plus souvent domestiqué pour la chasse, la garde, etc. Pièce d'une arme à feu qui se rabat sur la capsule pour en déterminer l'explosion. *Rompre les chiens,* les empêcher de suivre la voie et, au *fig.,* interrompre une conversation dangereuse. *Entre chien et loup,* à la tombée du jour.
chiendent n. m. Nom vulgaire d'une graminacée. *Fig.* et *fam.* Difficulté.
chiffe n. f. *Fig.* Homme sans caractère.
chiffon n. m. Vieux morceau d'étoffe. Chose sans valeur. Pl. Toilettes.
chiffonner v. tr. Froisser. *Fig.* Contrarier.
chiffonnier, ère n. Marchand de vieux chiffons. N. m. Petit meuble à tiroirs.

chiffre n. m. Chacun des caractères qui représentent les nombres. Montant, valeur d'une chose : *chiffre d'affaires*. Initiales d'un nom entrelacées. Ecriture secrète.
chiffrer v. intr. Calculer, écrire avec des chiffres. V. tr. Numéroter. Transcrire en une écriture secrète.
chiffreur n. m. Qui chiffre.
chignon n. m. Cheveux de derrière la tête relevés sur la nuque.
chimère n. f. Idée fausse, imagination vaine. Genre de poissons.
chimérique adj. Qui se nourrit de chimères. Sans fondement.
chimie n. f. Science qui étudie la nature et les propriétés des corps simples, l'action moléculaire de ces corps les uns sur les autres et les combinaisons dues à cette action.
chimique* adj. De la chimie.
chimiste n. m. Qui s'occupe de chimie. Adj. : *ingénieur chimiste*.
chimpanzé n. m. Grand singe des forêts de l'Afrique tropicale.
chinchilla n. m. Rongeur du Pérou, à fourrure estimée. Sa fourrure.
chiner v. tr. Donner des couleurs différentes aux fils de la chaîne d'un tissu. *Arg.* Critiquer, persifler.
chineur, euse n. et adj. Qui chine les étoffes. *Pop.* Moqueur.
chinoiserie n. f. Bibelot de Chine. Pl. Formalités compliquées.
chiot n. m. Jeune chien.
chiourme n. f. Ensemble de forçats.
chiper v. tr. *Fam.* Dérober.
chipie n. f. *Pop.* Femme acariâtre.
chipoter v. intr. *Fam.* Mâcher du bout des dents. Faire un travail avec lenteur. Faire des difficultés.
chique n. f. Petit insecte qui se loge sous la peau. Morceau de tabac que l'on mâche.
chiquenaude n. f. Coup appliqué avec le doigt du milieu plié contre le pouce, puis détendu.
chiquer v. intr. Mâcher du tabac.
chiromancie [*ki*] n. f. Art prétendu de prédire par l'inspection de la main.
chiromancien, enne [*ki*] n. Qui exerce la chiromancie.
chiropracteur [*ki*] n. m. Praticien de la chiropractie.
chiropractie [*ki, ti*] n. f. Art de guérir par manipulation de la colonne vertébrale.
chirurgical, e*, aux adj. Qui appartient à la chirurgie.
chirurgie n. f. Partie de l'art médical qui comporte l'intervention de la main nue ou armée d'instruments.
chirurgien n. m. Qui exerce la chirurgie.
chitine [*ki*] n. f. Substance qui constitue le squelette des articulés.
chiure n. f. Excrément de mouches.
chlorate n. m. Sel de l'acide chlorique : *chlorate de potasse*.
chlore [*kl*] n. m. Corps simple de couleur verdâtre, d'une odeur suffocante.
chloré, e adj. Qui contient du chlore.
chlorhydrique adj. m. *Acide chlorhydrique*, combinaison de chlore et d'hydrogène.
chloroforme n. m. Liquide incolore, d'une odeur éthérée, employé pour l'anesthésie.
chloroformer v. tr. Anesthésier au chloroforme. *Fig. chloroformer l'opinion*.
chlorophylle n. f. Matière verte des cellules des feuilles.
chlorure n. m. Combinaison du chlore avec un corps simple.
choc n. m. Heurt brusque d'un corps dur contre un autre. Rencontre et combat. *Fig.* Coup, ébranlement soudain.
chocolat n. m. Substance alimentaire composée de cacao et de sucre.
chocolatier, ère n. et adj. Qui fabrique, vend du chocolat.
chœur n. m. Réunion de personnes exécutant des danses et des chants. Musiciens qui chantent ensemble. Composition musicale à plusieurs parties. Partie de l'église où l'on chante l'office. *Enfant de chœur*, enfant employé au service du culte. *En chœur* loc. adv. Ensemble.
choir v. intr. (Usité à l'infin. et au part. p. *chu, e.*) Tomber.
choisi, e adj. De première qualité. Distingué : *langage choisi*.
choisir v. tr. Prendre de préférence.
choix n. m. Préférence : *embarras du choix*.
choléra [*ko*] n. m. Maladie épidémique intestinale.
cholérique [*ko*] adj. Relatif au choléra. N. Personne atteinte de choléra.
cholestérine [*ko*] n. f. Matière grasse, extraite des calculs biliaires.
chômage n. m. Action de chômer. Période d'arrêt d'une industrie.
chômer v. intr. Manquer de travail. *Fêtes chômées*, jours où l'on ne travaille pas.
chômeur, euse n. Sans travail.
chope n. f. Grand gobelet à bière.
chopine n. f. Mesure de liquide contenant un demi-litre.
chopper v. intr. Faire un faux pas. Heurter du pied contre.
choquer v. tr. Donner un choc, heurter. *Fig.* Offenser, contrarier.
choral, e [*ko*] adj. Qui appartient au chœur. N. m. Chant religieux. Pl. des *chorals*.
chorégraphie [*ko*] n. f. Art de la danse, du ballet.
choriste [*ko*] n. Qui chante dans les chœurs.
chorus [ko] n. m. *Faire chorus*, répéter avec d'autres.
chose n. f. Tout ce qui est, sauf les êtres animés. Action, événement, fait, idée : *savez-vous la chose?* Le réel, par opposition à l'apparence. *La chose publique*, l'Etat.
chou n. m. Genre de crucifères comestibles. (Pl. des *choux*.) *Chou-fleur*, variété de chou dont les fleurs naissantes sont comestibles. (Pl. des *choux-fleurs*.) Bouffette en rubans. Pâtisserie soufflée et légère : *chou à la crème*. *Mon chou*, mot de tendresse.
chouan n. m. Insurgé de Bretagne, de Vendée, sous la Révolution.
chouannerie n. f. Insurrection des chouans royalistes en 1793.
choucas n. m. Petite corneille.
choucroute n. f. Mets fait avec des choux hachés et fermentés.
chouette n. f. Nom vulgaire d'oiseaux rapaces nocturnes d'Europe.
chou-navet, chou-rave n. m. Sortes de chou à racine comestible.
choyer v. tr. (Se conj. comme *aboyer*.) Entourer de tendresse, d'attention.

chrême [*kr*] n. m. Huile sacrée, servant à quelques sacrements.
chrestomathie [*kr*] n. f. Recueil de morceaux choisis littéraires.
chrétien, enne* adj. et n. Qui professe la religion du Christ.
chrétienté n. f. Ensemble des pays ou des peuples chrétiens.
christ n. m. Figure de J.-C. attaché sur la croix : *christ d'ivoire.*
christianiser v. tr. Rendre chrétien. Attribuer des caractères chrétiens.
christianisme n. m. Religion chrétienne.
chromatique adj. Relatif aux couleurs. *Mus.* Se dit d'une série de sons procédant par demi-tons.
chrome [*kr*] n. m. Corps simple métallique, dont les sels sont remarquables par leur belle coloration.
chromer v. tr. Recouvrir de chrome.
chromolithographie, par abrév. **chromo** n. f. Procédé par lequel on imprime, en lithographie, plusieurs couleurs. L'épreuve obtenue.
chronicité [*kr*] n. f. Etat chronique.
chronique* [*kr*] adj. *Méd.* Se dit des maladies qui se prolongent.
chronique n. f. Histoire où les faits sont enregistrés dans l'ordre des temps. Article de journal, où se trouvent les faits, les nouvelles du jour, les bruits de la ville : *chronique politique, mondaine, judiciaire.* Ensemble des bruits qui circulent : *chronique scandaleuse.*
chroniqueur n. m. Auteur de chroniques : *chroniqueur théâtral.*
chronologie [*kr*] n. f. Science des temps ou des dates historiques.
chronologique* adj. Relatif à la chronologie : *ordre chronologique.*
chronomètre [*kr*] n. m. Montre d'une précision scientifique.
chronométrer v. tr. Relever exactement le temps que dure une action.
chrysalide [*kr*] n. f. Etat d'un insecte renfermé dans sa coque avant de devenir papillon.
chrysanthème [*kr*] n. m. *Bot.* Genre de composacées à belles fleurs d'arrière-saison.
chuchotement n. m. Action de chuchoter.
chuchoter v. intr. Parler bas à l'oreille. V. tr. Dire en chuchotant.
chuchoterie n. f. Entretien de personnes qui chuchotent. Bruits de société, médisances.
chuchoteur, euse adj. et n. Qui chuchote.
chuintement n. m. Action de chuinter.
chuinter v. intr. Crier, en parlant de la chouette. Prononcer *s* comme *ch. Consonnes chuintantes,* qui se prononcent avec un sifflement spécial (*ch, j*).
chut! interj. Silence!
chute n. f. Action de choir, de tomber. Masse d'eau qui tombe d'une certaine hauteur : *les chutes du Niagara. Fig.* Renversement, ruine. Echec : *la chute d'une comédie. Chute du jour,* moment où la nuit arrive. *Chute des reins,* le bas du dos.
chuter v. intr. *Fam.* Tomber.
chuter v. tr. Crier chut! à quelqu'un.
chyle n. m. Liquide blanchâtre, absorbé par la muqueuse intestinale pendant la digestion et porté dans le sang par les vaisseaux *chylifères.*
chyme n. m. Résultat de l'élaboration des aliments par le suc gastrique.
ci, adv. de lieu, employé pour ici. Se met dans les comptes pour annoncer le total des prix de divers articles. Se joint souvent aux substantifs précédés de *ce, cette, ces,* et aux pronoms démonstratifs *celui, celle, ceux,* pour désigner un objet ou un moment présent. Loc. adv. : *Par-ci, par-là, de-ci, de-là,* de côté et d'autre. *Ci-après,* après ce passage-ci. *Ci-contre,* en regard. *Ci-dessous,* dans l'endroit qui est ici dessous. *Ci-dessus,* plus haut. *Ci-gît,* ici est enterré. *Ci-devant,* avant ce temps-ci, et n., noble, à l'époque de la Révolution. (Pl. des *ci-devant.*)
cible n. f. Planche servant de but : *tir à la cible. Fig.* But, objectif.
ciboire n. m. Vase contenant les hosties consacrées.
ciboulette n. f. Espèce d'ail.
cicatrice n. f. Trace d'une plaie, d'une blessure : *être balafré de cicatrices.*
cicatriciel, elle adj. Qui appartient à une cicatrice.
cicatrisation n. f. Phénomène par lequel une plaie se ferme.
cicatriser v. tr. Fermer, dessécher, en parlant d'une blessure. *Fig.* Guérir.
cidre n. m. Boisson faite avec le jus fermenté des pommes.
ciel n. m. Espace dans lequel se meuvent les astres. Partie de l'espace au-dessus de nos têtes. Air, atmosphère. Séjour des bienheureux. *Fig.* Dieu, la Providence. *A ciel ouvert,* en plein jour, à découvert. Interj. de surprise, de douleur : *ô ciel!* — *Cieux* est le pluriel ordinaire de ciel. Mais on dit : *des ciels de lit, des ciels de carrière, des ciels de tableau.*
cierge n. m. Grande chandelle de cire, à l'usage des églises. Plante grasse du Mexique, en forme de cierge.
cigale n. f. Genre d'insectes hémiptères des pays chauds.
cigare n. m. Petit rouleau de feuilles de tabac, que l'on fume.
cigarette n. f. Tabac roulé dans du papier très fin : *un paquet de cigarettes.*
cigarière n. f. Qui façonne les cigares.
cigogne n. f. Oiseau échassier.
ciguë n. f. Plante vénéneuse.
cil n. m. Poil des paupières.
cilice n. m. Chemise de crin.
ciller [*yé*] v. tr. et intr. Fermer rapidement les paupières.
cimaise n. f. *Archit.* Moulure supérieure d'une corniche. Moulure à hauteur d'appui, sur un mur.
cime n. f. Sommet d'une montagne, d'un arbre : *la cime des monts.*
ciment n. m. Mélange d'argiles et de calcaires durs ou tendres. *Ciment armé,* béton armé. *Fig.* Ce qui unit.
cimenter v. tr. Lier avec du ciment. *Fig.* Affermir : *cimenter une alliance.*
cimentier n. m. Qui fait du ciment.
cimeterre n. m. Large sabre recourbé.
cimetière n. m. Lieu de sépulture.
cinéaste n. m. Collaborateur technique du cinéma.
ciné-club n. m. Association pour la diffusion de la culture cinématographique.

cinéma n. m. Cinématographe.
cinémascope n. m. Procédé de cinéma en relief sur écran incurvé.
cinématique n. f. Partie de la mécanique qui traite des mouvements.
cinématographe n. m. Appareil pour projeter sur un écran des vues animées. Salle où se donne ce spectacle.
cinématographier v. tr. Photographier une scène en vue de la reproduire à l'écran.
cinématographique adj. Relatif au cinématographe.
cinéraire n. f. Plante ornementale.
cingalais, e adj. et n. De Ceylan.
cinglant, e adj. Qui cingle. *Fig.* Rude, sévère : *une cinglante leçon.*
cingler v. tr. Naviguer vers.
cingler v. tr. Frapper d'un coup enveloppant avec quelque chose de souple.
cinq adj. num. Quatre plus un. Cinquième. N. m. Le chiffre cinq.
cinquantaine n. f. Nombre de cinquante ou environ.
cinquante adj. num. Cinq fois dix.
cinquantenaire n. m. Anniversaire au bout de cinquante ans.
cinquantième adj. num. ord. de *cinquante.* N. Qui occupe la cinquantième place. Cinquantième partie d'un tout.
cinquième adj. num. ord. de *cinq; cinquième jour.* N. m. Cinquième partie d'un tout. N. f. Deuxième classe du second degré de l'enseignement.
cintrage n. m. Action de cintrer.
cintre n. m. *Archit.* Courbure concave et continue d'une voûte ou d'un arc. Arcade de bois sur laquelle on bâtit les voûtes en pierre. *Théâtr.* Espace qui comprend les loges les plus élevées. *Plein cintre,* cintre dont la courbe est un demi-cercle.
cintrer v. tr. Faire un ouvrage en cintre : *cintrer une voûte.*
cirage n. m. Action de cirer. Composition pour cirer les chaussures.
circoncire v. tr. Opérer la circoncision.
circoncision n. f. Excision du prépuce.
circonférence n. f. Ligne courbe fermée, dont tous les points sont à égale distance d'un point appelé *centre.*
circonflexe adj. Se dit d'une sorte d'accent.
circonlocution n. f. Périphrase.
circonscription n. f. Division administrative, militaire ou religieuse.
circonscrire v. tr. (Se conj. comme *écrire.*) Tracer des limites autour. *Géom.* Tracer une figure dont les côtés sont tangents à une autre.
circonspect [*pè*], **e** adj. Discret, retenu.
circonspection n. f. Qualité de ce qui est circonspect.
circonstance n. f. Un des faits particuliers d'un événement. Conjoncture, situation : *une circonstance critique.*
circonstancié, e adj. Détaillé.
circonstanciel, elle adj. Qui dépend des circonstances. *Gramm. Complément circonstanciel,* celui qui exprime les circonstances dans lesquelles s'accomplit l'action (lieu, temps, cause, but, etc.).
circonvenir v. tr. (Se conj. comme *venir.*) Séduire par artifices.
circonvolution n. f. Enroulement.
circuit n. m. Pourtour, limite extérieure. Mouvement circulaire. Se dit d'un trajet plus ou moins circulaire : *circuit automobile.* Suite de conducteurs électriques : *couper, fermer le circuit. Fig.* Détour.
circulaire* adj. Qui a la forme d'un cercle. Qui décrit un cercle : *geste circulaire.* N. f. Lettre adressée à plusieurs personnes pour le même objet.
circulation n. f. Mouvement de ce qui circule : *circulation du sang.* Transmission, propagation. Possibilité de se mouvoir : *circulation interdite.*
circulatoire adj. Relatif à la circulation du sang.
circuler v. intr. Se mouvoir de façon à revenir au point de départ. Aller et venir. Passer de main en main. *Fig.* Se propager, se répandre : *nouvelle qui circule.*
circumnavigation [*kom*] n. f. Voyage autour d'un continent.
cire n. f. Substance avec laquelle les abeilles construisent les rayons de leurs ruches. Composition de gomme laque pour cacheter les lettres.
cirer v. tr. Enduire de cire : *cirer une toile.* Etendre du cirage sur les chaussures et les frotter pour les faire briller.
cireur, euse n. Qui cire.
cireux, euse adj. De la couleur de la cire.
cirque n. m. Lieu destiné aux jeux publics, chez les Romains. Enceinte circulaire pour spectacles équestres et acrobatiques. Espace circulaire dans les pays montagneux.
cirrhose n. f. Maladie du foie.
cirrus n. m. Nuage en forme de filaments ou de boucles de cheveux.
cisaillement n. m. Action de cisailler, de couper.
cisailler v. tr. Couper avec des cisailles. Tuyauter le linge.
cisailles n. f. pl. Gros ciseaux pour couper des plaques de métal, etc.
ciseau n. m. Lame plate de fer ou d'acier tranchant pour travailler les corps durs. *Fig.* Travail d'un sculpteur. Pl. Instrument d'acier à branches mobiles et tranchantes : *ciseaux à bouts ronds.*
ciseler v. tr. (Se conj. comme *geler.*) Travailler au ciselet : *ciseler du bronze. Fig.* Travailler finement.
ciselet n. m. Petit ciseau des orfèvres.
ciseleur n. m. Qui cisèle.
ciselure n. f. Détail ciselé d'un objet.
citadelle n. f. Forteresse d'une ville.
citadin, e n. Qui habite une ville.
citation n. f. Passage textuel cité d'un auteur. *Dr.* Sommation à comparaître devant la justice. Mise à l'ordre du jour d'un militaire ou d'un citoyen pour une action d'éclat.
cité n. f. Communauté politique, comprenant la collectivité des citoyens. Partie la plus ancienne de certaines villes.
citer v. tr. Rapporter textuellement. Invoquer comme preuve. Désigner, signaler. *Dr.* Assigner en justice.
citerne n. f. Réservoir d'eau de pluie.
cithare n. f. Sorte de lyre.
citoyen, enne n. Habitant d'une cité. Qui jouit du droit de cité. Membre de l'Etat, considéré du point de vue de ses droits politiques.
citrate n. m. *Chim.* Sel de l'acide citrique : *citrate d'argent.*
citrique adj. Extrait du citron.

citron n. m. Fruit d'un jaune pâle et plein d'un jus acide. Adj. invar. Couleur de citron : *des corsages citron.*
citronnade n. f. Boisson à base d'eau sucrée et de jus de citron.
citronnelle n. f. Nom donné à des plantes qui sentent le citron.
citronnier n. m. *Bot.* Arbre qui produit le citron.
citrouille n. f. Nom vulgaire de courges, à fruits très gros.
civet n. m. Ragoût de lièvre, etc.
civette n. f. Mammifère carnassier, produisant une matière grasse parfumée. Parfum produit par la civette.
civière n. f. Brancard à quatre bras.
civil, e* adj. Qui concerne les citoyens. Se dit par opposition à *militaire* et à *ecclésiastique. Guerre civile,* entre citoyens. *Mariage civil,* à la mairie. *Liste civile,* somme annuelle allouée au chef de l'Etat. *Fig.* Poli, affable, honnête. N. m. Qui n'est ni soldat ni prêtre. *Dr.* Ce qui concerne seulement les affaires, les intérêts en litige.
civilisateur, trice adj. et n. Qui civilise.
civilisation n. f. Action de civiliser. Etat de ce qui est civilisé.
civiliser v. tr. Rendre sociable, polir les mœurs, élever moralement.
civilité n. f. Observation des convenances, des égards, etc. ; courtoisie. Pl. Actes de politesse.
civique adj. Qui concerne le citoyen.
civisme n. m. Dévouement à l'intérêt public : *faire acte de civisme.*
clabaudage n. m. Criailleries.
clabauder v. intr. Criailler.
clac! interj. V. CLIC.
claie n. f. Tissu d'osier à claire-voie. Treillage en bois ou en fer, etc.
clair, e* adj. Lumineux, éclatant. Qui reçoit beaucoup de jour : *logement clair.* Net, distinct : *son clair.* Transparent, limpide : *eau claire.* Peu foncé. Peu serré : *toile claire. Fig.* Facilement intelligible : *langage clair.* Evident, manifeste, certain. Adverbialem. D'une manière claire, distincte : *voir clair* et, au *fig., y voir clair.*
clairet adj. et n. m. Vin rouge léger.
claire-voie n. f. Barrière, plancher, etc., dont les pièces sont espacées. Rangée de fenêtres dans les nefs des églises gothiques. *A claire-voie* loc. adv. A jour.
clairière n. f. Endroit d'une forêt dégarni d'arbres.
clair-obscur n. m. Mélange de clarté et d'ombre. Pl. des *clairs-obscurs.*
clairon n. m. Trompette à son aigu et perçant. Soldat qui claironne.
claironner v. intr. Sonner du clairon. *Fig.* Produire un son analogue. V. tr. Annoncer à grand fracas.
clairsemé, e adj. Peu serré.
clairvoyance n. f. Sagacité.
clairvoyant, e adj. Perspicace.
clamer v. tr. Crier.
clameur n. f. Cris, bruit tumultueux.
clan n. m. Tribu écossaise ou irlandaise. *Fig.* Parti, coterie.
clandestin, e* adj. Fait en secret.
clandestinité n. f. Caractère de ce qui est clandestin. Epoque de la Résistance.
clapet n. m. Soupape à charnière.
clapier n. m. Garenne. Cabane à lapins.
clapotement ou **clapotis** n. m. Agitation légère des vagues qui s'entrechoquent.
clapoter v. intr. Produire un clapotis.
claque n. f. Coup donné avec le plat de la main. Réunion d'applaudisseurs gagés (théâtre). N. m. Chapeau haut de forme, à ressorts, et qu'on peut aplatir.
claquement n. m. Bruit de ce qui claque.
claquemurer v. tr. Enfermer en chambre.
claquer v. intr. Produire un bruit sec : *faire claquer son fouet. Pop.* Mourir. V. tr. Donner une claque.
claquette n. f. Instrument formé de deux planchettes qu'on frappe l'une contre l'autre. Sorte de crécelle.
clarification n. f. Action de clarifier.
clarifier v. tr. (Se conj. comme *prier.*) Rendre clair. Purifier.
clarine n. f. Sonnette, clochette.
clarinette n. f. Instrument à vent, à clefs. Musicien qui en joue.
clarinettiste n. m. Qui joue de la clarinette.
clarté n. f. Lumière. Transparence. *Fig.* Caractère de ce qui est clair, intelligible : *parler avec clarté.*
classe n. f. Catégorie dans laquelle on range les êtres : *classe sociale.* Contingent militaire, comprenant les conscrits d'une année. Elèves instruits par un même maître. Leçon : *faire la classe.* Salle des leçons : *classe sombre.* Ecole, étude en général. Pl. Ensemble des élèves. *Hist. nat.* Grande division d'un règne, qui se subdivise en *ordres,* puis en *familles.*
classement n. m. Action de classer. Etat de ce qui est classé.
classer v. tr. Ranger par classes. *Classer une affaire,* la juger réglée.
classeur n. m. Portefeuille, meuble où l'on classe des papiers.
classicisme n. m. Doctrine des partisans des écrivains classiques.
classification n. f. Classement.
classifier v. tr. Classer.
classique adj. Conforme aux règles tracées par les Anciens : *peinture classique. Langues classiques,* le grec et le latin. Ce qui est en usage dans les écoles : *fournitures classiques.* N. m. Auteur, ouvrage qui peut servir de modèle : *classiques grecs.* Partisan du genre classique : *les classiques et les romantiques.*
claudication n. f. Action de boiter.
clause n. f. Disposition particulière contenue dans un acte, un contrat.
claustral, e, aux adj. Du cloître.
claustration n. f. Action d'enfermer dans un cloître, un lieu clos.
clavecin n. m. *Mus.* Instrument à clavier et à cordes.
clavette n. f. Clou plat passé dans le trou percé dans un boulon, etc.
clavicule n. f. Os long de l'épaule, qui joint le sternum à l'omoplate.
clavier n. m. Rangée des touches d'un piano, d'un jeu d'orgue, etc.
clayonnage n. m. Claie de branches.
clef ou **clé** n. f. Petite pièce métallique pour ouvrir et fermer une serrure. *Fig.* Ce qui permet de comprendre, de résoudre un problème : *la clef du mystère. Méc.* Outil pour ouvrir ou fermer, serrer ou

desserrer des écrous, etc. : *clef anglaise*. *Mus.* Signe qui indique l'intonation : *clef de sol.* Pièces mobiles qui bouchent et ouvrent les trous d'un instrument de musique à vent. *Archit.* *Clef de voûte,* pierre en forme de coin, qui occupe la partie centrale d'une voûte ou d'un arceau. *Fig.* Principe, base.

clématite n. f. Genre de renonculacées.

clémence n. f. Vertu qui consiste à pardonner : *user de clémence.*

clément, e adj. Qui a de la clémence.

clenche n. f. Pièce du loquet.

clepsydre n. f. Horloge à eau.

cleptomane n. Atteint de cleptomanie.

cleptomanie n. f. Manie du vol.

clerc [*klèr*] n. m. Aspirant ecclésiastique tonsuré. *Par ext.* Savant, lettré : *la trahison des clercs.* Qui travaille dans l'étude d'un homme de loi : *clerc d'avoué.*

clergé n. m. Corps des ecclésiastiques. Corps des prêtres desservant une paroisse ou les églises d'une ville.

clérical, e, aux adj. et n. Qui appartient au clergé. Dévoué au clergé.

cléricalisme n. m. Doctrine qui prétend soumettre la société civile à l'Eglise.

cléricature n. f. Etat des clercs.

clic! interj. Onomatopée exprimant un claquement sec : *clic! clac!*

clichage n. m. Action de clicher.

cliché n. m. Planche métallique sur laquelle a été reproduite en relief une image, pour l'impression. Image photographique négative, obtenue à la chambre noire. *Fig.* et *fam.* Lieu commun, banalité ressassée, image usée.

clicher v. tr. *Typogr.* Couler un alliage métallique dans l'empreinte prise sur une ou plusieurs pages composées en caractères mobiles.

clicherie n. f. Atelier de clichage.

client, e n. Qui confie ses intérêts à un homme d'affaires, à un avocat, sa santé à un médecin. Qui se fournit chez un commerçant.

clientèle n. f. Ensemble des clients.

clignement n. m. Action de cligner.

cligner v. tr. Fermer les yeux à demi. Rapprocher brusquement les paupières. V. intr. *Cligner de l'œil,* faire signe de l'œil à quelqu'un, en cachette.

clignotant n. m. Avertisseur à éclat intermittent.

clignotement n. m. Action de clignoter.

clignoter v. tr. et intr. Rapprocher les paupières coup sur coup. S'allumer et s'éteindre coup sur coup.

climat n. m. Ensemble des circonstances atmosphériques auxquelles est soumis un pays : *climat océanique.*

climatérique adj. Se dit des époques critiques de la vie.

climatique adj. Relatif au climat.

climatiser v. tr. Maintenir l'atmosphère d'une salle dans des conditions hygiéniques.

clin n. m. *Clin d'œil,* clignement. *En un clin d'œil* loc. adv. En un temps très court.

clinicien adj. et n. m. Médecin qui fait de la clinique.

clinique adj. Qui se fait près du lit des malades. N. f. Enseignement médical donné près des malades. Hôpital payant.

clinquant n. m. Lamelle métallique et brillante. *Fig.* Faux brillant.

clique n. f. Groupe méprisable de gens intrigants. *Mil.* Ensemble des tambours et des clairons d'un régiment.

cliquet n. m. Petit levier pour arrêter le mouvement d'une roue dentée.

cliqueter v. intr. (Se conj. comme *jeter.*) Produire un cliquetis.

cliquetis n. m. Bruit de corps entrechoqués. *Fig.* : *un cliquetis de mots.*

clisse n. f. Claie pour égoutter les fromages. Enveloppe d'osier, de jonc, pour bouteilles.

clivage n. m. Action de cliver des cristaux. Fissure dans une pierre.

cliver v. tr. Fendre un corps minéral dans le sens naturel de ses couches.

cloaque n. m. Egout pour les eaux, les immondices. Lieu malpropre et infect.

clochard, e n. *Pop.* Vagabond.

cloche n. f. Instrument d'airain, creux, évasé, suspendu, dont on tire des sons par un battant placé au milieu. Couvercle pour des mets : *cloche à fromage.* Vase de verre pour couvrir les plantes : *cloche à melons.* Ampoule à la peau. *Cloche à plongeur,* récipient en forme de cloche pour travailler sous l'eau.

cloche-pied (à) loc. adv. Sur un pied.

clocher n. m. Tour d'une église, où sont les cloches. Paroisse.

clocher v. intr. Boiter. *Fig.* Etre imparfait : *rien ne cloche.*

clocheton n. m. Petit clocher. Ornement au-dessus d'un édifice, etc.

clochette n. f. Petite cloche. Nom de diverses fleurs en forme de cloche.

cloison n. f. Séparation légère dans un bâtiment. Membrane de séparation.

cloisonné, e adj. Partagé par des cloisons. Se dit des émaux dans lesquels les motifs sont circonscrits par de minces cloisons retenant la matière vitrifiée. N. m. Objet en émail cloisonné.

cloître n. m. Galeries couvertes d'un monastère, etc., encadrant une cour ou un jardin. *Par ext.* Monastère.

cloîtrer v. tr. Enfermer dans un cloître. *Par ext.* Tenir enfermé.

clopin-clopant loc. adv. *Fam.* En clopinant : *cheminer clopin-clopant.*

clopiner v. intr. Marcher en clochant.

cloporte n. m. Petit animal crustacé, qui a un grand nombre de pattes.

cloque n. f. Maladie des feuilles. Ampoule : *une cloque au talon.*

cloquer v. intr. Se boursoufler, en parlant d'une peinture. V. tr. Gaufrer en forme de cloques.

clore v. tr. (Usité aux formes suivantes : *Je clos, tu clos, il clôt,* sans pl. *Je clorai,* etc. *Je clorais,* etc. *Que je close,* etc. *Clos, e.* Et aux temps composés.) Fermer, boucher. Entourer. *Par ext.* Terminer : *clore la discussion. Absol.* Pouvoir se fermer : *porte qui clôt mal.*

clos n. m. Terrain cultivé et fermé de murs, etc. *Particul.* Vignoble.

clôture n. f. Enceinte de murailles, de haies, etc. : *mur de clôture.* Vie claustrale. *Par ext.* Action de terminer. Dernière séance, fin d'une séance.

clôturer v. tr. Fermer par une clôture.

clou n. m. Petite tige de métal, à tête et à pointe, qui sert à fixer ou à suspendre. *Fam.* Attraction principale : *clou d'une exposition.* Furoncle. *Pop.* Mont-de-piété : *mettre au clou.* Poste de police : *fourrer au clou.*
clouer v. tr. Fixer avec des clous. *Fig.* Fixer, immobiliser : *clouer sur place. Fam.* Réduire au silence.
clouter v. tr. Garnir de clous.
clouterie n. f. Fabrication de clous.
clown [*kloun*] n. m. Bouffon de cirque, paillasse. (Le fém. est CLOWNESSE.)
clownerie n. f. Facétie de clown.
club [*kleub*] n. m. Assemblée politique. Cercle d'amis. *Jeux.* Au golf, crosse pour pousser les balles.
clystère n. m. Lavement. (Vx.)
coaccusé, e n. Accusé avec un ou plusieurs autres.
coadjuteur n. m. Prélat adjoint.
coagulation n. f. Etat d'un liquide coagulé. Action de se coaguler.
coaguler v. tr. Figer en parlant d'un liquide; lui donner de la consistance.
coaliser (se) v. pr. Se liguer.
coalition n. f. Ligue de puissances. Association de partis, de personnes.
coassement n. m. Cri de la grenouille.
coasser v. intr. Crier (grenouille).
coassocié, e n. Associé avec d'autres.
cobalt n. m. Métal blanc rougeâtre, dur et cassant.
cobaye [*bay'*] n. m. Cochon d'Inde.
cobra n. m. Serpent du genre naja.
cocagne n. f. Abondance. *Mât de cocagne,* mât élevé, lisse et glissant, au sommet duquel sont suspendus des objets à décrocher.
cocaïne n. f. Alcaloïde de la coca.
cocaïnomane n. Qui abuse de la cocaïne.
cocarde n. f. Insigne distinctif qu'on porte à la coiffure. Nœud de rubans.
cocardier, ère adj. et n. Qui aime l'armée, l'uniforme, le panache.
cocasse adj. *Fam.* Plaisant, ridicule.
coccinelle n. f. Genre d'insectes coléoptères, dits *bêtes à bon Dieu.*
coccyx [*kok-siss*] n. m. Petit os du sacrum,
coche n. m. Grande diligence pour le transport des voyageurs et des marchandises. Bateau remorqué par des chevaux.
coche n. f. Entaille.
cochenille n. f. Genre d'insectes hémiptères, originaires du Mexique. Matière écarlate qu'ils fournissent.
cocher n. m. Conducteur de voiture hippomobile.
cocher v. tr. Marquer d'une coche.
cochère adj. f. Pour voitures (porte).
cochinchinois, e adj. et n. De Cochinchine.
cochon n. m. Mammifère domestique, qui fournit le lard, le saindoux, etc. Chair de cet animal; mets préparé avec cette chair. *Fig.* Homme malpropre; homme grossier. (Dans ce sens, le fém. COCHONNE est usité.) *Cochon d'Inde,* cobaye, petit rongeur. *Fig.* Sujet d'expérience.
cochonner v. tr. *Pop.* Faire un ouvrage salement et grossièrement.
cochonnerie n. f. Malpropreté.
cochonnet n. m. Petit cochon. Boule servant de but, au jeu de boules.
cocktail [*tèl*] n. m. Mélange de boissons alcooliques.
coco n. m. Fruit du cocotier. (On dit aussi *noix de coco.*) Boisson de jus de réglisse et d'eau. N. f. *Fam.* Cocaïne.
cocon n. m. Enveloppe soyeuse que se filent les larves des lépidoptères et où s'opère leur dernière mue.
cocorico n. m. Chant du coq.
cocotier n. m. Genre de palmiers produisant la noix dite *coco.*
cocotte n. f. Casserole en fonte. Fièvre aphteuse. Poule, dans le langage des enfants. Morceau de papier plié, figurant vaguement une poule. Femme galante.
code n. m. Recueil de lois, d'ordonnances. *Fig.* Ce qui sert de règle.
codéine n. f. Alcaloïde de l'opium.
codétenu, e n. Personne détenue dans le même lieu qu'une autre.
codex n. m. Recueil officiel des formules pharmaceutiques.
codicille [*sil'*] n. m. Addition faite à un testament.
codification n. f. Action de codifier.
codifier v. tr. (Se conj. comme *prier.*) Rassembler en un corps de législation des lois éparses.
coefficient n. m. Nombre placé devant une quantité qu'il multiplie.
coercitif, ive adj. Qui contraint.
coercition n. f. Contrainte.
cœur n. m. Organe creux et musculaire, de forme conique, situé dans la poitrine et provoquant la circulation du sang. Une des quatre couleurs du jeu de cartes ordinaire : *as de cœur. Fig.* Partie centrale d'un pays. Partie intérieure : *le cœur d'un arbre.* L'ensemble ou le siège des puissances affectives. Affection, courage, zèle, ardeur. Fierté d'âme. Chose qui a la forme du cœur : *cœur à la crème. Par cœur,* de mémoire, et très fidèlement. *A cœur ouvert,* franchement. *A contrecœur,* contre son gré. *De bon cœur,* volontiers. *De tout cœur,* avec zèle.
coffrage n. m. Charpente pour maintenir les terres d'une tranchée.
coffre n. m. Meuble propre à enfermer des effets, de l'argenterie. *Fam.* Poitrine.
coffre-fort n. m. Coffre de métal, à serrure de sûreté. Pl. des *coffres-forts.*
coffrer v. tr. *Fam.* Emprisonner.
coffret n. m. Petit coffre.
cognac n. m. Eau-de-vie très estimée.
cognassier n. m. Genre de rosacées, qui donnent le coing.
cognée n. f. Hache. *Jeter le manche après la cognée,* tout abandonner.
cogner v. tr. Frapper pour enfoncer. Frapper : *se cogner la tête.* V. intr. Heurter : *cogner à la porte.*
cohabitation n. f. Etat de personnes qui habitent ensemble.
cohabiter v. intr. Habiter ensemble.
cohérent, e adj. Qui a de la liaison, de la connexion : *propos cohérents.*
cohésion n. f. Adhérence entre les molécules des corps. *Fig.* Liaison.
cohorte n. f. *Antiq. rom.* Subdivision d'infanterie. *Poét.* Troupe.
cohue n. f. Grande foule. Confusion.
coi, coite adj. Tranquille, calme (vx). *Se tenir, coi,* sans rien dire.

coiffe n. f. Ajustement de tête féminin. Garniture intérieure d'un chapeau, etc.
coiffé, e adj. *Fig.* Entiché : *coiffé de quelqu'un. Etre né coiffé,* avoir de la chance.
coiffer v. tr. Couvrir la tête. Arranger les cheveux de. *Coiffer sainte Catherine,* dépasser vingt-cinq ans sans être mariée.
coiffeur, euse n. et adj. Qui soigne, coupe les cheveux, la barbe. N. f. Table de toilette.
coiffure n. f. Ce qui sert à couvrir la tête. Arrangement des cheveux.
coin n. m. Angle formé par deux plans qui se coupent. Endroit où une rue est coupée par une autre. Commissures des lèvres, des paupières. *Du coin de l'œil,* sans avoir l'air de regarder. Petit espace de terrain. Instrument de fer en angle : *enfoncer un coin.* Morceau d'acier trempé gravé en creux, pour frapper monnaies et médailles. *Fig.* Empreinte, caractère : *marqué au coin de l'intelligence.*
coincement n. m. Etat d'une pièce de machine coincée.
coincer v. tr. (Se conj. comme *amorcer.*) Assujettir avec des coins. *Fam.* Immobiliser : *être coincé par un camion.*
coïncidence n. f. Etat de deux figures géométriques qui se superposent exactement. Rencontre, simultanéité.
coïncident, e adj. Qui coïncide.
coïncider v. intr. *Géom.* S'ajuster, se superposer. *Fig.* Arriver en même temps : *faits qui coïncident.*
coing n. m. Fruit du cognassier.
coke n. m. Combustible provenant de la distillation de la houille.
col n. m. Cou (vx). Partie de vêtement qui entoure le cou. Partie rétrécie : *col de bouteille. Géogr.* Passage étroit.
colchique n. m. Genre de liliacées.
cold-cream [*kôld-krîm*] n. m. Pommade contre l'irritation de la peau.
coléoptère adj. Se dit des insectes dont les deux ailes supérieures (*élytres*) sont impropres au vol.
colère n. f. Irritation, mouvement désordonné de l'âme offensée. Adj. Porté à la colère : *personne colère.*
coléreux, euse ou **colérique** adj. Prompt à la colère.
colibacille n. m. Bacille parasite intestinal.
colibri n. m. Oiseau exotique de très petite taille; oiseau-mouche.
colifichet n. m. Petit objet de fantaisie.
colimaçon (en) loc. adv. En spirale.
colin n. m. Espèce de grand merlan.
colin-maillard n. m. Jeu où l'un des joueurs a les yeux bandés et poursuit les autres à tâtons.
colique n. f. Douleur d'entrailles.
colis n. m. Paquet : *colis postal.*
collaborateur, trice [*l-l*] n. Personne qui collabore.
collaboration [*l-l*] n. f. Action de collaborer. Ensemble des collaborateurs.
collaborer [*l-l*] v. tr. ou v. intr. Travailler avec, coopérer.
collage n. m. Action de coller. Action d'imprégner de colle le papier pour qu'il ne boive pas. Action de clarifier le vin. Etat des objets collés.
collant, e adj. Qui colle (au *pr.* et au *fig.*).
collatéral, e, aux n. et adj. Parent en dehors de la descendance directe. N. m. Bas-côté d'une église.
collation [*l-l*] n. f. Action, pouvoir de conférer un bénéfice ecclésiastique, un titre universitaire, etc. Confrontation d'un texte et de sa copie. Léger repas.
collationner [*l-l*] v. tr. Comparer deux écrits. V. intr. Faire un léger repas.
colle n. f. Matière gluante que l'on étend entre deux objets pour les faire adhérer. *Fig.* et *fam.* Difficulté à résoudre : *poser une colle à quelqu'un.*
collecte [*l-l*] n. f. Sorte de quête.
collecteur [*l-l*] n. m. Qui perçoit des impôts, des cotisations. Organe d'une dynamo, pour recueillir le courant électrique. Adjectiv. Qui réunit.
collectif, ive* [*l-l*] adj. Formé de plusieurs. Fait par plusieurs.
collection [*l-l*] n. f. Réunion d'objets de même nature.
collectionner [*l-l*] v. tr. Réunir en collection : *collectionner des timbres.*
collectionneur, euse [*l-l*] n. Qui collectionne.
collectivisme [*l-l*] n. m. Système qui veut la mise en commun, au profit de tous, des moyens de production.
collectiviste [*l-l*] adj. Du collectivisme. N. Partisan du collectivisme.
collectivité [*l-l*] n. f. Ensemble des êtres qui forment une société.
collège n. m. Corps de personnes revêtues de la même dignité. Ensemble des électeurs. Etablissement d'enseignement secondaire, dirigé par un principal.
collégial, e, aux adj. Relatif à un collège. Qui appartient à un chapitre de chanoines.
collégien, enne adj. Qui a trait au collège. N. Elève d'un collège.
collègue [*l-l*] n. Personne qui remplit la même fonction qu'un autre.
coller v. tr. Enduire de colle. Fixer avec de la colle : *coller une affiche.* Clarifier le vin à l'aide de colle. Appliquer fortement : *coller son front aux vitres. Fam.* Réduire au silence. V. intr. S'appliquer exactement sur. *Pop. Ça colle,* ça va.
collerette n. f. Petit col évasé.
collet n. m. Sorte de lacs pour prendre oiseaux, lièvres, lapins. *Prendre au collet,* saisir par le cou; arrêter.
colleter v. tr. (Se conj. comme *jeter.*) Saisir au collet. V. intr. Tendre des collets. V. pr. Se battre.
collier n. m. Parure, ornement autour du cou. Cercle de métal ou de cuir au cou d'un animal. *Coup de collier,* grand effort.
colline n. f. Petit mont.
collision [*l-l*] n. f. Choc. *Fig.* Combat : *collision d'intérêts.*
collodion [*l-l*] n. m. Solution de coton-poudre dans l'éther.
colloïdal, e, aux [*l-l*] adj. De la nature ou de l'aspect de la colle de gélatine.
colloque [*l-l*] n. m. Entretien.
collusion [*l-l*] n. f. Entente secrète au détriment de quelqu'un.
collutoire [*l-l*] n. m. Médicament pour les gencives et la muqueuse buccale.
collyre [*l-l*] n. m. Médicament des yeux.
colmatage n. m. Action de colmater.

colmater v. tr. Exhausser les terrains bas, grâce aux dépôts vaseux formés par les fleuves ou les mers. *Abusiv.* Fermer une brèche.
colocataire n. Qui est locataire avec.
colombe n. f. *Poét.* Pigeon.
colombier n. m. Bâtiment où l'on élève des pigeons.
colombophile adj. et n. Qui élève des pigeons voyageurs.
colombophilie n. f. Science de l'élevage des pigeons voyageurs.
colon n. m. Habitant d'une colonie. Fermier, métayer.
côlon n. m. *Anat.* Partie du gros intestin, qui fait suite au cæcum.
colonel n. m. Officier qui commande un régiment.
colonial, e, aux adj. et n. Des colonies. N. Habitant des colonies.
colonialisme n. m. Expansion coloniale.
colonie n. f. Réunion de personnes qui vont s'établir dans un pays. Etablissement fondé par une nation en pays étranger. Réunion de personnes, ou même d'animaux, vivant en commun : *colonie de vacances ; colonie de castors.*
colonisateur, trice n. et adj. Qui colonise : *pays colonisateur.*
colonisation n. f. Action de coloniser, son résultat.
coloniser v. tr. Etablir une colonie.
colonnade n. f. Rangée de colonnes.
colonne n. f. Pilier cylindrique, avec base et chapiteau. *Fig.* Appui, soutien : *les colonnes de l'Etat.* Monument commémoratif en forme de colonne : *la colonne Vendôme.* Portion d'une page divisée de haut en bas. *Colonne vertébrale,* l'épine dorsale. Ligne de troupes profonde et serrée : *marche en colonne.*
colonnette n. f. Petite colonne.
colophane n. f. Résine jaune solide.
coloquinte n. f. Concombre fort amer.
coloration n. f. Action de colorer. Etat d'un corps coloré.
colorer v. tr. Donner de la couleur. *Fig.* Donner une belle apparence à.
coloriage n. m. Action de colorier.
colorier v. tr. (Se conj. comme *prier.*) Appliquer des couleurs sur.
coloris n. m. Couleur. Eclat du teint, des fleurs, du style.
coloriste n. Peintre qui entend bien le coloris.
colossal, e, aux adj. De dimension démesurée. *Fig.* Très ample.
colosse n. m. Statue d'une grandeur extraordinaire. Homme, animal, objet extraordinairement grand.
colportage n. m. Profession de colporteur. Action de colporter.
colporter v. tr. Faire le métier de colporteur. *Fig.* Ebruiter, répandre.
colporteur n. m. et adj. Marchand ambulant.
coltiner v. tr. Porter sur la tête, les épaules, de pesants fardeaux.
columbarium [*lon-ba-ryom*] n. m. Bâtiment où sont conservées les cendres des personnes incinérées.
colza n. m. Espèce de chou dont la graine est oléagineuse : *huile de colza.*
coma n. m. Sommeil profond, état morbide voisin de la mort.
comateux, euse adj. Relatif au coma.
combat n. m. Action de combattre. *Combat singulier,* duel.
combatif, ive adj. et n. Agressif.
combativité n. f. Agressivité.
combattre v. tr. (Se conj. comme *battre.*) S'efforcer de vaincre un adversaire.
combe n. f. Petite vallée.
combien adv. Quelle quantité. Quel nombre. Quel prix. A quel point.
combinaison n. f. Action de combiner : *combinaison de chiffres.* Son résultat. *Fig.* Mesures pour le succès d'une entreprise : *combinaison hasardeuse.* Sous-vêtement féminin. Vêtement de travail combinant blouse et pantalon.
combinat n. m. Groupement d'entreprises industrielles dans une même région.
combiner v. tr. Joindre. Coordonner, disposer dans un certain ordre : *combiner des efforts.* Calculer, disposer. *Chim.* Unir divers corps.
comble n. m. Faîte d'un bâtiment : *loger sous les combles. Fig.* Le dernier degré. Ce qui dépasse la mesure. *De fond en comble* loc. adv. Entièrement.
comble adj. Très ou trop plein : *salle comble. Fig.* Aux dernières limites.
comblement n. m. Action de combler.
combler v. tr. Remplir jusqu'au bord. Remplir un vide. Exaucer complètement : *ses vœux sont comblés.* Surcharger de : *combler d'honneurs.* Mettre le comble, dépasser : *combler la mesure.*
combustibilité n. f. Propriété caractéristique des corps combustibles.
combustible adj. Qui a la propriété de brûler. N. m. Matière dont on fait du feu : *combustible gazeux.*
combustion n. f. Action de brûler.
comédie n. f. Pièce de théâtre qui excite le rire par la peinture des mœurs, des ridicules. Feinte, dissimulation : *jouer la comédie.*
comédien, enne n. Qui joue la comédie. *Fig.* Qui sait prendre tous les masques, jouer tous les rôles.
comestible adj. Propre à la nourriture de l'homme. N. m. Aliment.
comète n. f. Astre errant accompagné d'une traînée de lumière.
comique adj. Qui appartient à la comédie. Plaisant, ridicule : *situation comique.* N. m. Le genre de la comédie. Acteur, auteur comique.
comité n. m. Réunion de personnes déléguées par une assemblée, etc.
commandant n. m. Chef de bataillon. Officier qui commande une place de guerre. Officier qui commande un bâtiment.
commande n. f. Demande de marchandises. Dans une machine à vapeur, organe de transmission. *De commande* loc. adv. Imposé ou feint : *sourire de commande.*
commandement n. m. Action de commander. Ordre. Pouvoir de celui qui commande. Loi, précepte.
commander v. tr. Ordonner. Avoir autorité sur. Dominer par sa position : *fort qui commande une vallée. Comm.* Faire une commande. *Fig.* Inspirer, imposer : *commander le respect.* V. intr. Ordonner.

commandeur n. m. Grade dans un ordre de chevalerie.
commanditaire n. et adj. Qui commandite.
commandite n. f. Société commerciale entre associés, les uns la gérant, les autres étant les bailleurs de fonds. Fonds versés par chacun des associés.
commanditer v. tr. Avancer les fonds nécessaires à une entreprise.
commando n. m. Petit détachement de prisonniers ou de soldats.
comme adv. De même que, autant que. Tel que : *un homme comme lui.* Presque, en quelque façon : *il est comme mort.* En qualité de : *agir comme délégué.* Combien, à quel point : *comme il est bon!* De quelle manière : *comme il parle! Tout comme,* pareil. Conj. Puisque. Au moment où : *comme il entrait.*
commémoratif, ive [*m-m*] adj. Qui commémore : *fête commémorative.*
commémoration [*m-m*] n. f. Cérémonie qui commémore un événement important.
commémorer [*m-m*] v. tr. Rappeler au souvenir : *commémorer une date.*
commençant, e n. Qui en est aux premiers éléments d'une étude.
commencement n. m. Début.
commencer v. tr. (Se conj. comme *amorcer.*) Faire le début de. Inaugurer, entamer. Donner les premières notions à. V. intr. Débuter.
commensal, e, aux [*m-m*] n. Qui mange à la même table, qui vit auprès de.
comment adv. De quelle manière, par quel moyen. Pourquoi. Interj. de surprise : *comment! vous voilà?*
commentaire [*m-m*] n. m. Remarque sur un texte. *Fig.* Interprétation.
commentateur, trice [*m-m*] n. Qui fait des commentaires.
commenter [*m-m*] v. tr. Faire des commentaires sur : *commenter un texte.*
commérage n. m. Bavardage.
commerçant, e adj. et n. Qui fait le commerce.
commerce n. m. Achat, vente ou échange de marchandises. Le corps des commerçants. Relations, fréquentation : *personne de commerce agréable. Tribunal de commerce,* tribunal de commerçants pour juger les contestations commerciales. *Chambre de commerce,* assemblée consultative de notables commerçants.
commercer v. intr. (Se conj. comme *amorcer.*) Faire le commerce.
commère n. f. Marraine, par rapport au parrain (vx). Femme hardie ou bavarde.
commettre v. tr. (Se conj. comme *mettre.*) Faire : *commettre un délit.* Préposer : *commettre à une garde.* Aventurer, compromettre. V. pr. S'exposer moralement : *se commettre avec des fripons.*
comminatoire [*m-m*] adj. Qui menace.
commis n. m. Employé. Préposé à. *Commis voyageur,* qui voyage pour une maison de commerce.
commisération [*m-m*] n. f. Compassion.
commissaire n. m. Qui est chargé de fonctions temporaires. Ordonnateur : *commissaire d'une fête.* Membre d'une commission. *Commissaire de police,* magistrat veillant au bon ordre, à la sécurité publique. *Commissaire-priseur,* qui dirige les enchères dans les ventes publiques.
commissariat n. m. Fonctions de commissaire. Bureau d'un commissaire.
commission n. f. Charge donnée à quelqu'un de faire une chose. Titre ou brevet conférant un grade ou un emploi. Membres choisis par une assemblée pour un travail déterminé. Achat, placement pour autrui, avec remise; cette remise.
commissionnaire n. m. Qui vend et achète pour le compte d'autrui, moyennant remise. Qui fait les commissions du public. Qui se charge du transport des marchandises.
commissure n. f. *Anat.* Point de jonction de certaines parties du corps.
commode adj. Qui se prête à l'usage requis. Agréable. D'une humeur facile. N. f. Meuble à tiroirs.
commodément adv. Aisément.
commodité n. f. Chose, situation commode. Pl. Aises, agréments.
commotion [*m-m*] n. f. Secousse, ébranlement. *Fig.* Emotion violente.
commuer v. tr. Changer une peine en une moindre.
commun, e adj. Qui est pour plusieurs ou pour tous : *puits commun.* Général, universel : *sens commun.* Vulgaire : *manières communes. Maison commune,* hôtel de ville. *En commun,* avec d'autres. *Gramm. Nom commun,* qui convient à tous les êtres d'une même espèce. N. m. Le plus grand nombre : *le commun des hommes.* Pl. Bâtiments annexes d'une grande maison, d'un château, etc.
communal, e, aux adj. De la commune : *école communale.* N. m. pl. Biens d'une commune.
communard, e n. et adj. Partisan de la Commune de Paris, en 1871.
communauté n. f. Etat de ce qui est commun : *communauté d'idées.* Société religieuse soumise à une règle, couvent. *Dr.* Association où certains biens sont communs entre les époux.
commune n. f. Division territoriale administrée par un maire.
communément adv. Ordinairement.
communicant, e adj. Qui communique.
communicatif, ive adj. Qui se communique, se gagne. Expansif.
communication n. f. Action de communiquer. Avis, renseignement.
communier v. intr. (Se conj. comme *prier.*) Recevoir la communion. *Fig.* Etre en communauté d'esprit.
communion n. f. Union dans une même foi. Réception de l'eucharistie.
communiqué n. m. Avis officiel.
communiquer v. tr. Transmettre. V. intr. Etre en relation.
communisme n. m. Doctrine qui préconise la nationalisation des moyens de production et la répartition, par l'Etat, des biens de consommation.
communiste adj. et n. Partisan du communisme.
commutateur [*m-m*] n. m. Appareil pour établir ou interrompre le courant électrique dans un circuit.
commutation [*m-m*] n. f. Changement. Réduction d'une sanction pénale.

compacité n. f. Qualité de ce qui est compact.
compact, e adj. Dont les molécules sont fort rapprochées. Dense, serré.
compagne n. f. Femme qui vit en compagnie d'une autre personne.
compagnie n. f. Assemblée, société de personnes. Société industrielle ou commerciale. Troupe d'infanterie commandée par un capitaine. Bande d'animaux de même espèce : *compagnie de perdreaux. Fausser compagnie,* se retirer ou ne pas venir à un rendez-vous.
compagnon n. m. Qui accompagne. Qui partage la vie de. Qui fait quelque chose avec un autre : *compagnon d'armes.* Ouvrier membre d'un compagnonnage.
compagnonnage n. m. Association d'ouvriers dans une même profession.
comparable adj. Qui peut être comparé : *ces choses sont comparables.*
comparaison n. f. Action de comparer. Parallèle. *Gramm. Degrés de comparaison,* le positif, le comparatif et le superlatif.
comparaître v. intr. (Se conj. comme *paraître.*) Se présenter par ordre.
comparatif, ive* adj. Qui marque comparaison. Qui met en comparaison. N. m. Second degré d'intensité dans les adjectifs : MEILLEUR *est le comparatif de* BON.
comparer v. tr. Etablir le rapport qui existe entre les objets. Mettre en parallèle. Confronter : *comparer des signatures.*
comparse n. Au théâtre, personnage muet ou sans rôle important.
compartiment n. m. Case, division. Division symétrique d'une surface.
comparution n. f. Action de comparaître en justice.
compas n. m. Instrument à deux branches mobiles pour tracer des circonférences. *Mar.* Boussole marine.
compassé, e adj. Raide, guindé.
compassion n. f. Action de compatir.
compatibilité n. f. Qualité, état de choses compatibles.
compatible adj. Qui peut s'accorder.
compatir v. intr. Prendre part aux maux d'autrui : *compatir à un deuil.*
compatriote n. Du même pays.
compensateur, trice adj. Qui compense, qui dédommage.
compensation n. f. Action de compenser. Dédommagement.
compenser v. tr. Equilibrer.
compérage n. m. Relation de compère à commère. Intelligence secrète de deux personnes pour tromper.
compère n. m. Le parrain, par rapport à la marraine (vx). *Fig.* Complice dans une supercherie.
compère-loriot n. m. Nom vulgaire de l'orgelet. Pl. des *compères-loriots.*
compétence n. f. Droit de juger une affaire. Aptitude.
compétent, e adj. Capable, apte.
compétiteur, trice n. Qui revendique une chose en même temps que d'autres.
compétition n. f. Poursuite, revendication d'une même chose.
compilateur, trice n. Qui compile.
compilation n. f. Action de compiler. Ouvrage composé d'extraits.
compiler v. tr. Réunir des morceaux de divers auteurs pour en faire un ouvrage : *compiler une anthologie.*
complainte n. f. Chanson populaire sur un sujet triste ou pieux.
complaire v. intr. (Se conj. comme *plaire.*) Se conformer aux goûts de quelqu'un. V. pr. Trouver son plaisir à.
complaisance n. f. Disposition à complaire. Obligeance : *ayez la complaisance de venir.* Satisfaction.
complément n. m. Ce qui complète. *Gramm.* Mot complétant le sens d'un autre mot : *complément direct, circonstanciel.*
complémentaire adj. Qui complète.
complet, ète* adj. Plein. Entier, achevé. N. m. Vêtement dont toutes les pièces sont de même étoffe.
compléter v. tr. (Se conj. comme *accélérer.*) Rendre complet.
complexe adj. Qui contient plusieurs éléments ou parties.
complexion n. f. Constitution du corps. Humeur, caractère.
complexité n. f. Etat de ce qui est complexe.
complication n. f. Etat de ce qui est compliqué. Concours de difficultés : *complications politiques.*
complice adj. et n. Qui a part à un délit, etc. *Par ext.* Qui favorise.
complicité n. f. Participation à un acte illégal, délictueux.
compliment n. m. Paroles obligeantes. Eloges, félicitations. Discours à l'occasion d'une fête : *compliment en vers.* Pl. Hommages : *adresser ses compliments.*
complimenter v. tr. Adresser des compliments. Faire des civilités.
complimenteur, euse adj. et n. Qui abuse des compliments.
compliquer v. tr. Rendre moins simple. Rendre confus, embrouiller.
complot n. m. Résolution concertée en commun et secrètement contre des personnes ou des institutions.
comploter v. tr. Former un complot.
comporter v. tr. Admettre. V. pr. Se conduire d'une certaine manière.
composé, e adj. Formé de plusieurs parties. Se dit des temps d'un verbe qui se conjuguent avec un auxiliaire. *Fig.* Qui affecte la gravité. N. m. Tout qui est formé de plusieurs parties. N. f. pl. Famille de plantes (chicorée, chardon, etc.). [On dit aussi COMPOSACÉES.]
composer v. tr. Former un tout de plusieurs parties. Faire. Créer. *Impr.* Assembler des caractères. *Fig.* Arranger, disposer : *composer un bouquet.* V. intr. Faire un devoir donné en classe. *Fig.* Transiger : *composer avec son devoir.*
compositeur, trice n. Qui compose de la musique. *Impr.* Qui assemble les caractères.
composition n. f. Action de composer un tout. Manière dont les parties forment le tout. Assemblage des caractères typographiques. Art d'assembler les sons musicaux. Devoir, matière de concours. Production de l'esprit. *Fig.* Accommodement.
compost n. m. Mélange de terre, de chaux, etc., qui sert d'engrais.
composteur n. m. *Impr.* Règle dans laquelle le compositeur assemble les caractères. Appareil à lettres ou chiffres amo-

vibles pour marquer, dater des tickets, des factures, etc.
compote n. f. Fruits cuits avec du sucre. *Fam. En compote,* meurtri.
compotier n. m. Plat pour compotes, fruits, etc.
compréhensible adj. Concevable, intelligible.
compréhensif, ive adj. Qui comprend.
compréhension n. f. Faculté de comprendre. Connaissance parfaite.
comprendre v. tr. (Se conj. comme *prendre.*) Contenir. *Fig.* Saisir par l'esprit. Connaître. Approuver.
compresse n. f. Linge pour le pansement des plaies, etc.
compresseur adj. m. Qui comprime. N. m. Appareil pour comprimer.
compressible adj. Qui peut être comprimé : *fluide compressible.*
compression n. f. Action de comprimer. *Fig.* Contrainte.
comprimé n. m. Pastille pharmaceutique.
comprimer v. tr. Presser un corps de manière à en réduire le volume. *Fig.* Empêcher de se manifester.
compromettre v. tr. (Se conj. comme *mettre.*) Exposer, mettre en péril. Perdre de réputation.
compromis n. m. Transaction.
compromission n. f. Action de compromettre : *craindre les compromissions.*
comptabilité n. f. Art de tenir des comptes en règle. Partie d'une administration chargée des comptes.
comptable adj. Chargé des comptes. Porté en compte. *Fig.* Responsable de. N. m. Qui tient les comptes.
comptant adj. m. Compté sur l'heure et en espèces. *Vendre au comptant,* moyennant paiement immédiat. Adv. En espèces et sur-le-champ.
compte n. m. Calcul, nombre. Etat de ce qui est dû. *Fig.* Profit, avantage. *Rendre compte de,* raconter, expliquer, justifier. *Tenir compte de,* prendre en considération. *Compte courant,* état par *doit* et *avoir* des opérations entre deux individus, etc. Loc. adv. *A bon compte,* à bon marché. *Au bout du compte, en fin de compte, tout compte fait,* tout bien considéré.
compte-gouttes n. m. et adj. Petit appareil pour compter les gouttes.
compter v. tr. Nombrer, calculer : *compter de l'argent.* Mettre au nombre de. Payer, donner : *compter une somme à quelqu'un.* V. intr. Etre compté, faire nombre : *cela ne compte pas.* Se proposer : *je compte partir. Compter sur,* avoir confiance en.
compteur n. m. Appareil de mesure.
comptoir n. m. Grande table chez les changeurs, les marchands, etc. Agence commerciale à l'étranger.
compulser v. tr. Rechercher dans des registres, des papiers, etc.
comte n. m. Titre de noblesse entre ceux de marquis et de vicomte.
comté n. m. (autref. n. f.). Domaine conférant le titre de comte.
comtesse n. f. Celle qui possédait un comté. Femme d'un comte.
concasser v. tr. Réduire une matière en petits fragments.
concasseur n. et adj. m. Machine-outil pour concasser.
concave adj. Creux.
concavité n. f. Etat de ce qui est concave. le côté concave d'un corps.
concéder v. tr. (Se conj. comme *accélérer.*) Accorder, octroyer.
concentration n. f. Action de concentrer. Son résultat : *camp de concentration.*
concentré, e adj. Dont on a chassé la partie aqueuse : *lait concentré.*
concentrer v. tr. Réunir en un centre. Rassembler sur un même point. Eliminer l'eau d'un corps.
concentrique adj. Ayant un même centre : *courbes concentriques.*
concept [*sèpt'*] n. m. *Philos.* Idée.
conception n. f. Action de concevoir. Faculté de comprendre : *conception lente.*
concerner v. tr. Avoir rapport à.
concert n. m. Harmonie de voix, d'instruments. Séance musicale : *concert classique. Par ext.* Manifestation bruyante : *concert d'injures. Fig.* Accord : *agir de concert.*
concerter v. tr. Préparer de concert, ou seul. *Fig.* Régler, composer.
concertiste n. m. Exécutant dans un concert.
concerto n. m. *Mus.* Morceau pour un instrument avec accompagnement d'orchestre.
concession n. f. Action de concéder. La chose concédée. Terrain concédé par le gouvernement à un colon. Terrain de sépulture, vendu ou loué. Désistement de ses prétentions, etc.
concessionnaire n. et adj. Qui a obtenu une concession.
concevoir v. tr. (Se conj. comme *recevoir.*) Devenir enceinte. *Fig.* Imaginer : *concevoir un plan.*
concierge n. Gardien d'une maison.
conciergerie n. f. Fonctions et demeure d'un concierge. Prison attenante au Palais de Justice, à Paris.
concile n. m. Réunion d'évêques et de docteurs en théologie qui décident des questions de doctrine.
conciliabule n. m. Conférence secrète.
conciliateur, trice n. et adj. Qui concilie, aime à concilier.
conciliation n. f. Action de concilier.
concilier v. tr. (Se conj. comme *prier.*) Mettre d'accord. *Par ext.* V. pr. Procurer : *se concilier l'affection.*
concis, e adj. Bref, laconique.
concision n. f. Qualité de ce qui est concis : *concision du style.*
concitoyen, enne n. Qui est du même pays, de la même ville.
conclave n. m. Assemblée des cardinaux réunis pour élire un pape.
conclure v. tr. (*Je conclus, tu conclus, il conclut, nous concluons, vous concluez, ils concluent. Je concluais, nous concluions. Je conclus, nous conclûmes. Je conclurai. Conclus, concluons, concluez. Que je conclue. Que je conclusse. Concluant, Conclu, e.*) Régler, terminer : *conclure un marché.* Tirer la conséquence de : *j'en conclus que...*
conclusion n. f. Action de conclure. Solution finale. Conséquence d'un argument. Pl. *Procéd.* Demande des parties : *dépo-*

ser des conclusions. Réquisitions du ministère public.
concombre n. m. Genre de cucurbitacées. Son fruit.
concomitance n. f. Coexistence.
concomitant, e adj. Qui accompagne.
concordance n. f. Convenance, accord. *Gramm.* Accord des temps entre eux.
concordat n. m. Traité entre le pape et un souverain sur les affaires religieuses. Accommodements entre un failli et ses créanciers.
concordataire adj. Relatif au concordat. Qui a obtenu un concordat.
concorde n. f. Bonne intelligence : *troubler la concorde.*
concorder v. intr. S'accorder.
concourir v. intr. (Se conj. comme *courir.*) Converger vers un même point : *lignes qui concourent.* Coopérer : *concourir à un résultat.* Etre en concurrence, en rivalité.
concours n. m. Rencontre, coïncidence : *concours de circonstances.* Action de coopérer : *offrir son concours.* Lutte de concurrents.
concret, ète* adj. Qui exprime une qualité dans un sujet. N. m. Qualité de ce qui est concret.
concrétion n. f. Phys. Action de s'épaissir. Réunion de parties en un corps solide : *concrétion pierreuse.*
concrétiser v. tr. Rendre concret.
concubinage n. m. Etat d'un homme et d'une femme qui vivent comme des époux sans être mariés.
concubine n. f. Qui vit en concubinage.
concupiscence n. f. Penchant à jouir des biens de la terre.
concurremment adv. Conjointement.
concurrence n. f. Compétition. Rivalité. *Jusqu'à concurrence de* loc. adv. Jusqu'à un total de.
concurrencer v. tr. (Se conj. comme *amorcer.*) Faire concurrence à.
concurrent, e n. Compétiteur, rival.
concussion n. f. Exaction, commise surtout par un trésorier public.
condamnation n. f. Jugement qui condamne. La peine infligée. *Fig.* Blâme, désapprobation.
condamner v. tr. Prononcer une peine. *Fig.* Désapprouver. Déclarer perdu un malade. Barrer, murer : *porte condamnée.* Astreindre : *condamner à la chambre, au lit.*
condensateur n. m. *Physiq.* Appareil pour condenser une force (vapeur, etc.).
condensation n. f. Action de condenser. Son effet.
condenser v. tr. Rendre plus dense. Liquéfier une vapeur. Exprimer avec concision : *condenser sa pensée.*
condenseur n. m. Récipient qui liquéfie la vapeur dans une machine.
condescendance n. f. Complaisance qui fait condescendre à un désir.
condescendre v. intr. Céder par une complaisance un peu méprisante.
condiment n. m. Assaisonnement.
condisciple n. m. Camarade d'étude.
condition n. f. Rang social : *humble condition.* Etat : *en bonne condition.* Circonstances : *dans ces conditions...* Base fondamentale ; qualité nécessaire : *l'air est une condition de la vie.* Convention dont dépend l'exécution d'un marché. *Acheter à condition,* sous réserve de pouvoir rendre. *A condition que* loc. conj. Pourvu que.
conditionné, e adj. Soumis à une condition.
conditionnel, elle* adj. Soumis à certaines conditions. N. m. *Gramm.* Mode du verbe, qui exprime une action subordonnée à une condition.
conditionnement n. m. Action de conditionner (soie, etc.). Emballage.
conditionner v. tr. Fabriquer dans de certaines conditions. Ramener la soie, la laine, par dessiccation, à leur poids réel.
condoléance n. f. Témoignage de sympathie à la douleur d'autrui.
condominium [*nyom*] n. m. Souveraineté en commun exercée par deux ou plusieurs puissances sur un pays.
condor n. m. Grand vautour.
conducteur, trice n. et adj. Qui conduit. N. m. Surveillant de travaux.
conductibilité n. f. Propriété de transmettre la chaleur, l'électricité.
conduire v. tr. (*Je conduis, nous conduisons. Je conduisais, nous conduisions. Je conduisis, nous conduisîmes. Je conduirai. Conduis, conduisons, conduisez. Que je conduise, que nous conduisions. Que je conduisisse, que nous conduisissions. Conduisant, Conduit, e.*) Guider, mener. Accompagner. Diriger, commander. *Absol.* Mener à. Diriger une voiture. V. pr. Se comporter d'une certaine manière.
conduit n. m. Canal, tuyau.
conduite n. f. Action de conduire, de diriger. Action d'accompagner : *faire la conduite.* Commandement, direction : *conduite d'une armée.* Disposition, arrangement. Manière de se conduire : *bonne conduite.* Tuyau. *Conduite intérieure,* auto fermée.
cône n. m. Solide engendré par une droite mobile qui se déplace en passant par un point fixe et en s'appuyant constamment sur une courbe fixe. Fruit des conifères ; inflorescence du houblon.
confection n. f. Action de confectionner. Achèvement. Objet d'habillement non fait sur mesure.
confectionner v. tr. Faire, fabriquer.
confectionneur, euse n. Qui dirige une entreprise de confection.
confédération n. f. Union de plusieurs Etats qui se soumettent à un pouvoir général, tout en conservant leur autonomie. Ligue, association.
confédérer v. tr. (Se conj. comme *accélérer.*) Réunir en confédération.
conférence n. f. Réunion de personnes qui discutent des questions pendantes. Discours familier.
conférencier, ère n. Qui fait des conférences.
conférer v. tr. (Se conj. comme *accélérer.*) Comparer : *conférer des textes.* Donner, accorder : *conférer un titre.* V. intr. Tenir conférence avec.
confesser v. tr. Déclarer (ses péchés) en confession. Recevoir la confession. Avouer. Proclamer.
confesseur n. m. Prêtre qui confesse.

confession n. f. Profession de foi religieuse. Déclaration de ses péchés à un prêtre, pour en recevoir l'absolution. Aveu.
confessionnal n. m. Sorte d'isoloir où le prêtre entend le pénitent.
confessionnel, elle adj. Relatif à une religion.
confiance n. f. Action de se confier, de s'en remettre à; sentiment qu'on peut compter sur : *avoir confiance en quelqu'un.* Action de s'en remettre à soi-même; sentiment de courage : *parler avec confiance.*
confiant, e adj. Qui a confiance.
confidence n. f. Communication d'un secret. Secret confié.
confident, e n. Personne à qui l'on confie ses plus secrètes pensées.
confidentiel, elle* adj. Secret.
confier v. tr. (Se conj. comme *prier.*) Remettre au soin, à la fidélité, à l'habileté de quelqu'un : *confier une mission.* Dire en confidence : *confier un secret.* V. pr. Donner sa confiance à.
configuration n. f. Forme extérieure.
confiner v. intr. Toucher aux confins d'un pays. V. tr. Reléguer. *Air confiné,* air qui ne se renouvelle pas.
confins n. m. pl. Frontière. *Aux confins de la terre,* au bout du monde.
confire v. tr. (*Je confis, nous confisons. Je confisais. Je confis. Je confirai. Confis, confisons, confisez. Que je confise. Que je confisse* [très peu usité]. *Confisant. Confit, e.*) Garder des fruits dans du sucre, des légumes dans du vinaigre, etc.
confirmation n. f. Action de confirmer. Assurance expresse et nouvelle. Sacrement de l'Eglise, qui suit le baptême.
confirmer v. tr. Affermir, fortifier. Garantir l'exactitude de. *Théol.* Conférer le sacrement de confirmation.
confiscation n. f. Action de confisquer. Biens confisqués.
confiserie n. f. Art, commerce du confiseur. Sa boutique. Sa marchandise.
confiseur, euse n. Qui fait et vend des sucreries, etc.
confisquer v. tr. Saisir au nom du fisc, ou en vertu d'un règlement.
confit, e adj. Conservé dans du sucre, etc. *Fig.* Plein d'une douceur mielleuse : *confit en dévotion.* N. m. Viande conservée dans la graisse.
confiture n. f. Mets composé de fruits, etc., cuits avec du sucre.
conflagration n. f. Embrasement général (au pr. et au fig.).
conflit n. m. Choc, combat. Lutte, antagonisme : *conflit d'intérêts.*
confluent n. m. Point de jonction de deux cours d'eau.
confluer v. intr. Se réunir, en parlant de deux cours d'eau.
confondre v. tr. Mêler sans ordre. Réunir en un seul tout. Ne pas distinguer : *confondre deux mots. Fig.* Humilier, rabattre : *confondre un adversaire.* Frapper de stupeur. Convaincre de fausseté : *confondre un menteur.* V. pr. *Se confondre en politesses, en excuses,* les multiplier.
conformation n. f. Manière dont un corps est conformé.
conforme adj. Qui a la même forme. Qui convient, qui s'accorde.
conformément adv. En conformité.
conformer v. tr. Donner une forme. Mettre d'accord avec.
conformité n. f. Etat de deux ou plusieurs choses pareilles entre elles. Analogie, ressemblance. *En conformité de* loc. prép. Conformément à.
confort n. m. Ce qui constitue les aises de la vie : *aimer le confort.*
confortable* adj. Qui procure le confort. N. m. Confort.
confrère n. m. Membre d'un même corps, d'une même profession.
confrérie n. f. Association.
confrontation n. f. Action de confronter, de comparer.
confronter v. tr. Mettre des personnes en présence, pour comparer leurs dires. Comparer : *confronter des écritures.*
confus, e adj. Mêlé, brouillé, incertain. *Fig.* Obscur. Honteux.
confusément adv. D'une manière confuse.
confusion n. f. Etat de ce qui est confus. Réunion de choses disparates. Manque de clarté. Action de confondre, de mêler. Action de prendre une chose pour une autre. Désordre. *Fig.* Embarras.
congé n. m. Renvoi d'une personne à gages. Ecrit qui met fin à une location : *donner congé.* Permis de transport pour boissons soumises à des droits fiscaux. Exemption de travail : *jour de congé.* Libération du service militaire. *Prendre congé de,* faire ses adieux à.
congédiement n. m. Renvoi.
congédier v. tr. (Se conj. comme *prier.*) Renvoyer : *congédier un serviteur.*
congélation n. f. Action de congeler.
congeler v. tr. (Se conj. comme *geler.*) Transformer un liquide en solide par le froid. Refroidir pour conserver : *viandes congelées.*
congénère adj. et n. Qui est du même genre, de la même espèce.
congénital, e, aux adj. De naissance.
congestion n. f. Accumulation morbide du sang dans une partie du corps : *congestion cérébrale, pulmonaire.*
congestionner v. tr. Produire une congestion dans : *la chaleur congestionne.*
conglomérat n. m. Roche formée de débris roulés et agglomérés.
congratulation n. f. Félicitation.
congratuler v. tr. Féliciter.
congre n. m. Poisson de mer.
congréganiste adj. et n. Qui fait partie d'une congrégation.
congrégation n. f. Ensemble de religieux du même ordre.
congrès n. m. Assemblée de souverains, d'ambassadeurs. Dans certains pays, Sénat et Chambre des députés réunis. Réunion de gens qui délibèrent : *congrès médical.*
congressiste n. Membre d'un congrès.
congru, e adj. Exact, précis; convenable. *Portion congrue,* ressources à peine suffisantes pour vivre.
conifère adj. et n. m. Se dit des végétaux qui produisent des cônes, comme le *pin,* le *sapin,* etc.
conique adj. En forme de cône.
conjectural, e* aux adj. Fondé sur des conjectures.

conjecture n. f. Supposition, opinion fondée sur des probabilités.
conjecturer v. tr. Supposer.
conjoindre v. tr. (Se conj. comme *craindre.*) Joindre ensemble. Marier.
conjoint, e* adj. Uni. N. m. L'un des époux, par rapport à l'autre.
conjonctif, ive adj. Gramm. Qui sert à unir : *locution conjonctive.* N. m. *Anat.* Tissu qui unit les autres tissus.
conjonction n. f. Union, liaison. *Gramm.* Mot invariable, qui sert à lier les mots ou les propositions.
conjonctive n. f. Muqueuse de l'intérieur des paupières.
conjonctivite n. f. Inflammation de la conjonctive.
conjoncture n. f. Concours de circonstances. Occasion.
conjugaison n. f. Réunion, rapprochement. *Gramm.* Manière de conjuguer un verbe.
conjugal, e*, aux adj. Qui concerne l'union entre les époux.
conjugué, e adj. Uni pour un même travail, une même opération.
conjuguer v. tr. Réunir. *Gramm.* Réciter ou écrire un verbe dans les différentes formes qu'il prend suivant les personnes, les temps, les modes, etc.
conjuration n. f. Conspiration, complot. Exorcisme, sortilège. Pl. Prières, supplications.
conjuré, e adj. et n. Qui prend part à une conjuration, un complot.
conjurer v. tr. Prier avec instance : *conjurer de venir.* Exorciser. *Fig.* Détourner par habileté : *conjurer un malheur.*
connaissance n. f. Idée, notion. Relation de société, de familiarité. Personnes qui ont ces relations. Faculté de sentir, de recevoir des impressions. Pl. Savoir, instruction. Habileté, expérience.
connaissement n. m. Déclaration des marchandises chargées sur un navire.
connaisseur, euse n. et adj. Qui se connaît à quelque chose.
connaître v. tr. (*Je connais, tu connais, il connaît, nous connaissons, vous connaissez, ils connaissent. Je connaissais. Je connus, nous connûmes. Je connaîtrai. Connais, connaissons, connaissez. Que je connaisse. Que je connusse. Connaissant. Connu, e.*) Avoir l'idée, la notion d'une personne ou d'une chose. Entretenir des relations avec quelqu'un. Savoir. Avoir une grande pratique de : *connaître le monde.* V. intr. Etre compétent pour juger de : *connaître d'une affaire. Pop. La connaître,* être malin.
connexe adj. Lié, uni.
connexion n. f. Liaison, union.
connivence n. f. Complicité.
connu, e adj. Bien su, clair, certain. Découvert, exploré. Dont le nom est répandu. N. m. Ce que l'on sait.
conque n. f. Genre de mollusques marins acéphales. Leur grande coquille bivalve. Cavité de l'oreille.
conquérant, e adj. et n. Qui fait ou qui a fait des conquêtes.
conquérir v. tr. (Se conj. comme *acquérir.*) Acquérir par les armes. *Fig.* Gagner, captiver : *conquérir le public.*
conquête n. f. Action de conquérir. La chose conquise.
consacré, e adj. Dédié, voué à. *Fig.* Destiné, employé à. Sanctionné, ratifié : *formule consacrée.*
consacrer v. tr. Dédier à Dieu, aux dieux. Faire, à la messe, la consécration du pain et du vin. Sanctionner, autoriser : *consacrer un usage. Fig.* Employer : *consacrer son temps à.*
consanguin, e [*ghin*] adj. Parent du côté paternel : *frère consanguin.*
consanguinité [*ghui*] n. f. Parenté du côté du père.
consciemment adv. D'une façon consciente.
conscience n. f. Connaissance, notion : *avoir conscience de son droit.* Sentiment intérieur de la moralité, du devoir : *obéir à sa conscience.* Moralité, intégrité. *Fig. Liberté de conscience,* liberté en matière religieuse. *Par acquit de conscience,* pour n'avoir rien à se reprocher.
consciencieux, euse* adj. Qui a la conscience délicate; qui remplit avec soin tous ses devoirs. Fait avec soin.
conscient, e adj. Qui a la conscience, la notion de : *conscient de son tort.*
conscription n. f. Inscription annuelle sur les rôles des jeunes gens appelés au service militaire.
conscrit n. m. Inscrit au rôle de la conscription. Soldat nouveau. *Fig.* Personne sans expérience.
consécration n. f. Action de consacrer : *la consécration de l'usage.* Action par laquelle le prêtre chrétien consacre le pain et le vin, à la messe.
consécutif, ive* adj. Qui se suit.
conseil n. m. Avis : *demander conseil.* Volonté : *les conseils de la Providence.* Personne dont on prend avis : *ingénieur-conseil.* Avocat d'un accusé, d'un plaideur. Assemblée de personnes délibérant : *conseil économique, conseil de discipline. Conseil de guerre,* pour l'exercice de la justice militaire, etc. *Conseil d'Etat,* chargé de préparer des lois et décrets, trancher les litiges administratifs, etc. *Conseil municipal,* qui délibère sur les affaires de la commune.
conseiller v. tr. Donner un conseil à.
conseiller, ère n. Qui donne conseil. N. m. Membre d'un conseil.
conseilleur, euse n. Qui conseille.
consentement n. m. Assentiment.
consentir v. intr. Vouloir bien, trouver bon. V. tr. Autoriser.
conséquemment adv. D'une manière conséquente. Par conséquent.
conséquence n. f. Conclusion tirée d'un raisonnement, d'un fait. Suite : *les conséquences d'une chose. Fig.* Importance : *tirer à conséquence.*
conséquent, e adj. Qui agit avec logique. *Par conséquent* loc. conj. Donc.
conservateur, trice adj. et n. Qui conserve. Partisan d'un système qui veut la continuation de l'état social présent. N. m. Titre de certains fonctionnaires.
conservation n. f. Action de conserver. Etat de ce qui est conservé. Fonction d'un conservateur.
conservatoire n. m. Nom de certaines écoles : *conservatoire de musique.*

conserve n. f. Substance alimentaire conservée. Loc. adv. *De conserve,* de compagnie.
conserver v. tr. Maintenir dans son état naturel. Garder avec soin. Ne pas perdre.
conserverie n. f. Fabrique de conserves.
considérable* adj. Grand, important.
considérant n. m. Motif qui précède le dispositif d'une loi, d'un arrêt.
considération n. f. Action de considérer. Examen attentif. Raison. Egards, estime.
considérer v. tr. (Se conj. comme *accélérer.*) Regarder attentivement. Examiner, peser. Regarder comme.
consignation n. f. Action de faire un dépôt entre les mains d'un officier public, d'un négociant. Somme, objet ainsi déposé : *retirer sa consignation.*
consigne n. f. Instruction formelle. Punition par privation de sortie à un militaire, à un écolier. Bureau d'une gare où l'on met en dépôt ses bagages.
consigner v. tr. Mettre en dépôt. Enregistrer. Relater, inscrire : *consigner des faits.* Empêcher de sortir : *consigner un élève.* Mettre à la consigne.
consistance n. f. Etat d'un liquide qui prend de la solidité. Etat résistant. *Fig.* Stabilité, fixité.
consistant, e adj. Qui a de la consistance, de la solidité. *Fig.* Ferme.
consister v. intr. Reposer sur, résider en. Etre formé de.
consistoire n. m. Assemblée de cardinaux présidée par le pape. Assemblée de rabbins ou de pasteurs.
consolateur, trice adj. et n. Qui console.
consolation n. f. Soulagement apporté à une affliction. Compensation, dédommagement : *prix de consolation.*
console n. f. Saillie en S, destinée à soutenir. Sorte de table, à pieds recourbés, appuyée contre un mur.
consoler v. tr. Adoucir le chagrin.
consolidation n. f. Action de consolider.
consolider v. tr. Affermir, fortifier.
consommateur, trice n. et adj. Qui consomme des denrées, des marchandises. Qui mange ou boit dans un café, etc.
consommation n. f. Action de consommer. Boisson débitée dans un café, etc.
consommé, e adj. Détruit par l'usage. Habile, expérimenté : *artiste consommé.* N. m. Bouillon riche en sucs de viande.
consommer v. tr. Amener à son terme. Commettre, perpétrer : *consommer sa ruine.* Détruire par l'usage. Absorber : *consommer du vin.*
consonance n. f. Accord de sons agréables à l'oreille. Uniformité de son dans la terminaison des mots.
consonne n. f. Lettre qui ne sonne que par l'adjonction d'une voyelle.
consort adj. Mari ou femme d'un souverain régnant.
consortium [*syom*] n. m. Association.
conspirateur, trice n. Qui complote.
conspiration n. f. Complot, cabale.
conspirer v. intr. Comploter.
conspuer v. tr. Honnir en public.
constamment adv. Très souvent.
constance n. f. Fermeté d'âme. Persévérance dans les opinions.
constant, e adj. Qui a de la constance. Certain, indubitable.
constat n. m. Constatation par huissier : *dresser un constat.*
constatation n. f. Action de constater. Ce qui est constaté.
constater v. tr. Etablir la vérité d'un fait : *constater un décès.* Consigner dans un écrit : *fait dûment constaté.*
constellation n. f. Groupe d'étoiles.
consteller v. tr. Couvrir d'étoiles. Couvrir : *consteller de diamants.*
consternation n. f. Profond abattement. Stupeur douloureuse.
consterner v. tr. Jeter dans l'abattement, dans la stupeur.
constipation n. f. Difficulté d'aller à la selle.
constiper v. tr. Causer la constipation.
constituer v. tr. Former la base, l'essence d'une chose. Organiser : *constituer une société. Dr.* Assigner : *constituer une dot.* Charger d'un mandat : *constituer avoué.* V. pr. *Se constituer prisonnier,* se livrer à la justice.
constitutif, ive adj. Qui constitue.
constitution n. f. Ensemble des éléments essentiels. Etablissement : *constitution d'une rente.* Composition : *constitution chimique.* Désignation, procuration. Complexion : *constitution robuste.* Loi fondamentale d'une nation.
constitutionnel, elle* adj. Soumis à une constitution.
constructeur n. m. Qui construit.
construction n. f. Action, art de construire. Disposition des parties d'une bâtisse. Bâtisse. *Gramm.* Disposition des mots dans la phrase.
construire v. tr. (Se conj. comme *conduire.*) Bâtir. Faire, tracer. *Gramm.* Disposer, bien ou mal, les mots d'une phrase.
consul n. m. Nom des trois premiers magistrats de la République française, de l'an VIII à l'Empire. Agent chargé de protéger les intérêts et les nationaux d'un pays dans un autre pays.
consulaire adj. Qui appartient au consul, à la justice commerciale.
consulat n. m. Charge de consul. Sa durée. Gouvernement consulaire établi en France par la constitution de l'an VIII. Résidence d'un consul.
consultatif, ive adj. Qui donne des avis, des conseils.
consultation n. f. Action de consulter. Conférence pour consulter sur une affaire, une maladie. Avis motivé d'un médecin, d'un avocat, etc.
consulter v. tr. Prendre avis, conseil de. Chercher un renseignement dans un livre. V. intr. Conférer avec.
consumer v. tr. Détruire : *consumer par le feu. Fig.* Epuiser, miner. V. pr. Dépérir, s'épuiser.
contact n. m. Etat des corps qui se touchent. *Fig.* Fréquentation, relation.
contacter v. tr. Entrer en relation avec quelqu'un.
contagieux, euse adj. Qui se communique par le contact, l'exemple.
contagion n. f. Transmission d'une maladie par le contact et, au *fig.,* d'un mal moral par l'exemple.
contamination n. f. Transmission de contagion. Souillure.

contaminer v. tr. Infecter de principes contagieux. Souiller.
conte n. m. Tout récit court. Discours ou récit mensonger, ridicule.
contemplateur, trice n. Qui contemple.
contemplatif, ive adj. et n. Qui se plaît dans la contemplation.
contemplation n. f. Action de contempler. Méditation profonde.
contempler v. tr. Considérer attentivement : *contempler le paysage.*
contemporain, e adj. et n. Du même temps. Du temps actuel.
contenance n. f. Capacité. Etendue. Attitude. *Fig. Faire bonne contenance,* montrer de la fermeté. *Perdre contenance,* se troubler.
contenant, e adj. Qui contient. N. m. Ce qui contient.
contenir v. tr. (Se conj. comme *tenir.*) Comprendre dans son étendue, dans sa capacité. Retenir dans de certaines bornes : *contenir sa colère.* Renfermer : *contenir dans les limites.*
content, e adj. Qui est satisfait. Qui exprime la joie : *un air content.*
contentement n. m. Action de contenter. Joie, plaisir, satisfaction.
contenter v. tr. Rendre content. Satisfaire. Apaiser, calmer. V. pr. Etre satisfait.
contentieux, euse adj. Litigieux. N. m. Affaires contentieuses en général. Bureau qui s'en occupe.
contention n. f. Effort prolongé. Vive application à.
contenu, e adj. Renfermé dans. *Fig.* Maîtrisé : *colère contenue.* N. m. Ce qui est renfermé dans.
conter v. tr. Faire le récit de : *conter des histoires à des enfants.*
contestation n. f. Débat, dispute.
conteste (sans) loc. adv. Sans contredit.
contester v. tr. Ne pas admettre : *contester un fait.* V. intr. Disputer.
conteur, euse adj. et n. Auteur de contes. Qui aime à conter.
contexte n. m. Qui accompagne, précède ou suit un texte, l'éclaire.
contexture n. f. Liaison des parties qui forment un tout.
contigu, ë adj. Qui touche à. Voisin.
contiguïté n. f. Etat de deux choses qui se touchent.
continence n. f. Abstention de toute activité sexuelle : *vivre dans la continence.*
continent, e adj. Chaste.
continent n. m. Vaste étendue de terre. L'Europe, par opposition aux îles Britanniques.
continental, e, aux adj. Du continent.
contingence n. f. Nature de ce qui est contingent. Pl. Evénements fortuits.
contingent, e adj. Qui peut être ou n'être pas. N. m. Part dans la répartition annuelle des impôts, des importations, etc. Classe de recrutement.
contingenter v. tr. Fixer un contingent.
continu, e adj. Non interrompu.
continuateur, trice n. Qui continue.
continuation n. f. Action de continuer. Son effet. Prolongement.
continuel, elle* adj. Qui ne cesse pas ou cesse rarement : *bruit continuel.*
continuer v. tr. Poursuivre ce qui est commencé. Prolonger. V. intr. Ne pas cesser. *Continuer à, continuer de,* persister à, ne pas cesser de.
continuité n. f. Suite non interrompue. Prolongement : *continuité de l'effort.*
contondant, e adj. Qui meurtrit sans couper : *instrument contondant.*
contorsion n. f. Action de tordre. Geste outré, ridicule : *faire des contorsions.*
contour n. m. Circuit, enceinte. Ligne qui limite une figure.
contourner v. tr. Tracer le contour de. Faire le tour de.
contracté, e adj. Se dit des mots réunis en un seul : *au* (à le), *aux* (à les), *du* (de le), *des* (de les).
contracter v. tr. Réduire en un moindre volume : *contracter un liquide par le froid.* Acquérir : *contracter une habitude.* S'engager : *contracter un bail.* Gagner une maladie : *contracter une bronchite. Contracter des dettes,* s'endetter.
contractile adj. Susceptible de contraction : *organe contractile.*
contraction n. f. Diminution de volume par resserrement. *Anat.* Raccourcissement des muscles, des nerfs. *Gramm.* Réduction de deux syllabes, de deux voyelles, en une (ex. *alcool,* prononcé *al-col).*
contractuel, elle adj. Stipulé par contrat.
contracture n. f. *Méd.* Rigidité.
contradicteur n. m. Qui contredit.
contradiction n. f. Action de contredire, de se contredire. Paroles, actes contradictoires. *Fig.* Opposition.
contradictoire* adj. Qui implique contradiction : *réunion contradictoire.*
contraindre v. tr. (Se conj. comme *craindre.*) Forcer, obliger à. Gêner.
contraint, e adj. Forcé. Resserré, gêné. Peu naturel : *air contraint.*
contrainte n. f. Action de contraindre. Son résultat. Gêne, retenue : *vivre dans la contrainte. Fig.* Difficultés, entraves.
contraire* adj. Opposé. Non conforme à. *Fig.* Nuisible : *le vin lui est contraire.* N. m. L'opposé : *c'est tout le contraire! Au contraire* loc. adv. Tout autrement.
contralto n. m. La plus grave des voix de femme.
contrarier v. tr. (Se conj. comme *prier.*) S'opposer, faire obstacle à. Causer du dépit à. Opposer pour faire un contraste.
contrariété n. f. Ennui, mécontentement. Obstacle, empêchement.
contraste n. m. Opposition d'effets, de sentiments, etc. : *contraste de couleurs, d'ombre et de lumière, d'opinions.*
contraster v. intr. Etre en contraste.
contrat n. m. Accord, pacte. Acte authentique qui le constate.
contravention n. f. Infraction à.
contre, prép. qui marque opposition, rencontre, choc : *se heurter contre un mur;* proximité : *tout contre sa maison;* échange : *donner contre argent comptant.* N. m. L'opposé : *le pour et le contre. Par contre* loc. adv. En revanche (loc. blâmée).
contre-amiral n. m. Officier général au-dessous du vice-amiral. Pl. des *contre-amiraux.*
contre-appel n. m. Second appel. Pl. des *contre-appels.*

contre-attaque n. f. Action d'une troupe passant brusquement de la défensive à l'offensive. Pl. des *contre-attaques.*
contrebalancer v. tr. (Se conj. comme *amorcer.*) Faire équilibre.
contrebande n. f. Introduction, vente clandestine de marchandises. Ces marchandises mêmes.
contrebandier, ère adj. et n. Qui fait de la contrebande.
contrebas (en) loc. adv. A un niveau inférieur.
contrebasse n. f. Le plus grand et le plus grave des instruments de musique à archet. Instrument de cuivre d'une octave au-dessous de la basse ordinaire. Musicien qui en joue.
contrecarrer v. tr. S'opposer directement à : *contrecarrer un projet.*
contrecoup n. m. Répercussion d'un choc. Evénement qui est la suite d'un autre.
contredire v. tr. (Se conj. comme *médire.*) Dire le contraire. Etre en opposition. Contrarier.
contrée n. f. Etendue de pays prise dans son ensemble : *une riche contrée.*
contre-écrou n. m. Ecrou vissé au-dessus d'un autre. Pl. des *contre-écrous.*
contre-épreuve n. f. Epreuve qui en contrôle une autre. Pl. des *contre-épreuves.*
contre-espionnage n. m. Police chargée de la surveillance des espions.
contre-expertise n. f. Expertise qui en contrôle une autre. Pl. des *contre-expertises.*
contrefaçon n. f. Action de contrefaire. Ouvrage contrefait.
contrefacteur n. m. Qui commet une contrefaçon.
contrefaction n. f. Imitation frauduleuse des monnaies, poinçons.
contrefaire v. tr. (Se conj. comme *faire.*) Reproduire en imitant frauduleusement. Imiter les autres pour les tourner en ridicule. Feindre : *contrefaire la pitié.* Déguiser : *contrefaire sa voix.*
contrefait, e adj. Imité par contrefaçon : *sceau contrefait.* Difforme.
contrefort n. m. Pilier servant d'appui à un mur. Chaînon montagneux qui semble étayer une chaîne principale. Renfort du talon d'une chaussure.
contre-indication n. f. *Méd.* Circonstance particulière, qui s'oppose à ce que réclamerait une maladie. Pl. des *contre-indications.*
contre-indiquer v. tr. Fournir une indication contraire.
contre-jour n. m. invar. Lumière éclairant un objet d'un jour faux. Endroit opposé au grand jour. *A contre-jour* loc. adv. Dans un sens opposé au jour.
contremaître, esse n. Qui dirige les ouvriers dans un atelier, etc.
contremander v. tr. Annuler un ordre, une demande, etc.
contremarque n. f. Billet de sortie dans un théâtre.
contre-mine n. f. Mine des assiégés contre les mines de l'assiégeant. Pl. des *contre-mines.*
contre-miner v. tr. Faire une contre-mine.
contre-offensive n. f. Contre-attaque importante. Pl. des *contre-offensives.*
contrepartie n. f. *Comm.* Double d'un registre sur lequel on inscrit les parties d'un compte. Ecriture servant de vérification.
contre-pente n. f. Pente opposée. Pl. des *contre-pentes.*
contre-pied (à) loc. adv. A rebours.
contre-plaqué n. m. Panneau composé de plusieurs feuilles de bois à fil contrarié.
contrepoids n. m. Poids qui en contrebalance d'autres et, au *fig.*, force qui balance une force contraire. Balancier d'un danseur de corde.
contrepoint n. m. *Mus.* Art de la combinaison simultanée des mélodies. Composition en contrepoint.
contrepoison n. m. Remède contre le poison (au *pr.* et au *fig.*).
contreprojet n. m. Projet contraire.
contrer v. intr. Au bridge, tenir contre celui qui déclare l'atout.
contre-rail n. m. Second rail placé à côté du premier, à l'intérieur de la voie, aux passages à niveau, etc. Pl. des *contre-rails.*
contrescarpe n. f. *Fortif.* Pente du mur extérieur du fossé.
contresens n. m. Sens contraire au sens naturel. Fausse interprétation d'un texte.
contresigner v. tr. Signer après celui dont l'acte émane.
contretemps n. m. Evénement fâcheux, imprévu. *Mus.* Action d'attaquer le son sur le temps faible de la mesure ou sur la partie faible du temps.
contre-torpilleur n. m. Petit bâtiment de guerre, très rapide, pour donner la chasse aux torpilleurs. Pl. des *contre-torpilleurs.*
contre-valeur n. f. Valeur donnée en échange d'une autre. Pl. des *contre-valeurs.*
contrevenir v. intr. (Se conj. comme *venir.*) Agir contrairement à.
contrevent n. m. Volet placé à l'extérieur d'une fenêtre.
contrevérité n. f. Erreur.
contribuable adj. et n. Qui paye des contributions.
contribuer v. intr. Payer sa part d'une dépense, d'une charge. Aider à l'exécution de : *contribuer au succès.*
contribution n. f. La part de chacun dans une dépense, une charge commune. Charge imposée à une communauté. Impôt. *Fig. Mettre à contribution,* avoir recours à.
contrister v. tr. Affliger.
contrit, e adj. Qui a la contrition de ses fautes. Mortifié, chagrin.
contrition n. f. Douleur sincère d'avoir offensé Dieu. Repentir.
contrôle n. m. Registre double que l'on tient pour la vérification d'un autre. Droit payé pour l'inscription de certains actes. Vérification : *contrôle d'un travail.* Marque de l'Etat sur les ouvrages d'or ou d'argent. Etat nominatif des personnes qui appartiennent à un corps. *Fig.* Surveillance : *un contrôle sévère.*
contrôler v. tr. Inscrire sur le contrôle. Vérifier, examiner : *contrôler un fait. Fig.* Censurer, critiquer. Mettre le contrôle sur les ouvrages d'or et d'argent.
contrôleur, euse n. Qui contrôle.
contrordre n. m. Révocation d'un ordre.
controuver v. tr. Inventer de toutes pièces : *un fait controuvé.*

controverse n. f. Débat, contestation.
controverser v. tr. Mettre en controverse. Soutenir une controverse.
contumace n. f. Résistance d'un accusé à comparaître en justice.
contusion n. f. Meurtrissure.
contusionner v. tr. Meurtrir.
convaincre v. tr. (Se conj. comme *vaincre.*) Amener quelqu'un à reconnaître quelque chose comme vrai.
convaincu, e adj. Persuadé, de bonne foi. Reconnu coupable.
convalescence n. f. Passage de l'état de maladie à l'état de santé.
convalescent, e adj. et n. Qui relève de maladie.
convenable* adj. Qui convient à, cadre avec. Opportun, à propos. Proportionné : *prix convenable.* Bienséant : *ce mot n'est pas convenable.*
convenance n. f. Qualité de ce qui convient. Commodité, utilité. Pl. Bienséance, décence : *blesser les convenances.*
convenir v. intr. (Se conj. comme *venir.*) Etre d'accord. Avouer : *convenir de sa faute.* Etre à la convenance, plaire, agréer : *cet emploi m'aurait convenu.* V. impers. Etre à propos : *il convient d'attendre.*
convent n. m. Assemblée générale de francs-maçons.
convention n. f. Accord, pacte.
conventionnel, elle adj. Qui résulte d'une convention. N. m. Membre de la Convention nationale.
conventuel, elle adj. De couvent.
convergence n. f. Direction commune vers un même point. *Fig.* Tendance vers un résultat commun.
convergent, e adj. Qui converge.
converger v. intr. (Se conj. comme *manger.*) Tendre vers le même point.
conversation n. f. Entretien familier.
converser v. intr. S'entretenir avec.
conversion n. f. Action de tourner. Changement de front. Changement de forme, de nature. Changement du taux de l'intérêt : *conversion des rentes.* Changement de croyance religieuse : *la conversion de Henri IV.*
convertibilité n. f. Propriété de ce qui est convertible.
convertible adj. Qui peut être converti, transformé.
convertir v. tr. Changer une chose en une autre. *Fig.* Faire changer de résolution, de parti, de religion.
convertisseur n. m. Qui convertit des âmes. Cornue métallique, où se transforme la fonte en acier. Transformateur électrique.
convexe adj. Bombé en dehors.
convexité n. f. Etat de ce qui est convexe; surface bombée.
conviction n. f. Croyance ferme.
convier v. tr. (Se conj. comme *prier.*) Inviter à un repas, etc. Engager.
convive n. Qui prend part à un repas.
convocation n. f. Action de convoquer.
convoi n. m. Ensemble de voitures de transport. Flotte marchande avec son escorte. Transport de munitions, de vivres, etc., pour un camp, une place, etc. Train de chemin de fer. Cortège funèbre : *suivre un convoi.*
convoiter v. tr. Désirer ardemment.
convoitise n. f. Désir ardent.
convoler v. intr. Se remarier.
convoquer v. tr. Appeler, inviter à se réunir : *convoquer des amis.*
convoyer v. tr. (Se conj. comme *aboyer.*) Escorter pour protéger.
convoyeur n. m. et adj. Navire qui en escorte un autre. Personne qui accompagne un convoi.
convulsé, e adj. Crispé d'une manière convulsive : *visage convulsé.*
convulsif, ive* adj. Caractérisé par des convulsions : *toux convulsive.*
convulsion n. f. Contraction violente des muscles, des membres. *Fig.* Action violente amenant de grands troubles.
coopérateur, trice n. Qui coopère.
coopératif, ive adj. Fondé sur la coopération. N. f. Société d'achat ou de vente en commun.
coopération n. f. Action de coopérer.
coopérer v. intr. (Se conj. comme *accélérer.*) Agir conjointement avec quelqu'un : *coopérer au succès.*
coordination n. f. Action de coordonner. Etat des choses coordonnées.
coordonne, e adj. Bien ordonné. N. f. pl. *Géom.* Eléments fixant la position d'un point dans l'espace.
coordonner v. tr. Disposer, combiner dans l'ordre voulu.
copain n. m. *Fam.* Camarade.
copeau n. m. Parcelle de bois enlevée avec un instrument tranchant.
copie n. f. Reproduction d'un écrit. Imitation exacte d'un ouvrage d'art. Mise au net d'un devoir, etc. *Fig.* Imitation.
copier v. tr. (Se conj. comme *prier.*) Reproduire un écrit, un tableau. Reproduire servilement. *Fig.* Imiter.
copieux, euse* adj. Abondant.
copine n. f. *Pop.* Féminin de COPAIN.
copiste n. Qui copie.
copropriétaire n. Qui possède avec d'autres une maison, une terre, etc.
copropriété n. f. Propriété commune.
coq n. m. Mâle de la poule. *Par ext.* Mâle du faisan, du héron, etc. Cuisinier sur les navires.
coq-à-l'âne n. m. invar. Discours sans suite ni raison. Quiproquo.
coque n. f. Enveloppe extérieure de l'œuf, etc. Nœud de ruban de cheveux. *Mar.* Carcasse du navire.
coquelicot n. m. Pavot des champs.
coqueluche n. f. Maladie caractérisée par une toux convulsive. *Fig.* Personne dont on raffole.
coquet, ette* adj. et n. Qui cherche à plaire. Inspiré par la coquetterie.
coquetier n. m. Marchand d'œufs et de volailles. Petit godet creux pour manger les œufs à la coque.
coquetterie n. f. Goût de la parure. Désir de plaire. Action pour plaire.
coquillage n. m. Mollusque revêtu d'une coquille. La coquille même.
coquille n. f. Enveloppe dure qui couvre certains mollusques. *Fig. Rentrer dans sa coquille,* se taire, tâcher de passer inaperçu. Coque des œufs et des noix. Partie de la garde d'une épée, pour protéger la main. *Impr.* Faute résultant de la substitution d'une lettre à une autre.

coquin, e n. Pervers, sans honneur ni probité. *Fam.* Espiègle.
coquinerie n. f. Friponnerie.
cor n. m. Instrument à vent, contourné en spirale. Celui qui en joue. *A cor et à cri* loc. adv. A grand fracas.
cor n. m. Durillon aux doigts de pied.
corail n. m. Sorte de polypier dont le support calcaire, blanc, rouge ou noir, sert à fabriquer des bijoux : *un collier de corail.* Pl. des *coraux.*
corallien, enne adj. Formé de coraux.
corbeau n. m. Grand oiseau passereau à plumage noir. *Archit.* Pierre ou pièce de bois en saillie pour soutenir une poutre.
corbeille n. f. Sorte de panier d'osier. Son contenu. Espace de terre, circulaire ou ovale, couvert de fleurs.
corbillard n. m. Voiture pour le transport des morts.
cordage n. m. Corde de manœuvre.
corde n. f. Assemblage de fils de chanvre, de crin ou d'autres matières textiles, tordus ensemble. Fil de boyau ou de laiton pour instruments de musique, etc. : *corde de violon, de raquette.* Fil de la chaîne ou de la trame d'une étoffe : *étoffe usée jusqu'à la corde.* Câble tendu en l'air : *danseurs de corde. Géom.* Ligne droite qui aboutit aux deux extrémités d'un arc de cercle. *Fig.* Supplice de la potence.
cordeau n. m. Petite corde pour aligner. Mèche d'une mine. Lacet.
cordée n. f. Groupe d'alpinistes reliés par une corde : *premier de cordée.*
cordelette n. f. Petite corde.
cordelier n. m. Franciscain.
cordelière n. f. Corde dont se ceignent les franciscains. Gros cordon de soie servant de ceinture.
corder v. tr. Tordre en forme de corde. Attacher avec des cordes.
cordial, e*, aux adj. Réconfortant. *Fig.* Affectueux. N. m. Potion fortifiante.
cordialité n. f. Sentiment affectueux.
cordier n. m. Qui fait ou vend de la corde.
cordon n. m. Chacun des torons d'un câble. Corde au moyen de laquelle le concierge ouvre la porte d'une maison. Large ruban servant d'insigne à une décoration : *le grand cordon de la Légion d'honneur.* Suite de postes garnis de troupes. *Fig. Cordon-bleu,* bonne cuisinière.
cordonnerie n. f. Métier, commerce de cordonnier. Lieu où l'on fabrique, où l'on vend des chaussures.
cordonnet n. m. Petit cordon de fils de soie, d'or ou d'argent. Fil de soie torse à trois brins.
cordonnier, ère n. Qui fait ou vend des chaussures.
coreligionnaire n. Qui professe la même religion que d'autres.
coriace adj. Dur comme du cuir.
cormoran n. m. Genre d'oiseaux palmipèdes marins, qu'on dresse pour la pêche.
cornac n. m. Qui soigne et conduit un éléphant. *Fig.* et *fam.* Guide.
corne n. f. Partie dure et conique qui se forme sur la tête de certains ruminants. Matière constituant la corne : *peigne de corne.* Partie dure du pied de certains animaux. Chausse-pied en corne. Instrument d'appel à pavillon : *corne d'auto.* Pli d'un feuillet. Pointe charnue sur la tête des limaçons, etc. Branche du croissant de la lune.
corné, e adj. De corne.
cornée n. f. Partie transparente de la membrane qui enveloppe l'œil.
corneille n. f. Genre de passereaux voisins des corbeaux.
cornélien, enne adj. A la manière de Corneille : *héros cornélien.*
cornemuse n. f. Instrument champêtre à vent, composé d'une outre et de tuyaux.
corner v. intr. Sonner de la corne. Produire la sensation d'un bruit sourd et continu, en parlant des oreilles. V. tr. Plier en corne. *Fam.* Répéter sans cesse et partout, avec importunité.
cornet n. m. Petite trompe rustique. Instrument pour entendre : *cornet acoustique.* Papier roulé : *cornet à tabac.* Godet de cuir pour agiter les dés, au jeu. *Cornet à pistons,* instrument de musique, en cuivre, à pistons. Celui qui en joue.
cornette n. f. Coiffure de certaines religieuses. Porte-étendard (vx).
corniche n. f. *Archit.* Ornement qui couronne un entablement.
cornichon n. m. Variété de concombre à petits fruits. *Fig.* et *pop.* Niais, sot.
cornouiller n. m. Arbre à bois très dur et à fruit rouge et aigrelet.
cornue n. f. *Chim.* Vase à col étroit et courbé, pour la distillation.
corollaire n. m. Proposition résultant d'une vérité déjà démontrée.
corolle n. f. *Bot.* Enveloppe florale.
coron n. m. Groupe de maisons pour les mineurs : *les corons du Nord.*
corozo n. m. Ivoire végétal.
corporatif, ive adj. Relatif à une corporation : *intérêts corporatifs.*
corporation n. f. Association de gens de même profession.
corporel, elle* adj. Qui a un corps. Relatif au corps.
corps n. m. Toute substance, organique ou inorganique : *corps minéral.* Partie matérielle d'un être animé. Partie importante d'une chose : *corps d'un ouvrage.* Cadavre. Régiment, portion d'armée. Corporation : *esprit de corps. Fig.* Consistance, solidité : *étoffe qui a du corps.*
corpulence n. f. Grandeur et grosseur de la taille de l'homme.
corpulent, e adj. Grand et gros.
corpusculaire adj. Des corpuscules.
corpuscule n. m. Très petit corps.
correct, e* adj. Conforme aux règles.
correcteur, trice n. Qui corrige les épreuves d'imprimerie.
correctif adj. Fait pour corriger, redresser. N. m. Ce qui corrige.
correction n. f. Action de corriger. Réprimande, peine : *infliger une correction.* Qualité de ce qui est correct.
correctionnaliser v. tr. Rendre un crime passible des tribunaux correctionnels.
correctionnel, elle* adj. Relatif aux délits. *Tribunal correctionnel,* qui juge les délits relativement peu graves.
corrélatif, ive* adj. et n. Qui marque logiquement une relation réciproque.
corrélation n. f. Rapport réciproque.

correspondance n. f. Rapport de conformité. Moyens de communication entre deux localités, deux pays. Commerce de lettres.

correspondant, e adj. Se dit des choses qui ont du rapport entre elles. N. m. Avec qui l'on est en relation d'affaires ou de lettres. Qui a la charge d'un jeune homme éloigné de sa famille. Qui correspond avec un corps savant.

correspondre v. tr. Etre en communication. Etre en commerce de lettres. Etre placé symétriquement. Etre en conformité.

corrida n. f. Course de taureaux.

corridor n. m. Passage qui relie les pièces d'un même étage.

corrigé n. m. Modèle de devoir.

corriger v. tr. (Se conj. comme *manger.*) Redresser, ramener à la règle, à la mesure. Punir, châtier. Marquer ou faire disparaître les fautes : *corriger un devoir.*

corroborer v. tr. Fortifier. Appuyer.

corroder v. tr. Ronger, entamer.

corrompre v. tr. Gâter, infecter. *Fig.* Altérer, dénaturer un texte, etc. Dépraver, pervertir. Séduire avec de l'argent, etc.

corrosif, ive adj. et n. m. Qui corrode.

corrosion n. f. Rongement.

corroyer [*roi*] v. tr. (Se conj. comme *aboyer.*) Apprêter le cuir.

corroyeur n. m. Qui apprête le cuir.

corrupteur, trice adj. et n. Qui corrompt, aux divers sens du mot.

corruption n. f. Action de corrompre, son résultat (au pr. et au fig.). Crime du fonctionnaire qui trafique de son autorité, ou de ceux qui l'y portent.

corsage n. m. Partie du vêtement féminin recouvrant le buste.

corsaire n. m. et adj. Navire armé pour la guerre de course. N. m. Capitaine qui le commande. Pirate. *Fig.* Homme rapace.

corselet n. m. Cuirasse légère. Partie du thorax de certains insectes.

corser v. tr. Donner du corps.

corset n. m. Sous-vêtement baleiné pour maintenir la taille.

corsetier, ère n. Qui fait des corsets.

cortège n. m. Suite, accompagnement.

corvée n. f. Travail gratuit dû par le paysan à son seigneur. Travaux auxquels sont astreints les soldats. *Fig.* Travail pénible.

coryphée n. m. Chef de ballet. *Fig.* Chef d'une secte, d'un parti, etc.

coryza n. m. *Méd.* Rhume de cerveau.

cosaque n. m. Soldat d'un corps de cavalerie russe.

cosinus [*nuss*] n. m. *Géom.* Sinus du complément d'un angle.

cosmétique n. m. et adj. Qui sert à embellir le corps, à lustrer les cheveux.

cosmique adj. Relatif à l'univers.

cosmogonie n. f. Système de la formation de l'univers.

cosmographe n. m. Qui s'occupe de cosmographie.

cosmographie n. f. Science des mouvements de l'univers.

cosmonaute n. Voyageur des espaces interstellaires.

cosmopolite n. Qui regarde l'univers comme sa patrie. *Fig.* Qui aime vivre dans divers pays. Adj. Où se trouvent des personnes de divers pays.

cosmopolitisme n. m. Manière de vivre des cosmopolites.

cosse n. f. Enveloppe de certains légumes : *cosse de pois, de haricot.*

cosser v. intr. Se heurter de la tête, en parlant des béliers. *Fig.* Lutter.

cossu, e adj. Opulent.

costume n. m. Manière de se vêtir. Vêtement. Habit de déguisement.

costumé, e adj. Habillé. *Bal costumé,* où les danseurs sont travestis.

costumer v. tr. Habiller.

costumier, ère n. Qui fait, vend ou loue des costumes.

cote n. f. Part que chacun doit payer d'une dépense, d'un impôt. Marque pour classer une pièce : *cote d'inventaire.* Annotation numérique sur une carte : *cote d'altitude.* Indication des valeurs négociées sur le marché public. Chiffre indiquant la différence entre deux niveaux. *Cote mal taillée,* compromis.

côte n. f. Os des parties latérales de la poitrine, depuis l'épine dorsale jusqu'au sternum. Protubérance saillante et longitudinale : *velours à côtes.* Nervure médiane des feuilles, des fruits. Montée : *une côte rude.* Rivage : *côte escarpée.* Loc. fam. *A la côte,* ruiné.

côté n. m. Partie latérale. Partie, endroit : *de quel côté allez-vous? Géom.* Chaque ligne formant le contour d'une figure. Opinion, parti : *je me range de son côté.* Loc. fam. *Mettre de côté,* en réserve. *Laisser de côté,* abandonner. *A côté,* auprès. *De côté,* de biais, obliquement.

coteau n. m. Petite colline.

côtelé, e adj. Qui est à côtes (tissu).

côtelette n. f. Côte de mouton, de veau, de porc, etc.

coter v. tr. Numéroter, marquer le prix de. *Fig.* Faire cas, estimer.

coterie n. f. Groupe de personnes qui se prêtent un appui réciproque.

côtier, ere adj. Relatif au rivage.

cotillon n. m. Jupe de dessous de paysanne (vx). Danse à figures.

cotisation n. f. Quote-part.

cotiser (se) v. pr. Verser sa quote-part de.

coton n. m. Duvet soyeux des graines du cotonnier. Fil ou étoffe.

cotonnade n. f. Etoffe de coton.

cotonneux, euse adj. Recouvert de duvet. Spongieux : *fruit cotonneux.*

cotonnier n. m. Arbuste qui produit le coton.

cotonnier, ère adj. Relatif au coton.

côtoyer v. tr. (Se conj. comme *aboyer.*) Aller le long de : *côtoyer un fleuve.*

cottage n. m. Petite maison de campagne.

cotte n. f. Jupe de paysanne. *Cotte de mailles,* vêtement formant armure, et fait de petits anneaux de fer.

cou n. m. Partie du corps qui joint la tête aux épaules. *Tordre le cou,* tuer.

couac n. m. Son faux et discordant.

couard, e adj. et n. Poltron, lâche.

couardise n. f. Lâcheté, poltronnerie.

couchage n. m. Action de coucher. Effets de literie : *sac de couchage.*

couchant, e adj. Qui se couche. *Chien couchant,* qui se couche en arrêtant le gibier et, au *fig.*, homme qui rampe pour plaire. N. m. Partie occidentale de la Terre. *Fig.* Vieillesse, déclin.

couche n. f. Lit. Linge dont on enveloppe les enfants au maillot. Enfantement : *femme en couches*. Planche de terreau, de fumier : *semer sur couche*. Substance appliquée sur une autre : *couche de vernis*. Disposition par lit : *couche de fruits*. *Géol.* Chaque lit composant un terrain. Région, sphère, catégorie : *couches sociales*.

coucher v. tr. Mettre au lit. Etendre tout de son long à terre. *Fig.* Inscrire. *Coucher en joue*, viser. Incliner. V. intr. Passer la nuit : *coucher en route*. V. pr. *Fig.* Descendre sous l'horizon : *le soleil se couche*.

coucher n. m. Action de se coucher.

couchette n. f. Petit lit. Lit de bord.

coucheur n. m. *Mauvais coucheur*, avec qui il est difficile de vivre.

couci-couci ou **couci-couça** loc. adv. *Fam.* Ni bien ni mal.

coucou n. m. Genre d'oiseaux grimpeurs. Primevère officinale. Pendule de bois.

coude n. m. Partie extérieure du bras, à l'endroit où il se plie. Angle d'un mur, d'un chemin, etc.

coudée n. f. Anc. mesure (distance du coude au bout des doigts). *Fig. Coudées franches*, entière liberté d'agir.

cou-de-pied n. m. Partie supérieure du pied. Pl. des *cous-de-pied*.

couder v. tr. Plier en forme de coude.

coudoiement n. m. Action de coudoyer.

coudoyer v. tr. (Se conj. comme *aboyer*.) Heurter du coude. Passer auprès : *coudoyer beaucoup de gens*.

coudre v. tr. (*Je couds, nous cousons. Je cousais, nous cousions. Je cousis, nous cousîmes. Je coudrai. Couds, cousons, cousez. Que je couse, que nous cousions. Que je cousisse. Cousant. Cousu, e.*) Joindre avec une aiguille et du fil.

coudrier n. m. Noisetier.

couenne [*kouan'*] n. f. Peau du cochon raclée.

couette n. f. Lit de plume.

couffin n. m. Cabas pour le transport des marchandises.

coulage n. m. Déperdition par écoulement accidentel : *coulage de la vigne*. Action de couler un métal en fusion, de couler la lessive. *Fig.* Gaspillage.

coulant, e adj. Qui coule. *Fig.* Accommodant, facile. Aisé, naturel : *style coulant*. *Nœud coulant*, qui se serre et se desserre à volonté. N. m. Anneau mobile. Stolon de fraisier.

coulée n. f. Ecriture liée. Action de jeter en moule. Matière en fusion.

couler v. intr. Fluer, suivre sa pente, en parlant d'un liquide, d'un cours d'eau. S'échapper, se répandre : *le sang coulait*. Laisser échapper : *ce vase coule*. Fuir, passer, en parlant du temps. S'engloutir, être submergé : *couler bas*. Se dit des fleurs qui ne nouent pas et ne donnent pas de fruits. *Fig.* Découler, se produire sans effort : *couler de source*. V. tr. Jeter en moule : *couler une statue*. Submerger : *couler un navire*.

couleur n. f. Impression que produit sur l'œil la lumière suivant sa nature : *les couleurs de l'arc-en-ciel*. Matière colorante : *couleurs d'aquarelle*. Teint du visage : *haut en couleur*. Ce qui n'est ni blanc ni noir : *linge de couleur*. *Fig.* Apparence : *sous couleur de*. *Couleur locale*, détails caractérisant une époque, un pays. Chacun des quatre attributs qui distinguent les cartes à jouer : *couper une couleur*. Pl. Le drapeau.

couleuvre n. f. Genre de serpents non venimeux. *Avaler des couleuvres*, recevoir des affronts sans protester.

coulis n. m. Jus d'une substance consommée par une cuisson lente. Adjectiv. *Vent coulis*, qui se glisse à travers une fente.

coulisse n. f. Rainure dans laquelle glisse une pièce mobile. Partie du théâtre, derrière la scène. *Fig.* Ce qui est secret, loin du public : *les coulisses de la politique*. Rempli d'une étoffe dans lequel on fait glisser un cordon. Boursiers qui opèrent en dehors du parquet.

coulissé, e adj. Muni d'une coulisse.

coulisseau n. m. Pièce qui se meut dans une coulisse.

coulisser v. tr. Garnir de coulisses. V. intr. Glisser sur coulisses.

coulissier n. m. Qui fait partie de la coulisse : *banquier coulissier*.

couloir n. m. Passage de dégagement d'un appartement, d'un wagon, etc. Dégagement d'une salle de spectacle.

coulomb n. m. *Electr.* Quantité d'électricité que débite *par seconde* un courant de *1 ampère*.

coup n. m. Atteinte, choc donné ou reçu. Blessure : *percé de coups*. Décharge d'une arme à feu : *coup de fusil*. Son de certains corps frappés : *coup de cloche*. Mouvement rapide, mouvement répété. *Par ext.* Ce qu'on boit en une fois. Fois : *en deux coups*. *Fig.* Mouvement violent, imprévu : *coup de hasard*. *Manquer son coup*, échouer. *Coup de tête*, action inspirée par le caprice, le dépit ou le désespoir. *Coup de théâtre*, changement subit. *Coup d'Etat*, abus d'autorité. *Sans coup férir*, sans combattre. Loc. adv. *Sur le coup*, tout de suite. *Tout à coup*, soudainement. *Tout d'un coup*, en une seule fois. *Coup sur coup*, sans interruption.

coupable adj. et n. Qui a commis une faute, etc. Fautif, criminel.

coupage n. m. Action de couper. Mélange de vins, de liqueurs.

coup-de-poing n. m. Sorte de foret. Masse de fer percée de trous pour les doigts, et qui sert d'arme. Pl. des *coups-de-poing*.

coupe n. f. Vase à boire, plus large que profond. Vasque ronde d'une fontaine. *Fig.* Source où l'on s'abreuve.

coupe n. f. Action de couper. Etendue de bois destinée à être coupée. Action, manière de tailler une étoffe. *Archit.* Représentation graphique d'un édifice coupé. Art de tailler les pierres. Façon particulière de nager. *Etre sous la coupe de quelqu'un*, sous sa dépendance.

coupé n. m. Voiture fermée, à quatre roues et à deux places. Partie antérieure d'une diligence, d'un wagon.

coupe-circuit n. m. invar. Fil d'alliage fusible, intercalé dans un circuit électrique.

coupe-file n. m. invar. Carte qui permet de couper les files de voitures.
coupe-gorge n. m. invar. Endroit dangereux, où l'on risque d'être tué.
coupe-jarret n. m. Brigand. Pl. des *coupe-jarrets.*
coupelle n. f. Petit creuset.
coupe-papier n. m. invar. Couteau pour couper le papier.
couper v. tr. Diviser, séparer avec un instrument tranchant. Rompre, interrompre : *couper un récit. Couper les vivres,* supprimer les subsides à quelqu'un. Tailler : *couper un vêtement.* Affaiblir un liquide en le mêlant avec de l'eau, etc. Prendre avec un atout une carte de son adversaire. V. intr. Etre bien tranchant. Faire deux tas d'un jeu de cartes. V. pr. *Fam.* Se contredire.
couperet n. m. Large couteau.
couperose n. f. Maladie caractérisée par une rougeur diffuse de la face.
couperosé, e adj. Atteint de couperose.
coupeur, euse n. Qui coupe les étoffes, les cuirs, etc.
couplage n. m. Assemblage.
couple n. f. Lien pour attacher ensemble. Réunion de deux choses de même espèce. N. m. Deux personnes unies par le mariage, la volonté, le sentiment. Le mâle et la femelle, en parlant des animaux. *Méc.* Système de forces égales, parallèles, mais de sens contraires. Elément de pile.
coupler v. tr. Attacher deux à deux.
couplet n. m. Stance d'une chanson.
coupole n. f. Dôme.
coupon n. m. Reste d'une pièce d'étoffe. Titre d'intérêt joint à une valeur mobilière : *détacher des coupons.* Billet de théâtre : *coupon de loge.*
coupure n. f. Incision : *une coupure nette. Fig.* Billet de banque. Suppression dans un ouvrage : *pratiquer des coupures.*
cour n. f. Espace clos de murs ou de bâtiments. Nom des tribunaux supérieurs : *cour d'appel.* Ensemble des magistrats de chacun de ces tribunaux : *une décision de la cour.* Résidence d'un souverain. Son conseil, son entourage : *la cour de Londres. Faire la cour à quelqu'un,* tenter de gagner ses faveurs.
courage n. m. Fermeté en face du péril; hardiesse, audace. *Fig.* Dureté de cœur. Interj. pour encourager.
courageux, euse* adj. et n. Qui a du courage. Qui travaille durement.
couramment adv. Facilement, rapidement. Ordinairement.
courant, e adj. *Ecriture courante,* rapide. *Mois courant,* celui dans lequel on est. *Prix courant,* prix habituel. *Affaires courantes,* ordinaires. *Compte courant,* situation respective de deux négociants.
courant n. m. Mouvement de l'eau ou de l'air dans une même direction. *Courant électrique,* électricité qui se propage dans un conducteur. Mois dans lequel on se trouve. *Fig.* Cours, marche : *se mettre au courant. Etre au courant de,* connaître, être informé de.
courbature n. f. Douleur dans les membres.
courbaturer v. tr. Donner, causer une courbature.
courbe adj. En forme d'arc : *ligne courbe.* N. f. Ligne courbe.
courber v. tr. Rendre courbe. Baisser. Plier, fléchir.
courbette n. f. Mouvement du cheval qui se cabre un peu. N. f. plur. *Fig.* Salut excessif : *faire des courbettes.*
courbure n. f. Etat d'une chose courbée : *la courbure d'un arc.*
coureur, euse n. Qui pratique la course. Cheval propre à la course. Débauché.
courge n. f. Plante potagère à gros fruits comestibles.
courir v. intr. (*Je cours, nous courons. Je courais. Je courus. Je courrai. Je courrais. Cours, courons, courez. Que je coure. Que je courusse. Courant. Couru, e.*) Aller avec vitesse. Prendre part à une épreuve de course. Vagabonder, se débaucher. *Fig.* S'écouler. Circuler, se propager : *le bruit court que.* V. tr. Poursuivre à la course : *courir un lièvre.* Parcourir : *courir les champs.* Fréquenter, rechercher : *courir les bals.* Etre exposé à : *courir un danger.*
couronne n. f. Guirlande de fleurs, de feuilles, qui entoure la tête. Diadème, marque de la souveraineté. Marque de noblesse. *Géom.* Surface entre deux circonférences concentriques. Ouvrage de fortification de forme semi-circulaire. La partie visible d'une dent. Monnaie d'or, d'argent, de divers pays. *Fig.* Souverain : *les droits de la couronne.*
couronnement n. m. Action de couronner. Partie supérieure d'un édifice, d'un meuble, etc. *Fig.* Achèvement : *le couronnement d'une œuvre.*
couronner v. tr. Mettre une couronne sur la tête. Elire comme souverain. V. pr. Se blesser au genou (cheval).
courrier n. m. Homme, voiture, navire, etc., qui porte les lettres, les paquets expédiés, etc. Correspondance.
courriériste n. m. Chroniqueur.
courroie n. f. Bande de cuir.
courroucer v. tr. (Se conj. comme *amorcer.*) Mettre en courroux.
courroux n. m. Violente irritation.
cours n. m. Mouvement des eaux. Mouvement des astres. Longueur d'un fleuve, d'une rivière. Promenade plantée d'arbres. *Voyage au long cours,* voyage dans les pays lointains. *Fig.* Enchaînement des choses. Durée : *le cours des jours.* Enseignement. Traité spécial : *cours d'algèbre.* Circulation, valeur, crédit. Prix actuel d'une marchandise, d'un titre : *cours des métaux.*
course n. f. Action de courir. Allure de ce qui court : *course rapide.* Trajet fait par. Marche, progression de ce qui est en mouvement. Mouvement rectiligne : *course d'un piston.* Epreuve de vitesse. Turf : *le monde des courses.*
coursier n. m. Grand et beau cheval de bataille. Qui fait des courses.
coursive n. f. Passage étroit dans le sens de la longueur d'un navire.
court, e adj. De peu de longueur. Bref. *Vue courte,* qui ne voit pas de loin et, au *fig.,* esprit borné. *Etre à court d'argent,* en avoir peu. Adv. Brusquement. *Demeu-*

rer, rester court, rester coi. *Couper court,* abréger.
court n. m. Terrain de tennis.
courtage n. m. Opération du courtier. Prime qui lui est due.
courtaud, e adj. et n. Qui est de taille courte, ramassée.
court-bouillon n. m. Bouillon épicé, pour faire cuire du poisson.
court-circuit n. m. *Electr.* Accident né de la réunion, par une faible résistance, de deux points d'un circuit.
courtepointe n. f. Couverture piquée.
courtier, ère n. Qui s'entremet pour des opérations quelconques.
courtilière n. f. Insecte voisin du grillon.
courtisan n. m. Homme de cour. Qui flatte dans des vues d'intérêt.
courtisane n. f. Femme de mauvaise vie.
courtisanerie n. f. Flatterie, adulation. Bassesse de courtisan.
courtiser v. tr. Faire sa cour à. Flatter dans des vues d'intérêt.
courtois, e* adj. Civil, affable.
courtoisie n. f. Civilité, politesse.
couru, e adj. Recherché.
couscous [*couss*] n. m. Spécialité culinaire d'Afrique du Nord, préparée avec la semoule de blé dur.
cousin, e n. Parent issu de frère ou de sœur. *Cousins germains,* issus directement de l'oncle ou de la tante.
cousin n. m. Sorte de moustique.
coussin n. m. Sorte d'oreiller pour s'appuyer, s'asseoir, poser ses pieds.
coussinet n. m. Petit coussin. *Méc.* Pièce cylindrique dans laquelle se meut un tourillon. Pièce de fonte qui reçoit les rails des voies ferrées.
coût n. m. Ce qu'une chose coûte.
couteau n. m. Instrument tranchant, composé d'une lame et d'un manche. Arête supportant le fléau d'une balance. Coquillage qui ressemble à un couteau fermé.
coutelas n. m. Grand couteau.
coutelier n. m. Qui fabrique, vend des couteaux, etc.
coutellerie n. f. Art, atelier, commerce ou marchandise du coutelier.
coûter v. intr. Etre acheté au prix de. *Fig.* Etre cause de quelque effort, de quelque souffrance, etc. : *il me coûte de sortir.* V. tr. Occasionner. *Coûte que coûte,* à tout prix.
coûteux, euse* adj. Qui coûte cher.
coutil [*ti*] n. m. Toile croisée et serrée.
coutume n. f. Habitude, usage.
coutumier, ère adj. Qui a coutume de faire une chose. Ce que l'on fait d'habitude.
couture n. f. Art ou action de coudre. Assemblage de deux choses cousues. Cicatrice. *A plate couture* loc. adv. Complètement.
couturer v. tr. Couvrir de coutures, de cicatrices : *visage couturé.*
couturier n. m. Tailleur pour dames.
couturière n. f. Ouvrière en couture. Qui fait les vêtements de femme.
couvaison n. f. Temps pendant lequel un oiseau couve ses œufs.
couvée n. f. Ensemble des œufs qu'un oiseau couve en même temps. Les petits qui en proviennent.
couvent n. m. Maison de religieux et surtout de religieuses.
couver v. tr. Se tenir sur ses œufs pour les faire éclore. *Fig.* Préparer, méditer : *couver un dessein.* Avoir à l'état latent : *couver une maladie. Couver des yeux,* regarder avec affection ou convoitise. V. intr. Subsister à l'état presque latent : *le feu couve sous la cendre.*
couvercle n. m. Ce qui sert à couvrir.
couvert n. m. Ce qui couvre, protège. Logement : *le vivre et le couvert.* Abri, lieu à l'ombre. Ce dont on couvre une table à manger : *mettre le couvert.* Cuiller et fourchette. *A couvert* loc. adv. A l'abri.
couvert, e adj. Qui garde sa coiffure sur sa tête : *rester couvert.* Nuageux (temps). *Fig.* Excusé, justifié.
couverture n. f. Tout ce qui sert à couvrir. *Fig.* Prétexte. *Bours.* Garantie fournie pour un achat.
couveuse n. f. Poule, etc., qui couve ou est propre à couver. Appareil pour incubation artificielle.
couvre-chef n. m. *Fam.* Bonnet, chapeau. Pl. des *couvre-chefs.*
couvre-feu n. m. invar. Interdiction de sortir de chez soi à partir d'une certaine heure : *sonner le couvre-feu.*
couvre-lit n. m. Couverture de lit. Pl. des *couvre-lits.*
couvre-nuque n. m. Pièce de toile, de drap, etc., s'adaptant à un képi, etc., et couvrant la nuque. Pl. des *couvre-nuques.*
couvre-pied n. m. Couverture de parade d'un lit. Pl. des *couvre-pieds.*
couvreur n. et adj. m. Ouvrier, entrepreneur qui couvre les maisons ou en répare les toits.
couvrir v. tr. (*Je couvre, nous couvrons. Je couvrais. Je couvris. Je couvrirai. Couvre, couvrons, couvrez. Que je couvre. Que je couvrisse. Couvrant. Couvert, e.*) Mettre une chose sur une autre pour la cacher, la conserver, l'orner, etc. : *couvrir de feuilles. Fig.* Combler, accabler : *couvrir d'opprobre.* Vêtir. Défendre, protéger, garantir : *couvrir une armée.* Cacher, dissimuler : *couvrir ses projets.* Excuser : *couvrir une faute.* Effacer, réparer. Compenser : *couvrir les dépenses par les recettes.*
cow-boy [*koboy'*] n. m. Gardien de troupeaux en Amérique. Pl. des *cow-boys.*
coxalgie n. f. Arthrite tuberculeuse de la hanche.
crabe n. m. Genre de crustacés marins comestibles.
crac! interj. exprimant le bruit d'une chose qui craque.
crachat n. m. Matière muqueuse que l'on crache. *Fam.* Plaque des degrés supérieurs d'un ordre de chevalerie.
crachement n. m. Action de cracher.
cracher v. tr. Lancer hors de la bouche. Dire avec colère : *cracher des injures.* V. intr. Eclabousser. *Fig. Tout craché,* très ressemblant.
crachoir n. m. Vase pour cracher.
crachoter v. intr. Cracher souvent.
cracking [*kra-kign*] n. m. Sorte de distillation des hydrocarbures.
craie n. f. Carbonate de chaux tendre et blanc. Petit bâton de craie.

craindre v. tr. (*Je crains, nous craignons. Je craignais. Je craignis. Je craindrai. Crains, craignons, craignez. Que je craigne, que nous craignions. Que je craignisse. Craignant. Craint, e.*) Redouter : *je crains qu'il ne parle.* Etre sensible à : *craindre le froid.* Respecter; obéir à.
crainte n. f. Peur. Respect.
craintif, ive* adj. Qui craint, timide.
cramoisi, e adj. Rouge foncé.
crampe n. f. Contraction douloureuse de certains muscles.
crampon n. m. Pièce de métal recourbée, pour lier, retenir ou saisir fortement. *Fam.* Importun.
cramponner v. tr. Attacher avec un crampon. *Fam.* et *fig.* Ennuyer.
cran n. m. Entaille dans un corps dur, pour accrocher ou arrêter. *Fig.* Degré : *monter, baisser d'un cran. Fam.* Fermeté, courage, audace : *avoir du cran.*
crâne* adj. Décidé, résolu.
crâne n. m. Boîte osseuse contenant le cerveau.
crâner v. intr. Faire le fier.
crânerie n. f. Caractère d'une personne crâne.
crânien, enne adj. Relatif au crâne.
crapaud n. m. Genre de batraciens à formes lourdes et trapues, à peau verruqueuse. Petit fauteuil bas. Petit piano à queue.
crapule n. f. Vile débauche. Gens crapuleux. Individu crapuleux.
crapuleux, euse* adj. Débauché.
craque n. f. *Fam.* Mensonge.
craqueler v. tr. (Se conj. comme *amonceler.*) Fendiller.
craquelure n. f. Fendillement.
craquement n. m. Bruit sec que fait un corps qui craque.
craquer v. intr. Produire un bruit sec en éclatant, en se déchirant, etc. *Fam.* Etre ébranlé, menacer ruine.
crasse n. f. Saleté, ordure, progressivement amassée. Mauvais tour : *faire une crasse.*
crasse adj. f. Grossière : *ignorance crasse.*
crasseux, euse adj. Couvert de crasse.
cratère n. m. Coupe à deux anses des Anciens. Ouverture d'un volcan.
cravache n. f. Houssine de cuir tressé.
cravacher v. tr. Frapper avec la cravache.
cravate n. f. Bande d'étoffe qui se noue autour du cou, ou à la hampe d'un drapeau, etc.
cravater v. tr. Mettre une cravate à.
crayeux, euse adj. De craie.
crayon n. m. Substance pour tracer des lignes, dessiner, etc. Gaine enveloppant cette substance : *un crayon à mine de plomb. Fig.* Dessin au crayon. Manière de dessiner, d'écrire. Portrait, esquisse.
crayonner v. tr. Dessiner avec un crayon. *Fig.* Décrire rapidement. Esquisser.
créance n. f. Croyance, foi. *Donner créance,* rendre croyable. Crédit, confiance : *inspirer créance.* Droit d'exiger l'exécution de. Titre qui établit ce droit.
créancier, ère n. A qui l'on doit.
créateur, trice n. et adj. Qui crée. Inventeur. *Absol. Le Créateur,* Dieu.
création n. f. Action de créer. L'ensemble des êtres créés. *Théâtr.* Fait de jouer le premier un rôle, de monter une pièce pour la première fois.
créature n. f. Tout être créé. L'homme, par opposition à Dieu. Personne méprisable : *cette créature le ruine.*
crécelle n. f. Moulinet de bois très bruyant. *Fig.* Personne bavarde.
crèche n. f. Mangeoire pour bestiaux. Tableau représentant la crèche où fut déposé Jésus à sa naissance. Asile de jour pour les tout petits enfants : *fonder une crèche.*
crédence n. f. Meuble de salle à manger.
crédibilité n. f. Qualité d'une chose croyable. Raison qui pousse à croire.
crédit n. m. Réputation de solvabilité. Délai pour le paiement : *un long crédit.* Partie d'un compte où est écrit ce qui est dû à quelqu'un : *ouvrir un long crédit. Fin.* Somme votée par les Chambres. *Crédit foncier,* établissement public qui prête sur immeubles, à long terme. Autorité : *perdre tout crédit.*
créditer v. tr. Inscrire au compte de quelqu'un ce qu'on lui doit. Ouvrir un crédit.
créditeur n. et adj. m. Qui a des sommes portées à son crédit.
crédule adj. Qui croit facilement.
crédulité n. f. Facilité à croire.
créer v. tr. Tirer du néant. Engendrer. *Fig.* Inventer : *créer un mot.* Fonder, constituer : *créer une banque.* Susciter : *créer des ennuis à quelqu'un. Créer un rôle,* faire une création.
crémaillère n. f. Pièce de métal, à crans, qu'on fixe à la cheminée pour suspendre les marmites, chaudrons, etc. *Pendre la crémaillère,* donner un repas pour fêter un nouveau logement. *Méc.* Pièce munie de crans, servant à supporter, arrêter, etc.
crémation n. f. Brûlement des morts.
crématoire adj. Servant à brûler.
crème n. f. Matière grasse, qui s'élève au-dessus du lait. Mets fait de lait, d'œufs et de sucre. Liqueur : *crème de cassis. Fig.* Le meilleur de...
crémerie n. f. Lieu où l'on fait crémer le lait. Débit de lait. Petit restaurant.
crémeux, euse adj. Qui contient beaucoup de crème.
crémier, ère n. Qui vend de la crème, du lait, du fromage, etc.
crémone n. f. Espèce d'espagnolette.
créneau n. m. Maçonnerie dentelée au sommet d'une tour, d'une citadelle. Ouverture dans une muraille.
créneler v. tr. (Se conj. comme *amonceler.*) Faire des créneaux, des dents.
créole adj. et n. Personne de race blanche, née aux colonies. N. m. Le parler des Noirs d'outre-mer.
créosote n. f. Liquide incolore, d'odeur forte, antiseptique et caustique, extrait du goudron.
crêpage n. m. Action de crêper.
crêpe n. m. Etoffe claire de soie crue, de laine fine. Morceau noir de cette étoffe, porté en signe de deuil. Caoutchouc laminé en feuilles jaune clair.
crêpe n. f. Galette légère, de blé ou de sarrasin, frite à la poêle.
crépelé, e ou **crépelu, e** adj. Ondulé.
crêper v. tr. Apprêter le crêpe. Friser à la manière du crêpe. V. pr. Devenir crêpé.

Pop. Se crêper le chignon, se prendre aux cheveux.
crépi n. m. Couche de plâtre ou de mortier non lissé.
crépine n. f. Frange ouvragée pour ameublement. Tamis, à l'ouverture d'un tuyau. Membrane de la panse du mouton.
crépinette n. f. Saucisse plate.
crépir v. tr. Enduire d'un crépi.
crépissage n. m. Action de crépir.
crépitement n. m. Action de crépiter.
crépiter v. intr. Pétiller, faire entendre un bruit sec et fréquent.
crépu, e adj. Court et frisé.
crépusculaire adj. Qui appartient au crépuscule · *clarté crépusculaire.*
crépuscule n. m. Lumière qui suit le soleil couchant jusqu'à la nuit close. *Fig.* Déclin.
cresson n. m. Genre de cruciféracées qui croît dans les eaux.
cressonnière n. f. Bassin où l'on fait croître le cresson.
crésyl n. m. (nom déposé). Désinfectant.
crête n. f. Excroissance charnue, rouge et dentelée, sur la tête des gallinacés. *Par anal.* Cime : *crête d'un mont.* Faîte d'un toit. Saillie d'un os, d'un objet.
crétin, e n. Personne idiote, rachitique. *Fig.* Personne stupide.
crétinisme n. m. Etat du crétin.
cretonne n. f. Toile blanche ou imprimée très forte, de chanvre et de lin.
creusage ou **creusement** n. m. Action de creuser : *creusement d'un puits.*
creuser v. tr. Rendre creux. Faire une cavité. *Fig.* Approfondir : *creuser un problème.* Donner de l'appétit : *le grand air creuse.* V. pr. *Se creuser le cerveau, l'esprit, la tête,* se fatiguer à chercher.
creuset n. m. Récipient pour faire fondre certaines substances.
creux, euse adj. Qui a une cavité intérieure : *projectile creux. Fig.* Vide, vain, chimérique : *raisonnement creux. Avoir le ventre creux,* avoir faim. N. m. Cavité. Partie concave : *le creux de la main.*
crevaison n. f. Action de crever.
crevasse n. f. Fente, déchirure. Gerçure qui survient à la peau.
crevasser v. tr. Faire des crevasses.
crève-cœur n. m. invar. Grand déplaisir. Douleur mêlée de dépit.
crever v. tr. (Se conj. comme *modérer.*) Faire éclater. Percer : *crever un ballon. Fig. Crever les yeux,* être évident. *Fam.* Fatiguer, épuiser. V. intr. Eclater : *pneu qui crève.* Mourir, en parlant des animaux. *Fig.* Avoir à l'excès : *crever de soif, de dépit. Crever de rire,* rire aux éclats.
crevette n. f. Petit crustacé marin.
cri n. m. Son perçant que lance la voix. Mots prononcés en criant. Voix propre à chaque animal. Bruit aigu. *A cor et à cri,* à grand fracas. *Fam. Dernier cri,* la dernière mode.
criailler v. intr. *Fam.* Crier beaucoup.
criaillerie n. f. *Fam.* Cri désagréable.
criard, e n. Qui crie. Adjectiv. Qui crie souvent. Qui rend un son aigre. *Couleurs criardes,* qui choquent la vue.
criblage n. m. Action de cribler.
crible n. m. Instrument percé de trous pour trier le grain : *passer au crible.*
cribler v. tr. Trier avec le crible. *Fig.* Percer : *cribler de blessures.*
cric [*kri*] n. m. Machine pour soulever les fardeaux, les autos, etc.
cricri n. m. Nom vulgaire du grillon.
criée n. f. Vente publique aux enchères.
crier v. intr. (Se conj. comme *prier.*) Jeter un ou plusieurs cris : *crier de joie.* Forcer sa voix : *crier en chantant.* Gronder, se plaindre hautement : *crier contre le vice. Fig. Injustice criante,* révoltante. V. tr. Publier, annoncer.
crieur, euse n. Qui crie. *Crieur public,* qui proclame quelque chose en public. Qui crie ses marchandises.
crime n. m. Très grave infraction à la loi civile ou morale. Acte très blâmable en général : *n'en faites pas un crime!*
criminaliser v. tr. Transformer en procès criminel.
criminalité n. f. Nature de ce qui est criminel.
criminel, elle* adj. Coupable d'un crime. Relatif au crime. Contraire aux lois. N. Auteur d'un crime.
crin n. m. Poil long et rude : *crin de cheval. Fig. A tous crins,* très énergique.
crincrin n. m. Mauvais violon.
crinière n. f. Tout le crin du cou d'un cheval, d'un lion. Chevelure abondante et peu soignée.
crinoline n. f. Jupon bouffant maintenu par des baleines.
crique n. f. Petite baie naturelle.
criquet n. m. Sorte de sauterelle.
crise n. f. Changement subit dans le cours d'une maladie. *Crise de nerfs,* attaque de nerfs. *Fig.* Moment décisif. Dépression économique.
crispation n. f. Contraction : *crispation musculaire. Fam.* Irritation.
crisper v. tr. Causer des contractions. *Fig.* et *fam.* Impatienter fortement.
crissement n. m. Action de crisser.
crisser v. intr. Produire un bruit aigre et agaçant avec les dents.
cristal n. m. Substance minérale affectant naturellement la forme d'un polyèdre régulier. Verre blanc très pur et très limpide. Objet de cristal.
cristallerie n. f. Art de fabriquer des cristaux. Lieu où on les fabrique.
cristallin, e adj. De la nature du cristal. Clair et transparent : *eau cristalline.* N. m. Lentille de l'œil.
cristallisable adj. Susceptible de se cristalliser.
cristallisation n. f. Action de cristalliser, de se cristalliser.
cristalliser v. tr. Changer en cristaux. V. intr. et v. pr. Se former en cristaux.
critère n. m. Ce qui permet de juger, de distinguer le vrai du faux.
critiquable adj. Qui peut être critiqué.
critique adj. Qui est amené par une crise. Dangereux, inquiétant : *moment critique.* Qui critique : *esprit critique.* N. m. Qui étudie, apprécie les ouvrages d'art et d'esprit : *critique musical.* Censeur : *critique sévère.* N. f. Art d'expliquer, de juger les ouvrages littéraires ou artistiques. Blâme : *critique injuste.*
critiquer v. tr. Censurer.
croassement n. m. Cri du corbeau.

croasser v. intr. Pousser des croassements.

croc [*kro*] n. m. Sorte de grappin. Perche armée d'un crochet. Pl. Dents longues de certains animaux.

croc-en-jambe [*krok*] n. m. Manière de faire tomber quelqu'un en passant le pied entre ses jambes. Pl. des *crocs-en-jambe.*

croche n. f. *Mus.* Note qui vaut la moitié d'une noire.

crochet n. m. Petit croc. Fer recourbé pour ouvrir une serrure. *Typogr.* Sorte de parenthèses [ ]. Aiguille à pointe recourbée : *ouvrage au crochet.* Pl. Dents des serpents. Châssis de portefaix. *Aux crochets de quelqu'un,* à ses dépens.

crocheter v. tr. (Se conj. comme *acheter.*) Ouvrir avec un crochet.

crocheteur n. m. Portefaix.

crochu, e adj. Courbé en crochet.

crocodile n. m. Genre de reptiles féroces. *Fig. Larmes de crocodile,* larmes hypocrites. *Chem. de f.* Appareil de signalisation.

crocus n. m. Plante à fleurs jaunes.

croire v. tr. (*Je crois, nous croyons. Je croyais, nous croyions. Je crus, nous crûmes. Je croirai, nous croirons. Que je croie, que nous croyions. Que je crusse, que nous crussions. Croyant. Cru, e.*) Tenir pour vrai. Regarder comme : *croire habile.* V. intr. Ajouter foi à. Avoir confiance en.

croisade n. f. Expédition en Terre sainte. *Fig.* Vive campagne pour ou contre quelqu'un ou quelque chose.

croisé n. m. Qui s'engageait dans une croisade. Etoffe croisée.

croisé, e adj. En croix. Qui se croise : *fils croisés. Feu croisé,* qui bat l'ennemi de plusieurs côtés. *Rimes croisées,* alternées. N. f. Fenêtre. Point où deux choses se croisent : *la croisée des routes.*

croisement n. m. Action de croiser. Endroit où deux voies se rencontrent : *croisement de routes.* Mélange de deux races d'animaux. Entrelacement de fils d'un tissu.

croiser v. tr. Disposer en croix : *croiser ses jambes.* Couper en travers : *routes qui se croisent.* Mêler par l'accouplement des races d'animaux. V. intr. *Mar.* Surveiller une certaine étendue de mer.

croiseur n. m. Navire rapide, destiné à éclairer les escadres.

croisière n. f. *Mar.* Surveillance exercée par des vaisseaux qui croisent. Voyage, exploration en mer.

croisillon n. m. Traverse d'une croix, d'une croisée. Transept.

croissance n. f. Développement progressif d'un corps organisé.

croissant n. m. Figure échancrée de la lune. Pièce héraldique ayant cette forme. Petit pain en forme de croissant. *Fig.* Empire turc. L'Islam.

croître v. intr. (*Je croîs, tu croîs, il croît, nous croissons, vous croissez, ils croissent. Je croissais, nous croissions. Je crûs, nous crûmes. Je croîtrai. Croîs, croissons, croissez. Que je croisse. Que je crûsse. Croissant. Crû, crue.*) Devenir plus grand. Augmenter : *la chaleur croît.* Naître. Se développer.

croix n. f. Gibet formé de deux pièces de bois croisées. Figure représentant la croix de Jésus-Christ. *Par ext.* Le christianisme. Bijou en forme de croix. Insigne de divers ordres. *Croix-Rouge,* croix indiquant la neutralité des ambulances en temps de guerre. *Fig.* Peine, affliction.

cromlech [*lèk*] n. m. Monument mégalithique : pierres disposées en cercle.

croquant n. m. Homme de rien. Misérable (vx).

croque-mitaine n. m. Epouvantail.

croque-mort n. m. *Pop.* Employé des pompes funèbres.

croquenot n. m. *Arg.* Soulier.

croquer v. intr. Faire du bruit sous la dent. V. tr. Manger des choses croquantes : *croquer des amandes. Fig.* Dessiner rapidement : *joli à croquer. Croquer le marmot,* attendre.

croquet n. m. Sorte de jeu de boules.

croquette n. f. Boulette de pâte, de hachis, etc., frite.

croquis n. m. Esquisse, ébauche.

crosne [*krôn'*] n. m. Plante à tubercule comestible.

crosse n. f. Bâton pastoral d'évêque. Partie recourbée : *la crosse de l'aorte.* Partie inférieure du bois du fusil.

crotte n. f. Fiente de certains animaux (chèvres, brebis). Boue : *se couvrir de crotte.* Bonbon de chocolat.

crotter v. tr. Salir de boue.

crottin n. m. Excrément de cheval.

crouler v. intr. Tomber en s'affaissant, s'effondrer. *Par exagér.* Etre ébranlé. *Fig.* Etre détruit, renversé.

croup n. m. Laryngite diphtérique.

croupe n. f. Partie postérieure de certains animaux, qui va des reins à l'origine de la queue. *En croupe* loc. adv. Derrière un cavalier. Sommet allongé d'une montagne.

croupetons (à) loc. adv. Dans la position d'une personne accroupie.

croupier n. m. Dans les maisons de jeu, celui qui reçoit les mises et distribue les gains.

croupion n. m. Extrémité inférieure de l'épine dorsale, surtout d'un oiseau.

croupir v. intr. Se corrompre, devenir fétide par la stagnation. *Fig.* Vivre dans un état abject.

croustade n. f. Croûte frite et croquante. Sorte de pâté chaud.

croustiller v. intr. Croquer sous la dent comme une croûte.

croustilleux, euse adj. Leste, grivois.

croûte n. f. Partie extérieure du pain, durcie par la cuisson. *Casser une croûte,* faire une légère collation. Pâte cuite d'un pâté. Tout ce qui se durcit sur quelque chose : *la croûte terrestre.* Plaque d'humeur desséchée. *Fig.* Homme encroûté dans la routine. Mauvais tableau.

croûton n. m. Morceau de croûte. Petit morceau de pain frit.

croyance n. f. Action de croire. Opinion, doctrine. Foi religieuse.

cru n. m. Quantité dont un objet a crû. Production vinicole. Terroir : *vin de cru. Fig. De son cru,* de son propre fonds.

cru, e adj. Qui n'est pas cuit. *Fig.* Non adouci. Choquant, libre.

cruauté n. f. Inclination à faire ou à approuver des actes inhumains. Action cruelle. Rigueur.

cruche n. f. Vase à anse, à large ventre. *Pop.* Personne stupide.
cruchon n. m. Petite cruche.
crucial, e, aux adj. Fait en croix. *Fig.* Décisif : *expérience cruciale.*
crucifères n. f. pl. Famille de plantes dont la fleur est formée de quatre pétales en croix. (On dit aussi CRUCIFÉRACÉES.)
crucifiement n. m. Action de crucifier.
crucifier v. tr. (Se conj. comme *prier.*) Clouer en croix. *Fig.* Mortifier.
crucifix [*fi*] n. m. invar. Représentation de Jésus-Christ en croix.
crucifixion n. f. Action de crucifier.
crudité n. f. Etat de ce qui est cru (au pr. et au fig.). *Fig.* Termes lestes. Pl. Fruits, légumes crus.
crue n. f. Croissance, augmentation. Elévation du niveau d'un cours d'eau.
cruel, elle* adj. Inhumain, impitoyable. Qui aime le sang. Rigoureux.
crûment adv. D'une manière crue.
crustacés n. m. pl. Classe d'animaux articulés, à respiration branchiale, à carapace (langouste, crabe, etc.).
crypte n. f. Chapelle souterraine.
cryptogame adj. et n. f. Se dit des plantes qui ont les organes de la fructification cachés (champignons, etc.).
cryptogramme n. m. Ecrit en caractères secrets.
cryptographie n. f. Ecriture secrète.
cubage n. m. Opération qui évalue en unités cubiques un volume.
cube n. m. Corps solide, à six faces carrées égales. *Arithm.* Produit de trois nombres égaux. Adjectiv. Se dit d'une mesure appliquée à évaluer un volume : *mètre cube.*
cuber v. tr. Multiplier un nombre trois fois par lui-même. Evaluer en unités cubiques. Avoir un volume de.
cubique adj. En forme de cube.
cubisme n. m. Ecole moderne d'art, apparue vers 1910, et qui réduit la forme à un graphique schématique.
cubitus n. m. Le plus gros des deux os de l'avant-bras.
cueillaison ou **cueille** n. f. Action de cueillir.
cueillette n. f. Récolte.
cueillir v. tr. (*Je cueille, nous cueillons. Je cueillais. Je cueillis. Je cueillerai. Cueille, cueillons, cueillez. Que je cueille. Que je cueillisse. Cueillant. Cueilli, e.*) Détacher de leurs tiges des fruits, des fleurs. *Fam.* Prendre. Arrêter.
cuiller ou **cuillère** n. f. Ustensile de table pour puiser les liquides.
cuillerée n. f. Contenu d'une cuiller.
cuir n. m. Peau épaisse de certains animaux. Peau tannée, corroyée, etc. *Fig.* Faute de langage.
cuirasse n. f. Armure qui recouvre le dos et la poitrine. Revêtement métallique d'un vaisseau.
cuirassé n. m. Navire de guerre blindé.
cuirassement n. m. Action de cuirasser. Revêtement métallique.
cuirasser v. tr. Revêtir d'une cuirasse. *Fig.* Endurcir.
cuirassier n. m. Soldat de cavalerie portant la cuirasse.
cuire v. tr. (Se conj. comme *conduire.*) Préparer les aliments par le feu. Calciner du plâtre, de la brique, etc. V. intr. Devenir cuit : *la viande cuit. Par exagér.* Eprouver une chaleur excessive.
cuisant, e adj. Apre, aigu : *douleur cuisante. Fig. : des soucis cuisants.*
cuisine n. f. Lieu où l'on apprête les mets. Art d'apprêter les mets. Ces mets mêmes : *faire la cuisine à l'huile.*
cuisiner v. intr. Faire la cuisine. V. tr. *Fig.* Interroger habilement : *cuisiner un accusé.*
cuisinier, ère n. Qui fait la cuisine. N. f. Appareil en fonte ou en tôle, muni d'un foyer, pour la cuisine.
cuisse n. f. Partie du corps, de la hanche au genou. Chez le cheval, partie du membre postérieur, de la croupe à la jambe.
cuisseau n. m. Morceau du veau, du dessous de la queue au rognon.
cuisson n. f. Action de faire cuire.
cuissot n. m. Cuisse de gibier.
cuistre n. m. *Fam.* Pédant, ridicule.
cuistrerie n. f. Pédantisme.
cuite n. f. *Pop.* Ivresse.
cuivrage n. m. Action de cuivrer.
cuivre n. m. Métal de couleur rouge-brun. Instrument à vent, en cuivre.
cuivrer v. tr. Couvrir de cuivre. Donner une teinte de cuivre.
cul n. m. *Triv.* Derrière, fondement de l'homme et de divers animaux. Le fond de certaines choses.
culasse n. f. Le fond du canon d'une arme à feu. Partie supérieure d'un moteur d'auto.
culbute n. f. Saut où l'on fait passer les pieds au-dessus de la tête. *Fig.* Ruine, renversement : *faire la culbute.*
culbuter v. tr. Renverser violemment. *Fig.* Vaincre. V. intr. Faire la culbute.
culbuteur adj. et n. m. Dispositif pour faire basculer un récipient.
cul-de-jatte n. m. Qui n'a l'usage ni de ses jambes ni de ses cuisses, ou qui est complètement privé de ces membres. Pl. des *culs-de-jatte.*
cul-de-lampe n. m. *Archit.* Ornement de voûte. *Impr.* Vignette à la fin d'un chapitre. Pl. des *culs-de-lampe.*
cul-de-sac n. m. Rue sans issue; voie en impasse. Pl. des *culs-de-sac.*
culée n. f. Massif de maçonnerie soutenant la poussée de la voûte des dernières arches d'un pont.
culinaire adj. Relatif à la cuisine.
culminant, e adj. Se dit de la partie la plus élevée d'une chose. *Fig.* Le plus haut degré possible.
culot n. m. Fond métallique d'une cartouche, d'un creuset. Résidu au fond d'une pipe. Dernier éclos, en parlant des oiseaux. *Pop.* Aplomb : *avoir du culot.*
culotte n. f. Vêtement d'homme qui va de la ceinture aux genoux. *Abusiv.* Pantalon. Sous-vêtement féminin. *Cuis.* Partie de la cuisse du bœuf. *Fam.* Perte au jeu.
culotter v. tr. Mettre une culotte. Noircir une pipe par l'usage.
culpabilité n. f. Caractère de ce qui est coupable. Etat d'une personne coupable.
culte n. m. Hommage qu'on rend à Dieu. Religion. *Fig.* Vénération.

cultivateur, trice adj. et n. Qui s'adonne à la culture des terres.
cultiver v. tr. Travailler la terre pour la fertiliser. Faire pousser, soigner spécialement. *Fig.* S'adonner à. Former, développer, instruire. Entretenir des relations assidues avec.
cultuel, elle adj. Du culte.
culture n. f. Action de cultiver. Terrain que l'on cultive.
culturel, elle adj. Relatif à la culture intellectuelle.
cumin n. m. Ombellifère aromatique.
cumul n. m. Action de cumuler.
cumuler v. tr. Réunir plusieurs choses. Exercer plusieurs emplois.
cumulus [*luss*] n. m. Amas de nuages.
cupide adj. Avide.
cupidité n. f. Convoitise en général.
cuprifère adj. Qui contient du cuivre.
curable adj. Qui peut se guérir.
curaçao [*so*] n. m. Liqueur d'écorces d'orange, de sucre et d'eau-de-vie.
curage n. m. Action de curer.
curare n. m. Poison végétal dont les Indiens enduisent leurs flèches.
curatelle n. f. Fonction de curateur.
curateur, trice n. Personne commise par la loi pour l'administration des biens d'un mineur, d'un incapable.
curatif, ive adj. Relatif à la guérison d'une maladie : *méthode curative.*
cure n. f. Soin, souci. (Ne s'emploie que dans l'expression *n'avoir cure de.*) Traitement médical. Guérison.
cure n. f. Direction spirituelle d'une paroisse. Résidence d'un curé.
curé n. m. Prêtre pourvu d'une cure. Prêtre desservant.
cure-dent n. m. Instrument pour curer les dents. Pl. des *cure-dents.*
curée n. f, Partie de la bête, intestins et sang, donnée en pâture aux chiens courants.
cure-oreille n. m. Petit instrument pour se nettoyer les oreilles. Pl. des *cure-oreilles.*
curer v. tr. Nettoyer.
curetage n. m. *Chir.* Action de nettoyer avec une curette des tissus malades.
curette n. f. Outil de bois ou de fer pour nettoyer divers instruments. Grattoir de chirurgien.
curieux, euse* adj. Qui est avide de voir, de connaître, d'apprendre. Indiscret : *enfant trop curieux.* Propre à exciter l'attention : *objet curieux.* N. Personne curieuse. N. m. Côté singulier : *le curieux de l'affaire.*
curiosité n. f. Désir de voir, de connaître, d'apprendre. Pl. Choses rares : *amateur de curiosités.*
curriculum vitae [*lom, té*] n. m. Résumé de la vie, de la carrière d'un candidat.
curseur n. m. Pointe qui coulisse au milieu d'une règle, d'un compas.
cursif, ive* adj. et n. Se dit d'une écriture courante et rapide.
curvimètre n. m. Instrument mesurant la longueur des lignes courbes.
cutané, e adj. *Méd.* De la peau.
cuticule n. f. Petite peau très mince.
cuve n. f. Grand réservoir pour la fermentation du raisin. Récipient pour différents usages.
cuveau n. m. Petite cuve.
cuvée n. f. Le contenu d'une cuve.
cuvelage n. m. Revêtement de puits.
cuveler v. tr. (Se conj. comme *amonceler.*) Faire un cuvelage.
cuver v. intr. Fermenter dans la cuve. V. tr. *Fig. Cuver son vin,* dormir après avoir bu avec excès.
cuvette n. f. Récipient large, peu profond, pour la toilette, etc. Petit vase au bas du tube d'un baromètre. Plaque métallique protégeant le mouvement d'une montre. *Fig.* Creux du sol.
cuvier n. m. Cuve à lessive.
cyanhydrique adj. Se dit d'un acide, poison violent.
cyanose n. f. Coloration livide ou noirâtre de la peau.
cyanure n. m. Combinaison chimique très toxique.
cybernétique n. f. Science qui étudie les commandes automatiques des machines.
cycle n. m. Série de phénomènes qui se poursuivent dans un ordre déterminé. Bicyclette.
cyclique adj. Relatif à un cycle.
cyclisme n. m. Sport cycliste.
cycliste n. Qui pratique le sport vélocipédique. Adj. Relatif à ce sport.
cycloïde n. f. *Géom.* Courbe engendrée par un point situé sur une circonférence qui roule sur une droite.
cyclomoteur n. m. Bicyclette à moteur auxiliaire de cylindrée inférieure à 50 cm^3.
cyclone n. m. Ouragan qui se déplace en tournoyant rapidement.
cyclopéen, enne adj. Se dit de monuments de construction ancienne, vastes et massifs, de Grèce ou d'Italie.
cyclotron n. m. Appareil servant à obtenir des transmutations chimiques.
cygne n. m. Genre d'oiseaux palmipèdes, a cou très long et flexible.
cylindrage n. m. Action de cylindrer.
cylindre n. m. Corps arrondi, long et droit, à bases égales. Tube dans lequel se meut le piston d'une machine à vapeur, d'un moteur à explosion. Corps de pompe. Rouleau pour laminer, lustrer, aplanir.
cylindrée n. f. Capacité d'un cylindre.
cylindrer v. tr. Donner la forme d'un cylindre. Passer au cylindre.
cylindrique adj. En cylindre.
cymbale n. f. Instrument de musique formé de deux plateaux de cuivre.
cymbalier n. m. Qui joue des cymbales.
cynégétique adj. Qui concerne la chasse. N. f. L'art de la chasse.
cynique* adj. Impudent. Obscène. N. Personne sans vergogne.
cynisme n. m. Doctrine des philosophes cyniques. Impudence, obscénité.
cyprès n. m. Arbre conifère résineux.
cystite n. f. Inflammation de la vessie.
cytise n. m. Genre de légumineuses papilionacées, ornementales.
czar n. m. et ses dérivés. V. TSAR

D

d n. m. Quatrième lettre de l'alphabet. D, chiffre romain, valant 500.
dactylographe n. et adj. Personne qui écrit à la machine. (On dit, familièr., *dactylo.*)
dactylographie n. f. Art d'écrire à la machine.
dactylographier v. tr. Ecrire à la machine.
dada n. m. Cheval, dans le langage des enfants. *Fig.* et *fam.* Idée fixe.
dadais n. m. Jeune homme niais.
dague n. f. Epée à lame courte.
daguerréotype n. m. Image obtenue par les procédés de Daguerre.
dahlia n. m. Genre de composacées à fleurs très belles.
dahoméen, enne adj. et n. Du Dahomey.
daigner v. intr. Vouloir bien, condescendre à.
daim n. m. Animal de la famille des cervidés, caractérisé par le bois palmé et la robe tachetée. Peau de daim chamoisée. *Fig.* Niais.
dais n. m. Sorte de baldaquin. Poêle sous lequel on porte le saint sacrement dans les processions.
dallage n. m. Action de daller. Revêtement de dalles.
dalle n. f. Tablette de pierre pour paver.
daller v. tr. Paver de dalles.
dalot n. m. Trou dans la paroi d'un navire, pour faire écouler l'eau.
daltonien, enne adj. et n. Affecté de daltonisme.
daltonisme n. m. Imperfection de la vue consistant dans la difficulté ou l'erreur d'appréciation des couleurs.
damas [*ma*] n. m. Etoffe fabriquée à Damas. Sabre d'un acier très fin. Sorte de prune. Linge damassé.
damasquinage n. m. ou **damasquinure** n. f. Art ou action de damasquiner. Son résultat.
damasquiner v. tr. Incruster de petits filets d'or ou d'argent dans du fer ou de l'acier.
damassé, e adj. et n. m. Se dit du linge agrémenté de dessins, de l'acier trempé à la façon du damas.
damasser v. tr. Fabriquer une étoffe ou du linge, tremper de l'acier à la façon du damas.
dame n. f. Titre donné à toute femme mariée et à certaines religieuses. Autref., femme d'un noble. Femme à laquelle on consacre tous ses soins : *la dame de ses pensées.* Figure du jeu de cartes : *dame de pique.* Seconde pièce du jeu d'échecs. Disque, de bois ou d'ivoire, pour jouer à divers jeux (dames, trictrac).
dame! interj. qui marque l'hésitation, la surprise, etc., ou qui renforce une affirmation, une négation.
dame-jeanne n. f. Grosse bouteille.
damer v. tr. Doubler un pion au jeu de dames. *Fig. Damer le pion à quelqu'un,* l'emporter sur lui.
damier n. m. Surface, divisée en cases blanches et noires, pour jouer aux dames. Ornement quadrillé.
damnable [*da-na*] adj. Qui peut attirer la damnation. Qui mérite réprobation.
damnation [*da-na*] n. f. Condamnation aux peines éternelles. Juron de colère.
damner [*da-né*] v. tr. Condamner à la damnation. Causer la damnation de. *Fig. Faire damner,* tourmenter.
dancing [*sign*] n. m. Salle de danse; bal public.
dandinement n. m. Balancement.
dandiner (se) v. pr. Balancer gauchement son corps.
dandy n. m. Homme élégant et qui prétend régler la mode (vx).
danger n. m. Péril : *en danger de mort.* Risque, inconvénient, écueil.
dangereux, euse* adj. Qui offre du danger : *tournant dangereux.*
danois, e adj. et n. Du Danemark.
dans prép. qui marque des rapports de lieu, de temps, d'état.
dansant, e adj. Où l'on danse : *soirée dansante.* Propre à faire danser : *polka très dansante.*
danse n. f. Suite de mouvements cadencés du corps, au son de la musique. Air de danse. Manière de danser. *Fig.* Correction, réprimande : *donner une danse.*
danser v. intr. Mouvoir le corps en cadence. Exécuter des mouvements rapides. *Fig. Ne savoir sur quel pied danser,* ne savoir que décider. V. tr. Exécuter une danse : *danser la polka.*
danseur, euse n. Qui danse. Qui aime à danser. Qui fait profession de danser.
dard n. m. Hampe de bois armée d'une pointe de fer. Langue du serpent. Aiguillon de certains insectes. *Fig.* Trait acéré.
darder v. tr. Frapper avec un dard. Lancer avec force. *Fig.* Lancer vivement des rayons, etc. Décocher.
dare-dare loc. adv. *Fam.* En toute hâte.
darse n. f. Bassin d'un port.
dartre n. f. Une maladie de la peau.
dartreux, euse adj. De la nature des dartres : *affection dartreuse.*
darwinisme [*darouï*] n. m. Transformisme, doctrine de Darwin.
date n. f. Temps précis d'un événement. Chiffre qui l'indique.
dater v. tr. Mettre la date. V. intr. Remonter à : *cela date de loin.*
datif n. m. Dans les langues à déclinaison, cas marquant l'attribution, la destination.
datte n. f. Fruit du dattier.
dattier n. m. Genre de palmiers des pays chauds qui donnent la datte.
daube n. f. Manière de faire cuire certaines viandes, dans la braisière.
dauber v. tr. et intr. Cuire en daube. *Fig.* Railler quelqu'un.
dauphin n. m. Genre de cétacés vivant par troupes.
dauphin n. m. *Hist.* Fils aîné du roi de France.
daurade n. f. Genre de poissons de la Méditerranée.
davantage adv. Plus. Plus longtemps.
davier n. m. Instrument employé pour arracher les dents.

D. C. A. Abrév. de Défense contre avions.
de prép. qui marque le point de départ, l'origine : *de Paris;* l'extraction : *charbon de terre;* la séparation : *éloigné de sa mère;* l'objet, la matière : *table de bois;* les qualités : *homme de génie.* Avec : *saluer de la main.* Pendant : *voyager de nuit.* Par : *aimé de tous.* Explétif : *ville de Paris.* Particule qui précède beaucoup de noms nobles.
dé n. m. Etui de métal, pour protéger le doigt qui pousse l'aiguille.
dé n. m. Petit cube, à faces marquées de un à six points, pour jouer.
déambulatoire n. m. Galerie qui tourne autour du chœur d'une église.
déambuler v. intr. Se promener.
débâcle n. f. Rupture des glaces. *Fig.* Qui amène la ruine, la déroute.
déballage n. m. Action de déballer. Etalage de marchandises à bas prix.
déballer v. tr. Extraire d'une malle, d'une caisse : *déballer des livres.*
déballeur n. m. Marchand ambulant.
débandade n. f. Action de se disperser. *A la débandade,* sans ordre.
débander v. tr. Oter une bande, un bandage. Détendre : *débander un arc.* V. pr. Se disperser : *armée qui se débande.*
débaptiser v. tr. Changer le nom.
débarbouillage n. m. Action de débarbouiller.
débarbouiller v. tr. Nettoyer le visage. V. pr. Se laver le visage.
débarcadère n. m. Jetée de débarquement sur la mer ou sur un fleuve.
débarder v. tr. Décharger à quai.
débardeur n. et adj. m. Qui débarde.
débarquement n. m. Action de débarquer.
débarquer v. tr. Enlever d'un navire, d'un bateau, d'un wagon. *Fig. Fam.* Se débarrasser de : *débarquer un associé.* V. intr. Arriver, descendre.
débarras n. m. Délivrance de ce qui embarrassait. Lieu où l'on met des objets encombrants.
débarrasser v. tr. Enlever ce qui embarrasse. *Fig.* Tirer d'embarras.
débat n. m. Différend, contestation. Pl. Discussions politiques : *les débats de la Chambre.* Partie publique de l'instruction judiciaire : *clôture des débats.*
débâter v. tr. Oter le bât.
débattre v. tr. (Se conj. comme *battre.*) Discuter. V. pr. Faire des efforts pour résister ou pour se dégager.
débauchage n. m. Action de débaucher.
débauche n. f. Excès dans le boire et le manger. Dérèglement dans les mœurs. Excès : *débauche d'esprit.*
débaucher v. tr. Détourner un ouvrier de l'entreprise où il travaille. Congédier les ouvriers d'une entreprise. *Par ext.* Détourner de ses devoirs. Jeter dans la débauche.
débile* adj. Faible.
débilité n. f. Grande faiblesse.
débiliter v. tr. Affaiblir.
débit n. m. Action de débiter : *marchandise de débit facile.* Compte de ce qui est dû au commerçant. Endroit où l'on vend au détail : *débit de tabac.* Quantité de liquide, de gaz, d'électricité, etc., fournie par une source quelconque en un temps donné. *Fig.* Manière de parler, de lire : *débit monotone.*
débitant, e n. Qui vend au détail.
débiter v. tr. Ouvrir un compte de débit. Vendre au détail. Vendre promptement et facilement. Réduire le bois en planches, en madriers, etc. Fournir une quantité de liquide, de gaz, etc., en un temps donné. Porter un article au débit d'un compte. *Fig.* Raconter : *débiter des niaiseries.*
débiteur, trice n. Personne qui doit. Adj. En débit : *un compte débiteur.*
déblai n. m. Enlèvement de terres pour niveler ou baisser le sol. Pl. Les terres elles-mêmes : *enlever les déblais.*
déblaiement n. m. Action de déblayer.
déblatérer v. intr (Se conj. comme *accélérer.*) Déclamer violemment. Dire du mal de : *déblatérer contre quelqu'un.*
déblayer v. tr. (Se conj. comme *balayer.*) Débarrasser de ce qui encombre.
débloquer v. tr. Rendre des crédits utilisables.
déboire n. m. Déception.
déboisement n. m. Action de déboiser.
déboiser v. tr. Faire disparaître les bois d'un terrain.
déboîtement n. m. Déplacement d'un os hors de son articulation.
déboîter v. tr. Oter de sa place un objet encastré dans un autre.
débonder v. tr. Ouvrir en ôtant la bonde.
débonnaire adj. Doux et faible.
débordé, e adj. Accablé : *débordé de travail.*
débordement n. m. Action d'une rivière qui sort de son lit. Excès, débauche. Profusion : *débordement d'injures.*
déborder v. intr. Dépasser les bords. S'écouler en grande quantité : *sa bile déborde.* V. tr. Oter la bordure. Dépasser, tourner : *déborder une résistance.*
débotter v. tr. Tirer les bottes.
débouché n. m. Issue d'un défilé, d'une route, etc. *Fig.* Issue, point d'exportation pour les marchandises.
déboucher v. tr. Oter ce qui bouche. V. intr. Sortir d'un lieu resserré. Se jeter dans, en parlant d'un fleuve, d'une rivière, etc.
débouchoir n. m. Instrument pour déboucher.
déboucler v. tr. Défaire la boucle.
débouler v. intr. Rouler de haut en bas. Partir à l'improviste devant le chasseur : *lapin qui déboule.*
déboulonnement ou **déboulonnage** n. m. Action de déboulonner.
déboulonner v. tr. Démonter ce qui était boulonné. *Fig.* Démolir.
débourrage n. m. Action de débourrer. Bourre et déchets provenant du travail de la laine. Opération pour faire tomber les poils d'une peau que l'on veut tanner.
débourrer v. tr. Oter la bourre. Vider une pipe de son tabac.
débours n. m. Argent avancé : *rentrer dans ses débours.*
déboursement n. m. Action de débourser.
débourser v. tr. Tirer de sa bourse.
debout adv. Sur pied, sur les pieds. Hors du lit, levé. Encore existant. *Mar. Vent debout,* contraire à la direction que l'on veut suivre. Interj. pour faire lever.

débouter v. tr. Déclarer une personne déchue de sa demande en justice.
déboutonner v. tr. Ouvrir en faisant sortir les boutons de leurs boutonnières. V. pr. *Fam.* Parler à cœur ouvert.
débraillé, e adj. Dont les vêtements sont en désordre.
débrancher v. tr. Détacher un appareil du circuit électrique.
débrayage n. m. Action de débrayer.
débrayer [*bré*] v. tr. Supprimer la liaison entre l'arbre moteur et un arbre secondaire, une poulie, un outil. V. intr. *Fam.* Arrêter le travail.
débrider v. tr. Oter la bride à une bête de somme. *Chir.* Inciser les brides ou les tissus qui étranglent un organe, une plaie.
débris n. m. Restes d'une chose brisée. Restes d'une fortune, d'une armée.
débrouillard, e adj. et n. *Fam.* Qui sait se débrouiller.
débrouiller v. tr. Démêler; remettre en ordre. *Fig.* Eclaircir : *débrouiller une intrigue.* V. pr. *Fam.* Se tirer d'affaire.
débroussailler v. tr. Arracher les broussailles de.
débûcher v. intr. Sortir du bois. V. tr. Faire débûcher. N. m. Moment où la bête débûche : *sonner le débûcher.*
débusquer v. tr. Chasser d'un poste avantageux : *débusquer l'ennemi.*
début n. m. Commencement. *Fig.* Premiers pas dans une carrière : *début théâtral.*
débuter v. intr. Jouer le premier à certains jeux. Faire les premiers pas dans une carrière.
déca préf. qui indique la multiplication par dix dans les mesures : *déca*litre, *déca*gramme, etc.
deçà prép. De ce côté-ci. *Deçà et delà* loc. adv. De côté et d'autre. *Par-deçà, en deçà, au-deçà* loc. adv. et prép. De ce côté-ci.
décacheter v. tr. (Se conj. comme *jeter.*) Ouvrir ce qui est cacheté.
décade n. f. Dizaine. Espace de dix jours dans le calendrier républicain. Partie d'un ouvrage composé de dix chapitres ou livres. *Abusiv.* Période de dix ans.
décadence n. f. Etat de ce qui tend à la dégradation, à la ruine.
décadent, e adj. Qui est en décadence. N. m. pl. S'est dit des écrivains de l'école symboliste.
décaféiné, e adj. Sans caféine.
décaissement ou **décaissage** n. m. Action de décaisser.
décaisser v. tr. Tirer d'une caisse. Payer de sa caisse.
décalage n. m. Action de décaler.
décalaminer v. tr. Oter la calamine.
décalcomanie n. f. Procédé qui permet de transporter des images coloriées sur la porcelaine, le verre, etc.
décaler v. tr. Enlever les cales. Déplacer, dans l'espace ou dans le temps.
décalogue n. m. Les dix commandements de la Loi, dans la Bible.
décalotter v. tr. Oter la calotte.
décalquage ou **décalque** n. m. Action de décalquer. Son résultat.
décalquer v. tr. Reporter le calque d'un dessin, d'un tableau.
décamètre n. m. Mesure de longueur de dix mètres.
décamper v. intr. Lever le camp. *Par ext.* Se retirer précipitamment.
décanat n. m. Dignité de doyen.
décantation n. f. ou **décantage** n. m. Action de décanter.
décanter v. tr. Transvaser pour séparer un liquide de son dépôt.
décapage n. m. Action de décaper.
décaper v. tr. Enlever la couche d'oxyde sur une surface métallique.
décapitation n. f. Action de décapiter.
décapiter v. tr. Trancher la tête.
décasyllabe ou **décasyllabique** adj. Qui a dix syllabes (vers).
décatir v. tr. Oter le cati, l'apprêt d'une étoffe de laine.
décatissage n. m. Action de décatir.
décaver v. tr. Gagner toute la cave, tout l'argent d'un joueur.
décéder v. intr. (Se conj. comme *accélérer.*) Mourir de mort naturelle.
déceler v. tr. (Se conj. comme *celer.*) Faire connaître, indiquer.
décembre n. m. Douzième et dernier mois de l'année.
décemment adv. Avec décence.
décence n. f. Honnêteté dans la mise, les paroles, etc.; bienséance. Réserve pudique.
décennal, e, aux adj. Qui dure dix ans. Qui revient tous les dix ans.
décent, e adj. Conforme à la décence.
décentralisateur, trice adj. Qui concerne, qui prône la décentralisation.
décentralisation n. f. Action de décentraliser.
décentraliser v. tr. Donner une certaine autonomie aux différentes parties, aux provinces d'un Etat.
décentrer v. tr. Déplacer le centre : *décentrer un objectif.*
déception n. f. Action de décevoir ou d'être déçu. Désillusion.
décerner v. tr. Attribuer : *décerner un prix,* et, au *fig., décerner la palme à.*
décès n. m. Mort d'une personne.
décevoir v. tr. Abuser, tromper. Ne pas répondre aux espoirs donnés.
déchaînement n. m. Emportement extrême: *déchaînement de colère.*
déchaîner v. tr. Détacher de la chaîne. *Fig.* Donner libre cours, soulever.
déchanter v. intr. Rabattre de ses prétentions : *il a dû déchanter.*
décharge n. f. Action d'enlever la charge. Action de décharger simultanément plusieurs armes à feu. Lieu où l'on décharge les décombres. Ce qui sert à faire écouler des eaux. *Témoin à décharge,* qui dépose en faveur d'un accusé. *Fig.* Quittance : *donner décharge d'une dette.*
déchargement n. m. Action de décharger un navire, un bateau, etc.
décharger v. tr. (Se conj. comme *manger.*) Oter la charge, le chargement. *Fig.* Soulager : *décharger sa conscience.* Faire partir une arme à feu.
décharner v. tr. Oter les chairs. Amaigrir fortement.
déchaussage ou **déchaussement** n. m. Action de déchausser.
déchausser v. tr. Oter à quelqu'un sa chaussure. Dépouiller par le pied ou la base : *déchausser un arbre, une dent.*
déchéance n. f. Action de déchoir ou de faire déchoir. Chute, disgrâce.

déchet n. m. Perte dans l'emploi d'une matière. Résidu : *déchets de laine. Fig.* Diminution, altération.

déchiffrement n. m. Action de déchiffrer.

déchiffrer v. tr. Expliquer ce qui est écrit en chiffres : *déchiffrer une dépêche.* Lire ce qui est mal écrit. *Fig.* Démêler ce qui est obscur : *déchiffrer un caractère.* Lire et exécuter de la musique à première vue.

déchiffreur, euse n. Qui déchiffre.

déchiqueter v. tr. (Se conj. comme *jeter.*) Couper par taillades : *déchiqueter une peau.* Découper maladroitement.

déchirement n. m. Action de déchirer. *Fig. Déchirement d'entrailles,* coliques violentes. *Déchirement de cœur,* vive douleur. *Déchirements politiques,* troubles.

déchirer v. tr. Rompre, mettre en pièces. *Fig.* Causer une vive sensation : *déchirer les oreilles.* Tourmenter : *déchirer le cœur.* Diffamer : *déchirer un auteur.*

déchirure n. f. Rupture faite en déchirant. Division violente des tissus.

déchloruré, e adj. Sans sel (régime).

déchoir v. intr. (*Je déchois, tu déchois, il déchoit, nous déchoyons, vous déchoyez, ils déchoient.* Pas d'imparf. *Je déchus, nous déchûmes. Je décherrai, nous décherrons. Que je déchoie, que nous déchoyions. Que je déchusse, que nous déchussions.* Pas de part. prés. *Déchu, e.*) Tomber : *déchoir de son rang.* Etre affaibli par l'âge et, au *fig.,* diminuer, faiblir.

décidé*, e adj. Fixé. Net, déterminé. Résolu, ferme : *air décidé.*

décider v. tr. Fixer. Arrêter, décréter. Amener, déterminer à : *décider quelqu'un à partir.* V. intr. Disposer de : *décider de la paix.*

décigramme n. m. Dixième partie du gramme.

décilitre n. m. Dixième de litre.

décimal, e, aux adj. Qui procède par dix ou par puissances de dix. N. f. Chacun des chiffres qui entrent dans une fraction décimale.

décimer v. tr. Faire périr une personne sur dix (vx). *Fig.* Faire périr un grand nombre de personnes.

décimètre n. m. Dixième partie du mètre. Règle divisée en centimètres et millimètres.

décintrer v. tr. Oter les cintres.

décisif, ive adj. Qui décide : *bataille décisive.* Tranchant.

décision n. f. Action de décider. Résolution : *montrer de la décision.*

déclamation n. f. Art, action, manière de déclamer. Emploi d'expressions pompeuses. Discours banal et emphatique.

déclamatoire* adj. Plein de vaines déclamations : *style déclamatoire.*

déclamer v. tr. Réciter à haute voix, avec le ton et les gestes convenables. V. intr. Parler avec chaleur contre. Prononcer avec emphase.

déclaration n. f. Action de déclarer. Aveu, confession. Aveu d'amour.

déclarer v. tr. Désigner, dénoncer. Proclamer : *déclarer ses intentions.* Signifier par un acte formel : *déclarer la guerre.* V. pr. Se manifester : *maladie qui se déclare.* Prendre parti : *se déclarer pour quelqu'un.*

déclassé, e adj. et n. Déchu de sa position sociale, de son état.

déclassement n. m. Action de déclasser.

déclasser v. tr. Déranger des objets classés. Arracher à son milieu naturel. Rayer d'un classement : *un fort déclassé.*

déclenchement n. m. Action de déclencher.

déclencher v. tr. Mettre en mouvement.

déclic n. m. Ressort ou crochet, qui arrête le mouvement d'une machine.

déclin n. m. Action de décliner.

déclinable adj. Qui se décline.

déclinaison n. f. *Gramm.* Dans les langues à flexion, modification des désinences, suivant les genres, les nombres et les cas. *Astr.* Distance d'un astre à l'équateur céleste. Angle que l'aiguille aimantée fait avec le méridien géographique.

décliner v. intr. Pencher, être incliné. Pencher vers sa fin : *décliner avec l'âge.* V. tr. Ecarter, refuser : *décliner un honneur.* Dire, énoncer : *décliner son nom. Gramm.* Faire varier dans sa désinence suivant les genres, nombres et cas.

déclive adj. et n. f. Qui va en pente.

déclivité n. f. Etat de ce qui est déclive.

déclouer v. tr. Défaire ce qui était cloué.

décocher v. tr. Lancer (au *pr.* et au *fig.*).

décoction n. f. Action de faire bouillir des plantes dans un liquide. Le produit qui en résulte.

décoiffer v. tr. Défaire la coiffure; déranger les cheveux.

décolérer v. intr. Cesser d'être en colère (ne s'emploie que négativement).

décollement n. m. Action de décoller, de se décoller. *Chir.* Séparation anormale de tissus adhérents.

décoller v. tr. Détacher ce qui était collé. Quitter le sol (avion).

décolletage n. m. Action de mettre à nu le cou. Action de décolleter une robe. *Techn.* Travail des menues pièces (écrous, boulons, etc.) de cuivre ou de fer.

décolleter v. tr. (Se conj. comme *jeter.*) Découvrir le cou, la gorge, les épaules. Echancrer le haut d'un vêtement.

décolonisation n. f. Action de mettre fin à la situation d'un peuple colonisé.

décoloration n. f. Perte de la couleur.

décolorer v. tr. Effacer la couleur.

décombres n. m. pl. Débris d'un édifice démoli ou renversé.

décommander v. tr. Annuler une commande : *décommander un dîner.*

décomposer v. tr. Séparer en ses éléments : *décomposer l'eau.* Corrompre : *viande décomposée.*

décomposition n. f. Résolution d'un corps en ses principes. Désagrégation, putréfaction. *Fig.* Altération.

décompression n. f. Action de décomprimer.

décomprimer v. tr. Faire cesser ou diminuer la compression.

décompte n. m. Décomposition d'une somme à payer, en ses éléments de détail. Déduction sur un compte.

décompter v. tr. Rabattre d'une somme. V. intr. et au *fig.* Rabattre de l'opinion, de l'espoir qu'on avait.

déconcerter v. tr. Rompre les mesures prises par quelqu'un. Décontenancer.

déconfit, e adj. *Fam.* Décontenancé et embarrassé.

déconfiture n. f. Ruine, impossibilité de faire face à ses engagements.
décongeler v. tr. Ramener un corps congelé à son état ordinaire.
déconseiller v. tr. Conseiller de ne pas faire.
déconsidération n. f. Discrédit.
déconsidérer v. tr. Faire perdre la considération, l'estime.
décontenancer v. tr. (Se conj. comme *amorcer.*) Faire perdre contenance.
déconvenue n. f. Insuccès inattendu. Désappointement : *éprouver une déconvenue.*
décor n. m. Ce qui sert à décorer. *Par ext.* Apparences. Décoration de théâtre. Paysage naturel servant de fond.
décorateur, trice n. Qui confectionne des décors ou se charge de la décoration d'appartements, etc.
décoratif, ive* adj. Relatif, propre à la décoration : *arts décoratifs. Fam.* Qui a une belle prestance.
décoration n. f. Embellissement, ornement. Art du décorateur. Représentation du lieu où se passe l'action au théâtre. Signe distinctif d'un ordre de chevalerie.
décorer v. tr. Orner, parer. *Fig.* Rendre plus beau, plus éclatant. Conférer un titre, une décoration.
décorticage n. m. Action de décortiquer.
décortiquer v. tr. Enlever l'écorce.
décorum [*rom*] n. m. invar. Convenances : *garder le décorum.* Etiquette.
découcher v. intr. Coucher hors de son logis habituel.
découdre v. tr. (Se conj. comme *coudre.*) Défaire ce qui était cousu. Déchirer par une blessure. *Fig. En découdre,* en venir aux mains.
découler v. intr. Couler peu à peu. *Fig.* Dériver, résulter.
découpage n. m. Action de découper.
découper v. tr. Couper par morceaux et, le plus souvent, avec art. Tailler en suivant les contours d'un dessin. Echancrer. *Fig.* Profiler, dessiner.
découplé, e adj. Bien pris dans sa taille : *jeune homme bien découplé.*
découpler v. tr. Détacher des chiens attachés deux à deux.
découpure n. f. Action de découper. Taillade faite à de la toile, à du papier, pour ornements; la chose découpée. Dentelure d'une feuille.
découragement n. m. Perte de courage; abattement moral.
décourager v. tr. (Se conj. comme *manger.*) Abattre le courage. Oter l'envie de : *son échec l'a découragé d'écrire.*
découronner v. tr. Priver de couronne. Dépouiller un arbre des branches supérieures.
décousu, e adj. Dont la couture est défaite. Sans liaison. N. m. : *le décousu d'un discours.*
découvert, e adj. Non couvert. N. m. Avance de fonds faite par un banquier, etc. *Vendre à découvert,* vendre en Bourse des valeurs qu'on ne possède pas.
découverte n. f. Action de découvrir ce qui était inconnu. L'objet découvert : *découverte industrielle.*
découvrir v. tr. (Se conj. comme *couvrir.*) Oter ce qui couvrait. Trouver ce qui était inconnu, caché : *découvrir un trésor, un secret.* Commencer à apercevoir. Faire une découverte. V. pr. S'éclaircir (temps). Oter son chapeau.
décrassement ou **décrassage** n. m. Action de décrasser.
décrasser v. tr. Oter la crasse. *Fig.* Tirer d'un état misérable.
décréditer v. tr. V. DISCRÉDITER.
décrépir v. tr. Enlever le crépi.
décrépit, e adj. Vieux et cassé.
décrépitude n. f. Extrême vieillesse.
decrescendo adv. *Mus.* En diminuant progressivement l'intensité des sons.
décret n. m. Décision d'une autorité quelconque. Volonté. *Décret-loi,* acte de l'exécutif ayant la valeur d'une loi.
décréter v. tr. (Se conj. comme *accélérer.*) Ordonner par un décret.
décrier v. tr. (Se conj. comme *prier.*) Déprécier. Calomnier.
décrire v. tr. (Se conj. comme *écrire.*) Représenter, dépeindre par le discours. *Géom.* Tracer.
décrocher v. tr. Détacher un objet accroché. *Fig.* Atteindre, obtenir.
décrochez-moi-ça n. m. invar. *Pop.* Vêtement d'occasion. Friperie.
décroiser v. tr. Défaire ce qui était croisé : *décroiser les bras.*
décroissement n. m. ou **décroissance** n. f. Action de décroître.
décroître v. intr. (Se conj. comme *croître,* mais *décru* ne prend pas l'accent circonflexe.) Diminuer.
décrottage n. m. Action de décrotter.
décrotter v. tr. Oter la crotte de. *Fig.* Dépouiller de sa rusticité.
décrottoir n. m. Lame de fer ou boîte garnie de brosses, a l'entrée d'un appartement, d'une maison.
décrue n. f. Action de décroître, en parlant des eaux.
décubitus [*tuss*] n. m. Attitude du corps reposant sur un plan horizontal.
de cujus [*juss*] n. m. (loc. lat.). Personne de la succession de qui il s'agit.
déculotter v. tr. Oter la culotte.
décuple n. m. et adj. Dix fois aussi grand : *somme décuple.*
décupler v. tr. Rendre dix fois aussi grand. *Fig.* Augmenter sensiblement.
dédaigner v. tr. Traiter ou regarder avec dédain. Négliger.
dédaigneux, euse* adj. Qui a du dédain. Qui marque du dédain.
dédain n. m. Mépris : *air de dédain.*
dédale n. m. Labyrinthe, lieu où l'on s'égare. *Fig.* Chose obscure, embrouillée : *le dédale de la procédure.*
dedans adv. Dans l'intérieur. Loc. adv. : *Là-dedans,* dans ce lieu; *en dedans, au-dedans,* à l'intérieur. *Fam. Mettre dedans,* tromper. N. m. Partie intérieure d'une chose : *les dedans d'un édifice.*
dédicace n. f. Consécration d'une église. Hommage qu'un auteur fait de son livre à quelqu'un.
dédicacer v. tr. Pourvoir d'une dédicace : *dédicacer un livre.*
dédicatoire adj. Qui contient la dédicace. Qui relève de la dédicace.
dédier v. tr. (Se conj. comme *prier.*) Consacrer une église au culte divin. Faire hommage : *dédier une poésie.*

dédire v. pr. (Se conj. comme *dire*, excepté à la 2e personne du plur. de l'indic. prés. : *vous vous dédisez*, et de l'impérat. : *dédisez.*) Revenir sur ce qu'on a dit, ou sur ses engagements.

dédit n. m. Action de se dédire. Refus d'exécuter les clauses d'un contrat. Somme à payer en cas de dédit.

dédommagement n. m. Réparation d'un dommage. Compensation.

dédommager v. tr. (Se conj. comme *manger.*) Réparer un dommage. Donner une compensation.

dédorer v. tr. Oter la dorure.

dédouaner v. tr. Faire sortir de la douane en acquittant les droits.

dédoublement n. m. Action de dédoubler, de diviser en deux.

dédoubler v. tr. Partager en deux. Oter la doublure de. Doubler un train de chemin de fer.

déductif, ive adj. Qui déduit.

déduction n. f. Retranchement. Exposé détaillé et suivi. Conséquence.

déduire v. tr. (Se conj. comme *conduire.*) Soustraire d'une somme. Exposer en détail. Conclure, inférer.

déesse n. f. Divinité du sexe féminin. *Fig.* Femme d'un port très noble.

défaillance n. f. Manque, suppression. Affaiblissement. Défaut momentané d'énergie. Evanouissement.

défaillir v. intr. (Ne s'emploie qu'aux personnes et aux temps suivants : *je défaille, nous défaillons*, etc. *Je défaillais*, etc. *Je défaillis*, etc. *J'ai défailli*, etc./ et les autres temps composés. *Défaillir. Défaillant.*) Faire défaut. Perdre ses forces physiques et, au *fig.*, ses forces morales. S'évanouir.

défaire v. tr. (Se conj. comme *faire.*) Changer ou détruire ce qui est fait. Délivrer, débarrasser : *se défaire d'un importun. Fig.* Affaiblir, amaigrir. Vaincre : *l'ennemi fut complètement défait.*

défait, e adj. Pâle, amaigri.

défaite n. f. Action de se défaire; moyen de se défaire. *Fig.* Prétexte, échappatoire. Perte d'une bataille.

défaitisme n. m. Manque de confiance dans la victoire.

défaitiste adj. Relatif au défaitisme. N. Partisan du défaitisme.

défalcation n. f. Déduction.

défalquer v. tr. Déduire.

défausser v. pr. Se débarrasser de cartes.

défaut n. m. Manque. Imperfection physique ou morale. *Procéd.* Refus de comparaître en justice. Fin, endroit où se termine un objet. *Fig.* Lacune, point faible : *le défaut de la cuirasse.*

défaveur n. f. Perte de la faveur.

défavorable* adj. Non favorable.

défavoriser v. tr. Faire tort à : *défavoriser un héritier.*

défécation n. f. Expulsion des matières fécales.

défectif, ive adj. *Gramm.* Se dit d'un verbe qui n'a pas tous ses temps, tous ses modes ou toutes ses personnes.

défection n. f. Action d'abandonner son parti, etc. : *faire défection.*

défectueux, euse* adj. Imparfait.

défectuosité n. f. Etat défectueux.

défendeur, eresse n. Qui se défend en justice.

défendre v. tr. Protéger, soutenir. Garantir : *défendre du froid.* Interdire. Plaider en faveur de. *A son corps défendant* loc. adv. En se défendant; *fig.* A contrecœur.

défense n. f. Action de défendre. Résistance. *Procéd.* Moyens de justification d'un accusé. La partie qui se défend en justice. Dent saillante de l'éléphant, du sanglier, etc.

défenseur n. m. Qui défend, protège. Avocat. Qui soutient une opinion.

défensif, ive* adj. Fait pour la défense. N. f. Etat de défense.

déféquer v. tr. Opérer la défécation.

déférence n. f. Respect, égards.

déférent, e adj. Qui porte dehors : *canal déférent.* Respectueux : *ton déférent.*

déférer v. tr. (Se conj. comme *accélérer.*) Décerner. Accorder par égard. Attribuer à une juridiction : *déférer à un tribunal.* Dénoncer à une autorité : *déférer en justice.* V. intr. Céder : *déférer à un ordre.*

déferler v. tr. *Mar.* Déployer les voiles. V. intr. Se dit des vagues qui se déroulent et se brisent avec bruit.

déferrer v. tr. Oter le fer fixé à un objet.

défi n. m. Provocation. *Mettre quelqu'un au défi*, le provoquer.

défiance n. f. Crainte d'être trompé.

défiant, e adj. Soupçonneux.

déficeler v. tr. (Se conj. comme *amonceler.*) Enlever la ficelle d'un paquet, etc.

déficient, e adj. Insuffisant.

déficit [*sit'*] n. m. Ce qui manque en général. Excédent des dépenses sur les recettes. Pl. des *déficits.*

déficitaire adj. En déficit.

défier v. tr. (Se conj. comme *prier.*) Provoquer. *Fig.* Braver, affronter : *défier la mort.* V. pr. Se méfier.

défigurer v. tr. Gâter la figure. Rendre difforme. *Fig.* Altérer.

défilé n. m. Passage étroit, resserré. Marche des troupes qui défilent.

défilement n. m. Art de régler le relief des ouvrages de fortification ou le cheminement d'une troupe en marche, pour garantir de l'ennemi.

défiler v. tr. Oter le fil passé. Pratiquer un défilement. V. pr. *Fam.* S'esquiver. V. intr. Marcher en rang devant un chef.

défini, e adj. Expliqué, déterminé. *Gramm. Article défini*, celui qui ne s'emploie qu'avec un nom désignant un objet individuellement déterminé.

définir v. tr. Fixer, déterminer.

définitif, ive* adj. Qui termine; sur quoi on ne peut revenir. *En définitive* loc. adv. Après tout.

définition n. f. Enonciation des qualités propres d'un objet.

déflagration n. f. Combustion soudaine et complète d'un corps.

déflagrer v. intr. S'enflammer avec explosion et fracas.

déflation n. f. Diminution d'un courant aérien. Réduction du papier-monnaie en circulation.

défleurir v. intr. Perdre ses fleurs. V. tr. Faire tomber la fleur. *Fig.* Enlever le charme, la fraîcheur.

défloraison ou **défleuraison** n. f. Chute naturelle des fleurs.
déflorer v. tr. Enlever la fleur, la nouveauté d'une chose : *déflorer un sujet*. Oter la virginité d'une jeune fille.
défonçage ou **défoncement** n. m. Action de défoncer.
défoncer v. tr. (Se conj. comme *amorcer*.) Oter le fond de. Effondrer. Labourer profondément.
déformation n. f. Altération de la forme d'une chose.
déformer v. tr. Altérer la forme.
défourner v. tr. Tirer du four.
défraîchir v. tr. Enlever la fraîcheur.
défrayer v. tr. (Se conj. comme *balayer*.) Payer la dépense de quelqu'un. *Défrayer la conversation*, l'entretenir.
défrichement ou **défrichage** n. m. Action de défricher.
défricher v. tr. Rendre propre à la culture. *Fig.* Eclaircir, débrouiller.
défricheur n. m. Qui défriche.
défriser v. tr. Défaire la frisure. *Fig.* et *fam.* Désappointer.
défroque n. f. Vêtement qu'on délaisse.
défroquer (se) v. pr. Quitter le froc, l'habit religieux.
défunt, e adj. et n. Qui est mort.
dégagé, e adj. Libre, aisé.
dégagement n. m. Action de dégager. Sortie : *couloir de dégagement*.
dégager v. tr. (Se conj. comme *manger*.) Retirer ce qui avait été donné comme gage, et, au *fig.*, délivrer, libérer. Faire sortir d'une position critique. Débarrasser des obstacles : *dégager le passage*. Produire une émanation : *dégager une odeur*. V. pr. Se rendre libre.
dégaine n. f. Action de dégainer. *Fam.* Attitude, démarche ridicule.
dégainer v. tr. Tirer de la gaine. V. intr. Tirer l'épée pour se battre.
déganter v. tr. Retirer les gants.
dégarnir v. tr. Oter ce qui garnit.
dégât n. m. Dommage, destruction.
dégauchir v. tr. Aplanir la surface d'une pierre, d'une charpente.
dégel n. m. Fonte naturelle de la glace, de la neige.
dégeler v. tr. (Se conj. comme *geler*.) Faire fondre ce qui était gelé. V. intr. Cesser d'être gelé.
dégénération n. f. Action de dégénérer. Son résultat.
dégénérer v. intr. (Se conj. comme *accélérer*.) S'abâtardir. Perdre de son mérite. Se transformer en quelque chose de pire.
dégénérescence n. f. Changement par lequel une chose dégénère.
dégermer v. tr. Enlever le germe.
dégingander (se) v. pr. Donner comme un air disloqué à sa démarche.
dégivrer v. tr. Oter le givre qui se forme sur les ailes d'un avion.
déglutir v. tr. Avaler, ingurgiter.
déglutition n. f. Action de déglutir.
dégoiser v. tr. et intr. *Pop.* Dire, parler avec volubilité.
dégommer v. tr. Oter la gomme. *Fam.* Retirer son poste à quelqu'un.
dégonflement n. m. Action de dégonfler.
dégonfler v. tr. Oter le gonflement.
dégorgement n. m. Action de dégorger.
dégorger v. tr. (Se conj. comme *manger*.) Rendre par la gorge, vomir. Faire rendre la nourriture à. Rendre, restituer. *Par ext.* Déverser. V. intr. Déborder.
dégouliner v. intr. Couler peu à peu.
dégourdi, e adj. et n. Adroit, avisé.
dégourdir v. tr. Faire cesser l'engourdissement de. Chauffer légèrement. *Fig.* Débarrasser de sa gaucherie.
dégourdissement n. m. Action de dégourdir. Son résultat.
dégoût n. m. Manque d'appétit, répugnance pour un aliment. *Fig.* Aversion. Amertume, déplaisir.
dégoûté, e adj. et n. Qui éprouve du dégoût. Qui est délicat, difficile.
dégoûter v. tr. Oter l'appétit, faire perdre le goût. Inspirer de la répugnance; détourner de : *dégoûter de l'étude*. Fatiguer, ennuyer.
dégoutter v. intr. Tomber ou laisser tomber goutte à goutte.
dégradation n. f. Destitution ignominieuse d'un grade. *Dégradation civique*, peine qui enlève au citoyen ses droits politiques, certains droits civils, etc. Dégât. *Peint.* Changement insensible : *dégradation des couleurs*. *Fig.* Etat de ce qui empire.
dégrader v. tr. Dépouiller quelqu'un de son grade. *Fig.* Avilir. *Par ext.* Endommager, détériorer. *Peint.* Affaiblir insensiblement les couleurs.
dégrafer v. tr. Détacher une chose qui est agrafée : *dégrafer une robe*.
dégraissage n. m. Action de dégraisser.
dégraisser v. tr. Oter l'excédent de graisse. Oter les taches de graisse.
dégraisseur, euse n. Qui fait métier de dégraisser les étoffes.
degré n. m. Chaque marche d'un escalier. Division : *degré du thermomètre*. *Fig.* Situation considérée par rapport à une série d'autres : *degré hiérarchique*. Série d'échelons; moyen mis en œuvre pour : *arriver par degrés*. *Géom.* Chacune des 360 parties de la circonférence. *Par degrés*, loc. adv. Progressivement.
dégressif, ive adj. Qui va en diminuant : *impôt dégressif*.
dégrèvement n. m. Action de dégrever : *solliciter un dégrèvement*.
dégrever v. tr. (Se conj. comme *achever*.) Décharger d'un impôt.
dégringolade n. f. *Fam.* Action de dégringoler. Son résultat.
dégringoler v. intr. *Fam.* Rouler précipitamment du haut en bas. *Fig.* Déchoir rapidement. V. tr. Descendre précipitamment : *dégringoler l'escalier*.
dégrisement n. m. Action de dégriser (au *pr.* et au *fig.*).
dégriser v. tr. Faire cesser d'être gris et, *fig.*, d'être grisé.
dégrossir v. tr. Faire une première ébauche. Rendre moins grossier.
dégrossissage ou **dégrossissement** n. m. Action de dégrossir.
déguenillé, e adj. et n. Dont les vêtements sont en lambeaux.
déguerpir v. intr. Quitter un lieu par force.
déguisement n. m. Etat d'une personne déguisée. Ce qui sert à déguiser. *Fig.* Dissimulation : *parler sans déguisement*.

déguiser v. tr. Travestir. Modifier, changer : *déguiser le goût d'une drogue. Fig.* Revêtir d'apparences trompeuses. Dénaturer : *déguiser ses sentiments.*
dégustateur, trice adj. et n. Qui déguste les vins, les liqueurs.
dégustation n. f. Essai d'une liqueur.
déguster v. tr. Goûter une liqueur. Savourer, en parlant des aliments.
déhanchement n. m. Action de se déhancher. Manière de marcher, molle et abandonnée.
déhancher v. tr. Démettre, rompre les hanches. *Fig.* Disloquer. V. pr. Se dandiner avec affectation.
déharnacher v. tr. Oter le harnais.
dehors adv. Hors d'un lieu. N. m. La partie extérieure. Pl. *Fig.* Apparences : *dehors trompeurs.* Loc. adv. : *Au-dehors,* à l'extérieur; *du* (ou *de*) *dehors,* de l'extérieur; *en dehors,* hors de la partie intérieure.
déicide adj. et n. Qui est meurtrier de Dieu, c'est-à-dire du Christ.
déification n. f. Action de déifier.
déifier v. tr. Diviniser.
déisme n. m. Système de ceux qui croient en Dieu, mais rejettent toute révélation.
déiste n. Qui professe le déisme.
déité n. f. Divinité de la Fable.
déjà adv. Dès ce moment; auparavant.
déjection n. f. Evacuation des excréments. Pl. Matières évacuées. Matières que rejettent les volcans, les torrents.
déjeter v. tr. (Se conj. comme *jeter.*) Courber, gauchir.
déjeuner n. m. Repas du matin (*petit déjeuner*) ou de midi. Petit plateau garni de tasses, etc. *Déjeuner de soleil,* chose agréable, mais qui dure peu.
déjeuner v. intr. Faire le repas du matin ou de midi.
déjouer v. tr. Faire échouer : *déjouer un complot, une ruse.*
déjuger (se) v. pr. Revenir sur un jugement qu'on avait porté.
delà prép. De l'autre côté (est toujours précédé des mots *au, par*). Loc. adv. : *Par-delà,* de l'autre côté; *au-delà,* plus loin que ce lieu-là. Loc. prépos. *Au-delà de,* plus loin que. *Fig.* Au-dessus de : *au-delà de mes moyens.* N. m. *L'au-delà,* l'autre monde, la vie future.
délabrement n. m. Etat de ruine. *Fig.* Dépérissement : *délabrement de la santé.*
délabrer v. tr. Mettre en mauvais état. *Fig.* Détériorer; mettre à mal.
délacer v. tr. Défaire le lacet d'un corset, d'un soulier, etc.
délai n. m. Temps accordé pour faire une chose : *obtenir un délai.* Remise, retardement : *sans délai.*
délaissement n. m. Action de délaisser.
délaisser v. tr. Abandonner. Laisser sans secours. *Procéd.* Abandonner un bien, un droit, une action engagée.
délassement n. m. Ce qui délasse.
délasser v. tr. Reposer.
délateur, trice n. et adj. Qui fait métier de dénoncer.
délation n. f. Dénonciation secrète.
délaver v. tr. Affaiblir avec de l'eau une couleur. Mouiller, détremper.
délayage n. m. Action de délayer. Substance délayée.
délayer v. tr. (Se conj. comme *balayer.*) Dissocier dans un liquide : *délayer une couleur. Fig.* Exprimer sa pensée d'une manière diffuse.
deleatur n. m. invar. Signe de correction typographique, indiquant une suppression à faire sur une épreuve.
délectable adj. Qui délecte.
délectation n. f. Plaisir savouré.
délecter v. tr. Charmer, réjouir.
délégation n. f. Action de déléguer. Groupe de personnes mandatées.
délégué, e n. Représentant.
déléguer v. tr. Envoyer quelqu'un avec pouvoir d'agir. Transmettre par délégation : *déléguer des droits.*
délester v. tr. Oter le lest. Suspendre provisoirement le courant électrique.
délétère adj. Qui attaque la santé, la vie. *Fig.* Qui corrompt.
délibératif, ive adj. Qui délibère.
délibération n. f. Action de délibérer. *Fig.* Examen, discussion.
délibéré*, e adj. Aisé, libre, déterminé. *De propos délibéré,* à dessein, exprès. N. m. Délibération à huis clos entre juges.
délibérer v. intr. (Se conj. comme *accélérer.*) Examiner, consulter ensemble. Peser, examiner. V. tr. Mettre en délibération.
délicat, e* adj. Agréable, plaisant, exquis. Fait ou dit avec soin, légèreté, ingéniosité. Fin, délié, ténu : *ouvrage délicat.* Frêle, faible. Embarrassant : *cas délicat.* Fin : *goût délicat.* Très sensible : *conscience délicate.* N. Personne difficile.
délicatesse n. f. Qualité de ce qui est délicat : *agir avec délicatesse.*
délice n. m. Très vif plaisir. N. f. pl. Plaisir extrême, raffiné.
délicieux, euse* adj. Extrêmement agréable : *goût délicieux.*
délictueux, euse adj. Qui a le caractère du délit : *fait délictueux.*
délié, e adj. Grêle, mince, menu. *Fig.* Subtil, pénétrant. N. m. Partie fine des lettres d'écriture.
délier v. tr. (Se conj. comme *prier.*) Défaire ce qui est lié. *Fig.* Dégager : *délier d'un engagement.*
délimitation n. f. Action de délimiter.
délimiter v. tr. Fixer des limites.
délinquant, e n. m. Qui a commis un délit : *punir un délinquant.*
déliquescence [*ku-ès*] n. f. Propriété des corps qui sont déliquescents. *Fig.* Décadence.
déliquescent, e adj. Qui a la propriété d'attirer l'humidité de l'air.
délirant, e adj. Qui est en délire (au *pr.* et au *fig.*). Qui fait délirer. *Fig.* et *fam.* Enivrant, délicieux.
délire n. m. Egarement causé par la fièvre, par une maladie. *Fig.* Grande agitation de l'âme causée par les passions. Enthousiasme, transports.
délirer v. intr. Avoir le délire.
delirium tremens [*ryom, tré-minss*] n. m. Délire avec agitation et tremblement.
délit n. m. Violation de la loi, celle surtout qui est punie de peines correction-

nelles : *délit de chasse. Le corps du délit,* ce qui sert à le constater. *Prendre en flagrant délit,* sur le fait.
déliter v. tr. Diviser une pierre dans le sens des stratifications.
délivrance n. f. Action de délivrer.
délivrer v. tr. Mettre en liberté. Débarrasser de. Livrer, remettre : *délivrer un reçu.* Accoucher.
déloger v. intr. (Se conj. comme *manger.*) Sortir d'un logement. Quitter un lieu. V. tr. Faire quitter une place.
déloyal, e*, aux adj. Non loyal.
déloyauté n. f. Manque de loyauté.
delta n. m. Ile triangulaire, formée par les embouchures d'un fleuve : *le delta du Rhône.* Forme triangulaire de la voilure de certains avions.
déluge n. m. Le débordement universel des eaux, d'après la Bible. Très grande inondation. Pluie torrentielle. *Fig.* Grande quantité : *un déluge d'injures.*
déluré, e adj. Vif, dégourdi.
délustrer v. tr. Oter le lustre; décatir.
démagogie n. f. Politique qui flatte la multitude.
démagogique adj. Propre à la démagogie : *discours démagogique.*
démagogue n. m. Qui fait de la démagogie.
démailler v. tr. Défaire les mailles.
démailloter v. tr. Oter du maillot.
demain adv. Le jour qui suit immédiatement celui où l'on est.
démancher v. tr. Oter le manche d'un instrument. *Fig.* Désunir.
demande n. f. Action de demander. Ecrit qui contient une requête. Question. Démarche par laquelle on demande une fille en mariage. *Comm.* Commande. *Econ.* Somme des produits ou des services demandés : *l'offre et la demande.*
demander v. tr. Solliciter quelque chose de quelqu'un. Exprimer le désir, le besoin. Avoir besoin de : *la terre demande de la pluie.* Exiger. S'enquérir de : *demander sa route.* Faire une demande pour obtenir en mariage.
demandeur, eresse n. *Dr.* Qui forme une demande en justice.
démangeaison n. f. Picotement à la peau. *Fig.* Désir cuisant.
démanger v. intr. (Se conj. comme *manger.*) Causer une démangeaison.
démantèlement n. m. Action de démanteler une place, une ville.
démanteler v. tr. Démolir les murailles de.
démantibuler v. tr. Rompre ou démettre la mâchoire. *Par ext.* Démolir : *démantibuler un meuble.*
démaquiller v. tr. Oter le maquillage.
démarcation n. f. Action de limiter. *Fig.* Ce qui sépare les droits, les attributions de deux pouvoirs.
démarche n. f. Marche; allure. *Fig.* Tentative, conduite, procédés.
démarcheur n. m. Qui fait des démarches auprès des clients.
démarquage n. m. Action de démarquer; son résultat.
démarquer v. tr. Oter la marque de. Solder. Imiter une œuvre littéraire, un dessin, en les modifiant un peu.
démarrage n. m. Action de démarrer.
démarrer v. tr. *Mar.* Détacher les amarres d'un bâtiment. V. int. Partir : *auto qui démarre. Fig.* et *pop.* Quitter une place, un lieu : *il ne démarre plus d'ici.*
démarreur n. m. Appareil servant à la mise en marche d'un moteur.
démasquer v. tr. Enlever le masque. *Fig. Démasquer quelqu'un,* le faire connaître tel qu'il est. *Démasquer ses batteries,* faire voir ses projets.
démâter v. tr. Abattre ou rompre les mâts. V. intr. Perdre sa mâture.
démêlé n. m. Débat, querelle.
démêler v. tr. Séparer ce qui est mêlé. *Fig.* Débrouiller, éclaircir. Discerner : *démêler une intrigue, le vrai du faux.* V. pr. Se peigner les cheveux.
démêloir n. m. Peigne pour démêler les cheveux.
démêlures n. f. pl. Cheveux qui tombent pendant qu'on se démêle.
démembrement n. m. Partage.
démembrer v. tr. Couper, séparer les membres d'un corps. *Fig.* Partager, diviser : *démembrer un pays.*
déménagement n. m. Action de déménager.
déménager v. tr. (Se conj. comme *manger.*) Transporter des meubles d'une maison dans une autre. V. intr. Changer de logement. *Fam.* Déraisonner.
déménageur n. m. Qui fait les déménagements des autres.
démence n. f. Aliénation totale d'esprit. Conduite dépourvue de raison.
démener (se) v. pr. (Se conj. comme *mener.*) S'agiter vivement.
dément, e adj. et n. Fou, aliéné.
démenti n. m. Dénégation.
démentir v. tr. (Se conj. comme *mentir.*) Nier l'évidence d'un fait. Etre en contradiction avec.
démérite n. m. Action de démériter.
démériter v. intr. Agir de manière à perdre l'affection, l'estime, etc.
démesuré*, e adj. Excessif.
démettre v. tr. (Se conj. comme *mettre.*) Disloquer, ôter de sa place naturelle. *Procéd.* Débouter. V. pr. Se défaire d'un emploi.
demeurant, e adj. Qui demeure. *Au demeurant* loc. adv. Au reste.
demeure n. f. Action de tarder, retard (vx) : *il y a péril en la demeure. Dr. Mettre en demeure de,* Sommer, signifier. Habitation, domicile. Durée d'un séjour. *A demeure* loc. adv. D'une manière stable.
demeurer v. intr. Rester, s'arrêter. Habiter : *demeurer à Paris. Fig.* Rester, persister : *cela demeure imprécis.*
demi, e adj. Qui est l'exacte moitié d'un tout. N. m. Moitié d'une unité. Verre de bière, de la valeur théorique d'un demi-litre. N. f. Demi-unité. Signif. aussi *demi-heure.*
demi-cercle n. m. La moitié d'un cercle. Pl. des *demi-cercles.*
demi-frère n. m. Frère de père ou de mère seulement. Pl. des *demi-frères.*
demi-gros n. m. invar. Commerce qui tient le milieu entre le gros et le détail.
demi-heure n. f. Moitié d'une heure. Pl. des *demi-heures.*
démilitarisé, e adj. Privé de caractère militaire, de troupes, etc.

demi-mal n. m. Inconvénient moins grave que celui qu'on redoutait. Pl. des *demi-maux.*
demi-mesure n. f. Moitié d'une mesure. *Fig.* Moyen insuffisant. Pl. des *demi-mesures.*
demi-mort, e adj. Mort à demi.
demi-mot (à) loc. adv. Sans qu'il soit nécessaire de tout dire.
déminer v. tr. Retirer les mines.
déminéralisation n. f. Elimination excessive des sels minéraux.
déminéraliser v. tr. Faire perdre ses sels minéraux.
demi-pensionnaire n. Qui déjeune à la pension, assiste aux études, mais couche dans sa famille. Pl. des *demi-pensionnaires.*
demi-reliure n. f. Reliure dans laquelle le dos seul est en peau. Pl. des *demi-reliures.*
demi-saison n. f. Entre l'été et l'hiver : *étoffe de demi-saison.*
demi-sœur n. f. Sœur de père ou de mère seulement. Pl. des *demi-sœurs.*
demi-solde n. f. Appointements réduits d'un militaire en non-activité. (Pl. des *demi-soldes.*) N. m. invar. Officier en demi-solde.
démission n. f. Acte par lequel on se démet d'une charge, d'un emploi.
démissionnaire adj. et n. Qui a donné sa démission : *officier démissionnaire.*
démissionner v. intr. Se démettre.
demi-teinte n. f. Teinte entre le clair et le foncé. Pl. des *demi-teintes.*
demi-ton n. m. *Mus.* Intervalle qui est la moitié d'un ton. Pl. des *demi-tons.*
demi-tour n. m. Moitié d'un tour. Pl. des *demi-tours.*
démobilisation n. f. Action de démobiliser.
démobiliser v. tr. Renvoyer dans leur foyer les troupes mobilisées.
démocrate adj. et n. Attaché aux principes de la démocratie.
démocratie n. f. Gouvernement du peuple par lui-même. Le peuple.
démocratique* adj. Qui appartient à la démocratie : *parti démocratique.*
démocratisation n. f. Action de démocratiser.
démocratiser v. tr. Rendre démocratique, populaire : *démocratiser les sports.*
démoder v. tr. Mettre hors de la mode.
démographie n. f. Etude statistique des collectivités humaines.
démographique adj. Relatif à la démographie.
demoiselle n. f. Autref., femme ou fille nobles; puis bourgeoise mariée. Auj., fille non mariée. *Demoiselle d'honneur,* jeune fille qui accompagne la mariée. Nom vulgaire de la libellule. Hie.
démolir v. tr. Abattre, détruire.
démolisseur, euse n. Personne qui démolit. *Fig.* Destructeur.
démolition n. f. Action de démolir. Pl. Matériaux qui en proviennent.
démon n. m. *Antiq.* Génie bon ou mauvais, attaché à la destinée d'un homme. Ange déchu, diable. *Fig.* Personne méchante. Enfant espiègle.
démonétisation n. f. Action de démonétiser.
démonétiser v. tr. Dépouiller une monnaie de sa valeur légale.
démoniaque adj. et n. Inspiré du démon. Possédé du démon.
démonstrateur n. m. Qui démontre.
démonstratif, ive adj. Qui démontre. Qui fait des démonstrations d'amitié, de zèle. *Gramm. Adjectif démonstratif,* qui détermine le nom. *Pronom démonstratif,* qui montre la personne ou la chose dont on parle.
démonstration n. f. Raisonnement par lequel on établit la vérité d'une proposition. Leçon donnée en s'aidant d'un objet matériel. Marque : *démonstration d'amitié.*
démontable adj. Qui se démonte.
démontage n. m. Action de démonter.
démonter v. tr. Jeter à bas de sa monture. Mettre à pied. Désassembler les parties d'un tout. *Fig.* Déconcerter, troubler. *Mer démontée,* très agitée.
démontrer v. tr. Prouver.
démoralisateur, trice adj. et n. Qui démoralise : *propagande démoralisatrice.*
démoralisation n. f. Action de démoraliser. Découragement.
démoraliser v. tr. Corrompre, rendre immoral. Décourager, désorienter.
démordre v. intr. Se dédire, se désister : *ne pas démordre d'une opinion.* (S'emploie toujours négativement.)
démoucheter v. tr. (Se conj. comme *jeter.*) Oter le bouton d'un fleuret.
démoulage n. m. Sortie du moule.
démouler v. tr. Retirer du moule.
démunir v. tr. Enlever les munitions de (vx). Dépouiller, désapprovisionner de.
démuseler v. tr. (Se conj. comme *amonceler.*) Oter la muselière d'un animal, etc. *Fig.* Déchaîner.
dénationaliser v. tr. Faire perdre le caractère national. Rendre à l'industrie privée.
dénaturaliser v. tr. Priver du droit de naturalisation.
dénaturation n. f. Action de dénaturer.
dénaturer v. tr. Changer la nature d'une chose. Ajouter à un produit comestible une substance qui le rend impropre à la consommation. *Fig.* Donner une fausse apparence : *dénaturer un acte.* Gâter les sentiments naturels.
dénégation n. f. Action de dénier.
déni n. m. Refus d'une chose due : *déni de justice.*
déniaiser v. tr. Rendre moins niais.
dénicher v. tr. Oter du nid. *Fig.* Découvrir : *dénicher un voleur.*
denier n. m. Anc. monnaie française, douzième partie d'un sou. *Denier de Saint-Pierre,* offrande volontaire faite au pape par les fidèles. *Denier à Dieu,* gratification donnée au concierge d'une maison qu'on loue. Pl. *Deniers publics,* revenus de l'Etat.
dénier v. tr. (Se conj. comme *prier.*) Nier. Refuser; ne plus accorder.
dénigrement n. m. Action de dénigrer.
dénigrer v. tr. Discréditer, décrier : *les envieux ne cessent de tout dénigrer.*
déniveler v. tr. Détruire le niveau.
dénivellation n. f. Action de déniveler. Son résultat. Différence de niveau.
dénombrement n. m. Recensement.
dénombrer v. tr. Compter, recenser.

dénominateur n. m. Terme d'une fraction, qui marque en combien de parties l'unité a été divisée.
dénominatif, ive adj. Qui nomme.
dénomination n. f. Désignation d'une personne ou d'une chose par un nom.
dénommer v. tr. Indiquer, nommer.
dénoncer v. tr. (Se conj. comme *amorcer.*) Signaler. Déférer à la justice. *Dénoncer un traité,* l'annuler.
dénonciateur, trice n. et adj. Qui dénonce à la justice, à l'autorité.
dénonciation n. f. Accusation, délation.
dénoter v. tr. Indiquer, marquer.
dénouement n. m. Action de dénouer. *Fig.* Ce qui termine : *un heureux dénouement.* Solution d'une affaire. Point où se dénoue une intrigue dramatique.
dénouer v. tr. Défaire un nœud. Détacher ce qui était noué. *Fig.* Rompre. Terminer, démêler.
denrée n. f. Marchandise destinée à la consommation : *denrée coloniale.*
dense adj. Compact, lourd.
densimètre n. m. Appareil pour déterminer la densité des corps.
densité n. f. Qualité de ce qui est dense. Rapport du poids d'un certain volume d'un corps déterminé à celui du même volume d'eau.
dent n. f. Chacun des petits os enchâssés dans la mâchoire. Défense d'éléphant. *Dents de lait,* les dents du premier âge. *Dents de sagesse,* les quatre dernières. Découpure saillante : *dent d'une roue.*
dentaire adj. Relatif aux dents.
dental, e adj. Se dit des consonnes (*d, t*) qui se prononcent en claquant la langue contre les dents.
dentelé, e adj. Taillé en forme de dents. N. m. Nom de divers muscles.
denteler v. tr. (Se conj. comme *amonceler.*) Faire des dents.
dentelle n. f. Tissu léger et à jour, fait avec du fil, de la soie, etc.
dentellerie n. f. Fabrication, commerce de dentelle.
dentellier, ère adj. Qui concerne la dentelle. N. Qui fabrique la dentelle.
dentelure n. f. Ouvrage d'architecture dentelé. Découpure en dents.
denter v. tr. Munir de dents.
dentier n. m. Rang de dents artificielles.
dentifrice n. m. et adj. Composition pour nettoyer les dents.
dentiste n. m. Chirurgien qui s'occupe des soins dentaires.
dentition n. f. Formation et sortie naturelle des dents.
denture n. f. Ensemble des dents.
dénudation n. f. Etat de ce qui est dénudé.
dénuder v. tr. Mettre à nu.
dénuement n. m. Manque des choses nécessaires : *être dans le dénuement.*
dénuer v. tr. Priver. Dépouiller des choses nécessaires.
dénutrition n. f. Etat d'un tissu vivant où la désassimilation l'emporte sur l'assimilation.
dépailler v. tr. Dégarnir de sa paille.
dépannage n. m. Remise en état d'une automobile en panne.
dépanner v. tr. Réparer une panne.
dépanneur adj. et n. m. Ouvrier mécanicien qui répare les autos.
dépaqueter v. tr. (Se conj. comme *jeter.*) Défaire un paquet.
dépareiller v. tr. Oter l'une des choses qui allaient ensemble. Rendre incomplète une collection.
déparer v. tr. Priver de ce qui pare. Nuire au bon effet de : *déparer une collection.*
déparier v. tr. Oter l'une des deux choses qui font la paire.
déparler v. intr. *Fam.* Cesser de parler : *il ne déparle pas.*
départ n. m. Action de partir. Action de séparer : *le départ des taxes.*
départager v. tr. Faire cesser le partage en nombre égal des voix.
département n. m. Division du territoire français, administrée par un préfet. Partie de l'administration de l'Etat attribuée à chacun des ministres : *le département de la Marine.* Pl. La province.
départemental, e, aux adj. Relatif au département.
départir v. tr. (Se conj. comme *partir.*) Distribuer. V. pr. Se désister.
dépassant n. m. Ornement qui dépasse.
dépassement n. m. Action de dépasser : *dépassement de crédits.*
dépasser v. tr. Aller au-delà. Devancer. Dépasser l'alignement. Etre supérieur : *cela dépasse mes forces.*
dépavage n. m. Action de dépaver.
dépaver v. tr. Oter le pavé.
dépayser v. tr. Faire changer de pays, de milieu. *Fig.* Dérouter : *être tout dépaysé.*
dépècement ou **dépeçage** n. m. Action de dépecer : *le dépècement d'un bœuf.*
dépecer v. tr. (Se conj. comme *acheter,* d'une part, et *amorcer,* de l'autre.) Mettre en pièces.
dépêche n. f. Lettre concernant les affaires publiques. Avis, communication faite par une voie quelconque, notamment par le télégraphe.
dépêcher v. tr. Faire promptement. Envoyer en toute diligence. En finir rapidement avec. Tuer. V. pr. Se hâter.
dépeigner v. tr. Défaire la coiffure.
dépeindre v. tr. (Se conj. comme *craindre.*) Décrire, représenter.
dépenaillé, e adj. En lambeaux.
dépendance n. f. Action de dépendre de : *être sous la dépendance de quelqu'un.* Chose qui dépend d'une autre. Pl. Tout ce qui dépend d'une maison, d'un héritage.
dépendre v. tr. Détacher ce qui était pendu : *dépendre une enseigne.*
dépendre v. intr. Etre sous l'autorité de : *dépendre d'un patron.* Provenir : *l'effet dépend de la cause.*
dépens n. m. pl. Frais de justice. *Aux dépens de,* loc. prép. A la charge de. *Fig.* Au détriment.
dépense n. f. Emploi d'argent. Endroit où l'on dépose les provisions.
dépenser v. tr. Employer de l'argent à. *Fig.* Consommer, prodiguer.
dépensier, ère adj. et n. Qui aime la dépense : *femme dépensière.*
déperdition n. f. Perte, diminution.
dépérir v. intr. S'affaiblir : *sa santé dépérit.*
dépérissement n. m. Etat de ce qui dépérit.
dépêtrer v. tr. Débarrasser les pieds empêtrés. V. pr. Se tirer de.

dépeuplement n. m. Action de dépeupler; état de ce qui est dépeuplé.
dépeupler v. tr. Dégarnir d'habitants. Dégarnir, dépouiller.
dépister v. tr. *Chass.* Découvrir le gibier à la piste. *Fig.* Découvrir : *dépister un voleur, une fraude.*
dépit n. m. Révolte d'amour-propre, colère. *En dépit de,* loc. prép. Malgré.
dépiter v. tr. Causer du dépit.
déplacé, e adj. Inconvenant.
déplacement n. m. Action de déplacer, de se déplacer. Volume d'eau déplacé par un navire.
déplacer v. tr. (Se conj. comme *amorcer.*) Changer une chose de place. Changer un fonctionnaire de résidence. *Fig.* Donner une autre direction. Avoir un déplacement de : *déplacer 500 tonneaux.*
déplaire v. intr. (Se conj. comme *plaire.*) Ne pas plaire; fâcher, offenser. *Impers. : il me déplaît de.* V. pr. Ne pas se trouver bien dans un lieu.
déplaisir n. m. Mécontentement.
déplanter v. tr. Arracher pour planter ailleurs : *déplanter des choux.*
dépliant n. m. Document que l'on doit déplier pour l'examiner.
déplier v. tr. (Se conj. comme *prier.*) Etendre une chose qui était pliée.
déplisser v. tr. Défaire les plis.
déploiement n. m. Action de déployer. Son résultat.
déplorable* adj. Qui mérite d'être déploré. Digne de pitié. Très mauvais.
déplorer v. tr. Plaindre avec compassion. Trouver mauvais; regretter.
déployer v. tr. (Se conj. comme *aboyer.*) Développer ce qui était ployé. *Partic.* Faire passer de l'ordre de marche à l'ordre de bataille. Manifester : *déployer de l'astuce. Rire à gorge déployée,* aux éclats.
déplumer v. tr. Oter les plumes.
dépoétiser v. tr. Oter la poésie.
dépolir v. tr. Oter l'éclat, le poli.
dépopulation n. f. Action de dépeupler. Son résultat.
déportation n. f. Exil dans un lieu.
déportements n. m. pl. Débauches.
déporter v. tr. Condamner à la déportation. V. pr. Etre déplacé latéralement (auto). Dévier de sa direction (avion).
déposant, e adj. et n. Qui fait une déposition devant le juge. Qui dépose de l'argent dans une caisse.
dépose n. f. Action d'enlever ce qui était posé : *dépose de rideaux.*
déposer v. tr. Poser une chose que l'on portait. Mettre en dépôt : *déposer des fonds.* Donner en garantie : *déposer des titres. Fig.* Destituer. Renoncer à. *Déposer son bilan,* faire faillite. V. intr. Faire une déposition en justice.
dépositaire n. Qui reçoit un dépôt.
déposition n. f. Action de déposer. Ce dont un témoin dépose en justice.
déposséder v. tr. (Se conj. comme *accélérer.*) Oter la possession : *déposséder un propriétaire.*
dépôt n. m. Action de déposer. Chose déposée : *dépôt de titres.* Matières solides qu'abandonne un liquide au repos : *dépôt alluvionnaire.* Lieu où l'on dépose, où l'on gare, etc. *Milit.* Partie d'un régiment qui reste dans la garnison. *Mandat de dépôt,* ordre du juge d'instruction pour faire incarcérer un prévenu.
dépoter v. tr. Oter une plante d'un pot. Changer un liquide de vase.
dépotoir n. m. Endroit où l'on reçoit les matières de vidange.
dépouille n. f. Peau que rejettent certains animaux, tels que le serpent, le ver à soie, etc. Ce qui est pris, ravi : *les dépouilles de l'ennemi. Dépouille mortelle,* cadavre.
dépouillement n. m. Action de dépouiller. Examen d'un compte, etc. : *le dépouillement d'un scrutin.*
dépouiller v. tr. Arracher, enlever la peau d'un animal : *dépouiller un lièvre.* Dénuder : *dépouiller un arbre de son écorce.* Oter les vêtements de quelqu'un. Voler : *dépouiller par des voleurs.* Faire l'examen d'un compte, d'un inventaire, etc. Compter les votes d'un scrutin. *Fig.* Priver : *dépouiller d'une charge.* Dégager. Renoncer à : *dépouiller toute honte.*
dépourvu, e adj. Privé. *Au dépourvu,* loc. adv. A l'improviste.
dépoussiérage n. m. Enlèvement mécanique des poussières.
dépravation n. f. *Méd.* Altération. *Fig.* Corruption des mœurs.
dépraver v. tr. Pervertir, corrompre.
dépréciation n. f. Action de déprécier. Son résultat : *dépréciation des monnaies.*
déprécier v. tr. (Se conj. comme *prier.*) Diminuer la valeur; rabaisser.
déprédation n. f. Pillage avec dégâts. Malversations, gaspillages.
déprendre (se) v. pr. (Se conj. comme *prendre.*) Se dégager, se séparer.
dépression n. f. Enfoncement. *Fig.* Diminution des facultés.
déprimer v. tr. Affaisser, enfoncer : *les os du crâne ont été déprimés.* Enlever les forces : *la fièvre déprime.*
depuis prép. A partir de, en parlant du temps, du lieu, de l'ordre, du prix. Adv. de temps. A partir de ce moment. *Depuis que* loc. conj. A partir du moment où.
dépuratif, ive adj. Propre à épurer le sang, les humeurs. N. m. : *un dépuratif.*
députation n. f. Envoi de députés. Ces députés eux-mêmes : *recevoir une députation.* Fonction de député.
député n. m. Personne envoyée en mission par une nation. Celui qui est envoyé dans une assemblée pour s'occuper des intérêts d'un pays : *élection d'un député. Chambre des députés,* ancien nom de l'Assemblée nationale. V. *Part. hist.*
députer v. tr. Envoyer en députation.
déracinement n. m. Action de déraciner. Etat de ce qui est déraciné.
déraciner v. tr. Arracher de terre un arbre, une plante avec ses racines. *Fig.* Extirper. Arracher à son pays.
déraillement n. m. Action de dérailler (au *pr.* et au *fig.*).
dérailler v. intr. Sortir des rails. *Fig.* Sortir de la bonne voie.
déraison n. f. Manque de raison.
déraisonnable* adj. Qui manque de raison: *projet déraisonnable.*
déraisonner v. intr. Tenir des discours dénués de raison.

dérangement n. m. Action de déranger et état de ce qui est dérangé.
déranger v. tr. (Se conj. comme *manger.*) Déplacer. Altérer, détraquer. Troubler l'intestin. *Fig.* Gêner, contrarier : *déranger des plans.*
dérapage n. m. Action d'une ancre, d'une roue, etc., qui dérape.
déraper v. tr. Détacher. V. intr. Se détacher du fond, en parlant d'une ancre. Ne pas adhérer au sol, en parlant des roues d'un véhicule.
dératé, e n. Se dit d'une personne vive : *courir comme un dératé.*
dératiser v. tr. Débarrasser des rats, des rongeurs.
déréglé, e adj. Irrégulier. *Fig.* Contraire à la morale : *vie déréglée.*
dérèglement n. m. Désordre.
dérégler v. tr. (Se conj. comme *accélérer.*) Déranger : *dérégler une montre. Fig.* Faire sortir des règles.
dérider v. tr. Faire disparaître les rides. *Fig.* Egayer, réjouir.
dérision n. f. Moquerie dédaigneuse.
dérisoire adj. Fait ou dit comme par dérision : *prix dérisoire.*
dérivatif, ive adj. Qui produit une dérivation. N. m. : *un dérivatif.*
dérivation n. f. Action de dériver, de détourner de son cours. *Gramm.* Manière dont les mots dérivent les uns des autres. *Electr.* Communication au moyen d'un second conducteur entre deux points d'un circuit fermé.
dérive n. f. Déviation.
dérivé n. m. Mot qui dérive d'un autre. Corps obtenu par la transformation d'un autre : *un dérivé de l'azote.*
dériver v. tr. Détourner de son cours. V. intr. *Mar.* S'écarter de sa route. Etre détourné de son cours. *Fig.* Venir, provenir.
dermatologie n. f. Etude des maladies de la peau.
dermatologiste n. m. Spécialiste de la dermatologie.
dermatose n. f. Maladie de la peau.
derme n. m. *Anat.* Tissu qui constitue la couche profonde de la peau.
dernier, ère adj. et n. Qui vient après tous les autres. Le plus vil. Extrême. Qui précède : *l'an dernier.*
dernièrement adv. Depuis peu.
dernier-né n. m. Le dernier enfant d'une famille. Pl. des *derniers-nés.*
dérobade n. f. Action de se dérober.
dérobée (à la) loc. adv. En cachette.
dérober v. tr. Prendre furtivement le bien d'autrui. *Fig.* Soustraire à. Cacher. V. pr. *Fig.* Se soustraire. *Partic.* Faiblir. Se dit d'un cheval qui quitte brusquement la direction que lui imposait son cavalier.
dérogation n. f. Action de déroger.
déroger v. intr. (Se conj. comme *manger.*) S'écarter de ce qui est établi par une loi, une convention, etc. Porter atteinte à sa dignité.
dérouillage n. m. Action de dérouiller. Son effet.
dérouiller v. tr. Enlever la rouille. *Fig.* Dégourdir : *dérouiller ses jambes.* Polir les manières, l'esprit.
déroulement n. m. Action de dérouler. Son résultat.
dérouler v. tr. Etendre ce qui était roulé. Etaler sous le regard. V. pr. Se déployer, se développer.
déroute n. f. Fuite en désordre des troupes vaincues. *Fig.* Désordre.
dérouter v. tr. Détourner; écarter de sa route. Faire perdre la trace : *dérouter la police. Fig.* Déconcerter.
derrière prép. En arrière de, après, à la suite de. Adv. De l'autre côté. *Sens devant derrière* loc. adv. En mettant le devant à la place du derrière. N. m. Partie postérieure d'un objet. Partie inférieure et postérieure du corps de l'homme.
derviche n. m. Religieux musulman.
des art. contracté pour *de les.*
dès prép. de temps ou de lieu. Depuis. A partir de. *Dès lors* loc. adv. En conséquence. *Dès que* loc. conj. Aussitôt que; puisque.
désabonner v. tr. Faire cesser son abonnement. V. pr. Cesser son abonnement.
désabusé, e adj. Qui a perdu ses illusions.
désabuser v. tr. Tirer d'erreur.
désaccord n. m. Manque d'accord dans les sons. *Fig.* Mésintelligence.
désaccorder v. tr. Détruire l'accord des sons, etc. *Fig.* Jeter le désaccord.
désaccoutumer v. tr. Déshabituer. V. pr. Perdre l'habitude de.
désaffectation n. f. Action de désaffecter : *désaffectation d'une église.*
désaffecter v. tr. Enlever à un édifice public sa destination.
désaffection n. f. Perte de l'affection.
désagréable* adj. Qui déplaît.
désagrégation n. f. Séparation des parties d'un corps. *Fig.* Désunion.
désagréger v. tr. (Se conj. comme *accélérer,* d'une part, et *manger,* de l'autre.) Produire la désagrégation.
désagrément n. m. Sujet de déplaisir.
désajuster v. tr. Déranger ce qui est ajusté.
désaltérer v. tr. (Se conj. comme *accélérer.*) Calmer la soif.
désamorcer v. tr. (Se conj. comme *amorcer.*) Oter l'amorce de. Faire cesser l'écoulement d'un courant : *désamorcer une pompe, une dynamo.*
désappointement n. m. Etat d'une personne désappointée. Déception : *montrer son désappointement.*
désappointer v. tr. Emousser la pointe de. *Fig.* Tromper dans son espoir, son attente.
désapprendre v. tr. (Se conj. comme *prendre.*) Oublier ce qu'on avait appris.
désapprobateur, trice adj. et n. Qui désapprouve.
désapprobation n. f. Action de désapprouver.
désapprouver v. tr. Ne pas approuver; blâmer : *désapprouver une démarche.*
désarçonner v. tr. Mettre hors des arçons. *Fig.* et *fam.* Déconcerter.
désargenter v. tr. Enlever la couche d'argent. Priver d'argent.
désarmement n. m. Action de désarmer; réduction des forces militaires.
désarmer v. tr. Enlever à quelqu'un ses armes, son armure. Dégarnir une forteresse, etc. *Fig.* Priver de. Apaiser, calmer : *désarmer le courroux. Désarmer un navire,* le dégarnir de son armement, de

son équipage, etc. V. intr. Réduire ses forces militaires.
désarroi n. m. Désordre, confusion.
désarticuler v. tr. *Anat.* Déboîter. Amputer dans l'articulation.
désassorti, e adj. Qui n'est plus assorti.
désastre n. m. Calamité, malheur.
désastreux, euse* adj. Funeste. *Fam.* Bien regrettable.
désavantage n. m. Infériorité. Préjudice : *cela tourne à son désavantage.*
désavantager v. tr. (Se conj. comme *manger.*) Traiter avec désavantage.
désavantageux, euse* adj. Qui cause du désavantage.
désaveu n. m. Rétractation d'un aveu. Dénégation ; refus de reconnaître comme sien : *désaveu de paternité.*
désavouer v. tr. Nier avoir dit ou fait une chose. Déclarer qu'on n'a pas autorisé quelqu'un en ce qu'il a fait.
désaxer v. tr. Eloigner de l'axe. *Fig.* Faire sortir un être de son équilibre normal.
descellement n. m. Action de desceller. Son effet.
desceller v. tr. Arracher une chose scellée : *desceller une pierre.* Enlever le sceau d'un titre, d'un acte.
descendance n. f. Filiation, postérité : *une nombreuse descendance.*
descendant, e n. Issu de : *une descendante des Bourbons.* Pl. Descendance.
descendre v. intr. Aller de haut en bas. S'étendre jusqu'en bas. Baisser de niveau : *la rivière descend.* Passer de l'aigu au grave : *descendre d'un ton. Fig.* En venir à, s'abaisser à. Déchoir. *Descendre de,* tirer son origine de. V. tr. Mettre ou porter plus bas. Parcourir de haut en bas,
descente n. f. Action de descendre. Pente. Débarquement, coup de main sur une côte. *Descente de justice,* perquisition faite par les magistrats. Tuyau d'écoulement pour les eaux. *Chir.* Hernie. *Descente de lit,* tapis, fourrure au pied d'un lit.
descriptif, ive adj. Qui a pour objet de décrire.
description n. f. Discours, écrit ou parlé, par lequel on décrit.
désembourber v. tr. Tirer de la bourbe et, au *fig.,* de la misère.
désemparé, e adj. Déconcerté.
désemparer v. tr. Mettre hors d'état de servir ; disloquer. *Sans désemparer* loc. adv. Sur-le-champ ; d'une façon continue.
désemplir v. tr. Vider en partie. V. intr. Ne s'emploie guère qu'avec une négation : *maison qui ne désemplit pas.*
désenchantement n. m. Cessation de l'enchantement. *Fig.* Désillusion.
désenchanter v. tr. Rompre l'enchantement. *Fig.* Désillusionner.
désenfler v. tr. Faire cesser l'enflure, dégonfler. V. intr. Cesser d'être enflé : *sa joue a désenflé.*
désenflure n. f. ou **désenflement** n. m. Diminution ou cessation d'enflure.
désennuyer v. tr. (Se conj. comme *ennuyer.*) Dissiper l'ennui.
désensablement n. m. Action de désensabler.
désensabler v. tr. Faire sortir du sable : *désensabler un bateau.*
désensorceler v. tr. (Se conj. comme *ensorceler.*) Délivrer de l'ensorcellement.
désensorcellement n. m. Action de désensorceler.
désentortiller v. tr. Démêler ce qui était entortillé.
déséquilibrer v. tr. Faire perdre l'équilibre (au *pr.* et au *fig.*).
désert, e adj. Inhabité. Très peu fréquenté. N. m. Lieu, pays aride et inhabité. Grande solitude. *Prêcher dans le désert,* parler en vain.
déserter v. tr. Abandonner (au *pr.* et au *fig.*). V. intr. Quitter le service militaire sans congé. *Déserter à l'ennemi,* passer dans les rangs de l'ennemi.
déserteur n. m. Militaire qui déserte. *Fig.* Qui abandonne son parti.
désertion n. f. Action de déserter.
désertique adj. Du désert.
désespéré*, e adj. et n. Plongé dans le désespoir. Dont on désespère. Qui marque le désespoir : *cri désespéré.*
désespérer v. intr. (Se conj. comme *espérer.*) Cesser d'espérer. *Désespérer de,* ne plus rien attendre de. V. tr. Mettre au désespoir : *désespérer les siens.* Chagriner, contrarier vivement. Décourager.
désespoir n. m. Perte de l'espérance. Cruelle affliction. *Par ext.* Vif regret. Ce qui désole. Ce qui désespère : *être le désespoir de ses amis. En désespoir de cause,* en essayant d'une dernière ressource.
déshabillé n. m. Vêtement d'intérieur.
déshabiller v. tr. Oter à quelqu'un ses habits. *Fig.* Mettre à nu.
déshabituer v. tr. Faire perdre une habitude : *déshabituer de mentir.*
désherber v. tr. Enlever l'herbe.
déshérence n. f. Absence d'héritiers.
déshérité, e n. Personne dépourvue de dons naturels.
déshériter v. tr. Priver quelqu'un de sa succession.
déshonnête adj. Contraire à la bienséance, à la pudeur.
déshonneur n. m. Perte de l'honneur.
déshonorer v. tr. Priver de l'honneur ; avilir. Séduire (une jeune fille). *Par ext.* Faire du tort à. Endommager.
déshydrater v. tr. Priver d'eau.
desideratum [*dé, tom*] n. m. Ce qui reste à souhaiter, à trouver ; lacune à combler. Pl. des *desiderata.*
désignation n. f. Action de désigner.
désigner v. tr. Indiquer par une marque distinctive. Fixer. Choisir : *désigner un successeur.* Dénommer.
désillusion n. f. Perte de l'illusion.
désillusionner v. tr. Oter l'illusion.
désincruster v. tr. Oter les incrustations : *désincruster une chaudière.*
désinence n. f. *Gramm.* Terminaison des mots : *la désinence* er *de l'infinitif.*
désinfecter v. tr. Faire cesser l'infection : *désinfecter une plaie.*
désinfection n. f. Action de désinfecter. Son résultat.
désintégration n. f. Action de désintégrer.
désintégrer v. tr. Décomposer la matière en ses éléments : *désintégrer l'atome.*
désintéressé, e adj. Qui n'agit point par intérêt.

désintéressement n. m. Oubli, sacrifice de son propre intérêt.
désintéresser v. tr. Satisfaire les intérêts de; dédommager.
désintoxiquer v. tr. Délivrer d'une intoxication.
désinvolte adj. D'allure dégagée.
désinvolture n. f. Allure, manière d'être désinvolte. *Par ext.* Allure, manière d'être trop libre : *agir avec désinvolture.*
désir n. m. Action de désirer : *modérer, assouvir ses désirs.*
désirable adj. Qui mérite d'être désiré. Qui fait naître des désirs.
désirer v. tr. Souhaiter, convoiter.
désireux, euse adj. Qui désire.
désistement n. m. Renoncement.
désister (se) v. pr. Renoncer.
désobéir v. intr. Ne pas obéir.
désobéissance n. f. Action de désobéir : *punir une désobéissance.*
désobliger v. tr. (Se conj. comme *manger.*) Causer du déplaisir.
désodoriser v. tr. Oter l'odeur de.
désœuvré, e adj. et n. Qui n'a rien à faire; qui ne sait pas s'occuper.
désœuvrement n. m. Etat d'une personne désœuvrée : *vivre dans le désœuvrement.*
désolation n. f. Ruine entière, destruction (vx). Extrême affliction : *plongé dans la désolation.*
désoler v. tr. Dévaster, saccager. Causer une grande affliction.
désopilant, e adj. Qui fait rire.
désopiler v. tr. *Fam.* Exciter la gaieté.
désordonné, e adj. Qui manque d'ordre. Déréglé, sans frein.
désordonner v. tr. Mettre en désordre. *Fig.* Jeter le trouble.
désordre n. m. Défaut d'ordre. Confusion. Querelles, dissensions, troubles. Troubles dans le fonctionnement. *Fig.* Dérèglement : *vivre dans le désordre.*
désorganisateur, trice adj. et n. Qui désorganise.
désorganisation n. f. Action de désorganiser. Désordre.
désorganiser v. tr. Détruire l'organisation. Jeter la confusion dans.
désorienter v. tr. Faire perdre à quelqu'un son chemin, la direction qu'il doit suivre. *Fig.* Déconcerter.
désormais adv. Dorénavant.
désosser v. tr. Dépouiller de ses os, de ses arêtes. *Fig.* Détailler.
despote n. m. et adj. Souverain absolu. *Fig.* Enclin à dominer.
despotique* adj. Arbitraire.
despotisme n. m. Pouvoir absolu et arbitraire.
desquamation [*koua*] n. f. Enlèvement, chute des écailles. *Méd.* Exfoliation de l'épiderme sous forme d'écailles.
desquamer [*koua*] v. tr. Détacher des squames ou écailles.
desquels, desquelles. V. LEQUEL.
dessaisir v. tr. Déposséder d'un droit.
dessaisissement n. m. Action de dessaisir, de se dessaisir.
dessaler v. tr. Rendre moins salé. *Fig.* et *pop.* Dégourdir, déniaiser.
dessangler v. tr. Lâcher les sangles.
dessèchement n. m. Action de dessécher. Etat d'une chose desséchée.
dessécher v. tr. (Se conj. comme *accélérer.*) Rendre sec. Mettre à sec. Amaigrir. *Fig.* Epuiser. Rendre sec, froid, insensible : *dessécher le cœur.*
dessein n. m. Projet, résolution. Volonté, décision. Intention. Loc. adv. : *A dessein,* exprès; *à dessein de.* en vue de.
desseller v. tr. Oter la selle à.
desserrage n. m. Action de desserrer.
desserrer v. tr. Relâcher ce qui est serré. *Ne pas desserrer les dents,* ne pas dire un mot.
dessert n. m. Le dernier service d'un repas.
desserte n. f. Petit meuble pour recevoir les plats desservis.
dessertir v. tr. Enlever de sa monture une pierre fine.
desservant n. m. Prêtre qui dessert une paroisse.
desservir v. tr. (Se conj. comme *servir.*) Enlever les plats de dessus la table. Faire le service de communication : *desservir une localité.* Faire le service d'une paroisse. *Fig.* Nuire.
dessiccation n. f. Action de dessécher : *dessiccation des fruits.*
dessiller v. tr. Ouvrir les paupières. *Fig. Dessiller les yeux,* désabuser.
dessin n. m. Représentation sur une surface de la forme des objets. L'art qui enseigne les procédés du dessin.
dessinateur, trice n. Qui sait dessiner. Qui en fait profession.
dessiner v. tr. Reproduire la forme des objets. Faire ressortir : *le blanc dessine les formes.* Représenter, figurer. *Fig.* Tracer : *dessiner un caractère.*
dessouder v. tr. Oter la soudure.
dessoûler v. tr. Faire cesser l'ivresse. V. intr. Cesser d'être ivre.
dessous adv. Adverbe de lieu servant à marquer la situation d'un objet placé sous un autre. Prép. : *sortir de dessous terre.* N. m. Partie inférieure d'une chose. *Dessous-de-plat,* support que l'on met sur la table pour y placer les plats. Plur. Lingerie de femme. *Avoir le dessous,* avoir le désavantage. *Fig.* Côté secret : *connaître le dessous des cartes.* Loc. adv. : *Au-dessous,* plus bas; *par-dessous,* dessous; *là-dessous,* sous cela; *ci-dessous,* ci-après, plus bas; *en dessous,* dans la partie inférieure, sans lever les yeux. *Au-dessous de* loc. prép. Plus bas que.
dessus adv. Adverbe de lieu, marquant la situation d'une chose qui est sur une autre. N. m. La partie supérieure. *Mus.* Partie la plus haute, opposée à la basse. *Fig.* Avantage : *prendre le dessus. Le dessus du panier,* ce qu'il y a de mieux. Loc. adv. : *Là-dessus,* sur cela; *en dessus, par-dessus, au-dessus, ci-dessus,* sur, plus haut. *Au-dessus de* loc. prép. Plus haut que. Supérieur à : *être au-dessus de.*
destin n. m. Puissance qui règle d'avance les événements futurs. Destinée d'un individu : *suivre son destin.*
destinataire n. Personne à qui s'adresse un envoi.
destination n. f. Ce à quoi une chose est destinée. Lieu vers lequel on dirige un objet, une personne. Emploi réglé d'avance.

destinée n. f. Puissance qui règle d'avance ce qui doit être. Sort auquel on est réservé. Vie.
destiner v. tr. Fixer la destination d'une personne ou d'une chose.
destituer v. tr. Révoquer.
destitution n. f. Révocation.
destrier n. m. Cheval de bataille.
destroyer n. m. Contre-torpilleur rapide.
destructeur, trice adj. et n. Qui détruit.
destructif, ive adj. Propre à détruire.
destruction n. f. Action de détruire.
désuet, ète adj. Tombé en désuétude.
désuétude n. f. Cessation, abandon progressif d'une loi, d'une coutume.
désunion n. f. Action de désunir. Disjonction. *Fig.* Désaccord.
désunir v. tr. Séparer ce qui était uni. Disjoindre. *Fig.* Rompre la bonne intelligence.
détachage n. m. Action de détacher.
détachement n. m. Etat de celui qui est détaché d'une passion, d'un sentiment : *détachement des biens de la terre.* Troupe détachée d'un corps.
détacher v. tr. Oter les taches.
détacher v. tr. Délier ce qui était attaché. Oter ce qui attachait. Eloigner, écarter : *détacher les bras du corps.* Faire ressortir : *détacher un mot.* Séparer d'un groupe : *détacher des soldats. Par ext.* Lancer, appliquer. *Peint.* Faire ressortir les contours des objets. *Fig.* Eloigner, écarter de. Désunir.
détail n. m. Vente par petites quantités. Enumération : *détail des frais.* Récit circonstancié : *le détail d'un procès. En détail* loc. adv. D'une façon circonstanciée.
détaillant, e adj. et n. Qui vend au détail.
détailler v. tr. Diviser en parties. Vendre au détail. *Fig.* Raconter en détail.
détaler v. intr. *Fam.* Décamper en hâte.
détaxe n. f. Suppression d'une taxe.
détaxer v. tr. Supprimer, réduire une taxe.
détecter v. tr. Déceler; signaler : *détecter des ondes.*
détecteur n. m. Appareil récepteur d'ondes hertziennes.
détective n. m. Policier privé.
déteindre v. tr. Faire perdre la couleur. V. intr. Perdre sa couleur.
dételer v. tr. (Se conj. comme *amonceler.*) Détacher des animaux attelés. *Fig.* S'arrêter, cesser de.
détendre v. tr. Relâcher ce qui était tendu. *Fig.* Faire cesser la tension de; calmer. Diminuer la pression de.
détenir v. tr. (Se conj. comme *tenir.*) Garder en sa possession. Retenir injustement. Tenir en prison.
détente n. f. Pièce du ressort d'un fusil, qui le fait partir. *Fig.* et *fam. Etre dur à la détente,* donner difficilement son argent. Expansion d'un gaz soumis à une pression. *Fig.* Relâche, repos : *détente politique.*
détenteur, trice adj. et n. Qui détient, de droit ou non, une chose.
détention n. f. Action de détenir. Etat d'un objet détenu. Etat d'une personne détenue en prison. Peine consistant en un emprisonnement de cinq à vingt ans. *Détention préventive,* subie avant le jugement.
détenu, e adj. Qui est en prison : *visiter un détenu.*
détérioration n. f. Action de détériorer. Son résultat.
détériorer v. tr. Dégrader, abîmer.
déterminatif, ive adj. Qui détermine.
détermination n. f. Action de déterminer. Acte de la volonté qui décide. Caractère résolu.
déterminé, e adj. Précisé. Hardi.
déterminer v. tr. Indiquer avec précision. Inspirer une résolution. Préciser le sens d'un mot. Causer : *déterminer une catastrophe.*
déterminisme n. m. Système philosophique d'après lequel nos actes sont régis par des lois rigoureuses.
déterministe adj. Relatif au déterminisme. N. Qui est partisan du déterminisme.
déterrer v. tr. Tirer de terre. *Fig.* Découvrir ce qui est caché.
détestable* adj. Qu'on doit détester. Très mauvais.
détestation n. f. Horreur d'une chose.
détester v. tr. Ne pas pouvoir supporter; avoir de l'antipathie pour.
détonant, e adj. Qui produit une détonation : *mélange détonant.*
détonateur n. m. Capsule capable de faire détoner une substance.
détonation n. f. Bruit d'explosion.
détoner v. intr. Faire explosion.
détonner v. intr. *Mus.* Chanter faux, en sortant du ton. *Fig.* Produire un contraste désagréable.
détordre v. tr. Remettre en état ce qui était tordu.
détour n. m. Changement de direction; sinuosité, circuit, méandre. *Fig.* Secrets replis. Subterfuge. *Sans détour,* sans ambages ni subterfuges.
détourné, e adj. Peu fréquenté. *Fig. Voie détournée,* secrète, cachée.
détournement n. m. Action de détourner, d'écarter du droit chemin. Soustraction frauduleuse.
détourner v. tr. Tourner d'un autre côté, vers (au *pr.* et au *fig.*). Tirer d'un endroit. Soustraire frauduleusement : *détourner des fonds. Fig.* Ecarter, éloigner de. Dénaturer : *détourner le sens d'un mot.*
détracteur, trice n. et adj. Qui rabaisse le mérite.
détraquement n. m. Action de détraquer. Etat de ce qui est détraqué.
détraquer v. tr. Déranger le mécanisme : *moteur détraqué. Fig.* Troubler.
détrempe n. f. Couleur à l'eau, à la colle et au blanc d'œuf.
détremper v. tr. Imbiber d'un liquide. Oter la trempe de l'acier.
détresse n. f. Misère, infortune. Angoisse, affliction. Danger.
détriment n. m. Dommage, préjudice.
détritus [*uss*] n. m. Résidu, débris.
détroit n. m. Bras de mer resserré entre deux terres.
détromper v. tr. Tirer d'erreur.
détrôner v. tr. Déposséder du trône.
détrousser v. tr. Dévaliser.
détruire v. tr. (Se conj. comme *conduire.*) Mettre à bas, démolir. *Fig.* Réduire à néant : *détruire une légende.*

dette n. f. Ce qu'on doit. *La dette publique,* engagements à la charge d'un Etat. *Fig.* Obligation morale.
deuil n. m. Profonde tristesse, vive douleur morale. Signes extérieurs de deuil; vêtements généralement noirs. Temps pendant lequel on les porte. *Fig. Faire son deuil d'une chose,* se résigner à en être privé.
deux adj. num. Nombre double de l'unité. Deuxième. N. m. Chiffre qui représente ce nombre.
deuxième* adj. num. ord. et n. Qui occupe le second rang. N. m. Etage au-dessus du premier.
deux-points n. m. Signe de ponctuation figuré par deux points (:).
dévaler v. tr. Parcourir de haut en bas. V. intr. Aller de haut en bas.
dévaliser v. tr. Voler à quelqu'un ses effets, son argent.
dévaloriser v. tr. Diminuer la valeur de quelque chose.
dévaluation n. f. Diminution de valeur : *la dévaluation du franc.*
dévaluer v. tr. Diminuer la valeur d'une monnaie.
devancement n. m. Action de devancer.
devancer v. tr. (Se conj. comme *amorcer.*) Précéder dans l'espace ou le temps. *Fig.* Surpasser : *devancer des rivaux.*
devancier, ère n. Prédécesseur. Pl. m. Aïeux, ancêtres.
devant prép. En face de, en avant de. En présence de : *devant le tribunal.* Adv. En avant. N. m. Partie antérieure : *le devant d'une maison. Prendre les devants,* partir avant quelqu'un et, au *fig.,* agir avant quelqu'un, le prévenir. *Au-devant de* loc. prép. A la rencontre; *par-devant* loc. adv. En présence de.
devanture n. f. Revêtement qui garnit le devant d'une boutique.
dévastateur, trice adj. et n. Qui dévaste.
dévastation n. f. Action de dévaster.
dévaster v. tr. Rendre désert, ravager : *dévaster un pays.*
déveine n. f. *Fam.* Mauvaise chance.
développement n. m. Action de développer. Son résultat. Croissance : *développement rapide. Fig.* Extension : *développement des sciences.* Exposition détaillée : *développement d'un plan.* Espace que parcourt un cycle pendant un tour du pédalier.
développer v. tr. Oter l'enveloppe de. Dérouler, déployer. Donner de l'accroissement, de la force : *développer le corps. Fig.* Exposer en détail. *Photogr.* Faire apparaître l'image après l'exposition.
devenir v. intr. (Se conj. comme *venir.*) Passer d'un état à un autre. Avoir tel ou tel sort : *que deviendrai-je?*
dévergondage n. m. Libertinage effronté. *Fig.* Ecarts extrêmes : *dévergondage d'imagination.*
dévergonder (se) v. pr. Se jeter dans le dévergondage. Sortir des limites de la pudeur. Tomber dans le libertinage effronté.
dévernir v. tr. Oter le vernis de.
déverrouiller v. tr. Tirer le verrou.
devers prép. Du côté de. *Par-devers,* loc. prép. En la possession de : *garder par-devers soi.*
déversement n. m. Action de déverser. Son effet : *un déversement d'injures.*
déverser v. intr. Pencher, incliner : *ce mur déverse.* V. pr. S'épancher, se répandre dans. V. tr. Faire couler. *Fig.* Répandre (le blâme, le mépris sur).
déversoir n. m. Endroit par où s'épanche l'eau d'un canal, d'un étang.
dévêtir v. tr. (Se conj. comme *vêtir.*) Dégarnir d'habits. V. pr. Enlever ses vêtements.
déviation n. f. Action de dévier.
dévidage n. m. Action de dévider.
dévider v. tr. Mettre en écheveau ou en peloton du fil, de la soie, etc. *Dévider son chapelet,* le faire passer entre ses doigts, et, au *fig.,* dire tout ce qu'on a à dire.
dévidoir n. m. Instrument pour dévider.
dévier v. intr. (Se conj. comme *prier.*) Se détourner, s'écarter de (au *pr.* et au *fig.*). V. tr. Ecarter de sa direction.
devin, eresse n. Qui prétend découvrir les choses cachées et prédire l'avenir.
deviner v. tr. Prédire ce qui doit arriver. Juger par conjecture. Pénétrer la pensée, etc., de : *deviner un homme.* Débrouiller, expliquer.
devinette n. f. Ce que l'on donne à deviner. Jeu où il faut deviner.
devis n. m. Propos, entretien familier (vx). Etat détaillé d'un ouvrage, avec les prix estimatifs.
dévisager v. tr. (Se conj. comme *manger.*) Regarder avec insistance.
devise n. f. Figure emblématique, avec une courte légende qui l'explique. Sorte de sentence exprimant une idée d'une manière concise. Papier-monnaie d'un pays.
deviser v. intr. S'entretenir familièrement avec quelqu'un.
dévisser v. tr. Oter les vis. Séparer des objets vissés.
dévoiler v. tr. Oter le voile de. *Fig.* Découvrir : *dévoiler un secret.*
devoir v. tr. (*Je dois, tu dois, il doit, nous devons, vous devez, ils doivent. Je devais, nous devions. Je dus, nous dûmes. Je devrai, nous devrons. Dois, devons, devez. Que je doive, que nous devions. Que je dusse, que nous dussions. Devant. Dû, due.*) Avoir à payer. *Fig.* Etre obligé, tenu à. Etre redevable de. Suivi d'un infinitif, marque l'obligation; l'intention; l'état probable ou prochain.
devoir n. m. Ce à quoi on est obligé. Nécessité. *Se mettre en devoir de,* se préparer à. Exercice donné à des élèves. Pl. Hommages, marques de civilité. *Derniers devoirs,* honneurs funèbres.
dévolu, e adj. Echu par droit. N. m. *Jeter son dévolu sur,* prétendre.
dévolution n. f. *Dr.* Transmission d'un droit.
dévorateur, trice adj. Qui dévore.
dévorer v. tr. Manger en déchirant avec les dents, en rongeant, etc. Manger goulûment. *Fig.* Consumer : *le feu dévore tout. Dévorer un livre,* le lire avidement. *Dévorer un affront,* le souffrir sans se plaindre. *Dévorer ses larmes,* les retenir.
dévot, e* n. et adj. Zélé pour la religion. Qui affecte du zèle. Qui porte à la dévotion : *livre dévot.*
dévotion n. f. Zèle pour la religion. *Par*

ext. Dévouement. Pl. Pratiques religieuses : *faire ses dévotions.*

dévouement n. m. Action de dévouer ou de se dévouer. Sacrifice volontaire de soi à. Simple formule de politesse.

dévouer v. tr. Consacrer par un vœu. Livrer en proie : *dévouer à la haine.* V. pr. S'exposer volontairement à. Se consacrer à.

dévoyé, e adj. et n. Sorti du droit chemin (au *pr.* et au *fig.*).

dextérité n. f. Adresse des mains. Habileté.

dextrement adv. Avec dextérité.

dextrine n. f. Matière gommeuse extraite de l'amidon.

dia! interj. Cri pour faire aller les chevaux à gauche.

diabète n. m. Maladie caractérisée par la présence du sucre dans les urines.

diabétique adj. Relatif au diabète. N. Atteint du diabète.

diable n. m. Démon. esprit malin. *Pauvre diable,* misérable. *Bon diable,* bon garçon. *Faire le diable à quatre,* faire du vacarme. *Avoir le diable au corps,* être très remuant. *C'est là le diable,* ce qu'il y a de fâcheux, de difficile. Chariot à deux roues basses, servant au transport des lourds fardeaux. Tuyau de tôle pour activer le feu d'un fourneau. Interj. marquant l'impatience, la désapprobation, la surprise. Loc. adv. : *En diable,* fort. *Au diable vauvert,* très loin.

diablement adv. *Fam.* Excessivement.

diablerie n. f. Sortilège, maléfice. Intrigue. Malice, pétulance. Pièces populaires où figuraient des diables.

diablesse n. f. Diable femelle.

diablotin n. m. Petit diable. *Fig.* Enfant vif et espiègle.

diabolique* adj. Qui vient du diable. Très méchant. Très difficile.

diaconesse n. f. Dans certaines sectes protestantes, femme qui se consacre à des œuvres de piété.

diacre n. m. Qui a reçu l'ordre immédiatement inférieur à la prêtrise.

diadème n. m. Bandeau royal et, au *fig.,* la royauté. Riche ornement de tête pour les femmes.

diagnostic n. m. Partie de la médecine qui a pour objet de déterminer la nature de la maladie. Action de diagnostiquer.

diagnostiquer v. tr. Déterminer une maladie d'après les symptômes.

diagonal, e*, aux adj. Se dit d'une droite qui joint deux sommets non consécutifs d'un polygone. N. f. Cette droite.

diagramme n. m. Représentation graphique d'un phénomène.

dialectal, e*, aux adj. Relatif au dialecte.

dialecte n. m. Variété régionale d'une langue.

dialecticien n. m. Qui sait la dialectique.

dialectique adj. Du ressort de la dialectique. N. f. Art de raisonner.

dialogue n. m. Conversation entre deux ou plusieurs personnes. Ouvrage littéraire en forme de conversation.

dialoguer v. intr. S'entretenir, converser. V. tr. Mettre en dialogue.

diamant n. m. Pierre précieuse qui est du carbone pur cristallisé.

diamantaire n. m. Qui taille ou vend le diamant.

diamanté, e adj. Garni de diamants. Saupoudré de poudre de verre.

diamantifère adj. Qui contient du diamant : *terrain diamantifère.*

diamétral, e, aux adj. Du diamètre.

diamétralement adv. Absolument.

diamètre n. m. Droite qui, passant par le centre d'une circonférence, joint deux points de celle-ci.

diane n. f. Batterie de tambour ou sonnerie de clairon à l'aube.

diantre! interj. *Fam.* Diable!

diapason n. m. Etendue des sons qu'une voix ou un instrument peut parcourir. Petit instrument d'acier qui donne le ton. Niveau : *se mettre au diapason de.*

diaphane adj. Translucide.

diaphragme n. m. Muscle mince, qui sépare la poitrine de l'abdomen. *Bot.* Cloison qui sépare un fruit en plusieurs loges. Cloison dans l'intérieur d'une machine. *Phot.* Dans un instrument d'optique, écran, percé d'un trou, qui ne laisse passer qu'une certaine partie des rayons.

diapositive n. f. Image positive sur support transparent pour la projection.

diaprer v. tr. Parer de couleurs variées. *Fig.* Emailler d'ornements.

diarrhée n. f. Evacuation liquide et fréquente.

diastase n. f. Ferment soluble qui transforme diverses substances.

diastole n. f. Mouvement de dilatation du cœur et des artères.

diatribe n. f. Critique violente. Pamphlet.

dichotomie [*ko*] n. f. *Bot.* Division d'un organe en deux parties égales. *Arg. méd.* Partage d'honoraires.

dicotylédone adj. Se dit des plantes à deux cotylédons. N. f. pl. Groupe de ces plantes.

dictame n. m. *Bot.* Espèce d'herbes fortement aromatiques. *Fig.* Baume spirituel.

Dictaphone n. m. (nom déposé). Appareil à dicter.

dictateur n. m. Magistrat qui concentre en lui tous les pouvoirs.

dictatorial, e, aux adj. Relatif à la dictature : *pouvoir dictatorial.*

dictature n. f. Pouvoir absolu.

dictée n. f. Action de dicter. Ce qu'on dicte. *Fig.* Suggestion.

dicter v. tr. Dire ou lire des mots qu'un autre écrit au fur et à mesure. *Fig.* Suggérer, inspirer. Imposer.

diction n. f. Manière de dire des vers, etc.

dictionnaire n. m. Recueil, par ordre alphabétique ou autre, des mots d'une langue, d'une science, etc., avec leur explication.

dicton n. m. Sentence passée en proverbe.

didactique* adj. Se dit d'un ouvrage où l'auteur se propose d'instruire. N. f. L'art d'enseigner.

dièdre n. m. et adj. Figure formée par deux plans qui se coupent.

diérèse n. f. Division de deux voyelles consécutives en deux syllabes.

dièse n. m. *Mus.* Signe qui hausse d'un demi-ton une note. *Adjectiv.* Se dit de la note ainsi diésée.

diesel n. m. Moteur à combustion interne pour huiles lourdes.

diéser v. tr. Marquer d'un dièse.

diète n. f. Abstinence entière ou partielle d'aliments. Régime alimentaire.
diète n. f. Assemblée politique dans certains pays.
diététique adj. *Méd.* Qui concerne la diète. N. f. Hygiène alimentaire.
Dieu n. m. Etre suprême, créateur et conservateur de l'univers. Divinité du paganisme (dans ce sens s'écrit avec une minuscule et fait au fém. *déesse.*) *Fig.* Personne, chose qu'on affectionne, qu'on vénère. *Dieu merci,* heureusement.
diffamateur, trice adj. et n. Qui diffame par des paroles ou des écrits.
diffamation n. f. Action de diffamer.
diffamatoire adj. Se dit des écrits, des discours qui tendent à diffamer.
diffamer v. tr. Chercher à perdre de réputation : *diffamer quelqu'un dans la presse.*
différemment adv. D'une manière différente.
différence n. f. Défaut de similitude, d'identité. Excès d'une grandeur, d'une quantité sur une autre : *différence d'altitude.*
différencier v. tr. (Se conj. comme *prier.*) Etablir une différence.
différend n. m. Débat, contestation.
différent, e adj. Qui diffère. Non semblable, non identique. Pl. Divers : *différentes personnes.*
différentiel, elle adj. *Math.* Qui procède par différences infiniment petites. N. m. Engrenage transmettant un mouvement équivalant à la somme ou à la différence de deux autres.
différer v. tr. (Se conj. comme *accélérer.*) Retarder, remettre à un autre temps. V. intr. Etre différent. N'être pas du même avis.
difficile* adj. Qui ne se fait pas facilement. Pénible : *débuts difficiles. Fig.* Peu accommodant.
difficulté n. f. Ce qui rend une chose difficile. Empêchement, obstacle : *éprouver des difficultés.* Objection, contestation : *soulever une difficulté.*
difficultueux, euse adj. Qui fait des difficultés. Plein de difficultés.
difforme adj. De forme irrégulière, laid, hideux.
difformité n. f. Défaut dans la forme, les proportions du corps.
diffraction n. f. Déviation de la lumière en rasant les bords d'un corps opaque.
diffus, e adj. Répandu en diverses directions. *Lumière diffuse,* celle dont les rayons ne projettent pas d'ombres nettes. *Fig.* Trop abondant et sans ordre.
diffuser v. tr. Répandre en diverses directions : *diffuser un avis.*
diffuseur n. m. Appareil pour diffuser le son, la lumière, etc.
diffusion n. f. Action par laquelle un fluide se répand. Distribution d'une substance dans l'organisme. *Fig.* Prolixité. Propagation : *diffusion des connaissances.*
digérer v. tr. (Se conj. comme *accélérer.*) Faire la digestion de, assimiler (au *pr.* et au *fig.*). Endurer, supporter : *digérer un affront. Fam.* Accepter, croire. V. intr. Cuire à petit feu.
digest n. m. Recueil de résumés.
digestible adj. Qui peut être digéré.
digestif, ive adj. et n. m. Qui facilite la digestion. *Appareil digestif,* les organes de la digestion.
digestion n. f. Elaboration des aliments dans l'estomac et l'intestin. Macération dans un liquide à haute température.
digital, e, aux adj. Relatif aux doigts.
digitale n. f. Plante à fleurs en forme de doigt de gant.
digitaline n. f. Principe actif de la digitale pourprée, poison violent.
digne* adj. Qui mérite, qui est mérité (en bonne et en mauv. part). Bon, honnête, honorable. Qui a un air de gravité, de retenue : *parler d'un ton digne.*
dignitaire n. m. Personnage revêtu d'une dignité.
dignité n. f. Respect mérité par quelqu'un. Sentiment, respect de ce qu'on doit à soi-même. Noblesse, gravité dans les manières. Hautes fonctions.
digression n. f. Partie d'un discours étrangère au sujet.
digue n. f. Chaussée pour contenir des eaux. *Fig.* Obstacle.
dilacérer v. tr. (Se conj. comme *accélérer.*) Déchirer, mettre en pièces.
dilapidateur, trice n. et adj. Qui dilapide.
dilapidation n. f. Action de dilapider.
dilapider v. tr. Dépenser avec excès, sans règle. Détourner à son profit.
dilatable adj. Qui peut se dilater.
dilatation n. f. Action de dilater ou de se dilater. *Physiq.* Augmentation du volume d'un corps sous l'action de la chaleur. *Fig.* Expansion.
dilater v. tr. Augmenter le volume d'un corps, l'élargir, l'étendre par l'écartement des molécules. *Fig.* Epanouir : *la joie dilate le cœur. Dilater la rate,* faire rire.
dilatoire adj. *Dr.* Qui diffère, retarde.
dilemme n. m. Argument comprenant deux prémisses contradictoires, menant à une même conclusion.
dilettante n. m. Amateur passionné de la musique, d'un art quelconque. Qui s'occupe d'une chose en amateur.
dilettantisme n. m. Caractère du dilettante. Goût très vif pour un art.
diligemment adv. Avec diligence.
diligence n. f. Soin, application zélée. Promptitude dans l'exécution. Ancienne voiture publique pour voyageurs.
diligent, e adj. Qui agit avec zèle et promptitude.
diluer v. tr. Délayer, étendre.
dilution n. f. Action de délayer.
diluvien, enne adj. Relatif au déluge. Très abondant (pluie).
dimanche n. m. Premier jour de la semaine.
dîme n. f. Dixième partie des récoltes, qu'on payait à l'Eglise ou aux seigneurs.
dimension n. f. Etendue d'un corps en tout sens. *Fig.* Mesure.
diminuer v. tr. Amoindrir. V. intr. Devenir moindre.
diminutif, ive adj. et n. m. Qui diminue ou adoucit le sens d'un mot. Se dit d'un objet qui ressemble à un autre plus grand.
diminution n. f. Amoindrissement. Rabais.
dinar n. m. Unité monétaire yougoslave et tunisienne.
dinde n. f. Femelle du dindon. *Fig.* Femme stupide.

dindon n. m. Gros oiseau de basse-cour.
dindonneau n. m. Petit dindon.
dîner v. intr. Prendre le dîner.
dîner n. m. Repas fait, selon les lieux et les temps, au milieu ou à la fin du jour. Ce que l'on a mangé au dîner.
dînette n. f. Petit dîner d'enfants. *Par ext.* Petit repas familier.
dingo n. m. Chien sauvage d'Australie. *Arg.* N. et adj. Fou.
diocésain, e adj. Du diocèse.
diocèse n. m. Province de l'Empire romain au IVe s. Etendue de pays sous la juridiction d'un évêque ou d'un archevêque.
dioptrie n. f. *Phys.* Unité de puissance des systèmes optiques.
dioptrique n. f. Partie de la physique, qui étudie la réfraction. Adj. Qui a rapport à la dioptrique.
diorama n. m. Tableau de grande dimension et que l'on soumet à des jeux d'éclairage.
diphtérie n. f. Maladie contagieuse, caractérisée par la production de fausses membranes dans la gorge.
diphtérique adj. De la diphtérie.
diphtongue n. f. Réunion de deux voyelles distinctes prononcées d'une seule émission de voix.
diplodocus n. m. Gigantesque reptile fossile.
diplomate adj. et n. Qui est chargé d'une fonction diplomatique. Versé dans la diplomatie.
diplomatie n. f. Science des intérêts, des rapports internationaux. *Fig.* Habileté dans les négociations. Corps, carrière diplomatique.
diplomatique* adj. Relatif à la diplomatie. *Corps diplomatique,* ensemble des représentants des puissances étrangères.
diplomatique adj. Relatif aux diplômes. N. f. Science qui s'occupe de l'étude des diplômes, chartes, etc.
diplôme n. m. Pièce officielle établissant un privilège. Titre délivré par un corps, une faculté, etc., pour constater une dignité.
diplômé, e adj. et n. Se dit d'une personne pourvue d'un diplôme.
diptyque n. m. Tableau, bas-relief, recouvert d'un volet à charnières.
dire v. tr. (*Je dis, nous disons, vous dites, ils disent. Je disais. Je dis. Je dirai. Dis, disons, dites. Que je dise. Que je disse. Disant. Dit, e.*) Exprimer au moyen de la parole et, *par ext.,* par écrit. Réciter, raconter : *dire sa leçon, une histoire.* Ordonner : *je vous dis de vous taire.* Prédire : *dire la bonne aventure.* Célébrer : *dire la messe.* Objecter, critiquer : *trouver à dire. C'est-à-dire, c'est-à-dire que* loc. conj. qui s'emploient pour expliquer autrement ce qui vient d'être dit.
dire n. m. Propos tenu par quelqu'un : *au dire des Anciens.*
direct, e* adj. Droit, sans détour. Immédiat : *lien direct.* Qui a lieu de père en fils : *descendant direct. Complément direct,* complément qui n'est relié au verbe par aucune préposition.
directeur, trice n. et adj. Qui est à la tête d'une entreprise.
direction n. f. Action de diriger, de guider la marche de, de veiller sur, etc. Conduite, administration. Emploi de directeur. Tendance vers. Mécanisme qui sert à diriger une auto.
directive n. f. Ensemble des indications ; ligne de conduite.
directoire n. m. Conseil ou tribunal chargé d'une direction publique.
directorial, e, aux adj. Qui concerne une fonction de directeur.
directrice n. f. *Géom.* Ligne sur laquelle s'appuie constamment une génératrice engendrant une surface.
dirigeable adj. et n. m. Qui peut être dirigé : *ballon dirigeable.*
diriger v. tr. (Se conj. comme *manger.*) Conduire, mener (au *pr.* et au *fig.*) : *diriger une affaire.*
dirigisme n. m. Remplacement de l'initiative privée par celle de l'Etat.
dirimant, e adj. Qui annule.
discernement n. m. Action de discerner. Faculté de juger sainement.
discerner v. tr. Distinguer par l'esprit.
disciple n. m. Qui étudie sous la direction d'un maître. Qui suit une doctrine religieuse, morale ou philosophique.
disciplinaire adj. Relatif à la discipline. N. m. Militaire des compagnies de discipline.
discipline n. f. Ensemble des lois ou des règlements qui régissent certains corps. Action directrice d'un maître : *discipline cartésienne.* Soumission à un règlement : *esprit de discipline.* Instrument de flagellation.
discipliner v. tr. Former à la discipline.
discontinu, e adj. Qui offre des interruptions : *effort discontinu.*
discontinuer v. tr. Interrompre, ne pas continuer. V. intr. Cesser.
discontinuité n. f. Interruption.
disconvenir v. intr. (Se conj. comme *venir.*) Ne pas convenir de, nier.
discordance n. f. Caractère de ce qui est discordant.
discordant, e adj. Qui manque de justesse, d'harmonie, d'accord.
discorde n. f. Dissension, division entre deux ou plusieurs personnes.
discothèque n. f. Collection de disques.
discoureur, euse n. Grand parleur.
discourir v. intr. (Se conj. comme *courir.*) Parler abondamment sur un sujet.
discours n. m. Action de discourir. Conversation, entretien. Morceau oratoire, propre à persuader. Développement didactique sur un sujet. La suite des mots qui forment le langage : *les parties du discours.*
discourtois, e adj. Non courtois.
discrédit n. m. Diminution, perte de crédit, de valeur. *Par ext.* Perte d'influence, de considération.
discréditer v. tr. Faire tomber dans le discrédit.
discret, ète* adj. Retenu dans ses paroles et dans ses actions. *Par ext. : conduite discrète.* Qui sait garder un secret.
discrétion n. f. Retenue judicieuse dans les paroles, les actions. Enjeu que le gagnant règle à sa volonté. Loc. adv. : *A la discrétion,* à la merci de, à la sagesse, à la justice de. *A discrétion,* à volonté.
discrétionnaire adj. Laissé à la discrétion : *pouvoir discrétionnaire.*

discrimination n. f. Faculté, action de discerner, de distinguer.
discriminatoire adj. Qui tend à distinguer un groupe humain des autres.
disculpation n. f. Justification.
disculper v. tr. Justifier.
discursif, ive adj. Qui tire une proposition d'une autre par raisonnement : *connaissance discursive.*
discussion n. f. Examen, débat. Contestation.
discutable adj. Qui peut être discuté.
discuter v. tr. Examiner une question. Agiter, débattre, traiter.
disert, e adj. Qui parle aisément.
disette n. f. Manque de choses nécessaires et particul. de vivres. *Fig.* Privation, absence : *une disette d'idées.*
diseur, euse n. Qui dit habituellement des choses d'un genre particulier : *diseuse de bonne aventure.*
disgrâce n. f. Perte de crédit, de faveur. Infortune, malheur.
disgracié, e adj. et n. Qui n'est plus en faveur. *Fig.* Laid.
disgracier v. tr. (Se conj. comme *prier.*) Retirer sa faveur.
disgracieux, euse adj. Qui manque de grâce. Déplaisant, désagréable, ennuyeux. Discourtois (vx).
disjoindre v. tr. (Se conj. comme *craindre.*) Séparer des choses jointes.
disjonction n. f. Séparation.
dislocation n. f. Disjonction, écartement de choses contiguës ou emboîtées. *Par ext.* Démembrement. *Fig.* Rupture d'union.
disloquer v. tr. Déplacer, désunir, déboîter : *se disloquer le bras.*
disparaître v. intr. (Se conj. comme *connaître.*) Cesser d'être visible, de paraître. Se retirer vivement. Venir à manquer subitement. Ne plus être, ne plus exister.
disparate adj. Qui contraste désagréablement. N. f. Manque d'accord. Contraste choquant.
disparité n. f. Disproportion.
disparition n. f. Action de disparaître. Son résultat.
dispendieux, euse adj. Très coûteux.
dispensaire n. m. Lieu où l'on donne gratuitement des consultations, des médicaments, aux indigents.
dispensateur, trice n. Qui distribue.
dispensation n. f. Distribution.
dispense n. f. Exemption de la règle ordinaire. Pièce qui en justifie.
dispenser v. tr. Départir, distribuer. Répartir. Exempter de la règle. Autoriser à ne pas faire.
disperser v. tr. Répandre, jeter çà et là. Dissiper, mettre en fuite.
dispersion n. f. Action de disperser. Son résultat. *Physiq.* Elargissement d'un faisceau lumineux par un milieu réfringent.
disponibilité n. f. Etat de ce qui est disponible. Etat d'un fonctionnaire provisoirement écarté de sa fonction. Pl. Fonds disponibles.
disponible adj. Dont on peut disposer. En disponibilité (militaire).
dispos, e adj. En bonnes dispositions de santé, de travail.
disposé, e adj. *Fig.* Bien ou mal intentionné à l'égard de.
disposer v. tr. Arranger, mettre dans un certain ordre. Approprier à une certaine fin. *Fig.* Préparer, porter quelqu'un à, vers. V. intr. Régler. Avoir à sa disposition : *disposez de mon bien.*
dispositif n. m. *Dr.* Enoncé d'un jugement, d'un arrêt. *Techn.* Agencement des organes d'un appareil.
disposition n. f. Arrangement, distribution. Pouvoir de disposer : *avoir la libre disposition de ses biens. Fig.* Penchant, inclination : *disposition au travail.* Intention, dessein : *être en disposition de sortir.* Pl. Préparatifs, arrangements. Les points que règle un arrêt, une loi.
disproportion n. f. Défaut de proportion, de convenance.
disproportionner v. tr. Mal proportionner.
disputailler v. intr. *Fam.* Disputer longtemps et sur des bagatelles.
disputailleur, euse n. *Fam.* Qui se plaît à disputailler.
dispute n. f. Querelle, altercation.
disputer v. intr. Se quereller. Rivaliser. V. tr. Lutter, contester pour quelque chose.
disputeur, euse n. et adj. Qui aime à disputer, à contredire.
disquaire n. m. Marchand de disques.
disqualification n. f. Action de disqualifier. Son résultat.
disqualifier v. tr. (Se conj. comme *prier.*) Mettre hors de concours. *Fig.* Déclarer indigne de ses pairs.
disque n. m. Objet plat et circulaire. Cercle : *le disque du soleil.* Plaque mobile qui indique, par sa couleur, si la voie d'un chemin de fer est libre ou non. Plaque circulaire pour enregistrement phonographique.
dissection n. f. Action de disséquer.
dissemblable adj. Non semblable.
dissemblance n. f. Manque de ressemblance.
dissémination n. f. Dispersion.
disséminer v. tr. Eparpiller.
dissension n. f. Opposition violente de sentiments, d'intérêts; discorde.
dissentiment n. m. Différence de sentiments, d'opinions. Conflit.
disséquer v. tr. (Se conj. comme *accélérer.*) Faire l'anatomie d'un corps. *Fig.* Etudier minutieusement.
dissertation n. f. Examen détaillé d'une question. Exercice littéraire ou philosophique.
disserter v. intr. Discourir méthodiquement sur un point, etc.
dissidence n. f. Scission : *faire dissidence.* Différence d'opinions.
dissident, e adj. et n. Qui se sépare de l'opinion de la majorité.
dissimulateur, trice n. et adj. Qui dissimule.
dissimulation n. f. Action de dissimuler. Caractère de celui qui dissimule.
dissimuler v. tr. Cacher. Tenir secret. Feindre de ne pas voir ou de ne pas ressentir. Rendre moins apparent.
dissipateur, trice n. et adj. Qui dissipe son bien.
dissipation n. f. Action de dissiper. Vie de plaisirs. *Fig.* Distraction de l'esprit.
dissiper v. tr. Faire disparaître. Faire cesser : *dissiper une inquiétude.* Dépen-

ser follement : *dissiper sa fortune. Fig.* Distraire, détourner de l'application.

dissociation n. f. Action de dissocier.

dissocier v. tr. (Se conj. comme *prier.*) Séparer des éléments associés.

dissolu, e adj. Déréglé. Corrompu.

dissolution n. f. Action de dissoudre. *Par ext.* Anéantissement : *la dissolution d'un empire.* Rupture, séparation : *dissolution d'un mariage.* Retrait de pouvoirs : *dissolution de la Chambre.* Dérèglement des mœurs : *vivre dans la dissolution.*

dissonance n. f. *Mus.* Accord défectueux, manque d'harmonie. Rencontre peu harmonieuse de syllabes.

dissonant, e adj. *Mus.* Qui n'est pas d'accord : *accord dissonant.*

dissoudre v. tr. (Se conj. comme *absoudre.*) Décomposer les molécules d'un corps solide : *l'eau dissout le sucre.* Faire disparaître. *Fig.* Rompre, annuler : *dissoudre une société.* Suspendre l'activité d'une assemblée.

dissuader v. tr. Détourner quelqu'un d'une résolution.

dissymétrie n. f. Manque de symétrie.

dissymétrique adj. Sans symétrie.

distance n. f. Intervalle qui sépare deux points. *Fig.* Différence. *Tenir à distance,* ne pas laisser approcher.

distancer v. tr. (Se conj. comme *amorcer.*) Devancer. *Sport.* Retirer à un coureur, à un cheval, le bénéfice de son placement. *Fig.* Surpasser.

distant, e adj. Qui est à une certaine distance. *Fig.* Froid, réservé.

distendre v. tr. Causer une tension excessive.

distension n. f. Tension excessive.

distillateur n. m. Celui qui distille. Fabricant d'eau-de-vie, de liqueurs, etc.

distillation n. f. Action de distiller.

distiller [*ti-lé*] v. tr. Réduire les liquides en vapeur par la chaleur, pour en recueillir certains principes. *Fig.* Verser goutte à goutte.

distillerie n. f. Lieu où l'on distille. Métier de distillateur.

distinct, e* [*tinkt*] adj. Différent. Séparé. *Fig.* Clair, net.

distinctif, ive adj. Qui distingue.

distinction n. f. Action de distinguer. Division, séparation. Différence : *distinction entre le bien et le mal.* Egards, prérogative. Elégance.

distingué, e adj. Remarquable, éminent. De bon ton, élégant.

distinguer v. tr. Discerner par les sens, par l'esprit. Séparer, établir la différence. Caractériser.

distique n. m. Ensemble de deux vers.

distorsion n. f. Torsion. Déformation.

distraction n. f. Action de séparer une partie d'un tout. Action de prélever. *Fig.* Inapplication. Chose faite par inadvertance. Ce qui amuse, délasse l'esprit.

distraire v. t. (Se conj. comme *traire.*) Séparer une partie d'un tout. Détourner à son profit. *Fig.* Détourner l'esprit d'une application. Récréer.

distrait, e* adj. Peu attentif.

distribuer v. tr. Répartir, partager. Diviser, disposer. Donner au hasard.

distributeur, trice n. Qui distribue. N. m. Appareil servant à distribuer.

distribution n. f. Action de distribuer. Disposition : *distribution d'une maison.* Action d'amener, de répartir : *distribution d'électricité.* Service d'un facteur.

district n. m. Etendue de juridiction.

dithyrambe n. m. Louanges enthousiastes.

dithyrambique adj. Très élogieux.

dito mot. inv. *Comm.* Susdit, de même.

diurétique adj. et n. m. Qui fait uriner.

diurne adj. Qui s'accomplit dans un jour. *Bot.* Se dit des fleurs qui s'épanouissent le jour. *Zool.* Se dit des animaux qui ne se montrent qu'au grand jour.

divagation n. f. Action de divaguer.

divaguer v. intr. Errer à l'aventure. *Fig.* Tenir des propos incohérents.

divan n. m. Sorte de sofa, de canapé.

divergence n. f. Action de diverger.

divergent, e adj. Qui diverge.

diverger v. intr. (Se conj. comme *manger.*) S'écarter l'un de l'autre, en parlant des rayons, des lignes. *Fig.* Etre en désaccord.

divers, e* adj. Qui prend différents aspects; changeant. Pl. Différent, dissemblable. Plusieurs, quelques.

diversifier v. tr. Varier, changer.

diversion n. f. Opération militaire ayant pour objet de détourner l'ennemi d'un point. Action de détourner l'esprit de. Son résultat.

diversité n. f. Variété. Différence.

divertir v. tr. Amuser, récréer.

divertissement n. m. Action de détourner. Amusement. *Théât.* Intermède de danse et de chant.

dividende n. m. *Arith.* Nombre à diviser. Portion de bénéfice qui revient à chaque actionnaire.

divin, e* adj. Qui est propre à Dieu, qui vient de Dieu. Mis au nombre des dieux. *Par ext.* Sublime, parfait.

divinateur, trice adj. et n. Qui pratique la divination. Pénétrant.

divination n. f. Art de deviner.

divinatoire adj. Qui a trait à la divination.

divinisation n. f. Action de diviniser.

diviniser v. tr. Reconnaître pour divin. *Par ext.* Exalter.

divinité n. f. Essence, nature divine. Dieu lui-même : *honorer la Divinité. Fig.* Ce qu'on adore. Pl. Dieux et déesses du paganisme.

diviser v. tr. Séparer par parties. Considérer par parties séparées. Désagréger. *Arith.* Partager en parties égales. *Fig.* Désunir : *diviser les familles.*

diviseur n. et adj. m. Nombre par lequel on en divise un autre.

divisible adj. Qui peut être divisé.

division n. f. Action de diviser. Partie d'un tout divisé. *Arith.* Opération par laquelle on partage une quantité en un certain nombre de parties égales. *Milit.* Corps composé de troupes de toutes armes. *Mar.* Partie d'une escadre. *Admin.* Réunion de plusieurs bureaux : *chef de division. Fig.* Désunion, discorde.

divisionnaire n. m. Général de division.

divorce n. m. Rupture légale du mariage. *Fig.* Rupture, séparation.

divorcer v. intr. (Se conj. comme *amorcer.*) Faire divorce. *Fig.* Rompre.

divulgation n. f. Action de divulguer.
divulguer v. tr. Rendre public.
dix [*diss, diz* en liaison] adj. num. card. Nombre composé de neuf plus un. Adj. num. ord. Dixième.
dix-huit adj. num. card. Dix et huit. Adj. num. ord. Dix-huitième.
dix-huitième* adj. num. ord. et n. Qui vient après le dix-septième. N. m. La dix-huitième partie.
dixième adj. num. ord. Qui suit le neuvième. N. m. La dixième partie.
dixièmement adv. En dixième lieu.
dix-neuf adj. num. card. Dix et neuf. Adj. num. ord. Dix-neuvième.
dix-neuvième* adj. num. ord. et n. Qui vient après le dix-huitième. N. m. La dix-neuvième partie.
dix-sept adj. num. card. Dix et sept. Adj. num. ord. Dix-septième.
dix-septième* adj. num. ord. et n. Qui vient après le seizième. N. m. La dix-septième partie.
dizaine n. f. Groupe de dix unités. Dix environ.
do n. m. invar. Note de musique.
docile* adj. Facile à instruire, à conduire. Maniable.
docilité n. f. Disposition à obéir.
dock n. m. Bassin entouré de quais pour le déchargement des navires. Cale couverte, pour construire les navires. Magasin d'entrepôt. *Dock flottant,* bassin de radoub mobile.
docker [*kèr*] n. m. Ouvrier des docks.
docte* adj. Savant.
docteur n. m. Qui est promu au plus haut degré d'une faculté. Se dit pour docteur en médecine. Homme très savant dans un genre quelconque.
doctoral, e*, aux adj. De docteur. En m. part. Grave, pédantesque.
doctorat n. m. Grade de docteur.
doctoresse n. f. Femme qui a obtenu le diplôme de docteur en médecine.
doctrinal, e, aux adj. Relatif à la doctrine.
doctrine n. f. Ensemble des opinions d'une école littéraire ou philosophique, ou des dogmes d'une religion. Ensemble d'opinions : *une saine doctrine.*
document n. m. Ecrit servant de preuve ou de titre. Objet quelconque servant de preuve.
documentaire adj. Qui a le caractère d'un document. Appuyé sur des documents. N. m. Film de vulgarisation artistique ou scientifique.
documentation n. f. Action d'appuyer une assertion sur des documents. Ces documents.
documenter v. tr. Fournir des documents. Appuyer sur des documents.
dodelinement n. m. Oscillation légère de la tête, du corps.
dodeliner v. tr. Bercer doucement. V. intr. Balancer : *dodeliner de la tête.*
dodo n. m. Lit, sommeil (langage des enfants). *Faire dodo,* dormir.
dodu, e adj. Gras, potelé.
doge n. m. Chef des anciennes républiques de Gênes et de Venise.
dogmatique* adj. Relatif au dogme. *Fig.* Tranchant, décisif : *ton dogmatique.* N.f. Ensemble des dogmes.
dogmatiser v. intr. Etablir des dogmes. *Fig.* Parler d'un ton sentencieux.
dogmatisme n. m. Philosophie qui admet la certitude. *Par ext.* Disposition à croire, à affirmer. Affirmation sur un ton tranchant.
dogmatiste n. et adj. Partisan du dogmatisme.
dogme n. m. Point fondamental de doctrine en religion. Opinion donnée comme certaine : *un dogme littéraire.*
dogue n. m. Chien de garde à grosse tête, à museau aplati.
doigt n. m. Chacune des parties mobiles qui terminent les mains et les pieds de l'homme et de quelques animaux. *Etre à deux doigts de,* être sur le point de. *Savoir sur le bout du doigt,* parfaitement. *Se mettre le doigt dans l'œil,* s'abuser grossièrement.
doigté n. m. Manière de doigter. Tact.
doigter v. intr. Poser ses doigts sur un instrument pour en tirer des sons.
doigtier n. m. Fourreau pour protéger un doigt malade.
doit n. m. Partie d'un compte établissant ce qu'une personne doit.
doléances n. f. pl. Plaintes.
dolent, e adj. Triste, plaintif.
dolichocéphale [*ko*] adj. et n. Dont le crâne est allongé.
dollar n. m. Unité monétaire des Etats-Unis.
dolman n. m. Veste militaire à brandebourgs.
dolmen [*mèn*] n. m. Monument druidique formé d'une grande pierre plate posée sur deux verticales.
domaine n. m. Propriété. Exploitation rurale d'une grande étendue. *Le domaine de l'Etat* ou, absol., *le Domaine, les Domaines,* les biens de l'Etat, l'administration de ces biens. *Fig.* Attribution, fonction, ressort : *c'est de mon domaine.*
domanial, e, aux adj. Qui appartient au domaine public.
dôme n. m. Voûte demi-sphérique, qui surmonte un édifice. Chose en forme de dôme : *dôme de verdure.*
domestication n. f. Action de domestiquer.
domesticité n. f. Etat de domestique. Ensemble des domestiques d'une maison. Condition des animaux soumis à l'homme.
domestique adj. Qui concerne la maison, la famille. *Par ext.* Relatif à l'intérieur de l'Etat. Apprivoisé. N. Tout serviteur ou servante d'une maison.
domestiquer v. tr. Réduire un animal à l'état de domesticité.
domicile n. m. Maison, demeure. *Elire domicile,* se fixer. *A domicile,* loc. adv. Chez une personne.
domiciliaire adj. Relatif au domicile. *Visite domiciliaire,* faite au domicile par autorité de justice.
domicilier (se) v. pr. (Se conj. comme *prier.*) Etablir son domicile.
dominant, e adj. Qui domine. N. f. Partie, trait caractéristique.
dominateur, trice adj. et n. Qui domine.
domination n. f. Empire, autorité souveraine. Influence souveraine. *Fig.* Influence morale.

dominer v. intr. Etre maître de. L'emporter sur. V. tr. Etre maître de : *dominer les faibles. Par ext.* Etre au-dessus de (par la position occupée). Maîtriser.
dominical, e, aux adj. Du Seigneur. Du dimanche. *Oraison dominicale,* le Pater.
domino n. m. Costume de bal masqué, vêtement flottant avec capuchon. Personne qui porte ce costume. Chacune des pièces du jeu du même nom.
dommage n. m. Perte, dégât, préjudice. Chose malheureuse, regrettable. Pl. *Dr. Dommages et intérêts* ou *dommages-intérêts,* indemnité due pour un préjudice.
dommageable adj. Préjudiciable.
dompter [*don-té*] v. tr. Vaincre, subjuguer. Apprivoiser. *Fig.* Maîtriser.
dompteur [*don-teur*], **euse** n. Qui dompte.
don n. m. Présent libéral donné ou reçu. Donation entre vifs. Faveur, avantage, qualité naturelle.
donataire n. Qui reçoit un don.
donateur, trice n. Qui fait un don.
donation n. f. Don à titre gratuit.
donc [*don, donk'*] conj. marquant une conclusion. Marque aussi la surprise, l'incrédulité, l'ironie, la reprise d'une pensée interrompue. Renforce une interrogation, une demande : *qu'as-tu donc?*
dondon n. f. *Fam.* Femme ou fille qui a beaucoup d'embonpoint.
donjon n. m. Grosse tour isolée ou attenante à un château fort.
donne n. f. *Jeu.* Action de distribuer les cartes.
donnée n. f. Point incontestable ou admis comme tel : *données chronologiques.* Idée fondamentale qui sert de point de départ. Document qui sert de point d'appui. Pl. Prétexte, motifs. *Math.* Quantités connues servant à trouver les inconnues.
donner v. tr. Faire don : *donner son bien.* Causer : *donner de la peine.* Communiquer : *donner une maladie.* Attribuer : *donner tort.* Manifester : *donner signe de vie.* Garantir : *donner pour bon.* Fixer : *donner des lois.* Livrer : *donner un assaut.* Appliquer : *donner un soufflet.* Signifier : *donner congé.* Administrer : *donner un remède.* Procurer : *donner du travail.* Causer : *donner la mort.* V. intr. Se livrer à : *donner dans le vice.* Rapporter : *la terre donne bien.* Tomber : *donner dans le piège.* Avoir vue : *donner sur la rue.* Heurter : *donner de la tête contre un mur.* V. pr. *Se donner pour,* se faire passer pour. *Se donner des airs,* prendre l'aspect, l'apparence.
donneur, euse n. Qui aime à donner. Joueur qui distribue les cartes. Qui donne : *donneur de sang.*
don-quichottisme n. m. Caractère du redresseur de torts.
dont pr. relatif des deux genres et des deux nombres, mis pour *de qui, duquel, de quoi,* etc.
doper v. tr. Administrer un excitant à un cheval de course, à un sportif.
dorade n. f. Nom de divers poissons.
dorénavant adv. A partir de maintenant.
dorer v. tr. Recouvrir d'une couche d'or. Couvrir une pièce de pâtisserie d'une légère couche de jaune d'œuf.
doreur, euse adj. et n. Qui dore.
dorien, enne adj. et n. De la Doride.
dorique adj. Caractérise l'ordre architectural le plus sobre.
dorloter v. tr. Traiter délicatement.
dormeur, euse n. et adj. Qui aime à dormir. N. f. Sorte de chaise longue.
dormir v. intr. (*Je dors, nous dormons. Je dormais, nous dormions. Je dormis, nous dormîmes. Je dormirai, nous dormirons. Dors, dormons, dormez. Que je dorme, que nous dormions. Que je dormisse, que nous dormissions. Dormant. Dormi.*) Reposer dans le sommeil. *Par anal.* Demeurer sans mouvement. *Laisser dormir une affaire,* la négliger. N. m. Le sommeil.
dorsal, e, aux adj. Du dos.
dortoir n. m. Salle commune où sont les lits dans les collèges, etc.
dorure n. f. Art, action de dorer. Or appliqué. Jaune d'œuf pour dorer les pièces de pâtisserie.
doryphore n. m. Insecte qui ravage les plants de pommes de terre.
dos n. m. Partie du corps des vertébrés, qui va des épaules au bassin. Partie supérieure et convexe d'un objet. Verso, revers : *le dos d'un document.* Partie opposée au tranchant. *Avoir bon dos,* être accusé de préférence; supporter gaiement les railleries, etc.
dosage n. m. Action de doser.
dose n. f. Quantité d'un médicament, prise en une fois. Quantité de chaque élément qui entre dans un composé. *Fig.* Quantité : *une forte dose de naïveté.*
doser v. tr. Déterminer une dose.
dossier n. m. Partie d'un siège, contre laquelle s'appuie le dos.
dossier n. m. Ensemble de pièces portant sur une même affaire, sur les antécédents d'un individu.
dot [*dot'*] n. f. Bien qu'une femme apporte en mariage, ou une religieuse en entrant au couvent.
dotal, e, aux adj. Relatif à la dot.
dotation n. f. Ensemble des revenus assignés à un établissement d'utilité publique, une église, un hôpital, etc. Revenu attribué aux membres d'une famille souveraine, à certains fonctionnaires.
doter v. tr. Donner une dot à. *Fig.* Favoriser, douer.
douaire n. m. Biens assurés à la femme par le mari, en cas de survie.
douairière [*douè*] n. f. Veuve qui jouit d'un douaire. Veuve de qualité.
douane n. f. Administration qui perçoit les droits imposés sur les marchandises exportées ou importées. Siège de cette administration.
douanier n. m. Commis de la douane.
douanier, ère adj. Qui concerne la douane.
doublage n. m. Action de doubler.
double adj. Qui vaut, pèse, contient deux fois plus. Fait de deux choses identiques : *étoffe double.* Fait en deux exemplaires. *Fig.* Qui a de la duplicité. *Double emploi,* somme, article porté deux fois dans un compte, dans une énumération. *Double sens,* qui a deux significations. N. m. Quantité prise deux fois. Reproduction, copie : *un double au carbone.*
doublé n. m. En général, cuivre recouvert d'une couche d'or ou d'argent. *Jeux.* Au

billard, coup qui consiste à toucher la bande avant d'atteindre la bille.
doublement n. m. Action de doubler.
doublement adv. Pour deux raisons, en deux manières.
doubler v. tr. Porter au double. Mettre en double. Garnir d'une doublure. Dépasser un véhicule. *Doubler le pas,* marcher plus vite. *Doubler une classe,* la recommencer. *Doubler un film,* y enregistrer des paroles traduisant celles de l'original. *Mar. Doubler un cap,* le franchir. V. intr. Devenir double.
doublet n. m. Mot qui a la même étymologie qu'un autre, mais un sens différent.
doublon n. m. Monnaie d'or espagnole.
doublure n. f. Etoffe dont un vêtement est doublé. Objet quelconque qui en double un autre. *Fig.* Acteur qui en remplace un autre.
douceâtre adj. De saveur fade. *Fig.* D'expression fade.
doucement adv. D'une manière douce. Lentement : *parler doucement. Tout doucement,* faiblement. Interj. engageant à la modération.
doucereux, euse* adj. D'une douceur fade. *Fig.* D'une douceur affectée.
doucettement adv. Tout doucement.
douceur n. f. Qualité de ce qui est doux, agréable. *Fig.* Mansuétude, indulgence. Tranquillité. Pl. Sucreries, friandises *Fig.* Propos aimables, galants.
douche n. f. Jet, affusion d'eau dirigée sur le corps. *Fig.* Tout ce qui calme une exaltation : *recevoir une douche.*
doucher v. tr. Donner une douche.
douer v. tr. Assigner un douaire. Pourvoir, favoriser : *doué de belles qualités.*
douille n. f. Partie creuse d'un instrument dans laquelle est adapté le manche. Etui contenant la charge de poudre d'une cartouche.
douillet, ette* adj. et n. Doux, mollet. *Fig.* Trop délicat, trop sensible.
douillette n. f. Manteau d'ecclésiastique.
douleur n. f. Souffrance physique ou morale.
douloureux, euse* adj. Qui cause de la douleur. Qui marque de la douleur.
doute n. m. Incertitude, irrésolution. Soupçon. Scrupule. Appréhension. Scepticisme : *le doute scientifique. Sans doute* loc. adv. Probablement.
douter v. intr. Etre dans l'incertitude sur la réalité ou la vérité de : *je ne doute pas qu'il ne vienne.* Ne pas avoir confiance en : *je doute de sa probité.* V. pr. Soupçonner.
douteur, euse adj. Qui doute.
douteux, euse adj. Mal connu. Incertain. Equivoque : *individu douteux.*
douve n. f. Planche courbée, qui entre dans la construction des tonneaux. Fossé plein d'eau. Genre de vers parasites du foie des animaux.
doux, douce adj. D'une saveur agréable. *Par ext.* Qui produit une impression agréable sur les sens : *voix douce.* Qui est facile, peu pénible : *vie douce. Fig.* Bon, affable, indulgent, paisible. Tendre, bienveillant. *Eau douce,* qui ne contient pas de sel. *Filer doux,* être soumis.
douzaine n. f. Douze objets de même espèce. Douze environ.
douze adj. num. Dix et deux. Douzième. N. m. Le douzième jour du mois.
douzième* adj. num. ord. et n. Qui vient après le onzième. N. m. La douzième partie.
doyen n. m. Le plus ancien d'âge ou de réception dans une compagnie. Supérieur d'un chapitre, d'une abbaye. Administrateur d'une faculté.
draconien, enne adj. Très sévère.
dragage n. m. Action ou manière de draguer les rivières.
dragée n. f. Amande recouverte de sucre durci. Menu plomb de chasse.
drageon n. m. Rejeton né d'une racine.
dragon n. m. Monstre fabuleux. Soldat de la cavalerie de ligne. *Fig.* Femme acariâtre, terrible.
dragonne n. f. Courroie avec gland, à la poignée d'une épée, d'un sabre.
drague n. f. Machine pour curer les fonds. Sorte de filet de pêche.
draguer v. tr. Curer avec la drague.
dragueur n. m. Bateau qui drague.
drain n. m. Conduit souterrain, pour épuiser l'eau dans les terres trop humides. Petit cylindre en caoutchouc, mèche de gaze, qui se place dans une plaie, pour assurer l'écoulement des liquides purulents.
drainage n. m. Action de drainer.
drainer v. tr. Dessécher un sol humide au moyen de drains. Mettre des drains dans un foyer purulent. *Fig.* Attirer à soi.
dramatique* adj. Relatif au drame, au théâtre. Qui s'occupe de théâtre. *Par ext.* Qui excite vivement l'émotion.
dramatiser v. tr. Donner la forme, l'intérêt du drame.
dramaturge n. Auteur de drames.
dramaturgie n. f. Art, traité de la composition des pièces de théâtre.
drame n. m. Action théâtrale. Pièce de théâtre, où le comique est mêlé au tragique. Récit vivant où l'on voit les personnages agir et se mouvoir comme sur la scène. *Fig.* Evénement terrible.
drap n. m. Etoffe de laine : *du drap anglais.* Grande pièce de lingerie, que l'on met sur le matelas d'un lit.
drapeau n. m. Pièce d'étoffe attachée à une hampe, portant les couleurs d'une nation, d'un parti, etc. *Fig. Etre sous les drapeaux,* faire son service.
draper v. tr. Couvrir d'une draperie. Disposer en plis harmonieux.
draperie n. f. Manufacture de drap. Métier de drapier. Etoffe disposée à grands plis. *Peint. et sculpt.* Représentation d'étoffes flottantes.
drapier n. et adj. m. Marchand, fabricant de drap.
dressage n. m. Action de dresser.
dresser v. tr. Lever, tenir droit. Monter, construire, garnir : *dresser un lit, un buffet.* Aplanir, dégauchir : *dresser une surface.* Etablir, rédiger : *dresser un acte. Fig.* Instruire, former : *dresser un singe. Dresser l'oreille,* écouter.
dressoir n. m. Etagère à vaisselle.
dreyfusard n. m. Partisan de Dreyfus.
drille n. m. *Bon drille,* bon compagnon.
drisse n. f. Cordage qui dresse une voile, un pavillon, etc.

drogue n. f. Ingrédient propre à la teinture, à la chimie, à la pharmacie. Mauvais remède.
droguer v. tr. Donner beaucoup de drogues à un malade. Falsifier. V. intr. *Fig.* et *fam.* Attendre : *il m'a fait droguer.*
droguerie n. f. Toutes sortes de drogues. Commerce du droguiste.
droguiste n. et adj. Qui fait le commerce de produits chimiques.
droit n. m. Ensemble des lois et dispositions qui règlent obligatoirement les rapports des hommes vivant en société. Pouvoir d'agir ou d'exiger reconnu par les règles sociales. *Droits civils,* ceux qui sont garantis par le Code civil à tout citoyen. *Droits civiques,* ceux qui sont accordés aux citoyens dans leurs rapports avec l'Etat. Jurisprudence, législation : *étudier le droit.* Impôt, taxe : *droit d'entrée.* Justice. *Droit des gens* ou *international,* droit qui règle les rapports entre peuples. *Droit canon* ou *canonique,* droit ecclésiastique. *A bon droit,* avec raison.
droit, e adj. Qui n'est pas courbe. Vertical. *Angle droit,* angle formé par deux lignes perpendiculaires l'une sur l'autre et qui a 90 degrés. Se dit de ce qui est placé, chez l'homme et chez les animaux, du côté opposé à celui du cœur. *Fig.* Qui ne dévie pas du devoir, de la raison, etc. : *esprit droit.* Juste, sincère, sain; judicieux. *Droit chemin,* voie de la vertu, de l'honneur. Adv. Directement. N. f. Le côté droit. La main droite. Partie d'une assemblée délibérante, à la droite du président, où siègent les conservateurs. *Géom.* Ligne droite. *A droite* loc. adv. A main droite.
droitier, ère n. et adj. Qui se sert mieux de la main droite ou du pied droit.
droiture n. f. Qualité de celui qui ne s'écarte pas de la ligne du devoir.
drolatique adj. Plaisant, récréatif.
drôle* adj. Plaisant, gai, amusant. Bizarre : *drôle d'aventure.* N. m. Mauvais sujet. Homme méprisable.
drôlerie n. f. Qualité de ce qui est drôle. Parole, acte drôle.
drôlesse n. f. Femme effrontée.
dromadaire n. m. Sorte de chameau à une bosse.
dru, e adj. Fort, vigoureux. Serré : *pluie drue.* Gaillard, vif. Adv. En grande quantité : *tomber dru.*
druide, esse n. Prêtre, prêtresse des Gaulois.
druidique adj. Relatif aux druides.
drupe n. m. Fruit charnu à noyau.
du art. contracté pour *de le.*
dû n. m. Ce qui est dû.
dualisme n. m. Tout système religieux ou philosophique qui admet deux principes.
dualiste adj. De la nature du dualisme. N. m. Partisan du dualisme.
dualité n. f. Caractère de ce qui est double en soi.
dubitatif, ive adj. Qui exprime le doute.
duc n. m. Souverain d'un duché. Titre de noblesse, le plus élevé après celui de prince. Grand oiseau du genre chouette.
ducal, e, aux adj. De duc.
duché n. m. Terre, seigneurie à laquelle le titre de duc est attaché.
duchesse n. f. Femme d'un duc, ou qui possède un duché. Variété de poire.
ductile adj. Qui peut être étiré, allongé sans se rompre.
duègne n. f. Gouvernante chargée, en Espagne, de veiller sur une jeune personne. Vieille femme revêche.
duel n. m. Combat entre deux adversaires.
duelliste n. m. Qui se bat en duel.
duettiste n. Qui chante ou qui joue un duo avec un autre.
dulcifier v. tr. (Se conj. comme *prier.*) Adoucir.
dulcinée n. f. *Fam.* Dame des pensées d'un chevalier.
dûment adv. En due forme.
dumping [*deum-pign*] n. m. Méthode qui consiste à vendre à perte une part de la production pour tuer la concurrence.
dune n. f. Amas de sable que les vents accumulent sur les côtes, dans les déserts, etc.
dunette n. f. Partie élevée à l'arrière d'un navire.
duo n. m. Morceau de musique pour deux voix ou deux instruments. *Fig.* Propos entre deux personnes.
duodécimal, e, aux *adj.* Qui se compte, se divise par douze.
duodénum [*nom'*] n. m. Portion de l'intestin grêle, qui succède à l'estomac.
dupe n. f. et adj. Personne trompée.
duper v. tr. Tromper.
duperie n. f. Tromperie.
dupeur, euse n. Qui dupe.
duplicata n. m. invar. Double d'un acte, d'une dépêche, d'un écrit.
duplicateur n. m. Appareil tirant plusieurs copies d'un document.
duplicité n. f. Etat de ce qui est double. *Fig.* Fausseté.
duquel pr. rel. pour *de lequel.* Pl. *desquels.*
dur, e* adj. Ferme, solide, difficile à entamer. *Avoir l'oreille dure,* entendre difficilement. *Homme, cœur dur,* inhumain, insensible. *Vie dure,* vie pénible. *Paroles dures,* sévères. Adv. Durement, énergiquement. N. f. *Coucher sur la dure,* sur la terre nue, sur les planches.
durable* adj. De nature à durer.
Duralumin n. m. (nom déposé). Un alliage léger d'aluminium.
durant prép. Pendant.
durcir v. tr. Rendre dur. V. intr. Devenir dur.
durcissement n. m. Action de durcir.
durée n. f. Action de durer, de persister. Espace de temps que dure une chose. Temps en général.
durer v. intr. Continuer d'être. Exister longtemps. Se conserver : *vin qui dure.* Se prolonger. Paraître long : *ça dure!*
dureté n. f. Qualité de ce qui est dur. *Fig.* Défaut de sensibilité. Pl Paroles dures.
durillon n. m. Petite callosité.
duvet n. m. Plume légère qui garnit le dessous du corps des oiseaux. Premières plumes des oiseaux nouvellement éclos. Premier poil qui vient au menton, aux joues. Espèce de coton sur certains fruits.
duveté, e ou **duveteux, euse** adj. Qui a beaucoup de duvet.

dynamique adj. Relatif à la force. N. f. Partie de la mécanique, qui étudie les forces et les mouvements.
dynamisme n. m. Doctrine qui ne reconnaît que des forces dont l'action détermine les autres propriétés des corps. Force active d'un être.
dynamitage n. m. Action de faire sauter au moyen de la dynamite.
dynamite n. f. Substance explosive.
dynamiter v. tr. Faire sauter au moyen de la dynamite.
dynamiteur, euse n. Auteur d'attaques à la dynamite.
dynamo n. f. Machine qui transforme l'énergie mécanique en énergie électrique.
dynamomètre n. m. Instrument pour mesurer les intensités des forces.
dynastie n. f. Suite de souverains de même famille.
dynastique adj. Qui concerne la dynastie.
dysenterie [*di-san*] n. f. Diarrhée douloureuse et sanguinolente.
dysentérique adj. Qui a rapport à la dysenterie. N. Atteint de dysenterie.
dyspepsie n. f. *Méd.* Digestion difficile et douloureuse.

E

e n. m. Cinquième lettre de l'alphabet et la seconde des voyelles.
eau n. f. Liquide transparent, insipide, inodore. Masse de ce liquide; lac, rivière, etc. Pluie. Liquide obtenu par distillation ou infusion : *eau de Cologne.* Sécrétion liquide du corps : *des cloques pleines d'eau.* Limpidité des pierres précieuses : *diamant de belle eau. Eaux mères,* eaux dans lesquelles s'est opérée une cristallisation : *les eaux mères des marais salants. Les eaux,* eaux thermales.
eau-de-vie n. f. Liqueur alcoolique extraite du vin, du marc, du cidre, etc. Pl. des *eaux-de-vie.*
eau-forte n. f. Acide nitrique. Estampe gravée avec cet acide. Pl. des *eaux-fortes.*
eaux-vannes n. f. pl. Liquide contenu dans les fosses d'aisances.
ébahir v. tr. Jeter dans la surprise, la stupéfaction.
ébahissement n. m. *Fam.* Etonnement. Admiration mêlée de surprise.
ébarber v. tr. Enlever les bavures.
ébats n. m. pl. Mouvements folâtres.
ébattre (s') v. pr. (Se conj. comme *battre.*) Se livrer à des ébats.
ébaubir (s') v. pr. S'étonner.
ébauchage n. m. Action, manière d'ébaucher.
ébauche n. f. Premier jet, esquisse d'un ouvrage de peinture, de sculpture, de littérature, etc.
ébaucher v. tr. Dessiner, tracer l'ébauche de. *Par ext.* Indiquer, noter.
ébauchoir n. m. Outil de sculpteur. Outil de charpentier.
ébène n. f. Bois noir, dur et pesant.
ébénier n. m. Arbre qui fournit le bois d'ébène. *Faux ébénier,* cytise.
ébéniste n. m. Qui fait des meubles.
ébénisterie n. f. Commerce, art de l'ébéniste. Travail d'ébéniste.
éberluer v. tr. Donner la berlue à. *Fig.* Etonner.
éblouir v. tr. Troubler la vue par un trop grand éclat. *Fig.* Surprendre par quelque chose de brillant.
éblouissement n. m. Trouble de la vue, causé par l'impression subite d'une trop vive lumière. Difficulté de voir, provenant d'une cause interne : *avoir des éblouissements. Fig.* Trouble de l'esprit.
ébonite n. f. Caoutchouc durci, noir.
éborgner v. tr. Rendre borgne.
éboueur n. m. Boueur.
ébouillanter v. tr. Tremper dans l'eau bouillante.
éboulement n. m. Chute de ce qui s'éboule. Matériaux éboulés.
ébouler v. tr. Faire écrouler. V. intr. S'écrouler, s'affaisser.
éboulis n. m. Matières éboulées, particulièrement en géologie.
ébouriffant, e adj. Extraordinaire.
ébouriffer v. tr. Embrouiller, mettre en désordre les cheveux. *Fig.* Surprendre, ahurir : *en rester ébouriffé.*
ébranchage n. m. Action d'ébrancher.
ébrancher v. tr. Dépouiller de ses branches : *ébrancher un arbre.*
ébranchoir n. m. Sorte de serpe.
ébranlement n. m. Action d'ébranler. Etat de ce qui est ébranlé. *Fig.* Danger de ruine. Secousse morale.
ébranler v. tr. Mettre en branle. Diminuer la solidité par des secousses. *Fig.* Rendre moins solide : *ébranler une conviction.* Faire chanceler.
ébraser v. tr. Elargir progressivement de dehors en dedans la baie d'une porte, etc.
ébrécher v. tr. (Se conj. comme *accélérer.*) Faire une brèche dans un objet.
ébriété n. f. Ivresse.
ébrouer (s') v. pr. Souffler de frayeur, en parlant du cheval. S'agiter, se nettoyer dans l'eau.
ébruiter v. tr. Divulguer, répandre.
ébullition n. f. Mouvement, état d'un liquide qui bout. *Fig.* Effervescence.
éburnéen, enne adj. D'ivoire.
écaillage n. m. Action d'enlever les écailles. Action d'ouvrir les huîtres. Défaut des vernis qui s'écaillent.
écaille n. f. Plaque cornée, qui recouvre le corps des poissons et des reptiles. Carapace de tortue : *peigne d'écaille.* Valve d'une coquille bivalve : *écaille d'huître.* Se dit des lames qui protègent certains organes végétaux. Ce qui se détache en plaques. Motif d'ornementation, en forme d'écaille.

écailler v. tr. Enlever les écailles. V. pr. Se détacher en écailles.
écailler, ère n. Qui ouvre ou qui vend des huîtres.
écale n. f. Enveloppe coriace de quelques fruits et légumes.
écaler v. tr. Oter l'écale de.
écarlate n. f. et adj. Couleur d'un rouge vif. Etoffe de cette couleur.
écarquiller v. tr. Ecarter. Ouvrir tout grand : *écarquiller les yeux.*
écart n. m. Action de s'écarter de son chemin. *Faire un écart,* se jeter brusquement de côté (cheval). Cartes écartées à certains jeux. Variation, différence : *écarts de température. Fig.* Action de sortir de la bonne voie : *écart d'imagination.* Digression. *A l'écart,* à part.
écarté n. m. Jeu de cartes.
écartèlement n. m. Supplice par lequel on écartelait un condamné.
écarteler v. tr. (Se conj. comme *accélérer.*) Faire tirer en sens inverse, par des chevaux, les quatre membres d'un condamné.
écartement n. m. Action d'écarter. Etat de ce qui est écarté.
écarter v. tr. Eloigner. Séparer : *écarter les bras.* Tenir à distance : *écarter la foule.* Faire dévier : *écarter du chemin. Fig.* Détourner : *écarter un soupçon. Jeu.* Rejeter une ou plusieurs cartes de son jeu pour en prendre de nouvelles.
ecchymose [*é-ki*] n. f. Epanchement formé par l'infiltration du sang dans l'épaisseur de la peau.
ecclésiastique adj. Qui concerne l'Eglise, le clergé. N. m. Membre du clergé.
écervelé, e adj. et n. Sans cervelle, sans jugement.
échafaud n. m. Construction en forme de plancher, à l'usage des maçons, des peintres. Estrade. Plate-forme en charpente, sur laquelle on exécutait les condamnés à mort. La guillotine. Peine de mort.
échafaudage n. m. Construction d'échafauds pour bâtir, peindre, etc. *Fig.* Amas d'objets entassés. Ce qui sert à établir, à fonder : *un échafaudage d'idées.*
échafauder v. intr. Dresser un échafaud. V. tr. Amonceler. *Fig.* Combiner : *échafauder des projets.*
échalas n. m. Pieu pour soutenir la vigne ou d'autres plantes. *Fig.* et *fam.* Personne grande et maigre.
échalasser v. tr. Soutenir avec des échalas.
échalote n. f. Espèce d'ail.
échancrer v. tr. Tailler en forme de croissant.
échancrure n. f. Partie échancrée.
échange n. m. Troc d'une chose pour une autre. Acte réciproque : *un échange de bons procédés.*
échanger v. tr. (Se conj. comme *manger.*) Faire un échange.
échanson n. m. Officier qui servait à boire à un grand personnage. *Par ext.* Personne qui verse à boire.
échantillon n. m. Morceau d'une étoffe, petite quantité d'un produit, pour en faire connaître la qualité.
échantillonnage n. m. Action d'échantillonner. Série d'échantillons.
échantillonner v. tr. Préparer des échantillons.
échappatoire n. f. Moyen adroit de se tirer d'embarras.
échappée n. f. Escapade. Court instant : *échappée de beau temps.* Espace libre, mais resserré, par lequel la vue peut plonger au loin.
échappement n. m. Mécanisme qui régularise le mouvement d'une horloge.
échapper v. intr. S'évader, fuir. Se soustraire à : *échapper à la vue.* N'être pas perçu ou remarqué : *échapper aux sens. L'échapper belle,* se tirer heureusement d'un mauvais pas.
écharde n. f. Petit fragment d'un corps entré dans la chair.
écharpe n. f. Bande d'étoffe qui se porte obliquement d'une épaule à la hanche opposée, ou bien autour de la taille. Bande d'étoffe que l'on porte sur les épaules. Bandage pour soutenir un bras blessé. *En écharpe* loc. adv. De biais. En bandoulière.
écharper v. tr. Blesser grièvement. Tailler en pièces.
échasse n. f. Chacun des deux bâtons, munis d'un cale-pied, servant à marcher à une certaine hauteur au-dessus du sol.
échassiers n. m. pl. Ordre d'oiseaux à jambes hautes, à demi aquatiques.
échaudé n. m. Pâtisserie très légère pour les oiseaux.
échauder v. tr. Plonger subitement dans l'eau chaude une pâte, etc. Laver à l'eau bouillante : *échauder un tonneau.* Passer à l'eau chaude une bête tuée, pour la dépouiller facilement. Brûler avec un liquide chaud : *chat échaudé craint l'eau froide. Fig.* Faire subir un dommage à. Faire payer trop cher.
échaudoir n. m. Lieu où l'on échaude. Vase pour échauder.
échauffement n. m. Action d'échauffer. Augmentation de la chaleur animale. Constipation. Commencement de fermentation. *Fig.* Surexcitation morale.
échauffer v. tr. Donner de la chaleur, causer un excès de chaleur. Constiper. *Echauffer la bile,* irriter.
échauffourée n. f. Entreprise téméraire, mal concertée. Bagarre.
échéance n. f. Terme de paiement d'un billet, d'une dette, etc.
échéant, e adj. Qui échoit. *Le cas échéant,* si le cas se présente.
échec n. m. Insuccès, dommage.
échecs n. m. pl. Jeu qui se joue sur un échiquier de 64 cases, avec 32 pièces, de valeur diverse. *Mettre en échec,* menacer une pièce au jeu des échecs et, au *fig.,* entraver l'action de.
échelle n. f. Appareil composé de deux montants reliés entre eux par des barreaux. Ligne divisée en parties égales pour mesurer des distances sur une carte, un plan. Série de divisions sur un instrument de mesure : *échelle thermométrique. Fig.* Moyen de comparaison ou d'évaluation. Série, suite progressive ou comparée d'êtres ou de choses. *Echelle sociale,* hiérarchie des diverses conditions. Succession des sons dans la gamme.
échelon n. m. Chacun des bâtons de l'échelle. *Fig.* Chacun des degrés d'une série progressive ou continue. Moyen de

s'élever. *Milit.* Troupe placée en arrière d'une autre.

échelonnement n. m. Action d'échelonner : *échelonnement d'échéances.*

échelonner v. tr. Disposer par échelons. Répartir.

échenillage n. m. Action d'écheniller.

écheniller v. tr. Oter les chenilles des arbres ; détruire leurs nids.

échenilloir n. m. Instrument pour écheniller.

écheveau n. m. Petit faisceau de fil. *Fig.* Affaire embrouillée.

écheveler v. tr. Mettre en désordre les cheveux de.

échine n. f. Nom vulgaire de la colonne vertébrale. *Fig. Avoir l'échine souple,* savoir se plier à toutes les complaisances.

échiner v. tr. Rompre l'échine. *Fig.* Battre, assommer. V. pr. Peiner.

échiquier n. m. Plateau carré, divisé en 64 cases, pour jouer aux échecs. Disposition d'objets en carrés égaux et continus.

écho [*ko*] n. m. Répétition d'un son répercuté. Lieu où se produit l'écho. Reproduction, répétition d'un bruit, d'une nouvelle ; ces nouvelles : *les échos d'un journal.* Personne qui répète. Personne qui en imite servilement une autre.

échoir v. intr. (N'est guère usité qu'aux personnes et aux temps suivants : *il échoit, ils échoient. Il échut, ils échurent. Qu'il échût, qu'ils échussent. Echéant. Echu, e,* et aux 3es personnes des temps composés.) Etre dévolu par le sort. Arriver à échéance.

échoppe n. f. Petite boutique. Burin.

échopper v. tr. Enlever au burin.

échotier [*ko*] n. m. Rédacteur chargé des échos dans un journal.

échouage n. m. Situation d'un vaisseau échoué. Endroit où un bateau peut échouer sans danger.

échouer v. intr. *Mar.* Donner sur un écueil, un banc de sable ou un bas-fond. *Fig.* Ne pas réussir. V. tr. Pousser sur un bas-fond, etc.

éclabousser v. tr. Faire jaillir de la boue sur. *Fig.* Ecraser de son luxe.

éclaboussure n. f. Boue, matière quelconque qui a rejailli. *Fig.* Contrecoup (au *pr.* et au *fig.*).

éclair n. m. Eclat subit et passager de lumière produit par la foudre. Lueur ; manifestation rapide et passagère. *Passer comme l'éclair,* très vite. Gâteau allongé, à la crème.

éclairage n. m. Action d'éclairer. Ses effets.

éclaircie n. f. Espace clair dans un ciel brumeux. Courte interruption de mauvais temps. Espace découvert dans un bois. *Fig.* Changement favorable.

éclaircir v. tr. Rendre clair ; moins foncé. Rendre moins épais, moins serré : *éclaircir un bois. Fig.* Rendre intelligible : *éclaircir une question.*

éclairé, e adj. *Fig.* Qui a beaucoup de connaissances, d'expérience.

éclairement n. m. Clarté. Action d'éclairer.

éclairer v. tr. Répandre de la lumière sur (au *pr.* et au *fig.*). Mettre en lumière, en évidence. Montrer le chemin : *éclairer une troupe. Fig.* Guider, instruire : *éclairer les esprits.* V. intr. Etinceler, jeter une lueur.

éclaireur n. m. Soldat envoyé à la découverte, pour éclairer la marche d'une troupe. Bâtiment détaché, éclairant la marche d'une flotte.

éclat n. m. Fragment détaché d'un corps dur. Bruit soudain et violent : *éclat de voix.* Scandale : *faire un éclat.* Action de briller ; vive lumière. Qualité de ce qui brille.

éclatant, e adj. Qui a de l'éclat, qui brille. *Fig.* Célèbre, magnifique, manifeste.

éclatement n. m. Action d'éclater.

éclater v. intr. Se rompre ou se fendre soudainement : *conduite qui éclate.* Produire un bruit subit et violent. *Fig.* Se manifester avec soudaineté : *scandale qui éclate. Eclater de rire,* rire bruyamment. Donner libre cours à sa colère, etc. Briller, se manifester avec éclat : *sa joie éclate.*

éclectique adj. Qui choisit. Qui adopte ce qui lui paraît bon.

éclectisme n. m. Méthode qui choisit dans les divers systèmes les opinions qui paraissent toucher de plus près à la vérité.

éclipse n. f. Disparition totale ou partielle d'un astre, par l'interposition d'un autre. *Fig.* Absence, défaillance.

éclipser v. tr. Intercepter la lumière d'un astre. Cacher, rendre invisible. *Fig.* Surpasser, effacer : *éclipser un rival.*

écliptique n. f. Orbite que décrit la Terre dans son mouvement annuel.

éclisse n. f. Eclat de bois en forme de coin. Plaque de bois ou de carton pour maintenir un os fracturé. Rond d'osier pour égoutter le fromage. Plaque de fer pour unir des rails.

éclisser v. tr. Mettre des éclisses à.

éclopé, e adj. et n. Boiteux, estropié.

éclore v. intr. (*Il éclôt, ils éclosent. Il éclora, ils écloront. Il éclorait, ils écloraient. Qu'il éclose, qu'ils éclosent. Eclos, e.*) Sortir de l'œuf. S'ouvrir, fleurir. *Par ext.* Paraître : *un projet près d'éclore.*

éclosion n. f. Action d'éclore. Epanouissement. *Fig.* Manifestation.

écluse n. f. Ouvrage muni de portes ou de vannes, pour retenir ou lâcher les eaux d'une rivière ou d'un canal. *Fig.* Tout ce qui arrête.

écluser v. tr. Faire passer un bateau d'un bief dans un autre.

éclusier, ère adj. Relatif à l'écluse. N. Personne qui manœuvre l'écluse.

écœurement n. m. Action d'écœurer. Etat d'une personne écœurée.

écœurer v. tr. Soulever le cœur, dégoûter. *Fig.* Causer de la répulsion.

école n. f. Etablissement où se donne un enseignement collectif. Tous les élèves qui la fréquentent. *Par ext.* Ensemble des adeptes d'un maître : *l'école de Raphaël. Faire une école,* commettre une lourde faute, une sottise. *Fig.* Source d'enseignement, discipline : *être à bonne école. Faire école,* trouver des imitateurs.

écolier, ère n. Qui va à l'école. *Fig.* Novice.

éconduire v. tr. (Se conj. comme *conduire.*) Congédier.

économat n. m. Charge d'économe. Bureau de l'économe.

économe n. Qui a le soin de la dépense d'une maison. Adjectiv. Ménager de (au *pr.* et au *fig.*).
économie n. f. Ordre dans la dépense. Vertu qui porte à régler sagement la dépense : *vivre avec économie. Economie politique,* science de la production et de la consommation des richesses. *Fig.* Ordre, sobriété. Pl. Ce qu'on a épargné.
économique* adj. Relatif à l'économie. Qui diminue la dépense.
économiser v. tr. Epargner.
économiste n. m. Ecrivain qui s'occupe d'économie politique.
écope n. f. Pelle en bois pour prendre et lancer de l'eau.
écoper v. tr. Vider l'eau avec une écope. V. intr. *Pop.* Recevoir des reproches, des coups, etc.
écorce n. f. Partie extérieure et superficielle qui recouvre la tige d'une plante. Enveloppe de certains fruits. Croûte extérieure. *Fig.* Apparence.
écorcer v. tr. (Se conj. comme *amorcer.*) Enlever l'écorce.
écorchement n. m. Action d'écorcher.
écorcher v. tr. Dépouiller de sa peau. Entamer la peau, érafler. Entamer l'écorce, la surface de. *Fig.* Affecter désagréablement : *écorcher les oreilles.* Faire payer trop cher. Parler mal.
écorchure n. f. Plaie superficielle.
écorner v. tr. Rompre les cornes. Briser les angles. *Fig. Ecorner sa fortune,* en dissiper une partie.
écornifleur, euse n. Parasite.
écossais, e adj. et n. D'Ecosse.
écosser v. tr. Tirer de la cosse.
écot [*kô*] n. m. Tronc d'arbre imparfaitement élagué. Quote-part dans une dépense commune : *payer son écot.* Montant de la note chez un traiteur.
écoulement n. m. Mouvement d'un liquide qui s'écoule. *Par anal.* Mouvement continu de personnes qui sortent d'un endroit. *Par ext.* Débouché, vente facile des marchandises.
écouler v. tr. Vendre facilement. V. pr. Couler hors de. *Par ext.* Se retirer d'un endroit d'une manière continue. *Fig.* Passer : *temps qui s'écoule.*
écourter v. tr. Rogner, diminuer.
écoute n. f. Endroit d'où l'on peut écouter : *restez à l'écoute!* Pl. *Etre aux écoutes,* être aux aguets.
écouter v. tr. Prêter l'oreille pour entendre. Tenir compte de : *écouter un conseil.* Accueillir, exaucer : *écouter une demande.* Céder, obéir : *n'écouter que sa passion.* V. pr. S'occuper trop de sa santé.
écouteur, euse n. Qui écoute. Indiscret. N. m. Récepteur d'un appareil téléphonique.
écoutille n. f. Trappe pratiquée dans le pont d'un navire.
écouvillon n. m. Linge attaché à un bâton, pour nettoyer les corps creux. Brosse à long manche, pour nettoyer les canons.
écran n. m. Petit éventail pour se garantir contre l'ardeur d'un feu. Petit meuble monté sur deux pieds, servant au même usage. Tableau blanc pour projeter des images : *écran de cinéma.* Verre coloré pour sélectionner les rayons lumineux dans la photographie en couleurs.
écrasement n. m. Action d'écraser.
écraser v. tr. Aplatir et briser par compression. *Fig.* Surcharger : *écraser d'impôts.* Abattre, accabler.
écrémage n. m. Action d'écrémer.
écrémer v. tr. (Se conj. comme *accélérer.*) Séparer la crème du lait. *Fig.* Prendre ce qu'il y a de meilleur dans une chose.
écrémeuse n. f. Machine pour séparer la crème du lait.
écrêter v. tr. Enlever la crête.
écrevisse n. f. Genre de crustacés d'eau douce : *buisson d'écrevisses.*
écrier (s') v. pr. (Se conj. comme *prier.*) Prononcer en criant quelques paroles.
écrin n. m. Coffret pour bijoux. *Fig.* Réunion d'objets précieux.
écrire v. tr. (*J'écris, nous écrivons. J'écrivais, nous écrivions. J'écrivis, nous écrivîmes. J'écrirai, nous écrirons. Ecris, écrivons, écrivez. Que j'écrivisse, que nous écrivissions. Ecrivant. Ecrit, e.*) Figurer sa pensée au moyen de signes convenus. Rédiger, composer : *écrire une lettre.* Correspondre par lettre : *écrire à ses amis. Fig.* Imprimer, marque .
écrit n. m. Toute chose écrite. Acte, convention écrite. Pl. Ouvrages de l'esprit : *écrits philosophiques.*
écriteau n. m. Inscription en grosses lettres sur papier ou sur bois.
écritoire n. f. Petit ustensile contenant ce qu'il faut pour écrire.
écriture n. f. Art de représenter la pensée par des signes de convention. Pl. Comptes, correspondance d'un commerçant.
écrivailleur n. m. Mauvais écrivain.
écrivain n. m. Auteur de livres.
écrivassier, ère *Fam.* Qui écrit beaucoup et mal.
écrou n. m. Pièce de métal ou de bois percée en spirale pour le logement du filet d'une vis.
écrou n. m. Acte par lequel le directeur d'une prison prend possession d'un prisonnier. *Levée d'écrou,* mise en liberté d'un prisonnier.
écrouer v. tr. Emprisonner. Inscrire sur le registre d'une prison.
écrouir v. tr. Battre un métal à froid pour le rendre plus dur.
écrouissage n. m. Action d'écrouir.
écroulement n. m. Eboulement d'un mur, d'une montagne, etc. *Fig.* Chute, ruine complète.
écrouler (s') v. pr. Tomber avec fracas. *Fig.* Périr, s'anéantir.
écru, e adj. Non préparé. *Soie écrue,* qui n'a point été passée à l'eau bouillante. *Fil écru,* qui n'a point été lavé. *Toile écrue,* non blanchie.
ectoplasme n. m. Plasma d'origine psychique qui émanerait d'un médium.
écu n. m. Ancien bouclier oblong ou quadrangulaire. Ancienne monnaie d'argent. Pl. Argent, richesse.
écueil [*ékeuy'*] n. m. Rocher à fleur d'eau. *Fig.* Obstacle, danger.
écuelle n. f. Vase légèrement creux, où l'on met des aliments liquides.
éculer v. tr. Déformer, par derrière : *éculer une chaussure.*

écumant, e adj. Qui écume. *Fig.* Plein de rage, furieux.
écume n. f. Mousse blanchâtre qui se forme sur un liquide. Bave de quelques animaux. Sueur du cheval. *Fig.* Partie vile et méprisable d'une population : *l'écume des grandes villes. Ecume de mer,* magnésite, calcaire d'un blanc jaunâtre.
écumer v. tr. Enlever l'écume : *écumer le pot. Fig.* Se livrer à la piraterie. V. intr. Se couvrir d'écume. *Fig.* Etre furieux.
écumeur (de mer) n. m. Pirate.
écumeux, euse adj. Couvert d'écume.
écumoire n. f. Grande cuiller plate, percée de trous, pour écumer.
écurer v. tr. Curer, nettoyer.
écureuil n. m. Petit rongeur à poil roux, à queue touffue.
écurie n. f. Lieu destiné à loger les chevaux. Ensemble des bêtes logées dans un même local. Maison malpropre.
écusson n. m. Petit écu d'armoiries. Cartouche portant des pièces héraldiques, des inscriptions, etc. Plaque de métal en forme d'écu, sur une serrure. Plaque d'écorce, munie d'un bouton, ou œil, et destinée à la greffe.
écussonnage n. m. Action d'écussonner ou de greffer en écusson.
écuyer [*kui-yé*] n. m. Celui qui accompagnait un chevalier et portait son écu. Titre des jeunes nobles non encore armés chevaliers. Professeur d'équitation. Qui fait des exercices sur un cheval.
écuyère n. f. Femme qui monte à cheval. Femme qui fait des exercices d'équitation dans un cirque.
eczéma n. m. Maladie de peau.
eczémateux, euse adj. Relatif à l'eczéma. N. Qui a de l'eczéma.
edelweiss [*é-dèl-vaïs*] n. m. Immortelle des neiges, plante alpine.
éden [*dèn*] n. m. Paradis terrestre. *Fig.* Lieu de délices.
édénique adj. Relatif à l'Eden.
édenté, e adj. et n. Qui n'a plus de dents. N. m. pl. Famille de mammifères sans dents incisives.
édicter v. tr. Publier (loi, peine).
édicule n. m. Petit édifice élevé sur la voie publique.
édification n. f. Action d'édifier. *Fig.* Sentiments de piété, de vertu, qu'on inspire par l'exemple.
édifice n. m. Bâtiment considérable. *Fig.* Ensemble : *édifice social.*
édifier v. tr. (Se conj. comme *prier.*) Construire. *Fig.* Combiner, établir. Porter à la piété, à la vertu par l'exemple. Instruire, renseigner.
édile n. m. Magistrat municipal d'une grande ville moderne.
édilité n. f. Magistrature municipale.
édit n. m. Loi, ordonnance.
éditer v. tr. Publier.
éditeur, trice adj. et n. Qui édite : *une grande maison éditrice.*
édition n. f. Impression et publication des œuvres d'écrivains, de musiciens, etc. Collection des exemplaires de cette publication.
éditorial, e, aux adj. Qui émane de la direction d'un journal ou d'une revue. N. m. Article éditorial.
édredon n. m. Couvre-pied de duvet fin.
éducable adj. Apte à être éduqué.
éducateur, trice n. Qui éduque.
éducatif, ive adj. Qui concerne l'éducation : *système éducatif.*
éducation n. f. Action de former aux usages, aux bonnes manières. *Maison d'éducation,* établissement d'instruction.
édulcorer v. tr. Sucrer un médicament. *Fig.* Atténuer : *édulcorer un pamphlet.*
éduquer v. tr. Elever, instruire, former moralement des enfants.
effacement ou **effaçage** n. m. Action d'effacer, de s'effacer. Suppression.
effacer v. tr. (Se conj. comme *amorcer.*) Faire disparaître en frottant, grattant, etc. Rayer, biffer, raturer. *Fig.* Faire oublier : *effacer une faute.* Dérober aux regards. Eclipser, surpasser. V. pr. Tourner le corps un peu de côté, pour donner moins de prise à l'adversaire. *Fig.* Se tenir à l'écart. S'incliner devant quelqu'un.
effarement n. m. Trouble, frayeur.
effarer v. tr. Troubler, inquiéter.
effaroucher v. tr. Rendre farouche, effrayer, mettre en fuite.
effectif, ive* adj. Qui existe de fait. N. m. Nombre réel de soldats, d'individus : *effectif réduit.*
effectuer v. tr. Mettre à exécution.
efféminer v. tr. Rendre faible comme une femme. Amollir (au *pr.* et au *fig.*).
effervescence n. f. Dégagement d'un gaz à travers un liquide. *Fig.* Agitation extrême. Ardeur, émotion vive : *foule en effervescence.*
effervescent, e adj. Qui est en effervescence (au *pr.* et au *fig.*).
effet n. m. Résultat d'une cause. Acte d'un agent. Réalisation, exécution. Impression : *effet d'un discours. Par ext.* Action de frapper les yeux : *faire de l'effet. Comm. Effets de commerce,* billets à ordre, papiers négociables. Pl. Meubles, vêtements. *En effet* loc. adv. Réellement.
effeuiller v. tr. Oter les feuilles. Arracher les pétales de.
efficace* adj. Qui produit l'effet désiré.
efficacité n. f. Caractère de ce qui est efficace : *efficacité d'un remède.*
efficient, e adj. Qui produit réellement son effet.
effigie n. f. Représentation, image d'une personne : *brûler en effigie.*
effilé, e adj. Mince et allongé. N. m. Frange de fil ou de soie.
effiler v. tr. Défaire un tissu fil à fil.
effilochage n. m. Action d'effilocher.
effilocher v. tr. Effiler.
efflanqué, e adj. Se dit d'un cheval, d'une personne, très maigres.
effleurement n. m. Action d'effleurer.
effleurer v. tr. Entamer superficiellement. Toucher à peine. *Fig.* Toucher : *effleurer une question.*
efflorescence n. f. Début de la floraison. Transformation des sels qui se résolvent en matière pulvérulente.
effluve n. m. Emanation d'origine animale ou végétale.
effondrement n. m. Action de s'effondrer. *Fig.* Destruction.
effondrer v. tr. Enfoncer, briser. Faire crouler. V. pr. S'enfoncer, s'écrouler.

efforcer (s') v. pr. (Se conj. comme *amorcer.*) Tendre de toutes ses forces à : *s'efforcer de vaincre.*
effort n. m. Action énergique du corps ou de l'esprit : *effort de mémoire.* Vive douleur, produite par une tension trop forte des muscles : *se donner un effort.* Hernie.
effraction n. f. Bris de clôture fait dans l'intention de voler.
effranger v. tr. (Se conj. comme *manger.*) Effiler sur les bords.
effrayer v. tr. (Se conj. comme *balayer.*) Causer de la frayeur.
effréné, e adj. Qui est sans frein.
effritement n. m. Action d'effriter.
effriter v. tr. Rendre friable.
effroi n. m. Grande frayeur.
effronté*, e n. et adj. Hardi, impudent. Qui marque de l'effronterie.
effronterie n. f. Impudence.
effroyable* adj. Qui cause de l'effroi.
effusion n. f. Action de répandre ou de se répandre. *Fig.* Epanchement.
égailler (s') v. pr. Se disperser.
égal, e*, aux adj. Semblable, le même en nature, en quantité, en qualité. Qui ne varie pas : *température égale.* Constant, ferme. Dont l'humeur ne varie pas. N. Qui est de même rang : *vivre avec ses égaux.*
égaler v. tr. Etre égal à. Rendre égal. Mettre sur le même rang.
égalisation n. f. Action d'égaliser.
égaliser v. tr. Rendre égal ou uni.
égalitaire adj. Qui a pour but l'égalité civile, politique et sociale.
égalité n. f. Etat de ce qui est égal; de ce qui est plan, uni ou uniforme.
égard n. m. Action de prendre en considération quelque chose. Manière de considérer. Marque de considération, de déférence : *montrer des égards.* Loc. prép. : *Eu égard à,* en considération de. *A l'égard de,* relativement à.
égarement n. m. Action de perdre son chemin. Action de perdre un objet. *Fig.* Erreur. Dérèglement : *égarements de jeunesse.* Grand trouble.
égarer v. tr. Mettre hors du droit chemin (au *pr.* et au *fig.*). Laisser ou faire errer : *égarer les esprits.* Perdre momentanément : *égarer ses clés.*
égayer v. tr. (Se conj. comme *balayer.*) Rendre gai, réjouir. Rendre plus agréable à lire, à voir, etc.
égérie n. f. Femme inspiratrice d'un homme politique, etc.
égide n. f. *Myth.* Bouclier de Pallas. *Fig.* Ce qui protège : *sous l'égide de quelqu'un.*
églantier n. m. Rosier sauvage.
églantine n. f. Fleur de l'églantier.
église n. f. Société religieuse fondée par Jésus-Christ (s'écrit en ce sens avec une majuscule). Toute communauté de croyants. Edifice de prière, catholique ou orthodoxe.
églogue n. f. Petit poème pastoral.
égoïne n. f. Petite scie à main.
égoïsme n. m. Vice de l'égoïste.
égoïste adj. et n. Qui rapporte tout à soi. Entaché d'égoïsme.
égorgement n. m. Action d'égorger.
égorger v. tr. (Se conj. comme *manger.*) Couper la gorge. Tuer, massacrer. *Fig.* Tourmenter, ruiner. Faire payer trop cher.
égorgeur n. m. Qui égorge.
égosiller (s') v. pr. Crier fort et longtemps.
égotisme n. m. Sentiment exagéré de sa personnalité, vanité excessive.
égout n. m. Conduit pour l'écoulement des eaux sales. *Tout à l'égout,* système de canalisation qui conduit les vidanges des maisons particulières directement dans les égouts. *Fig.* Lieu corrompu.
égoutier n. m. Qui est chargé d'écurer et d'entretenir les égouts.
égoutter v. tr. Débarrasser de liquide : *egoutter des fromages.*
égouttoir n. m. Treillis sur lequel on fait égoutter quelque chose.
égratigner v. tr. Déchirer légèrement la peau. Blesser légèrement. Dégrader légèrement. *Fig.* Blesser par des traits malins : *égratigner un auteur.*
égratignure n. f. Action d'égratigner. Blessure superficielle. *Fig.* Blessure légère d'amour-propre.
égrenage n. m. Action d'égrener.
égrener v. tr. (Se conj. comme *accélérer.*) Faire sortir le grain de l'épi. Détacher de la grappe les grains de raisin, etc.
égrillard, e adj. D'une gaieté un peu trop libre, trop gaillarde.
égrugeoir n. m. Petit vase dans lequel on réduit en poudre le sel, etc.
égruger v. tr. (Se conj. comme *manger.*) Mettre en poudre : *égruger du sucre.*
égueuler v. tr. Casser un vase près de l'ouverture. Endommager la gueule d'un canon.
égyptien, enne adj. et n. D'Egypte.
égyptologie n. f. Etude relative à l'ancienne Egypte.
égyptologue n. Qui s'occupe d'égyptologie.
eh! interj. Exclamation de surprise.
éhonté, e adj. et n. Sans honte.
éjaculer v. tr. Emettre du sperme.
éjectable adj. Qui peut être rejeté : *siège éjectable.*
éjecter v. tr. Rejeter brusquement au-dehors.
éjecteur n. et adj. m. Engin propre à rejeter un fluide. Organe qui sert à rejeter d'une arme les étuis vides des cartouches.
éjection n. f. Evacuation, projection. Rejet d'une cartouche par l'éjecteur.
élaboration n. f. Action d'élaborer.
élaborer v. tr. Préparer par un long travail (au pr. et au fig.). Rendre assimilable : *élaborer les aliments.*
élagage n. m. Action élaguer.
élaguer v. tr. Dépouiller des branches inutiles. *Fig.* Retrancher les parties inutiles.
élan n. m. Action de s'élancer. Ardeur impétueuse : *élan du cœur.* Effort : *sauter d'un seul élan.*
élan n. m. Sorte de grand cerf.
élancé, e adj. Mince, svelte : *taille élancée.*
élancement n. m. Action de s'élancer. Impression de douleur aiguë et passagère. *Fig.* Mouvement de l'âme.
élancer (s') v. pr. (Se conj. comme *amorcer.*) Se jeter impétueusement.
élargir v. tr. Rendre plus large. Mettre en liberté : *élargir un détenu. Fig.* Rendre plus large : *élargir l'esprit.*
élargissement n. m. Augmentation de largeur. Mise en liberté.

élasticité n. f. Propriété qu'ont certains corps comprimés ou tendus de reprendre leur forme après la compression ou l'extension subie. *Fig.* Souplesse, mobilité.
élastique* adj. Qui a de l'élasticité. Fait avec une matière élastique. *Fig.* Changeant, souple : *esprit élastique.* Dont on peut étendre le sens à son gré : *règlement élastique.* N. m. Caoutchouc. Lien en caoutchouc.
électeur, trice n. Personne qui a le droit de concourir à une élection.
électif, ive adj. Qui est nommé ou qui se donne par élection.
élection n. f. Choix fait par la voie des suffrages. *Election de domicile,* choix d'un domicile légal.
électoral, e, aux adj. Relatif aux élections : *collège électoral.*
électorat n. m. Droit d'électeur.
électricien n. et adj. Qui s'occupe d'électricité.
électricité n. f. Nom donné à une des formes de l'énergie qui se manifeste par la propriété d'attirer ou de repousser les corps, d'émettre des étincelles, de causer des commotions nerveuses, etc. *Fig.* Ardeur, tension, surexcitation.
électrification n. f. Action d'électrifier.
électrifier v. tr. Munir d'une installation électrique.
électrique* adj. Relatif à l'électricité. *Fig.* Qui se transmet rapidement.
électrisable adj. Qui peut être électrisé.
électrisation n. f. Action d'électriser. Etat de ce qui est électrisé.
électriser v. tr. Développer de l'électricité dans un corps; y faire passer un courant électrique. *Fig.* Enflammer, enthousiasmer.
électro-aimant n. m. Barreau de fer doux, entouré d'un fil métallique isolé et dans lequel on fait passer un courant. Pl. des *électro-aimants.*
électrochimie n. f. Phénomènes chimiques dans lesquels l'électricité joue un rôle prépondérant.
électrochoc n. m. Traitement électrique de certaines maladies mentales.
électrocuter v. tr. Tuer par l'électricité.
électrocution n. f. Mort produite par l'électricité.
électrode n. f. Point par lequel un courant électrique pénètre dans un corps. L'un des conducteurs qui plongent dans un bain électrolytique.
électrodynamique n. f. Partie de la physique qui traite de l'action des courants électriques. Adj. : *machine électrodynamique.*
électrogène adj. Qui produit de l'électricité. *Groupe électrogène,* ensemble d'un moteur et d'un système magnéto ou dynamo-électrique.
électrolyse n. f. Action d'électrolyser.
électrolyser v. tr. Décomposer par l'électricité : *électrolyser un sel.*
électrolyte n. m. Corps soumis à l'électrolyse.
électrolytique adj. Qui s'effectue par électrolyse.
électromagnétisme n. m. Etude des relations existant entre l'électricité et le magnétisme.
électrométallurgie n. f. Métallurgie réalisée par des procédés électriques.
électron n. m. Elément infiniment petit, sans masse matérielle appréciable, chargé d'électricité négative.
électronique adj. Relatif aux électrons.
électrophone n. m. Appareil reproduisant les sons enregistrés sur un disque, par les procédés électromécaniques.
électroscope n. m. Instrument propre à déceler la présence et à déterminer l'espèce d'électricité dont un corps est chargé.
électrostatique adj. Relatif à l'électricité statique.
électrotechnique adj. Relatif à la technique de l'électricité.
électrothérapie n. f. Traitement d'affections morbides par l'électricité.
élégamment adv. Avec élégance.
élégance n. f. Qualité de ce qui est élégant, aux divers sens.
élégant, e adj. Qui se distingue par la grâce, l'aisance, l'agrément de la forme, de la parure, etc. : *personne élégante, meuble élégant.* N. Qui a ou qui affecte de l'élégance.
élégiaque adj. Propre à l'élégie. N. m. Poète qui a fait des élégies.
élégie n. f. Petit poème sur un sujet tendre et triste : *les élégies de Samain.*
élément n. m. Corps simple ou indécomposable, comme l'argent, l'azote. Principe constitutif d'un objet matériel. *Fig.* Objet concourant à la formation d'un tout : *les éléments du bonheur.* La société, l'endroit, etc., où un être est fait pour vivre : *se sentir dans son élément. Physiq.* Couple d'une pile voltaïque. N. m. pl. Principes fondamentaux : *éléments de physique ; il en est aux éléments.*
élémentaire adj. Qui constitue un élément. Peu compliqué. Qui renferme les éléments de : *un manuel élémentaire.*
éléphant n. m. Le plus gros des quadrupèdes, à trompe et à peau rugueuse.
éléphanteau n. m. Jeune éléphant.
éléphantesque adj. Enorme.
éléphantiasis [*tya-ziss*] n. f. Sorte de lèpre qui couvre la peau de rugosités.
élevage n. m. Action d'élever les animaux domestiques.
élévateur adj. m. Qui sert à élever : *muscle élévateur.* N. m. Appareil pour soulever : *élévateur de grains.*
élévation n. f. Action d'élever. Etat de ce qui est élevé; éminence; hauteur. *Liturg.* Moment de la messe où le prêtre élève l'hostie et le calice. Représentation d'une façade. Augmentation.
élévatoire adj. Qui sert à élever.
élève n. Qui reçoit les leçons d'un maître; disciple, écolier.
élever v. tr. (Se conj. comme *acheter.*) Exhausser. Porter de bas en haut : *élever un fardeau.* Faire monter. *Par ext.* Construire, ériger : *élever un monument. Fig.* Porter en haut, vers : *élever aux honneurs.* Faire naître, susciter, dresser contre : *élever des doutes.* Faire l'éducation de; former, habituer : *élever des enfants, des animaux.* Hausser.
éleveur n. m. Qui élève des chevaux, des bestiaux.
elfe n. m. Génie aérien.

élider v. tr. *Gramm.* Faire une élision.
éligibilité n. f. Conditions exigées pour être élu : *contester l'éligibilité d'un candidat.*
éligible adj. et n. Qui peut être élu.
élimer v. tr. User : *élimer ses habits.*
élimination n. f. Action d'éliminer.
éliminatoire adj. Qui élimine.
éliminer v. tr. Mettre dehors, écarter. Faire sortir de l'organisme.
élire v. tr. (Se conj. comme *lire.*) Choisir. Nommer par suffrages.
élision n. f. Suppression, dans l'écriture ou la prononciation, de la voyelle finale d'un mot devant la voyelle ou l'*h* muette initiale du mot suivant.
élite n. f. Ce qu'il y a de meilleur, de plus distingué.
élixir n. m. Sirop à l'alcool. *Fig.* Substance rare et précieuse.
elle pron. pers. f. de la 3e pers., féminin de *lui.* (Pl. *elles.*) *D'elle-même,* spontanément.
ellébore n. m. Plante que l'on croyait jadis propre à guérir la folie.
ellipse n. f. *Géom.* Courbe fermée dont chaque point est tel que la somme de ses distances à deux points fixes appelés *foyers* est constante. *Gramm.* Figure par laquelle on supprime un ou plusieurs mots qui ne sont pas indispensables.
ellipsoïdal, e, aux adj. Qui a la forme d'une ellipse ou d'un ellipsoïde.
ellipsoïde n. m. Solide engendré par la révolution d'une demi-ellipse autour de l'un de ses axes.
elliptique* adj. *Géom.* Relatif à l'ellipse. En forme d'ellipse. *Gramm.* Qui renferme une ellipse.
élocution n. f. Manière de s'exprimer.
éloge n. m. Louange. Discours à la louange de quelqu'un ; panégyrique.
élogieux, euse* adj. Rempli de louanges. Qui donne des louanges.
éloigné, e adj. Qui est loin. Relatif à une époque passée depuis longtemps, ou encore à venir.
éloignement n. m. Etat de ce qui est loin. Action d'éloigner, de s'éloigner. *Fig.* Antipathie, répugnance.
éloigner v. tr. Envoyer loin de. *Fig.* Détourner, écarter, détacher de.
élongation n. f. Allongement accidentel d'un membre ou d'un nerf.
éloquemment adv. Avec éloquence.
éloquence n. f. Art ou action de bien dire, d'émouvoir, de persuader. *Fig.* Ce qui touche, persuade.
éloquent, e adj. Qui a de l'éloquence. Qui est dit avec éloquence.
élu, e n. Toute personne choisie par élection. Prédestiné par Dieu.
élucider v. tr. Rendre clair.
élucubration n. f. Ouvrage produit à force de veilles, par des recherches laborieuses.
éluder v. tr. Eviter avec adresse.
élytre n. m. ou f. Aile extérieure coriace de certains insectes.
émaciation n. f. Maigreur extrême.
émacié, e adj. Très maigre.
émail n. m. Vernis vitreux que l'on applique par fusion sur la faïence, les métaux, etc. Ouvrage émaillé. Matière dure qui revêt les dents. Pl. des *émaux.*
émaillage n. m. Action d'émailler.
émailler v. tr. Appliquer de l'émail sur. *Par ext.* Parer de couleurs variées. *Fig.* Parsemer, semer çà et là.
émailleur n. et adj. m. Qui émaille.
émanation n. f. Dégagement de substances volatiles des corps qui les retiennent. *Fig.* Ce qui dérive.
émancipation n. f. Action d'émanciper. Son résultat : *émancipation d'esclaves.*
émanciper v. tr. Mettre hors de tutelle : *émanciper un enfant. Fig.* Affranchir de quelque entrave. V. pr. Sortir des règles de la retenue.
émaner v. intr. Se dégager. *Fig.* Découler de.
émargement n. m. Action d'émarger.
émarger v. tr. (Se conj. comme *manger.*) Couper les marges. Porter en marge. Signer en marge : *émarger à un compte. Absol.* Toucher un traitement.
émasculer v. tr. Châtrer. *Fig.* Affaiblir, efféminer.
emballage n. m. Action d'emballer.
emballement n. m. *Fam.* Action de s'emballer, de se laisser emporter.
emballer v. tr. Mettre en balle, en caisse. *Fam.* Entraîner, enthousiasmer : *cette musique l'a emballé.* V. pr. Se dit d'un cheval qui échappe à la main et, *par ext.,* d'une personne qui se laisse emporter par la colère, l'enthousiasme, etc.
emballeur n. m. Dont la profession est d'emballer.
embarcadère n. m. Cale ou jetée pour l'embarquement.
embarcation n. f. Petit bateau non ponté : *embarcation à voiles.*
embardée n. f. Ecart brusque que fait un navire, une automobile, etc.
embargo n. m. Défense faite provisoirement à un navire de quitter un port.
embarquement n. m. Action d'embarquer ou de s'embarquer.
embarquer v. tr. Mettre dans une barque, dans un navire. *Fig.* Engager, entraîner : *embarquer quelqu'un dans une affaire.* V. intr. et v. pr. Monter dans un navire, dans une voiture, un wagon.
embarras n. m. Action d'embarrasser. Son résultat. Confusion, embrouillement : *embarras de voitures. Par ext.* Situation pénible. Pénurie d'argent : *être dans l'embarras. Fig.* Ensemble de soucis. Irrésolution. Trouble, confusion : *montrer de l'embarras.* Importance donnée à : *faire des embarras. Embarras gastrique,* petite obstruction de l'estomac.
embarrasser v. tr. Entraver, obstruer : *embarrasser la route.* Gêner les mouvements. *Fig.* Entraver, gêner : *embarrasser une affaire.* Rendre moins net. Jeter dans l'hésitation, l'incertitude, déconcerter.
embauchage n. m. Action d'embaucher.
embaucher v. tr. Engager des ouvriers. Enrôler par adresse. dans un parti, etc. Chercher à attirer.
embaucheur, euse n. Qui embauche.
embauchoir ou **embouchoir** n. m. Instrument de bois qu'on introduit dans des chaussures pour en conserver la forme.
embaumement n. m. Action d'embaumer. Conservation des cadavres.
embaumer v. tr. Remplir d'une odeur suave. Répandre l'odeur de. *Absol.* Rem-

plir un corps mort d'aromates pour en empêcher la corruption. V. intr. Exhaler une odeur suave.

embaumeur n. m. Qui embaume les corps.

embellie n. f. Eclaircie.

embellir v. tr. Rendre beau. Orner : *embellir une histoire.* V. intr. Devenir beau ou plus beau.

embellissement n. m. Action d'embellir. Ce qui embellit.

emberlificoter v. tr. *Fam.* Embarrasser. Entortiller.

embêtement n. m. *Pop.* Ennui.

embêter v. tr. *Pop.* Ennuyer.

emblaver v. tr. Semer une terre en blé ou en toute autre graine.

emblavure n. f. Terre semée en blé.

emblée (d') loc. adv. Du premier coup.

emblématique adj. Symbolique.

emblème n. m. Figure symbolique. Attribut : *un emblème de paix.*

embobiner v. tr. *Fam.* Enjôler, séduire.

emboîtage n. m. Action d'emboîter. Son résultat. *Spécial.* Cartonnage pour protéger un livre.

emboîtement n. m. Position de deux choses qui s'emboîtent.

emboîter v. tr. Enchâsser, mettre une chose dans une autre. *Emboîter le pas,* marcher derrière et, au *fig..,* se modeler sur quelqu'un.

embolie n. f. Oblitération d'un vaisseau par un caillot de sang.

embonpoint n. m. Etat du corps grassouillet : *prendre de l'embonpoint.*

embouche n. f. Prairie fertile, où les bestiaux s'engraissent : *mettre des veaux à l'embouche.*

embouché, e adj. Qui use d'un certain langage : *mal embouché.*

emboucher v. tr. Mettre à sa bouche un instrument à vent, afin d'en jouer.

embouchoir n. m. Embouchure d'un instrument à vent. V. EMBAUCHOIR.

embouchure n. f. Entrée d'un fleuve dans la mer, d'une rivière dans un fleuve. Pièce qu'on adapte à un instrument de musique à vent pour en jouer.

embouquer v. intr. Entrer dans une passe (bateau).

embourber v. tr. Engager dans un bourbier. *Fig.* Engager quelqu'un dans une mauvaise affaire.

embourgeoiser (s') v. pr. Devenir bourgeois.

embout n. m. Garniture, bout d'une canne, d'un parapluie.

embouteillage n. m. Action d'embouteiller : *embouteillage d'autos.*

embouteiller v. tr. Mettre en bouteilles. *Fig.* Bloquer des navires dans une rade en obstruant le goulet. Obstruer une rue en empêchant la circulation.

emboutir v. tr. Travailler à froid, à l'aide d'une presse, pour obtenir une forme donnée. Revêtir d'une garniture métallique.

emboutissage n. m. Action d'emboutir les métaux.

embranchement n. m. Division du tronc d'un arbre en branches. Réunion de chemins, de voies de chemin de fer. Ramification de tuyaux. *Fig.* Division d'une science, d'une série, d'un règne de la nature, etc.

embrancher v. tr. Joindre ensemble plusieurs routes ou plusieurs tuyaux.

embrasement n. m. Vaste incendie. *Fig.* Troubles, désordre.

embraser v. tr. Mettre en feu. *Fig.* Consumer par la guerre, la discorde. Exalter, enflammer.

embrassade n. f. Embrassement.

embrasse n. f. Cordon ou bande qui sert à retenir un rideau.

embrassement n. m. Action d'embrasser, de s'embrasser.

embrasser v. tr. Serrer dans ses bras. Donner un baiser. *Fig.* Environner, ceindre. Contenir, renfermer. Adopter, choisir : *embrasser une carrière.* Entreprendre : *qui trop embrasse mal étreint.*

embrasure n. f. Ouverture d'une porte, d'une fenêtre. Ouverture dans un ouvrage de fortification, pour tirer le canon. *Mar.* Syn. de SABORD.

embrayage [*brè*] n. m. Action d'embrayer. Mécanisme d'embrayage.

embrayer v. tr. (Se conj. comme *balayer.*) Etablir la communication entre le moteur d'une machine et les organes qu'il commande.

embrigader v. tr. Mettre en brigade. *Fig.* Réunir sous une direction.

embrocation n. f. Application d'un liquide gras sur une partie malade. Le liquide lui-même.

embrocher v. tr. Mettre en broche. *Par anal.* Percer de part en part.

embrouillamini n. m. Brouillamini.

embrouillement n. m. Action d'embrouiller. *Fig.* Embarras, confusion.

embrouiller v. tr. Mettre en désordre, mêler. *Fig.* Mettre de la confusion, de l'obscurité. V. pr. Perdre le fil de ses idées.

embroussaillé, e adj. Embarrassé de broussailles. *Fig.* Très mêlé.

embrumer v. tr. Envelopper de brumes. *Fig.* Attrister.

embrun n. m. Ciel couvert de brouillard. Pluie fine que forment les vagues en se brisant. (S'emploie souvent au pl.)

embryogénie n. f. Série des transformations que subit l'individu depuis l'état d'œuf ou de spore jusqu'à l'état adulte.

embryologie n. f. Etude du développement des embryons.

embryon n. m. Germe d'un être organisé. *Fig.* Germe, origine.

embryonnaire adj. Relatif à l'embryon. *Fig.* Rudimentaire.

embûche n. f. Piège.

embuer v. tr. Couvrir d'une buée.

embuscade n. f. Lieu où l'on a caché une troupe pour surprendre l'ennemi : *tomber dans une embuscade.* Cette troupe même.

embusqué n. et adj. m. Celui qui, pendant une guerre, se fait installer dans un poste sans danger.

embusquer v. tr. Mettre en embuscade.

émécher v. tr. (Se conj. comme *accélérer.*) Mettre en mèches. *Fam. Etre éméché,* être près de l'ivresse.

émeraude n. f. Pierre précieuse de couleur verte.

émergent, e adj. Qui émerge.

émerger v. intr. (Se conj. comme *manger.*) Se montrer au-dessus de l'eau. *Fig.* Sortir, se montrer.
émeri n. m. Pierre très dure, réduite en poudre, pour polir, user les métaux.
émerillonné, e adj. Gai, vif : *avoir le visage, l'œil émerillonné.*
émérite adj. Expérimenté, distingué.
émersion n. f. Action d'émerger. Réapparition d'un astre éclipsé.
émerveillement n. m. Etat de celui qui est émerveillé.
émerveiller v. tr. Etonner, inspirer une vive admiration.
émétique adj. et n. Qui fait vomir.
émetteur, trice n. et adj. Qui émet.
émettre v. tr. (Se conj. comme *mettre.*) Produire au-dehors : *émettre un son.* Mettre en circulation : *émettre des monnaies.* Exprimer.
émeute n. f. Insurrection.
émeutier, ère n. et adj. Agent de sédition, d'émeute.
émiettement n. m. Action d'émietter.
émietter v. tr. Réduire en miettes.
émigration n. f. Action d'émigrer. Personnes émigrées. *Spécialem.* Sortie de France des nobles pendant la Révolution. Départ annuel de certains animaux.
émigré, e n. et adj. Qui a émigré. Noble émigré pendant la Révolution.
émigrer v. intr. Quiter son pays pour aller s'établir ailleurs. Changer de climat : *oiseau qui émigre.*
émincé n. m. Viande coupée très mince.
émincer v. tr. (Se conj. comme *amorcer.*) Couper par tranches minces.
éminemment adv. Beaucoup, très.
éminence n. f. Elévation de terrain. *Par ext.* Saillie quelconque. *Fig.* Supériorité, excellence. Titre des cardinaux (dans ce sens, prend une majuscule).
éminent, e adj. Elevé, qui domine, fait saillie. Supérieur : *esprit éminent.*
émissaire n. m. Agent chargé d'une mission. Canal qui sert à vider un lac, un bassin, etc.
émission n. f. Action d'émettre, de livrer à la circulation : *émission de billets, d'ondes. Emission de voix,* production d'un son articulé.
emmagasinage ou **emmagasinement** n. m. Action d'emmagasiner.
emmagasiner v. tr. Mettre en magasin *Fig.* Recevoir, accumuler en soi.
emmaillotement n. m. Manière ou action d'emmailloter.
emmailloter v. tr. Mettre au maillot. Envelopper dans des langes. *Fig.* Envelopper comme dans un maillot.
emmanchement n. m. Action d'emmancher.
emmancher v. tr. Mettre un manche à. V. pr. *Fig.* Etre mis en train, bien ou mal.
emmanchure n. f. Ouverture d'un vêtement où se fixe la manche.
emmêlement n. m. Embrouillement.
emmêler v. tr. Brouiller, enchevêtrer. *Fig.* Mettre du trouble dans.
emménagement n. m. Action d'emménager.
emménager v. intr. (Se conj. comme *manger.*) Transporter ses meubles dans un nouveau logement.
emmener v. tr. (Se conj. comme *mener.*) Mener d'un lieu dans un autre.
emmitoufler v. tr. Envelopper de fourrures, de vêtements.
emmurer v. tr. Enfermer entre des murailles.
émoi n. m. Trouble, émotion.
émollient, e n. et adj. Qui amollit.
émoluments n. m. pl. Traitement.
émondage n. m. Action d'émonder.
émonder v. tr. Couper les branches inutiles. *Fig.* Débarrasser du superflu : *émonder un discours.*
émondeur n. m. Qui émonde.
émondoir n. m. Outil pour émonder.
émotif, ive adj. Relatif à l'émotion.
émotion n. f. Trouble, agitation de l'âme.
émotivité n. f. Disposition à s'émouvoir.
émouchet n. m. Mâle de l'épervier, et, plus généralement, rapace à ventre moucheté.
émouchoir n. m. Chasse-mouches.
émoudre v. tr. (Se conj. comme *moudre.*) Aiguiser sur la meule.
émoulage n. m. Action d'émoudre.
émouleur n. m. Qui aiguise sur la meule les instruments tranchants.
émoulu, e adj. Aiguisé. *Frais émoulu de,* qui n'a pas encore perdu la forme reçue, nouvellement sorti de.
émousser v. tr. Rendre moins tranchant. *Fig.* Affaiblir, diminuer.
émoustiller v. tr. *Fam.* Exciter à la gaieté.
émouvoir v. tr. (Se conj. comme *mouvoir,* mais le part. pass., *ému,* n'a pas d'accent circonflexe.) Causer un trouble de l'âme : *sa peine m'a ému.*
empaillage n. m. Action d'empailler.
empailler v. tr. Garnir de paille. Remplir de paille la peau d'un animal mort, pour lui garder sa forme.
empailleur, euse n. Qui empaille.
empaler v. tr. Enfoncer par le fondement du supplicié un pieu, ou *pal,* qui traverse les entrailles.
empan n. m. Espace de l'extrémité du pouce à celle du petit doigt écartés.
empanacher v. tr. Orner d'un panache.
empaquetage n. m. Action d'empaqueter.
empaqueter v. tr. (Se conj. comme *jeter.*) Mettre en paquet.
emparer (s') v. pr. Se saisir de, se rendre maître de : *s'emparer d'une ville.*
empâtement n. m. Etat de ce qui est empâté. *Peint.* Epaisseur donnée par des touches superposées.
empâter v. tr. Remplir de pâte. Rendre pâteux.
empattement n. m. Pièces de bois qui servent de base à une grue. Epaisseur de maçonnerie qui sert de pied à un mur. Distance entre les essieux d'une voiture.
empaumer v. tr. Séduire, se rendre maître de. Prendre en main.
empêchement n. m. Obstacle.
empêcher v. tr. Apporter de l'opposition. V. pr. S'abstenir de.
empêcheur, euse n. Qui empêche. *Fam. Empêcheurs de danser en rond,* les ennemis de la gaieté, les gêneurs.
empeigne n. f. Le dessus du soulier, du cou-de-pied jusqu'à la pointe.
empennage n. m. Plans disposés à l'arrière d'un dirigeable, d'un avion, pour assurer la stabilité.

empenner v. tr. Garnir de plumes, en parlant des flèches.
empereur n. m. Chef, souverain d'un empire. (Le fém. est IMPÉRATRICE.)
emperler v. tr. Garnir de perles.
empesage n. m. Action d'empeser.
empeser v. tr. (Se conj. comme *peser.*) Apprêter avec de l'empois.
empester v. tr. Infecter de la peste. Empuantir. *Fig.* Souiller, corrompre.
empêtrer v. tr. Lier, embarrasser dans des liens. *Fig.* Engager d'une façon malheureuse. Gêner, embarrasser. V. pr. S'embarrasser : *s'empêtrer dans ses vêtements.*
emphase n. f. Exagération pompeuse dans l'élocution : *parler avec emphase.*
emphatique* adj. Qui a de l'emphase.
emphysème n. m. *Méd.* Gonflement produit par l'introduction de l'air dans le tissu cellulaire.
empiècement n. m. Pièce rapportée dans le haut d'une chemise, etc.
empierrement n. m. Action d'empierrer une route. Lit de pierres cassées dont on recouvre les routes.
empierrer v. tr. Couvrir de pierres.
empiétement n. m. Action d'empiéter.
empiéter v. tr. et intr. (Se conj. comme *accélérer.*) Usurper sur la propriété d'autrui. *Fig.* S'arroger des droits qu'on n'a pas.
empiffrer v. tr. *Pop.* Bourrer de nourriture. V. pr. : *s'empiffrer de pain.*
empilement n. m. Action d'empiler.
empiler v. tr. Mettre en pile.
empire n. m. Commandement, autorité : *un empire despotique.* Souverain pouvoir. Nation, pays qui a pour souverain un empereur. Ensemble de pays gouvernés par une même autorité : *empire colonial. Fig.* Influence, prestige. *Style empire,* ornementation dans le style du premier Empire, imité de l'antique.
empirer v. tr. Rendre pire. V. intr. Devenir pire : *la maladie empire.*
empirique* adj. Qui s'appuie sur l'expérience et non sur une théorie. N. m. Philosophe qui ne s'appuie que sur l'expérience. Charlatan.
empirisme n. m. Usage exclusif de l'expérience. Charlatanisme.
emplacement n. m. Lieu, place pour un édifice à construire. Place d'un édifice, d'une ville disparus.
emplâtre n. m. Onguent, topique étendu sur un morceau de linge ou de peau. *Fam.* Personne molle.
emplette n. f. Achat : *faire ses emplettes.*
emplir v. tr. Rendre plein. *Fig.* Combler : *emplir d'aise.*
emploi n. m. Usage qu'on fait d'une chose. Manière de l'employer : *l'emploi d'une somme.* Charge, fonction : *emploi lucratif.* Genre de rôles joués par un acteur. Occupation. *Double emploi,* répétition inutile.
employé, e n. et adj. Personne qui travaille dans une administration, une maison de commerce, etc. : *employé de librairie.*
employer v. tr. (Se conj. comme *aboyer.*) Faire usage : *employer un mot.* Occuper : *employer des ouvriers.*
employeur, euse n. Qui emploie et rétribue le travail d'autrui.
emplumer v. tr. Garnir de plumes.
empocher v. tr. Mettre en poche. *Fam.* Subir : *empocher des coups.*
empoigner v. tr. Prendre et serrer avec la main. *Fam.* Mettre en état d'arrestation. *Fig.* Emouvoir.
empois n. m. Colle d'amidon.
empoisonnement n. m. Action d'empoisonner. Etat d'une personne empoisonnée.
empoisonner v. tr. Faire mourir par le poison. Mêler du poison à : *empoisonner les puits.* Incommoder par la puanteur. *Fig.* Remplir d'amertume, de dégoût : *empoisonner la vie.* Corrompre l'esprit, les mœurs. *Fam.* Ennuyer.
empoisonneur, euse n. et adj. Qui empoisonne (au pr. et au fig.).
empoissonnement n. m. Action d'empoissonner.
empoissonner v. tr. Peupler de poissons un étang, une rivière.
emporté, e adj. Violent, irritable.
emportement n. m. Mouvement violent, causé par une passion : *les emportements de la colère.*
emporte-pièce n. m. invar. Instrument propre à découper. *Fig. A l'emporte-pièce,* d'une manière franche, incisive, acerbe.
emporter v. tr. Enlever, ôter d'un lieu. Enlever de vive force : *emporter une place.* Faire disparaître, causer la mort : *la fièvre l'emporta.* Arracher. Entraîner : *les passions l'emportent.* Obtenir par préférence : *emporter l'avantage. L'emporter,* avoir la supériorité. V. pr. Se laisser aller à la colère. Ne plus obéir à la bride, en parlant du cheval.
empoté, e adj. et n. *Pop.* et *fig.* Maladroit, gauche, lourdaud.
empoter v. tr. Mettre en pot.
empourprer v. tr. Colorer de pourpre.
empreindre v. tr. (Se conj. comme *craindre.*) Imprimer, marquer.
empreinte n. f. Figure, marque, trace en creux ou en relief. *Fig.* Marque : *l'empreinte de l'éducation.*
empressé, e adj. et n. Qui se hâte. Qui se donne du mouvement. Qui montre une civilité attentive.
empressement n. m. Zèle, ardeur.
empresser (s') v. pr. Agir avec zèle. Se hâter. Se presser autour. Montrer une civilité attentive.
emprise n. f. Mainmise; influence.
emprisonnement n. m. Action d'emprisonner.
emprisonner v. tr. Mettre en prison. Empêcher de sortir, enfermer.
emprunt n. m. Action d'emprunter. *D'emprunt,* emprunté, supposé.
emprunté, e adj. Embarrassé, contraint. Factice, artificiel. Supposé.
emprunter v. tr. Obtenir à titre de prêt : *emprunter de l'argent. Fig.* Recevoir de. S'aider de. Se parer de : *emprunter les apparences du bien.* Tirer de.
emprunteur, euse n. et adj. Qui emprunte.
empuantir v. tr. Rendre puant.
empuantissement n. m. Action d'empuantir. Son résultat.
émulation n. f. Sentiment qui pousse à se faire l'émule de.
émule n. et adj. Qui cherche à égaler, à surpasser autrui. Rival.

émulsion n. f. Mélange d'eau et de substances huileuses ou résineuses.
émulsionner v. tr. Faire passer à l'état d'émulsion.
en prép. qui a à peu près les sens de *dans*. Elle indique le lieu, le temps, la situation, l'état, la manière d'être, etc.
en pron. pers. 3e pers. De lui, d'elle, d'eux, d'elles, de là.
encablure n. f. *Mar.* Le dixième du mille marin, soit 185m,2.
encadrement n. m. Action d'encadrer. Ce qui encadre. Bordure.
encadrer v. tr. Mettre dans un cadre. *Par ext.* Envelopper, isoler. *Fig.* Entourer, faire ressortir. *Milit.* Faire appuyer par des éléments expérimentés : *encadrer des recrues.* Pourvoir de cadres.
encadreur n. m. Qui fait des cadres.
encager v. tr. (Se conj. comme *manger.*) Mettre en cage.
encaisse n. f. Argent, valeurs en caisse.
encaissé, e adj. Qui a les bords escarpés. Resserré : *chemin encaissé.*
encaissement n. m. Action de mettre en caisse. Action d'encaisser de l'argent, des valeurs. Etat d'une rivière, d'une route encaissée.
encaisser v. tr. Enfermer dans une caisse. Mettre en caisse des billets de banque, de l'argent, etc.
encaisseur n. m. Qui encaisse.
encan n. m. Vente aux enchères.
encanailler v. tr. Mêler avec la canaille. *Fig.* Avilir.
encapuchonner v. tr. Couvrir d'un capuchon : *encapuchonner un faucon.*
encartage n. m. Feuille insérée dans un volume, etc.
encarter v. tr. Insérer un encartage.
en-cas n. m. invar. Repas léger que l'on sert dans des circonstances imprévues.
encastrement n. m. Action d'encastrer. Entaille dans une pièce de bois, de fer, destinée à en recevoir une autre.
encastrer v. tr. Enchâsser.
encaustique n. f. Préparation de cire et d'essence de térébenthine pour faire briller les meubles, les parquets.
encaustiquer v. tr. Enduire d'encaustique.
enceindre v. tr. (Se conj. comme *craindre.*) Entourer, enfermer.
enceinte n. f. Circuit; ce qui entoure. Espace clos, salle : *l'enceinte du tribunal.* Remparts.
enceinte adj. f. Se dit d'une femme qui porte un enfant dans son sein.
encens n. m. Espèce de résine aromatique dont l'odeur s'exhale surtout par la combustion. *Fig.* Hommage d'adoration. Louanges, éloges.
encensement n. m. Action d'encenser.
encenser v. tr. Agiter l'encensoir devant : *encenser un autel. Fig.* Honorer d'un respect religieux. Flatter : *encenser les puissants. Absol.* Se dit d'un cheval qui fait avec la tête un mouvement de bas en haut.
encenseur n. m. Louangeur, flatteur.
encensoir n. m. Cassolette suspendue pour brûler l'encens.
encéphale n. m. Ensemble des organes de la boîte crânienne.
encéphalite n. f. Inflammation de l'encéphale.
encerclement n. m. Action d'encercler.
encercler v. tr. Entourer.
enchaînement n. m. Action d'enchaîner. Réunion d'objets, etc., formant une chaîne. *Fig.* Liaison.
enchaîner v. tr. Lier avec une chaîne. *Fig.* Assujettir : *enchaîner les cœurs.* Coordonner : *enchaîner les idées.*
enchantement n. m. Charme, sortilège : *croire aux enchantements.* Chose merveilleuse, surprenante. *Fig.* Sorte d'ivresse du cœur ou des sens.
enchanter v. tr. Charmer par des opérations magiques. *Fig.* Charmer, ravir.
enchanteur, eresse n. et adj. Qui se livre à des enchantements. *Fig.* Qui charme.
enchâsser v. tr. Placer dans une châsse. Fixer dans un métal, etc. : *enchâsser un diamant. Fig.* Intercaler.
enchère n. f. Offre d'un prix supérieur à celui qu'un autre a offert : *vendre aux enchères.*
enchérir v. tr. Mettre une enchère sur. Rendre plus cher. V. intr. Devenir plus cher : *le vin enchérit. Enchérir sur,* dépasser par son offre. *Fig.* Dépasser, aller plus loin.
enchérissement n. m. Hausse de prix.
enchérisseur n. m. Qui enchérit.
enchevêtrement n. m. Action d'enchevêtrer (au pr. et au fig.).
enchevêtrer v. tr. Mettre un chevêtre, un licou. *Fig.* Embarrasser, entremêler.
enchifrener v. tr. (Se conj. comme *mener.*) Enrhumer.
enclave n. f. Terrain ou territoire enclavé dans un autre.
enclavement n. m. Action d'enclaver.
enclaver v. tr. Enfermer, enclore une chose dans une autre, en parlant d'une terre, etc. *Techn.* Engager une pièce dans une autre pièce.
enclin, e adj. Porté naturellement à.
encliquetage n. m. Mécanisme qui empêche une roue de tourner dans un certain sens.
enclore v. tr. (Se conj. comme *clore.*) Enfermer de murs, de haies, etc. Former une clôture.
enclos n. m. Espace fermé par une clôture. Petit domaine clos de murs.
enclume n. f. Masse d'acier sur laquelle on forge les métaux. Osselet de l'oreille interne.
encoche n. f. Entaille.
encocher v. tr. Faire une encoche à.
encoignure [*ko-gnur'*] n. f. Angle formé par deux murailles. Petit meuble propre à y être placé.
encollage n. m. Action d'encoller. Préparation pour encoller.
encoller v. tr. Appliquer un apprêt de colle, de gomme, etc.
encolure n. f. Partie du corps du cheval, qui s'étend depuis la tête jusqu'aux épaules et au poitrail. Dégagement d'un habit autour du cou.
encombre n. m. Obstacle, accident.
encombrement n. m. Action d'encombrer. Ce qui encombre.
encombrer v. tr. Obstruer, embarrasser par la multitude des objets. Occuper en trop grand nombre : *encombrer une salle.*

encontre (à l') loc. prép. Au contraire de.
encorbellement n. m. *Arch.* Construction en saillie.
encore adv. Jusqu'à présent. De nouveau : *essayer encore.* Davantage, de plus; et même : *non seulement... mais encore. Encore!* exclamation qui marque l'étonnement, l'impatience. (En poésie, on peut écrire *encor.*)
encouragement n. m. Action d'encourager. Ce qui encourage.
encourager v. tr. (Se conj. comme *manger.*) Donner du courage. Favoriser : *encourager les arts.*
encourir v. tr. (Se conj. comme *courir.*) Attirer sur soi, mériter : *encourir un reproche.*
encrage n. m. Action d'encrer.
encrassement n. m. Action d'encrasser ou de s'encrasser.
encrasser v. tr. Rendre crasseux. V. pr. Devenir crasseux.
encre n. f. Liquide coloré, dont on se sert pour écrire ou pour imprimer.
encrer v. tr. Enduire d'encre.
encreur n. et adj. Qui sert à encrer.
encrier n. m. Petit vase où l'on met l'encre.
encroûtement n. m. Action d'encroûter. Son résultat (au pr. et au fig.).
encroûter v. tr. Recouvrir d'une croûte. Enduire un mur de mortier. *Fig.* Rendre ignorant, stupide. Laisser ou faire croupir dans l'ignorance.
encyclique n. f. et adj. Lettre solennelle adressée par le pape au clergé.
encyclopédie n. f. Ensemble complet des connaissances. Ouvrage où l'on traite de toutes les sciences et de tous les arts.
encyclopédique adj. Qui appartient à l'encyclopédie.
encyclopédiste n. m. Auteur d'une encyclopédie.
endémique adj. Se dit d'une maladie régnant presque continuellement dans une contrée : *la peste est endémique aux Indes.*
endettement n. m. Action de s'endetter.
endetter v. tr. Charger de dettes. V. pr. Faire des dettes.
endeuiller v. tr. Donner le caractère du deuil, de la tristesse à.
endêver (faire) v. tr. Tourmenter.
endiablé, e adj. et n. Possédé du démon. Qui a le diable au corps. Ardent, emporté.
endiabler v. intr. *Fam.* Enrager.
endiguer v. tr. Contenir par des digues.
endimancher v. tr. Revêtir d'habits de fête, d'habits des dimanches.
endive n. f. Espèce de chicorée.
endivisionner v. tr. Former les régiments par divisions.
endocrine adj. f. Se dit des glandes à sécrétion interne.
endoctriner v. tr. Faire la leçon, donner des instructions à. Gagner à ses idées.
endolorir v. tr. Rendre douloureux.
endommager v. tr. Mettre une chose en mauvais état.
endormir v. tr. Faire dormir. *Fig.* Ennuyer : *ce discours endort.* Bercer de vaines espérances. Amuser pour tromper : *endormir la vigilance.* Calmer, apaiser : *endormir la douleur.* Engourdir.
endos ou **endossement** n. m. Signature au dos d'un billet à ordre ou d'une lettre de change, pour en transmettre la propriété à un autre.
endosmose n. f. *Phys.* Courant qui s'établit du dehors au dedans entre deux liquides de densités différentes à travers une cloison membraneuse.
endosser v. tr. Mettre sur son dos. *Fig.* Assumer la responsabilité de. *Endosser un billet, une lettre de change,* mettre sa signature au dos.
endosseur n. m. Qui endosse.
endroit n. m. Lieu, place. Localité qu'on habite. Partie déterminée du corps. Passage d'un discours, d'un livre. Côté par lequel on doit regarder une chose : *l'endroit d'un tissu. A l'endroit,* du bon côté. *A l'endroit de,* à l'égard de.
enduire v. tr. (Se conj. comme *conduire.*) Couvrir d'un enduit.
enduit n. m. Substance liquide qu'on étend sur une surface.
endurance n. f. Qualité d'une personne endurante. Résistance.
endurci, e adj. *Fig.* Qui a une longue habitude de : *pécheur endurci.* Invétéré. Insensible, impitoyable.
endurcir v. tr. Rendre dur. Rendre résistant : *le travail endurcit le corps. Fig.* Rendre insensible : *endurcir le cœur.* V. pr. Devenir insensible. S'accoutumer.
endurcissement n. m. Action de s'endurcir. Son résultat.
endurer v. tr. Supporter, éprouver.
énergétique adj. Relatif à l'énergie.
énergie n. f. Puissance, force physique. Vertu, efficacité. *Sources d'énergie,* le charbon, l'électricité, le pétrole, le gaz naturel et celles qui sont fournies par les marées et l'atome. *Fig.* Force, activité morale. *Phys.* Intensité d'action que possède un corps.
énergique* adj. Qui a de l'énergie.
énergumène n. Homme exalté, violent.
énervement n. m. Etat de celui qui est énervé.
énerver v. tr. Détruire l'énergie : *les voluptés énervent l'âme.* Agacer : *ses cris m'énervent.*
enfance n. f. Période de la vie depuis la naissance jusqu'à la douzième année environ. Les enfants. *Fig.* Imbécillité : *tomber en enfance.* Commencement.
enfant n. Garçon, fille dans l'enfance. Fils ou fille, quel que soit l'âge : *père de trois enfants.* Descendant : *les enfants d'Adam.* Terme d'amitié ou de protection. *Enfant légitime,* né de parents unis par le mariage. *Enfant naturel,* né hors du mariage. *Fig.* Résultat, effet.
enfantement n. m. Action d'enfanter. *Fig.* Production, création.
enfanter v. tr. Donner le jour à un enfant. *Fig.* Produire, créer.
enfantillage n. m. Paroles, actions d'enfant, puériles.
enfantin, e adj. Qui a le caractère de l'enfance. Simple : *idée enfantine.*
enfariner v. tr. Poudrer de farine.
enfer n. m. Lieu destiné au supplice des damnés. *Fig.* Lieu, cause de tourment : *cette maison est un enfer. Feu d'enfer,* feu très violent. Pl. *Les enfers,* séjour des âmes après la mort, dans la mythologie sémitique ou grecque.

enfermer v. tr. Mettre en un lieu fermé. Mettre dans une maison d'aliénés, dans une prison, etc. Mettre sous clef : *enfermer des papiers.* Contenir, comporter.
enferrer v. tr. Percer avec une épée. V. pr. Se jeter sur l'épée de son adversaire. *Fig.* Se prendre à ses propres mensonges. S'engager dans une voie sans issue.
enfiévrer v. tr. (Se conj. comme *accélérer.*) Donner de la fièvre. *Fig.* Passionner, enflammer.
enfilade n. f. Ensemble de choses disposées les unes à la file des autres.
enfiler v. tr. Passer un fil dans le trou d'une aiguille, etc. Percer de part en part. *Fig. Enfiler un chemin,* s'y engager.
enfin adv. Bref, en un mot, à la fin.
enflammer v. tr. Mettre en feu. Envenimer. *Fig.* Echauffer, exciter.
enfler v. tr. Gonfler en remplissant d'air, de gaz, etc. Augmenter le volume de. *Fig.* Grossir, donner de l'extension à. Rendre emphatique : *enfler le ton.* Exagérer : *enfler un récit.* V. intr. et pr. Devenir enflé.
enflure n. f. Gonflement, bouffissure. *Fig.* Orgueil, emphase.
enfoncement n. m. Action d'enfoncer. Partie qui se trouve en retrait sur les parties voisines. Partie d'une façade, formant arrière-corps. Partie reculée d'un paysage. Echancrure : *les enfoncements de la côte.*
enfoncer v. tr. (Se conj. comme *amorcer.*) Pousser, mettre au fond. Briser, en poussant, en pesant : *enfoncer une porte. Par ext.* Mettre en déroute : *enfoncer l'ennemi.* V. intr. Aller au fond, couler.
enfouir v. tr. Mettre, enfoncer en terre. Mettre en un lieu secret. *Fig.* Dissimuler. Laisser inutile.
enfouissement n. m. Action d'enfouir.
enfouisseur n. m. Qui enfouit.
enfourcher v. tr. *Fam.* Monter à califourchon : *enfourcher un cheval.* Percer avec une fourche.
enfourchure n. f. Point où le tronc d'un arbre se bifurque. Entre-deux des jambes d'un pantalon.
enfournage ou **enfournement** n. m. Action d'enfourner.
enfourner v. tr. Mettre dans le four.
enfreindre v. tr. (Se conj. comme *craindre.*) Transgresser, violer.
enfuir (s') v. pr. (Se conj. comme *fuir.*) Fuir de. *Fig.* Passer rapidement. S'éloigner, disparaître.
enfumage n. m. Action d'enfumer.
enfumer v. tr. Emplir de fumée. Noircir par la fumée. Incommoder par la fumée.
engagé n. m. Soldat qui a contracté un engagement volontaire.
engageant, e adj. Insinuant, attirant.
engagement n. m. Action d'engager. Mise en gage. Promesse par laquelle on s'engage : *faire honneur à ses engagements.* Enrôlement volontaire d'un soldat. Combat court : *l'engagement devint général.*
engager v. tr. (Se conj. comme *manger.*) Mettre en gage. Lier par une promesse : *engager sa parole.* Attacher à son service : *engager un domestique.* Enrôler. Inviter, exhorter : *engager à sortir.* Commencer, entamer : *engager une partie.* Faire entrer dans : *engager dans une affaire.* Faire pénétrer une pièce dans une autre.
engainer v. tr. Mettre dans une gaine. Envelopper.
engeance n. f. Race. Se dit des personnes, par mépris : *vilaine engeance.*
engelure n. f. Inflammation, crevasses causées par le froid.
engendrer v. tr. Donner l'existence. *Fig.* Produire, avoir pour effet.
engin n. m. Instrument, mécanisme.
englober v. tr. Réunir en un tout. Comprendre. Compter parmi.
engloutir v. tr. Avaler gloutonnement. *Fig.* Absorber, faire disparaître.
engloutissement n. m. Action d'engloutir.
engluer v. tr. Enduire de glu, de matière gluante. Prendre à la glu. *Fig.* Prendre par ruse, etc.
engoncement n. m. Effet d'un habit qui engonce.
engoncer v. tr. (Se conj. comme *amorcer.*) Se dit d'un habit qui fait paraître le cou enfoncé dans les épaules.
engorgement n. m. Embarras dans un conduit, un tuyau. *Méd.* Embarras produit dans un organe.
engorger v. tr. (Se conj. comme *manger.*) Obstruer.
engouement n. m. Action de s'engouer : *c'est un engouement ridicule.*
engouer (s') v. pr. Se passionner pour une personne ou une chose qui n'en valent pas la peine.
engouffrement n. m. Action d'engouffrer, de s'engouffrer.
engouffrer v. tr. Faire disparaître dans un gouffre. *Fig.* Dévorer, engloutir. V. pr. Se dit des eaux, du vent, qui entrent avec violence en quelque endroit.
engourdir v. tr. Rendre gourd : *le froid l'a engourdi. Fig.* Mettre en torpeur : *engourdir l'esprit.*
engourdissement n. m. Paralysie momentanée d'une partie du corps. *Fig.* Torpeur de l'âme, etc.
engrais n. m. Herbage où l'on met engraisser les bestiaux. Pâture pour engraisser les volailles. Matières propres à fertiliser les terres.
engraissement n. m. Action d'engraisser. Son résultat.
engraisser v. tr. Faire devenir gras : *engraisser des canards.* Fertiliser par l'engrais. *Fig.* Enrichir. V. intr. Prendre de l'embonpoint.
engranger v. tr. (Se conj. comme *manger.*) Mettre en grange.
engrenage n. m. Action d'engrener; disposition de roues qui s'engrènent. *Fig.* Enchevêtrement de circonstances.
engrenement n. m. Action d'engrener.
engrener v. tr. Faire entrer les dents d'une roue entre les dents d'une autre roue. *Fig.* Préparer, entamer.
enguirlander v. tr. Entourer de guirlandes. *Fam.* Injurier.
enhardir [*an-ar*] v. tr. Rendre hardi.
énigmatique adj. Qui renferme une énigme. Qui tient de l'énigme, inexpliqué.
énigme n. f. Jeu d'esprit où l'on donne à deviner une chose en la décrivant en termes obscurs. Chose difficile à définir, à connaître à fond.

enivrement [*an-ni*] n. m. Action de s'enivrer. Ivresse. *Fig.* Transport : *l'enivrement de la gloire.*
enivrer [*an-ni*] v. tr. Rendre ivre. *Fig.* Troubler, exalter. V. pr. Se rendre ivre.
enjambée n. f. Action d'enjamber. Espace qu'on enjambe.
enjambement n. m. Rejet au vers suivant d'un ou de plusieurs mots qui complètent le sens du premier.
enjamber v. tr. Franchir d'une enjambée. V. intr. Aller à grands pas. Produire l'enjambement.
enjeu n. m. Ce qu'on met d'argent en jeu à chaque partie. *Fig.* Ce qu'on expose dans une entreprise.
enjoindre v. tr. (Se conj. comme *craindre.*) Ordonner, commander.
enjôlement n. m. Action d'enjôler.
enjôler v. tr. Séduire par des cajoleries, par de belles paroles.
enjôleur, euse n. et adj. Qui enjôle.
enjolivement n. m. Ce qui enjolive.
enjoliver v. tr. Rendre joli ou plus joli par des ornements. Amplifier inutilement : *enjoliver un récit.*
enjoliveur n. m. Qui enjolive.
enjolivure n. f. Petit enjolivement.
enjoué, e adj. Gai, gracieux.
enjouement n. m. Gaieté douce, badinage gracieux.
enkyster (s') v. pr. S'envelopper d'un kyste : *tumeur qui s'enkyste.*
enlacement n. m. Action d'enlacer. Etat de ce qui est enlacé.
enlacer v. tr. (Se conj. comme *amorcer.*) Etreindre, serrer : *enlacer dans ses bras.*
enlaidir v. tr. Rendre laid. V. intr. Devenir laid : *il a enlaidi.*
enlaidissement n. m. Action d'enlaidir. Son résultat.
enlèvement n. m. Action d'enlever, d'emporter. Rapt.
enlever v. tr. (Se conj. comme *lever.*) Lever, retirer : *enlever le couvert.* Ravir : *enlever un enfant.* Faire disparaître : *enlever une tache.* Obtenir sans peine : *enlever un vote. Fig.* Exécuter rapidement, brillamment : *enlever un morceau.*
enlisement n. m. Action de s'enliser.
enliser v. tr. Enfoncer dans les sables mouvants, etc. V. pr. S'enfoncer.
enluminer v. tr. Peindre de couleurs vives : *enluminer un missel. Fig.* Colorer vivement ; rendre rouge : *teint enluminé.*
enlumineur, euse n. Qui enlumine.
enluminure n. f. Art d'enluminer. Estampe, gravure enluminée. *Fam.* Coloration vive du visage.
ennemi, e n. et adj. Qui hait quelqu'un, qui cherche à lui nuire. Qui a de l'aversion : *ennemi du bruit.* Chose nuisible. Pays armé avec lequel on est en guerre.
ennoblir [*an*] v. tr. Donner de la noblesse, de la dignité morale : *le travail ennoblit.*
ennoblissement n. m. Action d'ennoblir. *Paron.* ANOBLISSEMENT.
ennui n. m. Lassitude morale produite par le désœuvrement, le manque d'intérêt, etc. Pl. Chagrins.
ennuyer v. tr. (Se conj. comme *appuyer.*) Causer de l'ennui.
ennuyeux, euse* adj. Qui ennuie.

énoncé n. m. Chose énoncée. Action d'énoncer. Ensemble des conditions d'un problème.
énoncer v. tr. (Se conj. comme *amorcer.*) Exprimer par paroles ou par écrit : *énoncer un axiome.*
énonciation n. f. Action, manière d'énoncer.
enorgueillir [*an*] v. tr. Rendre orgueilleux. V. pr. Tirer vanité.
énorme adj. Démesuré, excessif.
énormément adv. Excessivement.
énormité n. f. Caractère de ce qui est énorme. *Fig.* Chose extravagante.
enquérir (s') v. pr. (Se conj. comme *acquérir.*) S'informer : *s'enquérir d'un ami.*
enquête n. f. Réunion de témoignages pour élucider une question : *diriger une enquête.* Recherches ordonnées par une autorité quelconque.
enquêter v. tr. Faire une enquête.
enquêteur n. m. et adj. Qui enquête.
enracinement n. m. Action d'enraciner, de s'enraciner.
enraciner v. tr. Faire prendre racine à : *enraciner un arbre. Fig.* Etablir à demeure. V. pr. Prendre racine.
enragé, e adj. Qui a la rage. *Fig.* Excessif, violent : *joueur enragé.*
enrager v. intr. (Se conj. comme *manger.*) Avoir la rage. *Fig.* Etre furieux : *il enrage d'attendre.* V. tr. Mettre en rage.
enrayer v. tr. (Se conj. comme *balayer.*) Entraver le mouvement des roues d'une voiture au moyen d'un sabot ou d'un frein. *Fig.* Arrêter : *enrayer une maladie.*
enrégimenter v. tr. Incorporer dans un régiment, et, au *fig.*, dans un parti.
enregistrement n. m. Action d'enregistrer. Administration, bureaux où l'on enregistre certains actes.
enregistrer v. tr. Porter sur un registre ; transcrire un jugement, un acte dans les registres publics, pour en assurer l'authenticité : *enregistrer un contrat. Par ext.* Consigner certains faits par écrit et, au *fig.*, dans sa mémoire. Inscrire : *enregistrer des bagages.* Inscrire sur un disque de phonographe : *enregistrer sa voix.*
enregistreur n. m. Qui enregistre. Adj. Se dit d'un appareil qui inscrit automatiquement un phénomène.
enrhumer v. tr. Causer un rhume.
enrichir v. tr. Rendre riche. *Par ext.* Augmenter, développer, doter : *enrichir un musée.* Garnir d'un ornement précieux : *enrichir de diamants. Fig.* Orner : *enrichir son esprit.*
enrichissement n. m. Action d'enrichir. *Fig.* Ornement, parure.
enrobage n. m. Action d'enrober.
enrober v. tr. Recouvrir d'une enveloppe protectrice : *enrober de sucre un médicament,* etc.
enrôlement n. m. Action d'enrôler.
enrôler v. tr. Inscrire sur un rôle. Faire s'engager dans l'armée. *Fig.* Faire entrer dans un parti.
enrouement n. m. Etat, maladie de celui qui est enroué.
enrouer v. tr. Rendre la voix rauque.
enroulement n. m. Action d'enrouler. Ornement en spirale.
enrouler v. tr. Rouler une chose sur elle-même ou autour d'une autre.

enrubanner v. tr. Orner de rubans.
ensablement n. m. Amas de sable.
ensabler v. tr. Couvrir, engorger de sable. Faire échouer sur le sable.
ensachement n. m. Action d'ensacher.
ensacher v. tr. Mettre en sac.
ensanglanter v. tr. Souiller, couvrir de sang. *Fig.* Déshonorer.
enseignant, e adj. Qui donne l'enseignement. *Le corps enseignant,* l'ensemble des instituteurs, des professeurs, etc.
enseigne n. f. Tableau, figure à la porte d'une auberge, d'une boutique, indiquant la nature du commerce, le nom du commerçant. *Fig.* Marque, indice, drapeau : *marcher enseignes déployées.* Pavillon. *A telle enseigne* ou *à telles enseignes que,* la preuve est que. N. m. Autref. Officier porte-drapeau. Auj. Officier de marine, à deux galons, immédiatement au-dessous du lieutenant de vaisseau.
enseignement n. m. Action, art d'enseigner. Profession de celui qui enseigne. Instruction.
enseigner v. tr. Instruire : *enseigner des enfants.* Apprendre à autrui, professer : *enseigner la grammaire à son fils.*
ensemble adv. L'un avec l'autre, en même temps. N. m. Réunion : *un bel ensemble.* Accord : *agir avec ensemble.*
ensemblier n. m. Artiste qui combine des ensembles décoratifs.
ensemencement n. m. Action d'ensemencer.
ensemencer v. tr. (Se conj. comme *amorcer.*) Répandre la semence.
enserrer v. tr. Serrer étroitement.
ensevelir v. tr. Envelopper un corps mort dans un linceul. *Par ext.* Enterrer. *Fig.* Engloutir. V. pr. *Fig.* Se retirer du monde : *s'ensevelir dans la retraite.*
ensevelissement n. m. Action d'ensevelir; funérailles.
ensilage n. m. Action d'ensiler.
ensiler v. tr. Mettre les grains dans les silos.
ensoleillé, e adj. Baigné de soleil.
ensoleillement n. m. Etat de ce qui est ensoleillé.
ensommeillé, e adj. Appesanti par le sommeil (au pr. et au fig.).
ensorceler v. tr. (Se conj. comme *amonceler.*) Jeter un sort sur. *Fig.* Séduire, captiver.
ensorceleur, euse adj. et n. Qui ensorcelle.
ensorcellement n. m. Action d'ensorceler. Son résultat. *Fig.* Séduction.
ensuite adv. Après, à la suite.
ensuivre (s') v. pr. Suivre, être la conséquence. V. impers. Résulter.
entablement n. m. Couronnement d'un édifice.
entacher v. tr. Souiller. *Acte entaché de nullité,* qui n'est pas en règle.
entaille n. f. Large coupure dans le bois, la pierre, les chairs, etc. Blessure par instrument tranchant.
entailler v. tr. Faire une entaille.
entame n. f. Premier morceau que l'on coupe d'un pain, etc.
entamer v. tr. Couper le premier morceau. Faire une légère incision. *Fig.* Commencer. Porter atteinte à.
entassement n. m. Action d'entasser. Amas : *entassement de débris.*
entasser v. tr. Mettre en tas; accumuler, amonceler. *Fig.* Réunir en quantité.
ente n. f. Ancien nom de la *greffe.* Arbre greffé. *Prune d'ente,* variété de prune.
entendement n. m. Intelligence. (Vx.)
entendre v. tr. Percevoir par le sens de l'ouïe. Ecouter : *ne vouloir rien entendre.* Recevoir le témoignage : *entendre un témoin.* Exaucer : *entendre une prière.* Assister à l'audition de. *Fig.* Comprendre : *entendre à demi-mot.* Vouloir dire : *qu'entend-il par là?* Connaître, s'y connaître en : *entendre le commerce.* Prendre bien, ne pas se fâcher : *entendre la plaisanterie.* Vouloir : *j'entends qu'on obéisse. Donner à entendre,* laisser croire. *Entendre raison,* acquiescer à ce qui est juste.
entendu, e adj. Convenu, décidé. Intelligent, habile, capable. N. *Faire l'entendu,* l'important. *Bien entendu* loc. adv. Assurément.
entente n. f. Interprétation. Intelligence. Bon accord : *entente cordiale.*
enter v. tr. Greffer sur. *Par ext.* Insérer sur, venir s'ajouter à. V. pr. S'unir par les liens du sang.
entérinement n. m. Ratification.
entériner v. tr. *Dr.* Ratifier un acte par un jugement.
entérite n. f. Inflammation des intestins
enterrement n. m. Action de mettre en terre. Inhumation, funérailles. Convoi funèbre. Frais de sépulture.
enterrer v. tr. Enfouir. Engloutir sous les décombres. Inhumer. Survivre à, assister à la ruine de. *Par ext.* Confiner dans un lieu retiré. *Fig.* Jeter l'oubli sur : *enterrer une question, un projet de loi.* V. pr. Se retirer du monde.
en-tête n. m. Ce qui est imprimé, écrit ou gravé en tête d'une lettre, d'un écrit. Pl. des *en-têtes.*
entêtement n. m. *Fig.* Opiniâtreté.
entêter v. tr. Faire mal à la tête par des vapeurs, des odeurs. *Fig.* Remplir d'orgueil. V. pr. S'opiniâtrer.
enthousiasme n. m. Inspiration exaltée de l'écrivain, de l'artiste. Emotion extraordinaire de l'âme. Admiration passionnée.
enthousiasmer v. tr. Ravir d'admiration; inspirer de l'enthousiasme.
enthousiaste n. et adj. Qui a de l'enthousiasme : *un enthousiaste du théâtre.*
entichement n. m. Engouement.
enticher v. i. Inspirer un attachement opiniâtre. V. pr. S'engouer de.
entier, ère* adj. Complet, sans restriction. *Fig.* Absolu : *esprit entier.* Qui n'a pas subi la castration : *cheval entier.* N. m. *Arith.* Nombre qui ne contient que des unités entières.
entité n. f. *Philos.* Ce qui constitue l'essence d'un être.
entoilage n. m. Action d'entoiler.
entoiler v. tr. Fixer sur une toile.
entomologie n. f. Partie de la zoologie qui traite des insectes.
entomologiste n. m. Qui s'occupe d'entomologie.
entonner v. tr. Verser un liquide dans un tonneau. Ingurgiter.
entonner v. tr. Commencer un air pour donner le ton. Commencer un chant.

entonnoir n. m. Instrument pour entonner un liquide.
entorse n. f. Déplacement momentané d'une articulation. *Particul.* Distension des tendons du pied. *Fig.* Vive atteinte à : *entorse à la vérité.*
entortillage n. m. Action d'entortiller. Subterfuge.
entortillement n. m. Action de s'entortiller ou d'entortiller. Son effet. *Fig.* Embarras, obscurité du style.
entortiller v. tr. Envelopper en tortillant. *Fig.* Exprimer d'une manière embarrassée: *entortiller ses pensées. Fam.* Séduire.
entour n. m. Environs, lieux qui avoisinent. *A l'entour* loc. adv. et *à l'entour de* loc. prép. Aux environs.
entourage n. m. Tout ce qui entoure pour orner. *Par ext.* Société habituelle : *mauvais entourage.*
entourer v. tr. Disposer autour. *Par ext.* Vivre auprès de. *Fig.* Combler.
entournure n. f. Echancrure d'une manche à l'aisselle.
entracte n. m. Intervalle entre les actes d'une pièce de théâtre. Intermède. *Fig.* Temps de repos.
entraide n. f. Aide mutuelle.
entraider (s') v. pr. S'aider mutuellement.
entrailles n. f. pl. Intestins, boyaux. *Par ext.* Partie inférieure et profonde : *les entrailles de la terre.* Sensibilité: *homme sans entrailles.*
entr'aimer (s') v. pr. S'aimer l'un l'autre.
entrain n. m. Manière d'agir vive et animée : *troupe pleine d'entrain.* Mouvement vif, rapide. Gaieté franche et animée.
entraînement n. m. Action d'entraîner (au pr. et au fig.).
entraîner v. tr. Traîner avec soi. *Fig.* Conduire par violence. Pousser, exciter : *entraîner les esprits.* Exalter : *musique qui entraîne.* Préparer à un sport, à un exercice, etc. : *entraîner un cheval.* Avoir pour résultat : *entraîner des frais.*
entraîneur n. m. Qui entraîne des chevaux, des coureurs, etc.
entrave n. f. Lien fixé aux pieds d'un cheval, etc. *Fig.* Obstacle.
entraver v. tr. Mettre des entraves à.
entre, prép. marquant la place ou le temps intermédiaires, ou un rapport de relation.
entrebâillement n. m. Légère ouverture laissée par un objet entrebâillé.
entrebâiller v. tr. Entrouvrir légèrement.
entrechat n. m. Saut léger, pendant lequel les pieds s'entrechoquent.
entrechoquer v. pr. Se choquer l'un l'autre: *des verres qui s'entrechoquent.*
entrecolonne ou **entrecolonnement** n. m. Espace entre deux colonnes.
entrecôte n. f. Morceau de viande coupé entre deux côtes.
entrecouper v. tr. Couper en divers endroits. Interrompre.
entrecroisement n. m. Disposition de choses qui s'entrecroisent.
entrecroiser v. tr. Croiser en divers sens.
entrecuisse n. m. Entre-deux des cuisses.
entre-déchirer (s') v. pr. Se déchirer mutuellement.
entre-deux n. m. invar. Partie située au milieu de deux choses. Bande de broderie, de dentelle, etc. Adv. Ni bien ni mal.
entrée n. f. Action d'entrer. Endroit par où l'on entre. Ouverture de certains objets. Vestibule d'un appartement. *Fig.* Début : *à l'entrée de l'hiver.* Premiers mets servis dans un repas.
entrefaite n. f. *Sur ces entrefaites,* dans cet intervalle, à ce moment.
entrefilet n. m. Petit article de journal : *un entrefilet venimeux.*
entregent n. m. Habileté, adresse à se conduire au milieu des gens.
entrelacement n. m. Etat de plusieurs choses entrelacées.
entrelacer v. tr. (Se conj. comme *amorcer.*) Enlacer l'un dans l'autre.
entrelacs [*la*] n. m. Ornement composé de moulures, de chiffres entrelacés.
entrelarder v. tr. Piquer une viande de lard. *Fig.* et *fam.* Parsemer de.
entremêler v. tr. Mêler plusieurs choses à d'autres.
entremets n. m. Mets légers que l'on sert avant le dessert.
entremettre (s') v. pr. S'employer dans une affaire concernant autrui.
entremise n. f. Action de s'entremettre : *s'informer par l'entremise d'un ami.* Médiation.
entrepont n. m. Intervalle qui, dans un navire, est compris entre deux ponts : *passager d'entrepont.*
entreposer v. tr. Déposer des marchandises dans un entrepôt.
entreposeur n. m. Qui tient un entrepôt. Agent préposé à la garde ou à la vente de produits monopolisés.
entrepositaire n. Qui dépose ou reçoit des marchandises en entrepôt.
entrepôt n. m. Lieu où l'on met des marchandises en dépôt.
entreprenant, e adj. Hardi à entreprendre : *caractère entreprenant.*
entreprendre v. tr. (Se conj. comme *prendre.*) Prendre la résolution de faire une chose et la commencer, s'engager à faire ou à fournir : *entreprendre des travaux.* S'efforcer de convaincre quelqu'un.
entrepreneur, euse n. Qui entreprend. Qui entreprend à forfait un ouvrage.
entreprise n. f. Action d'entreprendre; ce qui est entrepris. Ce qu'on s'est chargé de faire à forfait : *l'entreprise d'un pont.* Service public : *entreprise de messageries.*
entrer v. intr. Passer du dehors au dedans. Passer dans une situation, un emploi, etc. : *entrer dans la magistrature. Fig.* S'engager dans : *entrer en religion.* Etre contenu : *médicament où il entre du fer. Entrer en matière,* commencer. V. tr. Introduire : *entrer du tabac en fraude.*
entresol n. m. Logement entre le rez-de-chaussée et le premier étage.
entre-temps adv. Dans cet intervalle de temps. N. m. Intervalle de temps entre deux actions.
entretenir v. tr. (Se conj. comme *tenir.*) Tenir en bon état. Pourvoir des choses nécessaires. *Entretenir quelqu'un de,* causer avec lui sur. V. pr. Converser.

entretien n. m. Action d'entretenir. Dépense pour entretenir quelque chose. Ce qui est nécessaire pour la subsistance. l'habillement, etc. Conversation.
entretoise n. f. Pièce de bois, de fer, qui en relie d'autres.
entretoiser v. tr. Maintenir au moyen d'entretoises.
entre-tuer (s') v. pr. Se tuer l'un l'autre : *adversaires qui s'entre-tuent.*
entrevoir v. tr. (Se conj. comme *voir.*) Voir, prévoir confusément.
entrevue n. f. Rencontre concertée.
entrouvrir v. tr. Ouvrir un peu : *entrouvrir les yeux.*
énucléer v. tr. Extirper un organe.
énumération n. f. Dénombrement.
énumérer v. tr. (Se conj. comme *accélérer.*) Enoncer successivement.
envahir v. tr. Entrer violemment dans. *Par ext.* Se répandre dans, sur.
envahissement n. m. Action d'envahir.
envahisseur n. et adj. m. Qui envahit : *peuple envahisseur.*
envasement n. m. Etat de ce qui est envasé : *l'envasement d'un canal.*
envaser v. tr. Remplir de vase.
enveloppe n. f. Ce qui sert à envelopper. Membrane enveloppant un organe : *les enveloppes du cerveau.* Papier plié qui enveloppe une lettre. *Fig.* Ce qui cache, apparence : *enveloppe trompeuse.*
enveloppement n. m. Action d'envelopper ou de s'envelopper.
envelopper v. tr. Couvrir, entourer exactement une chose avec une autre. *Fig.* Cacher, déguiser. Comprendre dans. Entourer, cerner.
envenimer v. tr. Infecter. *Fig.* Aigrir.
envergure n. f. Largeur de la voilure d'un navire. Etendue des ailes déployées d'un oiseau, d'un avion. *Fig.* Ampleur, puissance : *un poète d'envergure.*
envers prép. A l'égard de. *Envers et contre tous,* en dépit de tous.
envers n. m. L'opposé de l'endroit. Le contraire. *A l'envers* loc. adv. Du mauvais côté. Sens dessus dessous, dans le sens contraire.
envi (à l') loc. adv. et prép. Avec émulation. A qui mieux mieux.
enviable adj. Qui est digne d'envie.
envie n. f. Sentiment d'irritation, de convoitise à la vue du bonheur d'autrui. Désir, souhait : *j'ai envie de dormir.* Tache naturelle sur la peau. Petit filet de peau autour des ongles.
envier v. tr. (Se conj. comme *prier.*) Eprouver de l'envie. Souhaiter pour soi.
envieux, euse adj. et n. Qui envie.
environ adv. A peu près.
environner v. tr. Mettre autour. Etre autour : *environner une ville.*
environs n. m. pl. Alentours.
envisager v. tr. (Se conj. comme *manger.*) Dévisager (vx). Examiner, considérer en esprit.
envoi n. m. Action d'envoyer. Chose envoyée : *envoi postal.* Vers placés à la fin d'une pièce de poésie, pour en faire hommage à quelqu'un. *Dr. Envoi en possession,* autorisation d'entrer en possession d'un héritage.
envol n. m. et **envolée** n. f. Action de s'envoler. *Fig.* Elan vers un idéal.
envoler (s') v. pr. Prendre son vol. S'enfuir. *Fig.* Disparaître.
envoûtement n. m. Action d'envoûter. *Fig.* Domination mystérieuse.
envoûter v. tr. Pratiquer sur une image en cire, symbolisant une personne, des blessures dont celle-ci est censée souffrir ensuite. *Fig.* Dominer, subjuguer.
envoyé n. m. Ambassadeur; messager.
envoyer v. tr. (Se conj. comme *aboyer,* sauf au futur : *j'enverrai,* et au cond. : *j'enverrais.*) Faire aller. Déléguer. Lancer. *Fig. Envoyer promener,* congédier avec rudesse.
envoyeur, euse n. Qui envoie.
epacte n. f. Nombre de jours qu'il faut ajouter à l'année lunaire pour l'égaler à l'année solaire.
épagneul, e n. et adj. Chien à long poil et à oreilles pendantes.
épais, aisse adj. Qui a de l'épaisseur. Dense, serré : *encre épaisse, herbe épaisse. Fig.* Grossier, lourd : *esprit épais.* N. m. Epaisseur. Adv. D'une manière serrée.
épaisseur n. f. Hauteur d'un solide. Etat de ce qui est dense.
épaissir v. tr. Rendre plus épais, plus dense. V. intr. et pr. Devenir épais.
épaississement n. m. Action d'épaissir, de s'épaissir. Son résultat.
épanchement n. m. Action d'épancher ou de s'épancher.
épancher v. tr. Verser doucement un liquide. *Fig.* Laisser déborder ses sentiments avec confiance : *épancher son cœur. Epancher sa bile,* exhaler sa colère. V. pr. Parler avec une entière confiance. *Méd.* S'extravaser.
épandage n. m. Action d'épandre les engrais liquides ou solides.
épandre v. tr. Jeter çà et là, éparpiller. *Poét.* Produire, donner.
épanouir v. tr. Faire ouvrir, en parlant des fleurs. *Fig.* Rendre ouvert, joyeux : *le bonheur épanouit les cœurs.* Dilater.
épanouissement n. m. Action de s'épanouir. *Fig.* Manifestation de joie.
épargnant, e adj. et n. Qui épargne, qui économise.
épargne n. f. Action d'épargner. Economie. Pl. Somme économisée. *Caisse d'épargne,* établissement public qui reçoit en dépôt des sommes portant intérêts.
épargner v. tr. Ménager, amasser par économie. *Fig.* User avec ménagement de. Traiter avec ménagement : *épargner les vaincus.* Eviter : *épargner des ennuis.*
éparpillement n. m. Action d'éparpiller. Etat de ce qui est éparpillé.
éparpiller v. tr. Disperser.
épars, e adj. Répandu, en désordre.
épatant, e adj. *Pop.* Surprenant.
épaté, e adj. Court et gros (nez).
épatement n. m. Etat de ce qui est épaté. *Pop.* Stupéfaction.
épater v. tr. *Pop.* Etonner, stupéfier.
épaule n. f. Partie la plus élevée du membre supérieur chez l'homme, de la jambe de devant chez les quadrupèdes. *Fig. Donner un coup d'épaule,* venir en aide. *Par-dessus l'épaule,* avec négligence, avec dédain.

épaulement n. m. Rempart de terre et de fascines pour protéger contre le feu de l'ennemi. Mur de soutènement.

épauler v. tr. Mettre à couvert du canon par un épaulement. Appuyer contre l'épaule : *épauler son fusil. Fig.* Appuyer, aider : *épauler un ami.*

épaulette n. f. Patte garnie de franges, que les militaires portent sur l'épaule.

épave n. f. Chose égarée, abandonnée. *Particul.* Débris rejeté par la mer. *Par ext.* Tout débris : *épaves d'une fortune. Fig.* Personne réduite à un état extrême de misère.

épée n. f. Arme faite d'une longue lame d'acier que l'on porte au côté.

épeler v. tr. (Se conj. comme *amonceler.*) Appeler les lettres une à une : *épeler son nom.* Lire en décomposant les syllabes.

épellation n. f. Action d'épeler.

éperdu*, e adj. Egaré par une vive émotion : *éperdu de joie.* Extrême.

éperon n. m. Pointe de métal que l'on s'attache au talon pour piquer le cheval Ergot des coqs, des chiens, etc. Saillie par laquelle se termine le calice ou la corolle de certaines fleurs. Partie saillante de la proue d'un navire.

éperonne, e adj. Qui a des éperons. Muni d'un éperon.

éperonner v. tr. Piquer avec l'éperon. *Fig.* Exciter, stimuler.

épervier n. m. Oiseau de proie du genre faucon. Espèce de filet rond garni de plombs : *pêche à l'épervier.*

épeuré, e adj. En proie à la peur.

éphèbe n. m. Adolescent.

éphémère adj. Qui ne dure qu'un jour. *Fig.* De courte durée : *gloire éphémère.* N. m. Genre d'insectes qui ne vivent que peu de temps.

éphémérides n. f. pl. Tables qui donnent, pour chaque jour, la situation des planètes. Notice rappelant les événements accomplis dans un même jour, à différentes époques.

épi n. m. Tête d'une tige de blé, qui renferme le grain. Fleurs disposées en épi le long d'une tige. Groupe de cheveux, de poils, qui poussent en sens contraire des autres. Ouvrage établi au bord d'une rivière pour diriger le cours de l'eau, sur le rivage de la mer pour maintenir le sable ou les galets.

épice n. f. Substance aromatique pour l'assaisonnement des mets.

épicéa n. m. Genre de conifères voisins des sapins.

épicer v. tr. (Se conj. comme *amorcer.*) Assaisonner avec des épices.

épicerie n. f. Nom collectif qui comprend les *épices,* le *sucre,* le *café,* etc. Commerce,. boutique de l'épicier.

épicier, ère n. et adj. Qui vend les denrées d'épicerie.

épicurien, enne adj. et n. Relatif à Epicure. Voluptueux, sensuel.

épicurisme n. m. Doctrine des épicuriens.

épidémie n. f. Maladie qui, dans une localité, atteint un grand nombre d'individus.

épidémique adj. Qui tient de l'épidémie. *Fig.* Qui se répand à la façon d'une épidémie.

épiderme n. m. Couche demi-transparente, qui recouvre la surface de tous les corps organisés.

épier v. tr. (Se conj. comme *prier.*) Observer secrètement. Chercher à découvrir. Guetter : *épier l'occasion.*

épieu n. m. Long bâton garni de fer.

épigastre n. m. Partie supérieure de l'abdomen.

épiglotte n. f. Cartilage qui couvre et ferme la glotte.

épigrammatique adj. Qui tient de l'épigramme.

épigramme n. f. Chez les Anciens, inscription en prose, ou en vers, sur un monument. Auj. Petite pièce de vers satirique. *Par ext.* Trait satirique, mordant.

épigraphe n. f. Inscription sur un édifice. Citation d'un auteur, en tête d'un livre, d'un chapitre.

épigraphie n. f. Science qui a pour objet l'étude des inscriptions.

épilation n. f. Action d'épiler.

épilatoire adj. Qui sert à épiler.

épilepsie n. f. Maladie caractérisée par une perte de connaissance et des convulsions.

épileptiforme adj. Qui ressemble à l'épilepsie : *crise épileptiforme.*

épileptique adj. Qui appartient à l'épilepsie. *Fig.* Furieux, désordonné. N. Sujet à l'épilepsie.

épiler v. tr. Arracher, faire tomber le poil, les cheveux.

épilogue n. m. Conclusion d'un ouvrage littéraire. *Par ext.* Ce qui termine quelque chose.

épiloguer [sur] v. t. ind. Critiquer, trouver à redire sur des détails.

épinard n. m. Plante alimentaire, riche en fer.

épine n. f. Excroissance dure et pointue qui naît sur certains végétaux. *Par ext.* Arbrisseau épineux. *Spéc.* Aubépine. *Anat.* Eminence osseuse allongée. *Epine dorsale,* colonne vertébrale. *Fig.* Ennuis, inquiétudes : *être sur des épines.*

épinette n. f. Petit clavecin.

épineux, euse adj. Couvert d'épines. *Fig.* Plein de difficultés.

épine-vinette n. f. Arbrisseau épineux à fruit rouge et acide.

épingle n. f. Petite pointe de fil de laiton, cuivre, acier, or, etc., pour attacher. Bijou en forme d'épingle, avec tête ornée. Loc. : *Tirer son épingle du jeu,* se tirer adroitement d'affaire. *Tiré à quatre épingles,* qui prend un soin minutieux de sa toilette.

épingler v. tr. Attacher, fixer avec des épingles.

épinière adj. f. Qui appartient à l'épine dorsale : *moelle épinière.*

épinoche n. f. Petit poisson armé de fortes épines.

épiphyse n. f. Extrémité d'un os long.

épique adj. Qui retrace en vers les actions héroïques. Qui est propre à l'épopée. Digne de l'épopée.

épiscopal, e, aux adj. Qui est propre à l'évêque.

épiscopat n. m. Dignité d'évêque. Corps des évêques. Temps pendant lequel un évêque a occupé son siège.

épisode n. m. Action incidente liée à l'action principale dans un poème, un roman, etc. Incident appartenant à une série d'événements.
épisodique adj. Accessoire.
épisser v. tr. Assembler deux bouts de corde en entrelaçant les torons.
épissure n. f. Réunion de deux bouts de cordage, de câble électrique, par l'entrelacement des torons.
épistolaire adj. Relatif à la correspondance : *style épistolaire.*
épistolier, ère n. *Fam.* Personne qui écrit beaucoup de lettres, ou qui excelle dans l'art de les écrire.
épitaphe n. f. Inscription sur un tombeau.
épithalame n. m. Poème composé à l'occasion d'un mariage.
épithélial, e, aux adj. Relatif à l'épithélium.
épithélium n. m. *Méd.* Tissu recouvrant les surfaces du corps.
épithète n. f. Mot qui qualifie un substantif. *Par ext.* Qualification : *épithète injurieuse.*
épitoge n. f. Pièce d'étoffe que portent sur l'épaule gauche les professeurs, les avocats, etc.
épître n. f. Lettre en vers. *Rel.* Lettre écrite par un apôtre
épizootie [*zo-o-tî*] n. f. Maladie qui atteint un grand nombre d'animaux.
éploré, e adj. En pleurs; désolé.
eployé, e adj. Déployé.
épluchage n. m. Action d'éplucher.
éplucher v. tr. Enlever ce qu'il y a de gâté, de mauvais. Enlever les bourres des étoffes. *Fig.* Examiner minutieusement : *éplucher un compte.*
épluchure n. f. Déchets enlevés en épluchant : *épluchures de fruits.*
épointer v. tr. Casser ou user la pointe d'un outil.
éponge n. f. Substance poreuse élastique, squelette d'un animal marin. Ce corps, employé à divers usages, vu sa propriété de retenir les liquides.
éponger v. tr. (Se conj. comme *manger.*) Nettoyer avec une éponge.
épopée n. f. Poème de longue haleine sur un sujet héroïque. *Fig.* Suite d'actions héroïques.
époque n. f. Point fixe dans l'histoire. Date où un fait remarquable s'est passé. *Faire époque,* laisser un souvenir durable.
épouiller v. tr. Oter les poux.
époumoner (s') v. pr. Se fatiguer les poumons.
épousailles n. f. pl. Célébration du mariage. (Vx.)
épouse n. f. V. ÉPOUX.
épousée n. f. Celle qu'un homme vient d'épouser ou qu'il va épouser.
épouser v. tr. Prendre en mariage. *Fig.* S'attacher vivement à. *Epouser la forme de,* prendre la forme de.
époussetage n. m. Action d'épousseter : *l'époussetage d'un meuble.*
épousseter v. tr. (Se conj. comme *jeter.*) Oter la poussière.
époussette n. f. Faisceau de jonc, de crin, etc., pour nettoyer.
épouvantable* adj. Qui cause de l'épouvante : *bruit épouvantable.*
épouvantail n. m. Mannequin mis dans les champs pour effrayer les oiseaux. *Fig.* Objet de terreur.
épouvante n. f. Terreur grande et soudaine; effroi : *semer l'épouvante.*
épouvanter v. tr. Jeter dans l'épouvante, effrayer.
époux, épouse n. Celui, celle que le mariage unit. Pl. m. Mari et femme.
éprendre (s') v. pr. (Se conj. comme *prendre.*) Etre pris de passion pour.
épreuve n. f. Action d'éprouver. Expérience, essai : *faire l'épreuve d'un pont.* Malheur : *supporter des épreuves. A l'épreuve de,* en état de résister à. *A toute épreuve,* capable de résister à tout. *Grav.* Chacun des exemplaires tirés sur une planche gravée. *Imprim.* Feuille d'impression sur laquelle on indique les corrections. *Phot.* Chacune des images tirées avec un cliché photographique.
éprouver v. tr. Soumettre à des épreuves. Ressentir : *éprouver de la joie.*
éprouvette n. f. Appareil dans lequel on fait des essais sur de petites quantités de matière. Tube de verre fermé à l'une de ses extrémités.
épucer v. tr. (Se conj. comme *amorcer.*) Oter les puces.
épuisement n. m. Action d'épuiser: *épuisement des eaux d'une mine. Fig.* Déperdition de force : *mourir d'épuisement.* Diminution considérable : *l'épuisement des stocks.*
épuiser v. tr. Tarir, mettre à sec. Consommer : *épuiser ses munitions.* Rendre stérile : *épuiser une terre.* Affaiblir, abattre : *épuiser les forces. Fig.* Lasser : *épuiser la patience.* Traiter à fond : *épuiser un sujet.*
épuisette n. f. Petit filet monté sur un cerceau et fixé à un long manche.
épuration n. f. Action d'épurer; son effet : *épuration du sang. Fig.* Action de purifier : *l'épuration des mœurs.*
épure n. f. Dessin au trait, qui représente, sur un ou plusieurs plans, l'ensemble d'une figure. Dessin achevé, par opposition à *croquis.*
épurer v. tr. Rendre pur ou plus pur : *épurer l'huile. Fig. : épurer le goût.*
équarrir v. tr. Rendre carré. Tailler à angle droit. Ecorcher, dépecer des animaux pour en tirer la peau, la graisse, les os, etc.
équarrissage n. m. Action d'équarrir. Etat de ce qui est équarri. Action d'équarrir les bêtes de somme.
équarrisseur n. m. Qui équarrit.
équarissoir n. m. Poinçon utilisé en menuiserie pour élargir les trous.
équateur [*koua*] n. m. Grand cercle de la sphère céleste ou terrestre perpendiculaire à la ligne des pôles.
équation [*koua*] n. f. *Alg.* Formule d'égalité entre des grandeurs qui dépendent les unes des autres.
équatorial, e, aux [*koua*] adj. De l'équateur. N. m. Lunette mobile pour observer le mouvement des astres.
équatorien, enne [*koua*] adj. et n. De l'Equateur.
équerre n. f. Instrument pour tracer des angles droits ou tirer des perpendiculaires. Ce qui est à angle droit. Pièce de fer plat

en T ou en L pour consolider des assemblages. Instrument d'arpentage.

équestre [*ékèstr'*] adj. Relatif à l'équitation. Qui représente un personnage à cheval : *statue équestre.*

équidistance [*kui*] n. f. Qualité de ce qui est équidistant.

équidistant, e [*kui*] adj. Qui est à égale distance l'un de l'autre.

équilatéral, e, aux [*kui*] adj. Dont les côtés sont égaux : *triangle équilatéral.*

équilibre n. m. Etat de repos d'un corps sollicité par des forces qui s'annulent. *Fig.* Juste combinaison de forces, d'éléments.

équilibrer v. tr. Mettre en équilibre. *Fig.* Harmoniser. Mettre en balance.

équilibriste n. Dont le métier est de faire des tours d'adresse, d'équilibre.

équinoxe n. m. Temps de l'année où les jours sont égaux aux nuits.

équinoxial, e, aux adj. De l'équinoxe.

équipage n. m. Train, suite de valets, de chevaux, de voitures, etc. Voiture de luxe. Manière dont on est vêtu : *modeste équipage.* Ensemble des hommes destinés au service d'un navire, d'un avion. Pl. Ensemble des voitures, du matériel affectés en campagne à un même corps.

équipe n. f. Bateaux amarrés les uns aux autres. Ouvriers appliqués à un même travail. Ensemble de joueurs formant un même camp.

équipée n. f. Folle entreprise.

équipement n. m. Action d'équiper. Tout ce qui sert à équiper. Effets distribués aux hommes de troupe. Armement d'un vaisseau.

équiper v. tr. Pourvoir des choses nécessaires et surtout de vêtements. Munir un navire d'agrès, d'hommes. Harnacher (cheval).

équitable* adj. Juste.

équitation n. f. Art de monter à cheval.

équité n. f. Esprit de justice.

équivalence n. f. Qualité de ce qui est équivalent.

équivalent, e adj. Qui a la même valeur. Qui a le même sens. N. m. Objet de même utilité qu'un autre.

équivaloir v. intr. (Se conj. comme *valoir.*) Etre de valeur, de prix égal.

équivoque adj. Qui a un double sens. *Fig.* Suspect, d'une sincérité douteuse : *vertu équivoque.* N. f. Sens incertain : *sa conduite prête à équivoque.* Confusion de mots, de choses. Mot, phrase à double sens. Jeu de mots : *grossière équivoque.*

équivoquer v. intr. User d'équivoque.

érable n. m. Arbre à bois léger et solide.

érafler v. tr. Ecorcher légèrement.

éraflure n. f. Ecorchure légère.

éraillé, e adj. Rauque : *voix éraillée.*

ère n. f. Point de départ de chaque chronologie particulière. *Fig.* Epoque remarquable : *ère des grandes découvertes.*

érectile adj. Qui peut se dresser.

érection n. f. Action d'élever, de construire : *l'érection d'un monument.*

éreintement n. m. Action d'éreinter. *Fig.* Critique vive, malveillante.

éreinter v. tr. Briser de fatigue. *Fam.* Rouer de coups. Critiquer vivement et avec malveillance : *éreinter une pièce.*

érésipèle n. m. V. ÉRYSIPÈLE.

éréthisme n. m. *Méd.* Excitation.

erg n. m. *Mécan.* Unité de travail : *le kilogrammètre vaut 98 100 000 ergs.*

ergot n. m. Petit ongle pointu derrière le pied du coq, du chien. *Monter sur ses ergots,* être agressif. Base des branches mortes des arbres fruitiers. Maladie des graminées : *l'ergot du seigle.* Saillie à une pièce de bois ou de fer.

ergoté, e adj. Qui a des ergots. Attaqué de l'ergot : *seigle ergoté.*

ergoter v. intr. *Fam.* Chicaner.

ergoteur, euse adj. et n. Qui ergote.

ergotisme n. m. Affection produite par l'ingestion de seigle ergoté.

ériger v. tr. (Se conj. comme *manger.*) Dresser. Construire. Créer, instituer. *Fig.* Elever à une certaine condition : *ériger en règle.* V. pr. S'attribuer un droit, se poser en : *s'ériger en censeur.*

ermitage n. m. Habitation d'un ermite. *Fig.* Site écarté. Maison champêtre et solitaire.

ermite n. m. Religieux qui vit seul. *Fig.* Personne qui vit loin du monde.

éroder v. tr. Ronger (une roche, etc.).

érosif, ive adj. Qui produit l'érosion.

érosion n. f. Dégradation produite par ce qui érode, ce qui ronge : *l'érosion des roches par les eaux.*

érotique adj. Relatif à l'amour : *la poésie érotique* (vx). Relatif à l'amour charnel.

errant, e adj. Nomade; sans demeure fixe. *Chevalier errant,* chevalier qui voyageait pour chercher des aventures et redresser les torts.

erratique adj. *Méd.* Intermittent : *pouls erratique. Géol. Roche, bloc erratique,* transporté loin de son gisement naturel.

erratum n. m. Faute dans un livre. Pl. des *errata.*

errements n. m. pl. Procédés habituels : *suivre ses errements.* Se prend parfois, abusiv., en mauvaise part.

errer v. intr. Aller çà et là à l'aventure. *Fig.* Se tromper.

erreur n. f. Opinion fausse. Fausse doctrine. Faute. Méprise : *faire une erreur de calcul.* Pl. Dérèglements.

erroné, e adj. Entaché d'erreur.

ersatz n. m. invar. Produit de remplacement; succédané.

éructation n. f. Action d'éructer.

éructer v. intr. Rejeter par la bouche et avec bruit les gaz de l'estomac.

érudit, e adj. et n. Qui a, qui renferme beaucoup d'érudition.

érudition n. f. Savoir approfondi.

éruptif, ive adj. Qui a lieu par éruption.

éruption n. f. Emission violente, sortie soudaine et bruyante : *éruption volcanique.* Sortie de boutons, de taches, de rougeurs, à la surface de la peau.

érysipèle n. m. Maladie infectieuse, caractérisée par l'inflammation superficielle de la peau.

ès prép. Vieux mot qui signifie *en les, en matière de* (devant un pl.).

esbroufe n. f. *Pop.* Etalage de grands airs. *Arg. Vol à l'esbroufe,* vol qui se pratique en bousculant.

esbroufer v. tr. *Pop.* Etonner par de grands airs. *Arg.* Voler à l'esbroufe.

esbroufeur, euse n. et adj. *Pop.* Qui fait de l'esbroufe.
escabeau n. m. Petit escalier portatif. Siège de bois, sans bras ni dossier.
escadre n. f. Fraction d'une flotte commandée par un vice-amiral.
escadrille n. f. Petite escadre de bâtiments légers. Groupe d'avions.
escadron n. m. Troupe de cavaliers armés. Partie d'un régiment de cavalerie, correspondant à un bataillon dans l'infanterie. *Par ext.* Troupe de personnes, d'animaux.
escalade n. f. Assaut au moyen d'échelles. Action d'atteindre en s'élevant. Action de s'introduire subrepticement quelque part en montant : *escalader une forteresse.*
escalader v. tr. Attaquer, emporter par escalade : *escalader une forteresse.* Franchir.
escale n. f. Lieu de relâche et de ravitaillement pour les bateaux.
escalier n. m. Suite de degrés pour monter et descendre.
escalope n. f. Petite tranche de viande ou de poisson.
escamotage n. m. Action d'escamoter. *Fig.* Vol détourné et subtil.
escamoter v. tr. Faire disparaître subtilement. Dérober subtilement. *Fig.* Obtenir par habileté, par ruse.
escamoteur, euse n. Qui escamote.
escampette n. f. *Pop. Prendre la poudre d'escampette,* s'enfuir.
escapade n. f. Action de s'échapper.
escarbille n. f. Fragment de houille incomplètement brûlé.
escarboucle n. f. Autre nom du grenat de couleur rouge.
escarcelle n. f. Grande bourse pendue à la ceinture, en usage au Moyen Age.
escargot n. m. Nom vulgaire des mollusques nommés aussi limaçons.
escargotière n. f. Lieu où l'on élève des escargots. Plat sur lequel on les cuit.
escarmouche n. f. Léger engagement entre tirailleurs de deux armées. *Fig.* Petite lutte quelconque.
escarmoucher v. intr. Combattre par escarmouches. *Fig.* Disputer.
escarpe n. f. *Fortif.* Muraille de terre ou de maçonnerie, au-dessus du fossé et du côté de la place.
escarpe n. m. *Arg.* Assassin de profession; bandit qui tue pour voler.
escarpé, e adj. Qui a une pente raide : *falaise escarpée. Fig.* Difficile.
escarpement n. m. Pente raide.
escarpin n. m. Soulier découvert, à semelle très mince.
escarpolette n. f. Balançoire.
escarre n. f. Croûte noirâtre sur la peau, les plaies, etc.
esche [èch'] n. f. Appât de pêcheur.
escient (à bon) loc. adv. Sciemment.
esclaffer (s') v. pr. Eclater de rire.
esclandre n. m. Action qui fait scandale.
esclavage n. m. Etat, condition d'esclave. *Fig.* Assujettissement.
esclavagiste n. et adj. Partisan de l'esclavage.
esclave adj. et n. De condition non libre. Qui est sous la puissance absolue de. *Par ext.* Qui vit dans la dépendance d'un autre. Qui n'a pas un moment de liberté. *Fig.* Qui subit la domination de quelque chose : *esclave de sa parole.*
escogriffe n. m. *Fam.* Homme de grande taille et mal fait.
escompte n. m. Prime payée à un débiteur qui acquitte sa dette avant l'échéance. Action d'escompter un effet de commerce.
escompter v. tr. Payer un effet avant l'échéance, moyennant escompte. *Fig.* Dépenser, jouir d'avance de.
escompteur adj. Qui escompte.
escorte n. f. Troupe armée, vaisseau de guerre, qui accompagne pour protéger, etc. Suite de personnes qui accompagnent.
escorter v. tr. Accompagner.
escouade n. f. Fraction d'une compagnie sous les ordres d'un caporal ou d'un brigadier.
escrime n. f. Art de manier l'épée, le fleuret, etc.
escrimer v. intr. Faire de l'escrime. V. pr. *Fig.* Faire des efforts, lutter : *s'escrimer contre un obstacle.*
escrimeur n. m. Qui connaît ou pratique l'escrime.
escroc n. m. Adroit fripon, fourbe.
escroquer v. tr. Dérober. S'emparer de quelque chose par ruse, par fourberie. Tromper pour voler.
escroquerie n. f. Action d'escroquer.
escroqueur, euse n. m. Qui escroque.
ésotérique adj. Se dit d'une doctrine secrète, réservée aux seuls initiés.
espace n. m. Etendue indéfinie qui contient tous les êtres étendus. Etendue superficielle et limitée. Portion de la durée. Trajectoire décrite par un point en mouvement. N. f. *Typogr.* Séparation entre les mots d'un texte.
espacement n. m. Distance entre deux corps, entre deux mots écrits.
espacer v. tr. (Se conj. comme *amorcer.*) Ranger plusieurs choses en laissant de l'espace entre elles. Séparer par un intervalle de temps : *espacer ses visites. Typogr.* Séparer les mots par des espaces.
espadrille n. f. Chaussure à empeigne de toile et semelle de corde.
espagnol, e adj. et n. D'Espagne.
espagnolette n. f. Tige de fer à poignée pour fermer une fenêtre.
espalier n. m. Rangée d'arbres fruitiers appuyés à un mur, à un treillage.
espèce n. f. Division du genre. Réunion de plusieurs êtres, de plusieurs choses qu'un caractère commun distingue des autres du même genre : *l'espèce humaine.* Sorte, qualité : *espèce de fruits. Fam.* Personne méprisable. *Une espèce de...,* quelque chose comme. *Dr.* Point en litige. Pl. Monnaie; *payer en espèces.*
espérance n. f. Attente d'un bien qu'on désire. Objet de cette attente. L'une des trois vertus théologales. Pl. Héritage possible.
espérantiste adj. Qui a trait à l'espéranto. N. Qui pratique cette langue.
espéranto n. m. Langue internationale à grammaire très simple.
espérer v. tr. (Se conj. comme *accélérer.*) Avoir de l'espérance. Souhaiter. V. intr. Mettre sa confiance en : *espérer en Dieu.*
espiègle n. et adj. Vif, éveillé.
espièglerie n. f. Action d'espiègle.

espion, onne n. Agent secret chargé d'épier en pays ennemi. *Par ext.* Qui épie, observe autrui.
espionnage n. m. Métier d'espion.
espionner v. tr. Epier les actions, les discours d'autrui.
esplanade n. f. Terrain plat, uni et découvert, au-devant de fortifications ou d'un édifice : *transformer une esplanade en jardins.*
espoir n. m. Espérance. *Fig.* Personne en qui l'on met un espoir.
esprit n. m. Souffle vital, âme. Etre imaginaire, comme les revenants, les génies : *avoir peur des esprits.* Principe de nos idées : *l'esprit humain est capable de progrès.* Faculté de saisir, ingéniosité : *avoir de l'esprit.* Humeur, caractère : *esprit chagrin.* Aptitude pour : *l'esprit des affaires.* Tendance propre et caractéristique : *l'esprit du siècle.* Sens, signification : *l'esprit d'une loi. Esprit fort,* qui veut se mettre au-dessus des opinions reçues. *Chim.* La partie la plus volatile des corps soumis à la distillation. *Esprit-de-vin,* alcool.
esquif n. m. Canot léger, frêle barque.
esquille n. f. Petit fragment d'un os.
esquinter v. tr. *Fam.* Ereinter. Abîmer.
esquisse n. f. Le premier trait rapide d'un dessin. Ebauche d'un ouvrage de peinture, etc. Premier plan d'une œuvre.
esquisser v. tr. Faire une esquisse. *Fig.* Commencer : *esquisser un geste.*
esquiver v. tr. Eviter adroitement. V. pr. Se retirer sans être aperçu.
essai n. m. Epreuve, première expérience qu'on fait d'une chose. Analyse rapide d'un produit chimique. Titre de certains ouvrages où l'on ne traite pas à fond une matière : *essai de morale.*
essaim n. m. Groupe d'abeilles vivant ensemble. *Par ext.* Multitude, foule.
essaimage n. m. Multiplication des colonies d'abeilles par l'émigration d'une partie de la population.
essaimer v. intr. Quitter la ruche pour former une colonie nouvelle.
essarter v. tr. Arracher les bois et les épines. Défricher.
essarts n. m. pl. Lieux essartés.
essayage n. m. Action d'essayer.
essayer v. tr. (Se conj. comme *balayer.*) Faire l'essai de : *essayer un habit.* Examiner le titre d'un métal précieux. V. intr. *Essayer de,* tenter.
essayiste n. m. Auteur d'essais.
esse n. f. Crochet de fer, en S.
essence n. f. Ce qui constitue la nature d'un être, d'une chose. Liquide mobile et volatil. Huile aromatique, obtenue par la distillation. *Essence minérale* et, absolum., *essence,* mélange d'hydrocarbures, obtenu par distillation des pétroles bruts, et utilisé dans les moteurs à explosion. Espèce, en parlant des arbres.
essentiel, elle* adj. Qui est de l'essence d'une chose : *la raison est essentielle à l'homme.* Nécessaire. N. m. Le point capital.
esseulé, e adj. Resté seul.
esseulement n. m. Solitude.
essieu n. m. Pièce de fer qui passe dans le moyeu des roues : *graisser les essieux.*
essor n. m. Action d'un oiseau qui prend son vol. *Fig.* Elan, progrès.
essorage n. m. Action d'essorer.
essorer v. tr. Faire sécher mécaniquement.
essoreuse n. f. Appareil pour essorer.
essoriller v. tr. Couper les oreilles.
essoufflement n. m. Etat de celui qui est essoufflé.
essouffler v. tr. Mettre presque hors d'haleine : *l'effort l'a essoufflé.*
essuie-mains n. m. invar. Linge pour s'essuyer les mains.
essuie-plume n. m. invar. Objet servant à essuyer les plumes chargées d'encre.
essuyage n. m. Action d'essuyer.
essuyer v. tr. (Se conj. comme *aboyer.*) Oter, en frottant, l'eau, la sueur, l'humidité, la poussière, etc. Sécher par évaporation : *le vent essuie la terre. Fig.* Subir, souffrir : *essuyer un affront.*
est [*èst'*] n. m. Levant, orient, côté de l'horizon où le soleil se lève.
estacade n. f. Barrage de pieux plantés dans un port, une rivière, etc.
estafette n. f. Courrier qui porte les dépêches.
estafier n. m. Valet armé. Spadassin.
estafilade n. f. Grande coupure.
estaminet n. m. Cabaret.
estampage n. m. Action d'estamper.
estampe n. f. Image gravée : *collectionneur d'estampes.* Outil pour estamper.
estamper v. tr. Imprimer en relief, sur du métal, du cuir, du carton. *Pop.* Soutirer de l'argent.
estampeur n. et adj. Qui estampe.
estampillage n. m. Action d'estampiller : *estampillage d'un briquet.*
estampille n. f. Empreinte appliquée sur des brevets, des lettres, des livres, etc., pour attester l'authenticité, la propriété, la provenance.
estampiller v. tr. Marquer d'une estampille.
ester v. intr. *Dr.* Intenter, suivre une action en justice.
esthète n. m. Qui aime le beau.
esthéticienne n. f. Spécialiste en soins de beauté.
esthétique* adj. Relatif au beau : *le sens esthétique.* N. f. Science qui traite des règles du beau.
estimable adj. Digne d'estime.
estimatif, ive adj. Qui contient une estimation d'expert.
estimation n. f. Action d'estimer.
estime n. f. Cas que l'on fait d'une personne. *Mar.* Calcul approximatif de la route.
estimer v. tr. Faire cas de. Evaluer. Etre d'avis, penser. Juger, regarder comme : *estimer utile.*
estival, e, aux adj. Relatif à l'été.
estivant n. m. Personne qui passe ses vacances d'été à la mer, etc.
estoc [*tok*] n. m. Epée longue et étroite (vx). *D'estoc et de taille,* de la pointe et du tranchant et, au *fig.*, à tort et à travers.
estocade n. f. Coup d'estoc.
estomac n. m. Viscère membraneux, dans lequel commence la digestion des aliments. Partie de l'extérieur du corps qui correspond à l'estomac. *Avoir de l'estomac,* avoir du cran.

estomaquer v. tr. *Fam.* Causer une surprise vive et désagréable.
estompe n. f. Peau, papier, roulé en pointe, pour estomper un dessin.
estomper v. tr. Etendre avec une estompe le crayon sur le papier. *Par ext.* Couvrir d'une ombre légèrement dégradée. *Fig.* Adoucir, voiler.
estrade n. f. Plancher surélevé.
estragon n. m. Plante aromatique.
estropier v. tr. (Se conj. comme *prier.*) Priver de l'usage d'un ou de plusieurs membres : *un mendiant estropié. Fig.* Mutiler, défigurer.
estuaire n. m. Sinuosité du littoral, couverte d'eau à marée haute. Large embouchure d'un fleuve.
esturgeon n. m. Grand poisson des fleuves de Russie, qui fournit le caviar.
et conj. de coordination.
étable n. f. Lieu couvert destiné au logement des bestiaux. *Par ext.* Endroit très sale.
établi n. m. Table de travail des menuisiers, des serruriers, etc.
établir v. tr. Rendre stable; fixer, installer, fonder, instituer, disposer. *Fig.* Poser, formuler, démontrer.
établissement n. m. Action d'établir, d'installer, d'asseoir sur quelque chose de stable. Action de s'établir quelque part. Ce qui est établi. Fondation publique; exploitation, usine : *établissement commercial.* Siège d'une industrie. Colonie.
étage n. m. Ensemble de pièces situées de plain-pied entre deux planchers. *Par ext.* Chacune des parties superposées d'un ensemble : *les étages géologiques. Fig. De bas étage,* de condition inférieure.
étagement n. m. Disposition de ce qui est étagé.
étager v. tr. (Se conj. comme *manger.*) Disposer par étages.
étagère n. f. Meuble formé de tablettes superposées.
étai n. m. Grosse pièce de bois pour soutenir un mur, un édifice, etc. Gros cordage pour soutenir le mât d'un navire. *Fig.* Soutien.
étain n. m. Métal blanc, relativement léger et très malléable.
étal n. m. Table sur laquelle se débite la viande de boucherie. *Par ext.* Boutique de boucher. Pl. des *étaux* ou *étals.*
étalage n. m. Exposition de marchandises. Ensemble des marchandises exposées : *un bel étalage. Fig.* Ostentation : *faire étalage de richesses.*
étalagiste adj. et n. Qui dispose un étalage.
étale adj. *Mer étale,* qui ne monte ni ne baisse.
étalement n. m. Action d'étaler.
étaler v. tr. Exposer en vente. Etendre sur une surface. Déployer : *étaler une carte. Fig.* Exposer avec ostentation : *étaler son luxe. Fam.* Faire tomber. *Etaler son jeu,* montrer toutes ses cartes. V. pr. S'étendre de tout son long.
étalon n. m. Modèle, type de poids, de mesures, réglé par les lois. Métal monétaire légalement adopté.
étalon n. m. Cheval entier, spécialement destiné à la reproduction.
étalonnage ou **étalonnement** n. m. Action d'étalonner.
étalonner v. tr. Marquer un poids, une mesure, après leur vérification.
étamage n. m. Action d'étamer.
étamer v. tr. Appliquer sur un métal oxydable une couche mince d'étain. Mettre le tain d'une glace.
étameur n. m. Qui étame.
étamine n. f. Petite étoffe mince, non croisée. Tissu pour tamis.
étamine n. f. *Bot.* Organe sexuel mâle des végétaux à fleurs.
étanche adj. Qui retient l'eau; qui ne la laisse ni sortir ni entrer.
étanchéité n. f. Qualité de ce qui est étanche : *vérifier l'étanchéité d'un toit.*
étanchement n. m. Action d'étancher.
étancher v. tr. Arrêter l'écoulement d'un liquide. *Fig.* Apaiser : *étancher la soif.*
étançonner v. tr. Etayer.
étang n. m. Etendue d'eau peu profonde et sans écoulement.
étape n. f. Lieu où s'arrêtent des troupes en marche. Distance d'un de ces lieux à l'autre. Endroit où l'on s'arrête pour la nuit. *Brûler l'étape,* ne pas s'y arrêter.
état n. m. Manière d'être, situation. Disposition particulière : *état d'âme. Faire état de,* estimer, faire cas de. *En état de,* dans les conditions convenables pour. Condition sociale, profession : *prendre un état.* Liste : *état du personnel. Etat civil,* condition des individus en ce qui touche les relations de famille. *Etat des lieux,* acte qui constate l'état de la chose louée. Nation (ou groupe de nations) organisée, soumise à un gouvernement et à des lois communes. Forme de gouvernement : *Etat monarchique.* (Dans ces deux derniers sens, *Etat* prend une majuscule.) *Coup d'Etat,* mesure qui viole la constitution. Classe de citoyens : *le tiers état.*
étatisme n. m. Théorie politique qui fait appel à l'initiative de l'Etat pour réaliser des réformes.
étatiste n. m. Partisan de l'étatisme.
état-major n. m. Corps d'officiers, d'où émane la direction d'une armée, d'une division, d'un régiment, etc. Lieu où se réunit l'état-major. *Fig.* Personnages principaux d'un groupe. Pl. des *états-majors.*
étau n. m. Instrument pour saisir, serrer fortement les objets qu'on veut limer, buriner, etc.
étayer v. tr. (Se conj. comme *balayer.*) Soutenir avec des étais. *Fig.* Soutenir, appuyer : *étayer un raisonnement.*
et cætera n. m. invar. Et le reste. (S'écrit généralement *etc.*)
été n. m. Saison qui commence au solstice de juin et finit à l'équinoxe de septembre.
éteignoir n. m. Petit instrument creux en forme d'entonnoir, pour éteindre la bougie ou la chandelle.
éteindre v. tr. (Se conj. comme *craindre.*) Faire cesser de brûler, de briller : *éteindre le feu.* Détruire les couleurs, la lumière. *Fig.* Calmer (la soif). Annuler en payant (une dette). Mouiller (la chaux).
étendard n. m. Drapeau.
étendre v. tr. Donner plus de surface, de volume. Porter plus loin : *étendre sa domination.* Répandre, appliquer : *étendre*

de la paille, de la couleur. Déployer en long et en large : *étendre du linge.* Coucher : *étendre un malade.* Allonger, affaiblir par de l'eau : *étendre du lait. Fig.* Développer.

étendue n. f. Dimension en superficie : *une étendue d'eau.* Durée : *étendue de la vie. Fig.* Extension : *l'étendue d'un désastre.*

éternel, elle* adj. Sans commencement ni fin. Qui n'aura pas de fin. *Fig.* Qui semble ne devoir jamais finir : *reconnaissance éternelle; regrets éternels.*

éterniser v. tr. Faire durer très longtemps : *éterniser un procès.*

éternité n. f. Durée sans commencement ni fin. La vie future. Un temps fort long. *De toute éternité,* de temps immémorial.

éternuement n. m. Mouvement subit des muscles expirateurs chassant l'air par le nez.

éternuer v. intr. Faire un éternuement.

étêter v. tr. Tailler la tête d'un arbre. Oter la tête d'un clou, etc.

éteule n. f. Chaume qui reste sur la terre après la moisson.

éther [*tèr*] n. m. *Chim.* Liquide très volatil, provenant de la combinaison d'un acide avec l'alcool. *Poét.* Air, atmosphère.

éthéré, e adj. De la nature de l'éther. Propre au liquide appelé éther : *odeur éthérée. Poét. La voûte éthérée,* le ciel. Qui a quelque chose de léger, d'aérien, de très pur.

éthériser v. tr. Combiner avec l'éther. Frapper d'insensibilité par l'éther.

éthéromane adj. et n. Qui a la manie de l'ivresse causée par l'éther.

éthique adj. Qui concerne la morale. N. f. Science de la morale.

ethnique adj. Relatif à la race. Qui désigne les habitants d'un pays.

ethnographe n. Qui s'occupe d'ethnographie.

ethnographie n. f. Etude et description des diverses races.

ethnologie n. f. Science qui étudie les caractères des races humaines.

ethnologue n. Personne versée dans l'ethnologie.

éthylène n. m. Gaz incolore, légèrement odorant, obtenu en déshydratant l'alcool éthylique par l'acide sulfurique.

éthylique adj. Se dit des dérivés de l'éthylène : *alcool éthylique.*

étiage [*é-ti*] n. m. Le plus grand abaissement des eaux d'une rivière.

étinceler v. tr. (Se conj. comme *amonceler.*) Jeter des étincelles, briller. Jeter un vif éclat : *yeux qui étincellent.*

étincelle n. f. Parcelle incandescente, qui se détache d'un corps enflammé. *Phys.* Vive lumière qui jaillit du choc de deux corps durs ou d'un corps électrisé. *Fig.* Brillant éclat. Faible cause d'un effet plus grand.

étincellement n. m. Etat de ce qui étincelle.

étiolement n. m. Dépérissement des plantes qui ne reçoivent pas l'action de l'air et de la lumière. *Fig.* Affaiblissement (au pr. et au fig.).

étioler v. tr. Causer l'étiolement.

étiologie [*é-tyo*] n. f. Science des causes. Partie de la médecine qui recherche les causes des maladies.

étique adj. Maigre, décharné.

étiquetage n. m. Action d'étiqueter.

étiqueter v. tr. (Se conj. comme *jeter.*) Marquer d'une étiquette.

étiquette n. f. Fiche placée sur les objets pour en indiquer le contenu, le prix, etc. Cérémonial : *respecter l'étiquette.*

étirage n. m. Action d'étirer.

étirer v. tr. Etendre, allonger.

étoffe n. f. Tissu de laine, de fil, de coton, de soie, etc. *Fig.* Matière, élément, sujet. Ressources naturelles. Valeur personnelle : *avoir de l'étoffe.*

étoffer v. tr. Employer l'étoffe nécessaire. *Fig.* Rendre plus nourri; corser : *étoffer un roman.*

étoile n. f. Astre fixe qui brille par sa lumière propre. *Etoile filante,* météore lumineux. *Fig.* Influence autrefois attribuée aux astres sur le sort des hommes : *né sous une bonne étoile.* Objet qui a la forme ou l'éclat d'une étoile. Rond-point où aboutissent des allées. *Fig.* Personne qui brille d'un vif éclat par son talent, particul. au théâtre.

étoiler v. tr. Semer d'étoiles. Fêler en étoile : *étoiler un carreau.*

étole n. f. Ornement sacerdotal, formé d'une large bande élargie en palette à chaque extrémité.

étonnamment adv. D'une manière étonnante.

étonnant, e adj. Qui étonne.

étonnement n. m. Forte surprise.

étonner v. tr. Surprendre par quelque chose de singulier, d'inattendu. V. pr. Etre surpris : *ne s'étonner de rien; un air étonné.*

étouffée n. f. Mode de cuisson des mets dans des vases bien clos.

étouffement n. m. Grande difficulté de respirer.

étouffer v. tr. Faire perdre la respiration. Faire périr par asphyxie. Eteindre en interceptant l'air : *étouffer un feu. Fig.* Empêcher de se manifester : *étouffer ses sanglots.* Amortir : *étouffer un bruit.* V. intr. Respirer avec peine.

étouffoir n. m. Vase de métal pour éteindre la braise. *Mus.* Mécanisme pour arrêter les vibrations des cordes du piano. *Fig.* Salle où l'on manque d'air.

étoupe n. f. Rebut de la filasse.

étoupille n. f. Mèche inflammable qui sert d'amorce au canon.

étourderie n. f. Caractère, action d'étourdi.

étourdi*, e n. et adj. Qui agit sans réflexion. *A l'étourdie,* loc. adv. Etourdiment.

étourdir v. tr. Faire perdre l'usage des sens. Fatiguer, importuner : *bruit qui étourdit. Fig.* Troubler.

étourdissement n. m. Etat de trouble, de vertige. *Fig.* Grand trouble. Etonnement extrême.

étourneau n. m. Oiseau de l'ordre des passereaux. *Fig.* Jeune étourdi.

étrange* adj. Contraire à l'usage. Extraordinaire, bizarre.

étranger, ère n. et adj. Qui est d'une autre nation. Qui n'appartient pas à un corps, à une famille. Qui est en dehors :

détail étranger au sujet. Qui ignore : *étranger à un art. Méd. Corps étranger,* qui n'appartient pas à l'organisme où il se trouve. N. m. Pays, peuple étranger.

étrangeté n. f. Caractère de ce qui est étrange. Chose étrange.

étranglé, e adj. Resserré, rétréci. *Voix étranglée,* à demi étouffée.

étranglement n. m. Action d'étrangler. Resserrement.

étrangler v. tr. Faire perdre la respiration en serrant le gosier. Serrer le gosier : *col qui étrangle. Fig.* Empêcher : *étrangler une affaire.* V. intr. Perdre la respiration, étouffer.

étrangleur, euse n. Qui étrangle.

étrave n. f. Prolongement de la quille formant l'avant d'un navire.

être v. intr. (*Je suis, tu es, il est, nous sommes, vous êtes, ils sont. J'étais, nous étions. Je fus, nous fûmes. Je serai, nous serons. Sois, soyons, soyez. Que je sois, que nous soyons. Que je fusse, que nous fussions. Etant. Eté.*) Exister. Appartenir à : *ceci est à moi.* Se trouver dans : *être en classe.* Aux temps passés, aller (quand on est revenu de) : *j'ai été là-bas.* Sert à lier l'attribut au sujet : *la neige est blanche.* Sert d'auxiliaire dans les temps composés des verbes passifs, réfléchis et de certains verbes intransitifs.

être n. m. Tout ce qui est. Existence. Personne, individu. *L'Etre suprême,* Dieu.

étreindre v. tr. (Se conj. comme *craindre.*) Serrer fortement en liant. Serrer dans ses bras. *Fig.* Rendre plus étroit, resserrer. Oppresser.

étreinte n. f. Action d'étreindre.

étrenne n. f. Présent fait à l'occasion du jour de l'an, etc. *Par ext.* Première vente d'un marchand. Premier usage d'une chose : *avoir l'étrenne de quelque chose.*

étrenner v. tr. Acheter le premier à un marchand. Employer une chose pour la première fois. *Pop.* Etre le premier à supporter quelque chose de fâcheux.

êtres ou **aîtres** n. m. pl. Les différentes parties d'une habitation : couloirs, escaliers, etc. : *il connaît bien les êtres.*

étrier n. m. Sorte d'anneau en métal suspendu de chaque côté de la selle et sur lequel le cavalier appuie le pied.

étrille n. f. Instrument de fer pour le pansage des chevaux, etc.

étriller v. tr. Frotter avec l'étrille. *Fig.* Battre : *étriller ses ennemis.* Rançonner.

étriper v. tr. Retirer les tripes de.

étriquer v. tr. Faire ou rendre trop étroit, pas assez ample.

étrivière n. f. Courroie suspendant l'étrier à la selle. Lanière pour châtier. Pl. Coups, correction : *donner les étrivières.*

étroit, e* adj. Qui a peu de largeur. *Fig.* Borné : *esprit étroit.* Qui n'a pas assez d'aisance. *Fig.* Strict, rigoureux : *étroite obligation.* Intime : *étroite amitié. A l'étroit* loc. adv. Trop serré. Pauvrement.

étroitesse n. f. Défaut de ce qui est étroit (au pr. et au fig.).

étrusque adj. et n. D'Etrurie.

étude n. f. Application d'esprit pour apprendre. *Par ext.* Travail préparatoire, examen de : *étude d'un projet.* Application à, zèle pour. Salle de travail. Classe où les élèves font leurs devoirs, etc. Bureau d'un notaire, d'un avoué, etc. Clientèle de ces derniers : *vendre son étude.* Morceau de musique gradué. Instruction classique : *faire ses études.* Morceaux de dessin, de peinture, pour l'étude. Ouvrage portant sur un sujet spécial : *une étude historique.*

étudiant, e n. Qui étudie. Qui fréquente les cours d'une faculté.

étudier v. tr. (Se conj. comme *prier.*) Se livrer à l'étude. Apprendre par cœur : *étudier une leçon.* Préparer, méditer. Observer avec soin.

étui n. m. Sorte de boîte qui sert à contenir un objet : *étui à lunettes.*

étuve n. f. Chambre de bains chauffée pour provoquer la transpiration. Petit four pour faire sécher diverses substances, pour désinfecter, etc.

étuver v. tr. Cuire à l'étouffée. Sécher ou chauffer dans une étuve. *Méd.* Laver en appuyant légèrement : *étuver une plaie.*

étymologie n. f. Origine d'un mot.

étymologique* adj. Relatif à l'étymologie : *sens étymologique.*

étymologiste n. m. Qui s'occupe d'étymologie.

eucalyptus [*tuss*] n. m. Arbre d'Australie à propriétés désinfectantes.

eucharistie n. f. Sacrement qui, suivant la doctrine catholique, contient le corps, le sang, l'âme et la divinité de Jésus-Christ, sous les espèces du pain et du vin.

eucharistique adj. De l'eucharistie.

eugénique n. f. ou **eugénisme** n. m. Etude des conditions les plus favorables à la reproduction humaine.

euh! interj. qui marque l'étonnement, l'impatience, le doute.

eunuque n. m. Homme castré. Gardien d'un sérail.

euphémisme n. m. *Rhét.* Figure qui consiste à adoucir une expression trop crue, trop choquante.

euphonie n. f. *Gramm.* Heureux choix des sons des mots.

euphonique n. f. *Gramm.* Qui produit l'euphonie.

euphorbe n. f. Plante à latex blanc, employée en médecine.

européaniser v. tr. Façonner aux mœurs européennes.

européen, enne adj. et n. De l'Europe.

eurythmie n. f. Combinaison harmonieuse des lignes, des sons.

eustache n. m. Couteau grossier, à manche de bois; couteau à virole.

euthanasie n. f. Méthode pour procurer une mort sans souffrance.

eux pr. pers. m., pl. de *lui.*

évacuation n. f. Action d'évacuer.

évacuer v. tr. Faire sortir du corps les matières nuisibles ou trop abondantes. *Fig.* Sortir en masse de. Faire sortir d'un endroit : *évacuer la population d'une ville.*

évader (s') v. pr. S'échapper furtivement. *Fig.* Se tirer d'embarras.

évaluation n. f. Estimation.

évaluer v. tr. Apprécier, fixer la valeur de : *évaluer une quantité.*

évangélique* adj. De l'Evangile. Conforme à l'Evangile. N. Qui appartient à la religion réformée.

évangélisateur n. m. Qui évangélise.

évangélisation n. f. Action d'évangéliser.

évangéliser v. tr. Prêcher l'Evangile.
évangéliste n. m. Chacun des quatre écrivains qui ont mis par écrit l'Evangile de Jésus : Matthieu, Marc, Luc et Jean.
évangile n. m. Doctrine de Jésus-Christ. Livre qui la contient. (Dans ce sens et les suiv., prend une majuscule.) Partie des Evangiles, lue ou chantée à la messe.
évanouir (s') v. pr. Disparaître, se dissiper. *Par ext.* Tomber en faiblesse, perdre connaissance.
évanouissement n. m. Action de s'évanouir, de disparaître. *Par ext.* Perte de connaissance, défaillance.
évaporation n. f. Transformation lente d'un liquide en vapeur.
évaporer v. tr. Résoudre en vapeur. V. pr. *Fig.* Devenir dissipé, étourdi, léger.
évasement n. m. Elargissement.
évaser v. tr. Elargir une ouverture.
évasif, ive* adj. Qui sert à éluder.
évasion n. f. Action de s'évader.
évêché n. m. Territoire soumis à un évêque. Siège, palais épiscopal.
éveil n. m. Action d'éveiller ou de s'éveiller : *éveil des sens.* Alarme : *donner l'éveil. En éveil,* sur ses gardes.
éveillé, e adj. *Fig.* Gai, vif, alerte.
éveiller v. tr. Tirer du sommeil. *Fig.* Exciter, stimuler, provoquer.
événement n. m. Issue. Fait, incident remarquable : *quels sont les événements?*
évent n. m. Conduit ménagé dans un moule, pour l'échappement du gaz. Ouverture par laquelle certains cétacés rejettent de la vapeur d'eau.
éventail n. m. Sorte d'écran portatif, qu'on déploie pour agiter l'air. Ecran plat pour le même usage.
éventaire n. m. Plateau que portent devant elles les marchandes de fruits, de fleurs, etc.
éventer v. tr. Exposer au vent. Donner du vent, de l'air à. Altérer par l'exposition à l'air : *éventer du vin. Eventer une mine,* en détruire l'effet. *Fig.* Flairer, découvrir : *éventer un piège.*
éventration n. f. Action d'éventrer.
éventrer v. tr. Ouvrir le ventre. *Par anal.* Défoncer, ouvrir largement.
éventualité n. f. Caractère de ce qui est éventuel. Fait éventuel.
éventuel, elle* adj. Qui dépend d'un événement incertain.
évêque n. m. Chef d'un diocèse.
évertuer (s') v. pr. Faire des efforts.
éviction n. f. *Dr.* Dépossession.
évidement n. m. Action d'évider. Etat de ce qui est évidé.
évidemment adv. D'une manière évidente; certainement.
évidence n. f. Caractère de ce qui est évident : *se rendre à l'évidence.*
évident, e adj. D'une certitude facile à saisir. Clair, manifeste.
évider v. tr. Creuser intérieurement, tailler à jour, découper. Echancrer.
évier n. m. Table de pierre taillée en bassin et percée d'un trou, sur laquelle on lave la vaisselle.
évincement n. m. Action d'évincer.
évincer v. tr. (Se conj. comme *amorcer.*) Déposséder, écarter : *évincer un rival.*
éviter v. tr. Echapper ou chercher à échapper à. S'abstenir de.
évocateur, trice adj. Qui évoque.
évocation n. f. Action d'évoquer.
évocatoire adj. Qui évoque.
évoluer v. intr. Exécuter des évolutions. Passer par des phases progressives : *science qui évolue.*
évolutif, ive adj. Qui est susceptible d'évoluer, ou qui produit l'évolution.
évolution n. f. Mouvement, manœuvres de troupes, d'un navire, etc. *Fig.* Transformation. Série de phases progressives. *Biol.* Théorie de la transformation des espèces.
évolutionnisme n. m. Doctrine de l'évolution.
évolutionniste n. et adj. Partisan de l'évolution.
évoquer v. tr. Appeler, faire apparaître par des sortilèges. Rappeler au souvenir. *Dr.* Porter une cause d'un tribunal à un autre.
ex, préf. qui, suivi d'un trait d'union, marque ce qu'une personne a cessé d'être : *un ex-ministre.*
exacerbation n. f. Redoublement d'intensité d'un mal.
exact, e* adj. Conforme à la vérité. Rigoureux : *solution exacte.* Consciencieux, ponctuel : *employé exact. Les sciences exactes,* les mathématiques.
exaction n. f. Action de faire payer plus qu'il n'est dû, ou ce qui n'est pas dû.
exactitude n. f. Qualité de ce qui est exact, aux divers sens.
ex aequo [*é-ko*] loc. lat. A titre égal.
exagératif, ive adj. Qui tient de l'exagération.
exagération n. f. Action d'exagérer.
exagérer v. tr. (Se conj. comme *accélérer.*) Outrer, amplifier : *exagérer des mérites.*
exaltation n. f. Action d'exalter, aux divers sens. Etat d'une personne exaltée.
exalté, e adj. et n. Pris d'une sorte de délire : *c'est un exalté.*
exalter v. tr. Porter très haut, célébrer, glorifier : *exalter des hauts faits.* Exciter, surexciter : *exalter l'imagination.*
examen [*min*] n. m. Recherche, investigation réfléchie. Epreuve subie par un candidat. *Libre examen,* droit pour tout homme de ne croire que ce que sa raison peut contrôler.
examinateur, trice n. et adj. Qui est chargé d'examiner les candidats.
examiner v. tr. Faire l'examen de. Interroger un candidat. Regarder attentivement.
exaspération n. f. Etat de qui est exaspéré. Extrême aggravation.
exaspérer v. tr. (Se conj. comme *accélérer.*) Irriter extrêmement.
exaucer v. tr. (Se conj. comme *amorcer.*) Accueillir favorablement, satisfaire.
excavateur n. m. Appareil pour faire les déblais.
excavation n. f. Action de creuser. Trou creusé dans la terre.
excédent n. m. Ce qui excède.
excéder v. tr. (Se conj. comme *accélérer.*) Dépasser. *Fig.* Importuner.
excellemment adv. D'une manière excellente. Par excellence.
excellence n. f. Qualité de ce qui est excellent. Titre honorifique des ambassadeurs, ministres, etc. *Par excellence,* loc. adv. Au plus haut point.
excellent, e adj. Qui est à un degré éminent dans son genre. Très bon.

exceller v. intr. Etre dans son genre à un degré éminent. *Exceller à,* être très habile à.
excentrer v. tr. *Mécan.* Déplacer l'axe d'une pièce qu'on veut tourner.
excentricité n. f. Etat de ce qui est situé loin du centre. Bizarrerie de caractère. Acte révélant cette bizarrerie.
excentrique* adj. Se dit de cercles qui n'ont pas le même centre, quoique renfermés les uns dans les autres. Qui est situé loin du centre : *quartier excentrique. Fig.* En opposition avec les usages reçus : *caractère excentrique.* N. Personne excentrique. N. m. *Mécan.* Organe qui transforme un mouvement circulaire en un mouvement rectiligne.
excepté prép. et adj. Hors, à la réserve de : *tous excepté lui.*
excepter v. tr. Exclure du nombre de.
exception n. f. Action d'excepter. Ce qui est excepté, hors de la règle commune. *A l'exception de* loc. prép. Excepté.
exceptionnel, elle* adj. Qui forme exception. Qui n'est pas ordinaire.
excès n. m. Différence en plus d'une quantité sur une autre. Ce qui dépasse la mesure. *A l'excès* loc. adv. Outre mesure, à l'extrême. Pl. Actes qui dépassent la mesure : *se livrer à des excès.*
excessif, ive* adj. Qui excède la mesure. Qui pousse les choses à l'excès.
exciper v. intr. *Dr.* Alléguer.
excipient n. m. Substance propre à incorporer un médicament.
exciser v. tr. Enlever en coupant.
excision n. f. Action d'exciser.
excitabilité n. f. Faculté qu'ont les corps vivants d'entrer en action sous l'influence d'une cause stimulante.
excitable adj. Qui peut être excité.
excitateur, trice adj. Qui excite.
excitation n. f. Action d'exciter. Activité anormale, excessive.
exciter v. tr. Mettre en action; provoquer, faire naître : *exciter la colère.* Activer l'action de. Stimuler, pousser : *exciter des combattants.*
exclamatif, ive adj. Qui marque l'exclamation.
exclamation n. f. Cri de joie, de surprise, d'indignation, etc. *Point d'exclamation,* point (!), placé après une exclamation.
exclamer (s') v. pr. Se récrier.
exclure v. tr. (Se conj. comme *conclure.*) Ecarter, rejeter de. *Fig.* Rejeter, repousser comme incompatible.
exclusif, ive adj. Incompatible : *droit exclusif d'un autre.* Qui appartient, par privilège spécial, à une ou plusieurs personnes. Qui rejette tout ce qui est contraire à ses opinions : *un homme exclusif.*
exclusion n. f. Action d'exclure. *A l'exclusion de,* à l'exception de.
exclusivement adv. En excluant, non compris : *jusqu'à lui exclusivement.*
exclusivisme n. m. Esprit exclusif.
exclusivité n. f. Qualité de ce qui est exclusif.
excommunication n. f. Censure ecclésiastique, qui retranche de la communion des fidèles.
excommunier v. tr. Retrancher de la communion de l'Eglise.
excoriation n. f. Légère écorchure.
excorier v. tr. (Se conj. comme *prier.*) Ecorcher légèrement la peau.
excrément n. m. Matière évacuée du corps par les voies naturelles. *Fig.* Rebut, objet vil.
excrémentiel, elle adj. De l'excrément.
excréter v. tr. (Se conj. comme *accélérer.*) Evacuer les produits élaborés par une glande.
excréteur, trice adj. Qui excrète.
excrétion n. f. Action d'excréter.
excroissance n. f. Tumeur.
excursion n. f. Course, voyage, tournée.
excursionniste adj. et n. Qui fait une excursion.
excusable adj. Qui se peut excuser.
excuse n. f. Raison alléguée pour se disculper, ou pour disculper autrui. Pl. Témoignage de regrets.
excuser v. tr. Disculper quelqu'un d'une faute. Pardonner : *je vous excuse de ce retard.* Servir d'excuse.
exécrable adj. Qu'on doit exécrer. *Fam.* Très mauvais : *goût exécrable.*
exécration n. f. Sentiment d'horreur extrême : *vouer un criminel à l'exécration.* Imprécation.
exécrer v. tr. (Se conj. comme *accélérer.*) Avoir en horreur, en abomination.
exécutant, e n. Qui exécute sa partie dans un concert.
exécuter v. tr. Donner suite à, effectuer. Faire : *exécuter un travail.* Jouer : *exécuter une sonate. Exécuter un condamné,* le mettre à mort. *Exécuter un débiteur,* saisir ses biens. V. pr. Se résoudre à faire une chose.
exécuteur, trice n. Qui exécute. *Exécuteur testamentaire,* celui que le testateur a chargé de l'exécution de son testament.
exécutif, ive adj. Qui exécute. Qui est chargé d'exécuter les lois. N. m. Le pouvoir exécutif.
exécution n. f. Action d'exécuter. Manière d'interpréter une œuvre d'art. *Exécution capitale,* mise à mort d'un condamné.
exégèse n. f. Explication grammaticale, historique, juridique d'un texte.
exemplaire* adj. Qui peut servir d'exemple, de leçon. N. m. Objet formé d'après un type commun.
exemple n. m. Ce qui peut servir de modèle. Ce qui peut servir de leçon, d'avertissement. Texte, passage cité à l'appui de. *Par exemple* loc. adv. Pour en citer des exemples. Interj. Exprime la surprise.
exempt [*èg-zan*], **e** adj. Non assujetti à une chose. Garanti, préservé.
exempter [*èg-zan-té*] v. tr. Rendre exempt, affranchir. Garantir, préserver.
exemption [*èg-zanp-syon*] n. f. Dispense. Billet de satisfaction.
exercer v. tr. (Se conj. comme *amorcer.*) Dresser, former : *exercer des soldats.* Développer par la pratique : *exercer sa mémoire.* Mettre à l'épreuve : *exercer la patience.* Mettre en pratique, pratiquer : *exercer la médecine.* Remplir : *exercer des fonctions.* Agir en vertu de, faire valoir : *exercer une autorité.* V. pr. Se former par l'exercice.
exercice n. m. Action d'exercer, de s'exercer : *l'exercice de la médecine.* Action

d'exercer quelqu'un ou de s'exercer au maniement des armes. Travaux intellectuels : *exercice de traduction. Entrer en exercice,* entrer en fonctions. *Fin.* Période d'exécution d'un budget.
exergue n. m. Partie d'une médaille portant une inscription, la date, etc.
exfoliation n. f. Action d'exfolier.
exfolier v. tr. (Se conj. comme *prier.*) Enlever par lames minces.
exhalaison n. f. Gaz, vapeur, odeur qui s'exhale d'un corps.
exhalation n. f. Action d'exhaler.
exhaler v. tr. Pousser hors de soi, répandre des vapeurs, des odeurs. *Fig.* Emettre.
exhaussement n. m. Elévation.
exhausser v. tr. Elever plus haut.
exhaustif, ive adj. Qui épuise un sujet.
exhiber v. tr. Présenter : *exhiber un passeport. Fig.* Faire étalage de.
exhibition n. f. Action d'exhiber. Réunion de personnes, d'objets, pouvant intéresser le public.
exhortation n. f. Encouragement.
exhorter v. tr. Exciter, encourager, porter à : *exhorter à la patience.*
exhumation n. f. Action d'exhumer.
exhumer v. tr. Tirer de la sépulture, déterrer. *Fig.* Tirer de l'oubli.
exigeant, e adj. Qui exige beaucoup de soins, d'attention, etc.
exigence n. f. Caractère de celui qui est exigeant. Besoin, nécessité.
exiger v. tr. (Se conj. comme *manger.*) Demander, réclamer en vertu d'un droit ou par force : *exiger son dû. Fig.* Nécessiter : *exiger des soins.*
exigibilité n. f. Qualité de ce qui est exigible : *exigibilité d'une dette.*
exigible adj. Qui peut être exigé.
exigu, ë adj. Fort petit, très étroit.
exiguïté n. f. Petitesse, étroitesse.
exil n. m. Expatriation volontaire ou forcée. Lieu où réside l'exilé.
exilé, e adj. et n. Personne condamnée à l'exil, ou qui vit dans l'exil.
exiler v. tr. Envoyer en exil, proscrire. *Par ext.* Eloigner d'un lieu.
existence n. f. Etat de ce qui existe. Manière de vivre.
existentialisme n. m. Doctrine philosophique d'après laquelle l'homme se définit lui-même en agissant.
exister v. intr. Avoir l'être, vivre. Etre en réalité. Durer.
ex-libris [*briss*] n. m. Vignette qu'on colle sur les livres pour marquer qu'on en est le propriétaire.
exode n. m. Emigration en masse.
exonération n. f. Action d'exonérer.
exonérer v. tr. (Se conj. comme *accélérer.*) Dispenser d'une charge.
exorbitant, e adj. Excessif, sortant des bornes : *prix exorbitant.*
exorciser v. tr. Conjurer, chasser les démons par des prières.
exorciseur n. m. Qui exorcise.
exorcisme n. m. Prières pour exorciser.
exorde n. m. Début d'un discours.
exotérique adj. Se dit des doctrines enseignées publiquement.
exotique adj. Qui n'est pas sur son sol naturel. *Par ext.* Etranger.
exotisme n. m. Caractère de ce qui est exotique.
expansibilité n. f. Tendance qu'ont les corps fluides à occuper un plus grand espace. *Fig.* Propension à manifester ses sentiments.
expansible adj. Capable d'expansion.
expansif, ive adj. Qui peut se dilater. *Fig.* Qui aime à s'épancher.
expansion n. f. Développement. *Fig.* Propagation : *expansion coloniale.* Epanchement, effusion : *avoir de l'expansion.*
expatriation n. f. Action d'expatrier ou de s'expatrier.
expatrier v. tr. (Se conj. comme *prier.*) Obliger à quitter sa patrie.
expectative n. f. Attente.
expectorant, e adj. Qui facilite l'expectoration. N. m. : *un expectorant.*
expectoration n. f. Crachement.
expectorer v. tr. Cracher.
expédient, e adj. Qui est à propos, convenable. N. m. Moyen employé pour arriver à ses fins : *chercher un expédient.* Pl. Moyens extrêmes pour parer à des nécessités immédiates; moyens indélicats, illicites : *vivre d'expédients.*
expédier v. tr. (Se conj. comme *prier.*) Envoyer : *expédier une lettre.* Congédier : *expédier un importun.* Faire, dire rapidement : *expédier un travail.*
expéditeur, trice n. et adj. Qui fait un envoi de marchandises.
expéditif, ive* adj. Qui fait, expédie promptement. Qui permet de faire vite les choses : *moyen expéditif.*
expédition n. f. Action d'expédier. Chose expédiée. Entreprise armée, faite hors du pays. Entreprise d'exploration. *Dr.* Copie authentique d'un acte.
expéditionnaire n. Expéditeur de marchandises. Employé chargé, dans les administrations, de recopier la correspondance, etc. Adjectiv. Chargé d'une expédition militaire : *corps expéditionnaire.*
expérience n. f. Essai, épreuve. Connaissance acquise par la pratique, par l'observation. *Particul.* Essais, opérations pour démontrer ou vérifier une chose. Fait de provoquer un phénomène pour l'observer.
expérimental, e*, aux adj. Fondé sur l'expérience : *méthode expérimentale.*
expérimentateur n. et adj. m. Qui fait des expériences.
expérimentation n. f. Action d'expérimenter : *méthode d'expérimentation.*
expérimenté, e adj. Instruit par l'expérience : *un médecin expérimenté.*
expérimenter v. tr. Eprouver par des expériences : *expérimenter un procédé.*
expert, e* adj. Fort versé dans un art par la pratique. N. m. Personne apte à juger de quelque chose, connaisseur. Celui que nomme le juge, ou que choisissent les parties, pour examiner, vérifier un compte, donner son avis dans une affaire.
expertise n. f. Visite et opération des experts. Rapport des experts.
expertiser v. tr. Faire l'expertise de.
expiation n. f. Action par laquelle on expie. Châtiment.
expiatoire adj. Qui sert à expier.

expier v. tr. (Se conj. comme *prier.*) Réparer un crime, une faute, par un châtiment, une peine.
expiration n. f. Action de chasser hors de la poitrine l'air aspiré. Fin : *l'expiration d'un délai.*
expirer v. tr. Expulser de la poitrine par une contraction. V. intr. Mourir. *Fig.* Cesser : *le bail expire dans un an.*
explétif, ive* adj. et n. m. Se dit d'une expression, d'un mot superflu, mais qui sert parfois à donner plus de force à la phrase.
explicable adj. Qu'on peut expliquer.
explicatif, ive adj. Qui explique.
explication n. f. Développement destiné à éclairer, à rendre raison de. Démonstration, enseignement. Traduction orale. Eclaircissement que quelqu'un donne de sa conduite pour se justifier.
explicite* adj. Clair, formel.
expliquer v. tr. Développer, éclaircir. Faire comprendre la nature de. Traduire oralement. Faire connaître, rendre raison de. V. pr. Donner à quelqu'un une explication de sa conduite.
exploit n. m. Haut fait de guerre. Action mémorable. *Iron.* Action inconsidérée : *le bel exploit! Procéd.* Acte judiciaire signifié par huissier.
exploitable adj. Qui peut être exploité, cultivé.
exploitant n. et adj. m. Qui se livre à une exploitation.
exploitation n. f. Action d'exploiter des biens, des bois, des mines.
exploiter v. tr. Mettre en œuvre; faire valoir. *Fig.* Tirer parti de. Soumettre à des exactions, voler.
exploiteur, euse n. Qui exploite.
explorateur, trice n. Qui explore.
exploration n. f. Action d'explorer.
explorer v. tr. Visiter, aller à la découverte. *Fig.* Etudier, scruter.
exploser v. intr. Faire explosion.
explosible adj. Qui peut exploser.
explosif, ive adj. Qui accompagne ou qui produit l'explosion. N. m. Corps susceptible de faire explosion.
explosion n. f. Commotion accompagnée de détonation. *Fig.* Manifestation soudaine : *explosion de colère.*
exportateur, trice n. et adj. Qui exporte.
exportation n. f. Action d'exporter. Ce que l'on exporte.
exporter v. tr. Transporter à l'étranger des produits nationaux.
exposant, e n. Qui expose. N. m. *Alg.* Nombre qui indique à quelle puissance est élevée une quantité.
exposé n. m. Développement explicatif : *exposé du fait.* Compte rendu.
exposer v. tr. Mettre en vue. Placer dans un lieu d'exposition : *exposer des tableaux.* Orienter : *maison exposée au midi.* Expliquer : *exposer un système.* Soumettre à l'action de : *exposer à l'air.* Mettre en péril : *exposer sa vie.*
exposition n. f. Action d'exposer : *exposition de marchandises.* Orientation : *exposition agréable.* Produits des arts ou de l'industrie exposés : *exposition universelle.* Récit : *exposition d'un fait.* Partie d'une œuvre dans laquelle on expose le sujet : *l'exposition d'une tragédie.*
exprès, esse adj. Précis, formel : *défense expresse.* N. m. Messager. Adv. A dessein : *perdre exprès au jeu.*
express adj. et n. m. A grande vitesse : *train express.*
expressément adv. En termes exprès.
expressif, ive* adj. Qui exprime bien la pensée, le sentiment. Qui a beaucoup d'expression : *regards expressifs.*
expression n. f. Action d'exprimer. Phrase, mot. Manifestation d'un sentiment : *expression de la douleur.*
exprimer v. tr. Extraire le suc, le jus en pressant : *exprimer le jus d'un citron. Fig.* Manifester : *exprimer une idée.*
expropriation n. f. Dépossession.
exproprier v. tr. (Se conj. comme *prier.*) Déposséder moyennant indemnité.
expulser v. tr. Chasser quelqu'un d'un lieu. Eliminer : *expulser d'une réunion.* Evacuer, rejeter.
expulsion n. f. Action d'expulser.
expurger v. tr. (Se conj. comme *manger.*) Retrancher d'un livre ce qui est contraire à la morale, à la foi.
exquis, e adj. Qui a un goût délicieux : *plat exquis.* Qui produit une impression délicate : *un travail exquis.*
exquisément adv. Délicieusement.
exquisité n. f. Qualité de ce qui est exquis.
exsangue adj. Qui a perdu son sang.
extase n. f. Ravissement de l'âme. Affection nerveuse caractérisée par l'abolition de la sensibilité et l'exaltation mentale. Admiration : *tomber en extase.*
extasier (s') v. pr. (Se conj. comme *prier.*) Tomber dans l'extase. Admirer.
extatique* adj. Causé par l'extase.
extenseur adj. et n. m. Qui sert à étendre : *muscle extenseur.* Appareil de gymnastique.
extensibilité n. f. Propriété des corps extensibles.
extensible adj. Qui peut s'étendre.
extensif, ive* adj. Qui produit l'extension : *force extensive.*
extension n. f. Action d'étendre. Accroissement d'étendue. *Fig.* Elargissement du sens d'un mot.
exténuation n. f. Affaiblissement extrême.
exténuer v. tr. Affaiblir à l'extrême.
extérieur, e* adj. Qui est au-dehors. Relatif aux pays étrangers : *commerce extérieur.* N. m. Ce qui est au-dehors : *extérieur d'une maison.* Dehors, maintien, apparence : *extérieur modeste.* Pays étrangers : *nouvelles de l'extérieur.*
extériorisation n. f. Action d'extérioriser.
extérioriser v. tr. Imaginer en dehors de soi ce qu'on sent en dedans. Manifester, exprimer : *extérioriser ses sentiments.*
extériorité n. f. Caractère de ce qui est extérieur.
exterminateur, trice adj. Qui extermine.
extermination n. f. Action d'exterminer; anéantissement.
exterminer v. tr. Anéantir.
externat n. m. Maison d'éducation qui n'admet que des externes. Fonction d'externe dans un hôpital.
externe adj. Qui vient du dehors ou qui est pour le dehors : *médicament externe.*

N. Elève qui suit les cours d'une école sans y coucher et sans y prendre ses repas. Elève qui assiste les internes dans les hôpitaux.

exterritorialité n. f. Immunité qui exempte certaines personnes de la juridiction d'un Etat : *les ambassadeurs jouissent de l'exterritorialité.*

extincteur, trice n. m. et adj. Qui sert à éteindre les incendies.

extinction n. f. Action d'éteindre. Perte : *l'extinction de la voix. Fig.* Cessation : *extinction d'une dette.*

extirpateur n. m. Instrument pour extirper les mauvaises herbes.

extirpation n. f. Action d'extirper.

extirper v. tr. Arracher avec la racine. *Fig.* Anéantir, détruire.

extorquer v. tr. Obtenir par force : *extorquer une signature.*

extorsion n. f. Crime qui consiste à arracher quelque chose à quelqu'un par force ou par menace.

extra, préf. marquant le superlatif : *extra-fin,* ou l'extériorité : *extra-parlementaire.*

extra n. m. invar. Ce qu'on fait en dehors de ses habitudes. Personne qui fait un service supplémentaire. Adj. Supérieur.

extracteur n. m. Instrument servant à extraire.

extraction n. f. Action d'extraire. *Arith.* Opération qui a pour objet de trouver la racine d'un nombre. *Fig.* Origine : *homme de basse extraction.*

extrader v. tr. Livrer un criminel à un gouvernement étranger.

extradition n. f. Action d'extrader.

extra-fort n. m. Sorte de ganse.

extraire v. tr. (Se conj. comme *traire.*) Tirer hors de. Séparer de : *extraire l'alcool du vin.* Faire sortir : *extraire de prison.* Faire un extrait.

extrait n. m. Substance extraite : *extrait de viande.* Passage tiré d'un livre. Abrégé d'un ouvrage. Copie d'un acte : *un extrait de naissance.*

extraordinaire adj. En dehors de l'usage, de la règle ordinaire. Singulier, bizarre : *idées extraordinaires.* Imprévu : *dépenses extraordinaires.* Prodigieux, étrange.

extrapolation n. f. Action d'extrapoler.

extrapoler v. tr. Prolonger une courbe de valeurs au-delà de la portion pour laquelle on a des données précises.

extravagance n. f. Caractère de ce qui est extravagant. Discours, acte extravagant.

extravagant, e adj. et n. Qui extravague; bizarre, singulier.

extravaguer v. intr. Penser, parler, agir sans raison : *malade qui extravague.*

extrême* adj. Qui est tout à fait au bout : *extrême limite.* Très intense : *chaleur extrême.* N. m. Ce qui est au bout; dernière limite : *passer d'un extrême à l'autre.* Le contraire : *les extrêmes se touchent. A l'extrême,* au-delà de toute mesure.

extrême-onction n. f. Sacrement pour les malades en danger de mort.

extrémiste adj. et n. Favorable aux idées extrêmes en politique.

extrémité n. f. Le bout, la fin. Le dernier moment : *atteindre à l'extrémité.* Terme de la vie. Pl. Actes de violence. Les pieds et les mains : *avoir les extrémités gelées.*

exubérance n. f. Surabondance.

exubérant, e adj. Surabondant. Excessif dans ses expressions.

exultation n. f. Action d'exulter.

exulter v. intr. Déborder de joie.

exutoire n. m. *Méd.* Ulcère entretenu artificiellement. *Fig.* Moyen de se débarrasser de quelque chose qui gêne.

ex-voto n. m. invar. Se dit des tableaux ou objets qu'on suspend dans les chapelles à la suite d'un vœu.

F

f n. m. Sixième lettre de l'alphabet et la quatrième consonne.

fa n. m. *Mus.* Quatrième note de la gamme. Signe qui la représente.

fable n. f. Récit, fiction mythologique. La mythologie : *les dieux de la Fable.* Récit imaginaire. Nouvelle mensongère. Sujet de risée. *Littér.* Récit allégorique d'où l'on tire une moralité.

fabliau n. m. Court récit en vers.

fabricant n. m. Celui qui fabrique.

fabrication n. f. Action ou manière de fabriquer : *drap de bonne fabrication.*

fabrique n. f. Etablissement où l'on fabrique, manufacture.

fabriquer v. tr. Transformer les matières premières en objets utilisables. *Fig.* Faire, inventer : *fabriquer un faux.*

fabuleux, euse* adj. Feint, imaginaire. Qui appartient à la Fable. Extraordinaire : *gain fabuleux.*

fabuliste n. m. Auteur de fables.

façade n. f. Partie antérieure d'un édifice. *Fig.* Extérieur, apparence.

face n. f. Visage. Côté d'une pièce de monnaie, qui représente une tête. Partie antérieure du corps, d'une chose. *Fig.* Aspect, tournure : *l'affaire change de face. Géom.* Chacune des surfaces planes qui limitent un solide. *En face,* en présence de. *Regarder en face,* fixement.

face-à-main n. m. Binocle à manche. Pl. des *faces-à-main.*

facétie [*si*] n. f. Bouffonnerie.

facétieux, euse* [*syeû, eûz'*] adj. et n. Porté à la facétie. Qui marque de la facétie.

facette n. f. Petite face.

fâcher v. tr. Chagriner, irriter.

fâcherie n. f. Brouille.

fâcheux, euse* adj. Qui fâche : *fâcheuse nouvelle.* N. Importun : *écarter les fâcheux.*

facial, e, aux adj. De la face : *nerf facial.*

faciès [*syèss*] n. m. Aspect caractéristique du visage.

facile* adj. Aisé : *travail facile.* Qui paraît fait sans peine. *Fig.* Accommodant : *caractère facile.*

facilité n. f. Etat d'une chose facile. Disposition à faire sans effort : *facilité à parler. Fig.* Complaisance. Pl. Commodités : *facilités de transport.*

faciliter v. tr. Rendre facile.

façon n. f. Manière dont une chose est faite : *robe d'une bonne façon.* Labour, culture. Main-d'œuvre : *payer tant pour la façon. Sans façon,* sans cérémonie. Pl. Politesses affectées.

faconde n. f. Facilité à parler.

façonnage n. m. Action de façonner.

façonner v. tr. Travailler, former.

façonnier, ère n. et adj. Qui travaille à façon. *Fam.* Cérémonieux.

fac-similé n. m. Copie, reproduction. Pl. des *fac-similés.*

factage n. m. Transport des marchandises au domicile ou au dépôt de consignation. Prix de transport.

facteur n. m. Employé de la poste qui porte les lettres. Employé de messageries, de chemin de fer, qui porte les colis. Chacun des nombres qui forment un produit. Elément qui influe : *facteur humain.*

factice adj. Artificiel.

factieux, euse [*syeû, eûz'*] n. et adj. Révolté.

faction [*syon*] n. f. Guet que font les soldats d'un poste : *monter la faction.* Parti politique séditieux.

factionnaire [*syo-nèr'*] n. m. Sentinelle.

factorerie n. f. Bureau commercial en pays étranger.

factotum [*tom*] n. m. Qui s'occupe de toutes les affaires d'une maison.

facture n. f. Note détaillée de marchandises vendues : *garanti sur facture.* Façon : *vers de bonne facture.*

facturer v. tr. Dresser une facture.

facturier n. m. Livre des factures. Employé qui dresse les factures.

facultatif, ive* adj. Non obligatoire.

faculté n. f. Puissance, physique ou morale. Pouvoir d'agir. Vertu, propriété : *l'aimant a la faculté d'attirer le fer. Fig.* Pouvoir : *faculté de parler.* Dans une université, corps de professeurs dont les cours se rapportent à une même matière : *la faculté de droit.* Pl. Aptitudes.

fadaise n. f. Niaiserie.

fadasse adj. Très fade.

fade adj. Insipide, sans saveur.

fadeur n. f. Insipidité. Niaiserie.

fading [*din'g*] n. m. Evanouissement momentané du son (T. S. F.).

fagot n. m. Faisceau de menu bois, de branchages.

fagoter v. tr. Mettre en fagots. *Fig.* Arranger, habiller sans goût.

faiblard, arde adj. Très faible.

faible* adj. Sans force, sans solidité : *enfant faible, cordage faible.* Sans caractère : *esprit faible.* Médiocre : *de faible valeur.* N. m. Homme sans force : *abuser des faibles.* Goût : *avoir un faible pour une chose.* Défaut ; passion dominante.

faiblesse n. f. Manque de force. Syncope.

faiblir v. intr. Perdre de ses forces, de son ardeur.

faïence n. f. Poterie de terre vernissée ou émaillée.

faïencerie n. f. Fabrique de faïence.

faïencier, ère n. Qui fabrique ou vend de la faïence.

faille [*fay'*] n. f. Etoffe de soie à gros grain. Fente, crevasse.

failli [*fa-yi*] n. et adj. Commerçant qui a fait faillite.

faillible adj. Qui peut faillir.

faillir v. intr. (N'est guère usité qu'à l'infinitif et au passé simple : *je faillis, nous faillîmes ;* au futur : *je faillirai ;* au cond. : *je faillirais,* et aux temps composés : *j'ai failli,* etc. Partic. prés. : *faillant.* Partic. pass. : *failli, e.*) Faire faute, manquer : *le cœur me faut.* Faire une faute ; manquer à : *faillir à son devoir.* Etre sur le point de : *j'ai failli tomber.*

faillite n. f. Etat d'un commerçant qui cesse ses paiements.

faim n. f. Besoin de manger. Famine. *Fig.* Désir : *faim de gloire.*

faine n. f. Fruit du hêtre.

fainéant, e n. et adj. Paresseux.

fainéanter v. intr. Paresser.

fainéantise n. f. Paresse.

faire v. tr. (*Je fais, nous faisons, vous faites, ils font. Je faisais. Je fis. Je ferai. Je ferais. Fais, faisons, faites. Que je fasse. Que je fisse. Faisant. Fait, e.*) Créer, former. Mettre au monde. Fabriquer, composer. Opérer : *faire un miracle.* Pratiquer : *faire son devoir.* S'occuper : *n'avoir rien à faire.* Exercer : *faire un métier.* Contrefaire : *faire le mort.* Former, instruire. Egaler : *deux et deux font quatre.* Causer : *cela m'a fait du bien. Faire son chemin,* parvenir. *C'en est fait,* c'est fini. V. impers. : *il fait nuit, il fait beau.* V. intr. Convenir, s'assortir. V. pr. Devenir : *se faire vieux.* S'améliorer : *ce vin se fait.* S'habituer : *se faire à la fatigue.* Embrasser une carrière : *se faire prêtre.*

faire-part n. m. invar. Lettre de faire part de naissance, mariage, décès.

faisable adj. Qui peut être fait.

faisan [*fe*] n. m. Genre de gallinacés à chair estimée et à beau plumage.

faisander [*fe*] v. tr. Faire subir au gibier un commencement de décomposition.

faisanderie [*fe*] n. f. Elevage de faisans.

faisane [*fe*] n. f. Femelle du faisan.

faisceau n. m. Réunion de choses liées ensemble. Fusils réunis en pyramide. Pl. Verges et hache du licteur, insigne du fascisme.

faiseur, euse [*fe*] n. Qui fait ou fabrique. Intrigant, hâbleur.

fait n. m. Action, chose faite : *nier un fait.* Evénement : *un fait singulier.* Ce qui convient : *ceci n'est pas mon fait. Hauts faits,* exploits. *Faits divers,* rubrique sous laquelle les journaux publient les accidents, menus scandales, etc. *Voies de fait,* actes de violence. *Prendre fait et cause pour quelqu'un,* se ranger de son parti. *De fait,* opposé à *de droit.* Loc. adv. : *Si fait,* affirmation ; *tout à fait,* entièrement ; *en fait de,* en matière de.

faîtage n. m. Arête d'un toit.

faîte n. m. Comble d'un édifice. Sommet, cime : *faîte d'un arbre.*

faîtière n. f. Tuile courbe du faîtage d'un toit. Sorte de lucarne.

fait-tout n. m. invar. Récipient pour divers usages de cuisine.
faix n. m. Charge, fardeau.
fakir n. m. Ascète de l'Inde.
falaise n. f. Rochers escarpés.
falbala n. m. Volant, bande d'étoffe plissée. Pl. Ornements de toilette.
fallacieux, euse* adj. Trompeur.
falloir v. impers. (*Il faut. Il fallait. Il fallut. Il a fallu* et les autres temps composés. *Il faudra. Il faudrait. Qu'il faille. Qu'il fallût.*) Etre obligatoire. Etre convenable, utile. Etre nécessaire : *il faut du repos pour... S'en falloir,* manquer.
falot n. m. Lanterne portative.
falot, e adj. Terne, effacé, grotesque.
falsificateur, trice n. et adj. Qui falsifie.
falsification n. f. Action de falsifier. Etat de la chose falsifiée.
falsifier v. tr. (Se conj. comme *prier.*) Altérer, changer, pour tromper.
famé, e adj. Qui a telle ou telle réputation : *bien, mal famé.*
famélique adj. et n. Affamé.
fameux, euse* adj. Renommé, célèbre. Grand, extraordinaire : *fameux imbécile.* Excellent : *un vin fameux.*
familial, e, adj. De la famille.
familiariser v. tr. Rendre familier.
familiarité n. f. Grande intimité. Pl. Façons familières. Privautés.
familier, ère* adj. Qui vit dans l'intimité de quelqu'un. Qui a des manières libres. Connu, habituel. Qui est du style de la conversation. N. m. Qui vit familièrement avec une personne.
famille n. f. Le père, la mère et les enfants vivant sous le même toit. Enfants : *avoir de la famille.* Race, maison : *la famille des Montmorency. Fils de famille,* de bonne maison. Groupe d'animaux, de végétaux, de minéraux analogues. Mots issus d'une racine commune.
famine n. f. Disette générale.
fanal n. m. Feu allumé la nuit, sur les côtes. Grosse lanterne.
fanatique* adj. D'un zèle outré.
fanatiser v. tr. Rendre fanatique.
fanatisme n. m. Esprit fanatique.
fane n. f. Feuille sèche.
faner v. tr. Retourner l'herbe fauchée pour la sécher. Flétrir, ternir.
faneur, euse n. Qui fane l'herbe fauchée. N. f. Machine à faner.
fanfare n. f. Air court et cadencé, de trompettes, de clairons, etc. Orchestre composé d'instruments métalliques.
fanfaron, onne n. et adj. Vantard.
fanfaronnade n. f. Vanterie.
fanfreluche n. f. Petit ornement.
fange n. f. Boue, bourbe. *Fig.* Condition, vie abjecte.
fangeux, euse adj. Plein de fange.
fanion n. m. Petit drapeau.
fanon n. m. Pli de peau sous le cou des bœufs. Lames cornées que la baleine a dans la bouche.
fantaisie n. f. Imagination. Idée libre, capricieuse. Caprice, goût particulier : *vivre à sa fantaisie.*
fantaisiste adj. et n. Capricieux.
fantasmagorie n. f. Art de faire apparaître des fantômes à l'aide d'illusions d'optique.
fantasmagorique adj. Relatif à la fantasmagorie.
fantasque adj. et n. Sujet à des caprices : *humeur fantasque.* Bizarre, extraordinaire : *costume fantasque.*
fantassin n. m. Soldat d'infanterie.
fantastique* adj. Créé par la fantaisie, l'imagination : *vision fantastique.* Où il entre des êtres surnaturels : *contes fantastiques. Fam.* Incroyable : *luxe fantastique.* N. m. Le genre fantastique.
fantoche n. m. Marionnette articulée. *Fig.* Individu peu sérieux.
fantôme n. m. Spectre, apparition. *Fig.* Apparence : *c'est un fantôme de roi.*
faon [*fan*] n. m. Petit de la biche.
faquin n. m. Homme de rien.
farad n. m. *Physiq.* Unité pratique de capacité électrique.
faradisation n. f. Traitement par les courants électriques.
faramineux, euse adj. *Pop.* Etonnant, merveilleux, prodigieux.
farandole n. f. Danse que les danseurs exécutent en se tenant en file.
faraud, e adj. *Fam.* Endimanché.
farce n. f. Viandes hachées et épicées, qu'on met dans l'intérieur d'une volaille, d'un légume. Bouffonnerie, pièce de théâtre d'un comique bas. Grosse plaisanterie : *faire une farce.* Adj. Drôle, comique.
farceur, euse n. Qui dit ou fait des farces.
farcir v. tr. *Cuis.* Remplir de farce. *Fig.* Bourrer : *farcir de citations.*
fard n. m. Composition qui sert à donner au teint plus d'éclat. *Fig.* Déguisement : *parler sans fard.*
fardeau n. m. Charge pesante. *Fig.* Ce qui pèse : *le fardeau des ans.*
farder v. tr. Mettre du fard. *Fig.* Donner un faux éclat. Déguiser : *farder sa pensée.*
fardier n. m. Voiture pour lourds fardeaux.
farfadet n. m. Espèce de lutin.
farfelu, e adj. Fantasque, extravagant.
farfouiller v. intr. *Fam.* Fouiller avec désordre.
faribole n. f. *Fam.* Chose frivole.
farine n. f. Grain réduit en poudre.
farineux, euse adj. De la nature de la farine. N. m. Légume farineux.
farouche* adj. Sauvage. Qui n'est point apprivoisé : *bêtes farouches. Par ext.* Peu sociable. Cruel, barbare.
fart n. m. Corps gras dont on enduit les skis.
fascicule n. m. Petit faisceau. Cahier d'un ouvrage publié par fragments.
fascinateur, trice adj. Qui fascine.
fascination n. f. Action de fasciner.
fascine n. f. Fagot pour combler un fossé, empêcher un éboulement.
fasciner v. tr. Maîtriser, attirer à soi par le regard : *le serpent fascine sa proie.* Charmer, éblouir.
fascisme [*chism'*] n. m. En Italie, régime nationaliste (1922-1945). *Par ext.* Dictature.
fasciste [*chist'*] n. m. Partisan du fascisme.
faste n. m. Etalage de pompe, de magnificence. *Fig.* Ostentation.
fastidieux, euse* adj. Ennuyeux.
fastueux, euse* adj. Qui étale un grand luxe : *équipage fastueux.*

fat [*fat'*] adj. et n. m. Suffisant, prétentieux. Plat personnage.
fatal, e*, als adj. Fixé par le sort. *Par ext.* Funeste : *ambition fatale.* Qui achève, qui tue : *le coup fatal.*
fatalisme n. m. Doctrine philosophique qui considère tous les événements comme fixés à l'avance.
fataliste adj. Partisan du fatalisme.
fatalité n. f. Destinée qui règle les événements. Chose inévitable.
fatidique adj. Réglé par le destin.
fatigant, e adj. Qui fatigue.
fatigue n. f. Sensation pénible causée par le travail, l'effort. Tout travail pénible.
fatiguer v. tr. Causer de la fatigue, de la lassitude. Importuner : *fatiguer de sollicitations.* V. intr. Se donner beaucoup de mal : *cet enfant fatigue trop.* Supporter un effort : *poutre qui fatigue.*
fatras n. m. Amas confus.
fatuité n. f. Caractère du fat.
faubourg n. m. Partie d'une ville hors de l'enceinte.
faubourien, enne adj. De faubourg.
fauchage n. m. ou **fauchaison** n. f. Action de faucher.
faucher v. tr. Couper de l'herbe, etc., à la faux. *Fig.* Abattre. *Pop.* Voler.
faucheur, euse n. Qui fauche. N. f. Machine pour faucher.
faucheux n. m. Araignée des champs.
faucille n. f. Petite faux de forme semicirculaire.
faucon n. m. Oiseau rapace, qu'on dressait autrefois pour la chasse.
fauconnerie n. f. Chasse au faucon.
fauconnier n. m. Qui dresse les faucons pour la chasse.
faufiler v. tr. Baguer, bâtir, coudre à longs points. *Fig.* V. pr. S'introduire adroitement quelque part.
faune n. m. Divinité champêtre, chez les Romains. N. f. Ensemble des animaux d'une région.
faussaire n. Celui, celle qui commet un faux. *Fig.* Qui déguise la vérité.
fausser v. tr. Dénaturer : *fausser la vérité.* Enfreindre, violer : *fausser sa parole.* Interpréter faussement : *fausser la loi.* Rendre faux : *fausser le jugement.* Tordre : *fausser un rouage.*
fausset n. m. Voix de tête.
fausset n. m. Cheville de bois pour boucher le trou d'un tonneau.
fausseté n. f. Caractère de ce qui est faux : *fausseté d'un acte.* Chose fausse.
faute n. f. Manque de : *faute d'argent.* Manquement aux règles : *faute de dessin, d'orthographe.* Manquement à une loi : *faute grave. Faire faute,* manquer. *Sans faute,* à coup sûr.
fauteuil n. m. Grande chaise à dossier et à bras.
fauteur, trice n. Qui favorise (en mauv. part) : *fauteur de désordres.*
fautif, ive* adj. Plein de fautes.
fauve adj. Couleur qui tire sur le roux : *pelage fauve. Bêtes fauves,* quadrupèdes qui vivent dans les bois. N. m. Couleur fauve. Bête féroce : *dompter des fauves.*
fauvette n. f. Oiseau chanteur, de plumage fauve.
faux n. f. Lame d'acier recourbée fixée à un long manche et qui sert à faucher.
faux, fausse* adj. Contraire à la vérité : *faux bruit.* Dépourvu de rectitude : *esprit faux.* De mesure inexacte : *poids, vers faux.* Sans justesse : *voix fausse.* Imité, postiche : *fausses dents.* Simulé : *faux tiroir.* Equivoque : *fausse situation.* Qui n'est pas ce qu'il semble être : *faux savant, faux dévot.* N. m. Ce qui est contraire à la vérité : *distinguer le vrai du faux.* Imitation sans valeur. Imitation, altération d'un acte, d'une signature : *faux en matière civile. Fig. S'inscrire en faux,* nier. Adv. D'une manière fausse : *chanter faux. A faux,* à tort. Sans appui : *solive qui porte à faux.*
faux-fuyant n. m. Moyen détourné, échappatoire. Pl. des *faux-fuyants.*
faveur n. f. Bienveillance, protection : *la faveur des grands.* Marque de bienveillance; privilège : *solliciter une faveur.* Ruban de soie très étroit. *En faveur de,* au profit de. *A la faveur de,* au moyen de.
favorable* adj. Propice, indulgent.
favori, ite adj. Préféré : *auteur favori.* N. m. Celui qui jouit de la faveur de quelqu'un. Touffe de barbe sur la joue. N. f. Maîtresse de roi.
favoriser v. tr. Traiter favorablement. Accorder une préférence. Aider : *la nuit a favorisé sa fuite.*
favoritisme n. m. Abus du régime des favoris, des faveurs.
fayot n. m. *Pop.* Haricot.
fébrifuge adj. Qui guérit la fièvre.
fébrile* adj. Qui a la fièvre. *Fig.* Qui excite : *impatience fébrile.*
fébrilité n. f. Fièvre, agitation.
fécal, e, aux adj. *Matière fécale,* excréments.
fécond, e adj. Fertile, productif.
fécondation n. f. Action de féconder.
féconder v. tr. Rendre fécond.
fécondité n. f. Qualité de ce qui est fécond.
fécule n. f. Partie farineuse des graines, de la pomme de terre.
féculent n. m. Légume qui contient de la fécule (pomme de terre, etc.).
fédéral, e, aux adj. De la fédération.
fédéralisme n. m. Système fédéral.
fédéraliste, fédératif, ive adj. Relatif au fédéralisme.
fédération n. f. Association de plusieurs pays en un seul Etat.
fédérer v. tr. Former en fédération.
fée n. f. Etre fantastique, du sexe féminin, doué d'un pouvoir surnaturel : *conte de fées. Fig.* Femme remarquable par sa grâce, son esprit, sa bonté.
féerie n. f. Art des fées. Monde fantastique, merveilleux. Pièce de théâtre où figurent des fées. *Fig.* Spectacle splendide.
féerique adj. Magique.
feindre v. tr. (Se conj. comme *craindre.*) Simuler : *feindre de sortir. Feindre que,* supposer que.
feinte n. f. Artifice : *parler sans feinte. Sport.* Coup, mouvement simulé.
feinter v. intr. Faire une feinte.
fêler v. tr. Fendre légèrement (un vase).
félicitation n. f. Compliment.
félicité n. f. Bonheur suprême.
féliciter v. tr. Complimenter.
félin, e adj. Qui tient du chat. *Fig.* D'une douceur perfide. Souple, gracieux : *grâce féline.* N. m. Carnassier de la famille du tigre, du chat, etc.

fellaga n. m. Rebelle, en Algérie.
fellah n. m. Paysan égyptien.
félon, onne adj. Traître.
félonie n. f. Trahison.
fêlure n. f. Fente légère.
femelle n. f. Animal du sexe féminin. Adj. Du sexe féminin : *hérisson femelle.*
féminin, e adj. Qui appartient aux femmes : *grâce féminine. Rime féminine,* terminée par une syllabe muette. N. m. *Gramm.* Genre féminin.
féminiser v. tr. Rendre féminin.
féminisme n. m. Doctrine tendant à étendre les droits de la femme.
féministe n. et adj. Partisan du féminisme.
femme n. f. Compagne de l'homme. Celle qui est ou qui a été mariée.
femmelette [*fam-lèt'*] n. f. Femme faible, délicate. *Fig.* Homme sans énergie.
fémur n. m. Os de la cuisse.
fenaison n. f. Récolte des foins.
fendiller v. tr. Produire de petites fentes.
fendre v. tr. Séparer dans le sens de la longueur : *fendre du bois.* Crevasser : *la sécheresse fend la terre. Par ext.* Traverser : *fendre l'air. Fig. Fendre le cœur,* affliger. *Pop. Se fendre,* payer.
fenêtre n. f. Ouverture dans un mur pour donner du jour et de l'air. Cadre vitré de fenêtre. *Fig. Jeter par les fenêtres,* dissiper follement.
fenouil n. m. Ombellifère aromatique.
fente n. f. Petite ouverture en long.
féodal, e, aux adj. Relatif aux fiefs, à la féodalité : *château féodal.*
féodalité n. f. Régime social du Moyen Age, fondé sur le fief.
fer n. m. Métal d'un gris bleuâtre. Pointe en fer d'une pique, d'une lance, etc. Epée. Demi-cercle de fer dont on garnit la corne des pieds des chevaux. Se dit de plusieurs instruments et outils de fer : *fer à friser, à repasser,* etc. Pl. Chaînes : *mettre aux fers. Fig.* Captivité.
fer-blanc n. m. Tôle mince, recouverte d'étain. Pl. des *fers-blancs.*
ferblanterie n. m. Travail du fer-blanc; objets de fer-blanc.
ferblantier n. m. Qui fabrique ou vend des objets en fer-blanc.
férié adj. De fête (jour).
férir (sans coup) loc. Sans avoir à combattre : *triompher sans coup férir.*
fermage n. m. Loyer d'une ferme.
ferme* adj. Solide. Stable, fixe : *ferme sur ses jambes.* Compact : *chair ferme. Fig.* Assuré : *ton ferme.* Inébranlable : *ferme dans ses résolutions.* Définitif : *achat ferme. Terre ferme,* continent. Adv. Avec assurance : *tenir ferme.* Interj. *Ferme!* Courage!
ferme n. f. Contrat par lequel on loue un bien rural : *prendre à ferme.* Domaine affermé; *par ext.* Domaine agricole. Perception de divers impôts : *la ferme du sel.* (Vx.)
ferme n. f. Assemblage de pièces portant le faîtage d'un comble.
ferment n. m. Agent de la fermentation. *Fig.* Ce qui excite : *ferment de discorde.*
fermentation n. f. Transformation de certaines substances organiques : *fermentation du fumier. Fig.* Effervescence.
fermenter v. tr. Etre en fermentation.
fermer v. tr. Boucher une ouverture. Enclore : *fermer un jardin.* Empêcher l'accès. Clore : *fermer une discussion.* Rapprocher deux parties écartées. V. intr. Se fermer : *la porte ferme mal.*
fermeté n. f. Etat de ce qui est ferme. *Fig.* Constance, courage.
fermeture n. f. Ce qui sert à fermer. Action, moment de fermer. *Fermeture Eclair* (marque déposée), fermeture par crémaillères cousues sur ruban.
fermier, ère n. Qui tient à ferme une terre. *Fermier général,* celui qui prenait à ferme un impôt, sous l'Ancien Régime.
fermoir n. m. Pièce servant à fermer un sac de dame.
féroce* adj. Sauvage et sanguinaire.
férocité n. f. Naturel féroce.
ferraille n. f. Débris de fer.
ferrailler v. intr. Entrechoquer des lames de sabres, d'épées. Se battre au sabre ou à l'épée.
ferrailleur n. m. Marchand de ferraille. Duelliste.
ferré, e adj. Garni de fer : *bâton ferré. Fig. Etre ferré sur un sujet,* le connaître à fond.
ferrer v. tr. Garnir de fer. Mettre des fers à un cheval. *Ferrer à glace,* avec des fers cramponnés.
ferret n. m. Bout de lacet ferré.
ferreux adj. m. Qui contient du fer.
ferronnerie n. f. Ouvrage de fer.
ferronnier, ère n. et adj. Qui fabrique de la ferronnerie ou en fait le commerce.
ferronnière n. f. Sorte de diadème.
ferroviaire adj. Du chemin de fer.
ferrugineux, euse adj. Qui contient du fer : *eaux ferrugineuses.*
ferrure n. f. Garniture de fer. Fers d'un cheval.
fertile* adj. Fécond : *sol fertile.*
fertilisation n. f. Action de fertiliser.
fertiliser v. tr. Rendre fertile.
fertilité n. f. Fécondité.
féru, e adj. Epris : *être féru d'art.*
férule n. f. Genre d'ombelliféracées. Palette dont on frappait les mains des écoliers en faute. *Fig.* Autorité.
fervemment adv. Avec ferveur.
fervent, e adj. Rempli de ferveur. *Fig.* Ardent : *disciple fervent.*
ferveur n. f. Zèle ardent : *prier avec ferveur.*
fesse n. f. Chacune des deux parties charnues postérieures de l'homme et de certains animaux.
fessée n. f. Correction sur les fesses.
fesser v. tr. Donner la fessée.
fessier adj. Des fesses : *muscles fessiers.* N. m. Les fesses.
festin n. m. Repas somptueux.
festiner v. intr. Festoyer.
festival n. m. Fête musicale.
feston n. m. Guirlande de fleurs, de feuilles. Ornement en festons.
festonner v. tr. Orner de festons.
festoyer v. tr. (Se conj. comme *aboyer.*) Fêter. V. intr. Faire bombance.
fête n. f. Solennité religieuse ou civile : *fête nationale. Fêtes mobiles,* fêtes chrétiennes qui ne reviennent pas tous les ans au même jour. *Faire fête,* bien accueillir. *Faire la fête,* s'amuser.

fêter v. tr. Célébrer une fête.
fétiche n. m. Objet matériel, vénéré par les sauvages. *Par ext.* Porte-bonheur. Ce pour quoi on a une sorte de culte.
fétichisme n. m. Culte des fétiches.
fétichiste n. Adonné au fétichisme.
fétide adj. D'odeur répugnante.
fétidité n. f. Odeur fétide.
fétu n. m. Brin de paille.
feu n. m. Chaleur et lumière produites par une combustion : *feu de bois.* Incendie. Décharge d'arme à poudre : *faire feu. Coup de feu,* décharge d'une arme à feu. *Feu d'artifice,* ensemble de pièces d'artifice. *Faire long feu,* ne pas avoir de succès. *Ne pas faire long feu,* ne pas durer longtemps. *Feu!* Commandement de tirer. Phare. Fanal de position sur un navire. Lampe d'un véhicule : *feux arrière. Fig.* Inspiration. Pl. Petites bougies allumées dans une adjudication.
feu, e adj. Défunt : *la feue reine; feu la reine.*
feuillage n. m. Feuilles d'un arbre. Branches chargées de feuilles.
feuillard n. m. Bande de fer large et plate.
feuille n. f. Partie terminale des végétaux, mince et plate, ordinairement verte : *feuilles persistantes. Par ext.* Pétale : *feuille de rose. Fig.* Chose plate et mince : *feuille d'or.* Morceau de papier d'une certaine grandeur.
feuillée n. f. Feuillage. Pl. Latrines de campagne.
feuillet n. m. Partie d'une feuille de papier.
feuilleter v. tr. (Se conj. comme *jeter.*) Tourner les feuillets : *feuilleter un livre* et, *par ext.,* lire à la hâte. Préparer la pâte de façon qu'elle lève en formant des feuillets.
feuilleton n. m. Article, fragment de roman publié dans un journal.
feuilletoniste n. m. Auteur de feuilletons.
feuillette n. f. Futaille d'un peu plus de cent litres.
feuillu, e adj. Qui a des feuilles.
feutrage n. m. Action de feutrer.
feutre n. m. Etoffe de laine, de poils foulés. Chapeau de feutre.
feutrer v. tr. Mettre en feutre du poil, de la laine. Garnir de feutre. *Fig. Pas feutrés,* silencieux.
fève n. f. Légumineuse à graine comestible.
féverole n. f. Petite fève de marais.
février n. m. Second mois de l'année.
fez n. m. Coiffure portée dans certains pays d'Orient.
fi! interj. qui marque le dégoût, le mépris. *Faire fi de,* mépriser.
fiacre n. m. Voiture de place.
fiancé, e n. Qui a fait promesse de mariage.
fiancer v. tr. (Se conj. comme *amorcer.*) Promettre en mariage.
fiasco n. m. invar. Echec complet.
fibranne n. f. Laine artificielle à fibres courtes.
fibre n. f. Filament : *fibre musculaire, textile. Fig.* Disposition à s'émouvoir : *fibre sensible.*
fibreux, euse adj. Qui a des fibres.
fibrille [*bril'*] n. f. Petite fibre.
fibrine n. f. Matière albuminoïde du sang.
fibrome n. m. Tumeur fibreuse.
ficeler v. tr. (Se conj. comme *amonceler.*) Attacher avec une ficelle : *ficeler un paquet. Fam.* Mal habiller.
ficelle n. f. Très petite corde. *Fig.* Ruse de métier. *Fam.* Personne astucieuse. Pain très mince.
fiche n. f. Morceau de bois, de fer, en pointe. Morceau de métal pour fixer les ferrures. Feuillet isolé, pour inscrire des notes à classer ensuite.
ficher v. tr. Piquer : *ficher un pieu en terre. Fam.* Mettre, jeter : *ficher à la porte.* V. pr. *Fam.* Se moquer de.
fichier n. m. Collection de fiches.
fichtre! interj. *Fam.* Marque l'étonnement, l'admiration.
fichu, e adj. *Pop.* Mal fait, mauvais : *un fichu repas.*
fichu n. m. Pièce d'étoffe, de dentelle, dont les femmes s'entourent les épaules.
fictif, ive* adj. Feint : *Personnage fictif.* Conventionnel : *valeur fictive.*
fiction n. f. Création de l'imagination.
fidèle* adj. Qui remplit ses engagements. Constant, attaché à, loyal. N. m. pl. *Les fidèles,* ceux qui pratiquent une religion.
fidélité n. f. Qualité de ce qui est fidèle. Exactitude. Loyauté.
fiduciaire* adj. *Monnaie fiduciaire,* papier-monnaie.
fief n. m. Domaine qu'un vassal tenait d'un seigneur.
fieffé, e adj. Donné en fief. *Fam.* Achevé : *ivrogne fieffé.*
fiel n. m. Bile. *Fig.* Amertume.
fielleux, euse* adj. Amer : *propos fielleux.*
fiente n. f. Excrément d'animaux.
fier v. tr. Confier : *fier son honneur à quelqu'un.* V. pr. Mettre sa confiance en quelqu'un : *à qui se fier?*
fier, fière* adj. et n. Altier, arrogant. Noble, élevé : *âme fière.* Audacieux, intrépide. *Fam.* Fameux : *un fier coquin.* N. : *faire le fier.*
fierté n. f. Caractère de ce qui est fier.
fièvre n. f. Elévation morbide de la température du corps. *Fig.* Agitation, passion : *fièvre politique.*
fiévreux, euse* adj. et n. Qui a la fièvre. Qui la cause. *Fig.* Ardent.
fifre n. m. Petite flûte d'un ton aigu.
figer v. tr. (Se conj. comme *manger.*) Congeler, épaissir par le froid.
fignolage n. m. Raffinement.
fignoler v. tr. Arranger minutieusement.
figue n. f. Fruit du figuier. *Fig. Moitié figue, moitié raisin,* moitié de gré, moitié de force.
figuier n. m. Arbre méditerranéen, dont le fruit est comestible.
figurant, e n. Personnage muet, dans une pièce. *Fig.* Personne dont le rôle est tout décoratif : *n'être qu'un figurant.*
figuratif, ive* adj. Qui figure, symbolise.
figuration n. f. Action de figurer. Figurants d'un théâtre.
figure n. f. Forme visible d'un corps, dessin. Visage. *Fig.* Air, contenance. Symbole, allégorie. *Géom.* Ensemble de points, lignes, surfaces. Modification dans l'emploi ou le sens des mots : *figure de rhétorique.* Mouvement d'une danse.
figuré, e adj. *Sens figuré,* signification détournée du sens propre : *la lecture*

NOURRIT *l'esprit*. N. m. Sens figuré : *au propre et au figuré.*
figurer v. tr. Représenter. V. intr. Faire figure. Se trouver dans : *figurer sur une liste*. V. pr. S'imaginer.
figurine n. f. Statuette.
fil n. m. Petit brin de matières textiles. Métal étiré : *fil de fer*. Veine d'une pierre. Tranchant d'un instrument : *le fil d'un rasoir*. Conducteur électrique filiforme : *fil de terre*. *Passer au fil de l'épée*, tuer à l'arme blanche. Ficelle : *les fils des marionnettes*. *Fig.* Moyen secret d'action : *les fils d'une conspiration*. *Fil à plomb*, morceau de métal suspendu à un fil. *Fil de la Vierge*, filandre. *Fig.* Suite : *le fil de son discours*. Cours : *le fil de la vie*. *Donner du fil à retordre*, susciter des embarras. *De fil en aiguille*, de propos en propos.
filament n. m. Petite fibre, petit fil.
filamenteux, euse adj. Fibreux.
filandre n. f. Fil d'araignée flottant.
filandreux, euse adj. Rempli de fibres un peu coriaces. *Fig.* Enchevêtré, confus.
filasse n. f. Amas de filaments de chanvre, de lin, etc.
filateur n. m. Patron de filature.
filature n. f. Etablissement où l'on file un textile : *filature de coton*. *Fig.* Action de filer un individu.
file n. f. Rangée : *file de voitures*. *A la file*, l'un après l'autre. *En file indienne*, l'un derrière l'autre.
filé n. m. Fil destiné au tissage.
filer v. tr. Mettre en fil : *filer la laine*. Sécréter un fil : *l'araignée file sa toile*. *Fig.* Suivre en épiant : *filer un voleur*. *Filer deux, trois nœuds*, etc., marcher à la vitesse de deux, trois, etc., milles à l'heure. V. intr. Couler lentement. Avoir une flamme qui fume : *lampe qui file*. *Fam.* Aller vite, s'en aller. *Fig.* *Filer doux*, se montrer soumis.
filet n. m. Tissu à claire-voie, pour la pêche, la chasse. Réseau pour retenir les cheveux. Ramification : *filet nerveux*. *Bouch.* Partie charnue du dos du bœuf, etc. *Faux filet*, partie moins estimée de l'échine du bœuf. *Techn.* Saillie en spirale d'une vis. Emission peu abondante. Très petite quantité : *filet de vinaigre*.
filetage n. m. Action de fileter.
fileter v. tr. (Se conj. comme *accélérer*.) Faire un filet de vis, d'écrou.
fileur, euse n. et adj. Qui file.
filial, e*, aux adj. Du fils : *amour filial*. N. f. Succursale.
filiation n. f. Descendance (au pr. et au fig.).
filière n. f. Instrument d'acier pour étirer en fils des métaux, pour fileter en vis. Organe par lequel certains insectes produisent leur fil. *Fig.* Suite de formalités, d'emplois : *filière administrative*.
filiforme adj. Délié comme un fil.
filigrane n. m. Ouvrage d'orfèvrerie à jour. Dessin que l'on aperçoit par transparence sur certains papiers.
filin n. m. Cordage en chanvre.
fille n. f. Enfant du sexe féminin, par rapport aux parents. Femme non mariée : *rester fille*. Servante : *fille d'auberge*. Femme de mauvaise conduite.
fillette n. f. Petite fille.
filleul, e n. Celui, celle dont on est parrain ou marraine.
film n. m. Bande sensible pelliculaire, utilisée en photographie et en cinématographie. Œuvre cinématographique.
filmer v. tr. Cinématographier.
filmologie n. f. Etude sociologique du cinéma.
filon n. m. Couche d'un minéral contenue entre des couches de nature différente. *Fig.* Veine, source.
filou n. m. Voleur adroit. Fripon.
filouter v. tr. Voler avec adresse.
filouterie n. f. Action de filou.
fils n. m. Enfant mâle par rapport à ses parents. Terme d'amitié : *mon fils*. Descendant : *les fils des Gaulois*. *Le Fils de l'Homme*, Jésus-Christ.
filtrage n. m. Action de filtrer.
filtre n. m. Corps poreux à travers lequel on filtre.
filtrer v. tr. Passer un liquide par le filtre. V. intr. Pénétrer à travers.
fin n. f. Bout, extrémité. Terme : *toucher à sa fin*. But : *en venir à ses fins*. *A la fin* loc. adv. Enfin.
fin, fine* adj. Délié et menu : *pluie fine*. Elancé : *taille fine*. Précieux : *pierres fines*. *Fig.* Excellent : *vin fin*. Délicat : *goût fin*. Pur : *or fin*. Rusé, subtil, ingénieux : *fin renard*.
final, e*, als adj. Qui finit, termine. *Cause finale*, fin pour laquelle une chose est faite. N. f. Dernière syllabe ou lettre d'un mot. Epreuve décisive d'une lutte sportive.
final, finale n. m. *Mus.* Morceau d'ensemble qui termine une symphonie, une sonate.
finalité n. f. Cause finale.
finance n. f. Profession du financier. Ensemble des financiers. Pl. Trésor de l'Etat.
financer v. intr. (Se conj. comme *amorcer*.) *Fam.* Fournir de l'argent.
financier, ère adj. Relatif aux finances : *système financier*. N. m. Celui qui s'occupe d'opérations financières.
finasser v. intr. User de finasseries.
finasserie n. f. Subterfuge.
finassier, ère n. Qui finasse.
finaud, e n. et adj. Fin, rusé.
finesse n. f. Qualité de ce qui est fin. Action fine, ruse.
fini, e adj. Limité, achevé, terminé. *Fig.* Achevé : *coquin fini*. N. m. Perfection : *le fini d'un ouvrage*. Ce qui a des bornes : *le fini et l'infini*.
finir v. tr. Limiter. Mettre fin à. Achever : *finir un livre*. Mettre la dernière main : *ouvrage fini*. V. intr. Se terminer : *finir en pointe*. Avoir une certaine fin : *cet enfant finira mal*. Arriver à son terme : *son bail finit*. Mourir. *En finir*, prendre un parti. *En finir avec*, se débarrasser de.
finissage n. m. Dernière main.
finisseur, euse n. Qui finit.
finlandais, e ou **finnois, e** adj. et n. De Finlande.
fiole n. f. Petit flacon de verre.
fiord ou **fjord** n. m. Golfe étroit et profond de la Norvège.
fioriture n. f. Ornement.
firmament n. m. Voûte du ciel.
firme n. f. Raison sociale. Entreprise.

fisc n. m. Trésor de l'Etat. Administration d'Etat qui perçoit l'impôt.
fiscal, e, aux adj. Relatif au fisc.
fiscalité n. f. Système fiscal.
fission n. f. Action de rompre un atome.
fissure n. f. Petite crevasse.
fistule n. f. Canal accidentel dans un tissu : *fistule lacrymale.*
fixage n. m. Action de fixer : *fixage des rails.* Opération qui rend inaltérable à la lumière l'image photographique.
fixateur, trice adj. Qui fixe. N. m. Vaporisateur pour fixer un dessin. Substance qui rend une image photographique inaltérable.
fixatif, ive adj. Qui sert à fixer. N. m. Vernis pour fixer les dessins.
fixation n. f. Action de fixer, d'établir.
fixe* adj. Qui ne se meut pas : *étoile fixe.* Immobile : *regard fixe.* Invariable. *Idée fixe,* idée qui obsède l'esprit. N. m. La partie invariable d'un salaire. *Fixe!* commandement pour imposer aux soldats l'immobilité sous les armes.
fixer v. tr. Rendre fixe, stable. Rendre inaltérable. Soumettre au fixage. Diriger : *fixer les yeux.* Regarder fixement : *fixer quelqu'un. Fig.* Arrêter : *fixer son choix.* Etablir, préciser : *fixer une date.* Attirer, captiver : *fixer l'attention.*
fixité n. f. Qualité de ce qui est fixe : *fixité du regard.* Stabilité.
flac! interj. Onomatopée du bruit de l'eau qui tombe, d'une tape, etc.
flacon n. m. Petite bouteille.
fla-fla n. m. invar. *Pop.* Ostentation.
flagellation n. f. Supplice du fouet.
flageller v. tr. Fouetter. *Fig.* Attaquer : *flageller le vice.*
flageoler v. intr. Trembler (jambes).
flageolet n. m. Instrument de musique à vent. Espèce de haricot.
flagorner v. tr. Flatter bassement.
flagornerie n. f. Basse flatterie.
flagorneur, euse n. Qui flagorne.
flagrant, e adj. Qui se commet manifestement sous les yeux. Evident, incontestable : *inégalité flagrante. En flagrant délit,* sur le fait.
flair n. m. Odorat. *Fig.* Perspicacité.
flairer v. tr. Sentir. *Fig.* Pressentir.
flamand, e adj. et n. De Flandre.
flamant n. m. Oiseau échassier dont le dessous des ailes est couleur de flamme.
flambage n. m. Action de flamber.
flambard n. m. Gai luron.
flambeau n. m. Torche, chandelle. Chandelier. *Fig.* Lumière.
flambée n. f. Feu clair de menu bois.
flamber v. tr. Passer à la flamme : *flamber une volaille.* V. intr. Jeter de la flamme. Brûler avec flamme. *Fig. Etre flambé,* être ruiné.
flamboiement n. m. Eclat flamboyant.
flamboyant n. m. Style gothique, aux contours ondoyants.
flamboyer v. intr. (Se conj. comme *aboyer.*) Jeter une flamme brillante.
flamme n. f. Apparence lumineuse et légère qui se dégage des matières en combustion. Supplice du feu : *livrer aux flammes.* Banderole. *Fig.* Ardeur. Amour.
flammèche n. f. Parcelle enflammée.
flan n. m. Sorte de tarte. Disque de métal recevant une empreinte.
flanc n. m. Partie de l'homme, de l'animal, depuis les côtes jusqu'aux hanches. Le sein d'une mère. Côté d'une chose : *flancs d'une montagne.* Partie latérale d'une troupe rangée.
flancher v. intr. *Pop.* Lâcher pied.
flandrin n. m. *Fam.* Escogriffe.
flanelle n. f. Etoffe de laine fine.
flâner v. intr. Aller de côté et d'autre. Perdre son temps.
flânerie n. f. Action de flâner.
flâneur, euse n. Qui flâne.
flanquer v. tr. *Fortif.* Défendre par des ouvrages latéraux. *Mil.* Appuyer, soutenir une troupe. Etre placé à côté de : *flanqué de ses deux enfants.*
flanquer v. tr. Appliquer rudement : *flanquer un soufflet. Flanquer à la porte,* congédier brusquement.
flaque n. f. Petite mare.
flasque adj. Mou, sans force. N. m. *Artill.* plaque latérale d'affût, de roue.
flatter v. tr. Caresser de la main : *flatter un cheval.* Affecter agréablement : *la musique flatte l'oreille.* Louer : *les courtisans flattent.* Embellir : *flatter un portrait. Se flatter de,* se vanter.
flatterie n. f. Louange intéressée.
flatteur, euse* n. et adj. Qui flatte.
flatulence n. f. Flatuosité.
flatuosité n. f. Gaz intestinaux.
fléau n. m. Instrument pour battre le blé, formé de deux bâtons liés par un bout. Verge d'une balance. *Fig.* Calamité publique : *la guerre est un fléau.* Importun.
flèche n. f. Trait qu'on lance avec l'arc ou l'arbalète. Objet en forme de flèche. Pointe d'un clocher. *Géom.* Perpendiculaire abaissée du milieu d'un arc de cercle sur la corde qui le sous-tend.
fléchette n. f. Petite flèche.
fléchir v. tr. Ployer, courber : *fléchir le genou. Fig.* Faire céder, attendrir : *fléchir ses juges.* V. intr. Se ployer, se courber.
fléchissement n. m. Action de fléchir.
flegmatique* adj. Froid, impassible.
flegme n. m. Calme, impassibilité.
flet, flétan n. m. Poisson de mer.
flétrir v. tr. Oter la fraîcheur. *Fig.* Déshonorer : *flétrir la réputation.*
flétrissure n. f. Déshonneur.
fleur n. f. Partie d'un végétal qui contient les organes reproducteurs. Eclat, fraîcheur : *fleur du teint.* Partie la plus fine : *fleur de farine.* Ornement du discours : *fleurs de rhétorique.* Temps où une chose est dans son éclat : *la fleur de la jeunesse. A fleur de,* à ras.
fleurant, e adj. Odorant.
fleurdeliser v. tr. Orner de fleurs de lis.
fleurer v. intr. Répandre une odeur.
fleuret n. m. Sorte d'épée d'entraînement sans tranchant et sans pointe.
fleurette n. f. Petite fleur. *Fig.* Propos galant : *conter fleurette.*
fleurir v. intr. Pousser des fleurs, s'épanouir. Avoir de la fraîcheur. *Fig.* Prospérer : *le commerce fleurit.* (Au *fig.*, l'imparf. de l'indic. fait *je florissais,* etc., et

le part. prés. *florissant.*) V. tr. Orner de fleurs : *fleurir une chambre.*
fleuriste n. et adj. Qui cultive ou vend des fleurs. Qui fait des fleurs artificielles.
fleuron n. m. *Archit.* Ornement en forme de fleur. *Fig.* Ce qu'on a de mieux.
fleuve n. m. Grand cours d'eau qui aboutit à la mer.
flexibilité n. f. Souplesse.
flexible adj. Souple (au pr. et au fig.).
flexion n. f. Fléchissement.
flibustier n. m. Pirate des mers américaines aux XVIIe et XVIIIe s. *Par ext.* Trompeur.
flirt [*fleurt'*] n. m. Action de flirter. Personne avec qui l'on flirte.
flirter [*fleurter*] v. intr. Se montrer galant avec une personne de l'autre sexe.
floche adj. Velouté. *Soie floche,* non torse. N. f. Petite houppe.
flocon n. m. Touffe, amas léger de soie, de laine, etc. Petite masse légère : *flocon de neige.* Pl. Grains décortiqués (céréales).
floconneux, euse adj. En flocons.
floculation n. f. Précipitation d'une solution en flocons.
flonflon n. m. Refrain, couplet.
floraison n. f. Epanouissement de la fleur.
floral, e, aux adj. Relatif à la fleur.
flore n. f. Ensemble des plantes d'une région.
floréal n. m. Mois de l'année républicaine (20 avril-19 mai).
florilège n. m. Recueil de poésies.
florissant, e adj. Prospère.
flot n. m. Onde, vague : *les flots de la mer.* Marée montante : *l'heure du flot.* Liquide répandu : *flot de sang. Etre à flot,* flotter. *Fig. Se remettre à flot,* rétablir ses affaires. Pl. *Fig.* Grande quantité.
flottage n. m. Transport du bois flottant sur une rivière.
flottaison n. f. Niveau où l'eau atteint la carène : *ligne de flottaison.*
flottant, e adj. Qui flotte : *corps flottant.* Ample, ondoyant : *robe flottante. Fig.* Irrésolu. *Dette flottante,* non consolidée.
flotte n. f. Nombreux bâtiments naviguant ensemble. Forces navales ou aériennes.
flottement n. m. Etat d'un objet qui flotte. *Fig.* Hésitation.
flotter v. intr. Etre porté sur un liquide. Ondoyer : *ses cheveux flottant au vent.* Etre lâche : *rênes qui flottent. Fig.* Etre indécis entre deux solutions.
flotteur n. m. Corps léger flottant sur l'eau : *le flotteur d'une ligne.*
flottille n. f. Petite flotte.
flou, e adj. Fondu, vaporeux. N. m. Défaut de netteté.
flouer v. tr. *Fam.* Escroquer.
fluctuation n. f. Oscillation d'un liquide. *Fig.* Variations.
fluet, ette adj. Mince et délicat.
fluide adj. Dont les molécules ont peu d'adhésion : *corps fluide.* Coulant : *style fluide.* N. m. Corps fluide.
fluidité n. f. Etat fluide.
fluor n. m. *Chim.* Gaz jaune-vert, à réactions énergiques.
fluorescence n. f. Sorte de phosphorescence.
fluorescent, e adj. Doué de fluorescence.
flûte n. f. Instrument à vent, formé d'un tube percé de plusieurs trous. Celui qui en joue. Petit pain long. Verre long pour le champagne.
flûteau n. m. Mirliton. Plantain d'eau. Jonc fleuri.
flûter v. intr. Jouer de la flûte.
flûtiste n. m. Joueur de flûte.
fluvial, e, aux adj. Du fleuve.
flux n. m. Mouvement de la mer vers le rivage : *le flux et le reflux.* Grande abondance : *flux de paroles.* Ecoulement.
fluxion n. f. Gonflement douloureux, causé par un amas d'humeur, etc.
foc n. m. *Mar.* Voile triangulaire à l'avant du bâtiment.
focal, e, aux adj. Relatif à un foyer optique.
fœtal, e [*fé*] adj. Du fœtus.
fœtus [*fétuss*] n. m. Produit de la conception, non arrivé à terme.
foi n. f. Assurance de tenir un engagement. Fidélité à ses engagements. Croyance : *témoin digne de foi.* Religion : *mourir pour sa foi. Faire foi,* prouver. *Profession de foi,* déclaration de ses opinions.
foie n. m. Viscère de couleur rougeâtre sécrétant la bile.
foin n. m. Herbe fauchée et séchée. Poils à l'intérieur de l'artichaut.
foin! interj. de dédain.
foirail n. m. Champ de foire.
foire n. f. Grand marché public à époques fixes : *le champ de foire. Pop.* Flux de ventre, diarrhée.
foirer v. intr. *Pop.* Avoir la diarrhée. *Fig.* Avoir peur. Rater : *fusée qui foire.* Ne plus prendre (en parlant d'une vis).
foireux, euse n. et adj. *Pop.* Poltron.
fois n. f. Joint à un nom de nombre, marque la quantité : *deux fois par an;* la multiplication : *deux fois trois font six. Une fois,* à une certaine époque. *Une fois pour toutes,* décisivement. *Une fois que,* dès que. *A la fois,* ensemble.
foison (à) loc. adv. Abondamment.
foisonnement n. m. Abondance.
foisonner v. intr. Abonder. Pulluler. Augmenter de volume.
fol, folle* n. et adj. V. FOU.
folâtre adj. Gai, badin.
folâtrer v. intr. Jouer, badiner.
folâtrerie n. f. Badinage.
folichon, onne adj. *Fam.* Folâtre.
folie n. f. Aliénation d'esprit, démence : *folie des grandeurs.* Extravagance : *dire des folies.* Ecart de conduite : *folies de jeunesse.* Dépenses excessives : *faire des folies. A la folie,* éperdument.
folio n. m. Feuillet d'un livre.
foliole n. f. Petite feuille.
folioter v. tr. Numéroter des feuillets.
folklore n. m. Traditions et usages populaires d'un pays.
folliculaire n. m. Petit journaliste.
follicule n. m. Fruit à une suture (aconit, etc.). *Anat.* Organe en forme de sac : *follicule pileux.*
fomenter v. tr. *Fig.* Exciter : *fomenter des troubles.*
foncé, e adj. Chargé, sombre (couleurs) : *bleu foncé.*
foncer v. tr. (Se conj. comme *amorcer.*) Mettre un fond à un tonneau, à une cuve. Creuser : *foncer un puits.* Rendre plus foncé : *foncer une teinte.* V. intr. Charger à fond : *foncer sur l'ennemi.*

foncier, ère* adj. Qui concerne un fonds de terre : *propriété foncière, impôt, propriétaire foncier. Fig.* Qui forme le fond : *qualités foncières.* N. m. Impôt foncier.
fonction n. f. Exercice d'un emploi. *Math.* Dépendance entre deux quantités.
fonctionnaire n. Qui remplit une fonction publique.
fonctionnel, elle adj. Qui se rapporte aux fonctions : *trouble fonctionnel.*
fonctionnement n. m. Manière dont une chose fonctionne.
fonctionner v. intr. Agir.
fond n. m. La partie la plus basse : *le fond d'un puits; fond de la mer.* Ce qui reste au fond : *le fond du verre.* Partie la plus éloignée de l'entrée, la plus retirée d'un pays : *le fond d'une boutique, d'une province.* Champ d'un tableau, d'un tissu sur lequel se détache le sujet, le dessin. *Fig.* La partie essentielle : *le fond d'une question.* Les idées, par opposition au style. Ce sur quoi on peut s'appuyer : *faire fond sur une chose. Le fin fond,* la partie la plus reculée. Loc. adv. : *à fond,* complètement; *au fond, dans le fond,* en réalité; *de fond en comble,* entièrement.
fondamental, e*, aux adj. Qui sert de fondement. *Par ext.* Principal.
fondant n. m. Sorte de bonbon.
fondateur, trice n. Qui a fondé.
fondation n. f. Action d'asseoir les fondements d'un édifice. *Fig.* Action de fonder, de créer. Pl. Fondement.
fondé, e adj. Etabli solidement, motivé. Autorisé : *être fondé à.* N. m. *Fondé de pouvoir,* qui est légalement chargé d'une chose.
fondement n. m. Maçonnerie servant de base à un édifice. Partie inférieure de l'intestin. *Fig.* Appui, base. Cause, motif : *bruit sans fondement.*
fonder v. tr. Etablir les fondements d'une construction. Créer, instituer : *fonder un collège. Fig.* Etablir par preuves.
fonderie n. f. Usine où l'on fond les métaux. Art du fondeur.
fondeur n. et adj. m. Celui qui fond les métaux.
fondre v. tr. Amener à l'état liquide : *le platine est difficile à fondre.* Dissoudre dans un liquide : *fondre du sucre dans l'eau.* Couler : *fondre une cloche.* Mêler, unir : *fondre les couleurs.* V. intr. Devenir liquide. Se dissoudre, et, au *fig.,* se réduire, s'abattre sur. *Fam.* Maigrir.
fondrière n. f. Crevasse dans le sol. Terrain marécageux.
fonds n. m. Le sol d'une terre, d'un champ : *cultiver un fonds.* Somme d'argent. Capital. Ressources. Etablissement de commerce. *Fonds publics,* rentes d'Etat.
fongosité n. f. **fongus** [*guss*] n. m. Excroissance charnue.
fontaine n. f. Eau vive qui sort de terre. Edifice public qui distribue l'eau.
fontainier n. m. Qui fait ou répare des fontaines.
fontanelle n. f. Séparation entre certains os du crâne avant leur ossification complète.
fonte n. f. Action de fondre ou de se fondre : *la fonte des neiges.* Produit immédiat du traitement des minerais de fer par le charbon : *la fonte est peu malléable.* Produit d'une fusion. L'art du fondeur : *fonte d'une statue.*
fonte n. f. Poche de chaque côté de l'arçon d'une selle.
fonts n. m. pl. Bassins baptismaux.
football [*fout'bôl*] n. m. Jeu de ballon d'origine anglaise.
for n. m. Juridiction, tribunal. *For intérieur,* la conscience.
forage n. m. Action de forer.
forain, e adj. et n. m. Qui n'est pas du lieu. *Marchand forain,* ambulant.
forban n. m. Pirate, corsaire. *Fig.* Escroc.
forçage n. m. Action de forcer.
forçat n. m. Criminel condamné aux travaux forcés.
force n. f. Vigueur physique, énergie vitale. Puissance capable de produire un effet : *forces naturelles.* Violence : *céder à la force.* Puissance : *force d'un Etat.* Solidité. Puissance d'impulsion : *force d'une machine.* Energie, fermeté : *force d'âme. Force de frappe,* ensemble des moyens militaires modernes destinés à donner un coup décisif à l'ennemi. *A toute force* loc. adv. A tout prix. *A force de* loc. prép. Par l'action incessante de. *Force majeure,* cause à laquelle on ne peut résister. Beaucoup : *force gens.* Pl. Troupes d'un Etat : *réduire ses forces.*
forcement n. m. Action de forcer.
forcément adv. Par force.
forcené, e n. et adj. Hors de soi.
forceps [*sèpss*] n. m. Instrument de chirurgie pour les accouchements.
forcer v. tr. (Se conj. comme *amorcer.*) Contraindre. Briser : *forcer une porte.* Fausser : *forcer une serrure.* Obtenir, prendre par force : *forcer une ville.* Enfreindre : *forcer la consigne.* Surmonter : *forcer les obstacles.* Exagérer : *forcer le ton.* Fatiguer : *forcer un cheval.* Hâter la maturation : *forcer des petits pois.*
forcerie n. f. Serre pour cultures forcées.
forclos, e adj. Se dit d'une personne qui a laissé passer son droit.
forclusion n. f. Déchéance d'un droit, le délai étant expiré.
forer v. tr. Percer.
forestier, ère adj. Qui concerne les forêts : *école forestière.* N. et adj. m. Employé dans l'administration forestière : *garde forestier.*
foret n. m. Instrument pour percer.
forêt n. f. Grande étendue de terrain plantée d'arbres. *Fig.* Grand nombre.
forfaire v. intr. (Usité à l'inf. prés., au prés. de l'ind. sing. et aux temps composés.) Faire quelque chose contre : *forfaire à ses engagements.*
forfait n. m. Crime énorme.
forfait n. m. Marché par lequel on s'oblige à faire ou à fournir quelque chose pour un prix fixé d'avance. *Déclarer forfait,* se retirer d'une compétition sportive.
forfaitaire adj. A forfait.
forfaiture n. f. Crime d'un fonctionnaire dans l'exercice de ses fonctions.
forfanterie n. f. Hâblerie.
forge n. f. Usine où l'on traite le fer. Atelier où l'on travaille les métaux au feu et au fourneau. Fourneau pour forger.

forger v. tr. (Se conj. comme *manger.*) Donner la forme à un métal, au moyen du feu et du marteau. *Fig.* Inventer : *forger une nouvelle.* Faire un faux.
forgeron n. m. Celui qui travaille le fer au marteau et à la forge.
forgeur n. et adj. Qui forge.
formaliser (se) v. pr. S'offenser.
formalisme n. m. Vif attachement aux formalités : *formalisme administratif.*
formaliste adj. et n. Attaché aux formes.
formalité n. f. Condition nécessaire à la validité d'un acte. Règle convenue, imposée.
format n. m. Dimension.
formatif, ive adj. Qui sert à former.
formation n. f. Action de former, de se former. Roches qui constituent le sol : *formations tertiaires.* Ensemble des éléments qui constituent un corps de troupes ou disposition qu'il peut prendre sur le terrain : *formation de combat.*
forme n. f. Configuration extérieure, apparence. Conduite conforme aux règles. Caractère d'un régime : *forme républicaine.* Formalité judiciaire : *vice de forme.* Moule : *forme pour chapeaux. En forme,* en bon état physique.
formel, elle* adj. Exprès. Précis, positif : *recevoir un ordre formel.*
former v. tr. Donner l'être et la forme : *former un établissement.* Donner une certaine forme. *Fig.* Organiser, établir. Façonner : *former l'esprit.* Constituer. Concevoir : *former un projet.*
formidable* adj. Redoutable. Très grand.
formique adj. m. Se dit d'un acide qui existe dans le corps des fourmis, etc.
formol n. m. Antiseptique.
formulaire n. m. Recueil de formules : *formulaire pharmaceutique.*
formule n. f. Forme d'après laquelle les actes doivent être rédigés. Façon de s'exprimer : *formule de politesse.* Résultat algébrique applicable à divers cas. Expression figurant la constitution d'un corps.
formuler v. tr. Rédiger : *formuler une ordonnance.* Enoncer, émettre.
fort, e* adj. Robuste, vigoureux, solide. Fortifié : *ville forte.* Considérable : *forte somme.* Acre : *beurre fort.* Qui sait beaucoup : *fort en histoire. Se faire fort de,* s'engager à. *Fort* adv. Beaucoup. *De plus en plus fort,* en augmentant toujours. N. m. Forteresse. Homme puissant. *Fig.* Ce en quoi une personne excelle : *l'algèbre n'est pas son fort.*
forteresse n. f. Lieu fortifié.
fortification n. f. Art de fortifier. Ouvrages fortifiés.
fortifier v. tr. (Se conj. comme *prier.*) Donner plus de force. Entourer de fortifications. *Fig.* Affermir.
fortin n. m. Petit fort.
fortiori (a) [*syo*] loc. adv. A plus forte raison.
fortuit, e* Qui arrive par hasard. Imprévu : *cas fortuit.*
fortune n. f. Puissance distributrice des maux et des biens. Hasard, chance : *la fortune des armes.* Sort : *s'attacher à la fortune de quelqu'un.* Bonheur, heureuse chance. Malheur, accident : *revers de fortune. Bonnes fortunes,* aventures galantes. Richesses : *acquérir de la fortune. Faire fortune,* s'enrichir.
fortuné, e adj. Favorisé du sort : *union fortunée* (vx). Qui donne le bonheur. Riche : *homme fortuné.*
forum [*rom*] n. m. Place où le peuple, à Rome, discutait des affaires publiques. Marché. *Fig.* Lieu où se traitent les affaires publiques.
fosse n. f. Trou plus ou moins profond dans la terre. *Fosse d'aisances,* qui reçoit les matières fécales. *Anat.* Cavité : *fosses nasales.*
fossé n. m. Fosse prolongée pour clore un espace, défendre une place, écouler des eaux. *Fig.* Obstacle profond.
fossette n. f. Petit trou fait dans la terre pour jouer aux billes. Petite cavité au menton, à la joue.
fossile n. m. et adj. Débris ou empreintes de plantes ou d'animaux ensevelis dans les couches terrestres anciennes. *Fig.* et *iron.* Personnes à idées arriérées; chose surannée.
fossiliser (se) v. pr. Devenir fossile.
fossoyage n. m. Travail du fossoyeur.
fossoyeur n. et adj. m. Qui creuse les fosses pour les morts.
fou ou **fol, folle*** n. et adj. Qui a perdu la raison : *Charles VI mourut fou.* Qui fait ou dit des extravagances. Contraire à la raison. Excessif : *dépenser un argent fou. Fou de,* engoué de. *Fou rire,* rire dont on n'est pas le maître. *Herbes folles,* qui croissent sans culture. N. m. Bouffon des princes. Pièce des échecs.
fouace n. f. Galette épaisse, cuite au four ou sous la cendre.
fouailler v. tr. *Fam.* Fouetter. Châtier. *Fig.* Cingler de mots blessants.
foudre n. f. Décharge électrique aérienne, accompagnée de tonnerre et d'éclairs. *Fig.* Coup soudain, rigoureux, irrésistible. *Coup de foudre,* événement soudain. Amour subit et violent.
foudre n. m. Tonneau d'une grande capacité.
foudroiement n. m. Action de foudroyer.
foudroyer v. tr. (Se conj. comme *aboyer.*) Frapper de la foudre. *Par ext.,* tuer soudainement. *Fig.* Atterrer, confondre. V. intr. Lancer la foudre.
fouet n. m. Corde, lanière, attachée à un manche, pour conduire et exciter les animaux. Correction avec un fouet ou des verges. *Coup de fouet,* douleur soudaine provenant de la déchirure d'un muscle. *Fig.* Ce qui stimule.
fouettement n. m. Action de fouetter.
fouetter v. tr. Donner des coups de fouet. Donner le fouet : *fouetter un enfant.* Battre : *fouetter la crème.*
fougère n. f. Plante cryptogame à feuilles très découpées.
fougue n. f. Mouvement impétueux. *Fig.* Ardeur, impétuosité.
fougueux, euse* adj. Impétueux.
fouille n. f. Action de fouiller, d'explorer : *les fouilles de Pompéi.*
fouiller v. tr. Creuser pour chercher : *fouiller la terre.* Faire des recherches : *fouiller une bibliothèque.* Explorer, visi-

ter : *fouiller les poches. Fig.* Examiner avec soin. V. intr. Chercher en remuant des objets : *fouiller dans une armoire.*

fouilleur, euse n. Qui fouille.

fouillis n. m. Désordre, confusion.

fouinard, e adj. et n. *Pop.* Curieux.

fouine n. f. Petit mammifère du genre martre. Fourche à deux ou trois pointes. *Fig.* Personne rusée.

fouiner v. intr. Fourrer partout son museau comme les fouines; se mêler des affaires d'autrui.

fouir v. tr. Creuser.

fouissement n. m. Action de fouir.

fouisseur, euse adj. Qui a l'habitude de fouir. N. m. Animal qui creuse la terre (taupe, etc.).

foulage n. m. Action de fouler.

foulant, e adj. Qui foule. *Pompe foulante,* qui élève l'eau au moyen de la pression exercée sur le liquide.

foulard n. m. Etoffe de soie légère. Mouchoir de soie. Mouchoir de cou.

foule n. f. Presse, multitude de personnes, de choses. Le vulgaire.

foulée n. f. Trace qu'une bête laisse sur l'herbe. Appui qu'un coureur ou un cheval prend sur le sol à chaque pas. Etendue de terrain couvert entre deux appuis.

fouler v. tr. Presser, écraser : *fouler la vendange.* Endommager par pression; donner une entorse. Marcher sur : *fouler le sol.* Donner un certain apprêt : *fouler des draps. Fig.* Opprimer. *Fouler aux pieds,* mépriser. *Fam. Ne pas se fouler,* ne pas se donner beaucoup de peine.

foulon n. et adj. m. Ouvrier qui foule les draps. *Terre à foulon,* argile pour dégraisser les draps.

foulure n. f. Entorse.

four n. m. Ouvrage de maçonnerie rond et voûté pour cuire le pain, etc. Construction dans laquelle on produit une température très élevée : *four à réverbère, four à chaux. Petit four,* petite pâtisserie. *Fig.* et *fam.* Insuccès, échec.

fourbe n. et adj. Trompeur. N. f. Tromperie, fourberie.

fourberie n. f. Ruse, tromperie.

fourbir v. tr. Nettoyer (armes).

fourbissage n. m. Nettoyage d'objets en métal.

fourbu, e adj. Harassé.

fourche n. f. Instrument agricole composé d'un long manche terminé par de longues dents. Endroit où un chemin, un arbre se divise en plusieurs branches.

fourcher v. intr. Se diviser par l'extrémité. *Fig. La langue lui a fourché,* il a dit un mot pour un autre.

fourchette n. f. Ustensile de table en forme de fourche. *Fig. Belle fourchette,* fort mangeur.

fourchu, e adj. En forme de fourche. *Pied fourchu,* pied fendu.

fourgon n. m. Véhicule long et couvert. Voiture militaire pour les approvisionnements. Wagon à bagages. Instrument pour remuer le feu.

fourgonner v. intr. Remuer le feu avec le fourgon. *Fam.* Fouiller.

fourgonnette n. f. Petit fourgon.

fourmi n. f. Insecte hyménoptère vivant sous terre en société. *Fam.* Picotements : *avoir des fourmis dans le bras.*

fourmilier n. m. *Zool.* Le tamanoir.

fourmilière n. f. Habitation des fourmis. Ensemble des fourmis qui l'habitent. *Fig.* Lieu très peuplé.

fourmillement n. m. Action de fourmiller. Sensation de picotement.

fourmiller v. intr. Abonder. Pulluler. Eprouver du fourmillement.

fournaise n. f. Grand four. Feu très ardent. *Par ext.* Lieu très chaud.

fourneau n. m. Appareil pour contenir du feu : *fourneau de cuisine. Haut fourneau,* fourneau pour traiter le minerai de fer. *Fourneau de mine,* partie de la mine où l'on introduit la poudre. *Pop.* Imbécile.

fournée n. f. Quantité de pain qu'on fait cuire à la fois. *Fig.* Ensemble de choses faites en même temps ou de personnes appelées à subir un même sort.

fournil [*ni*] n. m. Four du boulanger.

fourniment n. m. Equipement.

fournir v. tr. Pourvoir, approvisionner : *fournir de vivres.* Livrer : *fournir du pain.* V. intr. Donner, procurer.

fournisseur n. m. Marchand auquel on a l'habitude d'acheter.

fourniture n. f. Provision fournie. Ce qui est fourni par certains artisans en confectionnant un objet.

fourrage n. m. Herbe, paille, foin pour l'entretien des bestiaux.

fourrager v. intr. (Se conj. comme *manger.*) Couper ou amasser du fourrage. *Fam.* Fouiller sans précaution, mettre du désordre dans : *fourrager dans un tiroir.*

fourragère adj. f. Se dit des plantes employées comme fourrage. N. f. Ornement de l'uniforme militaire.

fourrageur n. et adj. Qui va au fourrage.

fourré, e adj. Touffu, épais. Doublé de fourrure : *manteau fourré.* N. m. Endroit très épais d'un bois.

fourreau n. m. Gaine d'un sabre, etc.

fourrer v. tr. Garnir de fourrure : *col fourré. Fam.* Mettre parmi, mettre dans : *fourrer une lettre dans un tiroir.* Enfermer : *fourrer en prison.*

fourreur n. m. Qui travaille en pelleterie. Marchand de fourrures.

fourrier n. m. et adj. Sous-officier chargé de distribuer les vivres, etc.

fourrière n. f. Dépôt des chevaux, voitures, chiens, etc., saisis pour dégât, dette ou contravention.

fourrure n. f. Peau d'animal préparée et garnie de son poil. Vêtement garni de fourrure. Peau d'animal touffue.

fourvoyer v. tr. (Se conj. comme *aboyer.*) Egarer : *fourvoyer des voyageurs. Fig.* Tromper. V. pr. Se tromper.

fox-terrier, fox n. m. Chien propre à chasser les animaux qui habitent un terrier.

foyer n. m. Lieu où l'on fait le feu; le feu même : *éteindre un foyer.* Dalle scellée devant la cheminée. Partie où l'on place le feu. Point d'où partent ou convergent des rayons lumineux : *foyer d'une lentille. Par ext.* Maison, famille : *trouver son foyer désert.* Partie du théâtre où le public se réunit durant les entractes. Siège principal d'une maladie. *Fig.* Centre actif : *foyer de rébellion.* Pl. Pays natal : *rentrer dans ses foyers.*

frac n. m. Habit d'homme à longues basques étroites.

fracas n. m. Bruit violent. *Par anal.* Tumulte. *Fig.* Succès bruyant.

fracassant, e adj. Qui fait grand bruit.

fracasser v. tr. Briser avec bruit.

fraction n. f. Action de briser. Portion, partie : *une fraction de l'assemblée. Arithm.* Nombre exprimant une ou plusieurs parties égales de l'unité : *fraction décimale.*

fractionnaire adj. *Arithm.* Qui a la forme d'une fraction. *Nombre fractionnaire,* composé d'un nombre entier et d'une fraction.

fractionnement n. m. Division.

fractionner v. tr. Diviser par fractions.

fracture n. f. Rupture d'un os, d'une serrure, etc.

fracturer v. tr. Briser, forcer.

fragile adj. Qui se brise facilement : *verre fragile. Fig.* Faible; sujet à faiblir : *nature fragile.*

fragilité n. f. Disposition à être brisé : *la fragilité du verre. Fig.* Instabilité. Facilité à succomber.

fragment n. m. Morceau d'un objet brisé, rompu. Ce qui reste de. Morceau d'un livre, d'un discours.

fragmentaire* adj. Divisé par fragments.

fragmentation n. f. Division.

fragmenter v. tr. Partager en fragments : *fragmenter un récit.*

frai n. m. Action de frayer. Temps où a lieu la ponte des poissons et batraciens. Ces œufs mêmes. Petits poissons pour peupler : *mettre du frai dans un étang.*

frai n. m. Diminution du poids d'une monnaie, par l'usage.

fraîchement adv. Au frais. *Fig.* Récemment : *fraîchement arrivé. Fam.* Sans cordialité : *recevoir fraîchement.*

fraîcheur n. f. Qualité de ce qui est frais, non terni, non altéré, etc. Brillant, éclat (des fleurs, du teint).

fraîchir v. intr. Devenir frais.

frais, fraîche adj. Légèrement froid : *brise fraîche.* Pas fatigué : *troupes fraîches.* N. m. Froid agréable : *prendre le frais.* Adv. *Boire frais.*

frais n. m. pl. Débours : *faire de grands frais.* Dépenses qu'occasionne un procès. *Faux frais,* petites dépenses imprévues. *Faire ses frais,* retirer d'une entreprise ce qu'elle a coûté. *Fig.* Déployer : *se mettre en frais de coquetterie. A peu de frais,* sans peine, sans grosse dépense.

fraisage n. m. Action de fraiser.

fraise n. f. Fruit du fraisier. Tache de la peau, imitant une fraise.

fraise n. f. Membrane des intestins du veau, de l'agneau, etc. Collet plissé. Chair rouge sous le bec du dindon.

fraise n. f. Outil en forme de cône strié, servant à fraiser.

fraiser v. tr. Plisser en fraise. Evaser l'orifice d'un trou.

fraiseur, euse n. Qui fraise. N. f. Machine à fraiser.

fraisier n. m. Plante rampante dont le fruit est la fraise.

framboise n. f. Fruit du framboisier.

framboisier n. m. Arbrisseau produisant la framboise.

franc n. m. Unité monétaire en France, en Belgique et en Suisse.

franc, franche* adj. Libre, exempt de charges : *ville franche, franc de port.* Loyal : *langage franc.* Net, précis. Pur, sans mélange. Complet : *assigner à huit jours francs.* Se dit d'un arbre fruitier, provenant de graine. Adv. Franchement.

français, e adj. et n. De France. N. m. La langue française.

franchir v. tr. Sauter. Traverser : *franchir les Alpes. Fig.* Surmonter.

franchise n. f. Exemption. *Fig.* Sincérité : *parler avec franchise.* Gratuité : *franchise postale.*

franchissement n. m. Action de franchir.

francisation n. f. Action de franciser.

franciscain, aine n. et adj. Religieux, religieuse de l'ordre de saint François d'Assise.

franciser v. tr. Donner le caractère français. Donner une terminaison ou une forme française à un mot étranger.

franc-maçon n. m. Membre d'une société de franc-maçonnerie. Pl. *francs-maçons.*

franc-maçonnerie n. f. Société secrète rationaliste.

franco adv. Sans frais : *expédition franco.*

franco, mot signifiant : *français,* qui entre en composition avec d'autres noms : *franco-anglais.*

francophile adj. et n. Ami de la France, des Français.

francophone adj. et n. Qui parle traditionnellement le français.

franc-parler n. m. Franchise de langage : *avoir son franc-parler.*

franc-tireur n. m. Soldat qui ne fait pas partie de l'armée régulière. Pl. *francs-tireurs.*

frange n. f. Tissu d'ornement d'où pendent des filets. *Fig.* Objet découpé comme une frange.

franger v. tr. (Se conj. comme *manger.*) Garnir de franges.

frangipane n. f. Pâte d'amandes. Pâtisserie garnie de cette pâte.

franquette (à la bonne) loc. adv. Franchement, sans façon.

frappe n. f. Action, façon de frapper.

frapper v. tr. Donner un ou des coups. Blesser. Donner une empreinte à : *frapper de la monnaie.* Atteindre par une décision juridique administrative : *frapper d'un impôt.* Tomber sur : *la lumière frappe les objets.* Faire impression : *frapper les yeux.* Refroidir : *frapper du champagne.* V. pr. *Fam.* S'émouvoir.

frappeur, euse adj. et n. Qui frappe.

frasque n. f. Extravagance.

fraternel, elle* adj. De frère : *amitié fraternelle.*

fraterniser v. intr. Faire acte de fraternité, de concorde.

fraternité n. f. Lien de parenté entre frères et sœurs. *Fig.* Lien entre les membres de la société.

fratricide adj. Relatif au meurtre d'un frère, d'une sœur. N. m. Ce meurtre. N. Qui commet ce crime.

fraude n. f. Tromperie, acte de mauvaise foi. Tromperie envers le fisc. *En fraude,* frauduleusement.

frauder v. tr. Frustrer par fraude : *frauder l'Etat.* V. intr. Commettre des fraudes : *frauder dans son examen.*

fraudeur, euse n. et adj. Qui fraude.

frauduleux, euse* adj. Qui commet une fraude. Entaché de fraude.

frayer v. tr. (Se conj. comme *balayer.*) Tracer : *frayer un sentier. Frayer la voie,* préparer la tâche. V. intr. Se reproduire (poissons). *Fig.* Avoir des relations suivies : *voisins qui ne frayent pas.*

frayeur n. f. Grande peur.

fredaine n. f. Folie de jeunesse.

fredon n. m. Roulade.

fredonnement n. m. Bourdonnement.

fredonner v. tr. et intr. Chanter à demi-voix : *fredonner une valse.*

frégate n. f. Ancien bâtiment à voiles. Oiseau palmipède des mers tropicales, à ailes immenses.

frein n. m. Appareil au moyen duquel on peut ralentir ou arrêter le mouvement d'une machine, d'une voiture, etc. Mors (vx). *Fig.* Ce qui retient : *le frein de la loi. Ronger son frein,* supporter impatiemment une contrainte.

freinage n. m. Action de freiner.

freiner v. intr. et tr. Serrer le frein.

frelatage n. m. Action de frelater.

frelater v. tr. Falsifier.

frêle adj. Fragile. *Fig.* Faible.

frelon n. m. Grosse guêpe.

freluquet n. m. Jeune homme frivole.

frémir v. intr. Trembler de crainte, de colère, d'horreur.

frémissement n. m. Emotion accompagnée de tremblement.

frêne n. m. Arbre à bois blanc et dur, résistant.

frénésie n. f. Délire furieux. *Fig.* Emportement : *jouer avec frénésie.*

frénétique* adj. et n. Impétueux.

fréquemment adv. Souvent.

fréquence n. f. Répétition fréquente : *la fréquence d'un acte.* Nombre de périodes complètes en une seconde.

fréquent, e adj. Qui arrive souvent.

fréquentation n. f. Action de fréquenter. Relations. Usage fréquent : *fréquentation des sacrements.*

fréquenter v. tr. Visiter souvent. V. intr. : *fréquenter chez quelqu'un.*

frère n. m. Né du même père et de la même mère, ou seulement de l'un des deux. *Fig.* Se dit de tous les hommes comme issus du même père. Nom que se donnent entre eux les religieux, les francs-maçons. *Frères jumeaux,* nés ensemble. *Frères de lait,* l'enfant de la nourrice et le nourrisson. *Faux frère,* traître.

fresque n. f. Art de peindre avec des couleurs détrempées dans de l'eau de chaux. Tableau ainsi peint.

fressure n. f. Le cœur, la rate, le foie et les poumons d'un animal.

fret n. m. Louage d'un bâtiment pour prendre la mer. Prix du louage. Cargaison : *un fret de retour.*

frètement n. m. Action de fréter.

fréter v. tr. (Se conj. comme *accélérer.*) Louer un bateau. Le charger.

fréteur n. m. Qui donne un navire à loyer à l'affréteur.

frétillement n. m. Mouvement de ce qui frétille.

frétiller v. intr. S'agiter par des mouvements vifs et courts.

fretin n. m. Menu poisson. *Fig.* Objet, personne sans valeur.

frettage n. m. Action de fretter.

frette n. f. Cercle de fer qui entoure un morceau de bois pour l'empêcher de se fendre. Cercle renforçant un canon.

fretter v. tr. Garnir d'une frette.

freudisme n. m. Méthode qui explique et traite les névroses par l'analyse des rêves, du subconscient.

friabilité n. f. Nature friable.

friable adj. Qui peut être réduit en poudre : *terre friable.*

friand, e adj. Qui aime les morceaux délicats. Gourmand de : *friand de miel.* Délicat en parlant des mets. N. m. Sorte de pâtisserie farcie.

friandise n. f. Goût pour les mets fins et délicats. Pl. Sucreries.

fricandeau n. m. Morceau de viande ou de poisson lardé.

fricassée n. f. Viande fricassée.

fricasser v. tr. Accommoder de la viande coupée par morceaux. *Fig.* Consumer, dissiper.

friche n. f. Terrain non cultivé.

fricot n. m. *Fam.* Ragoût.

fricoter v. intr. *Pop.* Se régaler. Se procurer des bénéfices illicites. V. tr. Accommoder en ragoût.

fricoteur, euse n. Qui se procure des bénéfices illicites. N. m. *Pop.* Soldat qui esquive ses obligations.

friction n. f. Frottement. *Par ext.* Frottement sec ou humide sur une partie du corps. *Fig.* Désaccord.

frictionner v. tr. Faire des frictions.

frigidité n. f. Froideur physique.

frigo n. m. *Fam.* Viande congelée. Armoire frigorifique.

frigorie n. f. Petite calorie.

frigorifier v. tr. (Se conj. comme *prier.*) Conserver par le froid.

frigorifique adj. Qui assure la conservation par le froid. N. m. Local à cet effet.

frileux, euse* adj. et n. Sensible au froid.

frimaire n. m. Mois du calendrier républicain (21 novembre au 20 décembre).

frimas n. m. Brouillard froid et épais. Pl. L'hiver.

frime n. f. *Pop.* Feinte, fausse apparence. Chose peu sérieuse.

frimousse n. f. *Fam.* Figure avenante.

fringale n. f. Faim subite.

fringant, e adj. Vif, alerte.

friper v. tr. Chiffonner, gâter.

friperie n. f. Vêtements, meubles usés. Commerce qu'on en fait. *Fig.* Collection de vieilleries.

fripier, ère n. et adj. Qui vend de vieux habits, etc.

fripon, onne n. et adj. Fourbe, escroc. Espiègle, éveillé.

friponnerie n. f. Action de fripon.

frire v. tr. (*Je fris, tu fris, il frit,* sans pl. *Je frirai, nous frirons. Je frirais, nous fririons.* Impér. *Fris* sans pl. *Frit, e.* Mais on emploie presque uniquement, en dehors du part. passé, la locution *faire frire.*) Faire cuire dans le beurre ou l'huile bouillants. V. intr. Cuire dans la poêle.
frisage n. m. Action de friser.
frise n. f. *Archit.* Partie de l'entablement entre l'architrave et la corniche. Surface plane en bande continue. *Théâtr.* Toile figurant le ciel.
friser v. tr. Crêper, mettre en boucles. Etre près d'atteindre : *friser la quarantaine.* Echapper de peu : *friser la mort.* V. intr. Se mettre en boucles : *ses cheveux frisent naturellement.*
frisette n. f. Petite boucle de cheveux frisés.
frison n. m. Boucle, frisure.
frisotter v. tr. Friser légèrement.
frisquet, ette adj. et adv. Qui approche du froid : *il fait frisquet.*
frisson n. m. Sensation de froid, avec tremblement. *Fig.* Saisissement de la peur ou d'émotion.
frissonnement n. m. Léger frisson.
frissonner v. intr. Avoir le frisson.
frisure n. f. Façon de friser; frisette.
frit, e adj. Cuit dans la friture.
friterie n. f. Lieu où l'on frit du poisson.
friture n. f. Action de frire. Corps gras servant à frire. Poisson frit : *friture de goujons.*
frivole* adj. Vain, léger, futile : *caractère frivole.* N. m. Frivolité.
frivolité n. f. Caractère de ce qui est frivole. Sorte de dentelle.
froc n. m. Vêtement de moine. *Jeter le froc aux orties,* quitter les ordres.
froid, e* adj. Qui ne garde pas ou ne communique pas la chaleur. Refroidi : *viandes froides. Fig.* Flegmatique. Sérieux, posé, réservé : *homme froid. A froid* loc. adv. Sans mettre au feu. *Fig.* Sans passion.
froid n. m. Absence de chaleur. Sensation que fait éprouver l'absence de chaleur. *Fig.* Indifférence. Gêne, contrainte.
froideur n. f. Etat de ce qui est froid (au pr. et au fig.).
froidure n. f. Froid. L'hiver.
froissement n. m. Action de froisser.
froisser v. tr. Meurtrir par une pression violente : *froisser un membre.* Chiffonner : *froisser du drap. Fig.* Offenser, choquer : *froisser les opinions de quelqu'un.* V. pr. Etre froissé.
frôlement n. m. Action de frôler.
frôler v. tr. Toucher légèrement.
fromage n. m. Produit de la fermentation du lait caillé.
fromager, ère n. et adj. Qui fait, vend des fromages.
fromagerie n. f. Endroit où l'on fait, vend les fromages.
froment n. m. Variété du blé.
fronce n. f. Pli.
froncement n. m. Action de froncer.
froncer v. tr. (Se conj. comme *amorcer.*) Resserrer (sourcils). Rider (front). Plisser : *froncer une robe.*
froncis n. m. Ensemble de fronces.
frondaison n. f. Epoque où paraissent les feuilles. Feuillage.
fronde n. f. Instrument fait d'un morceau de cuir et de deux bouts de corde, pour lancer des pierres.
fronder v. tr. Blâmer, critiquer : *fronder le pouvoir.*
frondeur, euse adj. et n. Qui aime à critiquer. N. m. Qui lance des pierres avec une fronde. Partisan de la Fronde.
front n. m. Partie supérieure du visage : *un front haut.* La tête : *courber le front.* Le devant : *le front d'un bataillon.* Partie supérieure et antérieure : *le front d'une montagne.* Ligne de bataille. *De front* loc. adv. Par-devant, sans ménagement : *heurter de front.*
frontal, e, aux adj. Du front.
frontalier, ère adj. et n. De frontière.
frontière n. f. Limite de deux Etats. Adj. Limitrophe : *place frontière.*
frontispice n. m. Face principale d'un monument : *le frontispice du Panthéon.* Titre d'un livre avec vignettes. Gravure en regard du titre.
fronton n. m. Ornement triangulaire d'architecture : *fronton d'un temple.*
frottée n. f. *Pop.* Coups nombreux.
frottement n. m. Action de deux corps qui se frottent : *le frottement engendre la chaleur. Fig.* Contact.
frotter v. tr. Passer, en appuyant, un corps sur un autre. Frictionner. *Fig.* et *fam.* Battre. V. intr. Produire un frottement. V. pr. S'attaquer.
frotteur n. m. Qui frotte les parquets.
frottis n. m. Couche légère de peinture.
frou-frou n. m. Bruit du froissement des feuilles, des étoffes. Pl. *frou-frous.*
fructidor n. m. Douzième mois de l'année républicaine (18 août-15 sept.).
fructification n. f. Formation du fruit.
fructifier v. intr. (Se conj. comme *prier.*) Produire des fruits. *Fig.* Produire un bénéfice : *cette somme a fructifié.*
fructueux, euse* adj. Profitable.
frugal, e*, aux adj. Sobre. Très simple : *vie frugale.*
frugalité n. f. Sobriété.
fruit n. m. Production végétale qui succède à la fleur. *Fruit sec,* mauvais élève; homme qui n'a pas réussi dans sa carrière. Pl. Productions : *les fruits de la terre.* Revenus d'un fonds. *Fig.* Résultat : *les fruits de la paresse.*
fruit n. m. Inclinaison donnée au côté extérieur d'un mur.
fruité, e adj. Qui a le goût du fruit : *huile fruitée.*
fruiterie n. f. Lieu où l'on conserve les fruits. Commerce du fruitier.
fruitier, ère adj. Qui porte des fruits. N. Qui vend des fruits, des légumes. Lieu où l'on conserve les fruits.
frusques n. f. pl. *Pop.* Vieux effets.
fruste adj. Usé : *médaille fruste. Fig. Style fruste,* non poli.
frustration n. f. Action de frustrer.
frustrer v. tr. Priver quelqu'un de ce qu'il attend : *frustrer d'un héritage.*
fuchsia [*fuk*] n. m. Plante ornementale à fleurs rouges pendantes.
fuchsine [*fuk*] n. f. Matière colorante rouge tirée de l'aniline.
fugace adj. Fugitif : *parfum fugace.*
fugacité n. f. Caractère fugace.

fugitif, ive* n. et adj. Qui fuit, est en fuite. Qui passe : *ombre fugitive.*
fugue n. f. *Mus.* Morceau où différentes parties répètent le même motif. *Fam.* Escapade : *faire une fugue.*
fuir v. intr. (*Je fuis, nous fuyons. Je fuyais, nous fuyions. Je fuis, nous fuîmes. Je fuirai, nous fuirons. Fuis, fuyons, fuyez. Que je fuie, que nous fuyions. Que je fuisse, que nous fuissions. Fuyant. Fui, fuie.*) S'éloigner rapidement pour échapper. S'éloigner, s'écouler. Laisser échapper : *ce tonneau fuit.* V. tr. Eviter : *fuir le danger.*
fuite n. f. Action de fuir. Echappement d'un liquide, d'un gaz. Fissure par laquelle il s'échappe : *déceler une fuite.*
fulgurant, e adj. Qui lance des éclairs, ou qui brille comme l'éclair : *des yeux fulgurants. Méd.* Intense (douleur).
fulguration n. f. Eclair.
fuligineux, euse adj. De la couleur de la suie.
fulminate n. m. Sel de l'acide fulminique.
fulminer v. intr. Faire explosion. *Fig.* Eclater en menaces : *fulminer contre quelqu'un.*
fumage n. m. Action de fumer des aliments. Action de fumer la terre.
fume-cigare, fume-cigarette n. m. invar. Petit tube qui sert à fumer cigare ou cigarette.
fumée n. f. Mélange de gaz, de vapeur d'eau, qui se dégage des corps en combustion. *Fig.* Choses vaines : *la fumée de la gloire.* Pl. *Fig.* Ivresse : *fumées du vin.*
fumer v. intr. Jeter de la fumée. Exhaler des vapeurs. *Fig. Pop.* Eprouver du dépit, de la colère. V. tr. Exposer à la fumée : *fumer des jambons.* Brûler du tabac, etc., en aspirant la fumée.
fumer v. tr. Amender, engraisser avec du fumier : *fumer une terre.*
fumerie n. f. Lieu où l'on fume de l'opium.
fumerolle n. f. Gaz volcanique.
fumet n. m. Odeur des viandes cuites, des vins, du gibier.
fumeur, euse n. Qui fume.
fumeux, euse adj. Qui répand de la fumée. *Fig.* Capiteux (vin). Peu clair : *idées fumeuses.*
fumier n. m. Litière des bestiaux, mêlée avec leur fiente. Engrais qu'on en tire. *Fig.* Objet méprisable.
fumigateur n. m. Appareil pour fumigations.
fumigation n. f. Application thérapeutique d'une fumée, d'une vapeur.
fumigène adj. Qui crée de la fumée.
fumiste n. et adj. m. Qui entretient les cheminées, les appareils de chauffage. *Pop.* Mystificateur.
fumisterie n. f. Profession du fumiste. *Pop.* Mystification.
fumivore adj. Qui absorbe la fumée.
fumoir n. m. Local où l'on fume.
fumure n. f. Fumage.
funambulesque adj. *Fig.* Bizarre.
funèbre adj. Relatif aux funérailles : *pompe funèbre. Fig.* Lugubre.
funérailles n. f. pl. Cérémonies d'un enterrement.
funéraire adj. Qui concerne les funérailles.
funeste adj. Malheureux, sinistre. Fatal.
funiculaire n. m. et adj. Qui fonctionne au moyen de câbles : *chemin de fer funiculaire.*
fur n. m., loc. : *au fur et à mesure,* successivement et proportionnellement.
furet n. m. Petit mammifère carnivore dressé pour la chasse au lapin. *Fig.* Personne curieuse. Jeu de société.
furetage n. m. Chasse au furet. *Fig.* Action de fureter.
fureter v. intr. (Se conj. comme *acheter.*) Chasser au furet. *Fig.* Fouiller.
fureteur, euse n. Qui chasse au furet. *Fig.* Qui cherche partout.
fureur n. f. Colère extrême. Passion démesurée : *fureur du jeu. Fig.* Violence : *la fureur des vents.*
furibond, e n. et adj. Furieux : *regards furibonds.*
furie n. f. Déchaînement de fureur : *entrer en furie. Fig.* Femme emportée. Ardeur, impétuosité.
furieux, euse* adj. et n. En fureur. *Fig.* Impétueux : *vent furieux.*
furoncle n. m. Tumeur du tissu cellulaire sous-cutané et qu'on appelle aussi *clou.*
furonculose n. f. Suite de furoncles.
furtif, ive* adj. Qui se fait à la dérobée : *regards furtifs.*
fusain n. m. Arbrisseau à bois dur. Charbon fin pour dessiner. Dessin fait avec ce charbon.
fuseau n. m. Petit instrument de bois pour filer, pour faire la dentelle, etc. *Géom.* Partie de la surface d'une sphère comprise entre deux demi-grands cercles de diamètre commun.
fusée n. f. Fil enroulé sur le fuseau. Pièce de feu d'artifice qui s'élève dans les airs. Dispositif servant à faire éclater les projectiles. Engin propulsé par réaction. Chacune des extrémités d'un essieu. *Mus.* Trait qui unit deux notes séparées.
fuselage n. m. Charpente d'avion.
fuselé, e adj. Taillé en fuseau.
fusement n. m. Action de fuser.
fuser v. intr. Brûler sans détoner (poudre).
fusibilité n. f. Qualité de ce qui est fusible : *fusibilité d'un métal.*
fusible adj. Qui peut être fondu.
fusiforme adj. En forme de fuseau.
fusil n. m. Arme à feu portative à tube métallique monté sur un fût en bois. *Fig.* Soldat armé du fusil. Briquet : *pierre à fusil. Fusil mitrailleur,* fusil qui peut tirer coup par coup ou par rafale comme une mitrailleuse.
fusilier n. m. Soldat armé d'un fusil.
fusillade n. f. Décharge de fusils.
fusiller v. tr. Tuer à coups de fusil. Passer par les armes.
fusion n. f. Passage d'un corps solide à l'état liquide par l'action du feu. *Fig.* Réunion : *la fusion des partis.*
fusionnement n. m. Fusion, union.
fusionner v. tr. Opérer une fusion. V. intr. S'unir par fusion.
fustigation n. f. Action de fustiger.
fustiger v. tr. (Se conj. comme *manger.*) Battre, fouetter. *Fig.* Châtier.
fût n. m. Portion de la tige d'un arbre, sans rameaux. Bois d'une arme à feu. Tonneau. *Archit.* Partie cylindrique de la colonne.

futaie n. f. Forêt dont on exploite les arbres très élevés.

futaille n. f. Tonneau.

futé, e adj. *Fam.* Fin, rusé.

futile* adj. Sans valeur. Frivole.

futilité n. f. Frivolité.

futur, e adj. Qui sera dans un temps à venir : *vie future.* N. Celui, celle qu'on doit épouser bientôt. N. m. Avenir. *Gramm.* Temps du verbe, qui indique qu'une chose sera ou se fera : *futur simple, futur antérieur.*

futurisme n. m. Ecole d'art et de littérature, vers 1910.

futuriste adj. et n. Adepte du futurisme.

fuyant, e adj. Qui fuit. Qui disparaît. *Par ext.* Qui paraît s'éloigner : *horizon fuyant.* Qui décline rapidement : *jour fuyant.* Qui s'incline en arrière : *front fuyant. Fig.* Qui se dérobe à : *regard fuyant.*

fuyard, e adj. et n. Qui s'enfuit.

G

g n. m. Septième lettre de l'alphabet et cinquième des consonnes : *le* G *est doux devant* E, I, Y ; *dur dans les autres cas.*

gabardine n. f. Lainage croisé. Manteau imperméable.

gabarit n. m. Modèle en grandeur naturelle. *Ch. de fer.* Arceau sous lequel on fait passer les wagons chargés, pour vérifier leurs dimensions.

gabegie n. f. Gestion frauduleuse ou désordonnée.

gabelle n. f. Ancien impôt sur le sel.

gabelou n. m. *Fam.* Employé d'octroi.

gabier n. m. Matelot du service des hunes.

gabion n. m. *Mil.* Panier de branchages qu'on remplit de terre.

gable n. m. *Archit.* Fronton triangulaire.

gâchage n. m. Action de gâcher.

gâche n. f. Pièce de fer fixée au chambranle d'une porte et où entre le pêne d'une serrure.

gâcher v. tr. Délayer du plâtre, du ciment. *Fig.* Faire sans soin. *Gâcher le métier,* travailler à trop bon marché.

gâchette n. f. Mécanisme faisant partir la détente d'une arme. Pièce de la serrure qui arrête le pêne.

gâcheur n. et adj. m. Qui gâche.

gâchis n. m. Mortier. Saleté causée par un liquide. *Fig.* Situation embrouillée : *gâchis politique.*

gadoue n. f. Engrais d'ordures.

gaffe n. f. *Mar.* Perche à croc, servant à accrocher, aborder, etc. *Fig.* et *fam.* Maladresse : *faire une gaffe.*

gaffer v. tr. Accrocher avec une gaffe. V. intr. *Fam.* Faire une gaffe.

gaffeur, euse n. Maladroit.

gag n. m. Au cinéma, effet comique indépendant de l'intrigue.

gage n. m. Ce qui garantit le paiement d'un emprunt, d'une dette : *mettre un objet en gage.* Témoignage, preuve : *gage d'amitié.* Pl. Salaire des domestiques.

gager v. tr. (Se conj. comme *manger.*) Garantir par un gage. Parier. Donner des gages à un domestique. Saisir en garantie d'une dette : *meubles gagés.*

gageure [*jur*] n.f. Pari : *tenir une gageure.* Chose gagnée.

gagne-pain n. m. invar. Métier, place : *perdre son gagne-pain.* Celui qui assure la vie à d'autres.

gagne-petit n. m. invar. Qui a un petit métier ou qui gagne peu.

gagner v. tr. Faire un gain. *Gagner sa vie,* gagner de quoi subsister. Remporter : *gagner une victoire.* Obtenir du hasard : *gagner le gros lot.* Mériter : *il l'a bien gagné.* Corrompre : *gagner un témoin.* Atteindre : *gagner la rive.* V. intr. S'améliorer : *le vin gagne en bouteille.* Réussir par hasard : *gagner à la loterie.* Croître en estime : *gagner à être connu.* S'étendre : *le feu gagne.* Etre acquis : *il nous est gagné.* V. pr. Se contracter : *la rougeole se gagne facilement.*

gai, gaie* adj. Qui a de la gaieté. Qui inspire la joie. Un peu ivre.

gaieté n. f. Joie, belle humeur. *De gaieté de cœur,* de propos délibéré.

gaillard n. m. Partie extrême du pont supérieur d'un navire.

gaillard, e* adj. Vif, plein d'entrain. Dispos : *frais et gaillard.* Légèrement pris de vin. Un peu libre : *propos gaillards.* N. Personne vigoureuse. Personne d'une conduite trop libre.

gaillardise n. f. Gaieté un peu vive.

gailleterie n. f. Charbon en gros morceaux.

gailletin n. m. Charbon de grosseur moyenne.

gain n. m. Profit : *l'appât du gain.* Avantage, succès : *le gain d'une bataille.*

gaine n. f. Toute espèce d'étui. Enveloppe qui protège un organe. Sorte de corset en tissu élastique.

gainier n. m. Qui fabrique des gaines.

gala n. m. Grande fête. Fête officielle. Repas d'apparat.

galalithe n. f. Caséine pure ou formolée qui fournit un produit plastique.

galamment adv. De manière galante.

galant, e adj. Empressé auprès des dames. De bonne compagnie. N. m. Amoureux.

galanterie n. f. Politesse. Empressement auprès des dames.

galantin n. m. Galant ridicule.

galantine n. f. Viande hachée que l'on cuit dans une volaille.

galaxie n. f. *Astron.* La Voie lactée.

galbe n. m. Contour, profil.

galber v. tr. Profiler.

gale n. f. Affection parasitaire de la peau. *Fam.* Personne méchante.

galéjade n. f. Plaisanterie.

galène n. f. Sulfure de plomb.

galère n. f. Ancien navire à voile et à la rame. Pl. Peine des criminels condamnés à ramer sur les galères.

galerie n. f. Pièce longue et couverte. Corridor. Balcon couvert. Riche collection de tableaux d'objets d'art, etc. Balcon d'un théâtre. Personnes qui en regardent d'autres qui jouent. Couloir souterrain : *galerie de mine.*

galérien n. m. Forçat.

galet n. m. Caillou poli par le frottement des eaux. Petite roulette aux pieds des meubles.

galetas n. m. Logement sous le toit.

galette n. f. Gâteau plat. Biscuit distribué aux marins. *Pop.* Argent.

galeux, euse n. et adj. Qui a la gale.

galiléen, enne adj. et n. De Galilée.

galimatias n. m. Discours embrouillé. Affaire peu claire.

galion n. m. Anc. navire de transport.

galle n. f. Excroissance sur certains végétaux à la suite de piqûres d'insectes. *Noix de galle,* galle du chêne.

gallican, e adj. Relatif à l'Eglise française : *les libertés gallicanes.*

gallicanisme n. m. Doctrine préconisant une certaine indépendance de l'Eglise française à l'égard du Saint-Siège.

gallicisme n. m. Façon de parler propre à la langue française. Forme française dans une autre langue.

gallinacé, e adj. Relatif à la poule, au paon, au dindon, etc. N. m. pl. Ordre d'oiseaux ayant pour types les coqs, les perdrix, etc.

gallois, e adj. et n. Du pays de Galles.

gallon n. m. Mesure anglaise (4,543 l).

gallophobe adj. et n. Hostile aux Français.

gallo-romain, e adj. et n. Qui appartient aux Gaulois et aux Romains.

galoche n. f. Chaussure à semelle de bois. *Menton en galoche,* pointu.

galon n. m. Ruban épais. *Milit.* Signe distinctif des grades.

galonner v. tr. Mettre un galon.

galop n. m. La plus rapide des allures du cheval : *prendre le galop.*

galopade n. f. Course au galop.

galoper v. intr. Aller le galop. *Par anal.* Marcher très vite.

galopin n. m. Gamin effronté.

galvanisation n. f. Action de galvaniser : *la galvanisation du fer.* Application thérapeutique des courants continus.

galvaniser v. tr. Electriser. Plonger le fer dans un bain d'oxyde de zinc pour le recouvrir d'une couche de zinc. *Fig.* Animer passagèrement : *galvaniser la résistance.*

galvanisme n. m. Théorie électrique de Galvani. Galvanisation médicale.

galvano n. m. Cliché d'imprimerie obtenu par galvanoplastie.

galvanomètre n. m. Instrument pour mesurer l'intensité des courants.

galvanoplastie n. f. Opération qui permet, au moyen d'un courant électrique, d'obtenir un dépôt de métal sur un objet.

galvauder v. tr. Gâter, gâcher. *Fig.* Déshonorer : *galvauder son nom.*

gambade n. f. Bond vif.

gambader v. intr. Faire des bonds.

gambiller v. intr. *Fam.* Agiter les jambes pendantes.

gamelle n. f. Ecuelle métallique des soldats, matelots, etc. *Par ext.* Cuisine du soldat.

gamin, e n. et adj. Enfant des rues. Enfant, en général.

gaminerie n. f. Action, parole de gamin : *dire des gamineries.*

gamma n. m. Troisième lettre de l'alphabet grec.

gamme n. f. *Mus.* Série de huit notes disposées dans l'ordre naturel, *do, ré, mi, fa, sol, la, si, do. Fig.* Classement gradué : *gamme de couleurs.*

gammé, e adj. Se dit d'une croix à branches recourbées.

ganache n. f. Rebord postérieur de la mâchoire inférieure du cheval. *Fig.* et *fam.* Personne incapable.

gandin n. m. Jeune élégant.

ganglion n. m. *Anat.* Entrelacement de vaisseaux ou de filets nerveux.

ganglionnaire adj. Des ganglions.

gangrène n. f. Destruction complète de la vie dans une partie du corps. Maladie des arbres. *Fig.* Corruption.

gangrener v. tr. (Se conj. comme *mener.*) Causer la gangrène.

gangster n. m. Malfaiteur.

gangue n. f. Partie terreuse enveloppant un minerai.

ganse n. f. Cordonnet de soie, d'or.

gant n. m. Pièce du vêtement qui couvre la main. *Fig. Prendre des gants,* ménager.

gantelet n. m. Gant qui faisait partie de l'armure. Morceau de cuir protégeant la main dans un travail.

ganter v. tr. Mettre des gants à. Avoir comme pointure en gants.

ganterie n. f. Magasin du gantier.

gantier, ère n. Qui vend des gants.

garage n. m. Action de garer des wagons, des navires. Remise, atelier de réparations pour bicyclettes, autos.

garagiste n. m. Qui tient un garage.

garance n. f. Plante dont les racines donnent une teinture rouge. Adj. invar.. et n. f. Cette couleur.

garant, e n. et adj. Qui répond de : *se porter garant d'un ami.* N. m. Garantie.

garantie n. f. Engagement par lequel on se porte garant : *vente avec garantie.* Gage, caution : *donner des garanties.*

garantir v. tr. Se porter garant de. Affirmer. Protéger : *garantir du froid.*

garce n. f. *Pop.* Femme ou fille désagréable.

garçon n. m. Enfant mâle. Célibataire : *rester garçon.* Serveur de café, de restaurant. Ouvrier, employé : *garçon boucher.*

garçonne n. f. Fille garçonnière.

garçonnet n. m. Jeune garçon.

garçonnière adj. f. Fille qui a des goûts de garçon. N. f. Appartement de garçon.

garde n. f. Surveillance : *faire bonne garde.* Troupe d'élite chargée de garder. Soldats qui occupent un poste, qui exerçent une surveillance. Faction : *monter la garde. Armur.* Rebord entre la poignée et la lame d'une arme blanche. Posture de combat : *tomber en garde.* Feuillet blanc ou de couleur au commencement et à la fin d'un livre. *Garde républicaine,* garde municipale de Paris. *Garde mobile,* gendarmerie veillant à la sécurité du territoire. *Fig. Prendre garde,* faire attention. *Etre sur ses gardes,* se méfier.

garde n. m. Surveillant, homme qui fait partie d'une garde. *Garde des sceaux,* ministre de la Justice. *Garde champêtre,* officier de police, préposé à la garde des propriétés rurales.

garde n. f. Infirmière.

garde-barrière n. Personne préposée à la surveillance d'un passage à niveau. Pl. des *gardes-barrière.*
garde-boue n. m. invar. Plaque recourbée recouvrant en partie les roues d'un véhicule pour garantir de la boue.
garde-chasse n. m. Qui veille à la conservation du gibier. Pl. des *gardes-chasse.*
garde-chiourme n. m. Surveillant de forçats. Pl. des *gardes-chiourme.*
garde-côte n. et adj. m. Bâtiment pour protéger les côtes. Pl. des *garde-côtes.*
garde-feu n. m. invar. Grille, plaque mise devant la cheminée.
garde-fou n. m. Balustrade ou barrière au bord des quais, des ponts, terrasses, etc. Pl. des *garde-fous.*
garde-frein n. m. Préposé à la manœuvre du frein d'un train. Pl. des *gardes-frein.*
garde-magasin n. m. Surveillant d'un magasin. Pl. des *gardes-magasin.*
garde-malade n. Qui garde les malades. Pl. des *gardes-malades.*
garde-manger n. m. invar. Petite armoire garnie de toile métallique, pour conserver les aliments.
garde-meuble n. m. Lieu où l'on garde les meubles. Pl. des *garde-meubles.*
gardénia n. m. Plante ornementale à belles fleurs.
garde-pêche n. m. Préposé à la police de la pêche. Pl. des *gardes-pêche.* N. m. invar. Bateau chargé de ce service.
garder v. tr. Conserver : *garder un dépôt.* Surveiller : *garder un enfant, garder les moutons.* Soigner : *garder un malade.* Protéger : *Dieu vous garde.* Ne pas révéler : *garder un secret.* Rester dans : *garder la chambre.* Respecter, observer : *garder le silence.* V. pr. Eviter : *gardez-vous de mentir.* Se préserver : *se garder du froid.*
garderie n. f. Petite école enfantine.
garde-robe n. f. Chambre pour renfermer les habits, le linge. Tous les vêtements d'une personne : *riche garde-robe.* Pl. des *garde-robes.*
gardeur, euse n. et adj. Qui garde.
garde-voie n. m. Surveillant d'une voie ferrée. Pl. des *gardes-voies.*
gardien, enne n. Qui garde : *gardien de prison. Gardien de la paix,* agent de police. Adj. Qui protège : *ange gardien.*
gardiennage n. m. Emploi de gardien. *Mar.* Mesures prises pour la conservation de certains objets.
gardon n. m. Petit poisson d'eau douce.
gare n. f. Lieu de départ et d'arrivée des trains : *gare de marchandises.* Lieu où se garent les bateaux.
gare! interj. pour avertir.
garenne n. f. Lieu où vivent les lapins sauvages. Endroit d'une rivière où la pêche est réservée. N. m. Lapin de garenne.
garer v. tr. Faire entrer dans une gare, un garage. Mettre dans un abri.
gargariser (se) v. pr. Se rincer la bouche et l'arrière-bouche avec un liquide en expirant l'air. *Fam.* Se délecter d'une chose.
gargarisme n. m. Liquide préparé pour se gargariser.
gargote n. f. Restaurant à bas prix.
gargotier, ère n. Qui tient une gargote. Mauvais cuisinier.
gargouille n. f. Pierre creusée au bord d'un toit, servant à faire retomber l'eau de pluie loin des murs.
gargouillement n. m. Bruit d'un liquide ou d'un gaz dans la gorge ou l'estomac.
gargouiller v. intr. Produire un gargouillement. Barboter dans l'eau.
gargouillis n. m. Gargouillement.
gargoulette n. f. Vase poreux pour rafraîchir l'eau.
gargousse n. f. Sac contenant la charge de poudre d'un canon.
garnement n. m. Vaurien.
garni, e adj. Meublé : *chambre garnie.* N. m. Maison, chambre qui se loue meublée : *habiter en garni.*
garnir v. tr. Fournir du nécessaire. Orner : *garnir un chapeau.* Remplir.
garnison n. f. Troupes établies dans une ville. Cette ville : *changer de garnison.*
garnissage n. m. Action de garnir.
garniture n. f. Ce qui garnit : *garniture de robe.* Assortiment : *garniture de boutons.* Caoutchouc, cuir, métal qui entoure une chose.
garrigue ou **garigue** n. f. Lande, terre inculte dans le Midi.
garrot n. m. Partie du corps du cheval au-dessus de l'épaule et terminant l'encolure. Bâtonnet passé dans une corde pour la serrer. Lien servant à la compression d'une artère.
garrotte n. f. Supplice par strangulation en Espagne : *condamner à la garrotte.*
garrotter v. tr. Lier fortement.
gars [*gâ*] n. m. *Fam.* Jeune homme.
gascon adj. et n. De la Gascogne. *Par ext.* Fanfaron, hâbleur.
gasconnade n. f. Fanfaronnade.
gasconner v. intr. Parler avec l'accent gascon. Dire des gasconnades.
gaspillage n. m. Action de gaspiller.
gaspiller v. tr. Dépenser, dissiper follement : *gaspiller sa fortune.*
gaspilleur, euse adj. et n. Qui gaspille.
gastralgie n. f. Névralgie d'estomac.
gastrique adj. Relatif à l'estomac.
gastrite n. f. Irritation d'estomac.
gastro-entérite n. f. Inflammation de l'estomac et des intestins.
gastronome n. m. Qui connaît l'art de faire bonne chère.
gastronomie n. f. Art de faire bonne chère, amour de la bonne chère.
gâté, e adj. Détérioré : *fruit gâté. Fig.* Favorisé par le sort. *Enfant gâté* : mal élevé. N. m. Partie gâtée.
gâteau n. m. Pâtisserie. Matière solide, qui affecte la forme d'un gâteau : *gâteau de miel.* Adj. *Fam.* Trop indulgent.
gâter v. tr. Endommager, détériorer. Putréfier. *Fig.* Faire tort, nuire à. *Gâter le métier,* travailler, vendre à trop bas prix. Traiter avec trop de douceur, de bonté : *gâter un enfant.*
gâterie n. f. Action de gâter. Indulgence excessive. Petits présents, friandises.
gâte-sauce n. m. invar. Mauvais cuisinier. Marmiton.
gâteux, euse adj. et n. *Fam.* Personne à l'intelligence affaiblie.
gâtisme n. m. Affaiblissement mental.
gauche adj. Dévié, oblique : *surface gauche.* Qui est situé du côté du cœur.

Qui correspond à ce côté pour le spectateur : *l'aile gauche d'un monument. Fig.* Embarrassé : *attitude gauche.* N. f. La main gauche, le côté gauche. Partie d'une assemblée, à gauche du président.
gauchement adv. Maladroitement.
gaucher, ère n. et adj. Qui se sert surtout de la main gauche.
gaucherie n. f. *Fam.* Maladresse.
gauchir v. intr. Se contourner, perdre sa forme : *planche gauchie.*
gauchissement n. m. Action de gauchir, déviation d'une surface plane.
gaudriole n. f. Propos gai, libre.
gaufrage n. m. Action de gaufrer.
gaufre n. f. Rayon de miel. Pâtisserie cuite entre deux fers quadrillés.
gaufrer v. tr. Imprimer à chaud des figures sur des étoffes, du cuir.
gaufrette n. f. Petite gaufre.
gaufrier n. m. Fer creux et quadrillé pour cuire des gaufres.
gaufrure n. f. Empreinte gaufrée.
gaulage n. m. Action de gauler.
gaule n. f. Longue perche. Canne à pêche. Houssine.
gauler v. tr. Faire tomber les fruits avec une gaule : *gauler un noyer, des noix.*
gaulois, e adj. De la Gaule. D'une gaieté un peu libre. N. Natif de la Gaule.
gauloiserie n. f. Plaisanterie un peu libre.
gauss n. m. Unité du système C.G.S., représentant le champ magnétique en un point où l'unité de masse magnétique est soumise à une force de 1 dyne.
gausser (se) v. pr. Se moquer.
gavage n. m. Action de gaver.
gave n. m. Torrent pyrénéen.
gaver v. tr. Bourrer de nourriture des volailles, etc. Gorger : *gaver un enfant. Fig. : gaver de leçons.*
gaz [*gaz'*] n. m. invar. Tout fluide aériforme. Un des trois états de la matière, caractérisé par la compressibilité et l'expansibilité.
gaze n. f. Etoffe transparente.
gazéifier v. tr. (Se conj. comme *prier.*) Faire passer à l'état gazeux. Faire dissoudre du gaz carbonique dans un liquide.
gazéiforme adj. A l'état de gaz.
gazelle n. f. Sorte d'antilope.
gazer v. tr. Couvrir d'une gaze. Soumettre à l'action d'un gaz. *Fig.* Voiler les détails trop crus. *Arg.* Aller vite.
gazette n. f. Journal. *Fig.* Bavard.
gazeux, euse adj. De la nature du gaz : *fluide gazeux. Eau gazeuse,* qui contient du gaz carbonique.
gazier n. m. Employé du gaz.
gazogène n. m. Appareil produisant un gaz combustible.
gazomètre n. m. Réservoir à gaz.
gazon n. m. Herbe courte et menue.
gazonner v. tr. Revêtir de gazon.
gazouillement n. m. Action de gazouiller. *Fig.* Léger murmure.
gazouiller v. intr. Faire entendre un murmure continu (oiseaux, bébés, etc.).
gazouillis n. m. Gazouillement.
geai n. m. Passereau au plumage bigarré et qui peut apprendre à parler.
géant, e n. et adj. Se dit d'une personne, d'un animal, d'un végétal, etc., qui excède la stature ordinaire.
géhenne n. f. Enfer, dans la Bible. Torture. *Fig.* Affliction.
geignard, e adj. *Fam.* Qui geint souvent.
geindre v. intr. (Se conj. comme *craindre.*) Gémir. *Fam.* Se plaindre souvent.
gel n. m. Gelée des eaux.
gélatine n. f. *Chim.* Substance à l'aspect de gelée, tirée des os des animaux.
gélatineux, euse adj. De la nature de la gélatine : *aspect gélatineux.*
gelée n. f. Abaissement de la température au-dessous de zéro. Suc de viande solidifié. Jus solidifié de fruits cuits avec du sucre. *Gelée blanche,* rosée congelée.
geler v. tr. (Se conj. comme *modeler.*) Transformer en glace. Causer du froid. *Fig.* Faire un accueil glacial. V. intr. Avoir extrêmement froid. Se congeler. V. impers. : *il gèle.*
gélif, ive adj. Se dit des pierres, des arbres qui se fendent par la gelée.
gelinotte n. f. Poule des bois, gallinacé sauvage. Poulette engraissée.
gelure n. f. Résultat de l'action des basses températures sur les tissus vivants.
géminé, e adj. Groupé deux par deux : *colonnes géminées.*
gémir v. intr. Exprimer sa peine par des sons plaintifs : *blessé qui gémit.* Souffrir : *gémir sous le joug.* Se dit aussi des choses : *le vent gémit.*
gémissement n. m. Lamentation.
gemme n. f. et adj. Pierre précieuse. *Sel gemme,* sel fossile.
gemmer v. intr. Bourgeonner. V. tr. Inciser des pins pour avoir la résine.
gencive n. f. Tissu qui entoure les dents à leur base.
gendarme n. m. Soldat faisant partie de la gendarmerie. *Fam.* Virago. Défaut d'une pierre précieuse. *Pop.* Hareng saur.
gendarmer (se) v. pr. S'emporter, protester contre : *se gendarmer contre le fisc.*
gendarmerie n. f. Force militaire qui maintient la sûreté publique. Bâtiment où sont logés des gendarmes.
gendre n. m. Epoux de la fille par rapport aux parents de celle-ci.
gène n. m. Facteur héréditaire existant dans le chromosome.
gêne n. f. Etat pénible : *éprouver de la gêne.* Manque d'argent : *vivre dans la gêne. Sans gêne,* sans s'occuper d'autrui.
gêné, e adj. Mal à l'aise. *Fig.* Embarrassé. Sans argent.
généalogie n. f. Suite d'ancêtres.
généalogique* adj. Relatif à la généalogie. *Arbre généalogique,* filiation d'une famille.
généalogiste n. m. Qui dresse les généalogies.
gêner v. tr. Mettre mal à l'aise en serrant. *Fig.* Entraver. *Etre gêné,* manquer d'argent. V. pr. S'imposer une gêne.
général, e*, aux adj. Universel : *consentement général.* Vague : *parler en termes généraux.* Se dit d'un administrateur dont l'autorité s'exerce sur plusieurs fonctionnaires : *inspecteur général.*
général n. m. Officier qui commande une brigade, une division, un corps d'armée, une armée. Supérieur de certains ordres religieux : *le général des jésuites.*

générale n. f. Femme du général. Batterie-sonnerie pour rassembler les troupes : *battre la générale.*
généralisateur, trice adj. Qui aime à généraliser.
généralisation n. f. Action de généraliser.
généraliser v. tr. Rendre général.
généralissime n. m. Général en chef.
généralité n. f. Qualité de ce qui est général. Le plus grand nombre : *la généralité des cas.* Division administrative de la France avant 1789. Pl. Discours sans rapport direct au sujet.
générateur, trice adj. Qui engendre. N. m. *Méc.* Chaudière à vapeur. N. f. *Electr.* Machine transformant une énergie quelconque en énergie électrique. *Géom.* Ligne qui engendre une surface.
génération n. f. Reproduction des êtres organisés. Ensemble des gens de même âge : *la jeune génération.*
généreux, euse* adj. Qui donne largement. D'un naturel noble. Courageux. *Fig.* Fertile. Fort, de bonne qualité.
générique adj. Du genre. N. m. Début d'un film, donnant le titre, les noms du producteur, du metteur en scène, des acteurs, etc.
générosité n. f. Qualité de celui qui est généreux. Pl. Dons, bienfaits.
genèse n. f. Création du monde. Origine : *la genèse d'une affaire.*
genêt n. m. Arbuste à fleurs blanches ou jaunes : *balai de genêt.*
gêneur, euse n. Importun, fâcheux.
genevois, e adj. et n. De Genève.
genévrier n. m. Arbuste à feuilles aromatiques.
génial, e, aux adj. Qui a du génie : *poète génial.* De génie : *idée géniale.*
génie n. m. Esprit, démon qui, selon les Anciens, présidait à la vie de chacun. Puissance créatrice : *homme de génie.* Talent, goût : *le génie des affaires.* Caractère distinctif : *le génie d'une langue.* Art de fortifier, d'attaquer et de défendre des places. Corps de troupe affecté à cet art : *officier du génie. Génie civil,* art des constructions.
genièvre n. m. Genévrier. Sa graine. Liqueur alcoolique qu'on en fait.
génisse n. f. Jeune vache.
génital, e, aux adj. Relatif à la reproduction sexuée des animaux.
génitif n. m. Un des cas des langues à déclinaison, marquant la possession.
génocide n. m. Extermination d'un groupe ethnique ou social.
génois, e adj. et n. De Gênes.
genou n. m. *Anat.* Union de la jambe à la cuisse. *Mécan.* Joint articulé.
genouillère n. f. Enveloppe pour garantir le genou.
genre n. m. Collection d'êtres qui ont entre eux des ressemblances importantes : *le genre humain.* Sorte, manière : *genre de vie.* Manière : *avoir mauvais genre.* En peinture, ce qui n'est ni portrait, ni paysage, ni marine, ni tableau d'histoire. *Hist. nat.* Catégorie d'êtres, composée d'espèces : *le loup est une espèce du genre chien. Gramm.* Forme que reçoivent les mots pour indiquer le sexe (*masculin, féminin, neutre*).
gens n. pl. Personnes : *les gens de bien.* Catégorie de personnes : *gens d'église. Gens de robe,* magistrats, avocats. *Gens de lettres,* écrivains. Domestiques. *Gens de maison,* même sens. *Droit des gens,* droit international. *Gramm.* Avec un adj., celui-ci se met au f. s'il précède immédiatement *gens,* au m. s'il le suit.
gent n. f. Nation, race : *la gent canine.*
gentiane n. f. Plante des pays tempérés, apéritive et tonique.
gentil [*ti*] n. m. Pour les Hébreux, étranger. Pour les chrétiens, païen.
gentil [*ti*], **ille** adj. Joli, gracieux.
gentilhomme [*tiyom*] n. m. Homme noble. Pl. des *gentilshommes.*
gentilhommière n. f. Maison de petit gentilhomme, à la campagne.
gentilité n. f. Ensemble des païens.
gentillesse n. f. Caractère gentil. Parole gracieuse. Saillie spirituelle.
gentillet, ette adj. Assez gentil.
gentiment adv. Avec gentillesse.
gentleman [*man'*] n. m. Homme de bonne compagnie. Pl. des *gentlemen.*
génuflexion n. f. Action de fléchir le genou. *Fig.* Obséquiosité.
géodésie n. f. Science qui a pour but la mesure de la Terre.
géographe n. m. Qui s'occupe de géographie.
géographie n. f. Description de la répartition à la surface du globe des phénomènes physiques, biologiques et humains. Ouvrage qui traite d'un sujet géographique.
géographique* adj. Relatif à la géographie : *revue géographique.*
geôle [*jôl'*] n. f. Prison.
geôlier, ère n. Gardien d'une prison.
géologie n. f. Science qui étudie les matériaux composant le globe.
géologique* adj. De la géologie.
géologue n. m. Celui qui s'occupe de géologie.
géomètre n. m. Celui qui s'occupe de géométrie.
géométrie n. f. Science qui a pour objet l'étendue considérée sous ses trois aspects : la *ligne,* la *surface* et le *volume.* Traité de géométrie.
géométrique* adj. De la géométrie. Régulier : *plan géométrique.*
géorgien, enne adj. et n. De la Géorgie.
géotropisme n. m. Propriété que possèdent certains organes végétaux (racines, tiges, etc.) de prendre une direction verticale.
gérance n. f. Fonction de gérant.
géranium n. m. Plante à fleurs rouges.
gérant, e n. Personne qui gère : *le gérant d'une entreprise.*
gerbe n. f. Botte de blé, etc., coupé et lié. *Fig.* Ensemble de choses en faisceau : *gerbe de fleurs.*
gerber v. tr. Mettre en gerbes. *Techn.* Entasser des tonneaux. V. intr. Imiter la forme d'une gerbe.
gerboise n. f. Genre de mammifères rongeurs et sauteurs, habitant l'Afrique.
gercement n. m. Action de gercer.
gercer v. tr. (Se conj. comme *amorcer.*) Faire de petites crevasses. V. intr. : *la peau gerce à l'air sec.*
gerçure n. f. Petite fente de la peau.

gérer v. tr. (Se conj. comme *accélérer.*) Administrer, régir pour autrui : *gérer une propriété, un magasin.*
germain, e adj. Se dit des cousins issus de frères. Adj. et n. De Germanie.
germanique adj. Relatif à la Germanie.
germanisation n. f. Action de germaniser.
germaniser v. tr. Rendre allemand.
germe n. m. Principe des êtres organisés. Partie de la semence qui forme la plante. Pointe qui sort d'une graine. *Fig.* Principe, source : *le germe d'une invention, de la fièvre typhoïde.*
germer v. intr. Se dit des semences qui commencent à pousser. *Fig.* Se montrer, apparaître : *une idée qui germe.*
germinal n. m. Mois du calendrier républicain (21 mars-19 avril).
germinatif, ive adj. Relatif à la germination : *pouvoir germinatif.*
germination n. f. Action de germer.
gérondif n. m. Participe présent précédé de « en » : *en mangeant.*
gésier n. m. Troisième estomac des oiseaux.
gésir v. intr. (Usité dans : *Il gît, nous gisons, vous gisez, ils gisent. Je gisais, tu gisais, il gisait, nous gisions, vous gisiez, ils gisaient. Gisant.*) Etre couché : *il gisait sur le sol.* Se trouver. *Ci-gît,* ici repose (formule d'épitaphe).
gesse n. f. Genre de légumineuses.
gestation n. f. Grossesse (animaux).
geste n. m. Mouvement du corps, de la main, des bras.
geste n. f. Haut fait, action d'éclat. *Faits et gestes,* conduite. *Chanson de geste,* poème épique du Moyen Age.
gesticulation n. f. Gestes nombreux.
gesticuler v. intr. Faire beaucoup de gestes.
gestion n. f. Action de gérer, administration : *gestion habile.*
gestionnaire adj. Relatif à une gestion. N. m. Gérant. Officier chargé de l'administration.
geyser [*jézèr*] n. m. Source jaillissante d'eau chaude.
ghetto n. m. Quartier juif d'une ville.
gibbon n. m. Singe à bras très longs.
gibbosité n. f. Bosse.
gibecière n. f. Sac de peau, pour chasseurs, bergers, écoliers.
gibelotte n. f. Fricassée de lapin, etc., au vin blanc.
giberne n. f. Poche à cartouches.
gibet n. m. Potence.
gibier n. m. Nom générique des animaux que l'on chasse : *gibier d'eau.*
giboulée n. f. Pluie soudaine accompagnée de grêle.
giboyeux, euse adj. Abondant en gibier : *plaine giboyeuse.*
gibus n. et adj. m. Chapeau haut de forme à ressorts.
giclement n. m. Action de gicler.
gicler v. intr. Jaillir en éclaboussant : *le sang giclait de sa blessure.*
gicleur n. m. Vaporisateur d'un carburateur d'auto.
gifle n. f. Coup avec la main ouverte, sur la joue.
gifler v. tr. Donner une gifle.
gigantesque adj. De géant.
gigantisme n. m. Développement excessif de la taille humaine.
gigogne adj. *Table gigogne,* meuble formé de plusieurs petites tables qui s'emboîtent les unes dans les autres.
gigot n. m. Cuisse de mouton, d'agneau ou de chevreuil. Partie bouffante d'une manche de robe.
gigoter v. intr. Remuer les jambes.
gigue n. f. Cuisse de chevreuil. *Pop.* Jambe. *Mus.* Danse vive, d'origine anglaise. Air sur lequel on l'exécute.
gilet n. m. Vêtement court et sans manches. Camisole de laine, de coton, etc., qui se porte sur la peau.
giletier, ère n. et adj. Qui confectionne des gilets.
gille n. m. Personnage des théâtres de la foire. *Fig.* Naïf, niais.
gin [*djin'*] n. m. (mot angl.). Eau-de-vie de grain anglaise.
gingembre n. m. Plante aromatique.
gingivite n. f. Inflammation des gencives.
girafe n. f. Mammifère ruminant d'Afrique, à très long cou.
girandole n. f. Chandelier à plusieurs branches.
giration n. f. Mouvement giratoire.
giratoire adj. Tournant.
girofle n. m. *Clou de girofle,* bouton desséché du giroflier.
giroflée n. f. Genre de crucifères. Sa fleur.
giroflier n. m. Plante malaise, qui donne le clou de girofle.
girolle n. f. Champignon comestible du genre chanterelle.
giron n. m. Partie qui s'étend de la ceinture aux genoux, quand on est assis. *Fig.* Le sein, le milieu.
girouette n. f. Plaque légère, mobile autour d'un axe vertical, pour indiquer la direction du vent. *Fig.* Personne qui change souvent d'opinion.
gisement n. m. Couche minérale dans le sein de la terre.
gît V. GÉSIR.
gitan, e n. Bohémien, bohémienne.
gîte n. m. Lieu où l'on demeure, où l'on couche ordinairement : *rentrer à son gîte.* Lieu où le lièvre se retire. *Gîte à la noix,* morceau de la cuisse du bœuf. N. f. Inclinaison transversale d'un navire : *donner de la gîte.*
gîter v. intr. Demeurer, coucher. *Mar.* Donner de la bande : *voilier qui gîte.*
givrage n. m. Dépôt de givre sur un avion en vol.
givre n. m. Couche de glace sur les arbres, etc.
givré, e adj. Couvert de givre.
glabre adj. Sans poils, sans barbe.
glaçage n. m. Action de glacer.
glace n. f. Eau congelée. Crème sucrée, aromatisée et congelée : *glace au café.* Lame de verre poli, dont on fait des miroirs. *Fig.* Froideur, contrainte : *rompre la glace.*
glacé, e adj. Durci par le froid : *terre glacée.* Très froid : *mains glacées.* Lustré. *Fig.* Froid : *visage glacé.*
glacer v. tr. (Se conj. comme *amorcer.*) Solidifier un liquide par le froid. Abaisser beaucoup la température de. Causer une impression de froid : *le vent m'a glacé. Fig.* Rendre indifférent, insensible, intimider : *son aspect me glace.* Couvrir d'une croûte de sucre : *glacer des marrons.* Lustrer : *glacer une étoffe.*

glaciaire adj. Des glaciers.
glacial, e, als adj. Très froid.
glacier n. m. Amas de glace sur les montagnes et dans les régions de basse latitude. Marchand de glaces.
glacière n. f. Lieu, appareil où l'on conserve de la glace. Appareil à produire la glace, à fabriquer des glaces, à conserver les aliments par le froid. *Fig.* Lieu très froid.
glacis n. m. Talus d'une faible pente. *Peint.* Couleur claire et transparente, appliquée sur une autre.
glaçon n. m. Morceau de glace. *Fig.* et *fam.* Personne très froide.
gladiateur n. m. Celui qui combattait dans les jeux du cirque.
glaïeul n. m. *Bot.* Plante à feuilles longues et pointues.
glaire n. f. Matière blanchâtre sécrétée par les muqueuses. Blanc de l'œuf cru.
glaireux, euse adj. De la nature de la glaire.
glaise n. f. Terre argileuse dont on fait les tuiles et la poterie.
glaiser v. tr. Enduire de terre glaise. Amender avec de la glaise.
glaiseux, euse adj. De la nature de la glaise : *sol glaiseux.*
glaive n. m. Epée tranchante.
glanage n. m. Action de glaner.
gland n. m. Fruit du chêne. Passementerie en forme de gland.
glande n. f. Organe dont la fonction est de produire une sécrétion. Ganglion lymphatique enflammé et tuméfié.
glandée n. f. Récolte de glands.
glandulaire ou **glanduleux, euse adj.** Qui a l'aspect d'une glande.
glane n. f. Poignée d'épis glanés.
glaner v. tr. Ramasser les épis qui traînent sur le sol après la moisson.
glaneur, euse n. Qui glane.
glanure n. f. Ce que l'on glane.
glapir v. intr. Crier (renards, petits chiens). *Fig.* Crier d'une voix aigre.
glapissement n. m. Cri des renards et des petits chiens.
glas n. m. Son d'une cloche qui annonce l'agonie, la mort d'une personne.
glauque adj. Vert tirant sur le bleu.
glèbe n. f. (Vx.) Terre.
glissade n. f. Action de glisser.
glissant, e adj. Sur quoi l'on glisse facilement : *sol glissant.*
glissé n. m. Un pas de danse.
glissement n. m. Action de glisser. Mouvement de ce qui glisse.
glisser v. intr. Se déplacer en coulant sur une surface lisse : *l'échelle a glissé.* Avancer doucement : *glisser sur l'eau. Fig.* Effleurer, passer : *glisser sur les détails.* Echapper : *glisser des mains.* V. tr. Couler, introduire : *glisser une lettre à la poste.* V. pr. S'introduire.
glissière n. f. Rainure de glissement.
glissoire n. f. Sentier de glace sur lequel les enfants glissent.
global, e*, aux adj. En bloc : *prix global.*
globe n. m. Corps sphérique : *globe de l'œil. Le globe terrestre,* la Terre.
globe-trotter [*tro-tèr*] n. m. Qui voyage par le monde. Pl. des *globe-trotters.*
globulaire adj. En forme de globe.
globule n. m. Très petit corps sphérique. *Physiol.* Cellule spécialisée : *globules du sang. Pharm.* Très petite pilule.
globuleux, euse adj. Composé de globules. En forme de globule.
gloire n. f. Renommée éclatante : *chercher la gloire.* Hommage : *gloire au vainqueur.* Eclat, splendeur. *Peint.* Auréole.
gloria n. m. Café mêlé d'eau-de-vie.
gloriette n. f. Pavillon de verdure.
glorieux, euse* adj. Qui s'est acquis de la gloire. Qui procure de la gloire.
glorification n. f. Action de glorifier.
glorifier v. tr. (Se conj. comme *prier.*) Honorer, rendre gloire. Louer : *glorifier Dieu.* V. pr. Se faire gloire.
gloriole n. f. Vanité.
glose n. f. Explication d'un texte obscur. *Fam.* Critique maligne.
gloser v. intr. Faire des commentaires critiques : *gloser sur les lois.* **V. tr.** Critiquer : *gloser un auteur.*
glossaire n. m. Dictionnaire de mots vieillis ou peu connus.
glossateur n. m. Auteur d'une glose.
glotte n. f. Orifice du larynx.
glouglou n. m. Bruit d'un liquide s'échappant d'une bouteille. Cri du dindon.
glouglouter v. intr. Crier (dindon).
gloussement n. m. Cri de la poule qui glousse.
glousser v. intr. Se dit de la poule qui appelle ses petits.
glouton, onne* adj. et n. Qui mange avec avidité. N. m. Mammifère carnivore des pays froids.
gloutonnerie n. f. Vice du glouton.
glu n. f. Matière visqueuse et tenace, qui sert à prendre les oiseaux. *Fig.* Ce qui retient captif.
gluant, e adj. Qui colle comme la glu : *liquide gluant. Fig.* Tenace.
gluau n. m. Branchette engluée pour prendre les oiseaux.
glucide n. m. Nom générique des hydrates de carbone.
glucose n. m. ou f. Sucre de raisin.
gluer v. tr. Enduire de glu. Poisser.
gluten [*tèn*] n. m. Matière visqueuse azotée de la farine des céréales.
glycérine n. f. Liquide incolore, sirupeux, extrait des corps gras.
glycine n. f. Plante ornementale grimpante.
glycogène n. m. Corps sucré produit par le foie.
glyptique n. f. Art de graver les pierres fines.
gnangnan n. et adj. invar. *Fam.* Mou, lent, geignard.
gneiss [*ghnèss*] n. m. Roche de feldspath, mica et quartz.
gnocchi [*nyo-ki*] n. m. pl. Pâtes faites de farine, œufs, fromage, gratinées au four.
gnome [*ghnôm'*] n. m. Nain fabuleux qui habite le sein de la terre.
gnomique [*ghno*] adj. Sentencieux.
gnomon [*ghno*] n. m. Cadran solaire.
gnosticisme [*ghnos*] n. m. Système de philosophie religieuse dont les adeptes prétendent avoir une connaissance complète de la nature de Dieu.
gnostique [*ghnos*] n. m. Partisan du gnosticisme.
go (tout de) loc. adv. *Fam.* Sans difficulté ; sans préparation, sans façon.

goal [*gôl*] n. m. But. Gardien de but.
gobelet n. m. Vase à boire rond, sans pied. Petit vase de fer-blanc pour faire des tours d'escamotage.
gobeleterie n. f. Fabrication de gobelets.
gobe-mouches n. m. invar. Passereau se nourrissant d'insectes volants. *Fig.* Niais qui croit tout sans examen.
gober v. tr. Avaler sans mâcher. *Fig.* Croire sottement. V. pr. *Fam.* Etre fat.
goberger (se) v. pr. (Se conj. comme *manger.*) Faire bombance.
gobeur, euse n. Qui gobe. Crédule.
godailler v. intr. *Fam.* Faire des débauches de table.
godailleur, euse n. *Fam.* Qui godaille.
godelureau n. m. Jeune homme qui fait le galant. (Vx.)
goder v. intr. Faire des faux plis.
godet n. m. Petit vase à boire pour oiseaux en cage. Auget d'une roue hydraulique. Petit vase pour délayer les couleurs. Faux pli d'une étoffe, d'un papier qui gode. Pli artificiel : *jupe à godets.*
godiche n. et adj. Benêt, maladroit.
godille n. f. Aviron placé à l'arrière d'un canot : *avancer à la godille.*
godiller v. intr. Faire avancer une embarcation à la godille.
godillot n. m. *Fam.* Grosse chaussure.
godron n. m. Ornement renflé en forme d'olive. Pli rond, tuyau.
godronner v. tr. Faire des godrons.
goéland n. m. Grosse mouette.
goélette n. f. Petit bâtiment rapide à deux mâts.
goémon n. m. Varech.
gogo n. m. Facile à duper, crédule.
gogo (à) loc. adv. *Fam.* A souhait. Abondamment : *avoir tout à gogo.*
goguenard, e adj. et n. Moqueur.
goguenarder v. intr. Railler.
goguenardise n. f. Raillerie, moquerie.
goguette n. f. *Fam.* Propos joyeux. *Etre en goguette,* être gai pour avoir bu.
goinfre n. m. Qui mange avidement.
goinfrer v. intr. Manger en goinfre.
goinfrerie n. f. Défaut du goinfre.
goitre n. m. Tumeur de la gorge, hypertrophie du corps thyroïde.
goitreux, euse adj. De la nature du goitre. N. Qui a un goitre.
golf n. m. Sport qui consiste à placer une balle dans une série de trous répartis sur un vaste terrain.
golfe n. m. Partie de mer qui s'enfonce dans les terres.
gommage n. m. Action de gommer.
gomme n. f. Substance mucilagineuse végétale : *gomme arabique. Gomme élastique,* caoutchouc. *Gomme à effacer,* petit bloc de caoutchouc servant à effacer le crayon, l'encre.
gomme-gutte n. f. Gomme-résine de couleur jaune. Pl. des *gommes-guttes.*
gommer v. tr. Enduire de gomme. Effacer avec une gomme.
gommier n. m. Plante produisant une gomme.
gond n. m. Pièce sur laquelle pivote un vantail de porte ou de fenêtre. *Fam. Sortir de ses gonds,* s'emporter.
gondolage n. m. Gonflement, bombement, gauchissement.
gondole n. f. Long bateau plat, à rames, en usage à Venise.
gondoler v. intr. Se gonfler, se déjeter, se bomber : *bois gondolé.* V. pr. *Pop.* Se tordre de rire.
gondolier n. m. Qui conduit une gondole.
gonflé, e adj. Rempli : *gonflé d'air.* Accablé : *cœur gonflé de chagrin.*
gonflement n. m. Action de gonfler. Etat de ce qui est gonflé.
gonfler v. tr. Distendre, faire enfler : *gonfler un ballon.* Grossir : *la pluie gonfle les torrents. Fig.* Remplir : *gonfler d'orgueil.* V. intr. Devenir enflé : *le bois gonfle à l'eau.* V. pr. Devenir enflé. *Fig.* S'enorgueillir.
gonfleur n. m. Appareil pour gonfler.
gong [*gong'*] n. m. Disque de métal que l'on fait résonner en le frappant.
goniomètre n. m. Instrument pour mesurer les angles sur le terrain.
goniométrie n. f. Mesure des angles.
goret n. m. Jeune cochon. *Fam.* Petit garçon malpropre.
gorge n. f. Partie antérieure du cou : *couper la gorge à.* Gosier : *crier à pleine gorge.* Poitrine d'une femme. Cannelure d'une poulie. Vallée étroite et profonde. *Fortif.* Espace entre les extrémités d'un bastion. *Techn.* Moulure concave. *Faire des gorges chaudes,* se moquer. *Rendre gorge,* vomir, et, au *fig.*, restituer.
gorge-de-pigeon n. m. et adj. invar. Couleur à reflets changeants.
gorgée n. f. Ce qu'on peut boire en une seule fois : *gorgée de vin.*
gorger v. tr. (Se conj. comme *manger.*) Gaver : *gorger une oie. Fig.* Combler : *gorger de biens.*
gorgonzola n. m. Fromage italien.
gorille n. m. Grand singe anthropoïde de l'Afrique équatoriale.
gosier n. m. Partie inférieure du cou par où les aliments passent. Canal qui réunit le pharynx au larynx.
gosse n. *Pop.* Jeune garçon, jeune fille.
gothique adj. Relatif aux Goths. Se dit d'un genre d'architecture appelé aussi *ogival.* N. m. Architecture gothique. *Impr.* N. f. Ecriture employée à partir du XIIe s.
gouache n. f. Peinture à l'eau gommée : *portrait à la gouache.* Cette peinture.
gouailler v. tr. et intr. *Fam.* Railler.
gouaillerie n. f. *Fam.* Raillerie.
gouailleur, euse adj. et n. *Fam.* Qui gouaille : *ton gouailleur.*
goudron n. m. Résidu de la distillation du bois, de la houille.
goudronnage n. m. Action de goudronner. Son résultat.
goudronner v. tr. Enduire de goudron.
gouffre n. m. Abîme, trou très profond. Tourbillon d'eau. *Fig.* Ce qui engloutit comme un gouffre : *ce procès est un véritable gouffre.*
gouge n. f. Ciseau de menuisier, de sculpteur, etc., à lame creuse.
goujat n. m. Homme grossier.
goujaterie n. f. Grossièreté.
goujon n. m. Cheville de fer.
goujon n. m. Petit poisson de rivière.
goule n. f. Vampire fabuleux qui suce le sang des vivants et dévore les cadavres.
goulée n. f. *Fam.* Grosse gorgée.

goulet n. m. Entrée étroite d'un port, d'une rade : *le goulet de Brest.*
goulot n. m. Col d'un vase à entrée étroite : *goulot de carafe.*
goulu, e n. et adj. Qui mange avec avidité. Glouton, goinfre.
goulûment adv. De façon goulue.
goum n. m. Famille, tribu chez les Arabes. En Afrique du Nord, formation militaire auxiliaire fournie par une tribu.
goumier n. m. Cavalier arabe.
goupil n. m. Renard. (Vx.)
goupille n. f. Cheville de métal.
goupiller v. tr. Fixer avec des goupilles. *Fam.* Arranger.
goupillon n. m. Tige surmontée d'une boule creuse à petits trous, pour faire des aspersions d'eau bénite. Brosse à manche pour nettoyer les bouteilles.
gourbi n. m. Cabane, en Afrique du Nord.
gourd, e adj. Engourdi par le froid.
gourde n. f. Courge séchée et vidée où l'on met un liquide. Flacon de même destination. N. et adj. *Pop.* Niais, sot.
gourdin n. m. Gros bâton court.
gourer v. tr. Falsifier. V. pr. *Fig.* et *pop.* Se tromper.
gourmand, e n. et adj. Qui aime avec excès les mets fins. *Bot. Branche gourmande,* ou n. m. *gourmand,* rameau inutile.
gourmander v. tr. Réprimander vivement : *gourmander un enfant.*
gourmandise n. f. Vice du gourmand. Friandise : *aimer les gourmandises.*
gourme n. f. *Vétér.* Ecoulement nasal. *Méd.* Eruption squameuse particulière aux enfants. *Fig. Jeter sa gourme,* faire des folies de jeunesse.
gourmé, e adj. Qui affecte un maintien grave : *un air gourmé.*
gourmer v. tr. Battre à coups de poing. *Fig.* Reprendre vivement. V. pr. Se battre. Prendre un maintien grave.
gourmet n. m. Qui se connaît en vins, en bonne chère.
gourmette n. f. Chaînette du mors d'un cheval. Chaîne de montre, bracelet aux mailles disposées comme celles de la gourmette du cheval.
gousse n. f. Enveloppe des graines d'une plante légumineuse : *gousse de pois.* Partie d'une tête d'ail ou d'échalote.
gousset n. m. Petite poche du gilet où l'on mettait l'argent.
goût n. m. Sens par lequel on discerne les saveurs : *la langue et le palais sont le siège du goût.* Saveur : *goût exquis.* Désir de manger quelque chose : *n'avoir goût à rien. Fig.* Sentiment du beau. Prédilection : *goût pour la peinture.* Grâce, élégance : *mis avec goût.* Manière de voir, de faire d'une époque : *le goût du XVIIIe siècle.*
goûter v. tr. Discerner par le goût : *goûter les mets. Fig.* Approuver : *goûter un projet.* Aimer : *goûter la musique.* Eprouver, jouir de : *goûter le repos.* V. intr. Manger en petite quantité. *Absol.* Manger le goûter.
goûter n. m. Collation dans l'après-midi : *un goûter copieux.*
goutte n. f. Petite partie sphérique d'un liquide : *gouttes de pluie.* Très petite quantité. *Fam.* Petit verre de liqueur : *boire la goutte. Archit.* Petit ornement conique. Adv. *Ne... goutte.* Pas du tout.
goutte n. f. Affection caractérisée par des troubles articulaires.
gouttelette n. f. Petite goutte.
goutter v. intr. Laisser tomber des gouttes : *toit qui goutte.*
goutteux, euse n. et adj. Atteint de la goutte. Relatif à la goutte.
gouttière n. f. Petit canal qui reçoit les eaux du toit. *Chir.* Appareil pour soutenir un membre malade.
gouvernable adj. Qui peut être gouverné facilement.
gouvernail n. m. Appareil à l'arrière d'un navire, d'un avion, d'un ballon et qui sert à le gouverner.
gouvernant, e adj. Qui gouverne. N. f. Femme d'un gouverneur. Femme chargée de l'éducation d'un enfant. Femme qui a soin du ménage d'un homme seul. N. m. pl. Ceux qui gouvernent un Etat : *changer de gouvernants.*
gouverne n. f. Règle de conduite.
gouvernement n. m. Action de gouverner. Constitution politique : *gouvernement républicain.* Ceux qui gouvernent un Etat. Fonction de gouverneur.
gouvernemental, e, aux adj. Du gouvernement.
gouverner v. tr. Diriger, conduire. Administrer. Elever, instruire un enfant. *Gramm.* Régir. V. intr. Obéir au gouvernail : *ce bateau ne gouverne plus.*
gouverneur n. m. Qui gouverne une colonie, une province, une place. Qui est chargé de l'éducation d'un jeune homme de distinction.
grabat n. m. Mauvais lit.
grabuge n. m. *Fam.* Bruit, querelle.
grâce n. f. Faveur : *accorder une grâce. Faire grâce,* pardonner. Remise d'une peine : *droit de grâce.* Remerciement : *je vous rends grâces.* Aide que Dieu accorde en vue du salut. Agrément, attrait : *danser avec grâce. Actions de grâces,* remerciements. *De bonne grâce,* sans répugnance. *Coup de grâce,* qui achève de tuer et, au *fig.,* de ruiner. *Grâce!* cri par lequel on demande d'être épargné. *De grâce,* formule de supplication. Pl. Prière après les repas : *dire les grâces.* Divinités mythologiques.
gracier v. tr. (Se conj. comme *prier.*) Faire grâce, remettre la peine.
gracieuseté n. f. Caractère gracieux. Action gracieuse.
gracieux, se* adj. Qui a de la grâce : *pose gracieuse.* Aimable : *accueil gracieux.* Gratuit : *à titre gracieux.*
gracile adj. Grêle, menu, délié.
gracilité n. f. Caractère de ce qui est gracile, grêle.
gradation n. f. Passage d'une chose à une autre par degrés.
grade n. m. Degré d'une hiérarchie. *Géom.* Centième d'un quadrant.
gradé adj. et n. m. Qui a un grade entre ceux de caporal et de sous-lieutenant.
gradin n. m. Marche d'amphithéâtre.
graduation n. f. Action de graduer.
gradué, e adj. Divisé en degrés : *échelle graduée.* Qui va progressivement. *Fig.* Revêtu d'un grade universitaire.

graduel, elle* adj. Qui va par degrés : *développement graduel, diminution graduelle.* N. m. *Liturg.* Verset de la messe, entre l'épître et l'évangile.
graduer v. tr. Diviser en degrés : *verre gradué. Fig.* Augmenter par degrés : *savoir graduer son effort.*
graillon n. m. Goût, odeur de graisse brûlée. Crachat épais.
graillonner v. intr. Sentir le graillon. Tousser pour expectorer.
grain n. m. *Bot.* Semence de petit volume : *grain de blé. Les grains,* les céréales. Parcelle : *grain de sable.* Petit corps sphérique : *grains d'un chapelet.* Inégalité à la surface : *grain du cuir.* Ancien poids (environ la vingtième partie d'un gramme). Averse soudaine et courte. *Mar. Coup* de vent. *Fig.* et *fam. Veiller au grain,* prévoir le danger.
graine n. f. Semence. Œufs de vers à soie. *Fam. Monter en graine,* vieillir. *Mauvaise graine,* mauvais sujet.
graineterie n. f. Commerce du grainetier.
grainetier, ère ou **grainier, ère** n. et adj. Qui vend des graines.
graissage n. m. Action de graisser.
graisse n. f. Substance onctueuse, facile à fondre, qui se trouve dans les organismes animaux. Corps gras d'origine végétale (huiles) ou minérale (vaseline, etc.).
graisser v. tr. Frotter de graisse. Souiller de graisse, tacher. *Fig. Graisser la patte,* corrompre, soudoyer.
graisseur, euse adj. Qui graisse. N. m. Appareil pour graisser.
graisseux, euse adj. De la nature de la graisse. Taché de graisse.
graminacées n. f. pl. Famille de monocotylédones, dont la tige est un chaume (blé, orge, avoine, etc.).
graminée n. f. Plante de la famille des graminacées. N. f. pl. Ancien nom des graminacées.
grammaire n. f. Science des règles du langage. Ensemble de ces règles. Livre qui les contient.
grammairien, enne n. Qui s'occupe de grammaire, qui l'enseigne.
grammatical, e*, aux adj. Relatif à la grammaire.
gramme n. m. Unité de notre système métrique : *le gramme représente la masse d'un centimètre cube d'eau.*
gramophone n. m. Marque de phonographe à disques.
grand, e* adj. De taille élevée. De dimensions étendues. Important. Qui excelle par la fortune, le talent : *grand seigneur, grand poète. Mar. Grand mât,* mât principal. N. m. Personne adulte : *utile aux petits et aux grands.* Personnage de haute naissance ou élevé en dignité : *les grands d'Espagne.* Ce qui est noble, sublime. *En grand,* sans rien ménager : *faire les choses en grand.*
grand-chose n. inv. S'emploie avec négation dans le sens de *pas beaucoup, pas cher, pas bon. Un, une, des pas grand-chose,* des gens de peu.
grand-croix n. f. invar. Principal grade dans les ordres de chevalerie. N. m. Dignitaire décoré de la grand-croix. Pl. des *grands-croix.*
grand-duc n. m. Titre de quelques princes. Pl. des *grands-ducs.*
grand-duché n. m. Pays gouverné par un grand-duc. Pl. des *grands-duchés.*
grandelet, ette adj. Un peu grand.
grandement adv. Généreusement. Beaucoup : *se tromper grandement.*
grandeur n. f. Qualité de ce qui est grand. Pl. Dignités, honneurs.
grandiloquence n. f. Caractère de ce qui est grandiloquent.
grandiloquent, e adj. Emphatique.
grandiose* adj. D'une grandeur imposante : *un spectacle grandiose.*
grandir v. intr. Devenir grand. V. tr. Faire paraître plus grand. *Fig.* Amplifier.
grandissement n. m. Action de devenir ou de se rendre plus grand.
grandissime adj. *Fam.* Très grand.
grand-livre n. m. Liste qui contient tous les créanciers de l'Etat. Livre de commerce où sont portés tous les comptes par Doit et Avoir. Pl. des *grands-livres.*
grand-maman n. f. Grand-mère, dans le langage enfantin. Pl. des *grand-mamans.*
grand-mère n. f. La mère du père ou de la mère. Pl. des *grand-mères.*
grand-messe n. f. Messe chantée. Pl. des *grand-messes.*
grand-oncle n. m. Le frère du grand-père ou de la grand-mère. Pl. des *grands-oncles.*
grand-papa n. m. Grand-père, dans le langage enfantin. Pl. des *grands-papas.*
grands-parents n. m. pl. Le grand-père, la grand-mère, l'aïeul, l'aïeule, le grand-oncle, la grand-tante.
grand-père n. m. Père du père ou de la mère. Pl. des *grands-pères.*
grand-tante n. f. La sœur du grand-père ou de la grand-mère. Pl. des *grand-tantes.*
grange n. f. Bâtiment où l'on serre les céréales en gerbes.
granit [*nit'*] n. m. Roche dure, à coloration variée : *granit rose.*
granité, e adj. Qui présente des grains comme le granit. N. m. Etoffe de laine à gros grains.
graniter v. tr. Peindre en imitant le granit.
granitique adj. De la nature du granit.
granulaire adj. Qui se compose de petits grains : *roche granulaire.*
granulation n. f. Réduction en petits grains. Tumeur granuleuse.
granule n. m. Petit grain.
granulé, e adj. Qui présente des granulations. N. m. Petits grains.
granuler v. tr. Mettre en granules.
granuleux, euse adj. Divisé en grains : *aspect granuleux.*
graphie n. f. Système d'écriture.
graphique* adj. Relatif au dessin ou à l'écriture. N. m. Tracé linéaire. Dessin appliqué aux sciences.
graphite n. m. Plombagine.
graphologie n. f. Art de reconnaître le caractère par l'écriture.
graphologue n. et adj. Qui s'occupe de graphologie.
grappe n. f. Assemblage de fleurs ou de fruits sur une tige commune (raisin, groseille, etc.). Arrangement analogue : *grappe d'oignons.*
grappillage n. m. Action de grappiller.

grappiller v. intr. Cueillir ce qui reste de raisin dans une vigne, après la vendange. V. tr. et intr. *Fig.* Prendre de petites quantités.
grappilleur, euse n. Qui grappille.
grappin n. m. Petite ancre à plusieurs pointes. Crochet d'abordage. *Fig.* et *fam.* *Jeter, mettre le grappin sur,* se rendre maître de, accaparer.
gras, grasse* adj. De la nature de la graisse : *corps gras.* Qui a beaucoup de graisse : *porc gras.* Sali de graisse. *Jours gras,* où l'Eglise catholique permet à ses fidèles de manger de la viande. *Terre grasse,* argileuse et fertile. *Plantes grasses,* à feuilles épaisses et charnues. *Faire la grasse matinée,* se lever tard. N. m. Partie grasse d'une viande. *Faire gras,* manger de la viande. *Gras de la jambe,* mollet.
gras-double n. m. Membrane comestible de l'estomac du bœuf. Pl. des *gras-doubles.*
grasseyement n. m. Action de grasseyer.
grasseyer v. intr. (Garde partout l'*y*.) Prononcer de la gorge les *r*.
grassouillet, ette adj. Potelé.
gratification n. f. Libéralité en sus du traitement : *accorder une gratification.*
gratifier v. tr. (Se conj. comme *prier.*) Accorder une libéralité.
gratin n. m. Partie de certains mets attachée au fond du poêlon. Mets recouvert de chapelure et cuit. *Pop.* Société choisie.
gratiner v. tr. Former du gratin. V. intr. S'attacher, rissoler.
gratis [*tiss*] adv. Sans payer.
gratitude n. f. Reconnaissance.
grattage n. m. Action de gratter.
gratte n. f. Outil pour sarcler. *Fam.* Petits profits.
gratte-ciel n. m. invar. Maison très élevée : *les gratte-ciel américains.*
gratte-papier n. m. invar. *Fam.* Copiste, mauvais écrivain.
gratter v. tr. Racler, entamer. Frotter légèrement avec les ongles. *Fig.* Caresser, flatter. Effacer avec un grattoir : *gratter une inscription.* Faire un petit bénéfice secret sur les dépenses d'une maison. *Fam.* Dépasser : *gratter une voiture.*
gratteur n. m. Qui gratte. *Gratteur de papier,* médiocre écrivain.
grattoir n. m. Outil pour gratter.
gratuit [*tui*], **e*** adj. Qu'on fait ou donne gratis. *Fig.* Sans motif.
gratuité n. f. Caractère de ce qui est gratuit : *gratuité de l'enseignement.*
gravats n. m. pl. Menus décombres de démolition.
grave* adj. *Fig.* Sérieux, austère : *homme grave.* Important. Dangereux : *maladie grave. Mus.* Bas : *ton grave.*
graveleux, euse adj. Mêlé de gravier. *Fig.* Licencieux : *histoires graveleuses.*
gravelle n. f. Maladie produite par de fins graviers, dans les reins, dans la vessie.
graver v. tr. Tracer une figure, des caractères sur une matière dure. *Fig.* Empreindre, imprimer : *graver dans sa mémoire.*
graveur n. m. Qui grave.
gravier n. m. Gros sable, mêlé de cailloux. Sable dans les urines.
gravir v. tr. et intr. Monter avec effort. *Fig.* Franchir péniblement.
gravitation n. f. Force en vertu de laquelle tous les corps s'attirent réciproquement en raison directe de leur masse et en raison inverse du carré de leur distance.
gravité n. f. Attraction terrestre exercée sur les corps. *Acoust.* Caractère d'un son bas. *Phys. Centre de gravité,* point d'application de la pesanteur sur les particules d'un corps. *Fig.* Qualité de celui, de ce qui est grave, sérieux.
graviter v. intr. Tendre vers un point.
gravure n. f. Art de graver : *gravure sur bois.* Ouvrage du graveur. Image, estampe.
gré n. m. Volonté, caprice : *agir à son gré.* Goût, opinion. *Savoir bon gré, mauvais gré à,* être satisfait ou mécontent de. *De gré à gré,* à l'amiable. *De gré ou de force,* ou *bon gré mal gré,* volontairement ou par contrainte.
grec, grecque adj. et n. De la Grèce.
gréciser v. tr. Donner la forme grecque à un mot, à un nom.
gréco-romain, e adj. Commun aux Grecs et aux Romains.
grecque n. f. Ornement de lignes revenant sur elles-mêmes, à angle droit.
gredin, e n. Personne vile, criminelle.
gredinerie n. f. Acte de gredin.
gréement n. m. Accessoires d'un bâtiment, d'un mât, etc.
gréer v. tr. Garnir un bâtiment, un mât de voiles, poulies, cordages.
greffage n. m. Action ou manière de greffer. Son résultat.
greffe n. m. Lieu où sont déposées les minutes des jugements, où se font les déclarations de procédure.
greffe n. f. Œil, branche ou bourgeon, détachés d'une plante et insérés sur une autre appelée *sujet.* (Syn. GREFFON.) L'opération elle-même. *Greffe animale,* action de rattacher au corps d'un animal des parties prises sur un autre individu.
greffer v. tr. Faire une greffe.
greffeur n. m. Qui greffe.
greffier n. m. Fonctionnaire public qui tient un greffe.
greffoir n. m. Couteau pour greffer.
greffon n. m. Syn. de GREFFE.
grégaire adj. Qui vit en troupe.
grège adj. Se dit de la soie telle qu'on l'a tirée du cocon.
grégorien, enne adj. *Rite grégorien,* réforme liturgique introduite par le pape Grégoire Ier. *Chant grégorien,* plain-chant de l'office catholique, réglé par le pape Grégoire Ier. *Calendrier grégorien,* le calendrier julien réformé par Grégoire XIII.
grègues n. f. pl. *Tirer ses grègues,* s'enfuir.
grêle adj. Long et menu : *jambes grêles.* Aigu et faible : *voix grêle. Intestin grêle,* portion étroite de l'intestin.
grêle n. f. Pluie congelée en grains. *Fig.* Abondance : *grêle de pierres.*
grêlé, e adj. Abîmé par la grêle. Marqué de la petite vérole.
grêler v. impers. Se dit quand il tombe de la grêle. V. tr. Gâter par la grêle.
grêlon n. m. Grain de grêle.
grelot n. m. Boule métallique, creuse, contenant un morceau de métal qui la fait résonner. *Fig. Attacher le grelot,* prendre l'initiative de.
grelotter v. intr. Trembler de froid.

grenache n. m. Cépage du Midi. Vin fait avec ce raisin.
grenade n. f. Fruit comestible du grenadier. *Artill.* Projectile léger, explosif ou incendiaire, lancé à la main ou à l'aide d'un fusil.
grenadier n. m. Arbuste qui porte les grenades.
grenadier n. m. Soldat qui lance les grenades. Soldat d'élite. (Vx.)
grenaille n. f. Métal en grains : *grenaille de plomb.* Rebut de graine.
grenat n. m. Pierre précieuse d'une couleur rouge de grenade. Adj. invar. D'un rouge de grenat : *rubans grenat.*
grené, e adj. Réduit en petits grains. A points très rapprochés.
greneler v. tr. (Se conj. comme *amonceler.*) Marquer de petits points.
grener v. intr. (Se conj. comme *mener.*) Produire de la graine. V. tr. Réduire en grains. Greneler.
grènetis n. m. Tour de petits grains au bord des médailles, des monnaies.
grenier n. m. Partie d'un bâtiment, destinée à serrer les grains, fourrages, etc. Etage d'une maison, sous le comble. *Fig.* Pays fertile, surtout en blé.
grenouille n. f. Genre de batraciens. *Pop.* Caisse, fonds commun : *manger la grenouille,* voler dans cette caisse.
grenu, e adj. Qui a beaucoup de grains. Couvert de saillies arrondies : *cuir grenu.*
grès n. m. Roche formée de grains de quartz agglomérés : *pavés en grès.* Vase, etc., en grès. *Grès flambés,* poteries de grès vitrifiées et coloriées au feu.
gréseux, euse adj. De la nature du grès : *roche gréseuse.*
grésil [*zil'*] n. m. Menue grêle.
grésillement n. m. Cri du grillon. Action de grésiller.
grésiller v. impers. Se dit du grésil qui tombe. V. tr. Faire crépiter ou racornir sous l'action de la chaleur.
grève n. f. Coalition de salariés pour cesser le travail et faire aboutir leurs revendications : *faire grève.* Plage de sable.
grever v. tr. (Se conj. comme *mener.*) Soumettre à de lourdes charges.
gréviste n. et adj. Qui se met, qui est en grève.
gribouillage n. m. *Fam.* Mauvaise peinture. Ecriture mal formée.
gribouille n. m. Type populaire de naïf.
gribouiller v. intr. et tr. *Fam.* Faire du gribouillage.
gribouilleur, euse n. Qui gribouille.
gribouillis n. m. Ecriture illisible.
grief n. m. Plainte : *formuler ses griefs.*
grièvement adv. Gravement.
griffe n. f. Ongle crochu et pointu de certains animaux. *Fig.* et *fam.* Pouvoir, domination. *Coup de griffe,* attaque, critique. Empreinte d'une signature.
griffer v. tr. Saisir avec les griffes. Egratigner : *griffer le visage.*
griffon n. m. Animal fabuleux. Chien d'arrêt, à poil long et rude.
griffonnage n. m. Action de griffonner. Ecriture peu lisible.
griffonner v. tr. Ecrire peu lisiblement. Dessiner à la hâte.
griffure n. f. Coup de griffe, égratignure.
grignoter v. tr. Manger en rongeant. *Fig.* et *fam.* Détruire lentement.
grigou adj. et n. *Pop.* Avare, ladre.
gri-gri n. m. Amulette. Pl. des *gris-gris.*
gril [*gri*] n. m. Ustensile de cuisine pour faire cuire à feu vif. *Fig.* et *fam.* *Etre sur le gril,* être anxieux.
grillade n. f. Cuisson sur le gril. Mets grillé.
grillage n. m. Treillis ou clôture de fil de fer.
grillager v. tr. (Se conj. comme *manger.*) Munir de grillage.
grille n. f. Assemblage de barreaux fermant une ouverture ou séparant des parties d'un édifice. Treillage serré. Châssis métallique, qui soutient le charbon dans un fourneau. Papier à jours conventionnels (correspondance secrète, mots croisés).
grille-pain n. m. invar. Gril pour tartines: *grille-pain électrique.*
griller v. tr. Faire cuire sur le gril: *griller un bifteck.* Dessécher par un excès de chaleur ou de froid. V. intr. Eprouver une chaleur très forte. *Fig.* Désirer vivement.
grillon n. m. Insecte sauteur, qui fait entendre un bruit aigu.
grill-room [*gril-roum*] n. m. Salle de restaurant où l'on prépare les grillades devant les clients.
grimace n. f. Contorsion du visage. *Fig.* Accueil froid, hostile : *faire la grimace.* Dissimulation. Pl. Mines affectées.
grimacer v. intr. (Se conj. comme *amorcer.*) Faire des grimaces. Faire des faux plis. *Fig.* Faire des façons.
grimacier, ère n. et adj. Qui fait des grimaces : *fillette grimacière.*
grimaud, e n. Ecolier (vx). Pédant.
grime n. m. Rôle de vieillard ridé. Acteur qui joue ce rôle.
grimer v. tr. Maquiller.
grimoire n. m. Livre des magiciens. *Fig.* Livre obscur. Ecriture illisible.
grimper v. intr. Gravir en s'aidant des pieds et des mains. Monter.
grimpette n. f. *Fam.* Raidillon.
grimpeur, euse adj. Qui grimpe. N. m. pl. Ordre d'oiseaux qui grimpent (pic, perroquet, etc.).
grincement n. m. Action de grincer.
grincer v. intr. (Se conj. comme *amorcer.*) Produire un bruit strident. *Grincer des dents,* les frotter avec bruit les unes contre les autres.
grincheux, euse adj. et n. Maussade, hargneux, revêche.
gringalet n. m. Petit homme chétif.
griotte n. f. Cerise à courte queue.
grippage ou **grippement** n. m. Adhérence de deux surfaces métalliques frottant l'une contre l'autre.
grippe n. f. Maladie infectieuse. *Fig.* Antipathie : *prendre quelqu'un en grippe.*
grippé, e adj. Atteint de la grippe.
gripper v. tr. Saisir avec les griffes. *Par ext.* Dérober. V. intr. Adhérer fortement (métaux). V. pr. Se froncer.
grippe-sou n. m. *Fam.* Avare sordide. Pl. des *grippe-sous.*
gris, e adj. D'une couleur formée de blanc et de noir. *Temps gris,* couvert et froid. *Fig.* Sombre, triste. A moitié ivre. N. m. Couleur grise.

grisaille n. f. Peinture en tons gris.
grisailler v. tr. Barbouiller de gris. Peindre en grisaille. V. intr. Devenir grisâtre.
grisâtre adj. Qui tire sur le gris.
grisé n. m. Teinte grise.
griser v. tr. Rendre à moitié ivre. *Fig.* Exalter, enivrer.
griserie n. f. Demi-ivresse. *Fig.* Exaltation : *la griserie du succès.*
grisette n. f. Jeune ouvrière coquette. (Vx.)
grison, onne adj. De couleur grise. A cheveux gris. N. m. Ane, baudet.
grisonner v. intr. Devenir gris.
grisou n. m. Gaz inflammable qui se dégage des mines de houille.
grive n. f. Oiseau du genre merle, au plumage mêlé de blanc et de brun.
grivelé, e adj. Tacheté de gris et de blanc, comme la grive.
griveler v. tr. et intr. (Se conj. comme *amonceler.*) Gagner de manière illicite. Consommer dans un restaurant sans avoir de quoi payer.
grivèlerie n. f. Action de griveler.
griveleur n. m. Qui grivelle.
grivois, e adj. et n. Libre et trivial : *chanson grivoise.*
grivoiserie n. f. Action ou parole grivoise.
grog n. m. Boisson composée d'eau chaude sucrée, d'eau-de-vie et de citron.
grognard, e n. et adj. Qui a l'habitude de grogner. N. m. Soldat de la vieille garde, sous l'Empire.
grognement n. m. Cri des pourceaux. *Fig.* Murmure de mécontentement.
grogner v. intr. Crier, en parlant du cochon. *Fig.* Murmurer.
grognon, onne n. et adj. Qui grogne.
groin n. m. Museau du cochon et du sanglier. *Fig.* et *fam.* Visage bestial.
grommeler v. intr. (Se conj. comme *amonceler.*) Se plaindre en murmurant.
grondement n. m. Son grondant.
gronder v. intr. Murmurer. *Fig.* Faire entendre un bruit sourd et prolongé : *l'orage gronde.* V. tr. Réprimander.
gronderie n. f. Réprimande.
grondeur, euse n. et adj. Qui gronde : *voix grondeuse.*
groom [*groum*] n. m. Petit laquais.
gros, grosse adj. Volumineux. Epais, grossier : *gros drap.* Enflé. *Fig.* Important : *grosse somme. Jouer gros jeu,* risquer beaucoup. Violent : *grosse fièvre. Fam. Gros bonnet* : personnage influent. *Avoir le cœur gros,* avoir du chagrin. Adj. f. Enceinte : *une femme grosse.* N. m. Le principal de : *le gros de l'armée.* Vente ou achat par grandes quantités : *commerce de gros.* Adv. Beaucoup : *gagner gros. En gros,* par grande quantité.
groseille n. f. Petit fruit, rouge ou blanc, qui vient par grappes. *Groseille à maquereau,* variété de grosse groseille.
groseillier n. m. Arbrisseau qui porte les groseilles.
grosse n. f. Douze douzaines : *grosse de boutons.* Expédition d'un contrat, d'un jugement, etc. Cet acte lui-même.
grossesse n. f. Etat d'une femme enceinte. Durée de cet état.
grosseur n. f. Epaisseur. Enflure.
grossier, ère* adj. Epais, non fin : *drap grossier.* Commun : *nourriture grossière.* Non délicatement fait : *travail grossier. Fig.* Rude, impoli : *peuple grossier.* Choquant : *erreur grossière.*
grossièreté n. f. Caractère grossier. Parole ou action grossière.
grossir v. tr. Rendre gros. Faire paraître gros : *la loupe grossit les objets.* Exagérer : *grossir un incident.* V. intr. Devenir gros : *le raisin grossit.*
grossissement n. m. Action de grossir : *le grossissement d'une loupe.* Son résultat.
grossiste n. m. Marchand en gros.
grosso modo loc. lat. Sommairement.
grossoyer v. tr. (Se conj. comme *aboyer.*) Faire la grosse d'un acte.
grotesque adj. Ridicule, extravagant. N. Personne grotesque.
grotte n. f. Caverne.
grouillement n. m. Mouvement et bruit de ce qui grouille.
grouiller v. intr. Fourmiller : *grouiller de vers.* V. pr. *Pop.* Se hâter.
groupage n. m. Action de grouper.
groupe n. m. Ensemble de personnes ou de choses assemblées : *un groupe de curieux.* Ensemble de personnes ayant les mêmes opinions : *groupe politique.*
groupement n. m. Action de grouper. Etat de choses groupées.
grouper v. tr. Mettre en groupe.
gruau n. m. Grains de céréales dépouillés de l'enveloppe par mouture incomplète.
grue n. f. Gros oiseau échassier. *Fig. Faire le pied de grue,* attendre longtemps. Femme de mœurs légères. *Mécan.* Machine pour mouvoir de lourds fardeaux.
gruger v. tr. (Se conj. comme *manger.*) Briser avec les dents. Manger. *Fig.* Vivre aux dépens de quelqu'un.
grume n. f. Ecorce laissée sur le bois coupé : *bois en grume.*
grumeau n. m. Petite portion de matière agglutinée.
grumeler (se) v. pr. (Se conj. comme *amonceler.*) Se mettre en grumeaux.
grumeleux, euse adj. En grumeaux.
gruyère [*gru-yèr'*] n. m. Fromage dur, à trous.
guano [*goua*] n. m. Engrais composé d'excréments d'oiseaux de mer.
gué n. m. Endroit d'une rivière où l'on peut passer sans nager.
guéable adj. Qu'on peut guéer.
guéer v. tr. Passer à gué.
guelte n. f. Tantième accordé à un vendeur de magasin sur ses ventes.
guenille n. f. Vêtement en lambeaux.
guenon n. f. Femelle du singe. *Par ext.* Femme très laide.
guenuche n. f. Petite guenon.
guépard n. m. Quadrupède du genre chat, plus petit que la panthère.
guêpe n. f. Genre d'insectes hyménoptères à aiguillon. *Taille de guêpe,* très fine.
guêpier n. m. Nid de guêpes. *Fig.* Position difficile : *sortir d'un guêpier.*
guère, guères (poét.) adv. Avec la négation : peu, *il n'est guère actif.*
guéret n. m. Terre labourée et non ensemencée. Pl. *Poét.* Champs et moissons.
guéridon n. m. Table à pied central.
guérilla [*ya*] n. f. Guerre de partisans.
guérillero [*yé*] n. m. Soldat d'une guérilla, en Espagne. Pl. des *guérilleros.*

guérir v. tr. Délivrer d'un mal. V. intr. Recouvrer la santé.
guérison n. f. Suppression d'un mal.
guérissable adj. Qu'on peut guérir.
guérisseur n. m. Qui guérit.
guérite n. f. Loge de sentinelle.
guerre n. f. Lutte à main armée entre peuples, partis, etc. *Fig.* Lutte quelconque. *De guerre lasse,* par résignation.
guerrier, ère adj. Relatif à la guerre. Qui aime la guerre : *nation guerrière.* N. m. *Poét.* Soldat.
guerroyer v. intr. (Se conj. comme *aboyer.*) Faire la guerre.
guerroyeur n. et adj. Qui aime la guerre.
guet n. m. Action de guetter. Autrefois, troupe de police nocturne.
guet-apens n. m. Embûche. *Fig.* Dessein prémédité de nuire. Pl. des *guets-apens.*
guêtre n. f. Pièce du vêtement, couvrant le bas de la jambe.
guêtrer v. tr. Mettre des guêtres.
guetter v. tr. Epier.
guetteur n. m. Qui guette.
gueulard, e n. et adj. *Pop.* Qui a l'habitude de parler haut, fort. Gourmand. N. m. *Mar.* Porte-voix. *Métall.* Ouverture supérieure d'un haut fourneau.
gueule n. f. Bouche des animaux. *Par ext.* Ouverture béante.
gueule-de-loup n. f. Syn. de MUFLIER. Pl. des *gueules-de-loup.*
gueuler v. intr. *Pop.* Parler beaucoup et fort haut, crier.
gueuleton n. m. *Pop.* Repas copieux.
gueusaille n. f. *Fam.* Troupe de gueux.
gueuse n. f. Masse de fonte coulée.
gueuser v. intr. Faire le gueux. Mendier.
gueuserie n. f. Misère.
gueux, euse n. et adj. Indigent, réduit à mendier. Coquin, fripon.
gui n. m. Genre de plante parasite vivant sur certains arbres.
guibolle n. f. *Pop.* Jambe.
guiches n. f. pl. Mèches de cheveux en accroche-cœur.
guichet n. m. Petite porte dans une grande. Petite ouverture dans une porte, un mur, etc. : *guichets d'un bureau de poste.*
guichetier n. m. Geôlier, qui ouvre et ferme les guichets.
guide n. m. Qui accompagne pour montrer le chemin : *guide montagnard. Fig.* Qui donne des conseils : *guide éclairé.* Titre de certains livres : *Guide de Bretagne.*
guide n. f. Lanière de cuir attachée au mors d'un cheval pour le diriger.
guide-âne n. m. Recueil d'instructions, de règles. Transparent pour écrire droit. Pl. des *guide-ânes.*
guider v. tr. Accompagner pour montrer le chemin. *Fig.* Montrer la voie à.
guidon n. m. Saillie, sur le canon d'une arme à feu, pour donner la ligne de mire. Barre commandant la roue directrice d'une bicyclette.
guigne n. f. Cerise douce à longue queue. *Pop.* Mauvaise chance.
guigner v. intr. Regarder du coin de l'œil. V. tr. Regarder sans faire semblant. *Fig.* et *fam.* Convoiter.
guignol n. m. Sorte de marionnette.
guignolet n. m. Liqueur de guignes.
guignon n. m. Mauvaise chance.
guilledou n. m. *Fam. Courir le guilledou,* fréquenter les lieux suspects.
guillemet n. m. Crochet double au début («) et à la fin (») d'une citation.
guilleret, ette adj. Eveillé.
guillochage ou **guillochis** n. m. Ornement de traits ondés, entrelacés avec symétrie.
guillocher v. tr. Orner d'un guillochis : *une montre guillochée.*
guillotine n. f. Instrument pour décapiter les condamnés à mort. Peine de mort. *Fenêtre à guillotine,* à châssis glissant verticalement.
guillotiner v. tr. Trancher la tête par la guillotine.
guimauve n. f. Espèce de mauve à racine émolliente.
guimbarde n. f. Languette d'acier dont on tire des sons en la faisant vibrer. Chariot à quatre roues, long et couvert. *Pop.* Mauvaise voiture.
guimpe n. f. Toile qui couvre la tête des religieuses et leur tombe sur la poitrine. Chemisette brodée.
guindeau n. m. Cabestan horizontal.
guinder v. tr. *Fig.* Rendre affecté, apprêté.
guinée n. f. Monnaie anglaise valant 21 shillings.
guingois (de) loc. adv. De travers.
guinguette n. f. Cabaret de banlieue.
guipure n. f. Sorte de dentelle.
guirlande n. f. Cordon ornemental de verdure, de fleurs, etc.
guise n. f. Manière, façon: *vivre à sa guise. En guise de,* en place de.
guitare n. f. Instrument de musique à cordes qu'on pince avec les doigts.
guitariste n. Qui joue de la guitare.
gustatif, ive adj. Relatif au goût.
gustation n. f. Action de goûter.
gutta-percha [*ka*] n. f. Substance gommeuse élastique qui a beaucoup d'analogie avec le caoutchouc.
guttural, e, aux adj. Qui appartient au gosier. N. f. et adj. Qui se prononce du gosier (comme *g, k, q*).
guzla n. f. Instrument de musique monocorde, en forme de violon.
gymnase n. m. Etablissement pour la pratique de la gymnastique. Sorte de lycée en Allemagne, en Suisse.
gymnaste n. m. Professionnel de la gymnastique.
gymnastique adj. Relatif aux exercices du corps. *Pas gymnastique,* pas de course cadencé. N. f. Art d'exercer, de fortifier le corps : *faire de la gymnastique.*
gymnique n. f. Science des exercices du corps, propres aux athlètes.
gymnosperme n. f. pl. Sous-embranchement des phanérogames.
gynécée n. m. *Antiq.* Appartement des femmes. *Bot.* Pistil.
gynécologie n. f. Traité de la physiologie de la femme.
gynécologue n. m. Médecin qui s'occupe spécialement de gynécologie.
gypaète n. m. Vautour barbu.
gypse n. m. Pierre à plâtre.
gypseux, euse adj. De plâtre.
gyroscope n. m. Appareil permettant de prouver la rotation de la Terre et utilisé pour maintenir en équilibre certains objets.

H

L'astérisque (*) devant un mot indique que l'h initial est aspiré.

h n. m. Huitième lettre de l'alphabet : H *muet,* H *aspiré.*

***ha!** interj. marquant la surprise, le soulagement, le rire.

habile* adj. Qui a ou qui dénote de l'aptitude pour, de l'adresse, de l'expérience en: *ouvrier habile.*

habileté n. f. Qualité de celui qui est habile. Adresse.

habilitation n. f. Action d'habiliter.

habilité n. f. *Dr.* Aptitude légale.

habiliter v. tr. Donner l'habilité à.

habillage n. m. Action d'habiller. Disposition d'un texte autour d'une illustration.

habillement n. m. Action d'habiller. Costume : *riche habillement.*

habiller v. tr. Vêtir. Pourvoir d'habits. Préparer une volaille, un gibier, etc., pour les faire cuire. Entourer une illustration avec du texte. *Fig.* Critiquer, arranger, déguiser : *habiller la vérité.*

habilleur, euse n. Qui aide les acteurs à s'habiller.

habit n. m. Ensemble des pièces d'un vêtement. Vêtement religieux : *prendre l'habit. En habit,* en frac.

habitable adj. Qui peut être habité.

habitacle n. m. *Poét.* Demeure. *Mar.* Boîte renfermant la boussole.

habitant, e n. Qui habite en un lieu.

habitat n. m. Lieu habité par une plante, un animal : *habitat forestier.* Groupement humain correspondant à un genre de vie particulier : *habitat rural.*

habitation n. f. Action d'habiter. Lieu où l'on habite. Maison.

habiter v. tr. et intr. Demeurer : *habiter une maison, habiter à la campagne.*

habitude n. f. Manière d'être, coutume : *contracter de bonnes habitudes. D'habitude* loc. adv. Ordinairement.

habitué, e n. Qui fréquente habituellement : *habitués d'un café.*

habituel, elle* adj. Passé en habitude.

habituer v. tr. Faire prendre l'habitude de, accoutumer à.

***hâblerie** n. f. Vanterie, exagération.

***hâbleur, euse** n. et adj. Vantard.

***hachage** ou **hachement** n. m. Action de hacher. Son résultat.

***hache** n. f. Instrument tranchant pour fendre, couper le bois, etc.

***hacher** v. tr. Couper en petits morceaux. *Fig.* Séparer les syllabes : *hacher ses mots.* Faire de petites phrases très courtes : *style haché.*

***hachette** n. f. Petite hache.

***hachis** n. m. Mets de viande hachée.

***hachish** ou **haschich** n. m. Produit narcotique tiré du chanvre indien.

***hachoir** n. m. Table pour hacher les viandes. Couperet pour hacher.

***hachure** n. f. Traits dans le dessin et la gravure pour en indiquer les ombres.

hachurer v. tr. Rayer de hachures.

***hagard, e** adj. Farouche, effaré.

hagiographe n. m. Auteur qui raconte la vie des saints.

hagiographie n. f. Science des choses saintes. Ecrit sur les saints.

***haie** n. f. Clôture d'épines, de branchages. *Haie vive,* haie d'épines ou d'autres plantes qui ont pris racine. *Par anal.* Rangée de choses ou de personnes : *faire la haie; une haie de soldats.*

***haillon** n. m. Vieux lambeau d'étoffe. Vêtement dépenaillé.

***haine** n. f. Vive inimitié. Vive répugnance : *avoir en haine les procès.*

haineux, euse adj. Porté à la haine. Inspiré par la haine.

***haïr** v. tr. Vouloir du mal à quelqu'un, abhorrer, exécrer. Avoir de la répugnance pour une chose : *haïr les compliments.* (On écrit sans tréma : *je hais, tu hais, il hait,* et l'impér. sing. *hais.*)

***haire** n. f. Chemise de crin ou de poil portée par mortification.

***haïssable** adj. Qui mérite la haine.

haïtien, enne adj. et n. De l'île d'Haïti.

***halage** n. m. Action de haler un bateau. *Chemin de halage,* chemin réservé pour les haleurs le long des cours d'eau.

***hâle** n. m. Air ou vent sec et chaud.

***hâlé, e** adj. Bruni.

haleine n. f. Air qui sort des poumons. Faculté de respirer : *perdre haleine. Fig. Tout d'une haleine,* sans interruption. *Reprendre haleine,* s'arrêter pour se reposer. *Ouvrage de longue haleine,* qui demande un long temps. *Tenir en haleine,* dans un état d'entraînement.

***haler** v. tr. Faire effort en tirant sur : *haler un câble, une barque à terre.*

***hâler** v. tr. Brunir le teint : *enfant qui hâle vite.* Dessécher les végétaux.

***halètement** n. m. Essoufflement.

***haleter** v. intr. (Se conj. comme *acheter.*) Respirer avec oppression.

***haleur, euse** n. Qui hale.

***hall** [*hôl*] n. m. Grande salle.

hallali n. m. Sonnerie annonçant que le cerf est aux abois.

***halle** n. f. Place publique où se tient un marché : *halle au blé.*

***hallebarde** n. f. Pique dont la pointe surmonte un fer en hache.

***hallebardier** n. m. Soldat armé de la hallebarde.

***hallier** n. m. Groupe de buissons touffus. Allier, sorte de filet.

hallucination n. f. Perception morbide de sensations imaginaires.

hallucinatoire adj. Qui tient de l'hallucination.

halluciner v. tr. Produire une hallucination : *halluciné par la peur.*

***halo** n. m. Cercle lumineux, qui entoure

quelquefois le soleil et la lune. *Phot.* Auréole autour de l'image d'un objet très lumineux.

***halte** n. f. Moment d'arrêt pendant une marche : *faire halte. Petite station. Halte!* interj. pour commander de s'arrêter. *Fig. Halte-là!* cessez, en voilà assez!

haltère n. m. Instrument de gymnastique formé de deux poids réunis par une courte tige : *faire des haltères.*

***hamac** n. m. Rectangle de toile ou de filet suspendu, qui sert de lit.

***hameau** n. m. Réunion d'habitations rurales, ne formant pas commune.

hameçon n. m. Petit crochet de fer fixé à une ligne pour prendre du poisson. *Fig.* et *fam.* Piège, appât.

***hammam** n. m. Etablissement de bains, en Orient.

***hampe** n. f. Bois de drapeau, etc. Manche d'un pinceau. *Bot.* Axe florifère.

***han** n. m. Cri sourd d'un bûcheron qui frappe un coup, etc.

***hanap** n. m. Ancien vase à boire.

***hanche** n. f. *Anat.* Région qui correspond à la jonction du membre inférieur et du tronc.

***handicap** n. m. Course où l'on avantage certains chevaux pour égaliser les chances. *Fig.* Désavantage.

***handicaper** v. tr. Equilibrer les chances des concurrents dans un handicap. *Fig.* Désavantager : *la timidité handicape.*

***hangar** n. m. Construction ouverte sur les côtés, pour loger les récoltes, etc. Grand abri fermé : *hangar d'aviation.*

***hanneton** n. m. Insecte coléoptère commun en Europe. *Fig.* et *fam.* Etourdi.

***hanse** n. f. Association commerciale entre villes d'Europe (*hanséatiques*) au Moyen Age.

***hanter** v. tr. Fréquenter, visiter souvent. *Maison hantée,* visitée par des revenants. Obséder : *hanté par un souvenir.* V. intr. Aller fréquemment chez quelqu'un.

***hantise** n. f. Obsession.

***happer** v. tr. Saisir brusquement avec la gueule, le bec.

***haquenée** n. f. Jument qui va l'amble. Jadis monture de dame.

***haquet** n. m. Charrette étroite, longue et sans ridelles, pour tonneaux, ballots, etc.

***hara-kiri** n. m. Suicide japonais qui consiste à s'ouvrir le ventre.

***harangue** n. f. Discours.

***haranguer** v. tr. Adresser une harangue : *haranguer la foule.*

***harangueur, euse** n. Qui harangue.

***haras** [*râ*] n. m. Etablissement où l'on entretenait des étalons et des juments.

***harassement** n. m. Fatigue extrême.

***harasser** v. tr. Fatiguer à l'excès.

***harcèlement** n. m. Action de harceler.

***harceler** v. tr. (Se conj. comme *appeler.*) Fatiguer par des attaques réitérées. *Fig.* Importuner : *harceler de reproches.*

***harde** n. f. Troupe de bêtes fauves : *harde de cerfs.*

***hardes** n. f. pl. Ensemble des effets d'habillement (en mauv. part).

***hardi*, e** adj. Qui agit avec audace : *capitaine hardi.* Effronté. Conçu, exécuté avec audace : *projet hardi.*

***hardiesse** n. f. Courage, assurance. Insolence, effronterie.

***harem** n. m. Appartement des femmes chez les musulmans. Ensemble des femmes du harem.

***hareng** n. m. Poisson des mers tempérées. *Hareng saur,* fumé.

***harengère** n. f. Marchande de poisson. *Fig.* et *fam.* Femme grossière.

***hargne** n. f. Mauvaise humeur.

***hargneux, euse** adj. D'humeur difficile.

***haricot** n. m. Plante légumineuse et sa graine. *Haricot de mouton,* ragoût fait avec du mouton, des navets et des pommes de terre.

***haridelle** n. f. Mauvais cheval.

harmonica n. m. Instrument de musique formé de petits tuyaux à anche.

harmonie n. f. Ensemble de sons agréables; science des accords. *Harmonie imitative,* choix de mots dont les sons imitent quelque chose de l'objet que ces mots représentent. *Fig.* Accord entre les parties d'un tout. Accord entre personnes. Société musicale.

harmonieux, euse* adj. Qui est plein d'harmonie : *musique harmonieuse. Fig.* Dont les parties forment un ensemble.

harmonique* adj. Relatif à l'harmonie. *Sons harmoniques,* sons accessoires surajoutés au principal.

harmoniser v. tr. Mettre en harmonie. *Mus.* Composer une harmonie sur.

harmonium n. m. Instrument de musique à anche libre, à soufflerie et à clavier. Pl. des *harmoniums.*

***harnachement** n. m. Action de harnacher. Ensemble des harnais. *Fig.* et *fam.* Accoutrement pesant ou ridicule.

***harnacher** v. tr. Mettre le harnais à. *Fig.* Accoutrer ridiculement.

***harnacheur** n. m. Qui fait des harnais; qui harnache un animal.

***harnais** n. m. Tout l'équipage d'un cheval. *Fig. Harnais* ou *harnois : blanchir sous le harnais,* vieillir dans un métier.

***haro** n. m. *Crier haro sur,* s'élever contre.

harpagon n. m. Avare.

***harpe** n. f. Instrument de musique, de forme triangulaire, à cordes inégales.

***harpie** n. f. Monstre fabuleux. *Fig.* Femme très méchante. *Zool.* Espèce d'aigle.

***harpiste** n. Qui joue de la harpe.

***harpon** n. m. Dard emmanché pour la pêche de gros poissons.

***harponnage** ou **harponnement** n. m. Action de harponner.

***harponner** v. tr. Accrocher avec le harpon. *Fig.* Saisir, arrêter.

***harponneur** n. m. Matelot qui lance le harpon.

***hart** n. f. Lien pour les fagots.

***hasard** n. m. Concours imprévu d'événements : *un hasard heureux.* Chance, fortune, sort : *favorisé par le hasard. Jeu de hasard,* où le hasard seul décide. Loc. adv. : *Au hasard,* à l'aventure; *à tout hasard,* quoi qu'il arrive; *par hasard,* fortuitement. Pl. *Fig.* Risques, périls.

***hasarder** v. tr. Aventurer, risquer. Tenter témérairement : *hasarder une démarche, une opinion.*

***hasardeux, euse** adj. Risqué.

***hase** n. f. Femelle du lièvre.

***hâte** n. f. Empressement, diligence, précipitation. *En hâte, à la hâte* loc. adv. Promptement, avec précipitation.

***hâter** v. tr. Presser, accélérer. Faire dépêcher : *hâter quelqu'un.*
hâtif, ive adj. Précoce : *fleurs hâtives.*
***hauban** n. m. Cordage servant à étayer un mât, un poteau, etc.
***haubaner** v. tr. Fixer au moyen des haubans : *haubaner un mât.*
***haubert** n. m. Chemise de mailles des combattants au Moyen Age.
***hausse** n. f. Ce qui sert à hausser. Appareil pour le pointage des armes à feu. *Fig.* Augmentation de prix : *la hausse des grains, des valeurs de bourse.*
***hausse-col** n. m. Petite plaque de métal que les officiers en service portaient au-dessous du cou. Pl. des *hausse-cols.*
***haussement** n. m. Action de hausser. Mouvement des épaules, pour marquer le mépris, de l'impatience.
***hausser** v. tr. Rendre plus haut : *hausser un mur.* Rendre plus fort ou plus aigu : *hausser la voix; hausser le ton. Hausser les épaules,* les lever en signe de mépris, etc. V. intr. Augmenter.
***haussier** n. m. Qui joue à la hausse.
***haut, e** adj. Elevé : *haute montagne.* D'altitude supérieure : *la haute Loire. Fig.* Relevé : *aller la tête haute.* Fort, éclatant : *à haute voix. La haute mer,* la pleine mer. *Crime de haute trahison,* qui intéresse la sûreté de l'Etat. *Jeter les hauts cris,* se plaindre bruyamment. *Haut le pied,* sans être attelé. N. m. Sommet, faîte : *le haut d'un arbre.* Hauteur, élévation : *maison de vingt mètres de haut. Tomber de son haut,* de toute sa hauteur et, au *fig.,* être surpris. *Traiter de haut en bas,* avec mépris. *En haut, là-haut* loc. adv. Dans un lieu plus élevé.
hautain, e adj. Fier, arrogant.
***hautbois** n. m. Instrument de musique à vent et à anche. Celui qui en joue. *Poétiq.* Poésie pastorale.
***hautboïste** n. Joueur de hautbois.
***haut-de-chausses** n. m. La culotte d'autrefois. Pl. des *hauts-de-chausses.*
***hautement** adv. Ouvertement, nettement : *approuver hautement.*
***hauteur** n. f. Dimension d'un objet de la base au sommet : *hauteur d'un arbre.* Altitude : *hauteur d'une montagne.* Colline, éminence : *une ligne de hauteurs. Tomber de sa hauteur,* de tout son long et, au *fig.,* être surpris. *Hauteur du son,* son degré d'acuité ou de gravité. *Hauteur d'un triangle,* perpendiculaire abaissée du sommet à la base. *Fig.* Elévation : *hauteur d'âme.* Fierté, arrogance : *parler avec hauteur.*
***haut-fond** n. m. Endroit de la mer où l'eau est très peu profonde. Pl. des *hauts-fonds.*
***haut-le-cœur** n. m. invar. Nausée, envie de vomir. *Fig.* Dégoût.
***haut-parleur** n. m. Appareil de transmission et amplification du son en T.S.F. Pl. des *haut-parleurs.*
***haut-relief** n. m. Sculpture où les figures se détachent presque complètement du fond. Pl. des *hauts-reliefs.*
***havage** n. m. Abattage des roches par entailles parallèles aux couches.
***havane** n. m. Tabac ou cigare de La Havane. Adj. invar. Couleur marron clair : *toile havane.*
***hâve** adj. Pâle, maigre.
***haveneau** ou **havenet** n. m. Filet pour pêcher la crevette.
***haveur** n. m. Ouvrier occupé au havage. N. f. Machine pour le havage : *une haveuse pneumatique.*
***havre** n. m. Port.
***havresac** n. m. Sac des soldats.
***hé!** interj. qui sert à appeler, à exprimer la surprise, le regret et, répétée, l'adhésion ou le contentement.
***heaume** n. m. Casque ancien.
hebdomadaire* adj. De chaque semaine : *journal hebdomadaire.*
hébergement n. m. Action d'héberger, de loger.
héberger v. tr. (Se conj. comme *manger.*) Recevoir, loger : *héberger un hôte.*
hébétement n. m. Stupidité.
hébéter v. tr. (Se conj. comme *accélérer.*) Rendre stupide.
hébétude n. f. Engourdissement des facultés intellectuelles.
hébraïque adj. Relatif aux Hébreux.
hébraïsant n. et adj. m. Adonné à l'étude de l'hébreu.
hébreu n. m. Langue sémitique parlée autrefois par les Hébreux et actuellement en Israël. *Fig.* Chose inintelligible.
hécatombe n. f. Sacrifice solennel de cent bœufs chez les Anciens. *Par ext.* Sacrifice d'une ou plusieurs victimes. *Fig.* Massacre, tuerie.
hectare n. m. Mesure de superficie (100 ares, 10 000 mètres carrés).
hectogramme n. m. Poids de 100 grammes.
hectolitre n. m. Mesure de 100 litres.
hectomètre n. m. Longueur de 100 mètres.
hectométrique adj. Relatif à l'hectomètre : *borne hectométrique.*
hectowatt n. m. *Mécan.* Unité de puissance équivalant à cent watts.
hédonisme n. m. *Philos.* Doctrine qui fait du plaisir le but de la vie.
hégémonie n. f. Suprématie d'une ville, d'une puissance.
hégire n. f. Ere des mahométans, qui commence en 622, date de la fuite de Mahomet de La Mecque à Médine.
***hein!** interj. fam. marquant l'interrogation ou la surprise.
hélas! interj. de plainte.
***héler** v. tr. (Se conj. comme *accélérer.*) Appeler à l'aide d'un porte-voix un navire, une embarcation. Appeler en général.
hélianthe n. m. Soleil (plante).
hélice n. f. *Géom.* Ligne obtenue en enroulant une ligne droite sur un cylindre de révolution. Appareil de propulsion ou de traction pour bateaux, avions, etc.
hélice n. f. ou **hélix** n. m. Genre de mollusques (escargots).
hélicoïdal, e, aux adj. En hélice.
hélicoptère n. m. Appareil d'aviation capable de s'élever au moyen d'hélices horizontales.
héliogravure n. f. Procédé de photogravure en creux, qui se tire comme la taille-douce.
héliothérapie n. f. Traitement des maladies par la lumière solaire.
héliotrope n. m. Plante ornementale à fleurs odorantes.

héliotropisme n. m. Phénomène de mouvement et de direction des plantes sous l'influence des rayons solaires.
hélium n. m. Gaz léger qui existe en petite quantité dans l'air.
hélix n. m. Repli de l'oreille externe. *Zool.* Hélice (escargot).
Hellène n. Grec.
hellénique adj. De la Grèce.
helléniser v. tr. Donner le caractère grec. V. intr. Etudier le grec.
hellénisme n. m. Expression particulière à la langue grecque. Civilisation grecque.
helléniste n. Versé dans la langue grecque.
helminthe n. m. Ver intestinal.
helvétique adj. et n. De la Suisse.
***hem!** interj. pour attirer l'attention, pour exprimer un doute.
hématie [*ti*] n. f. Globule rouge.
hématite n. f. Sesquioxyde de fer, minerai de couleur rouge ou brune.
hématurie n. f. Emission de sang dans l'urine.
hémérocalle n. f. Sorte de lis.
hémicycle n. m. Tout espace disposé en demi-cercle. Amphithéâtre demi-circulaire.
hémiplégie n. f. Paralysie ne frappant que la moitié du corps.
hémiplégique adj. Relatif à l'hémiplégie.
hémiptères adj. et n. pl. Insectes à élytres courts (parfois sans ailes) et à suçoir (*cigale, puceron*).
hémisphère n. m. Demi-sphère. Chacune des deux moitiés du globe terrestre séparées soit par l'équateur, soit par le méridien de Greenwich.
hémisphérique adj. En demi-sphère.
hémistiche n. m. Moitié ou partie de vers coupé par la césure.
hémoglobine n. f. Matière colorante rouge du sang.
hémolyse n. f. Destruction des globules rouges du sang.
hémophilie n. f. Prédisposition aux hémorragies.
hémoptysie n. f. Crachement de sang.
hémorragie n. f. Perte de sang.
hémorragique adj. Relatif à l'hémorragie.
hémorroïdes n. f. pl. Varices des veines de l'anus.
hémostase ou **hémostasie** n. f. *Méd.* Stagnation du sang.
hémostatique adj. et n. m. Propre à arrêter les hémorragies.
hendécasyllabe n. et adj. m. Se dit du vers de onze syllabes.
***henné** n. m. Plante dont les feuilles fournissent une teinture rouge pour les cheveux de femmes : *rinçage au henné.*
***hennin** [*hè-nin*] n. m. Coiffure féminine, haute et conique, au Moyen Age.
***hennir** [*hè*] v. intr. Crier, en parlant du cheval.
***hennissement** n. m. Cri du cheval.
hépatique adj. et n. Relatif au foie. N. f. pl. *Bot.* Classe de mousses.
heptagone n. m. et adj. Polygone à sept côtés.
héraldique adj. Relatif au blason.
héraldiste n. m. Qui s'occupe de science héraldique.
***héraut** n. m. Officier chargé de publier les messages, etc.
herbacé, e adj. Qui a l'aspect, la nature de l'herbe : *plante herbacée.*
herbage n. m. Pâturage permanent.
herbager, ère n. Qui s'occupe d'engraisser les bœufs.
herbager v. tr. (Se conj. comme *manger.*) Mettre à l'herbage : *herbager son bétail.*
herbe n. f. Plante dont la tige verte et molle meurt chaque année. *Mauvaises herbes,* plantes parasites nuisibles à l'agriculture. *En herbe,* non encore mûr, et, au *fig.,* en espérance. *Fig. Couper l'herbe sous le pied de quelqu'un,* le supplanter, le devancer.
herbette n. f. *Fam.* Herbe menue.
herbeux, euse adj. Où il croît de l'herbe : *plaines herbeuses.*
herbier n. m. Collection pour l'étude des plantes sèches.
herbivore n. m. et adj. Qui se nourrit d'herbe : *les ruminants sont tous des herbivores.*
herborisation n. f. Action d'herboriser.
herboriser v. intr. Recueillir des plantes pour les étudier.
herboriseur n. m. Qui herborise.
herboriste n. Qui vend des plantes médicinales.
herboristerie n. f. Commerce, boutique de l'herboriste.
herbu, e adj. Couvert d'herbe.
hercule n. m. Homme très robuste.
herculéen, enne adj. Digne d'Hercule : *travail herculéen.*
***hère** n. m. *Fam.* Homme misérable.
héréditaire* adj. Qui se transmet par succession. Qui se communique des parents aux enfants : *maladie héréditaire.*
hérédité n. f. Transmission par succession. Transmission aux descendants des caractères des ascendants.
hérédo, préf. indiquant l'hérédité dans une maladie. N. m. Un syphilitique.
hérésiarque n. m. Auteur d'une hérésie.
hérésie n. f. Doctrine condamnée par une église. *Fig.* Doctrine en opposition avec les opinions admises.
hérétique adj. Qui tient de l'hérésie. N. Qui professe une hérésie.
***hérissement** n. m. Etat de ce qui est hérissé.
***hérisser** v. tr. Dresser ses cheveux, son poil. Garnir de pointes : *hérisser de clous. Fig. : hérisser d'obstacles.*
***hérisson** n. m. Mammifère insectivore au corps couvert de piquants. *Fig.* Personne peu abordable.
héritage n. m. Action d'hériter. Biens transmis par succession. Domaine, maison : *cultiver son héritage. Fig.* Ce qu'on tient de ses parents, de ses ancêtres.
hériter v. intr. Recueillir une succession. V. tr. Recevoir par héritage.
héritier, ère n. Qui hérite ou doit hériter.
hermaphrodite n. m. et adj. Qui réunit les caractères des deux sexes.
herméticité n. f. Qualité de ce qui est hermétique.
hermétique* adj. Se dit d'une fermeture parfaite. *Fig.* Difficile à comprendre.
hermine n. f. Petit quadrupède dont la fourrure, blanche l'hiver, est précieuse : *un col d'hermine.*
herminette n. f. Hache de charpentier, à tranchant recourbé.
***herniaire** adj. De la hernie.

***hernie** n. f. Tumeur molle formée par la sortie d'un viscère à travers une ouverture d'une membrane : *hernie ombilicale.* Affaiblissement de la paroi d'un pneumatique.

héroï-comique adj. Qui traite un sujet comique sur un ton héroïque.

héroïne n. f. Femme remarquable par son courage, la grandeur de ses sentiments, etc. *Fig.* Femme qui joue le principal rôle dans une action fictive ou réelle. *Chim.* Un dérivé de la morphine.

héroïque* adj. Qui se conduit en héros. Qui dénote de l'héroïsme. *Fig.* Très efficace : *remède héroïque.*

héroïsme n. m. Ce qui est propre au héros. Action héroïque.

***héron** n. m. Oiseau échassier à long bec, au cou long et grêle.

***héros** n. m. *Myth.* Demi-dieu. *Par anal.* Qui se distingue par des actions éclatantes, par sa grandeur d'âme. *Fig.* Qui joue le principal rôle dans une action fictive ou réelle.

herpès [*pèss*] n. m. Eruption vésiculeuse.

herpétique adj. De la nature de l'herpès.

herpétisme n. m. *Méd.* Etat physique dû à un ralentissement de la nutrition.

***hersage** ou **hersement** n. m. Action de herser.

***herse** n. f. Instrument d'agriculture qui a plusieurs rangs de dents. Grille armée de pointes aux portes d'une place forte.

***herser** v. tr. Passer la herse.

hertzien, enne adj. *Phys.* Relatif aux ondes radio-électriques découvertes par Hertz et employées en T. S. F.

hésitation n. f. Action d'hésiter.

hésiter v. intr. Etre indécis : *hésiter devant un danger.*

hétaïre n. f. Dans l'Antiquité, courtisane grecque d'un rang élevé.

hétéroclite adj. Qui s'écarte des règles ordinaires.

hétérodoxe adj. et n. Contraire à la doctrine orthodoxe.

hétérodoxie n. f. Opposition aux sentiments orthodoxes.

hétérodyne adj. et n. f. Se dit d'une source d'ondes entretenues qui, en T.S.F., joue le rôle d'amplificateur.

hétérogène adj. De nature différente.

hétérogénéité n. f. Caractère de ce qui est hétérogène.

***hêtraie** n. f. Lieu planté de hêtres.

***hêtre** n. m. Grand arbre à écorce lisse.

***heu!** interj. qui marque l'étonnement, le doute.

heure n. f. Vingt-quatrième partie du jour. Moment déterminé du jour : *l'heure du dîner.* L'instant, le moment : *sa dernière heure est venue. Fig.* et *fam. Passer un mauvais quart d'heure,* traverser un moment critique. *Le quart d'heure de Rabelais,* le moment où il faut payer. Loc. adv. : *Tout à l'heure,* dans un moment; *à cette heure,* en ce moment; *à toute heure,* continuellement; *de bonne heure,* tôt; *sur l'heure,* à l'instant; *à la bonne heure,* soit, c'est bien.

heureux, euse* adj. Qui jouit du bonheur. Que le sort favorise : *joueur heureux.* Qui donne ou qui marque le bonheur. Qui présage le succès : *heureux augure.* N. Personne heureuse.

***heurt** n. m. Choc, cahot.

***heurté, e** adj. *Fig.* Qui contraste. *Style heurté,* qui offre des oppositions.

***heurter** v. tr. Choquer rudement. *Fig.* Contrarier. V. intr. Frapper à une porte.

***heurtoir** n. m. Marteau pour frapper à une porte. *Ch. de f.* Butoir.

hexagonal, e, aux adj. A six côtés.

hexagone n. m. et adj. Polygone qui a six côtés.

hexamètre n. m. et adj. Se dit d'un vers grec ou latin de six pieds. *Abusiv.* Alexandrin français.

hiatus n. m. Rencontre sans élision de deux voyelles, à la fin d'un mot et au commencement du suivant. *Fig.* Solution de continuité. Lacune.

hibernal, e, aux adj. Qui a lieu en hiver.

hibernation n. f. Engourdissement hibernal de certains animaux. Traitement de certaines affections par le froid.

hiberner v. intr. Passer l'hiver dans l'engourdissement, en parlant de certains animaux.

***hibou** n. m. Oiseau de proie nocturne.

***hic** n. m. *Fam.* Nœud de la question, difficulté : *voilà le hic.*

hidalgo n. m. Noble espagnol.

***hideur** n. f. Aspect hideux. Laideur extrême.

hideux, euse adj. Horrible à voir. Ignoble, repoussant.

***hie** n. f. Instrument employé par les paveurs pour enfoncer les pavés.

hier, adv. de temps, désigne le jour précédant celui où l'on est.

***hiérarchie** n. f. Ordre et subordination, des rangs, des pouvoirs, des dignités.

hiérarchique adj. Conforme à la hiérarchie : *voie hiérarchique.*

***hiérarchiser** v. tr. Régler, d'après un ordre hiérarchique.

hiératique* adj. Qui est le propre des prêtres. *Ecriture hiératique,* tracé cursif de l'écriture hiéroglyphique égyptienne.

hiéroglyphe n. m. Caractère de l'écriture des anciens Egyptiens. *Fig.* Ecriture illisible, grimoire.

hiéroglyphique adj. Qui appartient aux hiéroglyphes.

hiérophante n. m. En Grèce, prêtre qui présidait aux mystères d'Eleusis.

***highlander** [*haï-lèn-deur*] n. m. Montagnard écossais.

hilarant, e adj. Qui provoque le rire. *Chim. Gaz hilarant,* protoxyde d'azote.

hilare adj. Qui montre une grosse gaieté réjouie.

hilarité n. f. Explosion de rire.

***hile** n. m. Organe de la graine, par où entrent les sucs nourriciers.

hindou, e adj. et n. De l'Hindoustan.

hindouisme n. m. Religion dominante de l'Inde, avec culte de la vache.

hippique adj. Relatif aux chevaux.

hippisme n. m. Sport hippique.

hippocampe n. m. Genre de poissons de mer dits, à cause de la forme de leur tête, *chevaux marins.*

hippodrome n. m. *Antiq.* Cirque pour les courses de chevaux ou de chars. Auj., champ de courses.

hippogriffe n. m. Animal fabuleux ailé, moitié cheval, moitié griffon.
hippomobile adj. Mû par un ou plusieurs chevaux : *voiture hippomobile.*
hippophagie n. f. Habitude de manger de la viande de cheval.
hippopotame n. m. Genre de mammifères pachydermes vivant au bord des fleuves d'Afrique. *Fam.* Personne énorme.
hirondelle n. f. Genre d'oiseaux passereaux migrateurs, à bec large, à queue fourchue, aux ailes longues. *Hirondelle de mer,* sorte de mouette.
hirsute adj. Touffu, hérissé. *Fig.* Grossier, bourru.
hispanique adj. De l'Espagne.
hispanisant, e n. Qui s'occupe d'études hispaniques.
hispano-américain, aine adj. et n. De l'Amérique espagnole.
***hisser** v. tr. Hausser, élever avec effort.
histoire n. f. Récit des événements passés : *l'histoire ancienne.* Etude d'une époque, de la vie d'un homme : *histoire de Louis XIV.* Description particulière des êtres : *histoire naturelle des plantes. Peintre d'histoire,* qui représente des sujets historiques. Conte, fiction : *histoires fantastiques.* Pl. *Fam.* Embarras, façons.
histologie n. f. *Méd.* Partie de l'anatomie qui étudie les tissus.
historicité n. f. Caractère historique : *l'historicité d'un récit.*
historien n. m. Qui écrit l'histoire.
historier v. tr. Enjoliver, orner.
historiette n. f. Anecdote; petit récit : *historiette piquante.*
historiographe n. m. Historien.
historique* adj. Qui appartient à l'histoire : *faits historiques.* N. m. Narration, exposé : *faire un historique.*
histrion n. m. *Antiq. rom.* Acteur bouffon. Bateleur, mauvais comédien. *Fig.* Charlatan.
hitlérien, enne adj. Relatif à Hitler.
hiver n. m. La plus froide des quatre saisons de l'année (22 déc.-21 mars, dans l'hémisphère Nord).
hivernage n. m. Saison d'hiver. Saison des pluies, dans les régions tropicales. Labour donné avant l'hiver.
hivernal, e, aux adj. De l'hiver.
hiverner v. intr. Passer à l'abri la mauvaise saison. V. tr. Donner aux terres un hivernage.
***ho!** interj. qui sert à appeler, à témoigner l'étonnement, l'admiration, etc.
***hobereau** n. m. Petit faucon. *Fig.* Gentilhomme campagnard.
***hochement** n. m. Action de hocher.
***hochequeue** n. m. Bergeronnette.
***hocher** v. tr. Secouer. Agiter.
***hochet** n. m. Jouet qu'on donne au très jeune enfant.
***hockey** n. m. Balle à la crosse.
***holà!** interj. dont on se sert pour appeler, pour arrêter, etc. N. m. *Mettre le holà,* rétablir l'ordre.
***holding** [*din'g*] n. m. (mot angl.). Sorte de trust résultant d'une fusion d'actions de sociétés diverses.
***hollandais, e** adj. et n. De la Hollande.
***hollande** n. m. Fromage de Hollande, généralement en forme de boule. N. f. Toile très fine. Sorte de pomme de terre.
holocauste n. m. Sacrifice religieux où la victime était consumée par le feu. La victime ainsi sacrifiée. *Fig.* Offrande, sacrifice.
***homard** n. m. Genre de crustacés à chair très appréciée.
***home** [*ôm'*] n. m. Le chez-soi, la famille, la vie intime.
homélie n. f. Instruction familière sur la religion. *Fig.* Sermon en général.
homéopathe adj. et n. Partisan de l'homéopathie.
homéopathie n. f. Système thérapeutique, qui consiste à traiter les malades à l'aide d'agents qui déterminent une affection analogue à celle qu'on veut combattre.
homéopathique adj. Relatif à l'homéopathie.
homérique adj. Relatif à Homère.
homicide n. et adj. Meurtrier d'un être humain. N. m. Action de tuer un être humain : *homicide par imprudence.*
hommage n. m. Devoir que le vassal était tenu de rendre au seigneur. Marque de respect. Don respectueux : *faire hommage d'un livre.* Pl. Devoirs de civilité : *présenter ses hommages.*
hommasse adj. f. Se dit d'une femme dont l'aspect, la voix, les manières tiennent de l'homme.
homme n. m. Etre humain du sexe masculin : *hommes et femmes.* Qui est parvenu à l'âge viril : *l'enfant devient homme.* L'espèce humaine : *l'homme est sujet à la mort.* L'être humain considéré du point de vue moral : *un brave homme.* Soldat, ouvrier : *armée de dix mille hommes. Homme de paille,* prête-nom. *Homme de lettres,* écrivain. *Homme de loi,* magistrat, avocat, etc. *Homme d'Etat,* politique. *Homme d'affaires,* agent d'affaires.
homme-grenouille n. m. Plongeur muni d'un scaphandre autonome qui lui permet d'accomplir certains travaux sous l'eau.
homogène adj. Formé d'éléments de même nature ou très unis.
homogénéiser v. tr. Rendre homogène.
homogénéité n. f. Qualité de ce qui est homogène.
homologation n. f. Approbation : *l'homologation d'un concordat.*
homologue adj. *Géom.* Se dit des éléments qui se correspondent dans des figures semblables. *Chim.* Se dit de corps organiques remplissant les mêmes fonctions.
homologuer v. tr. Approuver. Enregistrer.
homonyme n. et adj. *Gramm.* Se dit des mots qui se prononcent de même, sans avoir la même signification, comme SAINT, CEINT, SEING, SEIN. N. m. Celui qui porte le même nom qu'un autre.
homonymie n. f. Qualité de ce qui est homonyme.
homophone adj. Qui a le même son.
homuncule n. m. Petit homme. Petit être sans corps, sans pesanteur, que les sorciers prétendaient fabriquer.
***hongre** n. et adj. m. Se dit d'un cheval châtré.
***hongrois, e** adj. et n. De la Hongrie.

honnête* adj. Conforme à la probité : *caissier honnête*. Conforme à l'honneur, à la politesse : *vivre en honnête homme*. Convenable : *récompense honnête*. N. m. Ce qui est moral, vertueux.
honnêteté n. f. Probité : *honnêteté en affaires*. Bienséance, pudeur : *braver l'honnêteté*. Bienveillance, obligeance : *l'honnêteté d'un procédé*.
honneur n. m. Estime qui suit la vertu et les talents. Probité, vertu : *homme d'honneur*. Réputation : *attaquer l'honneur de quelqu'un*. Estime, respect : *rendre honneur*. Pudeur, chasteté. *Fig.* Celui, ce dont on est fier : *faire honneur à son pays*. Loc. *Faire honneur à sa signature,* remplir ses engagements. *Parole d'honneur,* promesse faite sur l'honneur. *Dame d'honneur,* attachée au service d'une princesse. *Garçon, demoiselle d'honneur,* qui assistent les mariés. *Légion d'honneur,* ordre national français, pour récompenser les services militaires et civils. Pl. Charges, dignités : *aspirer aux honneurs*. *Honneurs funèbres,* funérailles.
***honnir** v. tr. Couvrir de honte. (Vx.)
honorabilité n. f. Qualité de ce qui est honorable.
honorable* adj. Qui fait honneur : *action honorable*. Digne d'être honoré : *caractère honorable*.
honoraire adj. Qui conserve le titre honorifique d'une fonction qu'il n'exerce plus : *conseiller honoraire*. Qui porte un titre sans fonctions : *membre honoraire*. N. m. pl. Rétribution des professions libérales : *honoraires d'un médecin*.
honorariat n. m. Dignité honoraire.
honorer v. tr. Rendre honneur. Faire honneur : *honorer son pays*.
honorifique adj. Qui procure des honneurs : *fonctions honorifiques*.
***honte** n. f. Déshonneur : *être la honte des siens*. Sentiment de confusion : *avoir honte de parler*. *Courte honte,* humiliation d'un échec. *Faire honte de,* reprocher.
honteux, euse* adj. Qui éprouve de la honte : *honteux de sa conduite*. Timide : *enfant honteux*. Qui cause de la honte : *conduite honteuse*.
***hop!** interj. qui sert à stimuler.
hôpital n. m. Etablissement où l'on soigne les malades.
***hoquet** n. m. Contraction brusque du diaphragme.
***hoqueter** v. intr. (Se conj. comme *jeter*.) Avoir le hoquet.
horaire adj. Relatif aux heures. N. m. Tableau indiquant les heures de départ, d'arrivée des trains, etc.
***horde** n. f. Tribu nomade. Troupe indisciplinée : *horde de brigands*.
***horion** n. m. Coup violent.
horizon n. m. Ligne circulaire dont l'observateur est le centre et où le ciel et la terre semblent se joindre. Partie du ciel, de la terre que borne cette ligne. *Fig.* Etendue d'une action, d'une activité : *l'horizon de l'esprit*. Perspective de l'avenir : *l'horizon politique*.
horizontal, e*, aux adj. Parallèle à l'horizon. Perpendiculaire à la verticale. N. f. Ligne horizontale.
horizontalité n. f. Caractère de ce qui est horizontal.
horloge n. f. Machine qui marque les heures : *horloge électrique*.
horloger, ère adj. De l'horlogerie. N. m. Qui fait, vend ou répare des horloges.
horlogerie n. f. L'art de l'horloger. Son magasin, sa fabrique.
hormis prép. Excepté, sauf.
hormone n. f. Sécrétion de glandes endocrines.
horoscope n. m. Prédictions tirées de l'état du ciel à la naissance.
horreur n. f. Effroi : *pâlir d'horreur*. Répulsion : *l'horreur du mal*. Ce qui cause ces impressions : *l'horreur d'un crime*. Action, parole grossière ou répréhensible : *dire des horreurs*. *Fam.* Personne très sale, très laide.
horrible* adj. Qui fait horreur : *crime horrible*. Très mauvais : *temps horrible*.
horrifier v. tr. (Se conj. comme *prier*.) Frapper d'horreur.
horrifique adj. Horrible.
horripilant, e adj. Qui horripile.
horripilation n. f. Frisson causé par l'effroi, la répulsion, etc.
horripiler v. tr. Hérisser le poil. *Fig.* Agacer, impatienter.
***hors** prép. Au-delà de : *hors rang*. Sauf, excepté : *tous les genres sont bons, hors le genre ennuyeux*. *Etre hors de soi,* violemment agité. *Mettre hors la loi,* priver de la protection des lois. *Hors ligne,* exceptionnel. *Etre hors de combat,* ne plus pouvoir combattre.
***hors-d'œuvre** n. m. invar. Menus mets servis au début d'un repas. *Fig.* Accessoire.
hors-la-loi n. m. invar. Individu qui se met en dehors des lois.
***hors-texte** n. m. invar. Gravure, planche tirée à part dans un livre.
hortensia n. m. Plante à fleurs en boules blanches, bleues ou roses.
horticole adj. Relatif aux jardins.
horticulteur n. m. Qui s'occupe d'horticulture.
horticulture n. f. Art de cultiver les jardins.
hortillonnage n. m. Terrain marécageux pour la culture des légumes dans le Nord.
hosanna, mot hébreu exprimant une idée de louange, de bénédiction.
hospice n. m. Maison d'assistance, où l'on reçoit les orphelins, les infirmes, les vieillards, etc.
hospitalier, ère* adj. Relatif aux hôpitaux, aux hospices : *les services hospitaliers*. Qui exerce l'hospitalité. Lieu où elle s'exerce : *asile hospitalier*. N. et adj. Membre de certains ordres religieux.
hospitalisation n. f. Admission et séjour dans un hôpital.
hospitaliser v. tr. Admettre dans un hôpital, un hospice.
hospitalité n. f. Logement gratuit, accordé par libéralité ou par politesse : *donner l'hospitalité*.
hostie n. f. Pain mince, sans levain, que le prêtre consacre à la messe.
hostile adj. Ennemi, opposé : *se montrer hostile au progrès*.
hostilité n. f. Acte d'ennemi : *ouvrir les hostilités*. Haine : *acte d'hostilité*.

hôte, hôtesse n. Qui donne l'hospitalité. Personne qui tient un hôtel, une auberge ou un cabaret. Qui reçoit l'hospitalité. *Table d'hôte,* où l'on mange à heure fixe. *Hôtesse de l'air,* jeune fille qui veille au confort des passagers des avions.

hôtel n. m. Demeure somptueuse : *hôtel particulier.* Edifice destiné à un service public. *Hôtel de ville,* siège de l'autorité municipale. (Pl. des *hôtels de ville.*) Maison meublée pour voyageurs. *Maître d'hôtel,* chef du service de la table dans une grande maison, un restaurant.

hôtel-Dieu n. m. Principal hôpital, dans quelques villes. Pl. des *hôtels-Dieu.*

hôtelier, ère adj. Qui concerne l'hôtellerie. N. Personne qui tient un hôtel.

hôtellerie n. f. Maison où l'on est logé et nourri en payant (vx). Restaurant de luxe. Commerce de l'hôtelier.

***hotte** n. f. Panier d'osier, long et large, porté sur le dos : *hotte de chiffonnier.* Manteau de cheminée.

***hottée** n. f. Contenu de la hotte.

hou! interj. qui sert à faire peur ou à faire honte.

***houblon** n. m. Plante grimpante dont les cônes servent à aromatiser la bière.

***houblonnière** n. f. Champs de houblon.

***houe** n. f. Sorte de pioche à large fer pour ameublir le sol.

***houer** v. tr. Labourer avec la houe.

***houille** n. f. Charbon fossile renfermant une grande quantité de carbone. *Houille blanche,* chutes d'eau utilisées comme force motrice.

***houiller, ère** adj. Qui renferme de la houille : *terrain houiller.* Relatif à la houille : *industrie houillère.*

***houillère** n. f. Mine de houille.

***houle** n. f. Mouvement ondulatoire de la mer. *Fig.* Agitation.

***houlette** n. f. Bâton de berger muni d'une plaque pour lancer des mottes aux animaux qui s'écartent.

***houleux, euse** adj. Agité par la houle. *Fig. : assemblée houleuse.*

***houppe** n. f. Touffe de brins de laine, de soie, de duvet. Touffe de cheveux, de plumes sur la tête.

***houppelande** n. f. Ample manteau en usage autrefois.

***houppette** n. f. Petite houppe.

***hourder** v. tr. Faire un hourdis.

***hourdis** ou ***hourdage** n. m. Maçonnage grossier. Couche de plâtre sur un lattis.

***hourra** n. m. Acclamation.

***hourvari** n. m. Cri des chasseurs pour rappeler les chiens. Tumulte.

***houseaux** n. m. pl. Hautes guêtres.

***houspiller** v. tr. Malmener.

***housse** n. f. Couverture sur la croupe des chevaux. Enveloppe d'étoffe : *mettre des housses aux fauteuils.*

***houssine** n. f. Baguette.

***houx** n. m. Arbuste toujours vert, aux feuilles luisantes et armées de piquants.

***hoyau** [*hoi-yô*] n. m. Sorte de houe.

***hublot** n. m. Fenêtre ronde dans la paroi d'un navire ou d'un avion.

***huche** n. f. Coffre pour le pain.

***hue!** Terme dont on se sert pour faire avancer les chevaux.

***huée** n. f. Action de huer. *Fig.* Cris d'improbation, de moquerie : *les huées de la foule.*

***huer** v. tr. Accueillir par des huées. V. intr. Crier (hibou).

***huguenot, e** n. et adj. Protestant partisan de Calvin. Relatif aux calvinistes.

huilage n. m. Action d'huiler.

huile n. f. Liquide gras qu'on extrait de diverses substances végétales ou animales. *Huiles minérales,* hydrocarbures liquides (pétrole). *Peinture à l'huile,* avec des couleurs délayées à l'huile. *Fig. Jeter de l'huile sur le feu,* envenimer une querelle. *Faire tache d'huile,* augmenter peu à peu. *Pop.* Personnage important.

huiler v. tr. Oindre avec de l'huile : *huiler des rouages ; papier huilé*

huilerie n. f. Fabrique d'huile.

huileux, euse adj. De la nature de l'huile. Gras : *peau huileuse.*

huilier n. m. Ustensile contenant les burettes d'huile et de vinaigre, etc. N. et adj. m. Fabricant ou marchand d'huile.

huis n. m. Porte (vx). *A huis clos,* le public n'étant pas admis.

huisserie n. f. Bâti en bois encadrant une porte.

huissier n. m. Qui a la charge chez un souverain, un haut personnage, une administration, d'annoncer, d'introduire, etc. Qui fait le service des séances d'une assemblée, etc. Officier ministériel chargé de signifier les actes de justice, de mettre à exécution les jugements, etc. *Huissier audiencier,* qui assiste les magistrats.

***huit** adj. num. Sept plus un. Huitième : *Charles huit.* N. m. invar. : *le huit du mois ; huit de carreau.*

***huitaine** n. f. Espace de huit jours : *remettre à huitaine.* Assemblage de huit objets environ : *une huitaine de francs.*

***huitième** adj. num. ord. et n. Dont le rang est marqué par le nombre huit. N. f. Classe élémentaire des lycées et collèges. N. m. La huitième partie.

***huitièmement** adv. En huitième lieu.

huître n. f. Genre de mollusques à double coquille. *Huître perlière,* celle qui fournit les perles. *Fig.* et *fam.* Personne stupide. Cancre.

***hulotte** n. f. Chat-huant.

***hum!** [*heum*], interj. marquant le doute, l'impatience.

humain, e* adj. De l'homme : *corps humain. Le genre humain,* l'ensemble des hommes. Bienfaisant, secourable : *se montrer humain. Respect humain,* contrainte qu'exerce sur nous la peur du qu'en-dira-t-on. N. m. pl. *Poét. Les humains,* les hommes.

humaniser v. tr. Rendre bon, doux, charitable.

humanisme n. m. Doctrine des humanistes de la Renaissance. Doctrine qui met l'accent sur l'étude de l'homme.

humaniste n. m. et adj. Homme versé dans la connaissance des langues et des littératures anciennes.

humanitaire adj. Qui intéresse l'humanité. N. et adj. Qui s'occupe des intérêts de l'humanité.

humanitarisme n. m. Amour de l'humanité un peu prétentieux.

humanité n. f. Nature humaine. Genre humain : *un bienfaiteur de l'humanité.* Bonté, bienveillance : *traiter avec humanité.* N. f. pl. Ensemble des classes de l'enseignement secondaire.
humble* adj. Qui s'abaisse volontairement. Qui marque l'humilité : *humble requête.* *Fig.* Qui a peu d'éclat, d'importance : *humble condition.*
humectage n. m. Action d'humecter.
humecter v. tr. Rendre humide.
***humer** v. tr. Avaler en aspirant : *humer un œuf.* Respirer, aspirer.
huméral, e, aux adj. De l'humérus.
humérus n. m. L'os du bras, depuis l'épaule jusqu'au coude.
humeur n. f. Substance fluide d'un corps organisé (sang, bile, pus, etc.). *Fig.* Disposition de l'esprit naturelle ou accidentelle : *humeur enjouée.*
humide adj. Chargé de liquide ou de vapeur : *temps humide. Yeux humides,* pleins de larmes. N. m. Ce qui est humide.
humidification n. f. Action d'humidifier : *l'humidification d'une salle.*
humidifier v. tr. Rendre humide.
humidité n. f. Etat de ce qui est humide : *l'humidité de l'air.*
humiliation n. f. Action d'humilier ou état d'une personne humiliée. Affront : *subir une humiliation.*
humilier v. tr. (Se conj. comme *prier.*) Rendre humble. Abaisser, mortifier. Rendre confus : *humilier un menteur.*
humilité n. f. Vertu qui résulte du sentiment de notre faiblesse. Déférence.
humoriste n. et adj. Qui a de l'humour : *un écrivain humoriste.*
humoristique* adj. Qui tient de l'humour : *dessins humoristiques.*
humour n. m. Raillerie qui se dissimule sous un air sérieux.
humus [*muss*] n. m. Terre végétale.
***hune** n. f. Plate-forme en saillie autour d'un mât de navire.
***hunier** n. m. Voile carrée d'un mât de hune.
***huppe** n. f. Touffe de plumes de certains oiseaux. Genre d'oiseaux passereaux huppés.
***huppé, e** adj. Qui a une huppe. *Fam.* De haut rang : *personnage huppé.*
***hure** n. f. Tête coupée de sanglier, de saumon, de brochet, etc.
***hurlement** n. m. Cri prolongé du loup et du chien. Cri aigu et prolongé : *des hurlements d'effroi.*
***hurler** v. intr. Faire entendre des hurlements. Chanter fort et mal.
***hurleur, euse** n. Qui hurle. N. et adj. m. Genre de singes d'Amérique.
hurluberlu n. m. Etourdi, écervelé.
***hussard** n. m. Soldat de cavalerie légère.
***hussarde** n. f. Danse d'origine hongroise. *A la hussarde* loc. adv. D'une manière cavalière.
***hutte** n. f. Petite cabane grossière faite de branchages, etc.
hyacinthe n. f. Pierre précieuse d'un jaune tirant sur le rouge.
hybridation n. f. Production d'hybrides par croisement.
hybride n. m. et adj. Se dit des mots tirés de deux langues comme *bureaucratie;* des plantes, des animaux qui proviennent de deux espèces différentes.
hydarthrose n. f. Accumulation séreuse dans une articulation.
hydratation n. f. Transformation en hydrate : *l'hydratation de la chaux vive donne la chaux éteinte.*
hydrate n. m. Combinaison de l'eau avec une substance.
hydraté, e adj. Combiné avec l'eau.
hydraulicien n. m. Ingénieur qui s'occupe d'hydraulique.
hydraulique n. f. Science qui étudie l'emploi et l'aménagement des eaux. Adj. Relatif à l'eau : *machine hydraulique.*
hydravion n. m. Avion muni de flotteurs ou d'une coque étanche et destiné à prendre son départ de l'eau et à s'y poser.
hydre n. f. Genre de polypes. *Ant.* Monstre à sept têtes tué par Hercule.
hydrique, suffixe qui désigne les acides formés par la combinaison d'hydrogène et d'un corps simple : *acide chlorhydrique.* Adj. Relatif à l'eau : *diète hydrique.*
hydrocarbure n. m. Combinaison chimique de carbone et d'hydrogène : *le pétrole est formé d'un mélange de divers hydrocarbures.*
hydrocéphale adj. Atteint d'hydrocéphalie ou hydropisie de la tête.
hydro-électrique adj. Qui concerne la production d'électricité par l'action d'une force hydraulique : *barrage hydro-électrique.*
hydrogénation n. f. Action d'hydrogéner : *l'hydrogénation des huiles.*
hydrogène n. m. Corps simple qui entre dans la composition de l'eau : *l'hydrogène est 14 fois plus léger que l'air.*
hydrogéner v. tr. (Se conj. comme *accélérer.*) Combiner avec l'hydrogène.
hydroglisseur n. m. Bateau à propulsion aérienne, glissant sur l'eau.
hydrographie n. f. Science qui étudie l'élément liquide de la Terre. Topographie maritime. Ensemble des eaux d'une région. Etude du régime des eaux d'une région.
hydromel n. m. Boisson faite d'eau et de miel : *les Gaulois buvaient de l'hydromel.*
hydromètre n. m. Instrument pour mesurer la pression dans un liquide.
hydrophile adj. Qui absorbe l'eau : *coton hydrophile.* N. m. Genre de coléoptères des eaux stagnantes.
hydrophobie n. f. Horreur de l'eau.
hydropique n. et adj. Personne atteinte d'hydropisie.
hydropisie n. f. Epanchement de sérosité dans une partie du corps.
hydroquinone n. f. Diphénol employé comme révélateur photographique.
hydrostatique n. f. Partie de la mécanique, qui a pour objet l'équilibre des liquides.
hydrothérapie n. f. Traitement des malades par l'eau, froide ou chaude.
hydrothérapique adj. Relatif à l'hydrothérapie : *massages hydrothérapiques.*
hyène n. f. Mammifère carnassier d'Asie et d'Afrique.
hygiène n. f. Partie de la médecine qui traite de la conservation de la santé.
hygiénique adj. Relatif à l'hygiène.

hygiéniste n. Qui s'occupe de questions d'hygiène.
hygromètre n. m. Instrument qui mesure l'humidité de l'air.
hygrométrie n. f. Détermination de l'état d'humidité de l'atmosphère.
hygroscope n. m. Instrument indiquant le degré d'humidité de l'air.
hymen [*mèn*] ou **hyménée** n. m. *Poét.* Mariage.
hyménoptères n. m. pl. Ordre d'insectes aux ailes membraneuses (abeilles, etc.).
hymne n. m. *Antiq.* Poème en l'honneur des dieux, des héros. Chant national. *Fig.* Manifestation d'enthousiasme : *hymne d'amour.* N. f. *Liturg.* Cantique latin, poème religieux.
hypallage n. m. *Gramm.* Figure par laquelle on attribue à un mot d'une phrase ce qui convient à d'autres de cette phrase, comme : *enfoncer son chapeau dans sa tête,* pour *sa tête dans son chapeau.*
hyperbole n. f. Figure de rhétorique, qui consiste à exagérer l'expression. *Géom.* Sorte de courbe.
hyperbolique* adj. Qui tient de l'hyperbole, exagéré : *louanges hyperboliques. Géom.* En forme d'hyperbole.
hyperboréen, enne adj. De l'extrême Nord : *les peuples hyperboréens.*
hypermétrope n. m. Atteint d'hypermétropie.
hypermétropie n. f. Défaut de l'œil, où les images se forment au-delà de la rétine.
hypersensible adj. Très sensible.
hypertension n. f. Tension artérielle excessive.
hypertrophie n. f. Accroissement anormal des tissus d'un organe.
hypertrophier v. tr. (Se conj. comme *prier.*) Produire l'hypertrophie.
hypnose n. f. Sommeil artificiel.
hypnotique adj. Relatif à l'hypnose. N. m. et adj. Médicament qui provoque le sommeil.
hypnotiser v. tr. Endormir par les procédés de l'hypnotisme. V. pr. *Fig.* Concentrer son attention.
hypnotiseur n. m. Qui hypnotise.
hypnotisme n. m. Ensemble des phénomènes de l'hypnose.
hypocondriaque adj. Atteint d'hypocondrie. *Fig.* Triste, inquiet.
hypocondrie n. f. Affection nerveuse, qui rend bizarre et morose.
hypocras [*krâss*] n. m. Vin sucré où l'on fait infuser de la cannelle, etc.
hypocrisie n. f. Vice qui consiste à affecter une piété, une vertu, des sentiments, qu'on n'a pas.
hypocrite* n. et adj. Qui a de l'hypocrisie : *un enfant hypocrite.* Adj. Qui marque l'hypocrisie : *air hypocrite.*
hypodermique adj. Sous-cutané.
hypogastre n. m. Le bas du ventre.
hypogée n. m. Construction souterraine destinée à recevoir des sépultures.
hypophyse n. f. Organe glandulaire à la base du crâne.
hypostyle adj. *Archit.* A plafond soutenu par des colonnes.
hyposulfite n. m. Sel de l'acide hyposulfureux.
hyposulfureux, hyposulfurique adj. m. Nom de deux composés oxygénés du soufre.
hypotension n. f. Tension artérielle insuffisante.
hypoténuse n. f. Côté opposé à l'angle droit dans un triangle rectangle.
hypothécaire* adj. Relatif à l'hypothèque : *caisse hypothécaire.*
hypothèque n. f. Droit dont est grevé un immeuble ou tout autre bien, en garantie d'une créance.
hypothéquer v. tr. (Se conj. comme *accélérer.*) Grever d'une hypothèque. Garantir par une hypothèque. *Fig.* Engager, lier : *hypothéquer l'avenir.*
hypothèse n. f. Supposition.
hypothétique* adj. Fondé sur une hypothèse. Douteux, incertain.
hypsométrie n. f. Science de la mesure des hauteurs. Relief.
hysope n. f. Genre de labiacées aromatiques et stimulantes.
hystérie n. f. Névrose caractérisée par des troubles divers de la sensibilité.
hystérique* adj. Relatif à l'hystérie. N. et adj. Atteint d'hystérie.

I

I n. m. Neuvième lettre et troisième voyelle de l'alphabet. *Droit comme un I,* très droit. *Mettre les points sur les i,* s'expliquer clairement, sans ménagement.
ïambe n. m. Pied de vers ancien composé d'une brève et d'une longue. Pièce satirique en vers de douze syllabes, alternant avec des vers de huit : *les ïambes d'André Chénier.*
ïambique adj. Composé d'ïambes.
ibère n. et **ibérique** adj. et n. De l'Ibérie.
ibidem adv. Au même endroit. (On écrit par abréviation : *ibid.*)
ibis [*biss*] n. m. Un oiseau échassier.
iceberg [*bèrgh*] n. m. Masse de glace flottante détachée d'un glacier polaire.
ichtyologie n. f. Partie de l'histoire naturelle qui traite des poissons.
ichtyophage n. et adj. Qui se nourrit principalement de poisson.
ichtyosaure [*ik*] n. m. Genre de reptiles gigantesques, fossiles du Secondaire.
ici adv. de lieu. En ce lieu-ci. *Par ext.* Au moment présent : *d'ici à demain. Ici-bas,* dans ce bas monde.
icône n. f. Dans l'Eglise russe et grecque, image peinte, représentant la Vierge ou les saints.
iconoclaste n. et adj. Briseur d'images.
iconographie n. f. Ouvrage où sont reproduites des œuvres d'art. Collection de portraits d'hommes célèbres.

iconostase n. f. Grand écran orné d'images de saints, derrière lequel les prêtres de rite grec font la consécration.
ictère n. m. Jaunisse.
ictérique adj. Relatif à l'ictère. N. Atteint de la jaunisse.
idéal, e*, aux adj. Qui n'existe que dans l'esprit, l'imagination. Qui possède la suprême perfection : *beauté idéale.* N. m. Perfection conçue par l'esprit. Ce à quoi l'on aspire. Pl. des *idéals* ou *idéaux.*
idéalisation n. f. Action d'idéaliser.
idéaliser v. tr. Rendre idéal.
idéalisme n. m. Doctrine philosophique qui nie la réalité individuelle des choses, n'admet que l'idée. Poursuite de l'idéal dans les œuvres d'art.
idéaliste n. et adj. Qui professe l'idéalisme.
idée n. f. Représentation d'une chose dans l'esprit : *l'idée du beau.* Manière de voir : *idées politiques.* Intention : *changer d'idée.* Conception de l'esprit et, *fam.,* l'esprit même qui conçoit. Imagination. Visions chimériques. *Idée fixe,* pensée dominante, obsession.
idem adv. lat. Le même. (Abrév. *id.*)
identification n. f. Action d'identifier.
identifier v. tr. (Se conj. comme *prier.*) Déclarer identique : *identifier deux genres.* Etablir l'identité : *identifier un criminel.* V. pr. Devenir identique.
identique* adj. Qui ne fait qu'un avec : *ce sont deux figures identiques.*
identité n. f. Caractère de ce qui est identique. *Par ext.* Accord intime. Personnalité exacte : *pièce d'identité.*
idéogramme n. m. Signe exprimant l'idée d'un mot et non sa prononciation : *les hiéroglyphes sont des idéogrammes.*
idéographie n. f. Représentation des idées dans l'écriture par des signes figurant les objets.
idéographique adj. Relatif à l'idéographie : *écriture idéographique.*
idéologie n. f. Système d'idées qui constitue une doctrine. *Péjor.* Doctrine préconisant un idéal irréalisable.
idéologique* adj. Relatif à l'idéologie.
idéologue n. m. Partisan de l'idéologie. Adonné aux abstractions, aux rêveries philosophiques.
ides n. f. pl. Quinzième jour des mois de mars, mai, juillet et octobre, treizième des autres mois, dans le calendrier romain : *César fut assassiné aux ides de mars.*
idiomatique adj. Relatif aux idiomes.
idiome n. m. Langue propre à une nation, à une province.
idiosyncrasie n. f. Tempérament.
idiot, e* n. et adj. Stupide, dépourvu d'intelligence : *air idiot.*
idiotie n. f. Arrêt de développement mental. *Par ext.* Absence d'intelligence.
idiotisme n. m. Tournure propre à un idiome et qui ne peut être traduite littéralement dans un autre.
idoine adj. Propre à, convenable.
idolâtre adj. et n. Qui adore les idoles.
idolâtrer v. tr. Aimer avec passion.
idolâtrie n. f. Adoration des idoles. *Fig.* Amour passionné.
idolâtrique adj. De l'idolâtrie.
idole n. f. Figure représentant une divinité. *Fig.* Personne que l'on aime avec une sorte de culte : *idole du peuple.*
idylle n. f. Petit poème du genre bucolique ou pastoral. *Fig.* Amour tendre et naïf : *l'idylle de deux enfants.*
idyllique adj. Propre à l'idylle.
if n. m. Genre d'arbres conifères toujours verts, à petit fruit rouge vif.
igloo [*glou*] n. m. Hutte de neige et de glace qui sert, en hiver, d'habitation aux Esquimaux.
igname [*g-n*] n. f. Plante dont la racine fournit l'arrow-root.
ignare adj. Très ignorant.
igné, e [*g-n*] adj. De feu. Produit par l'action du feu : *roches ignées.*
ignifuge adj. et n. m. Propre à rendre ininflammable : *peinture ignifuge.*
ignifuger v. tr. (Se conj. comme *manger.*) Rendre ininflammable.
ignition n. f. Etat des corps en combustion : *charbon en ignition.*
ignoble* adj. Bas, vil, infâme : *conduite ignoble; un bouge ignoble.*
ignominie n. f. Infamie. Grand déshonneur.
ignominieux, euse* adj. Qui cause de l'ignominie : *mort ignominieuse.*
ignorance n. f. Défaut de connaissances.
ignorant, e n. et adj. Dépourvu de savoir.
ignorantin adj. et n. m. Nom que prenaient certains religieux par humilité.
ignorantisme n. m. Système qui regarde l'instruction comme nuisible.
ignorer v. tr. Ne pas savoir.
iguane [*gouan'*] n. m. Genre de reptiles sauriens de grande taille.
il, pron. pers. masc. 3e pers. Pl. *ils.*
ilang-ilang n. m. Plante des Moluques recherchée en parfumerie.
île n. f. Terre entourée d'eau de tous côtés.
iliaque adj. Des flancs. *Os iliaque,* os de la hanche.
illégal, e*, aux [*l-l*] adj. Contraire à la loi : *ordonnance illégale.*
illégalité n. f. Acte illégal.
illégitime [*l-l*] adj. Non légitime.
illégitimité n. f. Défaut de légitimité : *l'illégitimité d'un décret.*
illettré [*l-l*] adj. et n. Personne qui ne sait ni lire ni écrire.
illicite* [*l-l*] adj. Interdit par la loi.
illico [*l-l*] adv. Sur-le-champ.
illimité, e [*l-l*] adj. Sans limites.
illisible* [*l-l*] adj. Non lisible : *écriture illisible.* De lecture insupportable.
illogique* [*l-l*] adj. Contraire à la logique. Sans esprit de suite.
illogisme [*l-l*] n. m. Caractère de ce qui est illogique.
illumination [*l-l*] n. f. Action d'illuminer. Lumières décoratives. *Fig.* Lumière soudaine dans l'esprit.
illuminé, e [*l-l*] adj. et n. Visionnaire.
illuminer [*l-l*] v. tr. Eclairer. Orner d'illuminations : *illuminer sa maison. Fig.* Eclairer l'esprit, l'âme.
illuminisme [*l-l*] n. m. Opinions chimériques des illuminés.
illusion [*l-l*] n. f. Erreur des sens, de l'esprit, qui fait prendre l'apparence pour la réalité : *le mirage est une illusion de la vue.* Pensée chimérique. *Faire illusion,* tromper. *Se faire illusion,* s'abuser.

illusionner v. tr. Produire de l'illusion : *s'illusionner sur sa valeur.*
illusionniste n. m. Prestidigitateur.
illusoire* adj. Trompeur.
illustrateur [*l-l*] n. m. Qui dessine des illustrations d'ouvrages.
illustration n. f. Etat de ce qui est illustre. Personnage illustre. Dessins dans un livre, un journal.
illustre* adj. Bien en vue, manifeste. *Par ext.* Eclatant, célèbre : *écrivain illustre.*
illustrer v. tr. Rendre illustre. Orner un texte de gravures. Eclaircir un texte : *illustrer de commentaires.*
îlot n. m. Petite île. Groupe de maisons dans une ville : *îlot insalubre.*
ilote n. m. Esclave chez les Spartiates. *Fig.* Homme réduit à une extrême abjection.
image n. f. Apparence visible d'une personne, d'une chose : *voir son image dans la glace.* Représentation par l'art des divinités, des saints, etc. : *le culte des images.* Petite estampe : *album d'images.* Ressemblance : *Dieu fit l'homme à son image.* Représentation dans l'esprit, impression, idée : *image triste.* Symbole, figure : *l'image de la guerre.* Métaphore : *langage rempli d'images.*
imager v. tr. (Se conj. comme *manger.*) Revêtir d'images, de métaphores.
imagerie n. f. Fabrique, commerce d'images : *l'imagerie d'Epinal.*
imagier n. Autref., peintre et sculpteur : *les imagiers des cathédrales.*
imaginaire adj. Non réel. Fictif. *Malade imaginaire,* qui se croit malade sans l'être.
imaginatif, ive adj. Qui imagine aisément : *esprit imaginatif.*
imagination n. f. Faculté de se représenter les objets par la pensée. Faculté d'inventer. Chose imaginée. *Fig.* Opinion sans fondement.
imaginer v. tr. Se représenter dans l'esprit. Inventer : *Torricelli imagina le baromètre.* Penser, croire : *s'imaginer qu'on est malade.*
iman n. m. Prêtre mahométan. Titre de certains souverains arabes.
imbattable adj. Qui ne peut être vaincu.
imbécile* adj. et n. Faible d'esprit. Sot, stupide.
imbécillité n. f. Faiblesse d'esprit. Sottise : *dire des imbécillités.*
imberbe adj. Sans barbe.
imbiber v. tr. Mouiller, pénétrer d'un liquide : *imbiber d'eau une éponge.*
imbrication n. f. Etat de choses imbriquées : *imbrication des écailles de poisson.*
imbriquer v. tr. Disposer comme les tuiles, les ardoises d'un toit.
imbroglio [*bro-lio*] n. m. Confusion, embrouillement.
imbu, e adj. Rempli, pénétré : *imbu de préjugés.*
imbuvable adj. Qui ne peut se boire. Qui est mauvais à boire.
imitateur, trice n. et adj. Qui imite.
imitatif, ive adj. De la nature de l'imitation : *harmonie imitative.*
imitation n. f. Action d'imiter. Objet produit en imitant. *Péjor.* Contrefaçon. Matière qui en simule une plus riche : *bronze d'imitation.*
imiter v. tr. Faire ou s'efforcer de faire ce que fait une personne : *imiter une signature.* Prendre pour modèle : *imiter ses ancêtres.* Contrefaire : *le cuivre doré imite l'or.*
immaculé, e adj. Sans tache. *Fig.* Sans souillure morale : *innocence immaculée. Immaculée Conception,* celle de la Vierge Marie qui, d'après un dogme catholique, fut exempte du péché originel.
immanent, e adj. Qui existe, réside en soi-même. Constant : *justice immanente.*
immangeable [*in*] adj. Qui ne peut être mangé : *un rôti immangeable.*
immanquable [*in*] adj. Qui ne peut manquer : *une affaire immanquable.*
immanquablement [*in*] adv. Infailliblement : *se tromper immanquablement.*
immatériel, elle adj. Sans consistance matérielle : *apparence immatérielle.*
immatriculation n. f. Action d'immatriculer.
immatriculer v. tr. Enregistrer.
immédiat, e* adj. Qui est ou se fait, ou qui agit sans intermédiaire. Instantané : *soulagement immédiat.*
immémorial, e, aux adj. Qui remonte à une époque très ancienne : *de temps immémorial.*
immense adj. Presque sans bornes, sans mesure : *la mer immense.* Très considérable : *une immense fortune.*
immensément adv. D'une manière immense.
immensité n. f. Grandeur infinie. Vaste étendue : *l'immensité des mers.*
immerger v. tr. (Se conj. comme *manger.*) Plonger dans un liquide.
immérité, e adj. Non mérité : *reproches immérités.*
immersion n. f. Action d'immerger.
immeuble adj. *Dr.* Qui n'est pas meuble, ou que la loi ne considère pas comme tel. N. m. Bien qui n'est pas meuble (terres, maisons, etc.). Maison : *immeuble de rapport.*
immigrant, e n. et adj. Qui immigre.
immigration n. f. Action d'immigrer.
immigrer v. intr. Venir dans un pays pour s'y fixer.
imminence n. f. Qualité de ce qui est imminent : *l'imminence du danger.*
imminent, e adj. Qui menace.
immiscer v. tr. (Se conj. comme *amorcer.*) Mêler. V. pr. Se mêler : *s'immiscer dans les affaires d'autrui.*
immixtion n. f. Action de s'immiscer.
immobile adj. Qui ne se meut pas : *rester immobile. Fig.* Ferme, inébranlable.
immobilier, ère adj. Composé de biens immeubles : *biens immobiliers.*
immobilisation n. f. Action d'immobiliser. *Dr.* Action de la loi en vertu de laquelle des biens meubles sont déclarés immeubles.
immobiliser v. tr. Rendre immobile. Priver des moyens d'agir.
immobilité n. f. Etat de ce qui ne se meut point, qui est stationnaire.
immodéré*, e adj. Excessif.
immodeste* adj. Sans modestie, sans pudeur : *tenue immodeste.*
immodestie n. f. Manque de modestie, de bienséance, de pudeur.
immolation n. f. Action d'immoler.
immoler v. tr. Offrir en sacrifice. Tuer, massacrer. *Fig.* Sacrifier.

immonde adj. Sale, impur.
immondice n. f. Ordure, saleté.
immoral, e, aux adj. Contraire à la morale.
immoralité n. f. Manque de moralité.
immortaliser v. tr. Rendre immortel.
immortalité n. f. Qualité, état de ce qui est immortel : *l'immortalité de l'âme.* Vie perpétuelle dans le souvenir des hommes : *aspirer à l'immortalité.*
immortel, elle* adj. Non sujet à la mort. *Par ext.* Qui dure très longtemps : *haine immortelle. Fig.* Qui vivra perpétuellement dans la mémoire : *chef-d'œuvre immortel.* N. m. *Fam.* Membre de l'Académie française. N. f. Nom de certaines plantes dont les fleurs ne se fanent guère.
immuable* adj. Non sujet à changer.
immunisation n. f. Action d'immuniser.
immuniser v. tr. Donner l'immunité : *immuniser contre une maladie.*
immunité n. f. Exemption d'impôts, de devoirs, etc. Propriété d'un organisme d'être à l'abri d'une maladie.
immutabilité n. f. Qualité de ce qui est immuable : *l'immutabilité des traditions.*
impact n. m. Collision. *Point d'impact,* où frappe un projectile.
impair, e adj. Non divisible exactement par deux. Exprimé par un nombre impair. N. m. *Fam.* Maladresse.
impalpable adj. Peu sensible au toucher : *poudre impalpable.*
impardonnable adj. Qui ne mérite point de pardon : *erreur impardonnable.*
imparfait, e* adj. Incomplet, non achevé. Qui a des défauts : *ouvrage imparfait.* N. m. Ce qui est incomplet, inachevé. *Gramm.* Temps du verbe exprimant une action qui a duré ou s'est répétée dans le passé : *je le* VOYAIS *tous les jours.*
impartial, e*, aux adj. Non partial.
impartialité n. f. Caractère impartial : *juger avec impartialité.*
impartir v. tr. Accorder : *impartir un délai.*
impasse n. f. Voie sans issue. *Fig.* Situation sans issue : *être dans une impasse.*
impassibilité n. f. Qualité de qui est impassible.
impassible* adj. Qui est insensible. Qui garde un calme imperturbable.
impatiemment adv. Avec impatience.
impatience n. f. Manque de patience.
impatient, e adj. Qui manque de patience. N. f. Genre de balsamine.
impatienter v. tr. Faire perdre patience : *bruit qui impatiente.*
impavide adj. Sans peur.
impayable adj. Qui ne se peut trop payer. *Fam.* Ridicule ou comique : *aventure impayable.*
impayé, e adj. Non payé : *traite impayée.*
impeccable adj. Incapable de pécher. Sans défaut : *vers impeccable.*
impedimenta n. m. pl. (mot lat.). Obstacle retardant la marche d'une affaire.
impénétrabilité n. f. Caractère de ce qui ne peut être pénétré.
impénétrable adj. Qui ne peut être pénétré : *cuirasse impénétrable. Fig.* Inexplicable : *mystère impénétrable.*
impénitence n. f. Caractère, état de qui est impénitent.
impénitent, e adj. Qui est endurci dans le péché. *Fam.* Qui persiste dans ses errements : *buveur impénitent.*
impératif, ive* adj. Qui a le caractère du commandement : *ton impératif.* N. m. et adj. *Gramm.* Mode de temps du verbe exprimant le commandement, l'exhortation, la prière.
impératrice n. f. Femme d'un empereur. Souveraine d'un empire.
imperceptibilité n. f. Caractère de ce qui est imperceptible.
imperceptible* adj. Qu'on peut à grand peine percevoir : *progrès imperceptible.*
imperfectible adj. Non perfectible.
imperfection n. f. Défaut, vice.
impérial, e*, aux adj. Qui appartient à un empereur ou à un empire. N. f. Etage supérieur d'un wagon, d'une voiture publique. Barbiche sous la lèvre inférieure.
impérialisme n. m. Opinion favorable au gouvernement impérial. Visées de domination d'un Etat.
impérialiste adj. et n. Favorable à l'impérialisme : *politique impérialiste.*
impérieux, euse* adj. Qui commande en maître. *Fig.* Pressant, irrésistible : *nécessité impérieuse.*
impérissable* adj. Qui ne saurait périr : *gloire impérissable.*
impéritie n. f. Incapacité.
imperméabilisation n. f. Action d'imperméabiliser.
imperméabiliser v. tr. Rendre imperméable : *tissu imperméabilisé.*
imperméabilité n. f. Qualité de ce qui est imperméable.
imperméable adj. Qui ne laisse pas passer l'eau. N. m. Manteau étanche.
impersonnel, elle* adj. Qui n'a pas de personnalité. Qui manque d'originalité. *Gramm.* Se dit d'un verbe qui ne se conjugue qu'à la 3e pers. du sing., comme *il pleut, il neige. Modes impersonnels,* l'infinitif et le participe.
impertinemment adv. Avec impertinence : *répondre impertinemment.*
impertinence n. f. Caractère de ce qui est impertinent. Parole, action offensante.
impertinent, e adj. et n. Qui ne convient pas, déplacé. Qui agit hors de propos, sottement. Insolent.
imperturbabilité n. f. Caractère de ce qui est imperturbable.
imperturbable* adj. Que rien ne peut troubler : *calme imperturbable.*
impétigo n. m. *Méd.* Eruption cutanée, pustuleuse.
impétrant, e n. Qui obtient un titre.
impétueux, euse* adj. Violent, rapide : *vent impétueux. Fig.* Vif, emporté.
impétuosité n. f. Caractère de ce qui est impétueux : *l'impétuosité de la jeunesse.*
impie n. et adj. Qui n'a point de religion. Contraire à la religion.
impiété n. f. Mépris pour les choses de la religion. Action, discours impie. Mépris de ce qui mérite d'être respecté.
impitoyable* adj. Sans pitié.
implacable* adj. Qui ne peut être apaisé.
implantation n. f. Action d'implanter.
implanter v. tr. Planter une chose dans une autre. *Fig.* Etablir : *implanter un usage.* V. pr. S'établir, se fixer.
implication n. f. Action d'impliquer.

implicite* adj. Contenu dans une proposition, dans un fait, sans être exprimé : *condition implicite.*

impliquer v. tr. Engager, envelopper : *impliquer quelqu'un dans une accusation.* Renfermer, contenir, supposer : *cela implique notre consentement.*

imploration n. f. Action d'implorer.

implorer v. tr. Demander humblement : *implorer une grâce.*

impoli*, e n. et adj. Qui manque de politesse : *visiteur impoli.*

impolitesse n. f. Manque de politesse. Action, parole impolie.

impolitique adj. Peu adroit : *mesure impolitique.*

impondérable adj. et n. Qui ne produit aucun effet sur la balance : *fluide impondérable. Fig.* Causes difficiles à préciser : *les impondérables de la politique.*

impopulaire adj. Non populaire.

impopularité n. f. Manque de popularité.

importable adj. Qu'il est possible d'importer : *marchandises importables.*

importance n. f. Caractère de ce qui est important. Autorité, crédit. Suffisance, grands airs : *airs d'importance. D'importance* loc. adv. Considérable.

important, e adj. Qui importe, est de conséquence : *avis important.* Qui a de l'influence, du crédit. Qui a de la suffisance. N. m. L'essentiel. Homme vain : *faire l'important.*

importateur, trice n. et adj. Qui fait le commerce d'importation.

importation n. f. Action d'importer.

importer v. tr. Introduire dans un pays des produits étrangers.

importer v. intr. (Ne s'emploie qu'à l'infinitif et aux troisièmes pers.) Etre d'importance, de conséquence. V. impers. *Il importe que,* il convient. *Qu'importe?* De quel intérêt peut être? *N'importe, peu importe,* cela n'est pas important.

importun, e n. et adj. Fâcheux, incommode : *conseil importun.*

importunément adv. D'une manière importune. (Peu usité.)

importuner v. tr. Fatiguer, incommoder : *importuner de questions.*

importunité n. f. Action d'importuner. Assiduité importune.

imposable adj. Qui peut être imposé, soumis à l'impôt.

imposant, e adj. Qui impose, commande le respect : *cérémonie imposante.* Très considérable, important.

imposé, e adj. Qui paie une part de l'impôt : *non imposé à la surtaxe.*

imposer v. tr. Mettre sur, dans la phrase : *imposer les mains,* en conférant les sacrements. *Fig.* Mettre un impôt : *imposer le sucre.* Obliger à quelque chose : *imposer de dures conditions. Imposer silence,* faire taire. V. intr. Inspirer du respect : *sa fermeté impose. En imposer,* inspirer le respect, la crainte, etc. V. pr. S'obliger à. Se faire accepter par une sorte de contrainte.

imposition n. f. Action d'imposer : *imposition des mains.* Contribution, impôt : *échapper à l'imposition.*

impossibilité n. f. Le fait de n'être pas possible.

impossible adj. Non possible. *Par ext.* Très difficile. *Fam.* Bizarre, extravagant. Non supportable. N. m. Ce qui est impossible : *tenter l'impossible. Par impossible* loc. adv. Au cas très peu probable.

imposte n. f. *Archit.* Pierre en saillie, sur laquelle repose le cintre d'une arcade. *Menuis.* Partie supérieure d'une porte, d'une croisée.

imposteur n. m. Qui cherche à tromper.

imposture n. f. Tromperie.

impôt n. m. Contribution exigée par l'Etat. *Par ext.* Charge incombant à un citoyen pour le service de l'Etat : *l'impôt du sang* (service militaire).

impotent, e n. et adj. Privé de l'usage d'un membre. Qui se meut difficilement : *vieillard impotent.*

impraticable adj. Irréalisable : *projet impraticable. Chemin impraticable,* très difficile à parcourir.

imprécation n. f. Malédiction, souhait de malheur : *proférer des imprécations.*

imprécatoire adj. Qui maudit.

imprécis, e adj. Sans précision.

imprécision n. f. Manque de précision : *rester dans l'imprécision.*

imprégnation n. f. Action d'imprégner. Son résultat.

imprégné, e adj. Imbu.

imprégner v. tr. (Se conj. comme *régner.*) Faire pénétrer une substance dans un corps. *Fig.* Assimiler des idées.

imprenable adj. Qui ne peut être pris : *citadelle imprenable.*

imprésario n. m. Qui dirige une entreprise théâtrale. Pl. des *imprésarios.*

imprescriptible adj. *Dr.* Non susceptible de prescription.

impression n. f. Action d'imprimer : *l'impression d'un livre.* Effet produit sur les organes par une action extérieure : *impression de froid. Fig.* Effet produit sur une pellicule photographique. Effet produit sur le cœur, l'esprit.

impressionnabilité n. f. Caractère impressionnable.

impressionnable adj. Qui ressent vivement des impressions.

impressionner v. tr. Produire une impression matérielle. *Fig.* Emouvoir.

impressionnisme n. m. Forme d'art, qui consiste à rendre purement les impressions ressenties.

impressionniste n. m. et adj. Artiste qui fait de l'impressionnisme.

imprévisible adj. Qui ne peut être prévu : *événement imprévisible.*

imprévoyance n. f. Défaut de prévoyance.

imprévoyant, e adj. Sans prévoyance.

imprévu, e adj. Non prévu. Inattendu. N. m. Ce qui n'est pas prévu.

imprimatur n. m. invar. Permission d'imprimer : *obtenir l'imprimatur.*

imprimé n. m. Livre, papier imprimé.

imprimer v. tr. Faire une empreinte : *imprimer ses pas dans la neige.* Appliquer par la pression des couleurs, des dessins, un texte typographique : *imprimer des indiennes, une lithographie.* Couvrir d'un enduit une toile à peindre. Communiquer : *imprimer un mouvement. Fig.* Faire impression sur l'esprit, le cœur : *imprimer le respect.*

imprimerie n. f. Art d'imprimer. Etablissement où l'on imprime.
imprimeur n. et adj. m. Celui qui imprime.
improbabilité n. f. Qualité de ce qui est improbable.
improbable adj. Non probable.
improbité n. f. Manque de probité.
improductif, ive* adj. Qui ne produit point : *terres improductives.*
impromptu adv. Sur-le-champ, sans préparation : *parler impromptu.* Adj. invar. Fait sur-le-champ : *festin impromptu.* N. m. Petite pièce de vers improvisée.
imprononçable adj. Très difficile à prononcer.
impropre* adj. Qui ne convient pas, n'est pas exact : *terme impropre.*
impropriété n. f. Qualité de ce qui est impropre : *impropriété d'une locution.*
improvisateur, trice n. Qui improvise.
improvisation n. f. Action d'improviser : *l'improvisation d'un discours.*
improviser v. tr. et intr. Faire sans préparation : *improviser des vers.*
improviste (à l') loc. adv. D'une façon inattendue : *arriver à l'improviste.*
imprudemment adv. Avec imprudence.
imprudence n. f. Manque de prudence. Action contraire à la prudence : *commettre une imprudence.*
imprudent, e n. et adj. Non prudent : *enfant imprudent.*
impudemment adv. Avec impudence : *mentir impudemment.*
impudence n. f. Effronterie. Action, parole impudente.
impudent, e n. et adj. Sans pudeur.
impudeur n. f. Manque de pudeur. Impudence extrême.
impudicité n. f. Acte ou parole impudique.
impudique* n. et adj. Qui blesse la pudeur, la chasteté.
impuissance n. f. Manque de force, de puissance : *être frappé d'impuissance.*
impuissant, e adj. Qui manque du pouvoir, de la force nécessaire pour.
impulsif, ive* adj. et n. Qui donne l'impulsion : *force impulsive. Fig.* Qui agit sans volonté réfléchie : *les impulsifs sont souvent irresponsables.*
impulsion n. f. Mouvement communiqué : *donner l'impulsion. Fig.* Force qui pousse à agir : *sous l'impulsion de la colère.*
impunément adv. Avec impunité.
impuni, e adj. Non puni : *crime demeuré impuni; ce vice impuni, la lecture.*
impunité n. f. Le fait de n'être pas puni.
impur, e* adj. Non pur, mélangé : *plomb impur. Fig.* Infâme, criminel. Impudique, immoral : *mœurs impures.*
impureté n. f. Etat de ce qui est impur. Ce qui altère la pureté d'une substance. *Fig.* Souillure religieuse ou morale. Parole, action impudique.
imputable adj. Qui peut être imputé.
imputation n. f. Action d'imputer. Inculpation : *imputation fausse.*
imputer v. tr. Attribuer. Faire entrer dans le compte de : *imputer une dépense sur un chapitre du budget.*
imputrescibilité n. f. Qualité de ce qui est imputrescible.
imputrescible adj. Qui ne peut se putréfier.
inabordable adj. Que l'on ne peut aborder : *rivage inabordable.*
inacceptable adj. Qu'on ne peut accepter : *proposition inacceptable.*
inaccessible adj. D'accès impossible : *cime inaccessible. Fig.* Que l'intelligence ne peut atteindre. Insensible : *être inaccessible à la pitié.*
inaccomplissement n. m. Manque d'accomplissement.
inaccoutumé, e adj. Non habitué à. Non habituel.
inachevé, e adj. Non achevé.
inactif, ive adj. Sans mouvement, sans activité. Qui ne travaille pas. Non efficace : *médicament inactif.*
inaction n. f. Manque ou abstention de mouvement, de travail.
inactivité n. f. Manque d'activité. Etat de repos, d'inaction : *congé d'inactivité.*
inadmissible adj. Qu'on ne saurait admettre : *prétention inadmissible.*
inadvertance n. f. Défaut d'attention. Action faite par inattention.
inaliénable adj. Qui ne peut s'aliéner : *des propriétés inaliénables.*
inaltérabilité n. f. Qualité de ce qui est inaltérable.
inaltérable adj. Qui ne peut être altéré : *l'or est inaltérable.*
inaltéré, e adj. Non altéré.
inamical, e, aux adj. Non amical.
inamovibilité n. f. Caractère inamovible : *l'inamovibilité des juges.*
inamovible adj. Qui ne peut être destitué. Dont on ne peut être destitué.
inanimé, e adj. Qui n'a jamais eu ou qui n'a plus de vie. Privé de vie.
inanité n. f. Inutilité, vanité.
inanition n. f. Epuisement par défaut de nourriture : *tomber d'inanition.*
inapaisable adj. Qui ne peut être apaisé : *une colère inapaisable.*
inapaisé, e adj. Non apaisé.
inaperçu, e adj. Non aperçu, qui échappe à l'attention.
inapparent, e adj. Non apparent.
inappétence n. f. Manque d'appétit.
inapplicable adj. Non applicable.
inapplication n. f. Manque d'application.
inappréciable adj. Qui ne peut être évalué : *différence inappréciable. Fig.* Qu'on ne saurait trop estimer : *talent, faveur inappréciable.*
inapte adj. Qui manque d'aptitude : *inapte aux affaires.*
inaptitude n. f. Manque d'aptitude.
inarticulé, e adj. Non articulé.
inassouvi, e adj. Non assouvi.
inattaquable adj. Qu'on ne peut attaquer : *argument inattaquable.*
inattendu, e adj. Non attendu.
inattentif, ive adj. Non attentif.
inattention n. f. Manque d'attention.
inaugural, e adj. Relatif à l'inauguration.
inauguration n. f. Action d'inaugurer. Cérémonie à cet effet : *discours d'inauguration.*
inaugurer v. tr. Consacrer par une cérémonie : *inaugurer une statue.* Marquer un début : *événement qui inaugure une ère de troubles.*
inavouable adj. Non avouable.
inavoué, e adj. Non avoué.

incalculable adj. Non calculable : *le nombre des étoiles est incalculable. Fig.* Dont on ne peut calculer l'importance : *suites incalculables d'un événement.*
incandescence n. f. Etat d'un corps chauffé à blanc. *Fig.* Effervescence.
incandescent, e adj. Qui est en incandescence. *Fig.* En effervescence.
incantation n. f. Paroles magiques.
incapable n. et adj. Non capable de : *incapable de gouverner. Absol.* Qui manque de capacité. *Dr.* Celui que la loi prive de l'exercice de certains droits.
incapacité n. f. Manque de capacité. *Dr.* Etat d'une personne que la loi prive de certains droits.
incarcération n. f. Emprisonnement.
incarcérer v. tr. (Se conj. comme *accélérer.*) Mettre en prison.
incarnat, e adj. Qui est d'une couleur rose chair. N. m. Cette couleur.
incarnation n. f. *Théol.* Action de s'incarner. *Fig.* Manifestation extérieure, visible : *être l'incarnation du mal.*
incarner v. tr. *Théol.* Revêtir d'un corps de chair. *Ongle incarné,* qui entre dans la chair. *Fig.* Donner une forme matérielle : *actrice qui incarnait Phèdre.*
incartade n. f. Insulte inconsidérée. Folie, extravagance.
incassable adj. Non cassable.
incendiaire n. Auteur volontaire d'un incendie. Adj. Destiné à causer un incendie. *Fig.* Séditieux : *écrit incendiaire.*
incendie n. m. Grand feu qui se propage. *Fig.* Effervescence.
incendier v. tr. (Se conj. comme *prier.*) Brûler, consumer par le feu.
incertain, e adj. Douteux : *succès incertain.* Variable : *temps incertain.* Qui n'est pas fixé. N. m. Ce qui est incertain.
incertitude n. f. Etat d'une personne incertaine : *être dans l'incertitude.* Défaut de certitude : *l'incertitude d'une nouvelle.* Variabilité : *incertitude du temps.*
incessamment adv. Sans délai : *venez me voir incessamment.* Sans cesse.
incessant, e adj. Qui ne cesse pas.
incessibilité n. f. *Dr.* Qualité de ce qui est incessible.
incessible adj. Qui ne peut être cédé : *pension incessible.*
inceste n. m. Union charnelle entre proches parents.
incestueux, euse* adj. et n. Relatif à l'inceste. Coupable d'inceste.
inchoatif, ive [*ko*] adj. Se dit d'un verbe exprimant un commencement d'action (*vieillir, s'endormir,* etc.).
incidemment adv. D'une manière incidente. Accessoirement.
incidence n. f. *Mécan.* Direction selon laquelle une ligne, un corps, en rencontre un autre. *Fig.* Répercussion.
incident n. m. Evénement qui survient au cours d'une affaire.
incident, e adj. *Phys.* Qui tombe sur une surface : *rayon incident. Gramm. Proposition incidente,* proposition accessoire dans la phrase. *Pratiq.* Qui survient au cours d'une affaire : *question incidente.*
incinération n. f. Action d'incinérer.
incinérer v. tr. Réduire en cendres : *incinérer un cadavre.*
incise n. f. Proposition incidente.
inciser v. tr. Faire une incision.
incisif, ive adj. *Fig.* Mordant. N. f. Chacune des dents de devant.
incision n. f. Coupure allongée.
incitation n. f. Action d'inciter.
inciter v. tr. Pousser à : *inciter à la révolte.*
incivil, e* adj. Sans civilité.
incivilité n. f. Manque de civilité.
inclémence n. f. Manque de clémence. *Fig.* Rigueur : *inclémence des saisons.*
inclément, e adj. Non clément : *un juge inclément. Fig.* Rigoureux.
inclinaison n. f. Etat de ce qui est incliné.
inclination n. f. Action d'incliner. Penchant, tendance naturelle : *mauvaise inclination.* Sympathie, amour : *mariage d'inclination.*
incliner v. tr. Pencher : *incliner la tête.* V. intr. Pencher : *ce mur incline. Fig.* Avoir du penchant : *incliner à la paix.* V. pr. Se pencher. Saluer respectueusement.
inclure v. tr. Renfermer.
inclus, e adj. Enfermé, contenu. *Ci-inclus,* v. JOINT.
inclusivement adv. Y compris.
incoercible adj. Non coercible.
incognito [*g-n*] adv. Sans être connu. Sous un nom supposé : *voyager incognito.* N. m. *Garder l'incognito.*
incohérence n. f. Manque de cohérence : *l'incohérence d'une phrase.*
incohérent, e adj. Qui manque de cohérence : *assemblage incohérent. Fig.* Sans liaison : *mots incohérents.*
incolore adj. Sans couleur.
incomber v. intr. Revenir obligatoirement à : *cette tâche lui incombe.*
incombustibilité n. f. Qualité de ce qui est incombustible.
incombustible adj. Qui ne peut être brûlé.
incommensurable adj. *Géom.* Se dit de deux grandeurs sans mesure commune. *Abusiv.* Immense : *espace incommensurable.*
incommodant, e adj. Qui incommode : *odeur incommodante.*
incommode adj. Non commode : *outil incommode.* Qui cause du malaise, de l'ennui. Fâcheux : *voisin incommode.*
incommodément adv. Avec incommodité.
incommoder v. tr. Gêner.
incommodité n. f. Manque de commodité, embarras, gêne. Indisposition. Infirmité.
incomparable* adj. A qui ou à quoi rien ne peut être comparé.
incompatibilité n. f. Impossibilité de s'accorder : *incompatibilité d'humeur.*
incompatible* adj. Qui n'est pas compatible, ne peut s'accorder, s'unir : *caractères incompatibles.*
incompétence n. f. Manque de compétence : *incompétence d'un juge.*
incompétent, e adj. Non compétent.
incomplet, ète* adj. Non complet.
incompréhensible adj. Qu'on ne peut comprendre ou expliquer. Bizarre.
incompréhension n. f. Incapacité de comprendre.
incompressible adj. Dont le volume ne peut être réduit par la pression.
incompris, e adj. et n. Non compris. Non apprécié à sa juste valeur.
inconcevable* adj. Non concevable. Surprenant, extraordinaire.

inconciliable adj. Non conciliable.
inconduite n. f. Mauvaise conduite.
incongru, e adj. Qui pèche contre la bienséance : *bruit incongru.*
incongruité n. f. Action ou parole contraire à la bienséance.
incongrûment adv. D'une façon incongrue.
inconnaissable adj. Qui ne peut être connu. N. m. *L'inconnaissable,* ce qui ne peut être connu de l'homme.
inconnu, e adj. Non connu. Qui n'a pas de notoriété : *artiste inconnu.* Non encore éprouvé : *sensations inconnues.* N. Personne inconnue. N. m. Chose qu'on ignore. N. f. *Math.* Quantité cherchée dans la solution d'un problème.
inconsciemment adv. D'une manière inconsciente.
inconscience n. f. Etat de qui est inconscient.
inconscient, e adj. et n. Qui n'a pas conscience de lui-même. Dont on n'a pas conscience : *acte inconscient.* N. m. *L'inconscient,* ensemble de phénomènes psychologiques qui échappent à la conscience.
inconséquence n. f. Défaut de lien dans les idées, dans les actions. Chose dite ou faite sans réflexion.
inconséquent, e adj. Non conforme à la logique : *conduite inconséquente.* Dont on ne calcule pas les suites : *démarches inconséquentes.* Qui n'est pas logique dans sa conduite.
inconsidéré*, e adj. Irréfléchi.
inconsistance n. f. Manque de consistance.
inconsistant, e* adj. Sans consistance.
inconsolable adj. Non consolable.
inconstance n. f. Manque de constance : *inconstance dans l'effort.*
inconstant, e n. et adj. Sujet à changer, variable : *inconstant dans ses amitiés.*
incontestable* adj. Non contestable.
incontesté, e adj. Non contesté.
incontinence n. f. Manque de modération, de chasteté. *Méd.* Emission involontaire d'urine, etc.
incontinent, e adj. Non continent. Sans modération dans ses propos, sa conduite. Adv. Aussitôt.
incontrôlable adj. Non contrôlable.
inconvenance n. f. Caractère de ce qui est inconvenant. Action ou parole inconvenante.
inconvenant, e adj. Qui blesse les convenances : *propos inconvenants.*
inconvénient n. m. Ce qu'une chose a de fâcheux. Conséquence fâcheuse.
inconvertible ou **inconvertissable** adj. Non convertible : *monnaie inconvertible.*
incoordination n. f. Absence de coordination.
incorporation n. f. Action d'incorporer : *incorporation de recrues.*
incorporel, elle adj. Qui n'a point de corps : *Dieu est incorporel.*
incorporer v. tr. Faire qu'une chose fasse corps avec une autre. Faire entrer dans un corps de troupes.
incorrect, e* adj. Non correct.
incorrection n. f. Manque de correction. Chose incorrecte : *commettre une incorrection.*
incorrigible* adj. Qu'on ne peut corriger : *paresseux incorrigible.*
incorruptibilité n. f. Qualité de ce qui ne peut se corrompre. Caractère incorruptible : *l'incorruptibilité d'un juge.*
incorruptible adj. Non corruptible.
incrédule adj. Non crédule. N. Non croyant, non religieux.
incrédulité n. f. Répugnance à croire. Manque de foi religieuse.
incréé, e adj. Qui est sans avoir été créé.
incrimination n. f. Accusation.
incriminer v. tr. Accuser d'un crime. Imputer à crime, suspecter, mettre en cause : *incriminer un acte.*
incroyable* adj. Impossible ou difficile à croire. Extraordinaire.
incroyant, e n. et adj. Qui n'a pas de foi religieuse.
incrustation n. f. Action d'incruster. Ouvrage incrusté. Dépôt que laisse une eau calcaire.
incruster v. tr. Appliquer une substance sur une surface pour y former des dessins. V. pr. Se graver, et, au *fig.,* faire des visites longues et indésirables.
incubateur, trice adj. Qui opère l'incubation. N. m. Couveuse.
incubation n. f. Action de couver. *Incubation artificielle,* action de faire éclore des œufs par des procédés artificiels. *Méd.* Temps pendant lequel couve une maladie.
incuber v. tr. Opérer l'incubation de : *enfant qui incube la coqueluche.* (Peu us.)
inculpation n. f. Action d'inculper : *inculpation d'assassinat.*
inculpé, e n. Accusé : *interroger l'inculpé.*
inculper v. tr. Accuser d'une faute.
inculquer v. tr. Imprimer une chose dans l'esprit de quelqu'un : *inculquer un préjugé, les rudiments.*
inculte adj. Non cultivé. *Fig.* Peu soigné : *barbe inculte.* Sans culture : *esprit inculte.*
incunable adj. et n. m. Se dit des ouvrages datant de l'origine de l'imprimerie.
incurable* adj. Inguérissable.
incurie n. f. Grande négligence.
incursion n. f. Invasion en pays ennemi.
incurvation n. f. Courbure.
incurver v. tr. Courber.
indécemment adv. De façon indécente.
indécence n. f. Action, parole indécente : *se conduire avec indécence.*
indécent, e adj. Contraire à la décence, à la bienséance : *tenue indécente.*
indéchiffrable adj. Qu'on ne peut lire, déchiffrer. *Fig.* Inexplicable.
indéchirable adj. Qui ne peut être déchiré.
indécis, e adj. Irrésolu : *homme indécis.* Douteux, incertain : *victoire indécise.* Vague : *formes indécises.* N. m. Ce qui n'est pas précis : *rester dans l'indécis.*
indécision n. f. Caractère d'une personne indécise. Caractère de ce qui est imprécis.
indéclinable adj. Non déclinable.
indécomposable adj. Qu'on ne peut décomposer.
indécrottable adj. Qu'on ne peut décrotter. *Fig.* Incorrigible.
indéfectible* adj. Qui ne peut défaillir. ou cesser : *avoir des partisans indéfectibles.*
indéfendable adj. Non défendable.
indéfini*, e adj. Dont on ne peut assigner les limites. Indéterminé : *sensation indéfinie. Articles indéfinis,* les art. UN, UNE, DES. *Adjectifs indéfinis,* ceux comme

AUCUN, AUTRE, CERTAIN, CHAQUE, MAINT, MÊME, NUL, PLUSIEURS, QUEL, QUELCONQUE, QUELQUE, TEL, TOUT. *Pronoms indéfinis,* tels que ON, CHACUN, PERSONNE, QUICONQUE, QUELQU'UN, RIEN, AUTRUI, L'UN, L'AUTRE, L'UN ET L'AUTRE.

indéfinissable adj. Non définissable.

indéformable adj. Non déformable.

indéfrisable adj. et n. f. Se dit d'une ondulation de cheveux permanente.

indélébile adj. Ineffaçable.

indélicat, e* adj. Non délicat.

indélicatesse n. f. Manque de délicatesse. Acte, procédé indélicat.

indémaillable adj. Dont les mailles ne peuvent se défaire.

indemne adj. Qui n'a pas éprouvé de dommage : *sortir indemne d'un accident.*

indemnisation n. f. Dédommagement.

indemniser v. tr. Dédommager.

indemnite n. f. Compensation : *indemnité de déplacement.* Emoluments.

indéniable adj. Qu'on ne peut dénier : *preuve indéniable.*

indentation n. f. Echancrure.

indépendamment adv. D'une façon indépendante. Outre : *indépendamment de cela.*

indépendance n. f. Etat d'une personne indépendante. Caractère indépendant.

indépendant, e adj. et n. Qui ne dépend de personne. Ennemi de la contrainte : *esprit indépendant.* Se dit d'une chose sans rapport avec une autre.

indéracinable adj. Non déracinable.

indescriptible adj. Qui ne peut être décrit.

indésirable adj. Non désirable.

indestructible* adj. Qui ne peut être détruit. *Fig.* Très durable.

indéterminable adj. Qui ne peut être déterminé, précisé.

indétermination n. f. Caractère de ce qui est indéterminé.

indéterminé, e adj. Non déterminé.

index n. m. Doigt le plus proche du pouce. Table alphabétique d'un livre. Catalogue des livres dont l'autorité pontificale défend la lecture. *Fig. Mettre à l'index,* exclure. Aiguille mobile d'un cadran.

indicateur, trice adj. Qui indique, fait connaître : *poteau indicateur.* N. m. Livre qui sert de guide : *l'indicateur des rues de Paris.* Dénonciateur.

indicatif, ive adj. Qui indique, annonce. N. m. *Gramm.* Celui des cinq modes du verbe qui présente l'état, l'action comme une réalité. Signal convenu d'un poste.

indication n. f. Action qui indique. Renseignement : *fausse indication.*

indice n. m. Signe qui indique.

indicible* adj. Qu'on ne saurait dire.

indien, enne adj. et n. De l'Inde. Indigène de l'Amérique. N. f. Toile de coton peinte.

indifféremment adv. Avec indifférence. Sans faire de différence.

indifférence n. f. Etat de ce qui est indifférent. Etat d'une personne indifférente. Froideur, insensibilité.

indifférent, e adj. Qui ne présente aucun motif de préférence. Dont on ne se soucie point : *cela m'est indifférent.* Sans intérêt : *choses indifférentes.* Que rien ne touche, n'émeut : *homme indifférent.* N.m. Personne indifférente.

indifférentisme n. m. Indifférence en politique ou en religion.

indigénat n. m. Qualité d'indigène. Ensemble des indigènes d'un pays.

indigence n. f. Grande pauvreté. Manque de : *indigence d'idées.*

indigène n. et adj. Originaire du pays : *plante indigène.*

indigent, e n. et adj. Très pauvre : *secours aux indigents.*

indigeste adj. Difficile à digérer. *Fig.* Mal digéré, confus : *savoir indigeste.*

indigestion n. f. Indisposition provenant d'une mauvaise digestion. *Fig.* Satiété extrême, qui va jusqu'au dégoût.

indignation n. f. Sentiment de colère ou de révolte qu'excite un outrage, une action injuste.

indigne* adj. Qui n'est pas digne de : *indigne de vivre.* Qui révolte, inspire la colère, le mépris : *conduite indigne.* Méchant, odieux.

indigner v. tr. Exciter l'indignation. V. pr. Eprouver de l'indignation : *s'indigner sans raison.*

indignité n. f. Caractère d'une personne, d'une chose indigne. Action indigne, odieuse. Outrage, affront.

indigo n. m. Colorant bleu fourni par l'indigotier.

indigotier n. m. Plante tropicale.

indiquer v. tr. Montrer, désigner. Faire connaître à quelqu'un ce qu'il cherche : *indiquer une rue.* Dénoter : *cela indique du talent.* Esquisser légèrement.

indirect, e* adj. Non direct : *chemin indirect* et, au *fig., critique indirecte. Gramm. Complément indirect,* mot qui est rattaché à celui dont il dépend par une préposition.

indiscernable adj. et n. m. Qu'on ne peut discerner.

indisciplinable adj. Qu'on ne peut discipliner.

indiscipline n. f. Manque de discipline.

indiscipliné, e adj. Non discipliné.

indiscret, ète* adj. Qui manque de retenue, de réserve : *question indiscrète.* Qui ne sait pas garder un secret.

indiscrétion n. m. Manque de retenue, de mesure. Action indiscrète. Révélation d'un secret : *commettre une indiscrétion.*

indiscutable* adj. Non discutable.

indiscuté, e adj. Non discuté.

indispensable* adj. Dont on ne peut se passer : *outil indispensable.*

indisponible adj. et n. Dont on ne peut pas disposer. Qui est occupé.

indisposer v. tr. Altérer légèrement la santé. *Fig.* Prévenir contre : *on l'a indisposé contre moi.*

indisposition n. f. Malaise léger.

indissolubilité n. f. Qualité de ce qui est indissoluble.

indissoluble* adj. Qui ne peut être délié, défait : *lien indissoluble.*

indistinct, e* adj. Peu distinct.

individu n. m. Tout être formant une unité distincte dans son espèce. Personne considérée isolément, par rapport à une collectivité. *Fam.* Homme quelconque ou méprisable : *renvoyez cet individu!*

individualisation n. f. Action d'individualiser. Son résultat.

individualiser v. tr. Considérer, présenter isolément, individuellement.
individualisme n. m. Système qui tend à faire prévaloir les droits de l'individu sur ceux de la société.
individualiste adj. et n. Partisan de l'individualisme.
individualité n. f. Ce qui constitue l'individu. Originalité d'une personne ou d'une chose. Individu isolé.
individuel, elle* adj. Qui appartient à l'individu : *caractère individuel.* Qui concerne une seule personne. Fait par une seule personne.
indivis, e adj. Non divisé, possédé par plusieurs : *succession indivise.* Qui possède en commun avec d'autres. *Par indivis,* en commun.
indivisément adv. Par indivis.
indivisible* adj. Non divisible.
indivision n. f. Possession par indivis : *nul n'est tenu à l'indivision.*
indochinois, e adj. et n. De l'Indochine.
indocile adj. Non docile.
indocilité n. f. Caractère indocile.
indo-européen, enne adj. Se dit des langues parlées en Europe et en Asie et rapportées à une origine commune.
indolemment [*la-man*] adv. Avec indolence.
indolence n. f. Nonchalance, indifférence : *vivre dans l'indolence.*
indolent, e adj. Nonchalant, apathique.
indolore adj. Qui ne cause aucune douleur : *tumeur indolore.*
indomptable* adj. Non domptable.
indompté, e adj. Non encore dompté : *cheval indompté. Fig.* Qu'on ne peut maîtriser : *orgueil indompté.*
in-douze n. m. et adj. invar. Format d'un livre dont les feuilles sont pliées en 24 pages. Livre de ce format.
indu, e adj. Contre la règle ou l'usage.
indubitable* adj. Certain, assuré.
inducteur, trice adj. et n. m. *Phys.* Qui induit : *courant inducteur.*
inductif, ive adj. Qui procède par induction : *méthode inductive.*
induction n. f. Action d'établir par voie de conséquence. Raisonnement qui va du particulier au général, des faits à la loi. *Electr.* Production d'un courant dans un circuit, sous l'influence d'un aimant ou d'un autre courant.
induire v. tr. Mettre : *induire en erreur.* Conclure : *de là j'induis que... Electr.* Produire une induction.
induit n. m. *Electr.* Organe d'une machine électrique dans lequel se produisent des courants induits. Adj. *Courant induit,* produit sous l'influence d'une induction.
indulgence n. f. Facilité à pardonner. *Théol.* Rémission des peines dues aux péchés : *indulgence plénière.*
indulgent, e adj. Porté à l'indulgence : *se montrer indulgent.*
indûment adv. De manière indue.
induration n. f. *Méd.* Durcissement.
industrialiser v. tr. Donner le caractère industriel : *industrialiser un pays.*
industrialisme n. m. Prépondérance de l'industrie.
industrie n. f. Dextérité, adresse. Profession, métier : *exercer une industrie.* Art d'extraire, de produire et de travailler les matières premières pour les façonner et leur donner une utilisation pratique : *industrie manufacturière.*
industriel, elle* adj. Qui concerne l'industrie : *richesse industrielle; centre industriel.* N. m. Celui qui se livre à l'industrie : *un gros industriel.*
industrieux, euse* adj. Adroit.
inébranlable* adj. Qui ne peut être ébranlé : *fermeté inébranlable.*
inédit, e adj. et n. m. Non publié. Nouveau.
ineffable* adj. Indicible.
ineffaçable adj. Qui ne peut être effacé : *impression ineffaçable.*
inefficace* adj. Sans effet.
inefficacité n. f. Manque d'efficacité.
inégal, e*, aux adj. Non égal. Non uni; raboteux : *terrain inégal.* Non régulier : *mouvement inégal. Fig.* Non soutenu : *style inégal.* Changeant, bizarre.
inégalité n. f. Défaut d'égalité.
inélégance n. f. Manque d'élégance.
inélégant, e adj. Sans élégance.
inéligible adj. Non éligible.
inéluctable* adj. Qu'on ne peut éviter : *malheur inéluctable.*
inemployé, e adj. Non employé.
inénarrable adj. Dont le récit est à peine croyable : *aventure inénarrable.*
inepte* adj. Sot, stupide.
ineptie [*sî*] n. f. Action, parole inepte.
inépuisable* adj. Qu'on ne peut épuiser : *charité inépuisable.*
inéquation n. f. Inégalité entre deux expressions algébriques comportant une ou plusieurs inconnues, dont on se propose de rechercher la valeur pour que cette inégalité soit vérifiée.
inéquitable adj. Non équitable.
inerte adj. Sans mouvement propre : *masse inerte. Fig.* Sans activité.
inertie [*sî*] n. f. Etat de ce qui est inerte. Propriété qu'ont les corps de rester au repos ou en mouvement. *Fig.* Résistance passive, non-obéissance.
inespéré, e adj. Inattendu.
inestimable adj. Qu'on ne saurait trop estimer : *trésor inestimable.*
inévitable* adj. Qu'on ne peut éviter.
inexact, e* adj. Non exact; faux : *calcul inexact.* Non ponctuel.
inexactitude n. f. Manque d'exactitude. Faute, erreur : *inexactitudes comptables.*
inexcusable adj. Qui ne peut être excusé : *faute inexcusable.*
inexécutable adj. Qui ne peut être exécuté : *ordre inexécutable.*
inexécution n. f. Non-exécution.
inexistant, e adj. Qui n'existe pas.
inexorable* adj. Qu'on ne peut fléchir : *demeurer inexorable. Fig.* Trop sévère.
inexpérience n. f. Manque d'expérience.
inexpérimenté, e adj. Sans expérience : *ouvrier inexpérimenté.*
inexpiable adj. Qui ne peut être expié : *crime inexpiable.*
inexplicable* adj. Non explicable.
inexpliqué, e adj. Non expliqué.
inexploité, e adj. Non exploité.
inexploré, e adj. Non exploré.
inexplosible adj. Non explosible.
inexpressif, ive adj. Non expressif.
inexprimable* adj. Non exprimable.
inexprimé, e adj. Non exprimé.

inexpugnable [*g-n*] adj. Qui ne peut être forcé, pris d'assaut : *forteresse inexpugnable. Fig.* Qui résiste à toute attaque : *vertu inexpugnable.*
inextensible adj. Non extensible.
in extenso [*tin*] loc. lat. En entier.
inextinguible [*ghu-i*] adj. Qu'on ne peut éteindre. *Fig.* Qu'on ne peut arrêter : *rire inextinguible.*
in extremis [*tré-miss*] loc. lat. Au dernier moment, au moment de la mort.
inextricable* adj. Très embrouillé.
infaillibilité n. f. Caractère infaillible : *l'infaillibilité du pape.*
infaillible* adj. Assuré, certain. Qui ne peut se tromper : *juge infaillible.* Qui ne peut tromper : *indices infaillibles.*
infaisable adj. Qui ne peut être fait.
infamant, e adj. Qui rend infâme : *peine infamante.*
infâme adj. Flétri par la loi ou l'opinion : *acte infâme.* Avilissant, honteux. Sale, malpropre : *infâme taudis.* N. Personne infâme. (Vx.)
infamie n. f. Flétrissure imprimée à l'honneur. Action vile. Pl. Propos injurieux; calomnies : *écrire des infamies.*
infant, e n. Titre des enfants des rois d'Espagne et de Portugal.
infanterie n. f. Troupes qui marchent et qui combattent à pied.
infanticide n. m. Meurtre d'un enfant nouveau-né. N. et adj. Coupable du meurtre d'un nouveau-né.
infantile adj. Relatif à l'enfant en bas âge : *maladies infantiles.*
infantilisme n. m. Persistance anormale des caractères de l'enfance.
infatigable* adj. Que rien ne fatigue.
infatuation n. f. Prétention excessive.
infatuer v. tr. Inspirer de l'engouement : *être infatué de soi-même.* V. pr. S'engouer en faveur de.
infécond, e adj. Stérile.
infécondité n. f. Stérilité.
infect, e adj. Qui exhale des émanations puantes. *Fig.* Répugnant.
infecter v. tr. Gâter, corrompre par des exhalaisons empoisonnées. Contaminer : *plaie infectée. Fig.* Corrompre. V. intr. Avoir une odeur repoussante.
infectieux, euse adj. Qui produit l'infection. Qui en résulte : *maladie infectieuse.*
infection n. f. Grande puanteur. Altération produite dans l'organisme par certains parasites. *Fig.* Contagion morale.
inféoder (s') v. pr. Se donner entièrement à : *s'inféoder à un parti.*
inférer v. tr. Conclure. Déduire.
inférieur, e* adj. Placé au-dessous : *mâchoire inférieure.* N. Subordonné.
infériorité n. f. Désavantage dans le rang, la force, le mérite, etc.
infernal, e*, aux adj. De l'enfer. *Fig.* Pervers : *ruse infernale.* Désordonné, violent : *tapage infernal.*
infertile adj. Non fertile.
infertilité n. f. Stérilité.
infester v. tr. Ravager par des invasions, des actes de brigandage.
infidèle* adj. Déloyal : *infidèle à ses promesses.* Sans probité : *caissier infidèle.* N. Non chrétien : *convertir les infidèles.*
infidélité n. f. Manque de fidélité.
infiltration n. f. Passage lent d'un liquide à travers un corps.
infiltrer (s') v. pr. Passer à travers les pores d'un corps solide. *Fig.* Pénétrer, s'insinuer : *s'infiltrer chez l'ennemi.*
infime adj. Qui est le plus bas.
infini,* e adj. Sans limites : *l'univers est infini.* Très grand : *temps infini.* N. m. Ce qui est sans limites. *A l'infini* loc. adv. Sans fin.
infinité n. f. Qualité de ce qui est infini. Un très grand nombre.
infinitésimal, e, aux adj. Très petit.
infinitif, ive adj. De la nature de l'infinitif. N. m. Mode du verbe qui exprime l'état ou l'action d'une manière indéterminée.
infirme n. et adj. Faible, sans force. Privé de l'usage d'un membre.
infirmer v. tr. Déclarer nul : *infirmer un acte. Fig.* Affaiblir : *infirmer un témoignage.*
infirmerie n. f. Lieu destiné aux malades dans les communautés, les casernes, les collèges, etc.
infirmier, ère n. Qui soigne les malades à l'infirmerie, à l'hôpital.
infirmité n. f. Faiblesse du corps. Maladie habituelle : *la goutte est une infirmité.* Affection particulière et chronique de quelque partie du corps. *Fig.* Imperfection : *infirmité morale.*
inflammabilité n. f. Caractère de ce qui est inflammable.
inflammable adj. Qui s'enflamme.
inflammation n. f. Action par laquelle une matière combustible s'enflamme. *Méd.* Irritation et tuméfaction.
inflammatoire adj. Qui tient de l'inflammation : *fièvre inflammatoire.*
inflation n. f. Emission exagérée de papier-monnaie. *Fig.* Augmentation excessive.
infléchir v. tr. Courber, incliner.
inflexibilité n. f. Caractère de ce qui est inflexible.
inflexible* adj. Qu'on ne peut fléchir, courber. *Fig.* : *caractère inflexible.*
inflexion n. f. Action de plier, d'incliner : *inflexion du corps. Inflexion de voix,* changement de ton.
infliger v. tr. (Se conj. comme *manger.*) Imposer une peine, une privation, etc.
inflorescence n. f. Disposition générale des fleurs sur la tige.
influençable adj. Qu'on peut influencer : *esprit facilement influençable.*
influence n. f. Action d'une chose sur une autre. *Fig.* Ascendant.
influencer v. tr. (Se conj. comme *amorcer.*) Exercer une influence sur : *influencer un juge, des jeunes gens.*
influent, e adj. Qui a de l'influence.
influenza n. f. Grippe violente.
influer v. intr. Exercer une action.
influx n. m. Fluide hypothétique de l'organisme : *influx nerveux.*
in-folio n. m. et adj. invar. Format d'un livre où la feuille n'est pliée qu'en deux et forme quatre pages. Livre de ce format.
informateur, trice n. Qui donne des informations.
information n. f. Acte judiciaire qui contient les dépositions des témoins sur un fait. *Par ext.* Enquête, renseignement.
informe adj. Sans forme nette.

informé n. m. Information juridique : *jusqu'à plus ample informé.*
informer v. tr. Avertir, renseigner, instruire. V. intr. Faire une information judiciaire : *informer contre quelqu'un.*
infortune n. f. Revers, adversité. Pl. Evénements malheureux.
infortuné, e n. et adj. Malheureux.
infraction n. f. Violation d'une loi, d'un ordre, etc.
infranchissable adj. Qu'on ne peut franchir.
infrangible adj. Qu'on ne peut briser : *résistance infrangible.*
infrarouge n. et adj. Se dit des radiations dont la longueur d'onde est supérieure à celle des rayons lumineux.
infra-son n. m. Vibration de fréquence inférieure aux fréquences audibles.
infrastructure n. f. Fondations.
infroissable adj. Qui ne peut être froissé.
infructueux, euse* adj. Sans profit.
infus, e adj. Se dit des connaissances, des vertus qu'on possède naturellement : *avoir la science infuse* (ironique).
infuser v. tr. Faire macérer dans un liquide chaud : *infuser du thé. Fig.* Faire pénétrer dans, communiquer : *infuser sa foi.*
infusible adj. Non fusible.
infusion n. f. Action d'infuser. Son résultat : *infusion de tilleul.*
infusoires n. m. pl. Animaux microscopiques vivant dans les liquides.
ingambe adj. *Fam.* Alerte, dispos.
ingénier (s') v. pr. (Se conj. comme *prier.*) Chercher le moyen de, s'efforcer de : *s'ingénier à résoudre un problème.*
ingénieur n. m. Celui qui dirige la construction de ponts, chemins, machines, etc.
ingénieux, euse* adj. Fertile en ressources : *enfant ingénieux.* Qui témoigne de l'adresse : *machine ingénieuse.*
ingéniosité n. f. Habileté, adresse.
ingénu*, e adj. D'une innocence franche. Simple, naïf : *air ingénu.* N. Personne ingénue. N. f. *Théât.* Rôle de jeune fille naïve : *jouer les ingénues.*
ingénuité n. f. Franchise, simplicité, naïveté. Parole, action ingénue.
ingérence n. f. Action de s'ingérer.
ingérer v. tr. (Se conj. comme *accélérer.*) Introduire dans l'estomac : *ingérer les aliments.* V. pr. S'introduire : *s'ingérer dans une affaire.*
ingestion n. f. Action d'ingérer.
ingrat, e* n. et adj. D'un aspect désagréable : *figure ingrate.* Non reconnaissant : *fils ingrat. Fig.* Stérile : *sol ingrat.* Qui ne fournit rien à l'esprit : *sujet ingrat. Age ingrat,* début de l'adolescence.
ingratitude n. f. Vice de l'ingrat. Action ingrate.
ingrédient [*dyan*] n. m. Ce qui entre dans la composition d'un mélange.
inguérissable adj. Non guérissable.
inguinal, e, aux [*ghui*] adj. De l'aine.
ingurgitation n. f. Déglutition.
ingurgiter v. tr. Avaler.
inhabile* adj. Sans habileté.
inhabileté n. f. Manque d'habileté.
inhabilité n. f. *Dr.* Incapacité légale : *inhabilité à tester.*
inhabitable adj. Non habitable.
inhabité, e adj. Non habité.
inhalateur, trice adj. et n. m. Qui sert à des inhalations.
inhalation n. f. Absorption par les voies respiratoires.
inharmonie n. f. Manque d'harmonie.
inhérence n. f. Caractère inhérent.
inhérent, e adj. Lié nécessairement.
inhibition n. f. Défense, prohibition. *Méd.* Arrêt de l'activité d'une partie de l'organisme.
inhospitalier, ère adj. Non hospitalier : *une côte inhospitalière.*
inhumain, e* adj. Barbare, cruel.
inhumanité n. f. Cruauté, barbarie.
inhumation n. f. Action d'inhumer.
inhumer v. tr. Enterrer.
inimaginable adj. Non imaginable.
inimitable adj. Non imitable.
inimité adj. Non imité.
inimitié n. f. Antipathie, hostilité.
ininflammable adj. Non inflammable : *liquide ininflammable.*
inintelligemment adv. Sans intelligence.
inintelligence n. f. Manque d'intelligence.
inintelligent, e adj. Sans intelligence : *élève inintelligent.*
inintelligible adj. Non intelligible.
ininterrompu, e adj. Qui n'est point interrompu : *série ininterrompue.*
inique* adj. Injuste à l'excès.
iniquité n. f. Caractère de ce qui est inique. Action inique.
initial, e*, aux adj. Qui est au commencement : *lettre initiale.* N. f. Première lettre d'un mot, d'un nom.
initiateur, trice n. Qui initie.
initiation n. f. Action d'initier.
initiative n. f. Action de celui qui propose ou fait le premier une chose. Qualité de celui qui est porté à agir, à entreprendre.
initié, e adj. et n. Au courant de certaines pratiques ou de certains secrets.
initier v. tr. (Se conj. comme *prier.*) Admettre à la participation de mystères religieux, des pratiques secrètes d'une association. *Par ext.* Mettre au courant d'une science, d'un métier.
injecter v. tr. Introduire un liquide dans une cavité.
injecteur n. m. Appareil servant à injecter : *injecteur de vapeur.*
injection n. f. Action d'injecter. Liquide qu'on injecte.
injonction n. f. Ordre formel.
injouable adj. Non jouable : *pièce injouable.*
injure n. f. Offense, insulte.
injurier v. tr. (Se conj. comme *prier.*) Offenser par des injures.
injurieux, euse* adj. Outrageant, offensant : *soupçon injurieux.*
injuste* adj. Sans justice. Contraire à la justice : *injuste sentence.* N. m. Ce qui est injuste. (Peu us.)
injustice n. f. Manque de justice. Acte contraire à la justice.
injustifiable adj. Non justifiable.
injustifié, e adj. Non justifié.
inlassable* adj. Infatigable.
inné, e adj. Que nous apportons en naissant : *penchants innés.*
innervation n. f. Distribution des nerfs : *l'innervation de la main.*
innerver v. tr. *Anat.* Distribuer des nerfs dans un organe.

innocemment [*sa-man*] adv. Avec innocence.
innocence n. f. Caractère innocent.
innocent, e adj. Qui n'est pas coupable. Qui ignore le mal. Sans malice. Bénin, inoffensif : *remède innocent.* N. Personne non coupable. Personne naïve.
innocenter v. tr. Déclarer innocent.
innocuité [*n-n*] n. f. Qualité de ce qui n'est pas nuisible.
innombrable* [*n-n*] adj. Qui ne peut se compter : *fautes innombrables.*
innommable [*n-n*] adj. Qui ne peut être nommé. *Fig.* Vil, bas.
innovateur, trice [*n-n*] adj. Qui innove.
innovation [*n-n*] n. f. Action d'innover. Nouveau : *heureuse innovation.*
innover [*n-n*] v. tr. et intr. Introduire du nouveau dans : *innover une fabrication.*
inobservable adj. Qui ne peut être observé : *règlement inobservable.*
inobservance n. f. Non-observance d'une prescription : *l'inobservance du règlement.*
inobservation n. f. Inexécution d'un engagement : *constater l'inobservation d'un contrat.*
inoccupé, e adj. Sans occupation. Non habité : *logement inoccupé.*
in-octavo n. m. et adj. invar. Format d'un livre dont les feuilles pliées forment seize pages. Livre de ce format.
inoculable adj. Qui peut être inoculé.
inoculation n. f. Introduction dans l'organisme d'un germe, d'un virus.
inoculer v. tr. Communiquer par inoculation. *Fig.* Transmettre par contagion morale : *inoculer sa haine.*
inodore adj. Sans odeur.
inoffensif, ive* adj. Incapable de nuire : *animal inoffensif.*
inondation n. f. Débordement d'une rivière, d'un lac, etc.
inonder v. tr. Couvrir d'eau : *inonder un terrain. Par ext.* Couvrir de, mouiller beaucoup : *inonder une plantation. Fig.* Envahir : *inonder le marché.*
inopérable adj. Qui ne peut être opéré : *maladie inopérable.*
inopérant, e adj. Sans effet.
inopiné*, e adj. Imprévu.
inopportun, e adj. Qui n'est pas opportun : *avis inopportun.*
inopportunité n. f. Caractère de ce qui n'est pas opportun.
inorganique adj. Se dit des corps dépourvus de vie (minéraux).
inoubliable adj. Que l'on ne peut oublier : *injure inoubliable.*
inouï, e adj. Dont on n'a jamais entendu parler. Etrange, extraordinaire : *cruauté inouïe ; richesses inouïes.*
inoxydable adj. Non oxydable.
in petto [*in'*] loc. adv. A part soi.
inqualifiable adj. Que l'on ne peut qualifier, indigne : *inqualifiable agression.*
in-quarto [*kouar*] n. m. et adj. invar. Format d'un livre dont les feuilles pliées forment huit pages. Livre de ce format.
inquiet, ète adj. et n. Agité par la crainte, l'incertitude. Qui marque l'agitation : *sommeil inquiet.*
inquiéter v. tr. (Se conj. comme *accélérer.*) Rendre inquiet : *cette nouvelle m'inquiète.* Molester, harceler : *inquiéter l'ennemi.*
inquiétude n. f. Etat de celui qui est inquiet. Trouble, appréhension.
inquisiteur n. m. Juge de l'inquisition. Adj. Scrutateur : *grand inquisiteur.*
inquisition n. f. Recherche, enquête arbitraire. Autrefois, célèbre et cruel tribunal ecclésiastique.
insaisissable adj. Qui ne peut être saisi : *biens insaisissables.* Imperceptible : *nuance insaisissable.*
insalubre* adj. Non salubre.
insalubrité n. f. Etat de ce qui est insalubre : *l'insalubrité des villes.*
insanité n. f. Chose déraisonnable.
insatiable* adj. Qui ne peut être rassasié, assouvi. Qui est avide.
inscription n. f. Action d'inscrire. Caractères gravés sur la pierre, etc. Action d'inscrire son nom sur un registre : *prendre ses inscriptions à la faculté. Inscription maritime,* rôle des marins pouvant être appelés au service de l'Etat.
inscrire v. tr. (Se conj. comme *écrire.*) Ecrire, noter : *inscrire une dépense. Géom.* Tracer une figure dans l'intérieur d'une autre. V. pr. Ecrire son nom sur. *S'inscrire en faux,* soutenir qu'une chose est fausse.
insecte n. m. Animal articulé à six pattes, respirant par des trachées et subissant des métamorphoses.
insecticide adj. et n. m. Qui détruit les insectes : *poudre insecticide.*
insectivore adj. Qui se nourrit d'insectes : *oiseau insectivore.*
insécurité n. f. Manque de sécurité.
in-seize n. m. et adj. invar. Format d'un livre dont les feuilles pliées forment trente-deux pages. Livre de ce format.
insensé, e n. et adj. Qui a perdu le sens, la raison. Extravagant, fou.
insensibilisateur, trice adj. et n. m. Qui insensibilise.
insensibilisation n. f. Action d'insensibiliser.
insensibiliser v. tr. Rendre insensible : *insensibiliser un malade.*
insensibilité n. f. Manque de sensibilité.
insensible* adj. Qui ne sent pas. Dépourvu de sensibilité morale : *insensible aux remords.* Imperceptible : *pente insensible.*
inséparable* adj. Qui ne peut être séparé : N. : *deux inséparables.*
insérer v. tr. (Se conj. comme *accélérer.*) Introduire : *insérer une note.*
insertion n. f. Action d'insérer : *insertion d'une annonce.* Ce qui est inséré. Attache : *insertion des feuilles sur la tige.*
insidieux, euse* adj. Qui tend un piège : *question insidieuse.* Qui trompe : *maladie insidieuse ; gaz insidieux.*
insigne adj. Signalé, remarquable : *faveur insigne.* N. m. Marque distinctive de grades, de dignités.
insignifiance n. f. Caractère de ce qui est insignifiant.
insignifiant, e adj. Qui ne signifie rien. Sans importance.
insinuant, e adj. Habile à insinuer.
insinuation n. f. Action d'insinuer. Chose que l'on fait sous-entendre.
insinuer v. tr. Introduire : *insinuer une sonde dans une plaie. Fig.* Faire pénétrer dans l'esprit : *insinuer une calomnie.* V. pr. S'introduire avec adresse : *s'in-*

sinuer à la cour ; s'insinuer dans les bonnes grâces de quelqu'un.

insipide* adj. Sans saveur : *potage insipide. Fig.* Sans agrément : *style insipide.*

insipidité n. f. Caractère insipide.

insistance n. f. Action d'insister.

insistant, e adj. Qui insiste.

insister v. intr. Persévérer à demander. Appuyer : *insister sur un point.*

insociable adj. Peu sociable.

insolation n. f. Exposition aux rayons du soleil. Coup de soleil.

insolemment adv. Avec insolence.

insolence n. f. Effronterie. Manque de respect. Orgueil offensant. Parole, action volontairement irrespectueuse.

insolent, e adj. Qui montre de l'insolence. N. Personne insolente.

insolite* adj. Contraire à l'usage.

insolubilité n. f. Non-solubilité.

insoluble* adj. Non soluble.

insolvabilité n. f. Non-solvabilité.

insolvable adj. Qui n'a pas de quoi payer : *débiteur insolvable.*

insomnie n. f. Privation de sommeil.

insondable adj. Non sondable : *puits insondable. Fig.* Impénétrable.

insonore adj. Non sonore.

insouciamment adv. D'une manière insouciante.

insouciance n. f. Caractère insouciant : *insouciance d'enfant.*

insouciant, e adj. Qui ne se soucie pas.

insoucieux, euse* adj. Qui n'a pas de souci de : *insoucieux du lendemain.*

insoumis, e adj. Non soumis. N. Soldat qui ne se présente pas au corps au jour marqué pour l'appel. Rebelle.

insoumission n. f. Non-soumission.

insoupçonnable adj. Non soupçonnable : *caissier insoupçonnable.*

insoutenable adj. Qu'on ne peut soutenir. Qu'on ne peut supporter.

inspecter v. tr. Examiner : *inspecter la côte.* Surveiller : *inspecter des postes de vente.*

inspecteur, trice n. Agent chargé de fonctions de surveillance et de contrôle.

inspection n. f. Action d'inspecter. Fonction d'inspecteur.

inspirateur, trice adj. et n. Qui inspire.

inspiration n. f. Aspiration pulmonaire. Conseil, suggestion : *inspiration surnaturelle.* Enthousiasme créateur : *inspiration de génie.*

inspiré, e adj. Sous l'influence d'une inspiration : *poète inspiré.*

inspirer v. tr. Faire aspirer par les poumons : *inspirer de l'air à un malade.* Faire naître une pensée, un sentiment : *inspirer de la pitié.* Provoquer l'enthousiasme poétique. V. pr. Prendre son inspiration : *s'inspirer des Anciens.*

instabilité n. f. Non-stabilité.

instable* adj. Qui n'est pas stable.

installation n. f. Action d'installer; son résultat : *avoir une belle installation.*

installer v. tr. Mettre en possession d'une dignité, d'un emploi. Placer, établir : *installer une machine.*

instamment adv. Avec instance.

instance n. f. Sollicitation pressante. Insistance : *prier avec instance.* Procédure ayant pour objet de saisir un tribunal d'une contestation. Juridiction. *Tribunal de première instance,* qui connaît des contestations en matière civile.

instant n. m. Moment très court. *Elliptiq. Un instant,* attendez un instant. Loc. adv. : *A l'instant,* à l'heure même; *dans un instant,* bientôt; *à chaque instant,* continuellement.

instant, e adj. Pressant, insistant : *prières instantes.*

instantané*, e adj. Qui ne dure qu'un instant. Produit soudain. N. m. Temps de pose très bref en photographie. Image ainsi obtenue : *prendre des instantanés.*

instar (à l') loc. prép. A la manière, à l'imitation de.

instaurer v. tr. Etablir, fonder.

instigateur, trice n. Qui pousse à.

instigation n. f. Incitation : *agir à l'instigation de quelqu'un.*

instillation [*l-l*] n. f. Action d'instiller.

instiller v. tr. Verser goutte à goutte.

instinct n. m. Impulsion, mouvement naturel vers, impulsion intérieure. Penchant. *Par,* ou *d'instinct,* par une sorte d'inspiration, inconsciemment.

instinctif, ive* adj. Qui naît de l'instinct : *geste instinctif.*

instituer v. tr. Etablir, fonder. Etablir en charge, en fonction. Nommer (un héritier).

institut n. m. Société savante ou littéraire. Réunion des cinq académies. (En ce sens, prend une majuscule.) Etablissement de recherches scientifiques ou d'enseignement supérieur : *l'institut Pasteur.* Nom adopté par certains établissements commerciaux : *institut de beauté.*

instituteur, trice n. Maître, maîtresse d'école du premier degré.

institution n. f. Action d'instituer. Chose instituée. Maison d'éducation. Nomination d'un héritier.

instructeur adj. et n. m. Qui instruit : *sergent instructeur.*

instructif, ive adj. Qui instruit.

instruction n. f. Action d'instruire. Education, enseignement : *instruction primaire.* Savoir : *avoir de l'instruction. Instruction judiciaire,* procédure qui met une affaire en état d'être jugée. *Juge d'instruction,* juge qui instruit une cause. Pl. Ordres, explications, renseignements : *laisser des instructions.*

instruire v. tr. (Se conj. comme *conduire.*) Donner des leçons : *instruire de jeunes recrues.* Informer : *instruisez-moi de ce qui se passe. Instruire une affaire,* la mettre en état d'être jugée.

instrument n. m. Outil, machine, appareil servant à un travail. Appareil musical : *instrument à vent. Fig.* Ce qui permet d'atteindre à un résultat. *Dr.* Acte, titre public servant à établir des droits.

instrumental, e*, aux adj. Qui sert d'instrument. Exécuté par des instruments : *musique instrumentale.*

instrumentation n. f. Partie instrumentale d'un morceau de musique.

instrumenter v. intr. Faire des contrats, des procès-verbaux et autres actes publics. *Mus.* Orchestrer : *partition bien instrumentée.*

instrumentiste n. m. Musicien qui joue d'un instrument.

insu n. m. Ignorance d'une chose. *A l'insu de* loc. prépos. Sans qu'on le sache.
insubmersible adj. Non submersible.
insubordination n. f. Insoumission.
insubordonné, e adj. Insoumis.
insuccès n. m. Echec.
insuffisamment adv. D'une manière insuffisante.
insuffisance n. f. Manque de suffisance. Incapacité.
insuffisant, e adj. Qui ne suffit pas.
insufflation n. f. Action d'insuffler.
insuffler v. tr. Introduire en soufflant. Gonfler en soufflant : *insuffler un ballon.*
insulaire n. Habitant d'une île. Adj. Qui forme une île.
insularité n. f. Etat d'un pays formant une île ou composé d'îles.
insuline n. f. Substance contenue dans le pancréas, utilisée contre le diabète.
insulte n. f. Outrage, agression.
insulter v. tr. Offenser, outrager.
insulteur n. m. Qui insulte.
insupportable* adj. Non supportable.
insurger (s') v. pr. (Se conj. comme *manger.*) Se soulever contre une autorité : *le peuple s'insurgea contre le gouvernement.*
insurmontable* adj. Non surmontable.
insurrection n. f. Action de s'insurger. Violent soulèvement.
insurrectionnel, elle* adj. Qui tient de l'insurrection.
intact, e adj. A quoi l'on n'a pas touché. Qui n'a souffert aucune atteinte.
intaille n. f. Pierre gravée en creux.
intangible adj. Qui ne peut être touché.
intarissable* adj. Qui ne peut être tari. *Fig.* Qui ne peut s'épuiser.
intégral, e*, aux adj. Entier, complet.
intégralité n. f. Etat d'une chose intégrale : *l'intégralité d'une somme.*
intégrant, e adj. *Partie intégrante,* qui fait partie d'un tout.
intégration n. f. Groupement en un tout : *intégration industrielle.*
intègre* adj. D'une probité absolue.
intégrer v. tr. Assembler en un tout : *idées intégrées en système.*
intégrité n. f. Etat d'une chose complète, sans altération. *Fig.* Vertu d'une personne intègre : *intégrité d'un magistrat.*
intellect n. m. Intelligence.
intellectuel, elle* adj. Du ressort de l'intelligence : *vérité intellectuelle.* N. Personne qui s'occupe des choses de l'esprit.
intelligemment adv. Avec intelligence : *répondre intelligemment.*
intelligence n. f. Faculté de connaître, de comprendre : *intelligence vive.* Entente : *intelligence des affaires.* Action de comprendre : *pour l'intelligence de ce qui va suivre.* Accord de sentiments : *en bonne intelligence.* Entente secrète : *avoir des intelligences dans la place.*
intelligent, e adj. Pourvu d'intelligence : *un enfant intelligent.* Qui indique l'intelligence : *regard intelligent.*
intelligibilité n. f. Etat d'une chose intelligible.
intelligible* adj. Qui peut être compris : *voix intelligible. Philos.* Qui n'existe qu'en idée : *les réalités intelligibles.*
intempérance n. f. Manque de tempérance. *Fig.* Excès en tout genre.
intempérant, e adj. Non tempérant.
intempérie n. f. Mauvais temps.
intempestif, ive* adj. A contretemps.
intenable adj. Où l'on ne peut tenir.
intendance n. f. Fonction d'intendant. Administration d'un intendant. Administration qui pourvoit aux besoins de l'armée : *servir dans l'intendance.*
intendant, e n. Qui est chargé de régir des biens, une maison. Fonctionnaire dirigeant un service public. *Intendant militaire,* qui pourvoit aux besoins de l'armée.
intense adj. Fort vif : *froid intense.*
intensément adv. D'une manière intense.
intensif, ive* adj. Qui a le caractère de l'intensité : *culture intensive.*
intensifier v. tr. Rendre plus intense : *intensifier un effort.*
intensité n. f. Degré d'activité, de puissance : *intensité d'un feu.*
intenter v. tr. Diriger contre quelqu'un : *intenter un procès.*
intention n. f. Dessein : *intention de nuire.* Désir, volonté.
intentionné, e adj. Qui a une intention : *bien, mal intentionné.*
intentionnel, elle* adj. Qui marque l'intention.
inter n. m. Téléphone interurbain.
interallié, e adj. Entre alliés.
interarmes adj. Commun à plusieurs armes de l'armée de terre : *école interarmes.*
intercalaire adj. Qui est intercalé.
intercalation n. f. Action d'intercaler. Son résultat.
intercaler v. tr. Ajouter au milieu : *intercaler un mot dans un texte.*
intercéder v. intr. (Se conj. comme *accélérer.*) Intervenir.
intercepter v. tr. Arrêter au passage. S'emparer par surprise de quelque chose.
intercesseur n. m. Qui intercède.
intercession n. f. Intervention.
interchangeable adj. Se dit des choses qui peuvent être mises à la place les unes des autres.
intercontinental, e, aux adj. Entre deux continents : *lignes intercontinentales.*
intercostal, e, aux adj. Entre les côtes.
interdépendance n. f. Dépendance mutuelle, réciproque.
interdiction n. f. Défense.
interdire v. tr. (Se conj. comme *dire,* excepté à la 2e pers. pl. de l'indic. pr. et de l'impér. : *interdisez.*) Défendre quelque chose. Priver du droit d'exercer une fonction : *interdire un prêtre.* Défendre la célébration du culte : *interdire une église.* Oter à quelqu'un la libre disposition de ses biens. Déconcerter.
interdit n. m. Sentence qui interdit une église, un prêtre : *frapper d'interdit.*
interdit, e adj. Sous le coup d'une interdiction. *Fig.* Confus, troublé.
intéressé, e adj. Qui a intérêt à une chose : *intéressé dans une affaire.* Trop attaché à ses intérêts. N. Personne qui a intérêt à.
intéresser v. tr. Donner un intérêt dans : *intéresser dans une affaire.* Exciter l'intérêt : *sujet qui intéresse.* Importer : *cela ne m'intéresse pas.* Atteindre, toucher : *blessure qui intéresse le poumon.*
intérêt n. m. Part que l'on prend à une chose : *suivre un événement avec intérêt.*

Désir de gain : *seul l'intérêt le guide.* Droit à un gain éventuel : *avoir un intérêt dans une affaire.* Bénéfice tiré de l'argent prêté : *intérêts à 3 p. 100.* Affection, sollicitude : *montrer de l'intérêt à quelqu'un.* Ce qui intéresse : *roman plein d'intérêt.*

interférence n. f. *Physiq.* Combinaison de mouvements vibratoires.

intérieur, e* adj. Qui est au-dedans : *cour intérieure. Fig.* Relatif à l'âme : *sentiment intérieur.* N. m. La partie intérieure, le dedans. Partie centrale d'un pays. Domicile privé : *intérieur coquet.* Vie de famille : *homme d'intérieur. Ministère de l'Intérieur,* qui gère les affaires intérieures d'un pays.

intérim [*rim'*] n. m. Temps pendant lequel une fonction est remplie par un autre que par le titulaire. *Par intérim* loc. adv. Provisoirement.

intérimaire adj. Qui a lieu par intérim : *fonctions intérimaires.* N. Personne qui fait l'intérim : *licencier des intérimaires.*

interjection n. f. Partie du discours, comprenant les exclamations.

interligne n. m. Espace entre deux lignes écrites. N. f. *Typogr.* Lame de métal pour espacer les lignes.

interligner v. tr. *Typogr.* Séparer par des interlignes : *texte interligné deux points.*

interlinéaire adj. Ecrit dans l'interligne : *traduction interlinéaire.*

interlocuteur, trice n. Personne conversant avec une autre.

interlope adj. Qui trafique en fraude. *Fig.* De réputation douteuse : *milieu interlope.*

interloquer v. tr. Embarrasser. Surprendre.

intermède n. m. Divertissement entre deux parties d'une représentation théâtrale.

intermédiaire adj. Qui est entre deux : *corps intermédiaire.* N. m. Moyen terme, entremise : *par mon intermédiaire.* Personne, chose interposée : *servir d'intermédiaire.*

interminable* adj. Trop long.

intermittence n. f. Caractère intermittent. *Par intermittence,* par moments.

intermittent, e adj. Qui s'arrête et reprend par intervalles.

internat n. m. Situation d'un élève interne. Ecole d'internes. Ensemble des internes. *Méd.* Fonction d'interne dans un hôpital.

international, e*, aux adj. Qui a lieu entre nations : *droit international.* N. f. Association générale d'hommes de divers pays pour la défense de leurs droits.

internationalisme n. m. Caractère international. Doctrine de ceux qui préconisent l'alliance internationale des classes sociales aux dépens des patries.

internationaliste n. Partisan de l'internationalisme.

interne adj. Dont le siège est au-dedans : *maladie interne.* N. Elève logé et nourri dans l'établissement. Etudiant en médecine admis, après concours, à seconder le chef de service de l'hôpital.

internement n. m. Action d'interner.

interner v. tr. Enfermer : *interner un fou.* Imposer, fixer une résidence à quelqu'un avec défense d'en sortir.

interocéanique adj. Réunissant deux océans : *canal interocéanique.*

interpellateur, trice n. Personne qui interpelle : *répondre à un interpellateur.*

interpellation n. f. Action d'interpeller. *Polit.* Demande d'explication adressée à un ministre, etc.

interpeller v. tr. Adresser la parole pour demander quelque chose.

interplanétaire adj. Relatif à l'espace qui se trouve entre les planètes.

interpolation n. f. Action d'interpoler. Ce qui a été interpolé.

interpoler v. tr. Introduire dans un ouvrage des passages qui ne sont pas dans l'original.

interposer v. tr. Placer entre. V. pr. Intervenir : *s'interposer dans une querelle.*

interposition n. f. Situation d'un corps entre deux autres. *Dr.* Action de prêter son nom à autrui pour lui faciliter certains avantages.

interprétateur, trice et **interprétatif, ive** adj. Qui explique.

interprétation n. f. Action d'interpréter. Façon dont une œuvre dramatique ou musicale est jouée.

interprète n. Qui traduit une conversation : *s'entendre grâce à un interprète.* Celui qui fait connaître les intentions d'autrui. Qui interprète une œuvre artistique. Commentateur. *Interprète juré,* nommé par les cours ou tribunaux pour traduire.

interpréter v. tr. (Se conj. comme *accélérer.*) Expliquer : *interpréter une loi.* Tirer une induction de : *interpréter un songe.* Prendre en bonne ou mauvaise part : *mal interpréter une intention.* Traduire, rendre : *le graveur a su interpréter les œuvres du peintre.*

interrègne n. m. Intervalle pendant lequel un Etat est sans chef.

interrogateur, trice adj. et n. Qui interroge. Examinateur.

interrogatif, ive adj. *Gramm.* Qui marque l'interrogation.

interrogation n. f. Question, demande. *Point d'interrogation,* qui marque l'interrogation (?).

interrogatoire n. m. Questions qu'on adresse à un accusé : *subir un interrogatoire.*

interroger v. tr. (Se conj. comme *manger.*) Adresser des questions : *interroger un inculpé.* Questionner un candidat dans un examen. *Fig.* Consulter, examiner : *interroger l'histoire, la tradition.*

interrompre v. tr. Rompre la continuité : *interrompre un courant.* Couper la parole.

interrupteur, trice adj. et n. Qui interrompt. N. m. Appareil pour interrompre ou rétablir un courant électrique.

interruptif, ive adj. Qui interrompt.

interruption n. f. Action d'interrompre. Etat de ce qui est interrompu. Paroles pour interrompre.

intersection n. f. *Géom.* Lieu des points où deux lignes, deux plans, deux solides se coupent.

interstellaire adj. *Astr.* Situé entre les étoiles : *espace interstellaire.*

interstice n. m. Petit intervalle entre les parties d'un tout.

interstitiel, elle adj. *Méd.* Qui est dans les interstices.

intertropical, e, aux adj. Qui est situé entre les tropiques.

interurbain, e adj. Entre villes différentes.
intervalle n. m. Distance entre les lieux, les temps. *Fig.* Différence, inégalité. *Mus.* Distance qui sépare deux sons. *Par intervalles,* de temps à autre.
intervenir v. intr. (Se conj. comme *venir.*) Prendre part volontairement. Interposer son autorité : *intervenir dans une querelle.* Se produire, avoir lieu : *un jugement est intervenu.*
intervention n. f. Action d'intervenir : *intervention d'un député. Méd.* Traitement, opération : *intervention chirurgicale.*
interversion n. f. Renversement.
intervertir v. tr. Déranger l'ordre.
interview [*vyou*] n. f. Visite à une personne pour l'interroger sur ses actes, ses idées, etc.
interviewer [*vyou-vé*] v. tr. Soumettre à une interview.
intestat adj. et n. *Dr.* Qui n'a pas fait de testament : *mourir intestat.*
intestin n. m. *Anat.* Viscère allant de l'estomac à l'anus.
intestin, e adj. Interne, intérieur : *divisions intestines.*
intestinal, e, aux adj. De l'intestin.
intimation n. f. Sommation.
intime* adj. Intérieur et profond. Sans cérémonie : *un dîner intime.* Qui existe au fond de l'âme : *conviction intime.* Pour qui l'on a une grande affection : *ami intime.* N. m. Un familier.
intimer v. tr. Signifier avec autorité : *intimer un ordre.* Appeler en justice.
intimidation n. f. Action d'intimider. Son résultat.
intimider v. tr. Donner de la crainte.
intimité n. f. Caractère, liaison intime.
intitulé n. m. Titre d'un livre, etc.
intituler v. tr. Donner un titre. V. pr. Se donner le titre de : *s'intituler baron.*
intolérable* adj. Qu'on ne saurait tolérer : *douleur intolérable.*
intolérance n. f. Manque de tolérance.
intolérant, e n. et adj. Qui manque de tolérance (politique, religion).
intonation n. f. Ton.
intoxication n. f. Empoisonnement.
intoxiquer v. tr. Empoisonner.
intraduisible adj. Qu'on ne peut traduire.
intraitable adj. D'un commerce difficile.
intra-muros loc. lat. Dans les murs, dans l'intérieur de la ville.
intramusculaire adj. Qui se fait dans un muscle : *piqûre intramusculaire.*
intransigeance n. f. Caractère intransigeant.
intransigeant, e n. et adj. Qui ne transige pas : *esprit intransigeant.*
intransitif, ive* adj. *Gramm.* Se dit des verbes qui expriment un état ou une action ne passant pas du sujet sur un complément.
intransportable adj. Qui ne peut être transporté.
intraveineux, euse adj. Qui est ou se fait dans les veines : *piqûre intraveineuse.*
intrépide* adj. Qui ne craint point le péril. *Fam.* Décidé, tenace.
intrépidité n. f. Caractère intrépide. *Fam.* Opiniâtreté, assurance.
intrigant, e n. et adj. Qui se mêle d'intrigues : *esprit intrigant.*
intrigue n. f. Machination secrète. Nœud d'une pièce de théâtre.
intriguer v. intr. Se livrer à des intrigues : *intriguer pour s'élever.* V. tr. Embarrasser, donner à penser : *cela m'intrigue.*
intrinsèque* adj. Qui est au-dedans de. Inhérent, essentiel : *mérite intrinsèque. Valeur intrinsèque,* celle des objets par eux-mêmes.
introducteur, trice n. Qui introduit.
introduction n. f. Action d'introduire. Discours préliminaire.
introduire v. tr. (Se conj. comme *conduire.*) Faire entrer : *introduire un visiteur.* Faire entrer une chose dans une autre. *Fig.* Faire adopter : *introduire une mode.* V. pr. Entrer, pénétrer.
introït n. m. Prière que récite le prêtre au commencement de la messe.
intronisation n. f. Action d'introniser : *l'intronisation d'un prince.*
introniser v. tr. Installer un évêque, un pape, un prince. *Fig.* Faire régner, établir : *introniser une mode.*
introspection n. f. Observation interne.
introuvable adj. Qu'on ne peut trouver.
intrus, e n. et adj. Qui s'introduit dans un lieu, dans une dignité sans avoir la qualité requise.
intrusion n. f. Action de s'introduire contre le droit.
intuitif, ive* adj. Par intuition.
intuition n. f. Connaissance directe, immédiate, sans intervention du raisonnement. Pressentiment.
intumescence n. f. Gonflement.
intumescent, e adj. Qui gonfle.
inusable adj. Qui ne peut s'user.
inusité, e adj. Non usité.
inutile* adj. Non utile. Vain.
inutilisable adj. Non utilisable.
inutiliser v. tr. Rendre inutile.
inutilité n. f. Manque d'utilité. Pl. Choses inutiles.
invalidation n. f. Action d'invalider.
invalide* adj. Non valide, infirme. *Fig.* Qui n'a pas les conditions requises par la loi : *acte invalide.* N. m. Soldat devenu incapable de servir et entretenu aux frais de l'Etat à l'Hôtel des Invalides.
invalider v. tr. Déclarer invalide, non valable. Annuler.
invalidité n. f. Manque de validité.
invar n. m. (abréviation de *invariable*). Acier au nickel, peu sensible aux changements de température.
invariabilité n. f. Etat de ce qui est invariable : *l'invariabilité des saisons.*
invariable* adj. Qui ne change point.
invasion n. f. Irruption armée faite dans un pays. Troupes qui envahissent. *Fig.* Diffusion soudaine : *invasion des idées nouvelles.*
invective n. f. Discours violent, injurieux. Apostrophe véhémente.
invectiver v. intr. Dire des invectives. V. tr. *Fam. : invectiver quelqu'un.*
invendable adj. Non vendable.
invendu, e adj. Non vendu. N. m. Marchandise qui n'a pas été vendue : *solder les invendus.*
inventaire n. m. Etat des biens, meubles, titres d'une personne, d'une succession. Evaluation des marchandises en magasin et des valeurs d'un commerçant.
inventer v. tr. Imaginer quelque chose de

nouveau. Imaginer, donner comme réel : *inventer un mensonge.*
inventeur, trice n. Qui invente.
inventif, ive adj. Qui a le talent d'inventer : *esprit inventif.*
invention n. f. Faculté, action d'inventer. Fiction : *invention des poètes.* Mensonge. Découverte de reliques : *invention de la Croix. Rhét.* Recherche des idées dont on peut faire usage pour traiter un sujet.
inventorier v. tr. Faire l'inventaire de.
inverse* adj. Qui va dans un sens opposé. Dans un ordre renversé : *construction inverse. Math. Raison inverse,* dont un terme croît quand l'autre décroît. N. m. Le contraire : *soutenir l'inverse.*
inverser v. tr. Renverser.
inverseur adj. et n. m. Appareil inversant le courant électrique.
inversion n. f. *Gramm.* Construction où l'on donne aux mots un autre ordre que l'ordre direct. *Méd.* Déviation d'un organe.
invertébré, e adj. et n. Sans vertèbres.
invertir v. tr. Renverser : *invertir le sens d'un courant électrique.*
investigateur, trice n. et adj. Qui fait des recherches sur.
investigation n. f. Recherche.
investir v. tr. Mettre en possession d'un pouvoir, d'une autorité. Environner de troupes une place. *Néol.* Mettre des fonds dans une affaire.
investissement n. m. Action d'investir : *l'investissement des capitaux.*
investiture n. f. Mise en possession d'un fief, d'une dignité.
invétéré, e adj. Qui date de longtemps : *habitude invétérée.*
invincible* adj. Qu'on ne saurait vaincre : *un ennemi invincible. Fig.* Qu'on ne peut réfuter : *argument invincible.*
inviolabilité n. f. Qualité de ce qui est inviolable.
inviolable* adj. Qu'on ne doit jamais enfreindre : *serment inviolable.* A l'abri de toute poursuite.
invisibilité n. f. Non visibilité.
invisible* adj. Non visible.
invitation n. f. Action d'inviter.
invite n. f. Carte que l'on joue pour indiquer son jeu à son partenaire. *Fig.* Ce qui invite : *répondre à une invite.*
inviter v. tr. Convier, prier de venir, d'assister à : *inviter à dîner. Fig.* Engager : *inviter à la rêverie.* V. intr. *Jeux.* Faire une invite. V. pr. *Fam.* Venir sans avoir été invité.
invocateur adj. et n. m. Qui invoque.
invocation n. f. Action d'invoquer.
involontaire* adj. Non volontaire.
invoquer v. tr. Appeler à son secours. *Fig.* En appeler à : *invoquer un témoignage.*
invraisemblable* adj. Non vraisemblable.
invraisemblance n. f. Manque de vraisemblance : *récit plein d'invraisemblances.*
invulnérable* adj. Non vulnérable.
iode n. m. Corps simple d'un gris bleuâtre, d'un éclat métallique.
iodé, e adj. Qui contient de l'iode.
iodoforme n. m. Antiseptique obtenu en faisant agir l'iode sur l'alcool en présence du carbonate de potassium.
iodure n. m. Combinaison de l'iode avec un corps simple : *iodure de fer.*
ion n. m. Atome ou groupe d'atomes portant une charge électrique.
ionien, enne adj. et n. De l'Ionie.
ionisation n. f. Production d'ions.
iota n. m. Lettre grecque équivalant à notre *i. Fig. : il n'y manque pas un iota,* il n'y manque rien.
ipécacuana, par abréviat. **ipéca** n. m. Racine émétique du Brésil.
ipso facto loc. lat. Par le fait même.
iranien, enne adj. et n. De l'Iran.
irascibilité n. f. Irritabilité.
irascible adj. Irritable.
iridium n. m. Métal contenu dans certains minerais de platine.
iris [*riss*] n. m. *Poét.* L'arc-en-ciel. Membrane circulaire, qui donne sa couleur à l'œil. Plante à fleurs ornementales. Poudre parfumée de racine d'iris.
irisation n. f. Reflets colorés.
iriser v. tr. Donner les couleurs de l'arc-en-ciel.
irlandais, e adj. et n. De l'Irlande.
ironie n. f. Raillerie qui consiste à dire le contraire de ce qu'on veut faire entendre. *Fig.* Opposition, contraste qui ressemble à une insulte : *ironie du sort.*
ironique* adj. Où il y a de l'ironie. Qui emploie l'ironie.
ironiser v. intr. Faire de l'ironie.
ironiste n. Qui use d'ironie.
irradiation n. f. Rayonnement.
irradier v. intr. Rayonner : *irradier de joie.*
irraisonné, e adj. Non raisonné.
irrationnel, elle adj. Non rationnel.
irréalisable adj. Non réalisable.
irréalité n. f. Caractère irréel.
irrecevabilité n. f. Qualité de ce qui n'est pas recevable.
irrecevable adj. Non acceptable.
irréconciliable adj. Non réconciliable : *ennemis irréconciliables.*
irrécouvrable adj. Non recouvrable : *créance irrécouvrable.*
irrécusable adj. Non récusable.
irréductible adj. Qui ne peut être réduit : *place irréductible.* Inflexible.
irréel, elle adj. Non réel.
irréfléchi, e adj. Qui ne réfléchit pas. Qui n'est point réfléchi.
irréflexion n. f. Manque de réflexion, étourderie.
irréfragable adj. Irrécusable.
irréfutable* adj. Non réfutable.
irrégularité n. f. Manque de régularité. Chose, action irrégulière.
irrégulier, ere* adj. Qui n'est pas régulier : *polygone irrégulier.* Qui agit de façon capricieuse : *employé irrégulier.* Non conforme aux règles.
irréligieux, euse adj. Sans religion. Contraire à la religion.
irréligion n. f. Manque de religion.
irrémédiable* adj. Non remédiable.
irrémissible* adj. Non rémissible.
irremplaçable adj. Non remplaçable.
irréparable* adj. Non réparable.
irrépréhensible, irréprochable* adj. Qui ne mérite point de reproche.
irrésistible* adj. A quoi l'on ne peut résister : *force irrésistible.*
irrésolu*, e adj. Non résolu.
irrésolution n. f. Incertitude.
irrespectueux, euse* adj. Non respectueux.

irrespirable adj. Non respirable.
irresponsabilité n. f. Manque de responsabilité.
irresponsable* adj. Non responsable.
irrétrécissable adj. Qui ne peut se rétrécir : *laine irrétrécissable.*
irrévérence n. f. Manque de respect. Parole, action irrévérencieuse.
irrévérencieux, euse*, irrévérent, e adj. Irrespectueux : *propos irrévérencieux.*
irrévocable* adj. Non révocable.
irrigable adj. Qui peut être irrigué.
irrigateur n. m. Pompe portative, pour arroser. *Méd.* Instrument pour lavements et injections.
irrigation n. f. Arrosement des terres. *Méd.* Action d'arroser une partie malade.
irriguer v. tr. Arroser (des terres).
irritabilité n. f. Caractère irritable.
irritable adj. Qui s'irrite aisément. Qui est vivement affecté par les impressions reçues.
irritation n. f. Colère persistante. Action de ce qui irrite les organes, les nerfs, etc.
irriter v. tr. Mettre en colère. *Par ext.* Rendre plus vif : *irriter un désir. Méd.* Causer de la douleur, de l'inflammation dans un organe : *frottement qui irrite.*
irruption n. f. Entrée soudaine et violente.
isabelle adj. inv. D'une couleur café au lait. N. m. Couleur isabelle.
isard n. m. Chamois des Pyrénées.
isba n. f. Habitation en bois du nord de l'Europe et de l'Asie.
islam n. m. Religion musulmane. Le monde musulman (avec une majuscule).
islamique adj. De l'Islam.
islamisme n. m. Islam (religion).
islandais, e adj. et n. De l'Islande.
isobare adj. *Physiq.* D'égale pression atmosphérique : *lignes isobares.*
isocèle adj. *Géom.* A deux côtés égaux : *triangle isocèle.*
isochrone adj. De durée égale.
isochronisme n. m. Qualité de ce qui est isochrone.
isolant, e adj. et n. m. Qui isole.
isolateur, trice adj. Qui a la propriété d'isoler. N. m. Appareil servant à isoler les corps électrisés.
isolé*, e adj. Séparé. Peu fréquenté. Individuel, pris à part : *un cas isolé.*
isolement n. m. Etat d'une personne isolée. Séparation entre un corps électrisé et les corps conducteurs environnants.
isoler v. tr. Séparer des objets environnants. Mettre à l'écart des autres hommes. *Fig.* Abstraire, considérer à part. *Chim.* Dégager de ses combinaisons : *isoler un métal.* Séparer un corps électrisé de ceux qui pourraient lui enlever son électricité : *isoler un câble.*
isoloir n. m. Cabine où l'électeur rédige son bulletin de vote.
isomère adj. *Chim.* Se dit de corps pouvant former des cristaux mixtes.
isomorphe adj. *Chim.* Dont les molécules sont formées des mêmes atomes, mais différemment disposés.
isotherme adj. Se dit des endroits qui ont la même température moyenne : *lignes isothermes.*
isotope adj. Se dit d'éléments chimiquement identiques, mais de poids atomiques différents.
israélien, enne adj. et n. De l'Etat d'Israël.
israélite adj. et n. Hébreu, juif.
issu, e adj. Sorti, né de : *cousins issus de germains. Fig.* Qui provient, résulte de : *des guerres sont issus tant de maux!*
issue n. f. Lieu par où l'on sort. *Fig.* Moyen de sortir d'embarras : *se ménager une issue.* Evénement final, résultat. *A l'issue de,* loc. prép. Au sortir de. N. f. pl. Ce qui reste des moutures après la séparation de la farine. Abats et entrailles des animaux de boucherie.
isthme [*ism'*] n. m. Langue de terre entre deux mers : *couper un isthme par un canal.*
italianisant, e n. Qui étudie la langue et la littérature italiennes.
italianiser v. tr. Rendre italien.
italianisme n. m. Manière de parler propre à la langue italienne.
italien, enne adj. et n. De l'Italie.
italique adj. et n. m. De l'Italie antique. *Typogr.* Caractère d'imprimerie penché.
item adv. En outre, de plus. (S'emploie dans les comptes, les énumérations.) N. m. Article de compte.
itératif, ive* adj. Répété.
itinéraire adj. Relatif aux chemins : *mesure itinéraire.* N. m. Route à suivre : *tracer un itinéraire.* Récit d'un voyage.
ivoire n. m. Substance osseuse, qui constitue les défenses ou dents de l'éléphant, etc. Objets sculptés en ivoire.
ivraie n. f. Graminée sauvage qui se mélange parfois aux céréales et y cause des ravages. *Fig.* Chose mauvaise mêlée aux bonnes, et qui leur nuit : *séparer le bon grain de l'ivraie.*
ivre adj. Qui a le cerveau troublé par la boisson. *Fig.* Troublé par les passions : *ivre de joie. Ivre mort,* ivre au point d'avoir perdu toute connaissance.
ivresse n. f. Etat d'une personne ivre. *Fig.* Transport : *l'ivresse de la joie.* Enthousiasme : *l'ivresse poétique.*
ivrogne n. m. et adj. Qui s'enivre souvent.
ivrognerie n. f. Habitude de s'enivrer, ivresse.
ivrognesse n. f. Femme qui a l'habitude de s'enivrer.

J

J n. m. Dixième lettre et septième consonne de l'alphabet.
jabot n. m. Renflement de l'œsophage des oiseaux, qui est la première poche digestive. Mousseline, dentelle, sur le devant d'une chemise, d'un corsage.
jaboter v. intr. *Pop.* Bavarder.
jacasse n. f. Pie. Femme bavarde.
jacasser v. intr. Bavarder.
jacasserie n. f. Babillage.
jachère n. f. Etat d'une terre labourable, qu'on laisse reposer.
jacinthe n. f. Plante à fleurs ornementales. Hyacinthe (pierre fine).

jacobin n. m. Membre d'une association politique très avancée sous la Révolution. *Par ext.* Démocrate ardent. Adj. : *opinions jacobines.*
jacobinisme n. m. Doctrine des jacobins. *Par ext.* Opinion démocratique exaltée.
jacquard n. m. Métier à tisser.
jacquerie n. f. Soulèvement de paysans.
jacquet n. m. Jeu qui se joue sur le trictrac.
jactance n. f. Vanterie, vantardise.
jade n. m. Pierre dure de couleur verdâtre : *les jades de Chine.*
jadis [*diss*] adv. Autrefois. *Adjectiv.* D'autrefois : *au temps jadis.* N. m. Le temps passé.
jaguar [*gouar*] n. m. Espèce de léopard d'Amérique méridionale.
jaillir v. intr. Sortir impétueusement (liquides, lumière) : *source qui jaillit.*
jaillissement n. m. Action de jaillir.
jais n. m. Minerai solide, d'un noir luisant.
jalon n. m. Bâton qu'on plante en terre pour prendre des alignements. *Fig.* Marque, point de repère. Ce qui sert à vous diriger dans un travail.
jalonnement n. m. Action de jalonner.
jalonner v. intr. Planter des jalons pour indiquer un tracé. V. tr. Planter de jalons.
jalouser v. tr. Etre jaloux de.
jalousie n. f. Chagrin de voir posséder par autrui un bien qu'on voudrait pour soi. Amour inquiet de celui qui craint un rival. Treillis de bois, au travers duquel on voit sans être vu.
jaloux, ouse* adj. Qui a de la jalousie; envieux : *jaloux du bonheur d'autrui. Fig.* Très attaché à : *jaloux de sa liberté.* Désireux : *jaloux de plaire.*
jamais adv. En aucun temps. A une époque quelconque : *si jamais je le revois. A jamais, pour jamais,* loc. adv. Toujours.
jambage n. m. Ligne droite des lettres *m, n, u,* etc. Montant d'une baie.
jambe n. f. Partie du corps entre le genou et le pied. Le membre inférieur tout entier. *Prendre ses jambes à son cou,* fuir.
jambière n. f. Guêtre enveloppant la jambe.
jambon n. m. Cuisse ou épaule salée ou fumée de cochon, de sanglier.
jambonneau n. m. Partie du jambon au-dessus du genou.
janissaire n. m. Garde du sultan.
jansénisme n. m. Doctrine de Jansénius sur la grâce et la prédestination.
janséniste adj. Du jansénisme. N. m. Partisan du jansénisme.
jante n. f. Partie circulaire qui forme la périphérie d'une roue de voiture, de cycle.
janvier n. m. Premier mois de l'année.
japon n. m. Papier du Japon.
japonais, e adj. et n. Du Japon.
japonerie n. f. Objet d'art japonais.
jappement n. m. Aboiement.
japper v. intr. Aboyer (petits chiens).
jaquemart n. m. Figure d'homme armé qui frappe les heures avec un marteau sur la cloche d'une horloge. Jouet formé de deux personnages frappant sur une enclume.
jaquette n. f. Vêtement d'homme ou de femme. Couverture de livre.
jardin n. m. Lieu, ordinairement enclos, où l'on cultive des fleurs, des légumes, des arbres, etc. *Fig.* Pays fertile. *Théâtr.* Côté de la scène à droite de l'acteur.
jardinage n. m. Art de cultiver les jardins.
jardiner v. intr. Faire du jardinage.
jardinet n. m. Petit jardin.
jardinier, ère n. Qui fait son état de cultiver les jardins. Adj. Relatif aux jardins : *culture jardinière.* N. f. Meuble qui supporte une caisse à fleurs. Mets composé de différents légumes.
jargon n. m. Langage corrompu. *Abusiv.* Langue étrangère qu'on n'entend pas. Langage particulier à certaines gens, à certaines sociétés, etc.
jargonner v. intr. Parler un jargon.
jarre n. f. Vase de grès pour l'eau.
jarret n. m. Partie de la jambe derrière le genou. Pli de la jambe de derrière des quadrupèdes.
jarretelle n. f. Ruban, bande élastique pour maintenir tendu le bas ou la chaussette.
jarretière n. f. Ruban, bande élastique pour maintenir les bas serrés sur les jambes. Ordre de chevalerie en Angleterre.
jars n. m. Mâle de l'oie.
jaser v. intr. Babiller, caqueter. *Par ext.* Critiquer, médire. Trahir un secret. Piailler, jacasser.
jaseur, euse n. et adj. Babillard.
jasmin n. m. Plante à fleurs odoriférantes. Son parfum.
jaspe n. m. Pierre dure et opaque colorée par bandes.
jasper v. tr. Bigarrer de diverses couleurs pour imiter le jaspe : *jasper la tranche d'un livre.*
jaspure n. f. Action de jasper.
jatte n. f. Vase rond et sans rebord. Son contenu : *jatte de lait.*
jauge n. f. Baguette pour mesurer la capacité des futailles. Nom de plusieurs instruments qui servent à mesurer des diamètres, des capacités, des volumes. Tranchée où l'on dispose de jeunes plants côte à côte. *Mar.* Capacité d'un bateau.
jaugeage n. m. Action de jauger.
jauger v. tr. (Se conj. comme *manger.*) Mesurer la capacité d'un tonneau, d'un navire, etc. *Fig.* Apprécier quelqu'un. V. intr. Avoir une capacité de.
jaugeur n. m. Qui jauge.
jaunâtre adj. Qui tire sur le jaune.
jaune adj. Qui est d'une couleur entre le vert et l'orangé. N. m. Couleur jaune. Matière qui teint en jaune : *jaune de chrome.* Adv. Avec une couleur jaune. *Fig. Rire jaune,* avec contrainte.
jaunet, ette adj. Un peu jaune. N. m. *Pop.* Pièce d'or. (Vx.)
jaunir v. tr. Teindre en jaune, rendre jaune. V. intr. Devenir jaune : *dans l'ictère, la peau jaunit.*
jaunisse n. f. Maladie causée par la bile, qui jaunit la peau.
jaunissement n. m. Action de jaunir.
java n. f. Sorte de danse.
javanais, e adj. et n. De Java.
Javel (eau de) n. f. Mélange d'hypochlorite et de chlorure de potassium, utilisé comme détersif et décolorant.
javeler v. tr. Mettre en javelles.
javeline n. f. Dard long et mince.
javelle n. f. Poignée de blé, d'orge, de seigle coupé, etc., qu'on liera ensuite en gerbes.

javellisation n. f. Addition d'eau de Javel pour assainir l'eau.
javelliser v. tr. Stériliser l'eau.
javelot n. m. Espèce de dard.
jazz ou **jazz-band** n. m. Orchestre d'origine américaine, caractérisé par le rythme syncopé de sa musique.
je pron. pers. de la première personne, des deux genres et du singulier.
jeannette n. f. Petite croix d'or suspendue au cou. Planchette à repasser montée sur pied.
jérémiade n. f. Plainte importune.
jersey n. m. Corsage en laine ou soie maillée qui moule le buste. Tissu de laine maillée.
jésuite n. m. Membre de la Compagnie de Jésus. *Par dénigr.* Personne hypocrite, astucieuse. Adj. Relatif aux jésuites, à leur caractère.
jésuitique* adj. *Fam.* Hypocrite.
jésuitisme n. m. Système moral, religieux des jésuites. Hypocrisie.
jésus adj. et n. m. Format de papier (0,72 m sur 0,55 m).
jet n. m. Action de jeter, de lancer. Mouvement imprimé à un corps en le jetant. Emission d'un fluide : *jet de vapeur.* Coulée de matière en fusion dans le moule. Jaillissement : *jet d'eau.* Traverse intérieure d'une fenêtre, curviligne à l'extérieur, facilitant l'écoulement de l'eau. *Bot.* Poussée d'un végétal, droite et vigoureuse. *Fig. Premier jet,* esquisse.
jeté n. m. Pas de danse.
jetée n. f. Chaussée qui s'avance dans la mer pour faciliter l'entrée et la sortie des navires.
jeter v. tr. (Prend deux *t* devant une syllabe muette.) Lancer : *jeter une pierre.* Pousser avec violence : *jeter sur un écueil.* Rendre : *cet abcès jette du pus.* Proférer : *jeter un cri.* Se débarrasser : *jeter des fruits gâtés.* Renverser : *jeter par terre. Fig.* Bourgeonner : *la vigne commence à jeter.* Construire, établir : *jeter des fondements, un pont.*
jeton n. m. Disque ou plaquette pour marquer, pour constater une présence, etc.
jeu n. m. Divertissement, récréation. Récréation fondée sur différentes combinaisons de calcul ou de hasard : *le jeu des échecs.* Ce qui sert à jouer à certains jeux : *jeu de cartes.* Lieu où l'on se livre à un certain divertissement : *jeu de boules.* Manière de jouer d'un instrument : *jeu brillant.* Manière de jouer d'un acteur : *jeu noble.* Fonctionnement : *le jeu d'une pompe.* Facilité de se mouvoir : *donner du jeu.* Série : *jeu d'avirons. Jeu de mots,* plaisanterie fondée sur la ressemblance des mots. *Jeu d'esprit,* divertissement qui exerce l'esprit. *Se piquer au jeu,* s'opiniâtrer. *Mettre en jeu,* employer, faire agir. *Avoir beau jeu,* être dans des conditions favorables. *Faire le jeu de quelqu'un,* le seconder. *Cela n'est pas du jeu,* ce n'est pas dans les règles.
jeudi n. m. Cinquième jour de la semaine.
jeun (à) loc. adv. *Etre à jeun,* n'avoir rien mangé de la journée.
jeune adj. Peu avancé en âge. Qui a encore de la jeunesse : *des traits jeunes.* Qui n'a point l'esprit mûri : *il sera toujours jeune.*
jeûne n. m. Abstinence d'aliments ; temps qu'elle dure. *Fig.* Privation.
jeûner v. intr. S'abstenir d'aliments. Observer un jeûne religieux.
jeunesse n. f. Partie de la vie de l'homme entre l'enfance et l'âge viril : *les illusions de la jeunesse.* Etat, conduite d'une personne jeune. Ensemble des personnes jeunes. Premiers temps des choses. *Fig.* Fraîcheur : *jeunesse du cœur.*
jeunet, ette adj. *Fam.* Très jeune.
jeûneur, euse n. Qui jeûne.
jiu-jitsu n. m. Lutte japonaise.
joaillerie n. f. Art, commerce du joaillier.
joaillier, ère n. et adj. Qui travaille en joyaux, qui en vend.
jobard n. et adj. m. *Fam.* Niais, naïf.
jobarderie n. f. Crédulité.
jockey n. m. Professionnel dont le métier est de monter les chevaux de course.
jocrisse n. m. Benêt.
joie n. f. Satisfaction de l'âme, vif sentiment de plaisir. *Feu de joie,* feu dans les réjouissances publiques. Pl. Plaisirs, jouissances : *les joies du monde.*
joignant, e adj. Contigu. *Prép.* Tout proche : *maison joignant l'église.*
joindre v. tr. (Se conj. comme *craindre.*) Unir, faire adhérer : *joindre les mains.* Réunir en un tout. Etre contigu à. Ajouter : *joindre à un envoi. Joindre les deux bouts,* arriver péniblement à boucler son budget. V. intr. Etre joint : *ces fenêtres ne joignent pas bien.*
joint, e adj. Uni, lié, qui adhère : *sauter à pieds joints. Ci-joint,* ajouté, réuni à ceci. *Gramm. Ci-inclus, ci-joint* sont invariables quand ils précèdent le nom.
joint n. m. Articulation de deux os. Espace entre deux pierres contiguës, dans une maçonnerie. *Fig.* et *fam.* Point délicat, moyen subtil de réussite : *trouver le joint.*
jointif, ive* adj. Uni par les bords.
jointoyer v. tr. (Se conj. comme *aboyer.*) Remplir les joints d'une maçonnerie avec du mortier.
jointure n. f. Joint. Articulation.
joli, e adj. Agréable à voir : *joli bébé. Par ext.* Considérable : *joli revenu.* Amusant : *un joli tour.*
joliesse n. f. Qualité de ce qui est joli. Gentillesse.
joliment adv. D'une manière agréable, spirituelle. *Fam.* Beaucoup.
jonc n. m. Plante aquatique à tiges droites et flexibles. Canne faite d'un jonc d'Inde. Bague dont le cercle est partout de même grosseur.
jonchée n. f. Fleurs, branchages dont on jonche les rues un jour de fête. Objets qui jonchent le sol.
jonchement n. m. Action de joncher.
joncher v. tr. Couvrir le sol : *des feuilles jonchent le sol. Par anal.* Etre épars sur : *table jonchée de papiers.*
jonchets n. m. pl. Bâtonnets d'ivoire, de bois, d'os, etc., pour jouer.
jonction n. f. Réunion, union : *point de jonction.*
jongler v. intr. Faire des tours d'adresse. Manier avec dextérité.
jonglerie n. f. Tour d'adresse. *Fig.* Tromperie.

jongleur n. m. Ménestrel. Bateleur, escamoteur, charlatan.
jonque n. f. Bateau à voile, en usage en Chine et au Japon.
jonquille n. f. Plante du genre narcisse. Sa fleur. N. m. et adj. Couleur blanc et jaune : *des rideaux jonquille.*
jouable adj. Propre à être joué.
joubarbe n. f. Plante grasse herbacée.
joue n. f. Partie latérale du visage ou de la tête d'un animal. *Mettre en joue,* viser.
jouer v. intr. Se divertir : *jouer aux barres.* Tirer des sons d'un instrument de musique : *jouer du violon.* Ne plus joindre exactement : *boiserie qui a joué. Jouer de malheur,* échouer plusieurs fois de suite. *Jouer sur les mots,* équivoquer. Tromper : *vous m'avez joué.* V. tr. Faire une partie de jeu. Mettre comme enjeu. Jeter : *jouer une carte.* Exécuter : *jouer une valse. Fig.* Exposer, hasarder : *jouer sa vie.* Représenter un personnage : *jouer un rôle.* Représenter une pièce de théâtre : *jouer la tragédie.* Tromper : *jouer quelqu'un.* Simuler, tromper. V. pr. *Se jouer de,* se moquer de : *fraudeur qui se joue des lois.*
jouet n. m. Ce qui sert à amuser un enfant. *Fig.* Personne, chose dont on se joue : *être le jouet d'une femme.*
joueur, euse n. Qui joue, qui folâtre. Qui a la passion du jeu. Qui joue d'un instrument. Adj. Qui aime à s'amuser.
joufflu, e adj. A grosses joues.
joug n. m. Pièce de bois qu'on place sur la tête des bœufs pour les atteler. Fléau d'une balance. *Fig.* Sujétion, contrainte.
jouir v. intr. Tirer un vif plaisir de. Se réjouir. Avoir la possession avantageuse de : *jouir d'une bonne santé.*
jouissance n. f. Libre usage, possession d'une chose. Plaisir.
jouisseur, euse n. Qui ne cherche qu'à se procurer des jouissances.
joujou n. m. *Fam.* Petit jouet d'enfant. *Faire joujou,* jouer. Pl. des *joujoux.*
joule n. m. *Phys.* Unité de travail (10^7 ergs par seconde) : *le kilogrammètre vaut 9,81 joules.*
jour n. m. Clarté, lumière du soleil : *le jour brille à peine.* Temps pendant lequel le soleil éclaire l'horizon. Espace de temps réglé par la rotation de la Terre : *l'année dure trois cent soixante-cinq jours un quart.* Espace de vingt-quatre heures. Epoque : *de nos jours.* Vie : *compter les jours de quelqu'un.* Manière dont les objets sont éclairés : *faux jour.* Ouverture : *les jours d'une façade. Se faire jour,* passer à travers. *A jour,* au courant. *Vivre au jour le jour,* jouir du présent, sans se soucier de l'avenir.
journal n. m. Ecrit où l'on relate les faits jour par jour. Publication périodique. Registre sur lequel un marchand écrit ses opérations jour par jour.
journalier, ère adj. Qui se fait chaque jour. N. m. Qui travaille à la journée.
journalisme n. m. Profession du journaliste. Ensemble des journaux.
journaliste n. m. Qui écrit dans un journal.
journée n. f. Espace de temps qui s'écoule depuis le lever jusqu'au coucher du soleil. Travail qu'on fait pendant un jour. Salaire de ce travail. Chemin que l'on parcourt en un jour. Jour marqué par quelque événement : *la journée de Valmy.*
journellement adv. Chaque jour. D'une façon continue.
joute n. f. Combat courtois à cheval, d'homme à homme, avec la lance. *Par anal.* Toute sorte de lutte. *Fig.* Lutte, rivalité quelconque : *joute oratoire.*
jouter v. intr. Lutter.
jouteur n. m. Lutteur.
jouvence n. f. Jeunesse.
jouvenceau n. f. *Fam.* Adolescent.
jouvencelle n. f. Jeune fille. (Vx.)
jovial, e*, aux adj. Gai, joyeux.
jovialité n. f. Humeur joviale.
joyau n. m. Objet de matière précieuse qui sert à la parure.
joyeuseté n. f. *Fam.* Plaisanterie.
joyeux, euse* adj. Qui a de la joie, qui l'inspire : *mine joyeuse.* N. m. *Arg.* Soldat des bataillons d'Afrique.
jubé n. m. Tribune en forme de galerie entre la nef et le chœur d'une église.
jubilaire adj. Relatif au jubilé.
jubilation n. f. *Fam.* Grande joie.
jubilé n. m. Chez les catholiques, indulgence plénière et générale, accordée par le pape en certaines occasions. *Par ext.* Cinquantième anniversaire.
jubiler v. intr. *Fam.* Eprouver une joie vive.
jucher v. intr. Se dit des oiseaux qui se mettent sur une branche, sur une perche pour dormir. *Fig.* Loger très haut. V. tr. Placer très haut.
juchoir n. m. Perche ou bâton pour faire jucher des volailles.
judaïque* adj. Des juifs.
judaïser v. intr. Pratiquer les cérémonies judaïques.
judaïsme n. m. Religion des juifs.
judas n. m. Petite ouverture à un plancher, à une porte, pour voir de l'autre côté. Traître.
judiciaire* adj. Relatif à la justice : *débats judiciaires.* Fait par autorité de justice : *vente judiciaire.*
judicieux, euse* adj. Qui a le jugement bon. Qui annonce un jugement sain : *remarque judicieuse.*
judo n. m. Forme moderne du jiu-jitsu.
juge n. m. Magistrat : *récuser un juge.* Personne prise pour arbitre.
jugement n. m. Faculté de l'entendement qui compare et qui juge. Acte de l'entendement qui affirme la convenance ou la disconvenance de deux idées. Opinion, sentiment : *je m'en rapporte à votre jugement.* Faculté de bien juger : *faire preuve de jugement.* Action de juger. Décision, sentence : *rendre un jugement.*
jugeote n. f. *Fam.* Intelligence.
juger v. tr. (Se conj. comme *manger.*) Décider une affaire en qualité de juge ou d'arbitre. Apercevoir entre deux idées un rapport de convenance ou de disconvenance. Enoncer une opinion sur : *juger un livre.* Etre d'avis : *juger nécessaire* V. intr. *Juger de,* décider de.
juger n. m. L'action de juger. *Au juger,* d'après ce qu'on estime. *Tirer au juger* (ou *au jugé*), dans la direction supposée du gibier.

jugulaire adj. Qui concerne la gorge : *veine jugulaire.* N. f. Grosse veine du cou. Courroie qui passe sous le menton et maintient le shako, le casque.
juguler v. tr. Egorger. *Fig.* Arrêter l'évolution : *juguler un mal, une révolte.*
juif, ive adj. et n. Né en Judée, ou qui descend des habitants de ce pays. Qui professe la religion judaïque. N. m. *Péjor.* Usurier, homme âpre au gain.
juillet n. m. Septième mois de l'année.
juin n. m. Sixième mois de l'année.
juiverie n. f. *Fam.* et *péjor.* Ensemble des Juifs.
jujube n. m. Fruit du jujubier. Suc, pâte de jujube.
jujubier n. m. Arbre épineux qui donne le jujube.
julep n. m. Excipient d'eau et de gomme renfermant un médicament.
julienne n. f. Potage de plusieurs sortes d'herbes et de légumes.
jumeau, elle adj. et n. Se dit de deux ou de plusieurs enfants nés d'un seul accouchement; de deux objets semblables.
jumelage n. m. Action de jumeler.
jumelé, e adj. Disposé par couples : *fenêtres, roues jumelées.*
jumeler v. tr. (Se conj. comme *amonceler.*) Accoupler : *jumeler des poutres.*
jumelles n. f. pl. Deux pièces semblables qui entrent dans la composition d'une machine. Double lorgnette (s'emploie aussi au singulier).
jument n. f. Femelle du cheval.
jungle [*jon*] n. f. Dans l'Inde, vaste espace couvert d'arbres, de hautes herbes : *le tigre des jungles.*
junior adj. et n. Cadet. *Sport.* Se dit des concurrents plus jeunes : *épreuves pour juniors.*
jupe n. f. Vêtement féminin qui va de la ceinture aux genoux, ou plus bas.
jupon n. m. Jupe de dessous.
jurassien, enne adj. et n. Du Jura.
jurassique adj. *Géol.* Se dit des terrains secondaires dont le Jura est en partie formé. N. m. Le terrain jurassique.
juré, e adj. Qui a prêté serment : *traducteur juré.* N. m. Membre du jury.
jurement n. m. Serment sans nécessité. Blasphème.
jurer v. tr. Prendre à témoin la Divinité. Promettre par serment: *foi jurée.* V. intr. Blasphémer, prononcer des jurons. *Fig.* Produire une discordance, une disparate choquante : *le vert jure avec le bleu.*
juridiction n. f. Pouvoir de juger. Territoire où s'exerce ce pouvoir. *Degré de juridiction,* chacun des tribunaux devant lesquels une affaire peut être successivement portée.
juridique* adj. Fait en justice. Dans les formes judiciaires.
jurisconsulte n. m. Qui est versé dans la science des lois.
jurisprudence n. f. Science du droit. Manière de juger d'un tribunal.
juriste n. m. Qui écrit sur les matières de droit : *consulter un juriste.*
juron n. m. Façon particulière de jurer. Toute espèce de jurement.
jury n. m. Ensemble des jurés auxquels est soumise une affaire. Ensemble des citoyens qui, à chaque session, peuvent être choisis comme jurés : *dresser la liste du jury.* Commission chargée d'un examen particulier : *jury du baccalauréat.*
jus n. m. Suc tiré d'une chose : *jus de citron. Absol.* Jus de viande.
jusant n. m. Marée descendante.
jusque, prép. qui marque la limite atteinte ou à atteindre. *Jusqu'à ce que,* loc. conj. Jusqu'au moment où.
juste* adj. Qui juge et agit selon l'équité. Conforme à l'équité : *sentence juste.* Qui a de la justesse et du bon sens : *pensée juste.* Fondé, légitime : *juste orgueil.* Qui apprécie bien : *coup d'œil juste.* Exact. Qui est trop étroit : *habit juste.* N. m. L'homme qui conforme sa conduite à l'équité. Celui qui est en état de grâce devant Dieu. Ce qui est juste : *notion du juste et de l'injuste.* Adv. Avec justesse : *chanter juste.* Loc. adv. *Au juste,* exactement. *Fam. Comme de juste,* comme cela se doit.
justesse n. f. Qualité de ce qui est juste : *chanter avec justesse.*
justice n. f. Caractère de ce qui est juste. Vertu qui fait rendre à chacun ce qui lui appartient. Bon droit : *avoir la justice de son côté.* Ensemble des tribunaux, des magistrats : *la justice française. Faire justice à,* réparer le tort fait. *Faire justice de quelqu'un,* le traiter comme il le mérite. *Se faire justice,* se venger; se punir soi-même. *Les bois de justice,* la charpente de l'échafaud.
justiciable adj. et n. Qui relève de certains juges ou tribunaux.
justicier n. et adj. m. Qui fait régner la justice.
justicier v. tr. (Se conj. comme *prier.*) Punir d'une peine corporelle en exécution de sentence.
justifiable adj. Qu'on peut justifier.
justificateur, trice adj. Qui justifie.
justificatif, ive adj. Qui sert à justifier : *mémoire justificatif.*
justification n. f. Action de justifier, de se justifier. Preuve. *Théol.* Passage du péché à l'état de grâce.
justifier v. tr. (Se conj. comme *prier.*) Prouver l'innocence. *Fig.* Légitimer : *justifier une ambition. Théol.* Rendre juste. V. intr. *Justifier de,* donner la preuve de.
jute n. m. Textile de l'Inde.
juter v. intr. *Fam.* Rendre du jus.
juteux, euse adj. Qui a du jus : *fruit juteux.*
juvénile adj. Qui appartient à la jeunesse : *ardeur juvénile.*
juxtalinéaire adj. Se dit d'une traduction qui présente, ligne par ligne, le texte et la version sur deux colonnes contiguës.
juxtaposer v. tr. Poser à côté d'une autre chose : *couleurs harmonieusement juxtaposées.*
juxtaposition n. f. Action de juxtaposer; état des objets juxtaposés.

K

k n. m. Onzieme lettre et huitième consonne de l'alphabet.
kabyle adj. et n. De Kabylie.
kaki adj. Se dit d'une couleur brun jaunâtre peu voyante.
kaléidoscope n. m. Tube garni de plusieurs miroirs où de petits objets colorés produisent des dessins mobiles et variés.
kangourou n. m. Grand mammifère marsupial sauteur d'Australie.
kaolin n. m. Argile réfractaire blanche, employée en céramique.
kapok n. m. Bourre très légère du fruit d'un arbre de l'Inde.
kayac n. m. Canot en peau ou en caoutchouc, mû à la pagaie.
keepsake [*kipsèk'*] n. m. Livre-album, illustré de vignettes et gravures, qu'on offre comme cadeau.
képi n. m. Coiffure militaire à légère visière. Ancienne coiffure de même forme des collégiens.
kératine n. f. Substance essentielle des cheveux, poils, laines, etc.
kératite n. f. Inflammation de la cornée de l'œil.
kératoplastie n. f. Greffe de la cornée.
kermès n. m. Genre d'insectes hémiptères, analogues aux cochenilles. Substance tinctoriale obtenue en séchant ces insectes. *Pharm.* Médicament expectorant à base d'antimoine.
kermesse n. f. Foire annuelle. Grande fête publique : *kermesse de charité.*
khôl n. m. Substance noirâtre dont les Orientales frottent leurs sourcils et leurs paupières.
kilo, préfixe qui placé devant l'unité métrique la multiplie par mille. N. m. Abréviation pour *kilogramme.* Pl. des *kilos.*
kilogramme ou **kilogramme-poids** ou, par abrév. fam., **kilo** n. m. Poids de mille grammes.
kilogramme-masse n. m. Unité de masse. Masse équivalant à celle du prototype international, en platine iridié, déposé au Pavillon de Breteuil, à Sèvres.
kilogrammètre n. m. Unité de mesure de travail équivalant à la force nécessaire pour élever le poids d'un kilogramme à la hauteur d'un mètre.
kilomètre n. m. Mesure itinéraire de mille mètres : *faire cent kilomètres à l'heure.*
kilométrer v. tr. (Se conj. comme *accélérer.*) Marquer les distances kilométriques.
kilométrique adj. Relatif au kilomètre : *borne kilométrique.*
kilowatt n. m. Unité de mesure électrique (1 000 watts).
kilt n. m. Petite jupe écossaise.
kimono n. m. Longue tunique portée au Japon. *Par ext.* Vêtement de femme.
kinescope n. m. Tube cathodique utilisé comme récepteur de télévision.
kiosque n. m. Edicule pour la vente des journaux, etc. Pavillon dans un jardin. Abri sur la passerelle d'un navire.
kirsch n. m. Eau-de-vie de cerise.
Klaxon n. m. (n. déposé). Avertisseur d'auto.
knock-out [*nok-aout'*] n. m. (mot angl.). Mise hors de combat (boxe).
knout [*out'*] n. m. Supplice du fouet, en Russie : *donner le knout.*
kobold n. m. En Allemagne, lutin, gnome.
kola n. m. Plante d'Afrique. N. f. La noix du kola, qui est un tonique.
kolkhoze n. m. En U.R.S.S., coopérative paysanne qui a la propriété collective des moyens de production.
korrigan, ane n. En Bretagne, esprit malfaisant, nain ou fée.
krach [*krak*] n. m. Débâcle financière.
krypton n. m. Gaz rare de l'atmosphère.
kummel n. m. Liqueur alcoolique aromatisée avec du cumin.
kyrielle n. f. Longue suite : *une kyrielle d'injures.*
kyste n. m. Petite tumeur.

L

l n. m. Douzième lettre et neuvième consonne de l'alphabet.
la art. f. s. ou pron. f. s. V. LE
la n. m. Sixième note de la gamme.
là adv. En cet endroit, en cette situation (par opposition, etc., à l'endroit où l'on est). Se met à la suite des pronoms démonstratifs et des substantifs, pour préciser : *cet homme-là.* Se met aussi avant quelques adverbes de lieu : *là-dessus, là-bas. Par-ci, par-là,* de côté et d'autre, de temps en temps. *Là, là!* loc. interj. S'emploie pour apaiser, consoler.
label n. m. Marque de garantie.
labeur n. m. Travail pénible et long.
labial, e, aux adj. Relatif aux lèvres. Qui se prononce avec les lèvres : *consonne labiale.*
labiée n. f. Plante dont la corolle présente deux lobes en forme de lèvres (*thym,* etc.). [On dit aussi LABIACÉE.]
laborantin, e n. Assistant, e de laboratoire.
laboratoire n. m. Local aménagé pour faire des recherches scientifiques.
laborieux, euse* adj. Qui travaille beaucoup : *homme laborieux.* Long et difficile : *recherches laborieuses.*

labour n. m. Façon donnée aux terres en les labourant. Terre labourée.
labourable adj. Propre à être labouré.
labourage n. m. Action de labourer.
labourer v. tr. Ouvrir et retourner la terre avec la charrue, la bêche, etc. Creuser des sillons dans. Ecorcher.
laboureur n. m. Celui qui laboure.
labyrinthe n. m. Edifice composé d'un grand nombre de pièces disposées de telle manière qu'on n'en trouvait que très difficilement l'issue. *Fig.* Complication inextricable. *Anat.* L'oreille interne.
lac [*lak*] n. m. Grande étendue d'eau entourée de terres. V. LACS.
laçage n. m. Action ou manière de lacer.
lacédémonien, enne adj. et n. De Lacédémone ou Sparte.
lacer v. tr. (Se conj. comme *amorcer.*) Serrer avec un lacet.
lacération n. f. Action de lacérer : *lacération d'affiches.*
lacérer v. tr. (Se conj. comme *accélérer.*) Déchirer pour mettre hors d'usage.
lacet n. m. Cordon passé dans des œillets, pour serrer les corsets, les chaussures, etc. Série de zigzags : *route en lacet.* Filet avec lequel on prend du gibier : *tendre des lacets. Mouvement de lacet,* oscillation d'un train en marche.
lâchage n. m. Action de lâcher.
lâche* adj. Qui n'est pas tendu, pas serré : *corde lâche. Fig.* Qui manque de vigueur, d'activité : *lâche au travail.* Poltron : *soldat lâche.* Languissant, sans nerf : *style lâche.* Vil et méprisable : *action lâche.* N. m. Homme mou, paresseux, etc.
lâcher v. tr. Détendre, desserrer : *lâcher un lien.* Laisser échapper : *lâcher sa proie.* Faire partir : *lâcher un coup de fusil. Fig. Lâcher pied,* s'enfuir. *Lâcher prise,* laisser aller ce qu'on tient. N. m. Action de laisser aller : *lâcher de pigeons.*
lâcheté n. f. Manque d'énergie. Manque de courage. Action basse, indigne : *commettre une lâcheté.*
lâcheur, euse n. *Fam.* Qui délaisse brusquement ses camarades, ses amis.
lacis n. m. Réseau de fils croisés.
laconique* adj. Concis, bref, à la manière du style des habitants de la Laconie.
laconisme n. m. Façon de parler laconique, brève.
lacrymal, e, aux adj. Qui concerne les larmes.
lacrymogène adj. Qui fait pleurer : *gaz lacrymogène.*
lacs [*lâ*] n. m. Nœud coulant pour chasser. *Fig.* Piège : *tomber dans les lacs de quelqu'un.* (Vx.)
lactation n. f. Sécrétion du lait.
lacté, e adj. Qui ressemble au lait : *suc lacté.* Qui consiste en lait : *régime lacté. Astr. Voie lactée,* bande blanchâtre dans le ciel, due à une multitude d'étoiles.
lactescence n. f. Aspect laiteux.
lactescent, e adj. Qui contient un suc laiteux.
lactifère adj. *Anat.* Qui conduit le lait : *vaisseau lactifère.*
lactique adj. Se dit d'un acide qui se trouve dans le petit-lait.
lactomètre n. m. Instrument permettant de juger la valeur d'un lait.
lactose n. m. Sucre de lait.
lacune n. f. Espace vide dans l'intérieur d'un corps. Interruption dans un texte : *les lacunes d'un manuscrit ancien. Fig.* Ce qui manque à une chose.
lacustre adj. Qui vit sur les bords ou dans les eaux d'un lac : *plante lacustre.*
lad n. m. Garçon d'écurie de course.
ladre, ladresse n. et adj. D'une avarice sordide.
ladrerie n. f. Hôpital pour les lépreux. Maladie du porc. *Fam.* Avarice sordide.
lagon n. m. Masse d'eau à l'intérieur d'un atoll.
lagune n. f. Espace de mer peu profond, voisin de la côte, entrecoupé d'îlots.
lai n. m. Petit poème du Moyen Age, narratif ou lyrique.
lai, e n. et adj. Laïque. *Frère lai,* frère servant. *Sœur laie,* converse.
laïc n. et adj. V. LAÏQUE.
laïcisation n. f. Action de laïciser.
laïciser v. tr. Donner un caractère laïque.
laïcité n. f. Caractère laïque.
laid, e* adj. Désagréable à la vue. *Fig.* Contraire à la bienséance, au devoir : *il est laid de mentir.*
laideron n. f. ou m. Fille ou femme laide.
laideur n. f. Etat de ce qui est laid.
laie n. f. Femelle du sanglier.
laie n. f. Route étroite en forêt.
lainage n. m. Marchandise, étoffe de laine. Toison des moutons. Façon donnée aux draps avec des chardons, avec la laineuse.
laine n. f. Poil épais, doux et frisé, de quelques animaux. Vêtement de laine : *s'habiller de laine.*
laineux, euse adj. Fourni de laine. Qui rappelle la laine : *poil laineux.*
lainier, ère adj. Relatif à la laine : *industrie lainière.* N. Marchand de laine. Ouvrier en laine.
laïque ou **laïc, ïque** n. et adj. Ni ecclésiastique ni religieux : *habit laïque, école laïque.*
laisse n. f. Corde pour mener un chien : *tenir un chien en laisse.*
laisser v. tr. Ne pas emmener, ne pas emporter : *laisser son fils à la maison.* Oublier : *laisser ses gants.* Confier : *je vous laisse ce soin.* Quitter en mourant : *laisser une fortune.* Léguer : *laisser un don.* Perdre : *laisser sa vie.* Réserver : *laissons cela pour demain.* Céder : *laisser à bas prix. Laisser voir,* montrer. *Laisser faire,* permettre. N. m. *Laisser-aller,* négligence dans la tenue.
laissez-passer n. m. inv. Permis de circuler.
lait n. m. Liquide blanc d'une saveur douce, fourni par les femelles des mammifères. Tout ce qui ressemble au lait : *lait d'amande. Petit-lait,* sérosité qui se sépare du lait quand il se caille.
laitage n. m. Le lait et tout ce qui se fait avec le lait.
laitance ou **laite** n. f. Substance blanche et molle qui se trouve dans les poissons mâles.
laité, e adj. Qui a de la laite.
laiterie n. f. Lieu destiné à recevoir le lait, à faire le beurre et le fromage.
laiteron n. m. Herbe à latex blanc.
laiteux, euse adj. Relatif au lait. D'aspect analogue à celui du lait.

laitier, ière adj. et n. Qui vend du lait. Qui donne beaucoup de lait : *vache laitière.* N. f. Vache laitière. N. m. Scories vitrifiées (métallurgie).
laiton n. m. Alliage de cuivre et de zinc.
laitue n. f. Plante potagère qui se mange surtout en salade.
laïus [*yuss*] n. m. *Arg. d'école.* Discours.
laize n. f. Largeur d'une étoffe entre deux lisières.
lama n. m. Prêtre du Bouddha chez les Tibétains. *Grand lama* ou *dalaï-lama,* titre porté par le pape du bouddhisme tibétain.
lama n. m. Genre de mammifères ruminants du Pérou : *le lama se domestique.*
lamaïsme n. m. Forme tibétaine du bouddhisme.
lamantin n. m. Mammifère cétacé herbivore d'Afrique et d'Amérique.
lamaserie n. f. Couvent des lamas.
lambeau n. m. Morceau de chair, d'étoffe, arraché. *Fig.* Fragment, partie : *les lambeaux d'un empire.*
lambin, e adj. et n. Qui agit avec lenteur : *enfant lambin.*
lambiner v. intr. *Fam.* Agir lentement, perdre son temps.
lambourde n. f. Pièce de bois pour soutenir un parquet.
lambrequin n. m. Découpures environnant un ciel de lit, une embrasure de fenêtre, etc.
lambris n. m. Revêtement de menuiserie, de marbre, de stuc, etc., sur les murs d'appartement. Enduit de plâtre sur des lattes dans un grenier.
lambrissage n. m. Action de lambrisser; ensemble des lambris.
lambrisser v. tr. Revêtir de lambris.
lambrusque ou **lambruche** n. f. Vigne sauvage.
lame n. f. Morceau de métal plat et mince : *lame de plomb.* Fer d'un instrument coupant. Vague de la mer.
lamé, e adj. Couvert de lames.
lamellaire adj. Se dit d'une cassure qui présente des lamelles.
lamelle n. f. Petite lame.
lamellé, e ou **lamelleux, euse** adj. Qui se divise en lames ou feuilles.
lamentable* adj. Qui mérite d'être pleuré. Qui porte à la pitié. Mauvais.
lamentation n. f. Plainte, gémissement : *les lamentations de Jérémie.*
lamenter (se) v. pr. Se plaindre.
laminage n. m. Action de laminer.
laminer v. tr. Réduire les métaux en feuilles ou lames minces.
lamineur n. m. Ouvrier qui lamine.
laminoir n. m. Machine à laminer : *passer au laminoir.*
lampadaire n. m. Support vertical qui porte des lampes.
lampant, e adj. Se dit d'une huile éclairante : *pétrole lampant.*
lampe n. f. Appareil producteur de lumière : *lampe à huile, à gaz, électrique.* Petit récipient contenant de l'alcool, de l'essence, et qui sert de réchaud.
lampée n. f. *Pop.* Grande gorgée de liquide : *une lampée de vin.*
lamper v. tr. *Pop.* Boire avidement, à grands traits.
lampion n. m. Godet dans lequel on met du suif avec une mèche pour les illuminations. Lanterne vénitienne.
lampiste n. Qui fait ou vend des lampes. Personne chargée de l'éclairage. *Fam.* Subalterne sur qui l'on fait retomber les responsabilités.
lampisterie n. f. Industrie, commerce du lampiste. Lieu où l'on garde les lampes.
lamproie n. f. Genre de poissons de forme cylindrique.
lance n. f. Arme offensive à long manc[he] et à fer pointu. Soldat armé d'une lan[ce]. Tube métallique à l'extrémité d'un tuy[au] de pompe, et servant à diriger le jet.
lance-bombes, lance-fusées, lance-grenade[s], lance-pierres, lance-torpilles n. m. inva[r.] Appareils pour lancer les bombes, les fusées, les grenades, les pierres, les torpilles.
lancement n. m. Action de lancer.
lancéolé, e adj. En forme de lance : *feuille lancéolée.*
lancer v. tr. (Se conj. comme *amorcer.*) Jeter : *lancer des pierres.* Appliquer : *lancer un coup de pied.* Darder : *lancer des regards.* Pousser vivement sur, vers. *Mar.* Mettre à l'eau : *lancer un bateau. Fig.* Envoyer vivement, émettre, publier, promulguer. Mettre en train, en action : *lancer un moteur.* Mettre en crédit, à la mode : *lancer un artiste.* Faire sortir le gibier : *lancer un cerf.* V. pr. Entreprendre.
lancer n. m. *Véner.* Moment où la bête est lancée par les chiens.
lancette n. f. Petit instrument de chirurgie, lame à deux tranchants.
lanceur, euse n. Qui lance. *Fig.* Qui met en train : *lanceur d'affaires.*
lancier n. m. Cavalier armé d'une lance. Pl. Quadrille où les couples se font des visites, des saluts, défilent, etc.
lancinement n. m. Elancement.
lanciner v. intr. Se faire sentir par élancements aigus : *abcès qui lancine.*
landais, e adj. et n. Des Landes.
landau n. m. Voiture à quatre roues et à double capotage mobile.
lande n. f. Etendue de terre où croissent des plantes sauvages.
landgrave n. m. Titre de quelques princes d'Allemagne.
langage n. m. Emploi de la parole pour exprimer les idées : *langage articulé.* Tout moyen de communiquer la pensée. Manière de parler suivant son état, sa profession : *langage des cours.*
lange n. m. Morceau de laine qui enveloppe un enfant au maillot.
langoureux, euse* adj. Qui marque de la langueur : *une pose langoureuse.*
langouste n. f. Genre de crustacés comestibles, à chair savoureuse.
langoustine n. f. Sorte de petit homard.
langue n. f. Corps charnu, mobile, situé dans la bouche et servant à la dégustation, à la déglutition et à la parole. Idiome d'une nation : *langue française.* Règles du langage : *respecter la langue.* Manière particulière de s'exprimer : *la langue des poètes. Langue de terre,* péninsule étroite.
languette n. f. Petite langue. Tout objet en forme de petite langue. Lame mobile vibrante d'un instrument à anche. Tenon d'une planche qui entre dans la rainure.

langueur n. f. Affaissement prolongé des forces : *maladie de langueur.* Affaissement moral. Apathie, indolence, mollesse.
languir v. intr. Etre dans un état d'affaissement. Souffrir par l'attente, le désir de. Souffrir un supplice lent : *languir dans les fers. Fig. : cet arbre languit; la conversation languit.*
languissamment adv. D'une manière languissante.
lanière n. f. Courroie étroite.
lansquenet n. m. Fantassin allemand mercenaire des XVe et XVIe siècles.
lanterne n. f. Ustensile transparent dans lequel on met une lumière à l'abri. *Lanterne vénitienne,* lampion. *Lanterne magique,* instrument d'optique pour projeter des images. *Archit.* Tourelle ouverte sur un dôme. *Mécan.* Petite roue à fuseaux, servant d'engrenage.
lanterneau n. m. *Archit.* Petite lanterne.
lanterner v. intr. Perdre le temps à des riens. V. tr. *Fam.* Tenir en suspens par des délais : *lanterner des créanciers.*
lanugineux, euse adj. *Bot.* Couvert de duvet.
lapalissade n. f. Vérité d'une évidence niaise.
laparotomie n. f. Ouverture chirurgicale de l'abdomen.
lapement n. m. Action de laper.
laper v. tr. et intr. Boire avec la langue : *le chien lape l'eau.*
lapereau n. m. Jeune lapin.
lapidaire n. m. Qui taille des pierres précieuses. Adj. Concis (style).
lapidation n. f. Action de lapider.
lapider v. tr. Tuer à coups de pierres. Poursuivre à coups de pierres.
lapin, e n. Mammifère rongeur, du genre lièvre. *Fig.* et *fam.* Homme rusé, brave. Terme d'amitié.
lapis [*piss*] ou **lapis-lazuli** n. m. Pierre d'un bleu d'azur magnifique.
laps [*lapss*] n. m. Espace de temps passé.
lapsus [*suss*] n. m. Faute, erreur : *lapsus linguae* (en paroles), *lapsus calami* (par écrit).
laquage n. m. Action de laquer.
laquais n. m. Valet en livrée. *Fig.* Homme d'un caractère servile.
laque n. f. Résine rouge-brun de certains arbres de l'Inde (on dit aussi *gomme laque*). Matière albumineuse employée en peinture. N. m. Vernis de Chine, noir et rouge. Objet enduit de ce vernis.
laquer v. tr. Couvrir de laque.
larbin n. m. *Pop.* Domestique, valet.
larcin n. m. Petit vol : *commettre un larcin.*
lard n. m. Substance grasse du tissu cellulaire des animaux.
larder v. tr. Piquer une viande de lardons. *Fig.* Percer : *larder de coups d'épée.* Poursuivre de traits piquants : *larder d'épigrammes.* Semer, entremêler.
lardoire n. f. Brochette pour larder.
lardon n. m. Petit morceau de lard. *Fig.* Mot piquant, sarcasme.
lare n. m. et adj. *Antiq. rom.* Nom des dieux protecteurs du foyer domestique. Pl. Foyer domestique.
large* adj. Etendu dans le sens opposé à la longueur. Etendu en général. Ample. *Fig.* Généreux : *homme large.* Considérable : *larges concessions.* N. m. Largeur : *un mètre de large. Fig. Prendre le large,* s'enfuir. *Au large,* loc. adv. A l'aise. Ordre de s'éloigner.
largesse n. f. Libéralité, générosité.
largeur n. f. Etendue dans le sens opposé à la longueur. *Fig.* Ampleur : *largeur de vues.*
largue adj. Non tendu. *Vent largue,* oblique par rapport à la route du navire.
larguer v. tr. *Mar.* Lâcher.
larme n. f. Humeur liquide sécrétée par l'œil : *ému jusqu'aux larmes.* Suc de quelques végétaux. Petite quantité de vin, etc.
larmier n. m. Saillie d'une corniche, creusée en gouttière, pour faire tomber l'eau de pluie. *Anat.* Angle de l'œil le plus rapproché du nez.
larmoiement n. m. Ecoulement continuel de larmes.
larmoyant, e adj. Qui fond en larmes. Qui excite les larmes : *ton larmoyant.*
larmoyer v. intr. (Se conj. comme *aboyer.*) Avoir continuellement la larme à l'œil.
larron, onnesse n. Qui vole.
larvaire adj. Relatif à la larve.
larve n. f. Premier état des insectes, crustacés, ou batraciens, à leur sortie de l'œuf.
larvé, e adj. Se dit d'une maladie qui se présente sous l'aspect d'une autre.
laryngé, e et **laryngien, enne** adj. Du larynx.
laryngite n. f. Inflammation du larynx.
laryngologiste n. m. Spécialiste de la gorge.
laryngoscope n. m. Appareil pour observer le larynx.
laryngotomie n. f. Incision du larynx.
larynx n. m. Partie supérieure de la trachée-artère, où se produit la voix.
las! interj. Syn. de HÉLAS.
las, lasse adj. Fatigué. Ennuyé : *air las.*
lascar n. m. Matelot indien. *Arg.* Homme brave, hardi.
lascif, ive* adj. Enclin à la luxure : *nature lascive.* Qui y excite : *lectures lascives.*
lasciveté n. f. Penchant à la luxure.
lasser v. tr. Fatiguer.
lassitude n. f. Fatigue. *Fig.* Dégoût.
lasso n m. Forte corde ou lanière terminée par un nœud coulant, dont on se sert en Amérique du Sud pour prendre les animaux sauvages.
latent, e adj. Non apparent.
latéral, e*, aux adj. Situé sur le côté.
latex n. m. Suc des végétaux, d'aspect laiteux.
latin, e adj. Du Latium ou de ses habitants. Relatif à la langue des anciens Romains. *Nations latines,* celles dont la langue vient du latin. *Mar. Voile latine,* en forme de triangle à antennes. N. m. Habitant du Latium. La langue latine. *Fig. Y perdre son latin,* ne rien comprendre à une chose.
latiniser v. tr. Donner une forme latine à un mot.
latinisme n. m. Tour de phrase propre au latin.
latiniste n. Qui est versé dans la langue et la littérature latines.
latinité n. f. Langage latin.

latitude n. f. Largeur et, au *fig.*, liberté d'agir. *Par ext.* Lieu considéré par rapport à sa distance de l'équateur.
latitudinaire adj. *Théol.* D'une morale large, trop indulgente.
latrines n. f. pl. Lieu d'aisances.
lattage n. m. Action de latter.
latte n. f. Pièce de bois, longue et mince. Sabre droit de cavalerie.
latter v. tr. Garnir de lattes.
lattis n. m. Ouvrage en lattes.
laudanum [*nom'*] n. m. Médicament liquide, à base d'opium, employé comme calmant.
laudatif, ive adj. Qui loue.
lauré, e adj. Couronné de lauriers.
lauréat, ate adj. et n. Qui a obtenu une récompense : *couronner les lauréats.*
laurier n. m. Arbre aux feuilles toujours vertes. *Fig.* Gloire : *chargé de lauriers.*
lavable adj. Qui peut être lavé.
lavabo n. m. Cuvette à eau courante pour la toilette. Endroit où se trouve cette cuvette. N. pl. Cabinets.
lavage n. m. Action de laver.
lavallière n. f. Sorte de cravate.
lavande n. f. Plante aromatique.
lavandière n. f. Femme qui lave le linge. Bergeronnette (oiseau).
lavasse n. f. Soupe ou sauce trop liquide. Pluie abondante.
lavatory n. m. (mot angl.). Cabinet de toilette public avec water-closet attenant.
lave n. f. Matière fondue qui sort du volcan en coulées enflammées.
lavé, e adj. Etendu d'eau, rendu clair. Dessin au lavis : *dessin lavé.*
lavement n. m. Action de laver. Injection liquide dans le gros intestin.
laver v. tr. Nettoyer avec un liquide. *Fig.* Purifier. Justifier: *laver d'une accusation.* V. pr. Se nettoyer avec de l'eau. *Fig.* Se justifier de.
lavette n. f. Morceau de linge ou balai pour laver la vaisselle.
laveur, euse n. Qui lave.
lavis n. m. Coloriage d'un dessin avec une couleur délayée dans de l'eau.
lavoir n. m. Lieu public destiné au lavage du linge.
laxatif, ive adj., et n. m. Purgatif léger.
layette [*lè*] n. f. Linges d'un nouveau-né.
layon [*lè*] n. m. Sentier pratiqué dans les tirés.
lazzi n. m. pl. (mot ital.). Saillie bouffonne; plaisanterie.
le, la, les, art. servant à déterminer les noms. Pr. pers. servant à désigner les personnes et les choses.
lé n. m. Largeur d'une étoffe.
leader [*li-deur*] n. m. Chef d'un parti politique. Article de fond dans un journal.
lèche n. f. *Fam.* Tranche fort mince de quelque chose à manger.
léché, e adj. Trop fini. *Ours mal léché,* personne mal élevée.
lèchefrite n. f. Ustensile placé sous la broche, pour recevoir la graisse.
lécher v. tr. (Se conj. comme *accélérer.*) Passer la langue sur quelque chose: *lécher un plat.* Effleurer : *léché par les flammes.* *Littér.* et *B.-Arts.* Finir avec trop de soin : *un tableau trop léché.*
leçon n. f. Instruction publique ou particulière. Ce que le maître donne à apprendre par cœur : *réciter sa leçon.* Enseignement : *les leçons de l'expérience.* Avertissement : *faire la leçon.* Version d'un texte : *cette leçon est fautive.*
lecteur, trice n. Qui lit.
lecture n. f. Action de lire. Chose qu'on lit : *lecture édifiante.*
légal, e*, aux adj. Conforme à la loi.
légalisation n. f. Action de légaliser.
légaliser v. tr. Certifier l'authenticité d'un acte : *signature légalisée.* Rendre légal.
légalité n. f. Caractère légal.
légat n. m. Ambassadeur du pape.
légataire n. A qui l'on fait un legs.
légation n. f. Personnel d'une ambassade. Hôtel de l'ambassade.
légendaire adj. De la nature des légendes.
légende n. f. Récit où l'histoire est défigurée par la tradition. Explication jointe à un dessin, à une carte.
léger, ère* adj. Qui ne pèse guère. Qu'on remue aisément : *terre légère.* Facile à digérer. Qui a peu de force : *vin léger.* Frugal : *repas léger.* Dispos : *se sentir léger.* Vif, agile : *danse légère.* Délicat : *touche légère. Fig.* Aisé à supporter : *peines légères.* Un peu risqué : *anecdote légère.* Peu grave : *blessure légère. A la légère* loc. adv. Légèrement. Inconsidérément : *agir à la légère.*
légèreté n. f. Qualité de ce qui est léger. *Fig.* Irréflexion.
légiférer v. intr. (Se conj. comme *accélérer.*) Faire des lois.
légion n. f. Corps de troupes romaines. Corps de gendarmerie composé de brigades. *Par ext.* Grand nombre d'être vivants. *Légion étrangère,* troupe de volontaires étrangers au service de la France. *Légion d'honneur,* ordre honorifique français.
légionnaire n. m. Soldat d'une légion. Membre de la Légion d'honneur.
législateur, trice n. et adj. Qui donne des lois. *Fig.* Qui trace des règles. N. m. Membre d'un corps législatif.
législatif, ive adj. Qui fait les lois. Relatif à la loi : *pouvoir législatif.*
législation n. f. Droit de faire les lois. Corps des lois. Science des lois.
législature n. f. Mandat d'une assemblée législative. Sa durée.
légiste n. m. Qui étudie les lois.
légitimation n. f. Action de légitimer.
légitime* adj. Qui a les qualités requises par la loi : *union légitime.* Juste : *demande légitime.*
légitimer v. tr. Reconnaître pour légitime. Justifier.
légitimiste n. et adj. Qui défend le principe de la dynastie légitime.
légitimité n. f. Qualité de ce qui est légitime. Etat d'un roi légitime.
legs [*lèg*] n. m. Don par testament.
léguer v. tr. (Se conj. comme *accélérer.*) Donner par testament. *Fig.* Transmettre : *léguer son nom.*
légume n. m. Végétal employé comme aliment : *légumes verts. Par ext.* Plante potagère. N. f. *Pop.* Personnage influent.
légumier, ère adj. Où l'on cultive des légumes. N. m. Plat pour légumes.

...IE

...n. Dictionnaire des formes pro-
...auteur. Dictionnaire abrégé.
...[*lé*] prép. Près de (dans certains
...ographiques).
... m. Genre de reptiles sauriens.
... *fam.* Paresseux.
... n. f. Crevasse dans un mur.
...er v. tr. Crevasser.
... n. m. Pierre calcaire dure.
...on n. f. Action de lier. Union de
...sieurs corps. *Milit.* Relations entre
...eux troupes voisines : *agent de liaison.*
Cuis. Ingrédients pour lier, épaissir les sauces. *Ecrit.* Trait délié qui unit les lettres. Action de joindre, en lisant, la dernière lettre d'un mot au mot suivant. *Fig.* Union, enchaînement : *liaison dans les idées.* Attachement, union : *rompre une vieille liaison.*

liane n. f. Plante grimpante.

liant, e adj. Souple, flexible. *Fig.* Souple, doux, sociable : *caractère liant.* N. m. Elasticité : *le liant de l'acier. Fig.* Affabilité : *montrer du liant.*

liard n. m. Anc. monnaie (quart d'un sou). *Fig.* Très petite somme.

liarder v. intr. *Fam.* Lésiner.

... ou **liasique** n. m. Partie inférieure du ...urassique.

... Ce qui sert à lier. Amas de ...s ensemble.

...f. Vin que les Anciens répan-...n l'honneur des dieux. Action de ... *amples libations.*

...n. Ecrit diffamatoire.

...édaction.

vous êtes libre de refuser. Impers. *L... à vous de...*, il vous est permis de... *L... penseur*, qui, en matière de religion, n... met d'autre autorité que la raison.

libre-échange n. m. Liberté d'entrée et sortie des marchandises entre nations.

libre-échangiste n. et adj. Partisan du libre-échange. Pl. des *libre-échangistes.*

librettiste n. m. Auteur d'un livret d'opéra.

lice n. f. Champ clos pour des exercices en plein air. Théâtre d'une lutte quelconque. *Fig. Entrer en lice,* entreprendre une lutte, une discussion.

lice n. f. Femelle du chien de chasse.

lice n. f. Pièces du métier à tisser qui font ouvrir la chaîne pour y introduire la trame.

licence n. f. Liberté. Permission exceptionnelle. Liberté trop grande. Dérogation tolérée aux règles de la grammaire, en poésie. Grade universitaire, qui donne la faculté d'enseigner, de plaider, etc.

licencié, e n. Qui a une licence.

licenciement n. m. Congédiement.

licencier v. tr. (Se conj. comme *prier.*) Congédier (troupes, etc.).

licencieux, euse* adj. Déréglé, désordonné : *conduite licencieuse.*

lichen [*kèn*] n. m. Association d'une algue et d'un champignon vivant sur les pierres. Maladie de la peau.

licitation n. f. *Dr.* Vente par enchère, faite par les copropriétaires d'un bien indivis.

licite* adj. Permis par la loi.

liciter v. tr. Vendre par licitation.

licorne n. f. Animal fabuleux, à corps de cheval, avec une corne.

licou ou **licol** n. m. Lien c... bêtes...

umineux, euse adj. Se dit des plantes nt le fruit est une gousse (*pois, fève, ricot,* etc.). N. f. pl. Famille de ces antes.
tmotiv n. m. *Mus.* Thème revenant souent dans une partition, associé à une lée, à un personnage. Pl. des *leitmotive.*
demain n. m. Jour qui suit celui où on est, ou celui dont on parle. *Par ext.* Suite, temps futur.
énifier v. tr. Adoucir.
lénitif, ive adj. et n. m. Calmant.
lent, e* adj. Qui n'agit pas avec promptitude; qui tarde.
lente n. f. Œuf de pou.
lenteur n. f. Manque de célérité, d'activité. Retard à se faire. *Fig.* Manque de vivacité à comprendre.
lenticulaire adj. En forme de lentille : *disque lenticulaire.*
lentille n. f. Genre de légumineuses alimentaires. Disque de cristal creux ou bombé, ayant la propriété de dévier régulièrement les rayons lumineux. Pl. Taches de rousseur sur la peau.
lentisque n. m. Espèce de pistachier.
léonin, e adj. De lion. *Fig.* Se dit d'un partage ou d'un marché où une personne se réserve la grosse part.
léopard n. m. Mammifère carnassier au pelage tacheté.
lèpre n. f. Maladie qui couvre la peau de pustules et d'écailles. *Par anal.* Tache imitant la lèpre. *Fig.* Vice qui s'étend comme la lèpre.
[illegible] n. Qui a la lèpre.
[illegible] pour les lépreux

étroit et [illegible] *lettre.* [illegible] tuellem[illegible] la lit[illegible]
lettr[illegible] les [illegible]
lettrine [illegible] au haut [illegible] naire. Lett[illegible] chapitre.
leucémie n. f. [illegible] une multiplication [illegible]
leucocyte n. m. Glo[illegible]
leur adj. poss. D'eux, [illegible] tient à eux, à elles. [illegible] 3e pers. A eux, à elles. [illegible] *les leurs* pr. poss. La chos[illegible] d'eux, d'elles. N. m. *Le leur,* [illegible] à eux, à elles. N. m. pl. *Les le*[illegible] parents, leurs amis.
leurre n. m. Appât. *Fig.* Ce qui s[illegible] attirer, à tromper.
leurrer v. tr. *Fig.* Attirer, tromper par u[illegible] appât.
levage n. m. Action de lever.
levain n. m. Morceau de pâte aigrie qui, mêlé à la pâte du pain, la fait lever. *Fig.* Germe.
levant n. m. Est, orient.
levantin, ine adj. et n. Natif [illegible] Levant, qui n'est ni Turc ni A[illegible]
levé n. m. Lever (d'un plan).
levée n. f. Action de lever, d'enlever, de recueillir. Perception : *levé*[illegible] *pôts.* Action de retirer le[illegible] boîte postale. [illegible]

LEX — L[illegible]
lexique n. [illegible] pres à un[illegible]
lez ou **lès** [illegible] noms gé[illegible]
lézard [illegible] *Fig.* e[illegible]
lézarde[illegible]
lézard[illegible]
liais[illegible]
liais[illegible] pl[illegible] d[illegible]

lépreux, euse ...

léproserie n. f. Hôpital ... lépreux.

lequel, laquelle, pl. **lesquels, lesquelles** pr. rel. et interrog. Qui, que, dont. Quel. Se contracte avec *à, de* pour donner *auquel, duquel, auxquels, auxquelles, desquels, desquelles.*

lèse-majesté n. f. Attentat à la majesté souveraine.

léser v. tr. (Se conj. comme *accélérer.*) Faire tort : *léser l'Etat.*

lésine n. f. Ladrerie sordide.

lésiner v. intr. User de lésine.

lésinerie n. f. Acte de lésine.

lésineur, euse n. et adj. Qui lésine.

lésion n. f. Plaie, contusion.

lessivage n. m. Action de lessiver.

lessive n. f. Dissolution de potasse ou de soude pour blanchir le linge. Action de lessiver. Produit pour lessiver. Linge à lessiver ou sortant de la lessive. *Fig.* Nettoyage, épuration.

lessiver v. tr. Passer à la lessive.

lessiveuse n. f. Appareil pour lessiver le linge.

lest [*lèst'*] n. m. Matière pesante qui charge un navire, un ballon.

lestage n. m. Action de lester.

leste* adj. Léger, agile. *Fig.* Prompt et décidé. Libre : *propos leste.*

lester v. tr. Charger de lest. *Fam.* Donner une nourriture solide.

léthargie n. f. Etat dans lequel les fonctions de la vie semblent suspendues. *Fig.* Nonchalance extrême.

léthargique adj. De la léthargie.

lette ou **letton, onne** adj. et n. De la Lettonie.

lettre n. f. Caractère de l'alphabet. Sens

... les pays du ... rabe.

... Action ... des im- ... lettres d'une ... Enrôlement : *levée de troupes.* Cartes prises au jeu par une carte supérieure. Digue, chaussée.

lever v. tr. (Prend un *è* ouvert devant une syllabe muette.) Hausser : *lever les bras.* Redresser : *lever la tête.* Relever : *lever un pont-levis.* Oter : *lever les scellés.* Couper une partie sur un tout. *Fig.* Enrôler : *lever une armée.* Percevoir : *lever des impôts.* Dessiner : *lever un plan.* Faire partir (gibier). *Lever le siège,* mettre fin au siège, et, au *fig.,* s'en aller. *Lever la séance,* la clore. V. intr. Commencer à pousser : *les blés lèvent.* Commencer à fermenter : *la pâte lève.* V. pr. Se mettre debout, sortir du lit. Apparaître sur l'horizon : *le soleil se lève.*

lever n. m. Le moment où l'on se lève. Moment où un astre se lève. *Lever* ou *levé d'un plan,* sa représentation sur le papier.

léviathan n. m. *Fig.* Monstre.

levier n. m. Barre basculant autour d'un point d'appui et servant à soulever des fardeaux. *Fig.* Ce qui sert à soulever.

lévite n. m. Clerc, ecclésiastique.

lévite n. f. Sorte de redingote.

levraut n. m. Jeune lièvre.

lèvre n. f. Partie charnue de la bouche, qui couvre les dents. Pl. Bords d'une plaie. *Bot.* Lobes de certaines fleurs.

levrette n. f. Femelle du lévrier. Variété petite du lévrier d'Italie.

lévrier n. m. Chien à hautes pattes, propre à la chasse au lièvre.

levure n. f. Nom donné aux champignons provoquant la fermentation.

lexicographe n. m. Auteur de dictionnaire.

lexicographie n. f. Science du lexicographe.

lexicologie n. f. Science des mots.

terrain ...

liasse n. f. ...
papiers lié...

libation n. ...
daient ...
boire ...

libelle n. ...

libellé [*l-l*] n. m. Ré...

libeller [*l-l*] v. tr. Rédiger.

libelliste n. m. Auteur de libelles.

libellule n. f. Demoiselle (insecte).

libérable adj. Qui peut être libéré.

libéral, e*, aux adj. Qui aime à donner. Favorable à la liberté : *idées libérales. Arts libéraux, professions libérales,* arts d'ordre intellectuel. N. m. Qui a des opinions libérales.

libéralisme n. m. Doctrine libérale.

libéralité n. f. Penchant à donner. Don : *faire des libéralités.*

libérateur, trice adj. Qui libère.

libération n. f. Action de libérer.

libératoire adj. Qui libère.

libérer v. tr. (Se conj. comme *accélérer.*) Décharger d'une obligation. Mettre en liberté : *libérer un prisonnier.*

libertaire n. et adj. Partisan de la liberté absolue, anarchiste.

liberté n. f. Pouvoir d'agir ou de ne pas agir. Etat opposé à la captivité : *mettre en liberté;* à la contrainte : *parler en toute liberté. En liberté* loc. adv. Librement. Pl. Immunités, franchises. Manières d'agir hardies : *prendre des libertés.*

libertin, e n. et adj. Déréglé dans sa conduite. Autref., libre penseur.

libertinage n. m. Dérèglement des mœurs.

libidineux, euse adj. Lascif.

libraire n. Qui vend des livres.

librairie n. f. Commerce des livres. Magasin où l'on vend des livres.

libre* adj. Qui a le pouvoir d'agir ou de ne pas agir. Qui jouit de la liberté politique. Non entravé, indépendant. *Libre de* (avec un nom), affranchi, exempt de : *libre de préjugés;* maître de (avec un verbe) :

...e l'on met au cou des bêtes.

licteur n. m. Officier qui portait devant les magistrats, à Rome, une hache entourée de faisceaux.

lie n. f. Partie épaisse qui se dépose dans un liquide. *Fig.* Rebut : *la lie du peuple. Lie-de-vin,* de la couleur de la lie du vin : *des choux lie-de-vin.*

lied [*lid*] n. m. (mot allem.). Romance. Pl. des *lieds* ou *lieder* [*lidèr'*].

liège n. m. Tissu épais et léger de l'écorce du chêne-liège.

lien n. m. Ce qui sert à lier. Chaînes d'un prisonnier : *briser ses liens.*

lier v. tr. (Se conj. comme *prier.*) Attacher : *lier une gerbe.* Joindre. Epaissir : *lier une sauce.* Contracter : *lier amitié.* Entrer en : *lier conversation.* Unir.

lierre n. m. Plante grimpante à feuilles toujours vertes.

liesse n. f. Joie. (Vx.)

lieu n. m. Endroit, séjour, pays : *un lieu charmant. Fig.* Place, rang : *chacun en son lieu. Avoir lieu,* arriver, s'accomplir. *Il y a lieu de,* il est opportun de. *Avoir lieu de,* avoir des raisons pour. *Tenir lieu de,* remplacer. *Donner lieu,* fournir l'occasion. Pl. *Lieux communs,* idées générales. *Au lieu de,* loc. prép. En place de. *Au lieu que* loc. conj. Tandis que.

lieu-dit n. m. Lieu qui porte un nom particulier. Pl. des *lieux-dits.*

lieue n. f. Mesure itinéraire (4 km). *Fam.* Grande distance.

lieur n. m. Qui lie.

lieuse n. f. Dispositif d'une moissonneuse, pour lier les gerbes.

lieutenance n. f. Grade de lieutenant. (Vx.)

lieutenant n. m. Qui est le premier après le chef et le remplace. Officier au-dessous du capitaine.

lieutenant-colonel n. m. Officier au-dessous du colonel.

lièvre n. m. Mammifère rongeur, très rapide à la course.

liftier (angl. *lift*) n. m. Celui qui manœuvre un ascenseur.

ligament n. m. Faisceau fibreux qui unit les os, les viscères.

ligature n. f. Action de serrer un lien, une bande, etc., autour d'une partie du corps. Attache de corde, de fil de fer, etc., pour réunir deux pièces séparées.

ligaturer v. tr. Serrer, lier.

lige adj. *Féod.* Etroitement obligé envers son seigneur : *homme lige. Fig.* Absolument dévoué à un patron.

lignage n. m. Race, famille.

ligne n. f. Limite d'une surface ou intersection de deux surfaces. Trait, contour : *les lignes d'un dessin.* Rangée : *une ligne de mots.* Fil de crin ou de soie, avec hameçon, pour pêcher : *ligne de fond.* Service de transport, de communication entre deux points : *ligne télégraphique.* Disposition d'une armée prête à combattre. Formation de vaisseaux de guerre. Retranchement. *Fig.* Règle : *ligne de conduite.* Ordre, rang : *en première ligne.* Descendants : *ligne directe. Hors ligne,* d'une qualité extraordinaire.

lignée n. f. Descendance.

ligner v. tr. Marquer d'une raie.

ligneul n. m. Fil enduit de poix à l'usage des cordonniers.

ligneux, euse adj. De la nature du bois : *consistance ligneuse.*

lignifier (se) v. pr. (Se conj. comme *prier.*) Se changer en bois.

lignite n. m. Charbon fossile.

ligoter v. tr. Attacher solidement.

ligue n. f. Union formée entre plusieurs princes. Confédération de plusieurs Etats. Association fondée avec un but quelconque. Complot, coalition.

liguer v. tr. Unir dans une ligue.

ligueur, euse n. et adj. Partisan de la Ligue sous Henri III et Henri IV.

lilas n. m. Arbuste à jolies fleurs en grappe. Couleur qui tient du bleu et du rose. *Adjectiv. : robe lilas.*

lilial, e adj. Relatif au lis.

lilliputien, enne [*sien*] adj. Très petit.

limace n. f. Mollusque sans coquille extérieure.

limaçon n. m. Mollusque à coquille enroulée. *Anat.* Partie de l'oreille en forme de coquille.

limage n. m. Action de limer.

limaille n. f. Parcelles de métal limé.

limande n. f. Genre de poissons plats.

limbe n. m. Bord extérieur et gradué d'un instrument de mathématiques. *Bot.* Partie élargie de la feuille. Partie étalée d'un pétale ou d'un sépale. Pl. *Théol.* Séjour des âmes des enfants morts sans baptême. *Fig.* Etat vague, incertain.

lime n. f. Outil d'acier, portant des entailles, pour travailler les métaux, etc.

limer v. tr. Travailler avec la lime. *Fig.* Retoucher, polir.

limeur, euse n. et adj. Qui lime.

limier n. m. Chien de chasse. *Fig.* Agent de police.

liminaire adj. Qui est au seuil, au début d'un ouvrage : *épître liminaire.*

limitatif, ive* adj. Qui limite.

limitation n. f. Restriction.

limite n. f. Ligne commune à deux Etats ou deux terrains. Ligne qui marque la fin d'une étendue : *limites de la mer. Fig.* Borne : *passer les limites.*

limiter v. tr. Borner.

limitrophe adj. Qui est sur les limites : *pays limitrophe.*

limoger v. tr. Disgracier.

limon n. m. Boue, terre détrempée. Alluvion : *le limon du Nil.*

limon n. m. Sorte de citron.

limon n. m. Chacune des deux branches de la limonière. *Archit.* Pièce qui supporte les marches d'un escalier.

limonade n. f. Boisson faite avec des citrons. Commerce des boissons au détail.

limonadier, ère n. Qui tient un café.

limoneux, euse adj. Plein de limon.

limonier n. et adj. m. Cheval qu'on met aux limons.

limonière n. f. Brancard de voiture.

limousin, e adj. et n. De Limoges ou du Limousin. N. m. Ouvrier maçon.

limousine n. f. Automobile dont les places arrière seules sont complètement closes.

limpide adj. Clair, transparent.

limpidité n. f. Clarté, transparence.

lin n. m. Plante textile à petites fleurs bleues. Toile qui en résulte.

linceul n. m. Toile dans laquelle on ensevelit les morts. *Par ext.* Ce qui couvre : *linceul de neige.*

linéaire adj. Relatif aux lignes. Fait de lignes régulières : *dessin linéaire.*

linéament n. m. Trait, ligne. Premier rudiment.

linge n. m. Toile mise en œuvre pour divers usages : *linge de table.*

linger, ère n. et adj. Qui vend du linge, qui travaille le linge. N. f. Qui a soin du linge dans un établissement, un collège, etc.

lingerie n. f. Commerce du linge. Lieu où l'on serre le linge. Linge en général.

lingot n. m. Morceau de métal solidifié après fusion.

lingotière n. f. Moule à lingots.

lingual [*ghoual*], **e, aux** adj. Relatif à la langue : *muscles linguaux.* Consonne articulée avec la langue (*d, t, l, n, r*).

linguiste [*ghuist'*] n. m. Qui fait une étude spéciale des langues.

linguistique n. f. Etude des langues. *Adjectiv. : travaux linguistiques.*

linier, ère adj. Du lin : *industrie linière.* N. f. Terre semée en lin.

liniment n. m. Médicament onctueux pour frictions.

linoléum [*om*] n. m. Tissu imperméable, en toile de jute enduite d'huile de lin et de liège en poudre.

linon n. m. Batiste fine.

linot n. m. ou **linotte** n. f. Sorte de passereau à plumage gris. *Fam. Tête de linotte,* étourdi.

linotype n. f. Machine à composer et à fondre les caractères d'imprimerie par lignes entières.
linteau n. m. Traverse au-dessus d'une porte ou d'une fenêtre.
lion, onne n. Le plus puissant des quadrupèdes carnassiers. Un signe du zodiaque.
lionceau n. m. Petit du lion.
lipase n. f. Ferment soluble qui saponifie les corps gras.
lipide n. m. Nom générique des corps gras.
lippe n. f. Lèvre inférieure grosse.
lippu, e adj. A grosses lèvres.
liquéfaction n. f. Transformation en liquide : *la liquéfaction d'un gaz.*
liquéfiable adj. Qu'on peut liquéfier.
liquéfier [*ké*] v. tr. (Se conj. comme *prier.*) Rendre liquide.
liqueur n. f. Boisson à base d'alcool.
liquidateur n. et adj. m. Qui liquide un compte. Qui liquide une affaire.
liquidation n. f. Action de liquider. *Fig.* Ensemble de mesures pour sortir d'une situation embarrassée. *Dr. Liquidation judiciaire,* réglementation au profit du commerçant malheureux et de bonne foi qui cesse ses paiements.
liquide adj. Se dit des corps qui coulent sous l'action de la pesanteur. Que l'on peut utiliser immédiatement : *argent liquide.* N. f. Consonne pouvant se combiner avec d'autres. N. m. Ce qui est à l'état liquide. Boisson, aliment liquide. Humeur organique.
liquider v. tr. Régler, fixer : *liquider un compte, une affaire.* Faire une liquidation commerciale. Ecouler les marchandises à bas prix : *liquider ses stocks.*
liquoreux, euse [*ko*] adj. Se dit des vins doux et contenant un assez fort degré d'alcool.
liquoriste n. Qui fait, vend des liqueurs.
lire n. f. Unité monétaire italienne.
lire v. tr. (*Je lis, nous lisons. Je lisais, nous lisions. Je lus, nous lûmes. Je lirai, nous lirons. Lis, lisons, lisez. Que je lise, que nous lisions. Que je lusse, que nous lussions. Lisant. Lu, e.*) Connaître et savoir assembler les lettres : *enfant qui sait lire couramment.* Parcourir des yeux ce qui est écrit. Expliquer : *lire un auteur.* Comprendre ce qui est écrit en langue étrangère : *lire l'anglais. Fig.* Découvrir : *lire dans les yeux.*
lis ou **lys** [*liss*] n. m. Plante ornementale à fleurs blanches et odorantes. Sa fleur.
liséré n. m. Ruban étroit, dont on borde une étoffe. Bordure.
lisérer v. tr. (Se conj. comme *accélérer.*) Border d'un liséré.
liseron n. m. Plante grimpante appelée aussi *volubilis.*
liseur, euse n. Qui aime à lire. N. f. Petit couteau à papier servant de signet.
lisibilité n. f. Qualité de ce qui est lisible.
lisible* adj. Aisé à lire. Qui peut être lu sans fatigue.
lisière n. f. Bord qui termine de chaque côté la largeur d'une étoffe. *Fig.* Limite, bord : *lisière d'un champ.* Pl. Cordons pour soutenir un enfant qui commence à marcher. *Fig.* Ce qui soutient.
lissage n. m. Action de lisser.
lisse adj. Uni et poli : *peau lisse.*
lisse n. f. V. LICE.
lisser v. tr. Rendre lisse : *lisser ses cheveux.*
lissoir n. m. Instrument pour lisser le linge, le papier, etc.
liste n. f. Suite de noms.
listel, listeau ou **liston** n. m. Baguette pour encadrement.
lit n. m. Meuble sur lequel on se couche. Tout lieu où l'on peut se coucher : *lit de gazon. Par ext.* Mariage : *enfant du premier lit. Fig.* Couche de matière ou d'objets quelconques : *lit de sable.* Canal naturel dans lequel coule une rivière.
litanies n. f. pl. Suite de courtes invocations à Dieu, à la Vierge, aux saints. Au *sing.* Ennuyeuse énumération : *litanie de réclamations.*
literie n. f. Ce qui compose un lit.
lithiase n. f. Formation de sable ou de calculs dans l'organisme : *lithiase biliaire.*
lithium n. m. Métal alcalin très léger.
lithographie n. f. Impression de dessins tracés sur une pierre calcaire. Estampe imprimée par ce procédé. Atelier d'un lithographe.
lithographier v. tr. (Se conj. comme *prier.*) Imprimer en lithographie.
lithotomie n. f. Opération chirurgicale pour extraire la pierre de la vessie.
litière n. f. Paille sur laquelle se couchent les chevaux, les bœufs, etc. Sorte de lit couvert porté à l'aide de brancards.
litige n. m. Contestation en justice. Discussion : *point de litige.*
litigieux, euse adj. Contestable.
litote n. f. Atténuation, figure de rhétorique : *« Va, je ne te hais point »* pour *« je t'aime »* est une litote.
litre n. m. Unité de mesure de volume pour les liquides et matières sèches, valant 1 décimètre cube. Bouteille contenant un litre. Contenu du litre.
litron n. m. Anc. mesure de capacité valant 1/16 de boisseau. *Pop.* Litre.
littéraire* adj. Relatif aux belles-lettres : *journal littéraire.*
littéral, e*, aux adj. Qui est selon la lettre : *traduction littérale.*
littérateur n. m. Qui fait son occupation habituelle de la littérature.
littérature n. f. Connaissance des belles-lettres. Carrière des lettres : *se lancer dans la littérature.* Les productions littéraires d'un pays, d'une époque : *la littérature latine.*
littoral, e, aux adj. Du bord de la mer : *montagnes littorales.* N. m. Etendue de pays qui borde la mer.
lituanien, enne adj. et n. De Lituanie.
liturgie n. f. Ordre des cérémonies religieuses et des prières.
liturgique adj. De la liturgie.
livarot n. m. Sorte de fromage.
livide adj. De couleur plombée, bleuâtre : *teint livide.*
lividité n. f. Etat de ce qui est livide : *lividité cadavérique.*
livrable adj. Qui peut être livré.
livraison n. f. Action de livrer une chose vendue. Partie d'un ouvrage livré périodiquement aux souscripteurs, au fur et à mesure de son impression.
livre n. m. Feuilles imprimées et réunies en un volume. Ouvrage en prose ou en

vers de quelque étendue : *livre bien écrit.* Registre sur lequel un commerçant inscrit ses opérations. Division d'un ouvrage : *histoire en douze livres. A livre ouvert,* sans préparation, à la première lecture : *traduire à livre ouvert.*

livre n. f. Monnaie réelle, dont la valeur a varié suivant les temps et les lieux. Unité monétaire anglaise valant 20 shillings. Demi-kilogramme.

livrée n. f. Habits distinctifs que portent les domestiques d'une grande maison : *gens de livrée.* Classe des domestiques. *Fig.* Marques : *livrée de la misère. Véner.* Pelage, plumage.

livrer v. tr. Mettre en la possession de : *livrer une commande.* Engager : *livrer bataille.* Abandonner : *livrer au pillage.* Remettre : *livrer un coupable.* V. pr. S'adonner : *se livrer à l'étude.*

livresque adj. Qui provient des livres : *science livresque.*

livret n. m. Petit livre. Carnet : *livret de caisse d'épargne.* Paroles d'un opéra.

livreur, euse n. et adj. Employé qui porte chez l'acheteur la marchandise vendue : *garçon livreur.* N. f. Voiture pour livrer.

lobe n. m. *Anat.* Partie arrondie d'un organe : *lobe du cerveau, lobe de l'oreille. Bot.* Division profonde, arrondie, des feuilles ou des fleurs. *Archit.* Ornement formé de fragments de cercle.

lobé, e adj. *Bot.* Divisé en lobes.

lobule n. m. Petit lobe.

local, e*, aux adj. Qui est particulier à un lieu : *mœurs locales. Littér.* et *beaux-arts. Couleur locale,* observation des détails de mœurs, de costume, etc., d'une époque ou d'un pays. N. m. Lieu, emplacement, chambre.

localisation n. f. Action de localiser.

localiser v. tr. Fixer ou limiter dans un lieu. Déterminer la place de : *localiser une maladie.*

localité n. f. Lieu, endroit.

locataire n. Qui prend à loyer une terre, une maison, etc.

locatif, ive adj. Qui concerne la location. N. m. Cas qui, dans certaines langues à déclinaison, exprime le lieu.

location n. f. Action de donner ou de prendre à louage : *location d'un logement.* Prix du loyer.

loch [*lok*] n. m. Instrument pour mesurer la vitesse d'un navire.

loche n. f. Petit poisson de rivière à corps allongé. Petite limace.

lock-out [*aout'*] n. m. Coalition de patrons qui, devant une menace de grève, ferment leurs ateliers.

locomobile adj. Qui peut se mouvoir pour changer de place. N. f. Machine à vapeur sur roues.

locomoteur, trice adj. Qui opère la locomotion. Relatif à la marche.

locomotion n. f. Action de se transporter d'un lieu dans un autre.

locomotive n. f. Machine à vapeur, électrique ou à combustion interne, montée sur roues et remorquant des wagons sur les voies ferrées.

locution n. f. Expression, façon de parler. Réunion de mots qui équivaut à un seul mot : *locution adverbiale.*

logarithme n. m. Nombre d'une progression arithmétique, correspondant à un autre d'une progression géométrique, les deux progressions remplissant des conditions déterminées.

logarithmique adj. Des logarithmes.

loge n. f. Logement de concierge. Sorte de petits compartiments au pourtour d'une salle de spectacle. Pièce où s'habillent les acteurs et les actrices. Galerie à arcades : *les loges du Vatican.* Réunion de francs-maçons; lieu où ils s'assemblent. A l'Ecole des beaux-arts, cabinet où chaque concurrent est enfermé pour un concours.

logeable adj. Où l'on peut loger.

logement n. m. Lieu où l'on loge.

loger v. intr. (Se conj. comme *manger.*) Habiter : *loger en garni.* Prendre un logement : *loger à l'hôtel.* V. tr. Donner un logement, permanent ou passager. *Par ext.* Caser, placer : *loger ses livres.* Faire pénétrer dans : *loger une balle.*

logette n. f. Petite loge.

logeur, euse n. Qui loue des garnis.

logicien, enne n. Qui traite la logique. Qui raisonne avec méthode.

logique n. f. Science qui apprend à raisonner juste. Disposition à raisonner juste. Raisonnement, méthode.

logique* adj. Conforme à la logique.

logis n. m. Maison, habitation, logement.

logiste n. Artiste admis à entrer en loge, à l'Ecole des beaux-arts.

logistique n. f. Partie de l'art militaire relative aux transports et à l'approvisionnement.

logogriphe n. m. Enigme consistant en un mot dont les lettres diversement combinées forment d'autres mots. *Fig.* Chose inintelligible.

loi n. f. Règle. Acte de l'autorité souveraine, qui règle, ordonne, permet ou défend : *promulguer une loi.* Conditions nécessaires dérivant de la nature des choses : *les lois de la pesanteur. Loi martiale,* qui autorise l'emploi de la force armée dans certains cas. *Sans foi ni loi,* sans principes de religion ou de justice.

loin adv. A une grande distance dans l'espace : *arme qui porte loin,* ou dans le temps : *remonter bien loin. De loin en loin,* à de grands intervalles. *Loin de,* à une grande distance. Dans des intentions fort éloignées : *je suis loin de vous en vouloir.*

lointain, e adj. Eloigné : *pays lointain, époque lointaine.* N. m. Lieu éloigné : *dans le lointain.*

loir n. m. Petit rongeur qui s'engourdit tout l'hiver : *dormir comme un loir.*

loisible adj. Permis : *il vous est loisible de partir.*

loisir n. m. Temps dont on dispose : *j'ai tout le loisir de répondre; avoir des loisirs. A loisir,* à son aise.

lombago. V. LUMBAGO.

lombaire adj. Qui appartient aux lombes : *douleurs lombaires.*

lombes n. m. pl. Régions symétriques en arrière de l'abdomen, de chaque côté de la colonne vertébrale.

lombric [*brik*] n. m. Ver de terre.

londonien, enne adj. De Londres.

long, longue* adj. Qui a une certaine dimension de l'une à l'autre de ses extrémités. Qui a des dimensions considérables. Qui s'étend à une certaine distance. Qui dure longtemps : *long voyage.* N. m. Longueur : *dix mètres de long.* N. f. Syllabe ou voyelle longue. Loc. adv. : *De* en côtoyant; *à la longue,* avec le temps. *long en large,* en tous sens; *le long de,*
longanimité n. f. Grande patience.
long-courrier adj. et n. m. Qui fait des voyages au long cours. Pl. des *long-courriers.*
longe n. f. Courroie pour attacher un cheval ou pour le conduire.
longe n. f. Moitié de l'échine d'un veau ou d'un chevreuil.
longer v. tr. (Se conj. comme *manger.*) S'étendre, marcher le long de.
longeron n. m. Poutrelle qui sert à maintenir certains assemblages.
longévité n. f. Longue vie.
longitude n. f. Arc d'équateur compris entre le méridien du lieu et un premier méridien choisi pour origine.
longitudinal, e*, aux adj. En longueur.
longtemps adv. Pendant un long espace de temps.
longuement adv. Au long, en détail. Longtemps : *parler longuement.*
longuet, ette adj. *Fam.* Qui est un peu long. Qui dure un peu trop longtemps. N. m. Petit pain allongé.
longueur n. f. Dimension d'un objet d'une extrémité à l'autre. Durée du temps : *la longueur des jours augmente. Sport.* Unité qui sépare les concurrents d'une course à l'arrivée (longueur d'un cheval, d'un skiff, etc). Lenteur : *les longueurs de la justice. Tirer en longueur,* faire durer, durer longtemps.
longue-vue n. f. Lunette d'approche. Pl. des *longues-vues.*
looping [*lou-pin'g*] n. m. (mot angl.). Tour complet, dans un plan vertical, exécuté par un avion.
lopin n. m. Morceau : *lopin de terre.*
loquace* adj. Qui parle beaucoup.
loquacité [*koua*] n. f. Habitude de parler beaucoup.
loque n. f. Lambeau d'une étoffe.
loquet n. m. Lame métallique qui s'abaisse sur une pièce fixée au chambranle d'une porte et la ferme.
loqueteau n. m. Petit loquet.
loqueteux, euse adj. Vêtu de loques.
lord [*lor*] n. m. Titre en Angleterre, des pairs du royaume et des membres de la Chambre haute.
lord-maire n. m. Maire de la Cité de Londres. Pl. des *lords-maires.*
lorgner v. tr. Regarder du coin de l'œil. Regarder avec une lorgnette. *Fig.* Convoiter : *lorgner une bonne place.*
lorgnette n. f. Petite lunette d'approche portative.
lorgneur, euse n. *Fam.* Qui lorgne.
lorgnon n. m. Binocle.
loriot n. m. *Zool.* Genre de passereaux. V. COMPÈRE-LORIOT.
lorrain, e adj. et n. De Lorraine.
lors adv. Alors (vx). Loc. adv. : *Pour lors,* en ce cas; *dès lors,* dès ce temps-là, par conséquent; *lors de,* au moment de : *lors de son arrivée.*
lorsque conj. Quand.
losange n. m. Parallélogramme dont les quatre côtés sont égaux.
lot n. m. Portion qui revient à chaque personne dans un partage. Ce qui revient, dans une loterie, à chaque gagnant : *gagner le gros lot. Fig.* Ce qui échoit à chacun par le sort : *la misère est son lot. Comm.* Une certaine quantité de choses, d'objets assortis.
loterie n. f. Jeu de hasard, où, après distribution de billets numérotés, un tirage au sort désigne les billets qui ont droit à un lot, un prix, etc. *Fig.* Chose de hasard : *la vie est une loterie.*
loti, e adj. *Fig.* Partagé, favorisé : *être mal loti dans un partage.*
lotion n. f. Action de laver un corps. Action de répandre un liquide sur une partie du corps. Ce liquide.
lotionner v. tr. Verser une lotion.
lotir v. tr. Partager par lots. Mettre en possession d'un lot. Trier.
lotissement n. m. Partage en lots.
loto n. m. Jeu de hasard qui se joue avec des cartons numérotés et des numéros.
lotte n. f. Sorte de poisson comestible.
lotus ou **lotos** n. m. *Bot.* Nénuphar blanc d'Egypte.
louable* adj. Digne de louange.
louage n. m. Cession ou acceptation de l'usage d'une chose, d'un service, pour un prix déterminé. Prix payé pour ce qui est loué.
louange n. f. Action de louer. Paroles par lesquelles on loue : *couvrir de louanges.*
louanger v. tr. (Se conj. comme *manger.*) Donner des louanges.
louangeur, euse adj. et n. Qui loue.
louche adj. Dont les yeux n'ont pas la même direction. *Fig.* Equivoque, suspect : *conduite louche.*
louche n. f. Grande cuiller.
loucher v. intr. Avoir les yeux louches : *enfant qui louche.*
loucherie n. f. Habitude de loucher.
loucheur, euse n. Qui louche.
louer v. tr. Donner des éloges : *louer un poète.* Célébrer, glorifier : *louer Dieu. Se louer de,* se montrer satisfait de.
louer v. tr. Donner ou prendre à louage : *louer une maison.* Retenir une place dans un train, un théâtre, etc.
loueur, euse n. Qui donne à louage.
lougre n. m. Petit bâtiment de cabotage.
louis n. m. Ancienne monnaie d'or française de 20 francs.
loulou n. m. Petit chien à long poil.
loup n. m. Mammifère carnivore de la famille des canidés. *Fig.* Personne méchante. *Fam.* Ce qui est mauvais, mal venu dans un travail. Demi-masque de velours ou de satin noir. *Tête-de-loup,* brosse ronde sur un long manche. *Saut-de-loup,* large fossé servant de clôture. *Marcher à pas de loup,* sans bruit, pour surprendre. *Froid de loup,* très rigoureux. *Loup de mer,* espèce de phoque; vieux marin. *Entre chien et loup,* à la nuit tombante.
loup-cervier n. m. Lynx.
loupe n. f. Lentille de verre biconvexe. Kyste sébacé de la peau. *Bot.* Excroissance sur le tronc de certains arbres.
louper v. tr. *Pop.* Mal exécuter. Manquer.

loup-garou n. m. Sorcier qui, suivant les gens superstitieux, erre la nuit, transformé en loup. *Fig.* Homme d'humeur farouche. Pl. des *loups-garous.*
lourd, e* adj. Pesant, difficile à porter : *lourd fardeau.* Qui manque d'élégance.
lourdaud, e adj. et n. Personne lente et maladroite.
lourdeur n. f. Caractère de ce qui est lourd.
loustic n. m. *Fam.* Farceur.
loutre n. f. Quadrupède carnivore à belle fourrure.
louve n. f. Femelle du loup.
louveteau n. m. Petit loup.
louveterie n. f. Equipage pour la chasse au loup. Chasse organisée pour détruire les loups.
louvetier n. m. Officier qui commandait les équipages de la chasse au loup.
louvoyer v. intr. (Se conj. comme *aboyer.*) Naviguer contre le vent tantôt sur un bord, tantôt sur l'autre. *Fig.* Prendre des biais, ne pas y aller franchement.
lover v. tr. Rouler : *lover un cordage.*
loyal, e*, aux adj. Sincère, franc. Fidèle et dévoué : *serviteur loyal.*
loyalisme n. m. Fidélité au régime établi : *loyalisme républicain.*
loyaliste adj. et n. Qui a des sentiments de loyalisme.
loyauté n. f. Caractère de ce qui est loyal.
loyer n. m. Prix du louage d'une maison. Taux d'intérêt : *le loyer de l'argent.*
lubie n. f. *Fam.* Caprice.
lubricité n. f. Penchant à la luxure.
lubrifiant, e adj. et n. Qui lubrifie.
lubrificateur, trice adj. Qui lubrifie.
lubrification n. f. Action de lubrifier.
lubrifier v. tr. (Se conj. comme *prier.*) Huiler, graisser : *lubrifier des rouages.*
lubrique adj. Qui a de la lubricité ou est inspiré par la lubricité.
lucane n. m. Cerf-volant (coléoptère).
lucarne n. f. Ouverture dans le toit d'une maison.
lucide* adj. Qui voit, comprend ou exprime clairement les choses.
lucidité n. f. Clarté de compréhension, de raisonnement.
luciole n. f. Genre de coléoptères lumineux.
lucratif, ive* adj. Qui procure un gain : *emploi lucratif.*
ludion n. m. Figurine suspendue à une boule creuse et plongée dans l'eau, où elle monte et descend.
luette n. f. Appendice charnu et contractile à l'entrée du gosier.
lueur n. f. Clarté faible ou éphémère. *Fig.* Clarté qui éclaire l'esprit. Faible apparence : *une lueur de raison.*
luge n. f. Petit traîneau.
lugubre* adj. Funèbre. Qui exprime ou inspire le deuil, la tristesse.
lui, pron. pers. de la 3e pers. du sing. des deux genres.
luire v. intr. (*Je luis, nous luisons. Je luisais, nous luisions.* Pas de passé simple. *Je luirai, nous luirons.* Pas d'impér. *Je luirais, nous luirions. Que je luise, que nous luisions.* Pas d'imparf. du subj. *Luisant. Lui* [pas de fém.].) Briller. Avoir des reflets lumineux. *Fig.* Apparaître, se manifester avec éclat.
lumbago [*lon*] n. m. Douleur lombaire due au rhumatisme ou à un effort.
lumen [*mèn*] n. m. Unité de flux lumineux.
lumière n. f. Eclat que produisent certains corps et qui rend visibles les corps environnants. Flambeau, ce qui éclaire. Jour, clarté du soleil. Ouverture par laquelle on met le feu à un canon, à un fusil. *Fig.* Ce qui brille, ce qui éclaire l'esprit. Source de vérité. Intelligence, savoir : *siècle de lumière.* Personne d'un savoir éminent.
lumignon n. m. Bout de la mèche d'une bougie allumée. Petite lumière.
luminaire n. m. Ensemble des lumières pour éclairer une cérémonie.
luminescence n. f. Emission de rayons lumineux sans chaleur.
luminescent, e adj. Doué de luminescence : *le radium est luminescent.*
lumineux, euse* adj. Qui a, qui jette de la lumière : *corps lumineux. Fig.* Clair : *esprit lumineux, idée lumineuse.*
luminosité n. f. Qualité de ce qui est lumineux.
lunaire adj. De la lune : *clarté lunaire.*
lunaison n. f. Temps compris entre deux nouvelles lunes consécutives.
lunatique adj. et n. Fantasque.
lunch n. m. Collation, repas léger.
luncher [*lun-ché*] v. intr. Faire un lunch.
lundi n. m. Second jour de la semaine.
lune n. f. Planète satellite de la terre, qu'elle éclaire pendant la nuit. *Lune de miel,* premier mois de mariage. *Demander la lune,* demander l'impossible.
luné, e adj. En forme de croissant. *Fam.* Disposé : *être bien, mal luné.*
lunetier n. et adj. m. Fabricant, marchand de lunettes.
lunette n. f. Instrument d'optique pour voir plus distinctement. Trou rond d'une chaise percée, de lieux d'aisances.
lunetterie n. f. Art ou commerce de lunetier.
lunulaire adj. En forme de lunule.
lunule n. f. Figure en forme de croissant.
lupin n. m. Plante fourragère.
lupus [*puss*] n. m. Affection cutanée.
lurette n. f. *Fam. Il y a belle lurette,* il y a bien longtemps.
luron, onne n. Personne joyeuse, hardie et sans souci.
lustrage n. m. Action de lustrer.
lustral, e, aux adj. Qui purifie.
lustre n. m. Brillant, poli. Chandelier à plusieurs branches, qu'on suspend au plafond. *Fig.* Eclat, relief. N. m. Espace de cinq ans.
lustrer v. tr. Donner du lustre.
lustrine n. f. Etoffe de coton qui sert de doublure.
lut [*lut'*] n. m. Ciment pour boucher hermétiquement les vases, etc.
lutation n. f. Action de luter.
luter v. tr. Enduire de lut.
luth [*lut'*] n. m. Instrument de musique à cordes. *Fig.* Inspiration poétique.
luthéranisme n. m. Doctrine de Luther.
lutherie n. f. Art du luthier.
luthérien, enne n. Sectateur de Luther. Adj. : *religion luthérienne.*
luthier n. m. Qui fabrique des instruments de musique à cordes.

lutin n. m. Esprit follet. *Par anal.* Personne vive, taquine.
lutiner v. tr. Tourmenter par des espiègleries. V. intr. Faire le lutin.
lutrin n. m. Pupitre d'une église, pour porter les livres sur lesquels on chante l'office. Ensemble de ceux qui chantent au lutrin.
lutte n. f. Combat corps à corps. *Fig.* Guerre, combat. Conflit : *une lutte d'influences. De haute lutte,* par la force.
lutter v. intr. Combattre. *Fig.* Etre en conflit, en débat. Faire effort contre. Rivaliser : *lutter d'ardeur.*
lutteur n. m. Qui lutte.
lux [*lukss*] n. m. Unité d'éclairement.
luxation n. f. Déboîtement d'un os.
luxe n. m. Somptuosité dans le vêtement, la table, etc. *Fig.* Profusion : *luxe de végétation.*
luxer v. tr. Déboîter un os.
luxueux, euse* adj. Plein de luxe.
luxure n. f. Abandon aux plaisirs de la chair.
luxuriance n. f. Etat de ce qui est luxuriant : *luxuriance du feuillage.*
luxuriant, e adj. Qui pousse avec trop d'abondance. *Fig.* Riche, abondant.
luxurieux, euse adj. Adonné à la luxure. Qui la dénote.
luzerne n. f. Plante fourragère cultivée en prairies artificielles.
lycée n. m. Etablissement d'enseignement du second degré.
lycéen, enne n. Elève d'un lycée.
lymphangite n. f. Inflammation des vaisseaux lymphatiques.
lymphatique adj. Relatif à la lymphe. *Vaisseaux lymphatiques,* où circule la lymphe. Atteint de lymphatisme : *tempérament lymphatique.* N. Individu ayant ce tempérament.
lymphatisme n. m. Tempérament caractérisé par la blancheur de la peau, la mollesse des muscles, etc.
lymphe n. f. Liquide jaunâtre ou incolore, qui tient en suspension des globules blancs et circule dans les vaisseaux lymphatiques.
lynchage n. m. Exécution par la foule.
lyncher v. tr. Exécuter sommairement.
lynx n. m. Genre de mammifères carnassiers. *Yeux de lynx,* très perçants.
lyonnais, e adj. et n. De Lyon.
lyre n. f. Anc. instrument de musique à cordes. *Fig.* Génie poétique.
lyrique adj. Relatif à la lyre. *Poésie lyrique,* qui exprime des sentiments personnels, etc. *Fig.* Qui est plein d'enthousiasme, d'inspiration.
lyrisme n. m. Langage lyrique. Style poétique. Enthousiasme vibrant.

M

m n. m. Treizième lettre et dixième des consonnes de l'alphabet. M, chiffre romain, vaut mille.
ma adj. poss. fém. V. MON.
macabre adj. Funèbre.
macadam [*dam'*] n. m. Système d'empierrement des routes en pierres concassées et agglomérées.
macadamiser v. tr. Couvrir en macadam.
macaque n. m. Genre de singes. *Fig.* Homme très laid.
macareux n. m. Genre d'oiseaux palmipèdes voisins des pingouins.
macaron n. m. Pâtisserie de pâte d'amandes.
macaroni n. m. Pâte de semoule de blé dur, moulée en tubes longs.
macaronique adj. Se dit d'une poésie burlesque où l'on affuble les mots de terminaisons latines.
macédoine n. f. Mets composé de toutes sortes de fruits ou de légumes coupés en morceaux.
macédonien, enne adj. et n. De Macédoine.
macération n. f. Action de macérer ou de se macérer.
macérer v. tr. Mettre en contact prolongé avec un liquide pour dissoudre les parties solides : *macérer des plantes.* V. pr. et *fig.,* soumettre son corps à des austérités, le mortifier pour l'amour de Dieu.
machaon [*ka*] n. m. Genre de papillons.
mâche n. f. Sorte de salade.
mâchefer n. m. Scorie formée du résidu de la houille qu'on brûle dans les forges.
mâchelier, ère adj. et n. f. Se dit des dents molaires.
mâcher v. tr. Broyer avec les dents. Couper en déchirant les fibres. *Mâcher la besogne,* la préparer.
machiavélique [*kya*] adj. Qui tient du machiavélisme ; perfide, éhonté.
machiavélisme [*kya*] n. m. Conduite artificieuse et perfide.
mâchicoulis n. m. Au Moyen Age, balcon en maçonnerie, au sommet des murailles.
machinal, e*, aux adj. Se dit des mouvements naturels où la volonté n'a point de part : *acte machinal.*
machinateur n. m. Qui machine.
machination n. f. Action de machiner. Ce qui est machiné : *déjouer une machination.*
machine n. f. Appareil combiné pour produire certains effets. Ensemble des organes du corps de l'homme ou d'un animal. *Fig.* Homme qui obéit à l'impulsion d'autrui : *l'esclave n'est qu'une machine.*
machiner v. tr. Former, combiner : *machiner une conspiration.* Etablir les machines d'un théâtre.
machinerie n. f. Construction de machines. Machines employées à un travail. Endroit où sont les machines : *la machinerie d'un navire.*
machinisme n. m. Combinaison de machines. Emploi des machines.
machiniste n. m. Celui qui conduit des machines. Celui qui, dans un théâtre, exécute les changements de décors.

mâchoire n. f. Pièce osseuse qui supporte les dents. Pièce dont on peut rapprocher les parties pour saisir, maintenir.
mâchonnement n. m. Action de mâchonner.
mâchonner v. tr. Mâcher difficilement. Articuler d'une manière indistincte : *mâchonner des injures.*
mâchure n. f. Ecrasement par contusion : *les mâchures d'une poire.*
mâchurer v. tr. Barbouiller de noir.
macle n. f. Cristallisation résultant de la pénétration de deux cristaux de même nature.
maçon n. m. Ouvrier qui exécute tous les travaux de construction en pierres, moellons, briques, etc.
maçonnage n. m. Ouvrage de maçon.
maçonner v. tr. Construire en maçonnerie. Revêtir d'une maçonnerie.
maçonnerie n. f. Ouvrage du maçon : *la maçonnerie d'une maison.* Se dit pour franc-maçonnerie.
maçonnique adj. Qui appartient à la franc-maçonnerie : *loge maçonnique.*
macreuse n. f. Canard des régions boréales. Viande maigre qu'on trouve sur l'os à moelle de l'épaule.
macrocéphale adj. Qui a une grande tête.
macrocosme n. m. Univers, par opposition à l'homme ou *microcosme.*
maculature n. f. Feuille tachée, mal imprimée.
macule n. f. Tache, souillure.
maculer v. tr. Tacher : *maculer d'encre.*
madame n. f. Titre donné autrefois aux dames de qualité et aujourd'hui à toute femme mariée. La maîtresse de la maison : *Madame est servie.* Pl. *mesdames.*
madécasse adj. et n. De Madagascar. (Vx.)
madeleine n. f. Gâteau fait de sucre, d'œufs et de farine, etc.
mademoiselle n. f. Titre donné aux femmes non mariées. Nom autrefois donné aussi à une femme mariée dont le mari n'était pas noble.
madère n. m. Vin de l'île de Madère.
madone n. f. Image de la Vierge.
madras [*drass*] n. m. Etoffe légère de soie et de coton. Coiffure formée d'un foulard de cette étoffe.
madré, e adj. et n. Rusé, matois.
madrépore n. m. Colonie de polypes.
madrier n. m. Planche épaisse employée dans diverses constructions.
madrigal n. m. Petite pièce de vers fine, tendre ou galante.
madrilène adj. et n. De Madrid.
maestria n. f. Beauté d'exécution, maîtrise : *morceau enlevé avec maestria.*
maestro n. m. (mot ital. sign. *maître*). Compositeur de musique.
mafflu, e adj. et n. *Fam.* Joufflu.
mafia n. f. Association secrète de malfaiteurs.
magasin n. m. Lieu préparé pour recevoir des marchandises, des provisions. Boutique : *magasin d'épicerie.* Partie d'une arme à répétition, contenant l'approvisionnement de cartouches.
magasinage n. m. Séjour d'une marchandise en magasin : *droits de magasinage.*
magasinier n. m. Qui garde un magasin.
magazine n. m. Périodique, généralement illustré.
mage n. m. Membre de la caste sacerdotale, chez les Mèdes et les Perses.
magicien, enne n. Qui fait profession de magie. *Fig.* Qui produit des choses étonnantes : *magicien de la couleur.*
magie n. f. Art prétendu de produire, au moyen de pratiques bizarres, des effets contraires aux lois naturelles. *Fig.* Puissance de séduction : *la magie du style.*
magique* adj. Qui tient de la magie : *pouvoir magique. Fig.* Merveilleux.
magister [*tèr*] n. m. Maître d'école de village. *Fam.* Pédant.
magistère n. m. Maîtrise. Enseignement.
magistral, e*, aux adj. Qui tient du maître, imposant, remarquable : *ton magistral.* Décisif : *magistrale correction.*
magistrat n. m. Officier civil, revêtu d'une autorité judiciaire ou administrative.
magistrature n. f. Dignité, charge du magistrat. Durée de cette charge. Corps des magistrats.
magma n. m. *Chim.* Masse pâteuse.
magnanarelle n. f. Femme qui s'occupe de l'élevage des vers à soie.
magnanerie n. f. Bâtiment destiné à l'élevage des vers à soie.
magnanime* adj. Qui a l'âme grande, élevée. Noble, élevé : *pensée magnanime.*
magnanimité n. f. Grandeur d'âme, générosité.
magnat [*magh-na*] n. m. Capitaliste ou personnage très puissant.
magnésie n. f. Oxyde de magnésium.
magnésite n. f. Silicate naturel de magnésium, dit *écume de mer.*
magnésium n. m. Métal solide, très léger, blanc d'argent, brûlant à l'air avec une flamme éblouissante.
magnétique* adj. Qui appartient à l'aimant ou possède ses propriétés : *fer magnétique.* Qui appartient au magnétisme animal. *Fig.* Qui a une influence puissante et mystérieuse : *regard magnétique.*
magnétiser v. tr. Communiquer les propriétés de l'aimant. Communiquer, au moyen de passes, le magnétisme animal. *Fig.* Exercer une action puissante et mystérieuse sur : *magnétiser ses troupes.*
magnétiseur n. m. Qui magnétise.
magnétisme n. m. Tout ce qui regarde les propriétés de l'aimant. Partie de la physique dans laquelle on étudie les propriétés des aimants.
magnéto n. f. Machine magnéto-électrique.
magnéto-électrique adj. Qui tient à la fois des phénomènes magnétiques et électriques.
magnétophone n. m. Appareil pour l'enregistrement magnétique du son sur fil ou ruban métallique.
magnificat n. m. invar. Cantique de la Vierge.
magnificence n. f. Qualité de ce qui est magnifique. Faste, luxe. Générosité, somptuosité. Pl. Objet somptueux. Acte de libéralité.
magnifique* adj. Qui a de l'éclat, de la beauté : *palais magnifique. Fig.* Glorieux : *titre magnifique.* Pompeux : *discours magnifique.* Généreux : *prince magnifique.*
magnitude n. f. Grandeur (astronomie).

magnolia [*nyo*] n. m. Arbre à belles et grandes fleurs à odeur suave.
magot n. m. Singe sans queue, du genre macaque. *Fig.* Homme très laid. Figure grotesque de porcelaine.
magot n. m. *Fam.* Argent caché.
maharajah ou **maharadjah** n. m. Titre donné aux princes de l'Inde.
mahométan, e adj. et n. Qui professe la religion de Mahomet.
mahométisme n. m. Religion de Mahomet.
mai n. m. Cinquième mois de l'année.
maie n. f. Pétrin, huche.
maigre* adj. Qui est mal en chair; qui a peu de graisse : *poulet maigre.* Où il n'entre pas de viande ni de graisse : *soupe maigre.* Peu abondant, peu fertile, pauvre en agréments, en ressources. N. m. Chair sans graisse. Aliments maigres.
maigrelet, ette adj. *Fam.* Un peu maigre.
maigreur n. f. Etat d'un corps maigre. *Fig.* Manque d'ampleur, etc.
maigrichon, onne ou **maigriot, otte** adj. et n. *Fam.* Un peu trop maigre.
maigrir v. intr. Devenir maigre. V. tr. Faire devenir maigre; faire paraître maigre : *le noir maigrit.*
mail n. m. Promenade publique, dans certaines villes.
maille n. f. Chacune des petites boucles carrées ou en losange dont l'ensemble forme un réseau. Tissu de bouclettes de fer dont on faisait les armures au Moyen Age. Chaînon d'une chaîne.
maille n. f. Ancienne monnaie de cuivre de très petite valeur. *Avoir maille à partir,* être en contestation.
maillechort n. m. Alliage de zinc, cuivre et nickel, qui imite l'argent.
mailler v. tr. Faire avec des mailles : *mailler un filet.*
maillet n. m. Marteau de bois.
mailloche n. f. Gros maillet de bois.
maillon n. m. Petite maille. Anneau d'une chaîne.
maillot n. m. Lange dont on enveloppe un enfant. *Fig.* Première enfance : *sortir du maillot.* Vêtement de tricot s'appliquant sur la peau.
main n. f. Partie du corps humain, du poignet à l'extrémité des doigts. Objet qui saisit comme une main. *Fig.* Action, travail. *Forcer la main,* contraindre. *Tenir la main,* veiller à. *En venir aux mains,* engager le combat. *Faire main basse,* piller, voler. *N'y pas aller de main morte,* frapper rudement. *Avoir la haute main sur,* commander. *De main de maître,* avec habileté. *Coup de main,* entreprise hardie. *En un tour de main,* en un instant. *De longue main,* depuis longtemps.
main-d'œuvre n. f. Travail de l'ouvrier. Personnel nécessaire pour l'exécution d'un travail donné. Pl. des *mains-d'œuvre.*
main-forte n. f. Assistance donnée à quelqu'un : *prêter main-forte.*
mainmise n. f. Saisie.
mainmorte n. f. Etat des biens inaliénables qui sont soumis à une taxe spéciale, dite de *mainmorte,* tenant lieu de droits de mutation.
maint, e adj. Un grand nombre de : *à maintes reprises.* Plus d'un : *mainte caresse.*
maintenant adv. A présent.
maintenir v. tr. (Se conj. comme *tenir.*) Tenir fixe, en état de stabilité. *Fig.* Faire subsister. Affirmer avec persévérance.
maintien n. m. Action de maintenir. Contenance, attitude.
maire n. m. Premier officier municipal d'une commune et, à Paris, d'un arrondissement.
mairesse n. f. Femme d'un maire.
mairie n. f. Edifice où sont les bureaux du maire.
mais conj. Sert à marquer l'opposition ou la différence entre deux idées; la restriction, l'objection, la surprise, une simple transition, etc. Adv. Plus : *il n'en peut mais.*
maïs n. m. Graminée à grains comestibles.
maison n. f. Edifice, logement où l'on habite. Meubles, ménage. Ensemble des affaires domestiques : *gouverner sa maison.* Personnes qui vivent ensemble. Personnel attaché au service d'une famille : *une nombreuse maison.* Descendance, race : *maison souveraine.* Communauté religieuse. Etablissement commercial, etc.
maisonnée n. f. Les gens d'une famille vivant ensemble.
maisonnette n. f. Petite maison.
maître n. m. Qui commande, gouverne. Qui a des serviteurs, des ouvriers. Celui qui enseigne. Personne d'un savoir, d'un art supérieur : *s'inspirer des maîtres.* Titre donné aux avocats, avoués, notaires, aux personnes revêtues de certaines charges : *maître des requêtes.* Titre que prenait autrefois un ouvrier reçu dans un corps de métier. Qui a de l'empire sur son âme : *maître de ses passions.* *Adjectiv.* Habile, énergique. Premier : *le maître clerc.* Principal : *le maître-autel.*
maîtresse n. f. A presque toutes les acceptions de *maître.* Femme que l'on aime. Adjectiv. *Maîtresse femme,* qui a de la tête, de l'intelligence.
maîtrisable adj. Que l'on peut maîtriser.
maîtrise n. f. Titre de maître dans un métier (vx). Ecole où l'on forme des petits chanteurs affectés au culte et, *par ext.,* l'ensemble de ces enfants. *Fig.* Supériorité, excellence. Possession : *garder la maîtrise de soi-même.*
maîtriser v. tr. Gouverner en maître. Dompter : *maîtriser un animal, maîtriser ses passions.*
majesté n. f. Grandeur suprême. Air de grandeur : *allure pleine de majesté.* Titre particulier des empereurs et des rois : *Sa Majesté* (en abrégé S. M.).
majestueux, euse* adj. Qui a de la majesté : *démarche majestueuse.*
majeur, e adj. Plus grand par le nombre, l'étendue, etc. : *la majeure partie. Fig.* D'une grande importance : *affaire majeure.* Qui a l'âge de la majorité : *fille majeure.* Irrésistible : *force majeure.* N. m. Le doigt du milieu. N. f. Première proposition d'un syllogisme.
major n. m. Officier chargé de l'administration du régiment. Médecin militaire. *Arg. des écoles,* premier d'une promotion.
majoration n. f. Augmentation de prix.
majordome n. m. Maître d'hôtel de grande maison.
majorer v. tr. Augmenter un prix.

majoritaire adj. et n. Se dit d'un système de votation où la majorité absolue obtient tous les sièges.

majorité n. f. Age où l'on jouit de ses droits personnels. Le plus grand nombre : *la majorité des hommes*. Parti qui l'emporte par le nombre dans une assemblée.

majuscule n. f. et adj. Lettre plus grande que les autres et de forme différente.

mal n. m. Ce qui est contraire au bien, à l'ordre. Ce qui est fâcheux, pénible. Dommage matériel, moral : *les maux de la guerre*. Ce qui est contraire au devoir, à la vérité : *le bien et le mal*. Peine, travail : *on a trop de mal ici*. *Mal de mer*, malaise provoqué par le mouvement d'un bateau. *Mal du pays*, nostalgie.

mal, e adj. Mauvais, funeste : *Bon an, mal an; bon gré, mal gré*.

mal adv. Autrement qu'il ne faudrait. *Se trouver mal*, tomber en défaillance. *Etre mal avec quelqu'un*, être brouillé avec lui. *Au plus mal*, très malade.

malachite [*ki*] n. f. Carbonate de cuivre, d'un beau vert.

malade n. et adj. Dont la santé est altérée. *Fig.* Altéré : *imagination malade*.

maladie n. f. Altération dans la santé : *maladie endémique*. Trouble dans les facultés intellectuelles.

maladif, ive* adj. Sujet à être malade : *tempérament maladif*. Qui a le caractère d'une maladie.

maladrerie n. f. Léproserie. (Vx.)

maladresse n. f. Manque d'adresse.

maladroit, e* adj. et n. Qui manque d'adresse : *démarche maladroite*.

malaga n. m. Vin, raisin des environs de Malaga.

malais, e adj. et n. De Malaisie.

malaise n. m. Trouble physiologique. Embarras, gêne : *malaise financier*. *Fig.* Inquiétude, tourment d'esprit.

malaisé*, e adj. Difficile, pénible.

malandrin n. m. Vagabond, voleur.

malappris, e adj. et n. Grossier.

malaria n. f. (mot ital.). Fièvre paludéenne.

malavisé, e adj. et n. Imprudent.

malaxage n. m. ou **malaxation** n. f. Action de malaxer.

malaxer v. tr. Pétrir pour ramollir : *malaxer du beurre*.

malaxeur n. Appareil pour malaxer.

malbâti, e adj. et n. Mal fait.

malchance n. f. Mauvaise chance.

malchanceux, euse adj. En butte à la malchance.

maldonne n. f. Erreur dans la distribution des cartes.

mâle adj. Du sexe masculin. *Fig.* Qui annonce la force : *visage mâle*. Energique : *style mâle*. *Fleur mâle*, qui ne porte que des étamines. Partie d'un instrument qui entre dans un autre. N. m. : *le mâle et la femelle*.

malédiction n. f. Action de maudire. Paroles par lesquelles on maudit. *Fig.* Malheur, fatalité.

maléfice n. m. Sortilège.

maléfique adj. Qui a une influence surnaturelle et maligne.

malencontreux, euse* adj. Fâcheux.

mal-en-point loc. adj. En mauvais état.

malentendu n. m. Parole, action mal interprétée; méprise.

malepeste! interj. marquant le dépit, l'étonnement.

malfaçon n. f. Ce qu'il y a de mal fait dans un ouvrage : *trouver des malfaçons*.

malfaire v. intr. Faire le mal.

malfaisance n. f. Disposition au mal.

malfaisant, e adj. Qui se plaît à malfaire : *esprit malfaisant*. Nuisible : *boisson malfaisante*.

malfaiteur, trice n. Qui commet des actions coupables, criminelles.

malfamé, e adj. De mauvaise réputation : *maison malfamée*.

malformation n. f. Vice de conformation : *une malformation osseuse*.

malgache adj. et n. De Madagascar.

malgracieux, euse adj. Non gracieux; impoli. (Vx.)

malgré prép. Contre le gré de. Nonobstant : *malgré la pluie*.

malhabile* adj. Inhabile.

malheur n. m. Mauvaise fortune : *tomber dans le malheur*. Accident fâcheux. Mauvaise chance : *porter malheur*. *Jouer de malheur*, avoir mauvaise chance.

malheureux, euse* adj. Non heureux : *hasard malheureux*. Qui est dans le malheur : *situation malheureuse*. Qui annonce le malheur : *un air malheureux*.

malhonnête* adj. et n. Sans probité, contraire à la probité. *Par ext.* Incivil, impoli : *réponse malhonnête*.

malhonnêteté n. f. Manque de probité. Incivilité, impolitesse.

malice n. f. Penchant à nuire, à mal faire. Tour plaisant et malin.

malicieux, euse* adj. et n. Qui a de la malice : *enfant malicieux*.

malignité n. f. Caractère de ce qui est mauvais. Méchanceté. *Par ext.* Qualité de ce qui est nuisible.

malin, igne* adj. Qui prend plaisir au mal (vx). Pernicieux : *fièvre maligne*. Malicieux : *un tour malin*. *Pop.* Difficile : *ce n'est pas malin*. *Esprit malin*, le démon. N. m. Rusé, astucieux : *c'est un malin*. *Le malin*, le démon.

malingre adj. Chétif, faible.

malintentionné, e adj. et n. Qui a de mauvaises intentions.

malle n. f. Petit coffre servant pour le voyage. *Faire ses malles*, partir.

malléabilité [*l-l*] n. f. Qualité de ce qui est malléable.

malléable adj. Pouvant être aplani en lames : *l'or est malléable*. *Fig.* Souple : *esprit malléable*.

malle-poste n. f. Voiture qui faisait le service des dépêches. Pl. des *malles-postes*.

mallette n. f. Petite malle.

malmener v. tr. (Se conj. comme *mener*.) Traiter brutalement.

malotru, e n. Grossier, mal élevé.

malouin, e adj. et n. De Saint-Malo.

malpropre* adj. et n. Qui manque de propreté. *Fig.* Indécent, immoral. Malhonnête : *conduite malpropre*.

malpropreté n. f. Manque de propreté. Indécence. Malhonnêteté.

malsain, e adj. Non sain. Nuisible à la santé : *marécage malsain*. *Fig.* Funeste : *doctrine malsaine*.

malséant, e adj. Contraire à la bienséance : *propos malséant.*
malsonnant, e adj. Qui sonne mal aux oreilles. Contraire à la bienséance.
malt [*malt'*] n. m. Orge germée.
malterie n. f. Usine où l'on prépare le malt pour la brasserie.
malthusianisme n. m. Diminution de la natalité par limitation volontaire.
maltraiter v. tr. Traiter durement.
malveillance n. f. Mauvais vouloir. Dessein de nuire.
malveillant, e adj. Qui veut du mal à. Inspiré par la malveillance. N. Personne malveillante.
malvenu, e adj. Qui manque de droit pour faire une chose : *malvenu à réclamer.* (On écrit aussi *mal venu.*)
malversation n. f. Détournement d'argent dans l'exercice d'une charge publique.
malvoisie n. f. Vin de liqueur grec.
maman n. f. Mère, mot enfantin.
mamelle n. f. Organe de la sécrétion du lait chez les mammifères.
mamelon n. m. Bout de la mamelle. *Par ext.* Eminence arrondie.
mamelonné, e adj. Qui porte des mamelons : *plaines mamelonnées.*
mamelu, e adj. A grosses mamelles.
mammaire adj. Des mamelles.
mammifère adj. Qui a des mamelles. N. m. pl. Classe de vertébrés, possédant des mamelles.
mammouth n. m. Eléphant fossile de l'époque quaternaire.
manager [*djèr*] n. m. Soigneur d'un champion.
manant n. m. Autref., vilain, roturier. Auj., homme grossier.
mancenillier n. m. Grand arbre d'Amérique, aux fruits vénéneux.
manche n. m. Partie d'un outil, etc., par laquelle on le tient.
manche n. f. Partie du vêtement qui couvre le bras. Conduit en toile, en cuir, en métal : *manche à vent.* Au jeu, une des parties liées que l'on est convenu de jouer. Bras de mer entre deux terres.
mancheron n. m. Poignée de charrue.
manchette n. f. Bande au poignet d'une chemise. Note ou addition marginale. Titre de journal en gros caractères.
manchon n. m. Fourrure portative pour les mains. Cylindre pour unir deux tuyaux. Gaine en gaze imprégnée de sels métalliques, qu'on place sur une flamme pour en augmenter l'éclat.
manchot, e adj. et n. Privé ou estropié d'une main ou d'un bras. N. m. Genre de palmipèdes qui n'ont que des moignons d'ailes (pingouins du Sud).
mandant n. m. Celui qui, par un mandat, donne pouvoir à un autre.
mandarin n. m. Haut fonctionnaire chinois. Adj. Propre aux mandarins : *langue mandarine.*
mandarinat n. m. Dignité de mandarin.
mandarine n. f. Petite orange.
mandat n. m. Pouvoir qu'une personne donne à une autre pour agir en son nom : *s'acquitter de son mandat.* Ordre de payer. Formule permettant le transfert d'une somme par la poste ou le télégraphe : *mandat-carte.* Fonctions déléguées par le peuple, par une classe de personnes. Ordre : *mandat d'arrêt.*
mandataire n. Qui a mandat pour agir au nom d'un autre.
mandatement n. m. Action de mandater.
mandater v. tr. Etablir un mandat de paiement. Investir d'un mandat.
mandchou, e adj. et n. De la Mandchourie.
mandement n. m. Instruction adressée par un évêque à ses diocésains.
mander v. tr. Faire savoir par lettre : *mander une nouvelle.* Faire venir : *mander quelqu'un.*
mandibule n. f. Mâchoire.
mandoline n. f. Instrument de musique à cordes, de la famille du luth.
mandragore n. f. Plante narcotique de la famille des solanacées, de saveur et d'odeur désagréables.
mandrill [*il*] n. m. Grand singe d'Afrique occidentale.
mandrin n. m. Pièce sur laquelle le tourneur assujettit son ouvrage. Outil pour égaliser les trous.
manécanterie n. f. *Mus.* Maîtrise.
manège n. m. Lieu où l'on apprend l'équitation. Appareil formé d'un arbre vertical et d'une perche horizontale, à laquelle on attelle un animal pour mouvoir une machine. Installation analogue qui fait tourner des animaux simulés : *manège de chevaux de bois. Fig.* Conduite artificieuse.
mânes n. m. pl. Chez les Romains, âmes des morts.
manette n. f. Levier, clef ou poignée qu'on manœuvre à la main.
manganèse n. m. Métal grisâtre, employé pour la fabrication d'aciers spéciaux.
mangeable adj. Qu'on peut manger.
mangeaille n. f. *Fam.* Nourriture.
mangeoire n. f. Auge où mangent les animaux.
manger v. tr. (Prend un *e* muet après le *g* devant *a* et *o.*) Mâcher et avaler. Consommer, absorber. Dissiper : *manger son bien. Manger des yeux,* regarder avidement. Prendre ses repas : *manger au restaurant.* N. m. Ce qu'on mange : *le boire et le manger.*
mange-tout n. et adj. m. invar. Haricot ou pois dont la cosse se mange.
mangeur, euse n. Qui mange. Qui mange beaucoup. *Fig.* Dissipateur.
mangouste n. f. Mammifère carnassier qui dévore des reptiles.
mangue n. f. Fruit comestible du *manguier,* arbre d'Amérique.
maniabilité n. f. Qualité de ce qui est maniable : *maniabilité d'un avion.*
maniable adj. Aisé à manier. *Fig.* Souple : *caractère maniable.*
maniaque adj. et n. Possédé d'une manie.
manie n. f. Folie dans laquelle l'imagination est frappée d'une idée fixe. Habitude bizarre : *à chacun ses manies.*
maniement n. m. Action de manier.
manier v. tr. (Se conj. comme *prier.*) Tâter, toucher : *manier une étoffe.* Gérer, conduire : *manier des fonds.* Se servir de : *manier la plume.*
manière n. f. Façon d'être ou de faire une chose : *manière de voir.* Façon d'agir habituelle. Sorte, apparence :

une manière de bel esprit. Affectation. Pl. Façons habituelles : *manières distinguées.* Aisance et politesse dans la tenue. *Fam.* Cérémonies : *faire des manières. De manière que* loc. conj. De sorte que. *De manière à* loc. prép. De façon à.
maniérer v. tr. (Se conj. comme *accélérer.*) Affecter, rechercher : *maniérer son style.*
maniérisme n. m. Genre maniéré.
manieur n. m. Qui manie : *manieur d'argent.*
manifestant, e n. Qui prend part à une manifestation.
manifestation n. f. Démonstration : *manifestations d'amitié.* Action de manifester.
manifeste* adj. Evident : *erreur manifeste.*
manifeste n. m. Déclaration.
manifester v. tr. Rendre manifeste; faire connaître. V. intr. Faire une démonstration collective publique.
manigance n. f. Manœuvre secrète.
manigancer v. tr. *Fam.* Tramer.
manille [*niy'*] n. f. Jeu de cartes.
manille n. f. Anneau de chaîne.
manillon n. m. L'as de chaque couleur, au jeu de manille.
manioc n. m. Plante exotique, dont la racine fournit une fécule avec laquelle on fait le tapioca.
manipulateur n. m. Qui manipule.
manipulation n. f. Action de manipuler.
manipuler v. tr. Arranger, mêler, pétrir, etc., avec la main : *manipuler des colis. Fig.* Tripoter.
manique ou **maniche** n. f. Gant dont certains ouvriers cordonniers, bourreliers, etc., protègent leurs mains.
manitou n. m. Le Grand Esprit chez les Indiens d'Amérique. *Pop.* Personnage puissant.
manivelle n. f. Pièce coudée pour faire tourner une roue, etc.
manne n. f. Nourriture miraculeuse que Dieu envoya aux Israélites dans le désert. *Fig.* Aliment abondant.
manne n. f. Panier à deux anses.
mannequin n. m. Figure de bois à l'usage des peintres, des sculpteurs, etc. *Fig.* Homme sans caractère. Forme humaine en bois ou en cartonnage, sur laquelle les tailleurs, les couturières essayent les vêtements. Jeune femme qui, dans une maison de couture, est chargée de présenter les modèles. Epouvantail.
manœuvre n. f. Manière de régler le jeu d'un appareil : *manœuvre d'une pompe.* Exercice que l'on fait faire aux soldats : *grandes manœuvres.* Art de gouverner un vaisseau. *Mar.* Cordage du bord. *Fig.* Brigue, intrigue : *manœuvres frauduleuses.* N. m. Ouvrier qui ne fait que de gros ouvrages. *Fig.* Mauvais artiste.
manœuvrer v. intr. Exécuter des mouvements : *troupe qui manœuvre. Fig.* Prendre des mesures : *manœuvrer pour réussir.* V. tr. Manier : *manœuvrer un voilier.*
manœuvrier n. m. Qui entend bien la manœuvre : *général bon manœuvrier.* Polémiste, politicien habile.
manoir n. m. Habitation de quelque importance, entourée de terres.
manomètre n. m. Appareil servant à mesurer la pression d'un fluide.
manouvrier, ère n. Ouvrier, ouvrière à la journée.
manque n. m. Défaut, absence de quelque chose. *Manque de,* faute de.
manquement n. m. Défaut. Infraction : *manquement à la discipline.*
manquer v. intr. Etre en moins, faire défaut, faire faute. Faillir, tomber en faute. Faillir, échouer : *expérience qui a manqué.* Glisser : *le pied lui a manqué. Manquer de,* ne pas avoir : *manquer d'argent. Ne pas manquer de,* ne pas omettre, être sûr de. *Manquer à,* faire défaut à, se soustraire à; ne pas respecter : *manquer à son devoir. Sans manquer,* sans faute. V. tr. Ne pas réussir : *manquer une affaire.* Laisser échapper : *manquer une occasion.* Ne pas atteindre : *manquer un lièvre.* Mal exécuter : *manquer un travail.*
mansarde n. f. Fenêtre dans un comble brisé. Chambre sous un comble brisé.
mansardé, e adj. En mansarde.
mansuétude n. f. Douceur, indulgence : *parler avec mansuétude.*
mante n. f. Vêtement de femme, ample et sans manches (vx). Genre d'insectes dits *religieuses.*
manteau n. m. Vêtement de dessus ample. Partie de la cheminée, en saillie sur l'âtre. *Fig.* Ce qui couvre : *manteau de lierre.* Garantie, abri, prétexte : *manteau de la vertu. Sous le manteau,* clandestinement.
mantelet n. m. Manteau court.
mantille n. f. Longue écharpe de soie ou de dentelle, que portent sur la tête les Espagnoles.
manucure n. Qui soigne les mains.
manuel, elle* adj. Qui se fait avec la main : *travail manuel.* N. m. Petit livre renfermant les notions essentielles d'un art, d'une science.
manufacture n. f. Vaste établissement industriel.
manufacturer v. tr. Fabriquer.
manufacturier, ère adj. Relatif à la fabrication. Où il y a des manufactures : *pays manufacturier.*
manuscrit, e adj. et n. m. Ecrit à la main, ou à la machine, avant l'impression.
manutention n. f. Administration, gestion. Manipulation de certaines marchandises. Endroit où se fait cette manipulation. Bâtiment où se fabrique le pain pour la troupe.
manutentionnaire n. m. et f. Chef, employé d'une manutention.
manutentionner v. tr. Confectionner; manier des marchandises.
mappemonde n. f. Carte du globe divisé en deux hémisphères.
maquereau n. m. Poisson de mer aux vives couleurs et à chair estimée.
maquette n. f. Ebauche, esquisse. Modèle.
maquignon n. m. Marchand de chevaux. *Fig.* Entremetteur d'affaires.
maquignonnage n. m. Métier de maquignon. *Fig.* Manœuvres louches.
maquignonner v. tr. User d'artifices pour cacher les défauts d'un cheval.
maquillage n. m. Fard.
maquiller v. tr. Farder le visage. *Fig.* Altérer : *maquiller la vérité.*

maquis [*ki*] n. m. En Corse, terrain couvert de broussailles. Groupe de résistants clandestins pendant la Seconde Guerre mondiale.
maquisard n. m. Résistant du maquis.
marabout n. m. Ascète musulman. Petite mosquée desservie par un marabout. Cafetière à large ventre. Genre d'oiseaux échassiers. Plume de cet oiseau.
maraîcher, ère adj. Relatif à la culture des terrains, dits *marais,* qui produisent des légumes. N. Qui se livre à la culture maraîchère.
marais n. m. Terrain abreuvé par des eaux sans écoulement. Terrain où l'on cultive des légumes et des primeurs. *Marais salants,* terrains où l'on fait évaporer l'eau de la mer pour recueillir le sel.
marasme n. m. Apathie. *Fig.* Affaissement : *affaire tombée dans le marasme.*
marasquin n. m. Liqueur de cerises.
marâtre n. f. Bellè-mère, par rapport aux enfants du premier lit. *Par ext.* Mère dénaturée.
maraud, e n. Drôle, drôlesse.
maraudage n. m. Action de marauder.
maraude n. f. Vol de fruits, légumes, etc.
marauder v. intr. Aller à la maraude.
maraudeur, euse n. Qui maraude.
marbre n. m. Calcaire à grain fin, compact et dur. Objet de marbre.
marbrer v. tr. Imiter les veines du marbre. Imprimer sur le corps des marques de coups.
marbrerie n. f. Art du marbrier.
marbrier, ère adj. Relatif au marbre, à son industrie. N. m. Ouvrier qui travaille le marbre.
marbrure n. f. Imitation des veines que l'on voit dans le marbre.
marc [*mar*] n. m. Résidu des fruits pressés pour en extraire le jus : *marc de raisin.* Résidu d'une substance que l'on fait infuser, bouillir, etc. : *marc de café.* Eau-de-vie de marc.
marcassin n. m. Jeune sanglier.
marchand, e n. Qui fait profession d'acheter et de vendre. *Adjectiv.* Relatif au commerce : *valeur marchande. Marine marchande,* ensemble des bâtiments de commerce.
marchandage n. m. Action de marchander.
marchander v. tr. Tâcher d'obtenir à meilleur marché : *marchander du drap.* Accorder à regret : *marchander les éloges.*
marchandeur, euse n. Qui marchande.
marchandise n. f. Ce qui se vend et s'achète : *marchandise de luxe.*
marche n. f. Action de marcher. Allure d'une personne qui marche. Distance d'un lieu à un autre : *une longue marche.* Mouvement qu'exécute un corps d'armée pour se déplacer : *marche forcée.* Mouvement régulier, réglé, d'un corps, d'un mécanisme. Cortège, défilé : *marche triomphale.* Musique destinée à régler le pas : *jouer une marche. Fig.* Cours, développement : *la marche d'une affaire.*
marche n. f. Degré qui sert à monter et à descendre : *marche d'escalier.*
marche n. f. Province militaire des frontières d'un empire. (Vx.)
marché n. m. Lieu public où l'on vend certaines marchandises : *marché couvert.* Réunion de marchands rassemblés pour vendre. Ville où se fait le principal commerce de certains objets. Objets qu'on achète : *faire son marché.* Convention d'achat et de vente : *rompre un marché. Par-dessus le marché,* en outre.
marchepied n. m. Degré pour monter : *marchepied de voiture, d'autel.* Escabeau pour atteindre quelque chose. *Fig.* Moyen de s'élever dans la société.
marcher v. intr. Changer de place en déplaçant ses pieds, avancer : *marcher vite.* Fonctionner : *montre qui marche.* Prospérer : *affaire qui marche.* Tendre progressivement : *marcher à sa ruine. Fam.* Consentir. Croire naïvement à.
marcheur, euse adj. Qui marche.
marcottage n. m. Action de marcotter.
marcotte n. f. Branche tenant encore à la plante mère, que l'on enterre pour qu'elle prenne racine.
marcotter v. tr. Coucher des rejetons pour leur faire prendre racine.
mardi n. m. Troisième jour de la semaine. *Mardi gras,* dernier jour du carnaval.
mare n. f. Amas d'eau stagnante.
marécage n. m. Terrain humide.
marécageux, euse adj. Plein de marécages : *sol marécageux.*
maréchal n. m. Celui qui ferre les chevaux. (On dit aussi *maréchal-ferrant.*) *Maréchal de France,* titre de la dignité conférée à certains généraux. *Maréchal des logis,* sous-officier de cavalerie, d'artillerie ou du train.
maréchalat n. m. Dignité de maréchal de France.
maréchale n. f. Femme d'un maréchal.
maréchalerie n. f. Atelier du maréchal-ferrant.
maréchaussée n. f. Corps de cavaliers chargés jadis de veiller à la sûreté publique (vx). *Fam.* Gendarmerie.
marée n. f. Mouvement périodique des eaux de la mer : *marée montante, descendante.* Poisson de mer frais.
marelle n. f. Jeu d'enfants qui poussent à cloche-pied un palet dans les cases d'une figure tracée sur le sol.
marémoteur, trice adj. Qui utilise la force des marées : *usine marémotrice.*
marengo [*rin*] n. m. Manière d'accommoder un poulet, du veau, à l'huile avec des champignons.
mareyeur, euse n. Marchand, marchande de marée, de poisson.
margarine n. f. Graisse animale ou végétale, succédané du beurre.
marge n. f. Bord, bordure : *la marge d'un fossé.* Blanc, à gauche d'une page écrite : *laisser une marge. Fig.* Latitude : *avoir de la marge. En marge de,* en dehors de.
margelle n. f. Rebord d'un puits.
marger v. tr. (Se conj. comme *manger.*) Placer correctement sur la presse la feuille à imprimer.
margeur, euse n. Qui présente sur la presse les feuillés à imprimer.
marginal, e, aux adj. Qui est écrit en marge : *notes marginales.*
margrave n. m. Chef d'une marche dans l'Empire germanique.
marguerite n. f. *Bot.* Nom vulgaire de diverses composacées (pâquerettes, etc.).

marguillier n. m. Membre du conseil de fabrique d'une paroisse.
mari n. m. Celui qui est uni à une femme par le lien conjugal.
mariable adj. En âge d'être marié.
mariage n. m. Union légale de l'homme et de la femme. Célébration des noces. Un des sept sacrements catholiques. *Fig.* Réunion, association.
marié, e n. Qui vient d'être marié.
marier v. tr. (Se conj. comme *prier.*) Unir par le lien conjugal. Donner un époux ou une épouse à : *marier sa fille. Fig.* Joindre, unir. Assortir : *marier les couleurs.*
marieur, euse adj. Qui aime à marier, à faciliter des mariages.
marigot n. m. Dans les pays tropicaux, bras de fleuve marécageux.
marin, e adj. Qui appartient à la mer : *plante marine.* Qui sert à la navigation sur mer. Qui aime la mer. N. m. Homme employé au service des navires.
marinade n. f. Saumure qui sert à conserver certaines viandes, certains poissons.
marine n. f. Art de la navigation sur mer. Service des marins : *entrer dans la marine.* Administration maritime. Ensemble des navires d'un pays : *marine militaire, marchande.* Tableau qui représente une scène maritime : *peintre de marines.*
mariner v. tr. Laisser tremper de la viande dans une marinade pour l'attendrir, la parfumer.
marinier, ère adj. Qui appartient à la marine. N. m. Celui qui conduit des bateaux sur les rivières. N. f. Blouse.
marionnette n. f. Poupée articulée qu'on fait mouvoir à l'aide de fils. *Fig.* Personne sans caractère.
marital, e*, aux adj. Du mari : *droits maritaux.*
maritime adj. Relatif à la mer, fait par mer; qui est près de la mer.
maritorne n. f. Femme laide, sale.
marivaudage n. m. Langage affecté comme celui de Marivaux. Galanterie un peu précieuse.
marivauder v. intr. Imiter le style de Marivaux. Faire, dire des galanteries spirituelles et raffinées.
marjolaine n. f. Plante aromatique.
marmaille n. f. *Fam.* Troupe d'enfants.
marmelade n. f. Confiture de fruits cuits avec du sucre.
marmitage n. m. Bombardement continu.
marmite n. f. Vase où l'on fait cuire les aliments. Son contenu. *Fam.* Gros obus.
marmitée n. f. Contenu d'une marmite : *une marmitée d'eau.*
marmiter v. tr. Bombarder.
marmiton n. m. Valet de cuisine.
marmonner v. tr. *Pop.* Marmotter.
marmoréen, enne adj. De marbre : *blancheur marmoréenne.*
marmot n. m. Petit garçon. *Pop. Croquer le marmot.* V. CROQUER.
marmotte n. f. Mammifère rongeur des Alpes, qui s'endort tout l'hiver. Malle, boîte à échantillons.
marmottement n. m. Mouvement des lèvres de celui qui marmotte.
marmotter v. tr. Parler entre ses dents : *marmotter des injures.*
marmotteur, euse n. Qui marmotte.
marmouset n. m. Figure grotesque. *Fam.* Enfant.
marnage n. m. Action de marner.
marne n. f. Terre calcaire mêlée d'argile, qui sert d'amendement.
marner v. tr. Ajouter de la marne.
marneux, euse adj. De la nature de la marne : *sol marneux.*
marnière n. f. Carrière de marne.
maroilles [*roual*] n. m. Fromage fermenté.
maronite n. m. Catholique du Liban.
maronner v. intr. *Fam.* Murmurer.
maroquin n. m. Cuir de chèvre tanné. *Fam.* Portefeuille ministériel.
maroquiner v. tr. Apprêter comme le maroquin : *maroquiner du veau.*
maroquinerie n. f. Art de faire le maroquin. Objet en maroquin.
maroquinier n. et adj. m. Qui travaille ou vend des objets en cuir.
marotte n. f. Sceptre surmonté d'une tête grotesque garnie de grelots, attribut de la Folie. Tête en bois ou en carton pour modistes, coiffeurs. *Fig.* et *fam.* Objet d'une affection exagérée : *chacun a sa marotte.*
marouflage n. m. Action de maroufler.
maroufle n. m. Fripon, rustre. (Vx.)
maroufler v. tr. Coller la toile d'un tableau sur une autre toile.
marquage n. m. Action de marquer.
marque n. f. Signe sur un objet, qui le fait reconnaître : *marque de fabrique.* Instrument avec lequel on marque. Trace que laisse sur le corps une lésion : *marques de coups.* Empreinte : *marques de pas.* Insigne, attribut distinctif. Jeton, fiche dont on se sert au jeu. *Fig.* Le trait distinctif. Signe, indice, témoignage.
marquer v. tr. Mettre une marque : *marquer du linge.* Indiquer. *Fig.* Etre le signe de : *voilà qui marque de la méchanceté.* Fixer, assigner : *marquer un jour pour...* Signaler. V. intr. Se distinguer. Laisser une trace.
marqueter v. tr. (Se conj. comme *jeter.*) Marquer de taches. Former de pièces de marqueterie.
marqueterie n. f. Placage de pièces en bois, en marbre de couleur.
marqueteur n. et adj. m. Qui fait des ouvrages de marqueterie.
marqueur, euse n. Qui marque.
marquis n. m. Titre de noblesse entre duc et comte.
marquisat n. m. Titre de marquis. Terre qui comportait ce titre.
marquise n. f. Femme d'un marquis. *Iron.* Femme qui prend des airs d'importance. Espèce d'auvent.
marquoir n. m. Instrument pour marquer. Modèle de lettres à marquer.
marraine n. f. Femme qui tient un enfant sur les fonts baptismaux, ou qui donne un nom à quelque chose : *la marraine d'un navire.*
marri, e adj. Fâché, attristé. (Vx.)
marron n. m. Grosse châtaigne. *Marrons glacés,* châtaignes confites dans du sirop. *Tirer les marrons du feu,* courir des risques dont un autre profite. *Pop.* Coup. Adj. De couleur marron.
marron, onne adj. et n. Se dit des esclaves qui fuyaient dans les bois pour y

vivre en liberté. *Fig.* Qui exerce une profession sans titre.
marronnier n. m. Châtaignier qui produit le marron. *Marronnier d'Inde,* grand arbre ornemental.
mars n. m. Troisième mois de l'année.
marsouin n. m. Genre de mammifères cétacés. *Fam.* Soldat de l'infanterie coloniale.
marsupiaux n. m. pl. Genre de mammifères, caractérisés par une poche ventrale destinée à recevoir leurs petits après la naissance (kangourou, sarigue, etc.).
marteau n. m. Outil de fer, à manche, propre à cogner, à forger. Un des ossements de l'oreille. Tringle qui frappe les cordes du piano. Heurtoir d'une porte.
marteau-pilon n. m. Gros marteau de forge fonctionnant mécaniquement.
martelage n. m. Action de frapper au marteau. Marque faite sur certains arbres par les agents des eaux et forêts.
martèlement n. m. Action de marteler.
marteler v. tr. (Se conj. comme *geler.*) Battre à coups de marteau : *marteler du fer.* Détacher les syllabes : *marteler sa diction.*
martial, e*, aux adj. Belliqueux : *air martial. Cour martiale,* tribunal militaire.
martien, enne n. et adj. De la planète Mars.
martinet n. m. Espèce d'hirondelle. Sorte de fouet formé de plusieurs brins. Gros marteau d'usine, à vapeur ou hydraulique.
martingale n. f. Courroie qui empêche le cheval de donner de la tête. Languette d'étoffe pour tenir un pli fermé. Système de jeu qui assure un bénéfice par augmentation progressive de la mise.
martin-pêcheur n. m. Passereau au plumage brillant et métallique. Pl. des *martins-pêcheurs.*
martre n. f. Petit mammifère carnassier.
martyr, e n. Qui a souffert la mort pour soutenir la vérité de sa religion. *Par ext.* Qui a souffert la mort ou des tourments pour ses opinions. Qui souffre beaucoup.
martyre n. m. Tourments, mort, endurés pour la foi. *Fig.* Grande douleur.
martyriser v. tr. Faire souffrir le martyre. *Fig.* Faire souffrir.
martyrologe n. m. Catalogue des martyrs ou des saints. *Par ext.* Catalogue de victimes : *le martyrologe de la science.*
marxisme n. m. Ensemble des doctrines socialistes de Karl Marx, fondées sur le matérialisme historique.
marxiste n. Partisan du marxisme.
mas [*mâss*] n. m. Maison de campagne, ferme dans le midi de la France.
mascarade n. f. Déguisement avec masques. Troupe de gens masqués. *Fig.* Déguisement.
mascaret n. m. Phénomène qui se produit à l'embouchure de certains fleuves par la résistance qu'ils présentent à l'arrivée du flot marin.
mascaron n. m. Figure grotesque employée en décoration.
mascotte n. f. *Fam.* Fétiche.
masculin, e adj. Qui appartient au mâle. *Gramm. Nom du genre masculin,* nom qui désigne un être masculin ou tout objet regardé comme tel. *Rime masculine,* qui ne finit pas par un *e* muet ou une syllabe muette. N. m. Le genre masculin.
masculiniser v. tr. Donner des manières mâles, masculines à.
masculinité n. f. Caractère masculin.
masque n. m. Faux visage de carton peint pour se déguiser. Loup de velours, de satin, etc., dont les femmes se couvraient le visage. Toile métallique dont on se couvre le visage dans l'escrime, en apiculture. Personne masquée. Moulage pris sur le visage de quelqu'un. *Fig.* Physionomie, figure, expression. Apparence trompeuse : *prendre un masque.*
masquer v. tr. Déguiser à l'aide d'un masque. Mettre un masque. *Fig.* Cacher : *masquer une fenêtre.*
massacrant, e adj. Maussade, insupportable : *humeur massacrante.*
massacre n. m. Carnage, tuerie de gens, de bêtes : *le massacre de la Saint-Barthélemy.* Travail exécuté maladroitement. Mauvais ouvrier. (Vx.)
massacrer v. tr. Tuer en masse : *massacrer du gibier.* Gâter un travail : *massacrer un portrait.*
massacreur n. m. Qui massacre.
massage n. m. Action de masser.
masse n. f. Amas, bloc : *masse de pierres, de plomb, la masse d'un monument.* Corps, objet informe. Totalité : *la masse des créanciers.* Fonds d'argent commun à une société : *masse sociale.* Caisse commune à laquelle contribuent plusieurs personnes : *la masse d'un atelier.* Qualité de la matière qui en conditionne le poids en un point donné. Pl. La foule.
masse n. f. Gros marteau. Bâton orné, insigne des massiers. Gros bout de queue de billard.
massepain n. m. Gâteau, biscuit de pâte d'amandes.
masser v. tr. Pétrir avec la main une partie du corps : *masser une foulure.* Grouper, réunir : *masser des troupes.* Frapper une bille avec la masse, au billard. V. pr. Se réunir en foule.
massette n. f. Sorte de jonc. Gros marteau de tailleur de pierres, etc.
masseur, euse n. Personne qui masse.
massicot n. m. Machine à rogner le papier.
massier n. m. Huissier qui porte une masse dans les cérémonies.
massier, ère n. Dans un atelier de peinture ou de sculpture, celui, celle qui recueille les cotisations et pourvoit aux dépenses communes de l'atelier.
massif, ive* adj. Epais, pesant : *corps massif.* Ni creux ni plaqué : *or massif. Fig.* Grossier, lourd : *construction massive.* N. m. Construction pleine et solide. Bosquet, groupe de fleurs. Ensemble de hauteurs : *le massif du Mont-Blanc.*
massiveté n. f. Aspect massif.
massue n. f. Bâton noueux plus gros à un bout qu'à l'autre : *la massue d'Hercule. Fig. Coup de massue,* événement imprévu et accablant.
mastic n. m. Résine du lentisque. Composition pâteuse pour boucher des trous, pour fixer les vitres.
masticage n. m. Bouchage au mastic.

masticateur adj. m. Qui sert à la mastication. N. m. Ustensile servant à broyer les aliments.
mastication n. f. Action de mâcher.
mastiquer v. tr. Coller avec du mastic : *mastiquer des carreaux.*
mastiquer v. tr. Mâcher.
mastoc adj. Lourd, épais.
mastodonte n. m. Genre de grands mammifères fossiles voisins de l'éléphant. *Fig.* et *fam.* Personne d'une énorme corpulence.
mastoïdien, enne adj. Se dit d'une éminence de l'os temporal.
mastoïdite n. f. Inflammation de l'os mastoïdien.
mastroquet n. m. *Pop.* Marchand de vin au détail. (Vx.)
masure n. f. Ce qui reste d'un bâtiment en ruine. Méchante demeure.
mat [*mat'*] n. m. Aux échecs, position du roi qui ne peut se soustraire à l'échec. *Adjectiv. : être mat.*
mat, e [*mat'*] adj. Sans éclat, sans poli. Sans résonance : *bruit mat.*
mât n. m. Longue pièce de bois qui porte la voile d'un navire.
matador n. m. Celui qui, dans les courses de taureaux, est chargé de tuer l'animal.
matamore n. m. Faux brave.
match n. m. Epreuve sportive disputée entre deux concurrents ou deux équipes. Pl. des *matches.*
matelas n. m. Grand coussin piqué, rempli de laine, de bourre ou de crin, qui garnit un lit.
matelasser v. tr. Garnir à la façon d'un matelas : *porte matelassée.*
matelassier, ère n. Qui fait, répare, carde les matelas.
matelassure n. f. Rembourrage.
matelot n. m. Homme de l'équipage d'un bâtiment. Chacun des vaisseaux d'une ligne, considéré par rapport à celui qu'il précède ou qu'il suit.
matelote n. f. Mets de poisson accommodé au vin et aux oignons.
mater v. tr. Faire mat aux échecs. *Fig.* Soumettre, dompter : *mater l'opposition.*
mâter v. tr. Garnir de mâts.
matérialisation n. f. Action de matérialiser : *la matérialisation d'une idée.*
matérialiser v. tr. Rendre matériel. Considérer comme matériel.
matérialisme n. m. Doctrine qui réduit tout à l'unité de la matière. Recherche des jouissances matérielles.
matérialiste adj. et n. Qui appartient au matérialisme. Partisan de cette doctrine : *esprit matérialiste.*
matérialité n. f. Qualité de ce qui est matière ou matériel.
matériaux n. m. pl. Toutes matières qui entrent dans la construction d'un bâtiment. (On emploie souvent, dans le langage technique, le sing. *matériau.*) *Fig.* Documents réunis pour la composition d'un ouvrage d'esprit.
matériel, elle* adj. Formé de matière. De la matière : *force matérielle. Par ext.* Où domine la matière; lourd, massif. *Fig.* Relatif au corps : *les plaisirs matériels.* Attaché aux choses grossières : *esprit matériel.* N. m. Ce qui sert à une exploitation, à un service public, etc. : *matériel de chemin de fer.*
maternel, elle* adj. Propre à une mère : *tendresse maternelle.* Du côté de la mère : *parents maternels. Langue maternelle,* du pays où l'on est né. N. f. Ecole maternelle, pour les petits.
maternité n. f. Qualité de mère. Etablissement hospitalier où s'effectuent les accouchements.
mathématicien, enne n. Qui s'adonne à l'étude des mathématiques.
mathématique* adj. Relatif aux mathématiques. *Fig.* Rigoureux : *précision mathématique.* N. f. pl. Science qui a pour objet les propriétés de la grandeur, calculable ou mesurable.
matière n. f. Corps, substance, étendue divisible, pesante, qui tombe sous les sens. Ce dont une chose est faite : *la matière d'une statue.* Choses physiques. *Matières premières,* qui n'ont encore subi aucun travail. *Fig.* Sujet d'un écrit, d'un discours : *entrer en matière.*
matin n. m. Temps entre minuit et midi. Partie du jour entre le lever du soleil et midi. Adv. De bonne heure : *se lever matin.*
mâtin n. m. Gros chien de garde. Interj. Exclamation d'étonnement. *Fam.* Personne espiègle ou hardie.
matinal, e*, aux ou **als** adj. Propre au matin. Qui s'est levé matin.
mâtiné, e adj. Qui n'est pas de race pure : *épagneul mâtiné de dogue.*
matinée n. f. Temps depuis le point du jour jusqu'à midi. Spectacle qui a lieu dans l'après-midi. Vêtement d'intérieur pour les femmes.
mâtiner v. tr. Faire couvrir une chienne par un chien d'autre race.
matines n. f. pl. Partie de l'office divin dite après minuit.
matineux, euse adj. Qui a l'habitude de se lever matin.
matité n. f. Etat de ce qui est mat.
matois, e adj. et n. Rusé, fin.
matou n. m. Chat mâle.
matraque n. f. Bâton, trique.
matras n. m. Vase à long col.
matrice n. f. Viscère où a lieu la conception. Moule en creux ou en relief. Registre d'après lequel sont établis les rôles des contributions.
matricule n. f. et adj. Registre, rôle où sont inscrits ceux qui entrent dans un hôpital, une prison, un régiment, etc. *Par ext.* Inscription sur ce registre. Extrait de cette inscription. N. m. Numéro d'inscription.
matriculer v. tr. Inscrire sur la matricule. Marquer d'un matricule.
matrimonial, e*, aux adj. Du mariage.
matrone n. f. Ancienne dame romaine. Femme d'un certain âge et respectable.
maturation n. f. Action de mûrir.
mâture n. f. Les mâts d'un navire.
maturité n. f. Etat de ce qui est mûr. *Fig.* Etat de ce qui est parvenu à son complet développement. Circonspection que donne l'âge : *agir avec maturité.* Période de la vie comprise entre la jeunesse et la vieillesse.
matutinal, e, aux adj. Relatif au matin.

maudire v. tr. (Se conj. comme *dire,* excepté au plur. de l'ind. prés. et de l'impér., à l'imparf., au partic. prés. : *nous maudissons, vous maudissez, ils maudissent. Maudissons, maudissez. Je maudissais. Maudissant.*) Prononcer une malédiction contre quelqu'un ou quelque chose. Détester, s'emporter contre.

maudit, e adj. et n. Frappé d'une malédiction. *Par exagér.* Très mauvais : *maudit métier.*

maugréer v. intr. Pester, s'emporter : *maugréer contre un fâcheux.*

maure adj. et n. De l'ancienne Mauritanie.

mauresque adj. Propre aux Maures.

mausolée n. m. Monument funéraire.

maussade* adj. Chagrin, hargneux. Désagréable : *temps maussade.*

maussaderie n. f. Humeur maussade.

mauvais, e adj. Qui n'est pas bon : *mauvais pain.* Méchant : *mauvaise femme.* Médiocre : *mauvais poète.* Funeste : *mauvais présage.* Dangereux : *mauvais livre.* Fâcheux : *trouver mauvais.* Malicieux, mordant : *avoir la dent mauvaise. Mauvaise tête,* personne indisciplinée. *Mauvais sujet,* d'une mauvaise conduite. N. m. Ce qui est mauvais.

mauve n. f. Herbe à fleurs d'un violet pâle. Adj. De la couleur des fleurs de mauve. N. m. La couleur mauve.

mauviette n. f. Alouette grasse. *Fig.* et *fam.* Personne de complexion délicate.

maxillaire adj. Des mâchoires. N. m. Os des mâchoires.

maximal, e, aux adj. Se dit de ce qui est au plus haut degré : *température maximale.*

maxime n. f. Proposition énoncée sous la forme d'un précepte.

maximum [*mom*] n. m. Le plus haut degré qu'une chose puisse atteindre : *maximum des prix. Au maximum,* au plus haut degré. Pl. des *maxima* ou *maximums.*

maxwell n. m. Unité de flux magnétique.

mayonnaise n. f. Sauce de jaune d'œuf et d'huile battus ensemble.

mazagran n. m. Café froid.

mazdéisme n. m. Religion des anciens Iraniens qui admet deux principes : l'un bon, Ormuzd; l'autre mauvais, Ahriman.

mazette n. f. Mauvais petit cheval. *Fig.* Personne sans capacité. Interj. Exclamation d'étonnement.

mazout n. m. Résidu combustible de la distillation des pétroles bruts.

mazurka n. f. Danse d'origine polonaise. Air de cette danse.

me pr. pers. de la 1re pers. du sing. Moi, à moi.

mea-culpa n. m. Aveu d'une faute, d'une erreur : *faire son mea-culpa.*

méandre n. m. Sinuosité d'un fleuve : *les méandres de la Seine. Fig.* Détour, ruse.

méat n. m. Orifice d'un conduit.

mécanicien, enne n. Personne qui construit, qui conduit, qui entretient ou qui répare une machine, une locomotive, etc.

mécanique* adj. Relatif aux lois du mouvement et de l'équilibre. Qui exige le travail des mains ou des machines : *arts mécaniques.* Machinal : *opération mécanique.* N. f. Branche des mathématiques qui traite du mouvement et de l'équilibre des forces et des machines. Combinaison d'organes d'une machine.

mécaniser v. tr. Rendre mécanique.

mécanisme n. m. Combinaison d'organes disposés pour la production d'un fonctionnement d'ensemble : *le mécanisme d'une montre.* Ensemble de procédés purement mécaniques. Maniement d'un instrument.

mécanographie n. f. Emploi des machines pour l'exécution du travail de bureau.

mécanothérapie n. f. Réadaptation musculaire au moyen d'appareils mécaniques.

mécène n. m. Protecteur des artistes et des savants : *jouer au mécène.*

méchamment adv. Avec méchanceté.

méchanceté n. f. Penchant à faire le mal. Action, parole méchante.

méchant, e adj. Porté au mal : *homme méchant.* Exprimant la méchanceté : *regard méchant.* (Placé avant le nom.) Qui ne vaut rien : *méchant poète.* Désagréable : *méchante affaire.* Maussade : *de méchante humeur.* N. m. Personne méchante.

mèche n. f. Tresse de coton, de fil. Bout de ficelle qu'on attache au fouet. Corde préparée pour mettre le feu à une mine. Bouquet de cheveux. Extrémité de la vrille, du vilebrequin, du tire-bouchon, etc. *Eventer la mèche,* découvrir un complot. *Vendre la mèche,* livrer un secret. *Etre de mèche,* être d'accord.

mécompte n. m. Erreur dans un compte. *Fig.* Déception.

méconnaissable adj. Malaisé à reconnaître, très changé : *visage méconnaissable.*

méconnaissance n. f. Action de méconnaître.

méconnaître v. tr. (Se conj. comme *connaître.*) Ne pas reconnaître.

mécontent, e adj. et n. Qui n'est pas content.

mécontentement n. m. Manque de contentement, de satisfaction.

mécontenter v. tr. Rendre mécontent.

mécréant, e adj. et n. Infidèle, impie.

médaille n. f. Pièce de métal frappée en mémoire d'une action mémorable ou en l'honneur d'un personnage illustre. Pièce de métal donnée en prix. Récompense donnée au mérite, au courage : *médaille militaire.* Pièce de métal représentant un sujet de dévotion : *médaille bénite. Fig. Le revers de la médaille,* le mauvais côté d'une chose.

médaillé, e adj. et n. Qui a reçu une médaille.

médaillier n. m. Collection de médailles. Meuble qui les renferme.

médaillon n. m. Bijou de forme circulaire où l'on place un portrait, des cheveux, etc. Bas-relief circulaire.

médecin n. m. Qui exerce la médecine. S'emploie adjectiv. au f. : *femme médecin.*

médecine n. f. Science qui a pour but la conservation et le rétablissement de la santé : *docteur en médecine.* Profession de médecin : *l'exercice de la médecine. Médecine légale,* qui étudie les problèmes médicaux posés par la loi. Remède, purge. *Fig.* Chose rebutante.

médial, e, aux adj. Qui est au milieu.

médian, e adj. Placé au milieu. N. f. Dans un triangle, droite qui joint un sommet du triangle au milieu du côté opposé.

médianoche n. m. Souper, repas fait après minuit.
médiastin n. m. Région qui sépare, dans la poitrine, la face interne des deux poumons.
médiat adj. Qui ne touche à une chose que par un intermédiaire.
médiateur, trice n. Qui s'entremet pour amener un accord.
médiation n. f. Entremise.
médical, e*, aux adj. De la médecine.
médicament n. m. Remède.
médicamentaire adj. Qui traite des médicaments.
médicamenter v. tr. Donner, administrer des médicaments.
médicamenteux, euse adj. Qui a la vertu d'un médicament : *substance médicamenteuse.*
médicastre n. m. Mauvais médecin.
médication n. f. Emploi d'agents thérapeutiques.
médicinal, e, aux adj. Qui sert de remède : *plante médicinale.*
médico-légal, e, aux adj. Relatif à la médecine légale.
médiéval, e, aux adj. Du Moyen Age.
médiéviste n. Erudit qui s'occupe du Moyen Age.
médiocre* adj. Qui est entre le grand et le petit, le bon et le mauvais : *ouvrage médiocre.* N. m. Ce qui est médiocre.
médiocrité n. f. Etat, qualité de ce qui est médiocre.
médire v. intr. (Se conj. comme *dire,* sauf à la 2e pers. du pl. du prés. de l'ind. et de l'impér. : *vous médisez; médisez.*) Dire de quelqu'un un mal qui est vrai.
médisance n. f. Action de médire. Paroles ou personnes qui médisent.
méditatif, ive adj. et n. Porté à la méditation. Penseur, rêveur. Qui annonce la méditation : *air méditatif.*
méditation n. f. Action de méditer, réflexion. Oraison mentale.
méditer v. tr. Soumettre à des réflexions, à un examen. Projeter, combiner : *méditer une évasion.* V. intr. Se livrer à la réflexion. Faire une méditation pieuse.
méditerranéen, enne adj. De la Méditerranée.
médium [*dyom*] n. m. Personne prétendant servir d'intermédiaire entre les hommes et les esprits. Etendue vocale entre le grave et l'aigu.
médius [*dyuss*] n. m. Le doigt du milieu.
médoc [*dok*] n. m. Vin du Médoc.
médullaire adj. De la moelle.
méduse n. f. *Zool.* Animal aquatique à corps gélatineux.
méduser v. tr. *Fam.* Frapper de stupeur.
meeting [*mitin'g*] n. m. Réunion de caractère politique, syndicaliste, sportif.
méfait n. m. Mauvaise action. Dégâts : *les méfaits de la grêle.*
méfiance n. f. Manque de confiance.
méfiant, e adj. et n. Qui se méfie.
méfier (se) v. pr. (Se conj. comme *prier.*) Ne pas se fier.
mégalithique adj. Se dit des constructions préhistoriques faites de gros blocs de pierre (menhirs, etc.).
mégalomane n. et adj. Affecté de mégalomanie ou délire des grandeurs.
mégarde n. f. Faute d'attention.
mégathérium [*ryom*] n. m. Genre de grands mammifères fossiles.
mégère n. f. Femme très méchante.
mégisserie n. f. Travail du mégissier.
mégissier n. m. Qui apprête les peaux.
méhari n. m. Dromadaire domestique d'Afrique. Pl. des *méharis* ou *méhara.*
méhariste n. m. Soldat d'Afrique monté sur un méhari.
meilleur, e adj. Qui vaut mieux. N. m. *Le meilleur,* ce qui est préférable.
méjuger v. intr. (Se conj. comme *juger.*) Se tromper dans un jugement.
mélancolie n. f. Dépression physique et morale. Humeur noire. Tristesse vague : *douce mélancolie.*
mélancolique* adj. Qui est dans une sombre tristesse. Momentanément triste. Qui inspire la mélancolie.
mélange n. m. Action de mêler. Résultat de plusieurs choses mêlées ensemble. Croisement de races.
mélanger v. tr. (Se conj. comme *manger.*) Faire un mélange : *mélanger des couleurs.* Réunir des personnes diverses.
mélangeur n. m. Appareil pour mélanger.
mélasse n. f. Matière sirupeuse, résidu du raffinage du sucre.
mêlé, e adj. *Société mêlée, monde mêlé,* où il se trouve des personnes de diverses classes sociales.
mêlée n. f. Combat acharné corps à corps. Rixe entre plusieurs individus. Conflit : *la mêlée des intérêts.*
mêler v. tr. Mélanger : *mêler de l'eau avec du vin.* Emmêler, embrouiller : *mêler ses cheveux.* Joindre : *mêler l'agréable à l'utile. Fig.* Comprendre dans : *mêler quelqu'un dans une accusation.* V. pr. Se confondre, se joindre : *se mêler au cortège. Fig.* Prendre soin : *se mêler d'une affaire.* S'ingérer mal à propos : *de quoi vous mêlez-vous?*
mélèze n. m. Genre de conifères des pays tempérés.
méli-mélo n. m. *Fam.* Mélange confus et désordonné.
mélinite n. f. Explosif très puissant formé d'acide picrique.
mélisse n. f. Labiacée aromatique.
mélo n. m. Abrév. de MÉLODRAME.
mélodie n. f. Suite de sons qui flattent l'oreille.
mélodieux, euse* adj. Plein de mélodie : *chant mélodieux.*
mélodique adj. Relatif à la mélodie.
mélodramatique adj. Qui tient du mélodrame.
mélodrame n. m. Drame populaire à émotions violentes.
mélomane n. et adj. Qui aime la musique avec passion.
melon n. m. Espèce de légume du genre concombre, à chair juteuse et sucrée. Fruit de cette plante. Chapeau rond. *Melon d'eau,* pastèque.
melonnière n. f. Lieu réservé à la culture du melon.
mélopée n. f. Chant rythmé qui accompagne la déclamation. Chant monotone : *une mélopée funèbre.*
membrane n. f. Organe ou partie d'organe en feuillet mince.
membraneux, euse adj. De la nature des membranes : *tissu membraneux.*

membre n. m. Appendice du tronc de l'homme et des animaux : *membres supérieurs. Fig.* Qui fait partie d'une société, d'une famille : *membre d'une académie.* Chacune des expressions d'une équation. Chacune des divisions d'une période, d'un système rythmique.

membru, e adj. A gros membres.

membrure n. f. Ensemble des membres du corps humain; des couples d'un navire.

même adj. qui exprime identité ou parité. Placé immédiatement après les noms ou les pronoms, marque plus expressément la personne, l'objet dont on parle : *ces plantes mêmes; moi-même.* Loc. div. : *A même,* sans intermédiaire, sans interposition de... ; *à même de,* en état de, libre de; *de même,* de la même manière; *de même que,* ainsi que; *tout de même,* néanmoins, malgré cela.

mémento [*min*] n. m. Marque destinée à rappeler le souvenir de quelque chose. Agenda où l'on inscrit ce que l'on veut se rappeler. Ouvrage résumant l'essentiel d'une ou de plusieurs matières. Prières du canon de la messe. Pl. des *mémentos.*

mémoire n. f. Faculté de se souvenir, en général. Souvenir : *j'ai perdu la mémoire de ce fait.* Réputation qui reste après la mort : *laisser une mémoire honorée. Pour mémoire,* terme indiquant en comptabilité qu'un article mentionné n'est pas porté en ligne de compte.

mémoire n. m. Etat de sommes dues. Exposé des faits et moyens relatifs à un procès. Dissertation : *présenter un mémoire à l'Académie.* Pl. Recueil des travaux d'une société savante. Relation écrite d'événements dont on a été le témoin (en ce sens, prend une majuscule).

mémorable* adj. Digne de mémoire.

mémorandum [*dom*] n. m. Note. Carnet de notes. Pl. des *mémorandums.*

mémorial n. m. Mémoire diplomatique. Récit de faits mémorables (prend une majuscule) : *le Mémorial de Sainte-Hélène.*

mémorialiste n. m. Auteur de Mémoires historiques ou littéraires.

menace n. f. Parole, geste marquant l'intention de nuire. Présage : *menace d'orage.*

menacer v. tr. (Se conj. comme *amorcer.*) Faire des menaces : *menacer quelqu'un du fouet.* Faire craindre : *la récolte menace d'être insuffisante.* Mettre en danger : *menacer la vie de quelqu'un.*

ménage n. m. Administration de la maison, travaux domestiques : *les soins du ménage.* Mobilier et ustensiles domestiques. Famille. Mari et femme : *un jeune ménage. Faire bon ménage,* s'accorder. *Femme de ménage,* femme qui vient aider aux soins du ménage.

ménagement n. m. Mesure, prudence.

ménager v. tr. (Se conj. comme *manger.*) Régler, disposer : *ménager une négociation.* Procurer, amener : *ménager une entrevue.* Réserver : *ménager une sortie.* Employer avec ménagement : *ménager son argent, ses paroles, sa voix.* Ne pas accabler : *ménager un adversaire.*

ménager, ère adj. Econome. Qui ménage : *ménager de ses éloges.* N. f. Femme qui s'occupe de son ménage.

ménagerie n. f. Collection d'animaux sauvages ou rares, servant pour l'étude ou pour la curiosité.

mendiant, e n. Qui mendie; indigent. Adj. *Ordres mendiants,* qui vivaient de la charité publique (franciscains, etc.).

mendicité n. f. Action de mendier. Ensemble de mendiants.

mendier v. tr. Demander l'aumône : *mendier son pain. Fig.* Rechercher avec empressement et bassesse : *mendier des approbations.*

meneau n. m. Montant qui divise les fenêtres verticalement ou horizontalement.

menée n. f. Pratique secrète et artificieuse: *les menées d'un intrigant.*

mener v. tr. (Prend un *è* ouvert devant une syllabe muette : *je mène, nous mènerons.*) Conduire : *mener un enfant, mener quelqu'un en prison.* Transporter : *mener des marchandises.* Servir de communication : *tous les chemins mènent à Rome.* Traiter : *mener rudement.* Suivre, tenir: *mener une vie déréglée.* Diriger : *mener une affaire.*

ménestrel n. m. Au Moyen Age, poète ou musicien ambulant.

ménétrier n. m. Dans les campagnes, joueur de violon qui fait danser.

meneur, euse n. Qui mène. *Fig.* Qui dirige une intrigue.

menhir n. m. Monument mégalithique placé debout.

méninge n. f. Chacune des trois membranes enveloppant le cerveau et la moelle épinière.

méningé, e adj. Des méninges.

méningite n. f. Maladie causée par l'inflammation des méninges.

ménisque n. m. Verre convexe d'un côté et concave de l'autre : *ménisque divergent, convergent.* Surface courbe à l'extrémité d'une colonne de liquide contenue dans un tube.

menotte n. f. *Fam.* Petite main. Pl. Liens dont on entoure les poignets des prisonniers : *passer les menottes à quelqu'un.*

mensonge n. m. Parole contraire à la vérité. Fable, fiction. *Fig.* Vanité, erreur, illusion.

mensonger, ère* adj. Faux, trompeur. Décevant : *plaisirs mensongers.*

mensualité n. f. Caractère de ce qui est mensuel. Somme payée mensuellement.

mensuel, elle* adj. Qu'on fait tous les mois : *rapport mensuel.* Qui paraît chaque mois : *revue mensuelle.*

mensurabilité n. f. Qualité de ce qui peut être mesuré.

mensuration n. f. Mesure.

mental, e*, aux adj. Qui se fait en esprit : *calcul mental. Restriction mentale,* réserve tacite. *Aliénation mentale,* trouble de l'esprit.

mentalité n. f. Etat d'esprit.

menterie n. f. *Fam.* Mensonge.

menteur, euse n. et adj. Qui ment.

menthe [*mant'*] n. f. Genre de labiacées odorantes.

menthol [*min*] n. m. Alcool extrait de l'essence de menthe.

mentholé, e adj. Qui contient du menthol : *vaseline mentholée.*

mention n. f. Action de nommer, de citer : *faire mention de quelqu'un.*

mentionner v. tr. Faire mention de.

mentir v. intr. (*Je mens, nous mentons, vous mentez. Je mentais. Je mentis, nous mentîmes. Je mentirai. Mens, mentons, mentez. Que je mente. Que je mentisse. Mentant. Menti, e.*) Affirmer le faux ou nier le vrai.
menton n. m. Partie saillante du visage, au-dessous de la bouche.
mentonnet n. m. Pièce de fer qui reçoit la clenche du loquet. Cliquet.
mentonnière n. f. Bande de cuir qui, passant sous le menton, assujettit le casque, le shako. *Chir.* Bandage de menton.
mentor [*min*] n. m. Guide expérimenté, sage, attentif.
menu, e adj. Mince, petit : *menues branches. Menu peuple,* dernières classes du peuple. *Menus plaisirs,* dépenses de fantaisie. N. m. Liste des mets qui doivent composer un repas. Adv. En petits morceaux : *hacher menu.*
menuet n. m. Danse élégante et grave, en vogue au XVIIIe siècle.
menuiser v. intr. Travailler à des ouvrages de menuiserie.
menuiserie n. f. Art ou ouvrage du menuisier.
menuisier n. Artisan qui fait des meubles et autres ouvrages en bois.
méphistophélique adj. Diabolique : *sourire méphistophélique.*
méphitique adj. D'odeur malfaisante, corrompue : *gaz méphitique.*
méplat, e adj. Plus épais d'un côté que de l'autre. N. m. Chacun des plans dont la réunion forme la surface d'un corps.
méprendre (se) v. pr. (Se conj. comme *prendre.*) Prendre une personne ou une chose pour une autre. *A s'y méprendre,* au point de se tromper.
mépris n. m. Action de mépriser aux divers sens. Pl. Marques de mépris. *Au mépris de,* sans égard à.
méprisable adj. Digne de mépris.
méprise n. f. Erreur de celui qui se méprend.
mépriser v. tr. Considérer comme indigne de considération, d'estime, etc. Ne pas craindre, ne pas redouter : *mépriser le danger.* Négliger.
mer n. f. Vaste amas d'eau salée qui couvre en partie le globe. Portion définie de cette étendue : *la mer Méditerranée. Par exagér.* Grande quantité d'eau ou d'un liquide quelconque. *Par anal.* Vaste superficie : *une mer de sable. Fig.* Quantité de difficultés : *une mer de tribulations.*
mercanti n. m. Commerçant peu honnête.
mercantile adj. Commercial. Qui a la passion du gain.
mercantilisme n. m. Esprit commercial étroit et âpre au gain.
mercenaire adj. Qui se fait pour de l'argent. Qui fait payer ses services : *soldat mercenaire.* Avide de gain. N. Salarié. N. m. Soldat qui sert à prix d'argent.
mercerie n. f. Commerce, marchandises, boutique du mercier.
merceriser v. tr. Rendre brillant des fils et des tissus de coton.
merci n. f. Miséricorde, pitié, grâce : *demander merci. Sans merci,* sans pitié. *A la merci de quelqu'un,* à sa discrétion. N. m. Remerciement.
mercier, ère n. Qui vend de menus objets servant à la couture et à la toilette.
mercredi n. m. Le quatrième jour de la semaine.
mercure n. m. Corps métallique liquide et d'un blanc d'argent, nommé aussi *vif-argent.* (*V. part. hist.*)
mercuriale n. f. Prix courant des denrées sur un marché. *Par ext.* Remontrance, réprimande.
mercuriel, elle adj. Qui contient du mercure : *pommade mercurielle.*
merde n. f. Excrément de l'homme et de quelques animaux. *Pop.* Interjection.
mère n. f. Femme qui a mis au monde un ou plusieurs enfants. Femelle d'animaux : *la mère nourrit ses petits. Par ext.* Qui donne des soins maternels. Qui fournit la subsistance. *Fig.* Source, cause, origine. Lieu de première origine. Supérieure d'un couvent : *mère abbesse. Mère patrie,* pays qui a fondé une colonie. *Langue mère,* langue dont l'évolution a donné naissance à de nouveaux idiomes. *Eau mère,* eau de cristallisation après le dépôt des cristaux.
méridien, enne adj. Relatif au midi. N. m. Grand cercle qui passe par les deux pôles et divise le globe terrestre en deux hémisphères.
méridional, e, aux adj. Qui est au midi. Propre aux peuples du Midi. N. Personne du Midi.
meringue n. f. Pâtisserie délicate garnie de crème fouettée.
meringuer v. tr. Recouvrir d'une pâte de meringue.
mérinos [*noss*] n. m. Mouton de race espagnole. Etoffe faite de sa laine. Adjectiv. : *laine mérinos.*
merisier n. m. Cerisier sauvage.
méritant, e adj. Qui a du mérite.
mérite n. m. Ce qui rend digne de récompense : *homme de mérite. Particul.* Talent, habileté, agrément.
mériter v. tr. Etre digne de : *mériter des éloges.* Avoir droit à : *cela mérite une réponse.* Avoir besoin de : *cela mérite confirmation.* V. intr. *Bien mériter de la patrie,* s'illustrer en la servant.
méritoire* adj. Louable.
merlan n. m. Poisson de mer.
merle n. m. Oiseau à plumage noir, voisin de la grive. *Fig. Merle blanc,* personne ou objet introuvable.
merlin n. m. Massue à long manche pour assommer les bœufs.
merluche n. f. Morue sèche, non salée.
mérovingien, enne adj. et n. De la dynastie des Mérovingiens.
merrain n. m. Bois de chêne fendu en menues planches.
merveille n. f. Chose qui excite l'admiration : *une merveille de beauté. Promettre monts et merveilles,* faire des promesses exagérées. Sorte de pâtisserie.
merveilleux, euse* adj. Admirable, surprenant : *adresse merveilleuse.* Etonnant : *appétit merveilleux.* N. m. Ce qui excite l'admiration ou la surprise. Intervention d'êtres surnaturels dans un poème. N. f. Femme élégante et excentrique, sous le Directoire.
mes, adj. poss., pl. de MON, MA.

mésalliance n. f. Mariage avec une personne d'une condition inférieure.
mésallier v. tr. (Se conj. comme *prier.*) Marier à une personne de naissance ou de condition inférieure.
mésange n. f. Genre de petits passereaux insectivores.
mésaventure n. f. Aventure fâcheuse.
mesdames, mesdemoiselles n. f. pl. Pl. de MADAME, MADEMOISELLE.
mésentente n. f. Manque d'entente.
mésestime n. f. Mépris.
mésestimer v. tr. Ne pas estimer.
mésintelligence n. f. Manque d'accord, d'entente : *époux vivant en mésintelligence.*
mesquin, e* adj. Pauvre, de chétive apparence : *monument mesquin.* Entaché de parcimonie, chiche, ladre : *mesquin en affaire. Fig.* Sans noblesse : *sentiments mesquins.*
mesquinerie n. f. Caractère de ce qui est mesquin.
mess n. m. invar. Salle où mangent en commun les officiers ou les sous-officiers d'un régiment.
message n. m. Commission, chose exécutée sur l'ordre ou la prière de. Communication officielle.
messager, ère n. Chargé d'un message. Conducteur de voiture qui fait un service de messageries. *Fig.* Qui annonce quelque chose.
messagerie n. f. Service de voitures pour le transport des voyageurs et des marchandises. Maison où est établi ce service. Transport rapide par chemin de fer ou bateau : *messageries maritimes.* Marchandises ainsi envoyées.
messe n. f. Sacrifice du corps et du sang de Jésus-Christ, qui se fait à l'autel par le ministère du prêtre. Musique composée pour une grand-messe.
messianique adj. Du Messie.
messianisme n. m. Croyance à un Messie; attente d'un Messie.
messidor n. m. Dixième mois du calendrier républicain en France (du 19 juin au 18 juillet).
Messie n. m. Descendant de David qui, d'après la Bible, devait rétablir le royaume d'Israël. Pour les chrétiens, Jésus.
messieurs n. m. pl. Pl. de MONSIEUR.
messire n. m. Anc. titre d'honneur.
mesurable adj. Qui peut se mesurer.
mesurage n. m. Action de mesurer.
mesure n. f. Evaluation d'une quantité faite d'après son rapport avec une autre de même espèce : *la mesure du temps.* Unité servant à cette évaluation : *se servir de fausses mesures.* Dimension évaluée. Quantité d'objets, déterminée par l'évaluation de leur volume : *acheter trois mesures de vin. Métriq.* Quantité de syllabes exigée par le rythme. *Musiq.* Division de la durée d'un air en parties égales : *battre la mesure. Fig.* Précaution : *prendre des mesures infaillibles.* Borne : *cela passe toute mesure.* Modération : *manquer de mesure. Etre en mesure,* en état de. Loc. div. : *Outre mesure,* avec excès; *à mesure, au fur et à mesure,* successivement et à proportion; *à mesure que,* à proportion, en même temps que.
mesurément adv. Avec modération.
mesurer v. tr. Evaluer par rapport à une unité : *mesurer du blé.* Prendre la mesure de. Avoir comme mesure : *cet arbre mesure dix mètres.* Régler avec modération : *mesurer ses paroles.* Proportionner. Donner avec parcimonie : *mesurer les encouragements. Se mesurer avec quelqu'un,* lutter avec lui.
mesureur, euse adj. et n. Qui mesure.
mésuser v. intr. Mal user.
métabolisme n. m. Echanges qui s'accomplissent dans l'organisme.
métacarpe n. m. Partie de la main entre les doigts et le poignet.
métacarpien adj. Du métacarpe.
métairie n. f. Domaine rural exploité en métayage. *Par ext.* Petit domaine rural.
métal n. m. Corps simple doué d'un éclat particulier, conduisant bien, en général, la chaleur et l'électricité, et qui possède en outre la propriété de donner des oxydes.
métallifère adj. Qui renferme un métal.
métallique adj. Qui a le caractère ou l'apparence du métal : *éclat métallique. Fig.* D'une sonorité de métal.
métallisation n. f. Action de métalliser.
métalliser v. tr. Donner un éclat métallique. Couvrir d'une couche de métal.
métallographie n. f. Etude au microscope de la structure des métaux et des alliages.
métalloïde n. m. Corps simple non métallique.
métallurgie n. f. Art d'extraire, de purifier et de travailler les métaux.
métallurgique adj. Qui a rapport à la métallurgie : *industrie métallurgique.*
métallurgiste n. m. Qui s'occupe de métallurgie.
métamorphique adj. Se dit des roches qui se modifient.
métamorphisme n. m. Modification physique et chimique d'une roche.
métamorphose n. f. Changement d'un être en un autre : *les métamorphoses de la mythologie.* Changement de forme : *les métamorphoses des insectes. Fig.* Changement complet.
métamorphoser v. tr. Transformer. *Fig.* Changer : *la fortune l'a métamorphosé.*
métaphore n. f. Figure de rhétorique par laquelle on transporte la signification propre d'un mot à une autre signification qui ne lui convient qu'en vertu d'une comparaison sous-entendue, comme dans : *les* LUMIÈRES *de l'esprit; la* FLEUR *des ans; une* PLUIE *de balles.*
métaphorique* adj. Qui tient de la métaphore : *style métaphorique.*
métaphysique n. f. Connaissance des causes premières et des premiers principes. Abstraction, caractère de ce qui est abstrait. *Adjectiv.* Qui appartient à la métaphysique. Trop abstrait.
métapsychique* n. f. Etude scientifique des phénomènes occultes. Adj. Qui concerne la métapsychique.
métatarse n. m. Partie du pied entre le tarse et les orteils.
métatarsien, enne adj. Du métatarse : *os métatarsiens.*
métathèse n. f. *Gramm.* Interversion d'une lettre dans un mot, comme BERLOQUE pour BRELOQUE.

métayage n. m. Forme de bail, où l'exploitant et le propriétaire d'un domaine rural se partagent les produits.
métayer, ère n. Qui exploite un domaine rural en métayage.
méteil n. m. Mélange de seigle et de froment.
métempsycose n. f. Transmigration des âmes d'un corps dans un autre.
météore n. m. Phénomène qui se passe dans l'atmosphère. *Fig.* Qui brille d'un éclat vif et passager.
météoriser v. tr. Causer le météorisme : *la luzerne peut météoriser.*
météorisme n. m. Enflure de l'abdomen chez les ruminants, due à des gaz accumulés.
météorite n. f. Fragment minéral tombé du ciel.
météorologie n. f. Etude des phénomènes atmosphériques en vue de la prévision du temps.
météorologique adj. Qui concerne les météores.
météorologiste ou **météorologue** n. m. Qui s'occupe de météorologie.
métèque n. m. *Péjor.* Etranger établi dans un autre pays que le sien.
méthane n. m. Hydrocarbure gazeux incolore, qui constitue le grisou.
méthode n. f. Marche raisonnée pour arriver à un but : *procéder avec méthode. Par ext.* Manière d'agir, habitude. *Philos.* Marche rationnelle de l'esprit pour arriver à la vérité. Ouvrage qui contient les éléments d'une science, d'un art, etc. : *méthode de piano.*
méthodique* adj. Qui a de la méthode, de l'ordre. Où il y a de la méthode : *classement méthodique.*
méthodisme n. m. Doctrine des méthodistes, secte anglicane rigide.
méthodiste n. m. Qui professe le méthodisme : *Wesley fut le chef des méthodistes.*
méthyle n. m. Premier terme de la série des radicaux des carbures gras.
méthylène n. m. Nom commercial de l'alcool méthylique ou esprit de bois. *Bleu de méthylène,* colorant.
méthylique adj. *Chim.* Dérivé du méthane : *alcool méthylique.*
méticuleux, euse* adj. Qui s'inquiète de minuties : *soins méticuleux.*
métier n. m. Toute profession manuelle. Profession quelconque : *le métier des armes.* Ce que l'on fait habituellement. *Faire métier de,* faire profession de. Machine pour la confection des tissus.
métis, isse [*tiss*] adj. et n. Issu de races différentes. Mélangé : *toile métisse.*
métissage n. m. Croisement de races.
métisser v. tr. Croiser, mêler.
métonymie n. f. Figure de rhétorique, qui consiste à désigner un objet au moyen d'un terme désignant un autre objet uni au premier par une relation de cause à effet, de contenant à contenu, etc. (*une* VOILE : un bateau, etc.).
métrage n. m. Mesurage au mètre. *Court métrage,* film long d'environ 600 m. *Long métrage,* film de plus de 2 500 m.
mètre n. m. Unité de mesure de longueur : *le mètre est sensiblement égal à la dix-millionième partie du quart du méridien terrestre.* (Abrév. *m.*) Objet servant à mesurer et ayant la longueur d'un mètre. *Mètre carré,* unité de superficie équivalant à un carré d'un mètre de côté. *Mètre cube,* unité de volume équivalant à un cube d'un mètre de côté. Dans la prosodie grecque et latine, groupe de syllabes comprenant deux temps marqués. Forme rythmique d'une poésie.
métré n. m. Action de mesurer au mètre : *le métré d'un travail.*
métrer v. tr. (Se conj. comme *accélérer.*) Mesurer au mètre : *métrer une construction, une maçonnerie.*
métreur n. et adj. m. Qui fait le métrage des constructions.
métrique adj. Relatif au mètre. *Système métrique,* ensemble des mesures ayant pour base le mètre. *Quintal métrique,* poids de cent kilogrammes. *Tonne métrique,* poids de mille kilogrammes. Relatif au mètre ou à la mesure du vers.
métrique n. f. Science qui étudie les éléments dont sont formés les vers. Versification.
métro n. m. Le métropolitain.
métrologie n. f. Science des mesures.
métromanie n. f. Manie de faire des vers.
métronome n. m. Instrument pour indiquer les divers degrés de vitesse du mouvement musical.
métropole n. f. Etat, ville, considérés par rapport à leurs colonies. Ville qui a un siège archiépiscopal. *Par ext.* Ville la plus importante d'un pays, d'une région.
métropolitain, e adj. Qui a le caractère d'une métropole. Qui appartient à la capitale. Archiépiscopal. N. m. Archevêque par rapport à ses suffragants. Chemin de fer souterrain ou aérien qui dessert les quartiers d'une ville.
métropolite n. m. Dignitaire de l'Eglise orthodoxe, entre l'évêque et le patriarche.
mets n. m. Aliment préparé.
mettable adj. Que l'on peut mettre : *cet habit n'est pas mettable.*
metteur n. m. Celui qui met. *Metteur en scène,* celui qui règle une représentation de théâtre, un film cinématographique, etc. *Metteur en pages,* celui qui dispose la mise en pages de la composition typographique.
mettre v. tr. (*Je mets, nous mettons. Je mettais, nous mettions. Je mis, nous mîmes. Je mettrai, nous mettrons. Mets, mettons, mettez. Que je mette, que nous mettions. Que je misse, que nous missions. Mettant. Mis, e.*) Placer, introduire : *mettre la clef dans la serrure.* Disposer : *mettre de niveau.* Etablir, installer. Ajouter : *mettre un manche à un outil.* Porter : *mettre un habit.* Placer : *mettre son argent à la banque. Fig.* Supposer : *mettez que je n'aie rien dit. Mettre au fait,* instruire. *Mettre à même,* permettre. *Se mettre à,* commencer à. *Y mettre du sien,* faire des concessions.
meuble adj. Mobile : *terre meuble. Biens meubles,* par opposition à immeubles. N. m. Objet mobile servant à l'usage ou à la décoration d'une maison.
meubler v. tr. Garnir de meubles. *Fig.* Orner : *meubler l'esprit.*
meuglement n. m. Beuglement.

meugler v. intr. Beugler.
meule n. f. Corps solide, cylindrique et plat, pour broyer et aiguiser. Tas de foin, de blé, etc., de forme généralement conique. Tas de bois, recouvert de gazon, que l'on carbonise en plein air. *Meule de fromage,* grand fromage en forme de meule de moulin. Couche à champignons.
meulier, ère adj. Relatif aux meules à moudre. N. f. Silex propre à faire des meules, employé aussi dans la construction : *une maison en meulière.*
meunerie n. f. Industrie du meunier.
meunier, ère n. Qui fait valoir un moulin.
meurt-de-faim n. invar. Miséreux.
meurtre n. m. Homicide par acte de violence. *Fig.* Grand dommage.
meurtrier n. m. Qui commet un meurtre; assassin.
meurtrier, ère adj. Qui cause la mort de beaucoup de personnes : *épidémie meurtrière. Fig.* Dangereux.
meurtrière n. f. Fente dans les murailles des ouvrages fortifiés, et destinée au tir.
meurtrir v. tr. Gâter des fruits par un choc. *Fig.* Blesser, endolorir.
meurtrissure n. f. Contusion avec tache livide. Tache sur les fruits meurtris.
meute n. f. Groupe de chiens courants dressés pour la chasse. *Fig.* Troupe acharnée contre quelqu'un : *meute de créanciers.*
mévente n. f. Vente à perte, ou difficile : *la mévente du vin.*
mexicain, e adj. et n. Du Mexique.
mezzanine n. f. Petit étage entre deux grands. Fenêtre d'entresol.
mi n. m. Troisième note de la gamme. Signe qui la représente.
mi, mot invariable qui, joint au suivant par un trait d'union, signifie *à moitié, à demi.*
miaou n. m. Cri du chat.
miasme n. m. Emanation provenant de substances en décomposition.
miaulement n. m. Cri du chat.
miauler v. intr. Faire des miaulements.
mica n. m. Substance minérale brillante, feuilletée, écailleuse.
mi-carême n. f. Le jeudi de la troisième semaine du carême.
micaschiste n. m. Roche feuilletée, composée de mica et de quartz.
miche n. f. Pain rond.
micheline n. f. Voiture de chemin de fer automotrice, sur pneus.
mi-chemin (à) loc. adv. Vers le milieu du chemin : *déjeuner à mi-chemin.*
micmac n. m. *Fam.* Intrigue.
micocoulier n. m. Arbre du genre *orme,* employé en charronnerie.
mi-corps (à) loc. adv. Jusqu'au milieu du corps.
mi-côte (à) loc. adv. A moitié de la côte : *s'arrêter à mi-côte.*
micr, micro, préf. exprimant l'idée de petitesse. Préfixe indiquant, dans le système métrique, la division d'une grandeur par un million.
micro n. m. Abréviation de *microphone.*
microbe n. m. Organisme microscopique, cause des fermentations et des maladies infectieuses : *le microbe du choléra.*
microbien, enne adj. Des microbes.
microbiologie n. f. Science qui étudie les microbes.
microfilm n. m. Film composé de photographies de documents divers.
microfilmer v. tr. Enregistrer des documents sur microfilm.
micrométrie n. f. Mesure des dimensions extrêmement petites.
micron n. m. Millionième partie du mètre.
micro-organisme n. m. Organisme microscopique.
microphone n. m. Instrument qui augmente l'intensité du son.
microphotographie n. f. Photographie des préparations microscopiques.
microscope n. m. Instrument qui grossit les objets à la vue.
microscopique adj. Qui se fait au microscope : *étude microscopique.* Qui ne peut être vu qu'avec le microscope : *animalcules microscopiques. Par exagér.* Très petit.
microsillon n. m. Rainure très fine permettant d'obtenir des disques à très longue durée d'audition. Ce disque lui-même.
midi n. m. Milieu du jour. Un des points cardinaux. Exposition d'un lieu qui est en face de ce point : *un appartement au midi. Pays méridionaux* (dans ce sens, prend une majuscule).
midinette n. f. *Fam.* A Paris, surnom des jeunes ouvrières de la couture et de la mode.
mie n. f. Partie intérieure du pain.
mie n. f. *Fam.* Abrév. du mot AMIE.
miel n. m. Substance sucrée que les abeilles préparent avec les matières recueillies dans les fleurs. *Fig.* Douceur : *des paroles de miel.*
miellée ou **miellure** n. f. Exsudation sucrée de certains arbres.
mielleux, euse* adj. De miel. *Fig.* Doucereux : *paroles mielleuses.*
mien, enne adj. poss. Qui est à moi : *un mien parent.* Pron. poss. (avec *le, la, les*) : *c'est votre opinion, ce n'est pas la mienne. Le mien* n. m. Ce qui m'appartient. *Les miens* n. m. pl. Ma famille, mes proches.
miette n. f. Petite partie qui tombe du pain coupé. Parcelle.
mieux adv. D'une manière meilleure, plus convenable. Plus, davantage. *Tant mieux,* expression de satisfaction. N. m. Etat meilleur : *le mieux est l'ennemi du bien. Adjectiv.* Meilleur : *il n'y a rien de mieux.*
mièvre* adj. D'une gentillesse prétentieuse. *Par ext.* Chétif.
mièvrerie n. f. Caractère de ce qui est mièvre. Action mièvre.
mignard, e* adj. Mignon, gentil. N. m. Ce qui est mignard.
mignarder v. tr. Traiter délicatement. Exécuter avec afféterie.
mignardise n. f. Afféterie, grâce affectée. Soutache enjolivée. Variété de petit œillet.
mignon, onne adj. Délicat, gentil : *bouche mignonne. Péché mignon,* léger péché auquel on s'abandonne volontiers. N. Terme de tendresse. N. m. Favori : *les mignons d'Henri III.* (Vx.)
mignoter v. tr. *Fam.* Traiter délicatement : *mignoter un enfant.*
migraine n. f. Douleur qui n'affecte qu'un côté de la tête : *avoir la migraine.*

migraineux, euse adj. Relatif à la migraine. Atteint de migraine.

migrateur, trice adj. Qui émigre.

migration n. f. Déplacement en masse d'un peuple, d'un pays dans un autre. Voyages de certains animaux à des époques périodiques : *la migration des hirondelles.*

migratoire adj. Relatif aux migrations : *un mouvement migratoire.*

mihrab n. m. Niche dans la muraille d'une mosquée et où se place l'iman pour la prière.

mi-jambe (à) loc. adv. A la hauteur du mollet : *avoir de l'eau à mi-jambe.*

mijaurée n. f. Femme qui a de petites manières affectées : *faire la mijaurée.*

mijoter v. tr. Faire cuire lentement. *Fig.* Préparer de longue main : *mijoter un complot.* Bouillir lentement.

mikado n. m. Empereur du Japon.

mil adj. num. V. MILLE. N. m. V. MILLET.

milady n. f. Dame anglaise de qualité.

milan n. m. Genre d'oiseaux rapaces.

milanais, e adj. et n. De Milan.

mildiou n. m. Maladie parasitaire de la vigne, causée par un champignon.

miliaire adj. Se dit d'une éruption qui ressemble à des grains de mil.

milice n. f. Corps de troupes; garde nationale, troupe non permanente de soldats citoyens.

milicien n. m. Soldat de la milice.

milieu n. m. Centre : *le milieu d'une table.* Endroit éloigné des bords : *s'avancer au milieu de la foule.* Endroit à peu près également éloigné d'un commencement et d'une fin : *le milieu d'un volume.* Lieu dans lequel on se meut. Sphère morale ou sociale : *être sorti de son milieu. Au milieu de* loc. prép. Parmi.

militaire* adj. Qui concerne la guerre : *art militaire.* Qui aime la guerre : *peuple militaire. Heure militaire,* précise. N. m. Soldat.

militant, e adj. et n. Qui lutte, qui combat : *les militants d'une idée, d'un parti.*

militarisation n. f. Organisation militaire.

militariser v. tr. Donner une organisation militaire.

militarisme n. m. Système politique qui s'appuie sur l'armée.

militer v. intr. Combattre, lutter.

mille adj. num. Dix fois cent. Nombre indéterminé, mais considérable : *courir mille dangers.* N. m. Nombre composé de mille unités. Chiffre représentant des mille. Quantité de mille objets : *un mille d'épingles. Mille,* adjectif, est toujours invariable : *dix mille hommes.*

mille n. m. Mesure itinéraire des Romains (mille pas). Mesure variable suivant les pays. *Mille marin,* longueur de 1 852 mètres.

mille-feuille n. f. Plante aux feuilles très découpées. N. m. Gâteau de pâte feuilletée. Pl. des *mille-feuilles.*

millénaire adj. Qui contient mille. N. m. Dix siècles ou mille ans.

mille-pattes n. m. Scolopendre.

millésime [*l-l*] n. m. Date gravée sur les monnaies, les médailles, etc.

millet [*mi-yè*] ou **mil** n. m. Céréale du genre panic. Sa graine.

milli [*l-l*], préf. indiquant la division d'une grandeur par mille.

milliard [*mi-lyar*] n. m. Mille millions.

milliardaire n. et adj. Riche d'un ou de plusieurs milliards.

millibar [*l-l*] n. m. Unité de pression atmosphérique équivalant à un millième de bar.

millième [*mi-lyèm'*] adj. num. ord. et n. Qui occupe un rang marqué par le nombre mille. N. m. Partie d'un tout divisé en mille parties égales.

millier [*mi-lyé*] n. m. Mille : *un millier d'épingles. Par ext.* Un très grand nombre : *des milliers d'hommes.*

milligramme [*l-l*] n. m. Millième partie du gramme.

millimètre [*l-l*] n. m. Millième partie du mètre.

million [*mi-lyon*] n. m. Mille fois mille. Mille fois mille francs. *Par ext.* Nombre considérable.

millionième adj. num. ord. et n. m. Chaque partie d'un tout divisé en un million de parties.

millionnaire n. et adj. Riche d'un ou de plusieurs millions.

milord n. m. Titre donné quelquefois sur le continent aux lords anglais.

mime n. m. Acteur de pantomime; acteur spécialisé dans les imitations.

mimer v. tr. et intr. Contrefaire. Jouer en mimant : *mimer une scène.*

mimétisme n. m. Ressemblance que prennent certains êtres vivants, soit avec le milieu où ils vivent, soit avec les espèces mieux protégées.

mimique adj. Qui concerne les mimes. Qui s'exprime par le geste : *langage mimique.* N. f. Art d'exprimer la pensée par le geste : *une mimique expressive.*

mimodrame n. m. Drame mimé.

mimosa n. m. Genre de légumineuses, dont fait partie la sensitive. Nom vulgaire d'une espèce d'acacia.

minable adj. Qu'on peut miner. *Fig.* et *fam.* Misérable, piteux.

minaret n. m. Tour d'une mosquée.

minauder v. intr. Affecter des mines, des manières : *parler en minaudant.*

minauderie n. f. Action de minauder. Air d'une personne qui minaude.

minaudier, ère n. et adj. Qui minaude : *fillette minaudière.*

mince adj. Qui a peu d'épaisseur : *étoffe mince.* Grêle, peu épais de taille : *jeune fille mince. Fig.* De peu d'importance, de peu de valeur.

minceur n. f. Qualité de ce qui est mince : *minceur de taille.*

mine n. f. L'air, l'extérieur de quelqu'un. Expression des traits : *mine joyeuse.* Apparence : *avoir bonne mine.*

mine n. f. Lieu souterrain d'où l'on extrait des combustibles minéraux, des minéraux, etc. Cavité creusée dans le sol pour extraire ces matières : *descendre dans la mine.* Galerie souterraine pour faire sauter un roc, un bastion, etc.

mine n. f. Engin explosif que l'on enfouit dans le sol ou que l'on pose en mer, retenu au fond par un lest, ou flottant.

mine n. f. *Antiq. gr.* Monnaie de poids ou de mesure chez les Grecs.

miner v. tr. Pratiquer une mine : *miner un rocher.* Creuser lentement : *l'eau mine la pierre. Fig.* Consumer peu à peu : *le chagrin le mine.*

minerai n. m. Matière minérale, telle qu'on l'extrait de la mine.
minéral n. m. Tout corps inorganique qui se trouve dans l'intérieur de la terre. Pl. des *minéraux*.
minéral, e, aux adj. Fait de matière non vivante. *Eaux minérales*, qui contiennent des minéraux en dissolution.
minéralisation n. f. Action de minéraliser.
minéraliser v. tr. Transformer un métal en minerai. Ajouter à l'eau une substance minérale.
minéralogie n. f. Science qui traite des minéraux.
minéralogique adj. Qui concerne la minéralogie : *collection minéralogique*.
minéralogiste n. m. Savant versé dans la minéralogie.
minet, ette n. *Fam.* Chat, chatte.
minette n. f. Minerai de fer phosphoreux de Lorraine.
mineur adj. et n. m. Qui travaille dans les mines.
mineur, e adj. Moindre, plus petit. Adj. et n. Qui n'a pas atteint l'âge de la majorité. N. f. Seconde des prémisses d'un syllogisme.
miniature n. f. Lettre ornée. Peinture de petits sujets sur les anciens manuscrits. Objet d'art de petite dimension : *portrait en miniature*.
miniaturiste adj. et n. Qui fait des miniatures.
minier, ère adj. Relatif aux mines.
minima (à) loc. adv. *Appel à minima*, interjeté par le ministère public contre une peine trop légère.
minimal, e, aux adj. Se dit de ce qui atteint son minimum : *intensité minimale*.
minime adj. Très petit : *somme minime*.
minimiser v. tr. Réduire au minimum.
minimum n. m. Le plus petit degré auquel une chose puisse être réduite; la plus petite quantité nécessaire à. Adj. : *déterminer la valeur minimum. Au minimum* loc. adv. Pour le moins. (Pl. *minima* ou *minimums*.)
ministère n. m. L'emploi, la charge qu'on exerce. Entremise, concours : *offrir son ministère*. Fonction de ministre, temps pendant lequel on l'exerce. Ensemble des ministres. Département d'un ministre : *ministère de l'Air*. Bureaux d'un ministre. *Ministère public*, magistrat requérant l'exécution des lois.
ministériel, elle* adj. Du ministère. *Officiers ministériels*, avoués, notaires, huissiers, commissaires-priseurs, etc.
ministre n. m. Homme d'Etat qui dirige un grand service public. Prêtre, pasteur : *ministre du culte. Ministre plénipotentiaire*, envoyé de rang inférieur à l'ambassadeur.
minium n. m. Oxyde rouge de plomb.
minois n. m. *Fam.* Visage gracieux d'enfant ou de jeune fille.
minoritaire adj. De la minorité.
minorité n. f. Etat d'une personne mineure. Temps pendant lequel on est mineur : *la minorité d'un roi*. Le petit nombre, dans une assemblée ou un pays, par opposition à *majorité*.
minoterie n. f. Meunerie.
minotier n. m. Meunier.
minuit n. m. Le milieu de la nuit.
minuscule adj. Tout petit. N. f. Petite lettre.
minus habens [*nuss, binss*] n. m. Personne peu intelligente.
minute n. f. Soixantième partie d'une heure. Soixantième partie de chaque degré d'un cercle. *Fig.* Petit espace de temps. Interj. *Minute!* attendez!
minute n. f. Original d'une lettre, d'un acte notarié, d'un jugement.
minuter v. tr. Dresser une minute. Limiter la durée d'un programme.
minuterie n. f. Partie d'un mouvement d'horloge, qui sert à marquer les divisions de l'heure. Appareil électrique assurant un contact pendant un temps déterminé.
minutie [*sî*] n. f. Goût du détail.
minutieux, euse* [*syeu*] adj. Qui s'attache aux détails : *examen minutieux*.
mioche n. *Fam.* Jeune enfant.
mi-parti, e adj. Partagé en deux parties égales.
mirabelle n. f. Petite prune.
miracle n. m. Fait surnaturel, contraire aux lois de la nature. Effet dont la cause échappe à la raison de l'homme. Chose extraordinaire : *c'est un vrai miracle*.
miraculé, e adj. et n. Qui a été l'objet d'un miracle.
miraculeux, euse* adj. Qui tient du miracle : *apparition miraculeuse*.
mirador n. m. Poste de guet surélevé.
mirage n. m. Phénomène d'optique dans les pays chauds, consistant en ce que les objets éloignés semblent reflétés dans une nappe d'eau. *Fig.* Illusion.
mire n. f. Jalon vers lequel on dirige un instrument pour prendre une direction.
mirer v. tr. Regarder en visant. Regarder un œuf en travers, pour voir s'il est frais.
mirifique adj. *Fam.* Etonnant.
mirliton n. m. Flûte de roseau ou de carton garnie de baudruche à ses extrémités.
mirobolant, e adj. *Fam.* Merveilleux.
miroir n. m. Surface polie qui réfléchit l'image des objets. *Fig.* Ce qui représente une chose. Ce qui donne l'image d'une chose dans sa plus pure expression : *le visage est le miroir de l'âme*.
miroitement n. m. Etat miroitant : *le miroitement du soleil*.
miroiter v. intr. Jeter des reflets ondoyants. *Faire miroiter*, montrer pour séduire : *faire miroiter un brillant avenir*.
miroiterie n. f. Commerce, atelier de miroitier.
miroitier, ère n. Qui fait ou vend des miroirs.
miroton n. m. Ragoût de viande assaisonné aux oignons.
misaine n. f. *Mar. Mât de misaine*, mât entre le beaupré et le grand mât. Basse voile de ce mât.
misanthrope adj. et n. Qui hait le genre humain. Homme bourru. Adj. Qui hait les hommes.
misanthropie n. f. Caractère du misanthrope. Haine des hommes. Humeur bourrue, chagrine.
misanthropique adj. De misanthrope : *air misanthropique*.

mise n. f. Action de mettre : *mise en vente.* Ce que l'on met au jeu, dans une affaire. Enchère. Manière de s'habiller : *mise élégante.*

miser v. tr. Déposer une mise.

misérable* adj. Digne de pitié. Très pauvre. Triste : *une fin misérable.* Très faible : *un misérable salaire.* Vil, méprisable. N. m. Personne très malheureuse : *secourir les misérables* (vx). Personne vile, méprisable.

misère n. f. Grande pauvreté. *Fig.* Chose ennuyeuse. Faiblesse : *la misère humaine.* Pl. Calamités : *les misères de la vie. Fam.* Choses peu importantes : *se fâcher pour des misères.* Taquinerie : *faire des misères à quelqu'un.*

miséreux, euse adj. et n. Personne sans ressources : *asile pour miséreux.*

miséricorde n. f. Compassion pour les misères d'autrui. Vertu qui pousse à pardonner. *Par ext.* Pardon accordé par pure bonté. Saillie au revers d'une stalle d'église, qui permet de s'asseoir légèrement. *Miséricorde!* interj. de surprise, d'effroi.

miséricordieux, euse* adj. et n. Pitoyable, charitable.

misogyne adj. Qui hait les femmes.

miss n. f. Demoiselle. Mademoiselle. Pl. des *misses.*

missel n. m. Livre qui contient les prières de la messe.

mission n. f. Pouvoir donné à un délégué d'aller faire une chose. Fonction temporaire et déterminée : *mission diplomatique. Par ext.* Ce que l'on est chargé d'accomplir d'après la nature des choses. Délégation divine. Suite de prédications. Ensemble de personnes envoyées en mission : *mission économique.* Etablissement de missionnaires.

missionnaire n. m. Prêtre employé aux missions. *Fig.* Propagateur.

missive adj. et n. Lettre.

mistelle n. f. Moût de raisin muté à l'alcool.

mistigri n. m. *Fam.* Chat.

mistral n. m. Vent froid du nord, dans le sud-est de la France.

mitaine n. f. Gant de laine ne couvrant que la première phalange des doigts.

mitan n. m. Milieu. (Vx.)

mite n. f. Nom de divers insectes qui vivent dans les fourrures, les étoffes, etc.

mité, e adj. Attaqué par les mites.

miteux, euse adj. *Fam.* Pitoyable.

mithridatisme n. m. ou **mithridatisation** n. f. Immunité à l'égard des poisons, par ingestion de doses progressives.

mitigation n. f. Adoucissement.

mitiger v. tr. (Se conj. comme *manger.*) Adoucir : *mitiger une peine.*

mitonner v. intr. Bouillir doucement et longtemps. V. tr. *Fig.* Préparer lentement. Entourer de soins.

mitoyen, enne adj. Qui est entre deux choses et leur est commune. Qui sépare deux propriétés.

mitraillade n. f. Décharge simultanée d'armes automatiques.

mitraille n. f. Ferraille dont on chargeait les canons, les obus.

mitrailler v. tr. Tirer sur quelqu'un avec des mitraillettes ou des mitrailleuses.

mitraillette n. f. Pistolet mitrailleur.

mitrailleur n. m. Servant d'une mitrailleuse. Adjectiv. : *fusil mitrailleur.*

mitrailleuse n. f. Arme à feu automatique, à tir tendu et à débit très rapide.

mitre n. f. Coiffure des évêques, lorsqu'ils officient en habits pontificaux. Appareil en terre cuite ou en tôle au sommet d'une cheminée.

mitré, e adj. Qui porte la mitre.

mitron n. m. Garçon boulanger.

mi-voix (à) loc. adv. En émettant un faible son de voix : *parler à mi-voix.*

mixte adj. Formé d'éléments différents : *corps mixte. Fig.* Qui tient le milieu entre deux choses.

mixtion n. f. Action de mélanger.

mixture n. f. Mélange.

mnémotechnie n. f. Art de développer la mémoire par des exercices appropriés.

mnémotechnique adj. De la mnémotechnie.

mobile adj. Qui se meut. Qui peut être mû : *pont mobile. Fêtes mobiles,* dont la date change chaque année. *Fig.* Changeant : *esprit mobile.* N. m. Corps en mouvement. *Par ext.* Force motrice. Soldat de la garde mobile. *Fig.* Cause qui fait agir : *l'intérêt est le mobile de ses actions.*

mobilier, ère adj. Qui tient de la nature du meuble : *effets mobiliers.* N. m. Les meubles : *changer son mobilier.*

mobilisable adj. Qui peut être mobilisé : *classe mobilisable.*

mobilisation n. f. Action de mobiliser : *décréter la mobilisation.*

mobiliser v. tr. Mettre les troupes sur le pied de guerre.

mobilité n. f. Facilité à se mouvoir. Facilité à changer d'expression.

mocassin n. m. Chaussure des Indiens d'Amérique du Nord.

modal, e, aux adj. *Philos.* Relatif aux modes de la substance. *Gramm.* Relatif aux modes.

modalité n. f. Circonstance qui accompagne un fait.

mode n. f. Usage passager. Manière, coutume. *A la mode,* suivant le goût du moment. Pl. Vêtements pour dames et enfants. Confection, commerce de ces objets : *travailler dans la mode.*

mode n. m. Manière d'être. Forme, méthode : *mode de gouvernement. Gramm.* Manière dont le verbe exprime l'état ou l'action (indicatif, conditionnel, impératif, subjonctif, infinitif, participe). *Mus.* Manière d'être d'un ton : *le mode majeur et le mode mineur.*

modelage n. m. Travail du modeleur.

modèle n. m. Objet que l'on reproduit par imitation. Représentation préalable en petit d'un objet : *modèle d'une machine.* Homme, femme ou objet d'après lequel les artistes dessinent, peignent, modèlent. *Par anal.* Ce que l'on imite.

modelé n. m. Relief des formes, en sculpture. Imitation des formes, en peinture.

modeler v. tr. (Se conj. comme *geler.*) *Sculpt.* Faire le modèle d'un objet. *Fig.* Régler : *modeler sa vie sur.*

modeleur n. et adj. Qui modèle une statue, un bas-relief, etc. Qui fait des modèles de machines.

modéliste n. Dessinateur de modèles.

modérantisme n. m. Opinion et parti modérés. (Vx.)
modérateur, trice n. Qui modère. *Mécan.* Instrument pour ralentir et régulariser un mécanisme.
modération n. f. Vertu qui retient dans une sage mesure. Eloignement de tout excès : *parler avec modération.* Adoucissement : *modération d'une peine.*
modéré*, e adj. Médiocre en intensité ou en quantité : *feu modéré.* Qui n'est point exagéré : *prix modéré.* Qui a de la modération : *modéré dans ses désirs.* Qui, en politique, professe des opinions modérées. N. Personne modérée en politique.
modérer v. tr. (Se conj. comme *accélérer.*) Tempérer, diminuer, adoucir, contenir : *modérer la vitesse, sa colère.*
moderne adj. Qui appartient à l'âge actuel : *histoire moderne.* N. m. Ce qui est moderne : *l'antique et le moderne.* Homme de notre époque, par opposition aux Anciens.
modernisation n. f. Rajeunissement.
moderniser v. tr. Rajeunir, rendre plus moderne : *moderniser une usine.*
modernisme n. m. Caractère, goût de ce qui est moderne.
moderniste n. Qui préfère les temps modernes à l'Antiquité.
modernité n. f. Caractère de ce qui est moderne.
modeste* adj. Qui pense ou parle de soi sans orgueil : *savant modeste.* Qui est l'indice de cette absence d'orgueil : *un air modeste.* Modéré : *modeste dans ses prétentions.*
modestie n. f. Réserve, pudeur.
modicité n. f. Caractère de ce qui est modique.
modification n. f. Action de modifier. Son résultat.
modifier v. tr. (Se conj. comme *prier.*) Changer la forme, la qualité, etc. : *modifier une loi. Gramm.* Déterminer le sens de : *l'adverbe modifie le verbe, l'adjectif ou l'adverbe.*
modique* adj. De peu d'importance.
modiste n. f. Femme qui confectionne ou vend des chapeaux.
modulation n. f. Inflexion variée de la voix. *Mus.* Passage d'un ton dans un autre.
module n. m. *Archit.* Unité de convention pour régler les proportions des parties d'un édifice. *Par ext.* Unité de mesure. Diamètre des médailles.
moduler v. tr. Rendre par les inflexions variées de la voix : *moduler un chant. Fig.* Rendre par des accents tendres, poétiques. V. intr. Passer d'un ton à un autre.
modus vivendi [*duss-vindi*] n. m. Accommodement, transaction.
moelle [*moil'*] n. f. Substance molle renfermée dans l'intérieur des os. *Moelle épinière,* partie du système cérébro-spinal contenue dans le canal vertébral. *Fig.* Ce qu'il y a de plus substantiel : *extraire la moelle d'un auteur. Bot.* Substance spongieuse dans l'intérieur d'un arbre.
moelleux, euse* [*moi-leû, eûz'*] adj. Doux : *un lit moelleux.* N. m. Caractère de ce qui est moelleux : *le moelleux d'un coussin.*
moellon n. m. Pierre de petite dimension.
mœurs [*meur* ou *meurss*] n. f. pl. Habitudes naturelles ou acquises, par rapport au bien ou au mal. *Par ext.* Usages particuliers à un pays : *mœurs d'un peuple.* Habitudes des animaux de chaque espèce.
mofette n. f. Exhalaison qui se produit dans les lieux souterrains et surtout dans les mines. *Zool.* V. MOUFFETTE.
mohair n. m. Tissu de poil de chèvre.
moi pron. pers. de la 1re pers. sing. des deux genres. N. m. Ce qui constitue l'individualité.
moignon [*moi*] n. m. Ce qui reste d'un membre coupé. *Par ext.* Membre rudimentaire. Ce qui reste d'une grosse branche cassée.
moindre* adj. Plus petit. Très peu important : *le moindre bruit.*
moine n. m. Membre d'une communauté religieuse d'hommes. Ustensile servant à chauffer un lit.
moineau n. m. Genre d'oiseaux passereaux.
moinillon n. m. *Fam.* Petit moine.
moins adv. Adverbe de comparaison qui marque l'infériorité. Prép. Avec soustraction de : *15 moins 8 égale 7.* Loc. : *le moins,* au moindre degré, aussi peu que possible. *C'est bien le moins,* c'est la moindre chose.
moins-perçu n. m. Ce qui est dû et n'a pas été perçu. ANT. *Trop-perçu.*
moins-value n. f. Diminution de valeur. Pl. des *moins-values.*
moire n. f. Etoffe à reflet changeant et ondulé. Ce reflet lui-même.
moirer v. tr. Donner une apparence chatoyante : *moirer un ruban.*
mois n. m. Chacune des douze divisions de l'année solaire. Espace de temps qui s'écoule depuis une date quelconque d'un mois jusqu'à la date correspondante du suivant. Prix convenu pour un mois de travail, de fonctions : *toucher son mois.*
moïse n. m. Corbeille servant de couchette aux nouveau-nés.
moisi n. m. Moisissure : *sentir le moisi.*
moisir v. intr. Se couvrir d'une mousse verdâtre qui marque un début de corruption : *les confitures moisissent. Moisir quelque part,* y rester longtemps.
moisissure n. f. Mousse qui se développe à la surface des substances organiques en décomposition.
moisson n. f. Récolte des grains. Temps où elle se fait. Ce qui est récolté ou à récolter : *rentrer la moisson. Fig.* Grande quantité de.
moissonner v. tr. Faire la moisson. *Fig.* Recueillir : *moissonner les succès.*
moissonneur, euse n. Qui fait la moisson. N. f. Machine à moissonner.
moite adj. Légèrement humide.
moiteur n. f. Légère humidité.
moitié n. f. Une des deux parties égales d'un tout. Une bonne partie : *la moitié du temps. Fam.* Femme à l'égard de son mari : *il voyage avec sa moitié.*
moka n. m. Café provenant de Moka, ville d'Arabie. Infusion de ce café : *une tasse de moka.* Gâteau garni de crème au café.
mol, olle* adj. V. MOU.
molaire n. et adj. f. Se dit des grosses dents qui servent à broyer.
môle n. m. Ouvrage en maçonnerie destiné à protéger l'entrée d'un port.
moléculaire adj. De la molécule.

molécule n. f. La plus petite partie d'un corps existant à l'état libre.
moleskine n. f. Toile vernie, imitant le cuir : *banquettes en moleskine.*
molester v. tr. Tourmenter.
molette n. f. Rondelle de l'éperon garnie de pointes, pour piquer le cheval. Nom d'instruments divers constitués par une roulette.
mollasse adj. Mou, flasque. *Fig.* Sans énergie : *caractère mollasse.*
mollesse n. f. Etat de ce qui est mou. *Fig.* Faiblesse, manque de fermeté : *mollesse de caractère.* Vie voluptueuse.
mollet n. m. Saillie des muscles de la partie postérieure de la jambe.
mollet, ette adj. Mou et doux. *Œuf mollet,* œuf à la coque, mais servi tout écalé.
molletière n. f. Bande de cuir, de toile, s'adaptant au mollet.
molleton n. m. Tissu épais de laine ou de coton légèrement foulé.
molletonné, e adj. Garni de molleton.
mollir v. intr. Devenir mou.
mollusques n. m. pl. Embranchement du règne animal, comprenant des animaux à corps mou, sans vertèbres, comme le colimaçon, l'huître, etc.
molosse n. m. Gros chien de garde.
molybdène n. m. Métal blanc, cassant et peu fusible.
moment n. m. Temps fort court : *reviens dans un moment.* Occasion, circonstance : *le moment favorable.* Temps présent : *la mode du moment. Du moment que* loc. conj. Etant donné que, puisque.
momentané*, e adj. Qui ne dure qu'un moment : *effort momentané.*
mômerie n. f. *Fam.* Déguisement de sentiments. Pratiques ridicules.
momie n. f. Cadavre embaumé : *les momies égyptiennes. Fig.* Personne sèche et maigre. Personne nonchalante. Personne à opinions arriérées.
momifier v. tr. (Se conj. comme *prier.*) Convertir en momie : *momifier un cadavre.*
mon adj. poss. masc. sing. ; **ma** fém. sing. ; **mes** pl. des deux genres. Adjectifs qui déterminent le nom et marquent une idée de possession.
monacal, e*, aux adj. Qui a rapport aux moines.
monachisme n. m. Etat monastique.
monarchie n. f. Gouvernement d'un seul chef. Etat gouverné pàr un monarque. *Monarchie absolue,* sans contrôle. *Monarchie constitutionnelle,* celle où l'autorité du prince est limitée par une constitution.
monarchique* adj. De la monarchie.
monarchisme n. m. Système des partisans de la monarchie.
monarchiste n. et adj. Partisan de la monarchie.
monarque n. m. Chef d'une monarchie : *un monarque absolu.*
monastère n. m. Edifice habité par des moines ou des religieuses.
monastique* adj. Relatif aux moines.
monceau n. m. Amas, tas : *monceau de pierres. Fig.* Grande quantité de.
mondain, e adj. Attaché aux plaisirs du monde. Propre aux mondains; vain, futile : *parure mondaine.* N. Personne mondaine.
mondanité n. f. Caractère mondain. Goût pour les choses mondaines.
monde n. m. Ensemble de tout ce qui existe. Terre, séjour de l'homme : *les cinq parties du monde.* Grand continent : *Colomb découvrit un monde.* Planète : *la pluralité des mondes.* Genre humain. Gens : *se moquer du monde.* Société : *vivre dans le monde.* Vie séculière : *quitter le monde pour le cloître. Venir au monde, naître. Mettre au monde,* donner naissance. *Le grand monde,* la haute société. *Homme du monde,* qui a l'habitude de vivre dans le grand monde.
monder v. tr. Nettoyer : *orge mondé.*
mondial, e*, aux adj. Du monde entier.
monégasque adj. et n. De Monaco.
monétaire adj. De la monnaie.
mongol, e adj. et n. **mongolique** adj. De Mongolie.
monisme n. m. Système qui explique l'univers par un élément unique.
moniteur, trice n. Qui donne des avis, des conseils, des leçons : *moniteur de gymnastique.* Répétiteur, sans titres, dans les écoles privées.
monition n. f. Avertissement donné par un supérieur ecclésiastique.
monnaie n. f. Pièce de métal frappée pour servir aux échanges. *Monnaie fiduciaire,* qui n'a de valeur que par convention. Etablissement où l'on fabrique la monnaie. *Fig.* Moyen d'échange. *Battre monnaie,* fabriquer de la monnaie et, au *fig.,* se procurer de l'argent.
monnayage n. m. Fabrication de la monnaie.
monnayer v. tr. (Se conj. comme *balayer.*) Convertir en monnaie. Tirer de l'argent d'un avantage qu'on a.
monnayeur n. et adj. m. Qui travaille à la monnaie de l'Etat. *Faux-monnayeur,* émetteur de fausse monnaie.
mono, préf. signifiant *seul.*
monochrome adj. D'une seule couleur : *impression monochrome.*
monocle n. m. Verre correcteur que l'on insère dans l'arcade sourcilière.
monocorde adj. A une seule corde.
monocotylédone adj. Se dit des plantes à un seul cotylédon. N. f. pl. Classe de ces plantes.
monoculture n. f. Utilisation du sol pour une seule culture.
monogame adj. Qui pratique la monogamie.
monogamie n. f. Système ne permettant d'épouser à la fois qu'une seule femme ou un seul mari.
monogramme n. m. Chiffre composé des principales lettres d'un nom. Signe que les artistes apposent au bas de leurs ouvrages.
monographie n. f. Etude sur un point spécial d'histoire, de science, sur un personnage, une région, etc.
monolithe n. m. et adj. Fait d'un seul bloc de pierre.
monologue n. m. Scène de théâtre où un personnage est seul et se parle à lui-même. Discours d'une personne qui se parle à elle-même.
monologuer v. intr. Parler seul.
monomane ou **monomaniaque** n. et adj. Atteint de monomanie.

monomanie n. f. Manie caractérisée par l'obsession d'une idée fixe.
monôme n. m. Expression algébrique dans laquelle n'entrent ni le signe + ni le signe —. *Fig.* Promenade d'étudiants en file indienne.
monométallisme n. m. Système monétaire qui n'admet que l'or pour étalon de monnaie légale.
monométalliste adj. Relatif au monométallisme. N. Partisan du monométallisme.
monopétale adj. Se dit des corolles formées d'un seul pétale.
monoplan n. m. Avion à un seul plan de sustentation.
monopole n. m. Privilège exclusif de fabriquer ou de vendre certaines choses, d'occuper certaines charges, etc. *Fig.* Possession exclusive.
monopoliser v. tr. Exercer un monopole.
monorime adj. Se dit d'un poème dont tous les vers n'ont qu'une seule rime.
monosyllabe n. m. et adj. Mot qui n'a qu'une syllabe.
monosyllabique adj. Qui n'a qu'une seule syllabe : *mot monosyllabique.* Qui ne contient que des monosyllabes.
monothéisme n. m. Doctrine qui n'admet qu'un seul Dieu.
monothéiste adj. Relatif au monothéisme. N. Qui en est partisan.
monotone* adj. Qui est sur le même ton : *chant monotone. Fig.* Uniforme : *style monotone.*
monotonie n. f. Uniformité ennuyeuse dans le ton, la voix, etc.
monotype n. f. Machine à composer, qui fond des caractères isolés.
monovalent adj. m. Se dit d'un corps qui s'unit à l'hydrogène atome à atome.
monseigneur n. m. Titre d'honneur donné aux princes, aux évêques. Pl. *messeigneurs, nosseigneurs.* N. m. et adj. Pince, levier pour forcer les serrures.
monsieur n. m. Titre donné, par civilité, à tout homme à qui l'on parle ou à qui l'on écrit. Nom que les domestiques donnent à leur maître. Pl. *messieurs.*
monstre n. m. Etre dont la conformation diffère de celle des êtres de son espèce. Etre fantastique qui figure dans la mythologie ou la légende. *Par ext.* Personne d'une laideur repoussante : *épouser un monstre.* Objet, animal énorme : *monstre marin. Fig.* Personne dénaturée. Chose qu'on se représente comme terrible. Adjectiv. *Fam.* Prodigieux, colossal : *un dîner monstre.*
monstrueux, euse* adj. D'une conformation contre nature : *un enfant monstrueux. Fig.* Prodigieux, excessif. Horrible : *crime monstrueux.*
monstruosité n. f. Caractère de ce qui est monstrueux. Chose monstrueuse : *dire des monstruosités.*
mont n. m. Grande élévation naturelle au-dessus du sol.
montage n. m. Action de porter de bas en haut. Action de disposer les parties d'un ensemble.
montagnard, e n. et adj. Qui habite un pays de montagnes.
montagne n. f. Elévation du sol, naturelle et considérable. *Fig.* Amoncellement : *montagne de livres. Fig.* Grande difficulté.
montagneux, euse adj. Où il y a des montagnes : *pays montagneux.*
montant n. m. Pièce posée verticalement ou servant de soutien. Chacune des deux pièces tenant les échelons d'une échelle. Total d'un compte : *le montant des dépenses.* Goût relevé. Odeur forte et pénétrante : *vin qui a du montant.*
montant, e adj. Qui monte : *chemin montant. Robe montante,* robe qui n'est pas décolletée.
mont-de-piété n. m. Etablissement, appelé auj. *Crédit municipal,* où l'on prête de l'argent sur nantissement. Pl. des *monts-de-piété.*
monte n. f. Action de monter à cheval. Accouplement des animaux domestiques.
monte-charge n. m. invar. Appareil servant à monter des fardeaux.
montée n. f. Action de monter. Chemin montant, rampe, pente : *dure montée.*
monte-plats n. m. invar. Petit monte-charge, entre une cuisine et une salle à manger.
monter v. intr. (Se conj. avec *avoir* ou *être,* suivant qu'on exprime l'action ou l'état.) Se porter dans un lieu plus élevé : *monter sur un arbre.* S'accroître en hauteur : *le fleuve monte.* Se placer dans, sur : *monter à cheval, en voiture. Fig.* S'élever : *monter en grade.* Augmenter de prix : *le blé monte.* Atteindre : *les frais montent à.* V. tr. Gravir : *monter l'escalier.* Etre monté sur : *monter un cheval.* Transporter en haut. Fournir du nécessaire : *monter son ménage.* Ajuster : *monter une machine, une affaire.* Exciter : *monter la tête.* V. pr. Se fournir : *se monter en linge.* S'élever.
monteur, euse n. Qui monte les pièces d'une machine, etc.
montgolfière n. f. Aérostat à air dilaté par la chaleur d'un foyer.
monticule n. m. Petit mont.
montoir n. m. Grosse pierre servant à monter à cheval.
montrable adj. Qu'on peut montrer.
montre n. f. Petite horloge portative. Marchandises exposées à une devanture. Vitrine. *Fig.* Etalage : *faire montre de son érudition.*
montrer v. tr. Faire voir : *montrer ses bijoux.* Manifester : *montrer du courage.* Prouver, démontrer.
montreur, euse n. Qui montre.
montueux, euse adj. Inégal, coupé de collines : *terrain montueux.*
monture n. f. Bête sur laquelle on monte. Ce qui sert à assembler les parties d'un objet : *la monture d'une scie.* Garniture qui enchâsse une pierre précieuse.
monument n. m. Ouvrage d'architecture ou de sculpture pour perpétuer un souvenir. Grand ouvrage d'architecture. *Fig.* Œuvre majestueuse, durable, dans un genre quelconque.
monumental, e, aux adj. Qui a les proportions d'un monument. Grandiose.
moquer (se) v. pr. Se railler : *il se moque de ses meilleurs amis.* Ne faire aucun cas : *se moquer des réprimandes.*
moquerie n. f. Parole ou action moqueuse. Chose absurde ou impertinente.

moquette n. f. Etoffe veloutée en laine, servant à faire des tapis.
moqueur, euse* n. et adj. Qui a l'habitude de se moquer. Qui marque la moquerie : *sourire moqueur.*
moraine n. f. Débris de roches transportés par un glacier.
moral, e*, aux adj. Qui concerne les mœurs. Qui a de bonnes mœurs. Conforme aux bonnes mœurs, propre à les favoriser : *livre moral.* Intellectuel, spirituel (par oppos. à *physique, matériel*) : *les facultés morales.* N. m. Ensemble des facultés morales : *relever le moral.*
morale n. f. Science qui enseigne à faire le bien et à éviter le mal. Réprimande, reproche : *faire la morale à un enfant.* Conclusion morale : *la morale d'une fable.*
moralisateur, trice adj. Propre à moraliser : *discours moralisateur.*
moraliser v. tr. Rendre moral. Faire la morale à : *moraliser un enfant.*
moraliste n. et adj. Qui écrit sur la morale, sur les mœurs.
moralité n. f. Rapport de la conduite avec la morale : *moralité des actions.* Mœurs : *homme sans moralité.* Réflexion morale : *belle moralité.* Sens moral d'une fable : *moralité cachée.* Au Moyen Age, œuvre dramatique édifiante.
morasse n. f. Dernière épreuve d'une page de journal : *relire les morasses.*
moratoire adj. *Dr.* Qui accorde ou formule un délai. N. m. Suspension d'une obligation légale.
morbide* adj. Maladif.
morbidesse n. f. *Bx-arts.* Souplesse et délicatesse des chairs, dans une figure.
morbidité n. f. Caractère morbide.
morbleu ! interj. Juron qui marque l'impatience, la colère.
morceau n. m. Partie séparée d'un tout : *morceau de bois.* Fragment d'une œuvre.
morceler v. tr. (Se conj. comme *amonceler.*) Diviser en morceaux.
morcellement n. m. Action de morceler : *le morcellement d'un parc.*
mordacité n. f. Qualité corrosive. *Fig.* Esprit, caractère mordant.
mordançage n. m. Application d'un mordant avant la teinture.
mordancer v. tr. Soumettre au mordançage : *mordancer une étoffe.*
mordant, e adj. Qui mord. Qui entame en rongeant. Incisif, pénétrant (son). *Fig.* Caustique, satirique. N. m. Vernis pour fixer l'or. Composition pour fixer la teinture sur les étoffes. *Fig.* Causticité.
mordicus [*kuss*] adv. Avec ténacité : *soutenir mordicus une opinion.*
mordiller v. tr. Mordre légèrement.
mordorer v. tr. Donner une teinte brune à reflet doré.
mordre v. tr. Saisir, blesser avec les dents. Entamer : *la lime mord l'acier. Fig.* Attaquer, médire. *Mordre au grec,* le comprendre. *Méc.* Engrener : *pignon qui mord.*
morfil n. m. Bavure au tranchant d'une lame d'acier repassée.
morfondre v. tr. Pénétrer de froid, transir. V. pr. Etre pénétré de froid. S'ennuyer à attendre.
morganatique* adj. Se dit du mariage entre un prince et une femme de condition inférieure, ou de cette femme même.
morgue n. f. Contenance hautaine.
morgue n. f. Lieu où l'on expose les cadavres non identifiés.
moribond, e adj. et n. Qui est près de mourir.
moricaud, e adj. et n. Qui a la peau très brune.
morigéner v. tr. (Se conj. comme *accélérer.*) Tancer : *morigéner un enfant.*
morille [*riy'*] n. f. Genre de champignons comestibles.
morion n. m. Sorte de casque ancien.
mormon, one adj. Relatif au mormonisme, secte religieuse américaine. N. Partisan du mormonisme.
morne adj. Triste, désolé. Sombre, en parlant du temps. Sans éclat.
mornifle n. f. *Pop.* Revers de main donné sur la face.
morose adj. Chagrin, bizarre.
morosité n. f. Caractère de ce qui est morose.
morphine n. f. Alcaloïde de l'opium.
morphinisme n. m. Intoxication par la morphine.
morphinomane adj. et n. Atteint de morphinomanie.
morphinomanie n. f. Habitude morbide de l'usage de la morphine.
morphologie n. f. Etude de la forme extérieure des êtres. Histoire de la forme des mots.
morphologique* adj. Relatif à la morphologie : *étude morphologique.*
mors n. m. Levier de la bride qui passe dans la bouche du cheval et sert à le gouverner. *Fig. Prendre le mors aux dents,* s'emporter.
morse n. m. Mammifère amphibie.
morsure n. f. Action de mordre. Plaie, marque faite en mordant.
mort n. f. Cessation de la vie : *mort violente.* Peine capitale : *condamné à mort.* Grande douleur, grande peine : *avoir la mort dans l'âme.* Absence de vie, immobilité. Cessation : *la mort d'un empire.* Cause de ruine : *la mort du commerce.* Squelette personnifiant la mort. *Mort-aux-rats,* poison à base d'arsenic.
mort, e adj. Privé de vie. Sans animation : *ville morte.* Sans ardeur. *Eau morte,* stagnante. *Nature morte,* peinture d'objets non animés. Personne morte, cadavre : *veiller un mort.*
mortadelle n. f. Gros saucisson italien.
mortaisage n. m. Action de mortaiser.
mortaise n. f. Entaille pratiquée dans l'épaisseur d'une pièce, pour recevoir le tenon d'une autre pièce.
mortaiser v. tr. Entailler, pratiquer une mortaise.
mortaiseuse n. f. Machine à mortaiser.
mortalité n. f. Condition de ce qui est sujet à la mort. Quantité d'individus qui meurent : *tables de mortalité.*
morte-eau n. f. Marée faible.
mortel, elle adj. Sujet à la mort : *nous sommes mortels.* Qui cause la mort : *maladie mortelle.* Acharné : *un ennemi mortel.* N. Homme, femme : *heureux mortel. Les mortels,* les hommes.
mortellement adv. A la mort. A l'excès.

morte-saison n. f. Temps où l'on a moins de travail qu'à l'ordinaire.

mortier n. m. Mélange de chaux, de sable et d'eau pour unir les pierres. *Par anal.* Matière pâteuse et épaisse. Vase où l'on pile les drogues. Bouche à feu, très courte, pour lancer des bombes.

mortifère adj. Qui cause la mort.

mortifiant, e adj. Qui mortifie.

mortification n. f. Action de mortifier. Humiliation : *cruelle mortification. Méd.* Etat des chairs mortes, gangrenées.

mortifier v. tr. (Se conj. comme *prier.*) Rendre plus tendre la viande. Affliger son corps par des austérités. *Fig.* Humilier. Causer un vif déplaisir.

mort-né, e adj. Mort en venant au monde. *Fig.* Qui échoue dès le début : *projet mort-né.* N. m. Enfant mort-né. Pl. *mort-nés, mort-nées.*

mortuaire adj. Relatif aux décès, aux cérémonies funèbres.

morue n. f. Gros poisson dont le foie fournit une huile fortifiante.

morutier n. et adj. m. Se dit des navires qui font la pêche de la morue.

morve n. f. Maladie contagieuse des chevaux. Humeur visqueuse, qui découle des narines.

morveux, euse adj. Qui est atteint de la morve. Qui a la morve au nez : *enfant morveux.* N. *Fam.* Jeune enfant. Personne qui mérite d'être traitée en petit garçon.

mosaïque n. f. Ouvrage composé de pièces rapportées, formant par leur assemblage une sorte de peinture. *Fig.* Ouvrage d'esprit, composé de morceaux variés.

moscovite adj. et n. De Moscou, et, *par ext.,* de Russie.

mosquée n. f. Temple musulman.

mot n. m. Son ou réunion de sons correspondant à une idée. Caractère ou ensemble de caractères qui figurent un mot : *un mot illisible.* Parole vide de sens : *se payer de mots.* Ce qu'on dit, ce qu'on écrit brièvement : *dire un mot à l'oreille.* Sentence, parole mémorable : *beau mot. Grand mot,* expression pompeuse. *Fin mot,* sens caché d'une chose; point suprême. *Au bas mot,* au plus bas prix. *Mot d'ordre,* qui sert pour reconnaître. *Mot à mot,* sans rien changer. *Mot-à-mot* n. m. Traduction mot à mot.

motard n. m. *Fam.* Motocycliste de l'armée, de la police.

motet n. m. Morceau de musique religieuse vocale.

moteur, trice adj. Qui donne ou transmet le mouvement. N. m. *Méc.* Ce qui imprime un mouvement, comme l'eau, l'air, la vapeur, etc. Appareil qui engendre l'énergie : *moteur à explosion. Fig.* Instigateur, cause. N. f. Machine motrice.

motif n. m. Ce qui porte à faire une chose. Raison : *se fâcher sans motif. Bx-arts.* Sujet de composition. *Mus.* Phrase musicale qui se reproduit dans un morceau.

motion n. f. Proposition : *voter une motion.*

motiver v. tr. Exposer les motifs d'un arrêt, d'une opinion, etc. Servir de motif à : *motiver une mesure.*

motoculture n. f. Application du moteur mécanique à l'agriculture.

motocyclette n. f. Cycle mis en action par un moteur.

motocycliste n. Personne qui monte une motocyclette.

motopompe n. f. Pompe à moteur.

motoriser v. tr. Munir de véhicules à moteur : *motoriser une armée.*

motricité n. f. Propriété des cellules nerveuses déterminant la contraction musculaire.

motte n. f. Morceau de terre compacte. Butte naturelle ou artificielle. *Motte de beurre,* masse de beurre destinée à être vendue au détail.

motus! [*tuss*] interj. Silence!

mou ou mol, molle* adj. Qui cède facilement au toucher : *cire molle.* Doux au toucher : *molles fourrures.* Chaud et humide. *Fig.* Sans énergie.

mou n. m. Poumon des animaux de boucherie : *acheter du mou pour son chat.*

moucharabieh n. m. Grillage en bois d'une fenêtre arabe.

mouchard n. m. *Fam.* Espion.

mouchardage n. m. Espionnage.

moucharder v. tr. et intr. Dénoncer.

mouche n. f. Nom de divers insectes. *Fig.* Agent secret de police. *Fine mouche,* personne rusée. *Prendre la mouche,* se fâcher. Petite rondelle de taffetas noir que l'on colle sur le visage. Morceau de peau dont on garnit le fleuret. Centre d'une cible. Petite barbiche.

moucher v. tr. Débarrasser le nez de ses mucosités. Oter le bout du lumignon d'une chandelle. *Pop.* Infliger une correction.

moucheron n. m. Petite mouche.

moucheter v. tr. (Se conj. comme *jeter.*) Faire de petites taches rondes sur une étoffe. *Moucheter une arme,* en garnir la pointe d'une mouche.

moucheture n. f. Tache naturelle sur le corps de certains animaux. Ornement d'une étoffe mouchetée.

mouchoir n. m. Linge pour se moucher. Pièce d'étoffe servant à divers usages : *mouchoir de cou.*

moudre v. tr. (*Je mouds, tu mouds, il moud, nous moulons, vous moulez, ils moulent. Je moulais, nous moulions. Je moulus, nous moulûmes. Je moudrai, nous moudrons. Mouds, moulons. Que je moule, que nous moulions. Que je moulusse, que nous moulussions. Moulant. Moulu, e.*) Broyer avec un moulin.

moue n. f. Grimace : *faire la moue.*

mouette n. f. Petit oiseau de mer palmipède.

mouffette n. f. Petit mammifère carnassier d'Amérique : *la fourrure de la mouffette s'appelle sconse.*

moufle n. f. Mitaine ou gros gant où il n'y a de séparation que pour le pouce. Assemblage de poulies pour élever des fardeaux.

moufle n. m. *Chim.* Four servant à chauffer des corps sans que la flamme y touche. Four à porcelaine.

mouflon n. m. Sorte de grand mouton.

mouillage n. m. Action de mouiller. Action d'ajouter de l'eau aux boissons dans une intention frauduleuse. Lieu où un navire jette l'ancre : *être au mouillage.*

mouiller v. tr. Tremper, humecter. Etendre d'eau : *mouiller du vin.* Ajouter à un mets des liquides, pour composer une sauce. *Gramm. Mouiller les* L, *les* N, les prononcer comme s'ils étaient suivis d'un *i* bref. *Mar. Mouiller l'ancre,* la jeter dans la mer pour qu'elle s'attache au fond. *Mouiller une mine,* la poser dans la mer.
mouillette n. f. Languette de pain qu'on trempe dans l'œuf à la coque.
mouilleur n. m. Appareil servant au mouillage des ancres. *Mouilleur de mines,* navire spécialisé dans la pose des mines. Appareil pour mouiller des étiquettes, des timbres-poste.
mouillure n. f. Action de mouiller. Etat de ce qui est mouillé. Trace d'humidité.
moujik n. m. Paysan russe.
moulage n. m. Action de verser dans des moules des métaux en fusion. Action de prendre d'un objet une empreinte destinée à servir de moule. Cette empreinte et sa reproduction.
moulage n. m. Action de moudre.
moule n. m. Objet creusé pour donner une forme à une matière fondue. Rondelle de bois ou d'os, qu'on recouvre ensuite d'étoffe pour faire un bouton.
moule n. f. Mollusque lamellibranche comestible.
moulé, e adj. *Fig.* Bien fait, bien proportionné. *Lettre moulée,* imprimée. N. m. Caractères imprimés.
mouler v. tr. Jeter en moule, faire au moule. Prendre l'empreinte; exécuter un moule sur. Suivre exactement les contours de; s'ajuster à : *vêtement qui moule le corps.* V. pr. *Fig.* Se modeler sur.
mouleur n. et adj. m. Qui moule.
moulin n. m. Machine à moudre le grain, à pulvériser certaines matières, etc. Bâtiment où cette machine est installée.
moulinage n. m. Action de filer et de tordre mécaniquement la soie.
mouliner v. tr. Faire subir le moulinage (soie). Ronger le bois (vers).
moulinet n. m. Tourniquet. Figure du quadrille. *Faire le moulinet,* faire mouvoir rapidement autour de soi une épée, un bâton, etc. Petit tambour fixé sur une canne à pêche.
moulineur ou **moulinier** n. et adj. m. Ouvrier qui mouline la soie.
moult adv. Beaucoup, très. (Vx.)
moulu, e adj. Réduit en poudre. *Fig.* Rompu de fatigue.
moulure n. f. Partie plus ou moins saillante, servant d'ornement.
moulurer v. tr. Orner de moulures.
mourant, e adj. Qui se meurt. Qui annonce qu'on est près de mourir : *voix mourante.* En train de disparaître. *Fig.* Languissant : *regard mourant.* N. Personne qui se meurt.
mourir v. intr. (*Je meurs, nous mourons, vous mourez, ils meurent. Je mourais. Je mourus. Je mourrai. Je mourrais. Meurs, mourons, mourez. Que je meure, que nous mourions. Que je mourusse, que nous mourussions. Mourant. Mort, e.*) Cesser de vivre. Souffrir beaucoup de : *mourir de faim, de peur.* Perdre son activité : *laisser mourir le feu.* S'affaiblir graduellement. Disparaître. V. pr. Etre près de mourir : *le malade se meurt.*
mouron n. m. Nom vulgaire de plantes dont certaines servent à nourrir les oiseaux.
mousquet n. m. Arme à feu portative, plus lourde que l'arquebuse.
mousquetaire n. m. Soldat armé d'un mousquet. Gentilhomme d'une compagnie à cheval de la maison du roi.
mousqueterie n. f. Décharge simultanée de plusieurs fusils.
mousqueton n. m. Fusil court.
moussaillon n. m. *Fam.* Petit mousse.
mousse n. m. Très jeune marin.
mousse n. f. Ecume à la surface de certains liquides. Crème fouettée. N. f. pl. Petites plantes grêles poussant sur les pierres, sur les arbres.
mousse adj. Qui n'est pas aigu ou tranchant : *lame mousse.*
mousseline n. f. Tissu serré, souple, léger et transparent. Adj. Très fin.
mousser v. intr. Produire de la mousse. *Fig.* Ecumer de rage. *Faire mousser quelqu'un,* le vanter.
mousseron n. m. Petit champignon comestible.
mousseux, euse adj. Qui produit de la mousse : *vin mousseux.*
mousson n. f. Vent périodique qui, sur l'océan Indien, souffle six mois d'un côté et six mois de l'autre.
moussu, e adj. Couvert de mousse.
moustache n. f. Partie de la barbe au-dessus de la lèvre supérieure. Poils de la gueule de certains animaux : *moustache du chat.*
moustachu, e adj. Qui a de la moustache ou une forte moustache.
moustiquaire n. f. Rideau de gaze pour garantir des moustiques.
moustique n. m. Petit insecte diptère dont la piqûre est douloureuse.
moût n. m. Jus de raisin qui n'a pas encore fermenté.
moutard n. m. *Pop.* Petit garçon.
moutarde n. f. Plante crucifère qui fournit le condiment du même nom. La graine de cette plante : *farine de moutarde.* Assaisonnement de graine de moutarde avec de l'eau, du verjus, du vinaigre, etc.
moutardier n. m. Petit vase pour la moutarde. Celui qui fait ou vend de la moutarde.
moutier n. m. Monastère. (Vx.)
mouton n. m. Genre de mammifères ruminants dont la toison fournit la laine. Viande de cet animal. Peau de mouton préparée : *reliure en mouton. Fig.* Personne douce et traitable. *Techn.* Masse de fer qu'on élève et qu'on laisse retomber sur des pieux pour les enfoncer.
moutonnement n. m. Action de moutonner : *le moutonnement des flots.*
moutonner v. tr. Friser comme la laine d'un mouton. V. intr. Commencer à s'agiter, à blanchir (mer).
moutonneux, euse adj. Qui moutonne : *mer moutonneuse.*
moutonnier, ère adj. De la nature du mouton. Qui fait ce qu'il voit faire.
mouture n. f. Action de moudre. Salaire du meunier. Mélange par tiers de froment, de seigle et d'orge.

mouvement n. m. Déplacement d'un corps : *le mouvement des astres.* Manière de se mouvoir : *mouvements gracieux.* Circulation, agitation : *le mouvement de la foule.* Fluctuation : *mouvement des valeurs.* Animation, vivacité : *composition pleine de mouvement. Fig.* Agitation : *les esprits sont en mouvement.* Sentiment intérieur : *mouvement de pitié.* Inspiration : *de son propre mouvement. Mus.* Vitesse de la mesure : *accélérer le mouvement.* Ensemble des pièces motrices d'un appareil : *mouvement de montre.*

mouvementé, e adj. Accidenté. Qui a du mouvement, de l'animation.

mouvoir v. tr. (*Je meus, tu meus, il meut, nous mouvons, vous mouvez, ils meuvent. Je mouvais, nous mouvions. Je mus, nous mûmes. Je mouvrai, nous mouvrons. Meus, mouvons, mouvez. Que je meuve, que nous mouvions. Que je musse, que nous mussions. Mouvant. Mû, mue.*) Mettre en mouvement. *Fig.* Exciter, pousser : *mû par l'intérêt.* V. pr. Etre en mouvement.

moyen, enne* adj. Qui est entre deux extrémités ou entre deux choses de nature différente : *de moyenne taille.* Ordinaire, commun : *esprits moyens, le Français moyen.* Calculé en moyenne : *température moyenne.*

moyen n. m. Ce qui sert pour parvenir à une fin. Pouvoir d'agir. Entremise : *par le moyen de quelqu'un.* Pl. Ressources : *vivre selon ses moyens.*

moyenâgeux adj. *Fam.* Du Moyen Age.

moyennant prép. Au moyen de : *moyennant ce secours. Moyennant que,* loc. conj. A condition que.

moyenne n. f. Chose, quantité qui tient le milieu entre plusieurs autres. Nombre indiquant le quotient d'une somme par le nombre de ses parties. *En moyenne,* en compensant des différences opposées.

moyennement adv. Ni peu ni beaucoup : *moyennement intelligent.* En moyenne.

moyeu n. m. Partie centrale d'une roue.

mozarabe n. m. Chrétien d'Espagne soumis à la domination des Maures.

mucilage n. m. Substance visqueuse de certains végétaux. Solution de gomme dans l'eau, utilisée en pharmacie.

mucilagineux, euse adj. Gommeux.

mucosité n. f. Humeur épaisse, sécrétée par les membranes muqueuses.

mucus n. m. Mucosité.

mue n. f. Changement dans le plumage, le poil, la peau chez les animaux à certaines époques. Temps de ce changement. Changement dans le timbre de la voix humaine à la puberté. Cage à claire-voie pour une poule et ses poussins.

muer v. intr. Se dit des animaux qui perdent leur peau, leur poil ou leur plumage, ou des jeunes gens dont la voix change à la puberté. V. tr. Changer. (Vx.)

muet, ette adj. Qui n'a pas l'usage de la parole. Qui ne peut proférer aucune parole : *muet de terreur.* Qui ne se manifeste point par des cris ou des paroles : *douleur muette. Gramm. Lettre, syllabe muette,* qu'on ne prononce que peu ou point : *h muet.* N. Personne privée de la parole : *les muets du sérail.*

muezzin n. m. Fonctionnaire musulman qui annonce, du haut du minaret, l'heure de la prière.

mufle n. m. Extrémité du museau de certains mammifères. *Fam.* Personne sans délicatesse : *se conduire en mufle.*

muflerie n. f. Indélicatesse.

muflier n. m. Gueule-de-loup (plante).

mufti n. m. Interprète autorisé de la loi musulmane.

muge ou **mulet** n. m. Genre de poissons dont la chair est très estimée.

mugir v. intr. Crier en parlant des bovidés. *Fig.* Pousser des cris semblables à ceux du bœuf.

mugissement n. m. Cri sourd et prolongé du bœuf, de la vache. *Fig.* Son qui ressemble à ces cris.

muguet n. m. Plante à petites fleurs blanches d'une odeur douce. *Méd.* Maladie des muqueuses, surtout chez l'enfant.

muid [*mui*] n. m. Anc. mesure de capacité pour les grains et les liquides.

mulâtre, esse n. et adj. Personne née d'un Noir et d'une Blanche, ou d'une Noire et d'un Blanc.

mule n. f. Pantoufle laissant le talon découvert. Chaussure blanche du pape.

mule n. f. Produit femelle de l'accouplement de l'âne et de la jument ou du cheval et de l'ânesse.

mulet n. m. Produit d'un âne et d'une jument. Tout animal hybride. Muge (poisson).

muletier n. m. Conducteur de mulets.

mulot n. m. Petit rat des champs.

multicolore adj. Qui a plusieurs couleurs : *vêtement multicolore.*

multiforme adj. Qui a ou prend plusieurs formes.

multipare adj. et n. f. Qui met bas plusieurs petits à la fois. Femme qui a eu plusieurs enfants.

multiple adj. Nombreux. Non simple. N. m. *Arith.* Nombre qui en contient un autre plusieurs fois exactement.

multiplicande n. m. Nombre à multiplier par un autre.

multiplicateur n. m. Nombre par lequel on multiplie un autre.

multiplicatif, ive adj. Qui multiplie.

multiplication n. f. Augmentation en nombre. *Arithm.* Opération qui a pour but, étant donné deux nombres, l'un appelé *multiplicande,* l'autre *multiplicateur,* d'en obtenir un troisième appelé *produit,* qui contient autant de fois le multiplicande que le multiplicateur est formé avec l'unité. *Table de multiplication* ou *de Pythagore,* tableau donnant les produits l'un par l'autre des dix premiers nombres.

multiplicité n. f. Grand nombre.

multiplier v. tr. (Se conj. comme *prier.*) Augmenter une quantité, un nombre. *Arithm.* Faire une multiplication. V. intr. Produire des êtres semblables à soi : *croissez et multipliez.* V. pr. *Fig.* Etre, à force d'activité, en plusieurs lieux à la fois.

multipolaire adj. Qui a plusieurs pôles.

multitubulaire adj. *Techn.* Se dit de chaudières dans lesquelles la surface de chauffe est faite d'un grand nombre de tubes.

multitude n. f. Très grand nombre. Peuple, foule. Le vulgaire.

nanan n. m. Friandise (mot enfantin). *Fig.* Chose exquise.
nandou n. m. Grand oiseau coureur de l'Amérique du Sud.
nankin n. m. Tissu de coton de couleur jaune chamois.
nansouk [*zouk*] n. m. Tissu de coton.
nantir v. tr. Donner en gage pour garantir une dette, un prêt. *Par ext.* Munir : *nantir d'argent.*
nantissement n. m. Gage.
napalm n. m. Produit incendiaire à base d'essence sous forme de gelée.
naphtaline n. f. Hydrocarbure retiré du goudron de houille.
naphte n. m. Pétrole naturel.
napoléon n. m. Anc. pièce de 20 fr. à l'effigie de Napoléon.
napoléonien, enne adj. De Napoléon. N. m. Partisan de Napoléon.
napolitain, e adj. et n. De Naples.
nappe n. f. Linge dont on couvre la table pour les repas. *Fig.* Vaste étendue d'eau.
napperon n. m. Petite nappe servant en général d'ornement.
narcisse n. m. Genre de plantes bulbeuses, à fleurs blanches ou jaunes. *Fig.* Homme amoureux de lui-même.
narcotique n. m. et adj. Qui endort.
nard n. m. Genre de graminacées. Parfum d'une plante de l'Inde.
narguer v. tr. Railler, braver avec insolence : *narguer l'ennemi.*
narguilé ou **narghileh** n. m. Pipe orientale où la fumée traverse un flacon rempli d'eau.
narine n. f. Chacune des deux ouvertures du nez. Aile du nez.
narquois, e* adj. Malicieux, rusé. Qui exprime la ruse et la moquerie.
narrateur, trice [*r-r*] n. Qui narre.
narratif, ive [*r-r*] adj. De la narration.
narration [*r-r*] n. f. Récit historique, oratoire ou poétique. Simple récit. Exercice scolaire de rédaction.
narrer [*r-r*] v. tr. Exposer, raconter : *narrer une bataille.*
narthex n. m. Sorte de porche qui précède la nef dans certaines églises.
nasal, e, aux adj. Du nez : *fosses nasales.* N. f. Lettre nasalisée.
nasaliser v. tr. Prononcer avec un son nasal : *lettre nasalisée.*
nasarde n. f. Chiquenaude sur le nez. *Fig.* Camouflet.
naseau n. m. Ouverture des narines chez certains animaux.
nasillant, e, nasillard, e adj. Qui nasille : *voix nasillarde.*
nasillement n. m. Action de nasiller.
nasiller v. intr. Parler du nez.
nasilleur, euse n. Qui nasille.
nasse n. f. Panier pour prendre du poisson.
natal, e, als adj. Relatif au pays, au temps où l'on est né.
natalité n. f. Rapport entre le nombre des naissances et la population.
natation n. f. Action de nager.
natatoire adj. Qui concerne la natation.
natif, ive adj. Né dans un lieu déterminé : *natif de Paris. Fig.* Naturel, de naissance : *vertu native. Or, cuivre natif,* qu'on trouve en terre sous forme métallique. N. Personne née dans un pays déterminé.
nation n. f. Réunion d'hommes habitant un même territoire, ayant une origine, des traditions communes, des mœurs semblables et le plus souvent une même langue.
national, e*, aux adj. D'une nation. N. m. pl. Citoyens d'une nation.
nationalisation n. f. Action de nationaliser.
nationaliser v. tr. Rendre national. Faire passer sous le contrôle de l'Etat.
nationalisme n. m. Préférence pour ce qui est propre à la nation à laquelle on appartient. Système politique fondé sur elle.
nationaliste adj. Relatif au nationalisme. N. Partisan du nationalisme.
nationalité n. f. Groupement d'individus de même origine. Caractères qui distinguent une nation. Caractère de national : *établir sa nationalité.*
nativité n. f. Fête de la naissance de Jésus-Christ, de la Vierge et de quelques saints. *Absolum.* Noël.
nattage n. m. Tressage.
natte n. f. Tresse de paille, de jonc. Cheveux tressés en natte.
natter v. tr. Tresser en natte : *natter des cheveux.* Couvrir de nattes.
naturalibus (in) loc. lat. Nu.
naturalisation n. f. Action de naturaliser.
naturaliser v. tr. Accorder à un étranger la condition de citoyen d'un pays. Acclimater un animal, une plante. Empailler : *naturaliser des oiseaux.*
naturalisme n. m. Caractère de ce qui est naturel. Réalisme.
naturaliste n. m. Celui qui étudie les sciences naturelles. Empailleur. Partisan du naturalisme en littérature.
nature n. f. Ensemble de ce qui existe : *les trois règnes de la nature.* Cet ensemble en tant que régi par des lois, la force qui le dirige : *les caprices de la nature.* Le monde physique : *les spectacles de la nature.* Essence : *nature divine.* Organisation : *la nature des poissons.* Tempérament : *nature bilieuse.* Objets naturels : *payer en nature.* Modèle naturel : *peindre d'après nature. Nature morte,* représentation de choses inanimées.
naturel, elle* adj. Relatif, conforme à la nature : *loi naturelle.* Qui tient de la nature : *dons naturels.* Conforme à l'usage, à la raison : *il est naturel que.* Sans recherche : *langage naturel.* Non falsifié : *vin naturel.* Né hors mariage. *Histoire, sciences naturelles,* qui traitent de la nature, de ses productions, etc. N. m. Propriété naturelle. Absence de recherche. Habitant originaire d'un pays.
naufrage n. m. Perte d'un vaisseau sur mer. *Fig.* Ruine complète.
naufrager v. intr. (Se conj. comme *manger.*) Faire naufrage : *naufrager près du port*
naufrageur, euse adj. et n. Habitant des côtes qui, par de faux signaux, provoquait des naufrages.
naumachie n. f. Spectacle d'un combat naval, chez les Romains.
nauséabond, e adj. Qui cause des nausées.
nausée n. f. Envie de vomir. *Fig.* Dégoût, répugnance morale.
nauséeux, euse adj. Qui donne des nausées.
nautique adj. De la navigation : *art nautique; des joutes nautiques.*
nautonier, ère n. *Poét.* Marin.
navaja [*rha*] n. f. Long couteau espagnol.
naval, e, als adj. Qui concerne les vaisseaux de guerre : *combat naval.*

navarin n. m. Ragoût de mouton.
navet n. m. Plante de la famille des crucifératées. Sa racine.
navette n. f. Petit vase pour l'encens. Instrument de tisserand servant à faire courir le fil sur le métier. *Faire la navette,* aller et venir alternativement.
navigabilité n. f. Etat d'une eau navigable. Etat d'un bateau pouvant tenir la mer.
navigable adj. Où l'on peut naviguer.
navigant, e adj. Se dit du personnel qui ne reste pas à terre.
navigateur n. m. Dont le métier est de naviguer par mer ou par air.
navigation n. f. Action de naviguer. Art du navigateur : *étudier la navigation.*
naviguer v. intr. Voyager sur l'eau. Diriger un navire ou un avion.
navire n. m. Bâtiment de mer.
navrer v. tr. Causer une extrême affliction : *cette mort m'a navré.*
nazi adj. et n. Membre du parti national socialiste allemand.
nazisme n. m. Doctrine et politique du parti des nazis.
ne adv. de négation.
néanmoins conj. Toutefois, pourtant.
néant n. m. Rien, ce qui n'existe point.
nébuleuse n. f. Amas confus d'étoiles ou de gaz raréfiés.
nébuleux, euse* adj. Obscurci par les nuages : *ciel nébuleux. Fig.* Peu clair.
nébulosité n. f. Nuage léger. Manque de clarté. *Fig.* Apparence soucieuse.
nécessaire* adj. Dont on a absolument besoin : *la respiration est nécessaire à la vie.* Inévitable. Qui ne peut pas ne pas être. Très utile : *se rendre nécessaire. Il est nécessaire,* il faut. N. m. Ce qui est indispensable pour les besoins de la vie : *manquer du nécessaire.* Ce qui est essentiel, important. Boîte qui renferme des objets utiles ou commodes.
nécessité n. f. Caractère de ce dont on ne peut se passer : *l'eau est de première nécessité.* Contrainte : *obéir par nécessité.* Indigence : *extrême nécessité. De toute nécessité,* nécessairement. *Par nécessité,* à cause d'un besoin pressant. N. f. pl. Besoins naturels.
nécessiter v. tr. Rendre nécessaire. Contraindre. Impliquer forcément.
nécessiteux, euse adj. Qui manque du nécessaire : *personne nécessiteuse.* N. m. pl. Les indigents : *l'aide aux nécessiteux.*
nécrologie n. f. Liste des personnes de distinction mortes dans un certain espace de temps.
nécrologique adj. De la nécrologie.
nécromancie n. f. Art prétendu d'évoquer les morts.
nécromancien, enne n. **nécromant** n. m. Qui pratique la nécromancie.
nécrophore n. m. Insecte coléoptère qui pond dans les cadavres.
nécropole n. f. Souterrain destiné aux sépultures dans l'Antiquité. Cimetière de grande ville.
nécrose n. f. Gangrène d'un tissu.
nécroser v. tr. Produire la nécrose.
nectaire n. m. Organe glanduleux de certaines fleurs qui distille le nectar.
nectar n. m. Breuvage des dieux de la Fable. *Par ext.* Boisson délicieuse. *Bot.* Liquide sucré que sécrètent les nectaires.
néerlandais, e adj. et n. De la Néerlande ou Pays-Bas.
nef n. f. Navire (vx). Partie d'une église, du portail au chœur.
néfaste adj. Fatal, funeste.
nèfle n. f. Fruit du néflier.
néflier n. m. Arbre des régions tempérées à fruit comestible.
négateur, trice n. et adj. Qui nie.
négatif, ive* adj. Qui marque négation. *Phys. Electricité négative,* celle qui est obtenue en frottant un morceau de résine avec de la laine. N. m. *Photogr.* Epreuve négative où les noirs du modèle sont remplacés par des blancs et les blancs par des noirs. N. f. Proposition qui nie.
négation n. f. Action de nier. *Gramm.* Mot qui sert à nier (*ne, non,* etc.).
négaton n. m. Electron de charge négative.
négligé n. m. Absence d'apprêt, de recherche. Costume du matin : *sortir en négligé.* Etat d'une personne non parée.
négligeable adj. Peu important.
négligemment adv. Avec négligence. Avec indifférence : *répondre négligemment.*
négligence n. f. Défaut de soin, d'application : *accuser quelqu'un de négligence.* Faute résultant du défaut de soin. Mise négligée.
négligent, e n. et adj. Qui a de la négligence. Fait avec négligence.
négliger v. tr. (Se conj. comme *manger.*) Ne pas avoir soin : *négliger ses devoirs.* Ne pas cultiver : *négliger ses talents.* Ne pas tenir compte : *négliger les avis.* Omettre, laisser de côté : *négliger les décimales.* V. pr. Négliger sa personne, sa mise. Travailler sans soin.
négoce n. m. Commerce important.
négociable adj. Qui peut se négocier.
négociant n. m. Qui fait du négoce.
négociateur, trice n. Qui négocie une affaire auprès d'un prince, d'un Etat. Qui s'entremet pour une affaire.
négociation n. f. Action de mener à bonne fin les affaires. L'affaire même qu'on traite. Action de vendre ou de transmettre des effets de commerce. Rapports de deux ou de plusieurs Etats qui veulent traiter d'une affaire.
négocier v. intr. (Se conj. comme *prier.*) Faire le trafic en grand. *Par ext.* Faire un acte purement commercial. V. tr. Traiter une affaire. Céder : *négocier une lettre de change.*
nègre, négresse n. Qui appartient à la race noire. Esclave noir. *Littér.* et *fam.* Collaborateur occulte et rétribué d'un écrivain. *Travailler comme un nègre,* sans relâche. *Petit nègre,* langage incorrect et très simplifié, parlé par certains Noirs aux colonies. Adj. De la race noire : *art nègre.*
négrier n. et adj. m. Se disait de celui qui faisait la traite des nègres, du bâtiment qui servait à ce commerce.
négrillon, onne n. Petit nègre, petite négresse.
négroïde adj. De la race nègre.
neige n. f. Eau congelée qui tombe en flocons blancs. *Fig.* Extrême blancheur.
neigeux, euse adj. Couvert de neige.
neiger v. impers. (Se conj. comme *manger.*) Se dit de la neige qui tombe.

nenni [*na-ni*] adv. *Fam.* Non.
nénuphar n. m. Genre de nymphéacées aquatiques.
néo, préf. signifiant *nouveau.*
néo-calédonien, enne adj. et n. De la Nouvelle-Calédonie.
néo-grec, grecque adj. De la Grèce moderne.
néo-latin adj. Se dit des langues dérivées du latin (français, italien, espagnol).
néolithique adj. Se dit de la période la plus récente de l'âge de pierre.
néologie n. f. Introduction, emploi de mots nouveaux.
néologisme n. m. Mot nouveau : *rechercher le néologisme.*
néon n. m. Gaz rare de l'atmosphère : *le néon peut être luminescent.*
néophyte n. Nouveau converti. *Par ext.* Personne qui a nouvellement adopté une opinion : *ardeur de néophyte.*
néoplasme n. m. Tumeur pathologique.
néo-zélandais, e adj. et n. De la Nouvelle-Zélande.
néphrétique adj. Se dit des maladies de reins : *coliques néphrétiques.*
néphrite n. f. Inflammation du rein.
népotisme n. m. Abus qu'un homme fait de son crédit en faveur de sa famille.
neptunien, enne adj. *Géol.* Se dit des terrains formés par les eaux.
néréide n. f. *Myth.* Nymphe de la mer.
nerf [*nèr*] n. m. Cordon blanchâtre conducteur des incitations du cerveau aux divers organes et réciproquement. *Abusiv.* Tendon : *se fouler un nerf.* Moteur principal : *l'argent est le nerf de la guerre.* Force, vigueur : *il a du nerf. Attaque de nerfs,* spasmes nerveux. Ficelles au dos d'un livre relié. *Nerf de bœuf,* ligament cervical desséché du bœuf et du cheval.
nerver v. tr. Garnir de nerfs : *nerver le dos d'une reliure.*
nerveux, euse* adj. Relatif aux nerfs : *affection nerveuse.* Qui a les nerfs irritables : *femme nerveuse.* Vigoureux : *homme nerveux. Fig.* Vigoureux : *style nerveux, éloquence nerveuse.*
nervosisme n. m. Troubles nerveux.
nervosité n. f. Irritabilité.
nervure n. f. Saillie des nerfs au dos d'un livre. Moulure sur les arêtes d'une voûte, etc. Filet saillant sur la surface des feuilles, sur l'aile des insectes.
net [*nèt*], **nette*** adj. Propre, sans souillure : *assiette nette.* Poli, sans tache : *une glace nette.* Clair, transparent. Bien marqué : *cassure nette.* Qui conçoit clairement : *idées nettes.* Exempt d'ambiguïté : *situation nette. Revenu, bénéfice net,* en défalquant les charges, les frais. *Prix net,* sans réduction. *Poids net,* poids propre d'un objet, déduction faite de l'enveloppe. N. m. *Mettre au net,* faire une copie correcte. Adv. Uniment, tout d'un coup : *question tranchée net.* Franchement : *refuser net* ou *tout net.*
netteté n. f. Qualité de ce qui est net : *la netteté d'une réponse.*
nettoiement ou **nettoyage** n. m. Action de nettoyer : *service du nettoiement.*
nettoyer v. tr. (Se conj. comme *aboyer.*) Rendre net, propre : *nettoyer une chambre. Pop.* Vider : *nettoyer une bouteille.*
nettoyeur, euse n. Qui nettoie.
neuf [*neuf', neuv* devant une voyelle] adj. num. Huit et un. Neuvième : *Louis neuf.* N. m. Chiffre représentant le chiffre 9. Neuvième jour : *le neuf mars.* Carte marquée de neuf points : *neuf de pique.*
neuf, neuve adj. Qui n'a pas ou presque pas servi : *une plume neuve.* Fait depuis peu : *maison neuve. Fig.* Qui n'a pas encore été dit : *sujet neuf.* Inexpérimenté : *une âme neuve. A neuf,* comme neuf. N. m. Ce qui est neuf, nouveau.
neurasthénie n. f. Troubles produits par l'affaiblissement nerveux.
neurasthénique adj. Relatif à la neurasthénie. N. Qui en est atteint.
neurologie n. f. Science des nerfs.
neurologue n. Qui s'occupe de neurologie.
neurone n. m. Cellule nerveuse.
neutralisation n. f. Action de neutraliser.
neutraliser v. tr. *Chim.* Rendre neutre : *neutraliser un acide. Fig.* Rendre inutile : *neutraliser un projet.* Déclarer neutre (territoire, ville, etc.).
neutralité n. f. Etat de celui qui reste neutre. Etat d'une puissance neutre dans une guerre : *la neutralité suisse.*
neutre adj. Qui ne prend point parti entre des puissances belligérantes, entre des personnes opposées. N. pl. *Les neutres,* les nations neutres. *Biol.* Se dit des individus asexués (chez les abeilles, fourmis, etc.). *Chim.* Ni acide ni alcalin. *Phys.* Qui ne présente aucun phénomène électrique. *Gramm. Verbe neutre,* voir INTRANSITIF. Dans certaines langues, se dit d'un genre qui n'est ni masculin ni féminin. N. m. Genre neutre.
neutron n. m. Particule électriquement neutre.
neuvaine n. f. Acte de dévotion prolongé pendant neuf jours.
neuvième adj. num. ord. N. Qui suit le huitième. N. m. La neuvième partie d'un tout.
neuvièmement adv. En neuvième lieu.
névé n. m. Masse de neige durcie, à l'origine d'un glacier.
neveu n. m. Fils du frère ou de la sœur.
névralgie n. f. Douleur vive, sur le trajet des nerfs.
névralgique adj. Relatif à la névralgie.
névrite n. f. Lésion inflammatoire des nerfs.
névropathe adj. et n. Qui souffre des nerfs.
névropathie n. f. Troubles nerveux.
névrose n. f. Troubles nerveux.
névrosé, e adj. Atteint de névrose.
nez n. m. Partie saillante du visage, entre la bouche et le front, organe de l'odorat. *Par ext.* Odorat et, au *fig.,* sagacité, prévoyance. *Pied de nez,* geste de moquerie, fait en appuyant sur le bout de son nez le pouce d'une main, les doigts écartés. *Mar.* Cap, proue, avant.
ni, conj. exprimant la négation.
niable adj. Qui peut être nié.
niais, e* adj. (Se disait autrefois en fauconnerie, d'un oiseau pris au nid.) Simple, sot : *réponse niaise.* N. : *c'est un niais.*
niaiser v. intr. S'amuser à des niaiseries, à des bagatelles.
niaiserie n. f. Caractère du niais. Chose niaise, bagatelle : *s'occuper de niaiseries.*
niche n. f. Enfoncement pratiqué dans un mur pour y placer une statue, etc. Cabane pour chien de garde.

niche n. f. Malice, espièglerie.
nichée n. f. Les oiseaux d'une même couvée, encore au nid. *Par ext. : une nichée d'enfants.*
nicher v. intr. Faire son nid. *Par ext. :* S'établir, se loger dans. V. tr. Placer : *qui vous a niché là?*
nickel n. m. Métal blanc grisâtre, brillant, à cassure fibreuse.
nickelage n. m. Action de nickeler.
nickeler v. tr. (Se conj. comme *amonceler.*) Couvrir d'une couche de nickel.
nicotine n. f. Alcaloïde du tabac.
nid [*ni*] n. m. Petit abri que se font les oiseaux, certains insectes et poissons, pour pondre leurs œufs, les couver et élever leurs petits. Habitation de certains animaux : *nid de rats.* Habitation, logement. Repaire. *Nid d'abeilles,* alvéoles d'un gâteau de miel et, au *fig.*, ce qui rappelle leur forme.
nidifier v. intr. (Se conj. comme *prier.*) Construire son nid.
nièce n. f. Fille du frère ou de la sœur.
niellage n. m. Action de nieller.
nielle n. m. Ornement gravé en creux sur un ouvrage d'orfèvrerie et rempli d'émail noir.
nielle n. f. Plante parasite commune dans les champs de céréales. Carie ou charbon chez certains végétaux.
nieller v. tr. Orner de nielles.
nieller v. tr. Gâter par la nielle.
nielleur n. et adj. m. Graveur de nielles.
niellure n. f. Art du nielleur.
nier v. tr. (Se conj. comme *prier.*) Dire qu'une chose n'existe pas, n'est pas vraie. Déclarer qu'on n'a pas, qu'on ne doit pas : *nier une dette.*
nigaud, e n. et adj. *Fam.* Sot, niais.
nigauderie n. f. Action de nigaud.
nihilisme n. m. Doctrine russe qui avait pour but la destruction radicale de toutes les conditions sociales.
nihiliste adj. et n. Partisan du nihilisme.
nimbe n. m. Cercle autour de la tête des images des saints, etc.
nimber v. tr. Orner d'un nimbe.
nimbus [*buss*] n. m. Large nuage gris.
nippes n. f. pl. *Fam.* Vêtements usés.
nipper v. tr. *Fam.* Fournir de nippes.
nippon, e adj. et n. Japonais.
nique n. f. Geste de mépris ou de moquerie : *faire la nique.*
niquedouille n. *Fam.* Nigaud.
nirvâna n. m. Anéantissement suprême dans le bouddhisme.
nitouche n. f. *Sainte nitouche,* personne qui affecte l'innocence.
nitrate n. m. Sel de l'acide nitrique.
nitre n. m. Salpêtre.
nitré, e adj. Traité par l'acide azotique : *coton nitré.*
nitreux, euse adj. Qui contient du nitre : *sol nitreux.* Azoteux (acide).
nitrique adj. Azotique (acide).
nitroglycérine n. f. Ether nitrique de la glycérine, explosif violent.
niveau n. m. Instrument pour vérifier les lignes et plans horizontaux. Etat horizontal : *objets de niveau.* Elévation d'un point, d'une droite ou d'un plan au-dessus d'une surface horizontale. *Fig.* Degré : *niveau économique.* Egalité de rang, de mérite.
niveler v. tr. (Se conj. comme *amonceler.*) Mesurer au niveau. Rendre horizontal : *niveler un terrain. Fig.* Rendre égal.
niveleur n. m. Qui nivelle.
nivellement n. m. Action de niveler.
nivernais, e adj. et n. De Nevers, du Nivernais.
nivôse n. m. Quatrième mois de l'année républicaine (21 décembre-19 janvier).
nobiliaire adj. De la noblesse.
noble* adj. et n. Qui appartient à une classe de personnes jouissant de titres ou privilèges héréditaires concédés par un souverain. Propre à la noblesse : *sang noble. Fig.* Qui annonce de la grandeur, de l'élévation : *style noble.*
noblesse n. f. Qualité de noble. Le corps des hommes qualifiés nobles : *la noblesse de l'Empire. Fig.* Grandeur, élévation, distinction.
noce n. f. Mariage et réjouissances qui l'accompagnent : *aller à la noce.* Tous ceux qui s'y trouvent. *Fig.* et *fam. Faire la noce,* mener une vie déréglée.
noceur, euse adj. et n. *Fam.* Qui fait la noce.
nocif, ive* adj. Nuisible.
nocivité n. f. Caractère nocif.
noctambule n. et adj. *Fam.* Qui fait volontiers de la nuit le jour.
nocturne* adj. Qui arrive pendant la nuit : *apparition nocturne.* Qui veille la nuit et dort le jour : *oiseau nocturne.* N. m. Morceau musical d'un caractère tendre et mélancolique.
nocuité n. f. Caractère nuisible.
nodosité n. f. Nœud, renflement.
nodule n. m. Petit nœud.
noël n. m. Fête de la nativité du Christ. Cantique de Noël.
nœud n. m. Enlacement serré de ruban, fil, corde, etc. : *faire un nœud.* Ornement en forme de nœud : *nœud de ruban.* Excroissance dure d'un arbre : *les nœuds du sapin.* Point de la tige où s'insère une feuille. *Fig.* Attachement, lien moral : *les nœuds de l'amitié.* Difficulté : *le nœud de la question.* Intrigue d'une pièce, etc. *Mar.* Se dit des nœuds de la ligne de loch, placés à environ 15 mètres les uns des autres. *Filer* x *nœuds* (par demi-minute), faire *x* milles en une heure.
noir, e adj. Se dit de la couleur la plus obscure et des objets qui ont cette couleur : *encre noire.* D'une couleur très foncée : *pain noir.* Sombre, obscur : *nuit noire.* De race noire. *Fig.* Triste, sombre : *humeur noire.* Atroce, odieux : *âmes noires. Bête noire,* personne détestée. N. m. Homme de race noire. Couleur noire : *noir de jais.* Couleur très foncée. *Noir animal,* poudre obtenue en brûlant les os. Vêtement de deuil : *être en noir.* Meurtrissure : *couvert de noirs. Broyer du noir,* s'attrister.
noirâtre adj. Qui tire sur le noir.
noiraud, e adj. Qui a les cheveux noirs et le teint brun.
noirceur n. f. Etat de ce qui est noir. Tache noire. *Fig.* Perfidie, méchanceté : *noirceur de l'âme.* Action ou parole méchante. Humeur sombre.
noircir v. tr. Rendre noir. Diffamer : *noircir la réputation.* V. intr. et pr. Devenir noir : *le bois noircit.*
noircissement n. m. Action de noircir.

noircissure n. f. Tache noire.
noire n. f. *Mus.* Note qui vaut la moitié d'une blanche.
noise n. f. Dispute.
noisetier n. m. Arbre qui donne la noisette.
noisette n. f. Fruit du noisetier.
noix n. f. Fruit du noyer. Se dit aussi d'autres fruits : *noix de coco, noix muscade.*
nolisement n. m. Action de noliser.
noliser v. tr. *Mar.* Affréter, louer.
nom n. m. Mot qui sert à désigner une personne, une chose. *Nom commun,* qui convient à tous les êtres de la même espèce. *Nom propre,* nom particulier d'un être. *Nom de baptême,* prénom. *Nom de guerre,* nom emprunté. *De nom,* par le nom seulement. *Au nom de,* de la part de, en considération de. *Fig.* Gloire, renommée.
nomade adj. et n. Qui erre, n'a point d'habitation fixe.
nomadisme n. m. Vie nomade.
nombre n. m. Rapport entre une quantité et l'unité. Collection de personnes ou de choses. Majorité : *le pouvoir du nombre l'emporte en démocratie. Nombre rond,* nombre auquel on réduit un compte pour le simplifier. *Littér.* Harmonie qui résulte d'un arrangement des mots. *Gramm.* Propriété des mots de représenter, par leur forme, l'idée d'unité ou de pluralité : *il y a deux nombres : le singulier et le pluriel.*
nombrer v. tr. Compter, supputer.
nombreux, euse adj. En grand nombre : *nombreuse armée.* Harmonieux (vers) : *période nombreuse.*
nombril [*bri*] n. m. Cicatrice du cordon ombilical, au milieu du ventre.
nomenclature n. f. Collection des termes techniques d'une science ou d'un art. Ensemble des mots d'un dictionnaire. Recueil de mots, de noms propres. Catalogue.
nominal, e*, aux adj. Qui sert à nommer; relatif au nom. Qui n'existe que de nom : *chef nominal. Valeur nominale,* inscrite sur une monnaie, un effet de commerce, etc.
nominatif n. m. Dans les langues à déclinaisons, cas qui désigne le sujet.
nominatif, ive* adj. Qui dénomme, tient des noms : *état nominatif des employés.* Se dit d'un titre, d'une valeur qui porte le nom du propriétaire, par opposition aux titres « au porteur ».
nomination n. f. Action de nommer à un emploi.
nommément adv. En désignant par le nom; en particulier.
nommer v. tr. Donner un nom : *nommer un enfant.* Désigner par le nom même : *nommer un objet.* Choisir, désigner, élire : *nommer un maire.* Instituer en qualité de : *nommer quelqu'un son héritier.*
non, particule négative. Se joint quelquefois à un adjectif, à un nom : *non solvable, non-réussite.* N. m. Refus net : *répondre par un non.*
non-activité n. f. Etat d'un officier, d'un fonctionnaire qui n'exerce pas son emploi.
nonagénaire n. et adj. Agé de quatre-vingt-dix ans.
nonante adj. num. Quatre-vingt-dix. (Vx.)
nonce n. m. Ambassadeur du pape.
nonchalamment adv. Avec nonchalance : *parler nonchalamment.*
nonchalance n. f. Caractère nonchalant. Parole, action nonchalante.
nonchalant, e adj. et n. Qui manque d'ardeur, de zèle : *une façon de parler nonchalante.* Qui agit, parle avec mollesse, indolence : *un enfant nonchalant.*
nonchaloir n. m. Etat d'indolence physique ou morale. (Vx.)
nonciature n. f. Fonctions de nonce. Palais du nonce.
non-combattant n. et adj. m. Se dit de la partie du personnel militaire qui ne prend pas une part effective au combat.
non-conformiste n. et adj. Se dit, en Angleterre, des protestants non anglicans et, *par ext.*, de ceux qui se refusent à se conformer à une opinion commune.
non-exécution n. f. Défaut d'exécution : *la non-exécution d'un pacte.*
non-existence n. f. Inexistence.
non-lieu n. m. *Dr.* Déclaration, ordonnance, constatant qu'il n'y a pas lieu de poursuivre un prévenu.
nonne ou **nonnain** n. f. *Fam.* Religieuse.
nonnette n. f. Jeune religieuse. Petit pain d'épice rond.
nonobstant prép. Malgré : *nonobstant les remontrances.* Adv. Cependant.
non-paiement n. m. Défaut de paiement.
non-réussite n. f. Echec.
non-sens n. m. invar. Absurdité.
non-valeur n. f. Se dit d'un fonds qui ne rapporte rien, d'une créance non recouvrable, etc., et, au *fig.*, d'une personne inutile.
nopal n. m. Nom vulgaire de l'oponce, de la même famille que les cactus. Pl. des *nopals.*
nord n. m. Un des points cardinaux vers lequel se tourne l'aiguille aimantée. *Fam. Perdre le nord,* ne plus savoir où l'on en est.
nord-est n. m. Point de l'horizon, entre le nord et l'est.
nordique adj. Se dit de la langue ou de la littérature des peuples du nord de l'Europe.
nord-ouest n. m. Point de l'horizon entre le nord et l'ouest.
noria n. f. Chaîne sans fin munie de godets, machine hydraulique.
normal, e*, aux adj. Ordinaire, régulier : *état normal. Géom.* N. f. Perpendiculaire.
normalien, enne n. Elève d'une école normale primaire ou supérieure.
normalisation n. f. Assujettissement à des normes, des types.
norme n. f. Principe, règle. Type, modèle. SYN. *Standard.*
nos adj. poss., pl. de *notre.*
nostalgie n. f. Mal du pays.
nostalgique adj. Relatif à la nostalgie. N. Atteint de nostalgie.
nota ou **nota bene** [*béné*] n. m. invar. Note mise dans la marge ou au bas d'un écrit.
notabilité n. f. Caractère de ce qui est notable. Personne notable.
notable* adj. Qui mérite une mention spéciale; important. Qui occupe un rang important : *un notable commerçant.* N. Personne considérable par ses fonctions, sa fortune, etc.
notaire n. m. Officier ministériel qui reçoit et rédige les actes, contrats, pour les rendre authentiques.
notairesse n. f. Femme d'un notaire.

notamment adv. Spécialement.
notarial, e, aux adj. Du notaire.
notariat n. m. Charge de notaire. L'ensemble des notaires.
notarié, e adj. Passé devant notaire.
notation n. f. Action ou manière de noter : *notation chimique.*
note n. f. Marque pour se rappeler quelque chose. Observation écrite : *note à consulter.* Commentaire, sommaire : *mettre des notes à un livre.* Détail d'un compte à acquitter, mémoire. Appréciation d'une chose, d'une personne. Chiffre exprimant la valeur d'un travail : *avoir de bonnes notes.* Communication par un gouvernement à son représentant près d'un Etat : *note diplomatique. Mus.* Caractère figurant un son et sa durée. Ce son lui-même. *Etre dans la note,* faire ce qui convient.
noter v. tr. Faire une marque sur ; prendre note de : *noter un vers au passage.* Remarquer : *notez bien que.* Ecrire de la musique avec des notes : *noter un air.*
notice n. f. Ecrit succinct sur un sujet : *notice explicative.*
notification n. f. Action de notifier.
notifier v. tr. (Se conj. comme *prier.*) Faire savoir : *notifier un acte.*
notion n. f. Idée d'une chose.
notoire* adj. Connu de tous.
notoriété n. f. Etat de ce qui est notoire.
notre adj. poss. Qui nous concerne, qui est à nous. Pl. *nos.*
nôtre (précédé de l'art.) pron. poss. Qui est à nous. N. m. pl. *Les nôtres,* nos parents. Ceux de notre parti, de notre rang, etc.
notule n. f. Petite annotation.
nouba n. f. Musique des tirailleurs algériens. *Pop.* Débauche.
nouement n. m. Action de nouer.
nouer v. tr. Lier avec un nœud. Faire un nœud à : *nouer une ficelle. Fig.* Former : *nouer une intrigue.* V. intr. Croître après la fécondation (fruits).
noueux, euse adj. Qui a beaucoup de nœuds : *bâton noueux.*
nougat n. m. Gâteau fait d'amandes et de caramel ou de miel.
nouilles n. f. pl. Pâte alimentaire à base de semoule de blé dur et coupée en lanières.
nourrice n. f. Femme allaitant un enfant, qu'il soit à elle ou non. Petit réservoir d'essence intermédiaire (auto).
nourricier, ère adj. Qui sert à la nutrition : *suc nourricier.* N. m. Mari d'une nourrice.
nourrir v. tr. Servir à la nutrition : *le sang nourrit le corps.* Fournir les aliments : *la terre nourrit l'homme.* Donner à manger : *nourrir les bestiaux.* Allaiter : *nourrir un enfant. Fig.* Former : *la lecture nourrit l'esprit.* Entretenir : *nourrir l'espoir.*
nourrisseur n. m. Qui nourrit les vaches pour vendre leur lait. Qui engraisse du bétail.
nourrisson n. m. Enfant qui tète.
nourriture n. f. Action de nourrir, d'allaiter un enfant. Substances dont on se nourrit : *nourriture substantielle. Fig.* Ce qui nourrit, développe.
nous pron. pers. de la 1re pers. du pl. des deux genres.
nouveau ou **nouvel** (devant une voyelle ou un *h* muet), **elle*** adj. Qui n'existe que depuis peu de temps : *livre nouveau.* Qui succède à d'autres choses analogues : *saison nouvelle.* Dont le caractère est changé. Novice, inexpérimenté. *Le Nouveau Monde,* l'Amérique. N. m. Ce qui est récent : *le nouveau plaît toujours.* Chose surprenante : *voilà du nouveau.* Adv. Nouvellement : *enfant nouveau-né.* Loc. adv. : *de nouveau,* une fois de plus ; *à nouveau,* en recommençant de façon différente.
nouveau-né n. et adj. Enfant nouvellement né : *enfants nouveau-nés, fille nouveau-née.*
nouveauté n. f. Qualité de ce qui est nouveau. Innovation, chose nouvelle : *aimer les nouveautés.* Pl. Etoffe d'un genre, d'un dessin nouveau. Livre nouvellement publié.
nouvelle n. f. Premier avis d'une chose, d'un événement. Renseignement sur la santé, la situation de quelqu'un. Composition littéraire entre le conte et le roman.
nouvelliste n. m. Rédacteur de nouvelles dans un journal.
novateur, trice n. Qui innove.
novembre n. m. Onzième mois de l'année : *novembre a trente jours.*
novice n. Qui a pris l'habit religieux dans un couvent pour y passer un temps d'épreuve. Apprenti matelot. Adj. Nouveau, inexpérimenté : *être novice en affaires.*
noviciat n. m. Etat de novice. Temps qu'il dure. *Fig.* Apprentissage.
noyade n. f. Action de noyer ou de se noyer.
noyau n. m. Partie dure qui renferme l'amande dans certains fruits. Axe d'un escalier tournant. Partie centrale d'une cellule. *Fig.* Partie primitive d'un groupe.
noyautage n. m. Action de noyauter.
noyauter v. tr. Former des noyaux de propagande politique.
noyer v. tr. Asphyxier par immersion : *noyer un chien. Fig.* Faire disparaître : *noyer sa raison dans le vin.* Délayer : *noyer sa pensée dans des paroles inutiles.* V. pr. Périr dans l'eau. *Fig.* Se perdre : *se noyer dans les digressions.*
noyer n. m. Arbre qui porte les noix. Bois de cet arbre : *noyer ciré.*
nu, e adj. Non vêtu. Non garni : *des murs nus. Fig.* Sans recherche : *la vérité nue.*
nuage n. m. Amas de fines gouttelettes d'eau suspendues dans l'air. *Fig.* Ce qui empêche de voir : *nuage de poussière.* Tristesse, inquiétude peintes sur le visage. Ce qui obscurcit, qui trouble : *bonheur sans nuage.*
nuageux, euse* adj. Couvert de nuages. Obscur : *projet nuageux.*
nuance n. f. Degré d'une couleur. *Fig.* Différence légère : *nuance d'opinion. Mus.* Degré d'un son.
nuancer v. tr. (Se conj. comme *amorcer.*) Faire passer d'une nuance dans une autre. Varier : *nuancer sa pensée.*
nubile adj. En âge de se marier.
nubilité n. f. Age de se marier.
nudité n. f. Etat d'une personne, d'une chose nue. Pl. *Peint.* Figures nues.
nue n. f. Nuage (*poétiq.*). *Fig. Tomber des nues,* être très surpris.
nuée n. f. Gros nuage : *nuée chargée de grêle. Fig.* Multitude : *nuée d'oiseaux.*
nue-propriété n. f. Celle dont une autre personne a l'usufruit.
nuer v. tr. Assortir les couleurs dans les broderies.

nuire v. intr. (Se conj. comme *luire*, et en outre : *je nuisis, nous nuisîmes; que je nuisisse, que nous nuisissions.*) Faire tort, faire obstacle.
nuisible adj. Qui nuit, nocif.
nuit n. f. Temps qui s'écoule entre le coucher et le lever du soleil. Obscurité : *il fait nuit.* Ténèbres de l'ignorance. *La nuit des temps,* les temps très reculés. *Nuit blanche,* nuit passée sans dormir.
nuitamment adv. De nuit.
nuitée n. f. L'espace d'une nuit.
nul, nulle* adj. Aucun, pas un. Sans mérite, sans valeur : *un homme nul.* Qui n'a pas d'effet légal : *arrêt nul.* Pron. indéf. Personne : *nul n'est censé ignorer la loi.*
nullité n. f. Caractère de ce qui est nul, sans valeur. Personne sans mérite : *c'est une nullité.*
numéraire n. m. Espèces monnayées.
numéral, e, aux adj. Qui désigne un nombre : *adjectif numéral.*
numérateur n. m. Terme d'une fraction qui indique combien elle contient de parties de l'unité.
numération n. f. Art d'énoncer et d'écrire les nombres : *numération décimale.*
numérique* adj. Des nombres, du nombre : *supériorité numérique.*
numéro n. m. Chiffre, nombre qui indique la place d'un objet parmi d'autres objets. Billet portant un numéro et qui donne droit au tirage d'une loterie. Livraison d'un périodique, etc. Partie du programme d'un spectacle.
numérotage n. m. Action de numéroter : *vérifier un numérotage.*
numéroter v. tr. Mettre un numéro.
numéroteur adj. et n. m. Instrument pour imprimer des numéros.
numismate n. m. Versé en numismatique : *un savant numismate.*
numismatique n. f. Science des monnaies et des médailles.
nu-propriétaire n. Qui n'a que la nue-propriété.
nuptial, e, aux adj. Relatif aux noces.
nuque n. f. Partie postérieure du cou au-dessous de l'occiput.
nurse [*neurs'*] n. f. (mot angl.) Bonne d'enfant, infirmière.
nutritif, ive adj. Qui nourrit. De la nutrition : *appareil nutritif.*
nutrition n. f. Assimilation de la nourriture : *troubles de la nutrition.*
Nylon (n. déposé) n. m. Fibre textile synthétique : *bas en Nylon.*
nymphe n. f. Dans la mythologie grecque, divinité subalterne des fleuves, des fontaines, des bois, des montagnes. *Fig.* Jeune fille gracieuse. *Zool.* Chrysalide.
nymphéa n. m. Nénuphar blanc.

O

o n. m. Quinzième lettre et quatrième voyelle de l'alphabet.
ô, interj. qui marque l'admiration, l'étonnement, la joie, la douleur, la prière, etc., ou sert à apostropher, à marquer le vocatif.
oasis [*ziss*] n. f. Ilot de verdure dans un désert. *Fig.* Lieu qui offre un repos physique ou moral.
obédience n. f. Dépendance.
obéir v. intr. Se soumettre à la volonté d'un autre : *le soldat obéit à ses chefs.* Céder à : *obéir à la force.*
obéissance n. f. Action ou habitude d'obéir. Soumission : *exiger l'obéissance.*
obélisque n. m. Monument égyptien quadrangulaire, en forme d'aiguille.
obérer v. tr. (Se conj. comme *accélérer.*) Endetter fortement.
obèse adj. et n. Ventru.
obésité n. f. Excès d'embonpoint.
obit [*bit'*] n. m. Service anniversaire pour le repos d'un défunt.
objecter v. tr. Opposer.
objecteur n. m. Qui objecte. *Objecteur de conscience,* celui qui refuse d'accomplir le service militaire pour des raisons de conscience morale ou religieuse.
objectif, ive* adj. Relatif à l'objet; qui est dans l'objet. Impartial : *décision objective.* N. m. Système optique d'une lunette, d'un appareil photographique, destiné à être placé du côté de l'objet qu'on veut voir ou photographier. Terrain à conquérir. *Fig.* But à atteindre.
objection n. f. Ce qu'on oppose à une proposition.
objectiver v. tr. Rendre objectif.
objectivité n. f. Qualité de ce qui est objectif : *l'objectivité d'un arbitre.*
objet n. m. Chose qui s'offre à la vue, affecte les sens : *objet affreux.* Chose quelconque : *objets de première nécessité. Fig.* Ce qui occupe l'esprit : *l'objet de ses études.* But : *l'objet d'une scène.*
objurgation n. f. Vive remontrance.
oblat, e n. Laïque qui participe, dans une certaine mesure, à la vie d'un ordre religieux.
oblation n. f. Offrande à Dieu.
obligataire n. Propriétaire d'obligations.
obligation n. f. Ce qui nous oblige; devoir qui s'impose à nous. Motif de reconnaissance : *avoir de grandes obligations à.* Titre représentant un prêt de capitaux donnant droit à intérêt.
obligatoire* adj. Qui a la force d'obliger : *service obligatoire.*
obligé, e adj. Nécessaire : *conséquence obligée.* Redevable : *je vous suis obligé.* N. : *je suis votre obligé.*
obligeamment [*ja-man*] adv. Avec obligeance.
obligeance [*jans'*] n. f. Disposition à obliger, caractère obligeant.
obligeant, e [*jan*] adj. Qui aime à obliger. Aimable : *paroles obligeantes.*
obliger v. tr. Imposer l'obligation de. Lier quelqu'un par un acte : *son contrat l'oblige à cela. Fig.* Exciter : *vous l'obligerez à se fâcher.* Rendre service : *obliger ses amis.*
oblique* adj. Incliné par rapport à la perpendiculaire. *Fig.* Sans franchise : *un*

regard oblique. Anat. Se dit de différents muscles. N. f. Ligne oblique.
obliquer v. intr. Aller en oblique.
obliquité [*kui*] n. f. Inclinaison d'une ligne, d'une surface sur une autre : *l'obliquité d'un plan, d'une rue.*
oblitération n. f. Action d'oblitérer : *l'oblitération d'une artère.*
oblitérer v. tr. (Se conj. comme *accélérer.*) Effacer, user peu à peu : *oblitérer une inscription.* Couvrir d'une empreinte : *oblitérer un timbre. Méd.* Obstruer : *veine oblitérée.*
oblong, ongue adj. Plus long que large : *cuvette oblongue.*
obole n. f. Unité de poids et de monnaie de la Grèce ancienne. *Fig.* Petite somme.
obscène adj. Qui blesse la pudeur.
obscénité n. f. Parole, image, action obscène.
obscur, e adj. Sombre : *cave obscure. Fig.* Caché, sans éclat : *vie obscure.* Peu clair : *style obscur.*
obscurantisme n. m. Système de ceux qui repoussent l'instruction du peuple.
obscurantiste n. Partisan de l'obscurantisme.
obscurcir v. tr. Rendre obscur. *Fig.* Rendre inintelligible : *obscurcir le style.* Affaiblir l'éclat : *obscurcir la vérité.*
obscurcissement n. m. Affaiblissement de la lumière.
obscurément adv. Avec obscurité.
obscurité n. f. Caractère, état de ce qui est obscur (au *pr.* et au *fig.*).
obséder v. tr. (Se conj. comme *accélérer.*) Etre assidu auprès de quelqu'un pour s'emparer de son esprit. *Fig.* Importuner.
obsèques n. f. pl. Funérailles.
obséquieux [*kyeû*], **euse*** adj. Qui porte à l'excès le respect, les égards.
obséquiosité [*kyo*] n. f. Caractère obséquieux : *parler avec obséquiosité.*
observable adj. Qui peut s'observer.
observance n. f. Pratique, exécution d'une règle. Communauté du point de vue de la règle suivie.
observateur, trice n. Qui observe une règle, etc. Qui observe les phénomènes, les événements : *observateur de la nature.* Personne qui regarde : *assister en simple observateur.* Qui observe les positions de l'ennemi. Adj. Qui sait observer.
observation n. f. Action d'observer. Objection, réprimande.
observatoire n. m. Etablissement pour les observations astronomiques. *Mil.* Lieu d'où l'on observe les résultats d'un tir.
observer v. tr. Suivre les prescriptions d'une règle, etc. Considérer avec attention : *observer le cours des astres.* Epier : *on vous observe.* Remarquer : *observez que.* V. pr. Etre circonspect : *s'observer beaucoup.* S'épier réciproquement.
obsession n. f. Action d'obséder. Etat de celui qui est obsédé. Ce qui obsède.
obstacle n. m. Empêchement, opposition. *Physiq.* Ce qui résiste à une force. *Turf.* Chacune des différentes difficultés qu'on accumule sur la piste pour les courses de haies ou les steeple-chases.
obstétrique n. f. Art des accouchements.
obstination n. f. Entêtement.
obstiné*, e adj. et n. Opiniâtre, entêté. *Fig.* Assidu : *travail obstiné.*
obstiner (s') v. pr. S'attacher avec ténacité : *s'obstiner dans un refus.*
obstructif, ive adj. *Méd.* Qui cause une obstruction.
obstruction n. f. *Méd.* Engorgement d'un conduit. *Polit.* Tactique d'une minorité qui, dans une assemblée, entrave la marche des travaux.
obstructionnisme n. m. Système d'obstruction parlementaire.
obstructionniste adj. Qui concerne l'obstruction. N. Qui la pratique.
obstruer v. tr. Boucher, embarrasser.
obtempérer v. intr. (Se conj. comme *accélérer.*) Obéir : *obtempérer aux ordres.*
obtenir v. tr. (Se conj. comme *tenir.*) Recevoir ce qu'on désire.
obtention n. f. Action d'obtenir.
obturateur, trice adj. Qui sert à obturer. N. m. Dispositif mécanique qui sert à obturer.
obturation n. f. Action d'obturer.
obturer v. tr. Boucher. Fermer.
obtus, e adj. Emoussé, arrondi : *pointe obtuse. Géom. Angle obtus,* plus grand qu'un angle droit. *Fig. Esprit obtus,* peu pénétrant, lourd.
obus n. m. Projectile creux, rempli d'une substance explosive.
obusier n. m. Pièce d'artillerie servant aux tirs courbes.
obvier v. intr. (Se conj. comme *prier.*) Prévenir, faire obstacle à.
oc, particule du dialecte provençal exprimant l'affirmation. N. m. *Langue d'oc,* qu'on parlait autrefois au sud de la Loire.
ocarina n. m. Instrument de musique à vent.
occasion n. f. Rencontre, circonstance de temps, de lieu, d'affaires qui se présente à propos : *occasion favorable.* Cause, sujet : *occasion de procès. D'occasion* loc. adv. Par hasard. (Se dit des choses qui se vendent bon marché, généralement parce qu'elles ne sont pas neuves.)
occasionnel, elle* adj. Qui occasionne. Dû au hasard : *rencontre occasionnelle.*
occasionner v. tr. Causer, provoquer.
occident n. m. Ouest, couchant.
occidental, e, aux adj. Qui est à l'Occident : *pays occidental.* Qui habite l'Occident. N. m. pl. Peuples qui habitent l'Occident.
occipital, e, aux adj. De l'occiput. N. m. Os postérieur du crâne.
occiput [*put'*] n. m. Partie inférieure et postérieure de la tête.
occire v. tr. (Usité seulement à l'infinitif, au part. pass. : *occis, e,* et aux temps composés.) Tuer. (Vx.)
occlusif, ive adj. Qui bouche. Produit par une occlusion.
occlusion n. f. Fermeture. *Méd.* Oblitération : *occlusion intestinale.*
occultation n. f. *Astr.* Disparition passagère d'un astre.
occulte adj. Caché : *cause occulte. Sciences occultes,* l'alchimie, la magie, la nécromancie, l'astrologie, etc.
occultisme n. m. Sciences occultes.
occupant, e n. et adj. Qui occupe.
occupation n. f. Action de s'occuper. Travail, affaire dont on est occupé. Action de s'établir dans quelque chose.
occuper v. tr. Remplir un espace, un temps. Habiter : *occuper un logis.* S'emparer de :

occuper une ville. Remplir : *occuper un emploi.* Consacrer : *occuper ses loisirs à.* Donner à travailler : *occuper des ouvriers.* V. intr. *Dr.* Se dit d'un avoué qui est chargé d'une affaire en justice. V. pr. Travailler : *s'occuper de chimie.*

occurrence n. f. Rencontre, circonstance fortuite : *en l'occurrence.*

océan n. m. Vaste étendue d'eau salée qui couvre la plus grande partie du globe terrestre. *Absolum.* L'océan Atlantique : *les plages de l'Océan* (avec majuscule). Vaste étendue : *océan de verdure.*

océanide n. f. Nymphe de la mer.

océanien, enne adj. De l'Océanie.

océanique adj. De l'océan.

océanographie n. f. Etude de la mer.

ocelle n. m. Œil simple des insectes. Tache ronde sur les ailes d'un insecte, d'un oiseau.

ocellé, e adj. En forme d'œil. Qui porte des ocelles : *ailes ocellées.*

ocelot n. m. Chat sauvage mexicain.

ocre n. f. Argile jaune ou rouge.

ocré, e adj. Coloré par de l'ocre jaune : *dentelle ocrée.*

ocreux, euse adj. De la nature de l'ocre : *terre ocreuse.*

octaèdre n. m. Solide à huit faces.

octane n. m. Hydrocarbure existant dans l'essence de pétrole.

octave n. f. Huitaine suivant une fête. Stance de huit vers. *Mus.* Intervalle de huit degrés.

octobre n. m. Dixième mois de l'année : *octobre a trente et un jours.*

octogénaire n. et adj. Qui a quatre-vingts ans.

octogonal, e, aux adj. En octogone.

octogone adj. Qui a huit angles et par suite huit côtés. N. m. Polygone qui a huit angles.

octosyllabe ou **octosyllabique** adj. Qui a huit syllabes. N. m. Vers octosyllabe.

octroi n. m. Concession d'une grâce, d'une faveur. Droit que payaient certaines denrées à leur entrée en ville. Administration percevant ce droit.

octroyer v. tr. (Se conj. comme *aboyer.*) Concéder, accorder : *octroyer une charte.*

octuple adj. Huit fois plus grand.

oculaire adj. De l'œil : *nerf oculaire. Fig. Témoin oculaire,* qui a vu de ses propres yeux. N. m. Système, dans un instrument d'optique, devant lequel se place l'œil.

oculiste n. et adj. Médecin qui traite les maladies des yeux.

odalisque n. f. Femme d'un harem.

ode n. f. Chez les Anciens, tout poème destiné à être mis en musique. Aujourd'hui, poème lyrique, divisé en strophes semblables entre elles.

odeur n. f. Emanation qui affecte l'odorat. *Fig.* Sensation produite sur l'odorat.

odieux, euse* adj. Qui excite la haine, l'indignation. *Par exagér.* Très désagréable. N. m. Ce qui est odieux.

odomètre n. m. Instrument pour mesurer le chemin qu'on a fait.

odontalgie n. f. Mal de dents.

odontalgique adj. et n. m. Relatif à l'odontalgie : *baume odontalgique.*

odontologie n. f. Partie de l'anatomie qui traite des dents.

odorant, e adj. Qui a une odeur.

odorat n. m. Celui des cinq sens qui perçoit les odeurs : *avoir l'odorat très fin.*

odoriférant, e adj. Qui sent bon.

odyssée n. f. *Fig.* Voyage aventureux. Suite d'événements variés.

œcuménique [*é-ku*] adj. Se dit du concile auquel sont convoqués tous les évêques.

œcuménisme n. m. Tendance à l'union de toutes les Eglises chrétiennes.

œdémateux, euse [*é-dé*] adj. Relatif à l'œdème, de sa nature.

œdème [*é*] n. m. Enflure produite par une infiltration de sérosité.

œdipe [*é*] n. m. Qui trouve aisément le sens de ce qui est obscur.

œil n. m. (pl. *yeux*). Organe de la vue. Cet organe considéré comme indice des sentiments : *avoir l'œil méchant.* Attention : *avoir l'œil à tout.* Trou rond : *les yeux du pain, du fromage.* Petite ouverture ronde. Relief d'un caractère d'imprimerie. Bouton, bourgeon végétal. *Coup d'œil,* regard. *A l'œil,* gratuitement. (Œil fait au pl. YEUX, sauf dans les composés : *œil-de-bœuf,* fenêtre ronde ; *œil-de-perdrix,* cor ; *œil-de-chat, œil-de-serpent,* pierres précieuses, où il fait ŒILS.)

œillade n. f. Coup d'œil furtif.

œillère n. f. Petit vase pour baigner l'œil. Volet de cuir qui garantit l'œil du cheval et l'empêche de voir de côté.

œillet n. m. Plante à belles fleurs odorantes. La fleur même. Trou de forme circulaire, destiné à recevoir un lacet, un cordage.

œnologie [*é*] n. f. Science du vin.

œnométrie [*é*] n. f. Détermination de la richesse des vins en alcool.

œsophage [*é-zo*] n. m. Canal qui conduit les aliments dans l'estomac.

œuf [*euf'*, pl. *eu*] n. m. Corps organique, qui se forme chez les femelles de plusieurs classes d'animaux et qui renferme un germe d'un animal de la même espèce. *Absolum.* Œuf de volaille, de poule : *des œufs durs.* Objet en forme d'œuf.

œuvre n. f. Travail, tâche. Résultat du travail, de l'action. *Mettre en œuvre,* employer, recourir à. *Œuvres vives,* carène immergée d'un navire. N. m. Ensemble de tous les ouvrages d'un artiste. *Le grand œuvre,* la pierre philosophale. *Gros œuvre,* fondements d'un bâtiment. *En sous-œuvre,* dans les fondations.

œuvrer v. tr. Produire.

offense n. f. Injure : *oublier les offenses.*

offenser v. tr. Offusquer, troubler : *offenser la vue.* Faire offense à : *offenser quelqu'un.* Etre blessant, injurieux pour : *offenser le goût. Offenser Dieu,* pécher.

offenseur n. m. Qui offense.

offensif, -ive* adj. Qui sert à attaquer : *arme offensive.* N. f. Action d'attaquer : *prendre l'offensive.*

offertoire n. m. Partie de la messe.

office n. m. Tâche, fonction : *office de secrétaire.* Charge civile, et spécialem. charge d'avoué : *acheter un office.* Se dit quelquef. pour Bureau : *office de publicité. Bon office,* ou simplem. *office,* service : *rendre un bon office.* Ensemble des prières et des cérémonies liturgiques : *l'office des morts. D'office,* en vertu de sa charge. N. f. Pièce où se dispose ce qui sert au service de la salle à manger.

officiel, elle* adj. Qui émane du gouvernement, de l'autorité : *texte officiel.* N. m. Qui représente l'autorité : *le cortège des officiels.*

officier v. tr. (Se conj. comme *prier.*) Célébrer un office religieux.

officier n. m. Celui qui a un office, une charge : *officier de justice.* Militaire de grade au moins égal à celui de sous-lieutenant. *Officiers ministériels,* notaires, avoués, huissiers, etc. Titre honorifique.

officieux, euse* adj. Qui cherche à rendre service. Non officiel.

officinal, e, aux adj. En usage en pharmacie : *plantes officinales.*

officine n. f. Pharmacie. *Péjorat.* Endroit où se trame quelque chose.

offrande n. f. Don offert.

offre n. f. Action d'offrir : *l'offre et la demande.* La chose offerte.

offrir v. tr. Présenter un don : *offrir un bouquet.* Proposer : *offrir ses services.* Montrer : *offrir un bel aspect.*

offset [*sèt*] n. m. inv. Impression au moyen d'un rouleau de caoutchouc passant sur les caractères encrés de la forme dont il reporte l'encre sur le papier.

offuscation n. f. Obscurcissement. (Peu us.)

offusquer v. tr. Obscurcir. Eblouir : *ce soleil m'offusque. Fig.* Choquer : *s'offusquer d'une parole.*

ogival, e, aux adj. En ogive.

ogive n. f. Arc en voûte formé par deux courbes qui se coupent en formant un angle. Ce qui présente la forme d'une ogive : *ogive d'obus.*

ogre, esse n. Dans les contes de fées, géant qui mange les enfants.

oh! interj. de surprise.

ohé! interj. qui sert à appeler.

ohm n. m. Unité de résistance électrique.

oïdium [*dyom*] n. m. Maladie de la vigne produite par un champignon microscopique.

oie n. f. Oiseau palmipède domestique. *Fam.* Personne sotte.

oignon [*o-gnon*] n. m. Plante potagère à racine bulbeuse. Bulbe de certaines plantes : *oignon de tulipe.* Callosité aux pieds. Grosse montre bombée. *En rang d'oignons* loc. adv. Sur une seule ligne.

oïl, particule affirmative. N. m. *Langue d'oïl,* parlée autrefois dans le nord de la France.

oindre v. tr. (Se conj. comme *craindre.*) Frotter d'huile ou d'une substance grasse. *Liturg.* Consacrer avec les saintes huiles.

oint adj. Qui a été consacré.

oiseau n. m. Vertébré ovipare couvert de plumes, dont les membres postérieurs servent à la marche et dont les membres antérieurs ou ailes servent au vol. *Fam.* et *iron.* Individu : *un drôle d'oiseau. Techn.* Auge pour le mortier. *A vol d'oiseau,* en ligne droite.

oiseau-mouche n. m. Sorte de colibri. Pl. des *oiseaux-mouches.*

oiselet n. m. Petit oiseau.

oiseleur n. m. Qui prend et élève des oiseaux.

oiselier n. m. Qui élève et vend des oiseaux.

oisellerie n. f. Lieu où l'on élève, où l'on vend des oiseaux.

oiseux, euse* adj. Fainéant : *vie oiseuse.* Inutile : *mots oiseux.*

oisif, ive* n. et adj. Inoccupé, désœuvré : *vivre en oisif.*

oisillon n. m. Petit oiseau.

oisiveté n. f. Etat d'une personne oisive.

oison n. m. Petit de l'oie. *Fig.* et *fam.* Homme très borné.

okoumé n. m. Bois d'ébénisterie d'Afrique, utilisé en contre-plaqué.

oléagineux, euse adj. De la nature de l'huile : *liquide oléagineux.* Dont on tire de l'huile : *graine oléagineuse.*

oléine n. f. Un des principes des huiles et des graisses.

olfactif, ive adj. Qui appartient à l'odorat : *sens olfactif.*

olfaction n. f. Fonction par laquelle les odeurs sont perçues.

olibrius n. m. Bravache, fanfaron.

olifant n. m. Petit cor d'ivoire des anciens chevaliers.

oligarchie n. f Gouvernement exercé par quelques familles.

olivaie n. f. Plantation d'oliviers.

olivâtre adj. De couleur olive.

olive n. f. Fruit à noyau, dont on tire l'huile d'olive. *Par anal.* Objet en forme d'olive. Adj. invar. Jaune verdâtre.

olivette n. f. Champ d'oliviers.

olivier n. m. Arbre méditerranéen qui fournit l'olive.

olographe adj. Se dit d'un testament écrit en entier de la main du testateur.

olympien, enne adj. De l'Olympe. *Fig.* Noble, majestueux : *un port olympien.*

olympique adj. Qui se dispute tous les quatre ans (en parlant d'épreuves sportives internationales).

ombelle n. f. *Bot.* Inflorescence en parasol.

ombellifères n. f. pl. Famille de plantes dicotylédones, à fleurs en ombelles (*fenouil, cerfeuil, ciguë*). [On dit aussi OMBELLIFÉRACÉES.]

ombilic n. m. Nombril.

ombilical, e, aux adj. De l'ombilic.

omble ou **omble chevalier** n. m. Saumon à chair délicate.

ombrage n. m. Branchages feuillus : *dormir sous l'ombrage. Fig.* Soupçon : *donner de l'ombrage à quelqu'un.*

ombrager v. tr. (Se conj. comme *manger.*) Donner de l'ombre.

ombrageux, euse* adj. Qui a peur de son ombre : *cheval ombrageux. Fig.* Méfiant : *esprit ombrageux.*

ombre n. f. Obscurité produite par un corps qui intercepte la lumière : *l'ombre d'un arbre.* Ténèbres : *les ombres de la nuit. Fig.* Apparence : *l'ombre d'un doute.* Chez les Anciens, mort, fantôme : *le séjour des ombres. Ombre chinoise,* projection d'une silhouette sur un écran.

ombrelle n. f. Petit parasol.

ombrer v. tr. Donner de l'ombre.

ombreux, euse adj. Qui a de l'ombre.

oméga n. m. Dernière lettre de l'alphabet grec (*o* long). *Fig. L'alpha et l'oméga,* le commencement et la fin.

omelette n. f. Œufs battus ensemble et cuits dans la poêle.

omettre v. tr. (Se conj. comme *mettre.*) Manquer à faire ou à dire; négliger : *omettre une formalité.*

omicron n. m. Quinzième lettre de l'alphabet grec (*o* bref).

omission n. f. Action d'omettre. La chose omise.

omnibus n. m. Voiture publique, qui parcourait divers quartiers d'une ville. Train qui dessert toutes les stations.

omnipotence n. f. Toute-puissance.
omnipotent, e adj. Tout-puissant.
omniscient, e adj. Qui sait tout.
omnivore adj. Qui se nourrit d'animaux et de végétaux.
omoplate n. f. Os plat de l'épaule. *Par ext.* Le plat de l'épaule.
on, pron. indéf. masc. sing. désignant d'une manière vague une ou plusieurs personnes.
onagre n. m. Ane sauvage.
once n. f. Douzième de la livre chez les Romains. En France, seizième de l'ancienne livre (30,50 g). Mesure anglaise de poids valant 28,35 g. *Fig.* et *fam.* Petite quantité.
oncle n. m. Frère du père ou de la mère.
onction n. f. Action d'oindre. Cérémonie qui consiste à appliquer de l'huile sainte sur une personne pour la consacrer. *Fig.* Douceur : *parler avec onction.*
onctueux, euse* adj. Propre à oindre : *liquide onctueux. Fig.* Plein d'onction.
onde n. f. Ondulation de l'eau. Eau en général. *Physiq.* Ensemble des points qui, dans un milieu ébranlé, ont un mouvement concordant : *ondes électriques. Mise en ondes,* préparatifs nécessaires à la diffusion d'une œuvre par T. S. F.
ondé, e adj. Marque d'ondes, de dessins onduleux. Disposé en lignes onduleuses.
ondée n. f. Grosse pluie passagère.
on-dit n. m. invar. Nouvelle qui passe de bouche en bouche.
ondoiement n. m. Mouvement d'ondulation. Baptême administré en cas d'urgence et sans cérémonie.
ondoyer v. intr. (Se conj. comme *aboyer.*) Flotter par ondes : *ses cheveux ondoyaient au vent.* V. tr. Baptiser sans les cérémonies d'Eglise.
ondulation n. f. Mouvement d'un fluide qui s'abaisse ou s'élève alternativement. *Par ext.* Mouvement qui imite celui des ondes. Action d'onduler. Frisure à larges plis.
ondulatoire adj. Sous forme d'ondulation : *mouvement ondulatoire.*
onduler v. intr. Avoir un mouvement d'ondulation. V. tr. Friser à larges plis.
onduleux, euse adj. Ondulé.
onéreux, euse adj. Qui occasionne des dépenses, des frais. *Fig.* Qui pèse, est à charge : *un devoir onéreux.*
ongle n. m. Partie cornée qui couvre le dessus des doigts. *Payer rubis sur l'ongle,* complètement, exactement.
onglé, e adj. Armé d'ongles.
onglée n. f. Engourdissement douloureux au bout des doigts, causé par le froid.
onglet n. m. Bande de papier ou de parchemin sur laquelle on colle les feuilles isolées, les cartes qu'on veut relier.
onglier n. m. Petit nécessaire pour la toilette des ongles.
onguent n. m. Médicament composé de divers corps gras.
ongulé, e adj. *Zool.* Dont le pied est terminé par un ou plusieurs ongles ou sabots.
onlromancie n. f. Divination par les songes.
onomastique adj. Relatif aux noms propres. N. f. Etude des noms propres.
onomatopée n. f. Mot formé par harmonie imitative : *tic tac; glougou,* etc.
ontogenèse n. f. *Biol.* Développement de l'individu depuis la fécondation.
ontologie n. f. Science de l'être en général.
onyx n. m. Agate fine à raies parallèles et concentriques.
onze adj. num. Dix et un. Onzième : *Louis onze.* N. m. : *le onze du mois.* Chiffre représentant le nombre onze.
onzième* adj. ord. Qui vient après le dixième. N. m. La onzième partie.
oospore n. f. *Bot.* Œuf des algues et des champignons.
opacifier v. tr. (Se conj. comme *prier.*) Rendre opaque.
opacité n. f. Etat de ce qui est opaque : *l'opacité d'un corps.*
opale n. f. Pierre précieuse à reflets irisés, d'un blanc laiteux.
opalescence n. f. Reflet opalin.
opalescent, e adj. Qui prend une teinte d'opale : *liquide opalescent.*
opalin, e adj. Qui tient de l'opale.
opaque adj. Qui ne se laisse pas traverser par la lumière : *corps opaque.*
opéra n. m. Ouvrage dramatique dans lequel les paroles sont chantées et accompagnées par l'orchestre. Théâtre où on le joue.
opérable adj. Qu'on peut opérer.
opéra-comique n. m. Pièce dans laquelle le chant alterne avec le dialogue parlé. Pl. des *opéras-comiques.*
opérateur n. m. Personne qui fait des opérations de chirurgie, de physique, etc.
opération n. f. Action d'opérer. Combinaison pour obtenir un résultat : *opération financière.* Intervention chirurgicale. Manœuvre, combat, etc. : *opérations militaires. Opération d'arithmétique,* moyen pour obtenir le groupement, la comparaison de plusieurs nombres.
opératoire adj. Relatif aux opérations chirurgicales.
opercule n. m. *Hist. nat.* Nom donné à divers organes servant de couvercle. Lamelle de cire couvrant les cellules d'un rayon de miel.
opérer v. tr. (Se conj. comme *accélérer.*) Faire, effectuer. Soumettre à une opération chirurgicale : *opérer une tumeur. Absolum.* Produire un effet : *le remède opère.*
opérette n. f. Pièce légère mêlée de musique.
ophicléide n. m. Instrument de cuivre à vent et à clefs.
ophidien, enne adj. Relatif aux serpents. N. m. pl. Ordre de reptiles.
ophtalmie n. f. Affection inflammatoire de l'œil : *ophtalmie purulente.*
ophtalmique adj. Des yeux.
ophtalmologie n. f. Science des maladies des yeux.
ophtalmoscope n. m. Instrument pour examiner l'intérieur de l'œil.
ophtalmoscopie n. f. Examen de l'intérieur de l'œil.
opiacer v. tr. Mettre de l'opium dans : *médicament opiacé.*
opiner v. intr. Donner son avis. *Opiner du bonnet,* acquiescer sans dire mot, par un signe.
opiniâtre* adj. Tenace, obstiné, entêté.
opiniâtrer (s') v. pr. S'obstiner fortement.
opiniâtreté n. f. Obstination, acharnement.
opinion n. f. Jugement que l'on porte, idée : *avoir mauvaise opinion de quelqu'un.* Ce que pense le public.
opiomane n. Adonné à l'opium.

opium [*pyom*] n. m. Suc de pavot qui a une propriété narcotique. *Fig.* Ce qui calme, endort.
opopanax ou **opoponax** n. m. Genre d'ombellifères employé en pharmacie.
opossum [*som*] n. m. Sarigue.
oppidum [*dom*] n. m. Ville fortifiée, dans l'Antiquité romaine.
opportun, e adj. Qui est, arrive à propos : *secours opportun.*
opportunément adv. Avec opportunité.
opportunisme n. m. Système politique admettant qu'il faut tenir compte des circonstances et y plier la rigueur des principes.
opportuniste adj. et n. Partisan de l'opportunisme.
opportunité n. f. Qualité de ce qui est opportun.
opposable adj. Qui peut s'opposer.
opposé, e adj. Placé vis-à-vis. Contraire : *intérêts opposés.* N. m. Chose contraire : *le bien est l'opposé du mal.*
opposer v. tr. Placer de manière à faire obstacle : *opposer une digue.* Mettre vis-à-vis : *opposer deux ornements.* Mettre en parallèle, en contraste : *opposer deux théories.* Objecter. V. pr. Etre contraire.
opposite n. m. Le contraire.
opposition n. f. Position vis-à-vis. Contraste : *opposition de couleurs.* Obstacle légal mis à une chose : *faire opposition à un jugement.* Efforts pour faire obstacle à un gouvernement. Parti des adversaires d'un gouvernement.
oppresser v. tr. Causer de l'oppression : *oppressé par l'asthme.* Tourmenter : *ce souvenir l'oppresse.*
oppresseur n. m. Qui opprime.
oppressif, ive adj. Qui tend à opprimer.
oppression n. f. Gêne dans la respiration. Action d'opprimer, état des opprimés : *l'oppression d'un peuple.*
opprimer v. tr. Accabler avec violence : *un peuple opprimé.*
opprobre n. m. Ignominie, honte, abjection : *vivre dans l'opprobre.*
optatif, ive adj. Qui exprime le souhait. N. m. Mode du verbe, en grec ancien.
opter v. intr. Choisir : *opter pour un emploi.*
opticien n. m. Fabricant ou marchand d'instruments d'optique.
optimisme n. m. Système de ceux qui prétendent que tout est pour le mieux dans le meilleur des mondes. *Par ext.* Tendance à voir tout en bien.
optimiste adj. et n. Partisan de l'optimisme.
option n. f. Faculté d'opter. *Comm.* Droit de préférence pour un achat.
optique adj. Relatif à la vue : *nerf optique.* N. f. Partie de la physique qui traite des lois, de la lumière et de la vision.
opulence n. f. Grande richesse.
opulent, e adj. Très riche.
opuscule n. m. Petit ouvrage de science ou de littérature.
or n. m. Métal précieux d'une couleur jaune et brillante. Monnaie d'or : *être payé en or.* Espèces monnayées, richesse : *la soif de l'or.* Fil d'or ou de métal doré, dont on fait des broderies : *galons d'or.* Couleur de l'or : *l'or des moissons.*
or, conj. liant deux propositions, la mineure à la majeure, dans un syllogisme.
oracle n. m. *Antiq.* Réponse faite par les dieux aux questions des hommes. La divinité consultée. *Fig.* Personne de grande autorité en une matière.
orage n. m. Trouble atmosphérique violent. Lutte tumultueuse : *les orages de la Révolution. Fig.* Agitation : *les orages de la vie, du cœur.*
orageux, euse* adj. De l'orage : *temps orageux. Fig.* Agité, violent : *vie, discussion orageuse.*
oraison n. f. Discours (vx). Prière : *oraison dominicale. Oraison funèbre,* discours en l'honneur d'un personnage décédé.
oral, e*, aux adj. De vive voix.
orange n. f. Fruit de l'oranger. N. m. invar. Sa couleur : *des rubans d'un bel orange.*
orangé, e adj. De couleur orange.
orangeade n. f. Jus d'orange.
oranger n. m. Arbre du genre citronnier qui produit les oranges.
oranger v. tr. (Se conj. comme *manger.*) Teindre de couleur orange.
orangeraie n. f. Plantation d'orangers.
orangerie n. f. Serre où l'on met les orangers en hiver.
orang-outan [*oran-outan*] n. m. Grand singe anthropomorphe de Sumatra et de Bornéo. Pl. des *orangs-outans.*
orateur n. m. Qui prononce un discours. Homme éloquent.
oratoire adj. De l'orateur : *art oratoire.* N. m. Petite chapelle.
oratorien n. m. Membre de la congrégation de l'Oratoire.
oratorio n. m. Sorte de drame lyrique sur un sujet religieux.
orbe n. m. Globe, sphère.
orbiculaire* adj. Rond : *mouvement orbiculaire. Anat.* Se dit des muscles à fibres circulaires qui ferment certains orifices.
orbitaire adj. De l'orbite de l'œil.
orbital, e, aux adj. Relatif à l'orbite.
orbite n. f. Courbe décrite par une planète autour du soleil ou par un satellite autour de sa planète. Cavité de l'œil.
orchestral, e, aux adj. De l'orchestre.
orchestration [*kès*] n. f. Art d'orchestrer.
orchestre [*kès*] n. m. *Antiq. gr.* Partie du théâtre entre la scène et les spectateurs où évoluait le chœur. Au théâtre, espace entre la scène et le public et où se placent les instrumentistes. Ensemble de ces instrumentistes. Places au rez-de-chaussée d'une salle de spectacle. Ensemble des musiciens jouant des morceaux de concert.
orchestrer v. tr. Combiner pour l'orchestre les diverses parties d'une composition musicale.
orchidées [*ki*] n. f. pl. Famille de plantes à belles fleurs de formes parfois bizarres.
ordalie n. f. Epreuve judiciaire, jugement de Dieu, au Moyen Age.
ordinaire* adj. Qui se fait, qui a lieu habituellement : *événement très ordinaire.* Habituel : *langage ordinaire.* Vulgaire : *esprit ordinaire.* N. m. Ce qui se fait habituellement. Ce que l'on mange de coutume : *un bon ordinaire.* Groupe de soldats nourris en commun.
ordinal, e, aux adj. Se dit des adjectifs numéraux marquant l'ordre.

ordinateur n. m. Calculateur permettant d'effectuer des ensembles complexes d'opérations mathématiques ou logiques.

ordination n. f. Cérémonie par laquelle on confère les ordres sacrés.

ordonnance n. f. Arrangement. Ordre, loi, règlement : *ordonnance de police.* Prescription médicale : *rédiger une ordonnance.* Soldat mis à la disposition d'un officier pour le servir. *Officier d'ordonnance,* sorte d'aide de camp.

ordonnancement n. m. Action d'ordonnancer un paiement.

ordonnancer v. tr. (Se conj. comme *amorcer.*) Déclarer bon à payer.

ordonnateur, trice adj. et n. Qui ordonne, qui dispose; *l'ordonnateur d'un banquet.*

ordonné, e adj. Qui a de l'ordre.

ordonnée n. f. Une des coordonnées d'un point, l'autre étant l'*abscisse.*

ordonner v. tr. Mettre en ordre. Conférer les ordres : *ordonner un prêtre.* Commander : *ordonner un mouvement.* V. intr. *Ordonner de,* disposer d'une chose.

ordre n. m. Arrangement méthodique : *ordre chronologique, mettre en ordre des papiers.* Règle naturelle : *faire rentrer dans l'ordre.* Tranquillité : *troubler l'ordre.* Catégorie : *ordre d'idées, de premier ordre.* Groupe de plantes, d'animaux, entre la classe et la famille : *l'ordre des orthoptères.* Corps social : *l'ordre de la noblesse.* Compagnie religieuse : *ordre monastique.* Compagnie d'honneur : *l'ordre de la Légion d'honneur.* Sacrement qui confère le pouvoir d'exercer les fonctions ecclésiastiques. Endossement d'un effet de commerce : *billet à ordre.* Commandement : *recevoir un ordre. Mot d'ordre,* mot de reconnaissance. *Ordre du jour,* question dont on doit s'occuper dans une assemblée; ordre général adressé aux troupes : *porter à l'ordre du jour. Passer à l'ordre du jour,* ne pas discuter une autre question. *Archit.* Disposition des parties d'un édifice : *ordre dorique.*

ordure n. f. Excrément. Immondice, balayure. *Fig.* Grossièreté, obscénité.

ordurier, ère adj. Qui contient, dit ou écrit des obscénités.

orée n. f. Borne, lisière : *à l'orée du bois.*

oreille n. f. Organe de l'ouïe. Partie externe de cet organe placée de chaque côté de la tête. *Par ext.* Ouïe : *avoir l'oreille fine.* Justesse de l'ouïe : *avoir de l'oreille.* Appendice qui a quelque ressemblance avec l'oreille, partie saillante de certains objets. *Prêter, dresser l'oreille,* être attentif. *Se faire tirer l'oreille,* céder avec peine.

oreiller n. m. Coussin pour soutenir la tête quand on est couché.

oreillette n. f. Chacune des deux cavités supérieures du cœur.

oreillons n. m. pl. Gonflement, inflammation de la parotide.

ores adv. Présentement (vx). *D'ores et déjà* loc. adv. Dès maintenant.

orfèvre n. m. Qui fait ou vend des ouvrages d'or et d'argent.

orfèvrerie n. f. Art, ouvrage, commerce de l'orfèvre.

orfraie n. f. Rapace diurne.

organdi n. m. Mousseline légère.

organe n. m. Partie d'un corps vivant qui remplit une fonction nécessaire ou utile à la vie : *l'œil est l'organe de la vue.* La voix : *avoir un bel organe. Mécan.* Appareil servant à transmettre un mouvement ou à le guider. *Fig.* Ce qui sert d'instrument, d'entremise : *organe politique.*

organique* adj. Relatif aux organes ou aux corps organisés : *la vie organique. Chimie organique,* partie de la chimie qui comprend l'étude du carbone et de ses dérivés.

organisateur, trice n. et adj. Qui organise.

organisation n. f. Structure des parties d'un corps vivant; manière d'être physique ou morale. *Fig.* Manière dont un Etat, une administration sont constitués.

organiser v. tr. Disposer : *organiser un ministère; organiser la défense.*

organisme n. m. Ensemble des organes qui constituent un être vivant. *Fig.* Ensemble disposé pour fonctionner : *organisme politique.*

organiste n. Qui joue de l'orgue.

orge n. f. Genre de graminacées utilisé en brasserie et pour l'alimentation des animaux. Sa graine.

orgeat n. m. Boisson faite avec du sirop d'amandes.

orgelet n. m. Petite tumeur inflammatoire au bord des paupières.

orgiaque adj. Qui tient de l'orgie.

orgie n. f. Débauche de table.

orgue n. m. [f. au pl.]. Instrument de musique à vent, de grande dimension, à clavier et pédalier. *Orgue de Barbarie,* orgue mécanique à manivelle. *Mus. Point d'orgue,* repos plus ou moins long sur une note quelconque.

orgueil n. m. Estime excessive de soi. Sentiment de sa dignité personnelle : *un légitime orgueil.*

orgueilleux, euse* adj. et n. Qui a de l'orgueil, qui le manifeste.

orient n. m. L'un des points cardinaux, où le soleil se lève. Eclat d'une perle. *L'Orient,* les pays à l'est de l'Europe. *L'Extrême-Orient,* la Chine, l'Indochine, le Japon. Le *Proche-Orient,* la Turquie, la Jordanie, l'Etat d'Israël, le Liban et la Syrie. *Grand-Orient,* loge maçonnique centrale.

oriental, e, aux adj. De l'Orient. N. Habitant d'un pays d'Orient.

orientalisme n. m. Etude des choses de l'Orient.

orientaliste n. m. Qui s'occupe d'orientalisme et de l'étude des langues orientales.

orientation n. f. Action d'orienter, de s'orienter. Position d'un objet par rapport aux points cardinaux.

orienter v. tr. Disposer par rapport aux points cardinaux : *orienter une maison.* Brasser les vergues pour que le vent frappe bien les voiles. *Fig.* Guider, diriger : *orienter vers une carrière.* V. pr. Reconnaître les points cardinaux du lieu où l'on est. Savoir se diriger.

orifice n. m. Ouverture, trou.

oriflamme n. f. Anciennement, bannière des rois de France.

originaire* adj. Qui vient de : *plante originaire d'Afrique.* Primitif.

original, e*, aux adj. Primitif, qui sert de modèle. Nouveau : *une pensée originale.* Qui a sa marque propre : *un talent original.* Singulier, bizarre : *caractère original.* N. m. Texte primitif : *l'original*

d'un traité. Modèle que l'on copie. N. Personne singulière, excentrique.
originalité n. f. Caractère original. Bizarrerie : *affecter l'originalité.*
origine n. f. Commencement, début : *l'origine du monde.* Provenance, extraction : *d'origine anglaise.*
originel, elle* adj. Qui remonte à l'origine : *le péché originel.*
orignal n. m. Elan du Canada.
orin n. m. Câble auquel est attachée la bouée d'une ancre.
oripeau n. m. Paillette de cuivre qui de loin a l'éclat de l'or. Etoffe, broderie de faux or ou de faux argent. Clinquant.
orme n. m. Arbre à bois fibreux et solide.
ormeau n. m. Jeune orme.
orne n. m. Variété de frêne.
ornemaniste n. m. et adj. Sculpteur ou peintre en ornements.
ornement n. m. Tout ce qui orne. *Fig.* Ce qui embellit. Ce qui fait honneur : *être l'ornement de son pays.*
ornemental, e, aux adj. Qui concerne les ornements. Qui sert à l'ornement.
ornementation n. f. Art de disposer les ornements : *l'ornementation d'une façade.*
ornementer v. tr. Orner.
orner v. tr. Parer, décorer. *Fig.* Donner de l'éclat à. Enrichir.
ornière n. f. Trace creusée dans le sol par les roues des voitures. *Fig.* Routine.
ornithologie n. f. Partie de la zoologie qui traite des oiseaux.
ornithologiste ou **ornithologue** n. m. Qui s'occupe d'ornithologie.
ornithorynque n. m. Genre de mammifères de l'Australie, à bec de canard.
orographie n. f. Description des montagnes.
oronge n. f. Champignon comestible d'un rouge doré. *Fausse oronge,* champignon vénéneux.
orpailleur n. m. Homme qui recherche les paillettes d'or dans certains cours d'eau.
orphelin, e n. et adj. Enfant qui a perdu son père et sa mère ou l'un d'eux.
orphelinat n. m. Etablissement où l'on élève les orphelins.
orphéon n. m. Société chorale.
orphéoniste n. Membre d'un orphéon.
orphique adj. D'Orphée.
orteil n. m. Doigt du pied.
orthodoxe adj. Conforme au dogme, à la doctrine de l'Eglise. Qui professe l'orthodoxie. Conforme à la vérité. *Eglise orthodoxe,* titre officiel de l'Eglise russe.
orthodoxie n. f. Qualité de ce qui est orthodoxe.
orthodromie n. f. Route d'un vaisseau qui navigue en suivant un arc de grand cercle.
orthogonal, e*, aux adj. A angle droit.
orthographe n. f. Art d'écrire correctement les mots. Manière quelconque dont on écrit certains mots : *orthographe vicieuse.*
orthographier v. tr. (Se conj. comme *prier.*) Ecrire suivant les règles.
orthographique adj. Relatif à l'orthographe : *signe orthographique.*
orthopédie n. f. Art de prévenir ou de corriger les difformités du corps.
orthopédique adj. Relatif à l'orthopédie : *appareil orthopédique.*
orthopédiste adj. Qui pratique l'orthopédie : *médecin orthopédiste.*
orthoptères n. m. pl. Ordre d'insectes pourvus de quatre ailes dont les deux inférieures sont pliées en long (criquet, sauterelle, libellule, etc.).
ortie [*ti*] n. f. Genre d'herbes couvertes de poils irritants.
ortolan n. m. Espèce de passereau d'Europe à la chair délicate.
orvet n. m. Petit reptile saurien, appelé aussi *serpent de verre.*
orviétan n. m. Drogue de charlatan.
os [*oss,* pl. *ô*] n. m. Partie dure et solide de la charpente du corps de l'homme et des animaux vertébrés. *Fig. En chair et en os,* en personne.
oscillation [*l-l*] n. f. Mouvement d'un corps qui va et vient de part et d'autre de sa position d'équilibre : *les oscillations du pendule. Fig.* Fluctuation, changement.
oscillatoire [*l-l*] adj. De la nature de l'oscillation : *mouvement oscillatoire.*
osciller [*l-l*] v. intr. Exécuter des oscillations. *Fig.* Varier, hésiter.
oscillographe [*l-l*] n. m. Appareil permettant d'observer et d'enregistrer des phénomènes oscillants.
osculateur, trice adj. *Géom.* Se dit de lignes ou surfaces se touchant étroitement.
osé, e adj. Hardi, audacieux. Grivois.
oseille n. f. Espèce d'herbes comestibles d'un goût acide. *Sel d'oseille,* oxalate de potasse.
oser v. tr. Avoir la hardiesse, le courage de : *ne pas oser se plaindre.*
oseraie n. f. Lieu planté d'osiers.
osier n. m. Rameau flexible d'une sorte de saule : *corbeille d'osier.*
osmose n. f. Echange de certains de leurs constituants entre deux solutions séparées par une membrane.
ossature n. f. L'ensemble des os d'un animal. *Fig.* Armature.
osselet n. m. Petit os en général. Petit os tiré du pied de mouton, ou objets analogues avec lesquels on joue.
ossements n. m. pl. Os décharnés.
osseux, euse adj. De la nature de l'os. A gros os : *corps osseux.*
ossification n. f. Transformation d'un tissu cartilagineux en tissu osseux.
ossifier v. tr. (Se conj. comme *prier.*) Changer en os certaines parties cartilagineuses.
ossuaire n. m. Amas d'ossements.
ostéite n. f. Inflammation des os.
ostensible* adj. Apparent.
ostensoir n. m. Pièce d'orfèvrerie dans laquelle est exposée l'hostie consacrée.
ostentateur, trice adj. Qui a de l'ostentation : *maison à la décoration ostentatrice.*
ostentation n. f. Affectation, montre, parade de : *ostentation de richesse.*
ostéologie n. f. Etude des os.
ostéoplastie n. f. *Chir.* Restauration osseuse.
ostracisme n. m. Exclusion, proscription.
ostréicole adj. Relatif à l'ostréiculture.
ostréiculteur n. m. Qui se livre à l'ostréiculture.
ostréiculture n. f. Elevage des huîtres.
otage n. m. Personne, ville, etc., qui est livrée comme garantie de promesses, de conventions.
otalgie n. f. Douleur d'oreille.
otarie n. f. Sorte de phoque.

ôter v. tr. Mettre hors d'une place, ailleurs. Mettre hors d'un corps, quitter, déposer. Ravir, enlever : *ôter un emploi.* Faire cesser : *ôter la fièvre.* Retrancher. *Fig.* Faire perdre, dissiper : *ôter une idée de la tête.* V. pr. Se retirer : *ôte-toi de là!*
otite n. f. *Méd.* Inflammation de l'oreille : *otite double.*
oto-rhino-laryngologie n. f. Etude des maladies des oreilles, du nez et de la gorge.
ottoman, e adj. et n. Turc. N. f. Canapé à l'orientale.
ou conj. marquant l'alternative : *vaincre ou mourir,* ou indiquant l'identité : *Constantinople ou Stamboul.*
où adv. En quel endroit : *où est-il?* A quoi : *où cela mènera-t-il?* Auquel, sur lequel : *le rang où je suis. Là où,* au lieu dans lequel. *D'où,* de quel endroit. *Par où,* par quel endroit.
ouaille n. f. Chrétien par rapport à son pasteur : *le curé s'adresse à ses ouailles.*
ouais! interj. de surprise.
ouate n. f. Bourre, filasse ou coton placé comme doublure entre deux étoffes. Coton cardé pour pansements. (On dit de *l'ouate* ou *de la ouate.*)
ouater v. tr. Garnir d'ouate.
ouatine n. f. Une étoffe ouatée.
ouatiner v. tr. Garnir d'ouatine.
oubli n. m. Perte du souvenir. Egarement passager : *un moment d'oubli.*
oublie n. f. Pâtisserie mince en forme de cornet. (Vx.)
oublier v. tr. Perdre le souvenir : *oublier une date.* Laisser par inadvertance : *oublier ses gants.* Laisser passer : *oublier l'heure.* Omettre, négliger. Manquer à : *oublier son devoir.* Ne pas tenir compte, laisser de côté : *oublier sa grandeur, oublier sa rancune.* V. pr. Manquer à ce que l'on doit, à ce que l'on est. Négliger ses intérêts.
oubliettes n. f. pl. Cachots souterrains où l'on jetait les prisonniers dont on voulait se débarrasser.
oublieux, euse adj. Qui oublie.
oued n. m. Cours d'eau en Afrique du Nord.
ouest n. m. Partie de l'horizon où le soleil se couche; couchant, occident. Pays situé de ce côté.
ouf! interj. marquant le soulagement, le débarras.
oui, particule affirmative, opposée à *non. Oui-da,* volontiers.
ouï-dire n. m. invar. Ce qu'on sait pour l'avoir entendu dire.
ouïe n. f. Sens par lequel on perçoit les sons. Branchies des poissons. Ouvertures à la table supérieure d'un violon.
ouïr v. tr. (N'est usité qu'à l'infin. prés., au p. passé : *ouï, e,* et aux temps composés.) Entendre : *j'ai ouï dire que...*
ouistiti n. m. Nom de divers petits singes d'Amérique.
ouragan n. m. Tempête violente.
ourdir v. tr. Disposer sur l'ourdissoir les fils de la chaîne d'une étoffe. *Fig.* Tramer, machiner : *ourdir une conspiration.*
ourdissage n. m. Action d'ourdir.
ourdisseur, euse n. Qui ourdit.
ourdissoir n. m. Pièce sur laquelle le tisserand ourdit la chaîne.
ourler v. tr. Faire un ourlet.
ourlet n. m. Repli cousu au bord d'une étoffe.
ours [*ourss*] n. m. Grand mammifère carnivore, lourd, à fourrure épaisse, à pattes plantigrades, etc. *Fig.* Homme qui fuit la société : *vivre comme un ours.*
ourse n. f. Femelle de l'ours. *Astr. Grande, Petite Ourse,* constellations.
oursin n. m. Animal marin, globuleux, comestible, à coquille épineuse.
ourson n. m. Petit d'un ours.
oust! [*oust'*] ou **ouste!** interj. *Pop.* S'emploie pour chasser ou activer.
outarde n. f. Genre d'oiseaux échassiers à chair savoureuse.
outil [*ti*] n. m. Instrument manuel de travail : *outil de coupe.*
outillage [*yaj'*] n. m. Assortiment d'outils. Ensemble des machines d'un établissement industriel.
outiller [*yé*] v. tr. Munir d'outils. *Fig.* Fournir du nécessaire : *laboratoire bien outillé.*
outrage n. m. Injure, offense.
outrager v. tr. (Se conj. comme *manger.*) Faire outrage. *Fig.* Porter atteinte : *outrager la morale.*
outrageux, euse* adj. Qui outrage. (Peu us.)
outrance n. f. Excès, exagération.
outrancier, ère adj. Excessif.
outre n. f. Sac en peau de bouc pour recevoir des liquides.
outre prép. Au-delà de. De plus. *Outre mesure,* à l'excès. Adv. Plus loin : *passer outre. Outre que,* sans compter que.
outré, e adj. Exagéré : *paroles outrées.* Indigné : *j'en suis outré.*
outrecuidance n. f. Présomption, impertinence.
outrecuidant, e adj. Présomptueux, impertinent, arrogant.
outremer n. m. Pierre fine d'un beau bleu. Couleur qu'on en tire.
outre-mer loc. adv. Au-delà des mers.
outrepasser v. tr. Aller au-delà.
outrer v. tr. Exagérer. *Fig.* Irriter : *outrer quelqu'un de colère.*
outre-tombe adv. Au-delà de la tombe : *mémoires d'outre-tombe.*
outsider [*aout'-saï-deur*] n. m. (mot angl.). Concurrent qui n'a que quelques chances de gagner dans une course.
ouvert, e* adj. Qui n'est pas fermé. Non fortifié : *ville ouverte.* Franc, sincère : *caractère ouvert.*
ouverture n. f. Action d'ouvrir. Fente, trou, orifice : *faire une ouverture. Fig.* Préface instrumentale d'un opéra. Commencement : *ouverture de la séance.* Propositions : *faire des ouvertures de paix.*
ouvrable adj. Qui peut être travaillé : *bois ouvrable. Jour ouvrable,* jour de travail.
ouvrage n. m. Travail. Production de l'ouvrier, de l'artiste, de l'écrivain, de l'ingénieur : *ouvrage de longue haleine.* Fortification. *Ouvrage d'art,* pont, etc.
ouvrager v. tr. Ouvrer, travailler.
ouvrer v. tr. Travailler, façonner.
ouvreur, euse n. Qui ouvre. N. f. Placeuse dans un théâtre, un cinéma.
ouvrier, ère n. Qui travaille de ses mains pour gagner sa vie. Tout travailleur. Adj. Qui travaille : *classe ouvrière.* N. f. Individu neutre chez les abeilles, etc.
ouvrir v. tr. (*J'ouvre, nous ouvrons. J'ouvrais. J'ouvris, nous ouvrîmes. J'ouvrirai.*

Ouvre. Que j'ouvre. Que j'ouvrisse. Ouvert, e). Défaire la fermeture : *ouvrir une armoire.* Ecarter : *ouvrir les paupières.* Percer : *ouvrir une route, un canal.* Commencer : *ouvrir une liste, le bal.* V. intr. Etre ouvert : *magasin qui ouvre le dimanche.* Donner accès : *cette porte ouvre sur le jardin.* V. pr. : *cette porte s'ouvre mal.* S'épanouir : *s'ouvrir à la vie.* Découvrir sa pensée : *s'ouvrir à un ami.*

ouvroir n. m. Etablissement de bienfaisance où l'on procure à des femmes pauvres des travaux de lingerie.

ovaire n. m. Organe des animaux, où se forme l'œuf. *Bot.* Partie inférieure du pistil, renfermant les semences.

ovale adj. Courbe fermée et allongée comme l'ellipse. N. m. *Géom.* Figure ovale : *tracer un ovale.*

ovaliser v. tr. Rendre ovale : *cylindre d'auto ovalisé par l'usure.*

ovarien, enne adj. De l'ovaire.

ovation n. f. Chez les Romains, triomphe de second ordre. *Par ext.* Acclamations, honneurs : *faire une ovation à.*

ove n. m. Ornement en forme d'œuf.

oviducte n. m. Conduit par où l'œuf sort du corps de l'animal.

ovin, e adj. Qui concerne les moutons.

ovinés n. m. pl. Tribu de mammifères ruminants, de la famille des bovidés (moutons, chèvres, bouquetins).

ovipare n. et adj. Qui se reproduit par des œufs.

ovoïde adj. En forme d'œuf : *corps ovoïde.*

ovule n. m. Germe de l'œuf ou du fœtus. Petit solide de forme ovale, contenant un médicament.

oxalide n. f. Plante acide comme l'oseille.

oxford [*for*] n. m. Tissu de coton rayé.

oxhydrique adj. A hydrogène et oxygène : *chalumeau oxhydrique.*

oxydation n. f. Action d'oxyder.

oxyde n. m. Composé résultant de la combinaison d'un élément chimique avec l'oxygène.

oxyder v. tr. Convertir en oxyde.

oxygénation n. f. Action d'oxygéner.

oxygène n. m. Corps simple, formant la partie respirable de l'air.

oxygéner v. tr. (Se conj. comme *accélérer.*) Combiner avec l'oxygène.

oxyure n. f. Vers parasite de l'intestin.

ozone n. m. Oxygène condensé sous l'action de l'électricité.

ozonisation n. f. Transformation de l'oxygène en ozone.

ozoniser v. tr. Réaliser l'ozonisation.

P

p n. m. Seizième lettre de l'alphabet et douzième des consonnes.

pacage n. m. Pâturage.

pacha n. m. Ancien titre honorifique dans les pays musulmans.

pachyderme [*ki* ou *chi*] n. m. Ancien ordre de mammifères à peau épaisse, dont les pieds sont terminés par des sabots (*hippopotame, rhinocéros,* etc.).

pacificateur, trice n. et adj. Qui pacifie.

pacification n. f. Apaisement.

pacifier v. tr. (Se conj. comme *prier.*) Rétablir la paix, le calme.

pacifique* adj. Qui aime la paix. Qui tend à la paix. Qui se passe dans la paix : *règne pacifique.*

pacifisme n. m. Doctrine pacifiste.

pacifiste n. et adj. Partisan de la paix entre les Etats.

pacotille [*tiy'*] n. f. Marchandises à vendre, que les marins embarquaient sans payer de fret. Marchandises de qualité inférieure.

pacte n. m. Convention, accord.

pactiser v. intr. Faire un pacte. *Fig.* Transiger : *pactiser avec sa conscience.*

pactole n. m. Source de richesses.

paddock n. m. *Turf.* Enceinte où les chevaux sont promenés en main.

paf! interj. indiquant le bruit d'un coup, une chute.

pagaie [*ghè*] n. f. Rame courte que l'on manie sans l'appuyer à l'embarcation.

pagaïe, pagaille ou **pagaye** [*ghay'*] n. f. *Fam.* Précipitation, désordre. *En pagaïe,* en désordre.

paganiser v. intr. Vivre en païen. V. tr. Rendre païen.

paganisme n. m. Croyance aux faux dieux.

pagayer [*ghè-yé*] v. intr. (Se conj. comme *balayer.*) Se servir de la pagaie. V. tr. Conduire à la pagaie.

pagayeur, euse n. Qui pagaye.

page n. f. Côté d'un feuillet de papier. Ce qui est tracé, imprimé sur la page : *copier une page. Fig.* Œuvre littéraire ou musicale. *Fam. A la page,* au courant.

page n. m. Jeune noble au service d'un prince, d'un seigneur.

pagination n. f. Série des numéros des pages d'un livre.

paginer v. tr. Numéroter des pages.

pagne n. m. Morceau d'étoffe tombant de la ceinture, et qui sert de vêtement à certains peuples primitifs.

pagode n. f. En Extrême-Orient, temple, chapelle.

paie ou **paye** n. f. Solde ou salaire. Action de payer : *faire la paie.*

paiement ou **payement** n. m. Action de payer. Somme payée.

païen, enne adj. et n. Qui croit aux faux dieux. *Fam.* Impie.

paillard, e n. et adj. *Fam.* Qui aime les plaisirs sensuels.

paillardise n. f. Caractère, acte, parole de paillard.

paillasse n. f. Sac de paille, de feuilles de maïs, etc., servant de matelas. N. m. Bouffon de foire.

paillasson n. m. Natte de paille ou de jonc.

paillassonner v. tr. Garnir de paillassons : *paillassonner une treille.*

paille n. f. Tige des graminées, dépouillée de son grain. Défaut dans un objet de métal, une pierre fine, etc. *Paille de fer,* fins copeaux de fer. Adj. invar. Qui a la couleur jaune de la paille.

paille-en-queue n. m. invar. Nom vulgaire des phaétons (oiseaux).
pailler n. m. Cour, grenier où l'on met les pailles. Meule de paille.
pailler v. tr. Couvrir ou garnir de paille : *pailler des semis.*
pailleté, e adj. Couvert de paillettes.
pailleter v. tr. (Se conj. comme *jeter.*) Couvrir de paillettes : *robe pailletée d'or.*
paillette n. f. Parcelle d'or mêlée au sable de certains cours d'eau. Lame mince de métal ou de verre qu'on applique sur une étoffe : *habit à paillettes.*
paillis n. m. Couche de paille ou de fumier pailleux pour préserver certains fruits.
paillon n. m. Grosse paillette. Enveloppe de paille pour bouteilles. Mince feuille de clinquant.
paillote n. f. Dans les pays chauds, hutte de paille.
pain n. m. Aliment fait de farine pétrie, fermentée et cuite au four. Nourriture en général : *gagner son pain. Pain d'épice,* fait de farine et de miel. *Pain à cacheter,* rondelle de pâte cuite pour cacheter les lettres. Matière à laquelle on donne au moule une forme déterminée : *pain de savon.* Tourteau : *pain de noix.*
pair n. m. Autrefois, grand vassal du roi : *les douze pairs de Charlemagne.* Membre de la Chambre haute de 1815 à 1848. Aujourd'hui, membre de la Chambre des lords en Angleterre.
pair, paire adj. Exactement divisible par deux : *nombre pair.* N. m. Egal d'une personne : *être jugé par ses pairs.* Valeur d'une monnaie métallique étrangère en unités nationales. Taux nominal ou de remboursement d'une valeur. *Etre au pair dans une maison,* être logé et nourri, mais ne pas recevoir de salaire.
paire n. f. Couple de personnes, d'animaux, d'objets. Objet composé de deux parties : *paire de ciseaux.*
pairesse n. f. Femme d'un pair.
pairie n. f. Titre de pair.
paisible* adj. Tranquille, pacifique, calme : *mener une vie paisible.*
paître v. tr. (*Je pais, il paît, nous paissons. Je paissais, nous paissions.* Pas de passé s. *Je paîtrai, nous paîtrons. Pais, paissons, paissez. Que je paisse, que nous paissions. Paissant.* Pas d'imparf. du subj. ni de part. pass.) Mener au pâturage : *paître des moutons* (vx). Manger en broutant : *paître l'herbe. Pop. Envoyer paître,* congédier.
paix n. f. Etat d'un pays qui n'est pas en guerre. Traité qui maintient ou ramène cet état : *signer la paix.* Calme : *la paix des champs.* Réconciliation : *faire la paix.* Tranquillité : *en paix avec sa conscience.* Union, concorde. Interj. pour commander le silence, le calme.
pal n. m. Pieu aiguisé. Bande verticale du blason. Pl. des *pals.*
palabre n. m. ou f. Conférence avec des indigènes, dans les pays exotiques. *Fig.* Longue discussion.
palabrer v. intr. Tenir des palabres.
palace n. m. Hôtel de grand luxe.
paladin n. m. Seigneur de la suite de Charlemagne. Chevalier errant. *Par ext.* Homme brave, chevaleresque.
palafitte n. m. Construction lacustre préhistorique sur pilotis.
palais n. m. Résidence d'un grand personnage. Maison magnifique. Lieu où siègent les tribunaux : *palais de justice.*
palais n. m. *Anat.* Partie supérieure du dedans de la bouche. *Fig.* Sens du goût : *palais délicat.*
palan n. m. Assemblage de poulies.
palanquin n. m. En Extrême-Orient, sorte de chaise à porteurs.
palatal, e, aux adj. *Gramm.* Qui se prononce du palais. *Anat.* Du palais.
palatin, e adj. Titre donné à celui qui avait une charge dans le palais d'un prince. Du Palatinat.
pale n. f. Partie d'un aviron, d'une roue à aubes, qui entre dans l'eau. Branche d'une hélice. Petite vanne.
pâle adj. Décoloré, blême : *joues pâles.* Faible, sans éclat : *un bleu pâle.*
palefrenier n. m. Valet d'écurie.
palefroi n. m. Cheval de parade. (Vx.)
paléographe n. et adj. Versé dans la paléographie : *archiviste-paléographe.*
paléographie n. f. Art de déchiffrer les écritures anciennes.
paléolithique adj. Des anciennes époques de l'âge de pierre.
paléontologie n. f. Science qui traite des fossiles.
paléontologiste n. et adj. Qui s'occupe de paléontologie.
palestre n. f. *Antiq. gr.* Lieu public pour les exercices du corps. Lutte.
palet n. m. Disque qu'on jette le plus près possible d'un but.
paletot n. m. Vêtement porté par-dessus les autres.
palette n. f. Instrument large, aplati, servant à divers usages. Aube d'une roue de moulin ou de bateau. Plaque de bois, de faïence, percée d'un trou pour le pouce et sur laquelle les peintres étalent leurs couleurs. Le coloris d'un peintre.
palétuvier n. m. Nom vulgaire de divers arbres tropicaux.
pâleur n. f. Etat de ce qui est pâle.
palier n. m. Espace plan dans un escalier ou une montée. Portion horizontale d'une route, d'une voie ferrée. Etape, tranche : *dégrèvement par paliers. Méc.* Pièce fine d'une machine, qui supporte un arbre.
palimpseste n. m. Manuscrit sur parchemin dont on a effacé l'écriture pour y écrire de nouveau.
palinodie n. f. Rétractation.
pâlir v. intr. Devenir pâle : *pâlir de colère,* S'affaiblir : *couleur qui pâlit.* V. tr. Rendre pâle : *un teint pâli.*
palis [*li*] n. m. Pieu enfoncé en terre.
palissade n. f. Barrière de pieux : *franchir une palissade.* Espalier.
palissader v. tr. Entourer de palissades : *palissader un jardin.*
palissage n. m. Action de palisser.
palissandre n. m. Bois exotique brun foncé à reflet violacé employé en ébénisterie.
palisser v. tr. Attacher les branches contre un mur, un treillage.
palliateur, trice adj. Qui pallie.
palliatif, ive n. m. et adj. Qui n'a qu'une efficacité incomplète, momentanée : *l'emprunt n'est jamais qu'un palliatif.*

palliation n. f. Action de pallier.
pallier [*l-l*] v. tr. (Se conj. comme *prier.*) Déguiser, atténuer : *pallier un défaut.*
palmaire adj. Relatif à la paume de la main.
palmarès [*rèss*] n. m. Liste de lauréats.
palme n. f. Branche de palmier. Palmier : *vin de palme. Fig.* Signe de victoire : *remporter la palme. Palmes académiques,* distinction honorifique spécialement réservée aux membres de l'enseignement.
palmé, e adj. *Bot.* Semblable à une main ouverte : *feuille palmée. Zool.* Dont les doigts sont réunis par une membrane (oie, canard, etc.).
palmer [*mèr*] n. m. Instrument pour mesurer de faibles épaisseurs.
palmeraie n. f. Lieu planté de palmiers.
palmette n. f. Ornement en forme de palme. Forme des arbres fruitiers en espalier.
palmier n. m. Famille de plantes monocotylédones, portant un bouquet de longues feuilles à l'extrémité d'un stipe plus ou moins élevé (*dattiers, cocotiers,* etc.).
palmipèdes n. m. pl. Ordre d'oiseaux aux pieds palmés (oie, canard, etc.).
palmiste n. m. Palmier à bourgeon comestible appelé *chou-palmiste.*
palois, e adj. et n. De Pau.
palombe n. f. Espèce de pigeon.
palonnier n. m. Pièce de bois ou de fer reliée à une voiture sans brancards et à laquelle on attache les traits. Dispositif de transmission (autos, avions).
pâlot, otte adj. Un peu pâle.
palourde n. f. Nom vulgaire de plusieurs mollusques comestibles.
palpable adj. Qu'on peut palper. *Fig.* Clair, évident : *vérité palpable.*
palpation n. f. Action de palper.
palpe n. f. Appendice buccal des arthropodes, etc.
palpébral, e, aux adj. Des paupières.
palper v. tr. Toucher avec la main dans un dessein d'examen. *Fig.* et *fam.* Toucher, recevoir de l'argent.
palpitant, e adj. Qui palpite. *Fig.* Très intéressant : *roman palpitant.*
palpitation n. f. Mouvement violent et déréglé du cœur.
palpiter v. intr. Battre (se dit du cœur). Frémir convulsivement (se dit de la chair d'un être qui vient d'être tué). *Fig.* Etre vivement ému : *palpiter d'impatience.*
palplanche n. f. Madrier pointu qu'on enfonce pour former un barrage, une clôture. Planche pour boiser une mine.
paltoquet n. m. Homme grossier.
paludéen, enne adj. Des marais.
paludier n. et adj. m. Qui travaille dans les marais salants.
paludisme n. m. Fièvre qui se contracte dans les pays marécageux.
pâmer v. intr. et v. pr. Défaillir par l'effet d'une émotion vive.
pâmoison n. f. Défaillance.
pampa n. f. Vaste plaine herbeuse de l'Amérique du Sud.
pamphlet n. m. Petit écrit satirique et violent : *pamphlet politique.*
pamphlétaire n. m. Auteur de pamphlets : *un violent pamphlétaire.*
pamplemousse n. m. ou f. Sorte d'orange des Indes (*grapefruit*).
pampre n. m. Rameau de vigne chargé de feuilles.
pan n. m. Partie unie et considérable d'un vêtement, d'une tenture. Partie d'un mur. Face d'un corps polyédrique : *écrou à six pans. Pan coupé,* surface qui remplace l'angle à la rencontre de deux murs.
pan! interj. Onomatopée qui marque un coup soudain.
panacée n. f. Remède universel.
panache n. m. Plumes flottantes dont on orne un casque, un dais, etc. Tout ce qui ondoie comme ces plumes : *panache de fumée. Fig.* et *fam.* Ce qui a de l'éclat, du brio : *aimer le panache.*
panacher v. tr. Orner d'un panache. Orner de couleurs variées : *tulipe panachée.* Mélanger : *glace panachée.*
panade n. f. Soupe faite d'eau, de pain et de beurre.
panais n. m. Plante comestible, à racine pivotante, sucrée et odorante.
panama n. m. Chapeau très souple, tressé avec la feuille d'un arbuste de l'Amérique centrale. *Bois de Panama,* écorce d'un arbre chilien, à propriétés saponacées.
panard, e adj. Se dit d'un cheval qui a les pieds tournés en dehors.
panaris [*ri*] n. m. Inflammation phlegmoneuse du doigt.
panca, panka n. m. Ecran ventilateur suspendu au plafond, dans les pays chauds.
pancarte n. f. Annonce, affiche collée sur un carton.
panchromatique adj. *Phot.* Sensible à toutes les couleurs.
panclastite n. f. Explosif à base d'acide picrique.
pancrace n. m. *Antiq. gr.* Combat combinant la lutte et le pugilat.
pancréas [*kré-ass*] n. m. Glande qui déverse dans l'intestin un liquide qui agit sur les graisses.
pancréatique adj. Du pancréas : *suc pancréatique.*
pandémonium [*nyom*] n. m. Capitale imaginaire des enfers. *Fig.* Lieu où règnent toutes sortes de désordre et de corruption.
panégyrique n. m. Eloge.
panégyriste n. m. Qui fait un éloge.
paner v. tr. Couvrir de pain râpé.
panerée n. f. Contenu d'un panier.
paneterie n. f. Lieu où l'on tient le pain dans certains établissements.
panetier, ière n. Personne préposée à la paneterie.
panetière n. f. Sac où les bergers emportent du pain. Dressoir fermé.
paneton n. m. Petit panier où les boulangers mettent la pâte nécessaire pour un pain.
pangermanisme n. m. Système qui tend à l'union des populations de race allemande.
pangermaniste adj. Relatif au pangermanisme. N. Partisan de ce système.
panhellénisme n. m. Système politique qui tendait à réunir tous les peuples de race grecque.
panier n. m. Objet d'osier, de jonc, etc., pour transporter ou serrer des provisions, etc. Ce qu'il contient : *panier de fruits.* Autrefois, jupon bouffant garni de

cercles de baleine : *robe à paniers. Fig. Panier percé,* personne dépensière. *Le dessus du panier,* le meilleur.

panifiable adj. Qui peut être panifié : *céréales panifiables.*

panification n. f. Conversion des matières farineuses en pain.

panifier v. tr. (Se conj. comme *prier.*) Transformer en pain.

panique adj. *Terreur panique,* subite et sans fondement. N. f. Désarroi.

panne n. f. Velours à poil long. *Pop.* Haillon. *Fig.* Misère : *être dans la panne. Théâtr.* Rôle sans valeur. *Mar.* Voilure d'un navire. *En panne,* dans une disposition de voiles telle que le navire reste en place. *Par ext.* Arrêt de fonctionnement d'un mécanisme : *tomber en panne.*

panne n. f. Graisse englobant les rognons du cochon.

panneau n. m. Surface pleine et unie encadrée et ornée de moulures. Nappe ou filet qu'on tend à demeure pour prendre certaines bêtes. Tableau portant une indication. *Fig.* Piège : *tomber dans le panneau.*

panneton n. m. Partie d'une clef, qui fait mouvoir les pênes.

panonceau n. m. Ecusson à la porte des officiers ministériels.

panoplie n. f. Collection d'armes disposées avec art.

panorama n. m. Vaste tableau peint sur le mur d'une rotonde et qui donne au spectateur placé au centre l'illusion d'un spectacle réel. *Par anal.* Vaste étendue de pays qu'on voit d'une hauteur.

panoramique adj. Qui offre l'aspect d'un panorama : *vue panoramique.*

pansage n. m. Action de panser un animal.

panse n. f. Le premier estomac des ruminants. *Fam.* Ventre. Partie renflée d'un objet : *panse d'une bouteille.* Partie arrondie de certaines lettres : *panse d'a.*

pansement n. m. Action de panser une plaie : *gaze pour pansement.*

panser v. tr. Appliquer les remèdes nécessaires à. Brosser, étriller, etc., un animal domestique. *Fig.* Soigner, calmer, adoucir.

panslavisme n. m. Système politique visant à réunir tous les Slaves.

pansu, e adj. A gros ventre.

pantagruélique adj. Enorme (appétit).

pantalon n. m. Vêtement d'homme, qui va de la ceinture aux pieds. Sous-vêtement en lingerie pour femme.

pantalonnade n. f. *Théâtr.* Farce burlesque. *Fig.* Bouffonnerie.

panteler v. intr. (Se conj. comme *amonceler.*) Haleter, palpiter : *victime pantelante.*

panthéisme n. m. Théorie de l'unité de la substance, identifiant Dieu et le monde.

panthéiste adj. Relatif au panthéisme : *conception panthéiste.* N. Partisan de cette doctrine.

panthéon n. m. Temple que les Grecs et les Romains consacraient à tous leurs dieux. Ensemble de tous les dieux d'un pays.

panthère n. f. Sorte de léopard.

pantière n. f. Filet tendu verticalement pour prendre les oiseaux. Carnier de chasseur.

pantin n. m. Figure burlesque dont on fait mouvoir les membres par des fils. *Fig.* Homme qui gesticule ridiculement, ou qui flotte d'une opinion à une autre.

pantographe n. m. Instrument pour copier mécaniquement les dessins.

pantois, e adj. *Fam.* Stupéfait, interdit, penaud : *rester pantois.*

pantomime n. f. Action ou art de s'exprimer par gestes. Pièce où les acteurs s'expriment par gestes.

pantoufle n. f. Chaussure d'intérieur.

paon [*pan*] n. m. Genre d'oiseaux gallinacés d'un splendide plumage. Espèce de papillon. *Fig.* Personne vaine, orgueilleuse.

paonne [*pan'*] n. f. Femelle du paon.

papa n. m. Père dans le langage des enfants.

papal, e, aux adj. Du pape.

papauté n. f. Dignité de pape. Administration d'un pape.

pape n. m. Le chef de l'Eglise catholique romaine, élu par les cardinaux.

papelard, e adj. et n. Faux dévot.

paperasse n. f. Papier sans valeur.

paperasserie n. f. Amas d'écritures inutiles.

paperassier, ère adj. et n. Qui aime à paperasser : *esprit paperassier.*

papesse n. f. Femme qui aurait rempli les fonctions de pape.

papeterie n. f. Fabrique, commerce de papier.

papetier, ère n. et adj. Qui fabrique ou vend du papier.

papier n. m. Feuille sèche et mince, faite de substances végétales réduites en pâte, pour écrire, imprimer, envelopper, etc. Ecrit ou imprimé. *Papier buvard.* V. BUVARD. *Papier carbone,* imprégné d'un colorant, pour reproduire l'écriture. *Papier de verre,* papier enduit de poudre de verre, servant au polissage. Effet de commerce ou valeur : *accepter le papier d'un commerçant.* Article de journal. Pl. Passeport, pièces d'identité : *papiers en règle.*

papier-monnaie n. m. Papier créé pour tenir lieu d'argent.

papilionacées n. f. pl. Famille de plantes dont les corolles sont composées de cinq pétales.

papille [*pil'* ou *piy'*] n. f. Petite élevure sur la peau, les muqueuses, etc.

papillon n. m. Nom vulgaire des insectes aux ailes couvertes de fines écailles souvent colorées. *Fig.* Esprit léger, changeant. Petite feuille imprimée collée ou insérée dans une publication.

papillonner v. intr. Voltiger.

papillotage n. m. Action de papilloter. Miroitement. Clignement.

papillote n. f. Papier roulé pour friser les cheveux, pour envelopper un bonbon, etc.

papilloter v. tr. Mettre des papillotes. V. intr. Clignoter (yeux). Miroiter : *une surface qui papillote.*

papisme n. m. Nom donné au catholicisme par les protestants anglais.

papiste n. m. Partisan du papisme.

papotage n. m. *Fam.* Bavardage futile.

papoter v. intr. *Fam.* Dire des riens.

paprika n. m. Piment rouge en poudre.

papule n. f. Elevure sur la peau.

papyrus [*russ*] n. m. Sorte de jonc. Feuille faite de son écorce, qui servait de papier aux Egyptiens. Le manuscrit lui-même.

pâque n. f. Fête annuelle des Juifs, en mémoire de leur sortie d'Egypte. N. m. pl. Fête de l'Eglise catholique en mémoire de la résurrection de Jésus-Christ.

paquebot n. m. Navire de commerce qui transporte des lettres, des passagers, des marchandises.
pâquerette n. f. Sorte de marguerite.
paquet n. m. Réunion de choses enveloppées ou attachées ensemble. *Fam.* Personne habillée sans goût.
paquetage n. m. Action de paqueter. Effets du soldat disposés sur les planches de la chambrée.
paqueter v. tr. (Se conj. comme *jeter.*) Mettre en paquet.
par prép. A travers : *par les champs.* Indique la cause, la manière : *affaibli par la maladie; prendre par le bras. De par* loc. prép. Par l'ordre de. Formes diverses loc. adv. : *par-ci, par-là, par-devant,* etc. *Par conséquent,* en conséquence.
parabole n. f. Allégorie : *parler par paraboles. Géom.* Ligne courbe, dont chacun des points est équidistant d'un point fixe appelé *foyer* et d'une droite fixe appelée *directrice.* Courbe que décrit un projectile.
parabolique adj. Relatif à la parabole : *sens parabolique.* En parabole : *ligne parabolique.*
parachèvement n. m. Achèvement complet.
parachever v. tr. (Se conj. comme *achever.*) Finir parfaitement : *parachever l'ouvrage.*
parachutage n. m. Action de lancer par parachute : *parachutage de vivres.*
parachute n. m. Appareil destiné à amortir la vitesse de la chute.
parachuter v. tr. Lancer par parachute.
parachutiste n. Qui descend en parachute.
paraclet n. m. Nom du Saint-Esprit dans le Nouveau Testament.
parade n. f. Revue des troupes. Carrousel. Etalage, ostentation : *faire parade de ses talents.* Manière de parer un coup. Scène burlesque jouée à l'entrée d'un théâtre forain pour attirer le public. *De parade,* pour l'ornement, plus que pour l'utilité.
parader v. intr. Manœuvrer : *troupes qui paradent.* Se pavaner.
paradigme n. m. Exemple, modèle : *les paradigmes des conjugaisons.*
paradis n. m. Lieu de délices où Dieu plaça Adam et Eve : *le paradis terrestre.* Séjour des bienheureux après la mort : *le paradis de Mahomet. Fig.* Endroit enchanteur. Galerie supérieure d'un théâtre.
paradisiaque adj. Du paradis.
paradisier n. m. Oiseau d'Océanie au beau plumage appelé aussi *oiseau de paradis.*
paradoxal, e*, aux adj. Porté au paradoxe. Singulier, bizarre.
paradoxe n. m. Opinion contraire à l'opinion commune : *abuser du paradoxe.*
parafe n. m. V. PARAPHE.
paraffine n. f. Substance solide blanche, tirée des schistes bitumineux, des huiles lourdes de pétrole : *bougie de paraffine.*
paraffiner v. tr. Enduire de paraffine.
parafoudre n. m. Instrument pour protéger les appareils électriques contre la foudre.
parages n. m. pl. *Mar.* Voisinage : *parages dangereux. Par ext.* Endroit : *que faites-vous en ces parages?*
paragraphe n. m. Subdivision des parties d'un texte, etc. Signe (§) qui l'indique parfois.
paragrêle adj. Se dit d'un canon en tronc de cône, dont la décharge sur un nuage à grêle a pour effet sa résolution en pluie.
paraître v. intr. (Se conj. comme *connaître.*) Se faire voir : *l'aurore parut.* Sembler : *il paraît souffrant.* Etre publié : *ce livre a paru.* Exister. *Fig.* Briller : *chercher à paraître.* Se manifester. V. impers. *Il paraît que,* il semble que. *Il y paraît,* on le voit bien.
parallaxe [*l-l*] n. f. Angle formé par deux droites partant du centre d'un astre et aboutissant aux deux extrémités d'un rayon de la terre.
parallèle* [*l-l*] adj. Se dit de deux lignes ou de deux surfaces également distantes l'une de l'autre sur toute leur longueur. N. f. Ligne parallèle à une autre. N. m. Cercle parallèle à l'équateur. *Fig.* Comparaison : *parallèle entre deux écrivains.*
parallélépipède n. m. Prisme dont les bases sont parallèles.
parallélisme n. m. Etat de deux lignes, de deux plans parallèles.
parallélogramme n. m. Quadrilatère à côtés opposés parallèles.
paralogisme n. m. Faux raisonnement.
paralyser v. tr. Frapper de paralysie. *Fig.* Arrêter, neutraliser : *paralyser les transports; paralyser toute initiative.*
paralysie n. f. Privation entière ou partielle du sentiment de la motricité.
paralytique adj. et n. Atteint de paralysie.
parangon n. m. Modèle.
parangonner v. tr. *Typogr.* Aligner des caractères d'imprimerie qui ne sont pas du même corps.
paranoïaque adj. et n. Maniaque orgueilleux et susceptible.
parapet n. m. Mur à hauteur d'appui, pour servir de garde-fou, d'abri.
paraphe n. m. Trait soulignant une signature. Signature abrégée.
parapher v. tr. Marquer de son paraphe : *parapher un renvoi.*
paraphrase n. f. Explication ou traduction plus étendue que le texte. *Par ext.* Discours, écrit long et diffus. *Fam.* Commentaire mal intentionné.
paraphraser v. tr. Développer par paraphrase. Traduire en amplifiant.
paraphrastique adj. Propre à la paraphrase.
parapluie n. m. Petit abri portatif pour se garantir de la pluie.
parasitaire adj. Relatif aux parasites : *affection parasitaire.*
parasite n. m. Qui s'est fait une habitude de manger chez autrui ou qui vit aux dépens d'autrui. Animal, plante qui vit aux dépens d'un autre animal, d'une autre plante. *Bruits parasites,* qui troublent une audition radiophonique. *Littér.* et *Bx-arts.* Superflu, encombrant : *épithètes, ornements parasites.*
parasitisme n. m. Etat de parasite.
parasol n. m. Appareil portatif pour garantir du soleil.
paratonnerre n. m. Appareil destiné à préserver les bâtiments de la foudre.
paratyphoïde n. f. Maladie voisine de la typhoïde.
paravent n. m. Ecran mobile.
parbleu! interj. Sorte de jurement exprimant souvent l'approbation.
parc n. m. Enclos boisé, d'une certaine étendue, pour la promenade, la chasse, etc.

Pâtis où l'on met les bœufs à l'engrais. Clôture où l'on enferme les moutons dans les champs. Endroit où l'on peut garer les autos. *Parc à huîtres,* bassin pour l'élevage des huîtres. *Milit.* Lieu où l'on place l'artillerie, les munitions, les vivres. Caissons et voitures pour le transport du matériel.

parcage n. m. Action de parquer.

parcellaire adj. Etabli par parcelles.

parcelle n. f. Petite partie d'une chose : *une parcelle de terrain.*

parcellement n. m. Division par parcelles.

parceller v. tr. Diviser en parcelles : *parceller un héritage.*

parce que loc. conj. Pour la raison que.

parchemin n. m. Peau préparée pour écrire. Pl. *Fig.* Titres de noblesse.

parcheminé, e adj. Qui a l'aspect du parchemin : *peau parcheminée.*

parcimonie n. f. Epargne minutieuse : *vivre avec parcimonie.*

parcimonieux, euse* adj. Qui use de parcimonie.

parcourir v. tr. (Se conj. comme *courir.*) Suivre, visiter dans toute son étendue ou dans tous les sens : *parcourir une route.* Accomplir un trajet déterminé. *Fig.* Examiner rapidement : *parcourir un livre.*

parcours n. m. Chemin que suit un véhicule, une eau courante, etc. Trajet : *effectuer un parcours.*

pardessus n. m. Vêtement qu'on porte pardessus les autres.

pardi! pardieu! pardienne! interj. Jurons familiers.

pardon n. m. Rémission d'une faute, d'une offense : *obtenir un pardon.* Formule de politesse quand on dérange quelqu'un. Pèlerinage breton : *assister à un pardon.*

pardonnable adj. Que l'on peut pardonner : *faute pardonnable.* Qui mérite d'être pardonné : *c'est bien pardonnable!*

pardonner v. tr. Faire rémission de : *pardonner une faute.* Excuser : *le monde pardonne tout quand on réussit.* V. intr. Accorder le pardon. Faire grâce : *pardonner à ses ennemis. Pardonnez-moi,* formule de civilité, pour s'excuser.

pare-boue n. m. invar. Garde-boue.

pare-brise n. m. invar. Glace devant le conducteur d'une automobile.

pare-chocs n. m. invar. Ressort de protection à l'avant et à l'arrière d'un véhicule.

pare-étincelles n. m. invar. Ecran métallique du foyer.

pare-feu n. m. invar. Appareil destiné à empêcher la propagation des incendies.

parégorique adj. Qui sert à calmer les douleurs intestinales : *élixir parégorique.*

pareil, eille* adj. Egal, équivalent. Semblable, identique. N. Personne ou chose égale : *n'avoir pas son pareil.* Personne du même rang, de la même condition : *fréquenter ses pareils.* N. f. *Rendre la pareille,* rendre un traitement pareil à celui qu'on a reçu.

parement n. m. Etoffe, brodée ou galonnée, mise comme ornement : *parement d'autel, d'habit. Maçonn.* Côté d'une pierre ou d'un mur, qui paraît au-dehors.

parenchyme [*chi*] n. m. Tissu spongieux de divers organes vivants.

parent, e n. Personne de la même famille. N. m. pl. Le père et la mère.

parenté n. f. Lien entre parents par le sang ou par alliance. Ensemble des parents.

parenthèse n. f. Phrase insérée dans une période et formant un sens à part. Signe qui indique cette intercalation ( ) : *ouvrir, fermer la parenthèse. Fig.* et *fam.* Digression : *ouvrir une parenthèse. Par parenthèse,* incidemment.

paréo ou **pareu** n. m. Sorte de pagne porté à Tahiti.

parer v. tr. Orner : *parer un autel. Cuis.* Préparer : *parer une volaille. Mar.* Tenir prêt : *parer une ancre.* Détourner, éviter : *parer un coup.* Intr. Remédier à : *parer à un défaut.* V. pr. S'orner. Faire parade de : *se parer d'innocence.*

paresse n. f. Vice qui éloigne du travail, de l'effort. *Fig.* Lenteur.

paresser v. intr. S'abandonner à la paresse.

paresseux, euse* adj. Qui montre de la paresse. N. Qui répugne au travail.

parfaire v. tr. Achever, compléter.

parfait, aite* adj. Sans défaut, excellent : *bonheur parfait, vin parfait.* Accompli, complet : *calme parfait.* N. m. La perfection : *le parfait est rare.* Crème glacée : *parfait au café.*

parfiler v. tr. Défaire fil à fil.

parfois adv. Quelquefois.

parfum n. m. Odeur agréable. Composition ayant cette odeur : *acheter des parfums. Fig.* Ce qui éveille un doux souvenir : *parfum de poésie.*

parfumer v. tr. Remplir, imprégner de parfum : *parfumer son mouchoir.*

parfumerie n. f. Commerce, industrie du parfumeur.

parfumeur, euse n. et adj. Qui fabrique ou vend des parfums.

pari n. m. Action de parier. Chose, somme pariée. *Pari mutuel,* pari légal sur les champs de courses.

paria n. m. Nom donné dans l'Inde aux individus privés des droits religieux ou sociaux. *Par ext.* Homme dédaigné des autres hommes.

pariade n. f. Accouplement des oiseaux.

parier v. tr. (Se conj. comme *prier.*) S'engager à payer une certaine somme que gagnera celui qui aura raison. *Par ext.* Affirmer : *je parie son succès.*

pariétaire n. f. Plante qui pousse sur les murailles.

pariétal, e, aux adj. Se dit des os formant les côtés et la voûte du crâne.

parieur, euse n. Qui parie.

parisien, enne adj. et n. De Paris.

parisis [*ziss*] adv. inv. Se disait de la monnaie qui se frappait à Paris : *livre parisis.*

paritaire adj. Se dit des commissions d'arbitrage où patrons et employés sont également représentés.

parité n. f. Egalité parfaite. Comparaison prouvant une chose par une autre semblable : *établir une parité.* Etat de ce qui est pair.

parjure n. m. Faux serment : *commettre un parjure.* N. et adj. Coupable de parjure : *punir un parjure.*

parjurer (se) v. pr. Commettre un parjure.

parlant, e adj. Doué de la parole. Adj. Expressif, ressemblant : *portrait parlant.* Accompagné de paroles : *cinéma parlant.*

parlement n. m. Assemblée des grands du royaume, sous les premiers rois. Cour souveraine de justice avant 1791. Assemblée exerçant le pouvoir législatif (en ce sens prend une majuscule).

parlementaire* adj. Du parlement. Qui comprend un parlement : *constitution parlementaire.* N. m. Officier délégué à l'ennemi pour faire ou écouter des propositions. Membre d'un parlement.

parlementarisme n. m. Régime parlementaire.

parlementer v. intr. Entrer en pourparlers avec un adversaire.

parler v. intr. Exprimer sa pensée par la parole. Prononcer des mots : *le perroquet parle.* S'exprimer: *parler par gestes.* Traiter, discourir : *parler de tout.* V. tr. User d'une langue : *parler anglais.* Traiter : *parler affaires.* N. m. Action, manière de parler : *un parler affecté.* Dialecte.

parleur, euse adj. et n. Qui parle.

parloir n. m. Salle de couvent, de lycée où l'on reçoit les visiteurs.

parlote n. f. *Fam.* Bavardage.

parmi prép. Au milieu, au nombre de.

parnassien, enne adj. Qui appartient au Parnasse. Adj. et n. Se dit d'une école poétique française du XIXe s.

parodie n. f. Travestissement burlesque d'un poème, d'un ouvrage sérieux. *Fig.* Contrefaçon : *une parodie de justice.*

parodier v. tr. (Se conj. comme *prier.*) Faire de la parodie : *parodier une tragédie. Fig.* Imiter, contrefaire.

parodiste n. m. Auteur de parodies.

paroi n. f. Muraille. Surface intérieure : *les parois d'un tuyau.*

paroisse n. f. Territoire soumis à la juridiction spirituelle d'un curé. Eglise de la paroisse.

paroissial, e, aux adj. De la paroisse.

paroissien, enne n. Habitant d'une paroisse. *Fam.* Individu : *drôle de paroissien.* N. m. Livre de messe.

parole n. f. Faculté de parler. Ton de voix : *avoir la parole douce.* Mot prononcé, phrase : *une parole mémorable.* Promesse : *donner sa parole. Sur parole,* sur une promesse formelle : *croire sur parole; être prisonnier sur parole.* Pl. Mots d'une chanson : *la musique et les paroles.*

paroli n. m. Au jeu, action de doubler la mise.

parolier n. m. Auteur des paroles, dans une œuvre musicale.

paronyme n. m. Mot qui a du rapport avec un autre par sa forme extérieure.

parotide n. f. et adj. Glande salivaire située au-dessous de l'oreille.

paroxysme n. m. Extrême intensité : *être au paroxysme de la colère.*

parpaillot, e n. Sobriquet donné jadis aux calvinistes.

parpaing n. m. Pierre de taille qui traverse l'épaisseur d'un mur. Bloc de ciment de l'épaisseur d'un mur.

parquer v. tr. Mettre dans un parc : *parquer des bœufs.* Garer une auto dans un endroit réservé. *Fig.* Enfermer. V. intr. Etre au parc : *les moutons parquent.*

parquet n. m. Enceinte réservée d'un tribunal. Magistrats du ministère public; local qui leur est affecté. Enceinte d'une Bourse, où se tiennent les agents de change; réunion des agents de change. *Constr.* Plancher d'une chambre : *parquet ciré.*

parquetage n. m. Action de parqueter.

parqueter v. tr. (Se conj. comme *jeter.*) Couvrir d'un parquet.

parqueteur n. et adj. m. Qui pose un parquet.

parrain n. m. Qui tient un enfant sur les fonts du baptême; qui présente quelqu'un dans un cercle, une société, etc.

parrainage n. m. Qualité de parrain.

parricide n. m. Crime du parricide.

parricide n. Qui tue son père, sa mère ou tout autre ascendant légitime. Qui attente à la vie d'un souverain.

parsemer v. tr. (Se conj. comme *semer.*) Répandre çà et là : *parsemer un chemin de fleurs.* Etre répandu sur.

part n. f. Portion d'un tout divisé entre plusieurs personnes: *faire des parts égales. Avoir part,* participer, profiter d'une chose. *Prendre part,* s'intéresser à, collaborer. *Faire part,* communiquer, informer. *Prendre en bonne, en mauvaise part,* interpréter bien ou mal. *Lettre de faire part,* qui annonce un mariage, un décès, etc. *A part,* excepté. *De la part de,* au nom de.

partage n. m. Action de diviser en portions: *faire le partage d'une succession.* Portion de la chose partagée : *avoir en partage.*

partageable adj. Qui peut se partager : *somme partageable.*

partager v. tr. Diviser en parts : *partager un gâteau.* Posséder avec d'autres : *partager le pouvoir. Fig.* Prendre part à. *Partager une opinion,* être du même avis. Séparer : *les avis sont partagés.*

partageur, euse, partageux, euse adj. et n. Qui aime le partage.

partance (en) loc. adv. *Mar.* Au moment de partir : *bateau en partance.*

partant n. m. Qui part : *les partants d'une course.* Conj. Par conséquent.

partenaire n. Personne avec qui l'on est associé au jeu, dans une affaire.

parterre n. m. Partie d'un jardin ornée de gazon, de fleurs. *Théâtr.* Partie du rez-de-chaussée derrière les fauteuils d'orchestre.

parthénogenèse n. f. Reproduction, chez les espèces sexuées, sans intervention du gamète mâle.

parti n. m. Détermination, résolution : *prendre un parti.* Profit, avantage : *tirer parti de. Faire un mauvais parti à quelqu'un,* le maltraiter. Union de personnes contre d'autres : *le parti révolutionnaire.* Troupes qui battent la campagne : *un parti de francs-tireurs. Esprit de parti,* aveuglement en ce qui concerne une opinion. *Parti pris,* opinion préconçue. *Prendre son parti,* se résigner.

partial, e* [*syal*] adj. Qui prend parti.

partialité [*sya*] n. f. Préférence injuste.

participation n. f. Action de participer : *participation à une loterie.*

participe n. m. Mot qui participe du caractère du verbe et de celui de l'adjectif. *Participe présent ,* celui qui exprime une action présente : DORMANT, PARLANT; un état : *enfants* OBÉISSANTS. *Participe passé,* celui qui indique une action passée: LU, PARLÉ

participer v. intr. Avoir part. Prendre part à : *participer à une opération.* Tenir de : *le mulet participe de l'âne et du cheval.*

participial, e, aux adj. Du participe : *forme participiale.*

particulariser v. tr. Faire connaître en détail. Restreindre à un seul cas. V. pr. Se singulariser.

particularisme n. m. Tendance d'une région à conserver ses caractères particuliers.

particulariste adj. Attaché aux intérêts particuliers de sa région.

particularité n. f. Circonstance particulière, caractère spécial.

particule n. f. Petite partie, parcelle. Petit mot qui ne peut s'employer seul : *particule négative, affirmative.* Préposition ou syllabe (*de, du, des, le, la,* etc.) qui précède un nom propre et qui est souvent un signe de noblesse.

particulier, ère* adj. Propre à certaines personnes, à certaines choses. Opposé à général : *l'intérêt particulier.* Spécial : *talent particulier.* Privé : *audience particulière.* Séparé : *chambre particulière.* Bizarre : *caractère particulier.* N. Personne privée : *un simple particulier. Péjor.* Individu. *En particulier,* à part.

partie n. f. Portion, part. *Mus.* Chacune des mélodies formant une harmonie. *Gramm.* Espèce de mots : *les parties du discours. Comm.* Tenue des livres : *partie double, simple.* Totalité des coups qu'il faut jouer pour gagner : *partie de cartes. Fig.* Divertissement en commun : *partie de chasse. Dr.* Adversaires dans un procès : *renvoyer les parties dos à dos. Prendre à partie,* s'attaquer à. *En partie,* non entièrement.

partiel, elle* [*syèl*] adj. En partie.

partir v. intr. S'en aller : *partir pour* [non à] *Paris.* Prendre le départ : *partir au signal.* Commencer : *les nerfs partent du cerveau. Fig.* Emaner : *cela part d'un bon cœur. A partir de,* à dater de.

partisan n. m. Attaché, dévoué : *partisan de la monarchie.* Officier, soldat de troupes irrégulières : *guerroyer avec des partisans.*

partitif, ive adj. Se dit d'un mot qui désigne une partie d'un tout.

partition n. f. Ensemble des parties formant une composition musicale.

partout adv. En tout lieu.

parturition n. f. Accouchement. Mise bas des animaux.

parure n. f. Ornement.

parution n. f. Publication.

parvenir v. intr. (Se conj. comme *venir.*) Arriver : *parvenir à un lieu. Fig.* S'élever.

parvenu, e n. Personne arrivée à une condition très supérieure à sa condition première, sans avoir acquis les manières de sa nouvelle position.

parvis n. m. Place devant le portail principal d'une église.

pas n. m. Mouvement des pieds pour se déplacer. *Fig.* Marche en avant, progrès. Trace du pied sur le sol. Manière de marcher : *pas lourd.* Allure la plus lente : *passer du pas à la course.* Longueur d'un pas : *à vingt pas de distance.* Seuil de porte, marche. Préséance : *avoir le pas sur.* Passage : *le pas de Calais. Pas à pas,* lentement. *Pas de clerc,* imprudence. *Faire un faux pas,* trébucher.

pas, adv. de négation s'employant en général avec *ne : je ne veux pas.*

pascal, e, als ou **aux** adj. Qui concerne la pâque des Juifs ou la fête de Pâques des chrétiens : *temps pascal.*

pasquinade n. f. Raillerie bouffonne.

passable* adj. Supportable, acceptable.

passade n. f. Caprice passager. Brève liaison avec une femme.

passage n. m. Action de passer. Lieu par où l'on passe : *ôtez-vous de mon passage.* Le moment où l'on passe : *attendre au passage.* Traversée, voyage sur mer. Droit payé pour une traversée. Droit de passer sur la propriété d'autrui. *Passage à niveau,* endroit où une voie ferrée croise un chemin à son niveau. Galerie couverte où ne passent que les piétons. *Fig.* Transition : *le passage de l'opulence à la misère.* Endroit d'un ouvrage : *un passage de Bossuet.*

passager, ère* adj. Qui passe : *hôte passager.* De peu de durée : *beauté passagère.* N. Voyageur d'un navire, d'un avion.

passant, e adj. Où il passe beaucoup de monde : *rue passante.* N. Personne qui passe : *scandaliser les passants.*

passation n. f. *Dr.* Action de passer un acte : *la passation d'un contrat.*

passavant n. m. *Admin.* Permis de circulation donné aux denrées qui ont acquitté les droits, ou qui en sont exemptées.

passe n. f. Action de passer. *Comm.* Complément d'une quantité. *Escr.* Action d'avancer sur l'adversaire. *Impr.* Feuilles de papier sacrifiées pour la mise en train. *Jeux.* Mise que les joueurs doivent faire à chaque nouveau coup. Mouvement des magnétiseurs pour endormir leur sujet. *Mar.* Passage entre deux terres : *passe difficile. En passe,* en état de : *en passe de réussir. Mot de passe,* mot conventionnel pour se faire reconnaître ou admettre.

passé n. m. Temps écoulé : *songer au passé.* Ce qui a été fait ou dit autrefois. *Gramm.* Temps du verbe, représentant l'action dans un temps écoulé.

passé prép. Après : *passé dix heures.*

passe-boules n. m. invar. Jouet représentant la figure d'un personnage ou d'un animal dont la bouche est grande ouverte pour recevoir des boules.

passe-droit n. m. Faveur accordée contre le droit. Pl. des *passe-droits.*

passe-lacet n. m. Grosse aiguille à long chas et à pointe obtuse. Pl. des *passe-lacets.*

passement n. m. Tissu plat et étroit de fil d'or, de soie, etc.

passementer v. intr. Orner de passements : *robe passementée.*

passementerie n. f. Art, industrie du passementier.

passementier, ère n. et adj. Qui fabrique ou vend des passements.

passe-montagne n. m. Bonnet dont la partie inférieure fourrée se rabat sur la nuque et les oreilles. Pl. des *passe-montagnes.*

passe-partout n. m. invar. Clé qui peut ouvrir plusieurs serrures. Cadre dont le fond se soulève pour recevoir des dessins, etc. Sorte de scie.

passe-passe n. m. invar. *Tour de passe-passe,* tour d'adresse des prestidigitateurs. *Fig.* Tromperie adroite.

passepoil n. m. Liséré.

passeport n. m. Certificat permettant l'entrée, ainsi que la circulation des personnes dans un pays.
passe-purée n. m. Un ustensile de cuisine.
passer v. intr. Aller d'un lieu à un autre. Traverser : *passer par un chemin.* Devenir : *passer capitaine.* Mourir, disparaître : *beauté qui passe.* Transmettre : *passer à un successeur.* V. tr. Traverser : *passer la rivière.* Transmettre : *passez-moi le sel.* Introduire : *passer un lacet, de la contrebande.* Filtrer, tamiser : *passer un liquide.* Dépasser, devancer : *passer le but, un concurrent.* Employer : *passer son temps.* Subir : *passer un examen.* Omettre : *passer un fait.* Pardonner : *passer une faute.* Excéder : *passer les forces. Passer pour,* être considéré comme. *En passer par,* se résigner. *Passer sur,* ne pas tenir compte. *Passer par les armes,* fusiller. *En passant,* incidemment. V. pr. Avoir lieu : *la scène se passe à Rome.* S'écouler : *le temps se passe.* S'abstenir : *se passer de vin.*
passereau n. m. Petit oiseau. Pl. Ordre d'oiseaux comprenant les moineaux, merles, alouettes, etc.
passerelle n. f. Petit pont léger.
passerose n. f. Rose trémière.
passe-temps n. m. Distraction, amusement.
passe-thé n. m. invar. Petite passoire.
passeur, euse n. Personne qui conduit un bateau pour passer l'eau.
passible adj. Capable d'éprouver des sensations. Qui doit subir, a mérité : *passible d'une peine.*
passif, ive* adj. Qui subit l'action sans agir : *jouer un rôle passif. Gramm. Forme passive,* forme que prend le verbe quand il exprime une action subie par le sujet : *être aimé, être averti.* N. m. Ensemble des dettes, charges et obligations : *avoir un lourd passif.* La forme passive.
passim [*sim'*] loc. lat. Çà et là.
passion n. f. Souffrances de Jésus avant sa mort. Mouvement, agitation de l'âme en général. Désir très vif : *la passion des tableaux.* Objet de cette affection. *Particul.* Vif amour.
passionnel, elle adj. Qui concerne les passions : *drame passionnel.*
passionnément adv. Avec passion.
passionner v. tr. Inspirer de la passion. Attacher, intéresser vivement : *roman qui passionne le lecteur.* V. pr. Mettre de l'enthousiasme dans : *se passionner pour l'étude.*
passivité n. f. Nature de ce qui est passif.
passoire n. f. Ustensile percé de trous pour passer, filtrer.
pastel n. m. Crayon fait de couleurs pulvérisées. Dessin au pastel. *Bot.* Plante crucifère qui fournit une couleur bleue. Adj. : *crayon pastel.*
pastelliste n. Artiste qui fait du pastel.
pastèque n. f. Melon d'eau.
pasteur n. et adj. m. Qui garde des troupeaux. *Fig.* Qui exerce une autorité. *Relig.* Ministre du culte protestant.
pasteurisation n. f. Action de pasteuriser.
pasteuriser v. tr. Chauffer la bière, le vin, le lait, etc., pour tuer les germes de fermentation.
pastiche n. m. Œuvre littéraire ou artistique, où l'on a imité la manière d'un auteur, d'un peintre, etc.
pasticher v. tr. Imiter.
pasticheur, euse n. Qui pastiche.
pastille n. f. Bonbon de sucre, de chocolat, etc. Préparation analogue, additionnée d'un médicament. Pâte odorante qu'on brûle pour parfumer l'air.
pastoral, e, aux adj. Propre aux bergers. Champêtre : *vie pastorale.* Qui peint les mœurs champêtres : *poésie pastorale. Fig.* Propre aux pasteurs spirituels : *tournée pastorale.* N. f. Pièce de théâtre dont les personnages sont des bergers, des bergères. Poésie pastorale. N. m. Le genre pastoral.
pastoureau n. m. Petit berger.
pastourelle n. f. Jeune bergère. Genre lyrique au Moyen Age.
pat [*pat'*] adj. m. Coup aux échecs.
patache n. f. *Fam.* Mauvaise voiture.
patachon n. m. *Fam. Vie de patachon,* de débauche.
patapouf n. m. *Pop.* Homme gros et lourd. Chute lourde ou ridicule. Grand bruit.
pataquès n. m. Faute qui consiste à prononcer une lettre pour une autre, à faire de fausses liaisons. Discours confus.
patate n. f. Genre de plantes à tubercule comestible. *Fam.* Pomme de terre.
patati, patata, onomatopée employée pour rendre des bavardages, des bruits confus.
patatras! [*tra*] interj. Onomatopée du bruit d'un corps qui tombe.
pataud, e n. et adj. Jeune chien ou chienne à grosses pattes. Personne lourde, lente.
patauger v. intr. (Se conj. comme *manger.*) Piétiner dans une matière détrempée : *patauger dans la boue. Fig.* S'embarrasser.
patchouli n. m. Une labiacée aromatique. Parfum de cette plante.
pâte n. f. Farine détrempée et pétrie. Amalgame de matières broyées : *pâte d'amandes, de papier. Fig.* et *fam.* Constitution, caractère : *une bonne pâte d'homme.*
pâté n. m. Pâtisserie qui renferme des viandes ou du poisson. Viande cuite mise en terrine. *Fig.* Goutte d'encre tombée sur du papier. Assemblage de maisons.
pâtée n. f. Pâte pour engraisser la volaille. Mélange pâteux.
patelin, e n. et adj. Doucereux. N. m. *Fam.* Petit pays, village.
patène n. f. Vase sacré qui sert à couvrir le calice et à recevoir l'hostie.
patenôtre n. f. *Fam.* Prière quelconque. Paroles inintelligibles.
patent, e adj. Evident, manifeste : *vérité patente. Lettres patentes,* scellées du sceau de l'Etat.
patentable adj. Sujet à patente.
patente n. f. Certificat délivré à un navire qui part. Contribution annuelle que payent les commerçants, les industriels.
patenter v. tr. Soumettre à la patente : *commerçant patenté.* Délivrer une patente.
pater [*tèr*] n. m. invar. Oraison dominicale. Gros grain d'un chapelet.
patère n. f. Crochet pour soutenir des rideaux, accrocher des vêtements.
paternalisme n. m. Caractère paternel imprimé par un patron à une institution sociale.
paterne adj. Doucereux : *ton paterne.*
paternel, elle* adj. Du père. Du côté du père : *grand-mère paternelle.*
paternité n. f. Etat, qualité de père, d'auteur, de créateur.

pâteux, euse* adj. Trop épais : *encre pâteuse. Fig.* Lent, embarrassé.
pathétique* adj. Qui émeut.
pathogène adj. Qui provoque les maladies : *microbe pathogène.*
pathologie n. f. Science des causes et des symptômes des maladies.
pathologique* adj. Relatif à la pathologie.
pathologiste n. et adj. m. Qui s'occupe de pathologie.
pathos [*tôss*] n. m. *Fam.* Emphase.
patibulaire adj. Du gibet : *fourches patibulaires. Fig. Air patibulaire,* digne du gibet.
patiemment [*sya-man*] adv. Avec patience.
patience n. f. Résignation : *la patience lui échappe. Prendre patience,* attendre sans s'irriter. Persévérance, constance : *travailler avec patience. Jeux.* Combinaison de cartes dans un ordre déterminé. *Milit* Planchette pour astiquer les boutons. Interj. exprimant la résignation, la menace.
patient, e adj. Qui a de la patience. Dit ou fait avec patience. *Philos.* Qui reçoit l'impression d'un agent physique. N. Qui subit une opération chirurgicale.
patienter v. intr. Prendre patience.
patin n. m. Semelle garnie d'une lame de fer, servant pour glisser sur la glace. *Patins à roulettes,* pour glisser sur un sol uni.
patinage n. m. Action de patiner.
patine n. f. Sorte de vert-de-gris qui se forme sur le bronze. Coloration que prennent avec le temps certains objets.
patiner v. intr. Glisser avec des patins. Se dit d'un véhicule à traction mécanique dont les roues tournent sans qu'il avance. V. tr. Produire une patine.
patinette n. f. V. TROTTINETTE.
patineur, euse n. Qui patine.
patinoire n. f. Lieu préparé pour le patinage.
pâtir v. intr. Souffrir. Languir.
pâtis n. m. Friche, où l'on met paître les bestiaux.
pâtisserie n. f. Pâte cuite au four, à laquelle on ajoute généralement du sucre, des fruits, etc. Profession, boutique du pâtissier.
pâtissier, ère n. et adj. Qui fait ou vend de la pâtisserie.
patois n. m. Parler local.
patoiser v. intr. Parler patois.
patouiller v. intr. *Fam.* Patauger.
patraque adj. et n. f. Machine qui fonctionne mal. *Par ext.* Personne faible, maladive.
pâtre n. m. Qui fait paître des troupeaux.
patriarcal, e*, aux adj. De patriarche.
patriarcat n. m. Dignité de patriarche.
patriarche n. m. Chef de famille, dans l'Ancien Testament. *Fig.* Vieillard respectable. Titre de quelques évêques et des chefs de l'Eglise grecque.
patricien, enne n. et adj. Se disait des citoyens nobles romains.
patrie n. f. Pays où l'on est né, dont on est citoyen. *Mère patrie,* Etat dont dépend un territoire.
patrimoine n. m. Bien qui vient du père ou de la mère. *Fig.* Ce qui est considéré comme l'héritage commun.
patrimonial, e*, aux adj. Que l'on a pour patrimoine.
patriotard n. et adj. *Fam.* Qui affiche un patriotisme excessif.
patriote n. Qui aime sa patrie.
patriotique* adj. Qui exprime le patriotisme : *poésie patriotique.*
patriotisme n. m. Amour de la patrie.
patrologie n. f. Etude de la vie et des œuvres des Pères de l'Eglise.
patron, onne n. *Antiq. rom.* Citoyen, patricien, auquel des personnes libres (*clients*) étaient attachées. Protecteur, protectrice. Saint, sainte dont on porte le nom, à qui une église est dédiée, etc. Chef d'entreprise industrielle, commerciale. Celui qui commande une embarcation.
patron n. m. Modèle d'après lequel on fabrique un objet.
patronage n. m. Protection accordée par un supérieur à un inférieur. Association de bienfaisance.
patronal, e, aux adj. Qui concerne le patron, les patrons.
patronat n. m. Ensemble des patrons.
patronner v. tr. Recommander : *patronner une candidature.* Introduire dans le monde.
patronnesse n. et adj. f. Dame qui patronne une œuvre, etc.
patronymique adj. *Nom patronymique,* nom de famille.
patrouille n. f. *Milit.* Petit détachement de surveillance.
patrouiller v. intr. Aller en patrouille.
patrouilleur n. m. Militaire, navire chargé d'une surveillance.
patte n. f. Pied et jambe des animaux. *Fam.* Main ou pied d'homme. Pied de certains objets : *verre à patte.* Bande d'étoffe pour maintenir une partie de vêtement, etc. Clou à bout plat servant à fixer une glace, une armoire. *Coup de patte,* trait malicieux, critique.
patte-d'oie n. f. Point de réunion de plusieurs routes. Rides à l'angle extérieur de l'œil. Pl. des *pattes-d'oie.*
pattu, e adj. A grosses pattes. Qui a des plumes sur les pattes.
pâturage n. m. Lieu où les bestiaux pâturent : *un gras pâturage.*
pâture n. f. Nourriture des animaux. Fourrage. Pâturage : *bœufs mis en pâture. Fam.* Nourriture de l'homme.
pâturer v. intr. Prendre la pâture.
paturon n. m. Bas de la jambe du cheval entre le boulet et le sabot.
paume n. f. Creux de la main. Jeu où l'on se renvoie une balle avec une raquette.
paumelle n. f. Gant en cuir de voilier, de sellier. Penture autour de laquelle tourne une porte.
paumer v. tr. Frapper avec la paume. *Pop.* Saisir, prendre avec la main.
paupérisme n. m. Etat permanent d'indigence dans une contrée.
paupière n. f. Voile membraneux, au-devant du globe oculaire.
paupiette n. f. Tranche de viande roulée et farcie.
pause n. f. Suspension momentanée d'une action : *faire la pause. Mus.* Silence équivalant à une mesure.
pauser v. intr. Faire une pause.
pauvre* adj. Dépourvu ou mal pourvu du nécessaire : *les classes pauvres.* Qui marque cet état : *un habit pauvre.* Sans ressources : *contrée pauvre.* Médiocre : *pauvre chère.* A plaindre, qui fait pitié : *le pauvre homme!* N. m. Indigent : *le droit des pauvres.*

pauvresse n. f. Mendiante.
pauvret, ette adj. Diminutif de *pauvre,* terme de commisération, d'affection.
pauvreté n. f. Etat de celui qui est pauvre; indigence. *Fig.* Stérilité, sécheresse. Pl. Choses banales.
pavage n. m. Travail du paveur.
pavane n. f. Anc. danse espagnole. Air sur lequel on l'exécutait.
pavaner (se) v. pr. Marcher d'une manière fière, superbe, comme un paon.
pavé n. m. Bloc de pierre dure, de bois, etc., dont on revêt le sol des voies. Partie pavée d'une rue. *Fig.* La voie publique. *Etre sur le pavé,* sans domicile, sans emploi.
pavement n. m. Pavage. Action de paver.
paver v. tr. Couvrir le sol de pavés.
paveur n. et adj. m. Qui pave.
pavillon n. m. Tente ronde ou carrée. Petite maison : *pavillon de chasse.* Partie extérieure de l'oreille. Drapeau, dans la marine : *battre pavillon français. Abaisser, amener le pavillon,* le rentrer pour se rendre. *Fig. Baisser pavillon,* céder.
pavois n. m. Grand bouclier. *Elever sur le pavois,* mettre en honneur. *Mar.* Bordage cloué au-dessus du plat-bord. Signal de réjouissance. Ensemble des pavillons d'un navire, disposés dans un ordre donné.
pavoisement n. m. Action de pavoiser : *le pavoisement d'une rue.*
pavoiser v. tr. Garnir de pavillons, de drapeaux : *pavoiser un monument.*
pavot n. m. Plante dont on extrait l'opium.
payable adj. Qui doit être payé.
payant, e adj. Qui paye. Que l'on paye, où l'on paye : *école payante.*
paye n. f. V. PAIE.
payement n. m. V. PAIEMENT.
payer v. tr. (Se conj. comme *balayer.*) Donner l'argent dû à ou pour : *payer ses ouvriers.* Acquitter une dette, un droit, un impôt. Récompenser : *payer un service.* Expier : *payer son crime.*
payeur, euse n. et adj. Qui paye. Dont l'emploi est de payer.
pays n. m. Territoire : *le pays de France.* Région, contrée : *pays chauds.* Patrie, lieu de naissance : *quitter son pays. Mal du pays,* nostalgie. *Fam.* Compatriote. (Dans ce sens, le fém. est *payse.*)
paysage n. m. Etendue de pays qui présente une vue d'ensemble. Tableau représentant un site champêtre.
paysagiste n. m. et adj. Artiste qui fait des paysages.
paysan, anne n. Homme, femme de la campagne. *Adjectiv. : air paysan.*
paysannerie n. f. Condition de paysan. La classe des paysans. Petite œuvre littéraire sur les paysans.
payse n. f. V. PAYS.
péage n. m. Droit payé pour passer sur un pont, une route, une autoroute, etc.
peau n. f. Membrane qui recouvre le corps de l'homme et de beaucoup d'animaux. Cuir de l'animal. Enveloppe des fruits : *peau d'orange, de banane.*
peausserie n. f. Commerce, industrie du peaussier.
peaussier n. et adj. m. Qui prépare les peaux, ou qui en fait le commerce.
pécari n. m. Cochon sauvage de l'Amérique du Sud. Sa peau.
peccadille n. f. Faute légère.
pechblende [*blind'*] n. f. Minerai dont on extrait l'uranium et le radium.
pêche n. f. Fruit du pêcher.
pêche n. f. Art, action de pêcher. Poisson pêché : *bien vendre sa pêche.*
péché n. m. Transgression de la loi divine : *péché véniel, mortel. Péché mignon,* mauvaise habitude dans laquelle on persiste.
pécher v. intr. (Se conj. comme *accélérer.*) Commettre un péché. *Fig.* Faillir, manquer : *pécher par ignorance.*
pêcher n. m. Arbre dont le fruit est la pêche : *pêchers de plein vent.*
pêcher v. tr. Prendre à la pêche : *pêcher du poisson.*
pêcherie n. f. Lieu où l'on pêche.
pécheur, eresse n. et adj. Qui commet des péchés.
pêcheur, euse n. Qui fait profession de pêcher : *pêcheur de sardines.*
pécore n. f. *Fig.* Personne stupide.
pectine n. f. *Chim.* Principe qui existe dans les fruits.
pectoral, e, aux adj. De la poitrine : *muscles pectoraux.* Bon pour la poitrine.
pécule n. m. Economie. Somme prélevée sur le produit du travail des condamnés ou des prisonniers et qui leur est remise à leur libération.
pécuniaire* adj. Relatif à l'argent.
pédagogie n. f. Art d'instruire et d'élever les enfants. Méthode d'enseignement.
pédagogique adj. Relatif à la pédagogie : *musée pédagogique.*
pédagogue n. m. Qui élève et instruit les enfants. Qui s'occupe de pédagogie.
pédale n. f. Levier que l'on actionne avec le pied : *pédale de cycle, de piano. Fam.* Cyclisme : *fervent de la pédale.*
pédaler v. intr. Actionner une pédale. *Fam.* Se promener à bicyclette.
pédalier n. m. *Mus.* Clavier de pédales. Ensemble des pédales et du grand pignon d'un cycle.
pédant, e n. Celui qui affecte de paraître savant. Adj. : *air pédant.*
pédanterie n. f. Manières de pédant. Erudition fatigante.
pédantesque* adj. De pédant.
pédantisme n. m. Pédanterie.
pédestre* adj. Qui se fait à pied.
pédiatre n. m. Spécialiste des maladies d'enfants.
pédicure n. Qui soigne les pieds.
pedigree [*gri*] n. m. Généalogie d'un animal de race.
pédoncule n. m. Queue d'une fleur ou d'un fruit.
Pégamoïd n. m. Sorte de toile cirée.
pègre n. f. La société des voleurs.
peignage n. m. Action de peigner.
peigne n. m. Instrument denté, qui sert à démêler ou maintenir les cheveux. Instrument pour apprêter la laine, le chanvre, etc.
peignée n. f. *Fam.* Correction.
peigner v. tr. Démêler avec le peigne.
peigneur, euse n. et adj. Qui peigne. N. f. Machine à peigner.
peignoir n. m. Espèce de manteau de toile qu'on met quand on se peigne, lorsqu'on sort du bain, etc. Sorte de robe de chambre.
peignures n. f. pl. Cheveux qui tombent quand on se peigne.

peindre v. tr. (Se conj. comme *craindre.*) Représenter un être, un objet, une scène par des couleurs : *peindre un paysage.* Couvrir de couleurs : *peindre un mur.* Décrire : *peindre un milieu social.*

peine n. f. Punition. Souffrance : *les peines du cœur.* Inquiétude : *être en peine d'un absent.* Travail, fatigue. Difficulté. *A peine,* depuis peu. Presque pas. *A grand-peine,* malaisément.

peiner v. tr. Affliger : *peiner ses parents.* V. intr. Eprouver du déplaisir ou de la fatigue : *peiner à la tâche.*

peintre n. m. Qui exerce l'art de peindre : *peintre miniaturiste.*

peinture n. f. Art de peindre. Ouvrage de peintre : *peinture historique.* Revêtement de matière colorante. Cette matière elle-même : *peinture craquelée. Fig.* Description : *peinture de mœurs.*

peinturer v. tr. Enduire de couleur : *peinturer une palissade.*

peinturlurer v. tr. Peindre de couleurs criardes, barbouiller.

péjoratif, ive* adj. *Gramm.* Qui comporte une idée défavorable.

pékin n. m. *Pop.* Un civil.

pékinois adj. De Pékin. N. m. Petit chien à tête arrondie et à poil long.

pelade n. f. Maladie qui fait tomber par places les poils et les cheveux.

pelage n. m. Poil d'un animal.

pélagique adj. Relatif à la mer : *faune pélagique.*

pelé, e adj. Dont les poils, les cheveux sont tombés. Dont on a enlevé la peau : *fruits pelés. Fig.* Sans végétation : *campagne pelée.* Sans considération ni fortune. N. *Pop.* Personne chauve.

pêle-mêle n. m. Mélange confus. Cadre destiné à recevoir de nombreuses photographies. Loc. adv. Sans ordre : *des livres, des papiers jetés pêle-mêle.*

peler v. tr. (Se conj. comme *geler.*) Oter le poil, la peau : *peler un fruit.* V. intr. Perdre la peau, l'épiderme : *ses mains ont pelé.*

pelerin, e n. Personne qui accomplit un pèlerinage. *Fam.* Voyageur.

pèlerinage n. m. Voyage fait par dévotion : *le pèlerinage de Terre sainte.* Lieu de pèlerinage.

pèlerine n. f. Manteau court à capuchon. Mantelet de femme.

pélican n. m. Oiseau palmipède à large bec garni d'une poche extensible.

pelisse n. f. Manteau ouaté ou garni de fourrure.

pellagre n. f. Maladie infectieuse à manifestations cutanées.

pelle n. f. Instrument plat, à manche, pour divers usages. Partie plate d'un aviron. *Fam. Ramasser une pelle,* tomber, et, au *fig.,* échouer.

pelletée n. f. Contenu d'une pelle. *Fig.* Tas.

pelleter v. tr. (Se conj. comme *jeter.*) Remuer à la pelle.

pelleterie n. f. Art de préparer les peaux. Commerce de fourrures.

pelleteur n. m. Ouvrier qui travaille à la pelle, terrassier.

pelletier, ère adj. et n. Qui fait ou vend des fourrures.

pellicule n. f. Peau très mince. Lamelle de peau qui tombe. Bande de film sensible utilisée en photographie, cinématographie.

pelotage n. m. Action de peloter.

pelotari n. m. Joueur de pelote basque.

pelote n. f. Boule de fil roulé sur lui-même. Boule faite d'une substance quelconque : *pelote de neige. Arg. Faire sa pelote,* amasser des profits. Petit coussinet sur lequel on fiche des aiguilles, des épingles. *Pelote basque,* balle au mur, jeu national des Basques.

peloter v. tr. Mettre en pelote : *peloter de la ficelle. Pop.* Caresser sensuellement.

peloteur, euse n. et adj. Qui pelote.

peloton n. m. Petite boule de fil, etc. Groupe de personnes. *Milit.* Groupement de soldats.

pelotonnement n. m. Action de pelotonner.

pelotonner v. tr. Mettre en peloton.

pelouse n. f. Terrain couvert d'une herbe épaisse et courte.

pelu, e adj. Couvert de poils.

peluche n. f. Etoffe, sorte de velours à poil long.

pelucher ou **plucher** v. intr. et tr. Se couvrir de poils détachés du tissu.

pelucheux, euse adj. Qui peluche.

pelure n. f. Peau des fruits, légumes, etc. : *pelure d'oignon.*

pelvien, enne adj. *Anat.* Du bassin.

penal, e, aux adj. Qui assujettit à une peine : *loi pénale.*

pénalisation n. f. *Sport.* Désavantage infligé à un concurrent qui a commis une faute.

pénalité n. f. Système de peines établies par la loi.

pénates n. m. pl. *Antiq. rom.* Dieux domestiques des Etrusques et des Romains. *Fig.* Habitation, foyer : *revoir ses pénates.* Adj. *Les dieux pénates,* les dieux du foyer.

penaud, e adj. Embarrassé, honteux : *rester tout penaud.*

penchant, e adj. Qui penche : *tour penchante.* N. m. Pente : *le penchant d'une colline.* Inclination : *penchant à la colère.*

pencher v. tr. Incliner : *pencher la tête.* V. intr. Etre hors d'aplomb : *ce mur penche. Fig.* Incliner : *pencher vers sa ruine.* Etre enclin : *pencher vers l'indulgence.*

pendable adj. Qui mérite la pendaison : *un tour pendable.*

pendaison n. f. Etranglement par suspension à une corde. Action de pendre : *pendaison de crémaillère.*

pendant, e adj. Qui pend. *Fig.* Non jugé : *cause encore pendante.*

pendant n. m. Objet symétrique : *un tableau et son pendant. Fig.* Semblable : *ces deux vases se font pendant. Pendants d'oreilles,* boucles d'oreilles.

pendant prép. Durant. *Pendant que,* tandis que.

pendard, e n. *Fam.* Vaurien, fripon.

pendeloque n. f. Ornement pendant.

pendentif n. m. Ornement qui pend à une voûte. Bijou en sautoir.

penderie n. f. Endroit où l'on pend les vêtements.

pendiller v. intr. Etre suspendu.

pendre v. tr. (Se conj. comme *rendre.*) Fixer en haut, la partie inférieure restant libre. Faire mourir par la pendaison :

pendre un assassin. V. intr. Etre suspendu : *les fruits pendent aux arbres.* Tomber trop bas : *vos cheveux pendent.*

pendu, e n. Personne qui s'est ou que l'on a pendue.

pendulaire adj. Du pendule : *mouvement pendulaire.*

pendule n. m. Corps soumis à l'action de la pesanteur et mobile autour d'un point fixe. N. f. Horloge d'appartement dont un pendule règle le mouvement.

pendulette n. f. Petite pendule.

pêne n m. Pièce d'une serrure qui entre dans la gâche.

pénéplaine n. f. *Géogr.* Etendue relativement plate, résultat final du cycle d'érosion.

pénétration n. f. Action de pénétrer. *Fig.* Action de comprendre, de deviner; sagacité.

pénétré, e adj. Convaincu : *ton pénétré.* Imbu : *pénétré de respect.*

pénétrer v. tr. (Se conj. comme *accélérer.*) Percer, entrer : *l'arme a pénétré les chairs.* Découvrir : *pénétrer un secret.* V. intr. Entrer avec effort. Parvenir : *pénétrer au fond d'un bois.* S'insinuer : *pénétrer dans l'intimité de quelqu'un.* V. pr. Se mêler, se combiner. Remplir son esprit : *se pénétrer de son devoir.*

pénible* adj. Qui fatigue : *travail pénible.* Qui afflige : *nouvelle pénible.* Qui accuse l'effort.

peniche n. f. Grand chaland.

pénicilline n. f. Produit antimicrobien puissant extrait de certaines moisissures.

péninsulaire adj. De la péninsule.

péninsule n. f. Presqu'île.

pénitence n. f. Regret d'avoir offensé Dieu. Sacrement par lequel le confesseur remet les péchés : *tribunal de la pénitence.* Peine imposée par esprit de religion : *faire pénitence.* Punition : *mettre un enfant en pénitence.* Petite peine imposée, à certains jeux.

pénitencier n. m. Prison.

pénitent, e adj. Qui se repent, fait pénitence. Voué à la pénitence : *vie pénitente.* N. Qui confesse ses péchés. Membre de certaines confréries religieuses.

pénitentiaire adj. Qui s'occupe des pénitenciers, qui les concerne.

penne n. f. Plume longue des oiseaux.

penné, e adj. *Bot.* Se dit des feuilles et des folioles disposées comme les barbes d'une plume.

pennon n. m. *Féod.* Bannière triangulaire.

pénombre n. f. *Physiq.* Etat d'une surface incomplètement éclairée. Demi-jour. *Beaux-arts.* Région où la lumière se fond avec l'ombre.

pensée n. f. Action, faculté de penser. Idée : *pensée ingénieuse.* Esprit : *il me vient à la pensée.* Souvenir : *la pensée des absents.* Projet, ébauche : *la pensée d'un roman.* Opinion : *dire sa pensée.* Rêverie : *s'enfoncer dans des pensées lugubres.* Plante à fleurs de couleurs variées.

penser v. intr. Former des idées dans l'esprit. Réfléchir : *parler sans penser.* Raisonner : *penser juste.* Se souvenir : *penser aux absents.* Songer, avoir en vue : *penser à partir.* V. tr. Avoir dans l'esprit : *dire ce que l'on pense.* Croire : *qu'en pensez-vous?*

penser n. m. *Poét.* Pensée, idée.

penseur, euse n. et adj. Qui a des idées profondes. Méditatif, pensif.

pensif, ive* adj. Absorbé dans ses pensées.

pension n. f. Ce que l'on paye pour être logé, nourri : *la pension d'un locataire.* Lieu où l'on est logé et nourri. Maison d'éducation. Les élèves qu'elle renferme. Revenu annuel accordé aux services, aux talents, etc. : *pension civile.*

pensionnaire n. Qui paye pension. Interne dans un collège.

pensionnat n. m. Maison d'éducation qui reçoit des internes.

pensionner v. tr. Faire une pension à : *pensionner un artiste.*

pensum [*pin-som*] n. m. Travail imposé à un écolier en punition. Pl. des *pensums.*

pentagonal, e, aux [*pin*] adj. A cinq côtés.

pentagone [*pin*] n. m. et adj. Figure à cinq angles et cinq côtés.

pentametre [*pin*] n. m. Vers de cinq pieds.

pente n. f. Inclinaison. *Fig.* Penchant : *suivre la pente du plaisir.*

pentecôte n. f. Chez les Juifs, fête en mémoire du jour où Dieu remit à Moïse les tables de la loi. Fête chrétienne, cinquante jours après Pâques, en mémoire de la descente du Saint-Esprit sur les apôtres.

pentothal n. m. Narcotique sous l'effet duquel le sujet n'est plus capable de contrôler ce qu'il dit.

penture n. f. Bande de fer sur une porte, un volet, pour les soutenir sur le gond.

pénultième adj. Avant-dernier.

pénurie n. f. Extrême disette : *pénurie d'argent.* Pauvreté, misère.

pépie n. f. Pellicule au bout de la langue des oiseaux. *Fam. Avoir la pépie,* avoir très soif.

pépiement n. m. Action de pépier.

pépier v. intr. (Se conj. comme *prier.*) Crier (se dit des oiseaux).

pépin n. m. Graine de certains fruits : *pépins d'une pomme. Fam.* Parapluie.

pépinière n. f. Plant de jeunes arbres destinés à être transplantés. *Fig.* Etablissement qui produit ou fournit un grand nombre de personnes à une profession.

pépiniériste n. Qui cultive une pépinière.

pépite n. f. Masse de métal natif et principalement d'or.

péplum n. m. Tunique de femme dans l'Antiquité grecque.

pepsine n. f. Principe actif du suc gastrique.

peptone n. f. Produit d'une solution de pepsine sur les albuminoïdes.

perçage n. m. Action de percer.

percale n. f. Un tissu de coton très fin.

percaline n. f. Toile de coton, légère et lustrée.

perçant, e adj. Qui pénètre profondément : *froid perçant.* Vif : *yeux perçants, esprit perçant.* Aigu : *voix perçante.*

perce n. f. Trou. *En perce,* se dit d'un tonneau, etc., percé pour en tirer la liqueur.

percée n. f. Ouverture. Trouée à travers des obstacles, etc.

percement n. m. Action de percer.

perce-neige n. f. invar. Clochette d'hiver, fleur.

perce-oreille n. m. Insecte muni de pinces dures et aiguës. Pl. des *perce-oreilles.*

percepteur, trice adj. Qui perçoit. N. m. Fonctionnaire chargé de recouvrer les contributions.

perceptible adj. Recouvrable : *impôt perceptible. Fig.* Qui peut être saisi par les sens : *voix à peine perceptible.*

perception n. f. Recouvrement des impositions. Emploi de percepteur. Action, faculté de percevoir.

percer v. tr. (Se conj. comme *amorcer.*) Faire un trou dans : *percer un mur.* Blesser avec une arme aiguë : *percer la poitrine.* Pratiquer : *percer une rue.* Traverser : *la pluie a percé ses vêtements; percer la foule; percer les ténèbres. Fig.* Découvrir : *percer un mystère.* V. intr. Crever : *abcès qui perce.* Se manifester : *la haine perce dans ses écrits.* Se faire connaître du grand public : *auteur qui perce.*

perceur, euse adj. et n. Qui perce.

percevable adj. Qui peut être perçu.

percevoir v. tr. Recouvrer : *percevoir une taxe. Fig.* Saisir : *percevoir un son.*

perche n. f. Poisson d'eau douce à chair estimée.

perche n. f. Bâton long et mince. *Fam.* Personne très grande et mince.

percher v. intr. ou pr. Se poser sur une branche. *Fam.* Loger, habiter.

percheron, onne adj. et n. Du Perche.

perchoir n. m. Bâton où perchent les volailles.

perclus, e adj. Privé de la faculté de se mouvoir. *Fig.* Inactif.

perçoir n. m. Outil pour percer.

percolateur n. m. Grande cafetière.

percussion n. f. Coup, choc d'un corps contre un autre. *Arme à percussion,* où la charge est enflammée par le choc sur une capsule détonante. *Mus. Instruments de percussion,* dont on joue en les frappant (tambour, cymbales, etc.).

percutant, e adj. Qui produit une percussion. *Artill. Projectiles percutants,* qui éclatent par percussion.

percuter v. tr. Frapper. *Méd.* Explorer par percussion ou tapotement.

percuteur n. m. Mécanisme qui, dans une arme à feu, frappe l'amorce.

perdition n. f. Perte. Etat d'un navire en danger de périr. Etat d'une âme qui s'égare hors de la voie du salut.

perdre v. tr. (Se conj. comme *rendre.*) Cesser d'avoir : *perdre sa place, perdre la raison.* Avoir le désavantage : *perdre la partie, une bataille.* Corrompre. Ne pas profiter de : *perdre son temps.* Abandonner : *perdre une habitude.* V. intr. Avoir moins de valeur. Faire une perte : *perdre dans une vente.* V. pr. S'égarer. Disparaître : *coutume qui se perd. Fig.* Se débaucher : *jeune homme qui se perd.*

perdreau n. m. Perdrix de l'année.

perdrix n. f. Nom vulgaire de divers genres d'oiseaux très recherchés comme gibier.

père n. m. Qui a un ou plusieurs enfants. *Nos pères,* nos ancêtres. Chef d'une suite de descendants : *Abraham, le père des croyants.* Créateur : *Corneille est le père de la tragédie française. Fam.* Homme d'un certain âge. Nom qu'on donne à certains religieux, aux prêtres dans la confession.

pérégrination n. f. Voyage lointain, exploration.

péremption n. f. Etat de ce qui est périmé.

péremptoire* adj. Relatif à la péremption : *exception péremptoire.* Décisif : *argument péremptoire.*

pérennité n. f. Caractère de ce qui dure toujours.

péréquation n. f. Répartition égale : *la péréquation de l'impôt.* Adaptation au coût de la vie : *péréquation des retraites.*

perfectibilité n. f. Qualité de ce qui est perfectible.

perfectible adj. Qui peut être perfectionné ou se perfectionner.

perfection n. f. Qualité, état de ce qui est parfait. *A la perfection,* parfaitement.

perfectionnement n. m. Action de perfectionner; son résultat.

perfectionner v. tr. Rapprocher de la perfection.

perfide* adj. Qui trahit sa foi, sa parole, etc. : *ami perfide.* Où il y a de la perfidie : *propos perfides.*

perfidie n. f. Déloyauté.

perforateur, trice adj. Qui sert à perforer. N. f. Machine à perforer.

perforation n. f. Percement.

perforer v. tr. Traverser en faisant un trou.

performance n. f. Résultat sportif.

pergola n. f. Tonnelle ou galerie de plantes grimpantes, supportées par un assemblage de poteaux et de poutrelles.

péri n. f. Fée bienfaisante et fantasque, chez les Orientaux.

péricarde n. m. Membrane qui enveloppe le cœur.

péricarpe n. m. Enveloppe de la graine, des semences.

péricliter v. intr. Décliner, être en péril : *entreprise qui périclite.*

péridot [*dô*] n. m. Pierre précieuse d'un beau vert jaunâtre.

périgée n. m. Point de l'orbite d'une planète où elle est le plus rapprochée de la terre. ANT. *Apogée.*

périgourdin, e adj. et n. Du Périgord.

péril [*ril*] n. m. Danger, risque. *Au péril de,* au risque de. *A ses risques et périls,* en étant responsable de tout. *Péril en la demeure,* danger à attendre.

périlleux, euse* adj. Où il y a du péril : *entreprise périlleuse. Saut périlleux,* cabriole qu'un accrobate exécute en l'air et au *fig.,* action hardie, dangereuse.

périmer v. intr. Se dit d'une instance judiciaire qui s'éteint faute d'avoir été poursuivie dans le délai fixé. Dont la durée de validité est expirée.

périmètre n. m. Contour.

périnée n. m. *Anat.* Partie inférieure du petit bassin, chez l'homme.

période n. f. Phase, espace de temps, division : *les grandes périodes de l'histoire. Méd.* Phase d'une maladie : *période d'invasion. Rhét.* Phrase composée de plusieurs membres, dont l'ensemble donne un sens complet. N. m. Point, degré où une personne, une chose est arrivée : *être au dernier période de sa gloire.* (Vx.)

périodicité n. f. Caractère de ce qui est périodique : *périodicité des comètes.*

périodique* adj. Qui revient à des temps réguliers. Qui paraît à époque fixe.

périoste n. m. Membrane qui couvre les os.

péripatéticien, enne adj. Relatif au péripatétisme.
péripatétisme n. m. Philosophie d'Aristote.
péripétie [*si*] n. f. Changement subit dans la situation du héros d'un poème, d'un roman, etc. : *les péripéties d'une guerre.*
périphérie n. f. Contour d'une figure curviligne.
periphérique adj. De la périphérie.
périphrase n. f. *Rhét.* Tour de phrase équivalent d'un mot simple : *la* VILLE LUMIÈRE pour PARIS.
périphraser v. intr. Parler par périphrases.
périple n. m. Voyage de circumnavigation. Randonnée, voyage circulaire.
périr v. intr. Prendre fin. Mourir de mort violente. Faire naufrage. Tomber en ruine, en décadence : *les plus grands empires ont péri. Fig.* Etre excédé : *périr d'ennui.*
periscope n. m. Instrument d'optique permettant de voir par-dessus un obstacle.
périssable adj. Sujet à périr : *la beauté est un bien périssable.*
périssoire n. f. Embarcation étroite se manœuvrant à la pagaie.
péristaltique adj. Se dit du mouvement de contraction des intestins.
péristyle n. m. Ensemble de colonnes décorant la façade d'un monument.
péritoine n. m. Membrane qui tapisse l'abdomen.
péritonite n. f. Inflammation du péritoine : *péritonite infectieuse.*
perle n. f. Corps brillant, nacré et rond, qui se forme dans l'intérieur de certains coquillages. Petite boule de verre, de métal, etc., percée d'un trou : *perles d'acier, de jais.* Ornement d'architecture en forme de perle. Caractère d'imprimerie très petit. *Fig.* Personne ou chose parfaite : *c'est la perle des cuisinières ; c'est une perle.*
perlé, e adj. Qui rappelle l'éclat de la perle : *dents perlées. Fig.* Parfait : *phrase perlée.* Orné de perles : *tissu perlé.*
perler v. tr. Arrondir et dépouiller de leurs téguments les grains de l'orge ou du riz. *Fig.* Faire à la perfection : *perler un ouvrage.* V. intr. Suinter sous forme de gouttelettes : *front où perle la sueur.*
perlier, ère adj. Qui renferme, qui produit des perles : *huîtres perlières.*
permanence n. f. Caractère de ce qui est permanent. Service permanent. Lieu où il se tient : *permanence électorale. En permanence,* sans interruption.
permanent, e adj. Qui dure sans arrêt, sans changement : *spectacle permanent ; ondulation permanente.*
permanganate n. m. Sel d'un acide dérivé du manganèse.
perméabilité n. f. Propriété des corps perméables.
perméable adj. Se dit des corps qui se laissent traverser par d'autres corps : *le calcaire est perméable à l'eau.*
permettre v. tr. (Se conj. comme *mettre.*) Donner liberté, pouvoir de faire, de dire, d'employer. Donner le moyen, le loisir de.
permis n. m. Permission écrite : *permis de chasse, de conduire.*
permission n. f. Autorisation.
permissionnaire n. Qui possède une permission écrite, pour un objet et un temps déterminés.
permutation n. f. Echange. Transposition : *permutation de lettres.*
permuter v. tr. et intr. Echanger : *permuter des emplois.*
pernicieux, euse* adj. Très nuisible.
péroné n. m. Os long de la jambe.
péronnelle n. f. Femme, fille sotte.
péroraison n. f. Conclusion d'un discours.
pérorer v. intr. Discourir longuement.
peroxyde n. m. Oxyde à grande proportion d'oxygène.
perpendiculaire* adj. Qui fait un angle droit avec : *droite perpendiculaire à une autre.* N. f. Ligne perpendiculaire.
perpétration n. f. Accomplissement.
perpétrer v. tr. (Se conj. comme *accélérer.*) Commettre, consommer : *perpétrer un assassinat.*
perpétuation n. f. Continuation.
perpétuel, elle* adj. Continuel : *mouvement perpétuel.* Qui dure toute la vie. Très fréquent, habituel : *combats perpétuels.*
perpétuer v. tr. Faire durer : *perpétuer un souvenir.*
perpétuité n. f. Durée perpétuelle. *A perpétuité,* pour toujours.
perplexe adj. Embarrassé, indécis.
perplexité n. f. Embarras.
perquisition n. f. Recherche : *perquisition judiciaire.*
perquisitionner v. intr. Faire des perquisitions.
perron n. m. Escalier en saillie sur une façade.
perroquet n. m. Oiseau qui imite la voix humaine. *Fig.* Personne qui parle sans réfléchir. *Mar.* Mât, voile, vergue, qui se grée au-dessus d'un mât de hune.
perruche n. f. Femelle du perroquet. Sorte de petit perroquet à longue queue pointue.
perruque n. f. Coiffure de faux cheveux.
perruquier n. m. Coiffeur. (Vx.)
pers, e adj. Couleur intermédiaire entre le vert et le bleu : *étoffe perse.*
perse, persan, e adj. et n. De Perse.
persécuter v. tr. Poursuivre, tourmenter. *Par ext.* Importuner.
persécuteur, trice n. et adj. Qui persécute.
persécution n. f. Action de persécuter. Martyre imposé aux premiers chrétiens.
persévérance n. f. Qualité de qui persévère : *la persévérance obtient tout.* Fermeté, constance.
persévérer v. intr. (Se conj. comme *accélérer.*) Persister dans les mêmes conditions : *persévérer dans le mal.* Durer, continuer : *la fièvre persévère.*
persienne n. f. Châssis de bois à lames en abat-jour, et qui s'ouvre comme un contrevent.
persiflage n. m. Moquerie.
persifler v. tr. Se moquer par des paroles ironiques.
persifleur, euse n. Qui persifle.
persil [*pèr-si*] n. m. Plante potagère.
persiller [*yé*] v. tr. Mettre du persil dans quelque chose. Tacheter.
persistance n. f. Action de persister. Caractère de ce qui est persistant.
persistant, e adj. Qui persiste. Qui dure : *fièvre persistante. Bot.* Qui subsiste pendant toutes les saisons.
persister v. intr. Demeurer inébranlable :

persister dans un dessein. Continuer : *le mieux persiste.*

personnage n. m. Personne considérable, illustre. Personne quelconque : *un triste personnage.* Personne mise en action dans une œuvre littéraire. Rôle scénique : *les personnages de Corneille.*

personnalité n. f. Individualité consciente : *respecter la personnalité humaine.* Caractère propre à chaque personne : *dépouiller toute personnalité.* Personne, personnage. Traits, allusions offensantes visant la personne de quelqu'un.

personne n. f. Homme ou femme : *compartiment pour six personnes.* L'être, le corps de quelqu'un : *content de sa personne. Personne civile, morale, juridique,* groupement qui a une existence légale. *Gramm.* Forme du verbe qui distingue celui qui parle, à qui l'on parle, de qui l'on parle. Pron. indéf. Quelqu'un, aucun : *personne ne le sait. En personne,* soi-même.

personnel, elle* adj. De la personne : *intérêts personnels.* Egoïste : *enfant très personnel.* Relatif aux personnes grammaticales : *pronom personnel, mode personnel.* N. m. Ensemble des personnes attachées à un service : *nombreux personnel.*

personnification n. f. Action de personnifier. Type achevé.

personnifier v. tr. (Se conj. comme *prier.*) Attribuer à une chose, à un être abstrait les sentiments, le langage d'une personne.

perspectif, ive adj. En perspective.

perspective n. f. Art de représenter les objets selon les différences d'aspect que l'éloignement et la position y apportent. Aspect que présentent les objets vus de loin : *une riante perspective. Fig.* Espérance ou crainte d'une chose probable : *la perspective d'une grande fortune. En perspective,* dans l'avenir.

perspicace adj. Pénétrant.

perspicacité n. f. Pénétration.

persuader v. tr. Porter à croire, à faire : *on nous persuade aisément ce qui nous plaît.* V. pr. Croire, s'imaginer : *ils se sont persuadé qu'on les trompait.*

persuasif, ive* adj. Qui persuade.

persuasion n. f. Action de persuader. Etat de l'esprit persuadé.

perte n. f. Privation de ce dont on jouissait : *la perte de la vue.* Mort : *la perte d'une mère.* Ruine : *vouloir la perte de ses ennemis.* Dommage : *éprouver des pertes à la Bourse.* Insuccès : *perte d'une bataille.* Mauvais emploi : *perte de temps.*

pertinemment adv. Avec justesse : *savoir pertinemment qu'on a tort.*

pertinent, e adj. Qui s'applique tout à fait à la chose : *réponse pertinente.*

perturbateur, trice n. et adj. Qui perturbe, cause du désordre.

perturbation n. f. Trouble, désordre.

perturber v. tr. Troubler : *perturber une classe; perturber le trafic.*

péruvien, enne adj. et n. Du Pérou.

pervenche n. f. Plante à jolies fleurs bleu clair. *Adjectiv. : bleu pervenche.*

pervers, e adj. Tourné au mal, vicieux. Qui marque la perversité.

perversion n. f. Changement en mal : *la perversion des mœurs. Méd.* Altération : *les perversions du goût.*

perversité n. f. Caractère de ce qui est pervers. Action perverse.

pervertir v. tr. Tourner, porter au mal. Troubler : *pervertir le goût.* Dénaturer : *pervertir un texte.*

pesage n. m. Action de peser. Endroit de l'hippodrome où l'on pèse les jockeys.

pesamment adv. D'une manière lourde. Sans grâce, sans élégance.

pesant, e adj. Lourd : *pesant fardeau.* Doué de pesanteur. Lent, pénible : *marche pesante. Fig. : style pesant.* N. m. Poids. *Fig. Valoir son pesant d'or,* être parfait. *Adverbialem.* En poids : *dix kilogrammes pesant.*

pesanteur n. f. *Physiq.* Force qui attire les corps vers le centre de la terre. Lourdeur : *pesanteur d'un fardeau.* Malaise : *pesanteur d'estomac. Fig.* Manque de vivacité : *pesanteur de style.*

pèse-alcool n. m. invar. Alcoomètre.

pèse-bébé n. m. Balance pour peser les jeunes enfants. Pl. des *pèse-bébés.*

pesée n. f. Action de peser. Ce qu'on a pesé en une fois. Effort fait avec un levier.

pèse-lait n. m. invar. Aréomètre pour reconnaître la qualité du lait.

pèse-lettre n. m. Petit appareil pour peser les lettres. Pl. des *pèse-lettres.*

peser v. tr. (Se conj. comme *mener.*) Déterminer le poids de : *peser un pain. Fig.* Examiner attentivement : *peser ses paroles.* V. intr. Avoir un certain poids : *le platine pèse plus que l'or.* Appuyer fortement : *peser sur un levier. Fig.* Etre à charge : *toute obligation pèse.* Exercer une pression morale sur quelqu'un.

peseur, euse n. Qui pèse.

peson n. m. Instrument pour peser : *peson à ressort.*

pessimisme n. m. Doctrine philosophique qui soutient que tout va au plus mal. *Par ext.* Tendance à voir tout en noir.

pessimiste adj. Qui voit tout en mal.

peste n. f. Maladie fébrile, épidémique, très grave. *Fig.* Personne, chose pernicieuse. Exclamation. Imprécation familière.

pester v. intr. Manifester en paroles sa mauvaise humeur.

pesteux, euse adj. De la peste.

pestiféré, e adj. et n. Atteint de la peste.

pestilence n. f. Peste, maladie contagieuse en général.

pestilent, e adj. Qui tient de la peste. Qui corrompt.

pestilentiel, elle adj. Infecté de la peste; contagieux.

pet n. m. Gaz qui sort du fondement avec bruit. *Pet-de-nonne,* beignet soufflé (pl. des *pets-de-nonne*).

pétale n. m. *Bot.* Chacune des pièces de la corolle.

pétarade n. f. Suite de pets que fait un cheval en ruant. Suite de détonations : *la pétarade d'un feu d'artifice, d'un moteur.*

pétarader v. intr. Produire des pétarades.

pétard n. m. Engin explosif destiné à détruire un obstacle. Pièce d'artifice qui éclate avec bruit.

pétaudière n. f. *Fam.* Assemblée confuse.

péter v. intr. (Se conj. comme *accélérer.*) Faire un pet. Faire un bruit subit et éclatant. *Fam.* Se briser.

pète-sec adj. et n. m. invar. Autoritaire et cassant.
pétillement [*tiy'-man*] n. m. Action de pétiller : *le pétillement du bois vert.*
pétiller [*yé*] v. intr. Eclater avec un petit bruit sec, réitéré. *Fig.* Briller d'un vif éclat : *des yeux qui pétillent.* Jaillir avec éclat.
pétiole [*syol'*] n. m. *Bot.* Queue de la feuille.
petiot, ote adj. *Fam.* Tout petit.
petit, e* adj. De faibles dimensions : *petit jardin.* Très jeune : *quand j'étais petit. Fig.* De peu d'importance, de peu de valeur : *petit capital.* Qui manque de noblesse, de générosité. Terme d'affection ou de dédain : *mon petit ami; mon petit monsieur.* Jeune enfant, jeune animal : *une chienne et ses petits.* N. m. pl. Les faibles, les pauvres, les humbles.
petite-fille n. f. Fille du fils ou de la fille, par rapport à l'aïeul et à l'aïeule. Pl. des *petites-filles.*
petitesse n. f. Faible étendue, faible volume. Modicité : *petitesse d'un revenu. Fig.* Bassesse : *petitesse d'esprit.*
petit-fils n. m. Fils du fils ou de la fille, par rapport à l'aïeul et à l'aïeule. Pl. des *petits-fils.*
petit-gris n. m. Variété d'écureuil. Fourrure de cet animal. Pl. des *petits-gris.*
pétition n. f. Demande. *Pétition de principe,* raisonnement qui consiste à supposer vrai ce qui est en question.
pétitionnaire n. Demandeur.
pétitionnement n. m. Pétition.
pétitionner v. intr. Adresser une pétition.
petit-lait n. m. Liquide qui se sépare du lait caillé.
petit-neveu n. m. **petite-nièce** n. f. Fils, fille du neveu, de la nièce. Pl. des *petits-neveux,* des *petites-nièces.*
petits-enfants n. m. pl. Les enfants du fils ou de la fille.
peton n. m. *Fam.* Petit pied.
pétrel n. m. Genre d'oiseaux de mer.
pétri, e adj. Mis en pâte. *Fig.* Rempli : *pétri d'orgueil.*
pétrification n. f. Action de pétrifier; son résultat.
pétrifier v. tr. (Se conj. comme *prier.*) Changer en pierre. *Fig.* Stupéfier, rendre immobile comme si l'on changeait en pierre : *une apparition qui pétrifie.*
pétrin n. m. Coffre dans lequel on pétrit le pain. *Fam. Mettre dans le pétrin,* dans l'embarras.
pétrir v. tr. Malaxer de la farine avec de l'eau et en faire de la pâte. Presser l'argile avec les mains. *Fig.* Former, façonner.
pétrissage n. m. Action de pétrir.
pétrisseur, euse adj. Qui pétrit.
pétrographie n. f. Etude des roches.
pétrole n. m. Huile minérale.
pétroleur, euse n. Qui se sert de pétrole pour incendier.
pétrolier, ère adj. Relatif au pétrole : *industrie pétrolière.* N. m. Navire transporteur de pétrole. Technicien du pétrole.
pétrolifère adj. Qui produit du pétrole.
pétulance n. f. Impétuosité.
pétulant, e adj. Vif, impétueux.
pétunia n. m. Plante ornementale.
peu adv. Pas beaucoup. Pas longtemps. N. m. Petite quantité.
peuplade n. f. Société humaine incomplètement organisée.
peuple n. m. Multitude d'hommes formant une nation : *le peuple français.* Partie la plus nombreuse et la moins riche : *la noblesse et le peuple.*
peuplement n. m. Action de peupler : *le peuplement de la Sibérie.* Etat de ce qui est peuplé : *un peuplement dense.*
peupler v. tr. Etablir des hommes, des animaux, des végétaux dans un endroit où ils n'existaient pas.
peuplier n. m. Arbre élancé, dont le bois est facile à travailler.
peur n. f. Sentiment d'inquiétude, en présence ou à la pensée du danger. *Avoir peur,* craindre. Loc. *De peur de, de peur que,* dans la crainte de, dans la crainte que.
peureux, euse* adj. et n. Qui a souvent peur : *le lièvre est peureux.* Lâche, poltron.
peut-être loc. adv. qui marque la possibilité, le doute : *il viendra peut-être.*
phagocyte n. m. *Anat.* Globule blanc.
phagocytose n. f. *Physiol.* Fonction des phagocytes.
phalange n. f. *Antiq. gr.* Corps de piquiers pesamment armés. Armée, corps de troupes : *les phalanges républicaines.* Troupe nombreuse. *Anat.* Chacun des petits os qui composent les doigts et les orteils.
phalangette n. f. Dernière phalange des doigts.
phalangine n. f. Seconde phalange.
phalanstère n. m. Dans le système de Fourier, habitation de la commune sociétaire.
phalène n. m. ou f. Papillon nocturne.
phanérogame adj. Se dit des plantes dont les organes de reproduction sont apparents.
phantasme n. m. Vision illusoire.
pharamineux, euse adj. *Fam.* Prodigieux.
pharaon n. m. Titre des anciens rois d'Egypte. Ancien jeu de cartes.
phare n. m. Tour surmontée d'un fanal et établie le long des côtes pour guider les vaisseaux. Fanal placé sur une tour. Ce qui éclaire, guide. Lanterne à grand éclairement : *auto munie de phares code.*
pharisaïque adj. *Fig.* Hypocrite.
pharisaïsme n. m. *Fig.* Hypocrisie.
pharisien n. m. Membre d'une secte juive qui affectait de se distinguer par sa sainteté extérieure. *Fig.* Hypocrite.
pharmaceutique adj. Qui a rapport à la pharmacie.
pharmacie n. f. Art de préparer les médicaments. Profession de pharmacien. Laboratoire, boutique du pharmacien : *les locaux d'une pharmacie.* Collection de médicaments : *pharmacie de poche.*
pharmacien, enne n. Qui exerce la pharmacie.
pharmacologie n. f. Science des médicaments et de leur emploi.
pharmacopée n. f. Recueil des recettes ou formules médicales.
pharyngien, enne adj. Du pharynx.
pharyngite n. f. Inflammation du pharynx.
pharyngoscope n. m. Appareil pour l'examen du pharynx.
pharynx n. m. Gosier, arrière-gorge.
phase n. f. Apparence variable d'une planète : *phases de la lune. Fig.* Se dit des changements successifs : *phases d'un combat.*
phénicien, enne adj. et n. De Phénicie.

phénique adj. *Acide phénique,* syn. de PHÉNOL.
phénix n. m. Oiseau fabuleux. *Fig.* Personne ou chose unique.
phénol n. m. Composé dérivé du benzène.
phénoménal, e, aux adj. Qui tient du phénomène. *Fam.* Prodigieux.
phénomène n. m. Ce qui est perçu par les sens ou par la conscience. Fait naturel qui frappe l'imagination. Chose ou être extraordinaire.
phénoménisme n. m. Théorie qui limite la connaissance aux phénomènes.
philanthrope n. m. Qui aime l'humanité; personne bienfaisante.
philanthropie n. f. Qualité du philanthrope. Charité, bienfaisance.
philatélie n. f. Goût de collectionner les timbres-poste.
philatéliste n. Collectionneur de timbres-poste.
philippique n. f. Discours violent, dirigé contre une personnalité.
philistin n. m. Personne à l'esprit vulgaire et étroit.
philologie n. f. Science qui étudie toute la vie intellectuelle d'un peuple ou d'une époque dans les textes qui la reflètent.
philologique adj. De la philologie.
philologue n. m. Littérateur qui s'occupe de philologie.
philosophale adj. f. *Pierre philosophale,* pierre qui, d'après les alchimistes, changeait les métaux en or.
philosophe n. m. *Antiq. gr.* Celui qui étudiait la nature : *les philosophes ioniens.* Auj., celui qui s'adonne à l'étude des êtres, des principes et des causes. Qui règle ses actions sur la raison : *vivre en philosophe. Adjectiv.* Sage, calme, résigné.
philosopher v. intr. Raisonner sur des matières philosophiques. Raisonner subtilement.
philosophie n. f. Science du philosophe. Système d'un philosophe, d'une école. Fermeté en face des coups du sort : *montrer de la philosophie.* Classe où l'on enseigne la philosophie.
philosophique* adj. De la philosophie.
philtre n. m. Breuvage propre à inspirer l'amour.
phlébite n. f. Inflammation de la membrane interne des veines.
phlébotomie n. f. Saignée.
phlegmon n. m. Inflammation du tissu cellulaire sous-cutané.
phlox n. m. Plante ornementale à fleurs en large épi.
phobie n. f. Peur irraisonnée.
phocéen, enne adj. et n. De Phocée : *des colons phocéens fondèrent Marseille.*
phonation n. f. Phénomènes concourant à la production de la voix.
phonème n. m. Elément sonore du langage.
phonétique adj. Qui exprime le son : *écriture phonétique.* N. f. *Gramm.* Etude des sons.
phonétisme n. m. Représentation graphique des sons vocaux.
phonographe n. m. Appareil qui enregistre et reproduit les sons.
phoque n. m. Genre de mammifères des régions polaires.
phosgène n. m. Gaz toxique (chlore et oxyde de carbone).
phosphate n. m. Sel de l'acide phosphorique : *phosphate de chaux; les phosphates sont de précieux engrais.*
phosphaté, e adj. Qui contient du phosphate.
phosphène n. m. Sensation lumineuse résultant de la compression de l'œil.
phosphore n. m. Corps simple, transparent, incolore, inflammable, lumineux dans l'obscurité.
phosphoré, e adj. Qui contient du phosphore.
phosphorescence n. f. Propriété des corps lumineux dans l'obscurité.
phosphorescent, e adj. Doué de phosphorescence.
photo n. f. *Fam.* Photographie.
photochromie [*kro*] n. f. Procédé de photographie en couleurs.
photocopie n. f. Epreuve photographique sur papier ou sur verre.
photo-électrique adj. Qui produit de l'électricité sous l'action de la lumière.
photogénique adj. Qui impressionne bien la plaque photographique : *le bleu est très photogénique. Par anal.* Dont le visage, l'aspect se prête bien aux projections cinématographiques.
photographe n. m. Qui s'occupe de photographie.
photographie n. f. Art de fixer sur une plaque impressionnable à la lumière les images obtenues à l'aide d'une chambre noire.
photographier v. tr. (Se conj. comme *prier.*) Reproduire par la photographie. *Fig.* Décrire avec une parfaite exactitude.
photographique* adj. Qui appartient à la photographie : *papier photographique.* Obtenu par la photographie : *épreuve photographique.*
photograveur n. et adj. m. Ouvrier en photogravure.
photogravure n. f. Procédé photographique, donnant des planches gravées pour la typographie.
photolithographie n. f. Impression lithographique par des méthodes photographiques.
photomécanique adj. Se dit des procédés d'impression dans lesquels le cliché typographique a été obtenu par photographie.
photomètre n. m. Instrument qui mesure l'intensité de la lumière.
photométrie n. f. Mesure des intensités lumineuses.
photon n. m. Grain d'énergie lumineuse.
photophore n. m. Sorte de flambeau.
photosphère n. f. *Astr.* Atmosphère lumineuse du soleil.
phototype n. m. Cliché photographique négatif.
phototypie n. f. Procédé d'impression à l'encre grasse sur gélatine bichromatée et insolée.
phototypographie n. f. Syn. de PHOTOGRAVURE.
phrase n. f. Assemblage de mots présentant un sens complet. *Faire des phrases,* parler d'une manière prétentieuse. *Phrase musicale,* suite régulière de sons.
phraséologie n. f. Discours pompeux.
phraseur, euse n. Qui aime à faire des phrases.
phrénique adj. Du diaphragme.

phrénologie n. f. Etude du caractère de l'homme d'après la conformation du crâne.
phrénologue n. m. Qui s'occupe de phrénologie.
phrygien, enne adj. et n. De Phrygie.
phtisie n. f. *Pathol.* Tuberculose pulmonaire.
phtisique adj. et n. Atteint de phtisie.
phylactère n. m. *Antiq.* Amulette, talisman. Morceau de parchemin portant un passage de la Loi, que les Juifs s'attachaient au bras ou sur le front.
phylloxéra n. m. Genre d'insectes hémiptères, dont une espèce s'attaque à la vigne.
physicien, enne n. Qui s'occupe de physique.
physico-chimique adj. Relatif à la physique et à la chimie.
physiologie n. f. Science qui traite de la vie et des fonctions organiques.
physiologique* adj. Relatif à la physiologie.
physiologiste n. m. Qui s'occupe de physiologie.
physionomie n. f. Ensemble des traits du visage. *Absol.* Caractère spécial des traits d'une personne. *Fig.* Caractère, aspect : *chaque peuple a sa physionomie.*
physionomiste n. et adj. Habile à juger d'après la physionomie.
physique* adj. Matériel : *le monde physique.* Qui a rapport à la matière : *loi physique.* Qui s'appuie sur une observation des sens : *certitude physique.* N. f. Science qui a pour objet l'étude des propriétés des corps et des lois qui tendent à modifier leur état ou leur mouvement sans modifier leur nature. N. m. Physionomie : *un physique agréable.* Ensemble des organes d'un être vivant : *le physique et le moral.*
phytine n. f. Substance organique existant dans certaines plantes.
pi n. m. Lettre de l'alphabet grec.
piaffement n. m. Action de piaffer.
piaffer v. intr. Frapper la terre avec les pieds de devant, en parlant d'un cheval. *Fig.* S'agiter vivement : *piaffer d'impatience.*
piailler v. intr. Se dit des oiseaux qui poussent des cris aigus et, *fam.*, des personnes qui les imitent. *Par ext.* Criailler.
piaillerie n. f. Criaillerie.
piailleur, euse adj. *Fam.* Qui piaille.
pianiste n. Qui joue du piano.
piano n. m. Instrument de musique, à clavier et à cordes.
pianoter v. intr. *Fam.* S'amuser au piano; en jouer sans habileté.
piastre n. f. Monnaie d'argent de divers pays, de valeur variable.
piaulement n. m. Action de piauler.
piauler v. intr. Crier, en parlant des petits poulets, etc. *Par ext.* et *fam.* Crier en pleurant (enfant).
pic n. m. Instrument de fer courbé, pointu et à long manche, pour creuser la terre. Terme du jeu de piquet, lorsque le joueur fait soixante : *je suis pic.* Montagne élevée, isolée et pointue : *le pic du Midi. A pic,* perpendiculairement : *couler à pic. Fam.* A propos : *cela tombe à pic.*
pic n. m. Genre d'oiseaux grimpeurs.
picaillon n. m. Anc. petite monnaie de cuivre. Pl. *Pop.* Argent.
picaresque adj. Se dit des œuvres où l'on décrit les mœurs des gueux, des truands.
pichenette n. f. Chiquenaude.
pichet n. m. Petit broc : *un pichet de vin.*
pickles [*pikl*] n. m. pl. (mot angl.). Condiments végétaux au vinaigre.
pickpocket [*kèt*] n. m. Voleur à la tire.
pick-up [*eup*] n. m. invar. Transformateur électrique des vibrations phonographiques.
picorer v. intr. Chercher sa nourriture (oiseaux, abeilles). V. tr. Prendre de-ci de-là; grappiller.
picot n. m. Marteau pointu.
picotage n. m. Action de picoter.
picotement n. m. Sensation de piqûre légère sur la peau ou les muqueuses.
picoter v. tr. Marquer de petits points. Causer des picotements : *la fumée picote les yeux.* Becqueter : *picoter des feuilles.*
picotin n. m. Mesure d'avoine.
picrate n. m. Sel de l'acide picrique.
picrique adj. m. *Chim.* Se dit d'un acide obtenu par action de l'acide nitrique sur l'indigo, l'aloès, le benjoin, etc.
pictural, e, aux adj. Qui concerne la peinture.
pie n. f. Genre d'oiseaux passereaux à plumage blanc et noir. *Fam.* Personne bavarde : *jaser comme une pie.* Adj. invar. De poil ou de plumage blanc et noir : *cheval pie.*
pie adj. Pieux : *faire œuvre pie.*
pièce n. f. Partie, élément d'un tout. Portion, fragment : *pièce de terre; mettre en pièces.* Quantité d'une matière formant un tout : *pièce de drap.* Morceau employé pour réparer : *mettre une pièce à un manteau.* Objet séparé : *une pièce de gibier.* Chambre d'un logement : *appartement de quatre pièces.* Bouche à feu : *pièce de montagne.* Monnaie : *une pièce d'or.* Pourboire : *donner la pièce.* Ouvrage dramatique : *une pièce gaie.* Document : *pièces justificatives, pièces à conviction.*
piécette n. f. Petite monnaie.
pied n. m. Extrémité de la jambe, qui sert pour marcher. *Pied du lit,* partie opposée au chevet. Partie inférieure : *pied d'une montagne.* Arbre, plante : *un pied de vigne.* Ancienne mesure (0,3248 m). *Lâcher pied,* reculer. *A pied,* en marchant. *De pied ferme,* résolu, prêt à résister.
pied-à-terre n. m. invar. Logement qu'on n'occupe qu'en passant.
pied-de-biche n. m. Petit levier à tête fendue. Poignée de sonnette. Pl. des *pieds-de-biche.*
pied-droit ou **piédroit** n. m. Partie du jambage d'une porte ou d'une fenêtre. Mur vertical, pilier soutenant une voûte, une arcade. Pl. des *pieds-droits.*
piédestal n. m. Support isolé, avec base et corniche : *piédestal de statue.*
pied-noir n. m. *Fam.* Habitant de l'Algérie d'origine européenne. Pl. des *pieds-noirs.*
piège n. m. Engin pour attirer ou prendre les animaux. *Fig.* Embûche.
piégeage n. m. Chasse au piège.
piéger v. tr. Prendre au piège. Dissimuler un engin explosif sur un terrain, sur une route, etc.
pie-grièche n. f. Sorte de passereau. *Fig.* Femme acariâtre. Pl. des *pies-grièches.*
pierraille n. f. Amas de pierres.
pierre n. f. Corps minéral, dur et solide : *pierre à chaux.* Caillou : *lancer une pierre.* Concrétion dans le rein, la vessie : *opérer*

quelqu'un de la pierre. Concrétion dure dans un fruit. Bloc de pierre de construction : *poser la première pierre.*
pierreries n. f. pl. Pierres fines.
pierreux, euse adj. Plein de pierres.
pierrier n. m. Machine de guerre qui lançait des pierres. Petit mortier d'artillerie.
pierrot n. m. Masque de carnaval, tout blanc. *Fam.* Moineau.
piété n. f. Dévotion. Amour pour ses parents.
piéter v. intr. (Se conj. comme *accélérer.*) Tenir le pied à l'endroit marqué, au jeu de boules. Se dit du gibier à plume, qui marche rapidement au lieu de voler.
piétinement n. m. Action de piétiner.
piétiner v. tr. Fouler avec les pieds : *piétiner le sol.* V. intr. Remuer vivement les pieds : *piétiner de rage.*
piétisme n. m. Doctrine ascétique de certains protestants.
piéton n. m. Celui qui va à pied.
piètre adj. Médiocre, sans valeur.
pieu n. m. Pièce de bois pointue.
pieuvre n. f. Nom vulgaire des poulpes.
pieux, euse* adj. Qui a de la piété : *âme pieuse.* Qui marque la piété : *fondation pieuse.* Qui marque un sentiment tendre et respectueux : *pieux souvenir.*
pigeon n. m. Oiseau dont plusieurs espèces sont domestiquées. *Pigeon voyageur,* dressé à porter des messages au loin. *Gorge de pigeon,* couleur violacée à reflets.
pigeonne n. f. Femelle du pigeon.
pigeonneau n. m. Jeune pigeon.
pigeonnier n. m. Petit bâtiment, généralement haut placé, destiné aux pigeons domestiques. *Fam.* Habitation élevée.
pigment n. m. Substance colorante.
pigmentaire adj. Relatif au pigment : *tache pigmentaire.*
pigmentation n. f. Formation de pigment.
pignocher v. tr. *Fam.* Manger sans appétit. V. intr. Peindre à petits coups de pinceau.
pignon n. m. Partie supérieure et triangulaire d'un mur. *Avoir pignon sur rue,* avoir une maison à soi. Roue dentée s'engrenant sur une plus grande : *pignons qui ont du jeu.* Graine de la pomme de pin.
pilaf n. m. Riz au gras, avec poivre rouge, viande ou coquillages.
pilage n. m. Action de piler.
pilastre n. m. Pilier encastré.
pile n. f. Amas : *pile de bois.* Massif de maçonnerie formant pilier : *pile de pont. Fam.* Volée de coups : *donner une pile. Physiq.* Appareil transformant en courant électrique l'énergie développée dans une réaction chimique.
pile n. f. Côté d'une pièce de monnaie opposé à la face : *jouer à pile ou face.*
piler v. tr. Broyer avec le pilon.
pileux, euse adj. Relatif aux poils.
pilier n. m. Massif de maçonnerie ou colonne servant de support. *Fig.* Soutien, défenseur : *pilier de la réaction. Fam.* Habitué d'un lieu : *pilier de cabaret.*
pillage [*yaj'*] n. m. Action de piller. Dégât qui en résulte.
pillard, e [*yar*] n. Qui aime à piller.
piller [*yé*] v. tr. Dépouiller, voler : *piller un château.* S'approprier par plagiat : *piller un auteur. Pille!* cri pour exciter les chiens de chasse.
pillerie [*piy'*] n. f. Vol, extorsion.
pilleur [*yeur*], **euse** n. et adj. Qui pille.
pilon n. m. Instrument pour piler. *Mettre un ouvrage au pilon,* le détruire. *Fam.* Partie inférieure d'une cuisse de volaille cuite. Jambe de bois.
pilonnage n. m. Action de pilonner.
pilonner v. tr. Battre avec le pilon. *Milit.* Marteler à coups d'obus.
pilori n. m. Poteau où l'on exposait les condamnés. *Fig. Clouer au pilori,* accabler du mépris public.
pilotage n. m. Science du pilote. Action de piloter.
pilote n. m. Guide d'un bateau, conducteur d'un avion, etc. *Fig.* Guide. Poisson qui semble servir de guide au requin.
piloter v. tr. Conduire un bâtiment, un avion, une auto.
pilotin n. m. Apprenti officier de la marine marchande.
pilotis n. m. Ensemble de pieux : *village sur pilotis.*
pilou n. m. Tissu de coton pelucheux.
pilule n. f. Médicament en forme de petite boule.
pimbêche n. et adj. f. Femme pincée et grincheuse.
piment n. m. Genre de solanacées, dont le fruit, de saveur très piquante, est employé comme condiment.
pimenter v. tr. Assaisonner de piment : *pimenter une sauce. Fig.* Rendre piquant : *pimenter un récit.*
pimpant, e adj. D'une élégance riante.
pimprenelle n. f. *Bot.* Genre de plantes aromatiques.
pin n. m. Genre de conifères, à feuillage toujours vert.
pinacle n. m. Sommet, situation élevée.
pinacothèque n. f. Musée de peinture.
pinasse n. f. Embarcation longue, étroite et légère.
pince n. f. Action ou propriété de pincer. Action de saisir fortement. Sorte de tenailles, de formes variées. Barre de fer qui sert de levier. Pli à une étoffe, terminé en pointe. Extrémité des grosses pattes des écrevisses, des homards. *Pince-monseigneur,* levier court, à bouts plats (pl. des *pinces-monseigneur*).
pincé, e adj. Maniéré; froid. *Lèvres pincées,* minces et serrées.
pinceau n. m. Instrument fait de poils attachés à une hampe, pour étendre les couleurs. *Fig.* Manière de peindre : *pinceau hardi.*
pincée n. f. Ce qu'on peut prendre avec deux ou trois doigts : *pincée de tabac.*
pincement n. m. Action de pincer. *Arbor.* Suppression des bourgeons à l'extrémité des rameaux.
pince-nez n. m. invar. Binocle tenant sur le nez par un ressort.
pincer v. tr. (Se conj. comme *amorcer.*) Serrer avec les doigts, avec une pince, etc. Rapprocher en serrant. Serrer étroitement : *pincer l'oreille. Fam.* Saisir, surprendre : *pincer un voleur. Mus.* Faire vibrer avec les doigts : *pincer de la harpe.*
pince-sans-rire n. invar. Qui raille à froid.
pincette n. f. Petite pince. Longue pince pour arranger le feu.
pinçon n. m. Marque qui reste sur la peau pincée.

pineau n. m. Sorte de raisin.
pinède n. f. Bois de pins.
pingouin n. m. Oiseau palmipède, à ailes très courtes, des régions polaires arctiques.
Ping-Pong [*pingh-pongh*] n. m. (nom déposé). Tennis de table.
pingre n. m. et adj. *Fam.* Avare.
pingrerie n. f. Avarice sordide.
pinnule n. f. Petite plaque de cuivre, à l'extrémité d'une alidade, percée d'une fente pour viser.
pinson n. m. Genre d'oiseaux passereaux chanteurs.
pintade n. f. Genre de gallinacés.
pinte n. f. Anc. mesure de capacité pour les liquides. Son contenu.
pinter v. intr. *Pop.* Boire beaucoup.
piochage n. m. Action de piocher. Travail fait avec la pioche.
pioche n. f. Outil formé d'un manche de bois et d'un fer à deux pointes, pour creuser la terre.
piochement n. m. Action de piocher.
piocher v. tr. Creuser avec une pioche. *Fig.* et *fam.* Travailler avec ardeur.
piocheur, euse adj. et n. Qui pioche.
piolet n. m. Bâton ferré, terminé par une petite pioche, pour la montagne.
pion n. m. Chacune des huit petites pièces du jeu d'échecs. Pièce du jeu de dames. *Fam.* Répétiteur.
pioncer v. intr. *Arg.* Dormir.
pionnier n. m. Défricheur de contrées incultes. *Fig.* Qui prépare la voie : *les pionniers du progrès.*
piot n. m. *Pop.* Vin : *humer le piot.*
pioupiou n. m. *Pop.* Soldat de ligne. (Vx.)
pipe n. f. Anc. mesure de capacité pour les liquides. Appareil formé d'un fourneau et d'un tuyau pour fumer.
pipeau n. m. Flûte champêtre. Appeau pour attirer les oiseaux; baguette enduite de glu pour les prendre. Pl. *Fam.* Artifices, ruses.
pipée n. f. Sorte de chasse dans laquelle on imite le cri de la chouette ou d'autres cris, pour attirer les oiseaux dans les pièges : *prendre à la pipée.* Lieu préparé pour cette chasse. *Fig.* Piège, tromperie. (Vx.)
pipelet, ette n. *Fam.* Concierge.
pipe-line [*païp'laïn'*] n. m. Tuyau de transport à longue distance pour liquides ou gaz.
piper v. tr. Pratiquer la pipée. *Fig.* Tromper. *Piper les dés, les cartes,* les truquer pour tricher.
piperie n. f. Tromperie.
pipette n. f. Tube à transvaser les liquides.
pipi n. m. Urine. *Faire pipi,* uriner, dans le langage enfantin.
piquage n. m. Couture à la machine.
piquant, e adj. Qui pique. Très vif : *froid piquant. Fig.* Mordant : *mots piquants.* N. m. Aiguillon, épine.
pique n. f. Arme formée d'une hampe terminée par une pointe de fer. Ancienne mesure de longueur. N. m. Une des couleurs, aux cartes.
piqué n. m. Etoffe formée de deux tissus piqués ensemble.
piqué, e adj. Attaqué par les insectes : *piqué des vers.* Altéré par un microbe : *vin piqué. Fam.* Timbré, un peu fou. N. m. Vol en descente verticale.
pique-assiette n. m. Parasite.
pique-feu n. m. invar. Tisonnier.
pique-nique n. m. Repas champêtre où chacun paye son écot. Pl. des *pique-niques.*
piquer v. tr. Percer avec une pointe. Faire une couture de points et d'arrière-points. Larder de la viande : *veau piqué.* Mordre, en parlant des serpents et des insectes. Ronger : *les vers piquent le bois.* Eveiller, intéresser : *piquer la curiosité.* Irriter. *Mus.* Détacher une note. V. pr. Avoir des prétentions à : *se piquer d'esprit.*
piquet n. m. Petit pieu : *piquet de tente.* Punition qui oblige un écolier à se tenir debout et immobile pendant la récréation. Petit nombre de soldats prêts à marcher : *piquet d'incendie.* Jeu de cartes.
piquetage n. m. Action de piqueter.
piqueter v. tr. (Se conj. comme *jeter.*) Marquer un alignement avec des piquets. Tacheter de petits points.
piquette n. f. Vin aigrelet.
piqueur n. m. *Vén.* Valet de chiens, à cheval (on prononce *piqueux*). Surveillant des maçons, manœuvres. Employé auxiliaire des ponts et chaussées.
piqueur, euse n. Qui pique ou coud.
piquier n. m. Soldat armé d'une pique.
piqûre n. f. Petite blessure faite par un instrument aigu ou par certains insectes : *piqûre de guêpe. Fig.* Petite blessure morale. Points et arrière-points faits symétriquement sur une étoffe. Petite brochure.
pirate n. m. Qui court les mers pour se livrer au brigandage. Bâtiment de pirate. *Fig.* Quiconque s'enrichit en pillant.
piraterie n. f. Métier de pirate.
pire adj. Plus mauvais, plus nuisible. N. m. Ce qui est le plus mauvais.
piriforme adj. En forme de poire.
pirogue n. f. Barque faite d'un tronc d'arbre creusé ou d'écorces cousues.
pirouette n. f. Tour entier qu'on fait sur la pointe d'un seul pied. *Fig.* Changement brusque d'opinion.
pirouetter v. intr. Faire une pirouette, tourner sur place.
pis n. m. Mamelle de la vache, de la brebis, de la chèvre, etc.
pis adv. Plus mal : *pis que jamais.* Adj. Plus mauvais, pire. N. m. Le plus grand mal. Ce à quoi on se résout faute de mieux.
pisciculture n. f. Art d'élever les poissons.
pisciforme adj. En forme de poisson.
piscine n. f. Grand bassin pour la natation en toute saison.
pisé n. m. Maçonnerie de terre.
pissat n. m. Urine (animaux).
pissenlit n. m. Genre de composacées qui se mangent en salade.
pisser v. tr. et intr. *Fam.* Uriner.
pisseux, euse adj. Imprégné d'urine. Qui a l'apparence de l'urine.
pissotière n. f. *Pop.* Urinoir.
pistache n. f. Fruit du pistachier.
pistachier n. m. Plante dont le fruit sert en confiserie.
piste n. f. Trace que laisse un animal, une personne après son passage : *être sur la piste de.* Terrain sur lequel courent les chevaux, les cyclistes : *piste cavalière.* Chemin de terre, dans les colonies.
pisteur n. m. Employé d'hôtel chargé de racoler des voyageurs.
pistil [*til*] n. m. Organe femelle des végétaux.
pistole n. f. Ancienne monnaie.

pistolet n. m. Arme à feu de petite dimension qui se tire d'une main. Règle à courbes variées, dont se servent les dessinateurs. Pulvérisateur de peintures. *Fig.* et *fam.* Homme bizarre.
piston n. m. Cylindre mobile qui entre à frottement dans le corps d'une pompe ou dans le cylindre d'un moteur. Bouton à ressort. *Mus.* Cornet à pistons. *Fam.* Recommandation, protection : *avoir du piston.*
pistonner v. tr. *Fam.* Recommander.
pitance n. f. Subsistance.
piteux, euse* adj. Digne de compassion. Déconfit, triste : *mine piteuse.*
pithécanthrope n. m. Sorte de singe anthropoïde fossile.
pitié n. f. Sentiment de compassion pour autrui. Sentiment de compassion méprisante : *mieux vaut faire envie que pitié.* Interj. Se dit pour exciter la compassion.
piton n. m. Anneau muni d'une queue à vis. Pointe d'une montagne élevée.
pitoyable* adj. Naturellement enclin à la pitié. Qui excite la pitié.
pitre n. m. Paillasse, bouffon : *faire le pitre. Par ext.* Mauvais plaisant.
pitrerie n. f. Action de pitre.
pittoresque adj. Propre à fournir un bon sujet de tableau : *site pittoresque.* En peinture et en littérature, piquant, original.
pituite n. f. Vomissement glaireux. Mucosité des fosses nasales. (Vx.)
pivert n. m. Oiseau à plumage jaune et vert, du genre des pics.
pivoine n. f. Plante ornementale à belles fleurs rouges.
pivot n. m. Pièce arrondie qui s'enfonce dans une autre et sur laquelle tourne un corps solide. *Fig.* Base, soutien : *la vanité est le pivot de nos actions.*
pivotant, e adj. Se dit des racines qui s'enfoncent perpendiculairement en terre.
pivoter v. intr. Tourner sur un pivot.
placage n. m. Application d'une feuille mince d'une matière riche (métal ou bois) sur une autre de valeur moindre.
placard n. m. Armoire pratiquée dans un mur. Affiche, avis. *Impr.* Epreuve d'imprimerie en colonnes espacées.
placarder v. tr. Afficher.
place n. f. Endroit occupé. Dignité, emploi : *perdre sa place.* Rang obtenu dans un concours, un examen. Lieu public découvert et entouré de constructions. Ville : *une place forte. Comm.* Les commerçants d'une ville : *faire la place.*
placement n. m. Action de placer.
placenta [*sin*] n. m. Masse qui fait partie des enveloppes de l'embryon chez les mammifères. *Bot.* Partie qui attache la graine.
placer v. tr. (Se conj. comme *amorcer.*) Etablir, mettre en un lieu : *placer un meuble. Fig.* Assigner un rang. Procurer un emploi. Vendre pour le compte d'autrui : *placer des cafés. Placer de l'argent,* le faire valoir.
placer [*sèr*] n. m. Gisement d'or.
placet [*sè*] n. m. Pétition. (Vx.)
placeur, euse n. Qui place au spectacle.
placide* adj. Calme, paisible.
placidité n. f. Caractère de ce qui est placide.
placier n. m. Représentant de commerce.
plafond n. m. Surface plane, qui forme la partie supérieure d'un lieu couvert. Peinture ornant un plafond. Altitude maximum (avions), émission maximum (billets de banque) : *crever le plafond.*
plafonnage n. m. Action de plafonner.
plafonner v. tr. Garnir d'un plafond. V. intr. Atteindre son plafond (avions).
plafonnier n. m. Appareil d'éclairage placé près du plafond.
plage n. f. Rivage de mer plat et découvert.
plagiaire n. m. Qui pille les ouvrages d'autrui.
plagiat n. m. Action du plagiaire.
plagier v. tr. (Se conj. comme *prier.*) Commettre un plagiat : *plagier un roman.*
plaid [*plè*] n. m. Manteau à carreaux des Ecossais. Couverture de voyage semblable.
plaidable adj. Qu'on peut plaider.
plaider v. intr. Contester en justice. Défendre sa cause ou celle d'une partie devant les juges. Témoigner, parler en faveur de : *son passé plaide pour lui.* V. tr. Défendre en justice : *plaider une cause.* Soutenir, défendre : *plaider le faux.*
plaideur, euse n. Qui plaide.
plaidoirie n. f. Art ou action de plaider : *avocat prononçant sa plaidoirie.*
plaidoyer n. m. Discours prononcé par un avocat. Défense d'une cause.
plaie n. f. Déchirure des chairs. *Fig.* Peine, affliction : *plaie du cœur.* Fléau : *les dix plaies d'Egypte.*
plaignant, e n. et adj. Qui porte plainte en justice.
plain, e adj. Uni, plat. *De plain-pied,* au même niveau.
plain-chant n. m. Chant liturgique et officiel de l'Eglise romaine.
plaindre v. tr. (Se conj. comme *craindre.*) Témoigner de la compassion : *plaindre les malheureux.* Déplorer, regretter. V. pr. Gémir, se lamenter. Témoigner son mécontentement : *se plaindre de quelqu'un.*
plaine n. f. Etendue de pays plat.
plainte n. f. Gémissement, lamentation : *pousser des plaintes.* Blâme, reproche. Déclaration en justice pour se plaindre : *déposer une plainte.*
plaintif, ive* adj. Qui a l'accent de la plainte. Gémissant.
plaire v. intr. (*Je plais, nous plaisons. Je plaisais, nous plaisions. Je plus, nous plûmes. Je plairai, nous plairons. Plais, plaisons, plaisez. Que je plaise, que nous plaisions. Que je plusse, que nous plussions. Plaisant. Plu.*) Etre agréable, flatter l'esprit ou les sens. V. impers. Etre conforme au désir de. *S'il vous plaît,* formule de politesse.
plaisamment adv. D'une manière plaisante.
plaisance n. f. Plaisir : *bateau de plaisance.*
plaisancier n. m. Celui qui pratique la navigation de plaisance.
plaisant, e adj. Amusant : *conte plaisant.* Agréable : *site plaisant.* N. m. Celui qui cherche à s'amuser : *un mauvais plaisant.* Le côté amusant d'une chose.
plaisanter v. intr. Dire ou faire une chose pour s'amuser. Ne pas parler sérieusement : *je dis cela pour plaisanter.* V. tr. Railler aimablement : *plaisanter un ami.*
plaisanterie n. f. Chose dite ou faite pour plaisanter. Bagatelle, chose très facile. *Entendre la plaisanterie,* montrer bon caractère.

plaisantin n. m. Celui qui aime trop à faire le plaisant.
plaisir n. m. Joie, contentement : *les plaisirs de l'esprit.* Divertissement : *lieu de plaisirs.* Volonté : *c'est son bon plaisir.*
plan, e adj. Plat, uni : *surface plane.*
plan n. m. Surface plane. Représentation d'un objet par sa projection : *le plan d'une ville, d'une maison; lever d'un plan.* Eloignement relatif des diverses parties d'un tableau : *mettre au premier plan.* Projet : *les plans d'une entreprise. Laisser en plan,* en suspens.
planage n. m. Action de planer.
planche n. f. Pièce de bois longue, large et peu épaisse. Large feuille de métal. Bois ou métal gravé; estampe tirée d'après cette gravure : *une planche en taille-douce.* Surface ensemencée de terre dans un jardin : *planche de salade.* Pl. Le théâtre.
planchéier v. tr. Mettre un plancher.
plancher n. m. Assemblage de planches sur solives séparant les étages d'une maison.
planchette n. f. Petite planche.
plancton n. m. Animaux microscopiques en suspension dans les eaux.
plane n. f. Outil tranchant à deux poignées.
planer v. tr. Polir à la plane.
planer v. intr. Se dit d'un oiseau qui se soutient en l'air sur ses ailes étendues, sans remuer. *Fig.* Etre au-dessus de, suspendu sur. Voir de haut, dominer.
planétaire adj. Des planètes.
planète n. f. Corps céleste, qui tourne autour du Soleil.
planeur n. et adj. m. Qui polit avec la plane. Avion sans moteur.
planimétrie n. f. Mesure des plans.
planisphère n. m. Carte où les deux moitiés du globe céleste ou terrestre sont représentées en plan.
plant n. m. Jeune tige nouvellement plantée : *plants de laitue.*
plantage n. m. Action de planter.
plantain n. m. Plante dont la semence sert à la nourriture des oiseaux.
plantaire adj. De la plante du pied.
plantation n. f. Action de planter. Ensemble de végétaux plantés. Lieu où on les a plantés. Aux colonies, exploitation rurale.
plante n. f. Nom général des végétaux. *Plante du pied,* face intérieure du pied de l'homme et des animaux.
planter v. tr. Mettre une plante en terre pour qu'elle prenne racine. Enfoncer en terre : *planter une borne.* Garnir de végétaux. Fixer en enfonçant. Dresser : *planter une échelle contre un mur.* Arborer : *planter un drapeau. Planter là quelqu'un,* l'abandonner brusquement.
planteur n. m. Qui plante. Propriétaire d'une plantation.
plantigrade n. m. et adj. Qui marche sur la plante des pieds.
plantoir n. m. Outil pour planter.
planton n. m. Soldat sans armes assurant des liaisons de service : *être de planton.*
plantureux, euse* adj. Abondant, copieux : *repas plantureux.* Fertile.
plaque n. f. Feuille de métal : *une plaque de cuivre.* Feuille de métal gravée, portée comme insigne. Insigne des grades supérieurs de certains ordres.
plaqué n. m. Métal recouvert d'une lame mince d'or ou d'argent.
plaquer v. tr. Appliquer une chose mince sur une autre : *plaquer de l'or sur du cuivre. Fig.* Appliquer; émettre : *plaquer des accords.*
plaquette n. f. Petit volume mince. Petite plaque métallique gravée en l'honneur de quelqu'un, en souvenir de quelque chose.
plasma n. m. Partie liquide de divers tissus organiques, particulièrement du sang.
plastic ou **plastique** n. m. Puissant explosif, sous forme plastique de dynamite-gomme.
plasticité n. f. Qualité de ce qui est plastique.
plastique adj. Propre à être modelé : *argile plastique.* Qui concerne la reproduction et l'imitation matérielle des formes : *arts plastiques.* N. f. Art de modeler des figures. Formes d'une personne. *Matière plastique,* substance d'origine organique ou synthétique, susceptible d'être modelée ou moulée. Syn. de PLASTIC.
plastron n. m. Pièce de devant de la cuirasse. Pièce rembourrée, dont les maîtres d'armes se couvrent la poitrine. Devant de chemise. Groupe de soldats représentant l'ennemi dans une manœuvre.
plastronner v. intr. *Fig.* Faire le fier.
plat, e* adj. Plan, uni, sans relief : *pays plat.* Calme : *mer plate.* Sans élégance, sans attrait : *style plat. Vaisselle plate,* d'argent. N. m. Partie plate d'une chose : *plat de sabre.* Pièce de vaisselle plus grande que l'assiette. Son contenu : *un plat garni* (sous-entendu : *de légumes*).
platane n. m. Arbre ornemental à larges feuilles et à écorce mince.
plat-bord n. m. Bordage épais du pourtour d'un navire. Pl. des *plats-bords.*
plateau n. m. Large plat rond ou polygonal. Bassin de balance. Plaine élevée : *le plateau de Langres.* Scène d'un théâtre.
plate-bande n. f. Bordure des compartiments d'un parterre. Pl. des *plates-bandes.*
platée n. f. Contenu d'un plat.
plate-forme n. f. Toit plat en terrasse. Partie d'un véhicule où les voyageurs sont debout. *Fig.* Base : *une plate-forme électorale.* Pl. des *plates-formes.*
platine n. f. Pièce sur laquelle sont fixées les pièces d'un mécanisme : *platine de fusil, de montre.* Ensemble de ces pièces.
platine n. m. Métal précieux, blanc, le plus lourd et le plus inaltérable de tous les métaux.
platiner v. tr. Recouvrir de platine, donner la teinte du platine.
platitude n. f. Caractère de ce qui est plat. Ce qui est plat. *Fig.* Fadaise : *débiter des platitudes.*
platonique adj. Relatif au système de Platon. Purement idéal : *amour platonique.* Sans effet réel : *protestation platonique.*
platonisme n. m. Système philosophique de Platon. Amour platonique.
plâtrage n. m. Action de plâtrer.
plâtras n. m. Débris de plâtre.
plâtre n. m. Gypse calciné et réduit en poudre. Tout ouvrage moulé en plâtre. Statue de plâtre. Pl. Légers ouvrages en plâtre. Murs neufs : *essuyer les plâtres.*
plâtrer v. tr. Couvrir de plâtre. Amender avec du plâtre : *plâtrer un pré.* Ajouter du plâtre : *plâtrer des vins.*
plâtreux, euse adj. Mêlé de plâtre.

plâtrier n. et adj. m. Qui prépare, vend, travaille le plâtre.
plâtrière n. f. Four à plâtre.
plausible adj. Qui peut être approuvé, admis : *excuse plausible.*
plèbe n. f. A Rome, foule des citoyens non patriciens. Auj., bas peuple.
plébéien, enne adj. De la plèbe.
plébiscitaire adj. Du plébiscite.
plébiscite n. m. Vote du peuple, par oui ou par non, sur une question.
plein, e* adj. Tout à fait rempli. Sans cavités, ni lacunes : *mur plein.* Qui abonde en : *plein de fautes.* Entier, complet : *pleins pouvoirs.* Rond, gras : *visage plein. En plein jour, en pleine rue,* dans le jour, dans la rue. N. m. Le plus gros trait des lettres dans l'écriture.
plein-vent n. m. et adj. invar. Se dit d'arbres plantés loin des murs et croissant librement.
plénier, ère adj. Entier, complet : *indulgence plénière.*
plénipotentiaire n. m. Agent diplomatique, muni de pleins pouvoirs.
plénitude n. f. Abondance.
pléonasme n. m. Emploi simultané de termes ayant le même sens.
pléonastique adj. Qui tient du pléonasme.
plésiosaure [*zyo-sor'*] n. m. Genre de grands reptiles fossiles.
pléthore n. f. Surabondance.
pléthorique adj. Surabondant.
pleur n. m. Larme : *répandre des pleurs.*
pleurard, e n. et adj. Qui pleure souvent. Adj. Plaintif.
pleurer v. intr. Répandre des larmes. V. tr. S'affliger d'une perte, regretter.
pleurésie n. f. Inflammation de la plèvre.
pleurétique adj. et n. Atteint de pleurésie. Relatif à la pleurésie.
pleureur, euse n. Qui a l'habitude de pleurer. N. f. Femme qu'on payait pour pleurer aux funérailles. Adj. A branches tombantes : *saule pleureur.*
pleurite n. f. Pleurésie sèche.
pleurnicher v. intr. Affecter de pleurer. Pleurer sans raison.
pleurnicherie n. f. ou **pleurnichement** n. m. Habitude de pleurnicher.
pleurnicheur, euse adj. et n. Qui pleurniche : *enfant pleurnicheur.*
pleutre n. m. et adj. Homme vil, lâche.
pleutrerie n. f. Action vile, lâche.
pleuvoir v. impers. (*Il pleut. Il pleuvait. Il plut. Il pleuvra. Il pleuvrait. Qu'il pleuve. Qu'il plût. Pleuvant. Plu.*) Se dit de l'eau qui tombe du ciel. V. intr. Tomber.
plèvre n. f. Membrane séreuse qui tapisse le thorax et les poumons.
Plexiglas [*glass*] (n. déposé) n. m. Résine synthétique ayant la transparence du verre.
plexus [*plèk-suss*] n. m. Réseau de filets nerveux, musculaires, vasculaires, etc.
pli n. m. Endroit où est plié du linge, une étoffe, du papier, etc. Enveloppe de lettre. Lettre : *pli chargé.* Ride : *les plis du front.* Au jeu de cartes, levée. Sinuosité : *les plis du terrain. Fig.* Habitude : *un bon, un mauvais pli. Cela ne fera pas un pli,* ne souffrira aucune difficulté.
pliable adj. Aisé à plier.
pliage n. m. Action, manière de plier.
pliant, e adj. Facile à plier. N. m. Siège qui se plie.
plie n. f. Genre de poissons plats.
plier v. tr. (Se conj. comme *prier.*) Mettre en un ou plusieurs doubles : *plier du linge.* Courber, fléchir : *plier les genoux. Fig.* Assujettir : *plier à la discipline.* V. intr. Se courber : *le roseau plie.* S'affaisser. *Fig.* Se soumettre. Céder.
plieur, euse n. Qui plie.
plinthe n. f. *Archit.* Base plate et carrée d'une colonne. Planche clouée à la base des murs.
plissage n. m. Action de plisser.
plissé n. m. Travail fait en plissant : *les plissés d'une jupe.*
plissement n. m. Pli d'un terrain.
plisser v. tr. Faire des plis réguliers : *plisser une jupe, plisser le front.* V. intr. Avoir des plis.
plissure n. f. Manière de plisser.
pliure n. f. Action ou manière de plier les feuilles d'un livre.
ploiement n. m. Action de ployer.
plomb n. m. Métal très pesant, d'un gris bleuâtre. Projectile de plomb pour armes à feu. Petit sceau de plomb, que l'on fixe aux attaches d'un colis. Fil de plomb servant de fusible électrique.
plombage n. m. Action de plomber. Son résultat : *plombage d'une dent.*
plombagine n. f. Mine de plomb.
plomber v. tr. Attacher, appliquer du plomb à. Attacher un sceau de plomb à des colis, à un wagon. Obturer une dent cariée. V. pr. Prendre une couleur de plomb.
plomberie n. f. Métier, ouvrage du plombier.
plombier n. et adj. m. Ouvrier qui met le plomb en œuvre.
plongeant, e adj. Dirigé de haut en bas : *vue plongeante, tir plongeant.*
plongée n. f. Action de plonger. Point de vue de haut en bas.
plongement n. m. Action de plonger.
plongeon n. m. Action de plonger.
plongeon n. m. Genre d'oiseaux palmipèdes.
plonger v. tr. (Se conj. comme *manger.*) Immerger dans un liquide : *plonger dans l'eau.* Enfoncer : *plonger un poignard dans le cœur.* V. intr. Tomber profondément : *être plongé dans le sommeil.* S'enfoncer. Disparaître. Voir de haut : *la vue plonge dans la vallée.* V. pr. S'enfoncer dans, se livrer à : *se plonger dans l'étude.*
plongeur, euse n. Qui pratique le plongeon. N. Celui qui travaille sous l'eau, scaphandrier. Laveur de vaisselle dans un restaurant.
plot n. m. Prise de contact métallique sur certaines lignes électriques.
ploutocrate n. m. Qui exerce une influence sur le gouvernement grâce à sa richesse.
ploutocratie [*si*] n. f. Gouvernement exercé par les riches.
ployable adj. Qui peut se ployer.
ployer [*ploi*] v. tr. (Se conj. comme *aboyer.*) Courber : *ployer une branche.* V. intr. Fléchir : *ployer sous le joug.*
pluie n. f. Eau qui tombe du ciel par gouttes. Ce qui tombe en abondance.
plumage n. m. Plumes de l'oiseau.
plumassier, ère n. et adj. Qui prépare et vend des plumes pour la parure ou le mobilier.
plume n. f. Tuyau garni de duvet, qui couvre le corps des oiseaux. Plume d'oiseau

qui servait pour écrire. Morceau de métal, etc., taillé en bec, et qui, adapté au porte-plume, sert à écrire, etc. Style, débit d'un écrivain : *avoir la plume facile.*

plumeau n. m. Ustensile de ménage, fait de plumes attachées et servant à épousseter.

plumer v. tr. Arracher les plumes. *Fam.* Tirer de l'argent de quelqu'un.

plumet n. m. Bouquet de plumes qui orne un chapeau.

plumetis n. m. Broderie pleine.

plumier n. m. Boîte pour mettre porte-plume, crayon, etc.

plumitif n. m. *Fam.* Homme de plume, bureaucrate.

plupart (la) n. f. La plus grande partie.

plural, e, aux adj. Qui contient ou qui vaut plusieurs unités : *vote plural.*

pluralité n. f. Le grand nombre. Le plus grand nombre. *Gramm.* Pluriel.

pluriel, elle adj. Qui marque la pluralité. N. m. Nombre pluriel.

plus adv. En plus grande quantité, à un degré supérieur. En outre, en sus : *je donne ceci, plus cela.* Avec la négation, marque cessation ou limitation : *il ne travaille plus ; il n'a plus que sa retraite. Le plus,* superlatif relatif : *le plus adroit.* N. m. Le maximum : *le plus que vous pouvez espérer. D'autant plus,* à plus forte raison. *Sans plus,* sans rien ajouter.

plusieurs adj. et pron. indéf. Un nombre indéterminé.

plus-que-parfait n. m. Temps du verbe qui exprime une action passée relativement à une autre passée elle aussi : *j'avais fini de souper quand il arriva.*

plus-value n. f. Augmentation de valeur, de rendement, du prix accordé, etc. Pl. des *plus-values.*

plutôt, adv. qui marque la préférence.

pluvial, e, aux adj. De la pluie.

pluvier n. m. Oiseau échassier.

pluvieux, euse adj. Abondant en pluie. Qui amène la pluie.

pluviomètre n. m. Instrument pour mesurer la pluie tombée.

pluviôse n. m. Cinquième mois du calendrier républicain.

pneu n. m. *Fam.* Pneumatique.

pneumatique adj. Se dit d'une machine faisant le vide dans un récipient. N. m. Ensemble formé par une chambre à air enfermée dans une enveloppe en caoutchouc, adaptée à la jante des roues de cycles, d'automobiles, etc. Correspondance transmise par tube. N. f. Science qui étudie les propriétés des gaz.

pneumocoque n. m. Microbe de la pneumonie.

pneumonie n. f. Inflammation du poumon.

pneumothorax n. m. Méthode de traitement de la tuberculose pulmonaire, par introduction d'azote dans la plèvre.

pochade n. f. Peinture exécutée en quelques coups de pinceau. *Littér.* Œuvre rapidement écrite.

poche n. f. Espèce de petit sac cousu aux vêtements. Sac pour le blé, l'avoine, etc. Cavité d'un abcès, d'une tumeur.

pochée n. f. Contenu d'une poche.

pocher v. tr. Faire une meurtrissure avec enflure : *pocher l'œil à quelqu'un. Pocher des œufs,* les faire cuire entiers, sans coquille, dans un liquide.

pochetée n. f. *Pop.* Niais. Niaiserie.

pochette n. f. Petite poche. Petit mouchoir.

pochoir n. m. Feuille de carton ou de métal portant des découpures à travers lesquelles se posent les couleurs.

pochon n. m. Cuiller à pot.

podagre n. Qui a la goutte aux pieds.

podomètre n. m. Appareil mesurant la vitesse de la marche à pied.

poêle [*poil*] n. m. Voile qu'on tenait autrefois au-dessus de la tête des mariés, pendant la bénédiction nuptiale. Drap dont on couvre un cercueil, et dont certaines personnes tiennent les cordons.

poêle [*poil*] n. m. Appareil de chauffage.

poêle [*poil*] n. f. Plat de cuisine, en fer, à long manche, pour frire.

poêlée [*poi*] n. f. Contenu d'une poêle.

poêlier [*poi*] n. m. Fumiste.

poêlon [*poi*] n. m. Petite poêle.

poème n. m. Ouvrage en vers assez étendu. Ouvrage en prose, de caractère poétique. Paroles d'un opéra. *Fam.* Chose merveilleuse : *ce gâteau est un poème.*

poésie n. f. Art de faire des vers. Elévation dans les idées, dans le style : *ouvrage plein de poésie.* Genre poétique : *poésie lyrique. Fig.* Ce qui parle à l'imagination, au cœur : *la poésie de la mer, d'une vieille estampe.* Pièce de vers.

poète n. m. Celui qui écrit des vers. Personne qui a l'inspiration poétique.

poétesse n. f. Femme poète.

poétique* adj. De la poésie : *style poétique.* Propre à inspirer les poètes : *légende poétique.* N. f. Art de la poésie.

poétiser v. tr. Rendre poétique.

pogrom n. m. En Russie, mouvement populaire contre les Juifs.

poids n. m. Qualité d'un corps pesant. Résultante de l'action de la pesanteur sur un corps. Pesanteur : *le poids d'un colis.* Morceau de métal d'une pesanteur déterminée, servant à peser d'autres corps. Corps pesant suspendu aux chaînes d'une horloge, pour lui donner le mouvement. *Fig.* Force, importance : *donner du poids à un argument.* Ce qui fatigue : *le poids des affaires.* Poids spécifique d'un corps, sa densité. *Poids lourd,* grosse voiture automobile pour transports.

poignant, e [*poi*] adj. Qui cause une impression pénible.

poignard [*poi*] n. m. Arme courte, pointue et tranchante.

poignarder v. tr. Frapper avec un poignard.

poigne [*poi*] n. f. *Fam.* La force du poignet. Energie : *homme à poigne.*

poignée [*poi*] n. f. Ce que la main peut tenir : *poignée de sel.* Partie d'un objet par où on le tient : *poignée de sabre. Fig.* Petit nombre : *une poignée de soldats.*

poignet [*poi*] n. m. Partie du bras qui joint la main à l'avant-bras.

poil n. m. Production filiforme sur la peau des animaux et de l'homme. Couleur des animaux. Partie velue des étoffes. *Bot.* Filament. *Fig. A poil,* nu.

poilu, e adj. Couvert de poils. N. m. Soldat de la Grande Guerre.

poinçon n. m. Outil de fer aigu, pour percer ou graver. Morceau d'acier gravé pour

frapper des monnaies et des médailles. Marque qu'on applique sur les ouvrages d'or et d'argent pour en garantir le titre. Pièce de charpente verticale d'un comble.
poinçonnage ou **poinçonnement** n. m. Action de poinçonner.
poinçonner v. tr. Marquer au poinçon : *poinçonner de l'orfèvrerie.*
poindre v. intr. (Se conj. comme *craindre.*) Commencer à paraître, à pousser : *le jour point.* (S'emploie rarement.)
poing n. m. Main fermée : *recevoir, donner un coup de poing.*
point n. m. Piqûre dans une étoffe : *coudre à petits points.* Nom de divers ouvrages d'aiguilles : *point d'Alençon.* Signe de l'écriture : *point final, deux-points, point-virgule, points d'interrogation, d'exclamation, de suspension; mettre les points sur les i.* Valeur des cartes, au jeu. Position d'un navire marquée sur la carte : *faire le point.* Note : *mériter un bon point.* Grandeur d'un caractère typographique : *ce dictionnaire est composé en caractères de 5 points.* Endroit déterminé : *point de départ.* Division, degré de température, etc. : *point d'ébullition.* Perfection : *mettre au point.* Question, sujet : *point litigieux. Point de vue,* endroit d'où l'on voit le mieux, et, au *fig.*, manière d'envisager une chose. *Point du jour,* aube. *Point de côté,* douleur au côté. *Point d'honneur,* question d'honneur. Loc. adv. : *A point,* à propos. *A point nommé,* à l'instant fixé.
point adv. Pas : *je n'en veux point.*
pointage n. m. Action de pointer.
pointe n. f. Bout aigu, piquant : *pointe d'aiguille.* Petit clou mince. Extrémité amincie : *une pointe de rocher.* Outil de graveur : *pointe sèche.* Extrémité : *pointe du pied. Fig.* Trait d'esprit : *une pointe d'ironie.* Petite quantité.
pointeau n. m. Petit poinçon. Tige mobile obturant un orifice.
pointer [*tèr*] n. m. Chien d'arrêt.
pointer v. tr. Marquer d'un point. Vérifier, contrôler. Braquer (armes). Dresser en pointe : *pointer les oreilles.* V. intr. Se dresser : *clocher qui pointe.* Commencer à pousser : *blé qui pointe.*
pointeur n. m. Qui pointe.
pointillé n. m. Ligne de points formant dessin ou gravure.
pointiller v. intr. Contester sur des minuties. V. tr. Tracer des points.
pointilleux, euse adj. Irascible, exigeant.
pointilliste n. m. et adj. Se dit d'un peintre qui peint par petites touches séparées.
pointu, e adj. Qui se termine en pointe. *Fig.* Minutieux, susceptible.
pointure n. f. *Techn.* Dimension de chaussures, de gants, etc.
poire n. f. Fruit du poirier.
poiré n. m. Boisson, sorte de cidre, faite de jus de poires fermenté.
poireau n. m. Plante potagère.
poirier n. m. Arbre dont le fruit est la poire. Bois de ces arbres.
pois n. m. Genre de plantes grimpantes, dont le fruit, contenu dans une cosse, est comestible. Ce fruit lui-même.
poison n. m. Substance qui détruit ou altère les fonctions vitales. Boisson ou aliment de très mauvaise qualité ou pernicieux : *l'alcool est un poison. Fig.* Ce qui est pernicieux pour l'âme ou l'esprit.
poisser v. tr. Enduire de poix. Salir avec une matière gluante.
poisseux, euse adj. Qui poisse.
poisson n. m. Animal aquatique, de l'embranchement des vertébrés.
poissonnerie n. f. Lieu où l'on vend le poisson.
poissonneux, euse adj. Qui abonde en poisson : *étang poissonneux.*
poissonnier, ère n. Qui vend du poisson. N. f. Ustensile pour faire cuire le poisson.
poitrail n. m. Devant du corps du cheval. Partie du harnais du cheval.
poitrinaire adj. et n. Tuberculeux.
poitrine n. f. Partie du tronc, entre le cou et l'abdomen. Poumons.
poivrade n. f. Sauce poivrée.
poivre n. m. Graine âcre et aromatique, fruit du poivrier. *Fam. Poivre et sel,* gris.
poivrer v. tr. Assaisonner de poivre.
poivrier n. m. Plante tropicale qui produit le poivre. Vase pour le poivre.
poivrière n. f. Plantation de poivriers. Ustensile de table pour le poivre. Guérite de maçonnerie, à l'angle d'un bastion.
poivron n. m. Fruit du piment.
poix n. f. Substance résineuse, agglutinante, tirée de la résine.
poker [*kèr*] n. m. Jeu de cartes d'origine américaine. *Poker d'as,* jeu de dés.
polaire adj. Qui est auprès des pôles; qui leur appartient : *étoile polaire. Electr.* Relatif aux pôles d'un aimant et d'une pile.
polarisation n. f. Propriété particulière que présente un rayon lumineux réfléchi ou réfracté dans certaines conditions.
polariser v. tr. Causer la polarisation.
polarité n. f. Propriété qu'a un corps de présenter deux pôles opposés.
Polaroïd n. m. (n. déposé). Feuilles transparentes polarisant la lumière.
polder [*dèr*] n. m. Dans les Pays-Bas, région basse et marécageuse.
pôle n. m. Chacune des deux extrémités de l'axe imaginaire autour duquel la sphère céleste semble tourner; les deux extrémités de l'axe de la Terre. *Phys.* Point d'un générateur d'électricité servant de départ (*pôle positif*) ou d'arrivée (*pôle négatif*) au courant. *Pôles magnétiques,* extrémités d'un aimant.
polémique n. f. Dispute, débat : *polémique littéraire.* Adj. Relatif à la polémique.
polémiste n. m. Qui fait de la polémique.
poli*, e adj. Uni, lisse : *marbre poli.* Courtois, civilisé : *peuples polis, homme poli.* N. m. Lustre, éclat.
police n. f. Ensemble des règlements qui maintiennent l'ordre et la sécurité publics. Administration chargée de les maintenir. *Simple police,* tribunal qui ne connaît que des contraventions.
police n. f. Contrat d'assurance.
policeman [*man'*] n. m. Agent de police anglais. Pl. des *policemen* [*mèn*].
policer v. tr. (Se conj. comme *amorcer.*) Civiliser, rendre poli.
polichinelle n. m. Masque ou marionnette à deux bosses. *Fam.* Mauvais plaisant. Homme sans dignité, qui n'est pas sérieux.
policier, ère adj. Qui se rapporte à la police. N. m. Agent de police.

poliomyélite n. f. Maladie de la moelle épinière (paralysie infantile).
polir v. tr. Rendre uni, lisse, luisant : *polir le fer. Fig.* Orner l'esprit, adoucir les mœurs. Corriger, mettre la dernière main à : *polir un discours.*
polissage n. m. Action de polir.
polisseur, euse n. Qui polit.
polissoir n. m. Instrument pour polir : *polissoir à ongles.*
polisson, onne n. Enfant espiègle. Personne débauchée. Adj. Trop libre.
polissonnerie n. f. Action, parole de polisson.
polissure n. f. Action de polir.
politesse n. f. Manière d'agir ou de parler civile et honnête. *Brûler la politesse,* quitter brusquement ; manquer un rendez-vous.
politicien, enne n. Qui fait de la politique.
politique n. f. Science et art de gouverner un Etat. Affaires qui intéressent l'Etat ; manière de les conduire : *politique extérieure.* Conception que l'on s'en fait. *Par ext.* Manière prudente, habile d'agir.
politique* adj. Relatif au gouvernement des Etats. Qui s'occupe des affaires de l'Etat. *Par ext.* Prudent, fin, avisé.
politiser v. tr. Donner un caractère politique à quelque chose.
polka n. f. Danse. Air sur lequel on l'exécute.
pollen [*pol-lèn*] n. m. Poussière fécondante des fleurs.
pollinisation [*l-l*] n. f. Fecondation d'une fleur par le pollen.
polluer [*l-l*] v. tr. Souiller.
pollution [*l-l*] n. f. Souillure.
polo n. m. Jeu de balle, qui se joue à cheval avec un maillet. Sorte de toque.
poltron, onne adj. et n. Sujet à la peur ; sans courage.
poltronnerie n. f. Manque de courage.
polychrome [*krôm*] adj. De diverses couleurs.
polycopie n. f. Procédé permettant de reproduire l'écriture par décalque sur une couche de gélatine (pâte à polycopier).
polycopié n. m. Cours reproduit par polycopie.
polyèdre adj. et n. m. Solide à plusieurs faces.
polyédrique adj. Qui a plusieurs faces.
polygame n. Marié à plusieurs femmes.
polygamie n. f. Etat de polygame.
polyglotte adj. Ecrit en plusieurs langues. N. et adj. Qui parle plusieurs langues.
polygonal adj. Qui a plusieurs angles.
polygone n. m. Surface plane, limitée par des lignes droites.
polygraphe n. m. Qui écrit sur des matières variées.
polymorphe adj. Qui affecte diverses formes.
polynôme n. m. Expression algébrique composée de plusieurs termes séparés par les signes plus (+) ou moins (—).
polype n. m. Nom vulgaire des cœlentérés. Poulpe. Tumeur fibreuse, sur une muqueuse.
polyphasé, e adj. Qui subit plusieurs phases : *courant polyphasé.*
polyphonie n. f. *Mus.* Emploi simultané de plusieurs instruments.
polypier n. m. Groupe de polypes sur un support calcaire.
polysyllabe [*l-l*] ou **polysyllabique** adj. et n. m. De plusieurs syllabes.
polytechnicien n. m. Elève de l'Ecole polytechnique.
polytechnique adj. Qui concerne plusieurs arts, plusieurs sciences.
polythéisme n. m. Religion qui admet la pluralité des dieux.
polythéiste n. et adj. Qui professe le polythéisme.
pommade n. f. Corps gras et parfumé ou médicamenteux, pour l'entretien de la chevelure ou pour un traitement externe.
pommader v. tr. Enduire de pommade.
pomme n. f. Fruit du pommier. Ornement en forme de pomme : *la pomme d'une canne. Pomme d'arrosoir,* renflement percé de trous qui termine le tuyau d'un arrosoir. *Pomme de terre,* tubercule comestible. *Pomme de pin,* fruit du pin.
pommé, e adj. Arrondi comme une pomme. *Fam.* Complet, achevé.
pommeau n. m. Petite boule au bout de la poignée d'une épée, d'un sabre, d'un pistolet. Arcade de l'arçon d'une selle.
pommeler (se) v. pr. (Se conj. comme *amonceler.*) Se dit du ciel se couvrant de nuages blancs et grisâtres.
pommer v. intr. Se former en pomme (choux, laitues, etc.).
pommette n. f. Ornement en forme de petite pomme. Partie saillante de la joue, sous l'œil : *avoir les pommettes rouges.*
pommier n. m. Arbre à fleurs rose et blanc, qui produit la pomme.
pomologie n. f. Etude des fruits à pépins.
pompe n. f. Cortège solennel. Appareil somptueux. Gloire, éclat. *Pompe funèbre,* cérémonie mortuaire. *Fig.* Solennité du langage, apparat. Pl. Vanités, faux plaisirs du monde. (Vx.)
pompe n. f. Machine propre à élever ou à refouler un liquide, un gaz : *pompe aspirante, foulante, à incendie.*
pomper v. tr. Puiser avec une pompe. *Fig.* Attirer. *Pop.* Boire.
pompeux, euse* adj. Où il y a de la pompe.
pompier n. m. Qui fait partie d'un corps organisé pour combattre les incendies. Ouvrier tailleur retoucheur.
pompon n. m. Petite houppe de soie, de laine, etc., dont on orne certains vêtements.
pomponner v. tr. Orner de pompons. Parer avec une certaine recherche.
ponçage n. m. Action de poncer.
ponce n. f. Roche très poreuse, dite aussi *pierre ponce.*
ponceau n. m. Petit pont.
ponceau n. m. Coquelicot. Adj. invar. Rouge coquelicot : *ruban ponceau.*
poncer v. tr. (Se conj. comme *amorcer.*) Polir avec la pierre ponce.
poncif, ive adj. Banal. N. m. Œuvre banale.
ponction n. f. Percement d'une cavité remplie de pus ou de liquide.
ponctualité n. f. Qualité de ce qui est ponctuel.
ponctuation n. f. Art, manière de ponctuer : *signes de ponctuation.*
ponctué, e adj. Relatif à la ponctuation. Composé d'une suite de points. Semé de taches en forme de points.
ponctuel, elle* adj. Qui fait ce qu'il doit faire au juste moment.
ponctuer v. tr. Marquer de points. Mettre la ponctuation : *ponctuer une phrase.*

pondaison n. f. Ponte.
pondérable adj. Qui peut être pesé.
pondération n. f. Equilibre.
pondérer v. tr. (Se conj. comme *accélérer.*) Equilibrer.
pondéreux, euse adj. Se dit des marchandises très lourdes (fontes, etc.).
pondeur, euse n. et adj. Qui pond souvent.
pondoir n. m. Panier où les poules viennent pondre.
pondre v. tr. Faire des œufs.
ponette n. f. Petite jument.
poney [*nè*] n. m. Petit cheval.
pongé n. m. Etoffe légère de laine et de bourre de soie.
pont n. m. Construction faisant communiquer deux points séparés par un cours d'eau ou une dépression de terrain. *Mar.* Plancher d'un navire. Essieu arrière d'une automobile. *Faire le pont,* chômer un jour ouvrable entre deux jours fériés. *Ponts et chaussées,* corps d'ingénieurs chargés de tous les travaux qui se rapportent aux voies de communication.
ponte n. m. Celui qui, à certains jeux, joue contre le banquier.
ponte n. f. Action de pondre. Temps où les oiseaux pondent. Quantité d'œufs pondus.
ponté, e adj. Muni d'un ou de plusieurs ponts : *barque pontée.*
ponter v. tr. Etablir un pont. V. intr. Jouer contre le banquier.
pontet n. m. Dans une arme à feu portative, demi-cercle de métal qui protège la détente contre les chocs, etc.
pontife n. m. Dignitaire ecclésiastique. *Souverain pontife,* le pape. *Fam.* Personne qui se donne des airs d'importance.
pontifical, e, aux adj. Du pontife. N. m. Rituel du pape et des évêques.
pontificat n. m. Dignité de pontife, du pape. Exercice du pouvoir papal.
pontifier v. intr. (Se conj. comme *prier.*) Officier en qualité de pontife. *Fig.* Agir, parler avec solennité.
pont-levis n. m. Pont qu'on peut lever, au-dessus d'un fossé. Pl. des *ponts-levis.*
ponton n. m. Pont flottant fait de bateaux joints. Grand chaland ponté. Vieux vaisseau rasé, servant de caserne ou de prison.
pontonnier n. m. Soldat employé à la construction des ponts.
pope n. m. Prêtre du rite oriental.
popeline n. f. Etoffe dont la chaîne est de soie et la trame de laine.
popote n. f. *Fam.* Cuisine, ménage. Réunion de personnes (surtout à l'armée) qui mangent en commun. Adj. *Fam.* Sans noblesse ni élévation.
populace n. f. Le bas peuple.
populacier, ère adj. Qui appartient à la populace.
populaire* adj. Relatif au peuple : *éducation populaire.* Favorable au peuple. Propre au peuple : *expression populaire.* Mis à sa portée : *livre populaire.* Qui jouit de la faveur du peuple. N. m. Le vulgaire.
populariser v. tr. Rendre populaire.
popularité n. f. Faveur dont quelqu'un jouit auprès du peuple.
population n. f. Ensemble des habitants d'un pays. Ensemble d'êtres d'une catégorie particulière : *la population scolaire.*
populeux, euse adj. Très peuplé.
porc [*por*] n. m. Cochon. Sa chair. *Fig.* Homme sale, grossier.
porcelaine n. f. Poterie blanche, imperméable, translucide. Coquillage très poli.
porcelainier, ère adj. Relatif à la porcelaine. N. m. Ouvrier qui travaille la porcelaine.
porcelet n. m. Jeune porc.
porc-épic [*képik*] n. m. Genre de mammifères rongeurs au corps armé de piquants.
porche n. m. Lieu couvert à l'entrée d'un édifice.
porcher, ère n. Qui garde les porcs.
porcherie n. f. Etable pour les porcs.
porcin, e adj. Relatif au porc.
pore n. m. Interstice qui sépare les molécules des corps. Très petite ouverture à la surface de la peau.
poreux, euse adj. Qui a des pores.
porion n. m. Contremaître, dans les mines de houille.
pornographie n. f. Littérature obscène.
pornographique adj. Relatif à la pornographie.
porosité n. f. Etat de ce qui est poreux.
porphyre n. m. Roche éruptive très dure, rouge ou verte.
port n. m. Enfoncement naturel ou artificiel d'une côte, où les navires trouvent un abri. Ville bâtie auprès : *habiter un port de mer.* Sur une rivière, berge propice au déchargement des bateaux. *Fig.* Refuge.
port n. m. Action de porter. Maximum de charge d'un navire. Prix payé pour faire porter. Manière de porter le corps, maintien habituel. *Port d'armes,* action ou droit de porter des armes ; attitude d'un soldat qui porte les armes.
portable adj. Qu'on peut porter.
portage n. m. Action de porter.
portail n. m. Entrée monumentale d'une église, d'un édifice.
portant n. m. Anse métallique d'un coffre, d'une malle. *Théâtr.* Montant qui soutient les décors ou les appareils d'éclairage.
portant, e adj. Qui est dans tel ou tel état de santé : *mal portant. Techn.* Qui soutient, supporte : *parties portantes. A bout portant,* de très près.
portatif, ive adj. Aisé à porter.
porte n. f. Ouverture pour entrer et sortir. Ce qui clôt cette ouverture : *porte de fer. Mettre à la porte,* chasser. Anneau où s'engage une agrafe. Pl. Gorge, défilé.
porte-à-faux n. m. invar. Qui n'est pas d'aplomb.
porte-à-porte n. m. Technique de démarchage direct.
porte-assiette n. m. invar. Cercle ou plateau mis sous les plats.
porte-avions n. m. invar. Navire transporteur d'avions.
porte-bagages n. m. invar. Appareil pour fixer des bagages sur une bicyclette.
porte-billets n. m. invar. Petit portefeuille pour billets de banque.
porte-bonheur n. m. invar. Objet considéré comme portant bonheur à son propriétaire.
porte-bouquet n. m. Petit vase à fleurs. Pl. des *porte-bouquets.*
porte-bouteilles n. m. invar. Châssis à rayons pour contenir des bouteilles. Hérisson pour égoutter les bouteilles.

porte-cartes n. m. invar. Portefeuille pour cartes de visite, d'identité, etc.

porte-cigares n. m. invar. Etui pour cigares.

porte-cigarettes n. m. invar. Petit étui pour cigarettes.

porte-clefs n. m. invar. Anneau à clefs.

porte-couteau n. m. invar. Ustensile de table.

porte-crayon n. m. invar. Tube de métal dans lequel on met le crayon.

porte-drapeau n. m. invar. Officier qui porte le drapeau.

portée n. f. Totalité des petits qu'une femelle met bas en une seule fois. Distance à laquelle une bouche à feu peut lancer un projectile. Etendue où la main, la vue, la voix, l'ouïe peuvent arriver. *Fig.* Etendue, capacité de l'esprit : *c'est hors de ma portée.* Force, valeur, importance. Distance entre les points d'appui d'une pièce qui n'est soutenue que par quelques-unes de ses parties. Ensemble de cinq lignes parallèles pour écrire la musique.

portefaix n. m. Homme dont le métier est de porter des fardeaux.

porte-fenêtre n. f. Ouverture qui descend jusqu'au niveau du sol et sert de porte et de fenêtre. Pl. des *portes-fenêtres.*

portefeuille n. m. Enveloppe en cuir, etc., munie de poches, se fermant comme un livre et où l'on met des papiers, des billets de banque, etc. *Fig.* Fonction de ministre. Effets publics ou de commerce.

porte-greffe n. m. invar. Sujet sur lequel on fixe le greffon.

portemanteau n. m. Barre fixée à la muraille et munie de patères, etc. Sorte de valise : *portemanteau de voyage.* Chacune des deux potences sur lesquelles on hisse les embarcations à bord d'un navire.

porte-mine n. m. invar. Tube de métal contenant une mine de crayon.

porte-monnaie n. m. invar. Bourse à fermoir pour l'argent de poche.

porte-parapluies n. m. invar. Ustensile pour recevoir les parapluies.

porte-parole n. m. invar. Qui parle au nom des autres.

porte-plume n. m. invar. Petite tige à laquelle s'adaptent les plumes métalliques.

porter v. tr. Soutenir un poids, une charge : *porter un fardeau.* Transporter : *porter d'un lieu à un autre.* Avoir sur soi : *porter une montre.* Etre vêtu de : *porter le deuil.* Tenir : *porter la tête haute.* Diriger : *porter ses yeux sur.* Rapporter : *somme portant intérêt.* Exciter : *porter au mal.* Causer : *porter malheur.* Supporter : *porter le poids d'une faute.* V. intr. Reposer : *poutre qui porte à faux.* Atteindre : *cette arme porte loin.* Avoir pour objet : *sur quoi porte ce projet?* Etre en gestation : *la chatte porte huit semaines.* V. pr. Se transporter : *se porter au-devant de quelqu'un.* Se présenter : *se porter candidat.* Se trouver en bonne ou en mauvaise santé : *je me porte bien.*

porteur, euse n. Dont le métier est de porter : *porteur d'eau.* N. m. Celui qui est chargé de remettre : *donnez la réponse au porteur.* Celui qui présente un effet de commerce : *payable au porteur.*

porte-voix n. m. invar. Instrument en forme de trompette, pour parler au loin.

portier, ère n. Qui ouvre, ferme et garde la porte d'une maison. N. f. Ouverture d'un véhicule pour y entrer et en sortir : *bien fermer la portière.* Rideau de porte.

portillon n. m. Petite porte.

portion n. f. Partie d'un tout : *portion d'héritage.* Quantité de nourriture servie à quelqu'un : *manger à la portion.*

portique n. m. Galerie à voûte soutenue par des colonnes. *Gymn.* Poutre horizontale à laquelle on accroche les agrès.

portland [*port'-land*] n. m. Variété de ciment hydraulique.

porto n. m. Vin récolté en Portugal.

portrait n. m. Image d'une personne reproduite par la peinture, le dessin, la photographie, etc. Grande ressemblance. *Fig.* Description du caractère d'une personne.

portraitiste n. m. Artiste qui fait des portraits.

portraiturer v. tr. Faire le portrait de quelqu'un.

Port-Salut n. m. (n. dép.). Sorte de fromage.

portuaire adj. Relatif à un port.

pose n. f. Action de poser : *pose de la première pierre.* Attitude : *une pose indolente.* Affectation, morgue : *soyez sans pose.* Temps d'exposition (photographie).

posé*, e adj. Grave, sérieux : *homme posé. A main posée,* calmement.

poser v. tr. Placer, mettre : *poser un livre sur la table.* Installer : *poser des rideaux.* Etablir : *poser les fondements.* Inscrire : *poser des chiffres.* Mettre en valeur : *ce succès le pose.* Adresser : *poser une question.* V. intr. Prendre une attitude : *poser pour un portrait.* Viser à l'effet par son attitude prétentieuse. V. pr. Se donner pour : *se poser en justicier.*

poseur, euse n. et adj. Qui pose : *poseur de parquets. Fig.* Affecté, prétentieux.

positif, ive* adj. Certain, constant : *fait positif.* Appuyé sur des faits d'expérience : *sciences positives.* Qui ne s'attache qu'aux choses réelles, pratiques : *esprit positif. Math.* Se dit des quantités affectées du signe +. N. m. *Gramm.* Terme constitué par un adjectif seul, et qui ne contient pas l'idée de comparaison.

position n. f. Situation d'une chose : *la position d'un navire échoué.* Orientation. Attitude : *position du corps.* Terrain occupé par les troupes. *Fig.* Emploi : *avoir une position avantageuse.*

positivisme n. m. Système de philosophie fondé par Auguste Comte et qui n'admet que les vérités constatées par l'observation.

positiviste adj. et n. Qui professe le positivisme.

positon n. m. Electron de charge positive.

possédé, e adj. *Fig.* Entièrement dominé : *possédé de la passion du jeu.* N. Démoniaque. Personne violente.

posséder v. tr. (Se conj. comme *accélérer.*) Avoir et pouvoir disposer de quelque chose : *posséder la fortune. Fig.* Connaître parfaitement : *posséder les mathématiques.*

possesseur n. m. Qui possède.

possessif, ive n. et adj. Se dit des mots qui expriment la possession : *adjectif, pronom possessif* (MON, MA, LE MIEN, etc.).

possession n. f. Jouissance d'un bien. Chose possédée : *possession coloniale.* Etat d'une personne dont, selon certaines croyances, le démon dirige les actes.
possibilité n. f. Qualité de ce qui est possible.
possible adj. Qui peut être, qui peut se faire : *le moins de fautes possible.* N. m. Ce que l'on peut : *faire son possible.*
postal, e, aux adj. Qui concerne la poste.
post-cure n. f. Période entre la cure et la reprise du travail.
postdater v. tr. Mettre une date postérieure à la date réelle.
poste n. f. Relais de chevaux pour le service des voyageurs (vx). Distance entre deux relais (vx). *Courir la poste,* aller très vite. Administration transportant les lettres, etc. Courrier, voiture qui les porte. Bureau où on les dépose.
poste n. m. Lieu où des gens, particulièrement des soldats, sont placés pour garder, surveiller ou combattre : *mourir à son poste.* Corps de garde. Soldats qui y sont placés. *Mar.* Logement : *poste des aspirants.* Emploi, fonction : *occuper un poste élevé.* Appareil de téléphone, de T.S.F., etc.
poster v. tr. Placer dans un poste : *poster des chasseurs, des assassins.* Mettre à la poste : *poster son courrier.*
postérieur, e* adj. Qui vient après : *fait postérieur.* Placé derrière : *partie postérieure du cou.* N. m. *Fam.* Derrière : *tomber sur le postérieur.*
posteriori (a) loc. adv. D'après les faits observés. *Méthode « a posteriori »,* méthode expérimentale.
postériorité n. f. Etat d'une chose postérieure à une autre.
postérité n. f. Descendance. Les générations futures.
posthume adj. Né après la mort de son père. Publié après le décès de l'auteur.
postiche adj. Fait et ajouté après coup. Qui remplace artificiellement la nature : *cheveux postiches. Fig.* et *fam.* Simulé. Non nécessaire, accessoire : *un vers postiche.* N. m. Ornement artificiel.
postier, ère n. Employé, employée de la poste.
postillon n. m. Conducteur de la poste aux chevaux (vx). Celui qui monte un des chevaux de devant d'un attelage. *Fam.* Parcelle de salive lancée en parlant.
postillonner v. intr. *Fam.* Projeter des postillons en parlant.
postscolaire adj. Qui a lieu après l'école.
post-scriptum n. m. invar. Ce qu'on ajoute à une lettre après la signature (en abrégé *P. S.*).
post-synchroniser v. tr. Enregistrer le son sur un film postérieurement à la prise de vues.
postulant, e n. Qui demande une place.
postulat n. m. Principe dont l'admission est nécessaire pour établir une démonstration.
postuler v. tr. Solliciter (une place).
posture n. f. Attitude, maintien. *Fig.* Situation : *être en bonne posture.*
pot n. m. Vase de terre ou de métal : *pot à fleurs.* Marmite de cuisine, son contenu. Vase de nuit. *A la fortune du pot,* sans cérémonie. *Pot pourri,* ragoût de plusieurs sortes de viandes et, au *fig.,* chanson sur différents airs; production littéraire de divers morceaux.
potable adj. Propre à être bu : *eau potable.* Liquide : *or potable. Fam.* Dont on peut se contenter : *un menu potable.*
potache n. m. *Fam.* Lycéen, collégien.
potage n. m. Bouillon dans lequel on a mis des légumes, etc. : *potage gras, maigre.*
potager, ère adj. Comestible. Où l'on cultive des légumes. N. m. Jardin pour la culture des légumes.
potasse n. f. Hydrate de potassium.
potassique adj. Se dit des dérivés du potassium.
potassium n. m. Corps simple, métallique, extrait de la potasse.
pot-au-feu n. m. invar. Mets composé de viande bouillie dans l'eau avec des légumes. Viande avec laquelle on prépare ce mets. Récipient dans lequel on le fait cuire. *Fig.* Terre à terre. Qui ne se plaît que chez soi. Adjectiv. : *ménage pot-au-feu.*
pot-de-vin n. m. Somme offerte à quelqu'un pour gagner son influence. Pl. des *pots-de-vin.*
poteau n. m. Pièce de charpente fixée verticalement : *poteau télégraphique. Turf.* Le point de départ ou d'arrivée.
potée n. f. Ce que contient un pot : *une potée d'eau.* Etain calciné, qui sert à polir.
potelé, e adj. Gras, arrondi.
potelet n. m. Petit poteau.
potence n. f. Instrument qui sert au supplice de la pendaison. Ce supplice. *Gibier de potence,* bandit. (Vx.)
potentat n. m. Souverain absolu d'un grand Etat. *Fig.* Supérieur qui se donne des airs d'autorité souveraine.
potentiel, elle adj. *Philos.* Qui n'est qu'en puissance : *qualité potentielle. Gramm.* Qui n'exprime que la possibilité d'action. N. m. *Phys.* Différence de niveau électrique entre deux conducteurs.
poterie n. f. Vaisselle de terre. Lieu où elle se fabrique. Art du potier. Tuyaux en terre cuite pour cheminées, etc.
poterne n. f. Porte de fortifications, donnant sur le fossé.
potiche n. f. Vase de porcelaine ou de verre décorés.
potier n. m. Celui qui fabrique ou vend de la poterie.
potin n. m. *Fam.* Tapage, cancan.
potiner v. intr. Faire des potins.
potinier, ère adj. *Fam.* Cancanier.
potion n. f. Médicament que l'on boit.
potiron n. m. Espèce de courge. Sorte de champignon.
pou n. m. Genre d'insectes parasites, vivant sur le corps de l'homme et de plusieurs animaux. Pl. des *poux.*
pouacre adj. *Fam.* Sale, dégoûtant.
pouah! interj. exprimant le dégoût.
poubelle n. f. Boîte à ordures.
pouce n. m. Le plus gros et le plus court des doigts de la main. Gros orteil. Anc. mesure de longueur (0,027 m).
poucettes n. f. pl. Corde pour attacher les pouces d'un prisonnier.
poudingue n. m. Agglomérat de cailloux réunis par un ciment.
poudre n. f. Poussière (vx). Substance pulvérisée : *sucre en poudre.* Composition

médicale, desséchée et broyée : *poudre vermifuge*. Amidon pulvérisé et parfumé : *poudre de riz*. *Poudre de chasse, à canon*, mélange inflammable de salpêtre, de charbon et de soufre. *Jeter de la poudre aux yeux*, en faire accroire.
poudrer v. tr. Couvrir d'une couche de poudre de riz, d'amidon, etc.
poudrerie n. f. Fabrique de poudre.
poudrette n. f. Matières fécales desséchées et réduites en poudre.
poudreux, euse adj. Couvert de poussière. N. f. Instrument servant aux pulvérisations. Petit meuble de toilette.
poudrier n. m. Boîte à poudre de riz.
poudrière n. f. Magasin à poudre.
poudroiement n. m. Caractère de ce qui poudroie.
poudroyer v. intr. (Se conj. comme *aboyer*.) S'élever en poussière; être couvert de poussière.
pouf! interj. exprimant le bruit de la chute ou d'une explosion. N. m. Gros tabouret capitonné.
pouffer v. intr. Eclater de rire.
pouille n. f. Reproches, injures (dans la locution *chanter pouilles*).
pouillerie n. f. *Pop.* Extrême pauvreté. Avarice. Lieu malpropre.
pouilleux, euse n. et adj. Qui a des poux. Personne misérable.
poulailler n. m. Bâtiment où on loge les poules. Lieu où elles juchent. Marchand de volailles. *Théât.* La galerie la plus élevée.
poulain n. m. Jeune cheval de moins de trente mois.
poulaine n. f. *Souliers à la poulaine*, à pointe recourbée.
poularde n. f. Jeune poule grasse.
poule n. f. Femelle du coq. Femelle de divers oiseaux : *poule faisane*. *Poule d'eau*, oiseau aquatique. *Fig. Poule mouillée*, personne pusillanime. *Avoir la chair de poule*, avoir le frisson, trembler.
poulet n. m. Petit d'une poule. *Fig.* Billet galant.
poulette n. f. Jeune poule. *Fam.* Jeune femme, jeune fille. *Cuis. Sauce poulette*, sauce faite avec du beurre, un jaune d'œuf et un peu de vinaigre.
pouliche n. f. Jument non adulte.
poulie n. f. Roue tournant sur un axe, et dont le tour, creusé d'une gorge, reçoit une corde pour élever les fardeaux.
pouliner v. intr. Mettre bas, en parlant d'une jument.
poulinière n. et adj. f. Se dit d'une jument destinée à la reproduction.
poulpe n. m. Grand mollusque céphalopode à longs tentacules.
pouls [*pou*] n. m. Battement des artères. *Prendre le pouls*, l'étudier. *Fig. Tâter le pouls à quelqu'un*, sonder ses dispositions.
poumon n. m. Viscère contenu dans le thorax et qui est le principal organe de la respiration.
poupard, e n. Enfant gras et joufflu. Personne grasse et joufflue. N. m. Poupée sans jambes, représentant un enfant en maillot.
poupe n. f. L'arrière d'un vaisseau.
poupée n. f. Petite figure humaine de cire, de carton, de bois, etc., servant de jouet. Mannequin des modistes et des tailleurs. *Fam.* Linge qui enveloppe un doigt malade. *Fig.* Personne insignifiante et très parée.
poupin, e adj. Se dit d'un visage frais, coloré.
poupon, onne n. Bébé. Jeune garçon, jeune fille à visage potelé.
pouponner v. intr. Soigner un bébé.
pouponnière n. f. Etablissement où l'on élève des nourrissons.
pour prép. Au profit de : *quêter pour les pauvres*. A la place de : *parler pour un autre*. A destination de : *partir pour Paris*. Destiné à : *ceci est pour vous*. Au lieu de : *prendre une chose pour une autre*. En faveur de : *avoir le droit pour soi*. Afin de : *pour s'instruire*. Envers : *l'amour d'une mère pour ses enfants*. Comme : *laisser pour mort*. De nature à : *ce n'est pas pour déplaire*. A cause de : *punir pour une faute*. Pendant : *pour deux ans*. Quant à : *pour moi, je n'y crois pas*. Loc. conj. : afin que; *pour peu que*, si peu que. N. m. : *le pour et le contre*.
pourboire n. m. Gratification.
pourceau n. m. Porc, cochon.
pour-cent, pourcentage n. m. Intérêt, commission, etc., sur cent unités.
pourchasser v. tr. Poursuivre.
pourchasseur n. m. Qui pourchasse.
pourfendeur n. m. Fanfaron.
pourfendre v. tr. Fendre en deux d'un coup de sabre, etc.
pourlécher (se) v. pr. (Se conj. comme *accélérer*.) Passer sa langue sur ses lèvres.
pourparlers n. m. pl. Conférence, entretien.
pourpier n. m. Plante alimentaire, à feuilles charnues.
pourpoint n. m. Ancien vêtement d'homme, sorte de veste piquée.
pourpre n. f. Couleur rouge, que les Anciens extrayaient d'un coquillage. Etoffe teinte en pourpre. *Poét.* Rouge, rougeur. *Fig.* Dignité souveraine dont la pourpre était la marque. Dignité de cardinal : *revêtir la pourpre*. N. m. Rouge foncé tirant sur le violet. L'un des émaux du blason. Adj. Rouge foncé : *pourpre de colère*.
pourpré, e adj. De couleur pourpre.
pourquoi conj. et adv. Pour quelle raison : *se fâcher sans savoir pourquoi*. Interrogativ. : *pourquoi partez-vous?* N. m. invar. Cause, raison : *nous ne savons le pourquoi de rien*. Question : *répondre à tous les pourquoi*.
pourrir v. intr. Se gâter par la décomposition : *fruits qui pourrissent*. *Fig.* Rester longtemps : *pourrir en prison*. V. tr. Corrompre : *l'eau pourrit le bois*.
pourriture n. f. Etat d'un corps en décomposition. Ce qui est pourri.
poursuite n. f. Action de poursuivre. Procédure pour se faire rendre justice : *entamer des poursuites*.
poursuivre v. tr. (Se conj. comme *suivre*.) Courir vivement pour atteindre : *poursuivre l'ennemi*. *Fig.* Chercher à obtenir : *poursuivre un emploi*. Continuer ce que l'on a commencé : *poursuivre une entreprise*. Agir en justice contre quelqu'un : *poursuivre un débiteur*. Tourmenter : *le remords poursuit le coupable*.
pourtant adv. Cependant.
pourtour n. m. Tour, circuit.

pourvoi n. m. Attaque devant une juridiction supérieure de la décision d'un tribunal. *Pourvoi en grâce,* demande au chef de l'Etat pour remise de peine.
pourvoir v. intr. (*Je pourvois, nous pourvoyons. Je pourvoyais, nous pourvoyions. Je pourvus, nous pourvûmes. Je pourvoirai, nous pourvoirons. Je pourvoirais, nous pourvoirions. Pourvois, pourvoyons, pourvoyez. Que je pourvoie, que nous pourvoyions. Que je pourvusse, que nous pourvussions. Pourvoyant. Pourvu, e.*) Parer, aviser à; fournir ce qui est nécessaire : *pourvoir aux besoins de quelqu'un.* V. tr. Munir, garnir. Etablir par mariage ou par emploi : *bien pourvoir ses enfants.* V. pr. Se munir : *se pourvoir d'argent. Dr.* Former un pourvoi.
pourvoyeur, euse n. Fournisseur.
pourvu que loc. conj. A condition que.
pousse n. f. Développement des graines et bourgeons des végétaux. Jeune branche : *pousse de sapin.* Développement, croissance : *la pousse des dents.*
pousse-café n. m. invar. *Fam.* Petit verre d'alcool après le café.
poussée n. f. Action de pousser. Son résultat. *Méd.* Manifestation brusque d'un mal : *poussée de fièvre.*
pousse-pousse n. m. invar. En Extrême-Orient, voiture légère à deux roues, traînée par un coureur.
pousser v. tr. Déplacer avec effort : *pousser une voiture.* Avancer : *pousser jusqu'à un endroit.* Porter : *pousser un coup d'épée.* Faire avancer : *pousser son cheval.* Travailler, perfectionner : *pousser un dessin.* Etendre : *trop pousser une raillerie.* Faire agir : *l'intérêt le pousse.* Jeter, exhaler : *pousser des cris.* V. intr. Naître, se développer : *les fleurs poussent; la barbe pousse.* V. pr. Se continuer. Avancer, progresser : *se pousser dans le monde.*
poussette n. f. Voiture d'enfant.
poussier n. m. Poussière de charbon.
poussière n. f. Terre réduite en poudre fine. *Fig.* Restes mortels.
poussiéreux, euse adj. Qui ressemble à la poussière. Couvert de poussière.
poussif, ive n. et adj. Maladivement essoufflé.
poussin n. m. Petit poulet.
poussinière n. f. Cage à poussins.
poussoir n. m. Bouton qu'on pousse pour actionner un mécanisme.
poutre n. f. Grosse pièce de bois équarrie. Barre de fer profilée.
poutrelle n. f. Petite poutre.
pouvoir v. tr. (*Je peux* ou *je puis, nous pouvons. Je pouvais, nous pouvions. Je pus, nous pûmes. Je pourrai, nous pourrons. Je pourrais, nous pourrions.* [Impér. inus.] *Que je puisse, que nous puissions. Que je pusse, que nous pussions. Pouvant. Pu.*) Avoir la faculté, le moyen, l'autorité, être en état de : *le travail peut mener à tout.* V. impers. Etre possible : *il peut arriver que...*
pouvoir n. m. Autorité, puissance : *parvenir au pouvoir.* Crédit, influence : *avoir du pouvoir.* Mandat, procuration : *donner un pouvoir par-devant notaire.* Personnes investies de l'autorité : *pouvoir législatif.* Pl. Droit d'exercer certaines fonctions : *les pouvoirs d'un ambassadeur.*
pragmatique adj. Qui tend à l'action; pratique.
pragmatisme n. m. Empirisme qui prend comme critérium de la vérité la valeur pratique.
prairial n. m. Neuvième mois de l'année républicaine (20 mai-18 juin).
prairie n. f. Terre qui produit de l'herbe ou du foin. *Prairie artificielle,* terre où l'on a semé du trèfle, du sainfoin, de la luzerne, etc.
praline n. f. Amande pralinée.
praliner v. tr. Faire rissoler dans le sucre.
praticable adj. Qu'on peut pratiquer. Où l'on peut passer. N. m. et adj. *Théât.* Se dit des décors, accessoires, qui sont réels et non simplement peints.
praticien, enne n. Médecin qui pratique son art. Homme de loi qui connaît à fond la procédure. Ouvrier qui dégrossit l'ouvrage de sculpture.
pratiquant, e adj. et n. Qui pratique sa religion.
pratique* adj. Qui ne s'en tient pas à la théorie. Qui est commode, profitable. N. f. application des règles et principes d'un art ou d'une science (s'oppose à *théorie*). Exécution, application : *mettre en pratique.* Usages, coutumes : *pratiques superstitieuses.* Chaland, acheteur : *perdre ses pratiques. Mar.* Communication : *libre pratique.* Petit instrument déformant la voix des montreurs de marionnettes. Pl. Exercices religieux : *pratiques de piété.*
pratiquer v. tr. Mettre en pratique, exercer : *pratiquer la vertu, la médecine.* Exécuter : *pratiquer un trou.*
pré n. m. Petite prairie.
préalable* adj. Qui doit être fait, dit, examiné d'abord. *Au préalable,* auparavant.
préambule n. m. Exorde, avant-propos.
préau n. m. Cour du cloître d'un couvent. Cour d'une prison. Partie couverte de la cour d'une école.
préavis n. m. Avis préalable.
prébende n. f. Revenu attaché à un titre ecclésiastique.
précaire adj. Qui n'offre aucune garantie de durée; *gouvernement, régime précaire.*
précarité n. f. Caractère précaire.
précaution n. f. Ce qu'on fait par prévoyance : *prenez vos précautions.* Circonspection, ménagement : *user de précautions.*
précautionner (se) v. pr. Se prémunir.
précautionneux, euse* adj. Qui prend des précautions : *voyageur précautionneux.*
précédemment adv. Auparavant.
précédent, e adj. Qui est immédiatement avant : *le jour précédent.* N. m. Fait, acte antérieur : *s'appuyer sur un précédent.*
précéder v. tr. (Se conj. comme *accélérer.*) Marcher devant. Avoir été auparavant : *la monarchie a précédé la république.* V. intr. Etre placé avant ou immédiatement avant : *l'exemple qui précède.*
précepte n. m. Commandement. Règle.
précepteur, trice n. Qui est chargé de l'éducation d'un enfant.
préceptoral, e, aux adj. Qui est propre au précepteur.
préceptorat n. m. Fonction de précepteur.
prêche n. m. Sermon d'un ministre protestant.

prêcher v. tr. Annoncer la parole de Dieu sous forme de sermon : *prêcher la foi.* Exhorter par des sermons. Recommander : *prêcher l'économie.* V. intr. *Prêcher d'exemple,* faire soi-même ce que l'on conseille aux autres.
prêcheur, euse n. et adj. Qui aime à sermonner, à faire la leçon. Prédicateur.
prêchi-prêcha n. m. *Pop.* Rabâchage.
précieux, euse* adj. De grand prix : *meubles précieux.* Très utile : *temps précieux. Fig.* Affecté, recherché. N. m. Genre précieux. N. f. Femme affectée et ridicule : *Molière a raillé les Précieuses.*
préciosité n. f. Affectation.
précipice n. m. Lieu profond et escarpé; gouffre.
précipitamment adv. Avec précipitation.
précipitation n. f. Phénomène par lequel un corps se sépare du liquide où il était dissous. Chute de pluie, de neige, etc. Extrême vitesse. Trop grand empressement.
précipité n. m. Chim. Dépôt qui se forme dans un liquide où s'opère une précipitation.
précipiter v. tr. Jeter d'un lieu élevé : *précipiter dans un ravin.* Accélérer : *précipiter sa marche.* Renverser. *Chim.* Séparer un solide du liquide où il est dissous. V. pr. Se jeter. S'élancer. Se déposer.
précis, e adj. Net, exact : *heure précise.* Net et formel : *ordre précis.* Concis : *style précis.* N. m. Abrégé.
précisément adv. Avec précision. Exactement, justement.
préciser v. tr. Déterminer d'une manière précise : *préciser un fait.*
précision n. f. Qualité de ce qui est précis. Exactitude rigoureuse.
précité, e adj. Cité précédemment.
précoce* adj. Mûr avant la saison : *fruit précoce.* Développé avant le temps normal.
précocité n. f. Qualité de ce qui est précoce : *précocité d'esprit.*
précolombien, enne adj. Antérieur aux découvertes de Christophe Colomb.
précompte n. m. Compte fait d'avance pour être déduit.
préconçu, e adj. Né dans l'esprit sans examen : *idée préconçue.*
préconiser v. tr. Vanter.
précurseur adj. Qui annonce : *signes précurseurs.* N. m. Qui vient avant quelqu'un, en annonce la venue.
prédécesseur n. m. Celui qui a précédé quelqu'un dans une charge, etc.
prédestination n. f. Doctrine suivant laquelle certains hommes sont d'avance élus, d'autres réprouvés. Détermination immuable de l'avenir.
prédestiner v. tr. Destiner de toute éternité au salut. *Par ext.* Fixer, décider, préparer, réserver d'avance.
prédéterminer v. tr. Déterminer d'avance.
prédicat n. m. *Philos.* Dans une proposition, ce qu'on affirme du sujet.
prédicateur, trice n. Personne qui prêche.
prédication n. f. Action de prêcher; sermon, exhortation.
prédiction n. f. Action de prédire. Chose prédite.
prédilection n. f. Préférence.
prédire v. tr. (Se conj comme *médire.*) Annoncer d'avance ce qui doit arriver.
prédisposer v. tr. Disposer d'avance.
prédisposition n. f. Aptitude, disposition naturelle à.
prédominance n. f. Caractère prédominant, action prédominante.
prédominer v. intr. Avoir le plus d'ascendant, d'influence. Prévaloir. Etre en plus grande quantité.
prééminence n. f. Supériorité.
prééminent, e adj. Supérieur.
préemption n. f. Achat antérieur, ou droit préférentiel d'achat.
préétablir v. tr. Etablir d'avance.
préexistence n. f. Existence antérieure : *la préexistence des âmes.*
préexister v. intr. Exister avant.
préfabriqué, e adj. Se dit d'une maison dont les éléments s'assemblent sur place.
préface n. f. Discours préliminaire en tête d'un livre. Partie de la messe qui précède le canon.
préfacer v. tr. (Se conj. comme *amorcer.*) Faire une préface : *préfacer un livre.*
préfectoral, e, aux adj. Du préfet.
préfecture n. f. Circonscription administrative d'un préfet. Fonction de préfet, sa durée. Hôtel et bureaux du préfet. Ville où réside un préfet.
préférable adj. Qui mérite d'être préféré.
préférence n. f. Action de préférer. Pl. Marques particulières d'affection ou d'honneur qu'on accorde à quelqu'un.
préférentiel, elle adj. De préférence.
préférer v. tr. (Se conj. comme *accélérer.*) Aimer ou estimer mieux.
préfet n. m. Administrateur civil d'un département. *Préfet de police,* magistrat chargé de la police dans le département de la Seine.
préfète n. f. *Fam.* Femme du préfet.
préfixe n. m. et adj. *Gramm.* Particule qui se place au commencement d'un mot pour en modifier le sens.
préfixer v. tr. Fixer d'avance.
préhenseur adj. m. Qui sert à la préhension : *organes préhenseurs.*
préhensile adj. Capable de préhension.
préhension n. f. Action de saisir.
préhistoire n. f. Ensemble des connaissances sur les temps qui ont précédé les temps historiques.
préhistorique adj. Qui a précédé les temps dits historiques.
préjudice n. m. Tort, dommage.
préjudiciable adj. Qui porte préjudice à quelque chose ou à quelqu'un.
préjudiciel, elle adj. *Question préjudicielle,* qui se juge avant la principale.
préjudicier v. intr. (Se conj. comme *prier.*) Porter préjudice.
préjugé n. m. Opinion qu'on se fait par avance ou sans examen.
préjuger v. tr. Juger d'avance, sans examen.
prélasser (se) v. pr. Prendre des airs de nonchalance.
prélat n. m. Dignitaire ecclésiastique.
prélature n. f. Dignité de prélat.
prèle n. f. Genre de cryptogames.
prélèvement n. m. Action de prélever. Matière prélevée.
prélever v. tr. (Prend un *è* ouvert devant une syllabe muette : *je prélèverai.*) Lever préalablement une certaine portion sur un total : *prélever la dîme.*

préliminaire adj. Qui précède : *discours préliminaire*. N. m. pl. Ce qui précède et prépare : *préliminaires de la paix*.

prélude n. m. Introduction à une œuvre musicale. *Fig.* Ce qui fait présager : *les frissons sont le prélude de la fièvre*.

préluder v. intr. Essayer sa voix, un instrument. Improviser sur le piano, sur l'orgue, etc. Commencer par une chose, pour en venir à une autre.

prématuré*, e adj. Qui mûrit avant le temps ordinaire. *Fig.* Fait avant le temps convenable : *entreprise prématurée*. Qui vient avant le temps ordinaire : *vieillesse prématurée*.

préméditation n. f. Action de préméditer.

préméditer v. tr. Résoudre après réflexion.

prémices n. f. pl. Premiers produits de la terre ou du bétail. *Fig.* Premières productions d'un auteur.

premier, ere* adj. Qui précède les autres : *le premier homme, le premier jour*. Le meilleur, le plus remarquable : *le premier savant de cette époque*. Elémentaire : *premières connaissances*. *Matières premières*, non encore travaillées. *Nombre premier*, divisible seulement par lui-même ou par l'unité. N. m. Etage immédiatement au-dessus du rez-de-chaussée ou de l'entresol. N. *Théat.* *Jeune premier, jeune première*, acteurs qui jouent les amoureux. N. f. Première représentation d'une pièce. Place de première classe.

premier-né n. m. Premier enfant qui naît dans une famille. N. f. : *une premier-née* ou *une première-née*. Pl. des *premiers-nés*.

prémisse n. f. Chacune des deux premières propositions d'un syllogisme.

prémonitoire adj. Qui présage.

prémunir v. tr. Garantir : *prémunir quelqu'un contre le froid*.

prenable adj. Qui peut être pris.

prénatal, e, als adj. Qui précède la naissance.

prendre v. tr. (*Je prends, nous prenons. Je prenais, nous prenions. Je pris, nous prîmes. Je prendrai, nous prendrons. Prends, prenons, prenez. Que je prenne, que nous prenions. Que je prisse, que nous prissions. Prenant. Pris, e.*) Saisir, tenir : *prendre un livre*. S'emparer de : *prendre une ville*. Chercher : *j'irai vous prendre*. Se munir de : *prendre un chapeau*. Surprendre : *je t'y prends!* Accepter, emporter : *prenez ce qu'on vous offre*. Manger, boire : *prendre une collation*. Demander, exiger comme prix : *prendre cher*. Extraire : *prendre un exemple dans un livre*. Soutenir : *prendre les intérêts de quelqu'un*. V. intr. S'enraciner : *cet arbre prend*. Geler : *la rivière a pris*. Se cailler : *le lait prend*. *Fig.* Réussir : *ce livre a pris*. V. pr. *S'y prendre bien* (ou *mal*), être plus ou moins adroit. *S'en prendre à quelqu'un*, lui faire des reproches.

preneur, euse n. Qui prend.

prénom n. m. Petit nom ou nom de baptême : *Pierre, Jacqueline*.

prénommé, e n. et adj. Personne qui a déjà été nommée. Qui a pour prénom.

prénuptial, e, aux adj. Qui précède le mariage.

préoccupation n. f. Etat d'un esprit absorbé par un objet. Inquiétude, prévention : *juger sans préoccupation*.

préoccuper v. tr. Absorber complètement. V. pr. S'occuper fortement.

préparateur, trice n. Qui prépare.

préparatif n. m. Apprêt : *préparatifs de guerre; faire ses préparatifs*.

préparation n. f. Action de préparer, de se préparer.

préparatoire adj. Qui prépare : *école, cours préparatoire*.

préparer v. tr. Mettre en état d'utilisation. Amener progressivement.

prépondérance n. f. Supériorité.

prépondérant, e adj. Qui a plus de poids, d'importance.

préposé, e adj. Chargé d'un service.

préposer v. tr. Commettre à la garde, à la direction de : *préposer quelqu'un à la vente*.

préposition n. f. Mot invariable qui en unit d'autres en exprimant le rapport qu'ils ont entre eux (*à, de, par, en, chez, sur*, etc.).

prérogative n. f. Privilège exclusif.

près adv. A une faible distance. En un temps prochain. *De près*, d'un lieu peu éloigné. Au ras : *rasé de près*. Avec grand soin : *surveiller de près*. Prép. A proximité de. Délégué auprès de : *notre ambassadeur près un roi*. *Près de*, dans le voisinage de. Sur le point de : *près de finir*. Presque : *ils étaient près de deux cents*.

présage n. m. Signe d'après lequel on préjuge l'avenir.

présager v. tr. (Se conj. comme *manger*.) Annoncer, faire prévoir.

pré-salé n. m. Mouton engraissé dans des prés voisins de la mer. Viande de ce mouton. Pl. des *prés-salés*.

presbyte n. et adj. Qui ne voit bien que de loin.

presbytère n. m. Habitation du curé.

presbytie [*sî*] n. f. Etat du presbyte.

prescience n. f. Science innée. Connaissance de l'avenir.

prescriptible adj. *Dr.* Sujet à prescription.

prescription n. f. Ordre formel et détaillé. Ordonnance, précepte. Ordonnance de médecin. *Dr.* Acquisition d'un droit par une possession non interrompue, ou disparition d'un droit par son non-exercice dans le temps voulu.

prescrire v. tr. (Se conj. comme *écrire*.) Ordonner : *prescrire un calmant*. *Dr.* Acquérir ou se libérer par prescription. V. pr. Se perdre par prescription.

préséance n. f. Droit de prendre place au-dessus de quelqu'un, ou de le précéder.

présence n. f. Fait, pour une personne, une chose, de se trouver dans un lieu : *faire acte de présence*. *Présence d'esprit*, promptitude à dire ou à faire ce qu'il faut.

présent n. m. Don, cadeau.

présent, e adj. Qui est dans le lieu dont on parle dans le temps actuel : *être présent à une réunion*. Que l'on tient, que l'on montre : *le présent ouvrage*. *La présente*, cette lettre-ci. N. m. *Gramm.* Temps du verbe qui indique l'action au moment actuel.

présentable adj. Que l'on peut présenter.

présentation n. f. Action de présenter.

présentement adv. Actuellement.

présenter v. tr. Tendre, offrir : *présenter un bouquet*. Introduire : *présenter quelqu'un dans un cercle*. Montrer : *présenter un bel aspect*. Offrir : *présenter des ressources*. V. pr. Paraître devant quelqu'un. Apparaître : *une difficulté se présente*.

préservateur, trice adj. et **préservatif, ive** adj. et n. m. Qui préserve.
préservation n. f. Action de préserver; garantie.
préserver v. tr. Garantir, mettre à l'abri de.
présidence n. f. Fonction de président. Temps pendant lequel on l'exerce. Bureau d'un président.
président n. m. Qui préside une assemblée. Premier magistrat de certaines républiques.
présidente n. f. Celle qui préside. Femme d'un président.
présidentiel, elle adj. Qui concerne le président.
présider v. tr. Etre à la tête de, diriger : *présider une assemblée.* V. intr. *Présider à,* diriger : *présider aux préparatifs.*
présomptif, ive adj. Désigné d'avance : *héritier présomptif.*
présomption n. f. Action de présumer. Jugement fondé sur de simples indices. Opinion trop favorable de soi-même.
présomptueux, euse n. et adj. Qui a une opinion trop favorable de soi : *un jeune présomptueux.* Adj. Qui marque la présomption : *paroles présomptueuses.*
presque adv. Environ, à peu près. (La voyelle *e* ne s'élide que dans *presqu'île.*)
presqu'île n. f. Portion de terre entourée d'eau sauf d'un côté.
pressage n. m. Action de presser.
presse n. f. Multitude serrée. *Fam.* Empressement. Hâte : *un moment de presse.* Machine destinée à opérer une compression : *presse hydraulique.* Machine à imprimer : *ouvrage sous presse.* Les journaux : *la liberté de la presse.*
pressé, e adj. Comprimé : *citron pressé.* Urgent : *commission pressée.* Qui a hâte : *être pressé.* Attaqué, tourmenté : *pressé par l'ennemi, par la soif.*
presse-citron n. m. invar. Appareil pour extraire le jus des citrons.
pressentiment n. m. Sentiment vague de ce qui doit arriver.
pressentir v. tr. Avoir un pressentiment. Entrevoir : *laisser pressentir la fin.* Tâcher de pénétrer les sentiments de quelqu'un.
presse-papiers n. m. invar. Objet pour maintenir des papiers sur la table.
presse-purée n. m. invar. Ustensile pour réduire des aliments en purée.
presser v. tr. Peser sur, serrer avec plus ou moins de force. Resserrer. Poursuivre sans relâche : *presser l'ennemi.* Hâter : *presser son départ.* V. intr. Ne souffrir aucun délai : *affaire qui presse.*
pression n. f. Action de presser. *Fig.* Influence qui contraint.
pressoir n. m. Machine pour presser le raisin, les pommes, les graines oléagineuses, etc. Lieu où se trouve cette machine.
pressurage n. m. Action de pressurer.
pressurer v. tr. Soumettre à l'action du pressoir. *Fig.* Epuiser par les impôts : *pressurer un peuple.* Extorquer de l'argent.
prestance n. f. Maintien imposant.
prestataire n. m. Contribuable soumis à la prestation en nature.
prestation n. f. Action de fournir. Action de prêter serment. Impôt communal affecté à l'entretien des chemins vicinaux et payable en argent ou en nature. Fourniture, service. Allocation.
preste* adj. Adroit, agile.
prestesse n. f. Agilité, vivacité.
prestidigitateur n. m. Qui fait des tours de prestidigitation.
prestidigitation n. f. Art de produire des illusions par l'adresse des mains, par des trucs, etc.
prestige n. m. Illusion opérée par artifice, sortilège. Illusion en général. *Fig.* Charme, séduction. Influence, éclat, crédit.
prestigieux, euse adj. Qui a du prestige ou de l'éclat.
présumable [*zu*] adj. Qu'on peut présumer.
présumé, e [*zu*] adj. Cru par supposition : *présumé innocent.*
présumer [*zu*] v. tr. Conjecturer, présupposer. V. intr. Avoir trop bonne opinion : *présumer de son talent.*
présupposer [*pré-su*] v. tr. Supposer, admettre préalablement.
présure [*zu*] n. f. Diastase retirée de l'estomac des jeunes ruminants et qui sert à faire cailler le lait.
prêt n. m. Action de prêter. Chose, somme prêtée. Solde des sous-officiers et soldats.
prêt, e adj. Disposé à, en état de, décidé à : *prêt à partir.*
prétantaine n. f. *Courir la prétantaine,* être d'humeur vagabonde.
prêté n. m. *C'est un prêté pour un rendu,* les représailles viendront.
prétendant, e n. Qui aspire à. N. m. Prince qui prétend avoir des droits à un trône. Qui aspire à la main d'une femme.
prétendre v. tr. (Se conj. comme *rendre.*) Réclamer, vouloir, exiger : *que prétendez-vous faire?* Affirmer : *je prétends que c'est vrai.* V. intr. Aspirer à : *prétendre aux honneurs, à la main d'une jeune fille.*
prétendu*, e adj. Supposé : *un prétendu médecin.* N. Fiancé.
prête-nom n. m. Celui qui figure dans un contrat à la place du véritable contractant.
prétentieux, euse* adj. Qui a des prétentions, de la prétention.
prétention n. f. Privilège que l'on réclame. Confiance vaniteuse en son mérite.
prêter v. tr. Céder pour un temps. Fournir : *prêter secours.* Attribuer : *prêter un sentiment à quelqu'un. Prêter la main,* aider. *Prêter l'oreille,* écouter. *Prêter serment,* jurer. *Prêter le flanc,* donner prise. V. pr. Consentir : *se prêter à un jeu.*
prétérition n. f. Figure de rhétorique par laquelle on prétend ne pas parler d'une chose dont on parle néanmoins.
prêteur, euse adj. et n. Qui prête. N. m. Magistrat qui rendait la justice à Rome.
prétexte n. m. Raison apparente pour cacher le vrai motif : *chercher le prétexte d'un refus. Sous prétexte,* en prétendant que.
prétexter v. tr. Alléguer pour prétexte.
prétoire n. m. Tribunal du prêteur romain. Tribunal en général.
prêtre n. m. Ministre d'un culte.
prêtresse n. f. *Antiq.* Femme chargée de fonctions sacerdotales.
prêtrise n. f. Sacerdoce.
preuve n. f. Ce qui démontre la vérité d'une chose. Marque, témoignage : *preuve d'affection.* Vérification de l'exactitude d'un calcul. *Faire preuve de,* montrer. *Faire ses preuves,* manifester sa valeur.
preux n. et adj. Vaillant.

prévaloir v. intr. (Se conj. comme *valoir*, excepté au subj. prés. : *que je prévale, que nous prévalions.*) Avoir, remporter l'avantage : *son opinion a prévalu; faire prévaloir ses idées.* V. pr. S'enorgueillir.
prévaricateur, trice n. et adj. Qui prévarique : *juge prévaricateur.*
prévarication n. f. Action de prévariquer.
prévariquer v. intr. Manquer, par intérêt ou mauvaise foi, aux devoirs de sa charge.
prévenance n. f. Caractère ou action de celui qui est prévenant.
prévenant, e adj. Qui prévient les désirs de quelqu'un : *soins prévenants.* Qui dispose en faveur de quelqu'un.
prévenir v. tr. (Se conj. comme *venir.*) Devancer : *prévenir un concurrent.* Détourner : *prévenir un malheur.* Aller au-devant : *prévenir un désir, des objections.* Avertir : *prévenir les pompiers.*
préventif, ive* adj. Qui prévient, qui empêche. *Détention préventive,* appliquée avant tout jugement.
prévention n. f. Opinion qui précède tout examen. Etat d'un individu inculpé. Temps passé en prison avant le jugement.
préventorium [*ryom*] n. m. Etablissement où l'on soigne les malades préventivement.
prévenu, e adj. Devancé. Informé. Influencé. Disposé : *être prévenu contre quelqu'un.* Accusé : *prévenu de vol.* N. : *juger un prévenu.*
prévision n. f. Conjecture.
prévoir v. tr. (Se conj. comme *voir,* excepté au fut., *je prévoirai,* et au condit., *je prévoirais.*) Concevoir par avance : *prévoir un événement.*
prévôt n. m. Titre de différents officiers ou magistrats anciens. Sous-maître d'une salle d'armes. Commandant de gendarmerie du quartier général d'un corps d'armée.
prévôtal, e, aux adj. Qui concerne le prévôt.
prévôté n. f. Fonction, juridiction de prévôt. *Milit.* Corps de gendarmes chargés du service prévôtal dans une armée.
prévoyance n. f. Faculté de prévoir. Action de prévoir.
prévoyant, e adj. Qui montre de la prévoyance : *des soins prévoyants.*
prie-Dieu n. m. invar. Meuble sur lequel on s'agenouille pour prier.
prier v. tr. (Prend deux *i* de suite aux deux prem. pers. du plur. de l'imparf. de l'indic. et du prés. du subj. : *Nous priions, vous priiez. Que nous priions, que vous priiez.*) Conjurer ou honorer la Divinité par des paroles : *prier Dieu.* Demander avec instance, quelquefois avec humilité : *prier un juge. Se faire prier,* résister longuement aux instances de quelqu'un.
prière n. f. Supplication adressée à la Divinité. Demande instante. Injonction polie.
prieur, e n. et adj. Supérieur, supérieure de monastère.
prieuré n. m. Dignité de prieur, de prieure. Communauté gouvernée par un prieur, une prieure.
primaire adj. Du premier degré : *enseignement primaire. Géol.* Se dit des plus anciens terrains sédimentaires.
primat n. m. Prélat qui avait juridiction sur un certain nombre d'archevêques et d'évêques.
primates n. m. pl. Ordre de mammifères, comprenant les singes.
primauté n. f. Prééminence.
prime n. f. Somme donnée pour prix d'une assurance. Récompense donnée par l'Etat pour l'encouragement du commerce, de l'agriculture, etc. Cadeau offert à un acheteur, etc. Excédent du prix d'une valeur de Bourse sur le prix d'émission. *Faire prime,* être recherché.
prime adj. Premier : *de prime abord, prime jeunesse.* Se dit en algèbre, en géométrie, d'une lettre affectée d'un accent : *b'* s'énonce *b prime.* N. f. Première des heures canoniales. Première position en escrime.
primer v. tr. Devancer, surpasser. V. intr. Tenir le premier rang.
primerose n. f. Rose trémière.
primesautier, ère adj. Qui agit de premier mouvement.
primeur n. f. Début, nouveauté. Fruit, légume obtenu avant l'époque normale de sa maturité.
primevère n. f. Plante d'ornement.
primitif, ive* adj. Qui appartient au premier état des choses : *forme primitive.* N. m. Peintre ou sculpteur qui a précédé la Renaissance.
primo adv. Premièrement.
primogéniture n. f. Aînesse.
primordial, e, aux adj. Primitif.
prince n. m. Celui qui possède une souveraineté, ou qui appartient à une famille souveraine. Roi, empereur : *Charlemagne fut un grand prince. Princes de l'Eglise,* les cardinaux, les évêques. *Fig.* Le premier par son mérite, sa situation.
princeps [*sèps*] adj. *Edition princeps,* la première édition d'un ouvrage.
princesse n. f. Fille ou femme d'un prince. Souveraine d'un pays.
princier, ère* adj. De prince.
principal, e*, aux adj. Le plus considérable, le plus important. Qui est en première ligne, au premier rang. N. m. Ce qu'il y a de plus important. Capital d'une dette : *principal et intérêts.* Chef d'un collège.
principauté n. f. Dignité de prince. Etat dont le chef a le titre de prince : *la principauté de Monaco.* Pl. Troisième chœur des anges.
principe n. m. Début, origine. Première cause, raison : *le travail est le principe de toute richesse.* Eléments, matière essentielle : *le principe de la chaleur.* Opinion, manière de voir : *fidèle à ses principes.* Loi : *principe d'Archimède.* Pl. Premières règles d'une science, d'un art, etc. Règles de morale : *avoir des principes.*
printanier, ère adj. Relatif au printemps.
printemps n. m. La première saison de l'année (21 mars-21 juin). Température douce du printemps. *Fig.* Premier temps, jeunesse. Année : *avoir seize printemps.*
priori (a) loc. adv. D'après un principe antérieur à l'expérience.
priorité n. f. Antériorité : *priorité de date.* Droit d'agir, de parler le premier : *avoir la priorité sur la route.* Préférence.
prisable adj. Estimable.
prise n. f. Action de prendre. Chose, personne prise. Facilité de saisir : *n'avoir pas de prise.* Pincée : *prise de tabac.* Coagulation, solidification : *la prise du*

ciment. Dérivation : *prise de vapeur, de courant, d'eau, de terre.* Engrenage : *prise directe. Prise de corps,* arrestation. *Prise de possession,* entrée en possession. *Donner prise,* s'exposer.

priser v. tr. Evaluer. Faire cas de. Aspirer par le nez : *priser du tabac.*

prismatique adj. En forme de prisme.

prisme n. m. Polyèdre dont les bases sont deux polygones égaux à côtés parallèles, les faces latérales étant des parallélogrammes. *Phys.* Prisme en cristal, qui décompose la lumière. *Fig.* Ce qui déforme les choses.

prison n. f. Lieu où l'on enferme les criminels, les accusés. Emprisonnement. *Fig.* Demeure triste.

prisonnier, ère n. et adj. Qui est détenu en prison : *prisonnier de guerre.*

privatif, ive adj. *Gramm.* Se dit des particules marquant privation : *a, in,* etc.

privation n. f. Le fait d'être privé, de se priver de. Absence de.

privauté n. f. Familiarité excessive.

privé, e adj. Sans fonctions publiques ; non public. Intérieur, intime : *la vie privée.* N. m. Vie intime.

priver v. tr. Déposséder, ôter, refuser : *priver quelqu'un de la vie.*

privilège n. m. Avantage personnel, exclusif. Droit : *les privilèges de l'âge.*

privilégier v. tr. (Se conj. comme *prier.*) Accorder un privilège.

prix n. m. Valeur vénale d'une chose : *objet de grand prix.* Récompense : *prix d'honneur.* Personne qui a obtenu un prix : *un prix de Rome. A tout prix,* coûte que coûte.

probabilité n. f. Caractère de ce qui est probable, vraisemblable.

probable* adj. Vraisemblable.

probant, e adj. Qui prouve.

probatoire adj. Propre à éprouver quelqu'un.

probe adj. Très honnête.

probité n. f. Grande honnêteté.

poblématique adj. Douteux.

problème n. m. Question à résoudre par des procédés scientifiques : *problème d'algèbre.* Ce qui est difficile à expliquer : *ses ressources sont un problème.*

procédé n. m. Manière d'agir avec les autres. Méthode à suivre pour une opération : *simplifier un procédé.* Rondelle de cuir des queues de billard.

procéder v. intr. Agir, opérer : *procéder avec ordre.* Agir en justice. Provenir, prendre son origine.

procédure n. f. Formalités judiciaires.

procédurier, ère adj. Qui entend, qui aime la procédure.

procès n. m. Affaire poursuivie en justice.

processif, ive adj. Ami des procès.

procession n. f. Marche solennelle, d'un caractère religieux, accompagnée de chants et de prières. *Fam.* Longue suite de personnes.

processionnaire adj. et n. f. Se dit de certaines chenilles.

processionner v. intr. Faire une procession.

processus n. m. Marche, progrès.

procès-verbal n. m. Acte d'un officier de justice constatant un fait. Pl. des *procès-verbaux.*

prochain n. m. Ensemble des hommes, humanité, par rapport à un homme.

prochain, e* adj. Voisin : *la ville prochaine.* Qui viendra bientôt : *semaine prochaine.*

proche adj. Qui est près : *proche voisin; l'heure est proche.* Prép. et adv. Près : *proche l'église* (vx). N. m. pl. Parents.

proclamation n. f. Action de proclamer. Texte proclamé.

proclamer v. tr. Publier à haute voix, avec solennité. Divulguer, révéler.

proconsul n. m. Ancien magistrat romain. *Fig.* Homme au pouvoir despotique.

procréation n. f. Génération.

procréer v. tr. Engendrer.

procuration n. f. Pouvoir qu'une personne donne à une autre pour agir en son nom.

procurer v. tr. Faire obtenir : *procurer une place à quelqu'un.*

procureur n. m. *Procureur général,* magistrat qui exerce les fonctions du ministère public près la Cour de cassation, etc. *Procureur de la République,* magistrat qui exerce les fonctions du ministère public près les tribunaux de première instance.

prodigalité n. f. Caractère du prodigue. Pl. Dépenses folles.

prodige n. m. Ce qui semble en contradiction avec les lois de la nature. Chose surprenante. N. et adj. Personne extraordinaire : *un jeune musicien prodige.*

prodigieux, euse* adj. Extraordinaire.

prodigue n. et adj. Qui dissipe en folles dépenses.

prodiguer v. tr. Dépenser en prodigue. Donner sans mesure : *prodiguer les éloges.* Ne pas ménager : *prodiguer ses soins.*

prodrome n. m. *Méd.* Etat d'indisposition qui précède une maladie.

producteur, trice n. et adj. Qui produit, crée quelque chose.

productible adj. Qui peut être produit.

productif, ive adj. Qui produit ou rapporte : *productif d'intérêt.*

production n. f. Action de produire. Produit : *les productions du sol.*

productivité n. f. Faculté de produire.

produire v. tr. Engendrer, porter : *les arbres produisent les fruits.* Rapporter. Occasionner. Présenter : *produire des titres.* Donner naissance. Créer : *l'art produit des merveilles.* V. pr. Se montrer, se faire connaître au public.

produit n. m. Production : *les produits du sol.* Bénéfice : *les produits d'une charge. Arith,* Résultat de la multiplication.

proéminence n. f. Saillie.

proéminent, e adj. Saillant.

profanateur, trice n. et adj. Qui profane.

profanation n. f. Action de profaner.

profane adj. Etranger à la religion : *histoire profane.* Non initié à une secte religieuse. Personne étrangère à une association, etc. ; non initié. N. m. Choses profanes : *le profane et le sacré.*

profaner v. tr. Traiter avec mépris des choses saintes. *Fig.* Avilir.

proférer v. tr. (Se conj. comme *accélérer.*) Prononcer : *proférer des injures.*

professer v. tr. Déclarer hautement : *professer une opinion.* Exercer : *professer la médecine.* Enseigner : *professer l'histoire.*

professeur n. m. Personne qui enseigne une science, un art.

profession n. f. Déclaration publique : *profession de foi. Faire profession de,* se vanter de. Etat, métier, emploi : *exercer une profession. De profession,* par état. Acte par lequel un religieux, une religieuse prononce ses vœux.

professionnel, elle* adj. Relatif à une profession : *enseignement professionnel.* N. Personne qui fait une chose par métier.

professoral, e, aux adj. Relatif au professeur.

professorat n. m. Fonction de professeur.

profil n. m. Traits du visage d'une personne vu de côté. *Archit.* Coupe d'un bâtiment pour en montrer l'intérieur.

profiler v. tr. Représenter en profil. Donner un profil convenable à quelque chose. V. pr. Se présenter de profil.

profit n. m. Gain, bénéfice. Avantage, utilité. *Comm. Profits et pertes,* gains ou déficits imprévus.

profitable* adj. Avantageux, utile.

profiter v. intr. Tirer un avantage, une utilité : *profiter des circonstances.* Progresser : *profiter en sagesse.* Grandir, grossir : *enfant qui profite.*

profiteur, euse adj. et n. Qui tire profit de tout : *les profiteurs de guerre.*

profond, e adj. Qui a de la profondeur : *puits profond. Fig.* Grand, extrême : *profonde douleur.* Obscur : *profond mystère.*

profondément adv. A une grande profondeur. Extrêmement : *profondément ému.*

profondeur n. f. Distance de l'entrée jusqu'au fond : *profondeur d'un trou, d'une boîte. Fig.* Pénétration d'esprit : *profondeur de vues.*

profusion n. f. Grande abondance.

progéniture n. f. Enfants.

prognathe [*g-n*] adj. Qui a les mâchoires allongées en avant.

prognathisme n. m. Caractère du prognathe.

programme n. m. Annonce des détails d'une fête, des conditions d'un concours, des matières d'un cours, d'un examen, etc. *Fig.* Projet : *renoncer à son programme.*

progrès n. m. Marche en avant. Développement de la civilisation.

progresser v. intr. Faire des progrès, aller de l'avant : *armée qui progresse.*

progressif, ive* adj. Qui avance par degrés : *marche progressive.* Qui suit une voie d'amélioration.

progression n. f. Marche en avant par degrés. *Math.* Suite de nombres tels que chacun d'eux est égal au précédent, augmenté ou diminué (*progression arithmétique*) d'un nombre constant appelé *raison,* ou multiplié ou divisé (*progression géométrique*) par ce nombre constant.

progressiste n. et adj. Partisan du progrès. Favorable au progrès.

prohiber v. tr. Interdire.

prohibitif, ive adj. Qui prohibe.

prohibition n. f. Interdiction légale.

prohibitionniste n. et adj. Partisan d'une prohibition : *les prohibitionnistes de l'alcool.*

proie n. f. Ce dont on s'empare : *tigre emportant sa proie.* Victime : *être la proie des inquisiteurs. Fig. : être la proie des flammes. En proie à,* victime de, sujet à. *Oiseau de proie,* oiseau carnassier.

projecteur n. m. Appareil pour projeter un faisceau lumineux.

projectile n. m. Tout corps lancé.

projection n. f. Action de lancer. Lumière, image projetée sur un écran. *Géom.* Représentation géométrique d'un corps suivant certaines règles.

projet n. m. Ce que l'on projette de faire : *projet hardi.* Première représentation; première rédaction : *projet de loi.*

projeter v. tr. (Se conj. comme *jeter.*) Lancer : *projeter une pierre.* Emettre : *projeter de la lumière. Géom.* Effectuer une projection. Former un dessein : *projeter de venir.*

prolétaire n. Qui n'a pour vivre que le produit de son travail.

prolétariat n. m. Classe des prolétaires.

prolétarien, enne adj. Relatif au prolétariat.

prolifération n. f. Multiplication d'une cellule par division.

prolifère adj. Qui se multiplie.

prolifique adj. Qui se multiplie vite.

prolixe adj. Diffus, trop long.

prolixité n. f. Caractère de celui qui est prolixe.

prologue n. m. Morceau qui sert de prélude à une pièce de théâtre. Avant-propos. *Fig.* Préliminaire.

prolongation n. f. Action de prolonger; délai accordé.

prolonge n. f. Nom donné à différentes voitures de l'artillerie, du génie, et du train des équipages.

prolongement n. m. Extension.

prolonger v. tr. (Se conj. comme *manger.*) Accroître la longueur, la durée.

promenade n. f. Action de se promener. Lieu où l'on se promène.

promener v. tr. (Se conj. comme *mener.*) Conduire en divers lieux pour un motif quelconque. *Fig.* Porter, diriger de côté et d'autre : *promener ses regards, son ennui.*

promeneur, euse n. Qui se promène.

promenoir n. m. Lieu couvert, destiné à la promenade. Partie d'une salle de spectacle, etc., où l'on peut circuler ou rester debout.

promesse n. f. Assurance donnée.

prometteur, euse n. *Fam.* Qui promet. Adj. Plein de promesses.

promettre v. tr. (Se conj. comme *mettre.*) S'engager à faire, à donner : *promettre de payer. Fig.* Annoncer, prédire : *le temps promet la pluie.* V. intr. Donner des espérances : *enfant qui promet.* V. pr. Prendre une ferme résolution : *se promettre de travailler.* Espérer.

promis, e n. Fiancé, fiancée.

promiscuité n. f. Mélange de personnes.

promontoire n. m. Cap élevé.

promoteur, trice n. Qui donne la première impulsion.

promotion n. f. Elévation à un grade, à une dignité. Ensemble de personnes promues : *une promotion d'officiers.*

promouvoir v. tr. (Usité aux temps composés et au passif : *être promu.*) Elever à quelque dignité.

prompt, e* adj. Qui ne tarde pas : *prompte guérison.* Qui va, agit vite : *esprit prompt.* Actif, diligent.

promptitude n. f. Caractère de ce qui est prompt; diligence, célérité. Faculté de saisir rapidement.

promulgation n. f. Publication.

promulguer v. tr. Publier officiellement.

prône n. m. Lecture des annonces, faite le dimanche à la messe.

prôner v. tr. Vanter, louer : *prôner la vertu.*
pronom n. m. Mot qui tient la place du nom. Il y a six sortes de pronoms : *personnels, possessifs, démonstratifs, relatifs, interrogatifs, indéfinis.*
pronominal, e*, aux adj. Qui appartient au pronom. *Verbe pronominal,* verbe qui se conjugue avec deux pronoms de la même personne : *il se flatte ; nous nous avançons.*
prononcer v. tr. (Se conj. comme *amorcer.*) Articuler, proférer : *prononcer les mots, un discours.* Déclarer avec autorité : *prononcer un arrêt.* V. intr. Déclarer : *le tribunal a prononcé.* V. pr. Manifester sa pensée.
prononciation n. f. Action de prononcer. Manière de prononcer.
pronostic n. m. Prévision.
pronostiquer v. tr. Prévoir, annoncer.
propagande n. f. Tout ce qu'on fait pour répandre activement une opinion.
propagandiste n. et adj. Qui fait de la propagande.
propagateur, trice n. et adj. Qui propage.
propagation n. f. Multiplication des êtres : *propagation du genre humain. Fig.* Extension, développement : *la propagation des idées.* Phys. Transmission du son, de la lumière, des ondes électriques.
propager v. tr. (Se conj. comme *manger.*) Multiplier. Répandre : *propager les lumières.*
propension n. f. Tendance naturelle. Penchant : *propension au bien.*
prophète, étesse n. Qui prédit par inspiration divine. *Absol. Le Prophète,* Mahomet. *Fig.* Qui annonce l'avenir par conjecture : *prophète de malheur.*
prophétie [*sî*] n. f. Prédiction.
prophétique* adj. Qui appartient au prophète.
prophétiser v. tr. Prédire l'avenir par inspiration divine. *Par ext.* Prévoir.
prophylactique adj. Relatif à la prophylaxie.
prophylaxie n. f. Ensemble des moyens propres à garantir contre les maladies.
propice adj. Favorable.
propitiation [*sya-syon*] n. f. Intercession.
propitiatoire [*sya*] adj. Qui rend propice.
propolis [*liss*] n. f. Matière dont les abeilles se servent pour boucher les fentes des ruches.
proportion n. f. Rapport des parties entre elles et avec leur tout. Dimension : *ouvrage de grandes proportions.* Etendue : *les proportions d'une catastrophe. Math.* Egalité de deux rapports.
proportionnel, elle* [*syo*] adj. En proportion avec d'autres quantités.
proportionner v. tr. Mettre en proportion; donner des formes harmonieuses.
propos n. m. Résolution, dessein : *ferme propos.* Discours tenu dans la conversation : *propos de table. A propos,* opportunément. *A propos de,* à l'occasion de.
proposer v. tr. Présenter, soumettre à l'examen : *proposer un avis, un candidat.* V. pr. S'offrir : *se proposer pour un emploi.* Avoir le dessein : *se proposer de sortir.*
proposition n. f. Action de proposer. Ce qu'on propose : *proposition de paix Gramm.* Expression d'une pensée.
propre* adj. Qui appartient exclusivement à : *caractère propre.* De la personne même : *de sa propre main.* Sans changement : *propres paroles.* Convenable, apte : *propre à un travail.* Qui n'est point sali, taché. Honnête. N. m. Ce qui est propre à : *le propre de l'homme.* N. m. pl. Biens qui appartiennent en propre à chaque époux.
propret, ette adj. Simple et propre.
propreté n. f. Qualité de ce qui est propre.
propriétaire n. Personne à qui une chose appartient. Qui possède un immeuble occupé par des locataires.
propriété n. f. Possession en propre, exclusive. Chose possédée. Immeuble, bien-fonds : *une propriété plantée d'arbres.* Caractère propre : *les propriétés d'un corps. Gramm.* Convenance exacte d'une expression.
propulseur n. et adj. m. Mécanisme de propulsion.
propulsion n. f. Action de pousser en avant : *la propulsion d'un bateau.*
prorata n. m. invar. Part proportionnelle. *Au prorata,* en proportion.
prorogation n. f. Prolongement.
proroger v. tr. (Se conj. comme *manger.*) Prolonger : *proroger une échéance.* Suspendre jusqu'à une date ultérieure : *proroger la Chambre.*
prosaïque* adj. Qui tient de la prose. Qui n'est pas poétique. *Fig.* Commun, vulgaire : *goûts prosaïques.*
prosaïsme n. m. Manque de poésie. *Fig.* Manque de noblesse, d'idéal.
prosateur n. m. Qui écrit en prose.
proscenium n. m. *Antiq.* Devant de la scène d'un théâtre.
proscription n. f. Bannissement.
proscrire v. tr. Bannir, exclure. *Fig.* Rejeter, prohiber, abolir.
proscrit, e n. Frappé de proscription. Adj. Défendu, aboli.
prose n. f. Discours non assujetti à une mesure régulière. Hymne latine à vers rimés, mais non prosodiques.
prosélyte [*zé*] n. m. Nouveau converti. *Fig.* Nouvel adepte.
prosélytisme n. m. Zèle à faire des prosélytes.
prosodie [*zo*] n. f. Prononciation des mots, conforme à l'accent et à la quantité. Règles relatives à la quantité des voyelles.
prosodique adj. De la prosodie.
prosopopée [*zo*] n. f. *Rhét.* Figure par laquelle l'orateur prête la parole à une personne ou à un être inanimé personnifié.
prospecter v. tr. Examiner un terrain pour découvrir les ressources du sous-sol.
prospecteur n. m. Qui prospecte.
prospection n. f. Action de prospecter.
prospectus [*tuss*] n. m. Annonce d'un ouvrage, d'une affaire, etc.
prospère adj. Favorable, propice. Florissant : *maison prospère.*
prospérer v. intr. (Se conj. comme *accélérer.*) Avoir du succès. Devenir florissant.
prospérité n. f. Etat prospère.
prosternation n. f. ou **prosternement** n. m. Action de se prosterner. Etat d'une personne prosternée.
prosterner v. tr. Etendre à terre, en signe d'adoration, de respect. V. pr. Se coucher, se courber jusqu'à terre. *Fig.* Donner des marques de respect très humble.
prostituer v. tr. Livrer à la débauche pour en tirer bénéfice. *Fig.* Avilir : *prostituer son talent.*
prostitution n. f. Action de se prostituer. *Fig.* Action d'avilir, de dégrader.

prostration n. f. Abattement.
prostré, e adj. Abattu, sans force.
protagoniste n. m. Acteur chargé du rôle principal. *Par ext.* Personne qui joue le rôle principal dans une affaire.
prote n. m. Directeur des travaux dans une imprimerie.
protecteur, trice adj. et n. Qui protège. Qui convient à un protecteur : *air protecteur.*
protection n. f. Action de protéger, ce qui protège. Mesures pour protéger l'industrie nationale.
protectionnisme n. m. Système douanier protecteur.
protectionniste adj. Relatif au protectionnisme. N. m. Partisan du protectionnisme.
protectorat n. m. Situation d'un Etat à l'égard d'un autre qui est sous sa dépendance politique.
protée n. m. Homme qui change souvent de manières, d'opinions. V. *part. hist.*
protéger v. tr. (Se conj. comme *abréger.*) Couvrir, garantir. Prendre la défense de. Appuyer, patronner. Encourager, favoriser.
protéiforme adj. Qui change de forme.
protestant, e n. Partisan de la Réforme. Adj. Relatif aux protestants.
protestantisme n. m. Religion des protestants, calvinistes, luthériens, etc.
protestataire adj. et n. Qui proteste.
protestation n. f. Action de protester.
protester v. tr. Assurer, attester formellement. Faire un protêt : *protester un billet.* V. intr. S'élever vivement : *protester contre une injustice. Protester de,* proclamer : *protester de sa bonne foi.*
protêt n. m. Acte par lequel le porteur d'un effet de commerce fait constater le refus de paiement ou d'acceptation.
prothèse n. f. Remplacement chirurgical d'un organe : *prothèse dentaire.*
protocolaire adj. Conforme au protocole.
protocole n. m. Formulaire pour dresser des actes publics. Procès-verbal diplomatique. Cérémonial : *observer le protocole.*
protoplasme n. m. Substance qui constitue la cellule vivante.
prototype n. m. Original, modèle.
protoxyde n. m. Oxyde le moins oxygéné d'un métal.
protozoaires n. m. pl. Embranchement du règne animal comprenant les êtres unicellulaires.
protubérance n. f. Saillie.
proue n. f. Avant d'un navire.
prouesse n. f. Exploit, vaillance : *faire des prouesses. Fam.* Succès, exploit quelconque.
prouvable adj. Qu'on peut prouver.
prouver v. tr. Etablir indéniablement la vérité. Témoigner.
provenance n. f. Origine.
provende n. f. Provision de vivres. Mélange de grains et de fourrages pour bestiaux.
provenir v. intr. (Se conj. comme *venir.*) Venir de. *Fig.* Résulter de.
proverbe n. m. Maxime brève devenue populaire. Petite comédie développant le sujet d'un proverbe.
proverbial, e*, aux adj. Qui tient du proverbe : *expression proverbiale.* Cité comme type, comme modèle.
providence n. f. *Théol.* Suprême sagesse divine : *s'en remettre à la Providence. Fig.* Personne qui veille, qui protège : *la mère est la providence de la famille.*
providentiel, elle* adj. Amené, suscité par la Providence.
provigner v. tr. Marcotter la vigne. V. intr. Se multiplier par marcottes.
province n. f. Division territoriale. Etat, pays. Toute la France, en dehors de la capitale : *se fixer en province.* Les habitants des départements : *la province envahit Paris.*
provincial, e, aux adj. Qui est de la province. Qui tient de la province : *accent provincial.* N. Personne de la province. N. m. Supérieur régional d'un ordre religieux.
provincialisme n. m. Manière de s'exprimer propre à une province.
proviseur n. m. Chef d'un lycée.
provision n. f. Amas de choses nécessaires ou utiles : *provision de blé.* Ce qu'un tribunal adjuge provisoirement ou qu'un client dépose préalablement : *verser une provision.*
provisionnel, elle adj. Par provision.
provisoire* adj. Temporaire. Prononcé en attendant : *jugement provisoire.* N. m. Ce qui est provisoire : *souvent le provisoire dure longtemps.*
provocant, e adj. Qui provoque.
provocateur, trice n. et adj. Qui provoque.
provocation n. f. Action de provoquer. Acte par lequel on provoque.
provoquer v. tr. Inciter, exciter. Défier. Agir de manière à s'attirer des représailles : *provoquer un adversaire.* Susciter, causer : *provoquer l'hilarité.*
proximité n. f. Voisinage. *Fig.* Parenté. *A proximité de,* près de.
prude n. f. et adj. Qui affecte une vertu austère dans ce qui touche à la bienséance.
prudemment adv. Avec prudence.
prudence n. f. Vertu qui fait prévoir et éviter les fautes et les dangers.
prudent, e adj. Qui a de la prudence : *conseiller prudent.* Conforme à la prudence : *réponse prudente.*
pruderie n. f. Caractère, acte de prude.
prud'homme n. m. Membre d'un conseil électif composé de patrons et d'ouvriers pour juger les différends professionnels.
prudhommesque adj. Sentencieusement banal, d'une niaiserie pédante et épanouie.
prune n. f. Fruit du prunier.
pruneau n. m. Prune séchée.
prunelle n. f. Fruit du prunellier.
prunelle n. f. Pupille de l'œil.
prunellier n. m. Prunier sauvage.
prunier n. m. Arbre dont le fruit, la prune, est comestible et savoureux.
prurigo n. m. Affection cutanée caractérisée par des démangeaisons.
prurit [*rit'*] n. m. Démangeaison vive.
prussien, enne adj. et n. De Prusse.
prussique adj. *Acide prussique,* acide résultant d'une combinaison de cyanogène et d'hydrogène, poison violent.
prytanée n. m. En France, école militaire de La Flèche.
psallette n. f. Maîtrise d'église.
psalmiste n. m. Auteur de psaumes.
psalmodier v. tr. et intr. (Se conj. comme *prier.*) Réciter des psaumes sans inflexion de voix. *Fig.* Débiter d'une manière monotone : *psalmodier sa leçon.*
psaume n. m. Chacun des cantiques contenus dans un livre spécial de la Bible.
psautier n. m. Recueil de psaumes.

pseudo, préf. qui signifie *faux*.
pseudonyme n. m. Nom supposé pris par un auteur, un artiste, etc.
psitt! interj. Sifflement d'appel.
psittacisme n. m. Répétition machinale de mots qu'on ne comprend pas, à la façon des perroquets.
psychanalyse [*ka*] n. f. Investigation psychologique ayant pour but de ramener à la conscience les sentiments obscurs ou refoulés, et de guérir les névroses.
psyché n. f. Grande glace mobile.
psychiatre [*kia*] n. m. Médecin des maladies mentales.
psychique [*ch*] adj. Propre à l'âme.
psychologie [*ko*] n. f. Partie de la philosophie qui traite de l'âme.
psychologique [*ko*] adj. Relatif à la psychologie. *Fam. Moment psychologique,* moment opportun.
psychologue [*ko*] n. m. Qui s'occupe de psychologie. Adj. Fin, perspicace.
psychose [*kôz'*] n. f. Maladie mentale.
ptomaïne n. f. Alcaloïde provenant de la décomposition des matières organiques.
ptôse n. f. Relâchement des ligaments viscéraux ou des parois abdominales.
puanteur n. f. Mauvaise odeur.
pubère n. et adj. Qui a atteint l'âge de puberté.
puberté n. f. Age entre l'enfance et la jeunesse. Age légal du mariage.
public, ique* adj. Relatif à tout un peuple : *intérêt public.* Commun : *promenade publique.* Manifeste, connu de tous, notoire : *bruit public.* Auquel tout le monde a droit d'assister : *séance publique* N. m. Le peuple en général. Nombre considérable de personnes réunies : *un public choisi.*
publication n. f. Action de publier. Ouvrage publié.
publiciste n. m. Qui écrit sur la politique, l'économie sociale, etc. Journaliste.
publicitaire adj. Relatif à la publicité ou à la réclame : *panneau publicitaire.*
publicité n. f. Etat de ce qui est public : *publicité des débats judiciaires.* Annonce, réclame : *faire de la publicité dans la presse.* Méthodes pour faire connaître un produit au public. Métier de ceux qui pratiquent ou étudient ces méthodes : *il travaille dans la publicité.*
publier v. tr. (Se conj. comme *prier.*) Rendre public. Annoncer officiellement : *publier une loi.* Divulguer : *publier une nouvelle.* Vanter, célébrer : *publier le génie de quelqu'un.* Editer : *publier un roman.*
puce n. f. Insecte sauteur, parasite de l'homme et des bêtes. *Avoir la puce à l'oreille,* être inquiet. Adj. invar. De la couleur de la puce : *une robe puce.*
pucelle n. f. Vierge. *La Pucelle d'Orléans,* Jeanne d'Arc.
puceron n. m. Nom de divers insectes hémiptères qui vivent sur les plantes.
pudding [*pou-dign*] n. m. Sorte de gâteau fort lourd, composé de farine, de graisse et de raisins secs.
puddlage n. m. Action de puddler.
puddler v. tr. Affiner la fonte pour la transformer en acier.
puddleur n. et adj. m. Qui travaille au puddlage.
pudeur n. f. Honte honnête, chasteté. Discrétion, retenue, modestie.
pudibond, e adj. D'une pudeur extrême.
pudibonderie n. f. Caractère des pudibonds. Affectation de pudeur.
pudicité n. f. Caractère pudique.
pudique* adj. Qui a de la pudeur.
puer v. intr. Exhaler une odeur fétide. V. tr. Exhaler désagréablement l'odeur de : *puer l'ail.*
puériculture n. f. Moyens propres à assurer le développement d'enfants sains et vigoureux : *école de puériculture.*
puéril, e* adj. Relatif à l'enfant. *Fig.* Enfantin, frivole : *propos puérils.*
puérilité n. f. Caractère puéril. Acte, parole puérils, enfantillage.
puerpéral, e, aux adj. Propre aux femmes en couches : *fièvre puerpérale.*
puffisme n. m. Réclame éhontée.
pugilat n. m. Combat à coups de poing. Rixe à coups de poing.
pugiliste n. m. Boxeur.
puîné, e adj. Né après, par rapport à un autre : *frère puîné.*
puis adv. Ensuite, après. *Et puis,* après cela. D'ailleurs, au reste.
puisage n. m. Action de puiser.
puisard n. m. Espèce de puits pour recevoir les eaux-vannes.
puisatier n. et adj. m. Qui creuse des puits.
puisement n. m. Action de puiser.
puiser v. tr. Prendre du liquide dans un puits, dans un vase, etc. *Fig.* Prendre : *puiser dans la bourse d'un ami. Fig.* Emprunter : *puiser aux meilleurs auteurs.*
puisque conj. Comme, attendu que.
puissamment adv. Fortement. Extrêmement : *il a été puissamment aidé.*
puissance n. f. Autorité : *puissance maritale.* Pouvoir : *ce n'est pas en ma puissance.* Domination : *la puissance de Rome.* Force, influence : *puissance militaire.* Etat : *les grandes puissances. Phys.* Force. *Math.* Nombre de fois qu'un nombre est multiplié par lui-même : *le cube est la troisième puissance.*
puissant, e adj. Qui a de la puissance. N. m. Personne riche, haut placée, influente.
puits n. m. Trou profond en terre pour tirer de l'eau, pour exploiter une mine.
pull-over [*poul-ovèr*] n. m. Tricot, avec ou sans manches, qu'on enfile par la tête.
pullulation n. f. Multiplication.
pulluler v. intr. Se multiplier. *Fig.* Se répandre avec profusion.
pulmonaire adj. Du poumon.
pulpe n. f. Substance charnue des fruits, des légumes.
pulper v. tr. Réduire en pulpe.
pulpeux, euse adj. Formé de pulpe.
pulsation n. f. Battement répété. Battement du pouls : *compter les pulsations.*
pulvérisateur n. m. Instrument pour projeter un liquide en fines gouttelettes.
pulvérisation n. f. Action de pulvériser. Son résultat.
pulvériser v. tr. Réduire en poudre, en menus morceaux. *Fig.* Détruire, anéantir. Réduire un liquide en fines gouttelettes.
pulvérulent, e adj. A l'état de poussière. Chargé de poussière.
puma n. m. Mammifère carnassier d'Amérique du Sud.
punaise n. f. Insecte plat et puant. *Techn.* Petit clou à tête large, à pointe courte et très fine.

punch [*ponch'*] n. m. Mélange d'une liqueur forte avec divers ingrédients (citron, thé, sucre).
punir v. tr. Infliger une peine, un châtiment. *Etre puni de sa confiance,* en être mal récompensé.
punissable adj. Qui mérite une punition.
punisseur, euse adj. et n. Qui punit.
punition n. f. Action de punir. Peine infligée.
pupillaire [*l-l*] adj. *Anat.* De la pupille.
pupille [*il'*] n. Orphelin mineur, placé sous la direction d'un tuteur.
pupille [*il'*] n. f. Prunelle de l'œil.
pupitre n. m. Petit meuble pour poser un livre, de la musique, etc.
pur, e adj. Sans mélange : *vin pur.* Non altéré, ni vicié : *air pur. Fig. : intention pure.* Exempt : *pur de tout crime.* Que rien ne trouble : *joie pure, ciel pur. En pure perte,* sans résultat.
purée n. f. Bouillie de pois, de fèves, de pommes de terre, etc.
purement adv. D'une manière pure : *parler purement. Purement et simplement,* sans réserve ni condition.
pureté n. f. Qualité de ce qui est pur.
purgatif, ive adj. et n. m. Qui purge.
purgation n. f. Purge.
purgatoire n. m. Lieu où les âmes des justes incomplètement purifiées achèvent de purger leurs fautes. *Fig.* Lieu où l'on souffre.
purge n. f. Action de purger. *Méd.* Remède purgatif. *Dr.* Levée d'hypothèques.
purger v. tr. (Se conj. comme *manger.*) Dégager de tout mélange, purifier. Délivrer, affranchir : *purger une mer de pirates. Méd.* Traiter par un purgatif. *Dr.* Lever une hypothèque.
purgeur n. m. Robinet de purge.
purificateur, trice adj. Qui purifie.
purification n. f. Action de purifier; son effet.
purifier v. tr. (Se conj. comme *prier.*) Rendre pur. Purger de. *Fig.* Débarrasser de souillures morales.
purin n. m. Liquide du fumier.
purisme n. m. Défaut du puriste.
puriste adj. et n. Qui recherche avec affectation la pureté du langage.
puritain, e n. Membre d'une secte de presbytériens très sévères. *Fig.* Sévère, rigide.
puritanisme n. m. Secte, doctrine des puritains. Rigorisme.
purpurin, e adj. Pourpre.
purulence n. f. Production de pus.
purulent, e adj. Qui a l'aspect du pus. Qui produit du pus : *plaie purulente.*
pus n. m. Liquide pathologique, conséquence d'une inflammation.
pusillanime [*l-l*] adj. Timide jusqu'à la lâcheté.
pusillanimité [*l-l*] n. f. Manque de courage.
pustule n. f. Petite tumeur inflammatoire suppurante.
pustuleux, euse adj. Couvert de pustules.
putatif, ive adj. Qui est supposé avoir une existence légale. *Enfant putatif,* supposé le fils de.
putois n. m. Petit mammifère carnassier, du groupe des belettes.
putréfaction n. f. Décomposition des corps organisés après la mort. Etat de ce qui est putréfié.
putréfier v. tr. (Se conj. comme *prier.*) Corrompre, pourrir.
putrescible adj. Sujet à pourrir.
putride adj. Produit par la putréfaction. Qui présente de la putréfaction.
putridité n. f. Etat de ce qui est putride.
puy n. m. En Auvergne, montagne.
puzzle [*peuzl'*] n. m. Jeu de patience, composé d'une infinité de fragments découpés qu'il faut rassembler.
pygmée n. m. Homme de très petite taille. *Fig.* Individu sans talent.
pyjama n. m. Vêtement de nuit ou d'intérieur, ample et léger.
pylône n. m. Tour ou pilier placé de chaque côté d'une entrée monumentale.
pylore n. m. Orifice intérieur de l'estomac.
pyramidal, e, aux adj. En forme de pyramide. *Fig.* Etonnant par la grandeur.
pyramide n. f. Solide qui a pour base un polygone et pour faces latérales des triangles réunis en un point appelé *sommet.* Grand monument ayant la forme d'une pyramide : *les pyramides d'Egypte.* Entassement d'objets, ou objet ayant une base large et un sommet pointu.
pyrèthre n. m. Plante composée dont les fleurs fournissent une poudre insecticide.
pyrite n. f. Sulfure de certains métaux.
pyrogravure n. f. Décoration du bois à l'aide d'une pointe métallique portée au rouge vif.
pyromane n. Incendiaire maniaque.
pyrotechnie n. f. Art de préparer les pièces d'artifice.
pyrotechnique adj. Relatif à la pyrotechnie.
pyrrhonisme n. m. Doctrine de Pyrrhon. Scepticisme, en général.
pythagoricien, enne n. Partisan de la doctrine de Pythagore. Adj. Relatif à cette doctrine.
pythagorisme n. m. Doctrine de Pythagore.
pythie n. f. Prêtresse de l'oracle d'Apollon, à Delphes : *la pythie rendait ses oracles sur un trépied.*
pythique adj. *Jeux pythiques,* jeux célébrés à Delphes, en l'honneur d'Apollon.
python n. m. Serpent géant.
pythonisse n. f. Femme douée du don de prophétie. Auj., devineresse.

Q

q n. m. Dix-septième lettre et treizième consonne de l'alphabet.
quadragénaire [*koua*] adj. et n. Agé de quarante ans.
quadrangulaire [*koua*] adj. Qui a quatre angles.
quadrant [*koua*] n. m. Quart de la circonférence.
quadrature [*koua*] n. f. *Géom.* Réduction d'une figure quelconque en un carré équivalent : *la quadrature du cercle est un problème insoluble. Astr.* Situation de

deux astres éloignés l'un de l'autre d'un quart de cercle.
quadriennal, e, aux [*koua*] adj. Qui dure quatre ans ou revient tous les quatre ans.
quadrige n. m. Char attelé de quatre chevaux de front.
quadrijumeaux [*koua*] adj. m. pl. *Anat.* Au nombre de quatre.
quadrilatéral, e, aux [*koua*] adj. Qui a quatre côtés.
quadrilatère [*koua*] adj. A quatre côtés. N. m. *Géom.* Polygone à quatre côtés. *Mil.* Position appuyée sur quatre points fortifiés.
quadrillage n. m. Disposition en carrés contigus.
quadrille n. m. Réunion de couples de danseurs exécutant des contredanses.
quadriller v. tr. Couvrir de lignes droites se coupant de façon à former des carrés.
quadriparti ou **-tite** adj. Constitué par quatre partis ou parties.
quadrisyllabique [*koua*] adj. Composé de quatre syllabes.
quadrumane [*koua*] n. et adj. *Zool.* Qui a les quatre membres terminés par une main.
quadrupèdes [*koua*] n. m. et adj. Qui a quatre pieds.
quadruple [*koua*] adj. Qui vaut quatre fois autant. Au nombre de quatre. N. m. Nombre quatre fois aussi grand.
quadrupler [*koua*] v. tr. Rendre quadruple. V. intr. Etre porté au quadruple.
quai n. m. Construction le long d'un cours d'eau pour empêcher les débordements. Rivage d'un port où l'on décharge les marchandises. Trottoir ou plate-forme, dans les gares, le long des voies.
quaker [*kouakèr*] n. m. Membre d'une secte religieuse, répandue en Angleterre et aux Etats-Unis. (Fém. *quakeresse.*)
quakérisme n. m. Doctrine des quakers.
qualifiable adj. Qui peut être qualifié facilement.
qualificateur n. m. Celui qui relève les faits justiciables des tribunaux ecclésiastiques.
qualificatif, ive adj. Qui qualifie : *adjectifs qualificatifs.*
qualification n. f. Attribution d'une qualité ou d'un titre.
qualifié, e adj. Qui a la qualité nécessaire pour : *être qualifié pour critiquer.* A qui, à quoi l'on attribue une qualité, une spécialisation : *ouvrier qualifié. Vol qualifié,* avec circonstances aggravantes.
qualifier v. tr. (Se conj. comme *prier.*) Caractériser par l'attribution d'une qualité : *mot qu'on peut qualifier de bas.*
qualitatif, ive* adj. Relatif à la qualité, à la nature des choses.
qualité n. f. Ce pourquoi une chose est telle : *l'étendue est une qualité essentielle des corps.* Excellence : *vin de qualité.* Talent, disposition heureuse : *cet enfant a des qualités.* Noblesse : *homme de qualité* (vx). *En qualité de,* comme, à titre de : *en qualité de volontaire.*
quand adv. A quelle époque : *quand partez-vous?* Conj. Lorsque : *quand vous serez vieux.* Encore que, quoique, alors que : *quand vous me haïriez.*
quant à loc. prép. A l'égard de.
quanta [*kouan*] n. m. pl. (de *quantum*). Quantités discontinues dans l'émission de l'énergie.
quant-à-moi, quant-à-soi n. m. *Fam.* Réserve affectée : *tenir son quant-à-soi.*
quantième adj. et n. m. Date du mois.
quantitatif, ive* adj. Relatif à la quantité.
quantité n. f. Qualité de ce qui peut être mesuré. Un certain nombre. Un grand nombre : *quantité de gens disent.* Durée de prononciation d'une lettre, d'une syllabe.
quantum [*kouan-tom*] n. m. Quantité afférente à chacun dans une répartition. Quantité déterminée : *le tribunal fixera le quantum des dommages-intérêts.*
quarantaine n. f. Nombre de quarante ou environ. Age de quarante ans. Séjour plus ou moins long que doivent faire, dans un lieu isolé, les personnes et les marchandises venant d'un pays frappé d'une maladie infectieuse. *Fig.* Isolement : *mettre un écolier en quarantaine.*
quarante adj. num. Quatre fois dix. Quarantième : *page quarante.* N. m. Le nombre quarante. *Les Quarante,* les quarante membres de l'Académie française.
quarantième adj. num. ord. et n. Qui occupe un rang marqué par le nombre quarante. N. m. La quarantième partie d'un tout.
quart n. m. La quatrième partie d'une unité. *Mar.* Service de veille à bord, de quatre heures consécutives. Petit gobelet de fer-blanc, contenant environ un quart de litre. Quart d'une heure, d'une livre. *Arch. Quart-de-rond,* moulure qui a 90°.
quartaut n. m. Petit fût de contenance variable (57 à 137 litres).
quarte n. f. *Musiq.* Intervalle de quatre degrés.
quarteron, onne n. Métis de blancs et de mulâtres. N. m. Le quart d'un cent ou vingt-cinq.
quartette [*kouar*] n. m. Petit quatuor.
quartier n. m. Quart : *quartier de pomme.* Gros fragment : *quartier de roche.* Division administrative d'une ville : *quartier populeux.* Phase croissante (*premier quartier*) ou décroissante (*dernier quartier*) de la lune. Degré de descendance : *quartiers de noblesse.* Bande de cuir au talon d'une chaussure. Grâce de la vie : *faire quartier aux vaincus.* Casernement ou cantonnement militaire : *quartiers d'hiver.*
quartier-maître n. m. *Mar.* Grade immédiat au-dessus de matelot. Pl. des *quartiers-maîtres.*
quarto [*kouar*] adv. Quatrièmement.
quartz [*kouarts'*] n. m. Silice pure.
quartzeux, euse [*kouar*] adj. De quartz.
quasi [*ka*] n. m. Partie de la cuisse du veau, du bœuf.
quasi, quasiment [*ka*] adv. Presque.
quater [*koua*] adv. Pour la quatrième fois.
quaternaire [*koua*] adj. Composé de quatre éléments. N. m. et adj. Se dit de l'ère géologique actuelle.
quatorze adj. num. Dix et quatre. Quatorzième. N. m. Nombre quatorze. Quatorzième : *Louis quatorze.*
quatorzième adj. num. ord. et n. Qui occupe un rang marqué par le nombre quatorze. N. m. Quatorzième partie d'un tout.
quatrain n. m. Strophe ou petit poème de quatre vers.

quatre adj. num. Deux fois deux : *Henri quatre. Se tenir à quatre,* faire un grand effort sur soi-même pour ne pas éclater. *Se mettre en quatre,* s'efforcer. N. m. Nombre quatre. Quatrième jour. Chiffre qui exprime le nombre quatre.

quatre-quarts n. m. Gâteau où entrent 4 parties égales de farine, sucre, beurre, œufs.

quatre-saisons n. f. [m. Acad.] invar. Variété de fraises à petits fruits. *Marchands des quatre-saisons,* vendant sur la voie publique les fruits, légumes de chaque saison.

quatre-temps n. m. pl. Jours de jeûne, prescrits par l'Eglise catholique au début de chacune des quatre saisons.

quatre-vingtième adj. num. ord. et n. Qui occupe un rang marqué par le nombre quatre-vingts. N. m. Quatre-vingtième partie.

quatre-vingts (**quatre-vingt,** quand ce mot est suivi d'un autre nombre) adj. num. Quatre fois vingt : *quatre-vingts ans.*

quatrième* adj. num. ord. Qui occupe un rang marqué par le nombre quatre. N. Qui occupe le quatrième rang. N. m. Quatrième étage. A certains jeux, quatre cartes qui se suivent dans une même couleur : *une quatrième au roi* (à partir du roi).

quatuor [*koua*] n. m. Morceau de musique à quatre parties.

que pr. rel. Lequel, laquelle, etc. : *la leçon que j'étudie.* Pr. interrog. Quelle chose : *que dit-il?*

que conj. Sert à unir deux membres de phrase pour marquer que le second est subordonné au premier : *je veux que vous veniez.* Marque le souhait, l'imprécation : *que je meure si...; qu'il parte à l'instant,* etc. S'emploie pour : *pourquoi, si ce n'est, comme, quand, puisque, si.* Sert de corrélatif à *tel, quel, même,* et aux comparatifs. Loc. adv. *Ne... que,* seulement. Adv. Combien : *que c'est bon!*

quel, quelle adj. S'emploie dans les phrases interrogatives : *quelle heure est-il?* ou exclamatives : *quel malheur! Quel que,* de quelque nature que; si grand que.

quelconque adj. indéf. Quel qu'il soit. Médiocre : *livre quelconque.*

quelque adj. indéf. Un ou plusieurs : *quelques livres, quelque indiscret.* Petit : *il a quelque mérite.* Adv. Environ : *il y a quelque cinquante ans.* Si : *quelque habiles que vous soyez.*

quelquefois adv. Parfois.

quelqu'un, e pr. indéf. Un entre plusieurs : *quelqu'un de vos parents.* Une personne : *quelqu'un m'a dit.* Une personne importante : *se croire quelqu'un.* Pl. *quelques-uns, quelques-unes.*

quémander v. tr. Solliciter.

quémandeur, euse adj. et n. Qui quémande; solliciteur importun.

qu'en-dira-t-on n. m. invar. L'opinion du public : *se moquer du qu'en-dira-t-on.*

quenelle n. f. Boulette de viande hachée et tamisée, qui garnit certains plats.

quenotte n. f. *Fam.* Dent d'enfant.

quenouille n. f. Baguette supportant le lin, le chanvre, la laine qu'on file. Arbre fruitier taillé en forme de quenouille. *Tomber en quenouille,* passer par succession aux mains d'une femme.

quenouillée n. f. Quantité de lin, de chanvre qui garnit une quenouille.

querelle n. f. Contestation, dispute, rixe, démêlé : *chercher querelle.* Discussion, débat : *une querelle littéraire.*

quereller v. tr. Faire une querelle à quelqu'un : *quereller ses amis.*

querelleur, euse adj. et n. Disputeur.

quérir ou **querir** v. tr. (Usité à l'infin., après les verbes *aller, venir, envoyer.*) Chercher pour apporter ou amener.

questeur [*kuès*] n. m. Celui qui dirige l'administration intérieure d'une assemblée.

question n. f. Demande, interrogation : *question indiscrète.* Point à discuter : *question philosophique.* Torture appliquée jadis à un accusé pour le faire avouer. *En question,* discuté.

questionnaire n. m. Interrogatoire.

questionner v. tr. Interroger.

questionneur, euse adj. et n. Qui questionne beaucoup.

questure [*kuès*] n. f. Charge de questeur, durée de ses fonctions. Bureau du questeur.

quête n. f. Recherche : *en quête de renseignements.* Action de chercher le gibier. Collecte : *faire la quête.*

quêter v. tr. Chercher, rechercher. V. intr. Solliciter des aumônes.

quêteur, euse adj. et n. Qui quête.

questche [*kouètch'*] n. f. Sorte de prune.

queue n. f. Appendice terminal du tronc de quelques animaux : *queue de chien, de poisson.* Pédoncule de fleur, de fruit. Appendice de divers objets : *queue de poêle.* Partie d'un vêtement qui traîne : *queue d'une robe.* Bâton servant à jouer au billard. *A la queue leu leu,* l'un derrière l'autre. Suite de personnes qui attendent : *faire la queue.*

queue-d'aronde n. f. Sorte de tenon. Pl. des *queues-d'aronde.*

queue-de-morue n. f. Large pinceau plat. *Fam.* Habit de cérémonie. Pl. des *queues-de-morue.*

queue-de-rat n. f. Petite lime ronde. Pl. des *queues-de-rat.*

queuter v. intr. Au billard, au croquet, pousser sa boule en jouant.

queux n. m. *Maître queux,* cuisinier.

qui pr. rel. Lequel, laquelle. Celui qui, quiconque : *aimez qui vous aime.* Pr. interrog. Quelle personne : *qui est là? Qui... qui...,* l'un..., l'autre. *Qui que ce soit,* n'importe qui.

quia (à) [*kuia*] loc. adv. *Etre « aquia »,* sans savoir que répondre; dans la dèche.

quiche n. f. Sorte de flan de Lorraine.

quiconque pr. ind. Toute personne qui. N'importe qui.

quidam [*kidam'*] n. m. Personne dont on ignore ou dont on ne dit point le nom. Pl. des *quidams.*

quiet, ète [*kuiè, èt'*] adj. Tranquille, calme : *existence quiète.*

quiétisme [*kui*] n. m. Doctrine mystique professant l'efficacité de l'amour pur de Dieu.

quiétiste [*kui*] n. et adj. Partisan du quiétisme.

quiétude [*kui*] n. f. Douce tranquillité d'âme.

quignon n. m. Gros morceau de pain.

quille [*kiy'*] n. f. Pièce de bois qui va de la poupe à la proue d'un navire. Morceau de bois long et rond que l'on s'exerce à renverser avec des boules.
quillon [*kiyon*] n. m. Bras de la garde d'une épée, d'une baïonnette.
quinaud, e adj. Confus, honteux.
quincaillerie n. f. Ustensiles ménagers en fer-blanc, fer, cuivre, etc. Commerce de ces objets. Boutique où il se fait.
quincaillier n. m. Marchand de quincaillerie.
quinconce n. m. Assemblage d'objets disposés en losange. Plantation disposée de cette façon.
quinine n. f. Substance amère, contenue dans l'écorce du quinquina. *Abusiv.* Sulfate de quinine.
quinquagénaire [*kuinkoua*] n. et adj. Agé de cinquante ans.
quinquennal, e, aux [*kuinké*] adj. Qui a lieu de cinq en cinq ans. D'une durée de cinq ans : *plan quinquennal.*
quinquet n. m. Lampe à double courant d'air, avec récipient d'huile.
quinquina [*kinki*] n. m. Plante du Pérou. V. QUININE.
quintal n. m. Poids de cinquante kilogrammes. *Quintal métrique,* poids de cent kilogrammes. Pl. des *quintaux.*
quinte n. f. *Mus.* Intervalle de cinq notes consécutives. Au piquet, série de cinq cartes de même couleur. *Escr.* L'un des engagements de la ligne haute. Parade correspondant à cet engagement. Accès de toux violent. Caprice, mauvaise humeur.
quintessence n. f. Ce qu'il y a de meilleur, de plus fin, de plus précieux. Tout le profit qu'on peut tirer d'une affaire.
quintessencier v. tr. (Se conj. comme *prier.*) Raffiner, subtiliser.
quintette [*kuin*] n. m. Morceau de musique à cinq parties.
quinteux, euse adj. Sujet à des quintes : *humeur quinteuse.*
quinto [*kuin*] adv. Cinquièmement.
quintuple [*kuin*] adj. Cinq fois plus grand. N. m. Nombre quintuple.
quintupler v. tr. Rendre quintuple.
quinzaine n. f. Quinze ou environ. Deux semaines
quinze adj. num. Trois fois cinq. Quinzième : *Louis quinze.* N. m. Le nombre quinze.
quinzième adj. num. ord. et n. Qui occupe un rang marqué par le nombre quinze. N. m. Quinzième partie d'un tout.
quiproquo [*kiproko*] n. m. Méprise qui fait prendre une personne, un chose pour une autre.
quittance n. f. Ecrit sur lequel un créancier déclare un débiteur quitte envers lui.
quittancer v. tr. Donner quittance.
quitte adj. Libéré d'une obligation morale. *Quitte à,* sauf à. *Tenir quitte,* dispenser.
quitter v. tr. Tenir quitte. Céder : *quitter ses droits à quelqu'un.* Se séparer de quelqu'un : *quitter ceux qu'on aime.* Abandonner : *quitter ses études; quitter le deuil.* Se retirer de : *quitter Paris, le monde, le théâtre.*
quitus [*kituss*] n. m. Arrêté d'un compte qui atteste que la gestion en est exacte : *donner quitus à des administrateurs.*
qui vive? loc. interj. Cri d'une sentinelle à l'approche de quelqu'un. N. m. *Sur le qui-vive,* sur ses gardes.
quoi pr. rel. ou interrogatif. Lequel, laquelle. Quelle chose : *à quoi pensez-vous? Quoi que,* quelle que soit la chose que : *quoi que vous fassiez. Quoi qu'il en soit,* en tout état de choses. Interj. marquant l'étonnement.
quoique conj. Encore que, bien que.
quolibet [*kolibè*] n. m. Plaisanterie.
quorum [*korom*] n. m. Nombre de votants nécessaire dans une assemblée pour qu'un vote soit valable.
quote-part [*kot'*] n. f. Part que chacun doit payer ou recevoir, dans une répartition. Pl. des *quotes-parts.*
quotidien, enne adj. Journalier. N. m. Journal qui paraît tous les jours.
quotient [*ko-syan*] n. m. Résultat de la division.
quotité [*ko*] n. f. Somme à laquelle monte chaque quote-part.

R

r n. m. Dix-huitième lettre de l'alphabet.
rabâchage n. m. *Fam.* Redite.
rabâcher v. tr. et intr. *Fam.* Redire fastidieusement les mêmes choses
rabâcheur, euse n. Qui rabâche.
rabais n. m. Diminution de prix.
rabaisser v. tr. Mettre plus bas. Diminuer : *rabaisser les prix.* Déprécier : *rabaisser le mérite; rabaisser ses rivaux.*
rabane n. f. Tissu de raphia.
rabat n. m. Morceau de batiste ou de dentelle qui se rabat du cou sur la poitrine et que portent les gens de robe et d'Eglise, etc.
rabat-joie n. m. invar. Chose ou personne qui vient troubler la joie.
rabattage n. m. Action de rabattre.
rabattement n. m. *Géom.* Rotation par laquelle on rabat une figure sur un des plans de projection.
rabatteur n. m. Qui rabat le gibier vers les chasseurs.
rabattre v. tr. (Se conj. comme *battre.*) Rabaisser ce qui s'élève. Aplatir: *rabattre un pli.* Retrancher du prix d'une chose. Rassembler le gibier à l'endroit où sont les chasseurs. *Fig.* Abaisser : *rabattre l'orgueil.* V. intr. Diminuer de : *rabattre de ses prétentions. En rabattre,* diminuer les prétentions, la valeur, etc. V. pr. *Fig.* Changer brusquement de propos : *se rabattre sur la politique.*
rabbin n. m. Docteur de la loi juive. Ministre du culte judaïque.

rabbinique adj. Relatif aux rabbins; minutieux comme l'enseignement des rabbins.
rabelaisien, enne adj. Qui rappelle le genre de Rabelais. *Par ext.* Gras, gaulois.
rabibocher v. tr. *Fam.* Raccommoder.
rabiot n. m. *Arg. mil.* Vivres en surplus qu'on partage après une première distribution. Temps de service supplémentaire, imposé à un soldat puni.
rabique adj. De la rage : *virus rabique.*
râble n. m. Partie de certains quadrupèdes, du bas des épaules à la queue.
râblé, e adj. Qui a le râble épais.
rabot n. m. Outil de menuisier pour aplanir le bois ou le moulurer.
rabotage n. m. Action de raboter.
raboter v. tr. Aplanir avec un rabot. *Fig.* Polir, donner du fini.
raboteur n. m. Ouvrier qui rabote.
raboteuse n. f. Machine-outil servant à raboter.
raboteux, euse adj. Couvert d'aspérités. Inégal : *chemin raboteux. Fig.* Rude, inégal : *style raboteux.*
rabougri, e adj. Petit, chétif : *arbuste rabougri; un enfant rabougri.*
rabouiller v. tr. Troubler l'eau pour y prendre plus aisément le poisson.
rabouilleur, euse n. Celui, celle qui rabouille.
rabouter ou **raboutir** v. tr. Assembler deux pièces bout à bout.
rabrouer v. tr. Rebuter, traiter rudement.
racaille n. f. Rebut de la société.
raccommodable adj. Qui peut être raccommodé : *un accroc raccommodable.*
raccommodage n. m. Action de raccommoder. Son résultat.
raccommodement n. m. Réconciliation.
raccommoder v. tr. Remettre en état. *Par ext.* Rajuster, corriger. *Fig.* Réconcilier.
raccommodeur, euse n. Qui raccommode.
raccord n. m. Accord, ajustement de deux parties d'un ouvrage. Pièce métallique unissant deux tuyaux.
raccordement n. m. Action de faire des raccords. Voie reliant deux voies ferrées distinctes.
raccorder v. tr. Joindre par un raccord. Servir de raccord.
raccourci, e adj. *A bras raccourci* ou *raccourcis,* de toutes ses forces. *En raccourci,* en abrégé, en petit. N. Représentation en perspective. Chemin plus court.
raccourcir v. tr. Rendre plus court : *raccourcir une canne.* V. intr. Devenir plus court : *robe qui a raccourci au lavage.*
raccourcissement n. m. Action de raccourcir. Son résultat.
raccroc [*kro*] n. m. Coup inattendu et heureux, principalement au billard. *Fig.* Evénement heureux dû au hasard.
raccrocher v. tr. Accrocher de nouveau. *Fig.* Attraper par hasard. Arrêter au passage. V. intr. Faire des raccrocs au jeu.
race n. f. Ensemble des ascendants et des descendants d'une famille, d'un peuple : *la race d'Abraham.* Variété constante qui se conserve par la génération : *la race humaine. De race,* de sang pur.
racé, e adj. De bonne race : *chien racé.*
rachat n. m. Action de racheter. Action de libérer, en payant une rançon : *rachat de captifs.* Action d'éteindre une obligation par le paiement d'une somme.
rachetable adj. Qu'on a le droit de racheter.
racheter v. tr. (Se conj. comme *accélérer.*) Acheter ce qu'on a vendu : *racheter un objet.* Acheter de nouveau. Délivrer à prix d'argent : *racheter des captifs.* Se libérer à prix d'argent de : *racheter une rente. Fig.* Compenser : *racheter ses défauts.* Acheter le pardon : *racheter ses péchés.*
rachidien, enne adj. Relatif au rachis.
rachis [*chiss*] n. m. Colonne vertébrale ou épine dorsale.
rachitique adj. Affecté de rachitisme.
rachitisme n. m. Maladie de croissance, caractérisée par la déformation du système osseux.
racine n. f. Partie de la plante, par laquelle elle tient à la terre. Base d'un objet enfouie dans le sol. Partie par laquelle un organe est implanté dans un tissu : *racine des dents. Fig.* Principe, commencement : *couper le mal dans ses racines.* Lien, attache : *avoir des racines dans un pays. Prendre racine,* s'implanter quelque part. *Gramm.* Elément primitif d'un mot, qui a donné naissance à d'autres mots. *Math. Racine carrée, cubique, quatrième d'un nombre,* nombre qui, élevé au carré, au cube, à la quatrième puissance, reproduit le nombre proposé.
racinien, enne adj. Dans le genre de Racine, élégant et pur.
racisme n. m. Système politique tendant à préserver la pureté de race d'une nation.
raclage n. m. Action de racler.
racle ou **raclette** n. f. Racloir.
raclée n. f. *Fam.* Volée de coups.
racler v. tr. Enlever, gratter les parties de la superficie d'un corps. Frotter rudement. *Racler du violon,* en jouer mal.
raclette n. f. ou **racloir** n. m. Outil pour racler.
racloire n. f. Planchette que l'on passe sur une mesure de grain pour enlever ce qui dépasse.
raclure n. f. Ce qu'on enlève en raclant.
racolage n. m. Action de racoler.
racoler v. tr. Engager, par des moyens plus ou moins honnêtes, des hommes au service militaire (vx). *Fig.* Recruter, se procurer : *il a racolé quelques partisans.*
racoleur n. Celui qui racole.
racontage, racontar n. m. *Fam.* Bavardage.
raconter v. tr. Faire un récit, narrer.
racornir v. tr. Rendre coriace. V. pr. Devenir maigre et sec. *Fig.* Devenir dur, insensible : *un cœur sec et racorni.*
racornissement n. m. Etat de ce qui est racorni.
radar n. m. Appareil de repérage par ondes électromagnétiques.
rade n. f. Grand bassin naturel ou artificiel ayant une issue libre vers la mer.
radeau n. m. Assemblage de pièces de bois flottant sur l'eau.
radial, e, aux adj. Relatif au radius.
radian n. m. Angle de 57° 17′ 45″.
radiateur n. m. Appareil servant à augmenter la surface de rayonnement d'un tuyau : *radiateur d'automobile.*
radiation n. f. Action de radier, de rayer. Rayonnement de lumière ou de chaleur.

radical, e*, aux adj. Qui appartient à la racine. *Fig.* Relatif au principe, à l'essence de : *défaut radical.* Complet : *guérison radicale.* Qui veut des réformes absolues en politique. En France, caractérise le parti du centre gauche. N. m. *Gramm.* Partie invariable d'un mot, par opposition à la terminaison. *Chim.* Substance qui se comporte comme un corps simple dans les combinaisons. *Math.* Signe $\sqrt{}$ indiquant une extraction de racine. Membre du parti du centre gauche.
radicalisme n. m. Système des radicaux en politique.
radicelle n. f. Petite racine.
radier n. m. Revêtement qui protège une construction contre les eaux. Construction sur laquelle sont établies les écluses, les piles d'un pont, etc.
radier v. intr. (Se conj. comme *prier.*) Rayonner. *Fig.* Briller.
radier v. tr. (Se conj. comme *prier.*) Rayer sur un registre, sur une liste.
radiesthésie n. f. Art de percevoir certaines radiations mystérieuses.
radieux, euse adj. Rayonnant.
radio n. f. Abr. de RADIOTÉLÉGRAPHIE ou de RADIOTÉLÉPHONIE.
radio-actif, ive ou **radioactif, ive** adj. Doué de radio-activité.
radio-activité ou **radioactivité** n. f. Propriété que possèdent certains corps (radium, uranium, etc.) d'émettre des rayons susceptibles d'effets physiques et physiologiques.
radiodiffuser v. tr. Transmettre par radio.
radio-électricité ou **radioélectricité** n. f. Phénomènes dus aux ondes hertziennes.
radiographie n. f. Photographie par les rayons X.
radiographier v. tr. (Se conj. comme *prier.*) Photographier aux rayons X.
radiologie n. f. Application médicale de radiations diverses.
radiologue n. m. Qui s'occupe de radiologie.
radiophare n. m. Poste d'émission radiophonique pour guider les avions.
radiophonie n. f. Ensemble des émissions par téléphonie sans fil.
radioreportage n. m. Reportage radiophonique.
radioscopie n. f. Examen au moyen des rayons X.
radiotélégraphie n. f. **radiotéléphonie** n. f. Télégraphie, téléphonie sans fil.
radiotélévisé, e adj. Transmis à la fois par la radiodiffusion et par la télévision.
radiothérapie n. f. Méthode de traitement par les rayons X.
radis n. m. Espèce de petite rave.
radium [*dyom*] n. m. Métal d'une radioactivité considérable.
radiumthérapie n. f. Thérapeutique fondée sur l'emploi du radium.
radius [*dyuss*] n. m. Le plus petit des deux os de l'avant-bras.
radotage n. m. Action de radoter. Discours ennuyeux.
radoter v. intr. Tenir des discours dénués de sens. Se répéter d'une façon insipide.
radoteur, euse adj. et n. Qui radote.
radoub [*dou*] n. m. Réparation d'un vaisseau.
radouber v. tr. Réparer un bateau.
radoucir v. tr. Rendre plus doux. *Fig.* Apaiser. V. pr. Devenir plus doux.
radoucissement n. m. Adoucissement.
rafale n. f. Coup de vent violent. Décharges rapides d'une arme.
raffermir v. tr. Rendre plus ferme et, au *fig.*, plus stable : *raffermir le courage.*
raffermissement n. m. Action de raffermir.
raffinage n. m. Action de raffiner le sucre, le pétrole, etc.
raffiné, e adj. Fin, délicat : *goût raffiné.* Subtil : *un supplice raffiné.* N. Personne d'un goût délicat.
raffinement n. m. Action de raffiner. Recherche : *raffinement de luxe.*
raffiner v. tr. Rendre plus fin, plus pur : *raffiner du sucre.* V. intr. Subtiliser.
raffinerie n. f. Lieu où l'on raffine le sucre, le pétrole, etc.
raffineur, euse adj. et n. Qui s'occupe de raffinage.
raffoler v. intr. Se passionner pour quelque chose : *raffoler de musique.*
raffûter v. tr. Redonner du fil à un outil.
rafiau ou **rafiot** n. m. Petite embarcation à voile et à rame.
rafistolage n. m. *Fam.* Raccommodage.
rafistoler v. tr. *Fam.* Raccommoder.
rafle n. f. Action de rafler. Arrestation en masse : *rafle de vagabonds.*
rafler v. tr. *Fam.* Enlever rapidement tout ce qu'on trouve sous la main.
rafraîchir v. tr. Rendre frais. Réparer, remettre en état : *rafraîchir des peintures.* Rogner, couper le bout : *rafraîchir les cheveux. Fig. : rafraîchir la mémoire.* V. pr. Devenir plus frais. Boire un peu. Se rétablir par le repos.
rafraîchissement n m. Ce qui rafraîchit. Pl. Boissons fraîches, fruits, mets, etc., servis dans une fête.
ragaillardir v. tr. Rendre gaillard. Ranimer, rendre gai.
rage n. f. Maladie virulente, transmise des animaux à l'homme. Douleur violente : *rage de dents. Fig.* Colère : *écumer de rage. Fig.* Passion, manie : *avoir la rage d'écrire. Faire rage,* se déchaîner.
rager v. intr. (Se conj. comme *manger.*) Etre vivement irrité.
rageur, euse* adj. et n. Qui rage. Fait avec rage : *geste rageur.*
raglan n. m. Pardessus moderne, de coupe spéciale.
ragot, e n. m. Sanglier de deux à trois ans. N. m. *Pop.* Cancan.
ragoût n. m. Plat de viande, de légumes ou de poissons coupés en morceaux : *ragoût de mouton.* Assaisonnement de haut goût. *Fig.* Ce qui flatte le goût, excite les désirs : *le ragoût de la nouveauté.*
rahat-loukoum n. m. Confiserie orientale à base de gomme.
rai n. m. Rayon. (Vx.)
raid [*rèd'*] n. m. Incursion rapide en territoire ennemi. Epreuve montrant l'endurance de ceux qui l'accomplissent : *effectuer un raid d'aviation.*
raide* adj. Rigide, difficile à plier : *jambe raide.* Abrupt : *escalier raide.* Sans souplesse : *attitude raide. Fig.* Ferme, inflexible : *caractère raide.* Adv. Tout d'un coup : *tomber raide.*

raideur n. f. Etat de ce qui est raide. Rapidité d'une pente : *la raideur d'un escalier.* Défaut de souplesse : *sauter avec raideur. Fig.* Fermeté : *un caractère d'une raideur inflexible.*
raidillon n. m. Chemin en pente raide.
raidir v. tr. Rendre raide, tendre avec force. V. intr. et pr. Devenir raide. *Fig.* Tenir ferme : *se raidir contre le sort.*
raidissement n. m. Action de raidir.
raie n. f. Trait de plume, de crayon, de pinceau, etc. Ligne peu profonde. Séparation des cheveux. *Agric.* Entre-deux des sillons d'un champ.
raie n. f. Genre de poissons plats.
raifort n. m. Espèce de crucifère à racine médicinale.
rail [*ray'*] n. m. Bande de fer ou d'acier sur laquelle roulent les roues des véhicules dans les chemins de fer, les tramways.
railler [*râ-yé*] v. tr. Tourner en dérision, se moquer de. V. intr. Badiner, ne pas parler sérieusement. V. pr. Se moquer de.
raillerie [*râyʼri*] n. f. Action de railler. Plaisanterie moqueuse. *Entendre raillerie,* la supporter.
railleur, euse [*râ-yeur*] adj. et n. Porté à la raillerie. Moqueur : *ton railleur.* N. : *je ferai taire les railleurs.*
rainer v. tr. Faire une rainure : *rainer une planche.*
rainette n. f. Grenouille verte.
rainure n. f. Entaille en long.
raiponce n. f. Campanule à racine et à feuilles comestibles.
raisin n. m. Fruit de la vigne. *Raisin,* format de papier (environ 0,65 m sur 0,50 m).
raisiné n. m. Confiture de moût de raisin concentré.
raison n. f. Faculté de connaître, de juger. Faculté intellectuelle, règle de nos actions : *se laisser guider par la raison.* Argument : *raison convaincante.* Cause, motif : *avoir ses raisons pour.* Satisfaction, réparation : *demander raison. Age de raison,* où l'on commence à avoir conscience de ses actes. *Mariage de raison,* de convenance et non d'amour. *Raison sociale,* nom adopté par une société commerciale.
raisonnable* adj. Doué de raison. Conforme à la raison. Convenable.
raisonnement n. m. Faculté, manière de raisonner : *raisonnement bien fondé.* Observation, objection.
raisonner v. intr. Se servir de sa raison pour connaître, pour juger : *raisonner juste.* Alléguer des raisons, répliquer : *enfant qui raisonne.* V. tr. Appliquer le raisonnement à. Chercher à faire entendre raison à : *raisonner un malade.*
raisonneur, euse n. et adj. Qui raisonne. Discuteur.
rajah n. m. Prince hindou.
rajeunir v. tr. Ramener à l'état de jeunesse : *ça ne nous rajeunit pas!* Rendre l'air de la jeunesse : *vêtement qui rajeunit. Fig.* Donner un air de nouveauté, de fraîcheur à. V. intr. Redevenir jeune, vigoureux. V. pr. Se dire plus jeune qu'on ne l'est.
rajeunissement n. m. Action de rajeunir. Etat de ce qui est rajeuni.
rajouter v. tr. Ajouter de nouveau.
rajustement n. m. Nouvel ajustement, action de rajuster.
rajuster v. tr. Ajuster de nouveau. Remettre en bon état. V. pr. Se réconcilier.
râle n. m. Genre d'oiseaux échassiers.
râle ou **râlement** n. m. Action de râler. Bruit fait en râlant.
ralenti n. m. Mouvement ralenti. *Au ralenti,* à une vitesse inférieure à la normale.
ralentir v. tr. Rendre plus lent. V. intr. Devenir plus lent.
ralentissement n. m. Diminution de mouvement, d'activité.
râler v. intr. Rendre un son enroué par la difficulté de la respiration : *blessé qui râle. Pop.* Exprimer sa mauvaise humeur.
ralingue n. f. Cordage cousu à une voile pour la fortifier.
ralliement n. m. Action de rallier ou de se rallier. Sonnerie pour rallier les troupes.
rallier [*ra-lyé*] v. tr. (Se conj. comme *prier.*) Rassembler ceux qui étaient dispersés : *rallier ses troupes.* Ramener à une cause, à une opinion : *rallier les partis.* Rejoindre : *rallier son poste.*
rallonge n. f. Ce qui rallonge. Planche qui augmente la surface d'une table à coulisses : *mettre une rallonge pour les invités.*
rallongement n. m. Action de rallonger. Son résultat.
rallonger [*ralon*] v. tr. (Se conj. comme *manger.*) Rendre plus long en ajoutant quelque chose.
rallumer [*ralu*] v. tr. Allumer de nouveau. *Fig.* Donner une nouvelle ardeur : *rallumer la guerre.*
ramadan n. m. Mois de l'année musulmane, consacré au jeûne.
ramage n. m. Représentation de branchages, sur une étoffe : *velours à ramages.* Chant des petits oiseaux. *Fig.* Babil des enfants.
ramager v. tr. (Se conj. comme *manger.*) Couvrir de ramages. V. intr. Chanter (en parlant des oiseaux).
ramas n. m. Assemblage confus. Réunion de personnes méprisables.
ramassage n. m. Action de ramasser.
ramassé, e adj. Trapu.
ramasse-miettes n. m. invar. Plateau pour ramasser les miettes.
ramasser v. tr. Faire un amas : *ramasser du bois mort.* Relever ce qui est à terre.
ramassis n. m. Assemblage confus.
rambarde n. f. *Mar.* Garde-corps placé autour des passerelles.
rame n. f. Branche d'arbre servant de tuteur aux plantes grimpantes.
rame n. f. Pièce de bois aplatie à un bout et servant à manœuvrer une embarcation.
rame n. f. Réunion de cinq cents feuilles de papier ou vingt mains. Convoi de bateaux, de wagons, de camions, etc.
rameau n. m. Petite branche d'arbre. Subdivision d'une artère, d'une veine, d'un nerf, d'un objet qui se partage.
ramée n. f. Branches coupées avec leurs feuilles vertes. Branchages formant couvert : *danser sous la ramée.*
ramener v. tr. (Se conj. comme *mener.*) Amener de nouveau.
ramer v. tr. Soutenir des plantes grimpantes avec des rames.
ramer v. intr. Manœuvrer la rame.
ramette n. f. Rame de papier à lettres.
rameur, euse n. Qui rame.

rameux, euse adj. Qui a beaucoup de branches. (Vx.)
ramier n. m. Pigeon sauvage.
ramification n. f. Division en rameaux. *Fig.* Subdivision.
ramifier v. tr. (Se conj. comme *prier.*) Diviser en rameaux.
ramille n. f. Branchette.
ramoindrir v. tr. et intr. Amoindrir ou s'amoindrir de nouveau.
ramollir v. tr. Rendre mou. *Fig. Etre ramolli,* devenir gâteux.
ramollissement n. m. Etat de ce qui est ramolli. *Méd.* Altération de certains organes qui se ramollissent: *ramollissement cérébral. Fam.* Etat de quasi-imbécillité.
ramonage n. m. Action de ramoner.
ramoner v. tr. Nettoyer l'intérieur d'une cheminée.
ramoneur n. m. Personne dont le métier est de ramoner.
rampant, e adj. Qui rampe. *Fig.* Humble, bassement soumis : *caractère rampant. Archit.* Qui va en pente : *arc rampant.*
rampe n. f. Partie d'un escalier par laquelle on monte d'un palier à un autre. Balustrade qui longe un escalier. Plan incliné, à pente douce. Partie en pente d'une route, d'un chemin de fer. *Théât.* Rangée de lumières sur la scène : *les feux de la rampe.*
rampement n. m. Action de ramper.
ramper v. intr. Se traîner sur le ventre : *le serpent rampe.* S'étendre sur terre ou s'attacher à un corps, comme le lierre, la vigne, etc. *Fig.* Vivre dans un état abject. Garder une attitude basse.
ramure n. f. Ensemble des branches d'un arbre. Bois d'un cerf, etc.
rancart n. m. Rebut. *Pop.* Rendez-vous.
rance adj. Se dit d'un corps gras qui a contracté une odeur forte et une saveur âcre. N. m. Cette odeur et cette saveur.
ranch ou **rancho** n. m. Ferme de la prairie américaine.
rancidité n. f. Etat de ce qui est rance.
rancir v. intr. Devenir rance.
rancissure n. f. Rancidité.
rancœur n. f. Rancune, ressentiment.
rançon n. f. Ce qu'on donne pour la délivrance d'un captif. *Fig.* Prix, expiation.
rançonner v. tr. Mettre à rançon.
rancune n. f. Ressentiment tenace.
rancunier, ère, rancuneux, euse adj. Sujet à la rancune : *caractère rancuneux.*
randonnée n. f. Circuit que fait un animal autour de l'endroit où il a été lancé par le chasseur. *Fam.* Marche longue.
rang n. m. Disposition de choses, de personnes sur une même ligne. Place qui convient à chaque personne ou à chaque chose : *garder son rang.* Classe de la société. *Se mettre sur les rangs,* parmi les prétendants à une chose.
rangé, e adj. *Fig.* Qui a de l'ordre, de la conduite. *Bataille rangée,* entre deux armées régulièrement disposées.
rangée n. f. Ligne : *rangée d'arbres.*
rangement n. m. Action de ranger.
ranger v. tr. (Se conj. comme *manger.*) Mettre en rang, en ordre. Classer. Mettre de côté : *ranger une voiture.* V. pr. Se placer en ordre. S'écarter. Se placer : *se ranger du côté de. Fig. Se ranger à un avis,* l'adopter. *Se ranger,* adopter une conduite plus réglée.
ranimer v. tr. Rendre la vie. *Fig.* Rendre la vigueur, la vie.
rapace adj. De proie (oiseau). *Fig.* Avide : *usurier rapace.* N. m. pl. Oiseaux de proie (aigle, vautour, etc.).
rapacité n. f. Avidité, cupidité.
râpage n. m. Action de râper.
rapatriement n. m. Action de rapatrier.
rapatrier v. tr. (Se conj. comme *prier.*) Ramener dans sa patrie.
râpe n. f. Ustensile pour réduire en poudre certaines substances. Lime à grosses entailles, pour menuisiers, etc.
râper v. tr. Mettre en poudre avec la râpe. User à la râpe : *râper du bois. Fam.* User jusqu'à la corde : *habits râpés.*
rapetassage n. m. *Fam.* Raccommodage.
rapetasser v. tr. *Fam.* Raccommoder grossièrement : *rapetasser des bottes.*
rapetasseur, euse n. Qui rapetasse.
rapetissement n. m. Action ou effet de rapetisser.
rapetisser v. tr. Rendre plus petit. V. intr. Devenir plus petit.
râpeux, euse adj. Rude comme une râpe.
raphia n. m. Fibre tirée d'un genre de palmiers.
rapide* adj. Qui a lieu avec vitesse. Qui se meut avec vitesse. Fait avec rapidité.
rapide n. m. Partie d'un fleuve où le courant, très rapide, interrompt la navigation. Train à marche accélérée.
rapidité n. f. Caractère de ce qui est rapide, célérité, vitesse.
rapiècement ou **rapiéçage** n. m. Action de rapiécer.
rapiécer v. tr. (Se conj. comme *amorcer* et *accélérer.*) Mettre des pièces à du linge.
rapière n. f. Epée à longue lame.
rapin n. m. Jeune peintre.
rapine n. f. Action de ravir. Chose ravie, pillage : *vivre de rapines.*
rappareiller v. tr. Remettre avec son pareil : *rappareiller des tableaux.*
rapparier v. tr. (Se conj. comme *prier.*) Refaire une paire avec quelque chose.
rappel n. m. Action de rappeler. Batterie de tambour pour rappeler les soldats. Paiement d'appointements, etc., en retard.
rappeler v. tr. Appeler de nouveau. Appeler fréquemment. Faire revenir : *rappeler un ambassadeur. Fig.* Ramener : *rappeler à la vie.* Faire rentrer : *rappeler à l'ordre.* Faire revenir à la mémoire : *rappeler un souvenir.* V. pr. Se souvenir : *se rappeler une chose* (et non *d'une chose*) ; *je me le rappelle* (et non *je m'en rappelle*).
rappliquer v. tr. Appliquer de nouveau. V. intr. *Pop.* Revenir.
rapport n. m. Revenu, produit : *rapport d'une terre; terre en plein rapport.* Compte rendu : *rapport fidèle.* Cancan; médisance : *faire des rapports.* Témoignage d'experts devant un tribunal. Analogie : *rapports de caractère.* Relations : *entretenir de bons rapports. Math.* Quotient de deux grandeurs divisées l'une par l'autre. *Maison de rapport,* immeuble loué. *Par rapport à,* en proportion de.
rapporter v. tr. Apporter de nouveau. Apporter de voyage : *rapporter des souvenirs.* Rajouter : *rapporter un morceau à une*

planche. Donner comme produit : *terre qui rapporte.* Raconter : *rapporter des faits.* Redire par malice, intérêt ou indiscrétion : *enfant qui rapporte tout.* Annuler : *rapporter un décret. Chass.* Apporter le gibier tué (chiens).

rapporteur, euse n. Qui rapporte. Qui fait un rapport : *rapporteur du budget.* Demi-cercle gradué, pour mesurer les angles.

rapprendre v. tr. Apprendre de nouveau : *rapprendre l'histoire.*

rapprochement n. m. Action de rapprocher. Réconciliation. Comparaison : *rapprochement de textes.*

rapprocher v. tr. Approcher de nouveau ou davantage. Faire paraître plus proche : *lentille qui rapproche.* Réunir, réconcilier. Comparer : *rapprocher un fait d'un autre.*

rapt n. m. Enlèvement par violence.

raquette n. f. Cadre ovale garni de cordes tendues, pour jouer à la balle. Appareil analogue pour marcher sur la neige.

rare* adj. Peu fréquent. Clairsemé. De grande valeur : *un rare mérite.*

raréfaction n. f. Action de raréfier.

raréfier v. tr. Rendre rare. Rendre moins dense. V. intr. Devenir rare : *air raréfié.*

rareté n. f. Qualité de ce qui est rare. Objet curieux : *rechercher les raretés.*

rarissime adj. Très rare.

ras, e adj. Coupé jusqu'à la racine. Très court : *poil ras. Rase campagne,* pays plat et découvert. *Faire table rase,* négliger tout ce qui précède. *Au ras de,* au niveau de.

rasade n. f. Ce qui remplit un verre à ras du bord.

rascasse n. f. Poisson méditerranéen, un des ingrédients de la bouillabaisse.

rasement n. m. Action de raser une place, des fortifications, etc.

raser v. tr. Couper ras. Abattre à ras de terre : *raser un édifice.* Passer au ras de, effleurer. *Fam.* Importuner.

raseur, euse n. Qui rase.

rasoir n. m. Instrument à tranchant très affilé, pour raser la barbe.

rassasiement n. m. Etat de satiété.

rassasier v. tr. (Se conj. comme *prier.*) Apaiser, contenter la faim. Satisfaire jusqu'à la satiété. Accabler, abreuver de.

rassemblement n. m. Action de rassembler. Attroupement : *interdire les rassemblements.* Sonnerie pour assembler une troupe.

rassembler v. tr. Assembler de nouveau. Faire amas : *rassembler des matériaux.* Réunir, recueillir, concentrer : *rassembler ses forces. Rassembler un cheval,* le tenir prêt à un mouvement.

rasseoir v. tr. (Se conj. comme *asseoir.*) Asseoir de nouveau. *Fig.* Apaiser.

rasséréner v. tr. (Se conj. comme *accélérer.*) Rendre serein : *le ciel s'est rasséréné. Fig.* Rendre la sérénité, le calme.

rassis, e adj. *Pain rassis,* qui n'est plus frais. *Fig. Esprit rassis,* calme, posé.

rassortiment ou **réassortiment** n. m. Action de rassortir.

rassortir ou **réassortir** v. tr. Assortir de nouveau.

rassurer v. tr. Rendre la confiance, la tranquillité : *rassurer un enfant.*

rastaquouère n. m. Etranger menant grand train, et dont on ne connaît pas les moyens d'existence.

rat n. m. Genre de mammifères rongeurs. *Rat de cave,* mèche recouverte de cire, pour s'éclairer dans une cave.

rata n. m., **ratatouille** n. f. *Pop.* Ragoût.

ratafia n. m. Une liqueur.

ratatiner v. tr. Rider, racornir.

rate n. f. Viscère situé à gauche dans l'abdomen. *Fig.* et *fam. Dilater, désopiler la rate,* faire rire.

rate n. f. Femelle du rat.

raté n. m. Coup d'arme à feu qui n'est pas parti. Allumage défectueux dans un moteur à explosion. *Fig.* Ecrivain, artiste, acteur, etc., qui n'a pas réussi.

râteau n. m. Instrument de jardinage muni de dents.

râtelage n. m. Action de râteler.

râtelée n. f. Ce qu'on ramasse d'un coup de râteau.

râteler v. tr. (Se conj. comme *amonceler.*) Ramasser avec le râteau.

râtelier n. m. Espèce d'échelle suspendue aux murs d'une écurie, pour le fourrage destiné aux bêtes. Appareil pour placer les fusils, dans les casernes et les corps de garde. Garniture de fausses dents.

rater v. intr. Se dit d'une arme à feu qui manque à partir. *Fig.* Echouer. V. tr. Manquer : *rater un train, un rendez-vous.*

ratier n. m. Chien dressé pour la chasse aux rats.

ratière n. f. Petit piège à rats.

ratificatif, ive adj. Qui ratifie.

ratification n. f. Action de ratifier : *la ratification d'un traité.* Acte qui ratifie.

ratifier v. tr. (Se conj. comme *prier.*) Confirmer ce qui a été promis.

ratine n. f. Etoffe de laine, dont le poil est tiré et frisé.

ratiociner [*syo*] v. intr. Raisonner d'une façon subtile et pédantesque.

ration n. f. Portion journalière de vivres, de fourrage, etc., qui se distribue aux troupes, aux animaux, etc.

rationalisation n. f. Méthode d'organisation de la production, tendant à améliorer le rendement.

rationaliser v. tr. Rendre rationnel.

rationalisme n. m. Doctrine philosophique qui prétend tout expliquer au moyen de la raison. Doctrine d'après laquelle les idées viennent de la raison, non de l'expérience.

rationaliste adj. Relatif au rationalisme.

rationalité n. f. Qualité de ce qui est rationnel.

rationnel, elle* adj. Fondé sur la seule raison. Conforme à la raison. Déduit par le raisonnement.

rationnement n. m. Action de rationner.

rationner v. tr. Mettre à la ration : *rationner un malade.* Distribuer par rations.

ratissage n. m. Action de ratisser.

ratisser v. tr. Nettoyer avec un râteau. Enlever en raclant.

raton n. m. Petit rat. Genre de mammifères carnassiers vivant au bord des eaux.

rattachement n. m. Action de rattacher : *le rattachement de Nice à la France.* Son résultat.

rattacher v. tr. Attacher de nouveau. Rendre attaché à : *cet espoir peut le rattacher à la vie.* Faire dépendre : *rattacher une question à une autre.*

rattrapage n. m. Action de rattraper.

rattraper v. tr. Attraper de nouveau. Rejoindre : *je le rattraperai bientôt.* Regagner : *rattraper une perte.*
rature n. f. Trait passé sur un écrit pour l'annuler.
raturer v. tr. Effacer par des ratures.
rauque adj. Rude, âpre : *ton rauque.*
ravage n. m. Violent dommage, grand dégât : *les ravages de la guerre. Fig.* Désordre : *les ravages du jeu.*
ravager v. tr. Faire des ravages : *ravager une province.*
ravageur n. m. Qui ravage : *mal ravageur.*
ravalement n. m. Remise en état d'une façade en pierre; crépi fait de haut en bas. *Fig.* Action de déprécier.
ravaler v. tr. Avaler de nouveau. Faire le ravalement d'une construction : *ravaler un mur.* Déprécier : *ravaler le mérite d'autrui.* V. pr. S'abaisser, s'avilir : *se ravaler au rang des bêtes.*
ravaleur n. m. Ouvrier qui fait des ravalements.
ravaudage n. m. Raccommodage.
ravauder v. tr. Raccommoder.
ravaudeur, euse n. Qui ravaude.
rave n. f. Espèce de chou-navet.
ravier n. m. Petit plat pour radis et autres hors-d'œuvre.
ravigote n. f. Sauce au vinaigre, à l'ail et aux herbes.
ravigoter v. tr. *Fam.* Remettre en appétit, en force, en vigueur.
ravin n. m. Vallon étroit, à pentes raides.
ravine n. f. Petit ravin.
ravinement n. m. Action de raviner.
raviner v. tr. Creuser des ravins dans : *l'orage ravine le sol.*
ravioli n. m. pl. Petits carrés de pâte farcis de viande hachée.
ravir v. tr. Enlever de force : *ravir le bien d'autrui. Fig.* Faire perdre : *ravir l'honneur.* Enchanter : *ce chant me ravit.*
raviser (se) v. pr. Changer d'avis.
ravissement n. m. Action de ravir, enlèvement. *Fig.* Charme, joie extrême : *être dans le ravissement.*
ravisseur, euse n. et adj. Qui ravit.
ravitaillement n. m. Action de ravitailler.
ravitailler v. tr. Munir de vivres et de munitions : *ravitailler des troupes.*
raviver v. tr. Rendre plus vif : *raviver le feu. Fig.* Ranimer : *raviver le zèle.*
ravoir v. tr. (N'est usité qu'à l'infinitif.) Avoir de nouveau.
rayement n. m. Action de rayer.
rayer v. tr. (Se conj. comme *balayer.*) Faire des raies : *rayer du verre.* Effacer, raturer : *rayer un mot. Rayer des cadres,* retirer à quelqu'un sa qualité d'officier. Tracer des rayures dans un canon.
ray-grass n. m. Ivraie vivace, utilisée comme gazon.
rayon n. m. Trait partant d'un corps lumineux : *rayon de soleil. Fig.* Lueur : *rayon d'espoir.* Ligne partant, avec d'autres, d'un centre : *rayon d'une roue.* Ligne menée d'un centre à la circonférence. Tablette de bibliothèque, d'armoire. Gâteau de cire des abeilles : *rayon de miel.*
rayonnage n. m. Ensemble des rayons d'une armoire, d'une bibliothèque.
rayonne n. f. Soie artificielle.
rayonnement n. m. Action de rayonner : *rayonnement spirituel.*
rayonner v. intr. Jeter des rayons. Montrer l'expression du bonheur : *visage qui rayonne.* Faire sentir son action au-delà d'un point : *la chaleur du foyer rayonne.*
rayure n. f. Action de rayer. Façon dont une chose est rayée : *les rayures d'une étoffe.* Rainure intérieure, généralement hélicoïdale du canon d'une arme à feu.
raz ou **ras** [*ra*] n. m. Courant de mer violent dans un passage étroit. *Raz de marée,* soulèvement soudain des eaux de la mer.
razzia [*razia, radzia*] n. f. (mot arabe). Expédition en territoire ennemi dans un but de rapine.
razzier v. tr. (Se conj. comme *prier.*) Exécuter une razzia sur.
re, ré, préfixe qui marque réitération, réciprocité, retour à un ancien état.
ré n. m. Seconde note de la gamme.
réabonnement n. m. Action de réabonner, nouvel abonnement.
réabonner v. tr. Abonner de nouveau.
réabsorber v. tr. Absorber de nouveau.
réactif, ive adj. Qui réagit. N. m. Substance employée en chimie, en vue des réactions qu'elle produit.
réaction n. f. Action d'un corps sur un autre qui agit sur lui. *Fig.* Tout ce qui agit en sens opposé : *réaction politique. Polit.* Parti qui s'oppose au progrès et veut faire revivre le passé. *Phys.* et *chim.* Phénomène qui se produit entre les corps agissant les uns sur les autres : *avion à réaction. Physiol.* Action organique, qui tend à provoquer un effet contraire à celui de l'agent qui l'a occasionnée.
réactionnaire adj. et n. Partisan d'une réaction politique.
réadmettre v. tr. (Se conj. comme *mettre.*) Admettre de nouveau.
réaffirmer v. tr. Affirmer de nouveau.
réagir v. intr. Se dit d'un corps qui agit sur un autre dont il a éprouvé l'action. Agir en retour. Lutter contre, résister.
réajuster. V. RAJUSTER.
réalisable adj. Qui peut se réaliser.
réalisateur, trice adj. et n. Qui réalise.
réalisation n. f. Action de réaliser, son résultat. Transformation de valeurs diverses (actions, stocks, etc.) en espèces.
réaliser v. tr. Rendre réel et effectif : *réaliser ses promesses. Réaliser sa fortune,* la convertir en espèces. *Fam.* Se rendre compte de quelque chose.
réalisme n. m. Doctrine philosophique du Moyen Age, qui considérait les idées générales comme des êtres réels. *Littér.* et *Bx-arts.* Doctrine qui tend à reproduire la nature avec toutes ses laideurs.
réaliste n. et adj. Partisan du réalisme.
réalité n. f. Existence effective : *la réalité du monde.* Chose réelle.
réapparaître v. intr. (Se conj. comme *paraître.*) Apparaître de nouveau.
réapparition n. f. Action de réapparaître.
réapprovisionner v. tr. Approvisionner de nouveau : *réapprovisionner une armée en munitions, en vivres.*
réarmement n. m. Action de réarmer.
réarmer v. tr. Armer de nouveau.
réassortir v. tr. Rassortir.
réassurance n. f. Opération par laquelle un assureur, ayant assuré un client, se couvre d'une partie du risque en se faisant assurer lui-même par un autre assureur.

réassurer v. tr. Faire une réassurance.
rébarbatif, ive adj. Dur, rebutant.
rebâtir v. tr. Bâtir de nouveau.
rebattre v. tr. (Se conj. comme *battre.*) Battre de nouveau. Explorer en tout sens : *rebattre les fourrés. Fig.* Répéter d'une manière ennuyeuse : *rebattre les oreilles.*
rebelle n. et adj. Qui refuse d'obéir à l'autorité. Qui résiste, indocile. Qui ne cède pas aux remèdes : *maladie rebelle.*
rebeller (se) v. pr. Etre, devenir rebelle. Etre indocile, résister.
rébellion n. f. Révolte.
rebiffer (se) v. pr. *Fam.* Regimber.
reboisement n. m. Action de reboiser.
reboiser v. tr. Planter de nouveau en bois un terrain déboisé.
rebond n. m. Action de rebondir. Saut, bond en arrière.
rebondi, e adj. Arrondi par embonpoint.
rebondir v. intr. Faire un ou plusieurs bonds. Redevenir d'actualité.
rebondissement n. m. Nouveau bond.
rebord n. m. Bord élevé : *rebord d'une table.* Bord naturel d'une chose profonde : *rebord d'un fossé.* Bord replié, renversé.
reboucher v. tr. Boucher de nouveau.
rebours n. m. Contre-poil, et, au *fig.*, contre-pied, le contraire de ce qu'il faut. *A rebours, au rebours,* à contre-poil, à contresens. *Au rebours de,* contrairement à : *au rebours du bon sens.*
rebouteur ou **rebouteux** n. m. Qui fait métier de remettre une foulure, une fracture par des moyens empiriques.
reboutonner v. tr. Boutonner de nouveau.
rebroussement n. m. Action de rebrousser.
rebrousser v. tr. Relever à contre-poil, en sens contraire. *A rebrousse-poil,* à contre-poil. Refaire en sens contraire : *rebrousser chemin.* V. intr. Revenir sur ses pas.
rebuffade n. f. Mauvais accueil; refus brutal : *essuyer une rebuffade.*
rébus [*buss*] n. m. Jeu d'esprit, qui consiste à exprimer des mots ou des phrases par des figures dont le nom rend à peu près le même son que ces mots ou les syllabes de ces mots. *Par ext.* Enigme.
rebut n. m. Chose rebutée, rejetée. *Fig.* En parlant des personnes, ce qu'il y a de plus vil : *rebut de l'humanité. Au rebut,* de côté, comme étant sans valeur : *mettre une machine au rebut.*
rebuter v. tr. Rejeter. Décourager, lasser. V. intr. Choquer, répugner.
récalcitrant, e adj. et n. Qui résiste avec opiniâtreté.
récapitulatif, ive adj. Qui récapitule.
récapitulation n. f. Action de récapituler.
récapituler v. tr. Résumer, redire.
recéder v. tr. Céder à quelqu'un ce qu'il avait cédé auparavant.
recel, recèlement n. m. Action de receler.
receler v. tr. (Se conj. comme *celer.*) Garder et cacher une chose volée par un autre : *receler des bijoux.* Soustraire à la justice : *receler un meurtrier.* Renfermer : *que de beautés cet ouvrage recèle!*
receleur, euse n. Qui recèle.
récemment adv. Depuis peu.
recensement n. m. Action de recenser; son résultat : *recensement quinquennal.* Vérification de marchandises.
recenser v. tr. Faire le dénombrement de la population, etc., d'un Etat, des suffrages dans un vote, etc.
recenseur n. m. Celui qui recense.
récent, e adj. Nouveau, nouvellement fait ou arrivé.
recepage n. m. Action de receper.
receper v. tr. (Se conj. comme *accélérer.*) Couper un jeune arbre près de terre.
récépissé n. m. Reçu.
réceptacle n. m. Lieu où sont rassemblées diverses choses.
récepteur, trice adj. Qui reçoit. N. m. Appareil de réception : *poste récepteur.*
réceptif, ive adj. En mesure de recevoir.
réception n. f. Action de recevoir. Accueil : *faire bonne réception à quelqu'un.* Action de recevoir des visites avec cérémonial. Action d'être admis : *réception d'un candidat.* Vérification que subit un ouvrage avant d'être agréé : *réception d'un pont.*
réceptionnaire n. et adj. Chargé de la réception des travaux faits par un entrepreneur.
réceptivité n. f. Aptitude à recevoir des impressions, à contracter des maladies.
recette n. f. Ce que l'on reçoit : *les recettes et les dépenses.* Recouvrement : *garçon de recette.* Emploi de receveur : *recette buraliste.* Formule de composition : *recette de cuisine; une recette pour dormir.*
recevabilité n. f. Caractère de ce qui est recevable.
recevable adj. Qui peut être admis.
receveur, euse n. Qui reçoit. Percepteur de deniers publics.
recevoir v. tr. (*Je reçois, nous recevons. Je recevrai. Je reçus. Que je reçoive. Que je reçusse. Recevant, reçu.*) Accepter ce qui est donné, ce qui est dû : *recevoir de l'argent.* Accueillir : *recevoir un ami.* Admettre : *recevoir un candidat.* Subir : *recevoir un châtiment.* Prendre : *recevoir une forme.* V. intr. Avoir société chez soi : *recevoir beaucoup.*
rechampir v. tr. *Peint.* Détacher une figure sur un fond en en accusant les contours.
rechange n. m. Remplacement d'une chose par une autre.
rechanger v. tr. (Se conj. comme *changer.*) Changer de nouveau.
rechaper v. tr. Recouvrir d'une chape.
réchapper v. intr. Echapper à un danger : *si jamais j'en réchappe!*
rechargement n. m. Action de recharger.
recharger v. tr. (Se conj. comme *manger.*) Charger de nouveau : *recharger son fusil.* Empierrer de nouveau une route.
réchaud n. m. Petit fourneau portatif. Appareil pour tenir des plats au chaud sur la table.
réchauffage n. m. Réchauffement.
réchauffé n. m. Chose réchauffée. *Fig.* Ce qui est vieux, connu, mais que l'on donne comme neuf : *ne pas aimer le réchauffé.*
réchauffement n. m. Action de réchauffer. *Agr.* Couche de fumier neuf.
réchauffer v. tr. Chauffer de nouveau. *Fig.* Ranimer, raviver.
réchauffeur n. m. Appareil destiné à réchauffer un liquide.
rechausser v. tr. Chausser de nouveau. Remettre de la terre au pied d'un arbre.
rêche adj. Rude au toucher. Apre au goût : *vin rêche. Fig.* Rétif.

recherche n. f. Action de rechercher. Action de chercher à obtenir. Affectation, raffinement : *recherche dans le style.*

recherché, e adj. Qui manque de naturel : *style recherché.*

rechercher v. tr. Chercher de nouveau. Chercher avec soin : *rechercher la cause d'un phénomène.* Poursuivre juridiquement, faire une enquête. Tâcher d'obtenir. Poursuivre avec affectation.

rechigné, e adj. Maussade.

rechigner v. intr. Prendre un air maussade, montrer de la répugnance.

rechute n. f. Nouvelle chute. Retour d'une maladie : *une rechute fatale.*

rechuter v. intr. Faire une rechute.

récidive n. f. Action de commettre de nouveau une faute, etc. : *la récidive aggrave la faute.* Réapparition d'une maladie.

récidiver v. intr. Faire une récidive. Recommencer, réapparaître.

récidiviste n. et adj. Qui a commis de nouveau un même délit.

récif n. m. Chaîne de rochers à fleur d'eau.

récipiendaire n. m. Celui que l'on reçoit dans une compagnie.

récipient n. m. Vase pour recevoir, contenir un liquide, un fluide.

réciprocité n. f. Etat et caractère de ce qui est réciproque.

réciproque* adj. Qui marque une action équivalente à celle qui est reçue.

récit n. m. Relation, narration d'un fait.

récital n. m. Audition d'un seul artiste, jouant sur un seul instrument. Pl. des *récitals.*

récitant, e adj. *Mus.* Se dit des voix et des instruments qui exécutent seuls ou qui exécutent la partie principale.

récitatif n. m. Sorte de chant déclamé non assujetti à la mesure.

récitation n. f. Action de réciter.

réciter v. tr. Dire par cœur.

réclamation n. f. Action de réclamer.

réclame n. f. Petit article, dans un journal, contenant l'éloge payé d'un produit. Appel à la publicité par affiches, prospectus, etc.

réclamer v. tr. Demander avec instance. Implorer : *réclamer du secours.* Revendiquer : *réclamer un droit. Fig.* Demander, avoir besoin de : *réclamer des soins.* V. intr. Protester, s'élever contre : *réclamer contre une injustice.*

reclasser v. tr. Classer de nouveau.

reclouer v. tr. Clouer de nouveau.

reclure v. tr. (N'est usité qu'à l'infin. et aux temps composés.) Renfermer dans une clôture : *se reclure dans une cellule.*

reclus, e adj. et n. Renfermé étroitement. Qui ne fréquente point le monde : *vivre comme un reclus.*

réclusion n. f. Etat d'une personne recluse. *Dr.* Peine afflictive et infamante, consistant dans la privation de la liberté avec travail forcé.

recoiffer v. tr. Coiffer de nouveau, réparer le désordre d'une coiffure.

recoin n. m. Coin caché, secret.

récolement n. m. Action de récoler. Vérification : *récolement des bons de sortie.*

récoler v. tr. *Dr.* Lire à des témoins leurs dépositions, pour voir s'ils y persistent. Vérifier par un nouvel examen.

recollage ou **recollement** n. m. Action de recoller.

recoller v. tr. Coller de nouveau.

récollet, ette n. Religieux réformé franciscain.

récoltant adj. et n. Qui récolte.

récolte n. f. Action de recueillir les biens de la terre. Les produits eux-mêmes : *une riche récolte. Fig.* Résultat de recherches.

récolter v. tr. Faire une récolte : *récolter du blé. Fig.* Recueillir : *récolter la laine.*

recommandable adj. Qu'on peut recommander; estimable.

recommandation n. f. Action de recommander. Conseil : *recommandation paternelle.* Considération, estime. Engagement que prend la poste (moyennant une taxe spéciale) de remettre une lettre, un paquet en main propre.

recommander v. tr. Charger quelqu'un de faire une chose. Exhorter à. Signaler aux bons soins de : *recommander un candidat.*

recommencement n. m. Action de recommencer.

recommencer v. tr. et intr. (Se conj. comme *amorcer.*) Commencer de nouveau.

récompense n. f. Dédommagement, compensation. *Par antiphr.* Châtiment. Compensation heureuse. Ce dont on gratifie quelqu'un ou ce dont on est gratifié : *récompense honorifique.* (Vx.)

récompenser v. tr. Accorder une récompense : *récompenser un élève.* Dédommager. *Par antiphr.* Punir.

recomposer v. tr. Composer de nouveau.

recomposition n. f. Action de recomposer.

recompter v. tr. Compter de nouveau.

réconciliation n. f. Action de réconcilier; son effet.

réconcilier v. tr. (Se conj. comme *prier.*) Etablir l'accord, l'harmonie entre : *réconcilier des ennemis.* Inspirer des idées plus favorables sur : *cela me réconcilie avec lui.* Rétablir l'accord d'un hérétique avec l'Eglise. V. pr. Se raccommoder.

reconduction n. f. Renouvellement d'une location, d'un bail à ferme. *Tacite reconduction,* qui se fait d'elle-même.

reconduire v. tr. (Se conj. comme *conduire.*) Accompagner quelqu'un qui s'en retourne. Guider vers la sortie un visiteur. *Iron.* Econduire, expulser.

réconfort n. m. Consolation.

réconforter v. tr. et intr. Fortifier : *vin qui réconforte. Fig.* Relever le courage, l'énergie : *réconforter un malade.*

reconnaissable adj. Facile à reconnaître.

reconnaissance n. f. Action de reconnaître. Gratitude d'un bienfait. Aveu : *la reconnaissance d'une erreur.* Acte déclarant l'existence d'une chose : *reconnaissance de dette.* Reçu : *reconnaissance du mont-de-piété.* Exploration militaire : *partir en reconnaissance.*

reconnaître v. tr. (Se conj. comme *connaître.*) Se rappeler, identifier : *reconnaître un ami, reconnaître à la voix.* Constater : *reconnaître une erreur.* Avouer : *reconnaître ses torts.* Avoir de la gratitude : *reconnaître un bienfait.* Admettre : *reconnaître un gouvernement.* Explorer : *reconnaître le terrain.* V. pr. Se retrouver. S'avouer : *se reconnaître coupable.*

reconquérir v. tr. (Se conj. comme *acquérir.*) Conquérir de nouveau. *Fig.* Recouvrer : *reconquérir l'estime.*

reconstituant, e adj. *Méd.* Qui fortifie.

reconstituer v. tr. Constituer de nouveau.
reconstitution n. f. Action de reconstituer.
reconstruction n. f. Action de reconstruire.
reconstruire v. tr. (Se conj. comme *conduire.*) Construire de nouveau.
reconvention n. f. *Dr.* Demande que forme un défendeur contre le demandeur.
reconventionnel, elle* adj. Qui introduit une reconvention.
recopier v. tr. (Se conj. comme *prier.*) Copier de nouveau.
record n. m. Exploit sportif dûment homologué et dépassant ce qui a déjà été fait.
recorder v. tr. Remettre des cordes.
recordman [*man'*] n. m. Détenteur d'un record. Pl. des *recordmen* [*mèn*].
recorriger v. tr. (Se conj. comme *manger.*) Corriger de nouveau.
recors n. m. Celui qui accompagne un huissier pour l'aider. (Vx.)
recoucher v. tr. Coucher de nouveau.
recoudre v. tr. (Se conj. comme *coudre.*) Coudre ce qui est décousu.
recoupement n. m. Vérification au moyen de sources différentes.
recouper v. tr. Couper de nouveau. Contrôler par recoupement.
recourber v. tr. Courber de nouveau. Courber en rond par le bout.
recourir v. intr. (Se conj. comme *courir.*) Courir de nouveau. *Fig.* Faire appel, avoir recours à : *recourir à la force.*
recours n. m. Recherche d'assistance, de secours : *avoir recours à quelqu'un.* Ressource, refuge : *la fuite est le recours des faibles. Dr.* Action en garantie contre quelqu'un. Pourvoi : *recours en grâce.*
recouvrable adj. Qui peut se recouvrer.
recouvrage n. m. Action de recouvrir.
recouvrance n. f. Recouvrement.
recouvrement n. m. Action de recouvrer. Ce qui recouvre. Perception de sommes dues; *recouvrement des impôts.*
recouvrer v. tr. Retrouver, rentrer en possession de : *recouvrer la vue.* Percevoir une somme due.
recouvrir v. tr. (Se conj. comme *couvrir.*) Couvrir de nouveau. Couvrir complètement. *Fig.* Cacher, masquer.
recracher v. tr. Rejeter de la bouche.
récréatif, ive adj. Qui récrée.
récréation n. f. Passe-temps, délassement. Temps accordé pour se divertir, se reposer.
recréer v. tr. Créer de nouveau.
récréer v. tr. Réjouir, divertir.
recrépir v. tr. Crépir de nouveau. *Fig.* Restaurer, réparer. (Vx.)
récrier (se) v. pr. (Se conj. comme *crier.*) Réclamer, protester.
récrimination n. f. Action de récriminer; série de reproches.
récriminer v. intr. Répondre à des reproches, à des accusations par d'autres.
récrire v. tr. Ecrire de nouveau.
recroqueviller (se) v. pr. Se dessécher, se replier sous l'action de la chaleur.
recru, e adj. Harassé (de fatigue).
recrudescence n. f. Intensité plus grande d'une maladie, d'une épidémie, etc., après une accalmie.
recrue n. f. Levée de nouveaux soldats. Jeune soldat. *Fig.* Nouveau partisan.
recrutement n. m. Action de recruter.
recruter v. tr. Lever des troupes. *Fig.* Attirer dans une société, dans un parti.
recruteur n. et adj. m. Qui recrute.
recta adv. *Fam.* Ponctuellement.
rectal, e, aux adj. Du rectum.
rectangle adj. Dont les angles sont droits. *Triangle rectangle,* qui a un angle droit. N. m. Quadrilatère dont les angles sont droits. Objet de cette forme.
rectangulaire adj. A angles droits.
recteur n. m. Autref., chef d'une université; aujourd'hui, chef d'une circonscription académique. Directeur d'un collège de jésuites. Curé, en Bretagne.
recteur, trice adj. Qui dirige. N. f. Plume de la queue des oiseaux.
rectificateur n. m. Alambic qui donne de l'alcool rectifié.
rectificatif, ive adj. Qui rectifie.
rectification n. f. Action de rectifier. Modification à un article de journal, de revue.
rectifier v. tr. (Se conj. comme *prier.*) Rendre droit. *Fig.* Redresser, corriger. Rendre exact, correct : *rectifier un calcul.* Purifier par une nouvelle distillation.
rectiligne adj. En ligne droite.
rectitude n. f. Qualité de ce qui est en ligne droite. *Fig.* Conformité à la règle, à la raison : *rectitude du jugement.*
recto n. m. Première page d'un feuillet. Ant. *Verso.*
rectoral, e, aux adj. De recteur.
rectorat n. m. Charge de recteur.
rectum [*tom*] n. m. Dernière portion du gros intestin.
reçu n. m. Quittance d'une somme.
recueil n. m. Collection, compilation.
recueillement n. m. Etat d'une personne qui se recueille.
recueilli, e adj. *Fig.* Qui se recueille.
recueillir v. tr. (Se conj. comme *cueillir.*) Récolter. Obtenir : *recueillir le fruit de son travail.* Acquérir par hérédité : *recueillir une succession.* Rassembler : *recueillir des fonds, ses forces.* V. pr. Réfléchir. Se livrer à la méditation.
recuire v. tr. (Se conj. comme *conduire.*) Cuire de nouveau. Exposer de nouveau un métal à l'action du feu. Refroidir lentement, dans un four spécial, les pièces de verrerie.
recul n. m. Mouvement de ce qui recule. Eloignement pour mieux voir.
reculade n. f. Action de reculer.
reculé, e adj. Eloigné.
reculer v. tr. Tirer, pousser en arrière : *reculer sa chaise.* Etendre, agrandir : *reculer les bornes.* Porter, reporter plus loin : *reculer une échéance.* V. intr. Se porter en arrière. *Fig.* Renoncer, céder. Hésiter, différer : *reculer devant le danger.* Rétrograder : *civilisation qui recule.*
reculons (à) loc. adv. En reculant.
récupération n. f. Action de récupérer.
récupérer v. tr. (Se conj. comme *accélérer.*) Rentrer en possession de. Retrouver ses forces : *athlète qui récupère vite.* Recueillir des objets usés pour en extraire des matières utilisables : *récupérer des vieux métaux.*
récurage n. m. Action de récurer.
récurer v. tr. Nettoyer.
récurrence n. f. Retour en arrière.
récurrent, e adj. Qui revient en arrière
récusation n. f. Action de récuser.

récuser v. tr. Refuser de reconnaître la compétence, la valeur de.
rédacteur n. m. Qui rédige.
rédaction n. f. Action de rédiger. La chose rédigée. Ensemble des rédacteurs d'un journal, etc. Bureau où ils travaillent.
redan n. m. Ouvrage de fortification formant un angle saillant. Ressaut de distance en distance, quand on construit un mur sur un terrain en pente.
reddition n. f. Action de rendre.
redemander v. tr. Demander de nouveau.
rédempteur n. m. Auteur de la rédemption.
rédemption n. f. Rachat du genre humain par Jésus-Christ.
redescendre v. tr. Descendre de nouveau : *redescendre un escalier.* V. intr. Descendre après être monté.
redevable adj. Qui redoit. *Fig.* Qui a obligation à quelqu'un.
redevance n. f. Dette, charge, que l'on acquitte à termes fixes.
redevenir v. intr. (Se conj. comme *venir.*) Devenir de nouveau.
redevoir v. tr. (Se conj. comme *devoir.*) Devoir après un compte fait, être en reste (au *pr.* et au *fig.*).
rédhibitoire adj. Qui peut motiver l'annulation d'une vente.
rédiger v. tr. (Se conj. comme *manger.*) Mettre par écrit : *rédiger un contrat.*
rédimer v. tr. Racheter. (Vx.)
redingote n. f. Vêtement d'homme à longues basques.
redire v. tr. (Se conj. comme *dire.*) Répéter ce qui a déjà été dit. V. intr. Reprendre, blâmer : *n'avoir rien à redire à quelqu'un.*
redite n. f. Répétition oiseuse.
redondance n. f. Superfluité.
redonder v. intr. Etre surabondant.
redonner v. tr. Donner de nouveau la même chose. Rendre. *Fig.* Procurer de nouveau : *redonner des forces.* V. intr. Recommencer : *le froid redonne.* Revenir à la charge.
redorer v. tr. Dorer de nouveau.
redoublé, e adj. Pressé, accéléré. *Pas redoublé,* pas de vitesse double. Musique militaire pour ce pas.
redoublement n. m. Augmentation.
redoubler v. tr. Remettre une doublure. Renouveler, augmenter : *redoubler ses efforts.* V. intr. Augmenter, s'accroître : *le froid redouble. Redoubler de,* apporter plus de : *redoubler de soins.*
redoutable adj. Qui est à redouter.
redoute n. f. *Fortif.* Ouvrage isolé sans angles rentrants.
redouter v. tr. Craindre fort.
redressement ou **redressage** n. m. Action de redresser.
redresser v. tr. Rendre droit. Replacer debout. *Fig.* Donner de la rectitude : *redresser le jugement.* Réparer, réformer : *redresser des abus. Fam.* Corriger, réprimander. V. pr. Se relever. *Fig.* Prendre une attitude fière.
redresseur n. m. Instrument qui redresse un courant. *Redresseur de torts,* celui qui se mêle de corriger les autres.
réducteur, trice adj. Qui réduit.
réductible adj. Qui peut être réduit.
réduction n. f. Action de réduire. Copie réduite : *réduction d'un dessin. Arith.* Conversion d'une quantité en une autre équivalente : *réduction d'une fraction. Chim.* Désoxydation. *Chir.* Action de remettre une fracture, une luxation.
réduire v. tr. (Se conj. comme *conduire.*) Rendre moindre : *réduire l'effectif, ses dépenses.* Transformer : *réduire en farine.* Copier en petit : *réduire une photographie.* Contraindre : *réduire à l'obéissance.* Faire tomber : *réduire à la misère.* Concentrer par ébullition : *réduire du bouillon. Arith.* Transformer : *réduire une fraction. Chim.* Désoxyder.
réduit n. m. Retraite (vx). Galetas : *réduit misérable. Fortif.* Ouvrage à l'intérieur d'un autre pour prolonger la défense.
réduplication n. f. Redoublement.
rééditer v. tr. Faire une nouvelle édition. *Fig.* Remettre en circulation.
réédition n. f. Edition nouvelle.
rééducation n. f. Action de rééduquer.
rééduquer v. tr. Eduquer de nouveau (un blessé, un membre malade, etc.).
réel, elle* adj. Qui existe effectivement, en fait : *besoins réels.* N. m. Ce qui est réel.
réélection n. f. Action de réélire.
rééligible adj. Qui peut être réélu.
réélire v. tr. (Se conj. comme *lire.*) Elire de nouveau : *réélire un député sortant.*
réemploi n. m. V. REMPLOI.
réensemencer v. tr. (Se conj. comme *amorcer.*) Ensemencer de nouveau.
réescompte n. m. Escompte par un banquier d'un papier déjà escompté.
réescompter v. tr. Escompter de nouveau : *réescompter une traite.*
réexpédier v. tr. (Se conj. comme *prier.*) Expédier de nouveau.
réexpédition n. f. Nouvelle expédition.
réexportation n. f. Action de réexporter.
réexporter v. tr. Exporter des marchandises importées.
refaire v. tr. (Se conj. comme *faire.*) Faire ce qu'on a déjà fait. V. pr. Manger, boire. Reprendre des forces. Rétablir ses affaires.
refait, e adj. *Fam.* Trompé, dupé.
réfection n. f. Action de refaire. Action de se refaire; rétablissement des forces. Collation.
réfectoire n. m. Lieu où l'on prend ses repas en commun, dans un collège, etc.
refend n. m. *Mur de refend,* qui sépare les pièces. *Bois de refend,* scié en long.
refendre v. tr. Fendre de nouveau.
référé n. m. *Dr.* Recours au juge qui, dans le cas d'urgence, statue provisoirement. Arrêt rendu dans ces cas.
référence n. f. Action de référer, de renvoyer à un texte, à une autorité. Pl. Recommandations : *montrer ses références.*
référendaire adj. *Conseiller référendaire,* magistrat de la Cour des comptes chargé d'examiner les pièces de comptabilité.
référendum [*rindom*] n. m. Consultation directe des citoyens sur une question d'intérêt général.
référer v. tr. (Se conj. comme *accélérer.*) Rapporter quelque chose à ce qui l'explique, le confirme. V. intr. Faire rapport : *il faut en référer au directeur.*
refermer v. tr. Fermer de nouveau.
réfléchi, e adj. Fait ou dit avec réflexion. Qui agit avec réflexion. *Gramm. Verbes, pronoms réfléchis,* indiquant qu'une action retombe sur le sujet de la proposition.

réfléchir v. tr. Renvoyer en retour. Transmettre. *Phys. Rayon, onde réfléchis*, provenant d'une réflexion. V. intr. Penser, méditer : *réfléchir avant d'agir*. V. pr. Etre réfléchi : *se réfléchir dans l'eau*.

réfléchissement n. m. Rejaillissement, réverbération (de la lumière, etc.).

réflecteur n. m. et adj. Appareil qui réfléchit la lumière.

reflet n. m. Rayon lumineux réfléchi par un corps : *reflet d'une étoffe. Fig.* Reproduction affaiblie.

refléter v. tr. (Se conj. comme *accélérer*.) Renvoyer en reflets la lumière, la couleur sur un corps voisin. *Fig.* Reproduire l'image de : *le miroir refléta son visage*.

refleurir v. intr. Fleurir de nouveau. *Fig.* Redevenir florissant.

réflexe adj. *Phys.* Qui se fait par réflexion. N. m. *Physiol.* Réaction nerveuse inconsciente : *avoir des réflexes rapides*.

réflexion n. f. Changement de direction des ondes lumineuses ou sonores qui tombent sur une surface réfléchissante. *Fig.* Action de réfléchir, méditation.

refluer v. intr. Revenir vers le point de départ : *la foule, effrayée, reflua*.

reflux n. m. Mouvement réglé des eaux de la mer qui s'éloignent du rivage, lorsque la marée baisse. *Fig.* Retour en arrière.

refondre v. tr. Fondre de nouveau. *Fig.* Modifier : *refondre un ouvrage*.

refonte n. f. Action de refondre.

reforger v. tr. (Se conj. comme *manger*.) Forger de nouveau.

réformateur, trice n. et adj. Qui réforme. Chef d'une réforme.

réformation n. f. Action de réformer.

réforme n. f. Changement en vue d'une amélioration : *la réforme du calendrier julien*. Retour à la règle dans un ordre religieux : *la réforme de Cîteaux*. Opération par laquelle un militaire est rayé des contrôles comme incapable de continuer à servir; se dit également des chevaux et du matériel. Changements introduits dans la doctrine de l'Eglise catholique par le protestantisme.

réformé, e adj. *Religion réformée*, le protestantisme. N. m. Protestant. Militaire qui a été mis à la réforme.

reformer v. tr. Former de nouveau : *reformer les rangs*. V. pr. En parlant des troupes, se rallier après avoir été dispersées.

réformer v. tr. Rendre la première forme. Donner une meilleure forme. Supprimer ce qui est nuisible : *réformer un abus. Milit.* Retrancher de l'armée des hommes, des chevaux, etc., impropres au service.

réformiste n. m. et adj. Partisan d'une réforme.

refoulement n. m. Action de refouler.

refouler v. tr. Fouler de nouveau. Comprimer. Faire entrer de force. Repousser : *refouler une invasion*. Comprimer avec effort. Faire disparaître dans le subconscient ce que la conscience réprouve : *sa névrose provient d'une haine refoulée*.

refouloir n. m. Instrument qui sert à assurer le chargement d'un canon.

réfractaire adj. *Chim.* Qui résiste à certaines influences. Qui ne fond qu'à très haute température. Qui refuse de se soumettre : *réfractaire à la loi*. N. m. Conscrit qui se soustrait au recrutement.

réfracter v. tr. Produire une réfraction.

réfracteur adj. m. Qui réfracte.

réfraction n. f. Déviation de la lumière, passant d'un milieu transparent dans un autre.

refrain n. m. Retour d'un même vers ou d'un même groupe de vers à la fin des parties d'une pièce lyrique. *Par ext.* Chose qu'on répète souvent.

refrapper v. tr. et intr. Frapper de nouveau.

refréner v. tr. (Se conj. comme *accélérer*.) Mettre un frein, réprimer.

réfrigérant, e adj. Qui abaisse la température : *mélange réfrigérant*. N. m. Remède rafraîchissant.

réfrigérateur n. m. Appareil pour réfrigérer : *mettre au réfrigérateur*.

réfrigération n. f. Refroidissement.

réfrigérer v. tr. (Se conj. comme *accélérer*.) Refroidir pour conserver, etc.

réfringence n. f. Propriété de réfracter la lumière.

réfringent, e adj. Qui réfracte.

refroidir v. tr. Rendre froid ou plus froid; rendre moins chaud. *Fig.* Diminuer l'ardeur, l'activité de. V. intr. Diminuer de chaleur. V. pr. *Fig.* Diminuer d'ardeur, d'intérêt : *l'enthousiasme s'est refroidi*.

refroidissement n. m. Diminution de chaleur. Indisposition causée par le froid : *souffrir d'un refroidissement. Fig.* Diminution de vivacité, d'ardeur, d'affection.

refuge n. m. Asile, retraite. Personne à laquelle on a recours dans un embarras. Garage pour piétons sur une chaussée.

réfugié, e adj. et n. Qui a quitté son pays pour éviter des persécutions, une condamnation, pour fuir une invasion.

réfugier (se) v. pr. (Se conj. comme *prier*.) Se retirer en un lieu pour y être en sûreté. *Fig.* Avoir recours à : *se réfugier dans des équivoques*.

refus n. m. Action de refuser.

refuser v. tr. Ne pas accepter : *refuser un présent*. Ne pas accorder : *refuser une grâce*. Ne pas recevoir à un examen : *refuser un candidat*. Ne pas reconnaître : *refuser toute qualité à un ennemi*. V. pr. Se priver de : *se refuser le nécessaire*. Ne pas consentir : *se refuser à parler*.

réfutable adj. Qui peut être réfuté.

réfutation n. f. Action de réfuter. Raisons alléguées pour réfuter.

réfuter v. tr. Détruire par des raisons.

regagner v. tr. Acquérir de nouveau, recouvrer : *regagner la confiance de quelqu'un*. Retourner vers : *regagner son logis*. Recouvrer ou réparer : *regagner le temps perdu*.

regain n. m. Herbe qui repousse après la fauchaison. *Fig.* Retour, recrudescence : *un regain de santé, de jeunesse*.

régal n. m. Mets qui plaît beaucoup. *Fig.* Grand plaisir que l'on trouve à une chose : *la musique est mon régal*. Pl. des *régals*.

régalade n. f. *A la régalade*, manière de boire en versant la boisson dans la bouche sans que le vase touche les lèvres.

régale adj. f. *Eau régale*, mélange d'acide azotique et d'acide chlorhydrique, qui attaque l'or.

régaler v. tr. Donner un bon repas : *régaler*

ses amis. Procurer un plaisir : *régaler d'un concert. Fam.* Payer : *c'est lui qui régale.*

régalien, enne adj. Se disait des droits attachés à la royauté.

regard n. m. Action ou manière de regarder : *regards distraits.* Ouverture pour faciliter la visite d'un aqueduc, d'un conduit.

regardant, e adj. Qui regarde. Trop économe.

regarder v. tr. Jeter la vue sur : *regarder les gens qui passent. Fig.* Etre tourné vers. V. intr. *Regarder à,* donner son attention à ; ne dépenser qu'avec regret. *Y regarder à deux fois,* prendre garde à ce qu'on va faire. V. pr. Etre en face l'un de l'autre.

regarnir v. tr. Garnir de nouveau.

régate n. f. Course de bateaux à voile, à moteur ou à l'aviron. Sorte de cravate.

régence n. f. Fonction de régent. Durée de cette dignité. Adj. Qui rappelle les mœurs, le style de la régence de Philippe d'Orléans.

régénérateur, trice n. et adj. Qui régénère.

régénération n. f. Rétablissement de ce qui était détruit. *Fig.* Renouvellement : *régénération morale.*

régénérer v. tr. (Se conj. comme *accélérer.*) Rétablir ce qui était détruit. *Fig.* Renouveler moralement : *régénérer une nation.*

régénérescence n. f. Transformation de ce qui se régénère.

régent, e n. et adj. Chef du gouvernement pendant la minorité, l'absence ou la maladie du souverain.

régenter v. tr. et intr. Diriger. Faire la leçon à, commander à son caprice.

régicide n. m. Assassin d'un roi. Adj. Relatif au meurtre d'un souverain : *vote régicide.* N. m. Chacun de ceux qui avaient voté la condamnation de Louis XVI.

régie n. f. Administration de biens soumise à une reddition de comptes. Administration chargée des impôts indirects. Bureaux de la régie. *Travaux mis en régie,* exécutés par l'Etat sous la surveillance de ses agents.

regimber v. intr. Ruer sur place : *cheval qui regimbe. Fig.* Résister, se révolter.

régime n. m. Forme de gouvernement. Ensemble de règles pour l'administration de certains établissements, de certaines communautés. Usage réglé de : *régime alimentaire.* Ensemble de règles légales et fiscales : *régime des boissons. Dr.* Convention matrimoniale : *régime dotal.* Grappe de certains fruits : *régime de bananes.* Débit d'un fluide : *régime d'un fleuve. Gramm.* Nom qui dépend grammaticalement d'un autre mot de la même phrase.

régiment n. m. Corps militaire, composé de plusieurs bataillons ou escadrons. *Fig.* Grand nombre.

régimentaire adj. Qui appartient au régiment.

reginglard n. m. *Fam.* Vin aigrelet.

région n. f. Grande étendue de pays. Lieu considéré du point de vue des mœurs, etc., des habitants. Chacune des diverses parties du ciel. *Fig.* Sphère, champ, domaine. Point, degré. *Anat.* Partie de la surface du corps : *la région pectorale.*

régional, e*, aux adj. D'une région.

régionalisme n. m. Doctrine qui favorise les groupements régionaux.

régionaliste adj. De la région.

régir v. tr. Gouverner, diriger. Administrer. *Fig.* Déterminer : *régir une évolution. Gramm.* Avoir pour régime.

régisseur n. m. Qui régit : *régisseur d'une propriété. Théât.* Celui qui dirige le service intérieur.

registre n. m. Livre où l'on inscrit les faits dont on veut conserver le souvenir. Etendue de l'échelle vocale. Bouton qu'on tire pour actionner les jeux d'un orgue. Appareil réglant le tirage d'un foyer, l'introduction de la vapeur dans le cylindre, etc.

réglage n. m. Action de régler.

règle n. f. Instrument droit et plat, pour tracer des lignes. *Fig.* Principe, loi : *les règles de la politesse.* Discipline, ordre : *respecter la règle.* Exemple, modèle : *servir de règle.* Statuts d'un ordre religieux. *Arith.* Nom donné à certaines opérations principales : *règle de trois.*

réglé, e adj. Qui se passe en règle. *Fig.* De conduite régulière.

règlement n. m. Action de régler. Arrêt, ordonnance : *règlement de police.* Ordre des travaux d'une communauté, d'une manufacture, etc. Action de s'imposer une règle morale, cette règle. Solde de compte.

réglementaire* adj. Qui concerne le règlement. Conforme au règlement.

réglementation n. f. Action de fixer par des règlements.

réglementer v. tr. Soumettre à un règlement : *réglementer les loyers, la vente de l'alcool.*

régler v. tr. (Se conj. comme *accélérer.*) Tirer à la règle des lignes sur le papier. Déterminer : *régler un itinéraire.* Terminer : *régler un différend.* Payer, mettre en ordre : *régler ses affaires.* Modérer : *régler sa dépense.* V. pr. Devenir régulier.

réglette n. f. Petite règle.

réglisse n. f. Genre de légumineuses dont la racine sert à composer des boissons rafraîchissantes. Jus de cette plante.

réglure n. f. Manière dont le papier est réglé.

règne n. m. Gouvernement d'un souverain ou sa durée : *règne glorieux. Par ext. : le règne de la mode.* Grande division des corps de la nature : *règne minéral.*

régner v. tr. (Se conj. comme *accélérer.*) Gouverner comme roi. Dominer : *la mode qui règne aujourd'hui.* Sévir : *froid qui règne.* Exister : *il règne un esprit de liberté ; le silence règne.*

regonfler v. tr. Gonfler de nouveau.

regorgement n. m. Etat de ce qui regorge.

regorger v. tr. (Se conj. comme *manger.*) Vomir. V. intr. Déborder. Avoir en surabondance : *regorger de richesses.*

regoûter v. tr. et intr. Goûter de nouveau.

regrat n. m. Revente au détail de menues denrées.

regratter v. tr. Gratter de nouveau.

regrattier, ère n. Sous l'Ancien Régime, personne qui vendait au détail les grains, le sel, etc.

régressif, ive adj. Qui va en arrière. Qui revient sur soi-même : *série régressive.*

régression n. f. Retour en arrière.

regret n. m. Action de regretter. Repentir : *le regret d'une faute.* Doléance, plainte : *regrets inutiles. A regret,* à contrecœur.

regrettable adj. Fâcheux : *une erreur regrettable.* Digne de regret.

regretter v. tr. Etre affligé de ne pas avoir ou de ne plus avoir, d'avoir fait ou de ne pas avoir fait une chose : *regretter un ami mort ; regretter une erreur.*

regrimper v. intr. Grimper de nouveau. V. tr. : *regrimper une côte.*

régularisation n. f. Action de régulariser.

régulariser v. tr. Rendre régulier.

régularité n. f. Qualité de ce qui est régulier : *régularité dans le travail.*

régulateur, trice adj. Qui sert à régler. N. m. Sorte de pendule.

régulier, ère* adj. Conforme à la règle. Bien proportionné : *visage régulier.* Symétrique, bien disposé. Exact, ponctuel : *service régulier. Verbe régulier,* qui suit le modèle général de conjugaison. *Clergé régulier,* ordres religieux soumis à une règle.

réhabilitation n. f. Action de réhabiliter.

réhabiliter v. tr. Rétablir dans son premier état, dans ses droits : *réhabiliter un failli. Fig.* Rétablir dans l'estime d'autrui.

réhabituer v. tr. Habituer de nouveau à.

rehaussement n. m. Relèvement.

rehausser v. tr. Hausser davantage. *Fig.* Relever : *rehausser son prestige.*

rehaut n. m. *Peint.* Retouche d'un ton clair, destiné à rehausser.

réimpression n. f. Impression nouvelle. Ouvrage réimprimé.

réimprimer v. tr. Imprimer de nouveau.

rein n. m. Viscère double, qui excrète l'urine. Pl. Lombes, partie inférieure de l'épine dorsale : *avoir mal aux reins.*

réincarcérer v. tr. Incarcérer de nouveau, remettre en prison.

réincarnation n. f. Nouvelle incarnation.

réincarner v. tr. Incarner de nouveau, prendre un nouveau corps.

reine n. f. Femme d'un roi. Princesse qui possède de son chef un royaume. *Fig.* La première, la plus belle : *la rose est la reine des fleurs.* Pièce du jeu d'échecs.

reine-claude n. f. Prune très estimée. Pl. des *reines-claudes.*

reine-des-prés n. f. Petite plante ornementale. Pl. des *reines-des-prés.*

reine-marguerite n. f. Belle marguerite à fleurs doubles. Pl. des *reines-marguerites.*

reinette n. f. Sorte de pomme.

réinstallation n. f. Action de réinstaller.

réinstaller v. tr. Installer de nouveau.

réintégration n. f. Action de réintégrer.

réintégrer v. tr. (Se conj. comme *accélérer.*) *Dr.* Rétablir dans la possession d'un bien, d'un emploi. Remettre dans le même lieu. S'établir, rentrer de nouveau dans : *réintégrer son domicile.*

réitération n. f. Action de réitérer.

réitérer v. tr. (Se conj. comme *accélérer.*) Faire de nouveau, répéter.

reître n. m. Au Moyen Age, cavalier allemand mercenaire. *Fig.* Soudard.

rejaillir v. intr. Jaillir avec force. Se refléter (lumière). Retomber sur.

rejaillissement n. m. Mouvement de ce qui rejaillit.

rejet n. m. Action de rejeter. *Agric.* Nouvelle pousse. Rejeton. Terre qu'on rejette en creusant un fossé. *Poés.* Syn. de ENJAMBEMENT.

rejeter v. tr. (Se conj. comme *jeter.*) Jeter de nouveau. Jeter hors de soi : *débris rejetés par la mer. Fig.* Faire retomber : *rejeter la faute sur autrui.* Ne pas admettre : *rejeter un avis.* Produire de nouvelles pousses.

rejeton n. m. Pousse d'une plante. *Fig.* Descendant : *un rejeton royal.*

rejoindre v. tr. (Se conj. comme *joindre.*) Réunir : *rejoindre deux objets.* Aller retrouver quelqu'un.

rejouer v. tr. et intr. Jouer de nouveau : *rejouer un air.*

réjoui, e adj. Gai, heureux.

réjouir v. tr. Mettre en joie. Plaire, être agréable. Divertir : *réjouir la société.* V. pr. Se divertir. Eprouver du plaisir.

réjouissance n. f. Amusement, divertissement. Os que les bouchers pèsent avec la viande. Pl. Fêtes publiques.

relâche n. m. Interruption dans un travail, un exercice : *étudier sans relâche.* Repos, intermittence. *Théât.* Suspension momentanée des représentations. N. f. *Mar.* Action de relâcher. Lieu où l'on relâche.

relâchement n. m. Diminution de la tension. *Fig.* Ralentissement : *relâchement d'activité.* Délassement d'esprit. Diarrhée.

relâcher v. tr. Détendre : *relâcher un lien.* Laisser aller libre : *relâcher un prisonnier.* Rendre moins rigoureux : *relâcher la discipline. Mar.* Faire escale. V. pr. Se détendre. Perdre de son zèle, de sa rigueur.

relais n. m. Chevaux frais placés de distance en distance pour remplacer ceux que l'on quitte. Lieu où se fait ce remplacement (vx). Remplacement de coureurs dans une course. *Véner.* Troupe de chiens postés pour être découplés pendant la chasse. *Télégr.* Appareil servant à renforcer le courant électrique. Terrain laissé à découvert par les eaux qui se retirent.

relancer v. tr. Lancer de nouveau. *Véner.* Faire repartir : *relancer un cerf.* Harceler quelqu'un.

relaps, e adj. Retombé dans l'hérésie.

relater v. tr. Raconter, mentionner.

relatif, ive* adj. Non absolu. Evalué par comparaison : *valeur relative. Gramm.* Mot qui unit une proposition épithète au reste de la phrase : *pronom relatif.*

relation n. f. Rapport, correspondance. Personne avec laquelle on est en rapport : *avoir de nombreuses relations.* Récit, narration.

relativisme n. m. Théorie philosophique fondée sur la relativité de la connaissance.

relativité n. f. Caractère de ce qui est relatif.

relaxation n. f. Action de se relaxer.

relaxer v. tr. *Dr.* Relâcher. *Se relaxer* v. pr. *Fam.* Détendre ses muscles, son esprit.

relayer v. tr. (Se conj. comme *balayer.*) Remplacer : *relayer dans une course.*

relégation n. f. Action de reléguer. Pénalité qui consistait dans l'internement perpétuel des récidivistes dans une colonie française.

reléguer v. tr. (Se conj. comme *accélérer.*) *Dr.* Interner dans une colonie. Confiner. Mettre à l'écart : *reléguer un fonctionnaire.*

relent n. m. Mauvais goût que contracte un aliment. Mauvaise odeur.

relevailles n. f. pl. Cérémonie qui se faisait à l'église, la première fois qu'y allait une femme après ses couches.

relève n. f. Remplacement d'une troupe de soldats par une autre.

relevé, e adj. Au-dessus du commun : *condition relevée.* Noble, généreux : *sentiments relevés.* Elevé : *style relevé.* De haut goût :

sauce relevée. N. m. Détail, résumé : *relevé d'un compte.* Plat qui succède immédiatement à un autre : *relevé de potage.* (Vx.)
relevée n. f. Après-midi. (Vx.)
relèvement n. m. Action de relever. Relevé : *relèvement d'un compte.*
relever v. tr. Remettre debout. Reconstruire : *relever un mur.* Retrousser : *relever ses manches. Fig.* Rétablir : *relever une industrie.* Rendre la dignité : *le travail relève.* Redonner de l'énergie : *relever le courage.* Remplacer, révoquer : *relever un fonctionnaire.* Faire valoir : *relever la beauté.* Copier, prendre note : *relever une adresse.* Donner plus de goût : *relever une sauce.* Dépendre : *cela relève de sa compétence.* V. pr. Se remettre sur ses pieds. Sortir de nouveau du lit. Se remettre.
relief n. m. Ce qui fait saillie : *relief accidenté.* Ouvrage de sculpture relevé en bosse : *haut-relief, demi-relief, bas-relief.* Eclat né du contraste. Considération que donne un emploi. Pl. Restes d'un repas.
relier v. tr. (Se conj. comme *lier.*) Lier de nouveau. Réunir, rattacher. Coudre ensemble les feuillets d'un livre et y mettre une couverture.
relieur, euse n. Celui qui relie.
religieux, euse* adj. De la religion : *chant religieux.* Pieux : *sentiments religieux.* D'un ordre monastique : *l'habit religieux. Fig.* Exact, ponctuel. N. Personne engagée par des vœux monastiques.
religion n. f. Culte rendu à la Divinité. Doctrine religieuse : *la religion catholique.* Foi, piété. *La religion réformée,* le protestantisme.
religiosité n. f. Esprit religieux.
reliquaire n. m. Boîte, coffret où l'on enchâsse des reliques.
reliquat [*ka*] n. m. Ce qui reste dû après un arrêté de comptes. Restes d'une maladie : *reliquat de goutte.*
relique n. f. Partie du corps d'un saint, objet ayant été à son usage ou ayant servi à son supplice, que l'on conserve religieusement.
relire v. tr. Lire de nouveau.
reliure n. f. Art de relier un livre. Couverture d'un livre relié.
relouer v. tr. Louer une seconde fois.
reluire v. intr. Briller.
remâcher v. tr. Mâcher de nouveau. *Fig.* et *fam.* Repasser dans son esprit : *remâcher les mêmes idées.*
remailler. V. REMMAILLER.
remaniement n. m. Action de remanier. Changement, modification.
remanier v. tr. (Se conj. comme *prier.*) Manier de nouveau. Modifier.
remariage n. m. Nouveau mariage.
remarier v. tr. (Se conj. comme *prier.*) Marier de nouveau.
remarquable* adj. Digne d'être remarqué.
remarque n. f. Action de noter. Observation.
remarquer v. tr. Marquer de nouveau. Distinguer, observer.
rembarquement n. m. Action de rembarquer, nouvel embarquement.
rembarquer v. tr. Embarquer de nouveau. V. intr. S'embarquer de nouveau. V. pr. *Fig.* S'engager de nouveau.
rembarrer v. tr. Repousser vigoureusement. Reprendre vivement.
remblai n. m. Action de remblayer. Terre servant à remblayer.
remblayage n. m. Remblai.
remblayer v. tr. (Se conj. comme *balayer.*) Combler au moyen d'un remblai.
rembourrage n. m. Action de rembourrer.
rembourrer v. tr. Garnir de bourre.
remboursable adj. Qui doit être remboursé.
remboursement n. m. Action de rembourser. Paiement d'une somme due.
rembourser v. tr. Rendre à quelqu'un ce qu'il a dépensé, ce qu'on lui doit.
rembrunir v. tr. Rendre brun ou plus brun. *Fig.* Attrister, assombrir.
rembrunissement n. m. Etat de ce qui est ou s'est rembruni.
rembucher v. tr. Suivre la bête avec le limier jusqu'à sa rentrée dans son repaire ou dans la forêt.
remède n. m. Substance servant à combattre les maladies. *Fig.* Tout ce qui guérit, qui soulage : *douleur sans remède.*
remédier v. intr. (Se conj. comme *prier.*) Porter remède à.
remêler v. tr. Mêler de nouveau.
remembrement n. m. Reconstitution d'une propriété démembrée.
remémorer v. tr. Rappeler.
remerciement n. m. Action de remercier. Paroles par lesquelles on remercie.
remercier v. tr. (Se conj. comme *prier.*) Dire merci, rendre grâce. Refuser poliment. Congédier.
remesurer v. tr. Mesurer de nouveau.
remettre v. tr. Mettre de nouveau. Replacer : *remettre en place.* Livrer : *remettre une lettre.* Mettre en dépôt : *remettre des fonds à un banquier.* Rassurer, calmer. Confier : *se remettre entre les mains de quelqu'un.* Reconnaître : *je ne vous remets pas.* Pardonner : *remettre les péchés.* Différer : *remettre au lendemain.* V. pr. *S'en remettre à quelqu'un,* s'en rapporter à lui.
remeubler v. tr. Meubler de nouveau.
rémige n. f. Grande plume de l'aile.
réminiscence n. f. Souvenir vague.
remise n. f. Action de remettre. Rabais, commission : *forte remise.* Grâce d'une partie de la peine. Taillis servant de retraite au gibier. Lieu où l'on garde les voitures à couvert.
remiser v. tr. Placer sous une remise : *remiser une voiture. Fam.* Mettre à l'écart. Faire une nouvelle mise. V. pr. Se poser après avoir couru ou volé (gibier).
remisier n. m. Intermédiaire entre les agents de change ou les coulissiers et la clientèle.
rémissible adj. Pardonnable.
rémission n. f. Action de remettre, de pardonner. *Méd.* Accalmie dans une maladie. *Sans rémission* loc. adv. D'une manière implacable.
rémittent, e adj. *Méd.* Qui diminue d'intensité par intervalles.
remmailler [*ran-ma-yé*] v. tr. Réparer les mailles d'un tissu.
remmener [*ran*] v. tr. (Se conj. comme *amener.*) Emmener de nouveau.
rémois, e adj. et n. De Reims.
remontage n. m. Action de remonter.
remontant, e adj. Qui va vers le haut. *Bot.* Qui refleurit à diverses époques. *Fig.* et *fam.* Qui ranime. N. m. Boisson fortifiante.
remonte n. f. Action de remonter. Chevaux pour l'armée.

remontée n. f. Action de remonter.
remonte-pente n. m. Appareil transporteur pour skieurs. Pl. des *remonte-pentes.*
remonter v. intr. Monter de nouveau. S'élever. Faire un mouvement de bas en haut. *Fig.* Augmenter de valeur après une baisse. Reprendre de loin : *remonter aux origines.* V. tr. Porter de nouveau en haut. Tendre de nouveau un ressort : *remonter une montre.* Donner un autre cheval : *remonter un cavalier. Fig.* Relever : *remonter le moral.* V. pr. Se pourvoir de nouveau. Reprendre des forces.
remontoir n. m. Mécanisme pour remonter une montre sans clef.
remontrance n. f. Avertissement, reproche. Pl. Avertissement adressé au roi par une cour souveraine.
remontrer v. tr. Montrer de nouveau. Représenter un tort. V. intr. *En remontrer,* faire la leçon à. Etre supérieur.
rémora n. m. Poisson à la tête munie d'un disque adhésif et qui s'attache ainsi aux bateaux.
remordre v. tr. Mordre de nouveau.
remords n. m. Reproche de la conscience.
remorquage n. m. Action de remorquer.
remorque n. f. Traction exercée sur un véhicule à l'aide d'un autre : *prendre à la remorque.* Câble qui relie les deux véhicules. Voiture remorquée. *Se mettre à la remorque de quelqu'un,* suivre aveuglément sa direction.
remorquer v. tr. Traîner à sa suite une voiture, un bateau, etc.
remorqueur, euse adj. Qui sert à remorquer. N. m. Bateau ou véhicule qui en remorque un autre.
remoudre v. tr. (Se conj. comme *moudre.*) Moudre de nouveau.
rémoulade n. f. Sauce faite de fines herbes, ail, huile et jus de citron.
rémouleur n. et adj. m. Qui aiguise les outils, couteaux, etc.
remous n. m. Tournoiement d'eau, à l'arrière d'un navire en marche. Refoulement de l'eau contre un obstacle. Contre-courant le long des rives d'un cours d'eau.
rempailler v. tr. Garnir de nouveau de paille : *rempailler des chaises.*
rempailleur, euse n. Qui rempaille.
rempaqueter v. tr. (Se conj. comme *jeter.*) Empaqueter de nouveau.
rempart n. m. Masse de terre élevée derrière l'escarpe pour soutenir le parapet. Muraille des places de guerre. *Fig.* Ce qui sert de défense.
remplaçable adj. Que l'on peut remplacer.
remplaçant, e n. Personne qui en remplace une autre.
remplacement n. m. Action de remplacer, substitution.
remplacer v. tr. (Se conj. comme *amorcer.*) Mettre à la place de : *remplacer de vieux meubles.* Suppléer par une autre chose : *remplacer le sucre par du miel.* Occuper momentanément la place. Donner un successeur : *remplacer un domestique.* Succéder à. *Fig.* Tenir lieu de.
rempli n. m. Pli fait à une étoffe pour la rétrécir ou la raccourcir.
rempli, e adj. *Fig. Etre rempli de soi-même,* avoir une très haute opinion de sa valeur.
remplier v. tr. (Se conj. comme *prier.*) Faire un rempli.
remplir v. tr. Emplir de nouveau. Rendre plein : *remplir un vase.* Mettre en grand nombre : *remplir une cage d'oiseaux.* Ecrire ce qui a été laissé en blanc dans un texte. Occuper, exercer : *remplir un poste.* Accomplir : *remplir une promesse.* Employer : *bien remplir son temps.*
remplissage n. m. Action de remplir. Dans un ouvrage littéraire, chose étrangère au sujet. Ce qui remplit un vide.
remploi n. m. Achat d'un immeuble avec des fonds provenant de la vente d'un propre ou d'un bien dotal. Emploi d'une somme à la reconstitution d'un objet détruit.
remplumer (se) v. pr. Se couvrir de plumes. *Fam.* Reprendre de l'embonpoint. Rétablir ses affaires.
remporter v. tr. Emporter d'un lieu ce qu'on avait apporté. Enlever : *on remporta les morts.* Obtenir : *remporter une victoire.*
rempoter v. tr. Changer une plante de pot.
remue-ménage n. m. invar. Dérangement de meubles. *Fig.* Désordre.
remuement n. m. Action de remuer. *Fig.* Trouble, changement.
remuer v. tr. Mouvoir, déplacer : *remuer un meuble. Fig.* Emouvoir. V. intr. Changer de place : *enfant qui remue beaucoup.* Etre ébranlé : *dent qui remue.*
remugle n. m. Odeur de renfermé.
rémunérateur, trice n. et adj. Qui rémunère : *taux rémunérateur.*
rémunération n. f. Récompense. Prix d'un travail, d'un service rendu.
rémunérer v. tr. (Se conj. comme *accélérer.*) Récompenser, payer.
renâcler v. intr. Faire du bruit en reniflant. *Fig.* Rechigner.
renaissance n. f. Action de renaître ; nouvelle naissance. Renouvellement, retour : *la renaissance du printemps. Fig.* Nouvelle vie, nouvelle vigueur. Mouvement littéraire, artistique et scientifique, au XVe et au XVIe siècle, fondé en grande partie sur l'imitation de l'Antiquité. Adj. Qui appartient à l'époque ou au style de la Renaissance : *buffet Renaissance.*
renaître v. intr. (Se conj. comme *naître.*) Naître de nouveau. Reparaître. *Fig.* Reprendre des forces, de la vie. Etre rendu à : *renaître à l'espérance.*
rénal, e, aux adj. Relatif aux reins.
renard n. m. Mammifère carnassier de la famille des chiens. Peau de cet animal. *Fig.* Homme rusé.
renarde n. f. Femelle du renard.
renardeau n. m. Petit renard.
renardière n. f. Tanière du renard.
renchéri, e adj. et n. *Fig.* Difficile, dédaigneux : *faire le renchéri.*
renchérir v. tr. Rendre plus cher. V. intr. Devenir plus cher. *Fig.* Aller plus loin qu'un autre en paroles ou en actes : *renchérir sur ce qu'on a entendu.*
renchérissement n. m. Augmentation de prix : *renchérissement des denrées.*
rencogner v. tr. *Fam.* Pousser quelqu'un dans un coin. V. pr. Se blottir dans un coin.
rencontre n. f. Jonction de personnes ou de choses se mouvant en sens contraire. Fait de se trouver par hasard en présence d'une personne ou d'une chose. Choc : *rencontre de troupes.* Duel : *rencontre à l'épée.*

rencontrer v. tr. Trouver fortuitement. Trouver en cherchant.
rendement n. m. Production, travail utile : *augmenter le rendement.*
rendez-vous n. m. Convention que font deux ou plusieurs personnes de se trouver à heure fixe en un même lieu.
rendormir v. tr. Endormir de nouveau. V. pr. S'endormir de nouveau.
rendosser v. tr. Endosser de nouveau.
rendre v. tr. (*Je rends, nous rendons. Je rendais, nous rendions. Je rendis, nous rendîmes. Je rendrai, nous rendrons. Rends, rendons, rendez. Que je rende, que nous rendions. Que je rendisse, que nous rendissions. Rendant. Rendu, e.*) Restituer : *rendre un dépôt.* Porter, conduire : *rendu à domicile.* Rejeter, vomir : *rendre son repas.* Restituer : *rendre la vue.* Rapporter, produire : *ce blé rend beaucoup.* Accorder : *rendre hommage.* Exprimer : *cela ne rend pas ma pensée.* Prononcer : *rendre un arrêt.* Faire devenir : *rendre praticable un chemin.* V. pr. Se transporter : *se rendre chez quelqu'un.* Se soumettre : *se rendre à un conseil.*
rendu, e adj. Harassé. Arrivé : *nous sommes rendus.* N. m. Action de rendre, objet rendu. Expression, dans une œuvre d'art.
rêne n. f. Courroie au mors du cheval. Guide. *Fig.* Direction : *prendre les rênes d'une affaire.*
renégat, e n. Qui a renié sa religion. *Fig.* Qui trahit son passé.
renfermé n. m. Mauvaise odeur qu'exhale une chose renfermée.
renfermer v. tr. Enfermer de nouveau : *renfermer un prisonnier évadé.* Tenir étroitement enfermé. *Fig.* Contenir. Tenir caché, dissimuler : *renfermer ses sentiments.* V. pr. Ne pas sortir de : *se renfermer dans le silence, dans son sujet. Se renfermer en soi-même,* se recueillir.
renfiler v. tr. Enfiler de nouveau.
renflement n. m. Etat de ce qui est renflé. Partie renflée.
renfler v. tr. et intr. Augmenter de volume.
renflouage ou **renflouement** n. m. Action de renflouer.
renflouer v. tr. Remettre à flot.
renfoncement n. m. Creux
renfoncer v. tr. (Se conj. comme *amorcer.*) Enfoncer plus avant.
renforçage ou **renforcement** n. m. Action de renforcer.
renforçateur n. m. *Phot.* Bain qui renforce une image photographique.
renforcer v. tr. (Se conj. comme *amorcer.*) Rendre plus fort.
renforcir v. intr. Devenir plus fort.
renfort n. m. Augmentation de force. Pièce soudée à une autre pour en augmenter la résistance. *A grand renfort de,* au moyen d'une grande quantité de.
renfrognement n. m. Air renfrogné.
renfrogner v. tr. Contracter par mauvaise humeur : *visage renfrogné.*
rengagé adj. et n. Militaire qui, son temps achevé, s'est lié au service pour une nouvelle période : *sergent rengagé.*
rengagement n. m. Action de rengager, de se rengager.
rengager v. tr. (Se conj. comme *manger.*) Engager de nouveau. Mettre de nouveau en gage. V. pr. Contracter un nouvel engagement.
rengaine n. f. *Fam.* Chose répétée à satiété.
rengainer v. tr. Remettre dans la gaine, dans le fourreau : *rengainer une épée. Fig.* Renoncer à ce qu'on allait dire ou faire.
rengorgement n. m. Action de se rengorger.
rengorger (se) v. pr. (Se conj. comme *manger.*) Avancer la gorge en retirant la tête en arrière. *Fig.* Faire l'important.
rengraisser v. tr. Engraisser de nouveau. V. intr. Redevenir gras.
reniement n. m. Action de renier.
renier v. tr. (Se conj. comme *prier.*) Déclarer mensongèrement qu'on ne connaît pas. Désavouer : *renier sa famille.* Abjurer : *renier sa religion.*
reniflement n. m. Action de renifler.
renifler v. intr. Aspirer fortement par les narines. V. tr. Aspirer par le nez : *renifler du tabac.*
renifleur, euse n. *Fam.* Qui renifle.
renne n. m. Ruminant des régions froides. de la famille des cerfs.
renom n. m. Réputation.
renommée n. f. Renom, réputation. Célébrité. Voix publique : *apprendre une chose par la renommée.* (Vx.)
renommer v. tr. Nommer, élire de nouveau.
renonce n. f. Action de ne pas fournir une couleur au jeu de cartes.
renoncement n. m. Action de renoncer. Privation volontaire : *une vie de renoncement.* Abnégation.
renoncer v. intr. (Se conj. comme *amorcer.*) Se désister de. Cesser de tenir, de s'attacher à. Au jeu, mettre une carte d'une couleur autre que la couleur demandée.
renonciation n. f. Acte par lequel on renonce. Renoncement.
renoncule n. f. Bouton-d'or (plante).
renouer v. tr. Nouer une chose dénouée. *Fig.* Reprendre : *renouer une affaire.* V. intr. Renouveler une liaison, une amitié : *renouer avec quelqu'un.*
renouveau n. m. Retour du printemps.
renouvelable adj. Qui peut être renouvelé.
renouveler v. tr. (Se conj. comme *amonceler.*) Substituer une chose ou une personne à une autre de même espèce : *renouveler ses habits.* Refaire, recommencer : *renouveler un bail.* Rappeler : *renouveler un souvenir.* Remettre en vigueur.
renouvellement n. m. Action de renouveler.
rénovateur, trice adj. et n. Qui rénove.
rénovation n. f. Action de rénover.
rénover v. tr. Renouveler.
renseignement n. m. Indication, éclaircissement sur une chose ou une personne.
renseigner v. tr. Donner des renseignements. V. pr. Chercher à s'informer.
rentable adj. Qui peut procurer un revenu, un bénéfice suffisant.
rente n. f. Revenu annuel : *vivre de ses rentes.* Ce qui est dû tous les ans pour des fonds placés ou un bien mis à ferme.
renter v. tr. Assigner un revenu.
rentier, ère n. Qui a des rentes.
rentoiler v. tr. Entoiler de nouveau. Transporter une peinture sur une toile neuve.
rentraire v. tr. (Se conj. comme *traire.*) Faire une couture invisible.
rentraiture n. f. Couture invisible.

rentrée n. f. Action de rentrer. Action de reprendre ses travaux après des vacances. Perception d'un impôt, recouvrement de fonds : *rentrée difficile.* Au jeu, cartes qui remplacent celles que l'on a écartées.

rentrer v. intr. Entrer de nouveau. S'emboîter. Etre compris dans : *rentrer dans une énumération.* Reprendre ses fonctions : *les tribunaux sont rentrés. Rentrer en soi-même,* réfléchir. V. tr. Porter, amener à l'abri : *rentrer les foins, les bêtes.* Cacher : *rentrer ses larmes.*

renverse n. f. Etat de ce qui est renversé. *A la renverse,* sur le dos.

renversement n. m. Action de renverser, état d'une chose renversée.

renverser v. tr. Faire tomber : *renverser un mur.* Détruire : *renverser l'ordre établi. Fam.* Etonner : *cette nouvelle me renverse.* V. intr. Tomber. Changer de sens.

renvoi n. m. Action de renvoyer. Dans un texte, marque renvoyant le lecteur à une note, à une explication.

renvoyer v. tr. Envoyer de nouveau. Faire retourner d'où l'on vient. Retourner : *renvoyer un présent.* Congédier : *renvoyer un domestique.* Destituer : *renvoyer un ministre.* Décharger d'une accusation. Répercuter : *renvoyer le son.* Ajourner.

réoccupation n. f. Nouvelle occupation.

réoccuper v. tr. Occuper de nouveau.

réorganisateur, trice adj. et n. Qui réorganise.

réorganisation n. f. Action de réorganiser; son résultat.

réorganiser v. tr. Organiser sur un nouveau plan : *réorganiser une affaire.*

réouverture n. f. Action de rouvrir.

repaire n. m. Retraite de bêtes féroces, de brigands, etc.

repaître v. tr. (Se conj. comme *paître,* et en outre : *je repus; que je repusse; repu, e.*) Nourrir. *Fig.* Nourrir, amuser : *repaître d'espérances.* V. pr. Se nourrir, se rassasier. *Fig. : se repaître de chimères.*

répandre v. tr. Verser, laisser tomber : *répandre du vin, des larmes.* Etendre au loin : *le soleil répand sa lumière. Fig.* Propager : *répandre l'alarme.* Exhaler : *répandre une odeur.* Distribuer : *répandre des bienfaits.*

répandu, e adj. *Fig.* Propagé au loin. Communément admis.

réparable adj. Qui peut se réparer.

reparaître v. intr. (Se conj. comme *paraître.*) Paraître de nouveau.

réparateur, trice adj. et n. Qui répare. Qui redonne des forces.

réparation n. f. Action de réparer. Ouvrage fait pour réparer : *réparation d'un pont.* Restitution des forces. *Fig.* Satisfaction d'une offense : *refuser réparation. Réparation par les armes,* duel.

réparer v. tr. Arranger ce qui est dérangé, détérioré. Corriger : *réparer une erreur.* Rétablir : *réparer sa fortune, ses forces. Fig.* Effacer, expier : *réparer ses fautes.* Donner satisfaction : *réparer un affront.*

reparler v. intr. Parler de nouveau.

repartie n. f. Réplique vive.

repartir v. intr. (Se conj. comme *partir.*) Partir de nouveau. Répliquer.

répartir v. tr. (Se conj. comme *finir.*) Partager, distribuer.

répartition n. f. Partage.

repas n. m. Nourriture prise chaque jour à heure fixe : *l'heure du repas.*

repassage n. m. Action de repasser.

repasser v. intr. Passer de nouveau. V. tr. Traverser de nouveau : *repasser les mers.* Evoquer : *repasser dans son esprit.* Aiguiser : *repasser un couteau.* Passer au fer chaud : *repasser du linge.*

repasseur, euse n. Qui repasse.

repavage n. m. Action de repaver.

repaver v. tr. Paver de nouveau.

repayer v. tr. (Se conj. comme *payer.*) Payer de nouveau.

repêchage n. m. Action de repêcher.

repêcher v. tr. Pêcher de nouveau. Retirer de l'eau ce qui y est tombé. *Fam.* Dégager d'une mauvaise position. Recevoir après nouvel examen : *repêcher un candidat.*

repeindre v. tr. (Se conj. comme *peindre.*) Peindre de nouveau.

repenser v. intr. Penser de nouveau.

repenti, e adj. Qui s'est repenti.

repentir (se) v. pr. (Se conj. comme *mentir.*) Avoir un vif regret de : *se repentir de ses fautes.*

repentir n. m. Vif regret éprouvé. *Bx-arts.* Trace d'une première idée, d'un premier essai retouché.

repérage n. m. Action de repérer.

repercer v. tr. (Se conj. comme *percer.*) Percer de nouveau.

répercussion n. f. Action de répercuter. *Fig.* Conséquence : *les répercussions d'un fait.*

répercuter v. tr. Réfléchir, renvoyer : *répercuter un son.*

repère n. m. Marque faite pour indiquer ou retrouver un alignement, un niveau, une hauteur, etc. *Fig.* Marque qui permet de se retrouver ou de s'y retrouver.

repérer v. tr. (Se conj. comme *accélérer.*) Marquer des repères. Découvrir : *repérer un sous-marin ennemi.*

répertoire n. m. Table, recueil où les matières sont rangées en ordre : *répertoire alphabétique.* Titre de certains recueils. Pièces qui forment le fonds d'un théâtre : *répertoire de la Comédie-Française. Fig.* Ensemble de connaissances.

répertorier v. tr. (Se conj. comme *prier.*) Inscrire dans un répertoire.

répéter v. tr. (Se conj. comme *accélérer.*) Redire ce qu'on a déjà dit; faire ou dire à plusieurs reprises. Répercuter.

répétiteur, trice n. Qui donne des répétitions à des élèves ou surveille des études.

répétition n. f. Action de répéter. Réitération d'une même action: *la répétition d'un geste.* Leçon particulière. *Montre à répétition,* qui sonne l'heure quand on fait jouer un ressort. *Armes à répétition,* tirant plusieurs coups sans être rechargées.

repétrir v. tr. Pétrir de nouveau.

repeuplement n. m. Action de repeupler.

repeupler v. tr. Peupler de nouveau.

repincer v. tr. (Se conj. comme *pincer.*) Pincer de nouveau.

repiquage ou **repiquement** n. m. Action de repiquer : *le repiquage des betteraves.*

repiquer v. tr. Piquer de nouveau. Transplanter : *repiquer un plant.*

répit n. m. Délai, relâche.

replacement n. m. Action de replacer, nouveau placement.

replacer v. tr. (Se conj. comme *amorcer.*) Remettre. Placer de nouveau.
replanter v. tr. Planter à nouveau.
replâtrage n. m. Réparation superficielle. *Fig.* Réconciliation éphémère.
replâtrer v. tr. Recouvrir de plâtre : *replâtrer un mur. Fig.* Réparer.
replet, ète adj. Qui a de l'embonpoint.
réplétion n. f. Embonpoint. Surcharge d'aliments dans le corps.
repli n. m. Pli ou double pli. Sinuosités, ondulations : *repli de terrain.* Repliement. *Fig.* Ce qu'il y a de plus caché, de plus intime : *les replis de la conscience.*
repliement n. m. Action de replier.
replier v. tr. Plier de nouveau. Plier, courber : *replier son corps.* V. pr. Se plier, se courber. Reculer en bon ordre : *l'armée se replia sur de nouvelles positions.*
réplique n. f. Réponse : *réplique prompte ; donner la réplique.* Repartie. Copie d'un original faite par l'auteur.
répliquer v. tr. Répondre. V. intr. Faire une réplique : *il répliqua avec insolence.*
reploiement n. m. Repliement.
replonger v. tr. et intr. Plonger de nouveau : *replonger dans l'eau.*
reployer v. tr. Replier.
repolir v. tr. Polir à nouveau.
repolissage n. m. Second polissage.
répondre v. tr. Dire ou écrire en réponse. V. intr. Faire une réponse. Répéter un son : *l'écho répond.* Objecter : *répondre à une proposition.* Etre en proportion de : *le résultat répond à l'effort.* Etre en conformité : *cela répond à votre projet.* Payer de retour : *répondre à une politesse.* Garantir : *répondre pour quelqu'un.*
répons n. m. Paroles dites alternativement, dans un office religieux, par une ou plusieurs voix d'une part et le chœur de l'autre.
réponse n. f. Ce qu'on dit ou écrit à la suite d'une question. Explication, réfutation.
repopulation n. f. Repeuplement.
report n. m. Action de reporter. Somme reportée. Prorogation de la liquidation d'une opération de Bourse.
reportage n. m. Enquête d'un reporter de journal : *faire un grand reportage.*
reporter v. tr. Porter de nouveau. Transporter. V. pr. Se transporter en pensée : *se reporter en arrière.* Se rapporter, se référer à.
reporter [*tèr*] n. m. Journaliste qui fait habituellement des enquêtes.
repos n. m. Cessation de mouvement. Cessation de travail. Sommeil. Tranquillité : *esprit au repos.* Césure, pause dans la lecture ou la déclamation. Suspension d'un exercice militaire. *De tout repos,* sans aléa.
reposé, e adj. Calme, tranquille. N. f. Lieu où une bête se repose.
reposer v. tr. Poser de nouveau. Mettre dans une position tranquille : *reposer sa tête sur l'oreiller. Fig.* Calmer, soulager : *reposer l'esprit.* V. intr. Dormir. Etre déposé. Etre enterré. Etre établi : *sur quoi repose votre opinion.* V. pr. Se poser de nouveau. Cesser de travailler.
reposoir n. m. Autel sur le passage d'une procession.
repoussage n. m. Action de repousser. Modelage au marteau des métaux en feuilles.
repoussant, e adj. Qui inspire du dégoût, de la répulsion.
repoussé adj. et n. m. Se dit d'un objet obtenu par repoussage artistique.
repousser v. tr. Pousser de nouveau ou en sens contraire. Faire reculer, ne pas céder, ne pas agréer. Produire de nouveau : *repousser des branches.* V. intr. Pousser en sens contraire. Avoir du recul : *fusil qui repousse.* Pousser de nouveau.
repoussoir n. m. Outil pour repousser. *Fig.* et *fam.* Chose, personne qui en fait valoir une autre par opposition.
répréhensible adj. Blâmable.
reprendre v. tr. Prendre de nouveau. Venir chercher de nouveau. Continuer: *reprendre un travail.* Réprimander : *reprendre un enfant.* Recouvrer : *reprendre des forces.* Retrouver : *reprendre ses esprits.* Recommencer : *reprendre de plus loin.* V. intr. Prendre de nouveau. Se rétablir : *sa santé reprend.* Recommencer : *les modes reprennent.* V. pr. Redevenir maître de soi, se ressaisir. Se rétracter : *il se reprit à temps.*
représailles n. f. pl. Mal que l'on fait subir à l'ennemi pour se venger. *User de représailles,* se venger.
représentant n. m. Celui qui représente. Mandataire, courtier. Député.
représentatif, ive adj. Qui représente. Formé par des représentants.
représentation n. f. Action de représenter. Figuration matérielle par la peinture, la sculpture, etc. Etat que tient une personne de rang élevé : *frais de représentation.* Remontrance : *faire des représentations.*
représenter v. tr. Présenter de nouveau. Présenter : *représenter une pièce.* Figurer par la peinture, la sculpture, le discours : *représenter un naufrage.* Jouer : *représenter un drame, un rôle.* Tenir la place de quelqu'un. Remontrer : *représenter les inconvénients d'une opération.* V. intr. Avoir un certain maintien. Faire des dépenses correspondant à sa position. V. pr. Se présenter de nouveau. Se figurer.
répressif, ive adj. Qui réprime.
répression n. f. Action de réprimer.
réprimande n. f. Blâme exprimé avec autorité. Peine disciplinaire.
réprimander v. tr. Faire une réprimande, gronder : *réprimander un enfant.*
réprimer v. tr. Arrêter l'action, les progrès de : *réprimer une révolte.*
repris n. m. *Repris de justice,* celui qui a déjà été condamné.
reprisage n. m. Action de repriser.
reprise n. f. Action de reprendre, de rentrer en possession de. Continuation d'une chose interrompue : *travail fait à plusieurs reprises.* Réparation : *faire une reprise à un drap.* Chacune des parties d'un assaut d'escrime, d'un combat de boxe. Remise d'une pièce à la scène. Toute partie d'un air, d'une chanson, qui doit être répétée.
repriser v. tr. Faire des reprises.
réprobateur, trice adj. Qui réprouve.
réprobation n. f. Action de réprouver, de rejeter. Blâme.
reproche n. m. Action de reprocher ; blâme. Motif de reproche.
reprocher v. tr. Dire à quelqu'un ce qui

doit lui faire honte. Rappeler avec aigreur. *Dr.* Récuser en alléguant des raisons.

reproducteur, trice adj. Qui sert à la reproduction. N. m. Animal employé à la reproduction.

reproduction n. f. Action de reproduire. *Bot.* Moyen de multiplier les végétaux : *reproduction par greffe.*

reproduire v. tr. (Se conj. comme *produire.*) Produire de nouveau. Imiter fidèlement : *artiste qui reproduit la nature.* Publier de nouveau. V. pr. Se perpétuer par génération : *se reproduire rapidement.*

réprouver v. tr. Désapprouver. *Théol.* Condamner aux peines éternelles.

reps [*rèpss*] n. m. Etoffe de soie ou de laine très forte, utilisée en tapisserie.

reptation n. f. Action de ramper.

reptiles n. m. pl. Classe de vertébrés rampants, avec ou sans pattes, comme le serpent, le lézard, la tortue, etc. *Fig.* Personne d'un caractère bas.

repu, e adj. Rassasié.

républicain, e adj. Relatif à la république. Qui convient à la république. Adj. et n. Partisan de la république.

républicanisme n. m. Sentiments d'un bon républicain.

republier v. tr. (Se conj. comme *prier.*) Publier de nouveau.

république n. f. Chose publique, gouvernement des intérêts publics. Etat dans lequel le peuple exerce la souveraineté au moyen de délégués élus par lui.

répudiation n. f. Action de répudier.

répudier v. tr. (Se conj. comme *prier.*) Renvoyer sa femme suivant les formalités légales. *Fig.* Rejeter, repousser : *répudier une croyance. Dr.* Renoncer volontairement à : *répudier une succession.*

répugnance n. f. Dégoût, aversion.

répugner v. intr. Etre opposé à : *je répugne aux intrigues.* Eprouver de l'aversion, du dégoût pour. Inspirer du dégoût.

répulsif, ive adj. Qui repousse. *Fig.* Qui déplaît : *aspect répulsif.*

répulsion n. f. Force en vertu de laquelle les corps se repoussent. *Fig.* Vive répugnance pour.

réputation n. f. Renom, opinion publique. *Absol.* Bon renom.

réputé, e adj. Considéré comme. *Absol.* Qui jouit d'un bon renom.

réputer v. tr. Tenir pour.

requérant, e n. Qui requiert.

requérir v. tr. (Se conj. comme *acquérir.*) Prier de : *il m'a requis de l'aider.* Demander en justice. Réclamer en vertu de son droit légal. *Fig.* En parlant des choses, demander : *cela requiert un effort.*

requête n. f. Demande par écrit devant les tribunaux, etc. : *présenter une requête.* Demande verbale, supplique. *Maître des requêtes,* magistrat rapporteur au Conseil d'Etat. *Chambre des requêtes,* chambre qui statue sur les requêtes en cassation.

requiem [*ré-kui-yèm*] n. m. invar. Prière de l'Eglise pour les morts. Musique composée sur cette prière.

requin n. m. Nom vulgaire d'énormes poissons très voraces.

requis, e adj. Convenable, nécessaire : *les conditions requises.* N. Civil mobilisé pour un travail obligatoire.

réquisition n. f. Action de requérir en justice. Action de requérir, d'imposer, pour le service public, des subsides en hommes, chevaux, vivres, etc.

réquisitionner v. tr. Faire une réquisition : *réquisitionner un logement.*

réquisitoire n. m. Acte de réquisition, que fait par écrit le ministère public dans un tribunal. Discours contenant des griefs d'accusation. *Par ext.* Reproches accumulés contre quelqu'un.

resalir v. tr. Salir de nouveau.

rescapé, e adj. et n. Sorti sain et sauf d'un danger : *rescapé d'un naufrage.*

rescousse (à la) loc. adv. A l'aide.

rescrit n. m. Lettre d'ordres donnée par certains souverains sur une question.

réseau n. m. Tissu de mailles. Objet formé de fils entrelacés. Enchevêtrement : *réseau de routes.* Fond d'une dentelle. *Anat.* Entrelacement : *réseau nerveux.* Ensemble de lignes de chemin de fer, de téléphone, de distribution électrique.

résection [*ré-sèk*] n. f. *Chir.* Action de réséquer, de couper.

réséda n. m. Plante à fleurs très odorantes.

réséquer [*ré-sé*] v. tr. *Chir.* Couper.

réservation n. f. Action de retenir une place dans un train, un avion, etc.

réserve n. f. Action de réserver. Partie de l'armée qu'on appelle sous les drapeaux lorsque les circonstances l'exigent. Troupes réservées prêtes à se porter aux endroits où leur présence devient nécessaire. Restriction : *amitié sans réserve.* Discrétion : *parler avec réserve.* Pl. Protestation. *Sans réserve,* sans exception. *Sous toute réserve,* en repoussant par avance certaines éventualités. *En réserve,* à part, de côté. *A la réserve de,* à l'exception de.

réservé, e adj. Discret, circonspect.

réserver v. tr. Mettre à part, de côté. Conserver pour une autre destination, un autre usage. Destiner à. V. pr. Attendre : *se réserver pour la fin.*

réserviste n. m. Homme faisant partie de la réserve de l'armée.

réservoir n. m. Lieu ménagé pour y tenir certaines choses en réserve. Récipient où l'on amasse de l'eau, de l'essence, etc.

résidence n. f. Demeure habituelle. Séjour obligé au lieu où l'on exerce une fonction. Lieu où réside un seigneur, un prince, un souverain. Fonctions d'un résident.

résident n. m. Envoyé d'un Etat auprès d'un gouvernement étranger, avec un grade inférieur à celui d'ambassadeur. Titre de certains fonctionnaires coloniaux.

résider v. intr. Faire sa demeure habituelle en quelque endroit. Avoir son siège, se trouver en un lieu.

résidu n. m. Ce qui reste, après usage.

résiduaire adj. Qui forme résidu.

résignation n. f. Action de résigner ou de se résigner.

résigner v. tr. Renoncer volontairement à : *résigner une charge.* V. pr. Se soumettre.

résiliation n. f. Annulation.

résilier v. tr. (Se conj. comme *prier.*) Annuler : *résilier un bail.*

résille [*ziy'*] n. f. Sorte de réseau qui enveloppe les cheveux.

résine n. f. Matière visqueuse, qui découle de certains arbres.

résiner v. tr. Extraire la résine : *résiner un pin.* Enduire de résine.
résineux, euse adj. Qui tient de la résine.
résinier, ère n. Personne employée au traitement de la résine de pin. Adj. Relatif à la résine.
résipiscence [*pis-sans'*] n. f. Regret d'une faute : *venir à résipiscence.*
résistance n. f. Action de résister. Force par laquelle on supporte la fatigue, la faim. Défense contre l'attaque. Opposition patriotique à une puissance occupante. *Pièce de résistance,* plat principal d'un repas.
résister v. intr. Ne pas céder. Se défendre par la force : *résister à la force publique.* Ne pas succomber : *résister à la fatigue.*
résolu*, e adj. Hardi, déterminé.
résoluble adj. Qui peut être résolu.
résolution n. f. Action de se résoudre. Décision d'une question : *résolution d'une difficulté.* Dessein, intention : *prendre de bonnes résolutions.* Fermeté, courage : *manque de résolution.* Disparition progressive d'une tumeur. Détermination des inconnues d'une équation.
résolutoire adj. Qui provoque la cassation d'un acte.
résonance n. f. Propriété d'accroître la durée ou l'intensité d'un son. Manière dont un corps transmet les ondes sonores.
résonateur n. m. Appareil qui fait résonner.
résonnement n. m. Retentissement.
résonner v. intr. Renvoyer le son. Etre sonore : *voix qui résonne.*
résorber v. tr. Opérer une résorption : *tumeur qui se résorbe.*
résorption n. f. Action d'absorber de nouveau. *Méd.* Absorption interne.
résoudre v. tr. (*Je résous, nous résolvons. Je résolvais, nous résolvions. Je résolus, nous résolûmes. Je résoudrai, nous résoudrons. Résous, résolvons, résolvez. Que je résolve, que nous résolvions. Que je résolusse, que nous résolussions. Résolvant. Résolu, e,* et, pour une résolution chimique, *résous,* sans fém.) Décomposer un corps en ses éléments constituants. Transformer : *le feu résout le bois en cendres.* Faire disparaître : *résoudre une tumeur.* Annuler : *résoudre un bail.* Trouver la solution. Déterminer, décider : *résoudre une guerre.* V. intr. Décider : *résoudre de sortir.* V. pr. Se changer en. Se déterminer à.
respect n. m. Déférence : *respect filial. Respect humain,* crainte du jugement d'autrui. Pl. Hommages, civilités : *présenter ses respects. Tenir en respect,* dominer, mater.
respectabilité n. f. Caractère respectable.
respectable adj. Digne de respect. Important, considérable.
respecter v. tr. Honorer : *respecter la vieillesse.* Avoir égard à : *respecter le sommeil de quelqu'un.*
respectif, ive* adj. Qui a rapport à chacun séparément : *droits respectifs.*
respectueux, euse* adj. Qui témoigne, qui marque du respect : *ton respectueux. Dr. Sommation respectueuse, acte respectueux,* acte par lequel un enfant majeur somme ses parents de consentir à son mariage.
respirable adj. Qui peut être respiré.
respiration n. f. Fonction à l'aide de laquelle se font les échanges gazeux entre les tissus vivants et le milieu extérieur.
respiratoire adj. Propre à la respiration.
respirer v. intr. Absorber et rejeter l'air destiné à entretenir la vie : *les végétaux respirent.* Vivre : *il respire encore. Fig.* Avoir l'apparence de la vie. Prendre du repos : *laissez-moi respirer.* V. tr. Absorber en respirant : *respirer de l'air.* Manifester : *respirer la santé, la joie.*
resplendir v. intr. Briller.
resplendissement n. m. Vif éclat.
responsabilité n. f. Obligation de répondre d'une chose, d'une action.
responsable adj. Qui doit répondre d'une chose, de quelqu'un.
resquiller v. tr. et intr. *Fam.* S'attribuer un avantage auquel on n'a pas droit.
ressac [*re-sak*] n. m. Retour violent des vagues frappant un obstacle.
ressaigner [*re*] v. tr. et intr. Saigner de nouveau.
ressaisir [*re*] v. tr. Saisir de nouveau. V. pr. Redevenir maître de soi.
ressasser [*re*] v. tr. Examiner longuement. Répéter inutilement.
ressaut [*re*] n. m. Saillie d'une corniche, d'un entablement, etc. Changement de niveau brusque : *un ressaut de terrain.*
ressauter [*re*] v. tr. et intr. Sauter de nouveau.
ressemblance [*re*] n. f. Conformité, analogie de forme, de physionomie, etc.
ressembler [*re*] v. intr. et pr. Avoir de la ressemblance.
ressemelage [*re*] n. m. Action de ressemeler de vieilles chaussures.
ressemeler v. tr. (Se conj. comme *amonceler.*) Mettre de nouvelles semelles.
ressentiment [*re*] n. m. Souvenir d'une offense, d'un manque d'égards, avec intention de vengeance.
ressentir [*re*] v. tr. Sentir, éprouver : *ressentir une douleur.* Eprouver un sentiment. V. pr. Eprouver les suites de : *se ressentir d'une maladie.*
resserre [*re*] n. f. Endroit où l'on serre quelque chose.
resserré, e [*re*] adj. Etroit, enfermé.
resserrement [*re*] n. m. Etat de ce qui est resserré. *Fig.* Contrainte.
resserrer [*re*] v. tr. Serrer davantage, serrer de nouveau. Diminuer l'étendue de : *resserrer ses besoins, le crédit.* Rendre plus étroit : *resserrer l'amitié.* Constiper.
resservir [*re*] v. tr. et intr. Servir de nouveau : *resservir un plat.*
ressort [*re*] n. m. Elasticité. Organe élastique qui réagit après avoir été plié ou comprimé. *Fig.* Ce qui meut, qui fait agir : *les ressorts de la machine humaine.* Activité, énergie : *avoir du ressort.*
ressort [*re*] n. m. Etendue, limite de juridiction. Pouvoir, compétence : *ce n'est pas de son ressort. En dernier ressort,* sans appel.
ressortir [*re*] v. intr. (Se conj. comme *sortir.*) Sortir de nouveau. Apparaître par contraste : *faire ressortir les défauts.* Résulter : *cela ressort de ses déclarations.*
ressortir [*re*] v. intr. (Se conj. comme *finir.*) Etre de la compétence de.
ressortissant [*re*] n. m. Qui appartient à telle ou telle nationalité.

ressouder [*re*] v. tr. Souder à nouveau.
ressource [*re*] n. f. Ce à quoi on a recours. Pl. Forces, moyens d'action : *les ressources d'un pays.* Argent.
ressouvenir [*re*] **(se)** v. pr. Se souvenir de nouveau.
ressuer [*re*] v. intr. Exhaler de l'humidité : *mur qui ressue.*
ressusciter [*ré*] v. tr. Ramener de la mort à la vie. *Fig.* Renouveler : *ressusciter une mode.* V. intr. Revenir à la vie.
ressuyer [*ré*] v. tr. (Se conj. comme *essuyer.*) Essuyer de nouveau. Sécher.
restant, e adj. Qui reste. N. m. Le reste. *Poste restante,* mention indiquant qu'une lettre doit rester au bureau réceptionnaire jusqu'à ce qu'on vienne la réclamer.
restaurant n. m. Etablissement public où l'on sert à manger.
restaurateur, trice n. Qui restaure. N. m. Qui tient un restaurant.
restauration n. f. Action de restaurer : *restauration d'un tableau.* Rétablissement d'une dynastie déchue : *la restauration des Bourbons.*
restaurer v. tr. Réparer, établir. Réparer : *restaurer un tableau.* Rétablir sur le trône.
reste n. m. Ce qui demeure d'un tout dont on a retranché une partie. Ce qui est encore à faire ou à dire. Mets entamés, mais non entièrement consommés. Trace : *un reste d'espoir.* Différence entre deux quantités. *Etre en reste,* rester redevable. *Au reste, du reste,* au surplus, d'ailleurs.
rester v. intr. Demeurer, durer. Continuer dans un état : *rester jeune.* S'arrêter, stationner : *rester dans un endroit.* Mettre du temps : *rester longtemps à un travail.*
restituer v. tr. Rendre. Remettre en son premier état : *restituer un texte.*
restitution n. f. Action de restituer. Chose restituée.
restreindre v. tr. (Se conj. comme *craindre.*) Réduire, limiter.
restrictif, ive* adj. Qui restreint.
restriction n. f. Action de restreindre. Condition qui restreint. *Restriction mentale,* réserve mentale qui détourne les mots prononcés de leur sens naturel.
résultant, e adj. Qui résulte. N. f. *Mécan.* Force qui peut remplacer deux ou plusieurs forces appliquées à un point matériel.
résultat n. m. Ce qui résulte de.
résulter v. intr. S'ensuivre, être la conséquence logique de.
résumé n. m. Abrégé, sommaire.
résumer v. tr. Rendre brièvement : *résumer un texte.* V. pr. Reprendre brièvement ce qu'on a dit.
résurrection n. f. Retour de la mort à la vie. *Fig.* Retour inattendu à la santé. Renaissance.
retable n. m. Ornement d'architecture ou de menuiserie sculptée, placé au-dessus d'un autel.
rétablir v. tr. Remettre en son premier ou en meilleur état. Ramener, faire renaître : *rétablir l'ordre.* Redonner de la vigueur. V. pr. Recouvrer la santé.
rétablissement n. m. Action de rétablir ou de se rétablir. Action de se soulever sur les poignets.
retaille n. f. Morceau retranché d'une chose qu'on a façonnée.
retailler v. tr. Tailler à nouveau.
rétamage n. m. Action de rétamer.
rétamer v. tr. Etamer de nouveau.
rétameur n. Ouvrier qui rétame.
retaper v. tr. *Fam.* Remettre à neuf.
retard n. m. Fait d'arriver trop tard : *rattraper son retard.* Ralentissement du mouvement d'une horloge, d'une montre.
retardataire adj. Qui est en retard.
retardateur, trice adj. Qui ralentit.
retardement n. m. Délai, retard.
retarder v. tr. Différer : *retarder un paiement.* Faire arriver plus tard. Rendre plus lent : *retarder la guérison.* V. intr. Aller trop lentement; marquer une heure retardée (horloges). Etre en retard par rapport à l'évolution des idées.
reteindre v. tr. Teindre de nouveau.
retendre v. tr. Tendre de nouveau.
retenir v. tr. (Se conj. comme *tenir.*) Faire demeurer. Empêcher : *retenir ses larmes.* Maintenir, contenir : *retenir un cheval.* Modérer : *retenir sa colère.* Garder : *retenir dans sa mémoire.* S'assurer de : *retenir une place.* Prélever : *retenir sur la paie.* *Dr.* Garder contre quelqu'un un chef d'accusation. Se juger compétent pour un procès. V. pr. *Fig.* Se contenir. Résister aux besoins naturels.
rétenteur, trice adj. Qui retient.
rétention n. f. Action de retenir.
retentir v. intr. Résonner.
retentissement n. m. Résonance.
retenue n. f. Modération, discrétion : *manquer de retenue.* Action de garder : *retenue de marchandises par la douane.* Ce qu'on retient sur un traitement, une pension, etc. Privation de récréation ou de sortie. Cordage servant à retenir. Espace entre deux écluses. *Arith.* Nombre réservé pour être ajouté à la colonne suivante.
réticence n. f. Omission volontaire de ce qu'on devrait dire.
réticent, ente adj. Qui montre de la réticence : *un accusé réticent.*
réticulaire adj. En réseau.
réticule n. m. Petit filet, petit réseau. Petit sac à main.
réticulé, e adj. En réseau.
rétif, ive adj. Qui s'arrête ou recule au lieu d'avancer : *cheval rétif. Fig.* Indocile.
rétine n. f. La plus intérieure des membranes de l'œil.
retiré, e adj. Peu fréquenté. *Vie retirée,* qui s'écoule dans la retraite.
retirer v. tr. Tirer de nouveau. Tirer à soi. Porter en arrière. Extraire : *retirer une balle d'une blessure.* Faire sortir : *retirer du collège.* Oter : *retirer sa confiance à quelqu'un.* Rétracter : *retirer une parole blessante.* V. pr. S'en aller, s'éloigner. Retourner chez soi. Quitter.
retombée n. f. Naissance d'une voûte ou d'une arcade. Ce qui retombe.
retomber v. intr. Tomber de nouveau. Pendre : *guirlande qui retombe.* Souffrir de nouveau : *retomber dans une maladie.* Revenir : *retomber sur un sujet.* Peser, avoir des conséquences : *la honte en retombera sur lui.*
retordage n. m. Action de retordre.
retordre v. tr. Tordre de nouveau.
rétorquer v. tr. Tourner un argument contre son adversaire.

retors, e adj. et n. m. Tordu plusieurs fois. *Fig.* Rusé : *un avocat retors.*
rétorsion n. f. Action de rétorquer.
retouche n. f. Action de retoucher.
retoucher v. tr. Toucher de nouveau. *Fig.* Corriger. Perfectionner.
retoucheur, euse n. Qui retouche.
retour n. m. Tour en sens contraire. Action de revenir : *le retour des hirondelles.* Répétition : *retour d'une phrase musicale.* Renvoi d'un effet non payé. *Fig.* Changement : *les retours des affaires.* Echange : *donner en retour.* Réciprocité : *payer en retour.* Réflexion sur soi-même. *Etre sur le retour,* commencer à vieillir. *Sans retour,* pour toujours.
retourne n. f. Carte retournée à certains jeux pour marquer l'atout, etc.
retournement ou **retournage** n. m. Action de retourner.
retourner v. tr. Tourner de nouveau. Tourner dans un autre sens. Examiner en tous sens. Faire changer d'avis. Troubler : *c'est un spectacle qui vous retourne.* Renvoyer : *retourner une lettre.* Restituer : *être retourné.* Refaire en mettant l'envers au-dehors (vêtements). V. intr. Aller de nouveau. Se remettre : *retourner au travail.* V. pr. Se tourner dans un autre sens, regarder derrière soi. *S'en retourner,* s'en aller. V. impers. *De quoi retourne-t-il?,* de quoi s'agit-il?
retracer v. tr. (Se conj. comme *amorcer.*) Tracer de nouveau. Raconter, exposer : *retracer un événement.*
rétractation n. f. Action de se rétracter.
rétracter v. tr. Contracter. *Fig.* Désavouer ce qu'on a fait ou dit. V. pr. Se dédire.
rétractile adj. Qui a la faculté de se rétracter.
rétraction n. f. Contraction.
retrait n. m. Diminution de volume. Etat de ce qui est en arrière : *mur en retrait.* Action de retirer : *retrait d'emploi.*
retraite n. f. Action de se retirer. Marche rétrograde d'une troupe vaincue : *battre en retraite.* Obligation pour les militaires de rentrer à une certaine heure; signal qu'on leur donne en conséquence. Action de quitter la société, le monde. Lieu de refuge, en général. Etat d'un fonctionnaire retiré du service et recevant une pension; cette pension. Eloignement momentané du monde pour se livrer à des actes de piété. Recul en arrière d'un alignement.
retraite n. f. *Comm.* Traite faite sur un correspondant pour rentrer dans les fonds, avec frais et accessoires, d'une traite impayée et protestée. Lettre de change qu'un négociant, un banquier tire sur celui qui vient d'en tirer une sur lui.
retraiter v. tr. Traiter de nouveau. Mettre à la retraite : *militaire retraité.*
retranchement n. m. Action de retrancher. *Fortif.* Ouvrage de défense. *Fig.* Position, moyens de défense.
retrancher v. tr. Oter quelque chose d'un tout. Supprimer complètement. Fortifier par des retranchements. V. pr. Se mettre à couvert, s'abriter, se réfugier dans.
retravailler v. tr. et intr. Travailler de nouveau.
rétrécir v. tr. Rendre plus étroit. *Fig.* Diminuer l'ampleur, la capacité : *un esprit rétréci.* V. intr. et pr. Devenir plus étroit : *ce drap a rétréci.*
rétrécissement n. m. Action de rétrécir; état d'une chose rétrécie.
retremper v. tr. Tremper de nouveau. *Fig.* Redonner de la force, de l'énergie. V. pr. : *se retremper dans l'adversité.*
rétribuer v. tr. Payer un salaire déterminé pour un service rendu.
rétribution n. f. Salaire, récompense.
rétro, préfixe qui exprime le mouvement en arrière.
rétroactif, ive adj. Qui vaut pour le passé : *effet rétroactif.*
rétroaction n. f. Effet de ce qui est rétroactif.
rétroactivité n. f. Caractère de ce qui est rétroactif : *rétroactivité d'une loi.*
rétrocéder v. tr. (Se conj. comme *accélérer.*) Céder ce qui nous a été cédé auparavant.
rétrocession n. f. Action de rétrocéder.
rétrogradation n. f. Mouvement rétrograde. Mesure disciplinaire, par suite de laquelle un gradé est remis à un grade inférieur.
rétrograde adj. Qui va en arrière. *Fig.* Opposé au progrès.
rétrograder v. intr. Revenir en arrière. V. tr. *Milit.* Soumettre à la rétrogradation.
rétrospectif, ive* adj. Qui se rapporte au passé : *exposition rétrospective.* N. f. Exposition de l'œuvre d'un artiste, d'une époque.
retroussement n. m. Action de retrousser.
retrousser v. tr. Relever : *retrousser ses manches.* V. pr. Relever son vêtement.
retroussis n. m. Partie d'un vêtement retroussée. Revers de botte.
retrouver v. tr. Trouver de nouveau. Trouver ce qui a été égaré, oublié. Rejoindre : *j'irai vous retrouver.* Reconnaître : *je ne m'y retrouve plus.*
rétroviseur adj. et n. Qui permet de voir derrière : *miroir rétroviseur; un rétroviseur d'automobile.*
rets [*rè*] n. m. pl. Filet. *Fig.* Piège.
réunion n. f. Action de réunir. Rapprochement, groupement.
réunir v. tr. Unir à nouveau. Joindre ce qui était séparé. Faire communiquer. Grouper. Réconcilier : *l'intérêt les réunit.* V. pr. Se rassembler. *Fig.* Concourir.
réussir v. intr. Avoir un résultat : *mal réussir.* Avoir un bon résultat : *réussir en tout.* Parvenir : *j'ai réussi à le voir.* S'acclimater : *la vigne ne réussit pas ici.* V. tr. Faire avec succès : *réussir un portrait.*
réussite n. f. Issue, résultat. Heureux succès. Combinaison de cartes de laquelle se tire un présage.
revacciner v. tr. Vacciner de nouveau.
revaccination n. f. Action de revacciner.
revaloir v. tr. (Se conj. comme *valoir.*) Rendre la pareille.
revaloriser v. tr. Redonner une valeur plus grande : *revaloriser une monnaie.*
revanche n. f. Action par laquelle on rend ce que l'on a reçu : *prendre une bonne revanche.* Seconde partie qu'on joue pour chercher à se racquitter d'une première qu'on a perdue. *A charge de revanche,* à condition de la pareille. *En revanche* loc. adv. En compensation.
revancher (se) v. pr. Prendre sa revanche.
rêvasser v. intr. Faire des rêves agités. *Fig.* et *fam.* Se livrer à de vagues rêveries.

rêvasserie n. f. *Fam.* Rêverie vague.
rêvasseur, euse n. *Fam.* Qui rêvasse.
rêve n. m. Songe, images qui se présentent à l'esprit durant le sommeil. *Fig.* Imagination sans fondement, chimérique. Vif désir, vive espérance : *rêves de fortune.*
revêche adj. Apre au goût. Rude. *Fig.* Peu traitable : *humeur revêche.*
réveil n. m. Passage de l'état de sommeil à l'état de veille. *Fig.* Retour de l'activité. Sonnerie pour éveiller : *sonner le réveil.* Abréviation pour RÉVEILLE-MATIN.
réveille-matin n. m. invar. Horloge dont le carillon sonne à une heure fixée à l'avance. Variété d'euphorbe.
réveiller v. tr. Tirer du sommeil. Faire sortir de la torpeur. *Fig.* Exciter : *réveiller le courage.*
réveillon n. m. Repas fait au milieu de la nuit qui précède une fête.
réveillonner v. intr. *Fam.* Faire le réveillon.
révélateur, trice n. et adj. Qui révèle. N. m. Bain de développement photographique.
révélation n. f. Action de révéler. Action de Dieu faisant connaître aux hommes ses mystères, ses volontés, etc. Choses révélées : *promettre des révélations.*
révéler v. tr. (Se conj. comme *accélérer.*) Découvrir, faire connaître ce qui était inconnu. Faire apparaître l'image latente sur la plaque photographique. Etre la marque de : *roman qui révèle un grand talent.* V. pr. Se manifester.
revenant, e adj. *Fig.* Qui revient. N. m. Ame d'un mort qu'on suppose revenir de l'autre monde.
revenant-bon n. m. Profit éventuel. Pl. des *revenants-bons.*
revendeur, euse n. Qui achète pour revendre.
revendication n. f. Action de revendiquer. Réclamation.
revendiquer v. tr. Réclamer comme sien. Assumer, prendre sur soi.
revendre v. tr. Vendre ce qu'on a acheté. Vendre de nouveau.
revenez-y n. m. invar. Retour vers le passé. Ce à quoi on aime à revenir. Recommencement.
revenir v. intr. (Se conj. comme *venir.*) Venir de nouveau ou une autre fois. Faire retour : *je reviens de Paris.* Reparaître, se produire de nouveau. Se représenter à la mémoire : *son nom ne me revient pas.* Se livrer de nouveau à : *revenir au travail.* Produire un retour de goût : *le boudin me revient.* Plaire : *cette figure me revient.* Quitter, abandonner : *revenir d'une erreur.* Coûter : *cela revient cher. En revenir,* réchapper. *En revenir à,* reparler de. *Revenir à soi,* reprendre ses sens. *Revenir sur une question,* en reparler. Changer : *revenir sur son opinion. Je n'en reviens pas,* j'en suis surpris.
revente n. f. Seconde vente.
revenu n. m. Ce que rapporte un fonds, un capital : *revenu foncier. Fig.* Avantage, profit.
rêver v. intr. Songer, faire des rêves. Etre en délire. Méditer : *rêver à un problème.* V. tr. Voir en rêve. Imaginer. *Fig.* Désirer vivement : *rêver le pouvoir.*
réverbération n. f. Réflexion de la lumière ou de la chaleur.
réverbère n. m. Réflecteur d'une lampe. Lanterne qui contient une lampe munie de réflecteurs.
réverbérer v. tr. (Se conj. comme *accélérer.*) Réfléchir, renvoyer la lumière, la chaleur.
reverdir v. tr. Rendre sa verdure. V. intr. Redevenir vert. *Fig.* Rajeunir.
révérence n. f. Respect, vénération : *montrer de la révérence.* Mouvement du corps pour saluer : *faire la révérence.* Anc. titre d'honneur.
révérencieux, euse* adj. Humble et cérémonieux.
révérend, e adj. et n. Titre d'honneur donné aux religieux et aux religieuses. Titre des pasteurs dans l'Eglise anglicane.
révérer v. tr. (Se conj. comme *accélérer.*) Honorer, respecter : *révérer Dieu.*
rêverie n. f. Etat de l'esprit occupé d'imaginations vagues. Idée vaine.
revers n. m. Côté opposé au principal. Le côté d'une médaille, d'une pièce, opposé à l'empreinte principale. Partie repliée d'un vêtement. *Fig.* Disgrâce, accident fâcheux. *Revers de la médaille,* mauvais côté d'une chose. Coup donné avec le revers de la raquette. *Revers de la main,* le dos de la main. *A revers,* par-derrière.
reverser v. tr. Verser de nouveau. Transporter, reporter sur : *reverser un titre de propriété.* Faire retomber.
réversibilité n. f. Caractère réversible.
réversible adj. Qui peut changer de sens : *phénomène réversible. Dr.* Se dit des biens qui doivent en certains cas retourner à d'autres personnes.
réversion n. f. Caractère d'un bien, d'une pension réversible, etc.
revêtement n. m. Partie supérieure d'une chaussée. Ouvrage qui sert à retenir les terres d'un talus. Placage de bois, etc.
revêtir v. tr. (Se conj. comme *vêtir.*) Vêtir de nouveau. Pourvoir de vêtements. Se couvrir : *revêtir un habit.* Enduire : *revêtir de plâtre.* Couvrir, décorer, parer : *revêtir le mal de belles apparences.*
rêveur, euse adj. et n. Qui rêve.
revient n. m. *Prix de revient,* coût de fabrication.
revirement n. m. Changement complet : *revirement d'opinion.*
revisable ou **révisable** adj. Qui peut être revisé : *un contrat revisable.*
reviser ou **réviser** v. tr. Examiner de nouveau.
reviseur ou **réviseur** n. m. Qui revise.
revision ou **révision** n. f. Action de reviser. *Conseil de revision,* chargé d'examiner les conscrits pour le service militaire.
revivifier v. tr. (Se conj. comme *prier.*) Vivifier de nouveau.
reviviscence n. f. Propriété de certains organismes qui peuvent, après avoir été desséchés, reprendre vie à l'humidité.
revivre v. intr. (Se conj. comme *vivre.*) Revenir à la vie. Reprendre ses forces. Etre rappelé : *père qui revit dans son enfant. Faire revivre une chose,* la renouveler. V. tr. : *revivre une catastrophe.*
révocabilité n. f. Etat de ce qui est révocable.
révocable adj. Qu'on peut révoquer.
révocation n. f. Action de révoquer.
revoici, revoilà prép. *Fam.* Voici, voilà, de nouveau.

revoir v. tr. (Se conj. comme *voir.*) Voir de nouveau : *revoir un ami.* Revenir auprès de : *revoir sa patrie.* Examiner de nouveau : *revoir un manuscrit.* N. m. Action de revoir : *adieu, jusqu'au revoir.*
revoler v. intr. Voler de nouveau.
révoltant, e adj. Qui révolte.
révolte n. f. Rébellion, soulèvement.
révolter v. tr. Porter à la révolte. *Fig.* Indigner. V. pr. Se soulever. S'indigner.
révolu, e adj. Achevé, complet : *avoir vingt ans révolus.*
révolution n. f. Mouvement circulaire. *Fig.* Changement brusque et violent. *Absolum.* La Révolution française de 1789.
révolutionnaire adj. Relatif à la révolution : *idées révolutionnaires.* N. Partisan d'une révolution.
révolutionner v. tr. Mettre en état de révolution. *Fig.* Troubler, bouleverser : *révolutionner les idées.*
revolver [*ré-vol-ver*] n. m. Pistolet à barillet permettant de tirer plusieurs coups sans recharger. *Méc.* Sorte de tour mécanique.
révoquer v. tr. Priver d'un emploi. Annuler : *révoquer un ordre. Révoquer en doute,* mettre en doute.
revue n. f. Inspection, examen détaillé : *passer en revue.* Titre de certaines publications périodiques. Pièce comique où l'on passe en revue les événements de l'année.
revuiste n. m. Auteur de revues.
révulsif, ive adj. Qui produit une révulsion. N. m. : *un révulsif.*
révulsion n. f. Irritation locale qui fait cesser un état congestif.
rez-de-chaussée n. m. invar. Partie d'une maison au niveau du sol.
rhabdomancie n. f. Divination au moyen d'une baguette.
rhabillage n. m. Action de rhabiller.
rhabiller v. tr. Habiller de nouveau. Raccommoder. *Fig.* Renouveler la forme.
rhabilleur, euse n. Qui fait des rhabillages.
rhapsode n. m. Chanteur ambulant de l'antiquité grecque, qui récitait des morceaux de poèmes épiques.
rhapsodie n. f. Chant de rhapsode. Ouvrage fait de pièces et de morceaux. Œuvre musicale composée de plusieurs motifs.
rhénan, e adj. Du Rhin. Adj. et n. De Rhénanie.
rhéostat n. m. Résistance électrique variable, qu'on intercale pour modifier l'intensité du courant électrique.
rhéteur n. m. Celui qui chez les Anciens enseignait la rhétorique. Orateur emphatique et creux.
rhétorique n. f. Art du bien dire, de l'éloquence. Livre qui traite de cet art. Classe où on l'enseigne. *Figure de rhétorique,* tournure particulière employée pour embellir le discours.
rhinocéros [*ross*] n. m. Grand mammifère des régions chaudes, portant une ou deux cornes sur le nez.
rhizome n. m. *Bot.* Tige souterraine.
rhodanien, enne adj. Du Rhône.
rhododendron [*din*] n. m. Genre d'arbustes à grosses fleurs ornementales.
rhombe n. m. Losange.
rhotacisme n. m. Prononciation vicieuse de la lettre *r* (en grec *rhô*) ou substitution de l'*r* à une autre consonne.
rhubarbe n. f. Genre de plante potagère et purgative.
rhum [*rom*] n. m. Eau-de-vie obtenue par la fermentation et la distillation des mélasses.
rhumatisant, e adj. et n. Affecté de rhumatisme.
rhumatismal, e, aux adj. Du rhumatisme.
rhumatisme n. m. Maladie caractérisée par une fluxion douloureuse des articulations, des muscles, etc.
rhumb [*ronb'*] n. m. *Mar.* Intervalle entre deux des 32 aires de vent de la boussole.
rhume n. m. Catarrhe du nez et de la gorge. *Rhume de cerveau,* coryza.
rhumerie n. f. Distillerie de rhum.
riant, e adj. Qui annonce la gaieté : *visage riant.* Agréable à la vue : *aspect riant. Fig.* Agréable à l'esprit.
ribambelle n. f. Longue suite : *ribambelle d'enfants.*
ribaud, e adj. et n. Personne de mœurs déréglées. (Vx.)
ribauderie n. f. Action de ribaud.
ricanement n. m. Action de ricaner.
ricaner v. intr. Rire à demi, sottement ou avec malice.
ricaneur, euse n. Qui ricane.
ric-à-rac ou **ric-à-ric** loc. adv. Avec exactitude : *payer, compter ric-à-rac.*
richard, e n. *Fam.* Qui est très riche.
riche* adj. Qui possède de grands biens : *riche propriétaire.* Abondamment pourvu : *riche en vertus.* Abondant, fécond : *riche moisson.* Magnifique : *riches broderies. Rimes riches,* celles qui vont au-delà de l'exactitude exigée (comme ROC et FROC). N. m. Personne riche : *nouveau riche.*
richesse n. f. Abondance de biens. Fertilité. Eclat, magnificence. N. f. pl. Grands biens. Objets de valeur.
richissime adj. *Fam.* Très riche.
ricin n. m. Plante donnant une huile purgative.
ricocher v. intr. Faire des ricochets.
ricochet n. m. Bond que fait une pierre plate jetée obliquement sur la surface de l'eau, un projectile qui frappe un corps dur. *Fig.* Effet indirect, contrecoup.
rictus [*tuss*] n. m. Contraction donnant à la bouche l'aspect du rire.
ride n. f. Pli du front, du visage, des mains. Pli sur une surface.
rideau n. m. Pièce d'étoffe, draperie, qui sert à couvrir, à cacher. Ligne d'objets formant un obstacle à la vue : *rideau de peupliers.* Grande toile peinte, qu'on lève ou qu'on abaisse devant la scène d'un théâtre. *Rideau de fond,* décor.
ridelle n. f. Balustrade de chaque côté d'une charrette.
rider v. tr. Produire des rides. *Par anal.* Produire des plis sur.
ridicule* adj. Digne de risée : *discours ridicule.* N. m. Ce qui est ridicule : *tomber dans le ridicule.* Chose, manière d'être digne de risée.
ridiculiser v. tr. Tourner en ridicule : *ridiculiser un discours.*
rien pron. indéf. Quelque chose : *as-tu rien vu d'aussi beau?* Aucune chose : *ne fais rien; rien de plus. De rien,* très petit. *Rien que,* seulement. *Cela n'est rien,* c'est peu de chose. *Cela ne fait rien,* cela im-

porte peu. *Homme de rien,* de mauvaise conduite. *Pour rien,* à vil prix. *Comme si de rien n'était,* comme si la chose n'était pas arrivée. N. m. Néant. Très peu de chose : *un rien l'effraye.* N. m. pl. Bagatelles : *s'amuser à des riens.*

rieur, rieuse n. et adj. Qui rit ou aime à rire : *mettre les rieurs de son côté.*

riflard n. m. Rabot à deux poignées, pour dégrossir le bois. Palette de plâtrier. Grosse lime à dégrossir les métaux. *Pop.* Grand parapluie.

rifle n. m. Carabine à long canon.

rigide* adj. Raide, inflexible.

rigidité n. f. Raideur.

rigodon n. m. Air à deux temps. Danse sur cet air. (Vx.)

rigole n. f. Petite tranchée.

rigorisme n. m. Attachement rigoureux aux règles.

rigoriste n. et adj. Qui montre du rigorisme : *un confesseur rigoriste.*

rigoureux, euse* adj. Sévère : *moraliste rigoureux.* Dur, difficile à supporter : *châtiment rigoureux.* Rigide. Rude : *froid rigoureux.* Sans réplique, incontestable.

rigueur n. f. Sévérité, dureté. Action dure, rigoureuse : *les rigueurs du destin.* Dureté, âpreté : *rigueur du froid.* Exactitude inflexible : *la rigueur des règles.* Forme exacte. *De rigueur,* rigoureusement exigible. *A la rigueur,* faute de mieux.

rillettes [*yèt'*] n. f. pl. Viande de porc hachée menu et cuite dans la graisse.

rillons [*yon*] n. m. pl. Résidus de porc ou d'oie fondus.

rimailler v. tr. et intr. *Fam.* Faire de mauvais vers.

rimailleur n. m. Mauvais poète.

rime n. f. Retour des mêmes sons à la fin de deux ou plusieurs vers.

rimer v. intr. Se dit des mots qui se terminent par une rime. Se dit aussi de la manière dont le poète fait rimer les mots. Faire des vers. *Fig.* S'accorder, se convenir : *cela ne rime à rien.* V. tr. Mettre en vers : *rimer un conte.*

rimeur n. m. Qui fait des vers.

rinçage n. m. Action de rincer.

rinceau n. m. Ornement, sculpté ou peint, en forme de branche recourbée.

rince-bouche n. m. invar. Gobelet d'eau parfumée pour se rincer la bouche, à l'issue d'un repas. Rinçage de bouche.

rince-doigts n. m. invar. Bol d'eau parfumée pour se rincer les doigts à table.

rincer v. tr. (Se conj. comme *amorcer.*) Passer dans une eau nouvelle ce qui a déjà été lavé, pour éliminer le savon.

rincette n. f. *Fam.* Petite quantité d'eau-de-vie qu'on verse dans son verre ou dans sa tasse à café vidés.

rinçure n. f. *Fam.* Eau de rinçage.

ring [*rin'gh*] n. m. Enceinte d'une épreuve de sports de combat.

ringard n. m. Barre de fer recourbée, pour remuer le feu.

ripaille n. f. *Fam.* Grande chère.

ripailler v. intr. Faire ripaille.

ripailleur, euse n. Qui ripaille.

riper v. tr. *Mar.* Faire glisser. V. intr. Déraper.

ripolin n. m. Nom d'une marque de peinture laquée.

riposte n. f. *Escr.* Coup porté après avoir paré. *Fig.* Repartie prompte; réponse vive.

riposter v. intr. Faire une riposte.

rire v. intr. (*Je ris, nous rions. Je riais, nous riions. Je ris, nous rîmes. Je rirai, nous rirons. Je rirais, nous ririons. Ris, rions, riez. Que je rie, que nous riions. Que je risse, que nous rissions. Riant, Ri.*) Marquer un sentiment de gaieté soudaine par un mouvement des lèvres, de la bouche. Prendre une expression de gaieté : *yeux qui rient.* Avoir un air agréable. Etre favorable : *la fortune nous rit. Rire du bout des dents,* sans en avoir grande envie.

rire n. m. Action de rire.

ris n. m. *Mar.* Partie d'une voile destinée à être serrée pour en diminuer la surface : *prendre un ris; larguer les ris.*

ris n. m. Thymus du veau et de l'agneau.

risée n. f. Grand éclat de rire. Moquerie : *objet de risée. Mar.* Augmentation subite et assez durable du vent.

risette n. f. Petit rire : *faire la risette.*

risible* adj. Propre à faire rire.

risque n. m. Danger, inconvénient possible. *A ses risques et périls,* en assumant la responsabilité. *Au risque de,* en s'exposant à.

risquer v. tr. Faire courir un risque : *risquer sa vie.* Tenter : *il risqua la bataille.* Emettre au hasard : *risquer un néologisme. Risquer de,* courir le risque de.

risque-tout n. m. invar. *Fam.* Audacieux.

rissoler v. tr. Dorer une viande au feu.

ristourne n. f. Remise; bonification.

rite n. m. Ordre prescrit des cérémonies religieuses : *le rite catholique grec.*

ritournelle n. f. *Mus.* Courte phrase musicale qui précède ou qui suit un chant. *Fam.* Propos répétés.

rituel, elle* adj. Relatif aux rites. *Fig.* Habituel, répété. N. m. Livre contenant les rites et les prières d'un culte.

rivage n. m. Rives d'un cours d'eau, d'un lac, etc.; bord de la mer.

rival, e, aux adj. et n. Qui dispute quelque chose à un autre : *frères rivaux.*

rivaliser v. intr. Chercher à égaler ou surpasser : *rivaliser d'efforts.*

rivalité n. f. Concurrence de personnes, d'Etats, etc., qui prétendent à une même chose : *une rivalité d'amour.*

rive n. f. Bords d'un fleuve, d'un étang, d'un lac : *rive droite, gauche.*

rivement n. m. Action de river.

river v. tr. Rabattre et aplatir la pointe d'un clou sur l'autre côté de l'objet qu'il traverse. Assujettir à demeure. *Fig.* Attacher d'une manière indissoluble.

riverain, e adj. et n. Qui habite le long d'une rivière, d'une forêt, etc.

rivet n. m. Pointe rivée d'un clou. Clou pour river.

rivetage n. m. Action de river.

riveter v. tr. (Se conj. comme *jeter.*) Fixer au moyen de rivets.

riveur n. et adj. m. Ouvrier qui fait ou pose des rivets.

rivière n. f. Cours d'eau naturel, qui se jette dans un autre. *Comm.* Collier aux chaînons duquel sont enchâssés des diamants.

rivoir n. m. Marteau pour river.

rivure n. f. Action de river.

rixe n. f. Querelle accompagnée d'injures et de coups.

riz [*ri*] n. m. Graminée cultivée dans les terrains humides des pays chauds. Le grain de cette plante. *Poudre de riz,* fécule en poudre pour la toilette.
rizerie n. f. Usine où l'on manipule le riz.
rizière n. f. Champ de riz.
riz-pain-sel n. m. invar. Sobriquet donné aux gradés de l'intendance.
robe n. f. Vêtement à manches, long et flottant. *Fig.* Profession de la judicature : *gens de robe.* Pelage, plumage d'un animal. *Techn.* Feuille enveloppant un cigare.
robin n. m. *Fam.* Homme de robe.
robinet n. m. Pièce qui sert à retenir l'eau ou à la laisser couler : *robinet qui fuit.* La clef du robinet : *tourner le robinet.*
robinetier n. m. Fabricant de robinets.
robinetterie n. f. Fabrication de robinets.
robinier n. m. Sorte d'acacia.
robot n. m. Automate mû par l'électricité et pouvant faire le travail d'un homme.
robuste adj. Fort, vigoureux. *Fig.* Inébranlable : *foi robuste.*
robustesse n. f. Force, vigueur.
roc n. m. Masse de pierre très dure, qui tient à la terre. *Fig. : ferme comme un roc.*
rocade n. f. *Milit.* Chemin de fer ou route stratégique parallèle à la ligne de feu.
rocaille n. f. Cailloux, coquillages employés comme ornementation sous Louis XV. Meuble orné dans ce genre. Adj. : *le genre rocaille.*
rocailleux, euse adj. Plein de petits cailloux. *Fig.* Dur, heurté.
rocambolesque adj. Extraordinaire.
roche n. f. Grande masse de pierre de même structure. Pierre employée dans les constructions.
rocher n. m. Roc élevé, escarpé. *Fig.* Dureté, insensibilité. *Anat.* Partie dure de l'os temporal. *Zool.* Murex, mollusque.
rocher v. tr. Saupoudrer de borax deux pièces métalliques qu'on veut souder. V. intr. Mousser, en parlant de la bière qui fermente.
rochet n. m. Surplis de certains dignitaires ecclésiastiques.
rochet n. m. Cliquet : *roue à rochet.*
rocheux, euse adj. Couvert de roches.
rococo n. m. Genre d'ornementation, en vogue sous Louis XV. *Par ext.* Genre ou objet vieux et passé de mode. Adj. invar. : *style rococo.*
rodage n. m. Action de roder : *voiture en rodage.*
roder v. tr. User par le frottement mutuel deux objets qui s'adaptent l'un à l'autre.
rôder v. intr. Errer çà et là. Tourner autour en épiant.
rôdeur, euse n. Individu qui rôde.
rodomontade n. f. Fanfaronnade.
rogations n. f. pl. Prières publiques et processions faites pour attirer sur les champs la bénédiction du ciel.
rogatoire adj. Qui concerne une demande. *Commission rogatoire,* qu'un tribunal adresse à un autre pour l'inviter à faire quelque acte de procédure ou d'instruction.
rogaton n. m. Objet de rebut. *Par anal.* Débris de mets, bribe.
rogne n. f. Gale ou teigne.
rogner v. tr. Retrancher sur les bords. *Fig.* Retrancher sur : *rogner un traitement.*
rogneur, euse n. Qui rogne quelque chose. N. f. Machine à rogner.
rogneux, euse n. et adj. Galeux.
rognoir n. m. Outil pour rogner.
rognon n. m. Rein de certains animaux considéré surtout du point de vue culinaire.
rognure n. f. Ce qui est détaché d'un objet rogné : *des rognures d'ongles.*
rogomme n. m. *Voix de rogomme,* enrouée par la boisson.
rogue adj. Arrogant avec rudesse.
rogue n. f. Œufs de poisson salés, employés comme appât dans la pêche à la sardine.
roi n. m. Chef de certains Etats, investi de la souveraineté. Personne qui jouit d'un pouvoir absolu. Principale pièce aux échecs. Première figure de chaque couleur d'un jeu de cartes.
roide adj., **roideur** n. f., **roidir** v. tr. V. RAIDE, RAIDEUR, RAIDIR.
roitelet n. m. Roi d'un très petit Etat. Genre de petits passereaux.
rôle n. m. Liste, catalogue. Liste des causes inscrites dans l'ordre où elles doivent se plaider. *A tour de rôle,* dans l'ordre d'inscription au rôle et, au *fig.,* chacun à son tour. En style de pratique, feuillet écrit, comprenant la page et le verso. Cahiers portant la liste des contribuables, avec l'indication de leur cotisation individuelle. Partie d'une pièce qu'un acteur doit jouer : *créer un rôle. Jouer un rôle,* faire un personnage sur le théâtre ou au cinéma. *Fig.* Remplir certaines fonctions : *jouer un vilain rôle.* Personnage qu'on fait dans le monde, dans une affaire : *il a joué là un triste rôle.*
rôlet n. m. Petit rôle.
romain, e adj. et n. De Rome : *la république romaine.* Digne des anciens Romains : *vertu romaine. Chiffres romains,* lettres numérales I, V, X, L, C, D, M, qui valent respectivement 1, 5, 10, 50, 100, 500, 1 000 et qui, combinées, servaient aux Romains à former tous les nombres. N. m. *Impr.* Caractère typographique droit.
romaine n. f. Balance formée d'un fléau à bras inégaux et d'un poids que l'on fait glisser sur le long bras du fléau. Variété de laitue.
romaïque adj. Des Grecs modernes. N. m. Le grec moderne.
roman, e adj. Se dit des langues dérivées du latin. Se dit de l'architecture des pays latins, du Ve au XIIe siècle. N. m. Ensemble des langues romanes. Architecture romane.
roman n. m. Œuvre d'imagination en prose, qui cherche à retenir le lecteur par l'intérêt de l'intrigue, des descriptions. Autref., récit en langue romane : *le Roman de la Rose. Par ext.* Récit invraisemblable : *cela a l'air d'un roman.* Chimère, utopie.
romance n. f. Morceau de chant à sujet tendre et touchant.
romancer v. tr. Présenter sous forme de roman : *biographie romancée.*
romanche n. m. Langue romane parlée en Suisse.
romancier, ère n. Auteur de romans.
romand, e adj. Se dit de la Suisse de langue française.
romanesque adj. Qui tient du roman. Exalté, rêveur : *esprit romanesque.*
roman-feuilleton n. m. Roman publié en feuilleton dans un journal. Pl. des *romans-feuilletons.*
romanichel, elle n. Bohémien.
romaniser v. tr. Donner un caractère romain.

romaniste n. m. Qui s'occupe de langues romanes.

romantique adj. Qui rappelle ce qu'on voit dans les romans. Qui relève du romantisme : *site romantique.* N. m. Partisan du romantisme; écrivain romantique.

romantisme n. m. Ecole littéraire et artistique du début du XIXe siècle, qui rompait avec la tradition classique.

romarin n. m. Une labiée aromatique.

rompement n. m. Action de rompre. *Rompement de tête,* fatigue d'esprit.

rompre v. t. (Se conj. comme *rendre,* mais prend un *t* au prés. de l'ind., 3e pers. : *il rompt.*) Briser, casser. Troubler : *rompre le sommeil.* Disperser : *rompre les rangs.* Interrompre : *rompre le jeûne.* Fatiguer : *rompre la tête.* Détruire: *rompre l'amitié.* Accoutumer : *rompre aux affaires. Rompre la glace,* surmonter les premières difficultés d'une affaire. V. intr. Se briser. Cesser d'être amis. V. pr. Se briser.

rompu, e adj. Accablé de fatigue. Expérimenté : *rompu aux affaires. A bâtons rompus,* à diverses reprises, sur des sujets divers.

romsteck n. m. Partie la plus haute de la culotte de bœuf.

ronce n. f. Plante épineuse. Fil de fer barbelé. *Fig.* Peine.

ronceraie n. f. Lieu couvert de ronces.

ronchonner v. intr. *Fam.* Gronder.

ronchonneur, euse n. Qui ronchonne.

rond, e adj. Dont tous les points de la surface sont à égale distance du centre. *Fam.* Gros et court : *femme toute ronde. Fig.* Franc et décidé : *rond en affaires. Nombre, compte rond,* sans fraction. N. m. Cercle, figure circulaire. Anneau : *rond de serviette. En rond,* circulairement.

rondache n. f. Bouclier rond.

rond-de-cuir n. m. *Fam.* Bureaucrate. Pl. *ronds-de-cuir.*

ronde n. f. Inspection pour s'assurer que tout est en ordre. Chanson de table, où chacun chante à son tour. Chanson accompagnée d'une danse en rond. Ecriture en caractères ronds, gras et verticaux. *Mus.* Note qui vaut deux blanches. *A la ronde,* alentour : *être connu à dix lieues à la ronde;* chacun à son tour : *boire à la ronde.*

rondeau n. m. Petit poème à deux rimes. *Musiq.* Air à deux ou plusieurs reprises.

ronde-bosse n. f. Ouvrage de sculpture en plein relief. Pl. des *rondes-bosses.*

rondelet, ette adj. Un peu rond. *Bourse rondelette,* bien garnie.

rondelle n. f. Petit disque percé au milieu.

rondement adv. Promptement, lestement. Franchement. Avec ardeur.

rondeur n. f. Etat de ce qui est rond : *la rondeur de la terre.* Chose ronde. *Fig.* Nombre, harmonie. Franchise : *rondeur de caractère.*

rondin n. m. Bois à brûler, qui est rond. Tronc de sapin écorcé. Gros bâton.

rond-point n. m. Place où aboutissent plusieurs avenues. Pl. des *ronds-points.*

ronflant, e adj. Sonore, bruyant. *Fig.* Sonore, creux : *phrases ronflantes.*

ronflement n. m. Bruit qu'on fait en ronflant. Sonorité sourde.

ronfler v. intr. Faire un certain bruit en respirant pendant le sommeil. Produire un bruit sourd et prolongé.

ronfleur, euse n. Qui ronfle.

rongement n. m. Action de ronger.

ronger v. tr. (Se conj. comme *manger.*) Manger, entamer à petits coups. Corroder : *la rouille ronge le fer.* Miner : *la mer ronge les falaises. Fig.* Consumer, tourmenter : *rongé par le chagrin. Ronger son frein,* supporter avec impatience.

rongeur, euse adj. Qui ronge. N. m. pl. Ordre de mammifères à dents incisives, sans canines (rat, écureuil).

ronron n. m. Bruit que le chat tire de sa gorge pour marquer le contentement. Bruit sourd et continu : *ronron d'une marmite.*

ronronnement n. m. Ronron.

ronronner v. intr. Faire un ronron.

roquefort n. m. Fromage estimé.

roquer v. intr. Terme du jeu d'échecs.

roquet n. m. Sorte de petit chien. *Fig.* Individu hargneux.

rosace n. f. Ornement d'architecture en forme de rose ou d'étoile. Grand vitrail de forme circulaire.

rosaire n. m. Grand chapelet de quinze dizaines. Prières récitées en égrenant le rosaire : *dire son rosaire.*

rosat adj. inv. Où il entre des roses : *miel rosat.*

rosbif n. m. Aloyau rôti.

rose n. f. Fleur du rosier. *Rose trémière,* plante ornementale dont les fleurs sont disposées le long d'une tige. *Fig.* La couleur vermeille des joues : *teint de rose.* Diamant taillé plat en dessous. *Archit.* Dans les églises gothiques, grande fenêtre circulaire à vitraux en compartiments. *Mar. Rose des vents,* figure circulaire collée sur le cadran du compas et marquée de trente-deux divisions.

rose adj. D'une couleur semblable à celle de la rose. N. m. La couleur rose : *des étoffes rose clair.*

rosé, e adj. D'un rouge faible.

roseau n. m. Nom vulgaire de diverses plantes aquatiques. *Fig.* Personne ou chose faible, fragile.

rosée n. f. Vapeur qui se dépose sur la terre en gouttelettes. *Par ext.* Liquide qui se divise en gouttelettes.

roséole n. f. Maladie éruptive.

roser v. tr. Donner une teinte rosée.

roseraie n. f. Terrain, jardin, planté de rosiers.

rosette n. f. Nœud qu'on peut détacher en tirant les bouts. Nœud de ruban en forme de rose, insigne de certains ordres.

rosier n. m. Arbuste épineux à belles fleurs.

rosière n. f. Jeune fille vertueuse à laquelle on décerne solennellement une récompense. (Vx.)

rosiériste n. m. Jardinier qui cultive des rosiers.

rosir v. intr. Devenir rose.

rosse n. f. Cheval sans force, sans vigueur. *Fam.* Personne qui ne vaut pas grand-chose. Personne méchante. Adj. D'une ironie mordante.

rossée n. f. *Fam.* Correction.

rosser v. tr. *Fam.* Battre violemment.

rosserie n. f. *Fam.* Méchanceté.

rossignol n. m. Genre de passereaux au chant très agréable. Crochet pour ouvrir toutes sortes de serrures. *Fam.* Marchandise défraîchie, démodée.
rossinante n. f. Mauvais cheval.
rôt n. m. Syn. de RÔTI.
rotatif, ive adj. et n. f. Qui agit en tournant : *machine rotative.*
rotation n. f. Mouvement d'un corps qui tourne autour d'un axe.
rotatoire adj. Circulaire, qui tourne.
rôti ou **rôt** n. m. Viande rôtie.
rôtie n. f. Tranche de pain rôtie.
rotin n. m. Roseau servant à faire des cannes, des sièges, etc.
rôtir v. tr. Faire cuire à sec, à la broche ou sur le gril. *Par ext.* Dessécher, brûler. V. intr. Etre, devenir rôti. *Fig.* Etre exposé à une très grande chaleur.
rôtissage n. m. Action de rôtir.
rôtisserie n. f. Boutique de rôtisseur.
rôtisseur, euse n. Qui fait rôtir des viandes pour les vendre.
rôtissoire n. f. Ustensile pour rôtir.
rotonde n. f. Bâtiment de forme ronde.
rotondité n. f. Rondeur.
rotor n. m. Partie mobile, dans un moteur électrique, une turbine, etc.
rotule n. f. Os mobile du genou.
roture n. f. Condition d'une personne qui n'est pas noble. Ensemble des roturiers.
roturier, ère adj. et n. Non noble.
rouage n. m. L'ensemble ou chacune des roues d'une machine. *Fig.* Ensemble des moyens servant à un fonctionnement.
roublard, e n. et adj. *Pop.* Rusé.
roublardise n. f. *Pop.* Ruse, astuce.
rouble n. m. Monnaie russe.
roucoulement n. m. Murmure tendre et monotone des pigeons.
roucouler v. intr. Faire entendre un roucoulement. Chanter langoureusement. V. tr. : *roucouler un air.*
roue n. f. Organe circulaire tournant sur son axe : *roue de voiture, roue hydraulique.* Supplice consistant à rompre les membres d'un condamné et à le placer sur une roue horizontale. *Faire la roue,* déployer les plumes de la queue (paon, dindon), et, au *fig.,* se pavaner.
roué, e adj. Qui a subi le supplice de la roue. *Fig.* Rompu : *roué de fatigue.* N. m. Débauché élégant, sous la Régence. *Fam.* Personne rusée : *c'est un roué.*
rouelle n. f. Tranche de cuisse de veau coupée en rond.
rouennerie [*rouan'-rî*] n. f. Cotonnade.
rouer v. tr. Faire périr sur la roue. *Rouer de coups,* battre violemment.
rouerie n. f. Ruse, habileté.
rouet n. m. Machine servant à filer.
rouf n. m. Petite construction élevée sur le pont d'un navire.
rouge adj. L'une des sept couleurs du spectre. Se dit des partis politiques très avancés. N. m. Couleur rouge. Matière qui fournit une couleur rouge. Fard de couleur rouge : *se mettre du rouge.*
rougeâtre adj. Tirant sur le rouge.
rougeaud, e adj. et n. *Fam.* Qui a le visage rouge.
rouge-gorge n. m. Genre de passereaux à la gorge rouge. Pl. des *rouges-gorges.*
rougeole n. f. Maladie contagieuse caractérisée par une éruption de taches rouges sur la peau.
rougeoyer v. intr. (Se conj. comme *aboyer.*) Prendre une teinte rouge.
rouget n. m. Poisson tacheté de rouge.
rougeur n. f. Couleur rouge. Teinte rouge passagère du visage, qui révèle une émotion. Pl. Taches rouges sur la peau.
rougir v. tr. Rendre rouge : *fer rougi au feu. Rougir son eau,* y mettre un peu de vin. V. intr. Devenir rouge. *Fig. Rougir de,* avoir honte de.
rouille n. f. Oxyde de fer, rouge foncé, dont se couvre ce métal à l'humidité, et, au *fig.,* cause d'altération, de dégradation : *la rouille de l'oisiveté.* Maladie des végétaux.
rouiller v. tr. Produire de la rouille. *Fig.* Emousser, faute d'exercice : *la paresse rouille l'esprit.*
rouir v. tr. Désagréger, par macération dans l'eau, des fibres textiles. V. intr. Etre soumis au rouissage : *lin qui rouit.*
rouissage n. m. Action de rouir.
rouissoir n. m. Endroit où l'on met rouir le chanvre, le lin.
roulade n. f. *Mus.* Vocalise consistant en une série rapide de plusieurs notes sur une syllabe.
roulage n. m. Action de rouler. Transport de marchandises sur des voitures : *entreprise de roulage.* Passage du rouleau sur un champ pour briser les mottes.
roulant, e adj. Qui roule. *Pop.* Comique. *Feu roulant,* feu de mousqueterie continu.
rouleau n. m. Objet roulé en cylindre : *rouleau de papier.* Objets empilés en cylindre : *rouleau de monnaies.* Cylindre de bois, de papier, de fonte, etc., pour divers usages.
roulement n. m. Mouvement de ce qui roule. Mécanisme qui facilite ce mouvement : *roulement à billes.* Batterie de tambour. Bruit d'un objet qui roule. Bruit semblable à celui d'un corps qui roule : *roulement du tonnerre.* Circulation d'espèces : *roulement de fonds.* Remplacement successif : *le roulement des tribunaux. Fonds de roulement,* destinés aux dépenses courantes.
rouler v. tr. Faire avancer une chose en la faisant tourner sur elle-même. Plier en rouleau : *rouler un papier.* Faire tourner : *rouler les yeux. Fig.* Méditer : *rouler un projet dans sa tête. Fam.* Duper : *rouler un client.* V. intr. Avancer en tournant. Voyager : *rouler dans tous les pays.* Faire entendre un roulement. Porter : *son discours roule sur la morale. Mar.* Avoir un mouvement de roulis. *Rouler sur l'or,* être fort riche. V. pr. *Pop.* Rire très fort.
roulette n. f. Petite roue. Jeu de hasard.
rouleur, euse adj. Qui roule. *Fig.* Qui va de côté et d'autre.
roulier, ère adj. Relatif au roulage. N. m. Voiturier qui transporte les marchandises.
roulis n. m. Oscillations latérales et alternatives d'un vaisseau sur la mer.
roulotte n. f. Grande voiture des forains, des nomades, etc.
roumain, e adj. et n. De Roumanie.
roupie n. f. Humeur coulant du nez.
roupie n. f. Monnaie de l'Inde.
roupiller v. intr. *Pop.* Sommeiller.
rouquin, e adj. *Pop.* Roux.
roussâtre adj. Tirant sur le roux.

rousseau n. m. *Fam.* A cheveux roux.
rousserolle n. f. Espèce de fauvette.
roussette n. f. Espèce de chien de mer. Espèce de chauve-souris.
rousseur n. f. Qualité de ce qui est roux. *Taches de rousseur,* taches rousses sur la peau du visage ou des mains.
roussi n. m. Odeur d'une chose brûlée superficiellement. *Sentir le roussi,* être suspect d'opinions avancées.
roussir v. tr. et intr. Rendre, devenir roux. Brûler légèrement.
roussissement n. m. Action de roussir. Etat de ce qui est roussi.
routage n. m. Action de router.
route n. f. Voie de terre pour aller d'un lieu à un autre. Direction qu'on suit : *changer de route. Se mettre en route,* cheminer, se transporter ailleurs. *Fig.* Ce qui conduit vers, voie à suivre.
router v. tr. Préparer une expédition postale pour son acheminement.
routier n. m. Recueil de cartes marines. Cycliste qui court sur les routes. Transporteur par camion.
routier, ère adj. Qui se rapporte aux routes. Qui se fait par la route.
routine n. f. Ce qui est fait par habitude, et comme mécaniquement. Capacité acquise par la pratique.
routinier, ère adj. Qui agit par routine, qui a le caractère de la routine.
rouvraie n. f. Lieu où croissent des rouvres.
rouvre n. m. et adj. Sorte de chêne.
rouvrir v. tr. (Se conj. comme *ouvrir.*) Ouvrir de nouveau. *Fig. Rouvrir une blessure,* renouveler une douleur.
roux, rousse adj. et n. D'une couleur entre jaune et rouge. Qui a les cheveux roux. *Lune rousse,* lune d'avril. N. m. Couleur rousse. Sauce de farine et de beurre roussis.
royal, e*, aux adj. Du roi : *palais royal, ordonnance royale.* Digne d'un roi : *geste royal.* N. f. Barbiche sous la lèvre inférieure.
royalisme n. m. Attachement à la monarchie royale.
royaliste adj. et n. Partisan du roi, de la royauté.
royaume n. m. Etat gouverné par un roi. *Royaume des cieux,* paradis.
royauté n. f. Dignité de roi. *Fig.* Influence souveraine.
ru n. m. Petit ruisseau.
ruade n. f. Action de ruer. *Fig.* Attaque brusque, inattendue.
ruban n. m. Tissu mince et étroit : *un nœud de ruban.* Fragment plat et long comme un ruban : *ruban d'acier.* Bout de ruban qui sert d'insigne; décoration.
rubaner v. tr. Garnir de rubans. Aplatir en ruban : *rubaner du fer.*
rubanerie n. f. Industrie du ruban.
rubéfaction n. f. Rougeur cutanée.
rubéfier v. tr. (Se conj. comme *prier.*) Irriter la peau, la rendre rouge.
rubéole n. f. Maladie éruptive.
rubescent, e adj. Un peu rouge.
rubicond, e adj. Rouge (visage).
rubidium n. m. Métal alcalin analogue au potassium.
rubis n. m. Pierre précieuse, variété d'alumine d'un rouge vif. *Payer rubis sur l'ongle,* exactement, scrupuleusement.
rubrique n. f. Craie rouge, qu'emploient les charpentiers pour tracer des lignes. Titre qui, dans certains livres, était jadis marqué en rouge. Indication de la matière dont il va être traité : *vous trouverez cela sous la rubrique « Histoire ».*
ruche n. f. Habitation préparée pour les abeilles. *Fig.* Agglomération : *ruche humaine.* Ornement plissé, de tulle ou de dentelle, dont se servaient les femmes.
ruchée n. f. Population d'une ruche.
rucher n. m. Endroit où sont placées les ruches.
rucher v. tr. Plisser en ruche. Garnir de ruches : *rucher un bonnet.*
rude* adj. Dur au toucher : *peau rude.* Apre, dur au goût, à l'oreille : *vin, son rude.* Raboteux. Pénible. Difficile à supporter. En parlant des personnes, dur : *maître rude, rude adversaire.*
rudesse n. f. Etat de ce qui est rude : *rudesse de la peau. Fig.* Etat de ce qui est désagréable à voir, à entendre : *rudesse de la voix.* Dureté : *traiter avec rudesse.*
rudiment n. m. Premières notions de : *rudiments de la grammaire.* Premiers linéaments de la structure des organes.
rudimentaire adj. Elémentaire.
rudoiement n. m. Action de rudoyer.
rudoyer v. tr. (Se conj. comme *aboyer.*) Traiter rudement : *rudoyer un subalterne.*
rue n. f. Chemin bordé de maisons, dans les villes, etc. *Fig. Courir les rues,* être connu de tous (nouvelle, etc.).
rue n. f. Plante médicinale.
ruée n. f. Action de se ruer.
ruelle n. f. Petite rue étroite. Espace entre le lit et le mur. Au XVIe et au XVIIe siècle, partie de la chambre à coucher où les dames recevaient leurs visiteurs.
ruer v. intr. Se dit d'un animal qui jette avec force en l'air les pieds de derrière. V. pr. Se lancer impétueusement sur.
ruffian ou **rufian** n. m. Homme débauché.
rugby n. m. (mot angl.) Forme de football.
rugir v. intr. Pousser des rugissements : *le lion rugit. Fig.* Pousser des cris de fureur. V. tr. Proférer avec fureur : *rugir des menaces.*
rugissement n. m. Cri du lion. Cri ou bruit comparé au cri du lion.
rugosité n. f. Etat d'une surface rugueuse.
rugueux, euse adj. Qui a des aspérités.
ruine n. f. Chute d'un bâtiment : *tomber en ruine.* Chute, destruction : *la ruine d'un empire.* Affaiblissement : *la ruine d'une théorie.* Perte de la fortune, de la prospérité. Cause de ruine : *Hélène fut la ruine de Troie.* Pl. Débris, décombres.
ruiner v. tr. Faire tomber en ruine. Détruire, ravager. Causer la perte : *le jeu l'a ruiné.* Mettre en mauvais état : *ruiner sa santé.* Infirmer : *ruiner un raisonnement.* V. pr. Tomber en ruine. Perdre sa fortune.
ruineux, euse adj. Qui provoque la ruine : *entreprise ruineuse.*
ruisseau n. m. Petit cours d'eau. Rigole dans une rue pour l'écoulement des eaux pluviales ou ménagères. *Fig.* Ce qui coule avec abondance : *des ruisseaux de larmes.*
ruisseler v. intr. (Se conj. comme *amonceler.*) Couler en ruisseau. *Fig.* Etre inondé : *ruisseler de sueur.*
ruisselet n. m. Petit ruisseau.

ruissellement n. m. Action de ruisseler. *Fig.* Emission de lumière chatoyante : *ruissellement de pierreries.* Ecoulement rapide des eaux : *érosion par ruissellement.*
rumeur n. f. Bruit confus de voix. Bruit sourd, général et menaçant. Bruit confus : *rumeur des flots.* Bruits qui courent, se répandent çà et là : *la rumeur publique.*
ruminant, e adj. Qui rumine. N. m. pl. Sous-ordre de mammifères, dont l'estomac est divisé en quatre parties, parfois en trois (bœuf, chameau, mouton, etc.).
rumination n. f. Action de ruminer.
ruminer v. tr. et intr. Remâcher, en parlant des aliments ramenés de l'estomac dans la bouche : *la brebis, le chameau ruminent. Fig.* Retourner une chose dans son esprit : *ruminer un projet.*
rumsteck [*rom*] n. m. V. ROMSTECK.
runes n. f. pl. Caractères de l'ancien alphabet scandinave.
runique adj. Relatif aux runes.
ruolz n. m. Métal doré ou argenté par l'électrolyse.
rupestre adj. Qui se trouve sur les rochers : *plante, inscription rupestre.*
rupture n. f. Action de rompre ou de se rompre. *Fig.* Désunion entre amis ou associés. Annulation, cassation d'un acte public ou particulier.
rural, e, aux adj. Relatif aux champs.
ruse n. f. Artifice pour tromper.
rusé, e adj. et n. Qui a de la ruse. Qui annonce la ruse.
ruser v. intr. User d'artifices.
russe adj. et n. De la Russie.
russifier v. tr. Rendre russe.
rustaud, e adj. et n. Grossier, rustre.
rusticité n. f. Caractère de ce qui est rustique. Grossièreté de manières.
rustique* adj. De la campagne : *travaux rustiques.* Grossier, rude.
rustiquer v. tr. Donner une apparence rustique. Tailler une pierre en lui laissant un aspect brut.
rustre n. m. Paysan. *Fig.* Homme grossier. Adj. Grossier, rustique.
rutabaga n. m. Sorte de navet grossier.
ruthénium [*nyom*] n. m. Métal du groupe du platine.
rutilant, e adj. D'un rouge vif. *Fam.* Très brillant.
rutiler v. intr. Briller d'un vif éclat : *métal qui rutile.*
rythme n. m. Cadence, mouvement régulier d'une phrase poétique, musicale.
rythmer v. tr. Cadencer.
rythmique adj. Relatif au rythme, cadencé.

S

s n. m. Dix-neuvième lettre et quinzième consonne de l'alphabet.
sa adj. f. V. SON.
sabbat n. m. Septième jour de la semaine juive, consacré à Dieu et correspondant au samedi des chrétiens. Assemblée nocturne de sorciers et sorcières. *Fig.* Tapage.
sabbatique adj. Relatif au sabbat.
sabir n. m. Langage mêlé d'arabe, de français, d'italien, d'espagnol, parlé dans le Levant et en Algérie.
sablage n. m. Action de sabler.
sable n. m. Poudre provenant de la désagrégation de certaines roches. Gravier : *sable de rivière. Méd.* Gravier dans les reins.
sable n. m. Martre zibeline à pelage noir. *Blas.* Couleur noire.
sabler v. tr. Couvrir de sable. Couler dans un moule de sable fin. *Fig.* Boire d'un trait : *sabler une coupe de champagne.*
sableux, euse adj. Mêlé de sable.
sablier n. m. Appareil mesurant le temps par l'écoulement du sable d'un petit compartiment dans un autre.
sablière n. f. Carrière de sable.
sablon n. m. Sable très fin.
sablonneux, euse adj. Où il y a beaucoup de sable : *rivage sablonneux.*
sablonnière n. f. Carrière de sablon.
sabord n. m. Ouverture quadrangulaire dans la muraille du navire.
sabordage n. m. Action de saborder.
saborder v. tr. Percer un navire au-dessous de la flottaison pour le faire couler.
sabot n. m. Chaussure de bois. Corne du pied de plusieurs animaux. Nom de divers outils. Jouet en forme de toupie, qu'on fait tourner avec une lanière. Coin de fer ou de bois, qu'on met sous l'une des roues d'une voiture pour l'empêcher de rouler sur une pente. *Fig.* Objet mauvais, sans valeur.
sabotage n. m. Action de saboter.
saboter v. tr. *Fam.* Exécuter vite et mal. Détériorer volontairement un outillage industriel, etc.
saboterie n. f. Fabrique de sabots.
saboteur, euse n. Celui, celle qui sabote.
sabotier, ère n. Ouvrier qui fait des sabots.
sabouler v. tr. *Fam.* Tirailler, houspiller.
sabre n. m. Sorte d'épée ne tranchant que d'un côté.
sabre-baïonnette n. m. Sabre court, qui peut être placé au bout du fusil comme baïonnette. Pl. des *sabres-baïonnettes.*
sabrer v. tr. Frapper à coups de sabre. *Fig.* et *fam.* Faire vite et mal. Biffer : *sabrer un manuscrit.* Critiquer à tort et à travers.
sabretache n. f. Espèce de sac plat, qui pendait au ceinturon dans certains uniformes de cavalerie.
sabreur n. et adj. m. Qui donne des coups de sabre. Militaire brutal.
sac n. m. Espèce de poche ouverte par le haut : *un sac de toile, sac de voyage.* Son contenu : *sac de blé.* Poche de toile pour serrer de l'argent. Sorte de sac carré que le fantassin porte sur le dos. *Anat.* Cavité entourée d'une membrane. *Vider son sac,* dire ce qu'on a sur le cœur. *Prendre la main dans le sac,* sur le fait.
sac n. m. Pillage : *mettre à sac.*

saccade n. f. Secousse, mouvement brusque. *Fig.* Action brusque.
saccadé, e adj. Brusque, irrégulier.
saccage n. m. Action de saccager.
saccager v. tr. (Se conj. comme *manger.*) Mettre à sac, au pillage : *saccager une ville. Fam.* Bouleverser.
saccageur n. m. Qui saccage.
saccharification n. f. Conversion en sucre.
saccharifier v. tr. (Se conj. comme *prier.*) Transformer en sucre.
saccharine n. f. Poudre blanche tirée du goudron et ayant un très grand pouvoir sucrant.
saccharose n. f. *Chim.* Sucre.
sacerdoce n. m. Dignité et fonctions des ministres d'un culte. Corps des ecclésiastiques : *le sacerdoce français.*
sacerdotal, e, aux adj. Du sacerdoce.
sachet n. m. Petit sac. Petit coussin parfumé.
sacoche n. f. Sorte de grosse bourse de cuir. Partie du harnachement de la cavalerie.
sacramentel, elle* adj. Qui appartient à un sacrement.
sacre n. m. Cérémonie par laquelle on consacre un roi, un évêque.
sacré, e adj. Relatif à la religion, au culte : *les vases sacrés.* Qui doit inspirer un respect religieux. Inviolable : *un dépôt sacré. Livres sacrés,* livres où sont conservés les fondements d'une religion (ex. : la Bible, le Coran). *Le sacré collège,* le collège des cardinaux. *Fam.* Maudit, exécré. *Feu sacré,* sentiment exalté, passionné ; inspiration. N. m. Ce qui est sacré.
sacrement n. m. Acte religieux, ayant pour objet la sanctification et que les catholiques professent avoir été institué par Jésus-Christ pour donner la grâce (baptême, confirmation, eucharistie, pénitence, extrême-onction, ordre, mariage). *Le saint sacrement,* l'eucharistie.
sacrer v. tr. Conférer un certain caractère par cérémonies religieuses. V. intr. Jurer, blasphémer.
sacrificateur n. m. Prêtre qui offrait le sacrifice.
sacrificatoire adj. Du sacrifice.
sacrifice n. m. Offrande que l'on consume sur un autel. *Le saint sacrifice,* la messe. Dépense : *s'imposer de lourds sacrifices.*
sacrifier v. tr. (Se conj. comme *prier.*) Offrir en sacrifice. Accepter la perte de : *sacrifier ses intérêts.* V. intr. Offrir un sacrifice : *sacrifier aux dieux.* Se conformer : *sacrifier à la mode.* V. pr. Se dévouer : *se sacrifier pour ses enfants.*
sacrilège n. m. Profanation d'une chose sacrée. Attentat contre une personne sacrée ou digne de vénération. Adj. et n. Qui commet un sacrilège : *punir un sacrilège.*
sacripant n. m. Vaurien, fripon.
sacristain n. m. Celui qui a soin de la sacristie dans une église.
sacristi! ou **sapristi!** interj. Juron familier.
sacristie n. f. Lieu où l'on serre les ornements d'église.
sacro-saint, e adj. Très saint.
sacrum [*krom*] n. m. Os placé au bas de la colonne vertébrale.
safran n. m. Plante bulbeuse, à fleur bleu et rouge et stigmates jaunes. La poudre de ces stigmates, employée comme teinture et comme assaisonnement.
safran n. m. Pièce du gouvernail.
safrané, e adj. Jaune safran.
sagace adj. Fin, perspicace.
sagacité n. f. Flair, finesse.
sagaie n. f. Lance ou javelot primitif.
sage* adj. Qui a sa raison : *tel se croit sage qui n'est qu'un fou.* Prudent, circonspect : *agir en homme sage.* Modéré, retenu : *sage dans ses désirs.* Doux, soumis : *enfant sage.* Se dit des actions, des paroles : *réponse sage.* N. m. Homme sage : *c'est un sage.*
sage-femme n. f. Celle qui fait des accouchements. Pl. des *sages-femmes.*
sagesse n. f. Connaissance des choses. Prudence, bonne conduite : *la sagesse pratique de la vie.* Modération, retenue. Docilité chez les enfants : *remporter le prix de la sagesse.* Caractère de ce qui est sage.
sagittaire n. m. Archer (vx). N. f. Flèche d'eau, plante. Constellation.
sagou n. m. Fécule de sagoutier.
sagouin n. m. Sorte de singe. *Fig.* et *fam.* Homme malpropre. (On dit aussi au fém. *sagouine.*)
sagoutier n. m. Palmier des Moluques, appelé aussi arbre à pain.
saharien, enne adj. Du Sahara.
saignée n. f. Ouverture d'une veine pour tirer du sang. Sang ainsi tiré : *abondante saignée.* Pli du bras avec l'avant-bras. *Fig.* Perte d'hommes ou d'argent.
saignement n. m. Ecoulement de sang.
saigner v. tr. Tirer du sang en ouvrant une veine. Tuer par effusion de sang : *saigner un poulet.* Faire écouler l'eau par des rigoles. *Fig.* Rançonner, arracher de l'argent. V. intr. Perdre du sang : *saigner du nez.* V. pr. *Fig.* S'imposer des sacrifices.
saigneur n. m. Celui qui saigne.
saillant, e adj. Qui avance, qui sort : *corniche saillante.* Vif, brillant : *trait saillant.* N. m. Partie en saillie dans une fortification.
saillie n. f. Elan, mouvement brusque. Partie saillante. Accouplement des animaux domestiques. *Archit.* Avance d'un balcon, d'une corniche, etc. *Peint.* Relief apparent d'une figure. *Fig.* Emportement, boutade : *des saillies de jeunesse.* Trait vif, brillant et imprévu : *abonder en saillies.*
saillir v. intr. (Ne s'emploie guère qu'à l'infinitif et à la 3e pers. de quelques temps : *Il saillit. Il saillissait. Il saillit. Il saillira,* etc.) Jaillir, sortir avec force. V. tr. Couvrir une femelle.
saillir v. intr. (Se conj. comme *cueillir,* et seulement aux 3es personnes). Etre en saillie (balcon, etc.).
sain, e* adj. Dont l'organisme n'est pas vicié : *homme sain.* Non gâté, non altéré : *ce bois est encore sain.* Salubre, salutaire, bon pour la santé : *air sain.* Dont les facultés intellectuelles, morales, sont en bon état : *sain d'esprit.* Conforme à la raison, etc. : *doctrine saine. Sain et sauf,* sans éprouver aucun mal.
saindoux n. m. Graisse de porc fondue.
sainfoin n. m. Plante fourragère.
saint, e* adj. Souverainement pur, parfait. Se dit d'un élu qui est reconnu par l'Eglise catholique comme ayant obtenu au ciel une haute récompense. Qui vit selon la loi de

Dieu : *un saint homme.* Conforme à la loi divine : *vie sainte.* Qui appartient à la religion. Se dit des jours de la semaine qui précède le dimanche de Pâques. N. Personne qui vit en état de sainteté. Homme, femme d'une vie exemplaire.

saint-cyrien n. m. Elève de l'école de Saint-Cyr. Pl. des *saint-cyriens.*

sainteté n. f. Qualité de ce qui est saint. *Sa Sainteté,* titre du pape.

saint-frusquin n. m. invar. *Fam.* Tout ce qu'un homme possède en argent et en vêtements.

saint-honoré n. m. Gâteau à la crème. Pl. des *saint-honorés.*

saint-simonien, enne adj. Qui concerne le saint-simonisme. N. Disciple de Saint-Simon. Pl. des *saint-simoniens.*

saint-simonisme n. m. Doctrine sociale de Saint-Simon.

saisi, e adj. *Fig.* Frappé subitement d'étonnement, d'effroi, etc. N. m. Débiteur sur lequel on a fait une saisie.

saisie n. f. Acte par lequel on saisit un bien dont on revendique la propriété ou que l'on veut faire vendre en paiement d'une dette.

saisie-arrêt n. f. *Dr.* Opposition formée en paiement de la somme que doit un tiers. Pl. des *saisies-arrêts.*

saisie-exécution n. f. *Dr.* Saisie et vente, par le créancier, des meubles de son débiteur. Pl. des *saisies-exécutions.*

saisir v. tr. Prendre fortement : *saisir quelqu'un au collet.* Prendre quelque chose pour s'en servir : *saisir son épée.* Se rendre maître : *saisir le pouvoir.* S'emparer d'une chose par autorité de justice pour la faire vendre à son profit, ou pour la faire disparaître : *saisir un mobilier.* Mettre en possession de : *saisir d'un héritage.* Ne pas laisser échapper : *saisir l'occasion.* Discerner : *saisir une allusion.* Dominer quelqu'un : *le désespoir l'a saisi. Saisir un tribunal,* porter devant sa juridiction. V. pr. S'emparer : *se saisir du pouvoir.*

saisissable adj. Qui peut être saisi.

saisissement n. m. Impression forte et subite : *mourir de saisissement.*

saison n. f. Chacune des quatre grandes divisions de l'année. Epoque : *la saison des pluies, la saison des cerises.* Séjour dans une station thermale, balnéaire, etc. *Etre de saison,* être à propos. *Hors de saison,* déplacé.

saisonnier, ère adj. Réglé sur la marche des saisons : *produits saisonniers.*

salade n. f. Mets de légumes crus ou cuits, assaisonnés avec du sel, de l'huile et du vinaigre. Plante dont on fait ce mets.

salade n. f. Sorte de casque. (Vx.)

saladier n. m. Récipient où se fait la salade.

salage n. m. Action de saler.

salaire n. m. Somme donnée pour payer un travail, un service. *Fig.* Récompense, châtiment : *toute peine mérite salaire; le salaire du crime.*

salaison n. f. Action de saler. Viande salée.

salamalec n. m. *Fam.* Révérence, simagrée : *faire des salamalecs.*

salamandre n. f. Genre de batraciens. Poêle à feu continu (marque de fabrique).

salariat n. m. Condition de salarié.

salarier v. tr. (Se conj. comme *prier.*) Donner un salaire : *secrétaire non salarié.*

sale* adj. Malpropre, souillé d'ordure : *du linge sale.* Se dit d'une couleur qui semble ternie : *jaune sale.* Contraire à l'honneur, à la délicatesse. *Fam.* Dont il est difficile de se tirer : *c'est une sale affaire.*

salé n. m. Chair de porc salée.

salé, e adj. Saupoudré de sel. Qui a le goût du sel. *Fig.* Spirituel, piquant. Risqué, grivois : *conte salé. Fam.* Fort, excessif.

salep n. m. Farine alimentaire de la racine de certaines plantes.

saler v. tr. Assaisonner avec du sel : *saler un ragoût.* Mettre du sel sur les viandes crues pour les conserver : *saler du porc. Fig.* et *fam.* Demander un prix excessif.

saleron n. m. Partie creuse de la salière. Petite salière.

saleté n. f. Etat de ce qui est sale. Ordure, chose malpropre : *enlever une saleté. Pop.* Action vile, peu délicate; grossièreté : *commettre une saleté.*

saleur, euse n. Qui sale.

salicaire n. f. *Bot.* Plante croissant auprès des saules.

salicoque n. f. Sorte de crevette.

salicylate n. m. Sel de l'acide salicylique, dérivé de l'écorce de saule.

salière n. f. Pièce de vaisselle pour le sel destiné à la table. Boîte pour le sel employé à la cuisine. Creux en arrière des clavicules chez les personnes maigres.

salin, e adj. Qui contient du sel. N. m. Marais salant.

saline n. f. Marais salant. Mine de sel gemme.

salinier n. m. Fabricant ou marchand de sel, ouvrier de saline.

salinité n. m. Qualité de ce qui est salin.

salir v. tr. Rendre sale. *Fig.* Rendre sale moralement, souiller : *salir l'esprit d'un enfant.* Déshonorer : *salir la réputation.*

salivaire adj. Qui a rapport à la salive.

salivation n. f. Sécrétion de la salive.

salive n. f. Humeur aqueuse qui humecte la bouche.

saliver v. intr. Rendre beaucoup de salive.

salle n. f. Grande pièce d'un appartement, etc. Lieu vaste et couvert destiné à un service public ou à une grande exploitation : *salle de spectacle.* Public qui remplit une salle. Dortoir dans un hôpital. Lieu où les maîtres d'armes donnent leurs leçons. *Salle des pas perdus,* grand hall servant de lieu d'attente.

salmigondis [*di*] n. m. Ragoût de plusieurs sortes de viandes. *Fig.* Mélange disparate.

salmis [*mi*] n. m. Ragoût de pièces de gibier déjà rôties.

saloir n. m. Récipient de bois pour mettre le sel ou les viandes salées.

salon n. m. Pièce destinée, dans un appartement, à recevoir les visiteurs. Galerie où se fait une exposition d'ouvrages d'art. *Par ext.* L'exposition elle-même. Dénomination de diverses expositions : *Salon de l'automobile. Fig.* Pl. Compagnie de gens du monde : *la langue des salons.*

salopette n. f. Vêtement mis par-dessus un autre pour le garantir.

salpêtre n. m. Nitrate de potassium. *Fam.* Personne très vive.

salpêtrer v. tr. Couvrir de salpêtre.

salpêtreux, euse adj. Qui renferme du salpêtre.
salpêtrière n. f. Fabrique et dépôt de salpêtre.
salsepareille n. f. Plante de la famille des lis, à racine médicinale.
salsifis [*fi*] n. m. Nom de diverses composées dont la racine est comestible.
saltimbanque n. m. Bateleur, bouffon. Charlatan, mauvais orateur.
salubre adj. Sain : *air salubre.*
salubrité n. f. Qualité de ce qui est salubre.
saluer v. tr. Donner une marque extérieure d'attention, de respect : *saluer un ami; saluer de l'épée, de coups de canon.*
salure n. f. Etat de ce qui est salé.
salut n. m. Le fait d'échapper à un danger, à un mal. Personne ou chose qui sauve. Félicité éternelle : *travailler à son salut.* Marque de civilité que l'on donne en saluant. Office du soir, pour honorer le saint sacrement. *Armée du Salut,* association charitable protestante.
salutaire* adj. Propre à conserver la santé, la vie, l'honneur, etc.
salutation n. f. Action de saluer.
salutiste n. Membre de l'Armée du Salut.
salve n. f. Décharge simultanée d'armes à feu. *Fig. : salve d'applaudissements.*
samaritain, e adj. et n. De Samarie.
samba n. f. Sorte de danse.
samedi n. m. Septième jour de la semaine.
samouraï n. m. Guerrier japonais.
samovar n. m. Bouilloire russe.
sampan n. m. Embarcation en usage en Extrême-Orient.
sanatorium [*ryom*] n. m. Station hygiénique; établissement de cure pour les malades.
sanctificateur, trice adj. et n. Qui sanctifie.
sanctification n. f. Action de sanctifier; son résultat.
sanctifier v. tr. (Se conj. comme *prier.*) Rendre saint. Mettre dans la voie du salut. Révérer comme saint. Célébrer suivant la loi de l'Eglise.
sanction n. f. Acte par lequel le chef d'un Etat constitutionnel donne à une loi la force exécutoire. *Par ext.* Approbation, confirmation : *la sanction de l'usage.* Peine ou récompense : *sanction pénale.*
sanctionner v. tr. Donner la sanction. Approuver : *sanctionner une décision.*
sanctuaire n. m. Chez les Juifs, la partie la plus secrète du Temple de Jérusalem. Endroit de l'église où est le maître-autel. Edifice consacré aux cérémonies d'une religion. Eglise. *Fig.* Asile sacré.
sandale n. f. Chaussure formée d'une simple semelle retenue par des courroies ou des lacets. Chaussure basse de formes diverses.
sandaraque n. f. Résine extraite d'une espèce de thuya.
sandwich [*sandouich*] n. m. Mets composé d'une tranche de jambon, de pâté, etc., entre deux tranches de pain. *Homme-sandwich,* homme qui se promène sur la voie publique, avec une affiche-réclame sur le dos et une autre sur la poitrine. Pl. des *sandwichs* ou *sandwiches.*
sang n. m. Liquide rouge, qui circule dans les veines et dans les artères. *Coup de sang,* hémorragie cérébrale. *Fig.* Vie : *donner son sang pour la patrie.* Descendance, extraction : *être d'un sang illustre.* Famille. *Liens du sang,* affection entre personnes de même famille.
sang-froid n. m. Possession de soi, calme : *perdre son sang-froid.*
sanglant, e adj. Taché, souillé de sang. Mêlé de sang. Où il y a eu beaucoup de sang répandu. Injecté de sang. Qui est de la couleur du sang. *Fig.* Très offensant.
sangle n. f. Bande de cuir, large et plate, qui sert à ceindre, à serrer, etc. Bande sous le ventre d'une bête de somme pour assujettir la selle ou le bât. *Lit de sangle,* lit composé de deux châssis croisés en X, sur lesquels sont tendues des sangles.
sangler v. tr. Serrer avec une sangle : *sangler un cheval.* Frapper avec une sangle. V. pr. Se serrer la taille avec excès.
sanglier n. m. Genre de mammifères pachydermes d'Europe.
sanglot n. m. Contraction spasmodique du diaphragme, produite par la douleur.
sangloter v. intr. Pousser des sanglots.
sang-mêlé n. m. invar. Personne issue de parents de races différentes.
sangsue [*san-su*] n. f. Genre de vers employés pour tirer le sang des vaisseaux. *Fig.* Personne qui tire de l'argent par des exactions ou autrement.
sanguin, e adj. Relatif au sang. Où le sang prédomine. De la couleur du sang.
sanguinaire adj. Qui se plaît à répandre le sang humain : *tyran sanguinaire.* Où se verse beaucoup de sang. Cruel. N. f. Plante de la famille des pavots.
sanguine n. f. Crayon fait avec l'ocre rouge. Croquis exécuté avec ce crayon. Sorte d'orange.
sanguinolent, e adj. Teinté de sang.
sanie n. f. Matière purulente, qui sort des plaies non soignées.
sanieux, euse adj. Qui présente de la sanie.
sanitaire adj. Relatif à la santé : *mesure sanitaire; cordon sanitaire.*
sans, prép. qui marque la privation, l'exclusion. *Sans quoi, sans cela,* autrement, sinon. *Sans plus,* et pas plus. *Non sans,* avec. *Sans que* (avec le subj.), et il n'arrive pas que; et pourtant... ne... pas.
sans-cœur n. invar. *Fam.* Insensible.
sanscrit, e adj. et n. m. Langue sacrée de l'Inde.
sanscritiste n. m. Savant versé dans la connaissance du sanscrit.
sans-culotte n. m. Nom sous lequel on désignait, vers 1792, les révolutionnaires, qui avaient remplacé la culotte par le pantalon. Pl. des *sans-culottes.*
sans-façon n. m. invar. Manière d'agir sans façon.
sans-filiste n. Personne qui pratique la T. S. F. Pl. des *sans-filistes.*
sans-gêne n. m. invar. Manière d'agir sans gêne : *un sans-gêne excessif.*
sansonnet n. m. Etourneau.
sans-souci n. et adj. invar. *Fam.* Qui ne s'inquiète de rien : *un poète sans-souci.* N. m. Caractère sans souci.
santal n. m. Arbre d'Asie, dont le bois est employé en ébénisterie et en médecine. Pl. des *santals.*
santé n. f. Etat de celui dont les organes fonctionnent bien. Tempérament, complexion : *avoir une santé faible.* Vœu

que l'on fait, en buvant, pour la santé de quelqu'un. *Maison de santé,* où l'on reçoit les malades pour les soigner.
santon n. m. Religieux musulman. Figurine qu'on met dans les crèches, à Noël, en Provence.
saoul [*sou*], **e** adj., **saouler** [*sou*] v. tr. V. SOÛL, SOÛLER.
sapajou n. m. Petit singe. *Fig.* Petit homme ridicule.
sape n. f. Tranchée creusée sous un mur. Travaux de terrassement permettant de s'approcher des positions ennemies. *Fig.* Travail souterrain de destruction. Petite faux à moissonner. Pelle des mineurs.
sapement n. m. Action de saper.
sapèque n. f. Petite monnaie chinoise.
saper v. tr. Détruire par la sape.
sapeur n. m. Soldat du génie, qui travaille aux fortifications. N. m. pl. *Sapeurs-pompiers,* corps institué pour porter secours en cas d'incendie.
saphique adj. Relatif à Sapho, et à ses amitiés féminines.
saphir n. m. Pierre précieuse bleue.
sapide adj. Qui a de la saveur.
sapidité n. f. Qualité de ce qui est sapide.
sapience n. f. Sagesse. (Vx.)
sapin n. m. Genre de conifères, comprenant de grands arbres toujours verts. *Pop.* Fiacre. (Vx.)
sapinière n. f. Lieu planté de sapins.
saponacé, e adj. Qui a les caractères du savon.
saponaire n. f. Plante dont la tige et la racine donnent à l'eau une qualité savonneuse.
saponification n. f. Transformation des corps gras en savon.
saponifier v. tr. (Se conj. comme *prier.*) Transformer en savon : *saponifier des graisses.*
sapristi! interj. V. SACRISTI.
sarabande n. f. Danse noble du XVIIe siècle. Musique de cette danse. *Fam.* Danse joyeuse et tumultueuse. Jeux bruyants.
sarbacane n. f. Long tuyau qui sert à lancer, en soufflant, de petits projectiles.
sarcasme n. m. Raillerie acerbe.
sarcastique adj. Qui tient du sarcasme. Qui emploie le sarcasme.
sarcelle n. f. Genre d'oiseaux voisins des canards.
sarclage n. m. Action de sarcler.
sarcler v. tr. Arracher les mauvaises herbes.
sarcleur, euse n. Qui sarcle.
sarcloir n. m. Outil pour sarcler.
sarcome n. m. Sorte de tumeur.
sarcophage n. m. Autref., tombeau. Auj., monument simulant un cercueil.
sarde adj. et n. De Sardaigne.
sardine n. f. Poisson de mer du genre alose. *Fam.* Galon de sous-officier.
sardinerie n. f. Usine où l'on prépare les sardines à conserver.
sardinier, ère n. Qui pêche les sardines. Qui travaille à la fabrication des conserves de sardines. N. m. Filet, bateau pour pêcher la sardine.
sardoine n. m. Pierre précieuse brune à reflets orangés.
sardonique* adj. Se dit d'un rire acerbe.
sargasse n. f. Une algue brune.
sari n. m. Robe des femmes de l'Inde.
sarigue n. m. et f. Genre de mammifères marsupiaux dont la femelle porte ses petits dans une poche ventrale extérieure.
sarment n. m. Tige ou branche ligneuse grimpante. Bois que la vigne pousse chaque année : *un feu de sarments.*
sarmenteux, euse adj. Qui produit beaucoup de sarments : *vigne sarmenteuse. Par ext.* Se dit des plantes à tige longue, flexible et grimpante.
sarrasin n. m. Blé noir.
sarrasin, e adj. et n. Musulman d'Europe et d'Afrique, au Moyen Age.
sarrau n. m. Blouse de paysan ou d'écolier.
sarriette n. f. Plante aromatique.
sarrois, e adj. et n. De Sarre.
sas n. m. Tamis de crin, de soie, etc. Claie pour passer les terres dont on veut enlever les pierres. Partie d'un canal entre deux portes d'écluse.
sassement n. m. Action de sasser.
sasser v. tr. Passer au sas. *Fig.* Examiner.
satané, e adj. *Fam.* Digne de Satan; abominable : *un satané farceur.*
satanique* adj. De Satan : *orgueil satanique.*
satanisme n. m. Esprit satanique.
satellite n. m. Homme armé, ministre des ordres de celui qu'il accompagne. *Par ext.* Homme, Etat qui obéit aux volontés d'un autre. Planète qui tourne autour d'une autre. *Satellite artificiel,* engin placé par une fusée dans l'orbite d'une planète.
satiété n. f. Etat d'une personne entièrement rassasiée : *manger jusqu'à satiété. Fig.* Dégoût : *satiété des plaisirs.*
satin n. m. Etoffe de soie fine et lustrée. Etoffe lustrée à la manière du satin. *Peau de satin,* douce et unie.
satiner v. tr. Donner à une étoffe, à du papier, un aspect satiné.
satinette n. f. Etoffe offrant l'aspect du satin.
satire n. f. Pièce de poésie critiquant des vices, des ridicules. Discours, écrit piquant ou médisant. Blâme indirect.
satirique* adj. Qui tient de la satire. Enclin à la satire. N. m. Auteur de satires.
satisfaction n. f. Contentement, joie. Réparation d'une offense : *donner satisfaction.*
satisfaire v. tr. (Se conj. comme *faire.*) Contenter : *satisfaire son maître.* Plaire : *satisfaire l'esprit.* V. intr. *Satisfaire à son devoir,* s'en acquitter.
satisfecit [*fé-sit'*] n. m. invar. Témoignage de satisfaction : *décerner des satisfecit.*
satrape n. m. Gouverneur d'une province de l'anc. Perse. *Fig.* Personnage riche, despotique et voluptueux: *une vie de satrape.*
saturable adj. Qu'on peut saturer.
saturation n. f. Action de saturer.
saturer v. tr. Amener à la plus grande condensation possible : *saturer une solution. Fig.* Rassasier : *saturé de lecture.*
saturnales n. f. pl. *Antiq. rom.* Fêtes en l'honneur de Saturne. *Fig.* Temps de licence, de désordre.
saturnien, enne adj. De Saturne.
saturnisme n. m. Intoxication par le plomb.
satyre n. m. *Myth.* Demi-dieu rustique. *Fig.* Homme vicieux et débauché.
satyrique adj. Des satyres.
sauce n. f. Assaisonnement liquide d'un mets : *sauce à la tomate. Fig.* Accessoire,

accompagnement. *Mettre à toutes les sauces, sous toutes les formes.* Crayon noir très friable pour l'estompe.

saucer v. tr. Tremper dans la sauce : *saucer son pain. Fam.* Mouiller beaucoup : *touristes que l'orage a saucés.*

saucière n. f. Vase pour les sauces.

saucisse n. f. Boyau rempli de chair de porc hachée.

saucisson n. m. Grosse saucisse fortement assaisonnée.

sauf, sauve adj. Tiré de danger : *avoir la vie sauve.* Qui n'est pas endommagé : *l'honneur est sauf. Sain et sauf,* sans dommage. Prép. Sans porter atteinte : *sauf votre respect.* A la réserve de : *sauf à recommencer.* Excepté : *tout sauf ça. Sauf à,* quitte à. *Sauf que,* sous la réserve que.

sauf-conduit n. m. Permis d'aller en un endroit, d'y séjourner et de s'en retourner librement. Pl. des *sauf-conduits.*

sauge n. f. Plante aromatique, employée comme tonique.

saugrenu, e adj. Etrange, absurde.

saulaie ou **saussaie** n. f. Lieu planté de saules.

saule n. m. Arbre qui croît le long des ruisseaux. *Saule pleureur,* dont les branches et le feuillage retombent latéralement.

saumâtre adj. D'un goût approchant celui de l'eau de mer.

saumon n. m. Poisson de mer qui remonte les rivières et dont la chair rosée est délicate. Masse de fer, de fonte, de plomb ou d'étain, sortie de la fonte. Adj. De couleur rosée, analogue à celle de la chair du saumon : *une robe saumon.*

saumoné, e adj. A chair rosée comme celle du saumon : *truite saumonée.*

saumoneau n. m. Petit saumon.

saumurage n. m. Action de mettre dans la saumure.

saumure n. f. Préparation liquide salée, où l'on conserve des viandes ou des légumes.

saunage n. m. Fabrication et vente du sel.

saunier n. et adj. m. Ouvrier qui extrait le sel. Marchand de sel.

saupiquet n. m. Sauce piquante.

saupoudrer v. tr. Poudrer de sel et, *par ext.,* de farine, de sucre, etc. *Fig.* Parsemer : *saupoudrer un discours de citations.*

saupoudreuse n. f. Instrument pour saupoudrer.

saur adj. m. Salé et séché à la fumée : *hareng saur.*

saurer ou **saurir** v. tr. Sécher à la fumée.

sauret adj. m. Syn. de SAUR.

sauriens n. m. pl. Ordre des reptiles comprenant les lézards, les orvets, etc.

saurissage n. m. Action de saurer.

saussaie n. f. Syn. de SAULAIE.

saut n. m. Action de sauter : *saut en longueur.* Chute d'eau : *le saut du Niagara.* Passage brusque : *la température a fait un saut. Fig.* Changement subit : *un saut d'idée. Faire le saut,* se déterminer à faire une chose ; se ruiner, se déshonorer. *Saut périlleux,* saut acrobatique qui s'exécute en tournant entièrement dans l'air. *Saut-de-loup,* fossé pour défendre une propriété.

saute n. f. Changement brusque : *une saute de vent, d'humeur.*

saute-mouton n. m. invar. Jeu dans lequel les joueurs sautent alternativement les uns par-dessus le dos des autres.

sauter v. intr. S'élever de terre avec effort, s'élancer d'un lieu vers un autre : *sauter de haut en bas.* Voler en éclats : *la poudrière a sauté.* S'élancer pour saisir : *sauter à la gorge de quelqu'un.* Passer brusquement : *sauter d'un sujet à un autre.* Changer brusquement de direction : *le vent a sauté. Sauter aux yeux,* être évident. V. tr. Franchir d'un saut : *sauter un mur.* Faire cuire à feu vif dans du beurre ou de la graisse : *pommes de terre sautées. Fig.* Omettre : *sauter une page.*

sauterelle n. f. Insecte sauteur. Equerre articulée.

sauterie n. f. Petite soirée intime.

sauternes n. m. Vin blanc de Bordeaux réputé.

saute-ruisseau n. m. invar. Petit clerc d'avoué, de notaire.

sauteur, euse adj. et n. Qui saute. N. m. *Fig.* Homme qui change facilement d'opinion.

sautillement n. m. Petit saut.

sautiller v. intr. Sauter à petits sauts. *Fig.* Changer facilement d'objet, d'occupation.

sautoir n. m. Figure formée par deux objets croisés en X. Collier tombant en pointe.

sauvage* adj. Qui vit en liberté dans les bois : *animaux sauvages.* Non civilisé : *peuple sauvage.* Désert, inculte : *lieu sauvage.* Qui vient sans culture : *plante sauvage.* N. Qui n'est pas civilisé. *Fig.* Qui fuit la société : *vivre en sauvage.*

sauvageon n. m. Arbrisseau poussé naturellement et non greffé.

sauvagerie n. f. Etat social des sauvages. Caractère de celui qui n'aime pas la société.

sauvagesse n. f. Femme sauvage.

sauvagin, e adj. Se dit du goût et de l'odeur de quelques oiseaux aquatiques. N. m. Ce goût, cette odeur. N. f. Nom collectif de ces oiseaux.

sauvegarde n. f. Protection accordée par une autorité. *Fig.* Garantie, défense : *votre innocence est votre meilleure sauvegarde.*

sauvegarder v. tr. Protéger, mettre à l'abri.

sauve-qui-peut n. m. invar. Désarroi où chacun se sauve comme il peut.

sauver v. tr. Tirer du péril : *sauver de la mort.* Rendre la santé : *sauver un malade.* Procurer le salut éternel. Conserver intact : *sauver sa bonne humeur.* Excuser : *la forme sauve le fond dans ce livre.* V. pr. Fuir. S'échapper. Faire son salut éternel.

sauvetage n. m. Action de sauver d'un naufrage, d'un incendie. *Par ext.* Action de retirer quelqu'un d'une position périlleuse.

sauveteur adj. m. Employé au sauvetage : *bateau sauveteur.* N. m. Celui qui prend part à un sauvetage.

sauveur n. m. Celui qui sauve. Libérateur. *Le Sauveur,* Jésus-Christ. Adj. Qui sauve.

savamment adv. De façon savante.

savane n. f. Vaste prairie sauvage en Amérique du Sud.

savant, e adj. Qui a la science de quelque chose. Qui a des connaissances étendues. Où il y a de la science, de l'érudition. Qui dénote de l'art. *Chien savant,* dressé. N. Personne qui a de la science.

savarin n. m. Sorte de gâteau rond.

savate n. f. Vieille pantoufle, soulier usé. Soulier dont le quartier est rabattu. Combat à coups de pied suivant certaines règles : *tirer la savate.*

savetier n. m. Raccommodeur de vieux souliers.

saveur n. f. Impression qu'un corps exerce sur l'organe du goût. *Fig.* Ce qui flatte le goût : *poésie pleine de saveur.*

savoir v. tr. (*Je sais, nous savons. Je savais, nous savions. Je sus, nous sûmes. Je saurai, nous saurons. Sache, sachons, sachez. Que je sache, que nous sachions. Que je susse, que nous sussions. Sachant. Su, e.*) Connaître : *savoir son chemin.* Etre instruit dans quelque chose : *savoir l'anglais.* Etre exercé à : *savoir commander.* Avoir dans la mémoire : *savoir sa leçon.* Etre informé de : *savoir un secret.* Avoir le moyen de : *je ne saurais le dire. Que je sache,* à ma connaissance. *A savoir, savoir,* sert à spécifier ce qui suit.

savoir n. m. Ensemble de connaissances : *un savoir encyclopédique.*

savoir-faire n. m. Habileté.

savoir-vivre n. m. Connaissance et pratique des usages du monde.

savon n. m. Mélange d'une matière grasse et d'un alcali qui sert à nettoyer, dégraisser, blanchir. *Par ext.* Lavage au savon. *Fig.* et *fam.* Verte réprimande.

savonnage n. m. Nettoyage au savon.

savonner v. tr. Nettoyer, blanchir avec du savon. Couvrir de mousse de savon: *savonner avant de raser. Fig.* et *fam.* Réprimander vertement.

savonnerie n. f. Fabrique de savon.

savonnette n. f. Savon parfumé. *Montre à savonnette,* à cadran protégé par un couvercle en métal.

savonneux, euse adj. Qui tient du savon. Onctueux comme le savon.

savonnier, ère adj. Relatif au savon, à la fabrication ou au commerce du savon. N. m. Fabricant de savon. Arbre des Antilles, dont l'écorce est dite *bois de Panama.*

savourer v. tr. Goûter lentement, avec attention et plaisir. *Fig.* Jouir avec délices de : *savourer des louanges.*

savoureux, euse adj. Qui a une saveur agréable. *Fig.* Dont on jouit avec délices.

savoyard, e adj. et n. De Savoie. (On dit aussi SAVOISIEN, ENNE.)

saxe n. m. Porcelaine de Saxe.

saxifrage n. f. Plante qui croît au milieu des pierres.

saxon, onne adj. et n. De Saxe.

saxophone n. m. Instrument de musique à vent, en cuivre.

saynète n. f. Courte comédie à deux ou trois personnages.

sbire n. m. Agent de basse police.

scabieuse n. f. Plante ornementale.

scabreux, euse adj. Rude, raboteux. *Fig.* Dangereux : *entreprise scabreuse.* Risqué, trop libre : *propos scabreux.*

scalène adj. Se dit d'un triangle dont les trois côtés sont inégaux.

scalp n. m. Chevelure détachée du crâne avec la peau, trophée de guerre des Peaux-Rouges : *brandir un scalp.*

scalpel n. m. Instrument pour inciser et disséquer.

scalper v. tr. Détacher la peau du crâne avec un instrument tranchant.

scandale n. m. Occasion de chute, de péché fournie par l'exemple. Indignation qu'excite le mauvais exemple. Eclat fâcheux que produit un acte honteux.

scandaleux, euse* adj. Qui cause du scandale : *une conduite scandaleuse.*

scandaliser v. tr. Causer du scandale. Soulever l'indignation, choquer.

scander v. tr. Marquer la quantité ou la mesure des vers.

scansion n. f. Action de scander.

scaphandre n. m. Appareil hermétiquement fermé, que revêt le plongeur pour travailler sous l'eau.

scaphandrier n. m. Plongeur muni d'un scaphandre.

scapulaire adj. Relatif à l'épaule : *muscle scapulaire.* N. m. Ensemble de deux petits morceaux d'étoffe bénits porté autour du cou par des catholiques.

scarabée n. m. Nom générique de divers insectes fouisseurs.

scarificateur n. m. Instrument de chirurgie pour scarifier. Instrument agricole pour ameublir la terre sans la retourner.

scarification n. f. Incision superficielle de la peau.

scarifier v. tr. (Se conj. comme *prier.*) Faire des incisions.

scarlatine n. f. Maladie fébrile, contagieuse, caractérisée par des taches écarlates sur la peau.

scarole ou **escarole** n. f. Variété de chicorée.

scatologie n. f. Genre de littérature où les excréments tiennent une grande place.

scatologique adj. Relatif à la scatologie.

sceau n. m. Cachet qui rend un acte authentique : *le sceau de l'Etat. Garde des sceaux,* ministre de la Justice. *Fig.* Caractère distinctif : *cet ouvrage porte le sceau de la vérité.*

scélérat, e adj. et n. Coupable ou capable de crimes. Perfide : *conduite scélérate.* N. Personne scélérate.

scélératesse n. f. Crime, méchanceté.

scellé n. m. Ruban ou bande de papier fixés par un cachet de cire revêtu du sceau officiel : *apposition des scellés.*

scellement n. m. Action de sceller.

sceller v. tr. Appliquer un sceau, des scellés. Cacheter : *sceller une lettre.* Fixer dans la pierre avec du plâtre, du plomb, du mortier : *sceller un tube. Fig.* Confirmer solennellement : *sceller une amitié.*

scénario n. m. Canevas d'une pièce de théâtre ou des scènes d'un film.

scène n. f. Partie du théâtre où jouent les acteurs; ensemble de décors où ils jouent. Lieu où est supposée l'action : *la scène est à Rome.* Art dramatique. Subdivision d'un acte: *troisième scène du second acte. Fig.* Spectacle : *une scène affligeante.* Lieu où se passe une action : *la scène d'un crime. Fam.* Emportement, violente apostrophe : *faire une scène à quelqu'un.*

scénique adj. De la scène, du théâtre.

scepticisme n. m. Doctrine des sceptiques. Disposition au doute.

sceptique* adj. et n. Qui suspend son jugement, affirmatif ou négatif, surtout en matière métaphysique. *Par ext.* Qui doute de tout : *un juge sceptique.*

sceptre n. m. Bâton de commandement, insigne de la royauté. *Fig.* Supériorité, suprématie : *le sceptre des mers.*
schah, shah ou **chah** n. m. Souverain de la Perse.
schéma ou **schème** n. m. Figure représentant les grandes lignes d'un mécanisme, d'une organisation.
schématique* adj. Fait au moyen d'un schéma : *tracé schématique.*
scherzo [*skèr-dzo*] n. m. Morceau de musique d'un style badin et léger.
schismatique adj. et n. Qui fait partie d'un schisme.
schisme n. m. Séparation de la communion d'une religion. *Fig.* Division d'opinions.
schiste n. m. Roche feuilletée.
schisteux, euse adj. De la nature du schiste.
schlague n. f. Peine disciplinaire, autrefois en usage en Allemagne.
schlittage n. m. Transport des bois par la schlitte.
schlitte n. f. Traîneau servant à descendre le bois des montagnes.
schlitteur n. m. Ouvrier qui transporte le bois avec la schlitte.
sciage n. m. Action de scier. *Bois de sciage,* bois de troncs sciés.
sciatique adj. Relatif à la hanche. N. m. Nerf sciatique. N. f. Affection du nerf sciatique.
scie n. f. Lame de fer taillée à dents aiguës, servant pour scier. *Fam.* Personne ou chose ennuyeuse. Rengaine, répétition fastidieuse.
sciemment adv. Avec pleine connaissance : *parler sciemment.*
science n. f. Connaissance exacte d'une chose. Ensemble de connaissances fondées sur l'étude. Ensemble de connaissances relatives à un objet : *sciences naturelles. Sciences occultes,* l'alchimie, l'astrologie, la chiromancie, la cabale, etc. *Sciences exactes,* les mathématiques.
science-fiction n. f. Genre romanesque faisant appel aux thèmes du voyage dans le temps et dans l'espace extra-terrestre.
scientifique* adj. Qui concerne les sciences, qui a la rigueur de la science.
scientisme n. m. Doctrine affirmant qu'il n'y a de vérité que dans la science positive.
scier v. tr. (Se conj. comme *prier.*) Couper à la scie : *scier du bois.*
scierie n. f. Usine où l'on débite le bois.
scieur n. et adj. m. Celui dont le métier est de scier. *Scieur de long,* ouvrier qui débite les troncs d'arbres en planches.
scindement n. m. Action de scinder.
scinder v. tr. Diviser, fractionner.
scintillation [*l-l*] n. f. **scintillement** [*tiy'*] n. m. Action de scintiller.
scintiller [*yé*] v. intr. Briller en jetant par intervalles des éclats.
scion n. m. Pousse de l'année. Branche destinée à être greffée. Bourgeon qui a commencé à se développer. Dernière partie d'une canne à pêche.
scission n. f. Séparation qui se produit à l'intérieur d'un parti, etc.
scissiparité n. f. Forme de multiplication dans laquelle l'organisme se divise en deux parties.
scissure n. f. Fente.
sciure n. f. Poudre qui tombe d'une matière sciée.
scléreux, euse adj. Epaissi, fibreux, en parlant d'un tissu vivant.
sclérose n. f. Induration pathologique d'un tissu : *la sclérose du cristallin.*
sclérotique n. f. Blanc de l'œil.
scolaire adj. Relatif aux écoles, à l'enseignement : *année scolaire.*
scolarité n. f. Cours d'études suivi dans les écoles : *prolonger la durée de la scolarité.*
scolastique* adj. Enseigné ou usité à l'école. Relatif aux écoles du Moyen Age : *philosophie scolastique.* N. f. Enseignement philosophique, propre au Moyen Age.
scoliaste n. m. Annotateur.
scolie n. f. Note de grammaire ou de critique sur un texte. N. m. *Math.* Remarque relative à un problème, à un théorème.
scoliose n. f. Déviation latérale de la colonne vertébrale.
scolopendre n. f. Genre de fougères. Genre d'insectes dits vulgairement *mille-pattes.*
sconse ou **skunks** n. m. Fourrure d'un mammifère d'Amérique à glandes anales puantes.
scooter n. m. Motocyclette à cadre ouvert, où l'on est assis et non pas à califourchon.
scorbut [*bu*] n. m. Maladie amenant une débilitation générale.
scorie n. f. Matière vitreuse qui apparaît à la surface des métaux en fusion.
scorification n. f. Action de réduire en scories.
scorifier v. tr. (Se conj. comme *prier.*) Réduire en scories.
scorpion n. m. Arachnide dont la queue, armée d'un crochet, sécrète un venin.
scorsonère n. f. Salsifis noir.
scout [*skout'*] n. m. Eclaireur.
scoutisme n. m. Groupement de jeunes gens, soumis à un entraînement physique et moral continu.
scribe n. m. Chez les Juifs, docteur qui enseignait la loi. Auj., simple copiste.
script-girl [*gheurl*] n. f. Secrétaire du metteur en scène au cinéma.
scripturaire adj. Relatif à l'Ancien ou au Nouveau Testament.
scrofulaire n. f. Genre de plantes médicinales.
scrofule n. f. Nom scientifique des écrouelles, humeurs froides, etc.
scrofuleux, euse adj. Relatif à la scrofule. N. Atteint de scrofule.
scrupule n. m. Ancien poids de 24 grains. Inquiétude de conscience : *ne pas se laisser arrêter par des scrupules.*
scrupuleux, euse* adj. Sujet aux scrupules. Minutieux, exact.
scrutateur n. m. Celui qui scrute. Vérificateur d'un scrutin.
scruter v. tr. Examiner à fond.
scrutin n. m. Vote par bulletins.
sculpter [*skul-té*] v. tr. Tailler au ciseau dans la pierre, le bois.
sculpteur [*skul-teur*] n. m. Artiste qui sculpte.
sculptural [*skul-tu-ral*], **e, aux** adj. Relatif à la sculpture. *Fig.* Digne d'être sculpté.
sculpture [*skul-tur'*] n. f. Art du sculpteur. Ouvrage sculpté.
se, pron. de la 3e pers. des deux genres et des deux nombres. Soi, à soi.

séance n. f. Réunion d'une assemblée pour délibérer. Temps que dure cette réunion. Temps passé à une chose : *faire un portrait en trois séances. Séance tenante,* immédiatement.
séant, e adj. Qui siège. Convenable : *ce n'est pas séant à son âge.* N. m. Derrière de l'homme : *se mettre sur son séant.*
seau n. m. Récipient propre à puiser, à porter de l'eau, etc.
sébacé, e adj. Onctueux comme le suif. Qui produit une telle matière.
sébile n. f. Petit plat de bois rond et creux.
séborrhée n. f. Excès de la sécrétion sébacée de la peau.
sec, sèche* adj. Sans humidité : *sol sec.* Qui n'est plus vert : *feuilles sèches.* Qui n'est pas humecté : *avoir la bouche sèche.* Maigre, décharné : *homme grand et sec.* Qui ne se prolonge pas : *bruit sec. Fig.* Aride, sans agrément : *style sec.* Brusque : *réponse sèche.* Peu sensible : *cœur sec. Fruit sec,* jeune homme qui a échoué à tous ses examens. N. m. Ce qui n'est pas humide : *mettre au sec.* Adv. Sèchement. Sans eau : *boire sec. A sec,* sans eau : *mettre un étang à sec ;* au *fig.*, sans argent.
sécant, e adj. Qui coupe. N. f. Ligne qui en coupe une autre.
sécateur n. m. Outil pour couper des rameaux, des brindilles.
sécession n. f. Séparation.
sécessionniste adj. et n. Qui se sépare : *tendances sécessionnistes.*
séchage n. m. Action de sécher.
sécher v. tr. (Se conj. comme *accélérer.*) Débarrasser de son humidité. Mettre à sec. *Fig. Sécher les larmes,* consoler. V. intr. Devenir sec : *la rivière a séché. Fig.* Se consumer par l'effet de : *sécher d'ennui.*
sécheresse n. f. Etat de ce qui est sec. Disposition de l'air et du temps contraire à l'humidité. *Fig.* Caractère de ce qui est sec : *sécheresse de cœur.*
sécherie n. f. Lieu où l'on fait sécher quelque chose : *sécherie de poissons.*
séchoir n. m. Endroit pour faire sécher. Support pour linge de toilette.
second, e* [*gon*] adj. Qui est immédiatement après le premier : *seconde année.* Autre, nouveau : *c'est un second Alexandre.* N. m. Le second étage d'une maison. N. Qui tient le second rang : *être le second.* Qui en accompagne un autre dans un duel : *servir de second.* Officier en second d'un navire. *En second* loc. adv. En sous-ordre : *capitaine en second.*
secondaire* adj. Qui ne vient qu'en second, accessoire : *motifs secondaires. Enseignement secondaire,* d'un degré intermédiaire entre l'enseignement primaire et l'enseignement supérieur. *Géol.* Se dit des terrains de formation postérieure aux terrains primaires.
seconde n. f. La classe qui précède la première. Soixantième partie d'une minute. *Par ext.* Temps très court : *attendez une seconde. Mus.* Intervalle entre deux notes conjointes.
seconder v. tr. Servir de second, aider. Aider, favoriser : *seconder la chance.*
secouement n. m. Action de secouer.
secouer v. tr. Agiter fortement et à plusieurs reprises : *secouer un arbre.* Faire tomber en secouant : *secouer la poussière. Fig.* Réveiller, exciter, réprimander fortement : *secouer un paresseux.* V. pr. *Fig.* Ne pas se laisser aller, résister.
secourable* adj. Charitable.
secourir v. tr. (Se conj. comme *courir.*) Aider, assister : *secourir les pauvres.*
secours n. m. Aide, assistance. Pl. Troupes envoyées pour secourir.
secousse n. f. Ebranlement, commotion : *une secousse électrique. Fig.* Cause de trouble : *les secousses d'une révolution.*
secret, ète* adj. Caché : *tiroir secret ; négociations secrètes.* Dissimulé : *un ennemi secret.* Discret. N. m. Ce qui est tenu caché. Discrétion : *observer le secret.* Moyen particulier : *trouver le secret de plaire.* Explication : *chercher le secret d'un acte.* Mécanisme caché : *le secret d'une serrure.* Endroit séparé dans une prison : *mettre un prisonnier au secret.*
secrétaire n. m. Celui dont l'emploi est de tenir la correspondance de quelqu'un. Meuble servant généralement pour écrire. Nom de divers fonctionnaires : *secrétaire d'ambassade. Zool.* Serpentaire, oiseau.
secrétariat n. m. Fonctions de secrétaire. Bureau du ou des secrétaires.
sécréter v. tr. (Se conj. comme *accélérer.*) Emettre un liquide organique : *le foie sécrète la bile.*
sécréteur, euse ou **trice** adj. Qui sécrète.
sécrétion n. f. Action de sécréter. Liquide sécrété.
sectaire n. m. Membre d'une secte. N. et adj. Partisan intolérant : *esprit sectaire.*
sectarisme n. m. Esprit sectaire.
sectateur n. m. Partisan.
secte n. f. Réunion de personnes qui professent la même doctrine.
secteur n. m. Partie d'un cercle comprise entre deux rayons et l'arc qu'ils renferment. Division d'une ville, d'une ligne de fortifications, etc.
section n. f. Action de couper, endroit de la coupure : *section nette.* Catégorie dans un classement. Dessin de la coupe d'un édifice. Rencontre de deux lignes, de deux surfaces, de deux solides, etc. Division d'un groupement.
sectionnement n. m. Division.
sectionner v. tr. Diviser, couper.
séculaire adj. Qui revient tous les siècles. Agé d'un siècle au moins.
sécularisation n. f. Action de séculariser.
séculariser v. tr. Rendre à la vie laïque ce qui appartenait à l'état ecclésiastique.
séculier, ère adj. Qui n'a pas fait de vœux monastiques : *clergé séculier.* Laïque, temporel : *le bras séculier.* N. m. Laïque.
secundo [*sé-kon*] adv. Secondement.
sécurité n. f. Confiance, absence d'inquiétude, sûreté : *être en sécurité.*
sédatif, ive adj. Qui calme.
sédation n. f. Apaisement.
sédentaire adj. Qui demeure généralement assis. Qui sort peu de chez soi. Qui se passe dans le même lieu : *vie, emploi sédentaire.*
sédiment n. m. Dépôt dans un liquide.
sédimentaire adj. De la nature du sédiment : *dépôt sédimentaire.*
sédimentation n. f. Formation d'un sédiment ou dépôt.

séditieux, euse* n. et adj. Révolté.
sédition n. f. Emeute, révolte.
séducteur, trice adj. et n. Qui séduit.
séduction n. f. Action de séduire. Ce qui séduit : *musique pleine de séduction.*
séduire v. tr. (Se conj. comme *conduire.*) Induire en erreur, en faute. Entraîner d'une façon irrésistible. Suborner, corrompre.
segment n. m. Portion de cercle comprise entre un arc et sa corde. Portion, section. Anneau d'un piston de moteur.
segmentaire adj. Formé de segments.
segmenter v. tr. Couper en segments.
ségrégatif, ive adj. Qui sépare.
ségrégation n. f. Action de séparer, de mettre à part : *la ségrégation des races.*
séguedille n. f. Air populaire et danse espagnole.
seiche n. f. Petit mollusque qui rejette une liqueur noire.
séide n. m. Sectateur fanatique.
seigle n. m. Graminacée à grains comestibles : *pain de seigle.*
seigneur n. m. Possesseur d'un fief, d'une terre importante. Personne de la noblesse. Propriétaire, maître absolu. *Le Seigneur,* Dieu. *Notre-Seigneur,* Jésus-Christ.
seigneurial, e, aux adj. Du seigneur.
seigneurie n. f. Autorité du seigneur. Territoire soumis au seigneur. Titre d'honneur.
seille n. f. Seau en bois.
sein n. m. Poitrine : *serrer quelqu'un contre son sein.* Chacune des mamelles de la femme : *donner le sein à un enfant.* L'intérieur : *le sein de la terre.* Milieu : *vivre au sein des richesses.*
seine n. f. Sorte de filet de pêche triangulaire.
seing [*sin*] n. m. Signature. *Acte sous seing privé,* qui n'est pas passé devant un officier public.
séisme n. m. Secousse du sol.
seize adj. num. Dix et six. Seizième : *Louis seize.* N. m. Seizième jour du mois.
seizième* adj. num. ord. Qui occupe le rang marqué par le nombre seize. N. m. Seizième partie d'un tout.
séjour n. m. Action de séjourner : *faire un long séjour.* Lieu où l'on séjourne.
séjourner v. intr. Demeurer dans un lieu. Stationner : *eau qui séjourne.*
sel n. m. Chlorure de sodium, employé comme assaisonnement et que l'on trouve dans la terre (*sel gemme*) ou dans la mer (*sel marin*). Composé résultant de la substitution d'un métal à l'hydrogène d'un acide : *un sel de potassium. Fig.* Ce qu'il y a de piquant, de fin : *le sel d'une conversation, d'une plaisanterie.*
select adj. *Fam.* Choisi.
sélecteur, trice, sélectif, ive adj. Qui permet la sélection.
sélection n. f. Choix.
sélénium [*nyom*] n. m. Métalloïde de la famille du soufre.
sélénographie n. f. Description de la lune.
self n. f. Bobine électrique de self-induction.
self-induction n. f. Induction d'un courant électrique sur lui-même.
selle n. f. Siège que l'on place sur un cheval que l'on monte, sur une bicyclette, etc. Lieux d'aisances : *aller à la selle.* Produit de la défécation. Petite table mobile sur laquelle travaille le sculpteur. *Cuis.* Partie du mouton, du chevreuil, etc., entre la première côte et le gigot.
seller v. tr. Mettre la selle : *seller un cheval.*
sellerie n. f. Commerce, industrie du sellier. Ensemble des selles et harnais.
sellette n. f. Petit siège de bois sur lequel s'asseyait l'accusé : *tenir quelqu'un sur la sellette.* Petit siège pour divers usages.
sellier n. et adj. Qui fait des selles, des harnachements.
selon prép. Suivant, conformément à. *C'est selon,* cela dépend de.
semailles n. f. pl. Action de semer.
semaine n. f. Période de sept jours : *il viendra dans trois semaines. Semaine sainte,* celle qui précède le dimanche de Pâques. *Fig.* Travail, salaire pour une semaine.
semainier, ère n. Personne qui est de semaine pour remplir un office.
sémantique adj. Qui traite du sens des mots. N. f. Etude du sens des mots et de leurs variations.
sémaphore n. m. Appareil pour transmettre des signaux optiques.
semblable* adj. Pareil, qui ressemble. N. Pareil : *il n'a pas son semblable.* N. m. Homme, animal, par rapport aux autres hommes, aux autres animaux de même espèce : *rechercher la société de ses semblables.*
semblant n. m. Apparence : *un semblant d'amitié. Faire semblant,* feindre. *Faux semblant,* ruse.
sembler v. intr. Avoir l'apparence, avoir l'air : *cela semble facile.* V. impers. Il paraît : *il semble qu'il va pleuvoir. Ce me semble,* à mon avis. *Que vous en semble?* qu'en pensez-vous?
séméiologie n. f. Etude des symptômes des maladies.
semelle n. f. Dessous d'une chaussure. Pièce taillée en forme de semelle, placée à l'intérieur d'une chaussure : *semelle de liège.* Longueur du pied : *ne pas reculer d'une semelle.*
semence n. f. Graine que l'on sème. Petit clou à tête plate. Très petite perle. *Fig.* Cause, source : *une semence de discorde.*
semen-contra [*sé-mèn*] n. m. Médicament tiré des fleurs de certaines plantes, employé comme vermifuge.
semer v. tr. (Se conj. comme *mener.*) Mettre une graine en terre : *semer des haricots.* Ensemencer : *semer un champ.* Orner çà et là : *semer un récit de citations.* Propager : *semer la discorde.*
semestre n. m. Espace de six mois. Rente, traitement payé par semestre : *toucher son semestre.*
semestriel, elle* adj. Qui se fait par semestre. Qui dure six mois.
semeur, euse n. Qui sème.
semi, préf. d'origine lat. signif. *à moitié.*
sémillant, e adj. Très vif.
séminaire n. m. Etablissement où l'on élève des jeunes gens se destinant à une profession quelconque, mais plus spécialement à l'état ecclésiastique. Groupe d'études.
séminal, e, aux adj. De la semence.

séminariste n. m. Celui qui est élevé dans un séminaire.
semis n. m. Action de semer. Terre ensemencée. Plant de végétaux semés en graine.
sémite adj. et n. D'une race dont Juifs et Arabes sont les principaux représentants.
sémitique adj. Des sémites.
sémitisme n. m. Caractère sémitique.
semi-voyelle n. f. Voyelle ayant pris la valeur d'une consonne (par ex. *u* dans NUIT). Pl. des *semi-voyelles*.
semoir n. m. Sac où le semeur met le grain. Machine pour semer.
semonce n. f. Réprimande, reproche.
semoncer v. tr. (Se conj. comme *amorcer.*) Réprimander.
semoule n. f. Graines de céréales granulées par une grossière mouture. Pâte alimentaire tirée de la pomme de terre.
sempiternel, elle* [*sin*] adj. Qui dure toujours. (Vx.)
sénat n. m. Nom donné à diverses assemblées politiques.
sénateur n. m. Membre d'un sénat.
sénatorial, e, aux adj. De sénateur.
séné n. m. Plante légumineuse purgative.
sénéchal n. m. Ancien officier de la justice royale.
sénégalais, e adj. et n. Du Sénégal.
senestre adj. Gauche. (Vx.)
sénevé n. m. Moutarde noire.
sénile adj. Du vieillard : *agitation sénile.*
sénilité n. f. Affaiblissement causé par la vieillesse.
senior n. m. En termes de sport, se dit des joueurs plus âgés, par opposition à *juniors.*
senne n. f. V. SEINE.
sens [*sanss*] n. m. Faculté par laquelle l'homme et les animaux reçoivent l'impression des objets extérieurs : *il y a cinq sens, la vue, l'ouïe, l'odorat, le goût et le toucher.* Jugement : *homme de bon sens.* Avis, opinion : *j'abonde dans votre sens.* Signification : *sens propre et sens figuré.* Direction : *dans le sens de la longueur; fuir dans tous les sens. Sens commun,* jugement de la généralité des hommes. *Sens moral,* conscience du bien et du mal. *Sens dessus dessous,* en désordre.
sensation n. f. Impression reçue par les sens : *sensation visuelle. Faire sensation,* produire grande impression.
sensationnel, elle adj. Qui fait sensation.
sensé*, e adj. Qui a du bon sens.
sensibilisateur, trice adj. Qui sensibilise.
sensibilisation n. f. Action de sensibiliser.
sensibiliser v. tr. Rendre sensible à l'action d'un produit, etc.
sensibilité n. f. Faculté de recevoir des impressions. *Fig.* Faculté de sentir vivement. Penchant à l'émotion, à la pitié. Faculté de réagir à une action physique : *balance d'une grande sensibilité.*
sensible* adj. Doué de sensibilité. Facile à émouvoir, à toucher : *un cœur sensible.* Qui tombe sous les sens : *le monde sensible.* Qu'on remarque aisément : *progrès sensible.* Qui ressent facilement les impressions : *c'est en son endroit sensible. Phys.* Facilement influençable : *galvanomètre sensible. Mus. Note sensible,* d'un demi-ton au-dessous de la tonique.
sensiblerie n. f. Sensibilité outrée.
sensitif, ive adj. Qui a la faculté de sentir. Relatif aux sens. N. f. Plante légumineuse dont les feuilles se replient si on les touche.
sensoriel, elle [*san*] adj. Qui se rapporte aux sens : *phénomènes sensoriels.*
sensualisme n. m. Système d'après lequel les idées proviennent des sensations. Amour des plaisirs des sens.
sensualiste adj. Relatif au sensualisme. N. Partisan du sensualisme.
sensualité n. f. Attachement aux plaisirs sensuels.
sensuel, elle* adj. Qui flatte les sens : *plaisirs sensuels.* Attaché aux plaisirs des sens.
sente n. f. Sentier.
sentence n. f. Maxime, pensée générale, précepte de morale. Jugement, décision : *sentence arbitrale.*
sentencieux, euse* adj. Qui parle par sentences. Qui a la forme d'une sentence. D'une gravité affectée.
senteur n. f. Odeur, parfum.
senti, e adj. Fortement éprouvé et vivement exprimé : *paroles bien senties.*
sentier n. m. Chemin étroit.
sentiment n. m. Faculté de sentir. Impression physique ou morale que l'on éprouve : *sentiment de bien-être.* Aptitude à recevoir les impressions. Conscience : *avoir le sentiment de sa force.* Passion, mouvement de l'âme : *sentiment bas; sentiment durable.* Opinion : *changer de sentiment.*
sentimental, e*, aux adj. Qui a du sentiment. D'une sensibilité un peu romanesque.
sentimentalisme n. m. Affectation de sentiment. Genre sentimental.
sentimentalité n. f. Etat d'une personne sentimentale.
sentine n. f. Partie la plus basse d'un navire. *Fig.* Milieu impur, corrompu.
sentinelle n. f. Soldat placé en faction devant un poste militaire, pour ne pas le laisser surprendre : *poster une sentinelle.*
sentir v. tr. Eprouver une impression physique ou morale : *sentir la chaleur, du chagrin.* Comprendre : *sentir la beauté d'un acte.* Flairer : *sentir une fleur.* Exhaler une odeur : *cela sent la violette.* Avoir une saveur particulière : *vin qui sent le terroir.* Toucher : *je le sens du doigt.* Révéler, dénoter : *cela sent l'effort. Ne pouvoir sentir quelqu'un,* le détester. V. intr. Exhaler une odeur : *cela sent bon.* V. pr. Se trouver : *je ne me sens pas bien.* Se reconnaître : *se sentir du courage.*
seoir v. intr. (Usité aux participes : *séant, sis, sise,* et *fam.* à l'impératif : *sieds, seyez.*) Etre assis.
seoir v. intr. (Usité au part. prés. : *seyant,* et aux 3es pers. : *il sied, ils siéent; il seyait, ils seyaient; il siéra, ils siéront; il siérait.*) Etre convenable : *ce chapeau vous sied.* V. impers. : *il vous sied mal de dire cela.*
sep n. m. Pièce de bois où s'emboîte le soc de la charrue.
sépale n. m. *Bot.* Foliole de calice.
séparable adj. Qui peut se séparer.
séparateur, trice adj. Qui sépare.
séparatif, ive adj. Qui sépare.
séparation n. f. Action de séparer : *la séparation de l'Eglise et de l'Etat.* Ce qui sépare. *Séparation de corps,* droit pour les époux de ne plus vivre en commun. *Sépa-*

ration de biens, régime matrimonial où chaque époux garde la gestion de ses biens.
séparatisme n. m. Tendance à la séparation politique ou religieuse.
séparatiste n. m. Partisan d'un séparatisme.
séparé*, e adj. Distinct, qui est à part.
séparer v. tr. Disjoindre ce qui était uni. Etre placé entre : *la Manche sépare la France de l'Angleterre.* Eloigner l'un de l'autre : *séparer des combattants.*
sépia n. f. Nom scientifique de la seiche. Liqueur noirâtre extraite de la seiche. Dessin tracé avec cette couleur.
sept adj. num. Six plus un. Septième : *Charles sept.* N. m. Le nombre sept. Le septième jour.
septante [*sèp*] adj. num. Soixante-dix. (Vx.)
septembre [*sèp*] n. m. Neuvième (jadis septième) mois de l'année.
septembrisades n. f. pl. Massacre de détenus politiques à Paris en septembre 1792.
septembriseur n. m. Qui prit part aux septembrisades.
septennal, e, aux adj. Qui arrive tous les sept ans, qui dure sept ans.
septennat n. m. Période de sept ans.
septentrion n. m. Le nord.
septentrional, e, aux adj. et n. Du nord.
septicémie n. f. Maladie produite par la présence de microbes dans le sang.
septicémique adj. Relatif à la septicémie.
septicité n. f. Caractère septique.
septième* [*sèt*] adj. num. ord. Qui occupe le rang marqué par le nombre sept. N. m. Septième partie d'un tout. N. f. Septième classe dans un collège.
septique adj. Relatif à la putréfaction. Causé par les microbes.
septuagénaire [*sèp*] adj. et n. Agé de soixante-dix ans.
septuagésime [*sèp*] n. f. Troisième dimanche avant le premier dimanche de carême.
septuor [*sèp*] n. m. Morceau pour sept voix ou instruments.
septuple [*sèp*] adj. Qui vaut sept fois autant. N. m. Quantité sept fois plus grande.
sépulcral, e, aux adj. Du sépulcre. *Voix sépulcrale,* voix caverneuse.
sépulcre n. m. Monument consacré à la sépulture, tombeau.
sépulture n. f. Ensevelissement, inhumation. Lieu où l'on enterre.
séquanais, e [*koua*] adj. Relatif à la Seine.
séquanien, enne adj. Séquanais. N. m. Nom d'un étage géologique.
séquelle [*kèl*] n. f. Suite de gens, de choses. Troubles qui persistent après une maladie.
séquence n. f. Série de cartes de la même couleur qui se suivent. Suite de chants liturgiques.
séquestration n. f. Action de séquestrer. Isolement.
séquestre n. m. Dépôt d'un objet litigieux en main tierce jusqu'à décision définitive. Celui entre les mains de qui les choses sont mises en séquestre.
séquestrer v. tr. Mettre en séquestre. Tenir quelqu'un illégalement enfermé. V. pr. Vivre dans l'isolement.
sequin n. m. Ancienne monnaie d'or italienne et levantine.
séquoia [*sé-ko-ya*] n. m. Arbre conifère américain de haute taille.
sérac n. m. Amoncellement de blocs de glace dans les montagnes.
sérail n. m. Palais d'un prince musulman. *Abusiv.* Harem.
séraphin n. m. Esprit céleste de la première hiérarchie angélique.
séraphique adj. Propre aux séraphins. *Fig.* Angélique : *air séraphique.*
serbe adj. et n. De Serbie.
serbo-croate adj. et n. De Yougoslavie.
serein, e* adj. Clair, pur et calme : *temps serein.* Tranquille, paisible : *une vie sereine.* Qui marque la tranquillité d'esprit : *un front serein.* N. m. Vapeur humide qui tombe le soir : *craindre le serein.*
sérénade n. f. Concert donné le soir sous les fenêtres de quelqu'un.
sérénité n. f. Calme, tranquillité.
séreux, euse adj. Qui a les caractères de la sérosité. Qui sécrète une sérosité.
serf [*sèrf'*], **serve** adj. Qui est à l'état de servitude. N. Personne serve et, sous le régime féodal, attachée à la glèbe, dépendant d'un seigneur.
serfouette n. f. Outil de jardinage, composé d'une langue et d'une houe ou fourche.
serge n. f. Etoffe croisée, de laine.
sergent n. m. Autrefois, officier de justice. Aujourd'hui, sous-officier d'infanterie. *Sergent de ville,* agent de police municipale. Serre-joint, outil.
sériciculture n. f. Elevage des vers à soie.
série n. f. Suite : *une série de questions.* Ensemble d'objets analogues. Groupement : *une série zoologique.*
sérier v. tr. Classer par séries : *sérier des questions.*
sérieux, euse* adj. Grave, sans frivolité. Positif, réel : *promesse sérieuse.* Grave, important : *une maladie sérieuse.* N. m. Gravité : *garder son sérieux. Prendre au sérieux,* considérer comme réel, important.
serin, e n. Petit oiseau à plumage jaune. *Fig.* et *fam.* Niais.
seriner v. tr. Répéter une chose à quelqu'un pour la lui faire apprendre.
seringa n. m. Plante à fleurs blanches très odorantes.
seringue n. f. Petite pompe portative pour injecter les liquides ou les projeter en pluie.
seringuer v. tr. Arroser une plante avec une seringue.
serment n. m. Affirmation faite en prenant Dieu à témoin. Promesse solennelle : *serment de fidélité.*
sermon n. m. Discours en chaire sur un sujet religieux. *Fig.* Remontrance longue et ennuyeuse.
sermonnaire n. m. Recueil de sermons. Auteur de sermons.
sermonner v. tr. Faire des remontrances, exhorter. V. intr. Faire un sermon.
sermonneur, euse adj. et n. Qui aime à sermonner, à gronder : *un vieillard sermonneur.*
sérosité n. f. Liquide sécrété par les membranes séreuses.
sérothérapie n. f. Traitement thérapeutique par les sérums.
serpe n. f. Outil pour couper le bois, tailler les arbres, etc.
serpent n. m. Reptile sans pieds : *serpent à sonnettes.* Objet qui serpente : *des serpents de feu. Fig.* Personne perfide. *Mus.* Instrument à vent.

serpenteau n. m. Petit serpent. Sorte de fusée volante.
serpenter v. intr. Suivre un trajet tortueux.
serpentin, ine adj. Qui rappelle l'allure du serpent : *danse serpentine.* N. m. Tuyau en spirale de l'alambic. Bande de papier coloré enroulée sur elle-même.
serpette n. f. Petite serpe.
serpillière [*pi-lyèr'*] n. f. Toile grosse et claire en fil d'étoupe.
serpolet n. m. Plante odorante, recherchée par les lapins.
serrage n. m. Action de serrer.
serre n. f. Action de serrer, de presser. Griffe d'oiseau de proie. Local vitré destiné à abriter des plantes.
serré, e adj. Dont les parties constituantes sont très rapprochées : *tissu serré. Fig.* Rigoureux : *un raisonnement serré.* Précis, concis : *style serré. Fam.* Avare. Adv. Avec prudence : *jouer serré.*
serre-file n. m. invar. Officier ou sous-officier placé derrière un peloton dans une troupe en marche.
serre-fils n. m. invar. Instrument pour réunir deux fils électriques.
serre-frein n. m. invar. Employé chargé de serrer les freins dans un train.
serre-joint ou **serre-joints** n. m. invar. Instrument de menuisier pour serrer des assemblages. (On dit aussi SERGENT.)
serrement n. m. Action de serrer. *Serrement de cœur,* oppression.
serrer v. tr. Presser, étreindre : *serrer la main à quelqu'un.* Rapprocher : *serrer les rangs.* Rendre plus étroit : *serrer un nœud.* Placer en lieu sûr : *serrer des documents. Serrer les voiles,* les attacher. *Serrer le vent,* aller au plus près du vent. *Serrer le cœur,* oppresser. V. pr. Serrer son corps, sa taille. Se presser : *la foule se serrait.*
serre-tête n. m. invar. Coiffe, ruban, qui serre la tête.
serrure n. f. Appareil qui ferme au moyen d'une clef, d'un ressort.
serrurerie n. f. Art du serrurier.
serrurier n. m. Qui fait des serrures et autres ouvrages en fer.
sertir v. tr. Enchâsser.
sertissage n. m. Action de sertir.
sertisseur n. et adj. m. Qui sertit.
sertissure n. f. Manière dont une pierre est sertie.
sérum n. m. Liquide du sang, du lait, qui se sépare par coagulation.
servage n. m. Servitude.
servant, e adj. Qui sert : *frère servant, chevalier servant.* N. m. Artilleur qui sert une pièce. N. f. Femme ou fille à gages travaillant au ménage.
serveur n. m. Celui qui sert.
serviabilité n. f. Caractère d'une personne serviable.
serviable adj. Qui aime à rendre service.
service n. m. Action de servir, domesticité : *entrer en service.* Ouvrage à faire dans une maison : *service pénible.* Exercice des fonctions dont on est chargé : *être de service.* Fonctions dans l'Etat : *trente ans de service.* Activité militaire : *prendre du service.* Fonctionnement organisé : *le service des hôpitaux.* Personnel qui met en œuvre ce fonctionnement. Assistance, bons offices : *offrir ses services.* Disposition : *je suis à votre service.* Usage, utilité : *objet qui rend de bons services.* Assortiment de vaisselle, de linge : *service de table.* Nombre de plats qu'on sert à la fois : *un repas de trois services.* Cérémonies religieuses pour un défunt : *faire célébrer un service.*
serviette n. f. Linge pour la table ou la toilette. Sorte de grand portefeuille : *serviette d'avocat, de ministre.*
servile* adj. Qui appartient à la condition de serf, d'esclave. Qui concerne l'état de domestique : *travaux serviles. Fig.* Bas, vil : *âme servile.* Qui copie de trop près.
servilité n. f. Basse soumission.
servir v. tr. (*Je sers, nous servons. Je servais, nous servions. Je servis, nous servîmes. Je servirai, nous servirons. Sers, servons, servez. Que je serve, que nous servions. Que je servisse, que nous servissions. Servant. Servi, e.*) Etre au service de quelqu'un comme domestique : *servir un maître.* Se consacrer au service de : *servir la patrie.* Rendre de bons services à : *servir ses amis.* Vendre, fournir des marchandises. Placer sur la table, dans un repas : *servir le potage.* Donner d'un mets à un convive : *servir un enfant.* Favoriser : *servir les passions de quelqu'un. Servir la messe,* assister le prêtre qui la dit. *Servir une rente,* en payer les intérêts. V. intr. Etre domestique. Etre soldat. Etre d'un certain usage : *cela ne sert plus.*
serviteur n. m. Qui est au service de quelqu'un. Terme de civilité.
servitude n. f. Etat de dépendance, esclavage. Contrainte, assujettissement. Charge imposée à un immeuble pour l'utilité d'un autre propriétaire.
servo-frein n. m. Frein à serrage automatique. Pl. des *servo-freins.*
servo-moteur n. m. Engin régulateur d'un moteur. Pl. des *servo-moteurs.*
ses, adj. poss., pl. de SON, SA.
sésame n. m. Plante oléagineuse.
sesqui [*kui*], préfixe signifiant *un et demi : sesquioxyde.*
session n. f. Temps pendant lequel siège un corps délibérant.
séton n. m. Mèche passée sous un pont de peau pour entretenir une plaie suppurante. *Plaie en séton,* qui traverse la peau en deux points sans intéresser les chairs.
setter [*sè-tèr*] n. m. Race de chiens d'arrêt à poils longs.
seuil n. m. Pierre ou traverse de bois au bas de l'ouverture d'une porte. Exhaussement du sol dans un endroit resserré. *Fig.* Début : *au seuil de la vie.*
seul, e adj. Sans compagnon : *vivre seul.* A l'exclusion de tout autre : *être seul coupable.* Sans aide : *travailler seul.* Simple : *cette seule pensée suffit.*
seulement adv. Uniquement. Cependant : *il consent, seulement il veut des garanties.* Pas plus tôt que : *il est arrivé seulement hier.* Au moins : *si seulement il parlait. Pas seulement,* pas même.
seulet, ette adj. Tout seul. (Vx.)
sève n. f. Liquide qui circule dans les diverses parties des végétaux. *Fig.* Activité : *la sève de la jeunesse.*
sévère* adj. Sans indulgence : *magistrat sévère.* Grave, austère.

sévérité n. f. Qualité d'une personne ou d'une chose sévère.
sévices n. m. pl. Mauvais traitements : *exercer des sévices.*
sévir v. intr. Agir, punir avec sévérité. Exercer des ravages : *la tempête sévit.*
sevrage n. m. Action de sevrer.
sevrer v. tr. (Se conj. comme *amener.*) Oter à un enfant, à un animal, le lait de sa nourrice pour lui donner une autre nourriture. *Fig.* Priver : *sevrer d'affection.*
sèvres n. m. Porcelaine de Sèvres.
sévrienne n. f. Elève de l'Ecole normale supérieure de Sèvres.
sexagénaire adj. Qui a soixante ans.
sexagésimal, e, aux adj. Relatif au nombre soixante.
sexe n. m. Différence physique de l'homme et de la femme, du mâle et de la femelle. Ensemble des individus qui ont le même sexe : *le beau sexe, le sexe fort.*
sextant n. m. Instrument servant à mesurer les angles, les distances.
sexto adv. Sixièmement.
sextuple adj. Qui vaut six fois autant. N. m. Nombre sextuple.
sextupler v. tr. Rendre sextuple.
sexualité n. f. Ensemble des caractères spéciaux déterminés par le sexe.
sexuel, elle* adj. Qui caractérise le sexe. Relatif au sexe.
seyant, e adj Qui sied, qui va bien.
shah n. m. V. SCHAH.
shaker [*ché-keur*] n. m. Gobelet à cocktails.
shakespearien, enne [*chèk-spi-ryin*] adj. De l'écrivain anglais Shakespeare.
shako [*cha*] n. m. Coiffure militaire.
shampooing [*chan-pouin*] n. m. Lavage de tête au savon.
shilling [*chi-lign*] n. m. Monnaie anglaise.
shirting [*cheur-tign*] n. m. Etoffe servant en chemiserie, en lingerie.
shrapnell ou **shrapnel** [*chrap*] n. m. Obus à balles.
shunt [*chunt'*] n. m. Dérivation d'un courant électrique.
shunter v. tr. Pourvoir d'un shunt.
si conj. En cas que, pourvu que. Indique le motif : *si je le dis, c'est que c'est vrai.* Marque l'opposition : *si l'un dit oui, l'autre dit non.* Adv. Indique l'affirmation : *je gage que si.* Marque le désir, l'invitation : *Si nous y allions?* Exprime le doute : *je ne sais s'il viendra.* N. m. : *je n'aime pas les si, les mais.*
si adv. Tellement : *ne parle pas si fort.* Quelque : *si petit soit-il.* Oui, en réponse à une négation, un doute.
si n. m. *Mus.* Septième note de la gamme d'ut.
siamois adj. et n. Du Siam. *Frères siamois,* jumeaux soudés l'un à l'autre. *Fig.* Amis inséparables. N. f. Etoffe de coton.
sibérien, enne adj. et n. De Sibérie.
sibilant, e adj. Sifflant.
sibylle [*bil*] n. f. Devineresse.
sibyllin, e adj. Propre aux sibylles.
sicaire n. m. Assassin gagé.
siccatif, ive adj. Qui est propre à faire sécher rapidement. N. m. Vernis qui sèche rapidement.
siccité n. f. Caractère de ce qui est sec.
sicilien, enne adj. et n. De Sicile.
side-car n. m. Voiturette accouplée latéralement à une motocyclette ou à une bicyclette. Pl. des *side-cars.*
sidéral, e, aux adj. Relatif aux astres.
sidérer v. tr. Anéantir subitement les forces vitales. *Fam.* Frapper de stupeur subite.
sidérotechnie, sidérurgie n. f. Métallurgie du fer.
sidérurgique adj. Relatif à la sidérurgie.
siècle n. m. Espace de cent ans, spécialement compté à partir d'une date fixe : *le seizième siècle.* Epoque, temps où l'on vit : *être de son siècle.* Vie non cloîtrée : *vivre selon le siècle.* (Vx.)
siège n. m. Meuble servant pour s'asseoir. Partie d'une voiture où l'on s'assied. Résidence : *siège du gouvernement, siège épiscopal.* Opérations militaires pour s'emparer d'une place forte : *lever le siège. Etat de siège,* suspension de l'action des lois, remplacées par un régime militaire. *Fig.* Centre : *le siège d'une maladie, le siège de la pensée.*
siéger v. intr. (Se conj. comme *abréger.*) Occuper un siège. Avoir son siège dans un endroit. Tenir séance.
sien, enne adj. poss. de la 3e pers. du sing. Qui est à lui, à elle. Pr. poss. *Le sien, la sienne,* ce qui est à lui, à elle. N. m. *Le sien,* son bien, son travail, sa peine. *Y mettre du sien,* contribuer à une chose, faire des concessions. N. m. pl. *Les siens,* ses parents, alliés, partisans. *Faire des siennes,* des folies, des fredaines.
sieste n. f. Somme que l'on fait au milieu de la journée.
sieur n. m. Qualification dont on fait précéder un nom propre de personne en style de palais ou de pratique. Quelquefois, terme de dénigrement.
sifflement n. m. Bruit fait en sifflant ou produit par le vent.
siffler v. intr. Produire un son aigu soit avec la bouche, soit avec un instrument. Se dit aussi du vent, d'une flèche, d'une balle, etc. V. tr. Moduler en sifflant : *siffler un air.* Appeler en sifflant. Manifester de la désapprobation par des sifflements : *siffler un acteur, une pièce.*
sifflet n. m. Instrument avec lequel on siffle.
siffleur, euse adj. et n. Qui siffle.
siffloter v. intr. et tr. Siffler doucement, légèrement.
sigillé, e [*l-l*] adj. Marqué d'un sceau.
sigillographie [*l-l*] n. f. Etude des sceaux.
sigle n. m. En paléographie, lettre initiale employée comme abréviation.
signal n. m. Signe convenu pour avertir. Signe permettant de transmettre des nouvelles de distance en distance. Ce qui annonce, provoque. Pl. des *signaux.*
signalement n. m. Description détaillée d'une personne : *donner un signalement.*
signaler v. tr. Annoncer par des signaux : *signaler une flotte.* Appeler l'attention sur : *signaler un fait.* V. pr. Se distinguer.
signalétique adj. Qui donne le signalement : *fiche signalétique.*
signalisation n. f. Installation, utilisation de signaux.
signataire n. Qui a signé un acte, une pièce.
signature n. f. Nom que l'on met au bas d'un écrit pour attester qu'on en est bien

l'auteur ou qu'on en approuve le contenu. Action de signer. *Impr.* Chiffre, lettre ou marque au bas de la première page d'une feuille pour en faciliter l'assemblage.

signe n. m. Indice, marque : *signe de pluie.* Marque distinctive. Trait ou ensemble de traits ayant un sens conventionnel : *les mots sont les signes des idées.* Manifestation extérieure de ce qu'on pense, de ce qu'on veut : *signe de tête; signe de croix.*

signer v. tr. Apposer sa signature. V. pr. Faire le signe de la croix.

signet n. m. Petit ruban attaché à un livre et marquant l'endroit où l'on en est resté.

significatif, ive adj. Qui marque clairement un sens; expressif.

signification n. f. Ce que signifie une chose : *la signification d'un mot.* Notification d'un acte, d'un jugement par voie judiciaire.

signifier v. tr. (Se conj. comme *prier.*) Vouloir dire, avoir le sens. Etre le signe de : *que signifie cette allégorie?* Déclarer, faire connaître : *signifier sa volonté.* Notifier par une voie judiciaire : *signifier un congé.*

silence n. m. Le fait de se taire, de ne pas parler. Absence de bruit : *le silence de la nuit. Passer sous silence,* ne pas parler de. *Mus.* Interruption plus ou moins longue d'une phrase musicale; le signe qui la marque. Interj. pour faire taire.

silencieux, euse* adj. Qui garde le silence. Taciturne. Où l'on n'entend aucun bruit. Détendeur de gaz, servant à amortir les bruits d'explosion.

silex n. m. Pierre à fusil, variété de quartz impur : *dur comme le silex.*

silhouette n. f. Dessin de profil, en suivant l'ombre d'une personne. *Par ext.* Dessin dont le bord seul se détache du fond.

silhouetter v. tr. Tracer la silhouette. V. pr. Apparaître en silhouette.

silicate n. m. Sel d'un acide du silicium.

silice n. f. Oxyde de silicium.

siliceux, euse adj. De la nature du silex. Qui contient beaucoup de silice.

silicium n. m. Métalloïde.

silique n. f. Capsule allongée contenant la graine du chou, du colza, etc.

sillage [*yaj*] n. m. Trace que laisse un bâtiment en fendant l'eau. *Fig.* Trace : *marcher dans le sillage de quelqu'un.*

sillon [*yon*] n. m. Longue trace faite dans la terre par le soc de la charrue. *Par ext.* Trace longitudinale : *laisser un sillon de feu.* Pl. *Poét.* Les champs.

sillonner v. tr. Laisser des traces longitudinales nombreuses : *sillonner le sol.* Traverser en tous sens : *sillonner les mers.*

silo n. m. Fosse souterraine où l'on dépose les grains, les légumes, etc., pour les conserver. Dépôt, magasin : *silo à blé.*

silure n. m. Genre de poissons à nageoires molles, atteignant jusqu'à cinq mètres.

silurien, enne adj. *Géol.* Se dit d'un terrain d'époque primaire.

simagrée n. f. Faux semblant. Pl. Manières affectées, minauderies.

simarre n. f. Robe longue et traînante. (Vx.)

simiesque adj. De singe : *face simiesque.*

similaire adj. Homogène, de même nature. Qui peut être assimilé à un autre : *couteaux, canifs ou objets similaires.*

similarité n. f. Qualité des choses similaires.

simili, préfixe qui entre dans la composition de certains mots et qui indique la similitude : *simili-marbre.* N. m. Imitation : *bijou en simili.*

similigravure n. f. Photogravure à demiteintes.

similitude n. f. Ressemblance, analogie.

simoniaque adj. Entaché de simonie. N. m. Qui commet une simonie.

simonie n. f. Trafic des choses saintes; vente des biens spirituels.

simoun n. m. Vent chaud du désert.

simple* adj. Non composé, ou composé d'éléments homogènes : *corps simple.* Qui n'est point compliqué : *procédé simple.* Facile, aisé : *méthode simple.* Naturel, qui va de soi : *cela est tout simple.* Sans recherche, sans ornement : *style simple.* Qui fuit la recherche, l'affectation : *goûts simples.* Seul, unique, qui est tel ou telle, sans rien de plus. *Gramm. Temps simples,* qui se conjuguent sans auxiliaire. N. m. Ce qui est simple : *passer du simple au composé.* Personne simple. N. m. pl. *Bot.* Plantes médicinales.

simplet, ette adj. Un peu simple.

simplicité n. f. Caractère de ce qui est simple. Niaiserie.

simplificateur, trice adj. et n. Qui simplifie.

simplification n. f. Action de simplifier.

simplifier v. tr. (Se conj. comme *prier.*) Rendre simple.

simpliste n. et adj. Qui simplifie outre mesure : *raisonnement simpliste.*

simulacre n. m. Vaine apparence, semblant.

simulateur, trice n. Personne qui simule.

simulation n. f. Action de simuler.

simuler v. tr. Feindre : *simuler une maladie.* Faire le simulacre de.

simultané*, e adj. Qui se fait, qui a lieu en même temps.

simultanéité n. f. Caractère de ce qui est simultané.

sinapiser v. tr. Additionner de farine de moutarde.

sinapisme n. m. Médicament à base de farine de moutarde.

sincère* adj. Qui s'exprime sans déguiser sa pensée. Qui est senti, éprouvé réellement : *une émotion sincère.*

sincérité n. f. Caractère de qui ou de ce qui est sincère. Paroles, propos sincères.

sinciput [*put'*] n. m. Sommet de la tête.

sinécure n. f. Fonction salariée où l'on a peu à faire.

sine qua non [*siné koua non'*] loc. lat. Obligatoire, inéluctable : *condition « sine qua non ».*

singe n. m. Nom général des mammifères de l'ordre des primates, l'homme excepté. *Fig.* Qui contrefait, imite les actions des autres. Personne très laide, très adroite, très malicieuse. *Payer en monnaie de singe,* en belles paroles.

singer v. tr. (Se conj. comme *manger.*) Imiter, contrefaire : *singer les manières du patron.*

singerie n. f. Grimaces. Imitation gauche et ridicule. Manières affectées. Ménagerie de singes.

singulariser v. tr. Distinguer des autres par quelque chose d'inusité. V. pr. Se faire remarquer par quelque singularité.

singularité n. f. Caractère de ce qui se rapporte à un seul. Qualité de ce qui est extraordinaire, bizarre. Pl. Action, parole singulière.

singulier, ère* adj. Qui se rapporte à un seul. Qui sort de l'ordre commun. Qui est bizarre, extraordinaire : *un homme singulier*. Unique, rare : *beauté singulière*. *Combat singulier*, d'homme à homme. N. m. *Gramm.* Qui marque une seule personne ou une seule chose.

sinistre* adj. Qui présage le malheur : *symptômes sinistres*. Sombre, effrayant, terrifiant : *regards sinistres*. N. m. Evénement, particulièrement incendie, qui entraîne de grandes pertes matérielles.

sinistré, e adj. et n. Qui a subi un sinistre.

sinologue n. m. Qui sait, qui professe la langue chinoise.

sinon conj. Autrement, sans quoi, faute de quoi : *obéissez, sinon je vous renvoie*. Si ce n'est : *ne rien désirer, sinon la paix*.

sinueux, euse adj. Qui fait des détours, des replis : *un chemin sinueux*.

sinuosité n. f. Etat de ce qui est sinueux.

sinus [*nuss*] n. m. *Anat.* Nom de diverses cavités irrégulières du corps : *sinus frontal*. *Géom.* Perpendiculaire menée d'une des extrémités de l'arc au diamètre qui passe par l'autre extrémité.

sinusite n. f. Inflammation d'un sinus.

sionisme n. m. Doctrine ayant abouti à l'établissement en Palestine d'un Etat juif autonome.

sioniste n. Qui adhère au sionisme. Adj. Relatif au sionisme.

siphoïde adj. En forme de siphon.

siphon n. m. Tube recourbé à deux branches inégales pour transvaser les liquides. Tuyau coudé pour faire franchir un obstacle à des eaux d'alimentation ou d'évacuation. Vase en forme de carafe, contenant une boisson gazeuse et muni d'un robinet.

sire n. m. Seigneur (vx). Titre qu'on donne aux empereurs et aux rois. *Pauvre sire*, homme sans considération.

sirène n. f. *Mythol.* Etre fabuleux, moitié femme, moitié poisson. *Par ext.* Femme très séduisante. *Voix de sirène*, très mélodieuse. *Techn.* Appareil dans lequel la vapeur ou l'air comprimé produit un son grave ou strident.

sirocco n. m. Vent brûlant du sud-est, sur la Méditerranée.

sirop n. m. Liqueur très sucrée, aromatique ou médicamenteuse : *sirop de groseille*. Jus concentré dans les sucreries.

siroter v. tr. et intr. *Fam.* Boire en dégustant à petits coups.

sirupeux, euse adj. De la nature du sirop.

sis, e adj. Situé.

sisal n. m. Fibre d'une plante textile d'Amérique : *cordage en sisal*.

sismique adj. Relatif aux tremblements de terre : *mouvements sismiques*.

sismographe n. m. Appareil destiné à enregistrer les mouvements sismiques.

sismologie n. f. Etude des tremblements de terre.

site n. m. Paysage : *site agréable*.

sitôt adv. Aussitôt.

situation n. f. Position. Attitude, posture : *situation incommode*. Etat, condition : *situation brillante*.

situer v. tr. Placer : *ville bien située*.

six adj. num. Cinq plus un. Sixième : *Charles six*. N. m. : *le six du mois ; un six mal fait*. Carte, côté d'un dé marqué de six points.

six-huit n. m. Dénomination d'une mesure à deux temps, qui a la noire pointée pour unité de temps.

sixième* adj. num. ord. Qui suit le cinquième. N. m. La sixième partie d'un tout. Classe initiale de l'enseignement secondaire.

six-quatre-deux (à la) loc. adv. *Pop.* Négligemment.

sixte n. f. *Musiq.* Intervalle compris entre six notes.

sizain ou **sixain** n. m. Stance de six vers. Paquet de six jeux de cartes.

sketch n. m. Petite scène comique. Pl. des *sketches*.

ski n. m. Long patin en bois, pour glisser sur la neige.

skieur, euse n. Personne qui pratique le ski.

skiff n. m. Canot long, étroit et léger, à un seul rameur.

skunks n. m. V. SCONSE.

slave adj. et n. Qui appartient à une race répandue en Europe orientale (Russes, etc.).

sleeping [*sli-pign'*] n. m. Wagon-lit.

slip n. m. Petit caleçon collant, très court.

slogan n. m. Formule publicitaire.

smalah ou **smala** n. f. Ensemble des équipages et de la maison d'un chef arabe, en Algérie et au Maroc. *Fam.* Famille nombreuse.

smalt n. m. Verre coloré en bleu par l'oxyde de cobalt.

smilax n. m. Genre de plantes grimpantes.

smoking [*kin'g*] n. m. Costume d'homme habillé à revers de soie.

snob n. Qui admire sottement ce qui est en vogue

snobisme n. m. Caractère du snob.

snow-boot [*sno-bout'*] n. m. (mot angl.). Chaussure caoutchoutée et fourrée, pour la neige.

sobre* adj. Tempérant dans le manger et le boire. Empreint de sobriété : *vie sobre*. Sans excès, sans luxe : *dessin sobre*. Modéré : *sobre de louanges*.

sobriété n. f. Tempérance dans le boire et le manger : *la sobriété, c'est la santé*. Modération : *user de tout avec sobriété*. Absence de recherche : *sobriété de style*.

sobriquet n. m. Surnom, donné souvent par moquerie.

soc n. m. Fer de charrue.

sociabilité n. f. Aptitude à vivre en société.

sociable adj. Capable de vivre en société. De commerce facile : *homme peu sociable*.

social, e*, aux adj. Qui concerne la société : *ordre social*. Relatif à une société de commerce : *siège social*.

socialisation n. f. Action de socialiser.

socialiser v. tr. Rendre social. Attribuer à la collectivité : *socialiser les terres*.

socialisme n. m. Doctrine tendant à une transformation radicale du régime social, subordonnant les intérêts de l'individu à ceux de l'Etat.

socialiste adj. et n. Partisan du socialisme.

sociétaire n. et adj. Membre d'une société.

sociétariat n. m. Qualité de sociétaire.

société n. f. Groupement d'hommes ou d'animaux sous des lois communes. Corps social : *devoirs envers la société.* Union de plusieurs personnes soumises à un règlement commun ou associées en vue d'une industrie, d'un commerce. Réunion de gens qui s'assemblent pour la conversation, le jeu ou d'autres plaisirs : *société nombreuse.* Commerce, relations habituelles : *rechercher la société de quelqu'un. La haute société, la société,* le grand monde.
sociologie n. f. Science des phénomènes sociaux.
sociologique* adj. Relatif à la sociologie.
sociologue n. m. Savant qui s'occupe de sociologie.
socle n. m. Partie sur laquelle repose une colonne. Piédestal sur lequel on pose des bustes, des vases, etc.
socque n. m. Chaussure de bois qu'on met par-dessus une chaussure plus mince pour la garantir de l'humidité.
socratique adj. De Socrate.
soda n. m. Eau chargée d'acide carbonique.
sodé, e adj. Qui contient de la soude.
sodique adj. De soude : *sel sodique.*
sodium n. m. Corps simple métallique, très répandu dans la nature à l'état de chlorure (sel marin et sel gemme) et de nitrate.
sœur n. f. Fille née du même père et de la même mère qu'une autre personne, ou de l'un des deux seulement. Titre donné aux religieuses. *Fig.* Se dit de personnes ou de choses qui ont beaucoup de traits communs. *Les neuf Sœurs,* les Muses.
sœurette n. f. *Fam.* Petite sœur.
sofa n. m. Lit de repos à trois dossiers, utilisé comme siège.
soi, pron. pers. de la 3e pers. des deux genres. Lui, elle : *parler de soi.* (En parlant des personnes, se rapporte en général à un sujet indéterminé.) *De soi, en soi,* dans sa nature. *Revenir à soi,* reprendre ses esprits. *Rentrer en soi,* faire des réflexions. *Sur soi,* sur sa personne. *Prendre sur soi,* accepter la responsabilité. *Chez soi,* dans son domicile. N. m. Domicile : *avoir un chez-soi. Etre soi,* se montrer naturel.
soi-disant adj. invar. Qui se prétend : *un soi-disant docteur. Abusiv.* Prétendu : *les arts soi-disant libéraux.* Loc. adv. A ce qu'on prétend.
soie n. f. Fil fin et brillant produit par une chenille dite *ver à soie.* Etoffe qu'on en fait : *robe de soie.* Fil de l'araignée. Poil dur du porc, du sanglier. La pointe du fer d'un couteau qui entre dans le manche. *Soie artificielle,* anc. nom de la *rayonne.*
soierie n. f. Etoffe de soie. Fabrique d'étoffes de soie.
soif n. f. Désir, besoin de boire. *Fig.* Vif désir : *la soif de l'or.*
soigner v. tr. Donner des soins à. S'appliquer à : *soigner son style.* V. pr. Avoir soin de sa personne.
soigneur n. m. Qui soigne un concurrent dans une épreuve sportive.
soigneux, euse* adj. Qui apporte du soin à. Fait avec soin : *recherches soigneuses.* Qui prend souci de : *soigneux de sa santé.*
soin n. m. Attention, application, sollicitude. Moyens par lesquels on traite un malade : *donner des soins à un blessé. Petits soins,* attentions délicates.
soir n. m. Dernière partie du jour. Après-midi : *trois heures du soir. Fig.* Déclin : *le soir de la vie.*
soirée n. f. Temps depuis le déclin du jour jusqu'au moment où l'on se couche. Réunion du soir : *soirée dansante.*
soit, conj. alternative, mise pour *ou : soit l'un, soit l'autre.* En supposant : *soit 4 à multiplier par 2.* Ellipse de *que cela soit, je le veux bien. Ainsi soit-il,* terminaison de diverses prières. *Tant soit peu,* très peu.
soixantaine n. f. Soixante ou environ. Age de soixante ans.
soixante adj. num. Six fois dix. Soixantième. N. m. Nombre soixante.
soixantième adj. num. ord. de soixante. N. : *être la soixantième.* N. m. Soixantième partie d'un tout.
soja. V. SOYA.
sol n. m. Terrain : *sol peu solide.* Terre, du point de vue agricole.
sol n. m. Cinquième note de la gamme d'ut.
solaire adj. Du soleil.
solanées ou **solanacées** n. f. pl. Famille de dicotylédones (pomme de terre, jusquiame, etc.).
soldat n. m. Militaire non gradé : *simple soldat.* Tout homme qui appartient à la profession militaire. *Fig.* Qui prend la défense de : *soldat de la foi.*
soldatesque n. f. Troupe de soldats indisciplinés. Adj. De soldat.
solde n. f. Paye : *toucher sa solde. Etre à la solde de,* être payé par, être au service de.
solde n. m. Différence entre le débit et le crédit d'un compte. Reliquat d'une somme à payer. Marchandises vendues au rabais.
solder v. tr. Acquitter une dette, régler un compte. Vendre au rabais.
soldeur n. m. Marchand de soldes.
sole n. f. Chaque partie d'une terre soumise à l'assolement.
sole n. f. Plaque cornée sous le sabot d'un animal. Charpente horizontale soutenant le bâti d'une machine. Partie horizontale de certains fours. Poisson plat à chair fine.
solécisme n. m. Faute contre la syntaxe *Fig.* Faute quelconque.
soleil n. m. Astre lumineux au centre du monde que nous habitons. Image, représentation du soleil. Lumière, chaleur du soleil : *il fait un beau soleil. Fig.* Ce qui brille d'un grand éclat. Pièce d'artifice tournante. Tournesol, fleur. *Coup de soleil,* insolation : *attraper un coup de soleil.*
solen [*lèn*] n. m. Genre de mollusques, dits *couteaux.*
solennel, elle* [*la-nèl*] adj. Pompeux. Qui se fait avec appareil : *entrée solennelle.* Accompagné d'actes publics ou de formalités. Grave, majestueux. Emphatique.
solenniser [*la-ni*] v. tr. Célébrer avec solennité.
solennité [*la-ni*] n. f. Cérémonie solennelle. Formalités qui rendent un acte authentique : *solennité d'un serment.* Emphase.
solénoïde n. m. Fil métallique contourné en hélice, puis revenant sur lui-même en ligne droite.
solfatare n. f. Terrain d'où se dégagent des vapeurs sulfureuses.
solfège n. m. Action de solfier. Recueil de morceaux de chant, pour l'étude de la musique.

solfier v. tr. (Se conj. comme *prier.*) Chanter en prononçant le nom des notes.
solidaire* adj. Qui oblige plusieurs personnes, chacune directement, au paiement d'une somme. Obligé solidairement : *le mari est solidaire des dettes de sa femme. Fig.* Lié par une responsabilité commune.
solidariser v. tr. Rendre solidaire. V. pr. S'unir par des actes de solidarité.
solidarité n. f. Engagement solidaire. *Philos.* Dépendance mutuelle entre individus : *la solidarité humaine.*
solide* adj. Qui a de la consistance : *corps solide.* Robuste : *un solide gaillard.* Vigoureux : *solide coup de poing.* Ferme, résistant : *bâtiment solide. Fig.* Important : *de solides raisons.* N. m. Corps solide.
solidification n. f. Passage à l'état solide.
solidifier v. tr. Rendre solide.
solidité n. f. Qualité de ce qui est solide.
soliloque n. m. Monologue.
solipède adj. Dont le pied ne présente qu'un seul sabot.
soliste n. et adj. Artiste qui exécute un solo.
solitaire* adj. Qui est seul, qui vit seul : *le loup est solitaire.* Placé dans un lieu écarté, désert. N. m. Anachorète qui vit dans la solitude. *Par ext.* Qui vit très retiré. Vieux sanglier. Jeu que l'on joue seul. Diamant monté seul.
solitude n. f. Etat d'une personne seule, retirée du monde. Lieu où l'on est seul. Endroit inhabité.
solive n. f. Pièce de bois destinée à soutenir un plancher.
soliveau n. m. Petite solive. *Fig.* Personne inerte, sans activité.
sollicitation n. f. Action de solliciter, demande instante.
solliciter v. tr. Inciter, pousser à. Demander avec insistance. Attirer : *solliciter l'attention des promeneurs.*
solliciteur, euse n. Qui sollicite.
sollicitude n. f. Soin attentif.
solo n. m. Morceau joué ou chanté par un seul artiste. (Pl. des *solos* ou *soli.*) Adjectiv. : *violon solo.*
solognot, e adj. et n. De Sologne.
solstice n. m. Temps où le soleil est le plus loin de l'équateur (début de l'été et début de l'hiver).
solubilité n. f. Qualité de ce qui est soluble.
soluble adj. Qui peut se dissoudre : *le sucre est soluble.* Qui peut être résolu : *problème soluble.*
solution n. f. Etat d'un corps dissous. Liquide contenant un corps dissous : *solution sucrée.* Dénouement d'une difficulté; réponse d'un problème : *la solution d'une affaire. Solution de continuité,* interruption dans une série, dans une étendue.
solvabilité n. f. Etat d'une personne qui est solvable.
solvable adj. Qui peut payer.
sombre* adj. Peu éclairé : *maison sombre.* Qui éclaire mal : *jour sombre.* Foncé : *couleur sombre. Fig.* Inquiétant : *un sombre avenir.* Taciturne, morne : *caractère sombre.*
sombrer v. intr. *Mar.* Couler, être englouti. *Fig.* Etre anéanti.
sommaire* adj. Court, abrégé : *exposé sommaire.* Expéditif : *justice sommaire.* N. m. Résumé, abrégé.
sommation n. f. Action de sommer : *sommation verbale.* Invitation impérative.
somme n. f. Résultat de l'addition. Quantité d'argent : *grosse somme. Fig.* Ensemble, réunion de choses. Nom de certains traités généraux : *somme théologique. Somme toute, en somme,* enfin, en résumé.
somme n. f. Charge, fardeau. *Bête de somme,* propre à porter des fardeaux, et, au *fig.,* personne que l'on accable de travail.
somme n. m. Sommeil. Court moment de sommeil : *faire un somme.*
sommeil n. m. Assoupissement naturel des sens, repos périodique de la vie animale. Grande envie de dormir : *avoir sommeil. Fig.* Etat d'insensibilité ou d'inertie. *Le sommeil éternel,* la mort.
sommeiller v. intr. Dormir d'un sommeil léger. *Fig.* Etre dans un état d'inertie.
sommelier n. m. Celui qui a charge du vin, des liqueurs dans un café, un restaurant, etc.
sommer v. tr. Mettre en demeure de faire une chose : *sommer de partir.*
sommet n. m. Partie la plus élevée : cime, faîte. *Géom. Sommet d'un angle,* point de rencontre de ses deux côtés. *Fig.* Degré suprême : *le sommet du bonheur.*
sommier n. m. Cadre à ressorts, recouvert de toile, et servant à soutenir le matelas. Dans un orgue, coffre qui reçoit l'air des soufflets et le distribue. Pierre qui reçoit la retombée d'une voûte. Pièce de charpente, qui sert de linteau.
sommier n. m. Gros registre.
sommité n. f. Extrémité supérieure. *Fig.* Point culminant. Personne éminente : *sommité médicale.*
somnambule n. et adj. Qui marche, agit, parle dans l'état de sommeil.
somnambulisme n. m. Automatisme ambulatoire pendant le sommeil.
somnifère adj. et n. Qui provoque, cause le sommeil. *Fig.* Ennuyeux.
somnolence n. f. Etat intermédiaire entre le sommeil et la veille. Sorte d'engourdissement moral.
somnolent, e adj. Relatif à la somnolence.
somnoler v. intr. Dormir à demi.
somptuaire adj. Relatif à la dépense. *Lois somptuaires,* qui veulent restreindre le luxe et la dépense.
somptueux, euse* adj. Qui fait de grandes dépenses. Magnifique, splendide : *festins somptueux.*
somptuosité n. f. Grande magnificence.
son, sa, ses, adj. poss. de la 3e pers. A lui, à elle.
son n. m. Bruit, ce qui frappe l'ouïe : *la vitesse du son.* Bruit produit par le retour régulier des vibrations : *le son des cloches.*
son n. m. Enveloppe des graines des céréales séparée par l'action de la mouture. *Fam. Tache de son,* tache de rousseur.
sonate n. f. Pièce de musique instrumentale, composée de plusieurs morceaux de caractère différent.
sonatine n. f. Sonate d'exécution facile.
sondage n. m. Action de sonder.
sonde n. f. Instrument pour connaître la profondeur de l'eau et la nature du fond. Tout instrument qui permet de sonder, d'explorer. *Chir.* Instrument à l'aide duquel on explore une plaie, une cavité.

sonder v. tr. Reconnaître au moyen de la sonde. *Fig.* Chercher à pénétrer : *sonder les dispositions de quelqu'un. Sonder le terrain,* chercher à connaître la situation.
sondeur n. m. Qui sonde.
songe n. m. Rêve, association d'idées qui se forment pendant le sommeil. *Fig.* Illusion, imagination : *le bonheur n'est qu'un songe. En songe,* pendant le sommeil.
songe-creux n. m. invar. Qui nourrit son esprit de chimères.
songer v. intr. (Se conj. comme *manger.*) Faire un *songe* (vx). S'abandonner à la rêverie. Avoir l'intention vague de : *songer à se marier; sans songer à mal.*
songerie n. f. Rêverie, songe.
songeur, euse n. et adj. Qui fait des songes. Rêveur.
sonnaille n. f. Clochette.
sonnailler v. intr. Sonner souvent.
sonnant, e adj. Qui sonne. *A huit heures sonnantes,* à huit heures précises. *Espèces sonnantes,* monnaies d'or ou d'argent.
sonné, e adj. Annoncé par le son de la cloche : *le dîner est sonné.* Révolu, accompli : *avoir cinquante ans sonnés.*
sonner v. intr. Rendre un son : *les cloches sonnent.* Tirer des sons : *sonner du cor.* Etre annoncé par des sons : *la messe sonne.* Arriver, en parlant d'un moment, d'une époque. Produire une impression : *ce mot sonne mal.* V. tr. Tirer un son de quelque chose : *sonner les cloches.* Appeler par le son d'une sonnette : *sonner sa femme de chambre.* Annoncer par une sonnerie : *sonner la charge.*
sonnerie n. f. Son de plusieurs cloches ensemble. Mécanisme servant à faire sonner une pendule. Air que sonnent les trompettes ou les clairons, etc. *Sonnerie électrique,* appareil d'appel, actionné par un électro-aimant.
sonnet n. m. Pièce de poésie de quatorze vers distribués en deux quatrains et deux tercets, suivant des règles fixes.
sonnette n. f. Clochette. Machine pour soulever le mouton avec lequel on enfonce des pilotis et des pieux.
sonneur n. Qui sonne les cloches.
sonore adj. Qui rend des sons. Qui a beaucoup de son. Emphatique.
sonoriser v. tr. Ajouter une partie sonore à un film muet.
sonorité n. f. Qualité de ce qui est sonore.
sophisme n. m. Raisonnement faux.
sophiste n. m. Chez les Anciens, philosophe rhéteur. *Par ext.* Personne qui fait des sophismes : *c'est un argument de sophiste.*
sophistication n. f. Falsification.
sophistique adj. De la nature du sophisme.
sophistiquer v. tr. Falsifier.
soporifique ou **soporifère** adj. et n. m. Qui a la vertu d'endormir. Adj. *Fig.* Ennuyeux : *poème soporifique.*
soprano n. m. Voix aiguë de femme ou de jeune garçon. Le chanteur lui-même. Pl. des *soprani* ou *sopranos.*
sorbe n. f. Fruit du sorbier.
sorbet n. m. Boisson à demi glacée à base de sucre et de fruits.
sorbetière n. f. Vase de métal dans lequel on prépare les sorbets.
sorbier n. m. Arbre fruitier.
sorcellerie n. f. Opération, profession de sorcier. *Fig.* Tours d'adresse qui paraissent surnaturels.
sorcier, ère adj. et n. Personne que l'on croyait en société avec le diable pour faire des maléfices. *Fig.* Personne fort habile.
sordide* adj. Sale, dégoûtant : *habits sordides. Avarice sordide,* poussée à l'extrême.
sorgho n. m. Graminée alimentaire d'Afrique, de l'Inde et de la Chine.
sornette n. f. Discours frivole.
sort n. m. Destinée : *se plaindre de son sort.* Hasard : *le sort l'a décidé.* Condition, état de fortune : *heureux de son sort.* Maléfice : *jeter un sort. Le sort en est jeté,* le parti est pris.
sortable adj. Convenable.
sorte n. f. Espèce, genre : *toutes sortes de bêtes.* Façon, manière : *de telle sorte que... Faire en sorte de* ou *que,* tâcher de. *Une sorte de,* quelque chose qui ressemble à. Loc. div. : *En quelque sorte,* pour ainsi dire; *de sorte que, en sorte que,* de manière que.
sortie n. f. Action de sortir. Issue, endroit pour sortir. Effort des assiégés pour repousser les assiégeants. *Fig.* Algarade, emportement : *une sortie intempestive.*
sortilège n. m. Maléfice.
sortir v. intr. (*Je sors, nous sortons. Je sortais, nous sortions. Je sortis, nous sortîmes. Je sortirai, nous sortirons. Sors, sortons, sortez. Que je sorte, que nous sortions. Que je sortisse, que nous sortissions. Sortant, Sorti, e.* — Se conj. avec *avoir* ou *être* pour marquer soit l'action, soit l'état.) Aller dehors. Quitter un endroit. Venir de sortir : *Madame sort d'ici.* Arriver à la fin : *sortir de l'hiver.* Etre délivré : *sortir de maladie, de prison.* Avoir été élève : *sortir d'une école.* S'écarter : *sortir du sujet.* Etre tiré : *sortir de l'obscurité.* Faire saillie : *pierre qui sort du mur.* Pousser : *le blé sort de terre.* Etre issu : *sortir d'une bonne famille.* V. tr. Tirer dehors : *sortir un cheval de l'écurie.* V. impers. S'échapper, s'exhaler.
S. O. S. Signal de détresse par radio.
sosie n. m. Personne qui ressemble parfaitement à une autre.
sot, sotte* adj. Dénué de jugement. *Par ext.* Embarrassé, confus. Fait sans jugement : *sotte entreprise.* Fâcheux : *sot orgueil.* N. Personne sans jugement ni esprit. *Un sot en trois lettres,* un grand sot.
sot-l'y-laisse n. m. invar. Morceau délicat au-dessus du croupion d'une volaille.
sottise n. f. Défaut de jugement. Discours, action sotte : *vous faites une sottise.* Invective, injure : *dire des sottises à quelqu'un.*
sottisier n. m. Recueil de sottises.
sou n. m. Petite monnaie qui équivalait à la vingtième partie du franc. Nom de diverses monnaies anciennes.
soubassement n. m. Partie inférieure d'une construction, d'une maison.
soubresaut n. m. Saut brusque. Tressaillement. *Fig.* Emotion subite.
soubrette n. f. Suivante de comédie. *Par ext.* Femme de chambre.
soubreveste n. f. Casaque sans manches, portée autrefois sur l'armure.
souche n. f. Partie du tronc de l'arbre, qui reste dans la terre après que l'arbre a été coupé. Cette partie, arrachée avec les ra-

cines. *Fig.* Celui de qui sort une suite de descendants. Source, origine. *Fam.* Personne sans activité, sans intelligence. Partie d'une feuille qu'on laisse adhérente à un registre et qui sert à vérifier l'authenticité de la partie détachée.

souci n. m. Inquiétude : *vivre sans souci.* Objet de soin, d'affection.

souci n. m. Genre de plantes à fleurs jaunes.

soucier (se) v. pr. (Se conj. comme *prier.*) S'inquiéter. *Je ne me soucie pas qu'il voie mes notes,* il ne me convient pas.

soucieux, euse adj. Inquiet. Qui s'occupe avec soin : *soucieux de sa liberté.* Qui marque du souci : *air soucieux.*

soucoupe n. f. Petite assiette, que l'on met habituellement sous une tasse.

soudage n. m. Action de souder.

soudain, e* adj. Qui se produit, se fait tout à coup : *bruit soudain.* Adv. Dans le même instant : *il répond soudain.*

soudaineté n. f. Caractère soudain.

soudanais, e et **soudanien, enne** adj. et n. Du Soudan.

soudard n. m. Vieux soldat. (Se prend en mauvaise part.)

soude n. f. Carbonate de sodium. Hydroxyde de sodium, dit aussi *soude caustique.*

souder v. tr. Joindre par soudure. *Par ext.* Unir bout à bout.

soudeur, euse n. Qui soude.

soudoyer v. tr. (Se conj. comme *aboyer.*) Avoir à sa solde (vx). S'assurer le concours de quelqu'un à prix d'argent : *soudoyer des faux témoins.*

soudure n. f. Composition métallique en fusion pour unir des pièces de métal. *Soudure autogène,* obtenue par fusion des deux surfaces à souder. Travail de celui qui soude. Endroit soudé. *Méd.* Jonction par adhésion : *soudure des os du crâne.*

soufflage n. m. Action de souffler.

soufflante n. f. Machine qui souffle de l'air.

souffle n. m. Vent produit en soufflant de l'air par la bouche. Expiration de l'air inspiré : *écouter le souffle d'un malade.* Agitation de l'air : *le souffle des vents.* Inspiration : *le souffle du génie.*

soufflé, e adj. Se dit d'un mets qui se gonfle en cuisant : *pommes de terre soufflées.* N. m. Entremets soufflé.

souffler v. intr. Faire sortir avec effort l'air de la bouche. Respirer avec effort. Reprendre haleine : *laisser souffler quelqu'un.* Fournir de l'air : *soufflet qui souffle mal.* Se déplacer, en parlant de l'air : *le vent souffle.* Parler : *ne pas oser souffler.* V. tr. Activer au moyen de l'air : *souffler le feu.* Eteindre : *souffler la chandelle.* Remplir d'air en soufflant : *souffler une vessie.* Travailler le verre en soufflant. Aider celui qui récite : *souffler son rôle à un acteur.* Oter, enlever : *souffler un pion aux échecs.*

soufflerie n. f. Ensemble des soufflets d'un orgue, d'une forge.

soufflet n. m. Instrument pour souffler. Coup du plat ou du revers de la main. *Fig.* Affront.

souffleter v. tr. (Se conj. comme *jeter.*) Donner un soufflet, gifler.

souffleur, euse n. Personne qui souffle. N. m. Celui qui souffle leur rôle aux acteurs. Sorte de cétacé.

soufflure n. f. Cavité qui se forme dans l'intérieur d'une pièce de métal ou de verre, après la fusion.

souffrance n. f. Malaise, douleur, peine. *En souffrance,* en suspens. *Jour de souffrance,* baie ouverte sur une propriété voisine, mais garnie d'une grille ou d'un châssis dormant.

souffre-douleur n. m. invar. Personne en butte aux tracasseries habituelles d'une ou plusieurs autres personnes.

souffreteux, euse adj. De faible santé, chétif : *un enfant souffreteux.*

souffrir v. tr. (Se conj. comme *ouvrir.*) Ressentir, endurer, subir : *souffrir la soif.* Supporter, tolérer, permettre : *souffrez que je vous parle.* Admettre : *cela ne souffre aucun retard.* V. intr. Sentir de la douleur : *souffrir comme un damné.* Etre tourmenté : *je souffre de le voir ainsi. Fig.* Languir : *le commerce souffre.*

soufrage n. m. Action d'imprégner de soufre.

soufre n. m. Corps simple solide, d'une couleur jaune citron.

soufrer v. tr. Enduire de soufre. Exposer aux vapeurs sulfureuses.

soufreur, euse n. Personne chargée de soufrer. N. f. Appareil employé pour soufrer les végétaux.

soufrière n. f. Carrière de soufre.

souhait n. m. Aspiration vers une chose qu'on n'a pas. Pl. Vœux de politesse. *A souhait,* selon ses désirs : *réussir à souhait.*

souhaitable adj. Désirable.

souhaiter v. tr. Désirer. Exprimer sous forme de vœu : *souhaiter le bonjour, la bonne année.*

souille n. f. Lieu où se vautre le sanglier. Enfoncement fait dans le sable par un navire échoué.

souiller v. tr. Salir : *souiller de boue. Fig.* Déshonorer, flétrir : *souiller sa réputation.*

souillon n. Personne malpropre. Servante employée à de bas offices.

souillure n. f. Tache : *être sans souillure.*

souk n. m. Marché, dans les pays arabes.

soûl, e [*sou, soul'*] adj. Repu, rassasié. *Pop.* Ivre. N. m. *Fam. Tout son soûl,* autant qu'on peut désirer.

soulagement n. m. Diminution, allègement d'un mal.

soulager v. tr. (Se conj. comme *manger.*) Alléger d'une partie d'un fardeau. *Fig.* Alléger une souffrance physique ou morale : *soulager un chagrin.* Aider, secourir. Diminuer l'effort : *soulager une poutre.* V. pr. Se procurer du soulagement. Satisfaire un besoin naturel.

soûler v. tr. Gorger de nourriture ou de boisson. Enivrer. *Fig.* Satisfaire jusqu'à satiété : *cette musique me soûle.*

soûlerie n. f. Action de se soûler.

soulèvement n. m. Action par laquelle une chose se soulève. *Soulèvement de cœur,* nausée. *Fig.* Mouvement de révolte : *réprimer durement un soulèvement.*

soulever v. tr. (Se conj. comme *lever.*) Elever à une petite hauteur : *soulever un fardeau.* Provoquer la colère, l'indignation, etc. : *soulever le peuple. Soulever le cœur,* causer du dégoût.

soulier n. m. Chaussure qui couvre le pied en tout ou en partie.

souligner v. tr. Tirer un trait, une ligne sous. *Fig.* Accentuer par une inflexion de voix, etc., pour attirer l'attention.
souloir v. intr. Vieux verbe qui signifiait *avoir coutume.*
soulte n. f. En matière de partage ou d'échange, ce que l'une des parties doit payer aux autres pour rétablir l'égalité des lots.
soumettre v. tr. (Se conj. comme *mettre.*) Réduire à l'obéissance : *soumettre des rebelles.* Subordonner : *soumettre la raison à la foi.* Faire subir : *soumettre à un examen médical.*
soumission n. f. Action de mettre ou de se mettre sous l'autorité de. Action de rentrer dans le devoir, l'obéissance. Déclaration écrite par laquelle on s'engage à se charger d'un ouvrage, d'une fourniture, à de certaines conditions.
soumissionnaire n. m. Qui fait une soumission pour une fourniture.
soumissionner v. tr. Faire une soumission.
soupape n. f. Obturateur qui règle le mouvement d'un fluide. *Soupape de sûreté,* celle qui, dans la chaudière, s'ouvre d'elle-même à une forte pression, pour empêcher l'explosion.
soupçon n. m. Doute désavantageux, inspiré ou conçu. Idée vague, simple conjecture. Petite quantité : *un soupçon de vin.*
soupçonnable adj. Qui peut être soupçonné.
soupçonner v. tr. Porter ses soupçons sur. Conjecturer.
soupçonneux, euse adj. Défiant.
soupe n. f. Nom familier du potage. *Pop.* Repas : *c'est l'heure de la soupe. Trempé comme une soupe,* très mouillé.
soupente n. f. Réduit en planches dans la hauteur d'une chambre.
souper n. m. Repas du soir. (Vx et provincial.) Mets qui le composent. Repas fin pris tard dans la nuit.
souper v. intr. Prendre le souper.
soupeser v. tr. (Se conj. comme *peser.*) Lever un fardeau avec la main pour juger du poids : *soupeser une volaille.*
soupeur, euse n. Qui soupe.
soupière n. f. Vase creux dans lequel on sert la soupe.
soupir n. m. Respiration forte et prolongée, occasionnée par la douleur, etc. : *pousser des soupirs. Rendre le dernier soupir,* expirer. *Poét.* Son doux et mélancolique : *les soupirs du vent. Mus.* Silence qui vaut une noire.
soupirail n. m. Ouverture pour éclairer, aérer une cave.
soupirant n. m. Qui aspire à se faire aimer d'une femme. (Vx.)
soupirer v. intr. Pousser des soupirs. Désirer ardemment : *soupirer après sa liberté.* V. tr. Exprimer sur un mode plaintif : *soupirer des vers élégiaques.*
souple* adj. Flexible, maniable. Qui a les membres flexibles. *Fig.* Pliable à diverses choses : *talent souple.* Docile, soumis, complaisant : *avoir l'échine souple.*
souplesse n. f. Flexibilité. Docilité.
souquenille n. f. Surtout fort long en grosse toile.
souquer v. intr. Faire effort avec énergie : *souquer sur les avirons.*
source n. f. Eau qui sourd de terre. Liquide qui sourd de terre : *une source de pétrole. Fig.* Principe, cause, origine. Documents originaux : *les sources de l'histoire.*
sourcier n. m. Celui qui découvre les sources avec une baguette.
sourcil n. m. Saillie arquée, revêtue de poils au-dessus de l'orbite de l'œil. *Hausser les sourcils,* en signe de dédain. *Froncer le sourcil,* témoigner du mécontentement.
sourcilier, ère adj. Qui concerne les sourcils : *arcade sourcilière.*
sourciller [*si-yé*] v. intr. Remuer les sourcils en signe de mécontentement ou de surprise.
sourcilleux, euse [*yeû, yeûz*] adj. A qui les sourcils froncés donnent un air sévère.
sourd, e* adj. Privé plus ou moins du sens de l'ouïe. *Fig.* Insensible à, inexorable : *sourd aux prières.* Peu sonore : *voix sourde.* Peu éclatant : *teinte sourde.* Peu aigu et interne : *douleur sourde.* Incertain, non encore public : *rumeur sourde.* Qui se fait secrètement, sans bruit : *guerre sourde. Faire la sourde oreille,* faire semblant de ne pas entendre. N. Qui est privé de l'ouïe. *Frapper comme un sourd,* très fort.
sourdine n. f. Appareil que l'on adapte à certains instruments de musique pour en assourdir le son. *En sourdine,* à petit bruit, sans qu'on s'en aperçoive.
sourd-muet, sourde-muette n. Personne privée de l'ouïe et de la parole. Pl. des *sourds-muets,* des *sourdes-muettes.*
sourdre v. intr. (*il sourd; ils sourdent* — le reste inusité). Sortir de terre, en parlant des eaux. *Fig.* Résulter.
souriceau n. m. Petit d'une souris.
souricière n. f. Piège pour prendre les souris. *Fig.* Endroit où la police place secrètement des agents pour s'emparer de malfaiteurs. Piège.
souriquois, e adj. *Le peuple souriquois,* les souris. (Vx.)
sourire v. intr. (Se conj. comme *rire.*) Rire légèrement, sans bruit : *sourire moqueusement. Fig.* Présenter un aspect agréable : *la nature sourit.* Plaire : *cette affaire me sourit.* Favoriser : *le sort lui sourit.*
sourire n. m. Action de sourire.
souris n. f. Petit rongeur du genre rat. *Gris souris,* gris argenté. Petit muscle qui tient au manche d'un gigot.
sournois, e* adj. Dissimulé.
sournoiserie n. f. Caractère sournois, dissimulation.
sous, prép. marquant la situation inférieure : *sous la table;* intérieure : *mettre sous enveloppe;* l'effet : *sous le coup de la surprise;* la dépendance : *sous ses ordres;* le temps : *sous Louis XIV;* la réserve : *sous condition;* l'apparence : *sous une forme agréable;* l'indication : *sous tel numéro.*
sous-bois n. m. invar. Végétation sous les arbres d'une forêt. Peinture représentant un intérieur de forêt.
sous-chef n. m. Qui vient immédiatement après le chef. Pl. des *sous-chefs.*
sous-commission n. f. Commission nommée par une autre commission. Pl. des *sous-commissions.*
souscripteur n. m. Qui souscrit un effet de commerce. Qui prend part à une souscription.

souscription n. f. Signature au-dessous d'un acte pour l'approuver. Signature d'une lettre, accompagnée de formules de civilité. Engagement de s'associer à une entreprise, d'acheter un ouvrage en cours de publication, etc. Somme qui doit être versée par le souscripteur.

souscrire v. tr. (Se conj. comme *écrire.*) Signer au bas d'un acte pour l'approuver. V. intr. Prendre l'engagement de payer, de participer pour une part à..., et, au *fig.*, donner son adhésion à.

sous-cutané, e adj. Sous la peau : *tissu sous-cutané ; injection sous-cutanée.*

sous-directeur, trice n. Qui dirige en second. Pl. des *sous-directeurs.*

sous-économe n. m. Adjoint à l'économe. Pl. des *sous-économes.*

sous-entendre v. tr. Ne pas exprimer nettement sa pensée. *Gramm.* Se dit des mots qu'on n'exprime pas et qui peuvent être aisément suppléés.

sous-estimer ou **sous-évaluer** v. tr. Apprécier une chose, une personne au-dessous de sa valeur réelle.

sous-fifre n. m. *Fam.* Individu qui occupe un emploi secondaire. Pl. des *sous-fifres.*

sous-gouverneur n. m. Gouverneur en second. Pl. des *sous-gouverneurs.*

sous-inspecteur n. m. Fonctionnaire au-dessous de l'inspecteur. Pl. des *sous-inspecteurs.*

sous-intendance n. f. Charge, bureau de *sous-intendant* ou intendant en second. Pl. des *sous-intendances.*

sous-jacent, e adj. Placé dessous.

sous-lieutenant n. m. Officier du grade immédiatement inférieur à celui de lieutenant. Pl. des *sous-lieutenants.*

sous-locataire n. Personne qui sous-loue. Pl. des *sous-locataires.*

sous-location n. f. Action de sous-louer. Pl. des *sous-locations.*

sous-louer v. tr. Donner à loyer ce dont on est locataire, ou prendre à loyer ce dont un autre est locataire.

sous-main n. m. invar. Cahier, feuille de papier ou buvard, que l'on place sur son bureau pour écrire.

sous-marin, e adj. Qui est sous la mer : *plante sous-marine.* N. m. Navire qui navigue sous l'eau (pl. des *sous-marins*).

sous-multiple n. m. et adj. Se dit d'une quantité qui est contenue dans une autre exactement un certain nombre de fois. Pl. des *sous-multiples.*

sous-œuvre n. m. *En sous-œuvre,* se dit d'un travail fait sous un autre, après un autre, pour le compléter.

sous-officier n. m. Militaire d'un grade inférieur à celui de sous-lieutenant, mais supérieur à celui de caporal. Pl. des *sous-officiers.*

sous-ordre n. m. invar. Qui travaille sous les ordres d'un autre. *Hist. nat.* Subdivision d'un ordre (en ce sens, on écrit des *sous-ordres*). *En sous-ordre,* au second rang.

sous-pied n. m. Pièce de la guêtre qui passe sous le pied. Pl. des *sous-pieds.*

sous-préfecture n. f. Subdivision de préfecture, administrée par un sous-préfet. Ville où réside le sous-préfet. Fonction, demeure, bureau du sous-préfet.

sous-préfet n. m. Fonctionnaire qui administre un arrondissement. Pl. des *sous-préfets.*

sous-préfète n. f. *Fam.* Femme de sous-préfet. Pl. des *sous-préfètes.*

sous-secrétaire n. m. Qui aide ou remplace un secrétaire. *Sous-secrétaire d'Etat,* ministre de rang inférieur. Pl. des *sous-secrétaires.*

sous-secrétariat n. m. Emploi de sous-secrétaire. Pl. des *sous-secrétariats.*

sous-seing n. m. Acte fait sans l'intervention d'un officier ministériel. Pl. des *sous-seings.*

soussigné, e n. et adj. Qui a mis son nom au bas d'un acte : *je soussigné déclare...*

sous-sol n. m. Construction immédiatement au-dessous du rez-de-chaussée. Pl. des *sous-sols.*

sous-station n. f. Station secondaire. Pl. des *sous-stations.*

sous-titre n. m. Titre placé après le titre principal d'un livre. Pl. des *sous-titres.*

soustraction n. f. Action de soustraire. Opération par laquelle on retranche un nombre d'un autre.

soustraire v. tr. (Se conj. comme *traire.*) Enlever, prendre par adresse ou par fraude. *Fig.* Faire échapper, préserver de : *soustraire à un danger. Arith.* Retrancher un nombre.

sous-ventrière n. f. Courroie qui passe sous le ventre du cheval. Pl. des *sous-ventrières.*

sous-verge n. m. invar. Cheval attelé, non monté, placé à la droite d'un autre également attelé, qui porte le cavalier. *Fam.* Adjoint d'un chef.

sous-verre n. m. invar. Encadrement fait à l'aide d'un verre, d'un carton et d'une bande gommée.

soutache n. f. Passementerie, tresse.

soutacher v. tr. Garnir de soutache.

soutane n. f. Sorte de robe, boutonnée par-devant, que portent les ecclésiastiques. Etat ecclésiastique.

soute n. f. Réduit dans la cale d'un navire, pour recevoir provisions et munitions.

soutenable adj. Qui peut être soutenu.

soutenance n. f. Action de soutenir une thèse.

soutènement n. m. Action de soutenir. Appui : *mur de soutènement.*

souteneur n. m. Qui soutient. Protecteur d'une prostituée.

soutenir v. tr. (Se conj. comme *tenir.*) Supporter : *soutenir une poutre.* Défendre : *soutenir ses droits.* Résister : *soutenir une attaque.* Affirmer : *je soutiens que.* Faire vivre : *soutenir sa famille.* Aider, appuyer : *soutenir des troupes.* Empêcher de faiblir : *soutenir la conversation.* Supporter : *soutenir une épreuve.* V. pr. Se tenir debout. Ne pas enfoncer : *se soutenir sur l'eau. Fig.* Continuer : *le mieux se soutient.*

soutenu, e adj. Constamment noble, élevé : *style soutenu.* Qui ne fléchit pas : *intérêt soutenu ; des efforts soutenus.*

souterrain, e adj. Sous terre : *chemin souterrain.* N. m. Excavation sous terre.

soutien n. m. Ce qui soutient.

soutien-gorge n. m. Sous-vêtement pour maintenir les seins. Pl. des *soutiens-gorge.*

soutier n. m. Celui qui travaille dans les soutes d'un bateau.

soutirage n. m. Action de soutirer.

soutirer v. tr. Transvaser du vin ou tout autre liquide d'un tonneau dans un autre. *Fig.* Obtenir par adresse, par ruse : *soutirer de l'argent à quelqu'un.*

souvenir n. m. Impression que la mémoire conserve d'une impression précédente. La faculté même de la mémoire. Objet qui rappelle une chose ou une personne.

souvenir (se) v. pr. (Se conj. comme *venir.*) Avoir mémoire de.

souvent adv. Un grand nombre de fois.

souverain, e* adj. Suprême : *souverain bien.* Qui s'exerce sans contrôle : *pouvoir souverain.* Qui exerce une puissance de ce genre : *prince souverain. Le souverain pontife,* le pape. N. Celui, celle en qui réside l'autorité souveraine. N. m. Monnaie d'or d'Angleterre.

souveraineté n. f. Autorité suprême. Autorité du prince souverain. *Fig.* Pouvoir suprême.

soviet [*vyèt'*] n. m. Dans la Russie révolutionnaire, conseil des délégués ouvriers, paysans et soldats.

soviétique adj. Des soviets.

soya [*so-ya*] n. m. Légumineuse d'origine asiatique, ressemblant aux pois.

soyeux, euse adj. De la nature, de l'aspect de la soie. N. m. Industriel en soierie.

spacieux, euse* adj. Vaste, de grande étendue : *logement spacieux.*

spadassin n. m. Bretteur, ferrailleur. *Par ext.* Assassin gagé : *engager des spadassins.*

spaghetti n. m. pl. Macaroni mince.

spahi n. m. Cavalier turc. En Afrique du Nord, cavalier de l'armée française qui appartenait à une formation composée surtout d'indigènes.

sparadrap [*dra*] n. m. Emplâtre agglutinatif étendu sur un tissu.

sparte n. m. Alfa, graminacée.

sparterie n. f. Nattes, tapis, brosses, tapis d'alfa.

spartiate [*syat'*] adj. et n. De Sparte. *Fig.* Austère comme les habitants de Sparte.

spasme n. m. Contraction involontaire et convulsive des muscles.

spasmodique adj. Relatif au spasme.

spatule n. f. Sorte de cuiller plate. Petite truelle de maçon. Genre d'échassiers.

speaker [*spî-keur*] n. m. Celui qui annonce des nouvelles à la radio, à la télévision.

spécial, e*, aux adj. Particulier : *étude spéciale.* Qui a une aptitude particulière.

spécialisation n. f. Action de spécialiser, de se spécialiser.

spécialiser v. tr. Désigner spécialement. V. pr. Adopter une spécialité : *se spécialiser dans la physique atomique.*

spécialiste n. et adj. Qui s'adonne à une spécialité. Médecin qui s'attache à l'étude d'une maladie. Homme doué d'un talent spécial, qui se livre à un travail spécial.

spécialité n. f. Qualité de ce qui est spécial. Branche d'étude, etc., à laquelle on s'adonne particulièrement. *Pharm.* Médicament que son inventeur a seul le droit de fabriquer.

spécieux, euse* adj. Qui n'a que l'apparence de la vérité et de la justice : *argument spécieux.*

spécification n. f. Action de spécifier.

spécifier v. tr. (Se conj. comme *prier.*) Déterminer spécialement.

spécifique* adj. Propre, spécial à une espèce : *caractère spécifique. Poids spécifique,* densité. *Droits spécifiques,* droits de douane perçus d'après la nature des produits. N. m. Médicament qui agit spécialement sur une maladie.

spécimen [*mèn*] n. m. Echantillon, modèle. *Adjectiv.* Qui sert d'échantillon : *numéro spécimen.* Pl. des *spécimens.*

spectacle n. m. Vue d'un ensemble qu'embrasse le regard. Tout ce qui attire le regard, l'attention. Représentation théâtrale : *aller au spectacle.* Mise en scène : *revue à grand spectacle.*

spectaculaire* adj. Qui constitue un spectacle remarquable. Qui fait impression.

spectateur, trice n. Témoin oculaire d'un événement. Qui assiste à une cérémonie, à une représentation.

spectral, e, aux adj. Qui a le caractère d'un spectre, d'un fantôme : *figure spectrale.* Du spectre solaire : *analyse spectrale.*

spectre n. m. Fantôme. *Fig.* Epouvantail : *le spectre de la guerre.* Personne grande, hâve et maigre : *c'était un vrai spectre. Physiq.* Ensemble coloré résultant de la décomposition de la lumière blanche.

spectroscope n. m. Appareil pour étudier les différents spectres.

spectroscopie n. f. Etude du spectre lumineux.

spéculateur, trice n. Qui fait des spéculations.

spéculatif, ive* adj. Qui a pour objet l'étude purement théorique des choses : *philosophie spéculative.*

spéculation n. f. Observation théorique, méditation. Théorie, par opposition à pratique. Opérations de banque, de commerce, etc.

spéculer v. tr. Méditer, raisonner. Faire des combinaisons, des opérations de finance, etc.

spéculum [*lom*] n. m. *Chir.* Instrument pour élargir certaines cavités du corps et en faciliter l'examen.

speech [*spitch*] n. m. Petit discours. Pl. des *speeches.*

spéléologie n. f. Etude des gouffres.

sphère n. f. Corps limité par une surface dont tous les points sont à égale distance d'un point intérieur dit *centre. Sphère céleste,* sphère imaginaire sur la surface de laquelle les étoiles semblent attachées. *Fig.* Milieu : *sphère d'influence.*

sphéricité n. f. Etat de ce qui est sphérique : *la sphéricité de la Terre.*

sphérique adj. En forme de sphère : *figure sphérique.* N. m. Ballon rond.

sphéroïde n. m. Solide dont la forme approche de celle de la sphère.

sphincter [*tèr*] n. m. Muscle annulaire fermant un orifice.

sphinx [*sfinks*] n. m. Monstre fabuleux. *Fig.* Personnage impénétrable. Individu habile à poser des questions difficiles. *Zool.* Sorte de papillon.

spiral, e, aux adj. Qui a la figure d'une spirale : *ressort spiral.* N. m. Petit ressort de montre qui meut le balancier.

spirale n. f. *Géom.* Courbe non fermée qui s'écarte de plus en plus de son point de départ en faisant un certain nombre de révolutions autour de ce point. Courbe formée d'arcs de cercle raccordés. *En spirale,* en forme de spirale.

spire n. f. Tour d'une spirale, d'une hélice.

spirite n. Qui prétend pouvoir se mettre en relation avec les esprits. Qui s'occupe de spiritisme. Adj. Qui concerne le spiritisme.

spiritisme n. m. Doctrine des spirites.

spiritualisation n. f. Action de spiritualiser.

spiritualiser v. tr. Donner un esprit, une âme à. Donner un caractère spirituel. Dégager de toute affection sensuelle. Interpréter au sens spirituel.

spiritualisme n. m. Doctrine philosophique qui enseigne l'existence de l'esprit comme réalité substantielle. Tendance de l'âme à vivre d'une vie spirituelle.

spiritualiste adj. et n. Partisan du spiritualisme.

spiritualité n. f. Qualité de ce qui est esprit. *Théol.* Tout ce qui a pour objet la vie spirituelle.

spirituel, elle* adj. Incorporel : *un être spirituel.* Qui a de l'esprit : *homme spirituel.* Qui indique de l'esprit : *réponse spirituelle.* Qui regarde l'âme, la religion : *pouvoir spirituel.* N. m. Pouvoir spirituel.

spiritueux, euse adj. Alcoolisé. N. m. Liqueur spiritueuse.

spirochète [*kèt'*] n. m. Nom de certaines bactéries.

spleen [*splin'*] n. m. Ennui morbide.

splendeur n. f. Grand éclat. Magnificence. Pl. Choses magnifiques.

splendide* adj. D'un grand éclat. Magnifique, somptueux.

spoliateur, trice n. et adj. Qui spolie.

spoliation n. f. Action de spolier.

spolier v. tr. (Se conj. comme *prier.*) Déposséder, dépouiller : *spolier un orphelin.*

spongieux, euse adj. Poreux comme l'éponge : *pâte spongieuse.*

spontané*, e adj. Que l'on fait de soi-même : *déclaration spontanée.*

spontanéité n. f. Qualité de ce qui est spontané : *rire avec spontanéité.*

sporadique* adj. Se dit des maladies n'atteignant que quelques individus isolément. Se dit des espèces dont les individus sont épars dans diverses régions.

sporange n. m. *Bot.* Sorte de sac qui renferme les spores.

spore n. f. *Bot.* Organe reproducteur des cryptogames.

sport n. m. Pratique méthodique des exercices physiques.

sportif, ive* adj. Qui concerne les sports. N. Qui pratique les sports.

sportule n. f. Don que les patriciens romains distribuaient à leurs clients.

sprat [*sprat'*] n. m. Petit poisson de la famille des harengs.

sprinter [*sprin'-tèr*] n. m. Coureur de vitesse sur petites distances.

squale [*skoual'*]. Syn. de REQUIN.

squame [*skouam'*] n. f. Ecaille, lamelle qui se détache de la peau.

squameux, euse [*skoua-*] adj. Ecailleux.

square [*skouar'*] n. m. Jardin public, généralement clos.

squelette n. m. Charpente osseuse du corps. Personne extrêmement maigre et décharnée. Canevas, plan.

squelettique adj. Du squelette. *Maigreur squelettique,* excessive.

squille [*skiy'*] n. f. Genre de crustacés, dits *sauterelles de mer.*

squirre ou **squirrhe** [*skir'*] n. m. Tumeur cancéreuse, dure.

stabilisateur adj. et n. m. Qui stabilise.

stabilisation n. f. Action de stabiliser.

stabiliser v. tr. Rendre stable. Donner à une monnaie une valeur fixe.

stabilité n. f. Qualité de ce qui est stable.

stable adj. Qui est dans un état, dans une situation ferme. *Equilibre stable,* état d'un corps qui dérangé de sa position y revient de lui-même. *Fig.* Assuré, durable : *situation stable.*

staccato adv. *Mus.* Mot indiquant que dans une suite de notes rapides chacune d'elles doit être nettement détachée.

stade n. m. Chez les Grecs, mesure de 600 pieds. Carrière où avaient lieu les courses à pied. Lieu destiné à des exercices sportifs. *Fig.* Degré, phase : *les divers stades d'une évolution.*

staff n. m. Mélange de plâtre et de fibres végétales, employé pour la décoration architecturale.

stage n. m. Temps pendant lequel des candidats, des débutants sont astreints à un travail d'essai. *Fig.* Situation transitoire.

stagiaire n. et adj. Qui fait un stage.

stagnant, e [*g-n*] adj. Qui ne coule pas : *eaux stagnantes. Fig.* Inactif : *les affaires restent stagnantes.*

stagnation n. f. Etat de ce qui est stagnant.

stalactite n. f. Concrétion calcaire, qui se forme à la voûte des grottes et souterrains.

stalagmite n. f. Concrétion formée sur le sol, au-dessous de la stalactite.

stalle n. f. Chacun des sièges qui sont autour du chœur d'une église. Siège isolé et numéroté, dans un théâtre. Dans une écurie, compartiment de chaque cheval.

stance n. f. Strophe.

stand [*stand'*] n. m. Tribune des spectateurs des courses. Endroit clos et disposé pour le tir à la cible. Espace réservé aux concurrents dans une exposition.

standard n. m. Norme, modèle, étalon.

standardisation n. f. Normalisation. Unification des éléments de construction, des outils, etc.

stannifère adj. Qui contient de l'étain.

staphylocoque n. m. Sorte de microbe.

starter [*tèr*] n. m. Celui qui, dans les courses, donne le signal du départ. Appareil qui facilite la mise en marche d'un moteur.

stase n. f. Arrêt d'un liquide organique circulant (sang, lymphe, etc.).

stathouder ou **stadhouder** [*dèr*] n. m. Titre des princes d'Orange-Nassau aux Pays-Bas du XVIe au XVIIIe siècle.

station n. f. Façon de se tenir : *station verticale.* Pause, séjour de peu de durée. Lieu où s'arrêtent les autobus, les trains pour prendre ou laisser des voyageurs.

stationnaire adj. Qui ne change pas de place ou de séjour. Qui reste au même point. *Fig.* Qui ne progresse pas : *état stationnaire d'un malade.*

stationnement n. m. Action de stationner.

stationner v. intr. Faire une station. S'arrêter momentanément dans un lieu.

station-service n. f. Poste aménagé pour le ravitaillement des véhicules à moteur.
statique adj. Relatif à l'équilibre des forces. N. f. Partie de la mécanique qui étudie l'équilibre des forces.
statisticien, enne n. Personne qui s'occupe de statistique.
statistique n. f. Science qui a pour objet le groupement méthodique des faits qui se prêtent à une évaluation numérique. Adj. Relatif à cette science.
stator n. m. Partie fixe d'une dynamo, où tourne le rotor.
statuaire n. m. Sculpteur qui fait des statues. N. f. Art de faire des statues : *la statuaire grecque.* Adj. Propre à faire des statues : *marbre statuaire.*
statue n. f. Figure de relief. *Fig.* Personne froide, sans animation.
statuer v. tr. et intr. Régler avec autorité.
statuette n. f. Petite statue.
statufier v. tr. (Se conj. *comme prier.*) *Fam.* Elever une statue à.
statu quo n. m. (loc. lat.). Etat actuel des choses.
stature n. f. Hauteur de la taille d'une personne ou d'un animal.
statut n. m. Règle établie. *Dr.* Règlement : *statuts d'une société.*
statutaire adj. Relatif aux statuts.
steamer [*sti-mèr*] n. m. Navire à vapeur.
stéarine n. f. Principe solide contenu dans les corps gras et servant à fabriquer les bougies.
stéarique adj. Se dit d'un acide contenu dans les graisses et de ses dérivés. Fabriqué avec de la stéarine.
stéatite n. f. Silicate naturel de magnésie.
steeple ou **steeple-chase** [*sti-pl'-tchés'*] n. m. Course à cheval faite en franchissant toute espèce d'obstacles.
stégomyie n. f. Moustique de la fièvre jaune.
stèle n. f. Monument formé d'une pierre debout. Colonne brisée, cippe.
stellaire adj. Relatif aux étoiles. Rayonné en étoile.
stencil [*stèn*] n. m. Papier paraffiné, perforé soit à la main, soit à la machine à écrire, et servant ensuite de pochoir pour la reproduction.
sténodactylographe n. Personne qui est à la fois sténographe et dactylographe.
sténographe n. Qui sait la sténographie.
sténographie n. f. Ecriture abrégée et rapide, au moyen de signes conventionnels.
sténographier v. tr. (Se conj. comme *prier.*) Ecrire d'après les procédés de la sténographie.
sténographique* adj. Qui appartient à la sténographie.
sténotypie n. f. Sténographie mécanique.
sténotypiste n. Sténographe à la machine.
stentor [*stan*] n. m. Homme qui a une voix retentissante.
steppe n. f. Grande plaine herbeuse de Russie.
stercoraire adj. Relatif aux excréments. N. m. Genre d'oiseaux palmipèdes.
stercoral, e, aux adj. Des excréments.
stère n. m. Unité de mesure de volume pour le bois de chauffage, égale au mètre cube.
stéréographie n. f. Art de représenter les solides sur un plan, par projection.
stéréographique adj. Qui concerne la stéréographie.
stéréométrie n. f. Partie de la géométrie qui étudie les solides.
stéréoscope n. m. Instrument d'optique, dans lequel deux images, superposées par vision binoculaire, apparaissent en relief.
stéréoscopique adj. Qui concerne le stéréoscope.
stéréotomie n. f. Science de la coupe des pierres employées dans la construction.
stéréotyper v. tr. *Impr.* Clicher, convertir en formes solides des pages composées en caractères mobiles. *Fig.* Figer : *sourire stéréotypé.*
stéréotypie n. f. *Impr.* Clichage.
stérile* adj. Qui ne porte point de fruits. Impropre à la génération. *Fig.* Qui produit peu : *auteur stérile.* Qui est sans résultats : *plainte stérile.*
stérilisateur n. m. Appareil pour stériliser.
stérilisation n. f. Action de stériliser.
stériliser v. tr. Rendre stérile. Débarrasser entièrement une substance des ferments qu'elle contient.
stérilité n. f. Etat de ce qui est stérile.
sterlet [*lé*] n. m. Espèce d'esturgeon.
sterling [*lign'*] adj. *Livre sterling,* unité de compte fictive anglaise valant 20 shillings.
sternum [*nom'*] n. m. Os plat, situé au milieu et en avant de la poitrine.
sternutation n. f. Eternuement.
sternutatoire adj. et n. m. Qui provoque l'éternuement.
stéthoscope n. m. Instrument pour ausculter la poitrine.
steward [*sti-ouard'*] n. m. Maître d'hôtel; garçon à bord des paquebots, des avions, dans les cercles.
sthène n. m. Unité de force dans le système M. T. S.
stigmate n. m. Marque que laisse une plaie, une maladie. *Fig.* Marque déshonorante, note d'infamie. *Bot.* Partie supérieure du pistil. *Hist. nat.* Orifice respiratoire, chez les animaux articulés.
stigmatiser v. tr. Marquer de stigmates. *Fig.* Imprimer une marque honteuse. Flétrir : *stigmatiser une trahison.*
stillation [*l-l*] n. f. Ecoulement goutte à goutte.
stimulant, e adj. Propre à accroître l'activité. N. m. Produit stimulant, et, au *fig.*, ce qui augmente l'ardeur, le zèle : *sa paresse a besoin d'un stimulant.*
stimulation n. f. Action de stimuler.
stimuler v. tr. Exciter l'activité d'un organe. *Fig.* Exciter, aiguillonner.
stipe n. m. Tronc des palmiers.
stipendier v. tr. (Se conj. comme *prier.*) Avoir à sa solde : *stipendier des assassins.*
stipulation n. f. Clause, convention dans un contrat.
stipule n. f. Petit appendice au point d'origine des feuilles.
stipuler v. tr. Enoncer une clause, une convention, dans un contrat.
stock n. m. Quantité de marchandises disponibles sur un marché. Dépôt en général.
stockage n. m. Approvisionnement.
stocker v. tr. Mettre en stock, en dépôt.
stoïcien, enne adj. Qui se rapporte à la philosophie de Zénon et de ses successeurs.

N. m. Philosophe qui fait consister le bonheur dans l'effort vers le bien.
stoïcisme n. m. Doctrine philosophique de Zénon. *Fig.* Austérité, fermeté, constance dans le malheur.
stoïque* adj. Qui montre la fermeté stoïcienne. N. Personne stoïque.
stolon n. m. *Bot.* Nom de bourgeons allongés qui s'enracinent vers la première feuille (*fraisier*).
stomacal, e, aux adj. De l'estomac.
stomachique adj. et n. m. Propre à rétablir les fonctions de l'estomac.
stomate n. m. *Bot.* Pore des feuilles.
stomatite n. f. Inflammation de la muqueuse buccale.
stop! interj. Terme employé dans la marine pour commander de s'arrêter; dans les télégrammes, pour séparer les phrases.
stoppage n. m. Action de stopper.
stopper v. intr. et tr. Arrêter, dans le langage des marins, des mécaniciens, etc.
stopper v. tr. Réparer une déchirure en retissant l'étoffe.
stoppeur, euse n. Personne qui fait le stoppage.
store n. m. Rideau qui se lève et se baisse devant une fenêtre ou au-dessus d'une devanture de magasin.
strabisme n. m. Difformité de celui qui louche.
strangulation n. f. Etranglement.
strangurie n. f. Difficulté extrême d'uriner.
strapontin n. m. Siège mobile qui peut se relever quand on n'en fait pas usage.
strass n. m. Composition imitant le diamant et les pierres précieuses. *Fig.* Ce qui brille d'un faux éclat.
stratagème n. m. Ruse de guerre. Ruse, feinte : *plaisant stratagème.*
stratège n. m. Général d'armée dans l'ancienne Grèce. *Mil.* Bon manœuvrier.
stratégie n. f. Art de diriger les armées en présence de l'ennemi. *Par ext.* Art de diriger de vastes opérations : *stratégie politique, parlementaire.*
stratégique* adj. Qui concerne la stratégie.
stratification n. f. Disposition par couches superposées.
stratifier v. tr. (Se conj. comme *prier.*) Disposer par couches superposées.
stratosphère n. f. Partie supérieure de l'atmosphère.
stratus [*tuss*] n. m. Nuage en forme de longue bande.
streptocoque n. m. Microbe qui abonde particulièrement dans les matières putrescibles.
streptomycine n. f. Produit antimicrobien analogue à la pénicilline.
strette n. f. *Mus.* Finale d'une fugue.
strict, e* adj. Etroit, rigoureux : *devoir strict; strict en affaires.*
strident, e adj. Qui rend un son aigu.
stridulation n. f. Bruit aigu que font entendre certains insectes.
strie n. f. *Archit.* Cannelure. Sillons parallèles dans une roche.
strié, e adj. Dont la surface présente des stries : *des roches striées.*
strier v. tr. (Se conj. comme *prier.*) Faire des stries, rayer.
strige n. f. Vampire.
strobile n. m. Fruit en cône : *strobiles de houblon.*
strontiane [*syan'*] n. f. Oxyde de strontium.
strontium [*syom*] n. m. Métal jaune, utilisé en pyrotechnie.
strophe n. f. Chacune des divisions régulières d'un poème lyrique.
structure n. f. Construction : *édifice de structure solide.* Constitution : *la structure d'un corps.* Manière dont les parties d'un tout sont arrangées entre elles. *Par ext.* Disposition, agencement.
strychnine [*strik*] n. f. Poison violent tiré de la noix vomique.
stuc n. m. Enduit imitant le marbre.
stucateur n. et adj. m. Ouvrier qui effectue des travaux en stuc.
studieux, euse* adj. Qui aime l'étude.
studio n. m. Petit appartement. Atelier d'artiste. Cabinet de travail. Local où l'on tourne les scènes cinématographiques.
stupéfaction n. f. Etonnement proche de la stupeur.
stupéfait, e adj. Interdit, immobilisé par la surprise.
stupéfiant, e adj. Qui stupéfie. N. m. Médicament stupéfiant : *la morphine est un stupéfiant dangereux.*
stupéfier v. tr. (Se conj. comme *prier.*) Produire une inertie physique et morale : *l'opium stupéfie. Fig.* Rendre comme paralysé d'étonnement.
stupeur n. f. Engourdissement : *la stupeur de l'ivresse. Fig.* Immobilité causée par une grande douleur ou une fâcheuse nouvelle : *il resta frappé de stupeur.*
stupide* adj. Frappé de stupeur. Hébété, d'un esprit lourd et pesant. Sot, inintelligent : *air stupide.*
stupidité n. f. Caractère stupide. Parole, action stupide.
stuquer v. tr. Enduire de stuc.
stygien, enne adj. Du Styx.
style n. m. Poinçon dont les Anciens se servaient pour écrire sur des tablettes. Manière d'écrire, d'exprimer la pensée : *style simple.* Manière d'écrire propre à un grand écrivain : *style de Voltaire.* Manière particulière à un artiste, à une époque : *style gothique, style Louis XIII. Bot.* Prolongement de l'ovaire surmonté par le ou les stigmates.
styler v. tr. Dresser, former : *domestique bien stylé.*
stylet n. m. Poignard à lame aiguë.
styliser v. tr. Simplifier un dessin dans un esprit de décoration.
styliste n. et adj. Ecrivain qui soigne beaucoup son style.
stylistique n. f. Recueil de règles de style.
stylo n. m. Stylographe.
stylobate n. m. Soubassement qui porte une rangée de colonnes.
stylographe n. m. Porte-plume à réservoir.
su n. m. Connaissance d'une chose : *au vu et au su de tous.*
suaire n. m. Linceul.
suave* adj. Doux, agréable : *odeur suave.*
suavité n. f. Douceur.
subaigu, ë adj. Légèrement aigu.
subalpin, e adj. Se dit des régions situées au pied des Alpes.
subalterne adj. et n. Subordonné.

subconscient, e adj. Dont on n'a qu'une demi-conscience. N. m. Conscience obscure.
subdiviser v. tr. Diviser un tout déjà divisé.
subdivision n. f. Division d'une chose déjà divisée.
subéreux, euse adj. Qui est de la nature du liège.
subir v. tr. Supporter, être soumis à : *subir des tortures.* Se soumettre, se résigner à : *subir sa destinée.* Se présenter à, soutenir l'épreuve de : *subir un examen.*
subit, e* adj. Soudain : *changement subit.*
subjectif, ive* adj. *Philos.* Relatif au sujet pensant par opposition à *objectif,* relatif à l'objet pensé.
subjectivité n. f. Caractère de ce qui est subjectif.
subjonctif n. m. Mode du verbe indiquant qu'une action est présentée comme éventuelle ou douteuse.
subjuguer v. tr. Soumettre par la force des armes. *Fig.* Dominer : *subjuguer les esprits.*
sublime adj. Le plus élevé, le plus haut, en parlant des choses morales, intellectuelles. Grand, noble, élevé : *écrivain sublime. Le sublime* n. m. Caractère de ce qui est sublime.
sublimé n. m. *Chim.* Corps volatilisé et recueilli à l'état solide. *Sublimé corrosif,* bichlorure de mercure.
sublimer v. tr. *Chim.* Faire passer un corps solide directement à l'état gazeux.
sublimité n. f. Qualité de ce qui est sublime.
sublingual [*ghual*], **e, aux** adj. Placé sous la langue : *glandes sublinguales.*
sublunaire adj. Qui est entre la Terre et la Lune. *Le monde sublunaire,* la Terre.
submerger v. tr. (Se conj. comme *manger.*) Inonder, couvrir d'eau. Engloutir, enfoncer dans l'eau, ou, au *fig.,* dans le désordre.
submersible adj. Qui peut être submergé. N. m. Sous-marin qui peut naviguer à la surface de l'eau.
submersion n. f. Action de submerger. Etat de ce qui est submergé.
subodorer v. tr. Sentir de loin. *Fig.* Pressentir : *subodorer un mensonge.*
subordination n. f. Dépendance.
subordonné, e adj. Qui est sous la dépendance de. *Proposition subordonnée,* qui dépend d'une autre. N. Celui qui est sous la dépendance d'un autre.
subordonner v. tr. Etablir un ordre de dépendance entre des personnes ou des choses.
subornation n. f. Action de suborner.
suborner v. tr. Séduire, porter à agir contre la vérité, le devoir, etc. : *suborner des témoins.*
suborneur, euse n. Qui suborne.
subrécargue n. m. Préposé qui veille sur la cargaison d'un bateau.
subreptice* adj. Furtif, illicite.
subrogé, e adj. *Subrogé tuteur,* se dit d'une personne qui doit au besoin remplacer le tuteur.
subroger v. tr. (Se conj. comme *manger.*) *Dr.* Mettre en lieu et place.
subséquemment adv. Ensuite, après.
subséquent, e adj. Qui suit.
subside [*sub-zid'*] n. m. Impôt pour subvenir aux besoins accidentels de l'Etat. Secours d'argent offert par des sujets à leur souverain. Secours qu'un prince, un Etat s'engage à fournir à un autre prince, à un autre Etat. *Fam.* Secours d'argent.
subsidiaire* [*sub-zi*] adj. Accessoire : *moyen subsidiaire.*
subsistance [*sub-zis*] n. f. Nourriture et entretien.
subsister [*sub-zis*] v. intr. Exister encore, continuer d'être. Etre en vigueur : *cette loi subsiste.* Soutenir son existence ; se nourrir : *ne subsister que d'aumônes.*
substance n. f. Toute sorte de matière : *substance dure, molle.* Ce qui subsiste en soi, indépendamment de tout accident déterminé : *substance spirituelle.* Ce qu'il y a de meilleur, d'essentiel : *la substance d'un livre. En substance,* en abrégé.
substantiel, elle* adj. Relatif à la substance : *idée substantielle. Fig.* Essentiel, capital. Nourrissant : *aliment substantiel.*
substantif n. m. *Gramm.* Tout mot qui désigne un être, un objet.
substantivement adv. Comme substantif.
substituer v. tr. Mettre à la place de.
substitut n. m. Qui remplit des fonctions à la place d'un autre. Magistrat chargé de suppléer le procureur général ou le procureur de la République.
substitution n. f. Action de substituer.
substrat et **substratum** [*tom*] n. m. Ce sur quoi reposent les qualités de l'être. Parler supplanté par un autre.
subterfuge n. m. Moyen détourné.
subtil, e* adj. Délié, fin, menu : *poussière subtile.* Qui pénètre avec facilité : *venin subtil.* Perçant : *vue subtile.* Doué d'une grande dextérité. *Fig.* Ingénieux. Difficile à suivre : *raisonnement subtil.*
subtilisation n. f. Action de subtiliser. Raffinement.
subtiliser v. tr. Rendre subtil, ténu, délié. Raffiner, donner de la subtilité : *subtiliser son style.* Dérober subtilement. V. intr. Penser, agir avec raffinement.
subtilité n. f. Caractère de ce qui est subtil. Pl. Choses subtiles.
suburbain, e adj. Voisin de la ville.
subvenir v. intr. (Se conj. comme *venir.*) Pourvoir à ; venir en aide à.
subvention n. f. Secours d'argent, subside fourni par l'Etat, etc.
subventionner v. tr. Donner une subvention : *subventionner un théâtre.*
subversif, ive* adj. Propre à bouleverser : *doctrine subversive.*
subversion n. f. Action de bouleverser.
subvertir v. tr. Troubler, renverser.
suc n. m. Liquide qui s'exprime des viandes, des plantes, etc., et qui est ce qu'elles ont de plus substantiel. Liquide organique : *suc gastrique. Fig.* Le meilleur, la substance de : *le suc de la science.*
succédané, e adj. et n. m. Produit qu'on peut substituer à un autre.
succéder v. intr. (Se conj. comme *accélérer.*) Venir après. Remplacer dans un emploi, une dignité.
succès n. m. Issue heureuse : *avoir le succès.*
successeur n. m. Qui succède à un autre.
successif, ive* adj. Qui se succède ; continu.
succession n. f. Suite non interrompue de personnes ou de choses : *succession de rois, d'idées.* Transmission de biens qui s'opère, par des voies légales, entre une

personne décédée et une ou plusieurs personnes survivantes : *par droit de succession.* Biens qu'on laisse en mourant.
successoral, e, aux adj. Relatif aux successions.
succinct, e* adj. Dit en peu de mots; bref. *Fam.* Peu abondant : *repas succinct.*
succion n. f. Action de sucer.
succomber v. intr. Etre accablé, fléchir : *succomber sous un fardeau.* Etre abattu : *succomber à la fatigue.* Céder : *succomber à une tentation.* Avoir le désavantage : *succomber dans un procès.* Mourir.
succube n. m. Démon féminin.
succulence n. f. Qualité de ce qui est succulent.
succulent, e adj. Savoureux ou très nourrissant : *viande succulente.*
succursale n. f. Etablissement qui dépend d'un autre.
sucement n. m. Action de sucer.
sucer v. tr. (Se conj. comme *amorcer.*) Attirer en faisant le vide avec la bouche : *sucer la moelle d'un os. Fig.* Tirer à soi l'argent, les ressources d'un pays, etc.
sucette n. f. Tétine que l'on donne aux nourrissons. Bonbon placé au bout d'un bâtonnet.
suceur, euse n. et adj. Qui suce.
suçoir n. m. Organe qui sert aux insectes pour sucer.
suçon n. m. *Fam.* Action de sucer fortement la peau. Résultat de cette action.
suçoter v. tr. *Fam.* Sucer à plusieurs reprises.
sucrage n. m. Action de sucrer.
sucre n. m. Substance de saveur agréable extraite de divers végétaux : *sucre de canne, de betterave. Sucre candi,* cuit, puis évaporé lentement. *Sucre d'orge, de pomme,* préparé à l'eau d'orge, au suc de pomme. *Pain de sucre,* sucre coulé en pains coniques. *Fam. Casser du sucre sur le dos de quelqu'un,* médire.
sucré, e adj. Qui a le goût du sucre : *fruit sucré. Fig.* D'une douceur affectée : *langage sucré.* N. f. *Faire la sucrée,* montrer de l'affection, faire la difficile.
sucrer v. tr. Adoucir avec du sucre.
sucrerie n. f. Lieu où l'on fabrique le sucre. Pl. Bonbons, confitures, dragées, etc.
sucrier, ère adj. Relatif au sucre : *industrie sucrière.* N. m. Celui qui fabrique du sucre. Récipient où l'on garde le sucre.
sud n. m. Un des points cardinaux, opposé au nord. Contrées situées au sud : *le Nord et le Sud.* Adj. Ce qui est au sud : *le pôle sud.*
sudation n. f. Production de sueur.
sud-est n. m. Partie située entre le sud et l'est. Contrées situées dans cette direction : *le sud-est de la France.* Adj. : *la région sud-est de l'Italie.*
sudorifique adj. Qui provoque la sudation.
sudoripare adj. Qui produit la sueur.
sud-ouest n. m. Partie entre le sud et l'ouest. Contrées situées au sud-ouest. Adj. : *la région sud-ouest de l'Allemagne.*
suédois, e adj. et n. De Suède. *Allumette suédoise,* sans phosphore.
suée n. f. Action de suer.
suer v. intr. Emettre la sueur par les pores. *Fig.* Suinter.
sueur n. f. Humeur aqueuse sortant de la peau. Transpiration.
suffire v. intr. (Se conj. comme *confire.*) Pouvoir satisfaire à; être assez : *cela me suffit.* V. pr. Ne pas dépendre d'autrui.
suffisamment adv. Assez.
suffisance n. f. Ce qui est suffisant. Présomption insolente.
suffisant, e adj. Qui suffit. D'une vanité impudente.
suffixe n. m. Terminaison qui, ajoutée à la racine d'un mot, en modifie le sens.
suffocant, e adj. Qui suffoque.
suffocation n. f. Oppression, gêne dans la respiration.
suffoquer v. tr. Etouffer, faire perdre la respiration. *Fig.* Causer une émotion violente. V. intr. : *suffoquer de colère.*
suffrage n. m. Vote dans une élection : *suffrage universel.* Approbation : *obtenir les suffrages du public.*
suffragette n. f. Nom donné aux femmes anglaises qui réclamaient le droit de voter.
suggérer v. tr. Inspirer, insinuer.
suggestif, ive* adj. Qui suggère une idée ou un désir.
suggestion n. f. Action de suggérer. Chose, pensée suggérée. Désir, idée provoquée par l'hypnotisme.
suggestionner v. tr. Provoquer une suggestion chez un sujet.
suicide n. m. Meurtre de soi-même.
suicidé, e n. Personne qui se donne la mort volontairement.
suicider (se) v. pr. Se donner soi-même la mort.
suie n. f. Matière noire et épaisse, que produit la fumée.
suif n. m. Graisse des ruminants.
suiffer v. tr. Enduire de suif.
sui generis [*riss*] loc. lat. Particulier, spécial : *odeur sui generis.*
suint n. m. Graisse qui suinte du corps des bêtes à laine.
suintement n. m. Action de suinter.
suinter v. intr. S'écouler insensiblement : *l'eau suinte à travers les vieux murs.* Laisser transsuder un liquide : *mur qui suinte.*
suisse adj. De Suisse.
suisse, suissesse n. Habitant de la Suisse. N. m. Portier de grande maison. Employé armé d'une hallebarde, chargé de la police d'une église. Petit fromage blanc. N. m. pl. Soldats suisses qui servaient en corps autrefois dans les armées étrangères, en particulier en France.
suite n. f. Ensemble de ceux qui suivent, cortège : *la suite d'un prince.* Série : *une suite de rois.* Ce qui vient après : *attendons la suite.* Continuation : *la suite d'un feuilleton.* Résultat : *cela aura de graves suites.* Ordre, liaison : *paroles sans suite.* Persévérance : *esprit de suite. De suite,* sans interruption. *Tout de suite,* sur-le-champ. *Par suite,* par conséquent.
suivant prép. Dans la direction de : *suivant l'axe de la route.* A proportion de : *suivant le mérite.* Selon : *suivant Bossuet. Suivant que* loc. conj. Selon que.
suivant, e adj. Qui suit. N. pl. Ceux qui suivent. N. f. Servante, soubrette.
suivi, e adj. Fréquenté : *chemin suivi.* Où il y a de la liaison : *raisonnement suivi.*

suivre v. tr. (*Je suis, nous suivons. Je suivais, nous suivions. Je suivis, nous suivîmes. Je suivrai, nous suivrons. Suis, suivons, suivez. Que je suive, que nous suivions. Que je suivisse, que nous suivissions. Suivant. Suivi, e.*) Aller, venir après. Accompagner : *suivre quelqu'un en voyage.* Courir après : *suivre une voiture.* Observer, épier. Longer : *suivre le cours du fleuve.* Marcher dans : *suivre un chemin. Fig.* Ecouter avec attention : *suivre un discours.* Venir à la suite : *le printemps suit l'hiver.* S'attacher à : *l'envie suit la gloire.* Pratiquer : *suivre une mode, une profession.* V. intr. Aller à la suite : *à vous de suivre.* V. impers. Résulter : *il suit de là que.* V. pr. Se succéder. S'enchaîner : *raisonnements qui se suivent.*

sujet, ette adj. Soumis : *être sujet à un devoir, sujet à l'impôt.* Enclin : *sujet à la colère.* N. Celui qui est soumis à une autorité : *les sujets d'un prince.* N. m. Cause, raison, motif : *sujet d'espérance.* Matière d'un ouvrage littéraire, d'une œuvre d'art : *le sujet d'un tableau.* Personne considérée par rapport à sa conduite : *un bon sujet. Gramm.* Terme de la proposition dont on affirme ou l'on nie quelque chose.

sujétion n. f. Assujettissement.

sulfatage n. m. Action de sulfater.

sulfate n. m. Sel de l'acide sulfurique : *sulfate de soude.*

sulfater v. tr. Asperger de sulfate de cuivre : *sulfater la vigne.*

sulfure n. m. Composé formé par la combinaison du soufre avec un autre corps.

sulfurer v. tr. Combiner avec le soufre.

sulfureux, euse adj. De la nature du soufre.

sulfurique adj. m. *Acide sulfurique,* acide oxygéné dérivé du soufre.

sulfuriser v. tr. Traiter par l'acide sulfurique.

sultan n. m. Ancien titre de l'empereur des Turcs et de certains princes mahométans.

sultanat n. m. Dignité du sultan.

sultane n. f. Femme du sultan.

summum [*som-mom*] n. m. Le plus haut degré : *le summum de la gloire.*

sunna n. f. Préceptes d'obligation de l'orthodoxie musulmane.

sunnite n. Musulman orthodoxe.

super, préf. lat. signifiant sur.

superbe* adj. Elevé, imposant. Qui marque l'orgueil : *air superbe.* Très beau : *temps superbe.* N. m. Orgueilleux. N. f. Orgueil. (Vx.)

supercherie n. f. Fraude, tromperie.

superfétation n. f. Chose ajoutée inutilement. Redondance.

superfétatoire adj. Inutile.

superficie n. f. Surface. Etendue, dimension : *mesurer la superficie d'un champ.*

superficiel, elle* adj. De la surface : *étendue superficielle.* Qui n'est qu'à la surface : *plaie superficielle.* Léger : *esprit superficiel.*

superfin, e adj. Très fin.

superflu, e adj. Qui est de trop, inutile : *regrets superflus.* N. m. Ce qui dépasse le nécessaire.

superfluité n. f. Caractère de ce qui est superflu. Pl. Choses superflues.

supérieur, e* adj. Situé au-dessus : *étage supérieur.* D'un degré plus élevé : *température supérieure. Fig.* Qui surpasse les autres : *esprit supérieur.* N. Qui a autorité sur autrui.

supériorité n. f. Qualité de ce qui est supérieur.

superlatif, ive* adj. Qui exprime une qualité au plus haut degré. N. m. *Gramm.* Le plus haut degré de signification de l'adjectif : *superlatif absolu, relatif.*

superphosphate n. m. Phosphate acide de chaux.

superposable adj. Qui peut être superposé.

superposer v. tr. Poser l'un sur l'autre : *superposer des briques.*

superposition n. f. Action de superposer.

supersonique adj. Dont la vitesse dépasse celle du son.

superstitieux, euse* adj. Qui présente de la superstition.

superstition n. f. Déviation du sentiment religieux qui porte à craindre des choses qui ne doivent pas être craintes, ou à mettre sa confiance en d'autres qui sont vaines. Croyance ou pratique superstitieuse. *Fig.* Attachement exagéré : *avoir la superstition de l'étiquette.*

superstructure n. f. Parties surélevées d'une construction. Travaux exécutés pardessus les terrassements d'une voie de chemin de fer.

supination n. f. Etat d'une personne couchée sur le dos. Position de la main, la paume en dessus.

supplanter v. tr. Evincer, prendre la place de : *supplanter un rival.*

suppléance n. f. Fonction de suppléant.

suppléant, e adj. et n. Qui supplée, remplace : *juge suppléant.*

suppléer v. tr. Fournir ce qui manque : *suppléer une différence.* Remplacer : *le génie supplée l'expérience.* Etre suppléant de : *suppléer un juge.* V. intr. Remédier à : *suppléer à une insuffisance.*

supplément n. m. Ce qu'on ajoute pour suppléer, compléter. Ce qu'on donne en sus. Publication qui complète un journal, un ouvrage.

supplémentaire* adj. Qui vient en supplément : *heures supplémentaires.*

supplication n. f. Humble prière.

supplice n. m. Punition corporelle ordonnée par la justice. *Fig.* Ce qui cause une vive douleur. *Le dernier supplice,* la peine de mort. *Fig.* Ce qui cause une forte peine morale. *Par exagér.* Vif ennui.

supplicier v. tr. (Se conj. comme *prier.*) Faire subir la peine de mort à.

supplier v. tr. (Se conj. comme *prier.*) Prier avec instance et humilité. *Par exagér.* Demander instamment.

supplique n. f. Requête.

support n. m. Appui, soutien.

supportable adj. Qu'on peut supporter.

supporter v. tr. Porter, soutenir. Avoir la charge : *supporter les frais.* Permettre, tolérer : *supporter l'insolence d'un enfant.*

supposé, e adj. Faux : *nom supposé.* Admis : *cela supposé... Supposé que* loc. conj. Si l'on suppose que.

supposer v. tr. Admettre par hypothèse. Inventer, imaginer : *supposer un complot.* Donner faussement comme authentique. Faire présumer comme nécessaire : *les droits supposent les devoirs.*

supposition n. f. Proposition admise provisoirement et dont on tire les conséquences. Allégation d'une chose qu'on sait fausse. Conjecture sans preuves positives.
suppositoire n. m. Médicament solide, qu'on place dans l'anus.
suppôt n. m. Fauteur et partisan de quelqu'un dans le mal.
suppression n. f. Action de supprimer.
supprimer v. tr. Faire disparaître. Retrancher. Passer sous silence.
suppuratif n. m. Remède qui facilite la suppuration.
suppuration n. f. Production de pus.
suppurer v. intr. Rendre du pus.
supputation n. f. Evaluation.
supputer v. tr. Calculer, évaluer.
suprasensible adj. Qui est au-dessus des sens.
suprématie [*sî*] n. f. Supériorité.
suprême* adj. Au-dessus de tout : *dignité suprême.* Le plus important : *l'instant suprême. L'heure suprême,* la mort.
suprême n. m. Parties délicates d'une volaille, accompagnées d'un coulis.
sur, prép. marquant une position au-dessus : *le ciel est sur nos têtes.* A la surface : *flotter sur l'eau.* Contre : *frapper sur une enclume.* Tout proche : *ville sur la Seine.* En arrière : *revenir sur ses pas.* En prenant comme sujet : *parler sur la géographie.* D'après : *juger sur les apparences.* Au nom de : *jurer sur l'honneur.* Par répétition : *sottise sur sottise.* Parmi : *un sur dix.* Vers : *sur le tard.* En état de : *sur le qui-vive.* Dans une situation dominante : *avoir autorité sur quelqu'un.*
sur, e adj. Aigre : *pomme sure.*
sûr, e* adj. Assuré : *chose sûre.* Qui doit arriver, infaillible : *bénéfice sûr.* A qui l'on peut se fier : *ami sûr.* Sans danger : *route sûre.* Qui ne se trompe pas : *goût sûr. A coup sûr, pour sûr,* infailliblement.
surabondance n. f. Grande abondance.
surabonder v. intr. Etre très abondant : *les détails surabondent.*
suraigu, ë adj. Très aigu.
surajouter v. tr. Ajouter en sus.
suralimentation n. f. Action de suralimenter.
suralimenter v. tr. Donner une alimentation supérieure à la normale.
suranné, e adj. Trop vieux. Hors d'usage : *mode surannée.*
surate ou **sourate** n. f. Nom que l'on donne aux chapitres du Coran, rangés dans ce livre d'après leur longueur.
surbaissé, e adj. Se dit des voûtes dont la montée est moindre que la moitié de l'ouverture.
surbaisser v. tr. Donner une forme surbaissée : *surbaisser une voûte.*
surcharge n. f. Surcroît de charge. Mot écrit sur un autre mot.
surcharger v. tr. (Se conj. comme *manger.*) Imposer une charge nouvelle ou excessive. Ecrire une surcharge.
surchauffe n. f. Excès de chauffe.
surchauffer v. tr. Chauffer avec excès.
surchauffeur n. m. Appareil servant à surchauffer la vapeur dans les locomotives.
surchoix n. m. Première qualité.
surcompresser v. tr. Exercer une plus forte compression.
surcontrer v. tr. Au jeu, contrer une couleur déjà contrée.
surcoupe n. f. Action de surcouper.
surcouper v. tr. Couper avec un atout supérieur à celui qu'on vient de jeter.
surcroît n. m. Augmentation. *De surcroît, par surcroît,* en outre.
surdi-mutité n. f. Etat de sourd-muet.
surdité n. f. Perte ou grande diminution du sens de l'ouïe.
sureau n. m. Arbuste, dont le bois renferme une moelle abondante.
surélévation n. f. Action de surélever. Partie surélevée.
surélever v. tr. (Se conj. comme *élever.*) Donner un surcroît d'élévation à. Accroître à l'excès : *surélever les tarifs.*
suréminent, e adj. Très éminent.
surenchère n. f. Enchère faite au-dessus d'une autre. *Fig.* Action de rivaliser de promesses, etc.
surenchérir v. intr. Faire une surenchère.
surenchérisseur, euse n. et adj. Qui surenchérit.
surérogatoire adj. Qui dépasse l'obligation.
surestimation n. f. Estimation exagérée.
surestimer v. tr. Estimer au-delà de son prix : *surestimer un mobilier.*
suret, ette adj. Un peu acide.
sûreté n. f. Etat de ce qui est sûr : *mettre en sûreté.* Certitude : *sûreté de coup d'œil.* Caution, garantie : *prendre des sûretés.* Police de sûreté.
surexcitable adj. Sujet à la surexcitation.
surexcitation n. f. Exclamation exagérée.
surexciter v. tr. Exciter à l'excès.
surface n. f. Partie extérieure d'un corps : *la surface de la Terre.* Aire : *la surface d'un polygone. Fig.* Apparence : *esprit tout en surface.* Crédit : *un banquier qui a de la surface.*
surfaire v. tr. (Se conj. comme *faire.*) Demander un prix trop élevé : *valeur surfaite.* Vanter à l'excès : *surfaire un livre.*
surfiler v. tr. Faufiler.
surfin, e adj. Très fin : *petits pois surfins.*
surfusion n. f. Etat d'un corps resté liquide au-dessous de sa température de fusion.
surgeler v. tr. Congeler rapidement à très basse température.
surgeon n. m. Rejeton qui pousse au pied d'un arbre.
surgir v. intr. Se montrer en s'élevant. *Fig.* Apparaître brusquement.
surgissement n. m. Action de surgir.
surhaussé, e adj. Se dit des arcades des voûtes dont la montée est plus grande que la moitié de l'ouverture.
surhaussement n. m. Action de surhausser.
surhausser v. tr. Augmenter la hauteur. Elever une voûte au-dessus de son plein cintre. *Par anal.* Surélever, exagérer.
surhomme n. m. Dans la philosophie de Nietzsche, l'homme supérieur.
surhumain, e adj. Au-dessus des forces humaines : *efforts surhumains.*
surimposer v. tr. Frapper d'un surcroît d'imposition.
surimpression n. f. Impression de deux ou plusieurs images sur la même pellicule.
surintendance n. f. Charge, fonction de surintendant.
surintendant n. m. Officier chargé de la

surveillance des intendants d'une administration militaire.
surintendante n. f. Personne chargée par une administration d'organiser et de développer le bien-être matériel et moral du personnel.
surir v. intr. Devenir sur, aigre.
surjet n. m. Couture faite à deux morceaux d'étoffe appliqués l'un sur l'autre bord à bord.
surjeter v. tr. Coudre un surjet.
sur-le-champ adv. Sans délai.
surlendemain n. m. Jour qui suit le lendemain.
surmenage n. m. Action de surmener ou de se surmener. Troubles résultant d'un travail excessif.
surmener v. tr. (Se conj. comme *amener.*) Imposer un travail excessif.
surmontable adj. Que l'on peut surmonter.
surmonter v. tr. Passer par-dessus. Etre placé au-dessus.
surmouler v. tr. Couler dans un moule pris sur un objet moulé.
surmulet n. m. Rouget, poisson.
surmulot n. m. Espèce de gros rat.
surnager v. intr. (Se conj. comme *nager.*) Flotter sur la surface d'un fluide. *Fig.* Subsister, survivre à l'oubli.
surnaturel, elle* adj. Qui excède les forces de la nature : *pouvoir surnaturel.* Qui n'est connu que par la foi : *vérités surnaturelles.* Extraordinaire. N. m. Ce qui est surnaturel : *croire au surnaturel.*
surnom n. m. Nom ajouté au nom propre d'une personne ou d'une famille.
surnombre n. m. Excédent : *être en surnombre.*
surnommer v. tr. Donner un surnom.
surnuméraire adj. Qui dépasse le nombre fixé. N. m. Employé d'administration non admis en titre.
surnumérariat n. m. Emploi de surnuméraire.
suroît n. m. *Mar.* Vent du sud-ouest. Chapeau de toile huilée.
surpasser v. tr. Dépasser en hauteur. Etre au-dessus, supérieur à : *cet élève surpasse ses condisciples.* Excéder les forces, l'intelligence, les ressources de : *cela surpasse ses moyens. Fam.* Etonner.
surpeuplé, e adj. Trop peuplé.
surpeuplement n. m. Peuplement en excès.
surplis n. m. Vêtement d'église.
surplomb, surplombement n. m. Etat de ce qui surplombe.
surplomber v. intr. Etre hors de l'aplomb. V. tr. Dépasser l'aplomb de : *les rochers surplombent le ravin.*
surplus n. m. Ce qui est en plus. L'excédent. *Au surplus* loc. adv. Au reste.
surprendre v. tr. Prendre sur le fait : *surprendre un voleur.* Prendre à l'improviste : *la pluie m'a surpris.* Arriver inopinément chez quelqu'un : *surprendre un ami chez lui. Fig.* Etonner : *cette nouvelle l'a surpris.* Tromper : *surprendre la bonne foi.*
surpression n. f. Pression plus forte que la normale.
surprime n. f. Supplément de prime.
surprise n. f. Action de surprendre. Etonnement. Plaisir inattendu.
surproduction n. f. Production excessive : *surproduction industrielle.*
surréalisme n. m. Doctrine artistique qui cherche à exprimer le fonctionnement réel de la pensée hors du contrôle de la raison.
surrénal, e, aux adj. Placé au-dessus des reins : *capsules surrénales.*
sursaturation n. f. Etat d'un liquide sursaturé.
sursaturer v. tr. Saturer au-delà de la limite normale.
sursaut n. m. Mouvement brusque. *En sursaut* loc. adv. Brusquement.
sursauter v. intr. Faire un sursaut.
surseoir v. tr. (*Je sursois, nous sursoyons. Je sursoyais, nous sursoyions. Je sursis, nous sursîmes. Je surseoirai, nous surseoirons. Sursois, sursoyons, sursoyez. Que je sursoie, que nous sursoyions. Que je sursisse, que nous sursissions. Sursoyant. Sursis.*) Suspendre, remettre, différer : *surseoir l'exécution d'un arrêt.*
sursis n. m. Délai, remise.
sursitaire n. m. Qui bénéficie d'un sursis.
surtaxe n. f. Taxe supplémentaire.
surtaxer v. tr. Charger d'une surtaxe.
surtension n. f. Tension excessive.
surtout n. m. Vêtement, fort large, qu'on met par-dessus les autres. Grande pièce d'orfèvrerie placée sur une table.
surtout adv. Par-dessus tout.
surveillance n. f. Action de surveiller.
surveillant, e n. Personne chargée de surveiller : *surveillant de travaux.*
surveille n. f. Avant-veille.
surveiller v. tr. Veiller particulièrement sur : *surveiller des élèves.*
survenance n. f. *Dr.* Le fait de venir après coup : *survenance d'enfant.*
survenir v. intr. (Se conj. comme *venir.*) Arriver inopinément : *survint un fâcheux.*
survêtement n. m. Vêtement chaud que l'on met sur la tenue sportive, entre les épreuves.
survie n. f. Etat de celui qui survit à un autre. Prolongement d'existence au-delà de la mort : *ne pas croire à la survie.*
survivance n. f. Fait de survivre à quelqu'un.
survivre v. intr. (Se conj. comme *vivre.*) Demeurer en vie après un autre. *Fig.* Subsister après la perte : *survivre à sa ruine.*
survoler v. tr. Voler au-dessus de.
survolter v. tr. Augmenter le voltage d'un courant électrique.
sus prép. Sur : *courir sus à quelqu'un. En sus,* en plus. *En sus de,* outre, au-delà de. Interj. pour exhorter, exciter.
susceptibilité n. f. Capacité de recevoir des impressions. Disposition à se blesser, à s'offenser aisément.
susceptible adj. Apte à recevoir, à prendre, à éprouver. D'une sensibilité très vive. *Abusiv.* Capable de.
susciter v. tr. Faire naître, provoquer : *susciter une querelle.* Soulever contre : *susciter des ennemis à quelqu'un.*
suscription n. f. Adresse d'un pli.
susdit, e n. et adj. Nommé ci-dessus.
susmentionné, e adj. Cité plus haut.
susnommé, e adj. Nommé plus haut.
suspect, e adj. Qui prête au soupçon. A qui, à quoi l'on ne peut se fier. D'une qualité douteuse. Louche. *Suspect de,* qui est soupçonné de. N. m. Homme suspect.
suspecter v. tr. Tenir pour suspect.

suspendre v. tr. Fixer en haut et laisser pendant : *suspendre un lustre. Fig.* Différer. Interrompre momentanément : *suspendre les hostilités.* Interdire pour un temps. Priver pour un temps de ses fonctions : *suspendre un fonctionnaire.*
suspendu, e adj. En suspens, hésitant, irrésolu. *Etre suspendu aux lèvres de,* être très attentif à. *Pont suspendu,* dont le tablier est soutenu par des câbles.
suspens adj. Interdit : *prêtre suspens. En suspens* loc. adv. Dans l'incertitude.
suspenseur adj. m. Qui suspend.
suspensif, ive* adj. Qui suspend l'exécution d'un jugement, d'un contrat.
suspension n. f. Action de suspendre, état d'une chose suspendue : *la suspension du pendule.* Support suspendu au plafond et soutenant une lampe, des fleurs, etc. *Fig.* Privation d'une fonction pour un temps : *suspension d'un fonctionnaire.* Cessation momentanée : *suspension des paiements. Suspension d'armes,* convention qui suspend le combat pour un temps et sur un point. *Chim.* Etat d'un corps très divisé, qui se mêle à la masse d'un fluide.
suspensoir n. m. Bandage pour soutenir un organe.
suspicion n. f. Soupçon.
sustentateur, trice adj. et n. Qui soutient.
sustentation n. f. Soutien.
sustenter v. tr. Nourrir, soutenir.
susurrement n. m. Murmure, bruissement.
susurrer v. tr. et intr. Murmurer.
suture n. f. Couture chirurgicale des lèvres d'une plaie. Articulation dentelée de deux os. *Bot.* Ligne suivant laquelle s'opère la jonction des valves dans les fruits.
suturer v. tr. Faire une suture.
suzerain, e n. et adj. Seigneur de qui relevait un fief.
suzeraineté n. f. Qualité de suzerain.
svastika n. m. Symbole religieux hindou, croix à branches égales, qui se prolongent à angle droit et toutes dans le même sens.
svelte adj. De forme élancée.
sveltesse n. f. Forme svelte.
sybarite adj. et n. Qui mène une vie molle et voluptueuse.
sybaritisme n. m. Vie voluptueuse et molle.
sycomore n. m. Variété d'érable.
sycophante n. m. Dénonciateur.
syllabaire n. m. Livre où les mots sont décomposés en syllabes.
syllabe n. f. Une ou plusieurs lettres prononcées en une émission de voix.
syllabus n. m. Liste d'erreurs condamnées par le pape.
syllepse n. f. Accord des mots non d'après la grammaire, mais d'après le sens.
syllogisme n. m. Argument qui contient trois propositions : la *majeure,* la *mineure* et la *conclusion,* et tel que la conclusion est déduite de la majeure par l'intermédiaire de la mineure. Ex. : *Tous les hommes sont mortels* (majeure) ; *or tu es un homme* (mineure) ; *donc tu es mortel* (conclusion).
sylphe n. m. *Myth.* Génie de l'air.
sylphide n. f. Sylphe femelle.
sylvains n. m. pl. Divinités fabuleuses des forêts et des champs.
sylvestre adj. Qui croît dans les bois.
sylviculture n. f. Science de la culture et de l'entretien des bois.
symbiose n. f. Association de deux organismes : *un lichen est la symbiose d'une algue et d'un champignon.*
symbole n. m. Objet physique qu'on prend comme signe d'une idée abstraite : *le chien est le symbole de la fidélité. Théol.* Formulaire qui contient les principaux articles de la foi : *le Symbole des apôtres. Chim.* Lettres adoptées pour désigner les corps simples.
symbolique* adj. Qui a le caractère d'un symbole. N. f. Ensemble des symboles propres à une religion, un peuple, etc.
symboliser v. tr. Exprimer au moyen d'un symbole : *la balance symbolise la justice.*
symbolisme n. m. Système de symboles destinés à rappeler des faits ou à exprimer des croyances. Mouvement poétique de la fin du XIXe siècle, qui cherchait à exprimer les affinités des choses avec notre âme.
symboliste adj. Du symbolisme.
symétrie n. f. Correspondance de mesure, de position, etc., entre les parties d'un ensemble. Harmonie résultant de certaines combinaisons ou proportions.
symétrique* adj. Qui a de la symétrie.
sympathie n. f. Rapport entre des organes symétriques qui fait que, quand l'un est atteint, l'autre l'est également. Inclination, penchant instinctif qui attire deux personnes l'une vers l'autre.
sympathique* adj. Relatif à la sympathie. Qui inspire, qui marque la sympathie. *Encre sympathique,* encre invisible qui n'apparaît que par un artifice, comme l'exposition au feu. N. m. *Grand sympathique,* partie du système nerveux longeant la colonne vertébrale.
sympathiser v. intr. Avoir de la sympathie.
symphonie n. f. Morceau de musique composé pour être exécuté par des instruments concertants.
symphonique adj. De la symphonie.
symptomatique adj. Révélateur.
symptôme n. m. Phénomène qui révèle un trouble fonctionnel ou une lésion. *Fig.* Indice, présage.
synagogue n. f. L'Eglise, la loi religieuse juives. Lieu où s'assemblent les juifs pour l'exercice de leur religion.
synchrone adj. Se dit des mouvements qui se font dans le même temps.
synchroniser v. tr. Rendre synchrone.
synchronisme n. m. Etat de ce qui est synchrone. Coïncidence des dates.
synclinal n. m. *Géol.* Partie déprimée d'un pli de terrain.
syncopal, e, aux adj. Relatif à la syncope.
syncope n. f. Perte momentanée de la sensibilité et du mouvement. *Gramm.* Retranchement d'une lettre ou d'une syllabe. *Mus.* Note émise sur un temps faible et continuée sur un temps fort.
syncoper v. tr. Retrancher par syncope. *Mus.* Unir par syncope.
syndic n. m. Qui est élu pour prendre soin des intérêts d'un corps : *syndic des notaires.* Dans certaines villes, chef de la municipalité, maire. *Syndic d'une faillite,* mandataire chargé des opérations d'une faillite.

syndical, e*, aux adj. Qui appartient au syndicat. *Chambre syndicale,* espèce de tribunal disciplinaire, institué pour juger les infractions aux règlements d'une corporation et aux devoirs imposés à ses membres.

syndicalisme n. m. Activité sociale des syndicats. Ensemble des syndicats.

syndicaliste adj. et n. Partisan du syndicalisme.

syndicat n. m. Fonctions de syndic. Groupement pour la défense d'intérêts économiques communs.

syndiqué, e adj. et n. Qui fait partie d'un syndicat.

syndiquer v. tr. Organiser en syndicat. V. pr. S'organiser en syndicat.

syndrome n. m. Ensemble de symptômes.

synecdoque n. f. Figure par laquelle on prend la partie pour le tout ou le tout pour la partie, le genre pour l'espèce, etc. : *à tant par tête* (par personne) ; *coiffer d'un feutre* (un chapeau de feutre).

synérèse n. f. Contraction de deux syllabes en une seule : *août* (ou).

synergie n. f. Association d'organes concourant à une action.

synodal, e, aux adj. Du synode.

synode n. m. Assemblée ecclésiastique. *Le saint-synode,* conseil suprême de l'Eglise orthodoxe russe.

synonyme adj., et n. m. Se dit des mots qui ont à peu près le même sens, comme *glaive* et *épée.*

synonymie n. f. Caractère de mots synonymes.

synoptique adj. Qui permet de voir d'un coup d'œil tout un ensemble : *tableaux synoptiques.* Se dit des trois premiers Evangiles, qui présentent des ressemblances fondamentales dans le récit.

synovial, e, aux adj. De la synovie.

synovie n. f. Humeur des articulations.

synovite n. f. Inflammation d'une membrane synoviale.

syntaxe n. f. Partie de la grammaire qui traite de l'arrangement des mots.

syntaxique adj. De la syntaxe.

synthèse n. f. Méthode qui procède du simple au composé, des éléments au tout. Généralisation, exposé synoptique. Formation artificielle d'un corps composé.

synthétique* adj. Relatif à la synthèse.

synthétiser v. tr. Réunir par synthèse.

syntonisation n. f. Réglage en T. S. F.

syphilis n. f. Maladie vénérienne contagieuse, à manifestations multiples.

syphilitique adj. Relatif à la syphilis. N. et adj. Qui en est atteint.

syrien, enne adj. et n. De Syrie.

systématique adj. Relatif à un système. Erigé en système.

systématiser v. tr. Eriger en système.

système n. m. Assemblage de principes formant un corps de doctrine : *le système de Descartes.* Assemblage, combinaison : *système mécanique.* Mode de gouvernement : *système républicain.* Classification : *système de poids et mesures.*

systole n. f. Contraction du cœur et des artères.

syzygie n. f. Opposition d'une planète avec le soleil.

T

t n. m. Vingtième lettre de l'alphabet et seizième des consonnes.

ta adj. poss. fém. V. TON.

tabac n. m. Solanacée originaire d'Amérique, dont les feuilles se fument, se prisent ou se mâchent.

tabagie n. f. Endroit plein de fumée et d'odeur de tabac.

tabatière n. f. Petite boîte pour mettre le tabac à priser. *Fenêtre à tabatière,* petite fenêtre à charnière sur un toit.

tabellion n. m. *Fam.* Notaire.

tabernacle n. m. Petite armoire dans laquelle le prêtre catholique renferme, à l'autel, le saint ciboire.

tabès n. m. Maladie qui détruit la coordination des mouvements.

table n. f. Meuble fait d'un plateau posé sur un ou plusieurs pieds. Meuble de ce genre sur lequel on sert les repas. Mets servis sur la table : *table abondante.* Plaque d'une matière quelconque : *table de marbre.* Tableau présentant méthodiquement divers renseignements : *table de multiplication.* Liste des matières traitées dans un livre.

tableau n. m. Peinture sur bois, toile, etc. : *tableau de genre.* Liste des membres d'une société, d'un corps : *tableau de service.* Disposition méthodique d'un ensemble : *tableau chronologique.* Grande surface noire, formée de bois, de verre, etc., sur laquelle on écrit à la craie : *aller au tableau.* Division d'une pièce de théâtre, marquée par un changement de décor. Ensemble d'objets qui frappent la vue. Description, représentation.

tableautin n. m. Petit tableau.

tablée n. f. Ensemble de personnes réunies à la même table : *une joyeuse tablée.*

tabler v. intr. Fonder des calculs.

tablette n. f. Planche disposée horizontalement pour recevoir divers objets. Plaque de marbre, de pierre, de bois, etc., sur le chambranle d'une cheminée, l'appui d'une balustrade, etc. : *tablette de cheminée.* Préparation alimentaire de forme aplatie : *tablette de chocolat.* Pl. Feuilles d'ivoire, de parchemin, de papier préparé qu'on portait sur soi et dont on se servait pour prendre des notes. (Vx.) *Rayez cela de vos tablettes,* n'y comptez pas.

tablier n. m. Pièce d'étoffe ou de cuir, qu'on met devant soi : *un tablier d'écolière.* Morceau de cuir attaché sur le devant d'une voiture, pour garantir les jambes de la pluie, etc. Rideau de tôle devant une cheminée pour en régler le tirage. Plancher d'un pont-levis ou d'un pont.

tabou n. m. Institution religieuse de la Polynésie, qui marque une personne ou une chose d'un caractère sacré. *Adjectiv.* Marqué de ce caractère : *un lieu tabou.*

tabouret n. m. Petit siège à quatre pieds, sans bras ni dos. Petit meuble sur lequel on pose le pied quand on est assis.

tabulaire adj. En forme de tableau.

tabulateur n. m. Organe d'une machine à écrire servant à aligner verticalement.

tac n. m. Bruit sec. *Du tac au tac,* vivement.

tache n. f. Marque salissante : *tache de graisse.* Marque naturelle sur la peau de l'homme ou le poil des animaux. Partie obscure sur le disque d'un astre.

tâche n. f. Ouvrage qui doit être fait dans un temps fixé. *Prendre à tâche de,* s'efforcer de. *A la tâche,* à un prix convenu pour un travail réglé d'avance.

tacher v. tr. Faire une tache, salir. *Fig.* Ternir, souiller : *tacher sa réputation.*

tâcher v. i. S'efforcer de.

tâcheron n. m. Ouvrier à la tâche.

tacheter v. tr. (Se conj. comme *jeter.*) Marquer de diverses taches.

tachycardie [*ki*] n. f. Vitesse anormale des battements du cœur.

tachymètre [*ki*] n. m. Instrument pour mesurer les vitesses.

tacite* adj. Sous-entendu : *contrat tacite.*

taciturne adj. Qui parle peu.

taciturnité n. f. Caractère, état d'une personne taciturne.

tacot n. m. *Pop.* Vieux véhicule.

tact n. m. Sens du toucher. *Par ext.* Perception délicate des choses. *Fig.* Délicatesse de sentiment.

tacticien n. m. Habile dans la tactique.

tactile adj. Qui est ou peut être l'objet du tact. Relatif au tact.

tactique n. f. Art de disposer les troupes sur le terrain où elles doivent combattre. *Fig.* Moyens qu'on emploie pour réussir *Adjectiv.* Relatif à la tactique.

taffetas n. m. Etoffe de soie très mince.

tafia n. m. Eau-de-vie de mélasse.

taïaut! interj. *Véner.* Cri du veneur pour animer les chiens.

taie n. f. Enveloppe de linge pour un oreiller. Tache blanche sur la cornée de l'œil.

taillable adj. Sujet à l'impôt de la taille.

taillade n. f. Coupure, balafre dans les chairs. Coupure en long dans une étoffe.

taillader v. tr. Faire une taillade sur : *se taillader la joue en se rasant.*

taillanderie n. f. Métier, ouvrage du taillandier.

taillandier n. m. Qui fait des outils tranchants pour charpentiers, etc.

taillant n. m. Tranchant d'une lame.

taille n. f. Action ou manière de tailler. Tranchant d'une arme : *d'estoc et de taille.* Impôt que payaient jadis les roturiers. Mesure, dimension et, *par ext.,* stature du corps : *être d'une haute taille.* Partie du corps située entre les épaules et les hanches : *taille svelte. Arboric.* Bois coupé qui commence à repousser : *taille de deux ans.* Morceau de bois sur lequel les boulangers marquaient par des incisions le pain qu'ils vendaient à crédit. *Grav.* Incision au burin, dans la planche gravée. *Pierre de taille,* propre à être taillée et employée aux constructions. *Chir.* Incision de la vessie, pour extraire les concrétions pierreuses qui s'y sont formées.

taillé, e adj. Découpé, bâti. Prêt, préparé. Fait pour, propre à : *il n'est pas taillé pour cela. Homme bien taillé,* d'une taille bien conformée.

taille-crayons n. m. invar. Petit outil pour tailler les crayons.

taille-douce n. f. Procédé de gravure, qui fait plus usage du burin que de l'eau-forte. Estampe obtenue avec une planche ainsi gravée. Pl. des *tailles-douces.*

taille-ongles n. m. invar. Instrument pour tailler les ongles.

tailler v tr. Couper pour donner une certaine forme à : *tailler une pierre.* V. intr. Tenir la banque, les cartes.

taillerie n. f. Art de tailler les cristaux ou les pierres fines. Atelier où se fait ce travail : *taillerie de diamants.*

tailleur n. m. Celui qui taille : *tailleur de pierre. Spécialem.* Qui fait des habits.

taillis n. m. Petit bois que l'on coupe à intervalles rapprochés.

tailloir n. m. Assiette de bois sur laquelle on découpe la viande. *Archit.* Abaque d'un chapiteau.

tain n. m. Amalgame d'étain qu'on applique derrière une glace.

taire v. tr. (Se conj. comme *plaire,* mais a un part. passé fém. : *tue.*) Ne pas dire, ne pas parler de. V. pr. Garder le silence.

talc n. m. Silicate hydraté naturel de magnésie, employé en poudre.

talent n. m. Poids usité chez les Grecs et les Egyptiens. Monnaie de compte chez les Grecs, représentant la valeur d'une somme d'or ou d'argent pesant un talent. *Fig.* Aptitude, capacité naturelle ou acquise. Personne qui possède un talent, des talents.

talentueux, euse adj. *Fam.* Qui a du talent.

talion n. m. Punition pareille à l'offense : *la peine du talion.*

talisman n. m. Objet marqué de signes cabalistiques, qui a la vertu de porter bonheur, de communiquer un pouvoir surnaturel. *Fig.* Ce qui a un pouvoir irrésistible, des effets merveilleux.

taloche n. f. *Pop.* Coup donné sur la tête avec la main. Planche quadrangulaire avec laquelle les maçons étendent le plâtre frais.

talocher v. tr. Donner des taloches.

talon n. m. Partie postérieure du pied de l'homme. Partie postérieure d'une chaussure, d'un bas, etc. Partie inférieure et postérieure de certaines choses. Dernier morceau d'une chose entamée. Ce qui reste des cartes, après en avoir donné à chaque joueur. *Archit.* Moulure concave par le bas et convexe par le haut. *Mar.* Extrémité arrière de la quille d'un navire. *Talon de souche,* vignette imprimée à l'endroit où sont coupées les feuilles du registre à souche. *Montrer les talons,* s'enfuir.

talonner v. tr. Presser du talon ou de l'éperon. Poursuivre de près : *talonner l'ennemi. Fig.* Presser vivement, tourmenter. V. intr. *Mar.* Toucher de la quille.

talonnette n. f. Renforcement du talon d'un bas. Lame de liège, etc., taillée en biseau et placée sous le talon dans le soulier.

talonnière n. f. Ailes que Mercure portait aux talons.
talus n. m. Pente d'un terrassement, du revêtement d'un mur, d'un fossé.
tamarin n. m. Nom vulgaire des tamariniers et des tamaris. Pulpe du fruit du tamarinier.
tamarinier n. m. Sorte de légumineuse.
tamaris n. m. Arbrisseau ornemental à feuilles fines et à petites fleurs en épi.
tambour n. m. Caisse cylindrique, dont chaque fond est une peau tendue, et servant d'instrument de musique. Homme qui bat du tambour. Chacune des assises de pierres cylindriques formant une colonne. Cylindre en bois ou en métal pour divers usages. Petite enceinte de menuiserie, avec une ou plusieurs portes à l'entrée de certains édifices. Tympan de l'oreille. *Mener tambour battant,* rudement. *Sans tambour ni trompette,* sans bruit, en secret.
tambourin n. m. Tambour long et étroit. Jouet en forme de petit tambour.
tambourinage n. m. Action de tambouriner.
tambourinaire n. m. Joueur de tambourin.
tambouriner v. intr. Battre le tambour ou tambourin, imiter leur bruit. V. tr. Annoncer au son du tambour. *Fig.* Publier partout.
tambour-major n. m. Sous-officier chef des tambours et clairons d'un régiment. Pl. des *tambours-majors.*
tamis n. m. Instrument qui sert à passer des matières pulvérisées.
tamisage n. m. Action de tamiser.
tamiser v. tr. Passer par le tamis : *tamiser de la farine.* Laisser passer en adoucissant : *tamiser le jour.*
tamiseur n. Ouvrier qui tamise.
tampon n. m. Gros bouchon de bois, de linge ou de papier. Etoffe ou autre matière roulée, servant à frotter. Petit paquet d'ouate ou de gaze, servant à arrêter une hémorragie ou à drainer une plaie. *Ch. de fer.* Plateaux métalliques placés à l'extrémité des cadres des voitures pour amortir les chocs : *les tampons d'un wagon.*
tamponnement n. m. Action de tamponner. Rencontre de deux trains.
tamponner v. tr. Boucher ou frotter avec un tampon. Heurter, en parlant d'un wagon, d'un train.
tam-tam n. m. Tambour indigène battu avec la main, en Afrique, Inde, Chine. Gong. *Fam.* Publicité à grand fracas. Pl. des *tam-tams.*
tan n. m. Ecorce du chêne, du châtaignier, etc., réduite en poudre.
tancer v. tr. (Se conj. comme *amorcer.*) Réprimander : *tancer un écolier.*
tanche n. f. Genre de poissons de rivière à chair délicate.
tandem n. m. Cabriolet découvert à deux chevaux en flèche. Bicyclette à deux places.
tandis [*di*] **que** loc. conj. Pendant le temps que. Au lieu que.
tangage n. m. Oscillation d'un bateau d'avant en arrière.
tangent, e adj. Qui touche une surface, une ligne en un point : *plans tangents.* N. f. *Géom. Tangente à un cercle,* ligne droite qui n'a qu'un point commun avec le cercle. *Argot scol.* Appariteur. *S'échapper par la tangente,* éluder un argument.
tangentiel, elle adj. Relatif à la tangente.
tangible adj. Qu'on peut toucher.
tango n. m. Danse populaire d'origine américaine. Couleur jaune-orangé.
tanguer v. intr. Se dit d'un navire qui éprouve du tangage. *Fig.* et *fam.* Osciller dans sa marche.
tanière n. f. Repaire de bêtes sauvages. *Par anal.* Habitation sombre et misérable.
tanin ou **tannin** n. m. Substance particulière de certains végétaux, et qui est le principe actif du tan.
tank n. m. Char de combat blindé.
tannage n. m. Action de tanner.
tanner v. tr. Préparer les cuirs avec du tan. *Fig.* Hâler, endurcir. *Pop.* Importuner, ennuyer.
tannerie n. f. Lieu où l'on tanne et vend les cuirs.
tanneur n. et adj. m. Celui qui tanne et vend les cuirs.
tant adv. En si grande quantité, en si grand nombre. Telle quantité : *il y a tant pour vous.* A tel point : *il a tant mangé que.* Si longtemps : *j'ai tant marché.* Aussi longtemps, aussi loin : *tant que je pourrai. Faire tant,* faire si bien. *Tant mieux,* exprime que l'on est satisfait. *Tant pis,* exprime que l'on est fâché. *Tant s'en faut que,* bien loin que. *Si tant est que,* supposé que. *En tant que,* dans la mesure où.
tante n. f. Sœur du père, de la mère, ou la femme de l'oncle.
tantième n. m. et adj. Chiffre convenu d'un pourcentage.
tantinet n. m. *Fam.* Très petite quantité.
tantôt adv. Peu après dans la journée, par rapport au matin. Peu avant dans la journée, par rapport au soir. *Tantôt... tantôt...,* une fois, une autre fois. *A tantôt,* au revoir bientôt. N. m. *Pop.* Après-midi.
taon [*tan*] n. m. Genre d'insectes qui s'attaquent aux troupeaux.
tapage n. m. Bruit produit en tapant. Bruit tumultueux : *tapage nocturne. Fig.* Bruit, scandale.
tapageur, euse* n. et adj. Qui fait du tapage. *Fig.* Qui aime l'éclat et veut attirer l'attention : *toilette tapageuse.*
tape n. f. Coup de la main. Nom de diverses sortes de bouchons.
tapé, e adj. *Poire, pomme tapée,* aplatie et séchée au four.
tapecul n. m. Troisième voile d'un canot, disposée à l'arrière. Voiture mal suspendue.
tapée n. f. *Pop.* Grande quantité.
taper v. tr. Donner des tapes à : *taper un enfant.* Frapper, heurter : *taper à la porte.* Ecrire à la machine. *Fig.* Emprunter de l'argent. V. intr. Battre, frapper. *Fig.* Médire de. User largement de.
tapette n. f. Petite tape. Petite masse pour taper. Tampon de graveur. *Pop.* Langue.
tapeur, euse n. *Fam.* Qui emprunte de l'argent.
tapin n. m. Qui bat du tambour.
tapinois (en) loc. adv. *Fam.* En cachette.
tapioca n. m. Fécule de manioc, servant à faire des potages.
tapir n. m. Mammifère d'Amérique, au museau allongé en trompe.
tapir (se) v. pr. Se cacher en se tenant courbé, ramassé : *se tapir dans l'ombre.*
tapis n. m. Etoffe dont on couvre un meuble, un parquet. *Par ext.* Ce qui forme comme

un tapis : *tapis de verdure. Tapis roulant,* sorte de tapis servant à transporter, à élever personnes ou marchandises.
tapisser v. tr. Revêtir des murs de tapisseries ou de papier de tenture. *Par ext.* Couvrir une surface: *mur tapissé de lierre.*
tapisserie n. f. Ouvrage fait sur un canevas ou un métier avec de la laine ou de la soie, etc. Art de tapisser. Tissu, cuir ou papier dont on tapisse les murs. Métier de tapissier.
tapissier, ère n. Qui fait ou vend tout ce qui sert à la décoration des appartements.
tapon n. m. Linge, étoffe chiffonnée et qui forme une sorte de bouchon.
taponnage n. m. Action de taponner.
taponner v. tr. Mettre en tapons.
tapoter v. tr. Donner de petites tapes à : *tapoter la joue d'un enfant.*
taquet n. m. Petit morceau de bois taillé, qui sert à tenir en place un objet, un meuble, une armoire. *Mar.* Pièce de bois ou de fer servant à amarrer des cordages.
taquin, e adj. et n. Qui aime à taquiner.
taquiner v. tr. et intr. Agacer, impatienter.
taquinerie n. f. Caractère du taquin. Action, parole d'une personne taquine.
tarabiscoter v. tr. Orner à l'excès.
tarabuster v. tr. *Fam.* Gronder, importuner : *tarabuster une servante.*
tarasque n. f. Mannequin représentant un animal monstrueux que l'on promenait à certaines fêtes, dans le Midi.
taraud n. m. Morceau d'acier taillé pour tarauder.
taraudage n. m. Action de tarauder.
tarauder v. tr. Creuser en spirale la pièce qui doit recevoir la vis.
taraudeuse n. f. Machine à tarauder.
tarbouch, tarbouche n. m. Bonnet oriental rouge, avec gland de soie.
tard adv. Après un temps long ou relativement long. Vers la fin de la journée. N. m. *Sur le tard,* à la fin de la journée.
tarder v. intr. Différer : *ne tardez pas un moment.* V. impers. : *il me tarde de...,* c'est avec impatience que j'attends de...
tardif, ive* adj. Lent : *pas tardif.* Qui vient tard : *regrets tardifs.*
tare n. f. Perte de valeur que subit une marchandise par suite d'une diminution dans la quantité ou la qualité. Poids des emballages pesés avec la marchandise. *Fig.* Défaut : *une tare héréditaire.*
tarentule n. f. Sorte de grosse araignée.
tarer v. tr. Gâter, avarier. *Fig.* Altérer, souiller : *individu taré. Comm.* Peser l'emballage d'une marchandise.
taret n. m. Genre de mollusques qui font des trous dans les bois des vaisseaux, des pilotis.
targette n. f. Petit verrou plat.
targuer (se) v. pr. Se vanter : *se targuer d'un avantage, de sa richesse.*
tarière n. f. Grande vrille pour faire des trous dans le bois. Organe qui sert aux insectes à percer les substances dures.
tarif n. m. Tableau des prix.
tarifer v. tr. Etablir un tarif.
tarification n. f. Action de tarifer.
tarin n. m. Petit oiseau du genre chardonneret. *Arg.* Nez.
tarir v. tr. Mettre à sec, épuiser. V. intr. Etre à sec. *Par ext.* Cesser, s'arrêter. *Fig.* Etre épuisé : *la source tarit en été. Ne pas tarir sur,* parler sans cesse de.
tarissable adj. Qui peut se tarir.
tarissement n. m. Dessèchement. *Fig.* Epuisement : *tarissement de l'inspiration.*
tarlatane n. f. Etoffe de coton légère et claire, pour patrons de robes, etc.
tarots n. m. pl. Jeu de cartes comprenant, outre les quatre séries ordinaires, une suite de figures (généralement vingt-deux).
tarse n. m. Cou-de-pied.
tarsien, enne adj. Du tarse.
tartane n. f. Petit bâtiment en usage dans la Méditerranée.
tarte n. f. Pâtisserie plate contenant de la crème, de la confiture, des fruits.
tartelette n. f. Petite tarte.
tartine n. f. Tranche de pain recouverte de beurre ou de confiture. *Fam.* Longue tirade, au théâtre, etc.
tartrage n. m. Addition d'acide tartrique.
tartrate n. m. *Chim.* Sel de l'acide tartrique.
tartre n. m. Dépôt que laisse le vin dans les tonneaux. Sédiment jaunâtre autour des dents. Dépôt à l'intérieur des chaudières.
tartrique adj. *Chim. Acide tartrique,* acide extrait du tartre.
tartufe n. m. Faux dévot, hypocrite.
tartuferie n. f. Hypocrisie.
tas n. m. Monceau d'objets mis ensemble et les uns sur les autres. Grand nombre de. Petite enclume. *Grève sur le tas,* avec occupation des lieux de travail.
tasse n. f. Petit vase à boire avec anse; son contenu.
tasseau n. m. Petit morceau de bois qui soutient une tablette.
tassement n. m. Action de tasser.
tasser v. tr. Mettre en tas, réduire de volume par pression. Resserrer dans un petit espace : *nous étions tassés dans le tramway.* V. pr. S'affaisser sur soi-même.
tâter v. tr. Explorer, éprouver à l'aide du toucher. Tâtonner. *Fig.* Essayer de connaître, de sonder : *tâter quelqu'un. Tâter le terrain,* s'assurer de l'état des choses, des esprits. V. intr. *Tâter de* (ou *à*), goûter à. *Fig.* Essayer : *tâter d'un métier.*
tâte-vin n. m. invar. Instrument pour tirer le vin lorsqu'on veut le goûter. Petite tasse pour goûter le vin.
tatillon, onne adj. et n. *Fam.* Qui s'occupe des détails avec minutie.
tâtonnement n. m. Action de tâtonner.
tâtonner v. intr. Chercher en tâtant. *Fig.* Procéder avec hésitation.
tâtonneur, euse adj. Qui tâtonne.
tâtons (à) loc. adv. En tâtonnant. *Fig.* A l'aveuglette.
tatou n. m. Genre de mammifères édentés, couverts d'écailles.
tatouage n. m. Action de tatouer, son résultat.
tatouer v. tr. Imprimer sur le corps des dessins indélébiles.
taudis n. m. Logement misérable ou mal tenu : *taudis insalubres.*
taupe n. f. Genre de mammifères insectivores, qui vivent sous terre. Fourrure de la taupe. *Fig. : myope comme une taupe.*
taupier n. m. Chasseur de taupes.
taupin n. m. *Fam.* Elève se préparant à l'Ecole polytechnique.

taupinière ou **taupinée** n. f. Amas de terre qu'une taupe élève.
taureau n. m. Mâle de la vache. *Fig.* Homme très vigoureux.
tauromachie n. f. Combat, course de taureaux.
tautologie n. f. Répétition inutile.
tautologique adj. Relatif à la tautologie.
taux n. m. Prix réglé par une convention ou par l'usage. Intérêt annuel produit par cent francs : *abaisser le taux de l'escompte.* Proportion : *taux de compression.*
tavelage n. m. Tache sur les fruits.
taveler v. tr. (Se conj. comme *amonceler.*) Moucheter, tacheter.
tavelure n. f. Bigarrure d'une peau tavelée. Tache produite sur les fruits par l'humidité.
taverne n. f. Cabaret.
tavernier, ère n. Qui tient taverne.
taxation n. f. Action de taxer.
taxe n. f. Prix officiellement fixé. Impôt personnel : *taxe à la production.*
taxer v. tr. Régler le prix d'une denrée ou le total des frais. Mettre un impôt sur. *Fig. Taxer de,* accuser.
taxi n. m. Voiture de louage automobile à taximètre.
taxidermie n. f. Art de préparer, d'empailler les animaux.
taximètre n. m. Compteur qui mesure la distance parcourue par une voiture ou le temps pendant lequel on l'occupe.
taxiphone n. m. Cabine téléphonique automatique.
taxonomie ou **taxinomie** n. f. Science des lois de la classification.
tayaut. V. TAÏAUT.
taylorisation n. f. Système de rationalisation du travail dans les usines.
te pron. pers. V. TU.
té n. m. Nom de la lettre T. Règle ou équerre en forme de T.
technicien [*tèk*] n. m. Celui qui est versé dans la technique d'un art, d'une science.
technicité [*tèk*] n. f. Caractère technique : *la technicité d'un texte.*
technique* [*tèk*] adj. Qui appartient en propre à un art ou à une science : *termes techniques.* N. f. Ensemble des procédés d'un art, d'un métier : *la technique des peintres, du roman.*
technologie [*tèk*] n. f. Science des arts et métiers. Ensemble des termes techniques propres à un art.
teck n. m. Arbre dont le bois sert à construire des vaisseaux.
tectonique n. f. Structure de la Terre.
tégument n. m. *Anat.* Enveloppe.
tégumentaire adj. De la nature des téguments.
teigne n. f. Petit papillon dont les larves rongent les étoffes, etc. Affection du cuir chevelu. Gale de l'écorce des arbres. *Pop.* Personne méchante : *c'est une vraie teigne.*
teigneux, euse adj. Qui a la teigne.
teillage n. m. Action de teiller.
teille ou **tille** n. f. Ecorce du chanvre.
teiller [*tè-yé*] ou **tiller** [*ti-yé*] v. tr. Débarrasser de la teille.
teindre v. tr. (Se conj. comme *craindre.*) Imbiber d'une substance colorante. Colorer : *teindre en vert.*
teint n. m. Coloris du visage. Couleur donnée à une étoffe par la teinture.
teinte n. f. Nuance. *Demi-teinte,* teinte faible. *Teinte plate,* uniforme. Apparence : *une teinte d'ironie.*
teinter v. tr. Couvrir d'une teinte.
teinture n. f. Liquide propre à teindre. Opération, art de teindre. Couleur que prend la chose teinte. Impression, connaissance assez peu profonde : *une vague teinture de science.* Alcool chargé des principes actifs d'une substance : *teinture d'iode.*
teinturerie n. f. Commerce du teinturier.
teinturier, ère n. et adj. Qui exerce l'art de teindre les étoffes.
tel, telle adj. Pareil, semblable : *on ne verra plus de tels hommes.* Comme cela : *tel est mon avis. Tel..., tel...,* comme..., ainsi... : *tel père, tel fils. Tel que,* qui est exactement comme : *voir les hommes tels qu'ils sont.* Si grand que : *son pouvoir est tel que tout lui obéit. Tel quel* (pas *tel que*), comme il est, sans changement : *prenez-le tel quel.*
télécommandé, e adj. Commandé de loin par ondes électriques.
télégramme n. m. Communication télégraphique, dépêche.
télégraphe n. m. Appareil qui permet de communiquer par écrit, rapidement, à grande distance.
télégraphie n. f. Principe technique du télégraphe.
télégraphier v. intr. (Se conj. comme *prier.*) Se servir du télégraphe. V. tr. Faire parvenir au moyen du télégraphe.
télégraphique* adj. Relatif au télégraphe. Expédié par le télégraphe.
télégraphiste n. et adj. Employé au service du télégraphe.
téléguidage n. m. Direction à distance de l'évolution d'un avion, d'un engin.
télémécanique n. f. Art de commander de loin un mécanisme par ondes électriques.
télémètre n. m. Instrument pour mesurer la distance qui sépare un observateur d'un point inaccessible.
téléobjectif n. m. Appareil pour la photographie faite à grande distance.
télépathie n. f. Sensation éprouvée par un sujet, se rapportant à un événement réel survenu au même moment, mais à une distance ou dans des circonstances qui font que sa connaissance, par le sujet, semble matériellement impossible.
téléphérique n. m. Véhicule qui se déplace le long d'un câble aérien.
téléphone n. m. Instrument grâce auquel se transmettent à distance la parole, les sons.
téléphoner v. intr. Se servir du téléphone. V. tr. Transmettre par téléphone : *téléphoner une commande.*
téléphonie n. f. Art de communiquer, au moyen du son, à de grandes distances.
téléphonique adj. Du téléphone.
téléphoniste n. Personne chargée du service du téléphone.
télescopage n. m. Action de télescoper : *télescopage de trains.*
télescope n. m. Instrument servant à observer les astres.
télescoper (se) v. pr. Se dit d'objets qu'un choc violent fait entrer les uns dans les

autres, comme les tubes d'un télescope. V. tr. Heurter violemment (trains).
téleski n. m. Remonte-pente.
téléspectateur, trice n. Personne qui assiste à un spectacle télévisé.
télévisé, e adj. Transmis par télévision.
télévision n. f. Transmission à distance de l'image d'un objet. Emission radiophonique avec une telle transmission. Organisation de telles émissions.
tellement adv. De telle sorte; à tel point. *Tellement que,* à tel point que.
tellière n. m. et adj. Format de papier, dit *papier ministre.*
tellurien, enne, tellurique adj. Qui vient de la terre, du sol.
téméraire* adj. et n. D'une hardiesse inconsidérée : *projets téméraires.* Inspiré par une telle hardiesse.
témérité n. f. Hardiesse inconsidérée.
témoignage n. m. Action de témoigner : *témoignage décisif.* Marque : *témoignage d'affection.* Ce qui fait connaître : *le témoignage des sens. Faux témoignage,* témoignage intentionnellement mensonger.
témoigner v. tr. Montrer : *témoigner de la joie.* Etre signe de : *geste qui témoigne la surprise.* V. intr. Porter témoignage : *témoigner en justice.*
témoin n. m. Qui témoigne. Personne qui en assiste une autre dans un acte : *témoin à un mariage.* Qui a vu ou entendu : *être témoin d'une scène touchante.* Preuve : *ce monument est un témoin de la civilisation antique. Témoin oculaire, auriculaire,* qui a vu, qui a entendu. *Prendre à témoin,* invoquer le témoignage. Tout ce qui sert de marque, de point de comparaison.
tempe n. f. Partie latérale du crâne.
tempérament n. m. Constitution du corps : *tempérament sanguin.* Caractère. Expédient, moyen de conciliation : *ne garder aucun tempérament. Vente à tempérament,* payable par petites sommes échelonnées.
tempérance n. f. Modération, sobriété.
tempérant, e adj. Sobre.
température n. f. Degré de chaleur.
tempéré, e adj. De température moyenne : *zone tempérée. Fig.* Modéré.
tempérer v. tr. (Se conj. comme *accélérer.*) Modérer, atténuer, calmer.
tempête n. f. Perturbation atmosphérique violente, orage, ouragan. Explosion violente : *tempête d'injures. Fig.* Violente agitation, trouble profond.
tempêter v. intr. Faire grand bruit, surtout par mécontentement.
tempétueux, euse adj. Qui cause la tempête : *vent tempétueux.*
temple n. m. Monument destiné au culte. Eglise protestante.
templier n. m. Chevalier de l'ordre du Temple.
temporaire* adj. Qui ne dure qu'un temps : *remplacement temporaire.*
temporal, e adj. De la tempe.
temporel, elle* adj. Qui n'est pas éternel. Non spirituel : *le pouvoir temporel du pape.* N. m. Revenu ecclésiastique.
temporisateur, trice adj. Qui temporise : *général temporisateur.*
temporisation n. f. Action de temporiser, retard à entreprendre quelque chose.
temporiser v. tr. Retarder, différer.
temps n. m. Durée limitée. Epoque : *au temps des rois.* Occasion : *chaque chose en son temps.* Moment fixé : *le temps approche.* Délai : *donnez-moi du temps.* Loisir : *je n'ai pas le temps.* Etat de l'atmosphère : *temps chaud. Gros temps,* temps d'orage. *Mus.* Division de la mesure : *mesure à trois temps. Gramm.* Formes du verbe qui expriment le passé, le présent, le futur. *A temps,* assez tôt. *Avec le temps,* à mesure que le temps passe.
tenable adj. Où l'on peut tenir, se défendre.
tenace* adj. Qui adhère fortement. *Fig.* Difficile à détruire, à écarter.
ténacité n. f. Caractère tenace.
tenaille n. f. ou **tenailles** n. f. pl. Outil pour tenir ou arracher quelque chose. *Fortif.* Angle saillant.
tenailler v. tr. Torturer avec des tenailles. *Fig.* Tourmenter.
tenancier, ère n. Gérant : *tenancier d'un bar, d'une maison de jeu.*
tenant, e n. Défenseur d'une idée. *Tenants et aboutissants,* terres contiguës à une propriété. *Fig.* Causes et conséquences d'une situation donnée. Adj. *Séance tenante,* sans désemparer.
tendance n. f. Force qui pousse vers. *Fig.* Inclination.
tendancieux, euse adj. Qui marque une tendance, une intention cachée.
tender [*dèr*] n. m. Wagon qui suit la locomotive, et qui porte le charbon et l'eau.
tendeur n. m. Qui tend.
tendineux, euse adj. De la nature des tendons.
tendoir n. m. Corde pour étendre.
tendon n. m. Extrémité d'un muscle. *Tendon d'Achille,* celui du talon.
tendre* adj. Qui n'est pas dur : *bois, pain tendre.* Jeune : *tendre enfance.* Affectueux : *cœur tendre.* Délicat : *un rose tendre.* Doux, touchant : *air tendre.*
tendre v. tr. Raidir : *tendre une corde.* Bander : *tendre un arc.* Avancer : *tendre la main.* Disposer : *tendre un piège.* Tapisser : *tendre une chambre. Fig.* Appliquer fortement : *tendre son esprit.* V. intr. Se diriger, avoir pour but.
tendresse n. f. Sentiment tendre. Pl. Caresses, sentiments affectueux.
tendreté n. f. Qualité de ce qui est tendre, en parlant des viandes, etc.
tendron n. m. *Fam.* Jeune fille. Pl. Cartilages d'une viande.
tendu, e adj. Très appliqué : *esprit tendu.* Difficile : *rapports tendus.*
ténèbres n. f. pl. Obscurité profonde. *Fig.* Ignorance, incertitude.
ténébreux, euse adj. Plongé dans les ténèbres. Sombre, noir. Secret et perfide : *projets ténébreux.*
teneur n. f. Texte littéral d'un acte, d'un écrit : *telle était la teneur de sa lettre.* Ce qu'un corps contient d'une matière : *teneur d'une eau en calcaire.*
teneur, euse n. Qui tient, par profession. *Teneur de livres,* qui tient les livres de commerce d'un négociant.
ténia n. m. Long ver plat vivant dans le tube digestif des vertébrés.
tenir v. tr. (*Je tiens, nous tenons. Je tenais, nous tenions. Je tins, nous tînmes. Je tiendrai, nous tiendrons. Tiens, tenons, tenez. Que je tienne, que nous tenions. Que je*

tinsse, que nous tinssions. Tenant. Tenu, e.) Avoir à la main : *tenir une épée.* Garder : *tenir en prison.* Entretenir : *tenir en bon état.* Contenir : *cette cruche tient un litre.* Considérer : *je tiens cela pour vrai.* S'emparer : *la colère le tient.* Remplir : *tenir une promesse.* Diriger : *tenir une classe.* Exercer certains métiers : *tenir boutique.* Avoir reçu : *je le tiens de lui. Tenir compte de,* avoir égard à. *Tenir tête,* résister. *Tenir la main à,* veiller à. *Tenir en haleine,* entretenir des dispositions. *Absol. Tiens!* écoute! Exprime aussi la surprise. V. intr. Etre attaché : *la branche tient à l'arbre.* Etre contigu : *ma maison tient à la sienne.* Etre compris : *on tient huit à cette table.* Ressembler à : *tenir de son père.* Résulter : *cela tient à plusieurs raisons.* Désirer : *il tient à venir.* Résister : *tenir bon. Tenir pour,* être partisan de. V. pr. Demeurer : *tenez-vous là.* Rester dans une position : *se tenir droit. S'en tenir à,* ne pas vouloir changer. V. impers. *Qu'à cela ne tienne,* peu importe. *Il ne tient qu'à moi,* cela dépend de moi seul.

tennis n. m. Jeu de balle qui se joue avec des raquettes sur un emplacement coupé en deux par un filet.

tenon n. m. Bout d'une pièce de bois qui entre dans la mortaise.

ténor n. m. Voix d'homme la plus élevée. Celui qui la possède.

ténorino n. m. Ténor léger.

ténoriser v. intr. Chanter dans le registre d'un ténor.

tenseur adj. Qui tend (muscle).

tension n. f. Etat de ce qui est tendu : *la tension des muscles. Tension d'esprit,* préoccupation soutenue. *Physiq.* Force d'expansion de la vapeur. *Tension électrique,* différence de potentiel.

tentaculaire adj. Relatif aux tentacules.

tentacule n. m. Appendice mobile de divers animaux (mollusques).

tentateur, trice adj. et n. Qui tente, sollicite. *Le Tentateur,* le démon.

tentation n. f. Attrait vers une chose défendue; tout ce qui nous porte à faire une chose : *il me prend des tentations de...*

tentative n. f. Action de tenter.

tente n. f. Toile plus ou moins vaste, et de formes diverses, tendue sur des supports, pour servir d'abri en plein air.

tenter v. tr. Entreprendre : *tenter une expédition.* Essayer : *tenter un effort.* Séduire, attirer, exciter le désir.

tenture n. f. Tapisserie, papier, etc., qui tapisse les murs d'une habitation.

tenu, e adj. Soigné, en ordre : *maison bien tenue, enfant mal tenu.* Obligé : *être tenu à.*

ténu, e adj. Délié, mince.

tenue n. f. Action d'être tenu. Manière de soigner : *tenue d'une maison.* Manière de se vêtir : *une bonne tenue.* Uniforme : *se mettre en tenue. Mus.* Prolongation d'un son. *Tenue des livres,* comptabilité.

ténuité n. f. Etat d'une chose ténue : *un fil d'une extrême ténuité.*

ter [*tèr*] adv. (mot lat.). Trois fois. Pour la troisième fois.

tératologie n. f. Etude des monstres, des êtres de forme exceptionnelle.

tercet n. m. Couplet de trois vers.

térébenthine [*ban*] n. f. Résine qui coule de divers arbres (conifères, etc.). *Essence de térébenthine,* fournie par la distillation des térébenthines.

térébinthe n. m. Espèce de pistachier résineux.

térébrant, e adj. Qui perce : *insectes térébrants. Douleur térébrante,* qui donne la sensation d'une perforation.

tergiversation n. f. Détours, hésitation.

tergiverser v. intr. User de détours. Hésiter.

terme n. m. Fin, borne, limite : *terme d'une course.* Epoque à laquelle on doit effectuer un paiement, et spécialement le prix d'un loyer : *le terme est échu.* Durée de trois mois pendant laquelle on habite un logement loué; la somme due pour ce temps : *payer son terme. Vente à terme,* qui doit être payée au bout d'un certain temps. Mot, expression : *choisir ses termes.* Chacune des quantités qui composent un rapport, une proportion, une équation. *Archit.* Borne surmontée d'une tête humaine. Pl. Relations, rapports : *être en bons, en mauvais termes avec quelqu'un.*

terminaison n. f. Manière dont une chose se termine. Désinence d'un mot. Partie variable d'un mot, surtout d'un verbe, par opposition au *radical.*

terminal, e adj. *Bot.* Qui occupe l'extrémité de : *bourgeon terminal.*

terminer v. tr. Achever, finir.

terminologie n. f. Ensemble des termes techniques spéciaux à un art, une science.

terminus [*nuss*] n. m. Point extrême d'une voie ferrée.

termite n. m. Genre d'insectes dits *fourmis blanches.*

termitière n. f. Nid de termites.

ternaire adj. Composé de trois unités. Distribué par trois.

terne adj. Qui a peu d'éclat : *un coloris terne; un œil terne. Fig.* Sans couleur, peu éclatant : *style terne.*

ternir v. tr. Rendre terne, ôter ou diminuer l'éclat de.

ternissure n. f. Etat de ce qui est terni.

terrain n. m. Espace de terre. Sol considéré du point de vue de sa nature : *terrain calcaire. Terrain vague,* ni bâti ni cultivé.

terrasse n. f. Levée de terre. Toiture d'une maison, en plate-forme. Partie du trottoir longeant un café, un restaurant, etc., et où sont installées des tables. Terrain naturellement exhaussé et uni.

terrassement n. m. Action de creuser des terres. Terres transportées.

terrasser v. tr. Soutenir par un amas de terre. Jeter par terre. *Fig.* Vaincre. Abattre, consterner.

terrassier n. et adj. Qui travaille aux terrassements.

terre n. f. Planète habitée par l'homme. Sol. Partie solide de la surface terrestre, par opposition à la mer. Les habitants de la terre. Terrain par rapport à sa nature : *terre glaise.* Terrain cultivé : *le paysan aime la terre.* Domaine rural : *acheter une terre.* Cimetière : *porter en terre. Fig.* Biens, plaisirs, affections terrestres. *Terre ferme,* continent. *Remuer ciel et terre,* se donner un mal infini pour... *Terre à terre,* avec peu d'élévation, de largeur dans les idées. *Substantiv.* Manière de vivre peu élevée, trop bourgeoise.

terreau n. m. Produit de la décomposition de substances animales et végétales mélangé avec la terre ordinaire.
terre-neuve n. m. invar. Gros chien originaire de Terre-Neuve.
terre-neuvien n. m. Pêcheur qui va à la pêche de la morue sur les bancs de Terre-Neuve. Navire qui sert à cette pêche. (On dit aussi *terre-neuvas.*) Pl. des *terre-neuviens.*
terre-plein n. m. Sol intérieur d'un ouvrage de fortification : *le terre-plein d'un rempart.* Amas de terres rapportées, formant une surface unie. Pl. des *terre-pleins.*
terrer v. tr. Se loger dans un terrier : *le renard se terre. Fig.* Se cacher.
terrestre adj. Qui appartient à notre planète : *globe terrestre.* Qui vit sur la partie solide du globe. *Fig.* Temporel.
terreur n. f. Epouvante, frayeur. Ce qui ou celui qui la cause.
terreux, euse adj. De la nature ou de la couleur de la terre. Sali de terre.
terrible* adj. Qui inspire la terreur. Violent, grand : *coup terrible. Fig.* Qui importune vivement : *terrible bavard.*
terrien, enne n. et adj. Qui habite la terre. Qui possède plusieurs terres : *propriétaire terrien.*
terrier n. m. Trou dans la terre, où se retirent certains animaux.
terrifier v. tr. (Se conj. comme *prier.*) Frapper de terreur.
terrine n. f. Vase de terre, etc., ayant la forme d'un tronc de cône renversé et évasé. Contenu d'une terrine. Viande cuite conservée dans une terrine.
territoire n. m. Etendue de terre dépendant d'une autorité.
territorial, e adj. Qui concerne le territoire.
territorialité n. f. Condition de ce qui fait partie du territoire d'un Etat.
terroir n. m. Terre considérée par rapport aux produits agricoles. *Goût de terroir,* goût de certains vins, dû à la nature du sol. *Accent du terroir,* provincial.
terroriser v. tr. Frapper de terreur.
terrorisme n. m. Régime de violence.
terroriste n. m. Partisan du terrorisme.
tertiaire adj. Qui occupe le troisième rang. N. m. et adj. *Géol.* Se dit du terrain sédimentaire le plus récent avant l'ère actuelle.
tertio [*tèr-syo*] adv. Troisièmement.
tertre n. m. Petite éminence de terrain.
tes adj. poss. V. TON.
tessiture n. f. Ensemble des sons qui conviennent le mieux à une voix. Ensemble des notes qui reviennent le plus souvent dans un morceau.
tesson n. m. Débris d'un vase, d'un pot, d'une bouteille.
test n. m. Enveloppe calcaire de certains animaux. Enveloppe de grains. Epreuve : *test d'orientation professionnelle.*
testacé, e adj. Couvert d'un test.
testament n. m Acte authentique par lequel on déclare ses dernières volontés. *Hist. relig.* Ensemble des livres saints antérieurs (*Ancien Testament*) ou postérieurs (*Nouveau Testament*) à J.-C.
testamentaire adj. Qui concerne le testament : *dispositions testamentaires. Exécuteur testamentaire,* personne chargée de l'exécution d'un testament.
testateur, trice n. Qui a fait un testament.
tester v. intr. Faire son testament.
testimonial, e adj. Qui résulte d'un témoignage : *preuve testimoniale.*
tétanique adj. De la nature du tétanos.
tétaniser v. tr. Provoquer des accidents tétaniques.
tétanos n. m. Maladie infectieuse, caractérisée par la rigidité des muscles.
têtard n. m. Première forme de la grenouille, du crapaud. Arbre taillé de manière à former au sommet du tronc une touffe de jeunes branches.
tête n. f. Extrémité supérieure ou antérieure du corps de l'homme, de l'animal. Crâne : *fendre la tête. Fig.* Esprit : *avoir une idée en tête.* Sang-froid : *perdre la tête.* Personne : *payer tant par tête.* Sommet : *la tête d'un arbre.* Direction : *être à la tête d'une affaire.* Premier rang : *à la tête d'une armée.* Commencement : *tête de chapitre.*
tête-à-queue n. m. invar. Accident par lequel une voiture se trouve placée dans le sens contraire à sa direction primitive : *faire un tête-à-queue.*
tête-à-tête n. m. invar. Entretien particulier de deux personnes. Canapé à deux places. Service à thé pour deux personnes.
tête-bêche loc. adv. Se dit quand deux objets de même nature sont placés à côté l'un de l'autre dans un sens inverse.
tête-de-nègre adj. Marron foncé.
tétée n. f. Quantité de lait qu'un nouveau-né tète en une fois. Action de téter.
téter v. tr. (Se conj. comme *acheter.*) Sucer le lait de la mamelle.
tétin n. m Bout de la mamelle.
tétine n. f. Mamelle d'un mammifère. Petite membrane en caoutchouc, percée de trous, mise sur les bouteilles ou biberons pour faire téter les enfants.
téton n. m. Sein.
tétraèdre n. m. Solide dont la surface est formée de quatre triangles.
tétralogie n. f. Ensemble de quatre pièces que présentaient aux concours dramatiques les poètes tragiques grecs. *Mus.* Ensemble de quatre opéras.
tette n. f. Bout de la mamelle des animaux.
têtu, e n. et adj. Obstiné, opiniâtre.
teuf-teuf n. m. Onomatopée figurant le bruit de l'explosion, dans les automobiles.
teuton, onne adj. et n. Habitant de l'ancienne Germanie.
texte n. m. Propres termes qu'on lit dans un auteur, un acte, par opposition aux commentaires, aux traductions, etc.
textile adj. Qui peut être divisé en fils propres à faire un tissu. Relatif au tissage.
textuel, elle* adj. Conforme au texte.
texture n. f. Disposition des parties d'un corps, d'un ouvrage.
thalle n. m. *Bot.* Appareil végétatif des cryptogames.
thallophytes n. f. pl. Plantes dont l'appareil végétatif est réduit à un thalle (algues, champignons, lichens, bactéries).
thalweg ou **talweg** [*vèg*] n. m. Ligne de plus grande pente d'une vallée.
thaumaturge n. m. Qui fait ou prétend faire des miracles.
thaumaturgie n. f. Pouvoir, action de thaumaturge.

thé n. m. Feuille desséchée d'un arbrisseau oriental. Infusion de ces feuilles. Réunion dans laquelle on sert de cette infusion.
théâtral, e* adj. Relatif au théâtre. Qui vise à l'effet sur les spectateurs. Qui vise à l'effet, emphatique : *attitude théâtrale.*
théâtre n. m. Lieu où l'on représente des ouvrages dramatiques. Profession de comédien : *se destiner au théâtre.* L'art dramatique. Recueil des pièces d'un pays ou d'un auteur. *Coup de théâtre,* changement inattendu. Lieu où se passent des actions remarquables : *le théâtre de la guerre.*
thébaïde n. f. Solitude profonde.
thébaïque adj. D'opium: *extrait thébaïque.*
théière n. f. Vase pour faire infuser du thé : *une théière d'argent.*
théisme n. m. Doctrine qui admet l'existence d'un Dieu.
théiste n. Partisan du théisme.
thématique adj. Relatif aux thèmes musicaux.
thème n. m. Sujet, matière d'un discours, etc. Ce qu'un écolier doit traduire de la langue qu'il parle dans celle qu'il apprend : *thème latin. Mus.* Motif sur lequel on compose un morceau ou des variations.
thénar n. m. Saillie externe de la paume de la main.
théocrate n. m. Partisan d'une théocratie.
théocratie n. f. Société où l'autorité est exercée par les ministres de la religion.
théocratique adj. Relatif à la théocratie : *gouvernement théocratique.*
théodicée n. f. Partie de la métaphysique, qui traite de Dieu, de son existence, de ses attributs.
théodolite n. m. Instrument de géodésie pour lever les plans.
théogonie n. f. Filiation des dieux. Ensemble de divinités d'un peuple polythéiste.
théologal, e* adj. Relatif à la théologie. *Vertus théologales,* les trois vertus qui ont principalement Dieu pour objet : *les vertus théologales sont la foi, l'espérance, la charité.*
théologie n. f. Science de la religion, des choses divines. Doctrine théologique. Etudes théologiques.
théologien n. m. Qui connaît la théologie.
théologique adj. Qui concerne la théologie : *discussion théologique.*
théorème n. m. Proposition qui doit être démontrée : *théorème de géométrie.*
théoricien, enne n. Qui connaît la théorie d'un art.
théorie n. f. Connaissance purement spéculative, non fondée sur la pratique. Opinion : *théorie politique.* Explication proposée pour certains faits : *théorie de la chaleur. Mil.* Principes de la manœuvre.
théorie n. f. Groupe, file, procession de personnes.
théorique* adj. De la théorie.
théosophie n. f. Doctrine qui repose sur une intuition spéciale et qui a pour objet l'union la plus intime avec Dieu.
thérapeute n. m. Celui qui applique les données de la thérapeutique.
thérapeutique adj. Relatif au traitement des maladies. N. f. Partie de la médecine, qui enseigne à traiter les maladies.
thermal, e adj. Se dit des eaux minérales chaudes : *établissement thermal.*
thermes n. m. pl. *Antiq.* Bains publics. Etablissement thermal.
thermidor n. m. Onzième mois du calendrier républicain (19 juillet au 17 août).
thermidorien, enne adj. Relatif aux événements du 9 thermidor an II. N. m. Nom donné aux auteurs des événements du 9-Thermidor.
thermique adj. De la chaleur.
thermite n. f. Mélange d'oxydes métalliques dégageant par combustion une vive chaleur.
thermocautère n. m. Cautère rendu incandescent par un courant d'air.
thermodynamique n. f. Partie de la physique, qui traite des relations entre la mécanique et la chaleur.
thermogène adj. Qui engendre la chaleur : *emplâtre thermogène.*
thermomètre n. m. Instrument pour mesurer les températures.
thermométrie n. f. Mesure des températures.
thermométrique adj. Du thermomètre.
thésaurisation n. f. Action de thésauriser.
thésauriser v. intr. Amasser de l'argent.
thésauriseur, euse n. et adj. Qui thésaurise : *paysan thésauriseur.*
thèse n. f. Proposition que l'on avance et que l'on soutient. Ouvrage proposé à l'Université en vue du doctorat.
thomisme n. m. Ensemble des doctrines de saint Thomas d'Aquin.
thomiste n. m. Partisan du thomisme.
thon n. m. Genre de poissons de très grande taille : *pêcher le thon à la madrague.*
thonier n. m. Bateau affecté à la pêche du thon.
thoracique adj. Du thorax.
thorax n. m. *Anat.* Cavité des vertébrés contenant les organes de la respiration.
thorium [*ryom*] n. m. Métal rare servant dans la fabrication des manchons à incandescence.
thuriféraire n. m. Clerc qui porte l'encensoir. *Fig.* Flatteur.
thuya n. m. Genre de conifères toujours verts.
thym n. m. Petite plante odoriférante.
thymus n. m. Glande de la partie inférieure du cou.
thyroïde adj. Glande sanguine, en avant du larynx.
thyrse n. m. *Antiq.* Bâton terminé par une pomme de pin, que portaient les bacchantes. *Bot.* Disposition des fleurs en pyramides comme le lilas.
tiare n. f. Ornement de tête des souverains, chez les Mèdes et les Perses. Mitre à trois couronnes, que porte le pape. *Fig.* Dignité papale : *aspirer à la tiare.*
tibia n. m. Gros os de la jambe.
tic n. m. Contraction convulsive de certains muscles. *Fig.* Habitude fâcheuse ou ridicule : *avoir un tic.*
ticket n. m. Billet de chemin de fer, d'entrée, etc. Coupon de rationnement.
tic-tac n. m. invar. Bruit occasionné par un mouvement réglé : *le tic-tac d'un moulin.*
tiède* adj. Entre le chaud et le froid : *un bain tiède. Fig.* Qui manque d'ardeur, de

ferveur : *un ami tiède. Adverbialem. Boire tiède,* boire des boissons tièdes.

tiédeur n. f. Etat de ce qui est tiède. *Fig.* Nonchalance, manque de zèle : *montrer de la tiédeur à obliger quelqu'un.*

tiédir v. intr. Devenir tiède. V. tr. Rendre tiède : *tiédir un biberon.*

tien, tienne adj. poss. Qui est à toi. Pron. poss. *Le tien, la tienne,* qui est à toi. N. m. *Le tien,* ce qui t'appartient. N. m. pl. *Les tiens,* tes parents.

tierce n. f. *Mus.* Intervalle de trois degrés. *Escr.* Ligne d'engagement dans laquelle la main est tournée, le poignet en dedans, les ongles en dessous. Parade et attaque dans cette ligne. *Jeu.* Série de trois cartes de même couleur. *Liturg.* Deuxième des heures canoniales.

tiers, erce adj. Qui vient en troisième lieu : *tierce personne. Fièvre tierce,* qui revient tous les troisièmes jours. N. m. Chaque partie d'un tout divisé en trois parties : *le tiers d'une pomme.* Troisième personne : *il survint un tiers. Etre en tiers,* être troisième avec deux autres personnes.

tiers-point n. m. Angle d'une ogive. Lime triangulaire. Pl. des *tiers-points.*

tige n. f. Partie du végétal, qui s'élève de la terre et sert de support aux branches. Partie mince et allongée : *la tige d'une plume.* Origine, source. *Techn.* Partie d'une botte qui enveloppe la jambe.

tigelle n. f. Partie de l'embryon qui produit la tige.

tignasse n. f. Chevelure mal peignée.

tigre, esse n. Grand quadrupède carnassier, du genre chat. *Fig.* Personne cruelle.

tigrer v. tr. Rayer comme la peau du tigre : *pelage tigré.*

tillac [*tiyak*] n. m. *Mar.* Pont. (Vx.)

tiller [*tiyé*] v. tr. V. TEILLER.

tilleul [*tiyeul*] n. m. Arbre des régions tempérées à fleur médicinale. Infusion de fleurs de tilleul.

timbale n. f. Sorte de tambour semi-sphérique. Moule de cuisine. Préparation culinaire cuite, enveloppée dans une croûte de pâte. Gobelet en métal.

timbalier n. m. Joueur de timbales.

timbrage n. m. Action de timbrer.

timbre n. m. Cloche ou clochette métallique que frappe un marteau. Son que rend une cloche de ce genre. *Par anal.* Qualité du son de la voix ou d'un instrument. Cachet officiel sur le papier destiné aux actes publics, judiciaires, etc. Bureau où l'on timbre ce papier. Marque d'une administration, d'une maison de commerce. Instrument servant à apposer ces marques : *un timbre en caoutchouc.* Vignette mobile, que l'on colle sur une lettre, sur un document : *timbre-poste.*

timbré, e adj. *Mus.* Se dit de la voix qui résonne bien. *Fam.* Un peu fou, toqué.

timbre-poste n. m. Vignette qu'on colle sur les lettres pour les affranchir. Pl. des *timbres-poste.*

timbre-quittance n. m. Timbre qu'on colle sur les quittances. Pl. des *timbres-quittance.*

timbrer v. tr. Marquer avec le timbre : *timbrer du papier.*

timbreur n. m. Qui timbre.

timide* adj. Qui manque de hardiesse ou d'assurance : *un enfant timide.*

timidité n. f. Manque de hardiesse, d'assurance.

timon n. m. Pièce du train de devant d'une voiture aux deux côtés de laquelle on attelle des chevaux. Barre de gouvernail.

timonerie n. f. Endroit du navire où sont les objets nécessaires au service des timoniers.

timonier n. m. Matelot chargé de la surveillance de la route. Cheval attelé de chaque côté d'un timon.

timoré, e adj. Hésitant, réservé, scrupuleux. N. Personne timorée.

tin n. m. Pièce de bois pour soutenir une charpente, la quille d'un bâtiment, etc.

tinctorial, e adj. Qui sert à teindre. Relatif à la teinture.

tine n. f. Espèce de tonneau pour transporter l'eau, la vendange, etc.

tinette n. f. Tonneau de vidange.

tintamarre n. m. Grand bruit discordant, vacarme.

tintement n. m. Bruit d'une cloche qui tinte. Prolongement du son d'une cloche.

tinter v. tr. Faire sonner lentement une cloche par coups espacés.

tintinnabuler [*tin-ti-na*] v. intr. Produire le son d'un grelot.

tintouin n. m. *Fam.* Embarras, souci.

tique n. f. Nom vulgaire d'un insecte qui s'attaque aux chiens, aux bœufs, etc.

tiquer v. intr. Avoir un tic. *Fam.* Manifester sa surprise par un mouvement des yeux ou des lèvres.

tir n. m. Action de lancer, au moyen d'une arme, un projectile vers un but. Endroit où l'on s'exerce à tirer.

tirade n. f. Morceau écrit ou parlé développant une même idée. Ce qu'un personnage de théâtre débite d'un trait.

tirage n. m. Action de tirer. Courant d'air dans une cheminée, qui active la combustion. *Fig.* Difficulté : *il y aura du tirage.* Effort pour tirer une chose.

tiraillement n. m. Action de tirailler. Contraction douloureuse dans un muscle. *Fig.* Difficulté, désaccord.

tirailler v. tr. Tirer à diverses reprises. Solliciter avec insistance. Entraîner dans des sens différents : *tiraillé entre le devoir et l'intérêt.* V. intr. Tirer sans régularité, mais fréquemment : *ne faire que tirailler.*

tirailleur n. m. Soldat qui tiraille en avant d'une colonne. Nom de certains corps militaires coloniaux.

tirant n. m. Cordon pour ouvrir ou fermer une bourse. Ganse servant à tirer la tige d'une chaussure, quand on l'enfile. Pièce qui maintient les jambes de force d'un comble. *Mar. Tirant d'eau,* quantité dont une embarcation s'enfonce verticalement dans l'eau.

tire n. f. *Vol à la tire,* commis en tirant adroitement un objet de la poche de la victime.

tiré, e adj. Fatigué, amaigri. *Tiré à quatre épingles,* mis avec recherche. *Tiré par les cheveux,* peu naturel. N. m. *Comm.* Celui sur qui la lettre de change est tirée. Taillis bas permettant la chasse au fusil.

tire-botte n. m. Planchette à entaille servant à ôter les bottes. Pl. des *tire-bottes.*

tire-bouchon n. m. Sorte de vis métallique servant à tirer les bouchons des bouteilles. *En tire-bouchon,* en spirale. Pl. des *tire-bouchons.*

tire-clou n. m. Outil pour arracher les clous. Pl. des *tire-clous.*

tire-d'aile (à) loc. adv. A coups d'aile rapides : *fuir à tire-d'aile.*

tire-fond n. m. invar. Grosse vis pour fixer le rail sur ses traverses. Anneau fixé au plafond pour suspendre un lustre.

tire-laine n. m. invar. Voleur qui dérobait les manteaux des passants. (Vx.)

tire-larigot (à) loc. adv. Beaucoup.

tire-ligne n. m. Petit instrument d'acier pour tirer des lignes. Pl. des *tire-lignes.*

tirelire n. f. Petit vase ayant une fente en haut et qui sert à économiser des pièces de monnaie.

tire-point n. m. invar. Instrument pointu pour piquer.

tirer v. tr. Amener vers soi avec effort : *tirer un fardeau.* Tendre : *tirer son bas.* Faire sortir : *tirer l'épée du fourreau, tirer la langue.* Délivrer : *tirer de prison.* Tracer : *tirer un trait.* Imprimer : *tirer un livre.* Faire partir : *tirer le canon.* Obtenir : *tirer parti d'une chose.* Extraire : *tirer de l'eau d'un puits.* Faire sortir au sort : *tirer la loterie.* Délivrer : *tirer d'embarras.* Enlever : *tirer une épine du pied.* Recueillir : *tirer du profit.* Emprunter : *tirer un mot du latin.* Déduire : *tirer une conclusion. Tirer son origine,* être issu. *Tirer parti de,* utiliser. *Tirer vanité,* se vanter. *Tirer au clair,* éclaircir. V. intr. Exercer une traction. Avoir du tirage : *cheminée qui tire mal.* Faire des armes. Viser : *tirer juste.* Avoir de l'analogie : *tirer sur le brun. Tirer au sort,* s'en remettre au sort. *Tirer sur quelqu'un,* lui adresser une lettre de change. *Tirer en longueur,* se prolonger. *Tirer à conséquence,* avoir des suites.

tiret n. m. Petit trait horizontal dans l'écriture, plus long que le trait d'union.

tirette n. f. Cordon de rideau de fenêtre. Tablette mobile prolongeant latéralement un bureau, un meuble.

tireur, euse n. Personne qui tire une arme à feu. Qui sait faire des armes : *un tireur d'épée.* Celui qui tire une lettre de change. *Tireur, tireuse de cartes,* personne qui prétend annoncer l'avenir d'après certaines combinaisons de cartes à jouer.

tiroir n. m. Petite caisse emboîtée dans un meuble et qui se tire à volonté. Pièce d'une machine à vapeur qui distribue la vapeur dans le cylindre. *Pièce à tiroirs,* composée de scènes sans liaison.

tisane n. f. Liquide médicinal servant de boisson aux malades.

tison n. m. Morceau de bois brûlé en partie. *Fig.* Ce qui allume, enflamme : *un tison de discorde.*

tisonner v. intr. Remuer les tisons du foyer, pour activer le feu.

tisonnier n. m. Verge de fer pour tisonner, pour attiser le feu.

tissage n. m. Action de tisser. Usine où l'on tisse.

tisser v. tr. Entrelacer des fils pour faire une étoffe.

tisserand n. m. Ouvrier tisseur.

tisseur n. et adj. Qui tisse.

tissu n. m. Ouvrage de fils entrelacés : *un tissu imperméable.* Manière dont sont assemblés les fils d'une étoffe : *un tissu serré. Anat.* Combinaison définie d'éléments anatomiques : *tissu osseux. Fig.* Suite, série : *un tissu d'erreurs.*

tissu-éponge n. m. Etoffe spongieuse à surface formée de bouclettes. Pl. des *tissus-éponges.*

tissure n. f. Liaison de ce qui est tissé : *tissure lâche.*

titan n. m. Personne ou objet de grandeur gigantesque.

titanesque adj. Propre aux titans.

titanique adj. De titan : *orgueil titanique.*

titi n. m. *Pop.* Gamin de Paris.

titillation [*l-l*] n. f. Légère agitation dans un corps. Chatouillement.

titiller [*l-l*] v. tr. Chatouiller légèrement. V. intr. Eprouver une sensation de titillation.

titrage n. m. Mesure des matières contenues dans un composé : *le titrage d'un alcool.*

titre n. m. Inscription en tête d'un livre, d'un chapitre, pour en indiquer le contenu. Subdivision d'une loi. Qualification honorifique : *le titre de duc.* Qualification exprimant une relation sociale, une fonction : *le titre de père.* Acte, pièce authentique établissant un droit : *titre de propriété, de rente.* Degré de fin des monnaies, des bijoux : *au titre de 900 millièmes. Titre d'une solution,* quantité d'un corps dissous dans un volume déterminé du dissolvant. *En titre,* comme titulaire. *A juste titre,* avec raison. *A titre de* loc. prép. En qualité de.

titrer v. tr. Donner un titre. Déterminer le titre d'une solution.

titubation n. f. Action de tituber.

tituber v. intr. Vaciller, chanceler.

titulaire adj. et n. Qui est revêtu d'un titre, qui exerce une charge en vertu d'un titre.

titulariser v. tr. Rendre titulaire.

toast [*tôst'*] n. m. Proposition de boire à la santé de quelqu'un, au succès d'une entreprise : *porter un toast.* Rondelle de pain grillé.

toaster v. intr. Porter un toast.

toboggan n. m. Sorte de traîneau bas. Glissière en spirale pour marchandises.

toc interj. Onomatopée exprimant un coup, un choc. N. m. *Fam.* Objet faux : *montre en toc.*

tocsin n. m. Bruit d'une cloche qui tinte à coups pressés et redoublés, pour donner l'alarme : *sonner le tocsin.*

toge n. f. *Antiq. rom.* Manteau ample et long des Romains. Auj., robe de magistrat, d'avocat, de professeur.

tohu-bohu n. m. Confusion, désordre.

toi pr. pers. V. TU.

toile n. f. Tissu de lin, de chanvre ou de coton. Tissu de fils d'une matière quelconque : *toile métallique. Théâtr.* Grand rideau, décor de fond. Tableau peint sur toile : *une toile de maître.*

toilerie n. f. Fabrique, commerce de toile.

toilette n. f. Meuble garni des objets nécessaires aux soins de la propreté, de la coiffure. Action de se laver, se coiffer, s'habiller : *faire sa toilette.* Costume, parure : *toilette de bal, de mariée.*

toise n. f. Anc. mesure de longueur (1,949 m). Instrument pour mesurer la taille des conscrits.
toisé n. m. Evaluation des travaux faits dans le bâtiment. Art de mesurer les surfaces solides.
toiser v. tr. Mesurer. *Fig.* Apprécier. Regarder avec dédain, avec bravade.
toison n. f. Poil, lainage d'un animal : *la toison d'un mouton.*
toit n. m. Couverture d'un bâtiment : *toit de chaume. Fam.* Maison : *le toit paternel.*
toiture n. f. Ce qui compose le toit.
tôle n. f. Fer ou acier laminé, en feuilles. *Arg.* Prison.
tolérable adj. Qu'on peut tolérer.
tolérance n. f. Action de tolérer. Possibilité de supporter sans souffrir un remède. Excédent ou insuffisance de poids dans une monnaie.
tolérant, e adj. Indulgent.
tolérantisme n. m. Indulgence en matière de religion.
tolérer v. tr. (Se conj. comme *accélérer.*) Supporter avec indulgence. Permettre tacitement : *tolérer des abus.*
tôlerie n. f. Travail du tôlier.
tolet n. m. Fiche en bois ou en fer dans le plat-bord d'un bateau.
tôlier n. m. Artisan qui travaille la tôle. *Arg.* Hôtelier.
tollé [*tol-lé*] n. m. Cri d'indignation.
toluène n. m. Hydrocarbure tiré de la houille.
tomaison n. f. Indication du tome d'un ouvrage.
tomate n. f. Plante solanacée à fruit comestible. *Sauce tomate,* à la tomate.
tombal, e adj. Relatif à la tombe.
tombe n. f. Fosse où gît un mort, et dalle de pierre qui la recouvre. *Fig.* La mort.
tombeau n. m. Monument élevé sur une tombe. *Fig.* Lieu sombre, triste. *Fig.* La mort.
tombée n. f. Mouvement de ce qui tombe. *A la tombée de la nuit,* au début de la nuit. *A la tombée du jour,* à la fin du jour.
tomber v. intr. Etre entraîné de haut en bas : *tomber de cheval.* Se jeter : *tomber aux pieds de quelqu'un.* Arriver brusquement : *tomber sur l'ennemi.* Pendre : *ses cheveux lui tombent sur le nez.* Etre anéanti : *ses illusions tombent.* Devenir : *tomber malade.* Succomber : *tomber au pouvoir de.* Perdre de son intensité : *laisser tomber la voix.* Se porter : *la conversation tomba sur lui.* Ne pas réussir : *une pièce de théâtre qui tombe.* Etre pris : *tomber dans un piège.* Arriver : *sa fête tombe un jeudi.* Dégénérer : *tomber dans le burlesque.* Parvenir par hasard : *cela est tombé sous mes yeux.* V. tr. *Pop.* Jeter à terre : *tomber un adversaire.* V. impers. : *il tombe de la neige.*
tombereau n. m. Charrette basculante montée sur deux roues.
tombeur n. m. *Fam.* Lutteur qui tombe ses adversaires.
tombola n. f. Loterie où chaque gagnant reçoit un lot en nature.
tome n. m. Division d'un livre qui forme en général un volume.
ton, ta, tes adj. poss. de la 2e personne du singulier.
ton n. m. Degré de hauteur de la voix ou du son d'un instrument : *ton grave.* Inflexion de la voix : *un ton humble.* Caractère du style : *ton noble, soutenu.* Façon de s'exprimer, de se présenter. Vigueur, force : *donner du ton. Mus.* Intervalle entre deux notes de la gamme qui se succèdent. Gamme dans laquelle un air est composé : *le ton de fa.* Corps de rechange qui fait varier la tonalité d'un instrument. *Peint.* Degré de force et d'éclat des teintes. *Donner le ton,* régler la mode, les usages. *Bon ton,* langage, manières des personnes bien élevées.
tonal, e, als adj. *Mus.* Relatif à la tonalité.
tonalité n. f. Qualité d'un morceau écrit dans un ton déterminé.
tondaison n. f. V. TONTE.
tondeur, euse adj. et n. Qui tond. N. f. Nom de divers instruments servant à tondre les cheveux, le poil, à faucher le gazon, etc.
tondre v. tr. Couper de près les cheveux, le poil, le gazon, etc. Tailler ras : *tondre le buis. Fig.* Dépouiller, frapper d'impôts successifs : *tondre le contribuable.*
tonicité n. f. Elasticité des tissus vivants.
tonification n. f. Action de tonifier.
tonifier v. tr. (Se conj. comme *prier.*) Donner du ton : *tonifier la peau.* Rendre plus vigoureux : *l'air marin tonifie.*
tonique adj. et n. m. Qui fortifie ou réveille la tonicité des organes. Qui reçoit l'accent : *syllabe tonique. Accent tonique,* intensité plus forte de la voix sur une syllabe.
tonitruant, e adj. Bruyant comme le tonnerre : *voix tonitruante.*
tonnage n. m. Capacité d'un navire.
tonne n. f. Grand tonneau. Son contenu. Unité de poids (1 000 kg).
tonneau n. m. Récipient de bois formé de douves assemblées, serrées par des cercles et fermées par deux fonds plats. Son contenu. Mesure de capacité pour l'affrètement d'un navire (1,44 m^3) ou pour son jaugeage (2,83 m^3 pour le tonneau international). Voiture légère et découverte à deux roues. Jeu d'adresse.
tonnelet n. m. Petit tonneau.
tonnelier n. m. Celui qui fait des tonneaux.
tonnelle n. f. Berceau de verdure. Voûte en plein cintre. Filet pour la chasse.
tonnellerie n. f. Profession du tonnelier.
tonner v. impers. Se dit du bruit que fait entendre le tonnerre. V. intr. Faire retentir le tonnerre. Produire un bruit qui rappelle le tonnerre. *Fig.* Parler d'une voix retentissante ou avec véhémence : *tonner contre les abus ne suffit pas à les détruire.*
tonnerre n. m. Bruit qui accompagne la foudre. *Abusiv.* La foudre. Partie du canon d'une arme où l'on fait éclater la poudre. Bruit comparable à celui du tonnerre. *Coup de tonnerre,* événement imprévu.
tonsure n. f. Couronne faite en rasant le sommet du crâne.
tonsurer v. tr. Donner la tonsure.
tonte n. f. Action de tondre. Laine que l'on tond. Temps de la tonte.
tontine n. f. Association dans laquelle chaque associé verse une somme pour en constituer un capital qui sera réparti à un moment donné entre les survivants.
topaze n. f. Pierre précieuse de couleur jaune.
tope! ou tope-là! interj. J'y consens.

toper v. intr. Se taper mutuellement dans la main en signe d'accord. Consentir.
topinambour n. m. Plante composée à tubercules comestibles.
topique* adj. Se dit des médicaments qui agissent sur des points déterminés du corps. Qui se rapporte directement à la question : *argument topique*. N. m. Médicament topique. Argument s'appliquant à tous les cas analogues.
topo n. m. *Fam.* Plan, projet.
topographe n. m. Celui qui s'occupe de topographie.
topographie n. f. Description et représentation graphique d'un lieu.
topographique adj. Relatif à la topographie.
toponymie n. f. Etude de l'origine des noms de lieu.
toquade n. f. *Fam.* Caprice.
toque n. f. Coiffure sans bords. Casquette à petite visière.
toqué, e adj. *Fam.* Un peu fou.
toquer v. tr. Frapper. (Vx.)
torche n. f. Flambeau grossier de résine, de cire, etc. *Fig.* Elément de discorde : *la torche de la révolte*.
torcher v. tr. Essuyer avec un torchon. *Fig.* et *fam.* Faire à la hâte : *torcher un ouvrage*.
torchère n. f. Vase dans lequel on met des matières combustibles éclairantes. Candélabre supportant des flambeaux, etc.
torchis n. m. Mortier de terre et de paille : *murs de torchis*.
torchon n. m. Serviette de grosse toile pour essuyer.
torchonner v. tr. *Pop.* Torcher.
tordage n. m. Torsion.
tord-boyaux n. m. invar. *Pop.* Eau-de-vie très forte et de qualité médiocre.
tordeur, euse n. Qui tord la laine, le fil, etc. N. f. Machine à tordre.
tord-nez n. m. invar. Corde avec laquelle on serre le nez des chevaux rétifs.
tordoir n. m. Garrot pour tordre une corde.
tordre v. tr. Tourner un corps par ses extrémités en sens contraire : *tordre du linge*. Tourner violemment : *tordre le bras*. *Tordre le cou*, étrangler. V. pr. Contourner son corps avec effort. *Pop.* Rire convulsivement.
tore n. m. *Archit.* Grosse moulure ronde à la base d'une colonne. *Géom.* Anneau à section circulaire.
toréador n. m. Se dit en France, par erreur, pour *torero*.
torero n. m. Combattant dans les courses de taureaux.
tornade n. f. Cyclone violent.
toron n. m. Réunion de plusieurs fils de caret tordus.
torpédo n. f. Voiture automobile découverte à profil allongé.
torpeur n. f. Etat d'engourdissement, d'assoupissement physique ou mental.
torpide adj. Engourdi.
torpillage n. m. Action de torpiller.
torpille n. f. Poisson plat possédant un appareil électrique qui lui permet d'engourdir ses victimes. Engin de guerre pouvant provoquer une explosion sous-marine. Bombe d'avion à ailettes.
torpiller v. tr. Attaquer, atteindre au moyen de torpilles. *Fig.* Faire échouer.
torpilleur n. m. Bateau destiné à porter, à lancer des torpilles. Marin chargé de la manipulation des torpilles.
torréfacteur n. m. Appareil de torréfaction.
torréfaction n. f. Action de torréfier.
torréfier v. tr. (Se conj. comme *prier*.) Griller : *torréfier la chicorée, le café*.
torrent n. m. Courant d'eau violent.
torrentiel, elle [*syèl'*] adj. De torrent. Qui tombe à torrents : *pluie torrentielle*.
torrentueux, euse adj. Impétueux.
torride adj. Excessivement chaud : *climat torride*. *Zone torride*, partie de la Terre située entre les tropiques.
tors, e adj. Tordu.
torsade n. f. Frange tordue en spirale, employée en passementerie.
torse n. m. Corps humain sans la tête ni les membres. Buste.
torsion n. f. Etat de ce qui est tordu.
tort n. m. Ce qui est contre le droit, la justice, la raison. Préjudice, dommage. *Avoir tort*, soutenir une chose fausse, faire ce qu'on ne devrait pas faire. *Faire tort*, nuire. *A tort*, injustement. *A tort et à travers*, sans discernement.
torticolis n. m. Douleur rhumatismale dans les muscles du cou.
tortillage n. m. Action de tortiller. Façon de s'exprimer confuse et embarrassée.
tortillard n. m. *Fam.* Petit chemin de fer local.
tortillement n. m. Action de tortiller. Etat d'une chose tortillée.
tortiller v. tr. Tordre à plusieurs tours. V. pr. Se tordre. S'agiter, remuer.
tortillon n. m. Bourrelet pour porter un fardeau sur la tête. Petit rouleau de papier pour estomper.
tortionnaire adj. Qui sert pour la torture. N. Qui applique la torture.
tortu, e adj. Qui se dévie, qui n'est pas droit : *bois tortu*. *Fig.* Qui n'est pas juste : *raisonnement tortu*.
tortue n. f. Reptile enfermé dans une carapace osseuse.
tortueux, euse* adj. Sinueux. *Fig.* Qui emploie des moyens détournés.
torturant, e adj. Qui torture.
torture n. f. Supplice. Tourments que l'on fait subir à un accusé pour lui arracher des aveux. *Fig.* Vive inquiétude : *se mettre l'esprit à la torture*.
torturer v. tr. Faire subir la torture. *Fig.* Tourmenter vivement. Dénaturer violemment le sens de : *torturer un texte*.
torve adj. *Regard torve*, oblique et dur.
tôt adv. Au bout de peu de temps. De bonne heure. Promptement.
total, e* adj. Complet, entier. N. m. Assemblage de plusieurs parties formant un tout. Somme obtenue par addition. *Au total*, tout considéré, en somme.
totalisateur, trice adj. Qui totalise. N. m. Appareil additionnant automatiquement plusieurs nombres.
totalisation n. f. Addition.
totaliser v. tr. Calculer le total de.
totalitaire adj. Dictatorial.
totalitarisme n. m. Régime de dictature d'une personne ou d'un parti.
totalité n. f. Le tout, le total. *En totalité*, totalement.

totem n. m. Animal vénéré dans certaines tribus sauvages comme l'ancêtre de la race.
totémisme n. m. Croyance aux totems. Système social fondé sur cette croyance.
toton n. m. Sorte de petite toupie.
touage n. m. Action de touer.
toucan n. m. Genre d'oiseaux grimpeurs à bec énorme.
touchant prép. Au sujet de, relativement à.
touche n. f. Action de toucher. Chacune des pièces constituant le clavier d'un piano, d'un orgue, etc. Essai de l'or, etc., à la pierre de touche. *Pierre de touche,* variété de jaspe noir pour essayer les métaux. *Fig.* Moyen d'épreuve. Manière de peindre, d'écrire : *une touche délicate, hardie.* Gaule dont on se sert pour faire avancer les bœufs. *Arg.* Mine, aspect.
touche-à-tout n. et adj. invar. Qui touche à tout, qui se mêle de tout.
toucher v. tr. Etre en contact avec : *toucher du doigt.* Recevoir : *toucher de l'argent.* Atteindre : *toucher un but, un adversaire.* Avoir rapport : *cela ne me touche en rien.* Emouvoir : *ses larmes m'ont touché.* Stimuler les bœufs avec la touche. V. intr. Atteindre : *toucher au plafond.* Modifier : *toucher à une loi.* Etre en contact : *maison qui touche à l'eglise.* Etre sur le point d'atteindre : *toucher au port.*
toucher n. m. Sens par lequel on connaît la forme et le caractère extérieur des corps.
toucheur n. m. Conducteur de bestiaux : *un toucheur de bœufs.*
toue n. f. Action de touer.
touer v. tr. Haler un bateau.
touffe n. f. Bouquet, assemblage de fils, de brins, de tiges, de plumes, etc.
touffeur n. f. Exhalation chaude.
touffu, e adj. Epais, serré : *bois touffu. Fig.* Enchevêtré, surchargé.
touiller v. tr. *Fam.* Mêler, agiter.
toujours adv. Sans cesse, sans fin. En tout temps. Encore à présent : *je l'aime toujours malgré ses défauts.* Néanmoins, cependant : *toujours est-il que j'ai fait mon devoir.*
toupet n. m. Petite touffe de cheveux, de poils, etc. *Fam.* Effronterie, audace : *avoir du toupet.*
toupie n. f. Jouet en forme de poire que l'on fait tourner sur la pointe. Tour conique pour tailler les moulures.
tour n. f. Bâtiment élevé, de forme ronde ou carrée. Pièce du jeu d'échecs.
tour n. m. Mouvement circulaire : *tour de roue.* Action de parcourir la périphérie : *faire le tour de la ville.* Circuit, circonférence : *tour de poitrine.* Action qui exige de la force, de l'adresse, etc. : *tour de prestidigitateur.* Trait d'adresse, de friponnerie : *jouer un bon tour.* Manière de présenter une idée, une expression : *un tour gracieux, original.* Rang, ordre : *parler à son tour. A tour de bras,* de toute la force de ses bras. *En un tour de main,* en un instant. *Tour de bâton,* profit illicite. *Tour de reins,* foulure de la région lombaire. *Tour à tour,* l'un après l'autre, alternativement.
tour n. m. Machine-outil pour façonner en rond le bois, etc. Armoire cylindrique enchâssée dans un mur pour faire passer à l'intérieur ce qu'on dépose à l'extérieur.
tourangeau, elle adj. De Touraine.
tourbe n. f. Sorte de charbon imparfait, formé de végétaux décomposés.
tourbe n. f. Foule, multitude.
tourbeux, euse adj. Qui contient de la tourbe.
tourbière n. f. Endroit d'où l'on extrait la tourbe.
tourbillon [*yon*] n. m. Vent impétueux qui souffle en tournoyant. Masse d'eau qui tournoie rapidement. Masse quelconque qui tournoie : *tourbillon de poussière. Fig. : le tourbillon des plaisirs.*
tourbillonnement n. m. Tourbillon : *le tourbillonnement du vent.*
tourbillonner v. intr. Tournoyer.
tourelle n. f. Petite tour. Tour blindée dans un navire de guerre.
touret n. m. Petite roue à gorge. Dévidoir de cordier. Petit tour pour divers usages.
tourie n. f. Grande bonbonne de verre ou de grès entourée d'osier.
tourière adj. et n. f. Religieuse non cloîtrée, chargée des relations avec l'extérieur.
tourillon [*yon*] n. m. Axe ou pivot.
tourisme n. m. Action de voyager par agrément : *agence de tourisme.*
touriste n. m. Personne qui voyage pour son agrément.
touristique adj. Relatif au tourisme.
tourment n. m. Violente douleur.
tourmente n. f. Tempête violente. *Fig.* Troubles violents : *tourmente politique.*
tourmenter v. tr. Faire souffrir violemment : *la goutte le tourmente.* Agiter violemment. *Fig.* Inquiéter vivement : *son procès le tourmente.* Harceler : *tourmenté par ses créanciers.* V. pr. S'inquiéter vivement : *pourquoi vous tourmenter ainsi?*
tourmenteur, euse adj. Qui tourmente.
tournage n. m. Action de tourner.
tournailler v. intr. *Fam.* Aller de droite et de gauche.
tournant, e adj. Qui tourne. Qui fait des détours. N. m. Coude d'un chemin, d'une rivière, etc. *Fig.* Moment où les événements prennent une tournure différente : *un tournant de l'histoire. Fig.* Moyen détourné : *prendre des tournants.*
tourne-à-gauche n. m. invar. Levier, outil servant à tourner, à courber certains objets.
tournebroche n. m. Mécanisme faisant tourner une broche à rôtir.
tournedos n. m. Filet de bœuf accommodé en tranches.
tournée n. f. Voyage d'inspection, d'affaires, etc. *Fam.* Ensemble des boissons offertes par un consommateur à d'autres.
tournemain (en un) loc. adv. En un instant : *ce sera réglé en un tournemain.* (Vx.)
tourner v. tr. Mouvoir en rond : *tourner une roue, une broche.* Changer de direction : *tourner la tête.* Mettre dans un sens opposé : *tourner une feuille.* Façonner au tour : *tourner une quille.* Examiner : *tourner une affaire en tous sens.* Interpréter : *tourner en bien, en mal.* Disposer, arranger : *bien tourner une lettre.* Diriger : *tourner ses pensées vers Dieu.* Faire le tour de : *tourner une montagne.* Eluder : *tourner une difficulté. Tourner le dos à,* s'éloigner de. *Fig.* Traiter avec mépris. *Tourner en ridicule,* ridiculiser. *Tourner la tête à quelqu'un,* lui faire perdre la raison. V. intr. Se mouvoir circulairement.

S'agiter en divers sens : *tourner avant de prendre une décision*. S'altérer, s'aigrir : *le lait a tourné*. Finir : *l'affaire a mal tourné*. Changer de conduite : *jeune homme qui a mal tourné*. Avoir une tendance vers : *tourner à la dévotion*. *Tourner à tout vent*, changer souvent d'idée. *La tête lui tourne*, il a le vertige. *Tourner court*, tourner sur un petit espace ; finir brusquement.

tournesol [*ne-sol*] n. m. Soleil, plante. Matière colorante.

tourneur n. m. Artisan qui travaille au tour. Adj. Qui tourne sur lui-même : *derviche tourneur*.

tournevis [*viss*] n. m. Instrument pour serrer ou desserrer les vis.

tourniquet n. m. Croix mobile sur un pivot dans un chemin, à l'entrée d'un spectacle payant, pour ne laisser passer qu'une personne à la fois. Lame de fer mobile en forme d'S, servant à maintenir un volet ouvert. Jeu de hasard qui consiste en un disque tournant vertical, autour duquel sont marqués des numéros. *Chir.* Instrument pour comprimer les artères coupées.

tournis n. m. Maladie des moutons et des bœufs qui les fait tourner convulsivement sur eux-mêmes.

tournoi n. m. Fête où l'on combattait à armes courtoises et à cheval. *Fig.* Assaut, concours : *tournoi de bridge*.

tournoiement n. m. Action de tournoyer : *le tournoiement de l'eau*.

tournois adj. S'est dit, en France, de la monnaie frappée à Tours : *livre tournois*.

tournoyer v. intr. (Se conj. comme *aboyer*.) Tourner sur soi-même.

tournure n. f. Manière dont une chose évolue : *prendre bonne tournure*. Caractère, aspect. Manière dont une personne est faite : *avoir une jolie tournure*. Bouffant que les dames mettaient par-derrière, sous leur jupe. Agencement des mots dans une phrase : *tournure incorrecte*.

tourte n. f. Pâtisserie de forme circulaire, contenant un mets.

tourteau n. m. Résidu de graines, de fruits, dont on a exprimé l'huile, et utilisé comme aliment pour les bestiaux, ou comme engrais : *tourteau d'olives*.

tourtereau n. m. Jeune tourterelle. Pl. *Fig.* Jeunes amoureux.

tourterelle n. f. Espèce de petit pigeon, au roucoulement plaintif.

tourtière n. f. Ustensile pour faire cuire des tourtes ou des tartes.

tousser v. intr. Avoir un accès de toux. Imiter le bruit de la toux.

tousseur, euse n. *Fam.* Qui tousse.

toussoter v. intr. Tousser souvent.

tout, toute; pl. masc. **tous** adj. Exprime l'ensemble, l'universalité, l'intégralité de : *tous les hommes*. Au sing., chaque, n'importe lequel : *tout homme est mortel*. *Toutes les semaines*, une fois par semaine. Pron. indéf. Toute chose, ou chaque chose : *il sait tout faire*. *Après tout*, en définitive. *Comme tout*, extrêmement. *En tout*, au total. *A tout prendre*, en somme. N. m. Ensemble, objet divisible pris en son entier : *cela forme un tout*. L'universalité des choses : *le grand tout*. *Fig.* Le principal : *le tout est de réussir*. Adv. Entièrement. *Tout... que*, quelque, si.

tout-à-l'égout n. m. Mode de vidange envoyant les matières fécales directement à l'égout.

tout beau ! interj. Cri par lequel on arrête un chien d'arrêt.

toutefois adv. Néanmoins.

toute-puissance n. f. Puissance infinie. Pouvoir souverain.

toutou n. m. *Fam.* Chien.

tout-puissant, toute-puissante adj. Qui a un pouvoir sans bornes. N. m. *Le Tout-Puissant*, Dieu.

tout-venant n. m. Houille non triée.

toux n. f. Expiration brusque et convulsive de l'air contenu dans les poumons.

toxicité n. f. Caractère toxique.

toxicologie n. f. Etude des poisons.

toxine n. f. Poison microbien.

toxique n. m. Nom générique des poisons. Adj. Qui contient du poison.

trac n. m. *Fam.* Peur, en particulier celle qu'on éprouve devant le public.

traçage n. m. Action de tracer.

tracas n. m. Agitation, désordre. Embarras, peine, souci : *le tracas des affaires*.

tracasser v. tr. Agiter, inquiéter.

tracasserie n. f. Ennui, tourment. Action de tracasser.

tracassier, ère adj. Qui aime à tracasser.

trace n. f. Empreinte, vestige du passage d'un homme ou d'un animal. Cicatrice, marque qui reste d'une chose. *Fig.* Impression dans l'esprit, la mémoire.

tracé n. m. Représentation des contours d'un dessin, d'un plan. Ligne suivie, parcours : *le tracé d'un chemin de fer*.

tracement n. m. Action de tracer.

tracer v. tr. (Se conj. comme *amorcer*.) Tirer les lignes d'un dessin, d'un plan, etc. *Par ext.* Indiquer par l'écriture. Marquer, déterminer la voie à suivre. V. intr. Se dit des plantes dont les tiges ou les racines rampent sur le sol.

traceur, euse n. Qui trace.

trachéal, e [*ké*] adj. De la trachée.

trachée [*ché*] n. f. Abrév. de TRACHÉE-ARTÈRE. *Zool.* Organe respiratoire des animaux articulés. *Bot.* Vaisseau entouré de fils en spirales serrées.

trachée-artère [*ché*] n. f. Chez l'homme et l'animal, canal qui porte l'air aux poumons.

trachéen, enne [*ké*] adj. Qui appartient à la trachée, aux trachées.

trachéotomie [*ké*] n. f. Ouverture, incision de la trachée-artère.

traçoir n. m. Outil pour tracer.

tract n. m. Petit imprimé sur une question politique, religieuse, etc.

tractation n. f. Manière de traiter une affaire, un marché.

tracteur n. m. Machine produisant une traction. Véhicule automobile muni d'un dispositif de remorquage.

traction n. f. Action d'une force tirant un corps mobile : *traction d'une locomotive*. *Ch. de fer.* Partie de l'exploitation, qui consiste dans les transports de tous genres. *Traction avant*, type d'automobile, où les roues avant sont motrices.

tradition n. f. Transmission orale. Transmission orale ou écrite des doctrines religieuses. Tout ce qu'on sait par une transmission d'âge en âge : *respectueux de la tradition*.

traditionalisme n. m. Système fondé sur la tradition.
traditionaliste n. et adj. Partisan du traditionalisme.
traditionnel, elle* adj. Fondé sur la tradition : *loi traditionnelle.*
traducteur n. m. Qui traduit.
traduction n. f. Action de transposer dans une autre langue. Ouvrage traduit. *Par ext.* Interprétation.
traduire v. tr. Citer, renvoyer pour être jugé : *traduire en justice.* Faire passer, transposer d'une langue dans une autre : *traduire du latin. Fig.* Représenter, exprimer : *traduire sa pensée.*
traduisible adj. Qui peut être traduit : *mot difficilement traduisible.*
trafic n. m. Circulation des marchandises. Commerce illicite. *Fig.* Commerce de choses qui ne sont pas légalement achetables : *trafic d'influence.*
trafiquant n. m. Commerçant.
trafiquer v. intr. Faire le trafic. *Fig.* Faire trafic de : *trafiquer de son honneur.*
trafiqueur, euse n. et adj. *Fam.* Qui fait un trafic peu honnête.
tragédie n. f. Poème dramatique, représentant une action propre à exciter la crainte ou la pitié. Le genre tragique. *Fig.* Evénement terrible, funeste.
tragédien, enne n. Acteur, actrice tragique.
tragi-comédie n. f. Tragédie mêlée d'incidents comiques. *Fig.* Mélange de choses sérieuses et de choses comiques.
tragi-comique adj. Qui tient du tragique et du comique.
tragique* adj. Qui appartient à la tragédie. *Fig.* Terrible, funeste, sanglant : *fin tragique.* N. m. Le genre tragique. Auteur de tragédies. Caractère de ce qui est terrible : *le tragique d'une situation.*
trahir v. tr. Livrer, abandonner celui à qui l'on doit fidélité : *trahir sa patrie.* Manquer à : *trahir son serment.* Révéler : *trahir un secret.* Ne pas répondre à : *trahir la confiance.* Ne pas exprimer exactement : *trahir la pensée de quelqu'un.* V. pr. Se faire découvrir.
trahison n. f. Action de trahir.
train n. m. Allure : *aller bon train.* Suite de wagons traînés par une locomotive : *train express.* Radeau de bois flotté. Matériel militaire : *train d'artillerie.* Partie antérieure ou postérieure du cheval : *train de devant. Train de vie,* manière de vivre. *Train des équipages,* corps qui assure les transports d'une armée. *Train de maison,* ensemble des services d'une maison. *Aller son train,* continuer comme on a commencé. *Etre en train,* être bien disposé, en verve; être en voie d'exécution. *Etre en train de,* être actuellement occupé à. *Mettre une affaire en train,* la commencer.
traînage n. m. Action de traîner.
traînard n. m. Qui reste en arrière. *Par ext.* Homme lent.
traînasser v. tr. *Fam.* Traîner en longueur une chose. V. intr. Vaguer çà et là sans but : *traînasser dans les rues.*
traîne n. f. Action de traîner. Queue d'une robe. Sorte de filet.
traîneau n. m. Petit chariot bas et sans roues qu'on fait glisser sur la glace et sur la neige. Grand filet que l'on traîne.
traînée n. f. Choses répandues en longueur : *traînée de poudre. Pop.* Prostituée.
traîner v. tr. Tirer derrière soi : *traîner un filet.* Déplacer péniblement : *traîner les pieds.* Mener sans énergie : *traîner son existence.* Se faire suivre : *traîner quelqu'un derrière soi. Traîner en longueur,* différer la conclusion de; tarder à finir. V. intr. Pendre jusqu'à terre : *son manteau traîne.* Mener une existence languissante. Ne pas être en ordre : *tout traîne dans cette maison.* V. pr. Ramper à terre. Marcher avec difficulté.
traîneur, euse n. Personne qui traîne. *Traîneur de sabre,* soldat grossier, tapageur.
traintrain n. m. Cours monotone, routine : *le traintrain de la vie.*
traire v. tr. (*Je trais, nous trayons. Je trayais, nous trayions.* Pas de passé simple. *Je trairai, nous trairons. Trais, trayons, trayez. Que je traie, que nous trayions.* Pas d'imparfait du subj. *Trayant, e. Trait, e.*) Tirer le lait des mamelles : *traire une vache.*
trait n. m. Action de traîner. Arme de jet : *lancer des traits.* Longe de cuir, corde pour atteler un cheval. Ce que l'on boit sans reprendre haleine : *avaler d'un trait.* Ligne que l'on trace : *dessin au trait.* Lignes du visage : *traits délicats.* Manière d'exprimer : *peindre l'amitié en traits émouvants.* Chose qui blesse moralement : *les traits de la médisance.* Action considérée du point de vue moral : *un trait d'héroïsme.* Pensée vive, ingénieuse : *un trait d'esprit. Mus.* Succession rapide de notes. Coupure : *un trait de scie. Avoir trait à,* se rapporter à. *Trait d'union,* petite ligne qui joint les parties d'un mot composé, et, au *fig.,* ce qui sert à réunir.
traitable adj. Qu'on peut traiter. Maniable, doux, accommodant.
traite n. f. Action de tirer, de traire. Chemin fait sans s'arrêter : *faire une longue traite. Tout d'une traite,* sans s'arrêter. Lettre de change : *faire traite sur quelqu'un.* Trafic, commerce : *la traite des nègres, des blanches.*
traité n. m. Ouvrage où l'on traite d'un art, d'une science. Convention entre Etats ou entre sociétés : *un traité de commerce.*
traitement n. m. Manière d'agir, de se comporter : *subir de mauvais traitements.* Appointements d'un fonctionnaire. Manière de combattre une maladie. Opérations que l'on fait subir à une matière.
traiter v. tr. Agir bien ou mal envers quelqu'un : *bien traiter un prisonnier.* Recevoir, accueillir, donner à manger : *traiter ses invités.* Exposer : *traiter une question.* Soigner : *traiter un malade.* Exécuter, représenter : *peintre qui traite un sujet.* Faire subir un traitement : *traiter un minerai.* V. intr. Faire un traité, une convention : *traiter avec l'adversaire.* Faire un exposé : *traiter de l'alcoolisme.*
traiteur n. m. Celui qui prépare des plats sur commande.
traître, esse adj. Qui trahit : *paroles traîtresses.* Sournois, hypocrite.
traîtreusement adv. En traître.
traîtrise n. f. Caractère de traître, trahison.
trajectoire n. f. Ligne que décrit un projectile lancé par une arme.

trajet n. m. Espace à parcourir ou chemin parcouru : *trajet d'une balle.*

tralala n. m. *Fam.* Tapage, bruit. Ostentation : *faire du tralala.*

tram n. m. *Fam.* Abrév. de TRAMWAY.

trame n. f. Ensemble des fils que les tisserands font passer entre ceux de la chaîne. *Fig.* Complot, intrigue, cours, durée de la vie : *la trame de nos jours.*

tramer v. tr. Entrelacer les fils de la trame avec ceux de la chaîne. *Fig.* Machiner, comploter : *tramer une conspiration.*

tramontane n. f. Vent du nord, dans la Méditerranée. *Fig. Perdre la tramontane,* ne plus savoir s'orienter.

tramway [*tram-ouè*] n. m. Voie ferrée établie dans une rue, à l'aide de rails creux. Voiture qui circule sur ces rails.

tranchage n. m. Action de trancher. Action de couper en tranches minces les bois de placage.

tranchant, e adj. Qui coupe. *Fig.* Qui décide hardiment. Décisif. Qui produit une opposition vive, sans nuances : *couleur tranchante, ton tranchant.*

tranchant n. m. Fil d'un couteau, d'une épée, etc.

tranche n. f. Morceau coupé un peu mince : *une tranche de jambon.* Surface unie que présente l'épaisseur d'un livre rogné : *doré sur tranches.* Série de chiffres consécutifs dans un nombre. Tour d'une monnaie.

tranchée n. f. Excavation longitudinale. Fouille faite dans le sol. *Fortif.* Fossé creusé dans le sol et protégé par un parapet constitué au moyen des terres qu'on retire. Pl. Coliques très aiguës.

tranche-montagne n. m. Fanfaron. Pl. des *tranche-montagnes.*

trancher v. tr. Couper : *trancher la tête.* Diviser en tranches minces. *Fig.* Résoudre brusquement : *trancher une difficulté.* V. intr. Décider hardiment : *trancher sur tout. Fig.* Ressortir : *couleurs qui tranchent vivement. Trancher du grand seigneur,* se donner de grands airs.

tranchoir n. m. Plateau de bois pour découper la viande.

tranquille* [*kil'*] adj. Sans agitation : *une mer tranquille.* Sans inquiétude : *avoir l'esprit tranquille.*

tranquillité [*ki-li*] n. f. Etat de ce qui est sans mouvement, sans agitation.

transaction [*zak*] n. f. Acte par lequel on transige. Conventions entre commerçants.

transactionnel, elle [*zak*] adj. Qui a le caractère d'une transaction.

transalpin, e [*zal*] adj. Qui est au-delà des Alpes.

transatlantique [*zat*] adj. Qui est au-delà de l'océan Atlantique. N. m. Paquebot qui traverse l'Atlantique. Fauteuil pliant.

transbordement n. m. Action de transborder.

transborder v. tr. Transporter d'un bâtiment dans un autre, d'un train à un autre.

transbordeur n. et adj. Appareil, pont servant à transborder.

transcendance n. f. Qualité de ce qui est transcendant.

transcendant, e adj. Qui s'élève au-dessus, supérieur; qui excelle en son genre : *génie transcendant.*

transcendantal, e* adj. Au-dessus du monde sensible. *Philos.* Purement rationnel, donné *a priori.*

transcontinental, e adj. Qui traverse un continent.

transcription n. f. Action de transcrire; son résultat. Action d'écrire pour un instrument un air de musique noté pour un autre instrument. *Dr.* Copie, sur un registre, d'un acte translatif de propriété immobilière.

transcrire v. tr. Copier un écrit. *Mus.* Faire une transcription.

transe [*trans'*] n. f. Vive appréhension d'un mal qu'on croit prochain. Etat du médium visité par un esprit : *entrer en transe.*

transept [*sèpt'*] n. m. Galerie transversale qui, dans une église, sépare le chœur de la nef et forme les bras de la croix.

transfèrement n. m. Transfert d'un prisonnier.

transférer v. tr. (Se conj. comme *accélérer.*) Faire passer d'un lieu dans un autre. Transmettre légalement une propriété, etc.

transfert n. m. Transmission d'une propriété : *transfert de titres.* Translation. Transport. *Fig. : transfert d'une somme à votre compte.*

transfiguration n. f. Changement d'une figure ou d'une forme en une autre plus belle ou plus noble.

transfigurer v. tr. Changer la figure, la forme : *être transfiguré par la joie.*

transformable adj. Qui peut être transformé : *auto transformable.*

transformateur, trice adj. Qui transforme. N. m. Appareil qui, recevant de l'énergie électrique, en modifie la tension.

transformation n. f. Action de transformer ou de se transformer.

transformer v. tr. Faire changer de forme, de caractère, de nature.

transformisme n. f. Doctrine biologique, suivant laquelle les espèces animales et végétales se transforment et donnent naissance à de nouvelles espèces.

transformiste n. Partisan du transformisme. Relatif au transformisme.

transfuge n. m. Qui déserte et passe à l'ennemi. Qui change de parti.

transfuser v. tr. Faire passer un liquide d'un récipient dans un autre. Opérer la transfusion du sang.

transfusion n. f. Opération par laquelle on fait passer du sang des veines d'un individu dans celles d'un autre.

transgresser v. tr. Enfreindre, violer : *transgresser la loi.*

transgresseur n. m. Qui transgresse.

transgression n. f. Action de transgresser.

transhumance [*zu*] n. f. Passage des troupeaux d'un pâturage dans un autre, selon les saisons.

transhumant, e [*zu*] adj. Soumis au régime de la transhumance.

transhumer [*zu*] v. tr. Faire passer d'un pâturage dans un autre. V. intr. Allez paître dans les montagnes.

transiger [*zi*] v. intr. (Se conj. comme *manger.*) Faire des concessions réciproques. *Transiger avec son devoir, sa conscience, son honneur,* manquer à ce qu'exigerait strictement le devoir, etc.

transir [*sir*] v. tr. Pénétrer et engourdir de froid : *le vent du nord nous transit. Fig.* Faire frissonner de crainte ou autrement.

V. intr. Etre pénétré et engourdi de froid. *Fig.* Frissonner de : *transir de peur.*

transit [*zit'*] n. m. Faculté de faire passer des marchandises à travers un Etat, sans payer de droit d'entrée.

transitaire [*zi*] adj. Relatif au transit. N. m. Commissionnaire en marchandises, qui s'occupe du transit.

transiter [*zi*] v. tr. Passer en transit. V. intr. Etre passé en transit.

transitif, ive* [*zi*] adj. *Verbe transitif,* marquant une action passant directement du sujet sur un objet.

transition [*zi*] n. f. Passage d'un état à un autre. Passage d'une idée, d'un développement à un autre.

transitoire* [*zi*] adj. Passager, qui ne dure pas : *une mesure transitoire.*

translation n. f. Action de transférer : *translation d'un prisonnier.*

translucide adj. Se dit des corps qui laissent passer la lumière.

transmetteur n. et adj. Appareil qui sert à transmettre les signaux télégraphiques.

transmettre v. tr. (Se conj. comme *mettre.*) Faire parvenir. *Dr.* Faire passer par mutation : *transmettre une propriété.* Faire passer par hérédité.

transmissible adj. Qui peut être transmis : *tare transmissible.*

transmission n. f. Action de transmettre : *transmission d'un droit.* Communication d'un mouvement d'un organe mécanique à un autre.

transmuable ou **transmutable** adj. Qui peut être transmué.

transmuer v. tr. Changer la nature de : *transmuer le plomb en or.*

transmutabilité n. f. Propriété de ce qui est transmuable.

transmutation n. f. Changement d'une chose en une autre.

transparaître v. intr. (Se conj. comme *paraître.*) Paraître à travers.

transparence n. f. Qualité de ce qui est transparent.

transparent, e adj. Se dit des corps qui se laissent traverser par la lumière et permettent de distinguer les objets à travers leur épaisseur : *le verre est transparent. Fig.* Qui se laisse pénétrer, apercevoir : *allusion transparente.* N. m. Feuille où sont tracées plusieurs lignes noires et qui, mise sous un papier, permet d'écrire droit. Sorte de tableau derrière lequel on met des lumières pour faire paraître plus clairement ce qu'il représente.

transpercer v. tr. (Se conj. comme *amorcer.*) Percer de part en part. Passer au travers. *Fig.* Pénétrer de douleur.

transpiration n. f. Sortie de la sueur.

transpirer v. intr. S'exhaler du corps par les pores. Exhaler de la sueur. *Fig.* Commencer à être divulgué : *secret qui transpire.*

transplantation n. f. Action de transplanter

transplanter v. tr. Planter en un autre endroit. Faire passer dans un autre pays.

transport n. m. Action de transporter. *Dr.* Cession de titres, etc. : *transport d'une rente.* Navire propre à transporter des troupes. *Fig.* Sentiment vif, violent : *transport de joie.* Enthousiasme : *transport poétique. Méd.* Délire.

transportable adj. Qui peut être transporté : *malade transportable.*

transportation n. f. Action de transporter un condamné.

transporter v. tr. Porter d'un lieu dans un autre. Faire passer d'un milieu dans un autre : *transporter sur la scène un sujet historique. Fig.* Mettre hors de soi : *transporter de colère.* V. pr. Se rendre dans un lieu. Se porter par la pensée : *transportez-vous dans le passé.*

transporteur n. m. Celui qui transporte : *sous la responsabilité du transporteur.* Machine qui sert à transporter d'un endroit dans un autre : *transporteur par câble aérien.*

transposer v. tr. Mettre une chose ailleurs qu'à la place qu'elle occupe normalement : *transposer un mot. Mus.* Changer le ton sur lequel est noté un air.

transpositeur n. m. Appareil qui opère mécaniquement la transposition musicale.

transposition n. f. Action de transposer; son résultat. Renversement de l'ordre habituel des mots. *Mus.* Changement de tonalité.

transsubstantiation [*sya-syon*] n. f. *Théol.* Changement de la substance du pain et du vin en celle du corps et du sang de Jésus-Christ, dans l'Eucharistie.

transsuder v. intr. Se dit d'un liquide qui traverse le vase qui le recèle.

transvasement n. m. Action de transvaser un liquide.

transvaser v. tr. Verser d'un vase dans un autre : *transvaser du vin.*

transversal, e* adj. Disposé en travers. N. f. Ligne coupant en travers.

transverse adj. *Anat.* Qui est en travers, oblique. N. m. Désignation de divers muscles.

trantran n. m. V. TRAINTRAIN.

trapèze n. m. *Géom.* Quadrilatère dont deux côtés sont inégaux et parallèles. Appareil de gymnastique. *Anat.* Muscle de la région dorsale.

trapézoïdal, e adj. En forme de trapèze.

trappe n. f. Porte posée horizontalement sur une ouverture au niveau du plancher. Piège à bascule au-dessus d'une fosse. *Fig.* Piège : *tomber dans une trappe.*

trappeur n. m. Chasseur de l'Amérique du Nord.

trappiste n. m. Religieux d'un couvent de la Trappe.

trapu, e adj. Gros et court : *homme trapu.*

traquenard n. m. Piège pour prendre les animaux nuisibles. *Fig.* Piège tendu à quelqu'un.

traquer v. tr. Battre un bois pour faire sortir le gibier. Poursuivre, serrer de près : *traquer un voleur.*

traqueur n. m. Qui traque (chasse).

traumatique adj. Qui concerne les plaies, les blessures.

traumatisme n. m. Trouble occasionné par une blessure.

travail n. m. (pl. **travaux**). Peine, fatigue que l'on prend pour faire une chose. Ouvrage : *un travail délicat.* Manière dont un objet est exécuté : *meuble d'un beau travail.* Phénomènes qui se produisent dans une substance qui se transforme : *le travail de la fermentation.* Etude écrite sur une matière : *un travail sur la dépopulation.* Discussions, examen : *les travaux* *d'une commission. Méc.* Produit de l'intensité d'une force par la projection, sur sa direction, du chemin parcouru par son point d'appui. *Travaux forcés,* la plus grave des peines, après celle de mort.

travail n. m. (pl. **travails**). Appareil pour immobiliser de grands animaux pendant qu'on les ferre ou qu'on les soigne.

travailler v. intr. Faire un effort, peiner pour exécuter une chose. Fonctionner activement : *son esprit travaille sans cesse.* Produire un intérêt : *faire travailler son argent. Fig.* Se déjeter : *le bois travaille.* Changer de nature : *le vin nouveau travaille.* V. tr. Façonner : *travailler le bois, son style.* Chercher à gagner ou à soulever : *travailler l'opinion.* Tourmenter : *la fièvre le travaille.*

travailleur, euse adj. Qui aime le travail. N. Ouvrier.

travée n. f. Espace entre deux poutres garni par des solives. Partie d'un édifice entre deux points d'appui principaux.

travers n. m. Largeur d'un corps : *travers du doigt. Fig.* Fausse direction de l'esprit, manie, défaut. *A travers,* au milieu de. *Au travers de,* par le milieu de (quand il y a obstacle). *En travers,* d'un côté à l'autre, suivant la largeur.

traverse n. f. Pièce de bois, d'un châssis ou d'un bâti, assemblée à l'extrémité des montants. Chemin plus direct que la route ordinaire. Chacune des pièces de bois sur lesquelles les rails sont établis. Barre transversale fixant les barreaux d'une grille. Pl. Obstacles, revers.

traversée n. f. Trajet, voyage par mer. Voyage à travers un pays.

traverser v. tr. Passer au travers, d'un côté à l'autre : *traverser une forêt.* Passer au travers, couper. Percer de part en part. Se présenter à l'esprit d'une façon inopinée et fugitive. S'opposer : *traverser les projets de quelqu'un.*

traversier, ère adj. Qui traverse. Qui sert à traverser. *Flûte traversière,* qu'on place horizontalement sur les lèvres.

traversin n. m. Oreiller long.

travertin n. m. Dépôts calcaires des eaux de certaines sources.

travesti, e adj. Qui demande un déguisement : *bal travesti.* N. m. Costume de travestissement.

travestir v. tr. Déguiser sous l'habit d'un autre sexe, d'une autre condition. Fausser. dénaturer : *travestir la vérité.* Faire passer du sérieux au burlesque : *Scarron a travesti « l'Enéide ».*

travestissement n. m. Déguisement.

trayon n. m. L'extrémité du pis d'une vache, d'une chèvre, etc.

trébuchant, e adj. Se dit des monnaies qui ont le poids voulu.

trébucher v. intr. Faire un faux pas, perdre l'équilibre. Faire pencher la balance. V. tr. Peser au trébuchet.

trébuchet n. m. Piège pour les petits oiseaux. Petite balance très sensible pour peser les monnaies.

tréfilage n. m. Action de tréfiler.

tréfiler v. tr. Passer du fil métallique par la filière.

tréfilerie n. f. Art de tréfiler les métaux. Atelier de tréfileur.

tréfileur n. et adj. Qui tréfile.

trèfle n. m. Plante herbacée fourragère. Tout ce qui a la forme du trèfle. Ornement architectural formé par trois cercles qui se coupent. *Jeu.* Une des deux couleurs noires des cartes françaises.

tréfonds n. m. Fonds qui est sous le sol et qu'on possède comme le sol lui-même. *Fig.* Ce qu'il y a de plus secret : *le tréfonds d'une affaire.*

treillage n. m. Assemblage de lattes en treillis.

treillager v. tr. (Se conj. comme *manger.*) Garnir de treillage.

treille n. f. Vigne élevée contre un mur ou un treillage. Berceau de vigne que soutient un treillage : *dîner sous la treille.*

treillis n. m. Ouvrage de bois, de fer, qui imite les mailles d'un filet. Ouvrage de fer ou d'acier, formé de poutres entrecroisées. Châssis divisé en plusieurs compartiments ou carreaux, pour copier des tableaux. Toile de chanvre très grosse.

treillisser v. tr. Garnir de treillis.

treize adj. num. Dix et trois. Treizième : *Grégoire treize.* N. m. : *le nombre treize; le treize du mois,* treizième jour du mois.

treizième adj. num. ord. Qui occupe un rang marqué par le nombre treize. N. : *être le, la treizième.* N. m. La treizième partie d'un tout.

tréma n. m. Double point qu'on met sur les voyelles *e, i, u,* pour indiquer qu'on doit prononcer séparément la voyelle qui les précède (*ciguë, naïf, Saül*).

tremble n. m. Espèce de peuplier dont la feuille tremble au vent.

tremblement n. m. Agitation de ce qui tremble. *Mus.* Cadence précipitée, en chantant ou en jouant d'un instrument. *Géol. Tremblement de terre,* ébranlement du sol.

trembler v. intr. Etre agité par de petits mouvements saccadés. Eprouver de petits mouvements convulsifs. *Fig.* Avoir peur : *je tremble qu'on ne m'accuse.* V. tr. *Trembler la fièvre,* frissonner de fièvre.

trembleur, euse n. et adj. Qui tremble. *Fig.* Personne craintive. N. m. Interrupteur électrique automatique et à répétition.

tremblotement n. m. Action de trembloter.

trembloter v. intr. Trembler un peu : *trembloter de froid.* Vaciller, chevroter.

trémie n. f. Auge carrée, étroite par le bas, d'où le blé tombe entre les meules d'un moulin. Espace réservé dans un plancher pour porter l'âtre d'une cheminée.

trémolo n. m. *Mus.* Tremblement, roulement sur une note.

trémoussement n. m. Action de se trémousser.

trémousser v. tr. Donner du mouvement à. V. intr. Remuer, s'agiter. V. pr. S'agiter d'un mouvement vif et irrégulier.

trempage n. m. Action de tremper.

trempe n. m. Action de tremper. Dureté et élasticité qu'acquiert l'acier trempé. Constitution du corps. Caractère moral : *esprit d'une bonne trempe. Pop.* Coups que l'on reçoit.

trempée n. f. Trempage.

tremper v. tr. Mouiller dans un liquide. Donner la trempe à : *tremper l'acier. Tremper la soupe,* verser le bouillon sur le pain. *Tremper son vin,* y mettre de l'eau. V. intr. Plonger dans un liquide : *faire tremper du linge. Fig.* Etre complice : *tremper dans un crime.*

trempette n. f. Petite tranche de pain, que l'on trempe. *Fam.* Bain court.

tremplin n. m. Planche inclinée et élastique sur laquelle un sauteur prend son élan. *Fig.* Ce dont on se sert pour arriver à un résultat : *tremplin politique.*

trench-coat [*trèntch-kôt*] n. m. Manteau imperméable. Pl. des *trench-coats.*

trentaine n. f. Nombre de trente ou environ. *Fam.* Age de trente ans.

trente adj. num. Trois fois dix. N. m. Trentième jour du mois.

trentenaire adj. Qui dure trente ans.

trentième adj. num. ord. Contenu trente fois dans un tout. N. m. Trentième partie d'un tout.

trépan n. m. Instrument de chirurgie, avec lequel on perce les os. Trépanation : *subir le trépan.* Nom de divers outils pour percer.

trépanation n. f. Opération du trépan : *la trépanation du crâne.*

trépaner v. tr. Opérer avec le trépan.

trépas n. m. Décès, mort. *Fam. Passer de vie à trépas,* mourir.

trépasser v. intr. Mourir.

trépidant, e adj. En proie à une agitation continuelle.

trépidation n. f. Tremblement rapide et bruyant d'un objet.

trépied n. m. Ustensile de cuisine à trois pieds sur lequel on pose un récipient. *Antiq.* Table, siège ou vase à trois pieds.

trépignement n. m. Action de trépigner.

trépigner v. intr. Frapper vivement des pieds contre terre.

très adv. Se place devant un adjectif ou un autre adverbe pour marquer la supériorité absolue : *très fort, très bien.*

trésor n. m. Amas d'or, d'argent, de choses précieuses mises en réserve : *découvrir un trésor.* Lieu où l'on enferme ces choses. Objet précieux, caché ou enfoui, découvert par hasard. Reliques et ornements de prix conservés dans certaines églises. Bureaux, caisse d'un trésorier public. Organe administratif chargé de la gestion des deniers publics : *bons du Trésor. Fig.* Ce qui est souverainement précieux : *la santé est un trésor.* Personne ou chose pour laquelle on a un très grand attachement.

trésorerie n. f. Lieu où l'on garde le trésor public. Bureau d'un trésorier-payeur. Fonction de trésorier public. Finances de l'Etat.

trésorier n. m. Celui qui reçoit et distribue les fonds d'un Etat, d'une communauté. *Trésorier-payeur général,* comptable supérieur chargé d'assurer, dans un département, le service du Trésor.

trésorière n. f. Celle qui, dans une communauté, reçoit les revenus, les souscriptions, etc.

tressage n. m. Action de tresser.

tressaillement n. m. Brusque secousse du corps à la suite d'une émotion.

tressaillir v. intr. (*Je tressaille, nous tressaillons. Je tressaillais, nous tressaillions. Je tressaillis, nous tressaillîmes. Je tressaillirai, nous tressaillirons. Tressaille, tressaillons, tressaillez. Que je tressaille. Que nous tressaillions. Que je tressaillisse, que nous tressaillissions. Tressaillant. Tressailli, e.*) Eprouver un tressaillement : *tressaillir de joie, d'espérance.*

tressauter v. intr. Sursauter.

tresse n. f. Tissu plat de fils, de cheveux, etc., entrelacés. Ornement d'architecture. *Mar.* Cordage plat ou tressé à la main. Gros papier gris.

tresser v. tr. Arranger en tresse.

tréteau n. m. Pièce de bois longue et étroite, portée sur quatre pieds. Pl. Théâtre de saltimbanques. *Monter sur les tréteaux,* se faire comédien.

treuil n. m. Cylindre horizontal sur lequel s'enroule une corde servant à élever des fardeaux.

trêve n. f. Suspension d'hostilités. *Fig.* Suspension d'attaques quelconques. Relâche, suspension d'action : *travailler sans trêve. Trêve de,* laissons de côté.

tri n. m. Triage.

triage n. m. Action de trier. Choses choisies.

triangle n. m. *Géom.* Plan compris entre trois droites qui se coupent deux à deux sans passer par un même point. *Mus.* Instrument d'acier en forme de triangle.

triangulaire adj. En forme de triangle : *figure triangulaire.* Dont la base est un triangle. N. m. Nom de divers muscles.

triangulation n. f. Opération trigonométrique, au moyen de laquelle on lève le plan d'un terrain en le divisant en triangles.

trias n. m. Système géologique divisé en trois étages.

tribord n. m. Côté droit du navire, lorsqu'on regarde l'avant.

tribordais n. m. Homme d'équipage, du quart de tribord.

tribu n. f. Agglomération de familles, de peuplades sous l'autorité d'un chef, issues d'une même souche. Une des divisions du peuple, chez les Anciens. Chez les Hébreux, postérité de chacun des douze patriarches. *Hist. nat.* Division de la classification venant après la famille.

tribulation n. f. Affliction morale (s'emploie surtout au pluriel).

tribun n. m. Nom de divers magistrats romains. Membre du Tribunat créé en France par la Constitution de l'an VIII. Démagogue éloquent, orateur populaire.

tribunal n. m. Siège du magistrat, du juge. Juridiction d'un magistrat : *comparaître devant le tribunal.* Les magistrats qui composent le tribunal. Lieu où ils siègent. *Fig.* Ce que l'on considère comme remplissant le rôle d'un juge : *le tribunal de la conscience.*

tribunat n. m. *Antiq. rom.* Charge de tribun.

tribune n. f. Lieu élevé d'où parlent les orateurs. Galerie réservée à certaines personnes dans les salles d'assemblées, etc. : *tribunes d'un champ de courses.* Lieu où est le buffet d'orgues, dans une église.

tribut n. m. Ce qu'un peuple doit payer ou fournir à un autre pour marquer sa dépendance. *Par ext.* Rétribution, salaire. *Fig.* Ce qu'on est obligé d'accorder comme dû.

tributaire adj. Qui paye tribut. *Fig.* Soumis à, dépendant de : *industrie tributaire de l'étranger.* Se dit d'un cours d'eau, par rapport à celui dans lequel il se jette.

tricentenaire n. m. Troisième centenaire.

tricéphale adj. Qui a trois têtes.

tricher v. tr. et intr. Tromper au jeu. Tromper dans les petites choses. *Fig.* Dissimuler un défaut de symétrie.
tricherie n. f. Tromperie au jeu.
tricheur, euse n. Qui triche.
trichine [*chi*] n. f. Ver parasite dans les muscles du porc.
trichiné, e adj. Envahi par les trichines.
trichinose [*chi*] n. f. *Méd.* Maladie produite par les trichines.
trichromie [*kro*] n. f. Procédé de photographie pour l'obtention des épreuves en couleurs. Procédé d'impression en couleurs par superposition de trois teintes.
tricolore adj. De trois couleurs.
tricorne adj. Qui a trois appendices ou cornes. N. m. Chapeau à trois cornes. *Abusiv.* Ancien chapeau à deux cornes porté par les gendarmes.
tricot n. m. Tissu à mailles tricotées. Vêtement fait de ce tissu.
tricotage n. m. Travail tricoté.
tricoter v. tr. Exécuter en mailles entrelacées : *tricoter des bas.* V. intr. Faire du tricot. *Pop.* Marcher, danser avec vivacité.
tricoteur, euse n. Qui tricote. N. f. Machine à tricoter.
trictrac n. m. Jeu qui se joue avec des dames et des dés, sur un tableau divisé en deux compartiments.
tricycle n. m. Véhicule monté sur trois roues de bicyclette.
trident n. m. Fourche à trois pointes ou dents. *Myth.* Sceptre de Neptune. Bêche à trois dents.
triduum [*du-om*] n. m. Prières qui durent pendant trois jours.
trièdre adj. A trois faces.
triennal, e adj. Qui dure trois ans.
triennat n. m. Espace de trois ans. Exercice d'une fonction pendant trois ans.
trier v. tr. (Se conj. comme *prier.*) Séparer, choisir parmi plusieurs.
trieur, euse n. Qui opère un triage. N. m. Machine pour trier le grain, le coke, etc.
triforium [*ryom*] n. m. Galerie au pourtour intérieur d'une église et qui présente des ouvertures sur la nef à chaque travée.
triglyphe n. m. *Archit.* Ornement de la frise dorique, qui portait trois rainures verticales.
trigonométrie n. f. Science qui a pour but de calculer tous les éléments d'un triangle à l'aide de données numériques.
trigonométrique adj. Qui appartient à la trigonométrie.
trijumeau n. et adj. m. Nerf crânien qui se divise en trois branches.
trilatéral, e, adj. A trois côtés.
trille [*triy'*] n. m. *Mus.* Agrément d'exécution consistant dans le battement rapide et prolongé d'une note avec la note qui lui est immédiatement supérieure.
triller v. tr. Orner de trilles.
trilobé, e adj. Qui a trois lobes.
trilobite n. m. Crustacé fossile dans les terrains primaires.
trilogie n. f. Série de trois pièces dramatiques, de trois poèmes, etc., dont les sujets se font suite.
trimardeur n. m. *Pop.* Ouvrier qui se déplace en quête d'un travail temporaire.
trimbaler v. tr. *Fam.* Traîner, mener.
trimer v. intr. *Fam.* Travailler à force, se fatiguer à travailler.
trimestre n. m. Espace de trois mois. Somme payée pour trois mois.
trimestriel, elle* adj. Qui comprend trois mois; qui revient tous les trois mois.
trimoteur adj. A trois moteurs.
tringle n. f. Verge de fer soutenant un rideau, une draperie.
tringlette n. f. Petite tringle.
tringlot n. m. *Fam.* Soldat du train des équipages.
trinité n. f. Union de trois personnes distinctes ne formant qu'un seul Dieu (Père, Fils et Saint-Esprit).
trinôme n. m. et adj. Quantité algébrique composée de trois termes.
trinquer v. intr. Choquer les verres, et boire à la santé les uns des autres.
trio n. m. Morceau de musique à trois parties. Réunion de trois personnes ou de trois choses personnifiées.
triode adj. et n. f. *Phys.* Tube à vide à trois électrodes.
triolet n. m. Petite pièce de huit vers, généralement octosyllabes, sur deux rimes.
triomphal, e*, aux adj. Relatif au triomphe : *char triomphal. Fig.* Fait avec pompe : *une rentrée triomphale.*
triomphateur, trice adj. Qui a obtenu les honneurs du triomphe. Qui a remporté la victoire.
triomphe n. m. Entrée pompeuse et solennelle d'un général romain après une grande victoire. Grand succès militaire, victoire. Succès : *un triomphe aux examens. En triomphe,* triomphalement.
triompher v. intr. Chez les Romains, faire une entrée triomphale après une victoire. Vaincre à la guerre. Remporter un avantage : *triompher dans une discussion.* Surmonter : *triompher de ses passions.* Exceller : *triompher dans un art.* Se réjouir : *triompher du malheur d'autrui.*
tripaille n. f. *Fam.* Entrailles.
triparti, e ou **tripartite** adj. Divisé en trois parties : *groupe tripartite.*
tripartition n. f. Division en trois parties égales.
tripe n. f. Boyau d'un animal. *Fam.* Intestins de l'homme.
triperie n. f. Lieu où l'on vend des tripes. Commerce du tripier.
tripette n. f. Petite tripe. *Pop. Cela ne vaut pas tripette,* ne vaut rien.
triphasé, e adj. Se dit des courants à trois phases.
tripier, ère n. Qui vend des tripes.
triple* adj. Qui contient trois fois une chose. N. m. Valeur trois fois aussi grande. Au nombre de trois. Répété trois fois. *Fig.* Marque un haut degré; très.
triplement n. m. Action de tripler.
tripler v. tr. Rendre triple : *tripler une somme.* V. intr. Devenir triple.
tripoli n. m. Substance minérale, jaune ou rouge, qui sert à polir.
triporteur n. m. Sorte de tricycle muni d'une caisse pour porter des marchandises.
tripot n. m. Maison de jeu. *Par ext.* Maison mal famée.
tripotage n. m. Mélange malpropre ou de mauvais goût, intrigue, tromperie. *Fam.* Malversation, trafic d'influence.

tripotée n. f. *Pop.* Volée de coups : *recevoir une tripotée.* Grande quantité.

tripoter v. tr. *Fam.* Manier avec plus ou moins de soin. Spéculer avec : *tripoter l'argent des autres.* V. intr. Faire des mélanges malpropres. *Fig.* Faire des opérations plus ou moins propres.

tripoteur, euse n. *Fam.* Qui tripote.

triptyque n. m. Tableau, document, sur trois volets se repliant.

trique n. f. *Fam.* Gros bâton.

trisaïeul, e n. Le père, la mère du bisaïeul, de la bisaïeule.

trisannuel, elle adj. Qui a lieu tous les trois ans. Qui dure trois ans.

trisection [*tri-sèk*] n. f. Division en trois parties égales.

triste* adj. Qui a du chagrin. Porté à la tristesse : *avoir un caractère triste.* Qui exprime la tristesse : *air triste.* Qui inspire de la tristesse : *triste cérémonie.* Pénible : *triste devoir.* Sombre : *couleur triste.* Funeste, déplorable : *une triste fin.* Pauvre, chétif : *un triste dîner.*

tristesse n. f. Souffrance morale. Abattement, mélancolie.

triton n. m. Divinité marine. *Zool.* Genre de batraciens. Genre de mollusques à coquille en forme de conque.

triturateur n. m. Broyeur.

trituration n. f. Ecrasement.

triturer v. tr. Broyer en parties menues, en poudre ou en pâte.

trivial, e* adj. Usé, rebattu : *vérité triviale.* Bas, grossier.

trivialité n. f. Caractère trivial. Pensée ou expression triviale.

troc n. m. Echange direct d'un objet contre un autre : *peuplade qui pratique le troc.*

trocart n. m. *Chir.* Instrument en forme de poinçon creux, pour faire des ponctions.

troène n. m. Arbre à fleurs blanches odorantes.

troglodyte n. m. Habitant des cavernes. Genre de passereaux qui vivent dans les buissons.

trogne n. f. *Fam.* Visage enluminé par la bonne chère.

trognon n. m. Cœur non comestible d'un fruit ou d'un légume.

trois adj. num. Deux et un. Troisième. N. m. : *un trois mal fait; le trois janvier. Math. Règle de trois,* règle ayant pour but la solution de problèmes dans lesquels on cherche le quatrième terme d'une proposition dont les trois autres sont connus.

troisième* adj. num. ord. Qui suit le deuxième : *le troisième jour.* Qui est contenu trois fois dans le tout : *la troisième partie de 21 est* 7. N. : *être le, la troisième.* N. f. Troisième classe à partir de la première, en descendant.

trois-mâts n. m. Navire qui a trois mâts.

trolley [*lè*] n. m. Petit chariot roulant le long d'un câble. Tige flexible munie d'un contact glissant qui transmet le courant du câble conducteur au moteur d'une voiture.

trolleybus [*lé-buss*] n. m. Autobus à trolley.

trombe n. f. Masse de vapeur ou d'eau soulevée en colonne et animée d'un mouvement rapide.

tromblon n. m. Fusil court à gueule en forme de trompette.

trombone n. m. Instrument à vent composé de deux tubes recourbés et glissant l'un dans l'autre, ou muni de pistons de manière à produire différents sons. Musicien qui joue du trombone.

trompe n. f. Sorte de trompette recourbée, pour la chasse. Corne d'appel d'automobile *Zool.* Toute partie buccale ou nasale allongée (éléphant, etc.). Ventilateur hydraulique. *Anat.* Nom donné à divers conduits : *la trompe d'Eustache met en communication la bouche et le tympan de l'oreille.*

trompe-l'œil n. m. invar. Peinture qui, à distance, donne l'illusion de la réalité. *Fig.* Apparence vaine.

tromper v. tr. Induire en erreur : *tromper un acheteur.* Décevoir : *tromper les calculs de quelqu'un.* Echapper à : *tromper une surveillance.* Distraire, faire oublier : *tromper la faim. Tromper le temps,* se distraire. V. pr. Tomber dans l'erreur.

tromperie n. f. Action de tromper.

trompeter v. intr. (Se conj. comme *jeter.*) Se dit du cri de l'aigle. V. tr. *Fam.* Divulguer : *trompeter une nouvelle.*

trompette n. f. Instrument à vent, en métal. *Nez en trompette,* relevé. *Fig.* Personne indiscrète. Nom de certains coquillages. N. m. Celui qui sonne de la trompette.

trompettiste n. m. Celui qui joue de la trompette dans un orchestre.

trompeur, euse* adj. et n. Qui trompe.

tronc n. m. Partie d'un arbre du sol à la naissance des branches. Corps humain, sans la tête ni les membres. Boîte pour les aumônes, dans une église. *Géom. Tronc de pyramide, tronc de cône,* partie d'une pyramide, d'un cône, entre la base et un plan parallèle à la base.

troncature n. m. Etat de ce qui est tronqué.

tronçon n. m. Morceau coupé d'un objet, plus long que large.

tronçonner v. tr. Couper par tronçons : *tronçonner un arbre.*

trône n. m. Siège de cérémonie des rois, des empereurs. *Fig.* Puissance souveraine. Pl. L'un des chœurs des anges.

trôner v. intr. Occuper la place d'honneur. Faire l'important dans une assemblée.

tronqué, e adj. Mutilé, diminué d'une partie considérable : *une citation tronquée. Géom.* Dont on a retranché le sommet par un plan sécant : *cône tronqué.*

tronquer v. tr. Retrancher une partie considérable : *tronquer une statue.*

trop adv. Plus qu'il ne faudrait. Avec la négation : pas beaucoup, guère. *Par trop,* réellement trop. *De trop,* excessif. *Trop peu,* pas assez. N. m. L'excès.

trope n. m. *Rhét.* Tout emploi figuré de mots ou d'expressions.

trophée n. m. Dépouilles d'un ennemi vaincu. Ornement consistant en un groupe d'armes. *Fig.* Souvenir d'un succès, d'une victoire. *Par ext.* Objets divers mis en faisceau : *trophée de drapeaux.*

tropical, e, aux adj. Des tropiques.

tropique n. m. Chacun des deux petits cercles de la sphère, parallèles à l'équateur, et entre lesquels s'effectue le mouvement annuel apparent du Soleil autour de la Terre. *Astr. Tropique du Cancer,* dans l'hémisphère septentrional. *Tropique du Capricorne,* dans l'hémisphère méridional. Adj. Qui appartient aux tropiques.

trop-perçu n. m. invar. Somme perçue en trop : *restituer le trop-perçu.*
trop-plein n. m. invar. Ce qui excède la capacité d'un récipient. Puisard creusé auprès d'une citerne pour en recevoir le trop-plein.
troquer v. tr. Echanger pour autre chose.
trot n. m. Allure du cheval et de certains quadrupèdes, intermédiaire entre le pas et le galop. *Fam. Au trot,* vivement.
trotte n. f. Distance à parcourir.
trotte-menu adj. invar. Qui trotte à petits pas.
trotter v. intr. Aller le trot : *cheval qui trotte bien.* Marcher vite.
trotteur, euse n. et adj. Cheval dressé à n'aller que le trot. N. f. Aiguille des secondes dans une pendule, une montre. Adj. Qui permet de marcher vite : *costume trotteur.*
trottin n. m. *Fam.* Jeune ouvrière pour courses, rassortiments, etc.
trottiner v. intr. Marcher vite et à petits pas.
trottinette n. f. Jouet consistant en une planchette montée sur deux roues et munie d'une tige de direction articulée.
trottoir n. m. Espace bitumé ou dallé, sur les côtés d'une rue, etc.
trou n. m. Ouverture, cavité, solution de continuité : *faire un trou dans le sol, dans une étoffe.* Cavité dans laquelle loge un animal : *trou de souris. Fig.* Logement, endroit triste, sans commodité.
troubadour n. m. Poète de langue d'oc au Moyen Age.
trouble n. m. Agitation tumultueuse : *parler au milieu du trouble.* Mésintelligence, désunion : *semer le trouble.* Emotion : *le trouble au cœur.* Pl. Soulèvement populaire : *réprimer les troubles.*
trouble adj. Qui n'est pas clair, limpide : *un vin trouble. Pêcher en eau trouble,* chercher des profits dans des affaires louches.
trouble-fête n. m. invar. Importun qui trouble la joie de quelqu'un.
troubler v. tr. Rendre trouble. Jeter le désordre, causer la mésintelligence. Interrompre : *troubler un entretien.* Intimider : *troubler quelqu'un par sa présence.* V. pr. Devenir trouble. *Fig.* S'embarrasser.
trouée n. f. Ouverture naturelle ou artificielle : *faire une trouée dans un bois.*
trouer v. tr. Percer un trou dans.
troupe n. f. Réunion de gens. Association de gens se livrant à la même occupation : *une troupe de voleurs.* Animaux vivant ensemble. Toute réunion de soldats. Ensemble des comédiens d'un théâtre.
troupeau n. m. Troupe d'animaux domestiques, vivant ensemble sous la direction d'un berger. *Péjor.* Multitude désordonnée, sans discipline.
troupier n. m. *Fam.* Soldat. (Vx.)
troussage n. m. Action de trousser une volaille.
trousse n. f. Faisceau de choses liées ensemble. Etui, portefeuille, etc., divisé en compartiments et renfermant divers objets : *trousse de chirurgien, de voyage. Se mettre aux trousses de quelqu'un,* à sa poursuite.
troussé, e adj. Fait, exécuté. Tourné, bâti : *gaillard bien troussé.*
trousseau n. m. Petite trousse : *trousseau de clefs.* Vêtements et linge donnés à une jeune mariée, à un enfant entrant en pension.
troussequin n. m. Partie postérieure et relevée de l'arçon d'une selle.
trousser v. tr. Replier, relever : *trousser une jupe.* Expédier vite : *trousser une affaire.* Préparer une volaille pour la broche.
trouvable adj. Qui peut se trouver.
trouvaille n. f. Découverte. Objet découvert.
trouver v. tr. Rencontrer : *trouver un secret.* Surprendre : *trouver en faute.* Découvrir, inventer : *trouver un procédé.* Eprouver, sentir : *trouver du plaisir.* Estimer : *trouver bon.* V. pr. Se rencontrer : *cela se trouve partout.* Etre dans un endroit : *trouvez-vous ici demain. Se trouver mal,* s'évanouir. V. impers. *Il se trouve,* il y a. *Il se trouva que,* il arriva que.
trouvère n. m. Poète de langue d'oïl, au Moyen Age.
truand, e n. Vagabond, mendiant de profession, au Moyen Age.
truandaille n. f. Réunion de truands.
truanderie n. f. Métier de truand.
trublion n. m. Brouillon.
truc n. m. Savoir-faire, adresse : *avoir le truc.* Moyen adroit ou subtil : *des trucs de métier.* Mécanique de théâtre. Wagon plat pour gros transports.
truchement n. m. Intermédiaire.
truculence n. f. Caractère truculent.
truculent, e adj. Violent, excessif, haut en couleur : *personnage truculent.*
truelle n. f. Outil de maçon. Spatule pour servir le poisson.
truellée n. f. Quantité de mortier qui peut tenir sur une truelle.
truffe n. f. Champignon souterrain très estimé. *Fig.* Nez d'un chien.
truffer v. tr. Garnir de truffes : *truffer une volaille. Fig.* Remplir, bourrer.
truffier, ère adj. Relatif aux truffes. Où il y a des truffes. Dressé à leur recherche.
truffière n. f. Terrain truffier.
truie n. f. Femelle du porc.
truisme n. m. Vérité banale.
truite n. f. Sous-genre de saumons. *Truite saumonée,* qui a la chair rosée comme le saumon.
trumeau n. m. Espace d'un mur entre deux fenêtres, entre deux ouvertures. Panneau de glace sur une cheminée. Peinture surmontant cette glace.
truquage ou **trucage** n. m. Procédés donnant à des objets modernes un air de vétusté qui augmente leur prix. Artifices employés dans la technique cinématographique.
truquer v. tr. *Fam.* Transformer par truc ; fausser. V. intr. Employer des trucs, des stratagèmes.
truqueur, euse n. Qui use de trucs.
trusquin ou **troussequin** n. m. Outil de menuisier pour tracer sur les planches dressées des lignes parallèles à leur bord. Outil de bourrelier.
trust [*treust'*] n. m. Entreprise qui fusionne des entreprises anciennes, de manière à réduire les prix et à produire davantage.
truster [*treus*] v. tr. Accaparer par un trust.
trusteur n. m. Qui organise un trust.
trypanosome [*som*] n. m. Infusoire qui vit en parasite, dans le sang de divers vertébrés, et provoque des maladies.
tsar n. m. Titre jadis porté par les souverains slaves.
tsarine n. f. Femme du tsar.

tsarisme n. m. Régime politique de la Russie, au temps des tsars.
tsé-tsé n. f. Mouche d'Afrique qui inocule la maladie du sommeil.
T. S. F. Abrév. de télégraphie ou de téléphonie sans fil.
tsigane n. V. TZIGANE.
tu, toi, te pron. pers. sing. de la 2e pers. *Fam. Etre à tu et à toi avec quelqu'un,* en intime familiarité.
tub [*teub*] n. m. Large cuvette pour faire des lotions à grande eau sur tout le corps. Bain qu'on y prend.
tubage n. m. Introduction d'un tube dans le larynx, pour empêcher l'asphyxie, dans des cas de croup, ou pour prélever du mucus, aux fins de recherche de la tuberculose. Action d'enfoncer des tubes dans les sondages en terre.
tube n. m. Tuyau cylindrique. Canal ou conduit naturel : *tube digestif. Fam.* Chapeau haut de forme.
tuber v. tr. Garnir de tubes un sondage.
tubercule n. m. Renflement cellulaire et féculent à la partie souterraine de certaines plantes. *Pathol.* Petite tumeur arrondie à l'intérieur des tissus.
tuberculeux, euse adj. De la nature des tubercules. *Pathol.* Qui concerne les tubercules morbides. N. Phtisique.
tuberculine n. f. Extrait d'une culture de tuberculose.
tuberculose n. f. Maladie produite par un bacille spécifique et qui attaque surtout les poumons.
tubéreuse n. f. Plante ornementale à belles fleurs blanches.
tubéreux, euse adj. Qui présente un renflement : *racine tubéreuse.*
tubérosité n. f. Tumeur en forme de tubercule.
tubulaire adj. En forme de tube.
tubulé, e adj. En forme de tube. Muni de tubulures.
tubulure n. f. Ouverture de certains récipients destinés à recevoir un tube.
tudesque adj. Germain, allemand : *accent tudesque. Fig.* Rude, grossier : *plaisanterie tudesque.*
tue-mouches adj. Se dit d'un papier souvent gluant, enduit d'un poison qui tue les mouches.
tuer v. tr. Faire mourir. Détruire : *la gelée tue les plantes. Fig.* Altérer la santé. Ruiner : *tuer une entreprise.* V. pr. Se donner la mort. Altérer sa santé : *se tuer au travail, à travailler.*
tuerie n. f. Massacre. Abattoir.
tue-tête (à) loc. adv. A pleine voix : *crier à tue-tête.*
tueur n. m. Celui qui tue.
tuf n. m. Pierre poreuse : *un tuf volcanique. Fig.* Le fond du caractère.
tuffeau n. m. Sorte de craie.
tuile n. f. Carreau de terre cuite pour couvrir les toits. *Fig.* Accident désagréable et imprévu : *recevoir une tuile.*
tuilerie n. f. Fabrique de tuiles.
tuilier n. m. Ouvrier qui fabrique les tuiles.
tulipe n. f. Plante bulbeuse à très belles fleurs. Sorte d'abat-jour en verre.
tulipier n. m. Arbre à grandes fleurs blanches ou roses.
tulle n. m. Tissu léger formé d'un réseau de mailles fines.
tullerie n. f. Commerce de tulle.
tullier, ère adj. Qui se rapporte au tulle : *industrie tullière.*
tulliste n. Personne qui vend, qui fabrique du tulle.
tuméfaction n. f. Enflure.
tuméfier v. tr. (Se conj. comme *prier.*) Enfler, gonfler.
tumescence n. f. Enflure.
tumescent, e adj. Qui s'enfle.
tumeur n. f. Grosseur qui se développe dans une partie du corps.
tumulaire adj. Relatif au tombeau.
tumulte n. m. Grand bruit, confusion. Grande agitation : *le tumulte des affaires.* Grand trouble.
tumultueux, euse* adj. Plein de tumulte : *séance tumultueuse à la Chambre.*
tunique n. f. Vêtement de dessous des Anciens. Longue vareuse d'uniforme. Vêtement féminin porté sur une jupe. *Hist. nat.* Membrane enveloppante.
tunnel n. m. Galerie souterraine, servant de communication.
turban n. m. Sorte de coiffure orientale, longue pièce d'étoffe enveloppant la tête.
turbin n. m. *Pop.* Travail.
turbinage n. m. Centrifugation obtenue au moyen d'une turbine.
turbine n. f. Roue hydraulique munie d'aubes ou d'augets sur lesquels on fait agir l'eau ou la vapeur : *turbine hydraulique.* Nom de divers appareils tournant à grande vitesse pour produire une centrifugation.
turbiner v. tr. Centrifuger au moyen d'une turbine. *Pop.* Travailler.
turbot n. m. Grand poisson plat à chair très estimée.
turbotière n. f. Récipient de forme spéciale pour cuire le turbot.
turbulence n. f. Caractère turbulent.
turbulent, e adj. Qui s'agite bruyamment : *enfant turbulent.* Qui provoque du trouble. N. m. Caisse pivotante pour le brassage de certains produits.
turf n. m. Terrain sur lequel ont lieu les courses de chevaux. Le sport hippique.
turfiste n. m. Amateur de courses de chevaux.
turgescence n. f. Gonflement.
turgescent, e adj. Gonflé, enflé.
turlupin n. m. Mauvais plaisant. (Vx.)
turlupinade n. f. Mauvaise plaisanterie, mauvais jeu de mots.
turlupiner v. tr. *Fam.* Tracasser, harceler.
turlurette n. f. Refrain de quelques chansons. Interj. marquant l'insouciance.
turlutaine n. f. Lubie, marotte.
turlututu! interj. ironique pour refuser.
turnep n. m. Sorte de chou-rave.
turpitude n. f. Infamie, ignominie. Action honteuse : *dissimuler ses turpitudes.*
turquoise n. f. Pierre précieuse bleue.
tussor n. m. Etoffe de soie légère.
tutélaire adj. Qui protège. Favorable : *puissance tutélaire. Dr.* Relatif à la tutelle.
tutelle n. f. Mandat donné à quelqu'un pour veiller sur la personne et les biens d'un mineur, d'un interdit. *Fig.* Protection, sauvegarde : *la tutelle des lois.* Surveillance gênante.
tuteur, trice n. Personne à qui est confiée la tutelle d'enfants mineurs ou d'interdits.

Fig. Appui, soutien. N. m. Perche de bois, de métal qui soutient une jeune plante.
tuteurer v. tr. Munir une plante d'un tuteur : *tuteurer des dahlias.*
tutoiement n. m. Action de tutoyer.
tutoyer v. tr. User des mots *tu, te, toi* en parlant à quelqu'un.
tutu n. m. Jupe de gaze, évasée et flottante, des danseuses de théâtre.
tuyau [*tui-yô* ou *tu-yô*] n. m. Tube, canal : *tuyau de cheminée.* Tige creuse des céréales. Pli cylindrique dans le linge repassé. *Fam.* Renseignement confidentiel.
tuyautage n. m. Action de tuyauter. Ensemble de tuyaux.
tuyauter [*tui-yô*] v. tr. Plisser le linge en tuyaux avec un fer chaud. *Fam.* Renseigner confidentiellement.
tuyauterie n. f. Ensemble de tuyaux.
tuyère [*tu-yèr'*] n. f. Ouverture de la soufflerie, à la base d'un fourneau.
tweed [*touid*] n. m. Etoffe de laine anglaise : *veston sport en tweed.*
tympan n. m. Cavité de l'oreille, sur laquelle est tendue une membrane vibrante. *Archit.* Espace entre les trois corniches d'un fronton ou entre plusieurs arcs.
tympanique adj. Du tympan.
tympaniser v. tr. Décrier. Agacer.
type n. m. Empreinte servant à obtenir d'autres empreintes semblables. Modèle idéal : *le type de la beauté classique.* Ensemble de traits caractéristiques : *avoir le type anglais. Fam.* Personne originale : *un type curieux.* Caractère d'imprimerie. *Biol.* Forme autour de laquelle oscillent les variations individuelles d'une race, d'une espèce.
typhique adj. Relatif au typhus, à la fièvre typhoïde. N. Personne atteinte de ces maladies.
typhoïde adj. Qui a les caractères du typhus. *Fièvre typhoïde,* maladie infectieuse et contagieuse de l'intestin.
typhoïdique adj. Relatif à la fièvre typhoïde.
typhon n. m. Violent ouragan de l'océan Indien.
typhus [*fuss*] n. m. Nom de diverses maladies contagieuses épidémiques.
typique adj. Caractéristique.
typographe n. m. Celui qui exerce la typographie.
typographie n. f. Art de l'imprimerie : *typographie en couleurs.*
typolithographie n. f. Impression typographique sur pierre.
tyran n. m. Souverain despotique. *Par ext.* Celui qui abuse de son pouvoir.
tyranneau n. m. Petit tyran.
tyrannicide n. m. Meurtre d'un tyran. Meurtrier d'un tyran.
tyrannie n. f. Gouvernement injuste et cruel. Oppression. *Fig.* Pouvoir irrésistible : *la tyrannie du jeu.*
tyrannique* adj. Qui tient à la tyrannie. Qui exerce une influence irrésistible : *charme tyrannique.*
tyranniser v. tr. Exercer une tyrannie sur : *tyranniser un enfant.*
tyrolien, enne adj. et n. Du Tyrol. N. f. Air qui s'exécute à l'aide de certaines notes de poitrine et de tête qui se succèdent rapidement.
tzar et ses dérivés. V. TSAR.
tzigane n. et adj. Bohémien.

U

u n. m. Vingt et unième lettre et cinquième voyelle de l'alphabet.
ubac n. m. Côté exposé à l'ombre dans les montagnes.
ubiquité [*kui*] n. f. Présence en tous lieux à la fois : *avoir le don d'ubiquité.*
uhlan n. m. Lancier allemand.
ukase n. m. Edit du tsar. *Fig.* Décision empreinte d'absolutisme.
ulcération n. f. Formation d'ulcère. L'ulcère même.
ulcère n. m. Plaie persistante avec écoulement de pus : *ulcère variqueux. Arbor.* Plaie des arbres.
ulcérer v. tr. (Se conj. comme *accélérer.*) Produire un ulcère. *Fig.* Blesser moralement : *rester ulcéré après un échec.*
ultérieur, e* adj. Qui est au-delà. Qui arrive après.
ultimatum [*tom*] n. m. Dernière proposition avant de déclarer la guerre : *envoyer un ultimatum. Par anal.* Dernier mot.
ultime adj. Dernier, final.
ultra, mot lat. signif. au-delà. N. m. Qui professe des opinions exagérées en politique. Sous la Restauration, ultra-royaliste.
ultramicroscope n. m. Microscope de grande puissance.
ultramontain, e adj. et n. Se dit des doctrines théologiques favorables à la cour de Rome, opposées à celles des gallicans.
ultra-royaliste adj. et n. Partisan exalté des doctrines monarchiques.
ultra-son n. m. Vibration à fréquence trop élevée pour être perçue par l'oreille. Pl. des *ultra-sons.*
ultraviolet, ette adj. Se dit des rayons lumineux placés dans le spectre au-delà du violet.
ululement n. m. Cri poussé par les oiseaux de nuit.
ululer v. intr. Crier, en parlant des oiseaux de nuit.
un, une adj. numér. Le premier de tous les nombres. Adj. ordin. Premier. Seul, unique : *travail fait en un jour.* Qui n'admet pas de division : *la vérité est une.* Qui n'est point multiple : *l'action du poème doit être une.* Pron. indéf. Une personne. Adj. indéf. Un certain, un quelconque. N. m. Une unité : *un et un font deux.* Le chiffre qui exprime l'unité. *Un à un,* un succédant l'autre. *Pas un,* aucun, nul. *Ne faire qu'un,* être tout à fait semblable ou parfaitement uni. *L'un l'autre,* réciproquement.

unanime* adj. Qui marque accord complet : *avis unanime.* Pl. Qui a même opinion : *nous sommes unanimes là-dessus.*
unanimité n. f. Accord complet.
uni*, e adj. Sans inégalités, sans aspérités : *sol uni. Par ext.* Sans ornements. *Fig.* Uniforme, sans variété. N. m. Etoffe unie, d'une seule couleur.
uniate n. m. et adj. Chrétien reconnaissant la suprématie du pape, mais conservant sa liturgie nationale.
unicorne adj. Qui n'a qu'une corne.
unification n. f. Action d'unifier.
unifier v. intr. (Se conj. comme *prier.*) Amener ou ramener à l'unité.
uniforme adj. Qui a la même forme; pareil. Semblable, conforme. Sans variété : *aspect uniforme.* Toujours le même : *conduite uniforme.* N. m. Vêtement uniforme d'une catégorie d'individus. Habit militaire.
uniformément adv. De manière uniforme : *habiller uniformément.*
uniformiser v. tr. Rendre uniforme.
uniformité n. f. Caractère uniforme.
unilatéral, e* adj. *Dr.* Qui n'engage qu'une des parties contractantes.
union n. f. Association de différentes choses ne formant qu'un tout. Conformité d'efforts ou de pensées : *l'union fait la force.* Association : *union commerciale.* Traité d'alliance. Mariage : *union fort bien assortie.*
unioniste n. m. Membre d'une union. Partisan de l'union.
unique* adj. Seul en son genre.
unir v. tr. Joindre : *canal qui unit deux mers.* Lier par l'intérêt, l'amitié : *unis par l'affection.* Marier : *unir des fiancés.*
unisson n. m. Accord de plusieurs voix ou de plusieurs instruments qui font entendre une même note. *Fig.* Accord.
unitaire adj. Relatif à l'unité politique : *doctrines unitaires.*
unité n. f. Principe de tout nombre. Quantité prise pour mesure : *unité de longueur.* Action simultanée, accord : *leurs efforts manquent d'unité.* Harmonie d'ensemble d'une œuvre : *ce roman a une remarquable unité.*
univers n. m. L'ensemble des choses existantes. Le monde.
universalité n. f. Caractère de ce qui est universel. Généralité.
universaux n. m. pl. *Philos.* Les idées de genre, d'espèce, en scholastique.
universel, elle* adj. Général. Qui a des aptitudes pour tout : *esprit universel.* N. m. Ce qui est universel.
universitaire adj. de l'Université : *études universitaires.* N. m. Professeur de l'Université.
université n. f. Groupe d'écoles qui donnent l'enseignement supérieur. Bâtiments où réside une université. L'ensemble du corps enseignant officiel, à tous les degrés.
uranium [*nyom*] n. m. *Chim.* Métal très lourd et radio-actif.
urbain, e adj. et n. De ville, de la ville : *population urbaine.*
urbanisme n. m. Science, art de l'aménagement des villes.
urbaniste n. m. Ingénieur versé dans l'urbanisme.
urbanité n. f. Politesse que donne l'usage du monde : *manières pleines d'urbanité.*
urée n. f. Substance azotée que l'on rencontre dans l'urine.
urémie n. f. Intoxication du sang par l'urée.
urémique adj. Relatif à l'urémie.
uretère n. m. Chacun des deux canaux qui portent l'urine des reins dans la vessie.
urétral, e adj. De l'urètre.
urètre n. m. Canal qui conduit l'urine hors de la vessie.
urgence n. f. Qualité de ce qui est urgent. *D'urgence,* sur-le-champ.
urgent, e adj. Qui ne peut se différer.
uricémie n. f. Accumulation de l'acide urique dans le sang.
urinaire adj. Relatif à l'urine.
urinal n. m. Vase à col relevé, où les malades urinent.
urine n. f. Liquide sécrété par les reins et émis par la vessie.
uriner v. tr. et intr. Evacuer l'urine.
urinoir n. m. Endroit pour uriner.
urique adj. Se dit de l'acide que l'on rencontre dans l'urine.
urne n. f. Vase antique employé surtout pour recueillir les cendres des morts. Vase qui a la forme d'une urne antique. Boîte qui sert à recueillir les bulletins de vote, les numéros qu'on tire au sort.
urticaire n. f. Eruption cutanée semblable à celle que produit le contact de l'ortie.
urticant, e adj. Qui brûle comme l'ortie.
us [*uss*] n. m. pl. Usages : *us et coutumes.*
usage n. m. Action de se servir, emploi : *usage de richesses.* Coutume, pratique consacrée : *les usages reçus.* Coutume qui règle l'emploi des mots : *locution hors d'usage.* Droit de se servir d'une chose qui appartient à autrui; jouissance. Connaissance acquise par la pratique de ce qu'il faut faire ou dire en société : *l'usage du monde.*
usagé, e adj. Qui a déjà servi.
usager, ère adj. Destiné à l'usage habituel. N. m. Qui use habituellement de.
usance n. f. Terme de trente jours fixé pour le paiement d'une lettre de change.
usé, e adj. Affaibli : *homme usé.* Banal : *c'est un sujet usé.* Pollué : *eaux usées.*
user v. intr. Faire usage, se servir de : *user d'un droit.* Avoir recours à : *user de violence.* V. tr. Consommer, détériorer par l'usage : *user de l'huile.* Diminuer par le frottement. *Fig.* Détruire progressivement.
usine n. f. Grand établissement de fabrication (forge, fonderie, etc.).
usiner v. tr. Soumettre une pièce brute à l'action d'une machine-outil : *pièce mal usinée.* Fabriquer dans une usine.
usinier n. m. Qui exploite une usine.
usité, e adj. Qui est en usage.
ustensile n. m. Petit meuble, instrument servant aux usages de la vie courante.
usuel, elle* adj. Dont on se sert ordinairement : *mots usuels.*
usufruit n. m. Jouissance des fruits, du revenu d'un bien dont la nue-propriété appartient à un autre.
usufruitier, ère n. Qui a l'usufruit.
usuraire adj. Où il y a usure.
usure n. f. Intérêt perçu au-dessus du taux légal : *délit d'usure. Fig.* Profit disproportionné avec l'objet qui le procure. *Avec usure,* au-delà de ce qu'on a reçu.
usure n. f. Détérioration par l'usage.

usurier, ère n. Qui prête à usure.
usurpateur, trice n. Qui usurpe.
usurpation n. f. Action d'usurper : *usurpation de titre*. Etat qui en résulte.
usurper v. tr. S'emparer, s'approprier sans droit. Arriver à obtenir une chose sans la mériter : *usurper sa réputation*.
ut n. m. Première note de la gamme ordinaire (do) : *la clef d'ut*.
utérin, e adj. Né, née de la même mère, mais non du même père.
utérus n. m. Organe de la gestation, chez les animaux supérieurs.
utile* adj. Qui sert, rend service : *travaux utiles. Temps utile,* temps opportun, au-delà duquel il n'est plus utile d'agir. *L'utile* n. m. Ce qui est utile.
utilisable adj. Qui peut servir.
utilisateur, trice n. Personne qui utilise.
utilisation n. f. Action d'utiliser.
utiliser v. tr. Tirer parti de.
utilitaire adj. Qui se propose surtout pour but l'utilité.
utilitarisme n. m. Système de morale fondé sur l'intérêt.
utilité n. f. Caractère, qualité de ce qui est utile. Objet utile. N. f. pl. Au théâtre, emploi subalterne; acteur qui le remplit : *ne jouer que les utilités.*
utopie n. f. Plan imaginaire d'un gouvernement idéal. *Fig.* Idéal chimérique.
utopique* adj. Chimérique.
utopiste n. Qui forme des projets irréalisables : *Fourier fut un utopiste.*
uval, e adj. Relatif au raisin : *cure uvale.*
uvaire adj. Formé de petits grains globuleux comme ceux du raisin.
uvulaire adj. Qui a rapport à l'uvule. N. f. Plante liliacée.
uvule n. f. *Anat.* Luette.

V

v n. m. Vingt-deuxième lettre de l'alphabet et dix-septième des consonnes.
va impér. d'*aller*. Interj. qui s'emploie pour confirmer, menacer, etc. *Fam.* Soit.
vacance n. f. Etat d'une place, d'une charge vacante. Pl. Période de repos accordée à des élèves, étudiants, etc. Suspension légale des audiences des tribunaux.
vacant, e adj. Vide, non occupé : *poste vacant ; logement vacant.*
vacarme n. m. Bruit tumultueux.
vacation n. f. Séance consacrée, par ordre de justice, à une affaire. Honoraires pour ce travail.
vaccin n. m. Substance qui, inoculée à un individu, lui confère l'immunité contre une maladie : *le vaccin antidiphtérique.*
vaccinal, e adj. Relatif au vaccin.
vaccination n. f. Action de vacciner.
vaccine n. f. Maladie de la vache (*cow-pox*), qui, transmise à l'homme, le préserve de la variole.
vacciner v. tr. Inoculer la vaccine. Immuniser contre une maladie à l'aide d'un vaccin.
vache n. f. Femelle du taureau. Sa peau. *Pop.* Sévère, dur.
vacher, ère n. Qui mène paître les vaches.
vacherie n. f. *Pop.* Mauvais tour.
vachette n. f. Cuir de petite vache.
vacillation [*si-la* ou *si-ya*] n. f. Mouvement de ce qui vacille. *Fig.* Irrésolution.
vacillement [*si-le* ou *si-ye*] n. m. Vacillation.
vaciller [*si-lé* ou *si-yé*] v. intr. Chanceler : *table qui vacille.* Trembloter : *la lumière vacille. Fig.* Hésiter : *mémoire qui vacille.*
vacuité n. f. Etat de ce qui est vide.
vade-mecum [*va-dé mé-kom*] n. m. invar. Livre, objet, etc., que l'on porte ordinairement avec soi.
va-et-vient n. m. invar. Fréquentes allées et venues. Action de ce qui va et vient alternativement : *le va-et-vient du pendule.* Cordage servant à réunir deux points.
vagabond, e adj. Qui erre çà et là. *Fig.* Inconstant : *imagination vagabonde.* N. Personne sans domicile.
vagabondage n. m. Etat de vagabond.
vagabonder v. intr. Faire le vagabond. Errer çà et là.
vagir v. intr. Pousser des vagissements.
vagissement n. m. Cri du nouveau-né.
vague n. f. Flot qui s'élève sur la surface de la mer, etc. *Fig.* Ce qui est comparable à une vague par la forme, le mouvement : *vague de chaleur.*
vague* adj. Libre, vide : *terrain vague.* Indéterminé, imprécis : *vague désir.* N. m. Ce qui est indécis, mal défini.
vaguemestre n. m. Sous-officier chargé, dans un régiment, de la distribution des lettres.
vaguer v. intr. Errer çà et là.
vaillamment adv. Avec vaillance.
vaillance n. f. Valeur, courage.
vaillant, e adj. Qui a de la vaillance : *un soldat vaillant.* Qui a de la valeur : *n'avoir pas un sou vaillant.*
vain, e* adj. Sans résultat : *vains efforts.* Illusoire : *vain espoir.* Frivole : *de vains amusements.* Orgueilleux : *un esprit vain. En vain,* inutilement.
vaincre v. tr. (*Je vaincs, tu vaincs, il vainc, nous vainquons, vous vainquez, ils vainquent. Je vainquais, nous vainquions. Je vainquis, nous vainquîmes. Je vaincrai, nous vaincrons. Vaincs, vainquons, vainquez. Que je vainque, que nous vainquions. Que je vainquisse, que nous vainquissions. Vainquant. Vaincu, e.*) Avoir l'avantage, l'emporter sur : *vaincre l'ennemi, un rival.* Surpasser, surmonter : *vaincre un obstacle.* V. pr. Se maîtriser.
vainqueur n. m. Celui qui remporte une victoire, qui a l'avantage sur. Adj. Qui dénote la victoire : *un air vainqueur.*
vair n. m. Une fourrure blanche et grise.
vairon adj. Se dit des yeux de couleur différente ou de l'œil dont l'iris est entouré d'un cerne blanchâtre. N. m. Petit poisson de rivière.

vaisseau n. m. Vase, récipient (vx). Bateau, navire. Nef. Canal, tube servant à la circulation animale ou végétale.
vaisselier n. m. Meuble qui reçoit la vaisselle.
vaisselle n. f. Tout ce qui sert à l'usage de la table. *Vaisselle plate,* plats ou assiettes d'or ou d'argent sans soudure.
val n. m. Vallée resserrée. *Par monts et par vaux,* de tous côtés.
valable* adj. Recevable, acceptable, admissible : *excuse valable.*
valence n. f. *Chim.* Nombre d'atomes d'hydrogène susceptibles de se combiner avec un atome d'un corps.
valenciennes n. f. Dentelle fabriquée dans la ville de ce nom.
valériane n. f. Plante médicinale appelée aussi *herbe aux chats.*
valet n. m. Serviteur à gages : *valet de chambre, de pied. Fig.* Homme d'une complaisance servile : *âme de valet.* Figure du jeu de cartes. Fer coudé qui maintient une pièce de bois sur l'établi.
valetaille n. f. Troupe de valets.
valétudinaire adj. Maladif, de santé chancelante.
valeur n. f. Ce que vaut une personne ou une chose. Prix élevé : *objet de valeur.* Titres de bourse ou de banque : *valeurs en portefeuille. Math.* Détermination d'une quantité. *Peint.* Intensité relative. *Mus.* Durée d'une note. *Fig.* Importance : *la valeur d'un argument. Mettre en valeur,* faire fructifier. Estimation approximative : *boire la valeur d'un litre.* Bravoure : *valeur indomptable.*
valeureux, euse* adj. Vaillant.
validation n. f. Action de valider.
valide* adj. Sain, pouvant travailler : *homme valide.* Qui a les conditions requises : *contrat valide.*
valider v. tr. Rendre ou déclarer valable : *valider une élection.*
validité n. f. Qualité de ce qui est valide, valable : *validité d'un billet.*
valise n. f. Petite malle très légère se portant à la main.
vallée n. f. Espace entre des montagnes. Bassin d'un cours d'eau : *la vallée du Rhône. Fig. Vallée de larmes, de misère,* ce bas monde.
vallon n. m. Petite vallée.
vallonnement n. m. Action de vallonner.
vallonner v. tr. Creuser en forme de vallon : *prairie vallonnée.*
valoir v. intr. (*Je vaux, tu vaux, il vaut, nous valons, vous valez, ils valent. Je valais, nous valions. Je valus, nous valûmes. Je vaudrai, nous vaudrons. Vaux, valons, valez. Que je vaille, que nous valions. Que je valusse, què nous valussions. Valant. Valu, e.*) Avoir un certain prix : *cela vaut dix francs.* Avoir un certain mérite : *cet homme sait ce qu'il vaut.* Mériter : *cela vaut qu'on s'en occupe. Valoir mieux,* être préférable. *Autant vaut,* c'est tout comme. *A valoir,* à compte. *Faire valoir,* tirer profit. *Se faire valoir,* faire ressortir ses qualités. V. tr. Procurer : *cela lui a valu une récompense.* V. impers. *Il vaut mieux,* il est préférable. *Vaille que vaille,* tant bien que mal.
valorem (ad) loc. lat. Selon la valeur.
valorisation n. f. Hausse artificielle de la valeur d'un produit.
valse n. f. Danse dans laquelle deux personnes tournent ensemble sur elles-mêmes. Air de valse.
valser v. intr. Danser la valse. V. tr. : *valser une mazurka.*
valseur, euse n. Personne qui valse.
valve n. f. Moitié de certaines coquilles, de certaines enveloppes de fruits. Soupape de pneumatique.
valvulaire adj. Des valvules.
valvule n. f. Espèce de soupape dans les veines du corps humain.
vampire n. m. Mort que l'on suppose sortir du tombeau pour sucer le sang des vivants. Sorte de grande chauve-souris. *Fig.* Celui qui s'enrichit aux dépens d'autrui.
vampirisme n. m. Croyance aux vampires.
van n. m. Plateau d'osier, pour agiter et nettoyer le grain.
van n. m. Voiture fermée pour le transport des chevaux de course.
vanadium [*dyom*] n. m. Métal blanc, léger.
vandale n. m. Qui mutile, détruit les monuments, les œuvres d'art.
vandalisme n. m. Caractère, acte d'un vandale.
vanesse n. f. Genre de papillons.
vanille [*niy'*] n. f. Fruit du vanillier.
vanillé, e adj. Parfumé avec la vanille.
vanillier n. m. Orchidée grimpante des régions tropicales, dont le fruit (*vanille*) est très parfumé.
vanité n. f. Vide, néant : *la vanité des grandeurs.* Choses vaines, futiles. Orgueil, futile désir de briller et de paraître. *Tirer vanité,* s'enorgueillir.
vaniteux, euse* n. et adj. Qui a de la vanité.
vannage n. m. Action de vanner.
vanne n. f. Porte qui se meut verticalement entre deux coulisses pour intercepter ou laisser libre un cours d'eau.
vanneau n. m. Un oiseau échassier.
vanner v. tr. Secouer le grain au moyen d'un van. *Pop.* Fatiguer.
vannerie n. f. Métier, marchandise du vannier : *ouvrage de vannerie.*
vanneur n. et adj. m. Qui vanne.
vannier n. et adj. m. Qui fabrique les vans, les corbeilles, etc.
vannure n. f. Poussières provenant du vannage des grains.
vantail n. m. Battant d'une porte. Partie latérale d'un triptyque. Pl. des *vantaux.*
vantard, e n. et adj. Qui a l'habitude de se vanter.
vantardise n. f. Vanterie.
vanter v. tr. Louer beaucoup, exalter : *vanter le temps passé. Se vanter de,* se faire fort de, prétendre pouvoir.
vanterie n. f. Défaut du vantard; paroles du vantard.
va-nu-pieds n. invar. Qui n'a même pas de chaussures; gueux.
vapeur n. f. Exhalaison gazeuse : *vapeurs d'éther.* Liquide rendu gazeux par la chaleur : *vapeur d'eau. Machine à vapeur,* qui fonctionne par la pression de la vapeur d'eau. *A toute vapeur,* à toute vitesse. *Fig.* Agent qui produit l'ivresse : *les vapeurs du vin.* Par ext. : *les vapeurs de l'orgueil.* Pl. Sorte de malaise : *avoir des vapeurs.* (Vx.)

vapeur n. m. Bateau mû par la vapeur : *partir par le vapeur.*
vaporeux, euse adj. Qui contient des vapeurs. *Fig.* Obscur, flou.
vaporisateur n. m. Appareil pour vaporiser. Pulvérisateur de parfums.
vaporisation n. f. Action de vaporiser.
vaporiser v. tr. Convertir en vapeur : *vaporiser de l'alcool.* Pulvériser.
vaporiseur n. m. Vaporisateur.
vaquer v. intr. Etre vacant. Cesser pour un temps ses fonctions : *étude (de notaire) qui vaque. Vaquer à,* s'appliquer à.
varech [*rèk*] n. m. Algue marine.
varenne n. f. Terrain inculte que le gibier fréquente.
vareuse n. f. Sorte de blouse courte. Veste très ample.
variabilité n. f. Etat de ce qui est variable.
variable adj. Sujet à varier. *Gramm.* Se dit des mots dont la terminaison varie. N. m. Degré du baromètre, qui indique un temps incertain. N. f. *Math.* Grandeur capable de varier entre de certaines limites.
variante n. f. Forme différente d'un même texte : *étude des variantes.*
variation n. f. Changement plus ou moins fréquent. Pl. *Mus.* Ornements sur un air suivant le thème principal.
varice n. f. Dilatation permanente d'une veine : *souffrir de varices.*
varicelle n. f. Maladie éruptive contagieuse, sans gravité.
varier v. tr. (Se conj. comme *prier.*) Rendre divers : *varier son travail. Mus.* Exécuter des variations. V. intr. Changer : *le vent a varié.* Etre d'avis différent : *les auteurs varient sur ce point.*
variété n. f. Etat d'un objet composé de parties variées. Diversité, différence : *variété d'avis. Hist. nat.* Subdivision de l'espèce : *une variété rare.* Pl. Mélanges : *variétés littéraires.*
variole n. f. Petite vérole, maladie infectieuse et contagieuse.
varioleux, euse, variolique adj. Relatif à la variole. N. Atteint de variole.
variqueux, euse adj. Dû aux varices.
varlope n. f. Sorte de grand rabot.
varloper v. tr. Travailler à la varlope.
vasculaire adj. Qui appartient aux vaisseaux : *membrane vasculaire.* Dont le tissu possède des vaisseaux.
vase n. f. Boue qui se dépose au fond des eaux : *poisson de vase.*
vase n. m. Récipient de matière, de forme, d'usage variables.
vaseline n. f. Graisse minérale tirée du pétrole brut.
vaseux, euse adj. Où il y a de la vase. *Arg.* Hébété, sans énergie.
vasistas [*zis-tass*] n. m. Partie mobile d'une porte ou d'une fenêtre.
vaso-constricteur adj. Se dit des nerfs qui déterminent la contraction des vaisseaux.
vaso-dilatateur adj. Se dit des nerfs qui déterminent la dilatation des vaisseaux.
vaso-moteur adj. Vaso-constricteur ou vaso-dilatateur.
vasque n. f. Bassin de fontaine.
vassal, e n. et adj. Personne liée à un suzerain par l'obligation de foi et hommage.
vassalité n. f. Condition de vassal.
vaste adj. Qui a une grande étendue. *Fig.* De grande ampleur, de grande envergure : *nourrir de vastes projets.*
vaticination n. f. Prédiction.
vaticiner v. intr. Prophétiser, prédire l'avenir.
va-tout n. m. invar. A certains jeux, coup où l'on joue tout l'argent qu'on a devant soi. *Fig. Jouer son va-tout,* tout hasarder.
vaudeville n. m. Petite pièce de théâtre mêlée de couplets. Comédie légère.
vaudevillesque adj. De vaudeville.
vaudevilliste n. m. Auteur de vaudevilles.
vau-l'eau (à) loc. adv. Au gré du courant de l'eau. *Fig.* En déroute, à la débandade.
vaurien, enne n. et adj. Personne sans valeur, vicieuse. *Fam.* Personne légère, étourdie, malicieuse.
vautour n. m. Genre d'oiseaux rapaces. *Fig.* Usurier, propriétaire impitoyable.
vautrer (se) v. pr. Se rouler sur le sol, dans la boue, etc.
veau n. m. Le petit de la vache; sa chair; sa peau corroyée. *Veau marin,* phoque.
vecteur adj. m. *Géom. Rayon vecteur,* celui qui joint un point fixe à un point quelconque d'une courbe définie. N. m. Droite définie en grandeur, direction et sens.
vedette n. f. Cavalier en sentinelle. Petit bâtiment de guerre en observation. Artiste en vue. *Impr. En vedette,* isolément, sur une ligne bien en vue.
végétal n. m. Arbre, plante.
végétal, e adj. Qui appartient aux végétaux : *règne végétal. Terre végétale,* propre à la végétation.
végétarien, enne adj. et n. Qui pratique le végétarisme.
végétarisme n. m. Alimentation exclusive par les végétaux.
végétatif, ive adj. Qui détermine la végétation. Commun aux plantes et aux animaux : *vie végétative.*
végétation n. f. Développement progressif des végétaux. *Par ext.* Les végétaux : *la végétation tropicale. Pathol.* Excroissance anormale sur un tissu.
végéter v. intr. (Se conj. comme *accélérer.*) Croître (plantes). *Fig.* Vivre d'une vie misérable, obscure.
véhémence n. f. Force impétueuse : *parler avec véhémence.*
véhément, e* adj. Ardent, impétueux.
véhicule n. m. Moyen de transport. *Fig.* Ce qui sert à propager, à transmettre : *l'air est le véhicule du son.*
véhiculer v. tr. Voiturer, transporter.
veille n. f. Privation de sommeil. Etat de celui qui est éveillé : *l'état de veille.* Jour qui précède : *la veille du départ. Fig. A la veille de,* sur le point de. Pl. Etudes, travaux.
veillée n. f. Temps qui s'écoule entre le repas du soir et le coucher. Réunion de personnes qui passent la veillée ensemble.
veiller v. intr. Ne pas dormir : *veiller une nuit entière.* Exercer une surveillance. *Veiller à, sur,* prendre garde à. V. tr. Passer la nuit auprès de : *veiller un mort.*
veilleur, euse n. Personne qui veille. Gardien : *veilleur de nuit.*
veilleuse n. f. Petite lumière pour la nuit.
veinard, e adj. *Fam.* Qui a de la veine.

veine n. f. Vaisseau sanguin qui ramène le sang au cœur. Partie longue et étroite, de composition ou d'aspect différent (bois, pierre). Filon de minerai. *Veine poétique,* inspiration. *Fam.* Chance.
veiner v. tr. Peindre en imitant les veines du marbre ou du bois.
veineux, euse adj. Composé de veines. Rempli de veines. Se dit du sang qui circule dans les veines, par opposition au sang *artériel.*
veinule n. f. Petite veine.
vêlage ou **vêlement** n. m. Action de vêler.
vêler v. intr. Mettre bas (vache).
vélin n. m. Peau de veau préparée. *Adj. Papier vélin,* très blanc et uni.
velléitaire [*l-l*] adj. et n. Qui n'a que des velléités : *Boulanger fut un velléitaire.*
velléité [*l-l*] n. f. Volonté hésitante; intention fugitive : *avoir des velléités.*
vélo n. m. *Fam.* Bicyclette.
véloce adj. Agile, rapide.
vélocipède n. m. Appareil à roues, avec siège, mis en marche par un mécanisme mû par les pieds.
vélocipédie n. f. Cyclisme.
vélocipédique adj. Qui se rattache au cyclisme.
vélocipédiste n. Cycliste.
vélocité n. f. Vitesse, rapidité.
vélodrome n. m. Piste à l'usage des courses de bicyclettes.
velours n. m. Etoffe rase d'un côté, et couverte de l'autre de poils serrés. Qualité de ce qui a la douceur, le moelleux du velours : *le velours d'un fruit. Fam.* Liaison de langage incorrecte, par substitution de *s* ou de *z* à *t. Patte de velours,* patte d'un chat quand il rentre ses griffes.
velouté, e adj. Qui a l'aspect du velours. Doux comme du velours. N. m. Qualité de ce qui est velouté.
velouter v. tr. Donner l'apparence du velours.
veloutine n. f. Etoffe pelucheuse.
velu, e adj. Couvert de poils.
vélum [*lom*] n. m. Grand voile couvrant un cirque, un vestibule, etc.
venaison n. f. Chair de bête fauve.
vénal, e adj. Qui s'acquiert à prix d'argent : *une charge vénale. Fig.* Qui n'agit que par intérêt, que pour de l'argent.
vénalité n. f. Caractère vénal.
venant, e adj. Qui vient. N. m. Celui qui vient : *allants et venants. A tout venant,* au premier venu; à tout propos.
vendable adj. Qui peut être vendu.
vendange n. f. Récolte du raisin. Les raisins mêmes. Temps de la récolte du raisin.
vendanger v. tr. (Se conj. comme *manger.*) Récolter le raisin.
vendangeur, euse n. Personne qui fait la vendange.
vendémiaire n. m. Premier mois du calendrier républicain (22 septembre-21 octobre).
vendetta [*vin*] n. f. En Corse, état d'hostilité entre deux familles, né d'une offense ou d'un meurtre.
vendeur, euse n. Dont la profession est de vendre. Personne qui fait un acte de vente. (En ce sens, le fém. est *venderesse.*)
vendre v. tr. (Se conj. comme *rendre.*) Céder moyennant un prix convenu. Faire le commerce de. *Fig.* Trafiquer de. Faire payer cher. Trahir pour de l'argent.
vendredi n. m. Sixième jour de la semaine.
vendu, e adj. Cédé moyennant un prix. *Fig.* Gagné par l'appât de l'argent : *homme vendu au gouvernement.* N. Personne vendue.
venelle n. f. Petite rue.
vénéneux, euse adj. Qui renferme du poison : *champignon vénéneux.*
vénérable adj. Digne de vénération. N. m. Président d'une loge maçonnique. Premier degré de canonisation des saints.
vénération n. f. Respect profond et religieux. Honneur qu'on rend aux personnes ou aux choses que l'on vénère.
vénérer v. tr. (Se conj. comme *accélérer.*) Avoir de la vénération.
vénerie n. f. Art de chasser avec des chiens courants.
vénérien, enne adj. Qui concerne les rapports sexuels : *maladies vénériennes.*
venette n. f. *Pop.* Peur, alarme.
veneur n. m. Celui qui dirige la chasse, lance la bête, etc.
vengeance n. f. Action, désir de se venger : *tirer vengeance.*
venger v. tr. (Se conj. comme *manger.*) Tirer satisfaction, réparation d'une offense : *venger une injure.*
vengeur, eresse n. et adj. Qui venge.
véniel, elle* adj. Léger : *péché véniel.*
venimeux, euse adj. Qui a du venin : *serpent venimeux. Fig.* Méchant.
venin n. m. Liquide toxique sécrété par un animal : *le venin de la vipère. Fig.* Méchanceté : *femme pleine de venin.*
venir v. intr. (*Je viens, tu viens, il vient, nous venons, vous venez, ils viennent. Je venais, nous venions. Je vins, nous vînmes. Je viendrai, nous viendrons. Viens, venons, venez. Que je vienne, que nous venions. Que je vinsse, que nous vinssions. Venant. Venu, e.*) Se rendre à, dans, auprès : *il lui dit de venir.* Arriver, survenir : *la mort vient sans qu'on s'en doute.* Etre originaire : *ce thé vient de Chine.* Avoir lieu : *prendre le temps comme il vient.* Se présenter à l'esprit : *nos idées nous viennent involontairement.* Dériver : *ce mot vient du latin. En venir à,* en arriver à, être réduit à. *En venir aux mains,* se battre. *Venir à bout de,* réussir.
vent n. m. Air atmosphérique qui se déplace : *le vent du nord.* Mouvement de l'air ainsi déplacé. Air agité par un moyen quelconque : *faire du vent.* Gaz qui se développe dans l'intestin. *Mus. Instrument à vent,* instrument de musique dont le son est formé par l'air. *Fig.* Influence qui aide ou qui nuit : *le vent de la faveur, du malheur. Aller comme le vent,* très vite. *Tourner à tout vent,* être inconstant. *Avoir vent de,* recevoir avis. *Mar. Sous le vent,* en deçà d'un autre navire par rapport au vent.
ventail n. m. Partie découpée de la visière des casques clos.
vente n. f. Débit : *vente au détail.* Cession moyennant un prix convenu : *vente à terme.*
venteaux n. m. pl. Ouvertures par lesquelles l'air extérieur pénètre dans une soufflerie.
venter v. impers. Faire du vent.
ventilateur n. m. Appareil propre à ventiler.

ventilation n. f. Action de ventiler.
ventiler v. tr. Aérer : *ventiler un tunnel. Comm.* Evaluer la valeur respective de divers objets vendus ensemble.
ventôse n. m. Sixième mois du calendrier républicain.
ventosité n. f. Accumulation de gaz dans l'intestin.
ventouse n. f. Petit vase dans lequel on fait le vide et qu'on applique sur la peau pour y appeler le sang. Organe de succion chez certains animaux. Ouverture dans un conduit, dans une cheminée, etc., pour donner passage à l'air.
ventouser v. tr. Appliquer des ventouses.
ventral, e adj. Du ventre.
ventre n. m. Cavité du corps où sont les intestins. *Par ext.* Partie renflée d'un mur, ou d'un vase. *Fig.* La bonne chère. Les plaisirs sensuels : *ne songer qu'à son ventre. A plat ventre,* étendu sur le ventre. *Ventre à terre,* très vite.
ventricule n. m. Nom de diverses cavités du corps humain.
ventrière n. f. Sangle sous le ventre du cheval.
ventriloque n. et adj. Qui parle de telle sorte qu'il semble que la voix sorte de son ventre.
ventripotent, e adj. *Fam.* Ventru.
ventru, e adj. Qui a un gros ventre.
venu, e adj. Réussi, exécuté : *estampe bien venue. Etre bien, mal venu,* être bien, mal reçu. *Le premier venu,* personne quelconque. N. et adj. *Nouveau venu, nouvelle venue,* personne récemment arrivée.
venue n. f. Action de venir; arrivée. *Par ext.* Action de pousser, croître. *Tout d'une venue,* long et droit. Pl. *Allées et venues,* action d'aller et de venir plusieurs fois.
vénusté n. f. Grâce, charme.
vêpres n. f. pl. Partie de l'office catholique célébrée dans l'après-midi.
ver n. m. Embranchement du règne animal, comprenant des animaux mous, contractiles, dépourvus de membres (lombrics, ténias, douves, etc.). *Ver blanc,* larve de hanneton. *Ver luisant,* lampyre, luciole. *Ver solitaire,* ténia. *Ver à soie,* chenille du bombyx de la soie.
véracité n. f. Attachement à la vérité. Qualité de ce qui est vrai.
véranda n. f. Galerie légère sur toute la longueur d'une habitation. Pièce dont le toit et l'un des murs sont vitrés.
verbal, e*, aux adj. Qui se fait de vive voix : *promesse verbale. Gramm.* Propre au verbe. *Adjectif verbal,* adjectif tiré du verbe et ayant la forme du participe présent.
verbalisation n. f. Action de *verbaliser* ou dresser procès-verbal.
verbalisme n. m. Tendance à se contenter de mots, à négliger les idées.
verbe n. m. Parole. *Avoir le verbe haut,* avoir un timbre de voix élevé. *Fig.* Parler avec hauteur. *Gramm.* Mot qui, dans une proposition régulière, exprime, sous une forme variable, l'action ou l'état du sujet.
verbeux, euse adj. Bavard.
verbiage n. m. Bavardage inutile.
verbosité n. f. Bavardage, verbiage.
verdâtre adj. Qui tire sur le vert.
verdeur n. f. Etat du bois non encore sec. Acidité, rudesse d'un fruit, d'un vin. *Fig.* Acreté de paroles. Jeunesse, vigueur.
verdict [*dikt*] n. m. *Dr.* Réponse faite par le jury aux questions posées par la cour : *verdict d'acquittement.* Jugement quelconque : *le verdict du médecin.*
verdir v. tr. Rendre vert. V. intr. Devenir vert.
verdissage ou **verdissement** n. m. Action de verdir.
verdoiement n. m. Etat de ce qui verdoie.
verdoyer v. intr. (Se conj. comme *aboyer.*) Devenir vert.
verdure n. f. Couleur verte des arbres, des plantes. Herbe, feuillage vert. Plantes potagères. Tapisserie représentant généralement des arbres.
véreux, euse adj. Qui contient des vers. Suspect, qui recèle une tare. Malhonnête : *banquier véreux.*
verge n. f. Petite baguette longue et flexible Tringle de métal. Fléau de certaines balances. Membre viril.
vergé, e adj. *Etoffe vergée,* qui a des fils plus gros ou plus teintés que le reste. *Papier vergé,* qui a des vergeûres.
verger n. m. Lieu planté d'arbres fruitiers.
vergeter v. tr. (Se conj. comme *jeter.*) Nettoyer avec une vergette. Marquer, rayer de coups de verges.
vergette n. f. Petite verge.
vergetures n. f. pl. Marques de coups de verges ou de fouet. Raies provenant de la distension de la peau.
vergeure [*jur*] n. f. Fils de laiton attachés sur la forme où l'on coule le papier. Marques qu'ils laissent sur le papier.
verglas n. m. Couche de glace mince qui couvre parfois le sol.
vergne ou **verne** n. m. Aune, arbre.
vergogne n. f. Honte, pudeur.
vergue n. f. Longue pièce de bois placée horizontalement sur un mât et servant à soutenir les voiles.
véridique* adj. Qui dit la vérité. Conforme à la vérité : *témoignage peu véridique.*
vérifiable adj. Qui peut être vérifié.
vérificateur n. Celui qui vérifie.
vérification n. f. Action de vérifier.
vérifier v. tr. (Se conj. comme *prier.*) Examiner si une chose est telle qu'elle doit être ou qu'on l'a déclarée : *vérifier une addition.* Justifier, confirmer.
vérin n. m. Machine servant à soulever de gros fardeaux.
véritable* adj. Conforme à la vérité. Qui est réellement ce qu'exprime le mot ainsi qualifié : *un véritable artiste.*
vérité n. f. Qualité de ce qui est vrai. Conformité de ce qu'on dit avec ce qui est : *dire la vérité.* Sincérité : *l'accent de la vérité. Bx-arts.* Expression fidèle de la nature. Pl. *Dire à quelqu'un ses vérités,* lui reprocher ses fautes. *En vérité,* certainement. *A la vérité,* il est vrai.
verjus n. m. Jus du raisin vert.
vermeil, eille adj. Rouge foncé. N. m. Argent doré.
vermicelle n. m. Pâte à potages en fils déliés.
vermiculaire adj. Qui ressemble à un ver.
vermiculé, e adj. *Archit.* Strié de sinuosités.

vermifuge n. m. Remède contre les vers intestinaux.
vermillon [*mi-yon*] n. m. Cinabre ou sulfure rouge de mercure. Couleur qu'on en tire. *Fig.* Couleur semblable au cinabre.
vermillonner v. tr. Peindre de vermillon.
vermine n. f. Ensemble des insectes parasites. *Fig.* Ce qui ronge, ce qui détruit progressivement. *Fig.* Vile populace, canaille.
vermisseau n. m. Petit ver de terre. *Fig.* Etre chétif, misérable.
vermoulu, e adj. Piqué des vers.
vermoulure n. f. Trace que laissent les vers dans ce qu'ils ont rongé.
vermouth [*mout'*] n. m. Vin blanc dans lequel on a fait infuser des substances toniques.
vernaculaire adj. Indigène : *nom vernaculaire.* N. m. Langue propre à un pays.
vernal, e adj. Relatif au printemps.
vernier n. m. Petit instrument de géométrie qui permet de mesurer, avec la plus grande précision, les longueurs et les arcs.
vernir v. tr. Enduire de vernis.
vernis n. m. Enduit dont on couvre un objet pour le préserver de l'air, de l'humidité, etc. Nom donné à divers végétaux qui fournissent des vernis. *Fig.* Eclat, apparence brillante : *vernis d'élégance.*
vernissage n. m. Action de vernir; résultat de cette action. *Bx-arts.* Jour qui précède l'ouverture d'une exposition de tableaux.
vernisser v. tr. Vernir (poterie).
vernisseur n. m. et adj. Qui vernit.
vérole n. f. Syphilis. *Petite vérole,* variole.
vérolé, e adj. Qui a la vérole.
véronique n. f. Genre de plante à fleurs bleues.
verrat n. m. Pourceau mâle.
verre n. m. Corps solide, transparent et fragile, produit de la fusion d'un sable mêlé de potasse ou de soude. Objet de verre : *verre de montre.* Vase à boire, fait de verre; ce qu'il contient : *verre de vin.*
verrerie n. f. Art de faire le verre. Usine où on le fabrique. Ouvrage de verre : *un panier de verrerie.*
verrier n. m. Celui qui travaille le verre.
verrière n. f. Vitre placée devant un tableau pour le protéger. Fenêtre garnie de vitraux peints. Grand vitrail : *les verrières de Notre-Dame.*
verroterie n. f. Menus objets de verre.
verrou n. m. Pièce de métal qui va et vient entre deux crampons pour fermer une porte ou une fenêtre.
verrouiller v. tr. Fermer au verrou : *verrouiller sa porte.* Enfermer.
verrue n. f. Petite excroissance de chair. *Fig.* Vice, défaut.
verruqueux, euse adj. Rempli de verrues : *peau verruqueuse.*
vers n. m. Assemblage de mots rythmés formant une unité mélodique. *Par ext.* Poésie. *Vers blancs,* non rimés.
vers prép. Dans la direction : *regarder vers le ciel.* A peu près au temps où : *vers midi.*
versage n. m. Action de verser. Premier labour d'une jachère.
versant n. m. Chacune des pentes d'une montagne.
versatile adj. Qui change facilement d'opinion, de parti : *être d'humeur versatile.*
versatilité n. f. Esprit versatile.
verse n. f. Action de verser. *Pleuvoir à verse,* abondamment.
versé, e adj. Exercé à, instruit dans : *versé dans les sciences.*
versement n. m. Action de remettre de l'argent, des valeurs. La somme remise.
verser v. tr. Répandre un liquide. Faire passer d'un récipient dans un autre : *verser du blé dans un sac.* Faire tomber, renverser une voiture. *Fig.* Répandre : *verser des larmes.* V. intr. Tomber sur le côté (voitures). Etre renversé par le vent (blés).
verset n. m. Chacune des phrases, précédées d'un numéro, en lesquelles sont divisés les chapitres de la Bible.
verseur, euse n. Qui verse. N. f. Cafetière à poignée droite.
versificateur n. m. Personne qui versifie : *un habile versificateur.*
versification n. f. Art de faire des vers. Facture des vers.
versifier v. intr. (Se conj. comme *prier.*) Faire des vers. V. tr. Mettre en vers : *versifier une fable.*
version n. f. Traduction : *version arabe.* Traduction que fait une personne, d'une langue étrangère dans sa propre langue. Manière de raconter un fait : *il y a sur cet accident plusieurs versions.*
verso n. m. Revers d'un feuillet.
versoir n. m. Partie de la charrue, qui jette la terre de côté.
vert, e adj. D'une couleur particulière, produite par la combinaison du jaune et du bleu : *herbe verte.* Qui a encore de la sève, et n'est pas encore sec ou mûr : *bois vert, fruits verts.* Frais, nouveau : *légume vert. Fig.* Resté vigoureux, malgré les années : *vieillard encore vert. Fam.* Leste, grivois. *La langue verte,* l'argot. N. m. Couleur verte. Fourrage frais. *Se mettre au vert,* aller se reposer à la campagne. *Prendre sans vert,* au dépourvu.
vert-de-gris n. m. Sorte de rouille verte qui se forme sur le cuivre.
vert-de-grisé, e adj. Couvert de vert-de-gris.
vertébral, e adj. Relatif aux vertèbres : *colonne vertébrale.*
vertèbre n. f. Chacun des os formant l'épine dorsale.
vertébré, e adj. Se dit des animaux qui ont des vertèbres. N. m. pl. Embranchement du règne animal (poissons, reptiles, batraciens, oiseaux et mammifères).
vertement adj. D'une manière rude, vive : *répondre vertement.*
vertex n. m. Sommet de la tête.
vertical, e* adj. Perpendiculaire au plan de l'horizon. N. f. Direction du fil à plomb. Ligne verticale.
verticalité n. f. Etat vertical.
verticille [*sil'*] n. m. *Bot.* Assemblage de feuilles, de fleurs, etc., autour d'un point d'une tige.
verticillé, e adj. En verticille.
vertige n. m. Tournoiement de tête, étourdissement momentané : *avoir le vertige. Fig.* Egarement d'esprit.
vertigineux, euse adj. Qui donne le vertige : *hauteur vertigineuse.*
vertigo n. m. Maladie des chevaux. *Fig.* Caprice, fantaisie.
vertu n. f. Disposition constante de l'âme, qui porte à faire le bien, à être fidèle :

femme vertueuse. Propriétés, efficacité : *vertu des plantes. En vertu de* loc. prép. En conséquence de : *en vertu d'un jugement.*
vertueux, euse* adj. Qui a de la vertu. Inspiré par la vertu.
vertugadin n. m. Bourrelet que les femmes portaient sous la jupe pour la faire bouffer.
verve n. f. Chaleur d'imagination qui anime le poète, l'orateur : *être en verve.*
verveine n. f. Genre de plantes à fleurs bleues.
verveux, euse adj. Qui a de la verve.
vésanie n. f. Nom générique des maladies mentales. (Vx.)
vesce n. f. Plante légumineuse.
vésical, e adj. De la vessie.
vésicant, e adj. et n. m. Qui fait naître des ampoules sur la peau.
vésication n. f. Action d'un vésicant.
vésicatoire n. m. et adj. Médicament vésicant : *poser un vésicatoire.*
vésicule n. f. *Anat.* Sac membraneux: *vésicule biliaire. Pathol.* Boursouflure de l'épiderme, pleine de sérosité.
vespasienne n. f. Urinoir public.
vespéral, e adj. Relatif au soir.
vesse-de-loup n. f. Sorte de champignon. Pl. des *vesses-de-loup.*
vessie n. f. Sac membraneux qui reçoit et contient l'urine. *Vessie natatoire,* organe d'équilibre chez les poissons.
vestale n. f. Prêtresse de Vesta. *Fig.* Jeune fille très chaste.
veste n. f. Vêtement sans basques, qui couvre la partie supérieure du corps. *Fig.* et *pop.* Insuccès, échec.
vestiaire n. m. Lieu où l'on dépose les habits, les cannes, etc., dans certains établissements publics.
vestibule n. m. Pièce d'entrée dans un édifice.
vestige n. m. Marques, restes de ce qui a péri. *Fig.* Marques, traces.
vestimentaire adj. Du vêtement.
veston n. m. Veste d'homme faisant partie d'un complet.
vêtement n. m. Tout ce qui sert à couvrir le corps.
vétéran n. m. Vieux soldat, ancien soldat. *Par ext.* Homme qui a vieilli dans une profession, une pratique : *un vétéran du barreau, du sport.*
vétérinaire adj. Relatif à la médecine des animaux domestiques. Qui pratique l'art de soigner les animaux.
vétille n. f. Baguette; chose insignifiante: *s'amuser à des vétilles.*
vétilleux, euse adj. Qui attache de l'importance à des vétilles.
vêtir v. tr. (*Je vêts, tu vêts, il vêt, nous vêtons, vous vêtez, ils vêtent. Je vêtais, nous vêtions. Je vêtis, nous vêtîmes. Je vêtirai, nous vêtirons. Vêts, vêtons, vêtez. Que je vête, que nous vêtions. Que je vêtisse, que nous vêtissions. Vêtant. Vêtu, e.*) Habiller, couvrir de vêtements. Fournir de vêtements. Mettre sur soi : *vêtir une robe.* V. pr. S'habiller.
vétiver [*vèr*] n. m. Plante de l'Inde, employée en parfumerie.
veto n. m. Opposition, refus : *droit de veto.*
vêture n. f. Prise d'habit par un religieux ou une religieuse.
vétuste adj. Vieux, usé.
vétusté n. f. Etat de détérioration produit par le temps.
veuf, veuve n. et adj. Dont le conjoint est mort, et qui n'est pas remarié(e). *Fig.* Privé, privée de.
veule adj. *Fam.* Faible, sans énergie.
veulerie n. f. Manque d'énergie.
veuvage n. m. Etat d'un veuf, d'une veuve.
vexation n. f. Action de vexer.
vexatoire adj. Qui a le caractère de la vexation : *impôt vexatoire.*
vexer v. tr. Tourmenter. *Fam.* Causer de la contrariété.
via prép. En passant par : *via Rome.*
viabilité n. f. Etat de l'enfant né viable. Bon état d'une route.
viable adj. Qui peut vivre. *Fig.* Capable de durer : *un projet viable.*
viaduc n. m. Pont en arcades sur une route ou une vallée.
viager, ère* adj. Dont on possède la jouissance sa vie durant. N. m. Revenu viager : *fortune en viager.*
viande n. f. Chair des animaux.
viatique n. m. Argent, provision donnée pour un voyage. *Liturg.* Sacrement de l'Eucharistie, reçu par un mourant.
vibrant, e adj. Qui vibre. N. f. Consonne que l'on articule en faisant vibrer la langue ou le gosier (*l, r*).
vibratile adj. Susceptible de vibrer.
vibration n. f. Action de vibrer. Tremblement rapide des cordes d'un instrument de musique, des lames métalliques, etc., qui produit le son.
vibratoire adj. Composé de vibrations : *mouvement vibratoire.*
vibrer v. intr. Etre agité d'un tremblement rapide. *Fig.* Etre excité, mis en action. Etre excité, ému : *public qui vibre.*
vibrion n. m. Microbe (vx). *Fig.* Personne agitée.
vicaire n. m. Prêtre adjoint à un curé. *Vicaire de Jésus-Christ,* le pape.
vicarial, e adj. Du vicariat.
vicariat n. m. Fonctions du vicaire.
vice n. m. Défaut, imperfection : *vice de construction.* Disposition habituelle au mal : *flétrir le vice.* Débauche, libertinage : *s'adonner au vice.*
vice-amiral n. m. Officier de marine, inférieur à l'amiral. Pl. des *vice-amiraux.*
vice-chancelier n. m. Celui qui remplit les fonctions du chancelier en son absence. Pl. des *vice-chanceliers.*
vice-consul n. m. Celui qui tient lieu de consul. Pl. des *vice-consuls.*
vice-présidence n. f. Fonction, dignité de vice-président. Pl. des *vice-présidences.*
vice-président n. m. Qui exerce la fonction du président pendant son absence. Pl. des *vice-présidents.*
vice-roi n. m. Gouverneur d'un royaume ou d'une grande province qui dépend d'un autre Etat. Pl. des *vice-rois.*
vice-royauté n. f. Dignité de vice-roi. Pays qu'il gouverne. Pl. des *vice-royautés.*
vice versa [*sé*] loc. adv. Réciproquement.
vichy n. m. Toile de coton.
vicier v. tr. (Se conj. comme *prier.*) Gâter, corrompre. *Dr.* Rendre nul, défectueux : *erreur qui vicie un acte.* V. pr. Se gâter, se corrompre.

vicieux, euse* adj. Qui a une défectuosité : *locution vicieuse.* Relatif au vice : *penchant vicieux.* Adonné au vice : *caractère vicieux.* Rétif : *cheval vicieux.*
vicinal, e adj. Se dit d'un chemin qui met en communication des villages, des hameaux, etc.
vicinalité n. f. Qualité de chemin vicinal.
vicissitude n. f. Changement par lequel des choses très différentes se succèdent : *les vicissitudes de la fortune.*
vicomte n. m. Titre de noblesse inférieur à celui de comte.
vicomté n. f. Domaine d'un vicomte.
vicomtesse n. f. Femme d'un vicomte.
victime n. f. Animal ou personne que les Anciens sacrifiaient à la divinité. Personne qui souffre ou qui meurt par la faute d'autrui ou des suites de ses fautes propres. Personne sacrifiée aux intérêts d'autrui.
victoire n. f. Avantage remporté à la guerre. Succès remporté sur autrui : *la victoire d'un joueur de tennis.* Avantage remporté sur soi-même, sur ses passions, etc.
victorieux, euse* adj. Qui a remporté la victoire. Décisif, sans réplique.
victuailles n. f. pl. Vivres, provisions de bouche : *des monceaux de victuailles.*
vidage n. m. Action de vider.
vidange n. f. Action de vider : *faire la vidange d'un étang.* Etat d'un récipient qui n'est plus plein : *tonneau en vidange.* Pl. Matières tirées des fosses d'aisances.
vidanger v. tr. Vider un récipient.
vidangeur n. m. Celui qui vide les fosses d'aisances.
vide adj. Qui ne contient rien : *bourse vide.* D'où l'on a tout enlevé : *chambre vide. Vide de,* dégarni, privé de. N. m. Espace vide : *faire le vide. A vide,* loc. adv., sans rien contenir. Sans produire d'effet.
vide-bouteille n. m. Petite maison de plaisance où l'on se réunit pour s'amuser. (Vx.) Pl. des *vide-bouteilles.*
vide-citron n. m. Instrument pour tirer le jus des citrons. Pl. des *vide-citrons.*
vide-gousset n. m. *Fam.* Filou. Pl. des *vide-goussets.* (Vx.)
vide-poches n. m. invar. Petit meuble où l'on dépose les menus objets que l'on porte sur soi.
vide-pomme n. m. Outil pour ôter le cœur des pommes. Pl. des *vide-pommes.*
vider v. tr. Rendre vide : *vider une bouteille.* Terminer, résoudre : *vider une question.* Sortir : *vider les lieux.*
viduité n. f. Veuvage.
vie n. f. Activité des êtres organisés se manifestant par les fonctions de nutrition, de reproduction et parfois de relation. Période pendant laquelle dure cette activité : *vie courte.* Nourriture : *chercher sa vie.* Manière de vivre : *mener joyeuse vie.* Biographie : *la vie des saints.* Profession : *la vie religieuse.* Activité, mouvement : *style plein de vie. A la vie, à la mort,* pour toujours.
vieil adj. Vieux (forme employée devant une voyelle ou un *h* muet).
vieillard n. m. Homme âgé.
vieillerie n. f. Vieille chose. *Fig.* Idées rebattues, usées.
vieillesse n. f. Age avancé. Les vieilles gens : *respecter la vieillesse.*
vieillir v. intr. Devenir vieux. Perdre sa fraîcheur, sa grâce. Passer la plus grande partie de sa vie : *vieillir dans un métier. Fig.* Se démoder : *cette mode vieillit.* V. tr. Rendre vieux. Faire paraître vieux.
vieillissement n. m. Etat de ce qui vieillit, qui devient suranné.
vieillot, otte adj. Qui a l'air vieux.
vielle n. f. Instrument de musique à cordes et à touches.
vieller v. intr. Jouer de la vielle.
vielleur n. m. Joueur de vielle.
vierge n. f. Fille qui a vécu dans une continence parfaite. Adj. Qui n'a pas eu de relations sexuelles. *Fig.* Intact, qui n'a pas servi : *page vierge, réputation vierge.* Non exploité : *forêt vierge, terre vierge. Huile vierge,* extraite sans pression.
vieux (ou **vieil**), **vieille** adj. Avancé en âge. Ancien : *vieux château.* Usé : *vieux vêtement.* Qui n'est plus en usage : *vieille formule.* N. Personne âgée. N. m. Ce qui est ancien. Ce qui est usagé.
vif, vive* adj. Qui est en vie. Prompt, agile : *enfant vif.* Qui s'emporte facilement : *vif comme la poudre.* Qui comprend facilement : *esprit vif.* Brillant, éclatant : *couleur vive.* Rapide : *vive attaque.* Mordant : *propos vifs. Haie vive,* formée d'arbustes en végétation. *Chaux vive,* non mouillée. *Arête vive,* angle non émoussé. N. m. Chair vive : *trancher dans le vif. Dr.* Personne vivante. *Fig.* Le point le plus sensible ou le plus important : *entrer dans le vif du sujet. Trancher, couper dans le vif,* sacrifier résolument. *Prendre sur le vif,* imiter avec vérité. *Piquer au vif,* offenser. *De vive voix,* en parlant. *De vive force,* avec violence.
vif-argent n. m. Le mercure.
vigie n. f. Matelot en sentinelle dans la mâture. Loge vitrée au sommet d'un wagon pour la surveillance des trains.
vigilamment adv. Avec vigilance.
vigilance n. f. Veille, surveillance attentive.
vigilant, e adj. Qui veille. Qui est fait avec attention : *soins vigilants.*
vigile n. f. Jour qui précède une fête religieuse. N. m. Garde de nuit.
vigne n. f. Plante qui produit le raisin. Terre plantée en ceps de vigne. *Bot. Vigne vierge,* nom de diverses plantes.
vigneron, onne n. Qui cultive la vigne.
vignette n. f. Petite gravure. Dessin servant à l'encadrement. Ornement de la couverture d'un livre, d'un papier à lettres, etc.
vignoble n. m. Etendue de pays plantée de vignes : *le vignoble de Bourgogne.* Ces vignes elles-mêmes. Adj. Où se cultive la vigne : *pays vignoble.*
vigoureux, euse* adj. Qui a de la vigueur. Fait avec vigueur : *attaque vigoureuse.* Fortement exprimé.
vigueur n. f. Force physique. Energie du caractère. Puissance d'esprit. Autorité effective. *Bx-arts.* Puissance d'effet.
vil, e* adj. De peu de valeur : *un métal vil. Fig.* Bas, abject : *âme vile.*
vilain, e* n. Paysan, roturier (vx). Adj. Déplaisant : *vilain pays.* Désagréable : *vilain temps.* Malhonnête : *vilaine action.* Méchant, infâme : *vilain personnage.*

vilebrequin n. m. Outil pour percer. Arbre coudé (automobile).
vilenie [*vil-ni*] n. f. Action vile.
vilipender v. tr. Dire du mal, décrier, mépriser.
villa [*l-l*] n. f. Maison de campagne.
village [*vilaj'*] n. m. Groupe assez important de maisons rustiques.
villageois, e n. Habitant d'un village.
villanelle [*vi-la*] n. f. Sorte de poésie pastorale. Ancienne danse.
ville [*vil'*] n. f. Réunion d'un grand nombre de maisons disposées par rues. Les habitants d'une ville : *faire courir toute la ville. En ville,* hors de chez soi : *dîner en ville.* Dans la ville : *loger en ville.*
villégiature [*vi-lé*] n. f. Séjour à la campagne, à la mer, etc.
villégiaturer v. intr. Etre en villégiature.
villosité [*l-l*] n. f. Etat d'une surface velue. *Anat.* Rugosité ou saillie sur certaines surfaces : *villosités intestinales.*
vin n. m. Liqueur obtenue par la fermentation du jus de raisin. *Pris de vin,* ivre.
vinage n. m. Action de viner.
vinaigre n. m. Vin aigri par la formation d'acide acétique.
vinaigrer v. tr. Assaisonner avec du vinaigre : *salade trop vinaigrée.*
vinaigrerie n. f. Fabrique de vinaigre.
vinaigrette n. f. Sauce faite avec du vinaigre, de l'huile, du sel, etc.
vinaigrier n. m. Qui fait et vend du vinaigre. Burette à vinaigre.
vinasse n. f. Vin faible et fade. Résidu de la distillation des liqueurs alcooliques.
vindas [*dass*] n. m. Treuil vertical.
vindicatif, ive adj. Qui aime à se venger : *esprit vindicatif.*
vindicte n. f. Poursuite des crimes.
viner v. tr. Additionner d'alcool le vin, les moûts.
vineux, euse adj. Se dit du vin riche en alcool. Qui a le goût, l'odeur, la couleur du vin. Fertile en vin.
vingt adj. num. Deux fois dix. N. m. Vingtième jour du mois.
vingtaine n. f. Vingt ou environ.
vingtième adj. num. ord. N. : *être le, la vingtième.* N. m. Vingtième partie d'un tout.
vinicole adj. Relatif à la culture de la vigne.
vinifère adj. Qui produit du vin.
vinification n. f. Fabrication du vin.
vinique adj. Du vin : *éther vinique.*
viol n. m. Action de violer sexuellement.
violacer v. intr. (Se conj. comme *amorcer.*) Se couvrir de taches violettes; prendre une teinte violette : *des doigts violacés.*
violateur, trice n. Qui viole.
violation n. f. Action de violer quelque chose.
violâtre adj. Tirant sur le violet.
viole n. f. Instrument à cordes et à archet. *Viole d'amour,* viole plus grande que la viole ordinaire.
violemment adv. Avec violence.
violence n. f. Caractère violent : *la violence du vent.* Abus de la force : *employer la violence. Faire violence,* contraindre.
violent, e adj. Impétueux : *tempête violente. Mort violente,* causée par un accident, par un meurtre.
violenter v. tr. Contraindre, forcer.
violer v. tr. Abuser d'une femme par violence. Envahir d'une façon sacrilège : *violer un temple.* Enfreindre : *violer la loi.*
violet, ette adj. D'un bleu teinté de rouge.
violette n. f. Plante à petites fleurs violettes très odorantes.
violine n. f. Alcali extrait des fleurs de la violette. Couleur violette tirant sur le pourpre.
violon n. m. Instrument de musique à quatre cordes et à archet. Artiste qui en joue. *Pop.* Prison de police.
violoncelle [*sèl'*] n. m. Instrument à quatre cordes plus grand que le violon. Artiste qui en joue.
violoncelliste n. m. Artiste qui joue du violoncelle.
violoneux n. m. Mauvais joueur de violon; ménétrier de campagne.
violoniste n. Artiste qui joue du violon.
viorne n. f. Arbrisseau grimpant, de la famille des chèvrefeuilles.
vipère n. f. Genre de serpents venimeux. *Fig.* Personne très méchante.
vipereau n. m. Petit d'une vipère.
vipérin, e adj. Relatif à la vipère. *Fig. Langue vipérine,* perfide. N. f. Couleuvre qui ressemble à la vipère.
virage n. m. Action de tourner, de faire tourner. Action de faire décrire une courbe, un tournant à un vélocipède, une automobile. Endroit où l'on vire : *un virage relevé. Mar.* Action de virer de bord et point où l'on vire. *Photogr.* Opération destinée à remplacer l'argent d'une image photographique par un métal plus stable ou d'un ton plus agréable. Bain de virage.
virago n. f. Fille ou femme qui a l'air ou les manières d'un homme.
virelai n. m. Ancien petit poème français sur deux rimes et à refrain.
virement n. m. Action de virer. *Fin.* Opération par laquelle on transporte une somme du crédit d'une personne au crédit d'une autre. Transport à un chapitre du budget des crédits votés pour un autre.
virer v. intr. Tourner sur soi-même. Aller en tournant. *Fig.* Changer, tourner. *Particul.* Changer de nuance, en parlant d'une étoffe teinte; subir l'opération du virage photographique. *Mar. Virer de bord,* tourner pour recevoir le vent de l'autre côté, et, au *fig.,* changer de parti. V. tr. *Fin.* Transporter d'un compte à un autre. Soumettre au virage photographique.
virevolte n. f. *Man.* Tour et retour rapides faits par un cheval.
virginal, e* adj. Qui appartient à une vierge : *candeur virginale. Fig.* D'une grande blancheur, d'une grande pureté : *un lis virginal.*
virginité n. f. Pureté, candeur. Etat de ce qui est intact.
virgule n. f. Signe de ponctuation.
viril, e* adj. Qui concerne l'homme, le sexe masculin. *Age viril,* d'un homme fait. *Fig.* Mâle, énergique : *discours viril.*
virilité n. f. Apparence masculine. Age viril. *Fig.* Mâle énergie.
virole n. f. Petit anneau de métal.
viroler v. tr. Munir d'une virole.
virtualité n. f. Caractère virtuel.
virtuel, elle* adj. En puissance et non en acte. Qui n'a pas d'effet actuel.
virtuose n. Personne d'un rare talent en un genre quelconque.

virtuosité n. f. Talent du virtuose.

virulence n. f. Etat de ce qui est virulent. *Fig.* Caractère de violence.

virulent, e adj. Produit par un virus. *Fig.* Violent : *satire virulente.*

virus [*russ*] n. m. Substance principe d'infection. *Fig.* Principe de contagion : *virus révolutionnaire.*

vis [*viss*] n. f. Pièce ronde de bois, de métal, etc., cannelée en spirale. *Escalier à vis,* en spirale. *Pas de vis,* spire d'une vis.

visa n. m. Formule, signature qui rend un acte authentique.

visage n. m. Face de l'homme; partie antérieure de la tête. *Changer de visage,* se troubler. *Trouver visage de bois,* ne pas rencontrer la personne qu'on venait voir. *Fig.* Aspect, apparence.

vis-à-vis loc. prép. En face, à l'opposite. *Par ext.* En présence de. *Abusiv.* A l'égard de. N. m. Personne en face d'une autre au bal, à table, etc. Petit canapé pour deux personnes.

viscéral, e, aux adj. Des viscères.

viscère n. m. Chacun des organes de l'intérieur du corps (cerveau, poumons, etc.).

viscose n. f. Cellulose transformée qui constitue la soie artificielle.

viscosité n. f. Caractère de ce qui est visqueux.

visée n. f. Direction de la vue vers un but. Pl. Dessein, prétention : *porter ses visées trop haut.*

viser v. tr. Diriger son regard, son arme, son tir vers : *viser un but. Fig.* Chercher à atteindre : *viser la gloire.* V. intr. *Viser à,* diriger son coup, son effort vers : *viser au cœur, viser à l'effet.*

viser v. tr. Mettre son visa sur un document : *viser un passeport.*

viseur, euse n. Personne qui vise. N. m. Dispositif permettant la mise en plaque de l'image dans un appareil photographique à main.

visibilité n. f. Ce qui rend une chose visible, qui permet de voir.

visible* adj. Qui peut être vu. Prêt à recevoir des visites : *Madame est-elle visible? Fig.* Evident.

visière n. f. Pièce mobile du casque, qui protégeait le visage. Rebord d'une casquette, d'un képi, qui abrite la vue.

vision n. f. Perception visuelle. Ce que l'on voit par l'esprit, d'une manière surnaturelle : *les visions des prophètes.* Idée vaine.

visionnaire n. et adj. Qui perçoit des visions surnaturelles. *Fig.* Qui a des idées extravagantes, des idées fixes.

visite n. f. Action de visiter. Action d'un médecin qui va voir un malade. Tournée d'inspection d'une nature quelconque.

visiter v. tr. Aller voir par civilité, devoir, etc. Examiner, inspecter en détail.

visiteur, euse n. Qui visite.

vison n. m. Sorte de putois, dont la fourrure est très estimée.

visqueux, euse adj. Gluant : *humeur visqueuse.* Couvert d'un enduit gluant : *l'anguille a une peau visqueuse.*

vissage n. m. Action de visser.

visser v. tr. Fixer avec des vis. Tourner une vis pour l'enfoncer.

visserie n. f. Articles tels que vis, écrous, boulons. Etablissement où on les fabrique.

visuel, elle* adj. Relatif à la vue.

vital, e, aux adj. Essentiel à la vie.

vitalisme n. m. Doctrine biologique qui admet un principe vital dont dépendent les actions organiques.

vitaliste adj. Qui se rapporte au vitalisme.

vitalité n. f. Etat de vie. Force vitale chez les êtres : *enfant plein de vitalité.*

vitamine n. f. Nom donné à des substances qui, introduites dans l'organisme par les aliments, en favorisent l'assimilation.

vite adj. Qui se meut avec célérité : *cheval très vite.* Adv. Avec vitesse : *parler vite.*

vitesse n. f. Célérité, rapidité dans la marche ou dans l'action. Rapport du chemin parcouru au temps employé à le parcourir. *Fam. En vitesse,* très vite.

viticole adj. Relatif à la culture de la vigne : *région viticole.*

viticulteur n. m. Qui cultive la vigne.

viticulture n. f. Culture de la vigne.

vitrage n. m. Porte, châssis vitré. Rideau de lingerie pour fenêtre.

vitrail n. m. Grande fenêtre garnie de vitres peintes. Pl. des *vitraux.*

vitre n. f. Panneau de verre qui s'adapte à une fenêtre. *Casser les vitres,* faire du scandale, ne pas avoir de ménagement.

vitrer v. tr. Garnir de vitres.

vitrerie n. f. Fabrication et commerce des vitres.

vitreux, euse adj. Qui a de la ressemblance avec le verre. Dont l'éclat est terni : *yeux vitreux d'un mourant.*

vitrier n. m. Qui travaille les vitres; qui pose les vitres.

vitrifiable adj. Qui peut être vitrifié.

vitrification n. f. Action de vitrifier.

vitrifier v. tr. (Se conj. comme *prier.*) Changer en verre par fusion.

vitrine n. f. Vitrage d'une boutique, devanture. Armoire, table fermée par des châssis vitrés, pour exposer des objets.

vitriol n. m. Nom donné jadis aux sels appelés aujourd'hui *sulfates.* Acide sulfurique.

vitrioler v. tr. Lancer du vitriol sur quelqu'un par vengeance.

vitupération n. f. Blâme.

vitupérer v. tr. (Se conj. comme *accélérer.*) Blâmer, désapprouver, gourmander.

vivace adj. Qui a de la vitalité. *Fig.* Qui dure, subsiste, persiste : *préjugé vivace. Plantes vivaces,* celles qui repoussent plusieurs années de suite.

vivacité f. Promptitude, rapidité. Ardeur, violence : *vivacité des passions.* Promptitude à saisir : *vivacité d'esprit.* Pl. Emportement léger : *se laisser aller à des vivacités inutiles.*

vivandier, ère n. Personne qui vend aux soldats des vivres, des boissons.

vivant, e adj. Qui vit : *les êtres vivants.* Se dit des langues actuellement parlées. Qui donne l'impression de la vie : *un portrait vivant.* N. m. Celui qui vit : *les vivants et les morts. Bon vivant,* homme d'humeur gaie.

vivat! [*vat'*] interj. et n. m. Mot dont on se sert pour applaudir.

vivement adv. Avec vivacité.

viveur n. m. Débauché.

vivier n. m. Petite pièce d'eau qui sert pour garder le poisson vivant.

vivifiant, e adj. Qui vivifie.

vivifier v. tr. (Se conj. comme *prier.*) Rendre vivant. Douer de vie, animer : *l'histoire vivifie le passé.*

vivipare adj. et n. Animal qui met au monde ses petits vivants (par opposition à *ovipare*).

vivisection [*sèk-syon*] n. f. Opération chirurgicale sur un animal vivant, pour une étude physiologique.

vivoter v. intr. *Fam.* Vivre péniblement, petitement, dans la gêne.

vivre v. intr. (*Je vis, tu vis, il vit, nous vivons, vous vivez, ils vivent. Je vivais, nous vivions. Je vécus, nous vécûmes. Je vivrai, nous vivrons. Vis, vivons, vivez. Que je vive, que nous vivions. Que je vécusse, que nous vécussions. Vivant. Vécu, e.*) Etre en vie : *vivre longtemps.* Habiter : *vivre à la campagne.* Durer : *sa gloire vivra toujours.* Mener une sorte de vie : *vivre dans la solitude.* Se conduire : *vivre saintement.* Se nourrir : *vivre de légumes. Qui vive?* cri des sentinelles à l'approche de quelqu'un. *Vive!* souhait d'acclamation : *vive la France!* V. tr. : *vivre sa vie.*

vivre n. m. Nourriture : *le vivre et le couvert.* Pl. Tout ce dont l'homme se nourrit : *les vivres sont chers. Couper les vivres à quelqu'un,* lui supprimer les subsides.

vizir n. m. Ministre, dans les pays musulmans.

vlan! interj. qui représente un bruit, un coup soudain.

vocable n. m. Mot.

vocabulaire n. m. Ensemble des mots d'une langue, d'une science, etc. : *vocabulaire technique.* Petit dictionnaire abrégé.

vocal, e*, aux adj. Relatif à la voix : *organes vocaux.* Destiné au chant : *musique vocale.*

vocalique adj. Qui a rapport aux voyelles.

vocalisation n. f. Emission de voyelles. Changement d'une consonne en voyelle. Action de vocaliser.

vocalise n. f. Ce que l'on chante en vocalisant.

vocaliser v. intr. Chanter de la musique en ne prononçant qu'une seule voyelle sur les différentes notes.

vocalisme n. m. Système des voyelles d'une langue.

vocatif n. m. Dans les langues à déclinaison, cas marquant l'interpellation.

vocation n. f. Prédestination providentielle à un rôle déterminé : *vocation sacerdotale.* Inclination, penchant : *vocation musicale.*

vocifération n. f. Action de vociférer. Paroles dites en criant.

vociférer v. intr. (Se conj. comme *accélérer.*) Parler en criant et avec colère. V. tr. : *vociférer des injures.*

vodka n. f. Eau-de-vie de grain russe.

vœu n. m. Promesse faite à Dieu. Souhaits : *vœux de bonne année. Vœux monastiques,* vœux de pauvreté, d'obéissance et de chasteté prononcés en entrant dans un ordre religieux.

vogue n. f. Action de voguer (vx). Crédit, faveur : *être en vogue.* Fête patronale, dans certaines provinces.

voguer v. intr. Naviguer. *Fig.* Errer : *voguer à travers le monde.*

voici, prép. qui indique ce qui est proche, ce qu'on va dire, etc.

voie n. f. Route, chemin. Mode de transport : *par voie de terre. Fig.* Moyen employé : *par la voie légale. Voie publique,* rue, chemin. *Les voies de Dieu,* les desseins divins. *Mettre sur la voie,* donner des indications. *Etre en voie de,* suivre la voie pour arriver à. *Voies de fait,* actes de violence. *Voies et moyens,* ressources de l'impôt. *Voie d'eau,* trou dans la coque d'un vaisseau. *Anat.* Canal : *voies urinaires. Chass.* Route suivie par le gibier. *Ch. de fer.* Chemin formé par deux rails parallèles. Distance entre les roues d'un véhicule. Inclinaison des dents d'une scie.

voilà, prép. qui indique ce que l'on vient de dire, ce qui est le plus éloigné.

voile n. m. Etoffe qui couvre ou qui protège. Pièce d'étoffe, de tulle, etc., qui couvre le visage des femmes. Pièce d'étoffe qui couvre la tête des religieuses. *Fig.* Ce qui cache : *un voile de nuages.* Apparence : *sous le voile de l'amitié.* Ce qui cache : *soulever un coin du voile. Voile du palais,* séparation entre les fosses nasales et la bouche.

voile n. f. Toile forte qui, attachée aux mâts d'un bateau, reçoit l'effort du vent. Bateau à voiles : *signaler une voile à l'horizon. Mettre à la voile,* s'embarquer. *Faire voile,* naviguer.

voilé, e adj. Couvert d'un voile. Courbé, faussé : *roue voilée.* Assourdi, éteint : *voix voilée, regard voilé.*

voiler v. tr. Couvrir d'un voile. *Fig.* Cacher. V. pr. Se courber, se déjeter.

voilette n. f. Petit voile très léger, dont les femmes se protégeaient le visage.

voilier n. m. Ouvrier qui fait les voiles. Navire à voiles. Adj. Qui peut voler longtemps : *oiseau voilier.*

voilure n. f. Ensemble des voiles d'un bateau. Ailes d'un avion. Courbure d'une surface gauchie, déjetée.

voir v. tr. (*Je vois, tu vois, il voit, nous voyons, vous voyez, ils voient. Je voyais, nous voyions. Je vis, nous vîmes. Je verrai, nous verrons. Vois, voyons, voyez. Que je voie, que nous voyions. Que je visse, que nous vissions. Voyant. Vu, e.*) Percevoir par la vue. Etre témoin : *nous ne verrons pas ces événements.* Rendre visite : *aller voir un ami.* Visiter comme médecin. Regarder avec attention. Fréquenter : *voir beaucoup de monde.* Examiner : *voyons si c'est exact.*

voire adv. Vraiment (vx). *Voire* (et par pléonasme *voire même*), et même.

voirie n. f. Administration qui s'occupe des voies publiques. Lieu où l'on jette les immondices.

voisin, e adj. Proche. *Fig.* Peu différent. N. Personne qui demeure près d'une autre.

voisinage n. m. Proximité d'habitation. Rapports entre voisins. Lieux voisins.

voisiner v. intr. Fréquenter ses voisins : *ne pas aimer voisiner.*

voiturage n. m. Transport en voiture.

voiture n. f. Véhicule de transport. Son chargement.

voiturer v. tr. Transporter par voiture : *voiturer des cailloux.*

voiturier n. m. Celui qui voiture.

voix n. f. Son qui sort de la bouche. Cri de certains animaux. Sons émis en chantant : *voix de ténor.* Conseil : *écouter la voix d'un ami.* Impulsion : *la voix de l'honneur.* Suffrage, vote : *aller aux voix.* Mouvement intérieur : *la voix de la conscience. Avoir voix au chapitre,* pouvoir donner son avis. *De vive voix,* en paroles. Forme que prend le verbe suivant que l'action est faite (*voix active*) ou subie (*voix passive*) par le sujet.

vol n. m. Mouvement d'ailes des oiseaux, des insectes, qui leur permet de se maintenir dans l'air. Progression d'un avion dans l'air. Espace parcouru en volant. *Au vol,* pendant le vol. Au passage : *saisir au vol. A vol d'oiseau,* en ligne droite.

vol n. m. Action de voler, de dérober. Chose volée. *Vol qualifié,* avec circonstances aggravantes.

volage adj. Changeant, léger.

volaille n. f. Les oiseaux de basse-cour. Au sing. : *une volaille grasse.*

volailler n. m. Marchand de volailles. Lieu où l'on élève la volaille.

volant n. m. Morceau de liège garni de plumes, qu'on lance avec des raquettes. Le jeu lui-même. Roue pesante qui uniformise le mouvement d'une machine. Garniture de dentelle ou d'étoffe à une jupe. Roue horizontale servant à diriger une auto.

volatil, e adj. Qui peut se vaporiser. *Alcali volatil,* ammoniaque.

volatile n. m. Oiseau domestique.

volatilisation n. f. Action de volatiliser.

volatiliser v. tr. Réduire en vapeur. Rendre volatil. V. pr. *Fam.* Disparaître.

vol-au-vent n. m. invar. Moule de pâte feuilletée garni d'un mets chaud.

volcan n. m. Montagne qui rejette par un cratère des matières embrasées. *Fig.* Personne ardente. Danger imminent.

volcanique adj. Issu d'un volcan. *Fig.* Ardent : *tempérament volcanique.*

volcanisme n. m. Ensemble de manifestations volcaniques.

volée n. f. Action de voler. Distance parcourue en volant. Bande d'oiseaux qui volent ensemble. *Fig.* Condition : *personne de haute volée.* Série de coups : *volée de coups de bâton, de coups de canon.* Son d'une cloche : *sonner à toute volée.* Partie d'escalier entre deux paliers. Partie du canon entre la bouche et les tourillons. Pièce de bois, de chaque côté du timon d'une voiture, pour atteler les chevaux. *A la volée,* en l'air. *Fig.* Très rapidement.

voler v. intr. Se maintenir en l'air au moyen des ailes. Aller très vite. S'écouler vite.

voler v. tr. Prendre furtivement ou par force le bien d'autrui.

volerie n. f. Larcin, petit vol.

volet n. m. Panneau plein, qui ferme une fenêtre. Panneau mobile autour d'un axe.

voleter v. intr. Voler çà et là.

voleur, euse n. et adj. Qui a volé ou vole habituellement.

volière n. f. Grande cage à oiseaux.

volige n. f. Planche mince de bois blanc.

volitif, ive adj. Qui produit la volition, ou qui s'y rapporte.

volition n. f. Détermination de la volonté.

volley-ball n. m. Sport d'équipe où le ballon doit passer par-dessus un filet.

volontaire* adj. Fait par un acte de la volonté. Entêté : *enfant volontaire.* N. m. Soldat qui sert sans y être obligé.

volontariat n. m. Engagement militaire volontaire (vx).

volonté n. f. Faculté de se déterminer à faire ou ne pas faire une chose. Exercice de cette faculté. Energie, fermeté : *volonté de fer.* Disposition à l'égard de quelqu'un : *montrer de la mauvaise volonté.* Pl. Fantaisies, caprices : *faire ses volontés. Dernières volontés,* testament. *A volonté,* sans limitation, sans restriction.

volontiers adv. De bon gré, avec plaisir. Facilement, naturellement.

volt n. m. Unité de force électromotrice.

voltage n. m. Force électromotrice.

voltaïque adj. Se dit de l'électricité produite par les piles.

voltairianisme n. m. Philosophie et incrédulité de Voltaire.

voltairien, enne adj. Qui partage les idées de Voltaire; incrédule.

voltamètre n. m. Appareil permettant la décomposition de l'eau par le courant électrique.

volte n. f. Mouvement en rond exécuté par un cheval.

volte-face n. f. invar. Action de se retourner complètement : *faire volte-face. Fig.* Changement subit d'opinion.

voltige n. f. Corde sur laquelle les bateleurs font leurs tours. Exercice sur cette corde. Exercice d'équitation.

voltiger v. intr. Voler çà et là. Aller rapidement de côté et d'autre : *cavaliers qui voltigent.* Flotter au gré du vent. Faire la voltige. *Fig.* Changer rapidement d'idée.

voltigeur, euse n. Qui exécute des voltiges. N. m. Ancien soldat d'un corps d'élite.

voltmètre n. m. Galvanomètre mesurant la force électromotrice.

volubile adj. Se dit des plantes qui s'enroulent en spirale.

volubilis [*liss*] n. m. Le liseron.

volubilité n. f. Facilité de parole.

volume n. m. Livre imprimé. Etendue, grosseur. Espace occupé par un corps.

volumineux, euse adj. De grand volume : *paquet volumineux.*

volupté n. f. Vif plaisir physique ou moral : *les voluptés de l'étude.*

voluptueux, euse* adj. Qui cherche la volupté. Qui inspire la volupté. N. Personne voluptueuse.

volute n. f. Ornement en spirale : *volutes d'un chapiteau ionien.* Ce qui prend la forme d'une spirale : *volutes de fumée.*

vomique adj. Se dit de la noix ou fruit du *strychnos* ou *vomiquier,* arbre des Indes.

vomir v. tr. Rejeter ce qui est dans l'estomac. *Fig.* Lancer, proférer violemment : *vomir des injures.*

vomissement n. m. Action de vomir. Ce que l'on vomit.

vomitif, ive adj. et n. m. Médicament qui fait vomir.

vorace* adj. Avide.

voracité n. f. Avidité extrême.

vos, adj. poss. pl. de *votre.*

votation n. f. Action de voter.
vote n. m. Vœu, suffrage exprimé.
voter v. intr. Donner sa voix dans une élection. V. tr. Décider ou demander par un vote : *voter une loi.*
votif, ive adj. Relatif à un vœu.
votre adj. poss. sing. Qui est à vous.
vôtre pron. poss. Qui est à vous : *ce livre est le vôtre.* Tout dévoué à vous : *je suis tout vôtre.* N. m. *Le vôtre,* votre bien. *Les vôtres,* vos parents, vos amis, vos partisans.
vouer v. tr. Promettre par vœu. Consacrer : *vouer à Dieu.* Appliquer avec zèle : *vouer sa vie au bien.* V. pr. Se consacrer.
vouloir v. tr. (*Je veux, tu veux, il veut, nous voulons, vous voulez, ils veulent. Je voulais, nous voulions. Je voulus, nous voulûmes. Je voudrai, nous voudrons. Veux, voulons, voulez,* ou mieux : *veuille, veuillons, veuillez. Que je veuille, que nous voulions. Que je voulusse, que nous voulussions. Voulant. Voulu, e.*) Avoir le désir, la volonté de : *fais ce que tu voudras.* Commander, exiger : *je le veux.* Demander : *la vigne veut de grands soins.* Consentir : *je veux bien le croire.* Essayer : *vouloir faire le malin. Vouloir bien,* consentir. *Vouloir dire,* avoir l'intention de dire, avoir un certain sens. *Sans le vouloir,* par mégarde. *En vouloir à,* souhaiter du mal, avoir affaire à.
vouloir n. m. Acte de volonté. Intention, disposition : *bon vouloir.*
vous, pron. pers. pl. de *tu.*
voussoir ou **vousseau** n. m. Chacune des pierres d'un cintre.
voussure n. f. Courbure d'une voûte.
voûte n. f. Ouvrage de maçonnerie cintré, formé d'un assemblage de pierres. Ce qui a la forme d'une voûte : *la voûte du palais.*
voûter v. tr. Couvrir d'une voûte. *Fig.* Courber : *l'âge voûte la taille.*
vouvoiement ou **voussoiement** n. m. Action de vouvoyer.
vouvoyer ou **voussoyer** v. tr. (Se conj. comme *aboyer.*) Désigner par le mot *vous* et non par *tu, toi.*
voyage n. m. Le fait d'aller d'un pays dans un autre : *un voyage en Amérique.* Allée et venue de celui qui transporte quelque chose. *Faire le voyage de l'autre monde, le grand voyage,* mourir.
voyager v. intr. (Se conj. comme *manger.*) Faire un voyage. Se déplacer.
voyageur, euse n. Qui voyage, qui a l'habitude de voyager. Adj. *Commis voyageur,* personne qui voyage pour un commerçant.
voyant, e adj. Qui jouit du sens de la vue. Qui attire l'œil : *couleurs voyantes.* N. f. Personne qui prétend voir les choses passées et futures : *consulter une voyante.* N. m. Plaque de couleur, mobile sur une tige, servant aux visées de nivellement.
voyelle n. f. Son produit par la vibration du larynx avec le concours de la bouche plus ou moins ouverte. Lettre représentant une voyelle.
voyou n. m. Individu de mœurs crapuleuses (parfois fait au f. *voyoute*).
vrac (en) loc. adv. Pêle-mêle, sans emballage : *marchandise expédiée en vrac.*
vrai*, e adj. Conforme à la vérité. Sincère : *un ami vrai.* Qui a les qualités essentielles à sa nature : *un vrai diamant.* Convenable, juste : *voilà sa vraie place.* N. m. La vérité. *A vrai dire,* pour parler avec vérité. *Fam. Pour de vrai,* pour de bon.
vraisemblable* adj. Qui a l'apparence de la vérité, de la probabilité.
vraisemblance n. f. Apparence vraie.
vrille n. f. *Bot.* Filament en spirale : *les vrilles de la vigne.* Outil terminé par une sorte de vis pour percer des trous dans le bois.
vriller v. tr. Percer avec une vrille. V. intr. S'élever en s'enroulant. Se tordre en se rétrécissant.
vrombir v. intr. Produire un vrombissement.
vrombissement n. m. Ronflement vibrant : *le vrombissement d'un avion.*
vu, e adj. Considéré, accueilli : *être mal vu pour ses opinions.* Prép. Eu égard à : *vu la difficulté.* N. m. Action de voir : *au vu et au su de tous. Vu que,* attendu que, puisque.
vue n. f. Faculté de voir : *perdre la vue.* Organe de la vue, yeux : *tourner la vue vers.* Action de regarder. Aspect : *à la vue de l'ennemi.* Manière dont un objet se présente aux regards : *vue de profil.* Etendue, panorama : *une belle vue sur la campagne.* Représentation d'un paysage, d'un édifice : *vue de Rome.* Idée, manière de voir : *vue ingénieuse.* But, intention : *nous n'avons pas d'autre vue. Garder à vue,* surveiller. *A vue d'œil,* très rapidement. *A perte de vue,* très loin. *Perdre de vue,* négliger, cesser de fréquenter. *Payable à vue,* à présentation. *A première vue,* sans examen. *Seconde vue, double vue,* faculté de voir par l'imagination. *Point de vue,* objet sur lequel la vue se dirige, endroit où l'on se place pour voir. *Fig.* Manière d'envisager les choses. *Au point de vue de,* sous le rapport de. *En vue de,* en présence de, en considération de. *Etre en vue,* exposé aux regards.
vulcanisation n. f. Action de vulcaniser.
vulcaniser v. tr. Soumettre le caoutchouc à l'action du soufre chauffé pour le rendre insensible à la chaleur et au froid.
vulcanite n. f. Syn. d'ÉBONITE.
vulgaire* adj. Commun, trivial : *façons, manières vulgaires.* N. m. Le peuple.
vulgarisateur, trice adj. et n. Qui vulgarise : *talent vulgarisateur.*
vulgarisation n. f. Action de vulgariser.
vulgariser v. tr. Rendre vulgaire. Rendre accessible au grand public : *vulgariser une science, une technique.*
vulgarité n. f. Caractère de ce qui est vulgaire, trivial.
vulgate n. f. Version latine de la Bible.
vulnérabilité n. f. Caractère de ce qui est vulnérable.
vulnérable adj. Qui peut être blessé. *Fig.* Faible, qui donne prise : *le point vulnérable d'un argument.*
vulnéraire adj. Propre à guérir les blessures. N. m. Médicament que l'on administre aux personnes blessées ou malades. N. f. Nom d'une plante médicinale.

W

w n. m. Vingt-troisième lettre de l'alphabet et dix-huitième des consonnes: *en général, le* w *se prononce comme* v *dans les mots allemands, et comme* OU *dans les mots anglais, hollandais, flamands empruntés par le français.*
wagon [*va*] n. m. Voiture de chemin de fer. *Wagon-citerne, wagon-réservoir,* wagon pour le transport des liquides. *Wagon-lit* (ou *voiture-lit*), voiture à lits. *Wagon-poste,* wagon destiné au courrier. *Wagon-restaurant* (ou *voiture-restaurant*), wagon où les voyageurs peuvent prendre leurs repas. *Wagon-salon* (ou *voiture-salon*), wagon de luxe.
wagonnet [*va*] n. m. Petit wagon basculant, poussé à bras.
walkyrie ou **valkyrie** n. f. Déesse de rang inférieur dans la mythologie scandinave.
warrant [*oua, va*] n. m. Récépissé d'une marchandise entreposée dans des docks, négociable comme une traite.
warrantage n. m. Action de warranter.
warranter v. tr. Garantir par un warrant.
water-ballast [*ouô-teur*] n. m. Compartiment d'un sous-marin que l'on remplit d'eau quand on veut plonger.
water-closet [*ouô-teur-klo-zèt*] n. m. Lieux d'aisances. Pl. des *water-closets.*
watergang [*oua-gangh*] n. m. Canal qui borde un chemin ou un polder, dans les Pays-Bas.
wateringue [*oua-*] n. f. Dans la Flandre, travaux d'assèchement des pays situés au-dessous du niveau marin.
water-polo [*ouô-teur*] n. m. Jeu de ballon dans l'eau.
watt [*ouat'*] n. m. Unité de puissance électrique (1 volt × 1 ampère).
wattman [*ouat-man'*] n. m. Conducteur d'un véhicule électrique.
week-end [*ouik-èn'd*] n. m. Vacances de fin de semaine : *partir en week-end.*
wharf [*ouârf*] n. m. Quai, appontement se prolongeant en mer.
whisky [*ouis-ki*] n. m. Eau-de-vie de grain fabriquée surtout en Ecosse.

X

x n. m. Vingt-quatrième lettre de l'alphabet et dix-neuvième des consonnes. Objet en forme d'X. Chiffre romain valant 10; précédé de I (IX), il ne vaut que 9. En algèbre, x représente l'inconnue ou l'une des inconnues d'une équation. Sert à désigner une personne ou une chose qu'on ne veut ou ne peut désigner plus clairement. *Monsieur X.*
xénophobe adj. Qui hait les étrangers.
xénophobie n. m. Haine de l'étranger.
xérès [*kérès*] n. m. Vin très estimé, originaire d'Espagne (Jerez).
xylographe n. m. Graveur sur bois.
xylographie n. f. Gravure sur bois. Impression au moyen de planches de bois gravées.
xylophage adj. Qui se nourrit de bois : *insectes xylophages.*
xylophone n. m. Instrument de musique à lamelle de bois sur lesquelles on frappe.
xyphoïde adj. Se dit de l'appendice inférieur du sternum.

Y

y n. m. Vingt-cinquième lettre de l'alphabet et sixième des voyelles.
y adv. Dans cet endroit-là. Pron. pers. 3e pers. A cela, à cette personne-là : *ne vous y fiez pas. Il y a,* il est, il existe.
yacht [*yak*] n. m. Bâtiment de plaisance.
yachting [*yak-in'g*] n. m. Navigation de plaisance.
yachtman [*yak-man'*] n. m. Celui qui pratique le yachting. Pl. des *yachtmen.*
yack n. m. Espèce de buffle à queue de cheval, vivant en Asie.
yankee [*ki*] n. m. Habitant anglo-saxon des Etats-Unis.
yaourt [*ourt'*] n. m. V. YOGHOURT.
yatagan n. m. Sabre turc recourbé.
yeuse n. f. Chêne vert, arbre.
yeux n. m. pl. de *œil.*
yiddish [*dich*] n. m. Langue judéo-allemande.
yod n. m. Lettre des alphabets phénicien et hébreu correspondant à *y.*
yoga n. m. Système philosophique de l'Inde pratiqué par les *yogi,* qui fait consister la sagesse dans la contemplation et l'extase.
yoghourt n. m. Lait caillé, aliment des montagnards bulgares.
yole n. f. Embarcation étroite, légère et rapide.
youyou n. m. Petite embarcation employée pour divers services maritimes.
yo-yo n. m. Jouet formé d'une roulette à gorge qui monte et qui descend le long d'une ficelle.
ypérite n. f. Sulfure d'éthyle dichloré utilisé comme gaz de combat.
yucca n. m. Genre de plantes américaines à belles fleurs.

Z

z n. m. Vingt-sixième lettre de l'alphabet et vingtième des consonnes.
zazou n. m. Jeune excentrique.
zebre n. m. Genre de mammifères africains du groupe des chevaux, à robe rayée. *Fam. Courir comme un zèbre,* courir très vite.
zébrer v. tr. (Se conj. comme *accélérer.*) Marquer de raies, de rayures.
zébrure n. f. Rayure.
zébu n. m. Espèce de bœuf à bosse.
zélateur, trice n. et adj. Qui agit avec un zèle ardent.
zèle n. m. Vive ardeur pour le service de Dieu, d'une cause. *Fam. Faire du zèle,* montrer un empressement intempestif.
zélé, e adj. Qui a du zèle : *serviteur zélé.*
zénith n. m. Point du ciel situé au-dessus de la tête de l'observateur : *soleil au zénith. Fig.* Point culminant.
zéphyr n. m. Chez les Anciens, vent de l'Ouest. Vent doux et agréable.
zeppelin n. m. Ballon dirigeable à carcasse métallique.
zéro n. m. Signe numérique sans valeur par lui-même, mais qui, placé à la droite d'un chiffre, augmente dix fois sa valeur. Degré de température correspondant à la glace fondante dans les thermomètres ordinaires. *Fig.* Homme nul. Valeur nulle.
zest n. m. *Entre le zist et le zest,* ni bien ni mal. Interj. de dédain ou indiquant une action soudaine.
zeste n. m. Cloison membraneuse intérieure de la noix. Ecorce extérieure de l'orange, du citron.
zester v. tr. Enlever le zeste.
zézaiement n. m. Défaut de celui qui zézaie.
zézayer v. intr. (Se conj. comme *balayer.*) Donner le son du *z* aux lettres *j, g, ch.*
zibeline n. f. Espèce de martre à poil très fin. Sa fourrure : *un manteau de zibeline.*
zigzag n. m. Ligne brisée à angles alternativement rentrants et sortants : *les zigzags des éclairs, d'un ivrogne.*
zigzaguer v. intr. Faire des zigzags.
zinc n. m. Corps simple, métallique, d'un blanc bleuâtre.
zincographie, zincogravure n. f. Procédé analogue à la lithographie, mais employant le zinc au lieu de la pierre.
zinguer v. tr. Couvrir de zinc. Galvaniser avec du zinc.
zinguerie n. f. Commerce du zinc. Atelier où l'on travaille le zinc.
zingueur adj. et n. Ouvrier qui travaille le zinc.
zinnia n. m. Plante ornementale originaire du Mexique.
zinzolin n. m. Couleur d'un violet rougeâtre.
zircon n. m. Pierre précieuse de diverses couleurs.
zist n. m. V. ZEST.
zizanie n. f. Ivraie (vx). *Fig.* Désunion : *semer la zizanie.*
zizyphe n. m. V. JUJUBIER.
zodiacal, e, aux adj. Du zodiaque.
zodiaque n. m. Zone circulaire dont l'écliptique occupe le milieu et qui contient les douze constellations que le Soleil semble parcourir en un an. Représentation de cette zone avec ses constellations.
zoïle n. m. Critique envieux.
zona n. m. Eruption vésiculeuse et douloureuse du tronc et des membres inférieurs.
zonal, e, aux adj. Qui présente des zones diversement colorées.
zone n. f. Espace entre deux cercles parallèles de la sphère. Chacune des cinq divisions du globe terrestre déterminées par les cercles polaires et les tropiques. Espace de pays long et étroit, caractérisé par une circonstance particulière : *zone franche.* Etendue formant une division administrative, etc. : *zone militaire. Hist. nat.* Bande ou marque circulaire.
zonier, ère adj. et n. Qui habite une zone frontière, militaire, etc.
zoolâtrie n. f. Adoration des animaux.
zoologie n. f. Branche de l'histoire naturelle qui étudie les animaux.
zoologique adj. Relatif à la zoologie : *études zoologiques.*
zoologiste n. m. Naturaliste qui s'occupe de zoologie.
zoophyte n. m. Animaux dont les formes rappellent celles des plantes, comme le corail, l'éponge, la méduse.
zostère n. f. Varech, sorte d'algue marine.
zouave n. m. Soldat d'un corps d'infanterie française, créé en Algérie en 1831.
zut! interj. *Pop.* Exclamation de dépit, de mépris, de lassitude.
zygomatique adj. De la pommette : *muscle zygomatique.*

ARTS - LETTRES - SCIENCES

A

Aa, fl. de France (mer du Nord) ; 80 km.
Aar, riv. de Suisse, affl. du Rhin; 280 km.
Aarhus, v. et port du Danemark (Jutland).
Aaron, grand prêtre, frère aîné de Moïse.
Abadan, v. et port de l'Iran; 226 100 h.
Abbassides, dynastie de califes arabes, qui régna à Bagdad de 762 à 1258.
Abbeville, ch.-l. d'arr. de la Somme, sur la Somme; 22 800 h. Eglise (XVe-XVIe s.).
Abd el-Kader, émir arabe (1807-1883), qui combattit les Français en Algérie.
Abd el-Krim, chef rifain (1882-1963) ; il lutta contre la France et l'Espagne.
Abd er-Rahman, émir d'Espagne, battu par Charles Martel à Poitiers, en 732.
Abd ul-Aziz, sultan de Turquie (1830-1876) ; il fut assassiné.
Abd ul-Hamid II, sultan de Turquie (1842-1918), surnommé *le Sultan rouge*.
Abel, fils d'Adam, tué par son frère Caïn.
Abélard (Pierre), philosophe scolastique français (1079-1142), célèbre par sa passion pour Héloïse et par ses infortunes.
Abencérages, tribu maure du royaume de Grenade (XVe s.).
Aberdeen, v. et port d'Ecosse; 187 000 h.
Aber Wrach, fl. côtier du Finistère; 34 km.
Abidjan, capit. et port de la Côte-d'Ivoire; 177 500 h.
Aboukir, bourg d'Egypte; victoires de Nelson sur la flotte française (1798) et de Bonaparte sur les Turcs (1799).
Abraham, patriarche hébreu, père d'Isaac.
Abruzzes (les), partie de l'Apennin.
Absalom, fils de David.
Abyssinie, anc. nom de l'*Ethiopie*.
Académie française, assemblée de 40 membres, fondée en 1635 par Richelieu.
Acadie, anc. prov. française de l'Amérique du Nord (Nouvelle-Ecosse).
Acapulco, v., port et station touristique du Mexique sur le Pacifique.
Acarnanie, contrée de l'anc. Grèce.
Accra, capit. et port de l'Etat du Ghana, sur le golfe de Guinée; 337 000 h.
Achaïe, anc. contrée du Péloponnèse.
Achéménides, dynastie perse (668-330 av. J.-C.).
Achéron, fl. des Enfers.
Achille, héros grec, roi des Myrmidons; il participa à la guerre de Troie.
Achkhabad, capit. du Turkménistan (U.R.S.S.) ; 215 000 h.
Acis, berger sicilien, aimé de Galatée; Polyphème l'écrasa sous un rocher.
Aconcagua, point culminant des Andes; 6 959 m.
Açores, archipel portugais (Atlantique).
Acre (*Saint-Jean-d'*), port d'Israël. Echec de Bonaparte (1799).
Acropole, colline d'Athènes, riche en monuments anciens (Parthénon).
Actes des Apôtres, livre du Nouveau Testament, écrit par saint Luc.
Actium, promontoire de Grèce; victoire d'Octavien sur Antoine en 31 av. J.-C.
Adam, le premier homme.
Adam le Bossu ou **de la Halle,** trouvère artésien du XIIIe s.
Adana, v. de Turquie; 230 000 h.
Addis-Abéba, capit. de l'Ethiopie; 400 000 h.
Adelaïde, v., port et centre industriel de l'Australie méridionale; 577 000 h.
Adélie (*terre*), possession française de l'Antarctique.
Aden, v. et port d'Arabie, capit. d'un ancien protectorat britannique.
Ader (Clément), ingénieur français (1841-1925) ; il construisit le premier avion.
Adige, fl. d'Italie (Adriatique) ; 410 km.
Admète, roi de Phères, un des Argonautes.
Adonis, jeune Grec d'une grande beauté.
Adour, fl. du sud-ouest de la France (Atlantique) ; 335 km.
Adriatique (*mer*), golfe de la Méditerranée, entre l'Italie et la péninsule balkanique.
A.-É. F., abrév. de *Afrique-Équatoriale française*.
Aétius, général romain, vainqueur d'Attila.
Afghanistan, royaume d'Asie occidentale, entre l'Iran et l'Inde; 650 000 km^2; 15 millions d'h. Capit. *Kaboul*.
Afrique, une des cinq parties du monde; 30 500 000 km^2; 310 millions d'h. Elle comprend : 1° des Etats indépendants : Afrique du Sud, Algérie, Cameroun, République centrafricaine, les deux républiques du Congo, Dahomey, Egypte, Ethiopie, Gabon, Guinée, Haute-Volta, Liberia, Libye, Madagascar, Mali, Maroc, Mauritanie, Niger, Rhodésie, Sénégal, Somalie, Soudan, Tchad, Togo, Tunisie; 2° des départements et territoires français d'outre-mer : Côte française des Somalis, la Réunion, les Comores; 3° des colonies et protectorats de la Grande-Bretagne et des Etats membres du Commonwealth : Nigeria, Ghana, Gambie, Sierra Leone, Ouganda, Kenya, Malawi, Tanzanie, Zambie, Bechuanaland, Basutoland, Swaziland, les îles Ascension, Sainte-Hélène, les îles Maurice, Seychelles et Amirantes; 4° des possessions portugaises : Guinée portugaise et São Thomé, Angola, Mozambique, Açores, Madère, îles du Cap-Vert; 5° des possessions espagnoles : Sahara occidental (Rio de Oro), Guinée espagnole, Canaries.
Afrique du Sud (*république d'*), Etat de l'Afrique australe; 17 474 000 h. Capit. *Pretoria*.
Afrique-Équatoriale française, anc. fédération qui était constituée par les territoires français du Gabon, du Moyen-Congo, de l'Oubangui-Chari et du Tchad; Capit. *Brazzaville*.

Afrique-Occidentale française, anc. fédération qui était constituée par les territoires français du Sénégal, du Soudan, de la Guinée, de la Côte-d'Ivoire, du Dahomey, de la Haute-Volta, de la Mauritanie et du Niger; Capit. *Dakar.*
Agadir, port du Maroc (Atlantique).
Agamemnon, roi d'Argos, chef des Grecs qui assiégèrent Troie; père d'Iphigénie.
Agde, v. de l'Hérault; cathédrale.
Agen, ch.-l. du Lot-et-Garonne; 35 150 h.
Agésilas, roi de Sparte (IVe s. av. J.-C.).
Agout, riv. du sud de la France, affl. du Tarn; 180 km.
Agra, v. du nord de l'Inde; 509 000 h.
Agrigente, v. de Sicile; temples grecs.
Agrippine, mère de Néron, épouse de l'empereur Claude, qu'elle empoisonna.
Aguesseau (Henri-François *d'*), magistrat français (1668-1751).
Ahmedabad, v. du nord-ouest de l'Inde.
Aigos Potamos, fl. de Thrace; victoire des Spartiates (405 av. J.-C.).
Aigoual, massif des Cévennes; 1 567 m.
Aigues-Mortes, anc. port de mer du Gard.
Ain, riv. du Jura, affl. du Rhône; 200 km.
Ain, dép. de l'est de la France; préf. *Bourg;* s.-préf. *Belley, Gex, Nantua.*
Aïn-Sefra, oasis du sud de l'Algérie.
Aisne, riv. du nord de la France, affl. de l'Oise; 280 km.
Aisne, dép. du nord de la France; préf. *Laon;* s.-préf. *Château-Thierry, Saint-Quentin, Soissons, Vervins.*
Aix (*île d'*), île de l'Atlantique, près de l'embouchure de la Charente.
Aix-en-Provence, ch.-l. d'arr. des Bouches-du-Rhône; 72 700 h. Ville d'art.
Aix-la-Chapelle, v. et centre industriel d'Allemagne occidentale, sur le Rhin. Cathédrale; chapelle palatine.
Aix-les-Bains, stat. thermale de la Savoie.
Ajaccio, ch.-l. et port de Corse; 42 300 h.
Ajax, héros grec de la guerre de Troie.
Ajmer, v. du nord-ouest de l'Inde.
Akron, v. des Etats-Unis (Ohio). Caoutchouc.
Alabama, un des Etats unis d'Amérique (Centre-Sud-Est). Capit. *Montgomery.*
Alain, penseur français (1868-1951).
Alain-Fournier, écrivain français (1886-1914), auteur du *Grand Meaulnes.*
Alains, peuple barbare du Ve s.
Alamans, peuple germanique du Ve s.
Alamein (*El-*), bourg d'Egypte; victoire anglaise sur les Germano-Italiens (1942).
Alarcon (Juan *Ruiz de*), poète dramatique espagnol (vers 1589-1639).
Alaric II, roi des Wisigoths, vaincu par Clovis à Vouillé (507).
Alaska, presqu'île du nord-ouest de l'Amérique, un des Etats unis d'Amérique.
Albacete, v. du sud-est de l'Espagne.
Albanie, Etat de l'Europe balkanique; 29 000 km²; 1 814 000 h. Capit. *Tirana.*
Albany, capit. de l'Etat de New York.
Albe (*duc d'*), général de Charles Quint et de Philippe II (1508-1582).
Albe-la-Longue, anc. v. du Latium.
Albeniz (Isaac), compositeur espagnol (1860-1909), auteur d'*Iberia.*
Albères, chaînes des Pyrénées orientales.
Alberoni (Jules), cardinal (1664-1752), ministre de Philippe V d'Espagne.
Albert le Grand (*saint*), théologien et savant dominicain (vers 1193-1280).
Albert Ier, prince de Monaco (1848-1922), qui se distingua comme océanographe.
Albert Ier (1875-1934), roi des Belges de 1909 à 1934, mort accidentellement.
Albert de Habsbourg (1255-1308), empereur germanique de 1298 à 1308; — ALBERT II (1397-1439), empereur germanique de 1438 à 1439.
Albert de Hohenzollern (1490-1568), premier duc de Prusse (1525-1568).
Alberta, prov. du Canada occidental.
Albertville, ch.-l. d'arr. de la Savoie.
Albi, ch.-l. du Tarn, sur le Tarn; 41 300 h. Cathédrale fortifiée.
Albigeois, membres d'une secte religieuse du midi de la France, contre lesquels fut organisée une croisade au XIIIe s.
Albion, nom poét. de la *Grande-Bretagne.*
Albret, anc. pays de Gascogne.
Albuquerque, navigateur portugais (XVe s.).
Alceste, femme d'Admète; elle accepta de mourir pour son mari.
Alcibiade, général athénien (450-404 av. J.-C.).
Alcinoos, roi des Phéniciens; père de Nausicaa, qui accueillit Ulysse naufragé.
Alcmène, épouse d'Amphitryon; séduite par Zeus, elle fut la mère d'Héraclès.
Alcuin, savant, né à York (vers 735-804), conseiller de Charlemagne.
Alembert (Jean *Le Rond d'*), philosophe et mathématicien français (1717-1783), un des fondateurs de l'*Encyclopédie.*
Alençon, ch.-l. de l'Orne; 27 000 h.
Aléoutiennes (*îles*), archipel du nord-ouest de l'Amérique du Nord; aux Etats-Unis.
Alep, v. de Syrie; 500 000 h.
Alès, ch.-l. d'arr. du Gard, centre houiller et métallurgique; produits chimiques.
Alésia, place forte gauloise, où César vainquit Vercingétorix.
Alexandre le Grand (356-323 av. J.-C.); roi de Macédoine en 336, il vainquit les Perses et conquit en Asie un immense empire.
Alexandre Ier (1777-1825), empereur de Russie à partir de 1801, adversaire de Napoléon Ier; — ALEXANDRE II (1818-1881), empereur de Russie en 1855; il abolit le servage; — ALEXANDRE III (1845-1894), empereur de Russie en 1881; il conclut l'alliance franco-russe.
Alexandre Ier (1888-1934), roi de Yougoslavie en 1921, assassiné à Marseille.
Alexandre VI Borgia (1431-1503), pape, d'origine espagnole, de 1492 à 1503.
Alexandre Sévère ou **Sévère Alexandre** (208-235), empereur romain en 222.
Alexandrie, port d'Egypte, sur la Méditerranée; 1 416 000 h.
Alexandrie, v. d'Italie (Piémont).
Alfieri (Vittorio), poète tragique italien (1749-1803).
Alfortville, v. du Val-de-Marne.
Alfred le Grand, roi anglo-saxon (IXe s.).
Alger, capit. et port de l'Algérie; 884 000 h. Centre industriel.
Algérie, Etat de l'Afrique du Nord, entre le Maroc et la Tunisie; 2 376 400 km²; 11 millions d'h. Capit. *Alger.*
Algésiras, port du sud de l'Espagne.
Alhambra, palais des rois maures à Grenade.

Ali, gendre de Mahomet, calife de 656 à 661.
Ali-Baba, héros des *Mille et Une Nuits.*
Alicante, port du sud-est de l'Espagne.
Aliénor d'Aquitaine (1122-1204), reine de France de 1137 à 1152, puis d'Angleterre à partir de 1154.
Alighieri, nom de famille de *Dante.*
Allah, Dieu chez les musulmans.
Allahabad, v. du nord-ouest de l'Inde.
Alleghanys, monts faisant partie des Appalaches (Etats-Unis).
Allemagne, région de l'Europe centrale, divisée depuis 1949 en deux Etats : à l'ouest, la *République fédérale d'Allemagne* (248 000 km²; 58 millions d'h.; capit. *Bonn*) ; à l'est, la *République démocratique allemande* (107 000 km²; 17 millions d'h. ; capit. *Berlin-Est*).
Alliance (*Sainte-*), pacte formé en 1815 par la Russie, l'Autriche et la Prusse contre certaines aspirations libérales et nationales.
Allier, riv. du Massif central, affl. de la Loire; 410 km.
Allier, dép. du centre de la France; préf. *Moulins;* s.-préf. *Montluçon, Vichy.*
Alma, fl. de Crimée; victoire franco-anglaise sur les Russes (1854).
Alma-Ata, capit. du Kazakhstan (U.R.S.S.).
Al-Mansour, calife abbasside (745-775), fondateur de Bagdad.
Almohades, dynastie berbère, qui régna de 1147 à 1269 sur le nord de l'Afrique et la moitié de l'Espagne.
Almoravides, dynastie berbère (1055-1147), qui fut détrônée par les Almohades.
Along, baie du golfe du Tonkin.
Alost, v. de Belgique (Flandre-Orientale).
Alpes, chaîne de montagnes de l'Europe occidentale; 4 807 m au mont Blanc.
Alpes (*Basses-*), dép. alpestre du sud-est de la France; préf. *Digne;* s.-préf. *Barcelonnette, Castellane, Forcalquier.*
Alpes (*Hautes-*), dép. alpestre du sud-est de la France; préf. *Gap;* s.-préf. *Briançon.*
Alpes-Maritimes, dép. alpestre du sud-est de la France, sur le littoral méditerranéen; préf. *Nice;* s.-préf. *Grasse.*
Alphonse, nom de onze rois de Castille, dont : ALPHONSE VIII *le Noble* ou *le Bon*, roi de 1158 à 1214, vainqueur des Maures; — ALPHONSE X *le Sage*, roi de 1252 à 1284 et empereur d'Occident de 1258 à 1272, poète remarquable, fondateur de l'université de Salamanque.
Alphonse XIII (1886-1941), roi d'Espagne jusqu'en 1931.
Alpilles, massif du sud-est de la France.
Alsace, anc. prov. de la France de l'Est; capit. *Strasbourg.*
Altaï, chaîne de montagnes de l'Asie centrale, culminant à 4 520 m.
Altkirch, ch.-l. d'arr. du Haut-Rhin.
Altyn Tagh ou **Astyn Tagh**, chaîne de montagnes de l'Asie centrale; 7 300 m.
Alyscamps (les), cimetière gallo-romain, situé près d'Arles.
Amadis de Gaule, roman du XVe s.
Amagasaki, port du Japon; 406 000 h.
Amalécites, anc. peuple de l'Arabie.
Amalthée, chèvre qui nourrit Zeus.
Aman, favori et ministre d'Assuérus.
Amarna (*Tell el-*), anc. v. d'Egypte.
Amati, famille de luthiers de Crémone.
Amazone, fl. de l'Amérique du Sud (Atlantique) ; 7 025 km (avec l'Apurimac).
Amazones (*les*), peuplade fabuleuse de guerrières qui habitaient la Cappadoce.
Ambert, ch.-l. d'arr. du Puy-de-Dôme.
Ambès (*bec d'*), pointe de terre, au confluent de la Garonne et de la Dordogne.
Amboise, v. de l'Indre-et-Loire, sur la Loire; château (XVe s.).
Ambroise (*saint*), Père de l'Eglise latine (340-397), archevêque de Milan.
Amélie-les-Bains, station thermale des Pyrénées-Orientales.
Améric Vespuce, navigateur florentin (1451-1512), qui visita le Nouveau Monde.
Amérique, une des cinq parties du monde; 42 millions de km² (y compris le Groenland) ; 540 millions d'h. Elle se divise en *Amérique du Nord* (Canada, Etats-Unis, Mexique), *Amérique centrale* (Costa-Rica, Guatemala, Honduras, Nicaragua, Panama, Salvador, archipel des Antilles), *Amérique du Sud* (Argentine, Bolivie, Brésil, Chili, Colombie, Equateur, Guyanes, Paraguay, Pérou, Uruguay, Venezuela).
Amiens, anc. cap. de la Picardie, ch.-l. et centre industriel de la Somme, sur la Somme; 109 900 h. Cathédrale (XIIIe s.).
Amilcar Barca, chef carthaginois, père d'Annibal (IIIe s. av. J.-C.).
Ammon, fils de Loth, frère de Moab, ancêtre des Ammonites.
Amon, dieu des anciens Egyptiens.
Amou-Daria, fl. de l'Asie soviétique (mer d'Aral) ; 1 850 km. Anc. *Oxus.*
Amour, fl. du nord-est de l'Asie soviétique (mer d'Okhotsk) ; 4 354 km.
Ampère (André-Marie), mathématicien et physicien français (1775-1836).
Amphion, poète et musicien, fils de Zeus.
Amphitrite, déesse grecque de la Mer.
Amphitryon, époux d'Alcmène.
Amphitryon, comédie de Molière (1668).
Amritsar, v. de l'Inde (Pendjab).
Amsterdam, capit. des Pays-Bas; 871 000 h.
Amundsen (Roald), explorateur norvégien (1872-1928), qui atteignit le pôle Sud.
Amyot (Jacques), humaniste français (1513-1593), traducteur de Plutarque.
Anacréon, poète grec (VIe s. av. J.-C.).
Anatolie, nom actuel de l'*Asie Mineure.*
Anaxagore, philosophe grec (Ve s. av. J.-C.).
Ancenis, ch.-l. d'arr. de la Loire-Atlantique, sur la Loire.
Anchan, centre industriel de Chine.
Anchise, prince troyen, père d'Enée.
Ancône, port d'Italie (Adriatique).
Andalousie, région du sud de l'Espagne.
Andelys (*Les*), ch.-l. d'arr. de l'Eure, sur la Seine; ruines du Château-Gaillard.
Andersen (Hans Christian), écrivain danois (1805-1875), auteur de *Contes.*
Andes (*cordillère des*), chaîne de montagnes sur la côte ouest de l'Amérique du Sud. Sommets princ. : Aconcagua et Illampu.
Andhra Pradesh, Etat du sud-est de l'Inde; capit. *Hyderabad.*
Andorre, pays pyrénéen, principauté placée sous la protection de la France et de l'évêque d'Urgel; 453 km²; 5 300 h.
André (*saint*), apôtre et martyr.
Andrinople, auj. **Edirné**, v. de Turquie en Thrace, sur la Maritza.

Androclès, esclave romain, livré aux bêtes, et sauvé par un lion qu'il avait soigné.
Andromaque, femme d'Hector, modèle d'amour conjugal et maternel.
Andromaque, tragédie de Racine (1667).
Andromède, fille de Céphée et de Cassiopée, livrée par Poséidon à un monstre marin et sauvée par Persée.
Anet, v. de l'Eure-et-Loir; château construit par Philibert Delorme.
Aneto (*pic d'*), point culminant des Pyrénées (Maladetta), en Espagne; 3 404 m.
Angara, riv. de Sibérie, émissaire du lac Baïkal, affl. de l'Iénisséi; 1 600 km.
Angeles (*Los*). V. LOS ANGELES.
Angelico (*Fra*), peintre florentin (1387-1455); il décora le couvent de Saint-Marc.
Angers, anc. cap. de l'Anjou, ch.-l. du Maine-et-Loire, sur la Maine; 122 300 h. Cathédrale et château (XIIIe s.).
Angkor, ruines du Cambodge. Anc. capit. des rois khmers.
Angles, anc. peuple de la Germanie, qui envahit la Grande-Bretagne au VIe s.
Angleterre, partie sud de la Grande-Bretagne; capit. *Londres.*
Anglo-Saxons, ensemble des peuples germaniques qui envahirent la Grande-Bretagne à la fin du Ve s. — Auj., peuples de langue anglaise.
Angola, province d'outre-mer du Portugal, sur la côte atlantique de l'Afrique australe; 5 084 000 h.; capit. *Luanda.*
Angoulême, ch.-l. de la Charente; 51 200 h. Cathédrale romane.
Angoumois, anc. prov. du sud-ouest de la France; capit. *Angoulême.*
Angström (Anders), physicien suédois (1814-1874).
Aniche, centre houiller du Nord.
Anjou, anc. prov. de l'ouest de la France; capit. *Angers.*
Ankara, capit. de la Turquie; 646 000 h.
Annales, récit historique de Tacite.
Annam, partie centrale du Viêt-nam.
Annapurna, mont de l'Himalaya (8 078 m).
Anne (*sainte*), mère de la Sainte Vierge.
Anne d'Autriche (1601-1666), femme de Louis XIII, régente pendant la minorité de Louis XIV (1643-1651).
Anne Boleyn (1507-1536), seconde femme d'Henri VIII, roi d'Angleterre; elle fut décapitée.
Anne de Bretagne (1477-1514), femme de Charles VIII (1491), puis de Louis XII (1499); elle apporta la Bretagne en dot.
Anne de Clèves (1515-1557), quatrième femme de Henri VIII, roi d'Angleterre.
Anne de France ou **de Beaujeu** (1462-1522), régente de France pendant la minorité de Charles VIII, son frère (1483-1488).
Anne Stuart (1665-1714), reine d'Angleterre et d'Ecosse (1701-1714).
Annecy, ch.-l. de la Haute-Savoie, sur le lac d'Annecy; 45 700 h.
Annemasse, v. de la Haute-Savoie. Horlogerie.
Annibal ou **Hannibal,** chef carthaginois (247-183 av. J.-C.). Il vainquit les Romains (219-216), mais ne sut pas profiter de sa victoire.
Annonay, v. de l'Ardèche. Papeteries, cuir.
Annunzio (Gabriele *d'*), écrivain italien (1863-1938).
Anschluss, rattachement de l'Autriche au Reich par Hitler en 1938.
Anselme (*saint*), philosophe, né à Aoste (1033-1109), archevêque de Cantorbéry.
Antarctique (*océan*), partie méridionale des océans Atlantique, Pacifique et Indien.
Antée, géant, fils de Poséidon et de la Terre; Héraclès l'étouffa dans ses bras.
Antibes, port des Alpes-Maritimes.
Antigone, fille d'Œdipe, qui fut condamnée à mort pour avoir, malgré la défense de Créon, enseveli son frère Polynice.
Antilles, archipel de l'Atlantique, comprenant les *Grandes Antilles* (Cuba, la Jamaïque, Haïti, Porto Rico) et les *Petites Antilles,* dont font partie la Guadeloupe et la Martinique, départements français.
Antilles (*mer des*), ou des **Caraïbes,** mer située entre les deux Amériques.
Antioche ou **Antakieh,** v. de Turquie.
Antioche (*pertuis d'*), détroit entre l'île d'Oléron et l'île de Ré.
Antiochos, nom de treize rois séleucides (IVe-Ier s. av. J.-C.).
Antoine (*saint*), anachorète de la Thébaïde (251-356), qui résista aux tentations.
Antoine de Padoue (*saint*), religieux portugais et docteur de l'Eglise (1195-1231); il évangélisa les Maures d'Afrique.
Antoine (Marc), général romain (83-30 av. J.-C.). Lieutenant de César, puis allié de Cléopâtre, il fut vaincu par Octavien à Actium (31) et se tua.
Antonin le Pieux (86-161), empereur romain de 138 à 161.
Antonins (les), nom donné aux empereurs romains Nerva, Trajan, Hadrien, Antonin, Marc Aurèle, Verus et Commode (96-192).
Anubis, dieu égyptien à tête de chacal.
Anvers, port de Belgique, sur l'Escaut.
A.-O. F., abrév. d'*Afrique-Occidentale française.*
Aoste, v. et vallée d'Italie (Piémont).
Apaches, Indiens de l'ouest des Etats-Unis.
Apchéron, péninsule de la mer Caspienne.
Apelle, peintre grec du IVe s. av. J.-C.
Apennins, montagnes de l'Italie.
Aphrodite, déesse grecque de l'Amour.
Apis, taureau sacré des anc. Egyptiens.
Apocalypse, livre mystique de saint Jean.
Apollinaire (Guillaume), poète français (1880-1918), précurseur du surréalisme.
Apollon, dieu grec des Oracles, de la Poésie, des Arts et du Soleil.
Appalaches, chaîne de montagnes de l'est de l'Amérique du Nord. Houille.
Appenzell, canton du nord-est de la Suisse.
Appert (François), industriel français (1750-1840), inventeur d'un procédé pour conserver en boîte les aliments.
Appienne (*voie*), anc. route qui allait de Rome à Brindes.
Apt, ch.-l. d'arr. du Vaucluse.
Aquitaine, contrée du sud-ouest de la France.
arabe unie (*République*), Etat formé de 1958 à 1961 par l'union de l'Egypte et de la Syrie. — Nom officiel de l'Egypte.
Arabie, péninsule de l'Asie, entre la mer Rouge et le golfe Persique.
Arabie Saoudite, royaume du centre de l'Arabie; 6 millions d'h. Capit. *Er-Riyad.*
Arachné, jeune Lydienne, adroite brodeuse, qu'Athéna changea en araignée.

Arago (François), astronome et physicien français (1786-1853).
Aragon, contrée du nord-est de l'Espagne.
Aral (*mer d'*), grand lac salé d'Asie centrale (U.R.S.S.) ; 64 500 km².
Aran (*val d'*), vallée des Pyrénées espagnoles, où la Garonne prend ses sources.
Aranjuez, anc. résidence royale, en Espagne.
Ararat, massif volcanique de Turquie.
Aravis (*col des*), col des Alpes de Savoie.
Arbèles, v. d'Asie Mineure, près de laquelle Alexandre le Grand vainquit Darios (331 av. J.-C.).
Arbois, bourg du Jura. Vins.
Arc (*Jeanne d'*). V. JEANNE (*sainte*).
Arc, riv. des Alpes françaises du Nord, affl. de l'Isère; 150 km.
Arcachon, station balnéaire de la Gironde, sur le bassin d'Arcachon.
Arcadie, région de l'anc. Grèce.
Arches, bourg des Vosges. Papier.
Archimède, savant syracusain (vers 287-212 av. J.-C.). Il énonça le principe d'hydrostatique qui porte son nom.
Archipel, autre nom de la *mer Egée.*
Arcis-sur-Aube, bourg de l'Aube; victoire de Napoléon sur les Alliés (1814).
Arcole, bourg d'Italie du Nord; victoire de Bonaparte sur les Autrichiens (1796).
Arctique (*océan Glacial*), océan situé dans la partie boréale du globe, au nord de l'Asie, de l'Amérique et de l'Europe.
Ardèche, riv. du sud-est de la France, affl. du Rhône; 112 km.
Ardèche, dép. du sud-est de la France; préf. *Privas;* s.-préf. *Largentière, Tournon.*
Ardennes (*forêt des*), ou **Ardenne,** plateau boisé du nord de la France et du sud de la Belgique et du Luxembourg.
Ardennes, dép. du nord-est de la France; préf. *Mézières;* s.-préf. *Rethel, Sedan, Vouziers.*
Arequipa, v. du Pérou méridional.
Arès, dieu grec de la Guerre.
Arétin (Pierre *l'*), poète italien satirique et licencieux (1492-1556)..
Arezzo, v. d'Italie (Toscane).
Argelès-Gazost, ch.-l. d'arr. et station thermale des Hautes-Pyrénées.
Argelès-sur-Mer, station balnéaire des Pyrénées-Orientales, sur la Méditerranée.
Argens, fl. côtier du sud de la France (Méditerranée) ; 116 km.
Argentan, v. de l'Orne, sur l'Orne.
Argenteuil, centre industriel du Val-d'Oise, au N. de Paris; 82 500 h.
Argentière (*col de l'*). V. LARCHE (*col de*).
Argentières, station de sports d'hiver dans la vallée de Chamonix (Haute-Savoie).
Argentine (*république*), république de l'Amérique du Sud, s'étendant des Andes jusqu'à l'Atlantique; 2 794 000 km²; 22 352 000 h. Capit. *Buenos Aires.*
Arginuses, îles de la mer Egée; victoire navale des Athéniens sur les Lacédémoniens (406 av. J.-C.).
Argolide, anc. région de la Grèce (Péloponnèse) ; capit. *Argos.*
Argonautes, héros grecs qui, sous la conduite de Jason, allèrent conquérir la Toison d'or en Colchide.
Argonne, pays forestier du nord-est de la France, entre la Meuse et l'Aisne.
Argos, anc. v. du Péloponnèse.
Argovie, canton de la Suisse.
Argus, prince argien qui avait cent yeux.
Ariane, fille de Minos ; elle donna à Thésée le fil à l'aide duquel il put sortir du Labyrinthe après avoir tué le Minotaure.
Ariège, riv. du sud-ouest de la France, affl. de la Garonne; 170 km.
Ariège, dép. pyrénéen du sud de la France; préf. *Foix;* s.-préf. *Pamiers, Saint-Girons.*
Ariel, idole des Moabites, mauvais ange.
Arioste (*l'*), poète italien de la Renaissance (1474-1533), auteur du *Roland furieux.*
Arioviste, chef des Suèves, vaincu par César en 58 av. J.-C.
Aristarque, grammairien alexandrin, critique éclairé (IIᵉ s. av. J.-C.).
Aristide, général et homme d'Etat athénien (vers 540-vers 468 av. J.-C.) ; il fut, à l'instigation de Thémistocle, banni par l'ostracisme (484 av. J.-C.).
Aristophane, poète comique athénien (vers 450-vers 386 av. J.-C.).
Aristote, philosophe grec (384-322 av. J.-C.), précepteur d'Alexandre le Grand et fondateur de l'école péripatéticienne.
Arius, hérésiarque alexandrin (vers 256-336), promoteur de l'arianisme.
Arizona, un des Etats unis d'Amérique (montagnes Rocheuses) ; capit. *Phoenix.*
Arkansas, fl. des Etats-Unis; 3 470 km.
Arkansas, un des Etats unis d'Amérique (Centre-Sud-Ouest) ; capit. *Little Rock.*
Arkhangelsk, port de l'U.R.S.S. (Russie), sur la Dvina (mer Blanche).
Arlberg, col des Alpes autrichiennes.
Arlequin, personnage de la comédie italienne.
Arles, ch.-l. d'arr. des Bouches-du-Rhône, sur le Rhône. Antiquités gallo-romaines.
Armada (*l'Invincible*), flotte envoyée par Philippe II, roi d'Espagne, contre l'Angleterre, en 1588; elle fut en grande partie détruite par une tempête.
Armagnac, anc. pays du sud-ouest de la France (Gascogne).
Armagnacs (*faction des*), parti du duc d'Orléans qui lutta, sous Charles VI et Charles VII, contre les Bourguignons.
Armançon, riv. du centre de la France, affl. de l'Yonne; 174 km.
Armand (*aven*), grottes souterraines du causse Méjean (Lozère).
Arménie, contrée montagneuse de l'Asie occidentale, dont une partie constitue un Etat membre de l'U.R.S.S. (capit. *Erevan*), et dont l'autre est partagée entre l'Iran et la Turquie.
Armentières, centre textile du Nord.
Arminius, chef germain, vainqueur des légions de Varus (9).
Armor, nom celte de la Bretagne.
Armoricain (*massif*), massif ancien de l'ouest de la France.
Armorique, région de l'ouest de la Gaule.
Arnauld, famille janséniste française, dont les membres les plus célèbres sont : ANTOINE, dit *le Grand Arnauld* (1612-1694), et sa sœur ANGÉLIQUE (1591-1661), abbesse de Port-Royal.
Arnhem, v. des Pays-Bas, sur le Rhin.
Arno, fl. d'Italie (Méditerranée), qui arrose Florence et Pise.

Arouet, nom de famille de *Voltaire.*
Arpad, fondateur de la première dynastie hongroise (mort en 907).
Arpajon, v. de l'Essonne, au sud de Paris; cultures maraîchères.
Arques-la-Bataille, bourg de la Seine-Maritime; victoire d'Henri IV sur le duc de Mayenne (1589).
Arras, anc. capit. de l'Artois; ch.-l. du Pas-de-Calais, sur la Scarpe; 45 600 h.
Arrée (*monts d'*), hauteurs de Bretagne.
Arrhenius (Svante), physicien suédois (1859-1927), auteur de la théorie des ions.
Arromanches-les-Bains, station balnéaire du Calvados. Port artificiel en 1944.
Arroux, riv. du Charolais, affl. de la Loire; 120 km.
Arsace, fondateur de la monarchie des Parthes (255 av. J.-C.) et de la dynastie des Arsacides.
Arsonval (Arsène *d'*), physicien et médecin français (1851-1940).
Art poétique (*l'*), poème didactique de Boileau (1674).
Artaban, héros d'un roman de La Calprenède, au caractère plein de fierté.
Artagnan (Charles, *seigneur d'*), gentilhomme gascon (vers 1611-1673).
Artaxerxès Ier, roi de Perse de 465 à 425 av. J.-C.; — ARTAXERXÈS II, roi de Perse de 405 à 359 av. J.-C., vainqueur de son frère Cyrus le Jeune, à Cunaxa; — ARTAXERXÈS III, roi de Perse de 359 à 338 av. J.-C., conquérant de l'Egypte.
Artémis, déesse grecque de la Chasse.
Artémise, nom de deux reines d'Halicarnasse. La seconde éleva à son époux, Mausole, un tombeau considéré comme une des sept merveilles du monde (353 av. J.-C.).
Artémision, région de l'Eubée; victoire des Grecs sur Xerxès (480 av. J.-C.).
Artevelde (Jacques *Van*), chef des Flamands révoltés contre leur comte (1295-1345).
Arthur ou **Artus,** roi légendaire du pays de Galles (ve ou vie s.).
Artois, anc. prov. du nord de la France; capit. *Arras.*
Arve, riv. des Alpes françaises du Nord, affl. du Rhône; 100 km.
Arvernes, peuple de la Gaule centrale.
Aryens, les plus anciens ancêtres connus de la famille indo-européenne.
Ascagne ou **Iule,** fils d'Enée; il fonda la ville d'Albe-la-Longue.
Asclépios, dieu grec de la Médecine.
Ascq, bourg du nord de la France; massacre des civils par les Allemands en 1944.
Asdrubal ou **Hasdrubal,** chef carthaginois, frère d'Annibal, vaincu par les Romains au Métaure en 207 av. J.-C.
Ases, dieux de la mythologie scandinave.
Asie, une des cinq parties du monde; 44 millions 180 000 km²; 1 milliard 879 millions d'h. Elle comprend : 1° des *Etats indépendants :* l'U.R.S.S. (en partie) : la république de Mongolie; la république de Chine; le Japon; la Corée (partagée en Corée du Nord et Corée du Sud) ; la partie asiatique de la Turquie; l'Iran (ou Perse) ; le royaume d'Afghanistan; la Syrie; le Liban; la république d'Irak; la République israélienne; le royaume d'Arabie Saoudite; le royaume Hachémite de Jordanie; les sultanats de Koweït et d'Oman; l'Etat du Yémen; le royaume du Népal; le royaume du Bhoutan; le royaume de la Thaïlande; la Birmanie; la république des Philippines; la république d'Indonésie; le Laos; le Cambodge; le Viêt-nam (partagé en un Viêt-nam du Nord et un Viêt-nam du Sud) ; 2° des Etats et territoires membres du Commonwealth ou des protectorats et colonies britanniques : Pakistan, République indienne, Ceylan, Hong-kong, Arabie du Sud, Katar, Bahrein, Trucial States, Fédération de Malaysia, Singapour; 3° des possessions portugaises en Chine (Macao) et en Insulinde (Timor).
Asie Mineure, partie occidentale de l'Asie (Turquie).
Asmara, capit. de l'Erythrée; 120 000 h.
Asnières, v. des Hauts-de-Seine.
Aspasie, courtisane grecque (ve s. av. J.-C.).
Aspe (*vallée d'*), vallée des Pyrénées.
Assam, Etat du nord-est de l'Inde.
Assas (Louis, *chevalier d'*), officier français (1733-1760), qui mourut héroïquement.
Assemblée constituante, assemblée révolutionnaire d'abord appelée *Assemblée nationale* (nom pris par les Etats généraux le 27 juin 1789).
Assemblée législative, assemblée révolutionnaire qui succéda à la Constituante (1791-1792).
Assemblée nationale, assemblée créée par la Constitution de 1946 en remplacement de l'ancienne Chambre des députés.
Assiout, v. d'Egypte, sur le Nil.
Assise, v. d'Italie centrale; basilique Saint-François (XIIIe s.).
Assouan, v. d'Egypte, sur le Nil. Barrages.
Assuérus, nom biblique d'un roi de Perse, qui épousa Esther.
Assur, dieu assyrien.
Assurbanipal, roi d'Assyrie de 669 à 626 av. J.-C.
Assyrie, royaume de l'Asie ancienne, dans le bassin du Tigre.
Astarté, déesse du Ciel, chez les Sémites.
Asti, v. d'Italie (Piémont) ; vins.
Astrakhan, v. d'U.R.S.S. (Russie), sur la Volga.
Asturies, région du nord de l'Espagne.
Astyanax, fils d'Hector et d'Andromaque.
Asuncion, capit. du Paraguay; 206 000 h.
Atacama, désert du nord du Chili.
Atala, roman de Chateaubriand (1801).
Atalante, fille d'un roi de Scyros, célèbre pour son agilité à la course.
Athalie, reine de Juda (IXe s. av. J.-C.).
Athalie, tragédie de Racine (1691).
Athéna, déesse grecque de la Pensée.
Athènes, capit. de la Grèce; 565 000 h. Nombreuses œuvres d'art (Parthénon).
Athos (*mont*), montagne de la Grèce (Macédoine). Couvent de moines.
Atlanta, v. des Etats-Unis (Géorgie).
Atlantic City, station balnéaire des Etats-Unis (New Jersey).
Atlantide, continent fabuleux.
Atlantides, filles d'Atlas.
Atlantique (*océan*), océan situé entre l'Europe, l'Afrique et l'Amérique.
Atlas, roi fabuleux de Mauritanie, qui fut métamorphosé en montagne. Il fut condamné à soutenir le ciel sur ses épaules.

Atlas, montagnes de l'Afrique du Nord, culminant au Maroc; 4 165 m.
Atrée, héros légendaire, roi de Mycènes, qui massacra les fils de Thyeste.
Atrides, descendants d'Atrée.
Attila, roi des Huns en 445; il saccagea la Gaule, mais fut défait en 451.
Attique, contrée de l'anc. Grèce, qui avait pour capitale *Athènes.*
Aubagne, v. des Bouches-du-Rhône.
Aube, riv. de France, à l'est du bassin parisien, affl. de la Seine; 248 km.
Aube, dép. du Bassin parisien; préf. *Troyes;* s.-préf. *Bar-sur-Aube, Nogent-sur-Seine.*
Aubervilliers, centre industriel de la Seine-Saint-Denis; 70 800 h.
Aubigné (Agrippa *d'*), poète et écrivain satirique protestant (1552-1630), auteur des *Tragiques.*
Aubisque (*col d'*), passage pérénéen entre le val d'Ossau et le val d'Azun; 1 704 m.
Aubrac, plateau du Massif central.
Aubusson, ch.-l. d'arr. de la Creuse, sur la Creuse; tapisserie.
Auch, anc. capit. de la Gascogne, ch.-l. du Gers; 20 800 h. Cathédrale (XVe-XVIIe s.).
Auckland, port de Nouvelle-Zélande.
Aude, fl. du sud de la France (Méditerranée); 220 km.
Aude, dép. du sud de la France; préf. *Carcassonne;* s.-préf. *Limoux* et *Narbonne.*
Audierne, port et baie du Finistère.
Audincourt, centre métallurgique du Doubs.
Auer von Welsbach (Karl), chimiste autrichien (1858-1929), inventeur du manchon de la lampe à gaz à incandescence.
Auerstaedt, bourg de Saxe; victoire française sur les Prussiens (1806).
Auge (*vallée d'*), région de Normandie.
Augereau (Pierre), maréchal d'Empire (1757-1816).
Augias, roi d'Elide, un des Argonautes. Héraclès nettoya ses étables en y faisant passer le fleuve Alphée.
Augsbourg, v. d'Allemagne occidentale (Bavière). Les protestants y présentèrent, en 1530, la *Confession d'Augsbourg.* En 1686, la *Ligue d'Augsbourg* y fut signée entre l'Autriche, l'Espagne, la Suède et différents princes allemands contre Louis XIV.
Auguste (63 av. J.-C.-14 apr. J.-C.), empereur romain, de son vrai nom *Octave* et appelé, après son adoption par César, *César Octavien.* Il vainquit Antoine à Actium et, sous le nom d'*Auguste,* commença l'ère des empereurs romains.
Augustin (*saint*), évêque d'Hippone (près de Bône) [354-430], auteur des *Confessions* et de *la Cité de Dieu.*
Augustinus (*l'*), traité théologique de Jansénius (1640).
Aulis, v. et port de Béotie.
Aulnay-sous-Bois, v. de la Seine-Saint-Denis, au nord de Paris; 47 700 h.
Aulne ou **Aune,** fl. côtier de Bretagne.
Aulu-Gelle, écrivain latin du IIe s.
Aumale (Henri, *duc d'*), général français (1822-1897); fils de Louis-Philippe, il s'illustra lors de la conquête de l'Algérie.
Aunis, anc. prov. du sud-ouest de la France; capit. *La Rochelle.*
Aurangzeb (1618-1707), empereur moghol.
Auray, port du Morbihan; pèlerinage de Sainte-Anne-d'Auray.
Aure (*vallée d'*), pays des Hautes-Pyrénées.
Aurèle (Marc) [121-180], empereur romain de 161 à 180.
Aurélien (vers 214-275), empereur romain de 270 à 275.
Aurès, massif de l'Atlas algérien.
Aurillac, ch.-l. du Cantal; 27 000 h.
Auriol (Vincent), homme politique français (1884-1966); président de la République de 1947 à 1954.
Auschwitz, anc. camp allemand de déportation en Pologne.
Austerlitz, village de Moravie, où Napoléon vainquit les Autrichiens et les Russes, le 2 décembre 1805.
Australasie, ensemble formé par l'Australie, la Nouvelle-Guinée et la Nouvelle-Zélande.
Australie, grande île de l'Océanie, Etat membre du Commonwealth; 7 704 000 km²; 11 360 000 h. Capit. *Canberra.*
Austrasie, royaume mérovingien, dans l'est de la Gaule (511-843).
Auteuil, quartier de Paris (XVIe arr.).
Authie, fl. côtier de Picardie (Manche).
Autriche, république de l'Europe centrale; 83 851 km²; 7 215 000 h. Capit. *Vienne.*
Autun, ch.-l. d'arr. de la Saône-et-Loire, sur l'Arroux; cathédrale (XIIe-XVIe s.).
Auvergne, anc. prov. du centre de la France; capit. *Clermont-Ferrand.*
Auxerre, ch.-l. de l'Yonne, sur l'Yonne; 33 000 h. Cathédrale (XIIIe-XVIe s.).
Avallon, ch.-l. d'arr. de l'Yonne.
Avare (*l'*), comédie de Molière (1668).
Avaricum, anc. nom de *Bourges.*
Avars, peuple originaire de l'Asie centrale, qui déferla sur l'Europe et fut détruit par Charlemagne (fin du VIIIe s.).
Aventin, colline de l'ancienne Rome.
Averroès, médecin et philosophe arabe (1126-1198), commentateur d'Aristote.
Avesnes-sur-Helpe, ch.-l. d'arr. et centre industriel du Nord; anc. place forte.
Aveyron, riv. du sud de la France, affl. du Tarn: 250 km.
Aveyron, dép. du sud de la France; préf. *Rodez;* s.-préf. *Millau, Villefranche.*
Avicenne, philosophe et médecin arabe (980-1037).
Avignon, ch.-l. du Vaucluse, sur le Rhône; 75 200 h. Palais des papes (XIVe s.); siège de la papauté au XIVe s. Réuni à la France en 1791.
Avila, v. d'Espagne (Castille); patrie de sainte Thérèse; églises romanes; cathédrale gothique; rempart (XIe s.).
Avogadro (Amedeo, *comte*), physicien italien (1776-1856), auteur d'une hypothèse sur les molécules gazeuses.
Avranches, ch.-l. d'arr. de la Manche.
Ax-les-Thermes, station thermale et de sports d'hiver de l'Ariège.
Azay-le-Rideau, v. de l'Indre-et-Loire, sur l'Indre; château (XVIe s.).
Azerbaïdjan, république de l'U. R. S. S. (Caucase), en bordure de la Caspienne; capit. *Bakou.* — Région de l'Iran.
Azincourt, bourg du Pas-de-Calais; victoire des Anglais sur les Français en 1415.
Azov (*mer d'*), golfe de la mer Noire.
Aztèques, peuple du Mexique, qui domina le pays jusqu'à la venue des Espagnols.

B

Baal, dieu des Phéniciens.

Bab el-Mandeb (*détroit de*), détroit entre l'Arabie et l'Afrique.

Babel (*tour de*), grande tour que les fils de Noé voulurent élever pour atteindre le ciel.

Baber (1482-1530), fondateur de l'empire mongol de l'Inde.

Babeuf (Gracchus), révolutionnaire français (1760-1797), précurseur du communisme; il fut guillotiné.

Babylone, v. de l'Orient ancien, capit. de la Babylonie, sur l'Euphrate.

Baccarat, v. de la Meurthe-et-Moselle, sur la Meurthe; cristallerie.

Bacchus ou **Dionysos,** fils de Zeus, dieu du Vin chez les Anciens.

Bach (Jean-Sébastien), compositeur allemand (1685-1750) ; auteur de musique d'orgue, de cantates, de concertos, etc.

Bacon (Roger), savant moine franciscain anglais (vers 1214-1294).

Bacon (Francis), chancelier d'Angleterre et philosophe (1561-1626), précurseur de la méthode expérimentale.

Bactriane, anc. région de l'Asie occidentale (Turkestan et Perse).

Bade, région de l'Allemagne rhénane. Le pays de Bade, regroupé avec le Wurtemberg, forme un Etat de la République fédérale d'Allemagne (capit. *Stuttgart*).

Baden-Baden, station thermale d'Allemagne occidentale (pays de Bade).

Baffin (*mer de*), golfe de l'Atlantique, au nord de l'Amérique.

Bagdad, capit. de l'Irak; 827 500 h.

Bagnères-de-Bigorre, ch.-l. d'arr., station thermale des Hautes-Pyrénées, sur l'Adour.

Bagnères-de-Luchon ou **Luchon,** station thermale et de sports d'hiver de la Haute-Garonne.

Bagneux, v. des Hauts-de-Seine; 38 200 h.

Bagnoles-de-l'Orne, station thermale de l'Orne.

Bagnolet, v. de la Seine-Saint-Denis.

Bagration (*prince* Pierre), général russe (1765-1812) tué à la Moskova.

Bahamas (*archipel des*) anc. **Lucayes,** archipel britannique, au nord de Cuba.

Bahrein (*îles*), archipel du golfe Persique, sous protectorat britannique. Pétrole.

Baïf (Jean-Antoine *de*), poète français de la Pléiade (1532-1589).

Baïkal (*lac*), lac profond de la Sibérie méridionale; 31 500 km².

Bailen ou **Baylen,** v. du sud de l'Espagne, où le général Dupont signa une capitulation désastreuse (1808).

Bailly (Jean-Sylvain), littérateur et astronome français (1736-1793) ; président de la Constituante et maire de Paris.

Baïse, riv. du sud-ouest de la France, affl. de la Garonne; 190 km.

Bajazet Ier ou **Bayazid** (1347-1403), sultan des Turcs (1390), vaincu par Tamerlan; — BAJAZET II (1447-1512), sultan de 1481 à 1512.

Bajazet, tragédie de Racine (1672).

Bakou, v. de l'U.R.S.S., capit. de l'Azerbaïdjan, sur la Caspienne. Pétrole.

Bakounine (Michel), révolutionnaire russe (1814-1876), un des fondateurs de l'Internationale.

Balaam, prophète envoyé par le roi de Moab, pour maudire les Israélites.

Balaton (*lac*), lac de Hongrie.

Balbek ou **Baalbek,** v. du Liban intérieur; ruines romaines (temple du Soleil).

Balboa (Vasco *Nuñez de*), conquistador espagnol (1475-1517) ; il découvrit l'océan Pacifique en 1513.

Bâle, centre commercial et industriel de la Suisse, port actif sur le Rhin.

Baléares, archipel espagnol de la Méditerranée; capit. *Palma de Majorque.*

Bali, une des îles de la Sonde.

Balkach (*lac*), lac du Kazakhstan (U.R.S.S.).

Balkan, chaîne de montagnes de Bulgarie, culminant à 2 376 m.

Balkans (*péninsule des*) péninsule de l'Europe méridionale, qui comprend la Yougoslavie, la Bulgarie, l'Albanie, la Turquie et la Grèce.

ballon d'Alsace, montagne des Vosges.

Baloutchistan ou **Béloutchistan,** région de l'Asie partagée entre le Pakistan et l'Iran.

Baltes (*pays*), l'Estonie, la Lettonie et la Lituanie.

Balthazar, fils du dernier roi de Babylone (VIe s. av. J.-C.).

Baltimore, port des Etats-Unis (Maryland) ; 939 000 h. Centre industriel.

Baltique (*mer*), mer de l'Europe septentrionale, dépendance de l'Atlantique.

Balue (*cardinal*) [1421-1491], ministre de Louis XI; il resta onze ans captif.

Balzac (Jean-Louis *Guez de*), écrivain français (1597-1654), auteur de *Lettres.*

Balzac (Honoré *de*), romancier français (1799-1850), auteur de la *Comédie humaine.*

Bamako, capit. de la république du Mali, sur le Niger; 130 800 h.

Bamboche (*le*), peintre hollandais (1592-1645), auteur de scènes populaires.

Banda (*îles*), îles des Moluques.

Bandung ou **Bandoeng,** v. d'Indonésie (Java) ; 1 020 000 h.

Bangalore, v. de l'Inde, capit. du Mysore.

Bangkok, capit. et port de la Thaïlande, sur le Ménam; 1 773 000 h.

Bangui, capit. de la Rép. centrafricaine, sur l'Oubangui; 83 700 h.

Banquo, gouverneur sous Duncan, roi d'Ecosse (XIe s.), assassiné par Macbeth.

Bantous, Noirs de l'Afrique sud-équatoriale.

Banville (Théodore *de*), poète français (1823-1891).

Banyuls-sur-Mer, port et station balnéaire des Pyrénées-Orientales (Méditerranée).

Bara (Joseph), enfant célèbre par son héroïsme (1779-1793).

Barabbas ou **Barrabas,** brigand juif que Pilate gracia à la place de Jésus, sur la demande du peuple.

Barbares, peuples qui, aux yeux des Grecs, restaient en dehors de leur civilisation. — Au début du Moyen Age, peuples germaniques qui envahirent l'empire d'Occident.
Barbarie ou **Etats barbaresques,** ancien nom de l'Afrique du Nord.
Barbe (*sainte*), vierge et martyre.
Barberousse, nom de deux pirates musulmans du XVIe s. — Surnom donné à l'empereur germanique *Frédéric Ier*.
Barbès (Armand), républicain français (1809-1870).
Barbey d'Aurevilly (Jules), écrivain français (1808-1889), auteur des *Diaboliques.*
Barbezieux, v. de la Charente.
Barbier de Séville (*le*), comédie de Beaumarchais (1775), mise en musique par Rossini (1816).
Barbizon, localité de villégiature dans la forêt de Fontainebleau (Seine-et-Marne).
Barcelone, port d'Espagne (sur la Méditerranée), anc. capit. de la Catalogne; 1 634 000 h. Centre industriel.
Barcelonnette, ch.-l. d'arr. et station d'altitude des Basses-Alpes.
Bardo (*le*), loc. de Tunisie, près de Tunis.
Barèges, station thermale et de sports d'hiver des Hautes-Pyrénées.
Barents (Willem), navigateur hollandais du XVIe s., qui découvrit le Spitzberg; il a donné son nom à une partie de l'océan Glacial Arctique.
Bari, v. et port du sud de l'Italie (Adriatique) ; centre industriel.
Bar-le-Duc ch.-l. de la Meuse; 20 200 h.
Barnabé (*saint*), un des douze apôtres.
Barnaoul, v. de l'U.R.S.S. (Russie), sur l'Ob.
Barnum, imprésario américain (1810-1891).
Baroda, v. de l'ouest de l'Inde.
Barquisimeto, v. du Venezuela.
Barranquilla, port et centre industriel de Colombie (Atlantique), sur le Magdalena.
Barras (Paul, *vicomte de*), conventionnel fr. (1755-1829), membre du Directoire.
Barrès (Maurice), écrivain français (1862-1923), auteur de *la Colline inspirée.*
Barrois, anc. pays de l'Est de la France.
Bar-sur-Aube, ch.-l. d'arr. de l'Aube.
Bar-sur-Seine, v. de l'Aube.
Bart (Jean), corsaire français (1650-1702).
Barthélemy (*saint*), apôtre, martyr en 71.
Bartok (Bela), compositeur hongrois (1881-1945).
Bartolomeo (*Fra*), dominicain et peintre florentin (1472-1517).
Baruch, un des douze petits prophètes.
Barye (Antoine-Louis), sculpteur animalier français (1796-1875).
Bas-Empire, dernière période de l'empire romain (235-476).
Basile (*saint*), Père de l'Eglise grecque, évêque de Césarée (329-379).
Basile II (957-1025), empereur d'Orient de 976 à 1025.
Basilicate, anc. **Lucanie,** région d'Italie méridionale.
Basques, habitants des versants français et espagnols des Pyrénées occidentales.
Bassano, v. d'Italie (Vénétie) ; victoire de Bonaparte sur les Autrichiens (1796).
Basse-Terre (*La*), ch.-l. et port de la Guadeloupe; 18 800 h.
Bassora, v. et port de l'Irak; 327 600 h.
Bastia, ch.-l. d'arr. et port de Corse.
Bastille (*la*), forteresse construite à Paris en 1370, devenue prison d'Etat, et prise par le peuple le 14 juillet 1789.
Basutoland, auj. **Lesotho,** Etat du Commonwealth, en Afrique australe; capit. *Maseru.*
Batave (*république*), nom que prirent les Provinces-Unies de 1795 à 1806.
Bataves, peuple germanique qui habitait la région du delta du Rhin.
Batavia. V. DJAKARTA.
Bath, station thermale d'Angleterre, sur l'Avon; ruines romaines.
Bathurst, capit. de la Gambie; 21 000 h.
Batna, v. d'Algérie, ch.-l. de dép.
Baton Rouge, v. des Etats-Unis, capit. de la Louisiane.
Batz (*île de*), île du Finistère.
Baucis. V. PHILÉMON.
Baudelaire (Charles), poète français (1821-1867), auteur des *Fleurs du mal.*
Baudelocque (Jean-Louis), médecin accoucheur français (1746-1810).
Baudin (Jean-Baptiste-Alphonse), député français (1811-1851), tué sur les barricades le 3 décembre 1851.
Baudouin, nom de plusieurs comtes de Flandre, empereurs latins d'Orient.
Baudouin Ier, roi des Belges, né en 1930.
Baudricourt (Robert, *sire de*), seigneur de Vaucouleurs, qui conduisit Jeanne d'Arc auprès de Charles VII.
Baule (*La*), station balnéaire de la Loire-Atlantique, sur l'océan Atlantique.
Baumé (Antoine), chimiste français (1728-1804), créateur d'un aréomètre.
Bautzen, v. de Saxe; victoire de Napoléon Ier sur les Prussiens et les Russes (1813).
Baux-de-Provence (*Les*), ruines d'une ancienne ville, dans les Bouches-du-Rhône.
Bavière, pays du sud de l'Allemagne occidentale; capit. *Munich.*
Bayard (Pierre DU TERRAIL, *seigneur de*), capitaine français (vers 1473-1524) ; il se couvrit de gloire pendant les guerres d'Italie et fut tué à Abbiategrasso.
Bayeux, ch.-l. d'arr. du Calvados; tapisserie de la reine Mathilde (XIe s.).
Bayle (Pierre), écrivain français (1647-1706), auteur d'un *Dictionnaire.*
Bayonne, ch.-l. d'arr. et port des Basses-Pyrénées, sur l'Adour.
Bayreuth, v. d'Allemagne (Bavière), sur le Main; théâtre Richard-Wagner.
Bazaine (Achille), maréchal de France (1811-1888); il capitula à Metz en 1870.
Béarn, anc. pays du sud-ouest de la France, dans les Pyrénées; capit. *Pau.*
Béatrice, Florentine célèbre (1266-1290), immortalisée par Dante.
Beaucaire, v. du Gard, sur le Rhône.
Beauce, plaine fertile, située au sud-ouest de Paris; capit. *Chartres.*
Beaufort (François DE VENDÔME, *duc de*) [1616-1669], un des chefs de la Fronde, surnommé le *Roi des Halles.*
Beaugency, v. du Loiret sur la Loire; donjon (XIe s.) ; hôtel de ville (XVIe s.).
Beauharnais (Alexandre, *vicomte de*), noble français, né à la Martinique (1760-1794); il épousa celle qui fut plus tard l'impératrice Joséphine; — EUGÈNE (1781-1824), son fils, fut vice-roi d'Italie sous l'Empire.

Beaujolais, pays de l'est du Massif central; vignobles renommés.
Beaumarchais (Pierre-Augustin *Caron de*), écrivain français (1732-1799), auteur du *Barbier de Séville* et du *Mariage de Figaro.*
Beaune, ch.-l. d'arr. et marché viticole de la Côte-d'Or; hôtel-Dieu (XVe s.); collégiale (XIIe-XVIe s.).
Beauvais, ch.-l. de l'Oise; 36 500 h. Cathédrale avec chœur du XIIIe s.
Bechuanaland, auj. **Botswana,** Etat du Commonwealth, en Afrique australe; capit. *Gaberones.*
Becquerel, famille de savants français. — HENRI (1852-1908) découvrit la radioactivité en 1896.
Bède le Vénérable (*saint*), moine et historien d'Angleterre (vers 672-735).
Bedford (*duc de*) [1389-1435], frère de Henri V d'Angleterre, et régent de France pour son neveu Henri VI après Azincourt.
Bédouins, Arabes nomades du désert en Afrique du Nord et en Arabie.
Beecher Stowe (Harriet), femme de lettres américaine (1811-1896), auteur de *la Case de l'oncle Tom.*
Beethoven (Ludwig *Van*), compositeur de musique allemand (1770-1827), auteur de sonates, de symphonies et de quatuors.
Béhanzin (1844-1906), dernier roi du Dahomey, vaincu par les Français.
Beida (*El-*), nouv. capit. de la Libye.
Béjart (Armande), comédienne française (1638-1700), épouse de Molière.
Belem, port du Brésil, sur l'Amazone.
Belfast, capit. et port de l'Ulster; 438 000 h.
Belfort, ch.-l. et centre industriel du Territoire de Belfort; 51 300 h. Place forte.
Belgique, royaume de l'Europe occidentale; 30 507 km²; 9 378 000 h. Capit. *Bruxelles.*
Belgrade, capit. et centre industriel de la Yougoslavie, sur le Danube; 600 000 h.
Bélisaire, général byzantin (494-565).
Bell (Alexander Graham), physicien américain (1847-1922), un des inventeurs du téléphone (1876).
Bellac, ch.-l. d'arr. de la Haute-Vienne.
Belleau (Remy), poète de la Pléiade (1528-1577).
Bellegarde-sur-Valserine, v. de l'Ain.
Belle-Ile, île du Morbihan.
Bellérophon, héros grec, qui, monté sur Pégase, tua la Chimère.
Belleville, faubourg de Paris.
Belley, ch.-l. d'arr. de l'Ain.
Belo Horizonte, centre minier et industriel du Brésil; 700 000 h.
Belphégor, idole des Moabites.
Belt (*Grand-*, et *Petit-*), détroits unissant la mer Baltique et la mer du Nord.
Belzébuth, démon, chef des esprits malins.
Bénarès, v. sainte de l'Inde, sur le Gange.
Benelux, union douanière entre la Belgique, les Pays-Bas et le Luxembourg.
Bengale, région du nord-est de l'Inde, partagée entre l'Inde et le Pakistan.
Bengale (*golfe du*), golfe formé par l'océan Indien, entre l'Inde et l'Indochine.
Benghazi, v. de Libye (Cyrénaïque).
Ben Gourion (David), un des fondateurs de l'Etat d'Israël, né en 1886.
Benjamin, dernier fils de Jacob.
Ben Nevis, point culminant de la Grande-Bretagne (Ecosse); 1 340 m.
Benoît, nom de quinze papes.
Benoît de Nurcie (*saint*), fondateur des bénédictins (vers 480-547).
Bénoué, riv. d'Afrique, affl. du Niger.
Benserade (Isaac *de*), poète français de la cour de Louis XIV (1613-1691).
Bentham (Jérémie), philosophe anglais (1748-1832), partisan d'une morale utilitaire.
Béotie, contrée de l'anc. Grèce; cap. *Thèbes.*
Béranger (Pierre-Jean *de*), chansonnier et poète français (1780-1857).
Berbères, peuple de l'Afrique du Nord.
Berchtesgaden, station d'altitude d'Allemagne dans les Alpes bavaroises.
Berck, station balnéaire et médicale du Pas-de-Calais, sur la mer du Nord.
Bercy, quartier de Paris, entrepôts des vins.
Bérénice, tragédie de Racine (1670).
Berezina, riv. de Russie Blanche, affl. du Dniepr; célèbre par le passage de l'armée française en 1812.
Bergame, v. d'Italie (Lombardie).
Bergen, v., port et centre industriel de Norvège, sur l'Atlantique.
Bergen-op-Zoom, v. des Pays-Bas.
Bergerac, ch.-l. d'arr. de la Dordogne, sur la Dordogne.
Bergson (Henri), philosophe spiritualiste français (1859-1941).
Béring ou **Behring** (*détroit de*), passage entre l'Asie et l'Amérique du Nord.
Berkeley (George), philosophe idéaliste irlandais (1685-1753).
Berlin, v. d'Allemagne divisée en deux parties, l'une dans la République fédérale de l'Allemagne occidentale, l'autre capit. de la République démocratique allemande, sur la Sprée; 3 300 000 h.
Berlioz (Hector), compositeur français (1803-1869), auteur de *la Damnation de Faust,* de la *Symphonie fantastique,* etc.
Bermudes, îles anglaises de l'Atlantique, au nord-est des Antilles.
Bernadette Soubirous (*sainte*), jeune Française (1844-1879) dont les visions sont à l'origine du pèlerinage de Lourdes.
Bernadotte (Jean), maréchal d'Empire (1763-1844); roi de Suède en 1818.
Bernard (*saint*) [1091-1153], fondateur de l'abbaye de Clairvaux et prédicateur de la 2e croisade.
Bernard, *duc de Saxe-Weimar* (1604-1639), un des généraux les plus célèbres de la guerre de Trente Ans.
Bernard (Claude), physiologiste et logicien français (1813-1878).
Bernardin de Saint-Pierre (Jacques-Henri), écrivain français (1737-1814), auteur de *Paul et Virginie.*
Bernay, ch.-l. d'arr. de l'Eure.
Berne, cap. de la Suisse, sur l'Aar; 165 000 h.
Bernhardt (Sarah), tragédienne française (1844-1923).
Bernina, montagne des Alpes suisses.
Bernini (Gian Lorenzo), dit *le Cavalier Bernin,* peintre, sculpteur et architecte italien (1598-1680), maître du baroque.
Bernoulli, famille de mathématiciens suisses (XVIIe-XVIIIe s.).
Berre (*étang de*), étang des Bouches-du-Rhône. Raffineries de pétrole.
Berry ou **Berri,** anc. prov. du centre de la France; capit. *Bourges.*

Berry (Jean, *duc de*) [1340-1416], régent de France sous Charles VI; — CHARLES (1778-1820), fils de Charles X, assassiné par Louvel; il avait épousé Marie-Caroline de Bourbon-Sicile (1798-1870).

Bertaut (Jean), poète français (1552-1611).

Berthe, dite *Berthe au grand pied,* femme de Pépin le Bref, mère de Charlemagne.

Berthelot (Marcelin), chimiste et homme politique français (1827-1907).

Berthier (Louis-Alexandre), maréchal d'Empire (1753-1815).

Berthollet (Claude, *comte*), chimiste français (1748-1822).

Bérulle (Pierre *de*), cardinal français (1575-1629), fondateur de l'Oratoire.

Berwick (Jacques STUART, *duc de*), maréchal de France (1670-1734).

Berzelius (Jakob), chimiste suédois (1779-1848), qui institua la notation chimique par symboles.

Besançon, anc. capit. de la Franche-Comté, ch.-l. et centre industriel (horlogerie) du Doubs, sur le Doubs; 101 700 h.

Bessarabie, région de l'Europe orientale (U.R.S.S.) divisée entre l'Ukraine et la Moldavie.

Bessemer (*sir* Henry), ingénieur anglais (1813-1898), inventeur d'un procédé pour la transformation de la fonte en acier.

Bessières (Jean-Baptiste), maréchal d'Empire (1766-1813).

Bessin, pays de la basse Normandie.

Betchouanaland. V. BECHUANALAND.

Béthanie, bourg de l'ancienne Judée.

Bethléem, bourg de l'ancienne Judée, où naquit Jésus-Christ.

Bethsabée, femme que David épousa après avoir fait périr Urie, son premier mari.

Béthune, ch.-l. d'arr. du Pas-de-Calais.

Bétique, nom romain de l'Andalousie.

Bétiques (*chaînes*), montagnes du sud-est de l'Espagne; 3 478 m.

Beyrouth, capit. et port du Liban, sur la Méditerranée; 500 000 h.

Bèze (Théodore *de*), réformateur français (1519-1605), disciple de Calvin.

Béziers, v. et centre viticole de l'Hérault; 75 500 h.

Bhoutan, royaume au nord-est de l'Inde, dans l'Himalaya; 50 000 km²; 700 000 h. Capit. *Punakha.*

Biar (*El-*), faubourg d'Alger.

Biarritz, station balnéaire des Basses-Pyrénées, sur le golfe de Gascogne.

Bible, recueil des Saintes Ecritures, divisé en *Ancien* et *Nouveau Testament.*

Bibliothèque nationale, bibliothèque fondée à Paris par François Ier.

Bichat (Xavier), médecin et anatomiste français (1771-1802).

Bidassoa, fl. entre la France et l'Espagne.

Biélorussie ou **Russie blanche,** république fédérée de l'U.R.S.S. Capit. *Minsk.*

Bienne, v. et centre industriel de Suisse (Berne), sur le lac du même nom.

Bièvre, affl. de la Seine, à Paris.

Bigorre, anc. pays du sud-ouest de la France (Pyrénées); capit. *Tarbes.*

Bihar, Etat de l'Inde; capit. *Patna.*

Bikini, atoll des îles Marshall, théâtre d'expériences atomiques en 1946.

Bilbao, port et centre métallurgique d'Espagne (Biscaye).

Bir-Hakeim, loc. de Libye; héroïque résistance française aux forces allemandes de Rommel (juin 1942).

Birmanie (*union de*), république de l'Asie méridionale; 678 000 km²; 24 millions d'h. Capit. *Rangoon.*

Birmingham, centre industriel de Grande-Bretagne; 1 105 000 h. — Centre métallurgique des Etats-Unis (Alabama).

Biron (Charles, *duc de*), maréchal de France (1562-1602); il conspira et fut décapité.

Biscarrosse (*étang de*), étang des Landes.

Biscaye, prov. du nord de l'Espagne.

Biskra, v. d'Algérie, à la limite du Sahara.

Bismarck (*archipel*), îles de l'Océanie, sous tutelle australienne.

Bismarck (Otto, *prince de*), homme d'Etat prussien (1815-1898), fondateur de l'Empire allemand avec Guillaume Ier.

Bizerte, port de guerre de Tunisie, sur la Méditerranée.

Bizet (Georges), compositeur français (1838-1875), auteur de *Carmen.*

Blaise (*saint*), évêque de Sébaste, martyrisé au IVe s.

Blake (William), poète et peintre mystique anglais (1757-1827).

Blanc (*mont*), point culminant des Alpes (Haute-Savoie); 4 807 m.

Blanc (*Le*), ch.-l. d'arr. de l'Indre.

Blanc (Louis), historien et homme politique français (1811-1882).

Blanche (*mer*), mer bordière de l'océan Glacial Arctique.

Blanche de Castille (1188-1252), femme de Louis VIII, mère de Saint Louis.

Blanc-Nez (*cap*), promontoire sur le pas de Calais, entre Sangatte et Wissant.

Blandine (*sainte*), martyre à Lyon en 177.

Blanqui (Louis-Auguste), socialiste français (1805-1881).

Blanzy, centre houiller de Saône-et-Loire.

Blavet, fl. de Bretagne; 140 km.

Blaye-et-Sainte-Luce, ch.-l. d'arr. de la Gironde, sur la Gironde.

Blériot (Louis), aviateur et constructeur français (1872-1936); il traversa le premier la Manche en avion.

Blida, station hivernale d'Algérie.

Blois, ch.-l. du Loir-et-Cher, sur la Loire; château (XVIe s.).

Blücher (Gebhard Leberecht *von*), général prussien (1742-1819).

Boabdil ou **Abou-Abdallah,** dernier roi maure de Grenade, de 1486 à 1492.

Bobigny, ch.-l. de la Seine-Saint-Denis; 37 000 h.

Bobo-Dioulasso, v. de Haute-Volta.

Bocage (*le*), nom de deux petits pays de Normandie et de Vendée.

Boccace (Giovanni), poète et conteur italien (1313-1375).

Bochum, v. d'Allemagne, dans la Ruhr.

Bodin (Jean), humaniste français (1530-1596), auteur du traité *De la république.*

Boèce, philosophe, homme d'Etat et poète, né à Rome (vers 480-524).

Boers, colons du Transvaal et de l'Orange.

Bogota, capit. de la Colombie; 1 329 000 h.

Bohême, pays de l'ouest de la Tchécoslovaquie; capit. *Prague.*

Bohr (Niels), physicien danois, né en 1885.

Boieldieu (François-Adrien), compositeur français (1775-1834).

Boileau-Despréaux (Nicolas), poète et critique français (1636-1711), auteur des *Satires* et de *l'Art poétique*.
Boischaut, région du Berry.
Bois-Colombes, loc. au nord-ouest de Paris.
Bois-le-Duc ou **'s Hertogenbosch**, v. et port des Pays-Bas.
Bolbec, v. de la Seine-Maritime.
Bolivar (Simon), général et homme d'Etat sud-américain (1783-1830) ; libérateur de l'Amérique du Sud.
Bolivie, république de l'Amérique du Sud; 1 076 000 km^2; 3 702 000 h. Capit. *Sucre;* siège du gouvernement, *La Paz.*
Bologne, v. d'Italie (Emilie) ; 445 000 h.
Bolton, centre textile et métallurgique d'Angleterre (Lancashire).
Bombay, port de l'ouest de l'Inde, capit. de l'Etat de Maharashtra ; 4 306 400 h.
Bon (*cap*), cap au nord-est de la Tunisie.
Bonaparte, famille originaire d'Italie, qui s'établit en Corse et dont firent partie : JOSEPH (1768-1844), roi de Naples (1806), roi d'Espagne de 1808 à 1813; — NAPOLÉON Ier (v. ce nom) ; — LUCIEN (1775-1840), président du conseil des Cinq-Cents ; — LOUIS (1778-1846), roi de Hollande (1806-1810) et père de Napoléon III ; — MARIE-PAULINE (1780-1825), épouse du prince Borghèse ; — JÉRÔME (1784-1860), roi de Westphalie (1807-1813).
Bonaventure (*saint*), Père de l'Eglise, né en Toscane (1221-1274).
Bône, auj. **Annaba**, port d'Algérie, ch.-l. de dép. Métallurgie.
Boniface (WINFRID, *saint*), apôtre de la Germanie (vers 675-755).
Boniface VIII, pape de 1294 à 1303, qui eut des démêlés avec Philippe le Bel.
Bonifacio, port de la Corse, sur le détroit qui sépare l'île de la Sardaigne.
Bonn, capit. de la république fédérale d'Allemagne, sur le Rhin.
Bonnard (Pierre), peintre français (1867-1947), paysagiste et portraitiste.
Bonne-Espérance (*cap de*), promontoire au sud de l'Afrique.
Bonneville, ch.-l. d'arr. de la Haute-Savoie.
Booz, époux de Ruth.
Borda (Charles *de*), physicien et marin français (1733-1799).
Bordeaux, anc. capit. de la Guyenne, ch.-l. de la Gironde, port et centre industriel sur la Garonne ; 283 200 h.
Bordelais, région vinicole, près de Bordeaux.
Bordighera, station balnéaire du nord de l'Italie, sur la Riviera.
Borgia, famille italienne, d'origine espagnole, qui compte parmi ses membres : le pape ALEXANDRE VI (v. ce nom) ; — CÉSAR *Borgia*, son fils, cardinal, puis duc de Valentinois, m. en 1507 ; — LUCRÈCE (1480-1519), sœur du précédent.
Borinage, bassin houiller de Belgique, à l'ouest de Mons.
Bornéo, île de la Sonde, partagée entre la Malaysia, le sultanat de Brunéi et, au sud, l'Indonésie.
Borodine (Alexandre), compositeur russe (1834-1887), auteur du *Prince Igor*.
Borromées (*îles*), îles italiennes du lac Majeur.
Bort-les-Orgues, v. de la Corrèze; installation hydro-électrique sur la Dordogne.
Bosch (Jérôme), peintre hollandais (vers 1462-1516), auteur de compositions fantastiques.
Boschimans ou **Bushmen**, peuple primitif de l'Afrique australe.
Bosnie-et-Herzégovine, république fédérée de la Yougoslavie.
Bosphore, détroit entre la mer de Marmara et la mer Noire.
Bossuet (Jacques-Bénigne), prélat et orateur sacré français (1627-1704), évêque de Meaux, auteur d'oraisons funèbres.
Boston, port et centre industriel des Etats-Unis (Massachusetts) ; 700 000 h.
Botnie (*golfe de*), golfe de la mer Baltique.
Botticelli (Sandro), peintre florentin (1445-1510), auteur du *Printemps* et de *la Naissance de Vénus*.
Botzaris (Marcos), héros de l'indépendance grecque (1788-1823).
Boucau (*Le*), centre métallurgique des Basses-Pyrénées.
Bouchardon (Edme), sculpteur français (1698-1762).
Boucher (François), peintre français (1703-1770).
Bouches-du-Rhône, dép. du sud de la France; préf. *Marseille;* s.-préf. *Aix-en-Provence, Arles*.
Bouddha ou **Çakya-Mouni**, fondateur du bouddhisme (Ve s. av. J.-C.).
Boudin (Eugène-Louis), peintre paysagiste français (1824-1898).
Boufarik, v. d'Algérie (Alger).
Boufflers (Louis-François, *duc de*), maréchal de France (1644-1711).
Bougainville (Louis-Antoine *de*), navigateur français (1729-1811).
Bougie, port d'Algérie (Sétif).
Boulanger (Georges), général français (1837-1891), qui tenta vainement de renverser le régime républicain (1886).
Boulay-Moselle, ch.-l. d'arr. de la Moselle.
Boulogne-Billancourt, centre industriel des Hauts-de-Seine; 107 100 h. Automobiles.
Boulogne-sur-Mer, ch.-l. d'arr. et port de pêche du Pas-de-Calais, sur la Manche.
Bourbon (*maison de*), nom de plusieurs familles princières françaises : la dernière, qui remonte à Robert de Clermont, fils de Saint Louis, a formé plusieurs branches, dont l'une est parvenue au trône de France avec Henri IV. De Louis XIII sont issues deux branches : l'aînée, qui a formé les rameaux de France, d'Espagne, des Deux-Siciles et de Parme; la cadette ou branche d'Orléans, qui accéda au trône avec Louis-Philippe.
Bourbon-Lancy, station thermale de la Saône-et-Loire.
Bourbon-l'Archambault, station thermale de l'Allier.
Bourbonnais, anc. prov. du centre de la France; capit. *Moulins*.
Bourbonne-les-Bains, station thermale de la Haute-Marne.
Bourboule (*La*), station thermale du Puy-de-Dôme, sur la Dordogne.
Bourdaloue (Louis), prédicateur jésuite français (1632-1704).
Bourdelle (Antoine), sculpteur français (1861-1929), auteur d'*Héraklès archer*.
Bourg-en-Bresse, ch.-l. de l'Ain, dans la Bresse; 35 600 h.

Bourg-d'Oisans (*Le*), station d'altitude et de sports d'hiver de l'Isère.

Bourgeois gentilhomme (*le*), comédie de Molière (1670).

Bourges, capit. du Berry, ch.-l. du Cher; 63 500 h. Cathédrale (XIIIe-XVIe s.).

Bourget (*Le*), aéroport au nord de Paris.

Bourget (*lac du*), lac de Savoie.

Bourgogne, anc. prov. de l'est de la France; capit. *Dijon*. Vins.

Bourgogne (*maisons de*), nom de deux maisons capétiennes : l'une issue du roi de France Robert II le Pieux; l'autre, du roi de France Jean le Bon.

Bourguiba (Habib), président de la République tunisienne, né en 1903.

Bourguignons (*faction des*), parti du duc de Bourgogne, sous Charles VI, opposé aux Armagnacs.

Boussingault (Jean-Baptiste), chimiste et agronome français (1802-1887).

Bouvines, bourg du nord de la France, où Philippe Auguste vainquit l'empereur Otton IV (1214).

Brabançonne (*la*), chant national de la Belgique (1830).

Brabant, prov. de Belgique; capit. *Bruxelles*.

Bradford, centre lainier d'Angleterre (comté d'York).

Bragance (*maison de*), dynastie portugaise (1640-1855).

Brahé (Tycho), astronome danois (1546-1601), auteur d'études sur les planètes.

Brahma, dieu suprême chez les Hindous.

Brahmapoutre, fl. du Tibet, du Pakistan et de l'Inde; 2 900 km.

Brahms (Johannes), compositeur allemand (1833-1897).

Braille (Louis), inventeur de l'alphabet en relief à l'usage des aveugles (1809-1852).

Bramante (Donato), architecte italien (1444-1514).

Brandebourg, région de l'Allemagne orientale.

Branly (Edouard), physicien et chimiste français (1844-1940).

Brantôme (*abbé* et *seigneur de*), chroniqueur français (vers 1540-1614).

Brasília, capit. du Brésil; 141 000 h.

Bratislava, v. de Tchécoslovaquie (Slovaquie), sur le Danube.

Bray (*pays de*), pays du nord-ouest de la France (Picardie et Normandie).

Brazza (Pierre *Savorgnan de*), colonisateur français du Congo (1852-1905).

Brazzaville, capit. de la république du Congo, sur le lac Stanley Pool; 135 000 h.

Bréda, v. des Pays-Bas (Brabant-Sept.).

Breguet (Abraham-Louis), horloger français (1747-1823).

Breguet (Louis), aviateur et constructeur d'avions français (1880-1955).

Bréhat, île des Côtes-du-Nord (Manche).

Brême, centre industriel d'Allemagne, sur la Weser.

Brenne, région du Berry.

Brenner (*col du*), passage des Alpes centrales dans le Tyrol; 1 370 m.

Brennus ou **Brenn,** chef gaulois qui prit Rome en 390 av. J.-C.

Brescia, centre industriel d'Italie (Lombardie).

Brésil, république fédérale de l'Amérique du Sud; 8 516 000 km^2; 81 301 000 h. Capit. *Brasília*.

Breslau. V. WROCLAW.

Bresse, anc. pays de l'est de la France.

Bressuire, ch.-l. d'arr. des Deux-Sèvres.

Brest, ch.-l. d'arr. et port militaire du Finistère, sur une rade; 142 900 h.

Brest ou **Brest-Litovsk,** v. de l'U.R.S.S. (Russie blanche); traité de paix entre l'Allemagne et les Soviets (1918).

Bretagne, anc. prov. de l'ouest de la France; capit. *Rennes*.

Brétigny, hameau près de Chartres, où Jean le Bon conclut avec les Anglais un traité humiliant (1360).

Breton (*pertuis*), détroit entre la côte de la Charente-Maritime et l'île de Ré.

Breughel. V. BRUEGEL.

Briançon, ch.-l. d'arr. des Hautes-Alpes sur la Durance.

Briand (Aristide), orateur et homme politique français (1862-1932).

Briare (*canal de*), canal qui unit la Loire au canal du Loing.

Brie, pays de France à l'est de Paris.

Brienne, famille française qui a donné plusieurs princes à l'Orient latin.

Brienz (*lac de*), lac de Suisse.

Brière (la), plaine marécageuse de la Loire-Atlantique, bordée par la Loire.

Briey, ch.-l. d'arr. et centre minier (fer) de Meurthe-et-Moselle.

Brighton, port et station balnéaire d'Angleterre (Sussex), sur la Manche.

Brindisi, v. et port de l'Italie méridionale, sur l'Adriatique.

Brinvilliers (*marquise de*), empoisonneuse, exécutée à Paris (1630-1676).

Brioude, ch.-l. d'arr. de la Haute-Loire.

Brisbane, port à l'est de l'Australie; 635 500 h.

Bristol, v., port et centre industriel d'Angleterre, sur l'Avon.

Bristol (*canal de*), canal formé par l'Atlantique, à l'embouchure de la Severn.

Britannicus, fils de Claude et de Messaline (42-56), empoisonné par Néron.

Britannicus, tragédie de Racine (1669).

Britanniques (*îles*). V. GRANDE-BRETAGNE.

Brive-la-Gaillarde, ch.-l. d'arr. de la Corrèze, sur la Corrèze.

Brno, v. de Tchécoslovaquie, en Moravie.

Broca (Paul), chirurgien et anthropologue français (1824-1880).

Brocéliande (*forêt de*), forêt de la Bretagne, aujourd'hui *forêt de Paimpont*.

Brocken, mont de l'Allemagne, dans le Harz; 1 142 m.

Broglie, famille française, dont les principaux membres furent : VICTOR-FRANÇOIS, maréchal (1718-1804); — LÉONCE-VICTOR, *duc de Broglie* (1785-1870), ministre de Louis-Philippe; — ALBERT, *duc de Broglie* (1821-1901), chef des légitimistes; — MAURICE, *duc de Broglie*, physicien (1875-1960), et son frère LOUIS, *prince de Broglie*, né en 1892, créateur de la mécanique ondulatoire.

Bron, aéroport de Lyon.

Brontë (Charlotte), femme de lettres anglaise (1816-1855), auteur de *Jane Eyre*; — Sa sœur EMILY (1818-1848) a écrit *les Hauts de Hurlevent*.

Bronx, quartier de New York.

Brooklyn, quartier de New York.

Brosse (Salomon *de*), architecte français (vers 1565-1627).

Broussais (François), médecin français (1772-1838).
Brown (Robert), botaniste anglais (1773-1858), qui a découvert le *mouvement brownien*.
Browning (Robert), poète anglais (1812-1889); — Sa femme, Elisabeth BARRETT, poète également (1806-1861).
Bruegel, famille de peintres flamands : PIERRE *Bruegel le Vieux* (vers 1530-1569) ; — Son fils, PIERRE *Bruegel le Jeune* (vers 1564-1637 ou 1638), surnommé *Bruegel d'Enfer ;* — JEAN *Bruegel*, frère du précédent (1568-1625), surnommé *Bruegel de Velours.*
Bruges, v. pittoresque de Belgique.
Brummel (George), dandy anglais (1778-1840), arbitre de la mode.
Brune (Guillaume), maréchal d'Empire (1763-1815), assassiné à Avignon.
Brunehaut (vers 534-613), épouse de Sigebert, roi d'Austrasie.
Brunei, sultanat du nord de Bornéo.
Brunelleschi (Filippo), architecte florentin (1377-1446).
Bruno (*saint*), fondateur de l'ordre des Chartreux (1035-1101).
Brunswick, v. d'Allemagne (Basse-Saxe).
Brunswick (*duc de*), général prussien (1735-1805), chef des coalisés contre la France (1792).
Brutus (Lucius Junius), le principal auteur de la révolution qui institua la République à Rome (509 av. J.-C.).
Brutus (Marcus Junius), républicain romain (86-42 av. J.-C.), qui conspira contre César et fut vaincu par Antoine et Octave à Philippes.
Bruxelles, capit. et centre industriel de la Belgique; 1 million d'h.
Bucarest, capit. de la Roumanie; 1 291 000 h.
Bucéphale, cheval d'Alexandre le Grand.
Buchanan (George), humaniste écossais (1506-1582).
Buckingham (George VILLIERS, *duc de*), gentilhomme anglais (1592-1628).
Bucoliques (*les*), poèmes de Virgile.
Bucovine, région partagée entre l'U.R.S.S. et la Roumanie.
Budapest, capit. de la Hongrie, sur le Danube; 1 850 000 h.
Budé (Guillaume), humaniste et helléniste français (1467-1540).
Buenos Aires, capit. et port de l'Argentine, sur le rio de la Plata; 3 703 000 h.
Buffalo, v. des Etats-Unis, sur le lac Erié.
Buffon (Georges-Louis *Leclerc de*), naturaliste et écrivain français (1707-1788).
Bug, fl. de l'Ukraine (mer Noire). — Riv. de Pologne, affl. de la Vistule.
Bugeaud de la Piconnerie (Thomas Robert), maréchal de France (1784-1849), gouverneur de l'Algérie.
Bugey, pays de l'est de la France.
Bulgarie, république de la péninsule des Balkans; 111 000 km²; 8 144 000 h. Capit. *Sofia.*
Bülow (Frédéric-Guillaume), général prussien (1755-1816), adversaire de Napoléon.
Bunsen (Robert), chimiste allemand (1811-1899), inventeur d'un brûleur à gaz.
Burgondes, peuple germanique, qui s'établit dans le bassin du Rhône en 534.
Burgos, v. d'Espagne (Castille); cathédrale (XIIIe-XVIe s.).
Burgoyne (John), général anglais (1722-1792), qui capitula à Saratoga.
Buridan (Jean), docteur scolastique du XIVe s., recteur de l'Université de Paris.
Burrhus, précepteur de Néron.
Burundi, anc. **Urundi**, royaume d'Afrique; capit. *Bujumbura.*
Byron (George GORDON, *lord*), poète romantique anglais (1788-1824).
Byzance, anc. nom de *Constantinople.*
byzantin (*Empire*), nom donné à la partie orientale de l'Empire romain, de 395 à 1453 (prise de Constantinople par les Turcs).

C

Cabot (Jean), navigateur d'origine vénitienne (1451-1498), qui, avec son fils SÉBASTIEN (1476-1557), découvrit Terre-Neuve et le Labrador.
Cabourg, station balnéaire du Calvados.
Cachemire, région d'Asie partagée entre l'Inde et le Pakistan.
Cadix, v. et port d'Espagne (Andalousie), sur l'Atlantique.
Cadmos, Phénicien fondateur légendaire de Thèbes, en Béotie.
Cælius, une des sept collines de Rome.
Caen, ch.-l. du Calvados, sur l'Orne; 95 200 h. Abbayes aux hommes et aux dames (XIe-XVIe s.).
Cagliari, v. et port de la Sardaigne.
Cagliostro (*comte de*), charlatan d'origine italienne (1743-1795).
Cagnes-sur-Mer, station balnéaire des Alpes-Maritimes, sur la Méditerranée.
Cahors, ch.-l. du Lot, sur le Lot; cathédrale (XIe-XIIe s.), pont (XIVe s.).
Caïn, fils aîné d'Adam et d'Eve, qui tua son frère Abel.
Caïphe, grand prêtre juif qui fit condamner Jésus-Christ à mort.
Caire (*Le*), capit. de l'Egypte; 3 346 000 h.
Calabre, pays du sud-ouest de l'Italie.
Calais, ch.-l. d'arr. du Pas-de-Calais, sur le pas de Calais; 70 700 h.
Calais (*pas de*), détroit unissant la Manche et la mer du Nord et séparant la France de l'Angleterre.
Calcutta, v. et centre industriel de l'Inde (Bengale) ; 3 067 000 h.
Calderon (Pedro), poète dramatique espagnol (1600-1681).
Cali, v. de Colombie; 750 000 h.
Caliban, personnage de *la Tempête* de Shakespeare.
Calicut, port de l'Inde (Kerala).
Californie, un des Etats unis d'Amérique (Pacifique). Capit. *Sacramento.*

Californie (*Basse-*), presqu'île du Mexique sur la côte du Pacifique.
Caligula (Caius) [12-41], empereur romain de 37 à 41.
Callao, port et centre commercial du Pérou, sur le Pacifique.
Callot (Jacques), graveur et peintre français (1592-1635).
Calonne (Charles-Alexandre *de*), homme politique et financier français (1734-1802).
Calvados, dép. du nord-ouest de la France, préf. *Caen ;* s.-préf. *Bayeux, Lisieux, Vire.*
Calvaire ou **Golgotha,** colline près de Jérusalem, où Jésus-Christ fut crucifié.
Calvi, ch.-l. d'arr., station balnéaire et port de Corse.
Calvin (Jean) [1509-1564], propagateur de la Réforme en France et en Suisse.
Calypso, nymphe qui accueillit Ulysse.
Camaret-sur-Mer, station balnéaire et port de pêche du Finistère.
Camargue (la), île à l'embouchure du Rhône, formée par deux bras du fleuve.
Cambacérès (Jean-Jacques *de*), juriste et homme politique français (1753-1824).
Cambodge, Etat de l'Indochine ; 5 749 000 h. Capit. *Phnom Penh.*
Cambo-les-Bains, station thermale et climatique des Basses-Pyrénées.
Cambrai, ch.-l. d'arr. du Nord, sur l'Escaut.
Cambridge, v. universitaire d'Angleterre. — V. universitaire des Etats-Unis; université Harvard.
Cambronne (Pierre), général français (1770-1842).
Cambyse II, roi de Perse de 529 à 522 av. J.-C., conquérant de l'Egypte.
Cameroun, massif de l'Afrique équatoriale; 4 000 m. — République indépendante depuis 1960 ; 474 000 km^2 (avec l'anc. territoire britannique du Cameroun méridional) ; 5 103 000 h. Capit. *Yaoundé.*
Camille, jeune fille romaine, sœur des Horaces, tuée par son frère.
Camoëns (Luiz *Vaz de*), poète portugais (1525-1580), auteur des *Lusiades.*
Campanie, région de l'Italie du Sud.
Campine, plaine de Belgique, à l'est d'Anvers; bassin houiller.
Campoformio, village d'Italie (Vénétie), où fut conclue, entre la France et l'Autriche, la paix de 1797.
Camus (Albert), écrivain français (1913-1960) ; auteur de *l'Etranger, les Justes,* etc. (Prix Nobel, 1957.)
Cana, v. de Galilée, célèbre par les noces où Jésus changea l'eau en vin.
Canaan, anc. nom de la *Palestine.*
Canada, Etat de l'Amérique du Nord, membre du Commonwealth; 9 959 000 km^2; 19 604 000 h. Capit. *Ottawa.*
Canaques, indigènes de la Nouvelle-Calédonie et d'autres îles du Pacifique.
Canaries (*îles*), archipel espagnol de l'Atlantique, au nord-ouest du Sahara.
Canberra, capit. de l'Australie; 63 300 h.
Cancale, station balnéaire de l'Ille-et-Vilaine, sur la Manche. Ostréiculture.
Canche, fl. côtier de France (Manche).
Candaule, roi de Lydie (VIIIe s. av. J.-C.).
Candide, roman de Voltaire (1759).
Candie, v. de Crète.
Canigou, massif des Pyrénées orientales.
Cannes, anc. v. d'Apulie, où Annibal vainquit les Romains (216 av. J.-C.).
Cannes, station balnéaire et hivernale des Alpes-Maritimes, sur la Méditerranée.
Canossa, bourg d'Italie du Nord; l'empereur d'Occident Henri IV s'y humilia devant le pape Grégoire VII (1077).
Cantabriques (*monts*), massif du nord de l'Espagne.
Cantal, massif volcanique d'Auvergne, culminant au *plomb du Cantal* (1 858 m).
Cantal, dép. du Massif central; préf. *Aurillac ;* s.-préf. *Mauriac, Saint-Flour.*
Cantique des Cantiques (*le*), livre poétique de l'Ancien Testament.
Canton, v. et port de Chine; 1 840 000 h.
Cantorbéry, v. d'Angleterre (Kent) ; cathédrale (XIIe s.).
Cap (*Le*), port et centre industriel de l'Afrique du Sud, ch.-l. de la *prov. du Cap.*
Cap-d'Antibes, station balnéaire des Alpes-Maritimes, sur la Méditerranée.
Capétiens, troisième race des rois de France, qui commence à Eudes (888) et qui doit son nom à l'un d'eux, Hugues Capet.
Capharnaüm, anc. v. de Galilée.
Capitolin, une des sept collines de Rome, sur laquelle était construit le *Capitole.*
Capoue, anc. v. de Campanie.
Cappadoce, anc. pays de l'Asie Mineure.
Capri, île du golfe de Naples.
Capulets, famille gibeline de Vérone, ennemie des Montaigus.
Cap-Vert (*îles du*), archipel portugais de l'Atlantique, à l'ouest du Sénégal.
Caracalla (188-217), fils de Septime Sévère, empereur romain de 211 à 217.
Caracas, capit. du Venezuela; 1 336 000 h.
Caractères (*les*), ouvrage de La Bruyère (1688).
Caraïbes, peuple qui habitait les Petites Antilles.
Caravage (*le*), peintre italien (1573-1610).
Carcassonne, ch.-l. de l'Aude, sur l'Aude; 43 700 h. Remparts.
Cardiff, port et centre industriel de Grande-Bretagne (Galles) ; 256 000 h.
Carélie, république autonome du nord-ouest de l'U.R.S.S. (R.S.F.S. de Russie).
Carinthie, région du sud de l'Autriche.
Carlos (*don*) [1788-1855], prétendant à la couronne d'Espagne, à la place de sa nièce Isabelle II.
Carmaux, centre industriel du Tarn; bassin houiller, verrerie, cimenterie.
Carmel, montagne d'Israël.
Carmel (le), ordre mendiant fondé en Palestine au XIIe s.
Carnac, bourg du Morbihan, sur la baie de Quiberon; alignements mégalithiques.
Carnegie (Andrew), industriel et philanthrope américain (1835-1919).
Carniole, anc. prov. d'Autriche, partagée entre l'Italie et la Yougoslavie.
Carnot (Lazare), mathématicien et conventionnel français (1753-1823) ; — Son petit-fils, SADI (1837-1894), président de la République en 1887, fut assassiné par l'anarchiste Caserio.
Caroline, nom de deux Etats unis d'Amérique (Atlantique) : CAROLINE DU NORD (capit. *Raleigh*) et CAROLINE DU SUD (capit. *Columbia*).

Carolines (*îles*), archipel de l'Océanie, sous tutelle américaine.
Carolingiens, deuxième race des rois de France, qui a régné de 751 à 987.
Carpates, chaîne de montagnes de l'Europe centrale; 2 663 m.
Carpeaux (Jean-Baptiste), sculpteur français (1827-1875), auteur de *la Danse.*
Carpentras, v. du Vaucluse; primeurs.
Carrache, nom de trois peintres italiens du XVIe s. : Louis, Augustin et Annibal.
Carrare, v. de l'Italie centrale; marbres.
Carthage, v. de l'Afrique du Nord, fondée au VIIe s. av. J.-C. par les Phéniciens, auprès de l'actuelle Tunis. Elle fut détruite par les Romains en 146 av. J.-C.
Carthagène, v. et port d'Espagne, sur la Méditerranée. — V. et port de Colombie, sur la mer des Antilles.
Cartier (Jacques), navigateur français (1491-1557), qui reconnut le Canada.
Cartouche, chef d'une bande de voleurs (1693-1721), roué vif à Paris.
Carvin, centre houiller du Pas-de-Calais.
Casablanca, v., port et centre industriel du Maroc; sur l'Atlantique; 965 000 h.
Casanova (Giovanni Giacomo), gentilhomme vénitien (1725-1798), célèbre par ses aventures romanesques.
Caspienne (*mer*), mer intérieure baignant le Caucase, le Kazakhstan, le Turkménistan et l'Iran.
Cassandre, fille de Priam et d'Hécube; elle reçut d'Apollon le don de prophétie.
Cassel, bourg du nord de la France, où Philippe VI vainquit les Flamands (1328).
Cassin (*mont*), montagne de l'Italie méridionale, où saint Benoît fonda un monastère célèbre, détruit en 1944.
Cassini, nom de plusieurs astronomes français d'origine italienne, dont firent partie : JEAN-DOMINIQUE (1625-1712) qui organisa l'Observatoire de Paris; — CÉSAR-FRANÇOIS, son petit-fils (1714-1784), qui entreprit la grande carte de France.
Castel Gandolfo, résidence d'été du pape.
Castellane, ch.-l. d'arr. des Basses-Alpes.
Castelnaudary, v. de l'Aude.
Castelsarrasin, ch.-l. d'arr. du Tarn-et-Garonne, sur le canal latéral à la Garonne.
Castiglione, v. d'Italie du Nord; victoire de Bonaparte sur les Autrichiens.
Castille, région du centre de l'Espagne; v. pr. Madrid.
Castor, héros mythologique, fils de Zeus et de Léda, frère jumeau de Pollux.
Castres, ch.-l. d'arr. et centre textile du Tarn, sur l'Agout.
Castro (Guilhen *de*), dramaturge espagnol (1569-1631), auteur de *la Jeunesse du Cid.*
Catalauniques (*champs*), plaine entre Châlons et Troyes, où fut vaincu Attila (451).
Catalogne, pays du nord-est de l'Espagne; v. pr. *Barcelone.*
Catane, port de Sicile.
Cateau (*Le*), anc. **Le Cateau-Cambrésis,** centre industriel du Nord; une paix y fut signée entre Henri II de France et Philippe IV d'Espagne, en 1559.
cathares, hérétiques du Moyen Age, répandus dans le midi de la France.
Catherine d'Alexandrie (*sainte*), martyre chrétienne vers 307.
Catherine de Sienne (*sainte*), religieuse et mystique italienne (1347-1380).
Catherine Labouré (*sainte*), religieuse française (1806-1876).
Catherine Ire (vers 1684-1727), impératrice de Russie, qui succéda à son mari, Pierre le Grand, en 1725.
Catherine II (1729-1796), impératrice de Russie, qui régna, seule, après le meurtre de son mari, Pierre III (1762).
Catherine d'Aragon (1485-1536), première femme d'Henri VIII d'Angleterre.
Catherine Howard (1522-1542), 5e femme d'Henri VIII, qui la fit décapiter.
Catherine de Médicis (1519-1589), femme d'Henri II, régente de France pendant la minorité de Charles IX.
Catherine Parr (1512-1548), sixième et dernière femme d'Henri VIII d'Angleterre.
Catilina, patricien romain (109-62 av. J.-C.); il conspira contre le sénat.
Catinat (Nicolas *de*), maréchal de France (1637-1712), remarquable tacticien.
Caton l'Ancien ou **le Censeur,** homme d'Etat romain (234-149 av. J.-C.), célèbre par l'austérité de ses principes.
Caton le Jeune ou **d'Utique,** arrière-petit-fils de Caton l'Ancien (95-46 av. J.-C.).
Cattégat, bras de mer entre la Suède et le Jylland.
Catulle (Caius Valerius), poète lyrique latin (Ier s. av. J.-C.).
Caucase, chaîne de montagnes de l'U.R.S.S., entre la mer Noire et la Caspienne, culminant à l'Elbrouz (5 633 m).
Cauchon (Pierre), évêque de Beauvais, juge de Jeanne d'Arc, m. en 1442.
Cauchy (*baron* Augustin), mathématicien français (1789-1857).
Causses, plateaux calcaires du sud de la France.
Cauterets, station thermale des Hautes-Pyrénées, sur le gave de Cauterets.
Caux (*pays de*), plateau de Normandie, au nord de la Seine.
Cavaillon, v. du Vaucluse; primeurs.
Cavendish (Henry), physicien et chimiste anglais (1731-1810).
Cavour (Camillo BENSO, *comte de*), homme d'Etat italien (1810-1861), promoteur de l'unité italienne avec Victor-Emmanuel II.
Cawnpore, v. du nord de l'Inde.
Cayenne, capit. de la Guyane française.
Cazaux (*étang de*), étang des Landes.
Cécile (*sainte*), vierge romaine, martyre vers 232; elle eut la tête tranchée.
Cédron, torrent de la Judée.
Célèbes, îles de l'Indonésie.
Céleste Empire, anc. nom de la *Chine.*
Célestin V (*saint*), pape en 1294, qui fut emprisonné par ordre de Boniface VIII.
Cellini (Benvenuto), graveur, statuaire et orfèvre florentin (1500-1571).
Celsius (Anders), astronome suédois (1701-1744), qui eut le premier l'idée de l'échelle thermométrique centésimale.
Celtes, peuple indo-européen, qui émigra d'Europe centrale en Asie Mineure, en Gaule, en Espagne et dans les îles Britanniques.
Cenis (*mont*), mont des Alpes; tunnel entre la France et l'Italie, 13 668 m.
Cent Ans (*guerre de*), guerre entre la France et l'Angleterre, de 1337 à 1453.
Centaures, monstres mythologiques, moitié hommes, moitié chevaux.

Cent-Jours (les), période comprise entre le 20 mars (arrivée à Paris de Napoléon Ier revenant de l'île d'Elbe) et le 22 juin 1815 (seconde abdication de Napoléon).
centrafricaine (*République*), Etat de l'Afrique équatoriale, indépendant depuis 1960; 1 352 000 h.; capit. *Bangui.*
Centre (*canal du*), canal unissant la Saône à la Loire; 114 km.
Céphalonie, une des îles Ioniennes.
Cerbère (*cap*), cap à la frontière orientale de la France et de l'Espagne.
Cerbère, chien à trois têtes, gardien des Enfers, dans la mythologie grecque.
Cerdagne, pays sur les deux versants des Pyrénées orientales.
Cère, riv. du centre de la France, affl. de la Dordogne; 110 km.
Cérès, déesse latine de l'Agriculture.
Céret, ch.-l. d'arr. des Pyrénées-Orientales.
Cernay, v. du Haut-Rhin, sur la Thur; industries textiles.
Cervantes (Miguel *de*), écrivain espagnol (1547-1616), auteur de *Don Quichotte de la Manche* et de *Nouvelles exemplaires.*
Cervin (*mont*), sommet des Alpes suisses, entre le Valais et le Piémont; 4 478 m.
César (Jules), dictateur romain (101-44 av. J.-C.). Il conquit la Gaule, inaugura, à Rome, le gouvernement monarchique et fut assassiné. Il est l'auteur de *Commentaires.*
Césarée, v. de l'anc. Cappadoce. — V. de Palestine, sur la Méditerranée.
Ceuta, v. et port espagnol enclavé dans le Maroc.
Cévennes, hauteur du rebord oriental du Massif central, culminant à 1 567 m.
Ceylan, île au sud de l'Inde, république membre du Commonwealth; 65 607 km^2; 10 965 000 h. Capit. *Colombo.*
Cézanne (Paul), peintre français (1839-1906).
C.F.T.C., sigle de *Confédération française des travailleurs chrétiens.*
C.G.T., sigle de *Confédération générale du travail.*
Chablis, v. de l'Yonne; vins.
Chabrier (Emmanuel), compositeur français (1841-1894), auteur d'opéras-comiques.
Chaco, région de steppes de l'Amérique du Sud (Argentine, Paraguay).
Chaise-Dieu (*La*), bourg de la Haute-Loire, église abbatiale du XIVe s.
Chalcédoine, anc. v. de l'Asie Mineure, sur le Bosphore.
Chaldée, nom de la Babylonie à partir du VIIe s. av. J.-C.
Châlons-sur-Marne, ch.-l. de la Marne, sur la Marne; 45 350 h.
Chalon-sur-Saône, ch.-l. d'arr. de la Saône-et-Loire, sur la Saône; 46 000 h.
Cham, fils de Noé.
Chamberlain (Joseph), homme d'Etat anglais (1836-1914), un des promoteurs de l'impérialisme; — Son fils, *sir* AUSTEN (1863-1937), ministre des Affaires étrangères; — *sir* NEVILLE (1869-1940), frère du précédent, Premier ministre en 1937.
Chambertin, vignoble de la Côte-d'Or.
Chambéry, anc. cap. de la Savoie, ch.-l. de la Savoie; 47 400 h. Centre industriel.
Chambon-Feugerolles (*Le*), centre houiller et métallurgique de la Loire.
Chambord, village de Loir-et-Cher, sur le Cosson; château (XVIe s.).
Chamfort (Nicolas-Sébastien ROCH, dit *de*), moraliste français (1741-1794).
Chamonix-Mont-Blanc, station de sports d'hiver de Haute-Savoie, au pied du mont Blanc.
Champagne, anc. prov. de l'est de la France; capit. *Troyes;* vins.
Champaigne ou **Champagne** (Philippe *de*), peintre portraitiste français (1602-1674).
Champigny-sur-Marne, v. du Val-de-Marne, sur la Marne; 57 900 h.
Champlain (Samuel *de*) [1570-1635], gouverneur du Canada et fondateur de Québec.
Champmeslé (*la*), tragédienne française (1642-1698); interprète de Racine.
Champollion (Jean-François), archéologue français (1790-1832); il parvint à déchiffrer les hiéroglyphes égyptiens.
champs Elysées, chez les Anciens, séjour des bons après leur mort.
Chandernagor, v. de l'Inde, anc. établissement français.
Chang-haï, v., port et centre industriel de Chine, près de l'embouchure du Yang-tseu-kiang; 6 900 000 h.
Chanson de Roland (*la*), chanson de geste du XIIe s.
Chantilly, v. de l'Oise, sur la Nonette; château de la Renaissance.
Chappe (*abbé* Claude), ingénieur et physicien français (1763-1805); créateur du télégraphe aérien.
Charcot (Jean-Martin), médecin français (1825-1893); — Son fils, JEAN-BAPTISTE (1867-1936), marin et océanographe, explorateur des régions polaires.
Chardin (Jean-Baptiste), peintre français (1699-1779).
Charente, fl. du sud-ouest de la France; (Atlantique); 360 km.
Charente, dép. du sud-ouest de la France; préf. *Angoulême;* s.-préf. *Cognac, Confolens.*
Charente-Maritime, dép. du sud-ouest de la France; préf. *La Rochelle;* s.-préf. *Jonzac, Rochefort, Saintes, Saint-Jean-d'Angély.*
Charenton-le-Pont, v. du Val-de-Marne, au confluent de la Seine et de la Marne.
Chari, fl. de l'Afrique, tributaire du Tchad; 1 200 km.
Charité (*La*), v. de la Nièvre, sur la Loire; église abbatiale (XIIe s.).
Charlemagne (742-814), roi des Francs de 768 à 814, et empereur d'Occident de 800 à 814.
Charleroi, centre houiller et métallurgique de Belgique (Hainaut), sur la Sambre.
Charles Borromée (*saint*), archevêque de Milan (1538-1584).
Charles Martel (vers 686-741), maire du palais de Neustrie, vainqueur des Sarrasins à Poitiers (732).
Charles II, le Chauve (823-877), roi de France de 840 à 877, et empereur d'Occident de 875 à 877.
Charles III, le Simple (879-929), roi de France de 893 à 923; il fut déposé.
Charles IV, le Bel (1294-1328), roi de France de 1322 à 1328.
Charles V, le Sage (1338-1380), roi de France de 1364 à 1380; il reprit aux Anglais, grâce à Du Guesclin, les provinces qu'ils avaient conquises.

Charles VI, le Bien-Aimé (1368-1422), roi de France de 1380 à 1422.
Charles VII, le Victorieux (1403-1461), roi de France de 1422 à 1461; grâce à Jeanne d'Arc, il reconquit son royaume sur les Anglais.
Charles VIII, l'Affable (1470-1498), roi de France de 1483 à 1498.
Charles IX (1550-1574), roi de France de 1560 à 1574.
Charles X (1757-1836), roi de France en 1824; renversé par la révolution de 1830.
Charles le Téméraire (1433-1477), duc de Bourgogne de 1467 à 1477, adversaire de Louis XI.
Charles II, le Mauvais (1332-1387), roi de Navarre de 1349 à 1387. Allié aux Anglais, il fut battu par Du Guesclin.
Charles III, le Gros (839-888), empereur de 881 à 887, régent de France de 884 à 887.
Charles IV (1316-1378), empereur d'Occident et roi de Bohême de 1346 à 1378.
Charles V, dit **Charles Quint** (1500-1558), souverain des Pays-Bas de 1506 à 1555, roi d'Espagne de 1516 à 1556, empereur germanique de 1519 à 1556. Il lutta contre François Ier.
Charles VI (1685-1740), empereur germanique de 1711 à 1740.
Charles VII (1697-1745), empereur germanique de 1742 à 1745.
Charles Ier (1600-1649), roi d'Angleterre et d'Ecosse de 1625 à 1649. Livré au parti de Cromwell, il fut décapité.
Charles II (1630-1685), roi d'Angleterre et d'Ecosse de 1660 à 1685.
Charles XII (1682-1718), roi de Suède de 1697 à 1718; il lutta contre les Danois, les Russes et les Polonais, mais fut vaincu par Pierre le Grand.
Charles II (1660-1700), roi d'Espagne de 1665 à 1700.
Charles III (1716-1788), roi d'Espagne de 1759 à 1788.
Charles IV (1748-1819), roi d'Espagne de 1788 à 1808; il abdiqua en faveur de Napoléon Ier.
Charles ou **Carol Ier** (1839-1914), roi de Roumanie de 1881 à 1914.
Charles ou **Carol II** (1893-1953), roi de Roumanie en 1930; il abdiqua en 1940.
Charles Ier (1887-1922), empereur d'Autriche et roi de Hongrie de 1916 à 1918; il abdiqua après la défaite de l'Autriche.
Charles-Albert (1798-1849), roi de Sardaigne en 1831; il lutta contre les Autrichiens.
Charleston, v. et port des Etats-Unis (Caroline du Sud).
Charleville, centre métallurgique des Ardennes, sur la Meuse; 26 500 h.
Charlotte-Elisabeth de Bavière (1652-1722), dite *la princesse Palatine,* seconde femme du duc d'Orléans.
Charlottenbourg, anc. v. d'Allemagne, réunie à Berlin.
Charolais ou **Charollais,** pays de France (Bourgogne), ch.-l. *Charolles.*
Charon, nocher des Enfers.
Charpentier (Marc-Antoine), compositeur français (1636-1704).
Charte d'Angleterre (*Grande*), fondement des libertés anglaises, accordées en 1215 par Jean sans Terre.
Charte constitutionnelle de France, charte octroyée en 1814 par Louis XVIII.
Charte des Nations unies, accord signé à San Francisco en 1945 par les puissances organisées en communauté internationale.
Chartres, ch.-l. d'Eure-et-Loir, sur l'Eure; 34 000 h. Cathédrale (XIIe-XIIIe s.).
Chartreuse (*la Grande-*), monastère fondé en 1084 dans le massif de la Grande-Chartreuse (Alpes françaises du Nord).
Charybde et **Scylla,** tourbillon et écueil du détroit de Messine; quand on avait évité l'un, on se brisait souvent sur l'autre.
Chassériau (Théodore), peintre portraitiste français (1819-1856).
Chateaubriand (*vicomte* François-René *de*), écrivain français (1768-1848), auteur du *Génie du christianisme,* d'*Atala* et des *Mémoires d'outre-tombe.*
Châteaubriant, ch.-l. d'arr. de la Loire-Atlantique; centre agricole.
Châteaudun, ch.-l. d'arr. d'Eure-et-Loir; château (XVe-XVIe s.).
Château-Gaillard, forteresse en ruine dominant la Seine aux Andelys.
Château-Gontier, ch.-l. d'arrond. de la Mayenne, sur la Mayenne.
Château-Lafite, vignoble du Bordelais.
Château-Latour, vignoble du Bordelais.
Châteaulin, ch.-l. d'arr. du Finistère.
Château-Margaux, vignoble du Bordelais.
Châteaurenard-Provence, v. des Bouches-du-Rhône; fruits et primeurs.
Châteauroux, ch.-l. de l'Indre, sur l'Indre; 46 800 h. Centre industriel.
Château-Salins, ch.-l. d'arr. de la Moselle.
Château-Thierry, ch.-l. d'arr. de l'Aisne, sur la Marne.
Château-Yquem, vignoble du Bordelais.
Châtelaillon-Plage, station balnéaire de la Charente-Maritime, sur l'Atlantique.
Châtelguyon, station thermale du Puy-de-Dôme.
Châtellerault, ch.-l. d'arr. et centre industriel de la Vienne, sur la Vienne.
Châtenay-Malabry, v. des Hauts-de-Seine.
Châtillon-sur-Seine, centre métallurgique de la Côte-d'Or.
Châtiments (*les*), recueil satirique par Victor Hugo (1833).
Chatou, v. résidentielle des Yvelines, sur la Seine, à l'ouest de Paris.
Châtre (*La*), ch.-l. d'arr. de l'Indre.
Chatt al-Arab, fl. du Moyen-Orient, formé par la réunion du Tigre et de l'Euphrate.
Chaucer (Geoffrey), poète anglais (1340-1400), auteur des *Contes de Canterbury.*
Chaumont, ch.-l. de la Haute-Marne, sur la Marne.
Chaumont-sur-Loire, v. de Loir-et-Cher; château (XVe s.).
Chauny, centre industriel de l'Aisne.
Chaux-de-Fonds (*La*), v. de Suisse (cant. de Neuchâtel).
Chaville, v. des Hauts-de-Seine, à l'ouest de Paris.
Chélif, fl. d'Algérie; 700 km.
Chelles, v. de Seine-et-Marne.
Chelsea, quartier de Londres.
Chemnitz. V. KARL-MARX-STADT.
Chénier (André), poète français (1762-1794), auteur d'élégies et d'idylles.
Chenonceaux, v. d'Indre-et-Loire, sur le Cher; château (XVIe s.).

Chen-Yang, anc. **Moukden**, v. industrielle de la Chine du Nord-Est.
Chéops, roi d'Egypte, vers 2600 av. J.-C.; il fit élever la plus grande des pyramides.
Chéphren, roi d'Egypte, successeur de Chéops; il fit construire la seconde grande pyramide.
Cher, riv. du centre de la France, affl. de la Loire; 320 km.
Cher, dép. du centre de la France; préf. *Bourges;* s.-préf. *Saint-Amand-Mont-Rond.*
Cherbourg, ch.-l. d'arr. et port de la Manche, sur la Manche; 40 000 h.
Cherchel, v. d'Algérie (El-Asnam).
Chéronée, v. de Béotie; victoire de Philippe II sur les Athéniens et les Thébains (338 av. J.-C.), et de Sylla sur Mithridate (86 av. J.-C.).
Chersonèse, nom que les Grecs donnaient à diverses presqu'îles.
Cheverny, v. de Loir-et-Cher; château (XVIIe s.).
Chevreul (Eugène), chimiste français (1786-1889), qui étudia les corps gras.
Chevreuse (*duchesse de*) [1600-1679]; elle joua un rôle important pendant la Fronde.
Chicago, centre industriel des Etats-Unis, sur le lac Michigan; 3 644 000 h.
Chiers, riv. de France, affl. de la Meuse.
Childebert, nom de trois rois mérovingiens.
Childéric, nom de trois rois mérovingiens.
Chili, république de l'Amérique du Sud, en bordure du Pacifique; 742 000 km^2; 8 567 000 h. Capit. *Santiago.*
Chilpéric, nom de deux rois mérovingiens.
Chimborazo, volcan éteint des Andes (Equateur); 6 272 m.
Chimère (la), monstre fabuleux.
Chine, république de l'Asie; 9 736 000 km^2; 750 millions d'h. Capit. *Pékin.* Pays le plus peuplé du monde.
Chine (*mer de*), partie du Pacifique.
Chinon, ch.-l. d'arr. d'Indre-et-Loire, sur la Vienne; ruines de trois châteaux (XIIe-XIVe s.).
Chio, île grecque de la mer Egée.
Chiraz, v. d'Iran, dans le Zagros.
Chleuh, tribus berbères du Maroc.
Choiseul (*duc de*) [1719-1785], ministre des Affaires étrangères sous Louis XV.
Choisy-le-Roi, v. du Val-de-Marne, sur la Seine, au sud de Paris.
Cholet, ch.-l. d'arr. de Maine-et-Loire.
Cholon, v. du Viêt-nam du Sud, près de Saigon.
Chopin (Frédéric), compositeur et pianiste polonais (1810-1849).
Chosroès, nom de deux rois de Perse (VIe-VIIe s.).
Chrétien de Troyes, poète français du XIIe s., auteur de romans de chevalerie.
Christ, le Messie.
Christchurch, v. de la Nouvelle-Zélande.
Christian, nom de dix rois du Danemark.
Christine (*sainte*), vierge et martyre sous Dioclétien.
Christine (1626-1689), reine de Suède de 1632 à 1654.
Christine de Pisan, femme poète française (1364-v. 1430).
Christophe (*saint*), martyrisé en 250.
Churchill (*sir* Winston), homme d'Etat anglais, né en 1874, l'un des organisateurs de la victoire de 1945.
Chypre, île de la mer Méditerranée, anc. colonie britannique, auj. indépendante.
Ciboure, port de pêche des Basses-Pyrénées.
Cicéron (Marcus Tullius), orateur et homme politique romain (106-43 av. J.-C.).
Cid (*le*), tragédie de Corneille (1636).
Cilicie, anc. pays de l'Asie Mineure.
Cimbres, peuple germanique, qui envahit la Gaule au IIe s. av. J.-C.
Cincinnati, centre industriel des Etats-Unis, sur l'Ohio.
Cincinnatus, homme d'Etat romain (Ve s. av. J.-C.).
Cinna, tragédie de Corneille (1640).
Cinq-Mars (*marquis de*), gentilhomme français (1620-1642), mort décapité.
Ciotat (*La*), port et station balnéaire des Bouches-du-Rhône, sur la Méditerranée.
Circé, magicienne qui transforma en porcs les compagnons d'Ulysse.
Cisalpine (*Gaule*), nom romain de la partie septentrionale de l'Italie.
Cisalpine (*République*), Etat formé au nord de l'Italie par Bonaparte, en 1797.
Cisneros (François *Jimenez de*), cardinal castillan (1436-1517), grand inquisiteur.
Cité (*île de la*), île de la Seine, berceau de Paris.
Citeaux, hameau de la Côte-d'Or, où fut fondée, en 1098, une communauté bénédictine, dite *cistercienne.*
Cithéron, montagne de la Grèce.
Ciudad Juarez, v. du Mexique; 290 000 h.
Çiva, dieu hindou.
Clain, riv. de France, affl. de la Vienne; 125 km. Elle arrose Poitiers.
Claire (*sainte*), fondatrice de l'ordre des clarisses (1193-1253).
Clairon, tragédienne française (1723-1803), interprète de Voltaire.
Clairvaux, hameau de l'Aube, où saint Bernard fonda une abbaye (1115).
Clamart, v. des Hauts-de-Seine.
Clamecy, ch.-l. d'arr. de la Nièvre.
Claude (*saint*), évêque de Besançon et abbé de Condat, mort en 697.
Claude Ier (10 av. J.-C.-54), empereur romain de 41 à 54, époux de Messaline, empoisonné par Agrippine.
Claudel (Paul), écrivain français (1868-1955), auteur du *Soulier de satin.*
Clausewitz (Karl *von*), général et théoricien militaire prussien (1780-1831).
Clemenceau (Georges), homme politique français (1841-1929), l'un des organisateurs de la victoire de 1918.
Clément V, pape de 1305 à 1314, qui transporta sa résidence à Avignon.
Clément VII, pape de 1523 à 1534, célèbre par ses démêlés avec Charles Quint et Henri VIII d'Angleterre.
Cléopâtre VII (67-30 av. J.-C.), reine d'Egypte de 52 à 30; aimée de César, puis d'Antoine, elle se tua après Actium.
Clermont, ch.-l. d'arr. de l'Oise.
Clermont-Ferrand, anc. capit. de l'Auvergne, ch.-l. et centre industriel (caoutchouc) du Puy-de-Dôme; 134 300 h.
Cleveland, centre industriel des Etats-Unis sur le lac Erié; 876 000 h.
Clèves, v. et anc. duché d'Allemagne.
Clichy, centre industriel des Hauts-de-Seine, au nord de Paris; 55 000 h.
Clos-Vougeot, vignoble de Bourgogne.

Clotaire, nom de quatre rois mérovingiens, dont CLOTAIRE Ier (497-561).
Clotilde (*sainte*), femme de Clovis Ier (vers 475-545).
Cloud (*saint*), petit-fils de Clovis (vers 522-vers 560).
Clouet (Janet), peintre français (1475-1541) ; — Son fils, FRANÇOIS (1520-1572), fut également peintre.
Clovis Ier (465-511), roi franc de 481 à 511 ; il conquit presque toute la Gaule et fut baptisé à Reims (496).
Cluny, v. de Saône-et-Loire.
Clyde, fl. d'Ecosse (mer d'Irlande).
Clytemnestre, épouse d'Agamemnon.
Cnossos, capit. de la Crète ancienne.
Coblence, v. d'Allemagne occidentale, au confluent du Rhin et de la Moselle.
Cochinchine, région du Viêt-nam du Sud.
Coëtquidan, camp d'instruction militaire du Morbihan.
Cœur (Jacques), marchand de Bourges (vers 1395-1456) ; argentier de Charles VII.
Cognac, ch.-l. d'arr. de la Charente, sur la Charente ; eaux-de-vie.
Coimbatore, v. de l'Inde (Deccan).
Coïmbre, v. universitaire du Portugal.
Coire, v. de Suisse, ch.-l. des Grisons.
Colbert (Jean-Baptiste), homme d'Etat français (1619-1683), contrôleur général des Finances en 1661.
Coleridge (Samuel Taylor), poète anglais (1772-1834), précurseur du romantisme.
Coligny (Gaspard *de*), amiral protestant français (1519-1572), un des chefs protestants, victime de la Saint-Barthélemy.
Colisée, amphithéâtre de Rome.
Collioure, station balnéaire et port de pêche des Pyrénées-Orientales.
Colmar, ch.-l. du Haut-Rhin ; 54 300 h.
Cologne, v. d'Allemagne occidentale, sur le Rhin ; cathédrale gothique.
Colomb (Christophe), navigateur génois (1451-1506) ; il accomplit quatre voyages vers l'Amérique.
Colomban (*saint*), moine irlandais (VIe s.).
Colomb-Béchar, oasis d'Algérie.
Colombes, v. des Hauts-de-Seine.
Colombie, république du nord-ouest de l'Amérique du Sud ; 1 139 000 km^2 ; 15 434 000 h. Capit. *Bogota.*
Colombie britannique, prov. du Canada, en bordure du Pacifique.
Colombo, capit. de Ceylan ; 510 900 h.
Colonnes d'Hercule, nom antique des hauteurs encadrant le détroit de Gibraltar.
Colorado, fl. des Etats-Unis qui débouche dans le golfe de Californie ; 2 250 km, dont une partie encaissée dans de profonds cañons. — Fl. des Etats-Unis (Texas), qui se jette dans le golfe du Mexique.
Colorado, un des Etats unis d'Amérique (Rocheuses) ; capit. *Denver.*
Columbia, fl. des Etats-Unis (Pacifique).
Columbia, district fédéral des Etats-Unis ; capit. *Washington.*
Columbus, v. et centre métallurgique des Etats-Unis, capit. de l'Ohio.
Combes (Emile), homme politique français (1835-1921).
Combourg, bourg de l'Ille-et-Vilaine ; château féodal où Chateaubriand vécut jeune.
Côme (*lac de*), lac de l'Italie du Nord.
Côme (*saint*), martyr sous Dioclétien.
Comédie humaine (*la*), ensemble des romans de Balzac.
Commentry, centre houiller et métallurgique de l'Allier.
Commercy, ch.-l. d'arr. de la Meuse.
Commode (161-192), empereur romain (180-192), célèbre par ses cruautés.
Commonwealth, ensemble formé par la Grande-Bretagne et divers Etats, anciennes dépendances, qui ont gardé des liens économiques et culturels.
Communauté (la), association qui avait été formée en 1959 par la France, les dép. et territoires d'outre-mer et divers Etats d'Afrique.
Commune (la), gouvernement révolutionnaire, installé à Paris en 1871.
Communisme (*pic*), point culminant de l'U.R.S.S. ; 7 495 m.
Commynes (Philippe *de*), chroniqueur français (vers 1447-1511).
Comnène, famille byzantine qui a donné plusieurs empereurs d'Orient.
Comores (*îles*), archipel français de l'océan Indien, au nord de Madagascar.
Compiègne, ch.-l. d'arr. de l'Oise ; 28 400 h. Château (XVIIIe s.) ; forêt.
Comtat Venaissin, anc. pays du sud-est de la France (Vaucluse).
Comte (Auguste), philosophe positiviste français (1798-1857).
Conakry, capit. de la Guinée, sur l'Atlantique ; 112 500 h.
Concarneau, port de pêche du Finistère.
Concepción, v. et port du Chili.
Concini (Concino), aventurier italien, tué en 1617 ; il exerça une grande influence sur Marie de Médicis.
Condé (Louis II DE BOURBON, *prince de*), dit *le Grand Condé* (1621-1686), brillant général.
Condé-sur-l'Escaut, centre houiller du Nord ; anc. place forte.
Condillac (Etienne *de*), philosophe sensualiste français (1714-1780).
Condom, ch.-l. d'arr. du Gers.
Condorcet (Antoine *de*), philosophe, mathématicien et conventionnel français (1743-1794).
Confédération germanique, union des Etats allemands (1815-1866).
Conflans-Sainte-Honorine, centre de batellerie des Yvelines.
Confolens, ch.-l. d'arr. de la Charente, sur la Vienne ; marché agricole.
Confucius, philosophe et moraliste chinois (551-479 av. J.-C.).
Congo, fl. de l'Afrique équatoriale (Atlantique) ; 4 640 km.
Congo (*république du*), dite *Congo-Léopoldville*, anc. *Congo belge,* Etat d'Afrique équatoriale, indépendant depuis 1960 ; 2 344 000 km^2 ; 15 627 000 h. Capit. *Léopoldville.*
Congo (*république du*), dite *Congo-Brazzaville,* Etat d'Afrique équatoriale, indépendant depuis 1960 ; 342 000 km^2 ; 826 000 h. Capit. *Brazzaville.*
Connecticut, un des Etats unis d'Amérique (Atlantique-Nord) ; capit. *Hortford.*
Conrad, nom de cinq rois et empereurs germaniques.
Conrad (Joseph), romancier anglais (1857-1924), auteur de *Lord Jim, Typhon,* etc.

Conseil de la République, une des assemblées législatives de la IVe République française, de 1946 à 1958.
Constance (*lac de*), lac formé par le Rhin, entre la Suisse, l'Autriche et l'Allemagne.
Constant (Benjamin), homme politique libéral et écrivain français (1767-1830), auteur d'un roman, *Adolphe*.
Constantin Ier, le Grand (274-337), empereur romain de 306 à 337. Sa victoire contre Maxence décida de l'établissement du christianisme comme religion officielle.
Constantine, ch.-l. de dép. d'Algérie, sur le Rummel; 250 000 h.
Constantinople, nom donné à *Byzance*, à partir de Constantin, auj. *Istanbul*.
Constantza, v. et port de Roumanie, sur la mer Noire.
Conti, branche cadette de la maison de Bourbon-Condé.
Contrexéville, station thermale des Vosges
Convention nationale, assemblée révolutionnaire (1792-1795).
Cook (*archipel de*), groupe d'îles de la Polynésie; ch.-l. *Avarua*.
Cook (James), navigateur anglais (1728-1779). Il explora l'Océanie.
Cooper (Fenimore), romancier américain (1789-1851), auteur de récits d'aventures : *le Dernier des Mohicans*.
Copenhague, capit. et port du Danemark, dans l'île de Seeland; 1 220 000 h.
Copernic (Nicolas), astronome polonais (1473-1543), qui démontra le double mouvement des planètes sur elles-mêmes et autour du Soleil.
Coran, livre sacré des musulmans.
Corbeil-Essonnes, centre industriel de l'Essonne.
Corbie, bourg et anc. place forte de la Somme.
Corbières, contrefort des Pyrénées orientales, culminant à 1 231 m. Vignobles.
Corday (Charlotte), jeune fille qui tua Marat (1768-1793).
Cordoba, v. de l'Argentine; 600 000 h.
Cordoue, v. d'Espagne (Andalousie), sur le Guadalquivir; mosquée.
Corée, presqu'île montagneuse d'Extrême-Orient, partagée en deux Etats, la *Corée du Nord* (12 000 000 d'h.; capit. *Pyongyang*), et la *Corée du Sud* (30 000 000 d'h.; capit. *Séoul*).
Corelli (Arcangelo), violoniste et compositeur italien (1653-1713).
Corfou, anc. *Corcyre*, une des îles Ioniennes.
Corinthe, anc. v. du Péloponnèse; auj., port sur l'isthme de Corinthe.
Corinthe (*isthme de*), isthme qui sépare le Péloponnèse de la Grèce continentale.
Coriolan, général romain du Ve s. av. J.-C.
Corneille (Pierre), poète dramatique français (1606-1684), créateur de l'art classique au théâtre, auteur de tragédies (*le Cid, Horace, Cinna, Polyeucte, Rodogune, Nicomède*) et d'une comédie (*le Menteur*).
Cornouaille, anc. pays de la Bretagne.
Cornwall ou **Cornouailles,** comté au sud-ouest de l'Angleterre.
Corogne (*La*), port militaire d'Espagne (Galice), sur l'Atlantique.
Coromandel, littoral de l'Inde, sur le golfe du Bengale.
Coronée, v. de Béotie, où les Lacédémoniens vainquirent une coalition grecque (394 av. J.-C.).
Corot (Camille), peintre paysagiste français (1796-1875).
Corrège (*le*), peintre italien (1489-1534).
Corrèze (la), riv. du centre de la France, affl. de la Vézère; 85 km.
Corrèze, dép. du centre de la France; préf. *Tulle*; s.-préf. *Brive, Ussel*.
Corse, île de la Méditerranée, départ. français; préf. *Ajaccio*; s.-préf. *Bastia, Calvi, Corte, Sartène*; 8 722 km²; 275 500 h.
Corse (*cap*), cap au nord de la Corse.
Corte, ch.-l. d'arr. de la Corse.
Cortès (Fernand), capitaine castillan (1485-1547), conquérant du Mexique.
Cortina d'Ampezzo, station de sports d'hiver d'Italie (Vénétie).
Cosne, ch.-l. d'arr. de la Nièvre, sur la Loire, au confluent du Nohain.
Côte d'Azur, littoral provençal de la Méditerranée.
Côte-de-l'Or. V. GHANA.
Côte-d'Ivoire, république d'Afrique occidentale, indépendante depuis 1960; 322 500 km²; 3 750 000 h. Capit. *Abidjan*.
Côte-d'Or, dép. de l'est de la France (Bourgogne); préf. *Dijon*; s.-préf. *Beaune, Montbard*.
Cotentin, presqu'île de Basse-Normandie.
Côtes-du-Nord, dép. de l'ouest de la France (Bretagne); préf. *Saint-Brieuc*; s.-préf. *Dinan, Guingamp, Lannion*.
Cotonou, port du Dahomey.
Coty (René), homme politique français (1882-1962), président de la République de 1954 à 1959.
Coulomb (Charles-Augustin *de*), mécanicien et physicien français (1736-1806).
Coulommiers, v. de la Seine-et-Marne.
Counaxa ou **Cunaxa,** anc. v. de Chaldée; victoire d'Artaxerxès II sur Cyrus le Jeune (401 av. J.-C.).
Couperin (François), organiste, claveciniste et compositeur français (1668-1733).
Courbet (Gustave), peintre réaliste français (1819-1877).
Courbevoie, centre industriel des Hauts-de-Seine, au nord-ouest de Paris; 59 700 h.
Courier (Paul-Louis), écrivain et pamphlétaire français (1772-1825).
Courneuve (*La*), centre industriel de la Seine-Saint-Denis, au nord de Paris.
Courteline (Georges), écrivain français (1858-1929), auteur de comédies.
Courtrai, v. de Belgique, sur la Lys.
Coustou (Nicolas), sculpteur français (1658-1733); — Son frère GUILLAUME (1677-1746), sculpteur, auteur des *chevaux de Marly*; — GUILLAUME, fils du précédent (1716-1777), sculpteur également.
Coutances, ch.-l. d'arr. de la Manche.
Coventry, centre industriel d'Angleterre (Warwick). Détruit en 1940.
Coypel, famille de peintres français (XVIIe-XVIIIe s.).
Coysevox (Antoine), sculpteur français (1640-1720), auteur de nombreux bustes.
Cracovie, v. de la Pologne méridionale, sur la Vistule.

Cranach (Lucas), peintre et graveur allemand (1472-1553).
Crassus, homme d'Etat romain (115-53 av. J.-C.).
Crau (la), plaine des Bouches-du-Rhône.
Crécy-en-Ponthieu, bourg de la Somme; victoire d'Edouard III d'Angleterre sur Philippe VI (1346).
Creil, centre ferroviaire et industriel de l'Oise, sur l'Oise.
Crémone, v. d'Italie du Nord.
Créqui (François), maréchal de France (vers 1624-1687).
Crésus, dernier roi de Lydie, célèbre par ses richesses (VIe s. av. J.-C.).
Crète, île grecque de la Méditerranée.
Créteil, ch.-l. du Val-de-Marne, sur la Marne.
Creuse, riv. du centre de la France, affl. de la Vienne; 255 km.
Creuse, dép. du centre de la France; **préf.** *Guéret*; s.-préf. *Aubusson.*
Creusot (*Le*), centre houiller et métallurgique de la Saône-et-Loire; 33 800 h.
Crimée, presqu'île au sud de l'U.R.S.S., sur la mer Noire.
Croatie, république de la Yougoslavie.
Croisades, huit expéditions, entreprises du XIe au XIIIe s. par l'Europe chrétienne contre les Musulmans.
Croisic (*Le*), port et station balnéaire de la Loire-Atlantique.
Cromwell (Olivier), homme d'Etat anglais (1599-1658) ; chef de la Révolution de 1649, il fut protecteur d'Angleterre de 1653 à 1658.
Crozon, presqu'île du Finistère.
Cuba, île des Antilles constituée en république; 115 000 km^2; 7 631 000 h. Capit. *La Havane.*
Cujas (Jacques), juriste français (1522-1590).
Cunaxa. V. COUNAXA.
Cupidon, dieu de l'Amour.
Curaçao, île des Antilles néerlandaises.
Curie (Pierre), physicien français (1859-1906); avec sa femme, *Marie* SKLODOWSKA (1867-1934), il a découvert le radium.
Cuvier (Georges), naturaliste français (1769-1832), créateur de l'anatomie comparée et de la paléontologie.
Cuzco, v. du Pérou, dans les Andes, anc. capit. des Incas.
Cybèle, mère des dieux dans l'Antiquité.
Cyclades, îles grecques de la mer Egée.
Cyclopes, géants qui n'avaient qu'un œil, au milieu du front.
Cynocéphales, montagnes de Thessalie.
Cyrano de Bergerac (Savinien), écrivain burlesque français (1619-1655).
Cyrénaïque, région de la Libye.
Cyrène, v. et colonie grecque d'Afrique.
Cyrille (*saint*), Père de l'Eglise grecque (315-386). — Apôtre des Slaves (827-869).
Cyrus II (vers 560-529 av. J.-C.), roi de Perse; il conquit l'Asie occidentale.
Cyrus le Jeune, prince perse (424-401 av. J.-C.) ; il fut tué à Counaxa en luttant contre son frère Artaxerxès II.
Cythère, île de la mer Egée.
Czenstochowa, v. de Pologne; pèlerinage.

D

Dacca, v. du Pakistan (Bengale oriental), sur le delta du Gange.
Dachau, anc. camp de concentration allemand, en Bavière.
Dacie, anc. pays de l'Europe (Roumanie).
Dagobert, nom de trois rois francs, dont le plus célèbre fut DAGOBERT Ier (600-639).
Daguerre (Jacques), artiste français (1787-1851), qui perfectionna la photographie, inventée par Niepce.
Dahomey, république d'Afrique occidentale, indépendante depuis 1960; 115 000 km^2; 2 300 000 h. ; capit. *Porto-Novo.*
Dairen. V. TA-LIEN.
Dakar, capit. du Sénégal, port et centre industriel; 375 000 h.
Dakota, nom de deux Etats unis d'Amérique, le DAKOTA DU NORD (capit. *Bismarck*) et le DAKOTA DU SUD (capit. *Pierre*).
Dalat, station climatique du Sud Viêt-nam.
Dalécarlie, région de la Suède centrale.
Dalila, courtisane qui livra Samson aux Philistins.
Dallas, v. des Etats-Unis (Texas).
Dalmatie, région de la Yougoslavie, sur l'Adriatique.
Dalton (John), physicien, chimiste et naturaliste anglais (1766-1844).
Damas, capit. de la Syrie; 556 200 h.
Damien (*saint*), martyrisé sous Dioclétien.
Damiens (Robert-François) [1715-1757] ; il frappa Louis XV d'un coup de canif, et fut écartelé.
Damiette, v. d'Egypte, sur le Nil.
Damoclès, courtisan de Denys l'Ancien (IVe s. av. J.-C.).
Danaé, fille d'un roi d'Argos.
Danaïdes, nom des cinquante filles de Danaos, qui furent condamnées à remplir d'eau un tonneau sans fond.
Danemark, royaume de l'Europe septentrionale, au nord de l'Allemagne; 43 000 km^2; 4 720 000 h. Capit. *Copenhague.*
Daniel, prophète hébreu (VIIe s. av. J.-C.).
Dante Alighieri, poète italien (1265-1321), auteur de *la Divine Comédie.*
Danton (Jacques), conventionnel français (1759-1794), un des personnages les plus marquants de la Révolution française.
Dantzig ou **Gdansk,** v. de Pologne, port près de l'embouchure de la Vistule.
Danube, fl. de l'Europe centrale et orientale (mer Noire) ; 2 850 km.
Daphné, nymphe que la Terre changea en laurier, alors qu'Apollon allait l'atteindre
Daphnis et Chloé, roman pastoral de Longus, traduit par Amyot et par P.-L. Courier.
Dardanelles (*détroit des*), anc. *Hellespont,* détroit unissant la mer Egée à la mer de Marmara.

Dar es-Salam, capit. et port de la Tanzanie.
Darios ou **Darius Ier,** roi des Perses de 521 à 486 av. J.-C., vaincu par les Grecs à Marathon; — DARIOS II, roi des Perses de 424 à 404 av. J.-C.; — DARIOS III, roi des Perses de 335 à 330 av. J.-C., vaincu par Alexandre le Grand.
Darjeeling, station climatique de l'Inde.
Darnétal, centre textile de la Seine-Maritime, près de Rouen.
Darwin (Charles), naturaliste anglais (1809-1882), partisan du transformisme.
Daudet (Alphonse), écrivain français (1840-1897), auteur des *Lettres de mon moulin* et de romans.
Daumier (Honoré), peintre et graveur français (1808-1879).
Dauphiné, anc. prov. du sud-est de la France (Alpes) ; capit. *Grenoble.*
David, roi d'Israël (vers 1010-vers 975 av. J.-C.) ; il tua Goliath, vainquit les Philistins et fonda Jérusalem.
David (Louis), peintre et conventionnel français (1748-1825), chef de l'école néo-classique.
David d'Angers (Pierre-Jean), statuaire français (1788-1856).
Davos, station touristique de Suisse.
Davout (Louis-Nicolas), maréchal d'Empire (1770-1823).
Dax, ch.-l. d'arr. et station thermale des Landes, sur l'Adour.
Dayton, v. des Etats-Unis (Ohio).
Deauville, station balnéaire du Calvados.
Deburau, nom de deux mimes français du XIXe s., qui créèrent le type de *Pierrot.*
Debussy (Claude), compositeur français (1862-1918), auteur de *Pelléas et Mélisande, la Mer, le Martyre de saint Sébastien.*
Decazes (Elie, *duc*), homme d'Etat français (1780-1860), ministre de Louis XVIII.
Decazeville, centre houiller et métallurgique de l'Aveyron.
Deccan, partie méridionale de l'Inde.
Décembre (*Deux-*), coup d'Etat exécuté le 2 décembre 1851 par Louis-Napoléon.
Decius ou **Dèce,** empereur romain de 249 à 251; il persécuta les chrétiens.
Decize, centre industriel de la Nièvre.
Dédale, architecte grec, constructeur du labyrinthe de Crète.
Defoe (Daniel), écrivain anglais (vers 1660-1731), auteur de *Robinson Crusoé.*
Degas (Edgar), peintre impressionniste français (1834-1917).
Déjanire, épouse d'Héraclès.
Delacroix (Eugène), peintre français (1798-1863), chef de l'école romantique.
Delalande (Michel-Richard), compositeur français (1657-1726).
Delambre (Jean-Baptiste), astronome français (1749-1822).
Delaware, un des Etats unis d'Amérique (Atlantique Sud) ; capit. *Dover.*
Delcassé (Théophile), homme politique français (1852-1923).
Delft, v. des Pays-Bas. Faïences.
Delhi, v. de l'Inde septentrionale.
Dellys, v. et port d'Algérie (Tizi-Ouzou).
Delorme (Philibert), architecte français (vers 1512-1570).
Délos, une des Cyclades.
Delphes, v. de l'anc. Grèce, au pied du Parnasse; grand centre religieux.
Déméter, divinité grecque personnifiant la Terre.
Démocrite, philosophe grec du Ve s. av. J.-C.
Démosthène, orateur et homme politique athénien (384-322 av. J.-C.), adversaire de Philippe de Macédoine.
Denain, centre houiller et métallurgique du Nord, sur l'Escaut; 29 500 h.
Denfert-Rochereau (Philippe), colonel français (1823-1878), défenseur de Belfort pendant la Guerre de 1870.
Denis (*saint*), premier évêque de Lutèce et martyr (IIIe s.).
Denis (Maurice), peintre français (1870-1943), auteur de compositions religieuses.
Denver, v. des Etats-Unis, capit. du Colorado, au pied des montagnes Rocheuses.
Denys l'Ancien, tyran de Syracuse de 405 à 367 av. J.-C., qui chassa les Carthaginois de Sicile; — DENYS *le Jeune,* fils et successeur du précédent en 368.
Desaix (Louis), général français (1768-1800), tué à Marengo.
Descartes (René), philosophe, physicien et mathématicien français (1596-1650), auteur du *Discours de la méthode.*
Deschanel (Paul), homme politique français (1855-1922), président de la République en 1920.
Désirade (la), une des Antilles françaises.
Desmoulins (Camille), avocat, journaliste et conventionnel français (1760-1794).
Desportes (Philippe), poète français (1546-1606).
Des Prés (Josquin), compositeur de l'école franco-flamande (vers 1450-1521).
Detroit, v. des Etats-Unis (Michigan) ; 1 850 000 h. Automobiles.
Deux-Roses (*guerre des*), guerre civile qui, en Angleterre, opposa, de 1445 à 1485, les maisons d'York et de Lancastre.
Deux-Siciles, royaume de l'Italie méridionale de 1815 à 1861.
Dévolution (*guerre de*), guerre entreprise, à la mort de Philippe IV d'Espagne, par Louis XIV, qui réclamait les Pays-Bas au nom de Marie-Thérèse (1667-1668).
Diane, déesse romaine de la Chasse.
Diane de Poitiers (1499-1566), favorite d'Henri II, duchesse de Valentinois.
Diaz (Barthélemy), navigateur portugais (vers 1450-1500), qui, le premier, contourna l'Afrique.
Dickens (Charles), romancier anglais (1812-1870), auteur de *David Copperfield.*
Diderot (Denis), écrivain français (1713-1784), un des fondateurs de *l'Encyclopédie,* auteur du *Neveu de Rameau.*
Didier (*saint*), évêque de Langres, martyrisé au IIIe s.
Didier, dernier roi des Lombards, détrôné par Charlemagne en 774.
Didon, fille de Bélus, roi de Tyr, qui accueillit Enée à Carthage.
Didyme, surnom de l'apôtre saint Thomas
Die, ch.-l. d'arr. de la Drôme.
Diégo-Suarez, port de Madagascar.
Diên Biên Phu, petite plaine du Viêt-nam du Nord. Défaite française en 1954.
Dieppe, ch.-l. d'arr. de la Seine-Maritime, sur la Manche; 30 300 h.
Diesel (Rudolf), ingénieur allemand (1858-1913), inventeur d'un type de moteur à combustion interne.

Digne, ch.-l. des Basses-Alpes; 13 700 h.
Dijon, anc. capit. de la Bourgogne, ch.-l. de la Côte-d'Or, centre ferroviaire et industriel; 141 100 h. Ville d'art.
Dinan, ch.-l. d'arr. des Côtes-du-Nord, sur la Rance; ville pittoresque.
Dinard, station balnéaire d'Ille-et-Vilaine, sur la Manche.
Dinariques (*Alpes* ou *Chaînes*), montagnes de Yougoslavie.
Dioclétien (245-313), empereur romain de 284 à 305, créateur de la tétrarchie.
Diogène le Cynique, philosophe grec (413-323 av. J.-C.).
Dionysos, dieu grec du Vin.
Dioscures, surnom de Castor et de Pollux.
Directoire, gouvernement français qui succéda à la Convention (1795-1799).
Disraeli (Benjamin), homme d'Etat anglais (1804-1881), chef des conservateurs.
Dives, fl. côtier de l'ouest de la France (Manche); 100 km.
Divine Comédie (*la*), poème de Dante (XIVe s.), vision épique de l'au-delà.
Divion, centre houiller du Pas-de-Calais.
Dixmude, v. de Belgique sur l'Yser.
Djakarta, anc. *Batavia,* port de Java, capit. de la République indonésienne.
Djerba, île de Tunisie.
Djibouti, capit. et port de la côte française des Somalis; 31 000 h.
Djokjakarta, v. de Java.
Djurdjura, montagnes d'Algérie.
Dniepr, fl. d'U.R.S.S. (mer Noire); 2 200 km.
Dniepropetrovsk, centre industriel de l'U.R.S.S. (Ukraine), sur le Dniepr.
Dniestr, fl. d'Ukraine (mer Noire); 1 411 km.
Dobroudja, partie de la Roumanie entre la mer Noire et le Danube.
Dodécanèse, les douze îles Sporades méridionales (Grèce).
Dodone, anc. v. d'Epire.
Doire, nom de deux rivières de l'Italie.
Dol-de-Bretagne, bourg d'Ille-et-Vilaine; cathédrale (XIIIe s.).
Dole, ch.-l. d'arr. du Jura, sur le Doubs.
Dolet (Etienne), humaniste et imprimeur français (1509-1546).
Dolomites, montagnes calcaires du nord-est de l'Italie.
Dolopes, anc. peuple de Thessalie.
Dombasle (Mathieu *de*), agronome français (1777-1843).
Dombes (la ou les), petit pays du dép. de l'Ain; étangs poissonneux.
Dôme (*puy de*), point culminant de la chaîne des Puys; 1 465 m.
Dominicaine (*république*), Etat de l'île d'Haïti; 48 442 km^2; 3 573 000 h. Capit. *Saint-Domingue.*
Dominique (la), une des Petites Antilles.
Dominique (*saint*), moine espagnol (1170-1221), fondateur des dominicains.
Dominiquin (*le*), peintre et architecte italien (1581-1641).
Domitien (51-96), empereur romain de 81 à 96, le dernier des douze Césars.
Domrémy-la-Pucelle, bourg des Vosges; patrie de Jeanne d'Arc.
Don, fl. de Russie (mer d'Azov); 1 950 km.
Donatello, sculpteur toscan (1386-1466).
Donets, riv. d'Ukraine, affl. du Don.
Donetsk, anc. *Stalino,* centre métallurgique de l'U.R.S.S. (Ukraine).
Don Juan, type de l'homme de cour, impie et libertin, principal personnage d'une comédie de Molière (1665).
Don Quichotte, héros et titre de l'œuvre de Cervantes (1604-1614).
Donzère, v. de la Drôme; barrage sur le Rhône (Donzère-Mondragon).
Dordogne, riv. du sud-ouest de la France, affl. de la Garonne; 490 km.
Dordogne, dép. du sud-ouest de la France; préf. *Périgueux;* s.-préf. *Bergerac, Nontron, Sarlat.*
Dordrecht, port des Pays-Bas.
Dore, riv. du centre de la France, affl. de l'Allier; 140 km.
Doride, contrée de la Grèce ancienne, au sud de la Thessalie.
Dortmund, centre métallurgique d'Allemagne occidentale, dans la Ruhr.
Dostoïevsky (Fédor), romancier russe (1821-1881), auteur de *Crime et Châtiment, l'Idiot, les Frères Karamazov.*
Douai, ch.-l. d'arr. et centre industriel du Nord, sur la Scarpe; 50 100 h.
Douala, port du Cameroun.
Douarnenez, port de pêche du Finistère.
Douaumont, loc. de la Meuse; combats acharnés en 1916.
Doubs, riv. de l'est de la France, affl. de la Saône; 430 km.
Doubs, dép. de l'est de la France; préf. *Besançon;* s.-préf. *Montbéliard, Pontarlier.*
Douchanbé, capit. du Tadjikistan (U.R.S.S.).
Doullens, v. de la Somme.
Doumer (Paul), homme politique français (1857-1932); président de la République en 1931, il fut assassiné.
Doumergue (Gaston), homme politique français (1863-1937), président de la République (1924-1931).
Douro, fl. d'Espagne et du Portugal (Atlantique); 850 km.
Douvres, v. et port d'Angleterre, sur le pas de Calais, en face de Calais.
Drac, riv. du nord des Alpes françaises, affl. de l'Isère; 150 km.
Dracon, archonte et législateur athénien (VIIe s. av. J.-C.).
Dragon (le), animal fantastique.
Draguignan, ch.-l. du Var; 16 100 h.
Drake (*sir* Francis), marin anglais (vers 1540-1596), qui fit le tour du monde.
Drakensberg, chaîne montagneuse de l'Afrique méridionale; 3 280 m.
Drancy, centre industriel de la Seine-Saint-Denis.
Drave, riv. d'Europe centrale, affl. du Danube; 720 km.
Dresde, v. d'Allemagne orientale, sur l'Elbe.
Dreux, ch.-l. d'arr. d'Eure-et-Loir.
Dreyfus (Alfred), officier français (1859-1935), dont le procès divisa la France.
Drôme, riv. du sud-est de la France, affl. du Rhône; 102 km.
Drôme, dép. du sud-est de la France; préf. *Valence;* s.-préf. *Die, Nyons.*
Drouot (Antoine), général français (1774-1847), compagnon de Napoléon.
Druses ou **Druzes,** membres d'une communauté religieuse au sud du Liban.
Dryades, déesses grecques des Forêts.

Dryden (John), poète et auteur dramatique anglais (1631-1700).
Du Barry (*comtesse*), favorite de Louis XV (1743-1793), guillotinée sous la Terreur.
Du Bartas (Guillaume), poète français (1544-1590), auteur de poèmes bibliques.
Du Bellay (Joachim), poète français de la Pléiade (1522-1560), auteur des *Regrets*.
Dublin, capit. de la République d'Irlande, sur la mer d'Irlande; 539 000 h.
Dubois (*cardinal*), prélat et homme d'Etat français (1656-1723).
Dubrovnik, v. de Yougoslavie, sur l'Adriatique.
Du Châtelet (*marquise*), femme de lettres française (1706-1749), amie de Voltaire.
Du Deffand (*marquise*), femme de lettres française (1697-1780).
Dufay (Guillaume), compositeur de musique français du XVe s.
Duguay-Trouin (René), marin et corsaire français (1673-1736).
Du Guesclin (Bertrand, *chevalier*), homme de guerre français (vers 1320-1380) ; il chassa les Anglais et débarrassa la France des Grandes Compagnies.
Duhamel (Georges), romancier français, né en 1884.
Duisburg, v. d'Allemagne occidentale.
Dukas (Paul), compositeur français (1865-1935), auteur d'*Ariane et Barbe-Bleue*.
Dulcinée, dame des pensées de Don Quichotte.
Duluth, v. et centre industriel des Etats-Unis, sur le lac Supérieur.
Dumas (Alexandre), écrivain français (1802-1870), auteur de romans (*les Trois Mousquetaires*) et de mélodrames; — Son fils, ALEXANDRE (1824-1895), est l'auteur de *la Dame aux camélias*.
Dumas (Jean-Baptiste), chimiste français (1800-1884).
Dumont d'Urville (Jules), navigateur français (1790-1842).
Dumouriez (Charles-François), général (1739-1823), vainqueur à Valmy et à Jemmapes.
Dundee, port de Grande-Bretagne (Ecosse).
Dunkerque, ch.-l. d'arr. et centre industriel du Nord, port sur la mer du Nord.
Dunois, surnommé *le Bâtard d'Orléans*, capitaine français (1403-1468), compagnon de Jeanne d'Arc.
Duns Scot (Jean), théologien anglais (vers 1270-1308), adversaire de Thomas d'Aquin.
Duparc (Henri), compositeur français de mélodies (1848-1933).
Dupleix (Joseph-François, *marquis*), administrateur français (1697-1763) ; il acquit les Indes à la France.
Dupuytren (Guillaume), chirurgien français (1777-1835).
Duquesne (Abraham), marin français (1610-1688).
Durance, riv. du sud-est de la France; affl. du Rhône; 324 km. Barrage de Serre-Ponçon.
Durban, port et centre industriel de l'Afrique du Sud.
Dürer (Albert), peintre, graveur et portraitiste allemand (1471-1528).
Durham, v. d'Angleterre; cathédrale (XIIe s.).
Durkheim (Emile), sociologue français (1858-1917).
Duroc (Michel), général français (1772-1813), grand maréchal du palais sous l'Empire, tué à Bautzen.
Duruy (Victor), historien et ministre français (1811-1894).
Düsseldorf, centre industriel d'Allemagne occidentale, dans la Ruhr.
Du Vair (Guillaume), homme d'Etat et orateur français (1556-1621).
Dvina, nom de deux fleuves d'U.R.S.S.
Dyle, riv. de Belgique qui, unie à la Nèthe, forme le Rupel; 86 km.

E

Ealing, faubourg de l'ouest de Londres.
Éaque, un des trois juges des Enfers.
East Ham, faubourg de l'est de Londres.
Ebert (Friedrich), homme d'Etat et socialiste allemand (1871-1925).
Èbre, fl. d'Espagne (Méditerranée) ; 930 km.
Ecbatane, capit. de l'anc. Médie.
Eckmühl, village de Bavière, où Napoléon vainquit les Autrichiens (1809).
Écluse (*L'*), v. des Pays-Bas, au large de laquelle les Anglais remportèrent sur les Français une victoire navale (1340).
École des femmes (*l'*), comédie de Molière (1662).
Écosse, partie nord de la Grande-Bretagne.
Écouen, v. du Val-d'Oise, au nord de Paris; château (XVIe s.).
Écouves (*forêt d'*), massif forestier des collines de Normandie.
Édesse, anc. v. de Mésopotamie.
Edfou, v. d'Egypte, sur le Nil.
Édimbourg, capit. de l'Ecosse; 467 000 h.
Edison (Thomas), physicien américain (1847-1931), inventeur du phonographe et de l'ampoule électrique.
Édith, nom de la femme de Loth.
Edjelé, importante exploitation pétrolière du Sahara algérien (dép. des Oasis).
Edmond (*saint*) [1190-1240], archevêque de Cantorbéry.
Édouard III, le Confesseur (*saint*), roi anglo-saxon de 1042 à 1066.
Édouard, nom de plusieurs rois d'Angleterre, dont : EDOUARD III (1312-1377), roi de 1327 à 1377, vainqueur des Français à Crécy; — EDOUARD VII (1841-1910), roi de 1901 à 1910; — EDOUARD VIII, né en 1894; roi en 1936; il abdiqua la même année.
Édouard d'Angleterre (1330-1376), surnommé *le Prince Noir*, fils du roi Edouard III; vainqueur à Poitiers.
Eekloo, v. de Belgique (Flandre-Orientale); industries textiles.

Égée, père de Thésée, il se noya dans la mer qui, depuis, a pris son nom (Méditerranée orientale).
Égérie, nymphe qui inspirait le roi Numa.
Égine, île de la Grèce.
Éginhard, chroniqueur de Charlemagne.
Égisthe, un des Atrides; complice de Clytemnestre, il tua Agamemnon.
Égypte ou **République arabe unie,** Etat de l'Afrique du Nord-Est; 907 000 km²; 28 900 000 h. Capit. *Le Caire.*
Eifel, massif de l'Allemagne rhénane.
Eiffel (Gustave), ingénieur français (1832-1923), constructeur de la tour qui porte son nom, à Paris (1889).
Eindhoven, v. et centre industriel des Pays-Bas (Brabant-Septentrional).
Einstein (Albert), physicien américain d'origine allemande (1879-1955), créateur de la théorie de la relativité.
Eisenhower (David Dwight), général et homme d'Etat américain, né en 1890, commandant en chef des armées alliées (1942-1945), président républicain des Etats-Unis de 1953 à 1960.
Élagabal ou **Héliogabale** (204-222), empereur romain de 218 à 222.
Élam ou **Susiane,** anc. Etat voisin de la Chaldée; capit. *Suse.*
Elbe, fl. de Tchécoslovaquie et d'Allemagne (mer du Nord); 1 100 km.
Elbe (*île d'*), île italienne de la Méditerranée, à l'est de la Corse, et où Napoléon fut relégué en 1814.
Elbeuf, centre textile de la Seine-Maritime.
Elbourz, massif de l'Iran; 5 604 m.
Elbrouz, sommet du Caucase; 5 633 m.
Elche, v. du sud-est de l'Espagne.
Électre, fille d'Agamemnon et de Clytemnestre, qui tua sa mère pour venger la mort de son père.
Éleusis, v. de l'Attique. Temple célèbre.
Élide, anc. pays du Péloponnèse.
Élie, prophète juif.
Eliot (George), romancière anglaise (1819-1880), auteur du *Moulin sur la Floss.*
Élisabeth (*sainte*), mère de saint Jean-Baptiste, femme du grand prêtre Zacharie.
Élisabeth de Hongrie (*sainte*) [1207-1231], femme de Louis IV de Thuringe.
Élisabeth Ire (1533-1603), reine d'Angleterre de 1558 à 1608.
Élisabeth II, reine de Grande-Bretagne, née en 1926; elle a succédé à son père George VI en 1952.
Élisabeth de France (*Madame*) [1764-1794], sœur de Louis XVI, morte sur l'échafaud.
Élisabeth Petrovna (1709-1762), fille de Pierre le Grand, impératrice de Russie, de 1741 à 1762.
Élisée, prophète juif, disciple d'Elie.
Éloi (*saint*), orfèvre et trésorier de Clotaire II et de Dagobert (588-659).
Elorn, fl. côtier de Bretagne.
Elseneur, v. du Danemark.
Eluard (Paul), poète français (1895-1952).
Élysée (*palais de l'*), résidence construite à Paris en 1718 et affectée au président de la République à partir de 1873.

Elzévir ou **Elzevier,** famille d'imprime[urs] établis en Hollande (XVIe s.).
Emba, région pétrolifère de l'U.R.S.S.
Embrun, v. des Hautes-Alpes.
Émilie, région du nord de l'Italie.
Emmanuel Ier ou MANOEL (1469-152[1]) roi de Portugal de 1495 à 1521; — EM[MA]NUEL II (1889-1932), roi de Port[ugal] de 1908 à 1910, détrôné par une r[évo]lution.
Emmaüs, bourg de Judée, où Jésus-Ch[rist] apparut à ses disciples, après sa rés[ur]rection.
Empédocle, philosophe d'Agrigente (v[ers] 493-433 av. J.-C.).
Empire romain, Etat du monde médit[er]ranéen (29 av. J.-C.-395); capit. *Ro[me]*
empire d'Orient, partie de l'Empire rom[ain] qui eut pour capitale *Constantino[ple]* (395-1453).
empire d'Occident, partie de l'Em[pire] romain qui conserva *Rome* pour capi[tale] (395-476).
empire d'Occident, Etat fondé par Cha[rle]magne et continué jusqu'à François [II] (1806); appelé depuis le XIVe s. *Sa[int] Empire romain germanique.*
Empire français, Etat fondé par Nap[o]léon Ier (1804-1815), rétabli par Nap[o]léon III (1852-1870).
Ems, fl. d'Allemagne (mer du Nord)
Ems, station thermale d'Allemagne occidentale, près de Coblence.
Encyclopédie, vaste publication scientifique dirigée par Diderot (1751-1772)
Endymion, berger aimé d'Artémis.
Énée, prince troyen dont Virgile a fait le héros de son *Enéide.*
Engadine, vallée de la Suisse (Grisons).
Engels (Friedrich), philosophe allemand (1820-1894), ami de Karl Marx.
Enghien (*duc d'*), prince français (1772-1804), fusillé sur l'ordre de Bonaparte.
Enghien-les-Bains, station thermale du Val-d'Oise, sur le *lac d'Enghien.*
Entre-Deux-Mers, région viticole du Bordelais, entre la Garonne et la Dordogne
Éole, dieu grec des Vents.
Éolide, anc. contrée d'Asie Mineure.
Éoliennes ou **Lipari** (*îles*), archipel italien de la mer Tyrrhénienne.
Épaminondas, général et homme d'Etat thébain (vers 418-362 av. J.-C.).
Épernay, ch.-l. d'arr. de la Marne, sur la Marne; vins de Champagne.
Éphèse, anc. ville d'Ionie; son temple, dédié à Artémis, fut brûlé par Erostrate.
Épictète, philosophe stoïcien (Ier s.).
Épicure, philosophe grec (341-270 av. J.-C.).
Épidaure, v. de l'Argolide, dont il reste de nombreuses ruines (théâtre).
Épinal, ch.-l. des Vosges, sur la Moselle; 37 800 h. Imageries.
Épire, contrée de l'ancienne Grèce
Epsom, v. d'Angleterre, où ont lieu d'importantes courses de chevaux.
Epte, riv. de France, affl. de la Seine; 100 km.
Équateur, république du nord-ouest de l'Amérique du Sud; 300 400 km²; 5 084 000 h. Capit. *Quito.*

…asme (Didier), humaniste hollandais (1467-1536), auteur de *Colloques* et de *Eloge de la folie.*

…atosthène, mathématicien et philosophe … l'école d'Alexandrie (vers 275-194 av. …-C.).

…dre, riv. de l'ouest de la France, affl. de … Loire; 105 km.

…bus, volcan de l'Antarctique; 4 023 m.

…van, v. et centre industriel de l'U.R.S.S.; …pit. de l'Arménie.

…urt, v. d'Allemagne orientale.

…ic le Rouge, navigateur norvégien qui …écouvrit le Groenland au Xe s.

…ié, lac de l'Amérique du Nord.

…innyes ou **Euménides,** déesses grecques …ui, dans les Enfers, étaient chargées de …unir les crimes des humains; les Romains … appelaient *Furies.*

…menonville, bourg de l'Oise.

…s, dieu grec de l'Amour.

…strate, Éphésien obscur qui voulut se …ndre immortel en incendiant le temple … Artémis à Ephèse (386 av. J.-C.).

…stein, ch.-l. d'arr. du Bas-Rhin.

…ymanthe, montagne d'Arcadie, repaire …u sanglier tué par Héraclès.

…ythrée, région de l'Afrique orientale auj. rattachée à l'Ethiopie.

…saü, fils d'Isaac et de Rébecca, frère aîné de Jacob.

Escaut, fl. de France, de Belgique et de Hollande (mer du Nord); 400 km.

Eschine, orateur d'Athènes (390-314 av. J.-C.), rival de Démosthène.

Esch-sur-Alzette, v. du Luxembourg.

Eschyle, auteur tragique grec (525-456 av. J.-C.), auquel on doit *les Perses, Prométhée enchaîné* et la trilogie de *l'Orestie.*

Esclave (*grand lac de l'*), lac du Canada.

Escobar y Mendoza (Antonio), jésuite espagnol (1589-1669).

Esculape, dieu latin de la Médecine.

Escurial, bourg d'Espagne, près de Madrid; palais et monastère bâtis par Philippe II.

Ésope, fabuliste grec (VIIe-VIe s. av. J.-C.).

Espagne, Etat du sud-ouest de l'Europe, dans la péninsule Ibérique; 506 787 km^2; 31 604 000 h. Capit. *Madrid.*

Esquilin, une des sept collines de Rome.

Esquimaux ou **Eskimos,** population des régions arctiques.

Essais, ouvrage de Montaigne (1580-1588).

Essen, centre houiller et métallurgique d'Allemagne occidentale, sur la Ruhr.

Essex, comté maritime du sud-est de l'Angleterre.

Essling, v. d'Autriche, près de Vienne, où les Français remportèrent une victoire en 1809. Lannes y fut tué.

Essonne, dép. de la région parisienne; préf. *Evry;* s.-préf. *Etampes, Palaiseau.*

Est (*canal de l'*), canal qui réunit la Meuse et le Rhône, par la Moselle et la Saône.

Estaing (Henri, *comte d'*), amiral français (1729-1794).

Este (*maison d'*), famille princière d'Italie.

Esterel, massif montagneux de Provence.

Esther, femme d'Assuérus.

Esther, tragédie de Racine (1689).

Estienne, famille d'imprimeurs et d'humanistes français du XVIe s.

Estonie, république fédérée de l'U.R.S.S.; capit. *Tallinn.*

Estrées (Gabrielle *d'*) [1573-1599], favorite d'Henri IV.

Estrémadure, région de la péninsule Ibérique (Espagne et Portugal).

Étampes, ch.-l. d'arr. de l'Essonne, au sud de Paris; églises (XIIe-XIIIe s.).

Étaples, port du Pas-de-Calais.

État français, régime issu de la défaite de 1940 et de l'effondrement de la IIIe République.

états généraux, assemblée de l'Ancien Régime où siégeaient les représentants des diverses classes de la Nation.

États-Unis d'Amérique, république de l'Amérique du Nord, groupant 50 Etats, un district fédéral et des territoires extérieurs; 195 millions d'h.; capit. *Washington.*

Étéocle, fils d'Œdipe; il lutta contre son frère Polynice.

Éthiopie, Etat de l'Afrique orientale, empire gouverné par le négus; 900 000 km^2; 22 200 000 h. Capit. *Addis-Abéba.*

Étienne (*saint*), premier martyr du christianisme, lapidé en 33.

Étienne Ier (*saint*), roi de Hongrie de 997 à 1038; il propagea le christianisme.

Etna, volcan de la Sicile; 3 274 m.

Étolie, contrée de l'ancienne Grèce.

Eton, v. universitaire d'Angleterre.

Étretat, station balnéaire de la Seine-Maritime, sur la Manche.

Étrurie, anc. région du centre de l'Italie.

Eu, bourg de Seine-Maritime.

Eubée, île de la mer Egée.

Euclide, mathématicien grec (vers 315-285 av. J.-C.), qui posa les bases de la géométrie plane.

Eudes, fils de Robert le Fort, proclamé roi de France en 888.

Eugène Ier (*saint*), pape de 654 à 657.

Eugène de Savoie, dit *le Prince Eugène,* général des armées impériales (1663-1736).

Eugénie de Montijo (1826-1920), épouse de Napoléon III.

Euménides. V. ÉRINNYES.

Eupen, v. de Belgique.

Euphrate, fl. d'Asie, qui se réunit au Tigre pour former le Chatt el-Arab; 2 900 km.

Eurafrique, l'Europe et l'Afrique.

Eurasie, l'Europe et l'Asie.

Eure, riv. de l'ouest de la France, affl. de la Seine; 225 km.

Eure, dép. de l'ouest de la France; préf. *Evreux;* s.-préf. *Les Andelys, Bernay.*

Eure-et-Loir, dép. de la France, au sud-ouest de Paris; préf. *Chartres;* s.-préf. *Châteaudun, Dreux, Nogent-le-Rotrou.*

Euripide, poète tragique grec (480-406 av. J.-C.), auteur d'*Iphigénie, Alceste.*

Europe, une des cinq parties du monde; 10 millions de km^2; 615 millions d'h. Elle comprend les Etats suivants : Albanie, Allemagne occidentale, Allemagne orientale, Andorre, Autriche, Belgique, Bulgarie, Danemark, Espagne, Finlande, France, Grande-Bretagne, Grèce, Hongrie, Irlande, Islande, Italie, Liechtenstein, Luxembourg, Monaco, Norvège, Pays-Bas, Pologne, Por-

tugal, Roumanie, Saint-Marin, Suède, Suisse, Tchécoslovaquie, Turquie, U.R.S.S., Vatican, Yougoslavie.
Europe, fille d'Agénor, enlevée par Zeus; mère de Minos.
Eurotas, riv. de Laconie, qui arrose Sparte.
Eurydice, femme d'Orphée.
Eurymédon, riv. de Pamphylie, sur les bords de laquelle Cimon vainquit les Perses (468 av. J.-C.).
Eusèbe, évêque de Césarée (vers 265-340), le père de l'histoire religieuse.
Eustache (*saint*), soldat sous Trajan, martyr en 130.
Évangiles (les) ou l'*Évangile,* livre sacré composé des quatre récits de saint Matthieu, saint Marc, saint Luc et saint Jean, retraçant la vie de Jésus-Christ.
Ève, la première femme, épouse d'Adam.
Évêchés (les *Trois-*), nom donné autrefois aux évêchés de Metz, Toul et Verdun.
Everest, point culminant de l'Himalaya et du globe; 8 880 m.
Évian-les-Bains, station thermale de Haute-Savoie, sur le lac Léman.
Évreux, ch.-l. de l'Eure.
Évry, ch.-l. de l'Essonne.
Exeter, port d'Angleterre; cathédrale.
Eylau, v. de l' U. R. S. S., où Napoléon remporta une victoire sur les Russes et les Prussiens (1807).
Eyzies-de-Tayac (*Les*), station préhistorique de la Dordogne.
Ézéchias, roi de Juda.
Ézéchiel, prophète hébreu (VIe s. av. J.-C.).

F

Fables, recueil de La Fontaine, en douze livres (1668-1694).
Fabre (Henri), entomologiste fr. (1823-1915), auteur de *Souvenirs entomologiques.*
Fachoda, auj. **Kodok,** v. du Soudan, sur le Nil; occupée en 1898 par l'expédition Marchand, elle dut être remise aux Anglais.
Fahrenheit (Gabriel), physicien allemand (1686-1736), inventeur d'une graduation thermométrique.
Faidherbe (Louis), général français (1818-1889), organisateur du Sénégal.
Falerne, vignoble du Latium.
Falkland (*îles*) ou **Malouines,** archipel de l'Atlantique, au sud de l'Argentine, occupé par les Anglais.
Fallières (Armand), homme politique français (1841-1931), président de la République de 1906 à 1913.
Falloux (Frédéric, *comte de*), homme politique français (1811-1886), promoteur de la loi sur la liberté de l'enseignement.
Falstaff (John), favori du roi Henri V d'Angleterre (vers 1370-1459).
Famagouste, anc. capit. de Chypre.
Fantin-Latour (Théodore), peintre français (1836-1904).
Faraday (Michael), physicien anglais (1791-1867), qui découvrit l'induction électromagnétique.
Farewell (*cap*), cap du Groenland.
Farnèse (Alexandre) [1545-1592], gouverneur des Pays-Bas.
Far West, nom donné par les Américains aux territoires de l'ouest de l'Union.
Fa-tchan, v. de la Chine du Sud.
Fatima, village du Portugal; la Vierge y serait apparue, en 1917.
Fatima ou **Fatma,** fille de Mahomet.
Fatimides, dynastie musulmane qui régna en Afrique de 909 à 1171.
Faulkner (William), écrivain américain, né en 1897; auteur de *Sanctuaire.*
Faune, dieu champêtre chez les Latins.
Faure (Félix), homme politique français (1841-1899), président de la République de 1895 à 1899.
Fauré (Gabriel), compositeur français (1845-1924), auteur d'un *Requiem.*
Faust, personnage légendaire, qui vendit son âme à Méphistophélès. C'est le héros d'un poème dramatique de Gœthe.
Fayet (*Le*), station thermale de la Haute-Savoie.
Fécamp, port de pêche et station balnéaire de la Seine-Maritime, sur la Manche.
Félix Ier (*saint*), pape de 269 à 274.
Femmes savantes (*les*), comédie de Molière (1672).
Fénelon (François *de Salignac de La Mothe-*), écrivain et prélat français (1651-1715), archevêque de Cambrai, auteur des *Aventures de Télémaque.*
Ferdinand V, le Catholique (1452-1516), roi d'Aragon et de Sicile de 1479 à 1516, roi de Castille de 1474 à 1504, grâce à son mariage avec Isabelle de Castille.
Ferdinand VII (1784-1833), roi d'Espagne en 1808, détrôné par Napoléon la même année, puis restauré (1813-1833).
Ferdousi, poète persan (933-1021).
Fère (*La*), bourg et anc. place forte de l'Aisne, sur l'Oise.
Fergana ou **Ferghana,** bassin du Syr-Daria, en Asie centrale soviétique.
Fermat (Pierre *de*), mathématicien français (1601-1665).
Fermi (Enrico), physicien italien (1901-1954), auteur de la première pile à uranium.
Fernando Poo, île espagnole d'Afrique.
Ferney-Voltaire, bourg de l'Ain.
Féroé (*îles*), ou **Fær-Œer,** archipel danois au nord de l'Ecosse.
Ferrare, v. d'Italie (Emilie).
Ferrol (*Le*), port militaire d'Espagne, sur l'Atlantique.
Ferry (Jules), homme d'Etat français (1832-1893), qui réforma l'enseignement primaire et soutint l'expansion coloniale française.
Ferryville, auj. **Menzel-Bourguiba,** v. de Tunisie.
Fesch (*cardinal* Joseph), prélat français (1763-1839), oncle de Napoléon Ier.
Feu (*Terre de*). V. TERRE DE FEU.

Feuillants, club groupant les monarchistes constitutionnels en 1792.
Feydeau (Georges), vaudevilliste français (1862-1921), auteur d'*Occupe-toi d'Amélie.*
Fez ou **Fès,** v. du Maroc central.
Fezzan, contrée du Sahara (Libye).
Fiacre (*saint*), moine irlandais du VIIe s.
Fianarantsoa, v. du sud-est de Madagascar.
Fichte (Johann Gottlieb), philosophe idéaliste allemand (1762-1814).
Fidji ou **Fiji** (*îles*), archipel britannique de la Mélanésie.
Fielding (Henry), romancier anglais (1707-1754), auteur de *Tom Jones.*
Fier, riv. de Haute-Savoie, affl. du Rhône; 66 km. Gorges pittoresques.
Figeac, ch.-l. d'arr. du Lot.
Figuig, oasis du Sahara marocain.
Fingal (*grottes de*), cavernes d'Ecosse.
Finistère, dép. de l'ouest de la France (Bretagne); préf. *Quimper;* s.-préf. *Brest, Châteaulin, Morlaix.*
Finisterre (*cap*), promontoire à l'angle nord-ouest de l'Espagne.
Finlande, république de l'Europe nord-orientale; 337 000 km^2; 4 613 000 h. Capit. *Helsinki.*
Finlande (*golfe de*), golfe de la Baltique.
Fionie, une des îles du Danemark.
Firminy, centre industriel de la Loire.
Fiume. V. RIJEKA.
Fizeau (Hippolyte), physicien français (1819-1896).
Flamininus (Titus Quinctius), général romain, mort vers 175 av. J.-C., vainqueur de Philippe V de Macédoine.
Flammarion (Camille), astronome et vulgarisateur français (1842-1925).
Flandre, région basse, comprise entre la mer du Nord, l'Escaut, l'Artois, le Brabant, le Hainaut.
Flandre-Occidentale, prov. de Belgique.
Flandre-Orientale, prov. de Belgique.
Flaubert (Gustave), écrivain français (1821-1880), auteur de *Madame Bovary.*
Flaviens, dynastie impériale romaine, à laquelle appartinrent Vespasien, Titus et Domitien.
Flèche (*La*), ch.-l. d'arr. de la Sarthe, sur le Loir; prytanée militaire.
Fléchier (Esprit), orateur sacré français (1632-1710).
Fleming (*sir* Alexander), médecin anglais (1881-1955); il a découvert la pénicilline.
Flensburg, v. et port d'Allemagne occidentale (Schleswig-Holstein).
Flers, v. de l'Orne.
Flessingue, port militaire des Pays-Bas.
Fleurs du mal (*les*), recueil de poésies de Baudelaire (1857).
Fleurus, v. de Belgique (Hainaut). Le maréchal de Luxembourg y vainquit Guillaume III en 1690, et Jourdan les Autrichiens en 1794.
Fleury (*cardinal de*), prélat français (1653-1743), ministre de Louis XV.
Flins-sur-Seine, v. des Yvelines. Automobiles.
Flint, v. des Etats-Unis (Michigan).
Florac, ch.-l. d'arr. de la Lozère.
Flore, déesse italique des Fleurs et des Jardins, mère du Printemps.
Florence, v. d'Italie, anc. capit. de la Toscane, sur l'Arno; grand centre artistique.
Florian (Jean-Pierre *Claris de*), fabuliste français (1755-1794).
Floride, presqu'île des Etats-Unis, formant un Etat; capit. *Tallahassee.*
Foch (Ferdinand), maréchal de France (1851-1929), commandant en chef des armées alliées en 1918.
Foggia, v. d'Italie (Pouilles).
Foix (*comté de*), anc. prov. de France (Pyrénées).
Foix, ch.-l. de l'Ariège, sur l'Ariège; 8 950 h.
Foix (Gaston *de*), capitaine français (1489-1512), qui combattit en Italie.
Folkestone, port d'Angleterre, sur la Manche, en relations avec Boulogne.
Fontaine (Pierre-François), architecte français (1762-1853).
Fontainebleau, v. de la Seine-et-Marne; château construit par François Ier; forêt.
Fontenay-aux-Roses, v. des Hauts-de-Seine, au sud de Paris; école normale supérieure.
Fontenay-le-Comte, ch.-l. d'arr. de la Vendée, sur la Vendée.
Fontenay-sous-Bois, v. du Val-de-Marne, à l'est de Paris; 38 200 h.
Fontenelle (Bernard *Le Bovier de*), écrivain français (1657-1757).
Fontenoy, village de Belgique, où le maréchal de Saxe battit les Anglais et les Hollandais (1745).
Fontenoy-en-Puisaye, village de l'Yonne, près de Toucy, où Charles II le Chauve et Louis II le Germanique vainquirent leur frère Lothaire (841).
Font-Romeu, station d'altitude et de sports d'hiver des Pyrénées-Orientales.
Forbach, ch.-l. d'arr. de la Moselle.
Forcalquier, ch.-l. d'arr. des Basses-Alpes.
Ford (Henry), industriel américain (1863-1947), constructeur d'automobiles.
Forêt-Noire, montagnes forestières d'Allemagne occidentale, à l'est du Rhin.
Forez, anc. pays du Massif central.
Forges-les-Eaux, station thermale de la Seine-Maritime.
Forli, v. d'Italie (Emilie).
Formose ou **Taïwan,** île située entre le Pacifique et la mer de Chine, refuge des Chinois nationalistes; 12 429 000 h.
Fornoue, bourg d'Italie du Nord, où Charles VII remporta une victoire en 1495.
Fortaleza, v. du Brésil.
Fort-de-France, ch.-l. de la Martinique; 85 300 h.
Forth, fl. côtier d'Ecosse.
Fort-Lamy, cap. du Tchad.
Fort Worth, v. des Etats-Unis (Texas).
Foucauld (Charles *de*), explorateur et missionnaire français (1858-1916).
Foucault (Léon), physicien français (1819-1868); il démontra la rotation de la Terre et inventa le gyroscope.
Fouché (Joseph), homme politique français (1759-1820), conventionnel, ministre de la Police sous l'Empire.
Fougères, ch.-l. d'arr. de l'Ille-et-Vilaine; chaussures; remparts et château (XIIe s.).
Fou-kien, province de la Chine orientale.
Foulbé, peuple d'Afrique occidentale.
Foulques, nom de cinq comtes d'Anjou.
Fouquet (Jean), peintre et miniaturiste français (vers 1420-vers 1480).

Fouquet (Nicolas), financier français (1615-1680), arrêté par Louis XIV.
Fouquier-Tinville (Antoine) [1746-1795], accusateur public du tribunal révolutionnaire, notamment sous la Terreur.
Fouras, station balnéaire de la Charente-Maritime, sur l'Atlantique.
Fourberies de Scapin (*les*), farce, par Molière (1671).
Fourchambault, centre métallurgique de la Nièvre.
Fourches Caudines, défilé voisin de Caudium, où l'armée romaine fut réduite à passer sous le joug (321 av. J.-C.).
Fourcroy (Antoine, *comte de*), chimiste français (1755-1809).
Fourier (Charles), philosophe socialiste français (1772-1837).
Fourmies, centre industriel du Nord.
Fouta-Djalon, massif de la Guinée.
Fou-tcheou, port de Chine; 616 000 h.
Fox (James Charles), homme d'Etat anglais (1749-1806), adversaire de Pitt.
Foy (Maximilien-Sébastien), général français (1775-1825), député libéral.
Fra Diavolo, chef de brigands italiens (1771-1806).
Fragonard (Jean-Baptiste), peintre français (1732-1806).
Frameries, centre houiller de Belgique.
France, république de l'Europe occidentale; 551 255 km²; 49 millions d'h. Capit. *Paris;* v. pr. : *Marseille, Lyon, Toulouse, Bordeaux, Nice, Nantes, Lille, Saint-Etienne, Strasbourg, Toulon, Rennes, Nancy, Reims, Clermont-Ferrand, Limoges, Rouen, Le Havre, Grenoble, Roubaix, Dijon, Le Mans, Brest, Angers.*
France (Anatole), écrivain français (1844-1924), auteur de *Les dieux ont soif.*
Francesca (Piero *della*), peintre italien (1406-1492), auteur de fresques.
Francfort-sur-le-Main, v. et centre industriel d'Allemagne occidentale (Hesse).
Francfort-sur-l'Oder, v. d'Allemagne orientale, à la frontière polonaise.
Franche-Comté, anc. prov. de l'est de la France; capit. *Besançon.*
Franck (César), organiste et compositeur, né à Liège (1822-1890).
Franco (Francisco), général et homme d'Etat espagnol, né en 1892, chef de l'Etat depuis 1939.
François d'Assise (*saint*) [1182-1226], fondateur de l'ordre des franciscains.
François de Paule (*saint*) [1416-1507], fondateur de l'ordre des minimes.
François de Sales (*saint*) [1567-1622], auteur de l'*Introduction à la vie dévote.*
François Xavier (*saint*), né en Navarre (1506-1552), ami et disciple d'Ignace de Loyola et apôtre des Indes.
François Ier (1494-1547), roi de France de 1515 à 1547, adversaire de Charles Quint; il favorisa les lettres et les arts (*Renaissance*).
François II (1544-1560), roi de France de 1559 à 1560.
François Ier (1708-1765), empereur germanique de 1745 à 1765; — FRANÇOIS II (1768-1835), empereur germanique (1792-1806), puis empereur d'Autriche (1804-1835).
François-Ferdinand, archiduc héritier d'Autriche (1863-1914), dont l'assassinat provoqua la Première Guerre mondiale.
François-Joseph Ier (1830-1916), empereur d'Autriche et roi de Hongrie de 1848 à 1916.
François-Joseph (*archipel*), archipel soviétique de l'Arctique.
Franconie, contrée de l'Allemagne occidentale, à l'ouest de la Bavière.
Francs, tribus de la Germanie, qui conquirent la Gaule au Ve s.
Franklin (Benjamin), homme d'Etat et physicien américain (1706-1790), un des fondateurs de l'indépendance américaine; inventeur du paratonnerre.
Franklin (John), navigateur anglais des régions polaires (1786-1847).
Frascati, v. d'Italie, près de Rome. Vins.
Fraser, fl. du Canada (Colombie britannique).
Frédégonde (545-597), femme de Chilpéric Ier, roi de Neustrie.
Frédéric, nom de neuf rois de Danemark.
Frédéric Ier, Barberousse (vers 1125-1190), roi de Germanie à partir de 1152, empereur d'Occident de 1155 à 1190; — FRÉDÉRIC II (1194-1250), roi de Sicile à partir de 1198, roi de Germanie à partir de 1216 et empereur d'Occident à partir de 1220; il lutta contre la papauté; — FRÉDÉRIC III (1415-1493), empereur germanique de 1440 à 1493.
Frédéric Ier (1657-1713), Electeur de Brandebourg de 1688 à 1713, et premier roi en Prusse de 1701 à 1713; — FRÉDÉRIC II, *le Grand* (1712-1786), roi de Prusse de 1740 à 1786; il fonda la grandeur de la Prusse; — FRÉDÉRIC III (1831-1888), roi de Prusse et empereur allemand en 1888.
Frédéric-Guillaume (1620-1688), Electeur de Brandebourg de 1640 à 1688, surnommé le *Grand Electeur.*
Frédéric-Guillaume Ier, dit le *Roi-Sergent* (1688-1740), roi de Prusse de 1713 à 1740; — FRÉDÉRIC-GUILLAUME II (1744-1797), roi de Prusse de 1786 à 1797; — FRÉDÉRIC-GUILLAUME III (1770-1840), roi de Prusse de 1797 à 1840; — FRÉDÉRIC-GUILLAUME IV (1795-1861), roi de Prusse de 1840 à 1861.
Freetown, capit. et port de Sierra Leone, sur l'Atlantique; 125 000 h.
Fréhel (cap), cap du nord de la Bretagne.
Fréjus, v. du Var; antiquités romaines; cathédrale (XIe-XIIe s.).
Fréron (Elie), critique français (1718-1776), adversaire de Voltaire.
Frescobaldi (Girolamo), compositeur et organiste italien (1583-1643).
Fresnel (Augustin), physicien français (1788-1827), qui fit prévaloir la théorie ondulatoire de la lumière.
Fresnes, v. du Val-de-Marne, au sud de Paris; prison départementale.
Freud (Sigmund), psychiatre autrichien (1856-1939).
Fribourg, v. de Suisse, ch.-l. de canton.
Fribourg-en-Brisgau, v. d'Allemagne (Bade); université.
Friedland, auj. **Pravdinsk,** v. de Lituanie, où Napoléon remporta, en 1807, une victoire sur les Russes.

Frioul, région auj. partagée entre la Yougoslavie et l'Italie.
Frise, région bordant la mer du Nord partagée entre les Pays-Bas et l'Allemagne.
Froissart (Jean), chroniqueur français (vers 1337-vers 1400).
Froment (Nicolas), peintre primitif français (vers 1435-1484), qui travailla à Avignon.
Fromentin (Eugène), peintre et romancier français (1820-1876), auteur de *Dominique.*
Fronde, révolte des parlementaires, puis des Grands contre Mazarin (1648-1653).
Frontignan, v. de l'Hérault; vins, raffinerie de pétrole.
Front populaire, groupement politique français, composé des partis de gauche, qui a détenu le pouvoir de 1936 à 1938.
Frouard, centre métallurgique de Meurthe-et-Moselle, sur la Moselle.
Frounze, capit. du Kirghizistan (U.R.S.S.).
Fuji-Yama, volcan du Japon; 3 778 m.
Fulton (Robert), mécanicien américain (1765-1815), qui réalisa la propulsion des bateaux par la vapeur.
Fumay, centre industriel des Ardennes.
Fumel, centre métallurgique de Lot-et-Garonne.
Funchal, capit. et port de Madère.
Furens, riv. de France, affl. de la Loire.
Furetière (Antoine), écrivain français (1619-1688), auteur du *Roman bourgeois* et d'un *Dictionnaire universel.*
Furies, déesses latines de la Vengeance.
Futuna, archipel français de la Mélanésie.

G

Gabès, v. et port de Tunisie.
Gabon, fl. d'Afrique (Atlantique). — République d'Afrique, indépendante depuis 1960; 462 000 h. Capit. *Libreville.*
Gabriel, archange qui annonça à la Vierge qu'elle serait la mère du Sauveur.
Gabriel (Jacques-Ange), architecte français (1698-1782), auteur de l'Ecole militaire et du Petit Trianon.
Gaète, v. et port d'Italie centrale, sur la Méditerranée.
Gaillac, v. du Tarn, sur le Tarn; vins.
Gainsborough (Thomas), peintre portraitiste anglais (1727-1788).
Galapagos (*îles*), archipel du Pacifique, à l'ouest de l'Equateur.
Galatée, nymphe aimée de Polyphème.
Galatie, anc. contrée de l'Asie Mineure.
Galatzi ou **Galati,** centre industriel de Roumanie, port sur le Danube.
Galba, empereur romain de 68 à 69.
Galère, empereur romain de 305 à 311.
Galibier (*col du*), passage des Hautes-Alpes, entre la Durance et la Maurienne.
Galice, prov. du nord-ouest de l'Espagne.
Galicie, région de Pologne et d'Ukraine.
Galien, médecin grec (IIe s.).
Galigaï (Leonora DORI, dite) [1576-1617], femme de Concini, brûlée comme sorcière.
Galilée, anc. prov. de la Palestine.
Galilée, physicien et astronome italien (1564-1642), qui découvrit les lois de la chute des corps et établit le mouvement diurne de la Terre.
Galles (*pays de*), partie de la Grande-Bretagne, à l'ouest de l'Angleterre. Le fils aîné du roi prend, depuis le XIIIe s., le titre de *prince de Galles.*
Gallien (218-268), empereur romain de 253 à 268.
Gallieni (Joseph), maréchal de France et administrateur colonial (1849-1916).
Gallipoli ou **Gelibolu,** v. de Turquie, sur le détroit des Dardanelles.
Gällivare, v. de Suède, en Laponie; fer.
Galois (Evariste), mathématicien français (1811-1832).
Galvani (Luigi), physicien et médecin italien (1737-1798).
Gama (Vasco *de*), navigateur portugais (vers 1469-1524), qui découvrit la route des Indes par le cap de Bonne-Espérance.
Gambetta (Léon), avocat et homme politique français (1833-1882).
Gambie, fl. de l'Afrique occidentale (Atlantique); 1 130 km. — Etat de l'Afrique occidentale, membre du Commonwealth; 330 000 h. Capit. *Bathurst.*
Gambier (*îles*), archipel français de la Polynésie.
Gand, port de Belgique, sur l'Escaut.
Gandhi, patriote et philosophe de l'Inde (1869-1948), partisan de la non-violence.
Gange, fl. de l'Inde (golfe du Bengale); 3 000 km.
Ganges, centre textile de l'Hérault.
Ganymède, échanson des dieux grecs.
Gap, ch.-l. des Hautes-Alpes.
Garabit (*viaduc de*), pont métallique construit par Eiffel, au-dessus de la Truyère.
Gard, riv. du sud de la France, affl. du Rhône, 133 km.
Gard, dép. du sud de la France; préf. *Nîmes;* s.-préf. *Alès, Le Vigan.*
Gardanne, v. des Bouches-du-Rhône.
Garde (*lac de*), lac de l'Italie du Nord.
Gargantua, principal personnage d'un livre de Rabelais, géant aux appétits énormes.
Garibaldi (Giuseppe), patriote italien (1807-1882).
Garmisch-Partenkirchen, station de sports d'hiver, en Bavière.
Garnier (Robert), poète tragique français (1534-1590), auteur des *Juives.*
Garnier (Francis), marin français (1839-1873), un des conquérants du Tonkin.
Garonne, fl. de France qui naît en Espagne, dans le massif de la Maladetta, et se jette dans l'Atlantique; 650 km.
Garonne (*canal latéral à la*), canal longeant la Garonne de Toulouse à Castets.
Garonne (*Haute-*), dép. du sud-ouest de la France; préf. *Toulouse;* s.-préf. *Muret, Saint-Gaudens.*
Garros (Roland), aviateur français (1888-1918), qui traversa la Méditerranée.
Gartempe, riv. du centre de la France, affl. de la Creuse; 190 km.

Gascogne, anc. prov. du sud-ouest de la France; capit. *Auch.*
Gascogne (*golfe de*), golfe formé par l'Atlantique entre la France et l'Espagne.
Gaspésie, péninsule du Canada oriental.
Gassendi (*abbé* Pierre), mathématicien et philosophe français (1592-1655).
Gâtinais, anc. pays de France, au sud de Paris, traversé par le Loing.
Gauguin (Paul), peintre français (1848-1903), qui travailla en Bretagne et en Océanie.
Gaule, anc. pays situé entre le Rhin, l'Atlantique et les Pyrénées, et s'étendant au-delà des Alpes, en Italie du Nord.
Gaulle (Charles *de*), général et homme d'Etat français, né en 1890; chef des Forces françaises libres pendant la Seconde Guerre mondiale. Président de la République en 1958.
Gauss (Karl Friedrich), mathématicien et physicien allemand (1777-1855).
Gautier (Théophile), poète français (1811-1872), auteur d'*Emaux et Camées.*
Gavarni, dessinateur français (1804-1866).
Gavarnie, loc. des Hautes-Pyrénées, près d'un cirque rocheux.
Gay-Lussac (Louis-Joseph), physicien et chimiste français (1778-1850); il découvrit la loi de la dilatation des gaz et celle des combinaisons gazeuses.
Gaza, v. de Palestine administrée par l'Egypte.
Gdynia, port de Pologne.
Géants (*mont des*), montagne du nord de la Bohême.
Gelboé, montagne de Palestine.
Gelée (Claude). V. LORRAIN (*Le*).
Gelsenkirchen, centre industriel d'Allemagne, dans la Ruhr.
Gênes, v., port et centre industriel d'Italie; 803 000 h. Capit. de la Ligurie.
Génésareth (*lac de*). V. TIBÉRIADE.
Genèse, le premier livre de la Bible.
Genève, v. de Suisse, ch.-l. de canton, sur le lac Léman; 174 000 h. Centre industriel et commercial.
Geneviève (*sainte*) [vers 422-vers 500], patronne de Paris.
Genèvre (*col du Mont-*), col des Alpes.
Gengis khan, conquérant tatare (1162-1227), fondateur du premier Empire mongol.
Génissiat, loc. de l'Ain; installation hydro-électrique sur le Rhône.
Genk, centre industriel de Belgique.
Gennevilliers, centre industriel des Hauts-de-Seine, sur la Seine.
Genséric, roi des Vandales au Ve s.
Gentilly, v. du Val-de-Marne, au sud de Paris.
Geoffrin (Mme Marie-Thérèse), femme célèbre pour son esprit (1699-1777).
Geoffroy V, le Bel, surnommé *Plantagenêt* (1113-1151), comte d'Anjou à partir de 1129, et duc de Normandie à partir de 1144, père de Henri II d'Angleterre.
Geoffroy Saint-Hilaire (Etienne), naturaliste français (1772-1844).
George Ier (1660-1727), roi d'Angleterre de 1714 à 1727; — GEORGE II (1683-1760), roi d'Angleterre de 1727 à 1760; — GEORGE III (1738-1820), roi d'Angleterre de 1760 à 1820; — GEORGE IV (1762-1830), régent de 1810 à 1820 et roi de 1820 à 1830; — GEORGE V (1865-1936), roi d'Angleterre de 1910 à 1936; — GEORGE VI (1895-1952), roi d'Angleterre de 1936 à 1952.
George Dandin, comédie de Molière (1668).
Georges (*saint*), martyr sous Dioclétien.
Georges Ier (1845-1913), roi de Grèce de 1863 à 1913; — GEORGES II (1890-1947), roi de Grèce de 1922 à 1924 et de 1935 à 1947.
Georgetown, v. de Malaisie, dans l'île de Penang. — Capit. de la Guyane britannique; 94 000 h.
Géorgie, un des Etats unis d'Amérique, sur l'Atlantique; capit. *Atlanta.*
Géorgie, république fédérée de l'U.R.S.S., sur la mer Noire; capit. *Tbilisi.*
Géorgiques (*les*), poème didactique de Virgile (39-29 av. J.-C.).
Gérard (*baron* François), peintre d'histoire français (1770-1837).
Gérardmer, v. des Vosges, près du *lac de Gérardmer.*
Gerbier-de-Jonc, mont du Vivarais.
Gergovie, oppidum de la Gaule centrale, que Vercingétorix défendit contre César.
Géricault (Théodore), peintre français (1791-1824), auteur du *Radeau de la Méduse.*
Germain (*saint*) [vers 380-448], évêque d'Auxerre.
Germain (*saint*) [496-576], évêque de Paris.
Germaine (*sainte*), née près de Toulouse (1579-1601).
Germanicus (Caius Drusus Claudius), général romain (15 av. J.-C.-19), père de Caligula et d'Agrippine.
Germanie, anc. contrée de l'Europe centrale, auj. l'Allemagne.
Gérome (Jean-Louis), peintre et sculpteur français (1824-1904).
Gerone, v. d'Espagne (Catalogne).
Gers, riv. du sud-ouest de la France, affl. de la Garonne; 178 km.
Gers, dép. du sud-ouest de la France; préf. *Auch;* s.-préf. *Condom, Mirande.*
Gerson (Jean), théologien français (1363-1429), chancelier de l'Université.
Gessler, bailli qui, selon la tradition, fut tué par Guillaume Tell.
Gestapo, police secrète hitlérienne.
Gethsémani, village près de Jérusalem, où était le jardin des Oliviers.
Gévaudan, anc. pays de France (Lozère).
Gevrey-Chambertin, bourg viticole de la Côte-d'Or.
Gex, ch.-l. d'arr. de l'Ain.
Ghana, anc. *Côte-de-l'Or,* Etat de l'Afrique occidentale; 7 340 000 h.; capit. *Accra.*
Ghardaïa, oasis du Sud algérien.
Ghâtes, contreforts du Deccan, en bordure de la mer d'Oman et du golfe du Bengale.
Ghiberti (Lorenzo), sculpteur et architecte florentin (1378-1455).
Ghirlandaio, peintre primitif de l'école florentine (1449-1494).
Gibraltar, port britannique au sud de l'Espagne, sur le détroit du même nom (entre l'Espagne et le Maroc).
Gide (André), écrivain français (1869-1951), auteur des *Faux-Monnayeurs.*
Gien, v. du Loiret, sur la Loire.
Giens (*presqu'île de*), presqu'île du Var.
Gijon, port d'Espagne, sur l'Atlantique.

Gilbert-et-Ellice (*îles*), archipel britannique de Polynésie.
Gimone, riv. du sud-ouest de la France, affl. de la Garonne; 133 km.
Giorgione (*le*), peintre vénitien du XVe s.
Giotto di Bondone, peintre florentin (1266-1337), auteur de fresques à Assise.
Girard (Philippe *de*), inventeur français d'une machine à filer le lin (1775-1845).
Girardon (François), sculpteur français (1628-1715).
Giraudoux (Jean), écrivain français (1882-1944), auteur de romans et de pièces de théâtre.
Gironde, nom de la Garonne après sa rencontre avec la Dordogne.
Gironde, dép. du sud-ouest de la France; préf. *Bordeaux;* s.-préf. *Blaye, Langon, Lesparre, Libourne.*
Girotte (la), lac des Alpes, à 15 km du mont Blanc; installation hydro-électrique.
Gisors, v. de l'Eure, sur l'Epte; ruines d'un château fort.
Givet, centre métallurgique des Ardennes.
Givors, v. du Rhône.
Gizèh, v. d'Egypte, sur le Nil, près des grandes pyramides de Memphis.
Gladstone (William), homme politique anglais (1809-1898), chef des libéraux, adversaire de Disraeli.
Glaris, v. de Suisse, ch.-l. de canton.
Glasgow, port et centre industriel d'Ecosse, sur la Clyde; 1 100 000 h.
Glénan (*îles*), archipel du Finistère.
Gloucester, v. d'Angleterre, port sur la Severn.
Gluck (Christoph Willibald), compositeur allemand (1714-1787), auteur d'*Orphée.*
Gneisenau (Neithardt, *comte de*), maréchal prussien (1760-1831), qui reconstitua l'armée prussienne.
Goa, port de la côte ouest de l'Inde, anciennement portugais.
Gobelins (les), famille de teinturiers de Reims, qui fondèrent, à Paris, une manufacture de tapisseries.
Gobi, désert de Mongolie et de Chine.
Gobineau (*comte* Joseph *de*), diplomate et écrivain français (1816-1882).
Godavéri, fl. de l'Inde, dans le Deccan.
Godefroy IV de Bouillon (1061-1100), duc de Basse-Lorraine, chef de la première croisade.
Godounov (Boris) [1551-1605], tsar de Moscovie de 1598 à 1605.
Godoy (Manuel *de*) [1767-1851], ministre et favori de Charles IV d'Espagne.
Gœthe (Wolfgang), écrivain allemand (1749-1832), auteur de *Faust.*
Gogol (Nicolas), écrivain russe (1809-1852), auteur des *Ames mortes.*
Golconde, anc. v. du Deccan, dans l'Inde. Auj. *Hyderabad.*
Goldoni (Carlo), écrivain italien (1707-1793), auteur de comédies.
Goldsmith (Oliver), écrivain irlandais (1728-1774), auteur du *Vicaire de Wakefield.*
Goléa (*El-*), oasis du Sahara algérien.
Golfe-Juan, station balnéaire des Alpes-Maritimes. Napoléon y débarqua à son retour de l'île d'Elbe (1815).
Golgotha. V. CALVAIRE.
Goliath, géant philistin, tué par David.
Golo, principal fl. de la Corse.
Gomorrhe, v. de Palestine, détruite, en même temps que Sodome, par le feu du ciel.
Goncourt (Edmond *Huot de*), écrivain français (1822-1896), auteur, avec son frère JULES (1830-1870), de romans naturalistes; créateur de l'Académie Goncourt.
Gondi, famille française, à laquelle appartenait le cardinal de Retz.
Gondwana, région de l'Inde, qui a donné son nom à un continent primitif aujourd'hui disloqué.
Gonfreville-l'Orcher, centre pétrolier de la Seine-Maritime.
Gongora (Luis *de*), poète précieux espagnol (1561-1627).
Gonzague, famille italienne qui a régné sur les duchés de Mantoue et de Nevers.
Gonzalve de Cordoue, général castillan (1453-1515), surnommé *le Grand Capitaine.*
Gordios, laboureur phrygien, qui devint roi pour avoir accompli un oracle promettant la royauté à celui qui arriverait le premier sur un char. Il consacra ce char à Zeus; le timon en était lié au joug par un nœud très compliqué. Un oracle promettait l'empire d'Asie à celui qui réussirait à le défaire. Alexandre le Grand le trancha d'un coup d'épée.
Gorée, île du Sénégal, en face de Dakar.
Gorgones, monstres mythologiques : Méduse, Euryale et Sthéno.
Gorki, anc. *Nijni-Novgorod,* v. de l'U.R.S.S., centre industriel et port sur la Volga; anc. foire annuelle.
Gorki (Maxime), écrivain russe (1868-1936), auteur de *Ma vie d'enfant.*
Gorlovka, centre minier et industriel de l'U.R.S.S. (Ukraine).
Göteborg, port de Suède.
Gotha, v. d'Allemagne orientale (Thuringe).
Goths, peuple de la Germanie, qui occupa le sud-est de l'Europe. Il comprenait les *Ostrogoths* et les *Wisigoths.*
Gotland, île de Suède.
Göttingen, v. universitaire d'Allemagne occidentale.
Goudimel (Claude), compositeur français du XVIe s.
Goujon (Jean), sculpteur et architecte français (vers 1510-vers 1565).
Goulette (*La*), port de Tunisie.
Gounod (Charles), compositeur français (1818-1893), auteur de *Faust.*
Gourdon, ch.-l. d'arr. du Lot.
Gournay (Vincent *de*), économiste français (1712-1759).
Gouvion-Saint-Cyr (Laurent), maréchal de France (1764-1830).
Goya (Francisco *de*), peintre et graveur espagnol (1746-1828), auteur des *Désastres de la guerre.*
Gracchus, nom de deux frères tribuns et orateurs romains du IIe s. av. J.-C., TIBERIUS et CAIUS, auteurs d'importantes lois agraires. On les appelle *les Gracques.*
Gramme (Zénobe), électricien belge (1826-1901), inventeur de la dynamo électrique.
Grampians (*monts*), chaîne de montagnes de l'Ecosse, culminant à 1 340 m.
Grand-Combe (*La*), centre houiller du Gard, dans le bassin d'Alès.

Grand-Couronne, centre industriel de la Seine-Maritime, près de Rouen.
Grande-Bretagne et Irlande du Nord (*royaume-uni de*), Etat de l'Europe occidentale; 244 000 km²; 54 213 000 h. Capit. *Londres.*
Grande del Norte, fl. qui sépare les Etats-Unis du Mexique (golfe du Mexique) ; 3 540 km.
Grande-Grèce, dans l'Antiquité, partie méridionale de l'Italie.
Grand-Lieu (*lac de*), lac situé au sud-ouest de Nantes.
Grand-Quevilly, centre industriel de la Seine-Maritime, près de Rouen.
Grands Lacs, les cinq lacs de l'Amérique du Nord : Supérieur, Michigan, Huron, Erié, Ontario.
Grandson, v. de Suisse, sur le lac de Neuchâtel; Charles le Téméraire y fut vaincu par les Suisses (1476).
Granique, riv. d'Asie Mineure; victoire d'Alexandre sur Darios (334 av. J.-C.).
Grant (Ulysses), général américain (1822-1885), vainqueur des Sudistes.
Granville, port et station balnéaire de la Manche, sur la Manche.
Grasse, ch.-l. d'arr. et station climatique des Alpes-Maritimes; fleurs.
Graulhet, centre industriel du Tarn; mégisserie et filatures.
Grave (*pointe de*), cap à l'embouchure de la Gironde.
Gravelines, bourg du Nord; défaite des Français devant les Espagnols (1558).
Gravelotte, bourg de la Moselle; combats sanglants en 1870.
Graves (les), vignobles du Bordelais.
Gray, centre industriel de la Haute-Saône, sur la Saône.
Graz, centre industriel d'Autriche.
Gréban (Arnoul), poète français du XVᵉ s.; auteur d'un *Mystère de la Passion.*
Grèce, royaume de la péninsule balkanique, baigné au sud par la Méditerranée; 132 728 km²; 8 510 000 h. Capit. *Athènes.*
Greco (*le*), peintre d'origine grecque (vers 1545-1614), qui réalisa en Espagne des tableaux d'un réalisme mystique.
Greenwich, v. d'Angleterre, près de Londres; anc. observatoire.
Grégoire le Thaumaturge (*saint*), théologien grec du IIIᵉ s.
Grégoire de Nazianze (*saint*), Père de l'Eglise grecque (vers 330-390).
Grégoire de Nysse (*saint*), Père de l'Eglise grecque (vers 335-395).
Grégoire de Tours, théologien et historien (538-594), évêque de Tours.
Grégoire, nom de seize papes, dont : GRÉGOIRE Iᵉʳ, *le Grand* (*saint*) [vers 540 - 604], pape de 590 à 604, auquel on doit la liturgie de la messe et le rite *grégorien;* — GRÉGOIRE VII (*saint*) [vers 1015-1085], pape de 1073 à 1085, adversaire de l'empereur Henri IV dans la querelle des Investitures; — GRÉGOIRE XIII (1502-1585), pape de 1572 à 1585, qui réforma le calendrier.
Grégoire (Henri), prélat constitutionnel et conventionnel français (1750-1831).
Grenade, une des Antilles britanniques.
Grenade, v. d'Espagne (Andalousie) ; palais de l'Alhambra; cathédrale.
Grenoble, ch.-l. et centre industriel de l'Isère, sur l'Isère et le Drac; 162 000 h.
Grésivaudan, vallée alpestre de l'Isère, située entre l'Arc et Grenoble.
Grétry (André), compositeur français (1741-1813), auteur d'opéras-comiques.
Greuze (Jean-Baptiste), peintre français (1725-1805), auteur de scènes familières.
Grévy (Jules), homme politique français (1807-1891), président de la République de 1879 à 1887.
Gribeauval (Jean-Baptiste *Vaquette de*), général français (1715-1789), qui perfectionna l'artillerie.
Grieg (Edouard), compositeur norvégien (1843-1907), auteur de *Peer Gynt.*
Griffon, animal fabuleux.
Grignon, loc. des Yvelines; école nationale d'agriculture.
Grimaldi, bourg d'Italie, où furent découverts les restes fossiles d'une race d'hommes préhistoriques.
Grimm (Frédéric Melchior, *baron de*), publiciste allemand (1723-1807).
Grimm (Wilhelm Karl), écrivain allemand (1786-1859), auteur de *Contes,* avec son frère JAKOB LUDWIG (1785-1863), fondateur de la philologie germanique.
Gringore (Pierre), poète dramatique et satirique français (1475-1538).
Gris-Nez (*cap*), cap de France, sur le pas de Calais; belles falaises.
Grisons, canton de Suisse; ch.-l. *Coire.*
Groenland, grande île au nord de l'Amérique, appartenant au Danemark; 2 millions 180 000 km²; ch.-l. *Godthaab.*
Groix (*île de*), île du Morbihan.
Groningue, v. des Pays-Bas.
Gros (*baron*), peintre français des batailles de l'Empire (1771-1835).
Grosnyi, v. de l'U. R. S. S., au nord du Caucase; raffinerie de pétrole.
Gross Glockner, point culminant des Alpes autrichiennes; 3 796 m.
Grotius, jurisconsulte et diplomate hollandais (1583-1645).
Grouchy (Emmanuel *de*), maréchal de France (1766-1847).
Gruyère (la), pays de Suisse (cant. de Fribourg). Fromages.
Guadalajara, v. du Mexique; 800 000 h.
Guadalcanal, île de l'archipel des Salomon; lieu de violents combats entre Américains et Japonais (1942-1943).
Guadalquivir, fl. de l'Espagne méridionale (Atlantique) ; 579 km.
Guadarrama (*sierra de*), montagnes du centre de l'Espagne.
Guadeloupe (la), dép. français des Petites Antilles; 283 200 h. Ch.-l. *Basse-Terre.*
Guadiana, fl. d'Espagne et du Portugal.
Guam, île principale des Mariannes.
Guatemala, république de l'Amérique centrale; 4 343 000 h. Capit. *Guatemala.*
Guayaquil, v. et port de l'Equateur.
Gudule (*sainte*), patronne de Bruxelles (650-712).
Guebwiller (*ballon de*), point culminant des Vosges; 1 424 m.
Gueldre, prov. des Pays-Bas.
Guelma, v. d'Algérie (Bône).
Guépéou, anc. police secrète soviétique.

Guéret, ch.-l. de la Creuse; 12 600 h.

Guernesey, île anglo-normande.

Guerre (*Grande*) ou **Première Guerre mondiale,** guerre qui mit l'Allemagne, l'Autriche-Hongrie, la Turquie, la Bulgarie aux prises avec la France, la Russie, l'Angleterre, la Serbie, la Belgique, l'Italie, la Roumanie, le Japon, les Etats-Unis et leurs alliés, et se termina par la défaite des empires centraux (1914-1918).

Guerre mondiale (*Seconde*), guerre qui opposa les démocraties (Pologne, Angleterre, France, U. R. S. S., Etats-Unis, Chine et leurs alliés) aux puissances totalitaires de l'axe (Allemagne, Italie, Japon et leurs satellites) et se termina par la victoire des premiers (1939-1945).

Guesde (Jules), homme politique français (1845-1922), chef du parti ouvrier.

Guéthary, station balnéaire des Basses-Pyrénées, sur l'océan Atlantique.

Guide (*le*), peintre italien (1575-1642).

Guignol, personnage principal des marionnettes lyonnaises.

Guillaume Ier (*saint*) [vers 755-812], comte de Toulouse, héros, sous le nom de *Guillaume d'Orange,* d'un cycle de chansons de geste.

Guillaume, nom de quatre rois d'Angleterre, dont : GUILLAUME Ier, *le Conquérant* (1027-1087), duc de Normandie à partir de 1035, roi d'Angleterre à partir de 1066; — GUILLAUME II, *le Roux* (vers 1056-1100), roi d'Angleterre de 1087 à 1100; — GUILLAUME III DE NASSAU, prince d'Orange, stathouder de Hollande à partir de 1672, roi d'Angleterre de 1689 à 1702, adversaire de Louis XIV.

Guillaume Ier de Hohenzollern (1797-1888), roi de Prusse à partir de 1861 et empereur allemand à partir de 1871. Vainqueur des Autrichiens à Sadowa et des Français à Sedan, il réalisa, avec Bismarck, l'unité allemande; — GUILLAUME II (1859-1941), roi de Prusse et empereur allemand, à partir de 1888; il dut abdiquer en 1918.

Guillaume de Lorris, poète français (XIIIe s.), auteur de la première partie du *Roman de la Rose.*

Guillaume de Machault, poète et musicien français (vers 1300-1377).

Guinée, nom de la partie de l'Afrique occidentale qui s'étend entre le Sénégal et le Congo, et que baigne le *golfe de Guinée.*

Guinée équatoriale, territoire espagnol d'Afrique équatoriale; capit. *Santa Isabel.*

Guinée, république d'Afrique occidentale; 3 420 000 h. Capit. *Conakry.* Bauxite.

Guinée portugaise, territoire portugais, au sud du Sénégal; capit. *Bissau.*

Guinegatte, auj. **Enguinegatte,** bourg du Pas-de-Calais; bataille entre les troupes de Louis XI et de Maximilien (1479); victoire française sur les Anglais (1513).

Guingamp, ch.-l. d'arr. des Côtes-du-Nord.

Guipuzcoa, prov. basque d'Espagne.

Guise, centre industriel de l'Aisne.

Guise, branche cadette de la maison ducale de Lorraine, dont les principaux membres sont : FRANÇOIS (1519-1563), duc de Guise de 1550 à 1563, qui reprit Calais aux Anglais en 1558; — HENRI Ier, *le Balafré* (1550-1588), duc de Guise de 1563 à 1588, qui dirigea le massacre de la Saint-Barthélemy et, chef réel de la Ligue, fut assassiné par ordre d'Henri III; — LOUIS (1555-1588), cardinal de Lorraine, assassiné également.

Guizot (François), homme d'Etat et historien français (1787-1874).

Gujerat, Etat de l'Inde.

Gulf Stream, puissant courant chaud de l'Atlantique Nord.

Gulliver, héros d'un roman de Swift, *les Voyages de Gulliver* (1726).

Gustave, nom de six rois de Suède, dont : GUSTAVE Ier VASA (1496-1560), roi de 1523 à 1560; il délivra son pays de la domination danoise; — GUSTAVE II ADOLPHE, *le Grand* (1594-1632), roi de Suède de 1611 à 1632; il participa à la guerre de Trente Ans; — GUSTAVE V (1858-1950), roi de Suède de 1907 à 1950; — GUSTAVE VI, né en 1882, roi de Suède depuis 1950.

Gutenberg, imprimeur allemand (vers 1400-1468), qui, le premier en Europe, a utilisé les caractères typographiques mobiles.

Guyane, contrée de l'Amérique du Sud, qui comprend en particulier : la GUYANE BRITANNIQUE (capit. *Georgetown*), la GUYANE HOLLANDAISE ou SURINAM (capit. *Paramaribo*), la GUYANE FRANÇAISE (dép.; 91 000 km^2; 33 500 h.; ch.-l. *Cayenne*).

Guyenne, anc. prov. du sud-ouest de la France; capit. *Bordeaux.*

Guynemer (Georges), héros de l'aviation française, pendant la Première Guerre mondiale (1894-1917).

Gygès, jeune berger de Lydie qui, d'après la légende, possédait un anneau d'or au moyen duquel il se rendait invisible.

H

Haakon, nom de sept rois de Norvège, dont HAAKON VII (1872-1957).

Haarlem ou **Harlem,** v. des Pays-Bas.

Habsbourg (*maison de*), dynastie qui régna sur l'Autriche de 1278 à 1918. Elle parvint au trône de Germanie avec Rodolphe Ier. La branche aînée régna sur l'Espagne de 1516 à 1700. On donne à ses descendants le nom de *Lorraine-Habsbourg.*

Hachette (Jeanne), héroïne française, qui défendit Beauvais en 1427.

Hadès, dieu grec des Enfers.

Hadramaout, région du sud de l'Arabie.

Hadrien ou **Adrien** (76-138), empereur romain de 117 à 138.

Hændel (Georg Friedrich), compositeur allemand (1685-1759), auteur du *Messie.*

Hafiz, poète persan (1320-1389).

Hagondange, centre métallurgique de la Moselle.

Hague (la), cap du nord-ouest du Cotentin.

Haguenau, ch.-l. d'arr. et centre industriel du Bas-Rhin.

Haïfa, port d'Israël, sur la Méditerranée.

Haï-nan, île chinoise du golfe du Tonkin.

Hainaut, prov. industrielle de la Belgique; ch.-l. *Mons.*

Haïphong, port du Viêt-nam du Nord.

Haïti, une des Grandes Antilles, divisée en deux Etats : la RÉPUBLIQUE D'HAÏTI, à l'ouest (27 750 km²; 4 660 000 h.; capit. *Port-au-Prince*) ; la RÉPUBLIQUE DOMINICAINE (v. ce nom), à l'est.

Hakodaté, port et centre industriel du Japon (Hokkaïdo).

Hal ou **Halle,** v. de Belgique (Brabant).

Halicarnasse, anc. v. de Carie.

Halifax, v. d'Angleterre (York). — Port du Canada, capit. de la Nouvelle-Ecosse.

Halle, v. d'Allemagne orientale, sur la Saale.

Halley (Edmund), astronome anglais (1656-1742), qui étudia les comètes.

Halluin, centre industriel du Nord.

Hals (Frans), peintre hollandais (vers 1580-1666), auteur de portraits et de sujets de genre.

Hälsingborg, port de Suède.

Hamamatsu, v. du Japon (Honshū).

Hambourg, port et centre industriel d'Allemagne occidentale, sur l'Elbe; 1 823 000 h.

Hamilton, centre industriel du Canada, sur le lac Ontario.

Hamlet, drame de Shakespeare (1602).

Hammourabi, roi de Babylone (XIXe s. av. J.-C.), auteur d'un code célèbre.

Hampshire, comté du sud de l'Angleterre.

Hang-tcheou, port de Chine.

Hankeou, centre industriel de Chine.

Hanoï, capit. du Viêt-nam du Nord, sur le fleuve Rouge; 638 600 h.

Hanovre, région de la Basse-Saxe. — V. d'Allemagne occidentale, capit. de la Basse-Saxe.

Hanséatiques (*villes*), ligue ou *Hanse* des villes commerciales de l'Allemagne du Nord-Ouest, qui date de 1241.

Han-sur-Lesse, loc. de Belgique; grottes.

Harbin, anc. nom de Pin-kiang.

Hardouin-Mansart. V. MANSART.

Hardt, massif d'Allemagne rhénane.

Hardy (Thomas), romancier anglais (1840-1928), auteur de *Jude l'obscur.*

Harlem, quartier noir de New York.

Harold II, roi des Anglo-Saxons en 1066, vaincu par Guillaume le Conquérant.

Haroun al-Rachid (766-809), calife abbasside de Bagdad (786-809).

Harpies, nom de trois monstres ailés.

Harrogate, station thermale d'Angleterre.

Hartford, port des Etats-Unis, capit. du Connecticut.

Harvey (William), médecin anglais (1578-1657), qui découvrit la circulation du sang.

Harz, massif de l'Allemagne, sur la rive droite de la Weser; 1 142 m.

Hasselt, v. de Belgique, ch.-l. du Limbourg; industrie chimique.

Hassi-Messaoud, centre pétrolier du Sahara algérien. Pipe-line vers Bougie.

Hastings, v. et station balnéaire d'Angleterre (Sussex). Guillaume le Conquérant y vainquit Harold II en 1066.

Haubourdin, centre industriel du Nord.

Haussmann (*baron*), administrateur français (1809-1891), urbaniste de Paris.

Haute-Volta, république d'Afrique occidentale, indépendante depuis 1960; 4 750 000 h.; capit. *Ouagadougou.*

Hautmont, centre métallurgique du Nord.

Hauts-de-Seine, dép. de la région parisienne; ch.-l. *Nanterre.*

Haüy (*abbé* René-Juste), minéralogiste français (1743-1822); — Son frère, VALENTIN (1745-1822), inventa l'alphabet en relief pour les jeunes aveugles.

Havane (*La*), capit. de Cuba; 785 000 h.

Havel, riv. d'Allemagne, affl. de l'Elbe; 341 km.

Havre (*Le*), ch.-l. d'arr., port et centre industriel de la Seine-Maritime, à l'embouchure de la Seine; 184 000 h.

Hawaii, anc. **Sandwich** (*îles*), archipel de l'Océanie, Etat des Etats-Unis; capit. *Honolulu.*

Hayange, centre minier (fer) et métallurgique de la Moselle.

Haydn (Franz Joseph), compositeur autrichien (1732-1809).

Haye (*La*), v. des Pays-Bas, résidence des pouvoirs publics; 606 000 h.

Hazebrouck, centre industriel du Nord.

Hébert (Jacques), révolutionnaire français (1757-1794), montagnard extrémiste.

Hébreux, un des noms que portait primitivement le peuple juif.

Hébrides, îles britanniques, à l'ouest de l'Ecosse (Skye, Lewis).

Hécate, nom de deux divinités identifiées l'une avec *Perséphone* (divinité infernale), l'autre avec *Artémis* (divinité lunaire).

Hector, chef troyen, fils de Priam; il fut tué par Achille.

Hécube, épouse de Priam.

Hedjaz, région de l'Arabie Saoudite.

Hegel (Friedrich), philosophe allemand (1770-1831).

Heidegger (Martin), philosophe existentialiste allemand, né en 1889.

Heidelberg, v. universitaire d'Allemagne occidentale (Bade), sur le Neckar.

Heine (Henri), poète allemand (1797-1856).

Hekla, volcan de l'Islande; 1 447 m.

Hélène, princesse grecque, épouse de Ménélas; son enlèvement par Pâris détermina l'expédition des Grecs contre Troie.

Hélène (*sainte*), mère de Constantin le Grand (vers 247-327).

Helgoland ou **Héligoland,** île allemande de la mer du Nord.

Hélicon, mont de la Grèce (Béotie), consacré aux Muses.

Héliogabale. V. ÉLAGABAL.

Héliopolis, v. d'Egypte, où Kléber vainquit les Mameluks (1800).

Hellade, autre nom de la *Grèce.*

Hellespont, anc. nom des *Dardanelles.*

Helmholtz (Hermann *von*), physicien allemand (1821-1894).

Héloïse, nièce du chanoine Fulbert (1101-1164), célèbre par son attachement à Abélard.

Helsinki, capit. et port de Finlande, sur le golfe de Finlande; 477 000 h.

Helvétie, autre nom de la *Suisse.*

Helvétius (Claude-Adrien), philosophe matérialiste français (1715-1771).

Hemingway (Ernest), écrivain américain (1898-1961), auteur de *l'Adieu aux armes.*

Hendaye, station balnéaire des Basses-Pyrénées, à la frontière espagnole.

Hénin-Liétard, centre minier et métallurgique du Pas-de-Calais.
Hennebont, v. du Morbihan, sur le Blavet.
Henri Ier (vers 1008-1060), roi de France de 1031 à 1060.
Henri II (1519-1559), roi de France de 1547 à 1559; il lutta contre Charles Quint, Philippe II et les Anglais, et mourut dans un tournoi.
Henri III (1551-1589), roi de France de 1574 à 1589; il lutta contre le duc de Guise et mourut assassiné.
Henri IV (1553-1610), roi de Navarre à partir de 1572, et de France à partir de 1589; il lutta contre les ligueurs et abjura le protestantisme pour monter sur le trône; il promulgua l'édit de Nantes et répara les maux de quarante ans de guerre civile. Il fut assassiné par Ravaillac.
Henri V, nom que prit *Henri, comte de Chambord* et *duc de Bordeaux* (1820-1883), qui régna un jour en 1830.
Henri Ier, l'Oiseleur (vers 876-936), roi de Germanie de 919 à 936; — HENRI II (*saint*) [973-1024], empereur d'Occident de 1002 à 1024; — HENRI III, *le Noir* (1017-1056), empereur d'Occident de 1039 à 1056; — HENRI IV (1050-1106), empereur d'Occident de 1056 à 1106, qui lutta contre Grégoire VII; — HENRI V (1081-1125), empereur d'Occident de 1106 à 1125); — HENRI VI, *le Cruel* (1165-1197), empereur d'Occident de 1190 à 1197; — HENRI VII (1269-1313), empereur d'Occident de 1308 à 1313.
Henri Ier Beauclerc (1068-1135), roi d'Angleterre de 1100 à 1135; — HENRI II *Plantagenêt* (1133-1189), comte d'Anjou et duc de Normandie à partir de 1151, duc d'Aquitaine à partir de 1153, roi d'Angleterre de 1154 à 1189; — HENRI III (1207-1272), roi d'Angleterre de 1216 à 1272; — HENRI IV (1367-1413), roi d'Angleterre de 1399 à 1413; — HENRI V (1387-1422), roi d'Angleterre de 1413 à 1422, vainqueur à Azincourt; — HENRI VI (1421-1471), roi d'Angleterre de 1422 à 1461 et de 1470 à 1471; — HENRI VII *Tudor* (1457-1509), roi d'Angleterre de 1485 à 1509; — HENRI VIII (1491-1547), roi d'Angleterre de 1509 à 1547, fondateur de l'anglicanisme.
Henri, nom de quatre rois de Castille, dont : HENRI II, *le Magnifique* (1333-1379), roi de Castille de 1369 à 1379, qui conquit son trône grâce à Charles V et à Du Guesclin; — HENRI IV (1425-1474), roi de Castille de 1454 à 1474.
Henri le Navigateur, infant de Portugal (1394-1460), instigateur de nombreux voyages de découvertes.
Henriette d'Angleterre (1644-1670), fille d'Henriette de France et de Charles Ier d'Angleterre, première femme de Philippe d'Orléans, frère de Louis XIV.
Henriette Marie de France (1609-1669), fille d'Henri IV, femme de Charles Ier d'Angleterre.
Henry (Joseph), physicien américain (1797-1878), qui découvrit la self-induction.
Héphaïstos, dieu grec du Feu.
Héra, épouse de Zeus.
Héraclée, anc. v. d'Asie Mineure. — Anc. v. d'Italie (Lucanie).
Héraclès, héros de la mythologie grecque, fils de Zeus et d'Alcmène, identifié avec l'*Hercule* des Latins. Il se distingua par sa force extraordinaire et exécuta douze exploits, les *Douze Travaux d'Hercule.*
Héraclite, philosophe grec de l'école ionienne (576-480 av. J.-C.).
Hérault, fl. du sud de la France (Méditerranée) ; 160 km.
Hérault, dép. du sud de la France; préf. *Montpellier ;* s.-préf. *Béziers, Lodève.*
Herculanum, anc. v. de l'Italie, près de Naples, ensevelie sous les laves du Vésuve en 79 et mise au jour depuis 1719.
Hercule. V. HÉRACLÈS.
Heredia (José Maria *de*), poète français (1842-1905), auteur des *Trophées.*
Héricourt, centre métallurgique de la Haute-Saône.
Hermès, dieu grec du Commerce.
Hermione, fille de Ménélas et d'Hélène, femme de Pyrrhus et d'Oreste.
Hernani, drame de V. Hugo (1830).
Hérode le Grand, roi de Judée de 40 à 4 av. J.-C.; — HÉRODE ANTIPAS, tétrarque de 4 av. J.-C. à 39; il jugea Jésus-Christ et fit mourir saint Jean-Baptiste.
Hérodiade, femme d'Hérode Antipas.
Hérodote, historien et voyageur grec (vers 484-420 av. J.-C.).
Héron d'Alexandrie, mathématicien et physicien grec (IIe s. av. J.-C.).
Herschel (*sir William*), astronome anglais (1738-1822), qui découvrit Uranus.
Hertz (Heinrich), physicien allemand (1857-1894), qui découvrit les ondes radio-électriques.
Hesbaye, région de Belgique.
Hésiode, poète grec du VIIIe s. av. J.-C.
Hespérides, filles d'Atlas qui possédaient un jardin aux pommes d'or.
Hesse, pays de l'Allemagne occidentale.
Highlands, montagnes d'Ecosse.
Hilversum, v. des Pays-Bas.
Himalaya, chaîne de montagnes d'Asie, qui sépare l'Inde du Tibet et qui renferme les plus hauts sommets du monde.
Hindenburg (Paul *von*), feld-maréchal allemand (1847-1934), commandant en chef des armées allemandes (1916-1918).
Hindu-kuch, chaîne de montagnes de l'Asie centrale.
Hipparque, astronome grec (vers 190-125 av. J.-C.).
Hippocrate, médecin grec (vers 460-vers 377 av. J.-C.).
Hippone, anc. v. de Numidie.
Hiroshima, v. du Japon (Honshu), détruite en 1945 par la première bombe atomique.
Hirson, centre industriel de l'Aisne.
Hitler (Adolf), dictateur allemand (1889-1945) ; *Führer* de l'Etat allemand, il pratiqua une politique d'annexion qui aboutit à la Seconde Guerre mondiale.
Hittites, anc. peuple de l'Asie Mineure.
Hobart, capit. de la Tasmanie (Australie).
Hobbes (Thomas), philosophe matérialiste anglais (1588-1679).
Hoche (Lazare), général français (1768-1797) ; il pacifia la Vendée.
Hœchstædt, v. de Bavière; victoires de

Villars (1703), du prince Eugène et de Marlborough (1704), et de Moreau (1800).
Hogarth (William), peintre des mœurs anglais (1697-1764).
Hoggar, contrée montagneuse du Sahara.
Hogue (*La*), ou **La Hougue,** rade au nord-est du départ. de la Manche; défaite navale de Tourville (1692).
Hohenlinden, village de Bavière, où Moreau vainquit les Autrichiens (1800).
Hohenzollern, famille allemande, qui régna successivement sur le Brandebourg, la Prusse et l'Empire allemand.
Hohneck, montagne des Vosges; 1 361 m.
Hokkaïdo, île du Japon septentrional.
Holbach (Paul-Henri, *baron d'*), philosophe matérialiste français (1723-1789).
Holbein le Jeune (Hans), peintre allemand (1497-1543).
Hölderlin (Friedrich), poète allemand (1770-1843).
Hollande. V. PAYS-BAS.
Hollywood, quartier de Los Angeles; studios cinématographiques.
Homécourt, v. de la Meurthe-et-Moselle.
Homère, poète épique grec du IXe s. av. J.-C., considéré comme l'auteur de *l'Iliade* et de *l'Odyssée.*
Homs, v. de Syrie, près de l'Oronte.
Honduras, république de l'Amérique centrale; 114 670 km^2; 2 163 000 h. Capit. *Tegucigalpa.*
Honduras britannique, colonie britannique de l'Amérique centrale; capit. *Belize.*
Honegger (Arthur), compositeur suisse (1892-1955), auteur de *Jeanne au bûcher.*
Honfleur, anc. port du Calvados, à l'embouchure de la Seine.
Hong-kong, port et île de la baie de Canton, possessions britanniques.
Hongrie, république de l'Europe centrale; 93 000 km^2; 10 146 000 h. Capit. *Budapest.*
Honolulu, capit. des Hawaii, dans l'île Oahu.
Honshu, anc. *Hondo,* principale île du Japon; 67 millions d'h.
Ho-pei, prov. de Chine.
Horace, poète latin (64-8 av. J.-C.), auteur d'*Odes,* d'*Epodes,* d'*Epîtres,* de *Satires* et de l'*Art poétique.*
Horace, tragédie de Corneille (1640) ; elle a pour sujet le combat des Horaces et des Curiaces.
Horeb, montagne d'Arabie.
Horn (*cap*), cap au sud de la Terre de Feu.
Hortense de Beauharnais (1783-1837), mère de Napoléon III.
Horus, dieu de l'anc. Egypte.
Hossegor, station balnéaire des Landes.
Hottentots, peuple d'Afrique australe.
Houang-ho ou **Hoang-ho** ou **fleuve Jaune,** fl. de Chine (golfe du Tchéli) ; 5 200 km.
Houdon (Jean-Antoine), statuaire français (1741-1828), auteur de nombreux bustes (*Voltaire, Diderot, J.-J. Rousseau, d'Alembert*).
Houlgate, station balnéaire du Calvados, sur la Manche.
Houston, v., port et centre industriel des Etats-Unis (Texas).
Hovas, anc. caste des Mérinas, dans l'île de Madagascar.
Howrah, v. de l'Inde, près de Calcutta.
Hubert (*saint*), évêque de Maestricht et de Liège (VIIIe s.).
Hudson, fl. des Etats-Unis (Atlantique) ; 500 km. — Baie formée par l'océan Atlantique, au nord du Canada.
Huê, v. du Viêt-nam du Sud.
Huelva, v. et port d'Espagne (Andalousie).
Hugo (Victor), poète français (1802-1885), chef de l'école romantique, auteur de poésies (*la Légende des siècles*), de romans (*les Misérables*) et de drames (*Ruy Blas*).
Hugues Capet (vers 941-996), roi de France à partir de 987, chef de la race capétienne.
Hull, port et centre industriel d'Angleterre (Yorkshire).
Humbert, nom de deux rois d'Italie.
Humboldt (Alexandre *de*), naturaliste et voyageur allemand (1769-1859).
Hume (David), philosophe et historien anglais (1711-1776).
Huns, peuple barbare d'Asie centrale, qui envahit l'Europe au Ve s.
Huron, lac de l'Amérique du Nord.
Hurons, Indiens de l'Amérique du Nord.
Huss (Jan), théologien, né en Bohême (1369-1415), précurseur de la Réforme.
Huygens ou **Huyghens** (Christian), physicien, mathématicien et astronome hollandais (1629-1695).
Huysmans (Joris-Karl), écrivain français (1848-1907), auteur de *En route.*
Hyderabad, anc. Etat de l'Inde, dans le Deccan; capit. *Hyderabad* (auj. capit. de l'Andhra Pradesh). — V. du Pakistan occidental (Sind).
Hydre de Lerne, serpent monstrueux, mis à mort par Hercule.
Hyères (*îles d'*), archipel français de la Méditerranée.
Hyères, station balnéaire et hivernale du Var, sur la Méditerranée.
Hyksos, peuples qui dominèrent l'Egypte, pendant cinq siècles, jusqu'en 1580 av. J.-C.
Hymen ou **Hyménée,** dieu grec du Mariage, fils d'Apollon.
Hymette, montagne de l'Attique, au sud d'Athènes, renommée pour son miel et son marbre.
Hypnos, dieu grec du Sommeil.
Hyrcanie, anc. contrée de la Perse, au sud de la mer Caspienne.

I

Iaroslavl, v. et centre textile de l'U.R.S.S.
Iashi ou **Iasi,** v. de Roumanie (Moldavie).
Ibadan, v. du Nigeria; 600 000 h.
Ibérie, anc. nom de l'Espagne.
Ibsen (Henrik), auteur dramatique norvégien (1828-1906).
Icare, fils de Dédale; il tenta de voler avec des ailes de cire qui fondirent au soleil.
Idaho, un des Etats unis d'Amérique (montagnes Rocheuses) ; capit. *Boise.*
Iéna, v. d'Allemagne (Thuringe). Napoléon y vainquit les Prussiens en 1806.

Iénisséi, fl. de Sibérie (océan Arctique) ; 3 800 km.

If, îlot près de Marseille.

Ignace de Loyola (*saint*) [1491-1556], fondateur des Jésuites.

Ile-de-France, anc. pays de France, aux alentours de Paris.

Iliade (*l'*), poème d'Homère, racontant un épisode de la guerre de Troie.

Ilion, un des noms de *Troie.*

Ill, riv. d'Alsace, affl. du Rhin; 208 km.

Ille-et-Vilaine, dép. de l'ouest de la France; préf. *Rennes;* s.-préf. *Fougères, Redon, Saint-Malo.*

Illinois, un des Etats unis d'Amérique (Centre-Nord-Est) ; capit. *Springfield.*

Illyrie, région balkanique le long de l'Adriatique.

Incas, souverains de l'empire quichua du Pérou, au temps de la découverte de l'Amérique.

Inchon, v. de la Corée du Sud.

Inde, péninsule de l'Asie méridionale, qui comprend : le *Pakistan, Ceylan,* le *Bhoutan,* le *Népal* et la *République indienne;* cette dernière, formée de seize Etats et de dix territoires, a 3 160 000 km^2 et 471 millions d'h. Capit. *New Delhi.*

Indépendance (*guerre de l'*), guerre que soutinrent les colonies anglaises de l'Amérique contre l'Angleterre (1775-1782).

Indiana, un des Etats unis de l'Amérique (Centre-Nord-Est) ; capit. *Indianapolis.*

Indien (*océan*), mer située au sud de l'Inde, entre l'Afrique et l'Australie.

Indochine, péninsule située entre l'Inde et la Chine, qui comprend : la *Birmanie,* la *Thaïlande,* la *Malaisie,* le *Viêt-nam,* le *Laos* et le *Cambodge.*

Indonésie, république constituée par les anciennes possessions hollandaises des Indes orientales; 1 904 000 km^2; 100 millions d'h. Capit. *Djakarta.*

Indore, v. de l'Inde centrale.

Indra, dieu védique.

Indre, riv. du centre de la France, affl. de la Loire; 266 km.

Indre, dép. du centre de la France; préf. *Châteauroux;* s.-préf. *Issoudun, Le Blanc, La Châtre.*

Indre-et-Loire, dép. du centre de la France; préf. *Tours;* s.-préf. *Chinon, Loches.*

Indus, fl. de l'Inde et du Pakistan (mer d'Oman) ; 2 900 km.

Ingres (Dominique), peintre français (1780-1867), auteur d'admirables dessins.

Inn, riv. de l'Europe centrale, affl. du Danube; 525 km.

Innocent, nom de treize papes, dont : INNOCENT III (1160 - 1216), pape de 1198 à 1216; il lutta contre Philippe Auguste et Jean sans Terre, et prêcha la quatrième croisade et celle des Albigeois.

Innsbruck, v. et station touristique d'Autriche, capit. du Tyrol.

Insulinde, partie de l'Asie comprenant l'Indonésie et les Philippines.

Interlaken, station touristique de Suisse.

Io, fille d'Inachos, aimée par Zeus et changée en génisse par Héra.

Ionie, anc. pays de l'Asie Mineure.

Ionienne (*mer*), partie de la Méditerranée entre l'Italie et la Grèce.

Ioniennes (*îles*), îles de la mer Ionienne, au large de la côte ouest de la Grèce.

Iowa, un des Etats unis d'Amérique (Centre-Nord-Ouest) ; capit. *Des Moines.*

Iphigénie, fille d'Agamemnon et de Clytemnestre, que son père voulut sacrifier.

Iphigénie en Aulide, tragédie de Racine (1674).

Ipsos, bourg de l'anc. Phrygie, où les généraux d'Alexandrie se livrèrent combat (301 av. J.-C.).

Irak ou **Iraq,** république du Proche-Orient; 435 000 km^2; 7 263 000 h. Capit. *Bagdad.*

Iran ou **Perse,** royaume de l'Asie occidentale, s'étendant sur une partie du *plateau de l'Iran;* 1 621 000 km^2; 22 860 000 h. Capit. *Téhéran.*

Iraouaddi ou **Irrawaddy,** fl. de la Birmanie (océan Indien) ; 2 000 km.

Irène (vers 752-803) impératrice d'Orient de 780 à 790 et de 792 à 802.

Irkoutsk, centre industriel de l'U.R.S.S., en Sibérie orientale.

Irlande, une des îles Britanniques, limitée par le canal du Nord, la mer d'Irlande, le canal de Saint George et l'Atlantique. L'*Irlande du Nord,* constituée par une grande partie de l'Ulster, est incluse dans le royaume-uni de Grande-Bretagne. L'autre partie, la plus importante, forme un Etat libre, la *République irlandaise;* 70 282 km^2; 2 841 000 h. Capit. *Dublin.*

Iroquois, Indiens établis, jadis, au sud-est des lacs Erié et Ontario.

Irtych, riv. de Sibérie, affl. de l'Ob; 2 970 km.

Irun, v. d'Espagne, sur la Bidassoa, à la frontière française.

Isaac, fils d'Abraham et de Sara, père d'Esaü et de Jacob.

Isabeau de Bavière (1371-1435), reine de France, femme de Charles VI.

Isabelle Ire, la Catholique (1451-1504), reine de Castille, qui reconquit avec son mari, Ferdinand II d'Aragon, le royaume maure de Grenade (1492); — ISABELLE II (1830-1904), fille de Ferdinand VII, reine d'Espagne en 1833, détrônée en 1868 par la guerre civile.

Isaïe, prophète juif (VIIIe s. av. J.-C.).

Isambourg de Danemark ou **Ingeborg,** deuxième femme de Philippe Auguste (1193).

Iscariote, surnom donné à *Judas.*

Iseran, massif et col des Alpes françaises.

Isère, riv. des Alpes françaises, affl. du Rhône; 290 km.

Isère, dép. du sud-est de la France; préf. *Grenoble;* s.-préf. *La Tour-du-Pin, Vienne.*

Isidore de Séville (*saint*), savant et évêque de Séville (vers 560-636).

Isigny-sur-Mer, bourg du Calvados; beurre.

Isis, déesse de l'anc. Egypte.

Islande, île et république de l'Europe, dans le nord de l'Atlantique; 103 000 km^2; 189 000 h. Capit. *Reykjavik.*

Isle, riv. du sud-ouest de la France, affl. de la Dordogne; 235 km.

Isle-sur-la-Sorgue (*L'*), bourg du Vaucluse.

Ismaël, fils d'Abraham et d'Agar.

Isocrate, orateur athénien (436-338 av. J.-C.), adversaire de la Perse.

Ispahan, v. et anc. cap. de la Perse.

Israël (*royaume d'*), un des deux royaumes qui se formèrent en Palestine, après la mort de Salomon.
Israël, Etat du Proche-Orient; 21 000 km²; 2 563 000 h. Capit. *Jérusalem.*
Israélites, descendants de Jacob ou *Israël,* appelés aussi Juifs ou Hébreux.
Issoire, ch.-l. d'arr. du Puy-de-Dôme.
Issos, v. de Cilicie, où Darios fut vaincu par Alexandre le Grand (333 av. J.-C.).
Issoudun, ch.-l. d'arr. de l'Indre.
Issy-les-Moulineaux, centre industriel des Hauts-de-Seine, au sud de Paris.
Istanbul, anc. *Byzance* puis *Constantinople,* v. de Turquie, sur le Bosphore; 1 459 000 h.
Istres, v. des Bouches-du-Rhône. Ecole militaire d'aviation.
Istrie, presqu'île yougoslave, baignée par l'Adriatique.
Italie, république de l'Europe méditerranéenne; 301 000 km²; 51 090 000 h. Capit. *Rome.*
Ithaque, une des îles Ioniennes.
Iton, riv. de l'ouest de la France, affl. de l'Eure; 118 km.
Ivan, nom de six grands princes, puis tsars de Moscovie, dont : IVAN IV, *le Terrible,* premier tsar de Moscovie (1530-1584).
Ivanovo, centre textile de l'U.R.S.S., au nord-est de Moscou.
Ivry-la-Bataille, bourg de l'Eure, où Henri IV vainquit les Ligueurs (1590).
Ivry-sur-Seine, centre industriel du Val-de-Marne, au sud-est de Paris.
Izmir ou **Smyrne,** port de Turquie, sur la mer Egée.

J

Jabalpur, v. du centre de l'Inde.
Jacob ou **Israël,** patriarche hébreu; il eut douze fils, dont dix furent la tige de dix tribus d'Israël, un autre, LÉVI, l'ancêtre des lévites, et un autre encore, JOSEPH, père de deux fils qui furent la souche de deux tribus.
Jacobins (*club des*), club révolutionnaire, dont Robespierre fut l'un des principaux orateurs.
Jacquard (Joseph-Marie), mécanicien français (1752-1834), inventeur d'un métier à tisser.
Jacques, nom de deux apôtres et martyrs.
Jacques Ier, le Conquérant (1208-1276), roi d'Aragon de 1213 à 1276, vainqueur des Maures et conquérant des Baléares.
Jacques Ier, fils de Marie Stuart (1566-1625), roi d'Ecosse à partir de 1567, roi d'Angleterre à partir de 1603; — JACQUES II (1633-1701), roi d'Angleterre et d'Ecosse de 1685 à 1688, détrôné par Guillaume II de Nassau.
Jaffa, v. et port d'Israël, réuni à *Tel-Aviv.*
Jagellons, famille qui a fourni des souverains à la Lituanie, à la Pologne, à la Bohême et à la Hongrie.
Jaïpur, v. de l'Inde, capit. du Rajasthan.
Jamaïque, une des Grandes Antilles; 1 687 000 h.; capit. *Kingston.*
Jamna ou **Jumna,** riv. de l'Inde septentrionale, affl. du Gange; 1 375 km.
Jamshedpur, centre métallurgique de l'Inde.
Janequin (Clément), compositeur français du XVIe s., maître de la chanson polyphonique.
Janicule, une des sept collines de Rome.
Jansénius, théologien hollandais (1585-1638), dont les thèses donnèrent naissance au *jansénisme.*
Janus, dieu romain, à deux visages.
Japon, empire insulaire d'Asie; 369 000 km²; 97 millions d'h. Capit. *Tokyo.*
Jason, fils d'Eson, qui conduisit les Argonautes à la conquête de la Toison d'or.
Jaurès (Jean), socialiste français (1859-1914), directeur de *l'Humanité.*
Java, île la plus peuplée de l'Indonésie; 126 800 km²; 63 000 000 d'h.
Jean ou **Jean-Baptiste** (*saint*), prophète qui donna le baptême à Jésus-Christ, et fut décapité.
Jean Chrysostome (*saint*), père de l'Eglise (344-407), évêque de Constantinople.
Jean de la Croix (*saint*), mystique espagnol (1542-1591), fondateur des carmes déchaussés.
Jean l'Évangéliste (*saint*), apôtre, auteur d'un des Evangiles et de l'Apocalypse.
Jean Bosco (*saint*), prêtre italien fondateur des salésiens.
Jean, nom de plusieurs papes, dont Jean XXIII (1881-1963), pape en 1958.
Jean, nom de deux rois d'Aragon, dont JEAN II (1397-1479), roi de Navarre à partir de 1425, roi d'Aragon et de Sicile à partir de 1458.
Jean, nom de six rois de Portugal, dont JEAN Ier, *le Grand* (1357-1433), roi de 1385 à 1433; sous son règne commencèrent les grandes découvertes.
Jean, nom de trois rois de Pologne, dont : JEAN III SOBIESKI (1629-1696), roi de 1673 à 1696; il lutta contre les Turcs.
Jean Ier, roi de France et de Navarre, qui ne vécut que quelques jours en 1316; — JEAN II, *le Bon* (1319-1364), roi de France de 1350 à 1364, qui lutta contre les Anglais et mourut en captivité.
Jean sans Peur (1371-1419), duc de Bourgogne de 1404 à 1419, chef de la faction des Bourguignons.
Jean sans Terre (1167-1216), roi d'Angleterre de 1199 à 1216; il lutta contre Philippe Auguste puis contre ses barons, auxquels il accorda la Grande Charte.
Jean de Meung, poète français du XIIIe s., auteur de la seconde partie du *Roman de la Rose.*
Jean-Baptiste de La Salle (*saint*), ecclésiastique français (1651-1719), fondateur des frères des Ecoles chrétiennes.
Jean - Baptiste - Marie Vianney (*saint*) [1786-1859], curé d'Ars.

Jeanne d'Arc (*sainte*), héroïne française, née à Domremy (1412-1431). Elle obligea les Anglais à lever le siège d'Orléans (1429) et fit sacrer Charles VII à Reims. Tombée aux mains des Bourguignons, alliés des Anglais, elle fut brûlée à Rouen.

Jeanne, nom de trois reines de Navarre, dont : JEANNE III D'ALBRET (1528-1572), reine de Navarre de 1555 à 1572, femme d'Antoine de Bourbon et mère d'Henri IV.

Jeanne de Flandre, épouse de Jean de Bretagne, qui lutta, de 1342 à 1345, contre Jeanne de Penthièvre (guerre des Deux-Jeanne).

Jeanne la Folle (1479-1555), reine de Castille de 1504 à 1555, épouse de Philippe le Beau et mère de Charles Quint.

Jeanne Grey (1537-1554), reine d'Angleterre de 1553 à 1554, morte sur l'échafaud par ordre de Marie Tudor.

Jeanne Seymour (1509-1537), troisième femme d'Henri VIII d'Angleterre.

Jeanne-Françoise Frémyot de Chantal (*sainte*) [1572-1641], fondatrice de l'ordre de la Visitation.

Jean-Paul (Johann Paul Friedrich RICHTER, dit), écrivain allemand (1763-1825).

Jefferson (Thomas) [1743-1826], président démocrate des Etats-Unis.

Jéhovah. V. YAHWEH.

Jemmapes, auj. **Jemappes,** v. de Belgique (Hainaut) ; victoire de Dumouriez sur les Autrichiens (1792).

Jenner (Edward), médecin anglais (1749-1823), qui découvrit la vaccine.

Jephté, l'un des juges d'Israël (XIIe s. av. J.-C.).

Jérémie, prophète hébreux (vers 650 - vers 580 av. J.-C.).

Jerez ou **Xérès,** v. d'Espagne méridionale (Andalousie) ; vins.

Jéricho, v. de Palestine.

Jéroboam, nom de deux rois d'Israël.

Jérôme (*saint*) [vers 347 - 420], Père de l'Eglise latine, à qui l'on doit la *Vulgate.*

Jersey, une des îles anglo-normandes.

Jersey City, v. et centre industriel des Etats-Unis, en face de New York.

Jérusalem, cap. de l'Etat d'Israël; 160 000 h.

Jésus ou **Jésus-Christ,** le fils de Dieu et le Messie, né à Bethléem en l'an 749 de Rome, mort crucifié sur le Calvaire vers 30 de l'ère moderne.

Jette, faubourg de Bruxelles.

Jeumont, centre métallurgique du Nord.

Jézabel, femme d'Achab, roi d'Israël, et mère d'Athalie (IXe s. av. J.-C.).

Joachim (*saint*), père de la Sainte Vierge.

João Pessõa, v. du Brésil.

Job, personnage biblique, célèbre par sa piété et sa résignation.

Jocaste, femme de Laïos, roi de Thèbes, mère d'Œdipe, qu'elle épousa.

Jodhpur, v. de l'Inde (Rajasthan).

Joffre (Joseph), maréchal de France (1852-1931), vainqueur de la Marne (1914).

Jogjakarta, autre nom de Djokjakarta.

Johannesburg, v. de l'Afrique du Sud (Transvaal) ; district aurifère.

Joigny, v. de l'Yonne, sur l'Yonne.

Joinville (Jean *de*), chroniqueur français (1224-1317), conseiller de Saint-Louis.

Joinville-le-Pont, v. du Val-de-Marne.

Joliot-Curie (Frédéric), physicien français (1900-1958), qui, avec son épouse, Irène JOLIOT-CURIE (1897-1956), découvrit la radioactivité artificielle (Prix Nobel).

Jonas, prophète juif, qui passa trois jours dans le ventre d'un gros poisson.

Jonson (Benjamin) ou **Ben Jonson,** poète dramatique anglais (1573-1637).

Jordaens (Jacob), peintre flamand (1593-1678), auteur de scènes populaires.

Jordanie (*royaume Hachémite de*), Etat du Proche-Orient s'étendant sur une partie de la Palestine et sur l'ancienne *Transjordanie;* 95 000 km^2; 1 million 898 000 h. Capit. *Amman.*

Josaphat, vallée située entre Jérusalem et le mont des Oliviers.

Joseph, fils de Jacob ; vendu par ses frères, il devint ministre du pharaon.

Joseph (*saint*), époux de la Sainte Vierge.

Joseph (*le Père*), moine français (1577-1638), surnommé *l'Eminence grise,* confident et conseiller de Richelieu.

Joseph II (1741-1790), empereur germanique de 1765 à 1790, qui tenta de dominer l'Eglise autrichienne.

Joséphine (*impératrice*), née à la Martinique (1763-1814), veuve du vicomte de Beauharnais, épouse en 1796 de Napoléon Bonaparte, qui la répudia (1809).

Josué, chef des Hébreux, après Moïse.

Joule (James), physicien anglais (1818-1889), qui détermina l'équivalent mécanique de la calorie.

Jourdain, fl. de la Palestine (mer Morte) ; 215 km.

Jourdan (Jean-Baptiste), maréchal de France (1762-1833), vainqueur à Fleurus.

Joyce (James), écrivain irlandais (1882-1941), auteur d'*Ulysse.*

Juan d'Autriche (*don*), fils naturel de Charles Quint (1545-1578), vainqueur à Lépante et gouverneur des Pays-Bas.

Juan-les-Pins, station balnéaire des Alpes-Maritimes, sur la Méditerranée.

Jubbulpore, v. du centre de l'Inde.

Juda, fils de Jacob.

Juda (*royaume de*), royaume fondé en Palestine par l'union des tribus de Juda et de Benjamin.

Judas Iscariote, apôtre qui trahit Jésus.

Jude (*saint*), apôtre.

Judée, partie de la Palestine entre la mer Morte et la Méditerranée.

Judith, héroïne juive qui coupa la tête à Holopherne, ennemi de son pays.

Jugurtha (vers 154-104 av. J.-C.), roi de Numidie, ennemi de Rome.

Juifs, peuple de l'Asie occidentale.

Juin (Alphonse), maréchal de France, né en 1888.

Jules II (1443-1513), pape de 1503 à 1513, protecteur des arts.

Juliana, reine des Pays-Bas, depuis 1948, née en 1909.

Julie, fille d'Auguste (39 av. J.-C.-14 apr.).

Julien (331-363), empereur romain de 361 à 363, qui tenta de rétablir le paganisme.

Jullundur, v. de l'Inde (Pendjab).

Jumièges, loc. de la Seine-Maritime, ruines romanes d'une abbaye.

Jumna. V. JAMNA.

Jungfrau, sommet des Alpes Bernoises, en Suisse; 4 166 m.
Junon, épouse de Jupiter.
Junot (Andoche), général français (1771-1813), qui prit Lisbonne en 1807.
Jupiter, le père et le maître des dieux, dans la mythologie latine.
Jupiter, planète du système solaire.
Jura, montagnes et plateaux de France, de Suisse et d'Allemagne occidentale.
Jura, dép. de l'est de la France; préf. *Lons-le-Saunier;* s.-préf. *Dole, Saint-Claude.*
Jussieu (Bernard *de*), botaniste français (1699-1777).
Justinien Ier (482-565), empereur d'Orient de 527 à 565, qui reconstitua l'Empire romain, en conquérant l'Afrique et l'Italie.
Jutland ou **Jylland,** presqu'île formant la plus grande partie du Danemark.
Juvénal, poète latin (vers 60-vers 140).
Juvisy-sur-Orge, v. de l'Essonne.

K

K2, sommet de l'Himalaya; 8 620 m.
Kaboul, cap. de l'Afghanistan; 206 200 h.
Kabylie, région montagneuse de l'Algérie.
Kagoshima, port du Japon (Kyu-shu).
Kairouan, v. sainte de Tunisie.
Kalahari, désert de l'Afrique méridionale.
Kalinine, v. et centre industriel de l'U. R. S. S., sur la Volga.
Kaliningrad, en allem. *Königsberg,* v. et port de l'U. R. S. S. (Lituanie).
Kalmoulks, peuple mongol du sud de la Russie et de la Sibérie.
Kama, riv. de la Russie, affl. de la Volga; 2 000 km.
Kamtchatka, péninsule montagneuse et volcanique de la Sibérie (U.R.S.S.).
Kanazawa, v. du Japon (Honshu).
Kangchenjunga, sommet de l'Himalaya, entre le Sikkim et le Népal; 8 585 m.
Kansas, riv. des Etats-Unis, affl. du Missouri; 274 km.
Kansas, un des Etats unis d'Amérique (Centre-Nord-Ouest); capit. *Topeka.*
Kansas City, v. des Etats-Unis (Missouri et Kansas), sur le Missouri.
Kan-sou, province de Chine.
Kant (Emmanuel), philosophe allemand (1724-1804), auteur de la *Critique de la raison pure* et de la *Critique de la raison pratique.*
Kaolack, v. et port du Sénégal.
Karachi, port du Pakistan, sur la mer d'Oman; 1 912 000 h.
Karaganda, centre houiller et métallurgique de l'U.R.S.S. (Kazakhstan).
Karakoram ou **Karakorum,** chaîne de montagnes à l'ouest du Tibet.
Karikal, v. de l'Inde, autrefois sous administration française.
Karl-Marx-Stadt, anc. *Chemnitz,* centre textile d'Allemagne orientale.
Karlovy-Vary, en allem. *Karlsbad,* station thermale de Tchécoslovaquie (Bohême).
Karlsruhe, centre industriel d'Allemagne occidentale, près de la Forêt-Noire.
Karnak, village d'Egypte, élevé sur les ruines de Thèbes.
Karpates. V. CARPATES.
Karst, région calcaire de Yougoslavie.
Kasaï ou **Kassaï,** riv. du Congo-Léopoldville, affl. du Congo.
Kassel, v. d'Allemagne occidentale (Hesse).
Katanga, région minière du Congo.
Katmandou, capit. du Népal; 109 000 h.
Katowice, centre industriel de Pologne.
Kaunas ou **Kovno,** v. de l'U. R. S. S., cap. de la Lituanie jusqu'en 1941.
Kawasaki, v. du Japon (Honshu).
Kazakhstan, République fédérée de l'U.R.S.S., en Asie; capit. *Alma-Ata.*
Kazan, centre industriel de l'U.R.S.S., sur la Volga.
Kazbek, montagne du Caucase (5 047 m).
Keats (John), poète anglais (1795-1821).
Kehl, v. d'Allemagne occidentale, en face de Strasbourg, sur le Rhin.
Kekule (August), chimiste allemand (1829-1896).
Kellermann (François), maréchal de France (1735-1820), vainqueur à Valmy.
Kembs, loc. du Haut-Rhin; installation hydro-électrique sur le Rhin.
Kénadsa, centre houiller d'Algérie.
Kénitra, anc. *Port-Lyautey,* v. du Maroc.
Kennedy (John), homme d'Etat américain, né en 1917. Président démocrate des Etats-Unis en 1960, assassiné en 1963.
Kent, comté du sud-est de l'Angleterre.
Kentucky, un des Etats unis d'Amérique (Centre-Sud-Est); capit. *Frankfort.*
Kenya, massif volcanique de l'Afrique équatoriale; 5 194 m. — Etat du Commonwealth; 9 365 000 h., capit. *Nairobi.*
Kepler (Johannes), astronome allemand (1571-1630), auteur de lois qui permirent à Newton de dégager le principe de l'attraction universelle.
Kerala, Etat du sud-ouest de l'Inde; capit. *Trivandrum.*
Kerguélen (*îles*), archipel français de l'océan Indien.
Kertch, centre métallurgique de l'U.R.S.S. (Crimée), sur le *détroit de Kertch.*
Khabarovsk, centre industriel de l'U.R.S.S. (Extrême-Orient).
Kharkov, centre industriel de l'U.R.S.S. (Ukraine).
Khartoum, capit. du Soudan; 245 000 h.
Khmer (*empire*), Etat qui, au Moyen Age, a dominé l'Indochine.
Khouribga, centre d'extraction des phosphates, au Maroc.
Khrouchtchev (Nikita), homme politique soviétique, né en 1894. Chef du gouvernement de 1958 à 1964.
Kiang-si, province de Chine.
Kiang-sou, province de Chine.
Kichinev, capit. de la Moldavie (U.R.S.S.).
Kiel, v. d'Allemagne occidentale, capit. du Schleswig-Holstein, sur la Baltique.

Kiev, v. de l'U.R.S.S., capit. de l'Ukraine.
Kilimandjaro, point culminant de l'Afrique (Tanzanie) ; 5 963 m.
Kingston, cap. de la Jamaïque; 125 500 h.
Kipling (Rudyard), écrivain anglais (1865-1936), auteur du *Livre de la jungle.*
Kirchhoff (Gustav), physicien allemand (1824-1887), qui découvrit l'analyse spectrale.
Kirghizistan, république fédérée de l'U.R.S.S., en Asie centrale; capit. *Frounze.*
Kirkuk, v. d'Irak; pétrole.
Kirov, v. d'U. R. S. S., sur la Viatka.
Kiruna, centre minier (fer) de Suède.
Kitakyushu, v. du Japon (Kyu shu) ; 1 000 000 h.
Kitchener (*lord* Herbert), général anglais (1850-1916).
Kitzbühel, centre touristique d'Autriche.
Klagenfurt, centre industriel d'Autriche (Carinthie).
Kléber (Jean-Baptiste), général français (1753-1800), assassiné en Egypte.
Kleist (Heinrich *von*), poète et auteur dramatique allemand (1777-1811).
Klopstock (Friedrich), poète allemand (1724-1803), auteur de *la Messiade.*
Knox (John), réformateur écossais (1505-1572), un des fondateurs du presbytérianisme.
Knut, nom de six rois de Danemark.
Knutange, centre industriel de Moselle.
Kobé, centre industriel du Japon (Honshu); 1 151 000 h.
Koch (Robert), médecin allemand (1843-1910), qui étudia la tuberculose.
Kola, péninsule d'Europe septentrionale.
Kolyma, fl. de Sibérie (océan Glacial Arctique) ; 2 150 km.
Komsomolsk, v. d'U. R. S. S., sur l'Amour.
Kosciuszko (Tadeusz), général et patriote polonais (1746-1817).
Kossuth (Louis), patriote hongrois (1802-1894), chef de la révolution de 1848.
Kouang-tong, province de Chine.
Kouban, fl. de Russie (mer Noire); 810 km.
Kouen-louen, chaîne de montagnes de l'Asie centrale.
Kouïbychev, v., port fluvial et centre industriel de l'U.R.S.S., sur la Volga.
Kouriles, archipel soviétique d'Asie, s'étendant du Kamtchatka à l'île d'Hokkaïdo.
Koursk, centre industriel d'U.R.S.S.
Koutouzov (Mikhaël), général russe (1745-1813), adversaire de Napoléon.
Kouzbass, anc. *Kouzwetsk,* bassin houiller de la Sibérie orientale.
Koweït, Etat d'Arabie, sur la côte nord-ouest du golfe Persique; pétrole.
Krasnodar, v. de l'U. R. S. S. (Caucase).
Krasnoïarsk, v. d'U.R.S.S., en Sibérie.
Krefeld, v. et centre industriel d'Allemagne occidentale, sur le Rhin.
Kremlin (le), quartier central de Moscou.
Kremlin-Bicêtre (*Le*), v. du Val-de-Marne, au sud de Paris; asile de *Bicêtre.*
Krichna, dieu hindou.
Krivoï-Rog, v. d'Ukraine; fer.
Kronchtadt, port de l'U.R.S.S.
Kruger (Paul), homme d'Etat boer (1825-1904), adversaire des Anglais.
Krupp (Alfred), industriel allemand (1812-1887), qui développa les usines d'Essen.
Kuala-Lumpur, cap. de la Fédération de Malaysia (Etat de Selangor); 176 000 h.
Kumamoto, v. du Japon (Kyu-shu).
Kun-ming, v. de Chine, capit. du Yun-nan.
Kuré, port du Japon (Honshu).
Kyoto, v. et centre industriel du Japon (Honshu) ; 1 284 000 h.
Kyu-shu, île du Japon méridional.

L

La Boétie (Etienne *de*), écrivain français (1530-1563), ami de Montaigne.
Labrador, presqu'île du Canada; fer.
La Bruyère (Jean *de*), écrivain français (1645-1696), auteur des *Caractères.*
Lacédémone. V. SPARTE.
Lacépède (Etienne *de*), naturaliste français (1756-1825).
Laclos (Pierre *Choderlos de*), romancier français (1741-1803), auteur des *Liaisons dangereuses.*
Laconie, anc. contrée du Péloponnèse; ch.-l. *Sparte*
Lacordaire (*le père*), prédicateur dominicain français (1802-1861).
Lacq, centre d'exploitation de gaz naturel des Basses-Pyrénées.
Ladoga, lac du nord-ouest de la Russie.
Laennec (René), médecin français (1781-1826), qui a découvert l'auscultation.
Laërte, roi d'Ithaque, père d'Ulysse.
La Fayette (Mme Marie-Madeleine *de*), femme de lettres française (1634-1693), auteur de *la Princesse de Clèves.*
La Fayette (Marie-Joseph, *marquis de*), général français (1757-1834), qui prit part à la guerre de l'Indépendance et aux révolutions de 1789 et de 1830.
La Fontaine (Jean *de*), poète français (1621-1695), auteur de *Fables.*
Laforgue (Jules), poète symboliste français (1860-1887).
Lagides, dynastie égyptienne qui régna de 306 à 30 av. J.-C.
Lagny, v. de la Seine-et-Marne.
Lagos, capit. du Nigeria; 350 000 h.
Lagrange (Louis *de*), mathématicien français (1736-1813).
La Guardia, aéroport de New York.
La Hire, compagnon de Jeanne d'Arc.
Lahore, v. du Pakistan (Pendjab).
Laigle, centre métallurgique de l'Orne.
Laïos ou **Laïus,** père d'Œdipe.
Lakanal (Joseph), conventionnel et savant français (1762-1845).
La Lande (Michel-Richard *de*). V. DELALANDE.
Lalande (Joseph LEFRANÇOIS *de*), astronome français (1732-1807).
Lalla-Marnia ou **Marnia,** v. d'Algérie, près de la frontière marocaine.

Lally (Thomas-Arthur *de*), *baron de Tollendal* (1702-1766), gouverneur de l'Inde française. Vaincu par les Anglais, il fut accusé d'avoir trahi et fut exécuté.
Lalo (Edouard), compositeur français (1823-1892), auteur du *Roi d'Ys.*
Lamarck (Jean-Baptiste DE MONET, *chevalier de*), naturaliste français (1744-1829).
Lamartine, poète et homme politique français (1790-1869), auteur des *Méditations poétiques,* de *Jocelyn.*
Lamballe, v. des Côtes-du-Nord.
Lamballe (*princesse de*) [1749-1792], amie de Marie-Antoinette, victime des massacres de Septembre.
Lambèse, loc. d'Algérie; ruines romaines.
La Mennais ou **Lamennais** (Félicité *de*), philosophe français (1782-1854), auteur des *Paroles d'un croyant.*
Lancaster, port d'Angleterre, ch-l. du Lancashire.
Lancastre (*maison de*), branche cadette de la dynastie d'Anjou-Plantagenêt, issue d'Edouard III d'Angleterre.
Lancret (Nicolas), peintre français (1690-1743), auteur de scènes galantes.
Landerneau, v. du Finistère.
Landes, région sablonneuse du sud-ouest de la France; plantations de pins.
Landes, dép. du sud-ouest de la France; préf. *Mont-de-Marsan;* s.-préf. *Dax.*
Langeais, v. de l'Indre-et-Loire, sur la Loire; château (XVe s.).
Langon, ch.-l. d'arr. de la Gironde.
Langres, ch.-l. d'arr. de la Haute-Marne. — Plateau de la Haute-Marne.
Lang-son, v. du Viêt-nam du Nord.
Languedoc, prov. méridionale de la France; capit. *Toulouse.*
Lannemezan, v. des Hautes-Pyrénées.
Lannes (Jean), maréchal d'Empire (1769-1809), tué à Essling.
Lannion, ch.-l. d'arr. des Côtes-du-Nord.
Lan-tcheou, v. de la Chine, capit. du Kan-sou, sur le Houang-ho; 700 000 h.
Laocoon, fils de Priam, étouffé à Troie avec ses fils par deux monstrueux serpents.
Laodicée, anc. v. de Phrygie. — Anc. ville de Syrie, auj. *Lattaquié.*
Lao-Kay, v. du Viêt-nam du Nord.
Laon, anc. capit. du Laonnais; ch.-l. de l'Aisne; 27 300 h. Cathédrale (XIIe-XIIIe s.).
Laos, royaume de l'Indochine, anc. Etat associé de l'Union française; 236 400 km²; 1 882 000 h. Capit. *Vien-tiane.*
Lao-tseu, philosophe chinois du VIIe s. av. J.-C.
La Palice (seigneur *de*), capitaine français (vers 1470-1525).
La Pérouse (Jean François *de*), navigateur français (1741-1788).
Laplace (Pierre-Simon *de*), mathématicien et astronome français (1749-1827), créateur d'un système cosmologique.
Laponie, région du nord de la Scandinavie.
Largentière, ch.-l. d'arr. de l'Ardèche.
Largillière (Nicolas *de*), peintre portraitiste français (1656-1746).
Larissa, v. de Thessalie.
La Rochefoucauld (François, *duc de*), moraliste français (1613-1680), auteur de *Mémoires* (1662) et de *Maximes* (1664).
Larousse (Pierre), lexicographe français (1817-1875), auteur du *Grand Dictionnaire universel du XIXe siècle.*
La Sablière (Mme *de*), femme d'esprit française (1636-1693).
La Salle (Robert *Cavelier de*), voyageur français (vers 1643-1687).
Las Cases (*comte de*), historien français (1766-1842), auteur du *Mémorial de Sainte-Hélène.*
Lascaux, grotte préhistorique de la Dordogne, remarquable par ses peintures.
Lassus (Roland *de*), compositeur de l'école franco-flamande (vers 1530-1594).
Las Vegas, v. des Etats-Unis (Nevada).
Latins, habitants du Latium.
Latium, région de l'Italie centrale.
La Tour (Maurice *Quentin de*), portraitiste français (1704-1788).
La Tour d'Auvergne (Théophile *Corret de*), officier français (1743-1800).
La Trémoille (Georges, *sire de*), gentilhomme français (1382-1446), adversaire de Jeanne d'Arc.
Lattre de Tassigny (Jean *de*), maréchal de France (1889-1952).
Lauraguais, petit pays du Languedoc.
Laurent (*saint*), martyr en 258.
Laurion, région de la Grèce centrale.
Lausanne, v. de Suisse, ch.-l. du canton de Vaud, près du lac Léman; 136 000 h.
Lautaret (*col du*), passage des Alpes du Dauphiné (Hautes-Alpes).
Lauzun (Antoine, *duc de*), courtisan français (1633-1723).
Laval, ch.-l. de la Mayenne; 43 200 h.
La Vallière (*duchesse de*), favorite de Louis XIV (1644-1710).
Lavandou (*Le*), station balnéaire du Var, sur la Méditerranée.
Lavelanet, centre textile de l'Ariège.
Lavéra, port pétrolier (Bouches-du-Rhône).
Lavigerie (Charles), cardinal français (1825-1892), fondateur des Pères blancs.
Lavoisier (Laurent *de*), chimiste français (1743-1794), un des fondateurs de la chimie moderne.
Law (John), financier écossais (1671-1729), dont le système ne put éviter la banqueroute en France.
Lawrence (*sir* Thomas) peintre portraitiste anglais (1769-1830).
Lawrence (Thomas Edward), officier et écrivain anglais (1888-1935).
Lazare (*saint*), frère de Marthe et de Marie, ressuscité par Jésus-Christ.
Lebon (Philippe), chimiste français (1769-1804), inventeur de l'éclairage au gaz.
Le Brun (Charles), peintre français (1619-1690) ; il décora Versailles.
Lebrun (Elisabeth VIGÉE, *dame*) ou *Mme Vigée-Lebrun,* portraitiste française (1755-1842).
Lebrun (Albert), homme politique français (1871-1950), président de la République de 1932 à 1940.
Le Chatelier (Henry), chimiste français (1850-1936).
Leclerc (Philippe DE HAUTECLOCQUE, dit), maréchal de France (1902-1947).
Leconte de Lisle (Charles), poète français (1818-1894), auteur des *Poèmes barbares* et des *Poèmes antiques.*

Leczinski, famille polonaise qui a donné un roi à la Pologne et une reine à la France (v. MARIE et STANISLAS).

Léda, femme grecque, aimée de Zeus, qui prit la forme d'un cygne pour lui plaire.

Ledru-Rollin (Alexandre-Auguste), avocat et homme politique français (1807-1874).

Lee (Robert), général américain (1807-1870), commandant des Sudistes.

Leeds, centre lainier d'Angleterre (York).

Leeuwarden, v. des Pays-Bas, ch.-l. de la Frise.

Lefebvre (François-Joseph), maréchal d'Empire (1755-1820).

Lefèvre d'Etaples, théologien français (vers 1450-1537), précurseur de Calvin.

Légende des siècles (*la*), recueil de poèmes épiques par V. Hugo (1859-1883).

Légion d'honneur, ordre national français, institué par Bonaparte en 1802.

Leibniz (Gottfried), philosophe et mathématicien allemand (1646-1716).

Leicester, v. et comté d'Angleterre.

Leipzig, centre industriel et commercial d'Allemagne orientale; bataille entre les Français et les Alliés (1813).

Léman (*lac*), lac de Suisse et de France; la rive sud appartient à la France.

Lemercier (Jacques), architecte français (vers 1585-1654).

Léna, fl. de Sibérie (océan Glacial Arctique) ; 4 260 km.

Le Nain, nom de trois frères peintres français : ANTOINE (1588-1648); LOUIS (1593-1648) ; MATHIEU (1607-1677).

Lénine (Vladimir Ilitch OULIANOV, dit), homme d'Etat russe (1870-1924), qui instaura le régime soviétique.

Leningrad, anc. *Saint-Pétersbourg* et *Pétrograd,* port et centre industriel de l'U.R.S.S., à l'embouchure de la Néva; 3 600 000 h. Fondée par Pierre le Grand.

Le Nôtre (André), dessinateur français de jardins et de parcs (1613-1700).

Lens, ch.-l. d'arr. du Pas-de-Calais; 42 700 h. Houille.

Léon, anc. royaume ibérique; capit. *Léon.* — V. du Mexique. — V. et anc. capit. du Nicaragua.

Léon, anc. pays de Bretagne.

Léon, nom de treize papes, dont LÉON Ier, *le Grand* (*saint*), pape de 440 à 461, qui contraignit Attila à la retraite; — LÉON III (*saint*), pape de 795 à 816, qui couronna Charlemagne empereur; — LÉON IX (*saint*), pape de 1048 à 1054; sous son pontificat eut lieu le dernier schisme de l'Eglise byzantine; — LÉON X [1475-1521], pape de 1513 à 1521, protecteur des arts et des lettres; son pontificat vit naître le schisme de Luther; — LÉON XIII [1810-1903] pape de 1878 à 1903.

Léon, nom de six empereurs d'Orient.

Léonidas Ier, roi de Sparte de 490 à 480 av. J.-C., héros des Thermopyles.

Leopardi (Giacomo), poète romantique italien (1798-1837).

Léopold Ier (1640-1705), empereur germanique de 1657 à 1705 ; — LÉOPOLD II (1747-1792), empereur germanique de 1790 à 1792.

Léopold Ier, (1790-1865), roi des Belges de 1831 à 1865; — LÉOPOLD II (1835-1909), roi des Belges de 1865 à 1909; — LÉOPOLD III, né en 1901, roi des Belges en 1934; il abdiqua en 1951.

Léopold-II (*lac*), lac du Congo.

Léopoldville, capit. de la rép. du Congo; 402 500 h.

Lépante, v. de la Grèce; 3 400 h. Victoire navale de don Juan d'Autriche sur les Turcs.

Lépide, triumvir, avec Antoine et Octavien, mort en 13 av. J.-C.

Lérins, îles de la Méditerranée (Alpes-Maritimes), au large de Cannes.

Lermontov (Mickaïl Iouriévitch), poète russe (1814-1841).

Lesage (Alain-René), écrivain français (1668-1747), auteur de *Gil Blas.*

Lesbos, île grecque, auj. *Mytilène.*

Lescot (Pierre), architecte français (vers 1515-1578), auteur de la façade du vieux Louvre.

Lesparre-Médoc, ch.-l. d'arr. de la Gironde; vins.

Lesseps (Ferdinand *de*), ingénieur français (1805-1894), qui entreprit la construction des canaux de Suez et de Panama.

Lessing (Gotthold Ephraïm), écrivain allemand (1729-1781).

Le Sueur (Eustache), peintre français (1617-1655).

Le Tellier (Michel), homme d'Etat français (1603-1685), secrétaire d'Etat à la Guerre sous Louis XIV.

Léthé, fl. des Enfers.

Léto, mère d'Artémis et d'Apollon.

Lettonie, république fédérée de l'U.R.S.S., sur la Baltique; capit. *Riga.*

Leuctres, v. de Béotie; victoire d'Epaminondas sur les Spartiates (371 av. J.-C.).

Levallois-Perret, centre industriel des Hauts-de-Seine, au nord de Paris.

Le Vau (Louis), architecte français (1612-1670) ; il travailla au Louvre, à Versailles et à Vaux-le-Vicomte.

Le Verrier (Urbain), astronome français (1811-1877), qui découvrit Neptune par le calcul.

Lévi, troisième fils de Jacob.

Léviathan, monstre de la Bible.

Leyde, v. industrielle et universitaire des Pays-Bas, sur le Vieux-Rhin.

Leyre, fl. côtier des Landes (bassin d'Arcachon) ; 80 km.

Leyte, île des Philippines.

Lézignan-Corbières, bourg de l'Aude, près de l'Orbieu; vins.

Lhassa, capit. du Tibet; 70 000 h.

L'Hospital (Michel *de*), homme d'Etat français (1505-1573) ; chancelier de France (1560), il tenta d'apaiser les haines pendant les guerres de Religion.

Liban, montagne de l'Asie occidentale; — Etat côtier du Proche-Orient; 9 400 km^2; 2 152 000 h.; capit. *Beyrouth.*

Liberec, centre industriel de Tchécoslovaquie (Bohême).

Libéria, république de l'Afrique occidentale; 111 000 km^2; 1 250 000 h. Cap. *Monrovia.*

Libourne, ch.-l. d'arr. de la Gironde.

Libreville, cap. du Gabon; 21 600 h.

Libye, royaume de l'Afrique (Tripolitaine, Cyrénaïque, Fezzan) ; 1 766 000 km^2, 1 559 000 h. Capit. *El-Beida.*

Lido, île et plage de Venise.

Liechtenstein, principauté de l'Europe centrale, entre l'Autriche et la Suisse; 157 km²; 18 500 h. Capit. *Vaduz.*
Liège, centre industriel de Belgique, ch.-l. de prov.; 157 000 h.
Lierre, v. de Belgique (Anvers).
Liévin, centre houiller du Pas-de-Calais.
Ligures, anc. peuple du sud-est de la Gaule et du nord de l'Italie.
Ligurie, prov. de l'Italie du Nord.
Lille, ch.-l. et centre industriel du Nord; 200 000 h.
Lillebonne, centre industriel de la Seine-Maritime.
Lillers, centre industriel du Pas-de-Calais.
Lilliput, pays imaginaire, où aborde Gulliver et dont les hommes sont tout petits.
Lima, capit. du Pérou; 1 716 000 h.
Limagne, plaine de l'Allier dans le Massif central.
Limbourg, prov. de Belgique. — Prov. des Pays-Bas.
Limoges, anc. cap. du Limousin, ch.-l. et centre industriel de la Haute-Vienne, sur la Vienne; 120 600 h.
Limoux, ch.-l. d'arr. de l'Aude; vins.
Limpopo, fl. de l'Afrique australe (océan Indien); 1 600 km.
Lincoln, v. d'Angleterre; cathédrale.
Lincoln (Abraham), homme d'Etat américain (1809-1865), président des Etats-Unis de 1860 à 1865.
Lindbergh (Charles), aviateur américain, né en 1902, qui, le premier, traversa seul l'Atlantique en avion (1927).
Linné (Carl *von*), naturaliste suédois (1707-1778).
Linz, centre industriel d'Autriche, sur le Danube.
Lion (*golfe du*), golfe de la Méditerranée, sur les côtes sud de la France.
Lionne (Hugues *de*), ministre français des Affaires étrangères (1611-1671).
Lipari (*îles*). V. EOLIENNES (*îles*).
Lippi (*Fra* Filippo), peintre florentin (1406-1469).
Lisbonne, port et capit. du Portugal, à l'embouchure du Tage; 818 400 h.
Lisieux, ch.-l. d'arr. du Calvados; pèlerinage au tombeau de sainte Thérèse.
Liszt (Franz), pianiste et compositeur hongrois (1811-1886).
Little Rock, v. des Etats-Unis, capit. de l'Arkansas.
Littré (Emile), lexicographe et philosophe positiviste français (1801-1881).
Lituanie, république fédérée de l'U.R.S.S., sur la Baltique; 65 000 km²; 2 713 000 h. Capit. *Vilnius.*
Livarot, bourg du Calvados; fromages.
Liverpool, port et centre industriel d'Angleterre (Lancashire), sur la Mersey.
Livingstone (David), missionnaire et voyageur écossais, qui parcourut l'Afrique centrale (1813-1873).
Livourne, port et centre industriel d'Italie (Toscane).
Ljubljana, en allem. *Laibach,* v. de Yougoslavie, capit. de la Slovénie.
Lloyd, société d'assurances anglaise, créée en 1727.
Lloyd George (David), homme d'Etat anglais (1863-1944).
Loanda. V. LUANDA.
Locarno, station climatique de Suisse (Tessin), sur le lac Majeur.
Loches, ch.-l. d'arr. d'Indre-et-Loire; château (XIIe-XVe s.).
Locke (John), philosophe sensualiste anglais (1632-1704).
Locle (*Le*), v. de Suisse (Neuchâtel).
Locride, pays de l'anc. Grèce.
Locuste, empoisonneuse romaine qui servit Agrippine et Néron.
Lodève, ch.-l. d'arr. de l'Hérault.
Lodi, v. d'Italie, sur l'Adda; victoire de Bonaparte sur les Autrichiens (1796).
Lodz, centre textile de Pologne.
Lofoten (*îles*), archipel de Norvège.
Logone, riv. de l'Afrique équatoriale, affl. du Chari; 900 km.
Loing, affl. de la Seine.
Loir, affl. de la Sarthe; 311 km.
Loire, fl. de France (océan Atlantique); 1012 km.
Loire, dép. du Massif central; préf. *Saint-Etienne;* s.-préf. *Montbrison, Roanne.*
Loire (*Haute-*), dép. du Massif central; préf. *Le Puy;* s.-préf. *Brioude, Yssingeaux.*
Loire-Atlantique, dép. de l'ouest de la France; préf. *Nantes;* s.-préf. *Ancenis, Châteaubriant, Saint-Nazaire.*
Loiret, affl. de la Loire; 12 km.
Loiret, dép. du Bassin parisien; préf. *Orléans;* s.-préf. *Montargis, Pithiviers.*
Loir-et-Cher, dép. du sud du Bassin parisien; préf. *Blois;* s.-préf. *Romorantin-Lanthenay, Vendôme.*
Lolland, île du Danemark.
Lombardie, région de l'Italie du Nord.
Lombards, peuple germanique, qui envahit l'Italie au VIe s. et fut vaincu par Charlemagne (774).
Lombardo-Vénitien (*royaume*), prov. italiennes de l'empire d'Autriche (1815-1866); capit. *Milan.*
Lomé, capit. du Togo; 70 000 h.
Loménie de Brienne (Etienne-Charles *de*), homme d'Etat français (1727-1794), ministre des Finances sous Louis XVI.
Londres, capit. et port de Grande-Bretagne, sur la Tamise; 5 millions d'h.
Long Beach, port des Etats-Unis (Californie).
Longemer, petit lac des Vosges.
Longfellow (Henry Wadsworth), poète romantique américain (1807-1882).
Long Island, île des Etats-Unis sur laquelle est bâti Brooklyn.
Longwood, résidence de Napoléon à Sainte-Hélène.
Longwy, centre minier (fer) et métallurgique de Meurthe-et-Moselle.
Lons-le-Saunier, ch.-l. du Jura; 18 900 h.
Lope de Vega (Félix), poète dramatique espagnol (1562-1635).
Lorentz (Hendrik Antoon), physicien hollandais (1853-1928).
Lorient, ch.-l. d'arr. et port du Morbihan; 63 900 h.
Lorrain (Claude GELÉE, dit *le*), peintre paysagiste français (1600-1682).
Lorraine, anc. prov. de l'est de la France; capit. *Nancy.*
Los Angeles, port des Etats-Unis (Californie). Centre industriel.

Lot, riv. du Massif central et de l'Aquitaine, affl. de la Garonne; 480 km.

Lot, dép. du sud-ouest de la France; préf. *Cahors;* s.-préf. *Figeac, Gourdon.*

Lot-et-Garonne, dép. du sud-ouest de la France; préf. *Agen;* s.-préf. *Marmande, Nérac, Villeneuve.*

Loth, neveu d'Abraham.

Lothaire (941-986), roi de France de 954 à 986.

Lothaire Ier (795-855), empereur d'Occident de 840 à 855.

Loti (Pierre), romancier français (1850-1923), auteur de *Pêcheur d'Islande.*

Louang-prabang, v. du Laos.

Loubet (Emile), homme politique français (1838-1929), président de la République de 1899 à 1906.

Loudéac, bourg des Côtes-du-Nord.

Loue, riv. de l'est de la France, affl. du Doubs; 125 km.

Lougansk, anc. *Vorochilovgrad,* v. de l'U.R.S.S. (Ukraine).

Louhans, ch.-l. d'arr. et marché agricole de la Saône-et-Loire.

Louis de Gonzague (*saint*), jésuite italien (1568-1591), patron de la jeunesse.

Louis Ier, le Pieux ou **le Débonnaire** (778-840), empereur d'Occident et roi des Francs de 814 à 840.

Louis II, le Bègue (846-879), roi de France de 877 à 879.

Louis III (vers 863-882), roi de France de 879 à 882.

Louis IV, d'Outremer (vers 921-954), roi de France de 936 à 954.

Louis V (967-987), dernier roi carolingien de France en 986-987.

Louis VI, le Gros (1081-1137), roi de France de 1108 à 1137, qui lutta contre les grands vassaux et s'opposa à Henri Ier d'Angleterre.

Louis VII, le Jeune (1120-1180), roi de France de 1137 à 1180, qui entreprit la deuxième croisade et divorça d'avec Aliénor d'Aquitaine : celle-ci épousa Henri II Plantagenêt.

Louis VIII, le Lion (1187-1226), roi de France de 1223 à 1226.

Louis IX ou **Saint Louis** (1214-1270), roi de France de 1226 à 1270, qui entreprit les deux dernières croisades.

Louis X, le Hutin (1289-1316), roi de France de 1314 à 1316.

Louis XI (1423-1483), roi de France de 1461 à 1483, qui lutta contre les seigneurs révoltés (*ligue du Bien public*) et contre la maison de Bourgogne.

Louis XII, le Père du peuple (1462-1515), roi de France de 1498 à 1515; il épousa Anne de Bretagne et combattit en Italie.

Louis XIII, le Juste (1601-1643), roi de France de 1610 à 1643, qui, avec Richelieu, lutta contre la noblesse et les protestants et prit part à la guerre de Trente Ans.

Louis XIV, le Grand (1638-1715), roi de France de 1643 à 1715, qui commença son règne personnel en 1661, rétablit l'ordre à l'intérieur et mena une active politique extérieure (guerres de Dévolution, de Hollande, de la ligue d'Augsbourg, de la Succession d'Espagne) ; son règne se signale par une admirable floraison des lettres et des arts en France.

Louis XV, le Bien-Aimé (1710-1774), roi de France de 1715 à 1774, qui régna d'abord sous la régence de Philippe d'Orléans; il participa aux guerres de la Succession de Pologne, de la Succession d'Autriche et de Sept Ans.

Louis XVI (1754-1793), roi de France à partir de 1774, suspendu de ses fonctions après le 10 août 1792, jugé par la Convention, condamné à mort et guillotiné le 21 janvier 1793.

Louis XVII (1785-1795), fils de Louis XVI, enfermé au Temple.

Louis XVIII (1755-1824), frère puîné de Louis XVI, roi de France de 1814 à 1824; un des chefs de l'émigration pendant la Révolution; il rentra à Paris après la chute de l'Empire, se réfugia à Gand pendant les Cent-Jours et ne revint qu'après Waterloo.

Louis, nom de cinq empereurs d'Occident, dont : LOUIS II, *le Jeune* (822-875), empereur de 850 à 875; — LOUIS III, *l'Aveugle* (879-933), empereur de 901 à 903; — LOUIS IV, *l'Enfant* (893-911), empereur de 908 à 911; — LOUIS V (1284-1347), empereur de 1314 à 1347.

Louis, nom de cinq rois de Germanie, dont: LOUIS II, *le Germanique* (vers 805-876), roi de 817 à 876; — LOUIS III, roi de 876 à 882.

Louise de Marillac (*sainte*) [1591-1660], fondatrice des filles de la Charité.

Louise de Savoie (1476-1531), épouse de Charles d'Angoulême, mère de François Ier.

Louisiane, un des Etats unis, sur le golfe du Mexique; capit. *Baton Rouge.*

Louis-Philippe Ier (1773-1850), roi des Français, après la révolution de 1830 et jusqu'à celle de 1848.

Louisville, v. et centre industriel des Etats-Unis (Kentucky), sur l'Ohio.

Louksor, village construit sur l'emplacement de l'ancienne Thèbes, en Egypte.

Lourdes, pèlerinage des Hautes-Pyrénées.

Lourenço-Marques, capit. et port du territoire portugais du Mozambique.

Louvain, v. de Belgique (Brabant), sur la Dyle; université.

Louverture (Toussaint, *dit*), général haïtien (1743-1803).

Louvière (*La*), centre industriel de Belgique (Hainaut).

Louviers, centre textile de l'Eure.

Louvois (Michel LE TELLIER, *marquis de*), homme d'Etat français (1641-1691), ministre de la Guerre, sous Louis XIV.

Louvre (*palais du*), anc. résidence royale à Paris, commencée en 1204, auj. convertie en musée.

Loyauté (*îles*), archipel dépendant de la Nouvelle-Calédonie.

Lozère, massif des Cévennes.

Lozère, dép. du Massif central; préf. *Mende;* s.-préf. *Florac.*

Luanda, capit. de l'Angola; 190 000 h.

Lübeck, port d'Allemagne occidentale (Schleswig-Holstein), près de la Baltique.

Lublin, v. et centre industriel de Pologne, au sud-est de Varsovie.

Luc (*saint*), un des quatre évangélistes.

Lucain, poète latin (39-65), auteur de *la Pharsale,* poème épique.
Lucanie, contrée de l'Italie ancienne, au sud de la Campanie.
Lucerne, v. et station touristique de Suisse, ch.-l. de canton, sur le lac des Quatre-Cantons.
Lucien, écrivain grec du IIe s., auteur des *Dialogues des morts.*
Lucifer, chef des anges rebelles, devenu le *Prince des démons.*
Lucknow, v. et centre industriel de l'Inde du Nord, capit. de l'Uttar Pradesh.
Luçon, v. de Vendée, à l'origine du *canal de Luçon;* évêché.
Luçon ou **Luzon,** la plus grande des îles Philippines.
Lucques, v. d'Italie (Toscane).
Lucrèce, dame romaine, qui se tua après avoir été outragée par un fils de Tarquin le Superbe.
Lucrèce, poète latin (vers 98-55 av. J.-C.), auteur du poème *De la nature.*
Lucullus, général romain du Ier s. av. J.-C., célèbre par son luxe.
Ludendorff (Erich *von*), général allemand (1865-1937), adjoint de Hindenburg.
Ludwigshafen, centre industriel d'Allemagne occidentale, sur le Rhin.
Lugano, station climatique de Suisse (Tessin), sur le lac de Lugano.
Lulle (Raimond), écrivain et alchimiste catalan (vers 1235-1315).
Lully (Jean-Baptiste), compositeur et violoniste d'origine florentine (1632-1687), créateur de l'opéra à Paris.
Lumière (Louis), chimiste et industriel français (1864-1948), inventeur du cinématographe, avec son frère, AUGUSTE (1862-1954).
Lunel, bourg de l'Hérault; vins.
Lunéville, ch.-l. d'arr. et centre industriel de Meurthe-et-Moselle.
Lure, ch.-l. d'arr. et centre industriel de la Haute-Saône.
Lusace, contrée de l'Allemagne, entre l'Elbe et l'Oder.
Lusaka, capit. de la Zambie; 86 000 h.
Lusitanie, une des divisions de l'Espagne romaine, l'actuel *Portugal.*
Lutèce, nom romain de *Paris.*
Luther (Martin), réformateur religieux allemand (1483-1546) ; excommunié par le pape et mis au ban de l'Empire par Charles Quint, il approuva la Confession d'Augsbourg en 1530.
Lützen, v. de Saxe, théâtre de deux batailles : l'une où fut tué Gustave-Adolphe (1632), l'autre où Napoléon battit les Russes et les Prussiens (1813).
Luxembourg (*grand-duché de*), Etat de l'Europe occidentale; 2 600 km²; 328 000 h. Capit. *Luxembourg.*
Luxembourg, prov. de Belgique.
Luxembourg (*duc de*), maréchal de France (1628-1695), vainqueur à Fleurus, à Steinkerque et à Neerwinden.
Luxeuil-les-Bains, station thermale et centre industriel de la Haute-Saône.
Luynes (Charles, *duc de*), gentilhomme français (1578-1621), favori de Louis XIII.
Lvov, v. de l'U.R.S.S. (Ukraine).
Lyautey (Louis-Hubert-Gonzalve), maréchal de France (1854-1934), pacificateur et organisateur du Maroc.
Lycée, nom d'un quartier d'Athènes, où Aristote donnait ses leçons.
Lycie, anc. région de l'Asie Mineure, entre la Carie et la Pamphilie.
Lycurgue, législateur légendaire de Sparte.
Lydie, anc. pays de l'Asie Mineure, sur la mer Egée, entre la Mysie et la Carie.
Lyon, ch.-l. du Rhône, centre commercial et industriel, au confluent du Rhône et de la Saône; 535 000 h.
Lyonnais, anc. prov. de France (dép. de la Loire et du Rhône).
Lysias, orateur athénien (vers 440-vers 380 av. J.-C.), adversaire des Trente.

M

Maastricht, v. des Pays-Bas, ch.-l. du Limbourg, sur la Meuse.
Macao, possession et port portugais de la Chine, sur la baie de Canton.
Macassar, port d'Indonésie (Célèbes).
Macbeth, drame de Shakespeare (1605).
Maccabées, nom de sept frères juifs, martyrs en 167 av. J.-C.
Macédoine, contrée de l'Europe méridionale (Grèce, Bulgarie, Yougoslavie).
Machiavel (Nicolas), homme d'Etat et historien florentin (1469-1527).
Machine (*La*), centre houiller de la Nièvre.
Mackenzie, fl. du Canada (océan Glacial Arctique) ; 4 600 km.
Mac-Mahon (Patrice *de*), maréchal de France (1808-1893), président de la République de 1873 à 1879.
Mâcon, ch.-l. et centre industriel de Saône-et-Loire, sur la Saône; 30 700 h.
Madagascar, île de l'océan Indien, république indépendante depuis 1960; 6 180 000 h. Capit. *Tananarive.*
Madeleine (*La*), centre industriel du Nord, faubourg de Lille.
Madeleine (*sainte* **Marie-**), pécheresse convertie par Jésus-Christ.
Madère, île portugaise de l'Atlantique, à l'ouest du Maroc. Vins.
Madhya Pradesh, Etat du centre de l'Inde; capit. *Bhopal.*
Madras, v. du sud de l'Inde, capit. d'Etat.
Madre (*sierra*), nom de deux chaînes de montagnes du Mexique.
Madrid, capit. de l'Espagne; 2 260 000 h.
Madura, île d'Indonésie, près de Java.
Madura, v. de l'Inde (Madras).
Maeterlinck (Maurice), écrivain belge (1862-1949).
Magdalena, fl. de Colombie; 1 700 km.
Magdebourg, v. d'Allemagne orientale, sur l'Elbe.
Magellan (Fernand *de*), navigateur portugais (vers 1470-1521), qui entreprit le premier voyage autour du monde.
Magellan (*détroit de*), bras de mer qui sépare l'extrémité sud de l'Amérique et la Terre de Feu.
Magenta, v. de l'Italie du Nord; victoire des Français sur les Autrichiens (1859).

Maghreb, nom arabe de l'Afrique du Nord.
Magnitogorsk, centre minier (fer) et métallurgique de l'U.R.S.S., dans l'Oural.
Magyars, peuple originaire de l'Asie centrale, qui a fondé l'Etat hongrois.
Maharashtra, Etat de l'Inde ; cap. *Bombay.*
Mahé, v. de l'Inde, autrefois française.
Mahomet, fondateur de l'Islam (vers 570-632) ; il dut s'enfuir de La Mecque en 622 (date qui marque le commencement de l'ère musulmane), puis, après une longue guerre, s'empara de la ville en 630.
Mahomet ou **Mehmet,** nom de six sultans ottomans, dont : MAHOMET II (1430-1481), sultan de 1451 à 1481 ; il s'empara de Constantinople.
Maillol (Aristide), sculpteur français (1861-1944).
Main, riv. d'Allemagne occidentale, affl. du Rhin à Mayence ; 524 km.
Maine (la), riv. de France, affl. de la Loire, formée par la Sarthe et la Mayenne.
Maine (le), anc. prov. de l'ouest de la France ; ch.-l. *Le Mans.*
Maine, un des Etats unis de l'Amérique du Nord (Atlantique-Nord) ; capit. *Augusta.*
Maine (Louis Auguste DE BOURBON, *duc du*), fils légitimé de Louis XIV et de Mme de Montespan (1670-1736).
Maine de Biran (Marie-François-Pierre), philosophe français (1766-1824).
Maine-et-Loire, dép. de l'ouest de la France ; préf. *Angers ;* s.-préf. *Cholet, Saumur, Segré.*
Maintenon (Françoise D'AUBIGNÉ, *marquise de*) [1635-1719], unie à Louis XIV par un mariage secret, fondatrice de la maison d'éducation de Saint-Cyr.
Maisons-Alfort, v. du Val-de-Marne, au sud-est de Paris ; école vétérinaire.
Maisons-Laffitte, v. des Yvelines, sur la Seine ; château bâti par Mansart.
Maistre (Joseph *de*), écrivain français (1753-1821) ; — Son frère XAVIER (1763-1852), écrivain également.
Majeur (*lac*), lac du nord-ouest de l'Italie, entre l'Italie et la Suisse.
Majorque, la plus grande des îles Baléares.
Malabar (*côte de*), littoral ouest du Deccan.
Malacca, v. de la Malaysia (Malaisie), sur le *détroit de Malacca.*
Malade imaginaire (*le*), comédie de Molière (1673).
Maladetta, massif des Pyrénées espagnoles.
Malaga, port du sud de l'Espagne (Andalousie), sur la Méditerranée ; vins.
Malaisie, péninsule du sud-est de l'Asie.
Malakoff, v. des Hauts-de-Seine.
Mälar, lac de la Suède centrale.
Malawi, anc. *Nyassaland,* Etat de l'Afrique orientale, membre du Commonwealth ; 2 951 700 h. Capit. *Zomba.*
Malaysia (*Fédération de*), Etat du Commonwealth, constitué par la plus grande partie de la Malaisie, le Sarawak et le Sabah ; 10 millions d'h. Capit. *Kuala-Lumpur.*
Maldives, archipel de l'océan Indien, Etat du Commonwealth ; 93 000 h. Capit. *Male.*
Malebranche (Nicolas *de*), philosophe idéaliste français (1638-1715).
Malenkov (Gheorghi), homme d'Etat soviétique, né en 1902.
Malesherbes (Chrétien-Guillaume *de Lamoignon de*), magistrat français (1721-1794), défenseur de Louis XVI.
Malgaches, habitants de Madagascar.
Malherbe (François *de*), poète lyrique français (1555-1628), qui joua un grand rôle comme réformateur de la langue.
Mali (*république du*), Etat indépendant constitué par l'ancien Soudan français ; 4 576 000 h. ; capit. *Bamako.*
Malibran (Maria Félicia), cantatrice d'origine espagnole (1808-1836).
Malines, v. de Belgique (Anvers), sur la Dyle ; archevêché. Dentelles.
Mallarmé (Stéphane), poète français (1842-1898), initiateur du symbolisme.
Malmaison, anc. résidence de l'impératrice Joséphine, à l'ouest de Paris.
Malmédy, v. de Belgique (Liège), à la frontière allemande.
Malmö, v., port et centre industriel de la Suède méridionale.
Malo-les-Bains, station balnéaire du Nord, sur la mer du Nord.
Malplaquet, hameau du Nord ; victoire de Marlborough et du prince Eugène sur Villars (1709).
Malraux (André), écrivain français, né en 1901, auteur de *la Condition humaine.*
Malström, gouffre de l'océan Glacial Arctique, près des îles Lofoten.
Malte, île de la Méditerranée, Etat membre du Commonwealth ; capit. *La Valette.*
Malthus (Thomas Robert), économiste anglais (1766-1834).
Malvoisie, presqu'île de la Grèce ; vins.
Mamers, ch.-l. d'arr. de la Sarthe.
Man, île anglaise de la mer d'Irlande.
Managua, capit. du Nicaragua ; 206 600 h.
Manaus, v. du Brésil, port sur le rio Negro.
Manche, bras de mer formé par l'Atlantique, entre la France et l'Angleterre.
Manche, dép. de l'ouest de la France ; préf. *Saint-Lô ;* s.-préf. *Avranches, Cherbourg, Coutances.*
Manche, anc. prov. d'Espagne (Castille).
Manchester, centre industriel (coton) d'Angleterre (Lancashire).
Mancini, anc. famille de Rome, surtout connue par les neveux et nièces du cardinal Mazarin, que celui-ci fit venir en France pour assurer leur fortune.
Mandalay, v. de Birmanie.
Mandchourie, région du nord-est de la Chine ; v. pr. *Chen-yang* (anc. *Moukden*).
Mandrin (Louis), chef de brigands français (1724-1755), roué vif.
Manès ou **Manichée,** fondateur de la secte des manichéens, né en Perse (215-276).
Manet (Edouard), peintre impressionniste français (1832-1883).
Mangin (Charles), général français (1866-1925).
Manhattan, île des Etats-Unis, sur laquelle est construit le centre de New York.
Manille, v. et port des Philippines.
Manitoba, prov. du centre du Canada.
Manlius Torquatus (Titus), dictateur romain en 353-349 av. J.-C.
Mann (Thomas), romancier allemand (1875-1955), auteur de *la Montagne magique.*
Mannerheim (Gustav Carl, *baron*), maréchal et homme d'Etat finlandais (1869-1951), président de la République en 1944.
Mannheim, centre industriel d'Allemagne occidentale ; port sur le Rhin.

Manosque, v. des Basses-Alpes.
Mans (*Le*), ch.-l. et centre industriel de la Sarthe, sur la Sarthe; 136 100 h. Cathédrale (XIIe s.).
Mansart ou **Mansard** (François), architecte français (1598-1666), qui construisit une partie du Val-de-Grâce; — Son petit-neveu par alliance, JULES HARDOUIN-MANSART (1646-1708), construisit le dôme des Invalides, le palais et la chapelle de Versailles.
Mansourah, v. d'Egypte, où Saint Louis fut fait prisonnier par les Mameluks (1250).
Mantegna (André), peintre italien (1431-1506), initiateur de la Renaissance italienne.
Mantes-la-Jolie, ch.-l. d'arr. des Yvelines, sur la Seine.
Mantinée, v. de Grèce; victoire d'Epaminondas sur les Spartiates (362 av. J.-C.).
Mantoue, v. d'Italie du Nord.
Manzoni (Alessandro), écrivain romantique italien (1785-1873).
Maoris, indigènes de la Nouvelle-Zélande.
Mao Tse-toung, homme d'Etat chinois, né en 1893, président de la République populaire chinoise (1950-1959).
Maracaïbo, centre de l'industrie pétrolière du Venezuela.
Marat (Jean-Paul), révolutionnaire français (1743-1793).
Marathon, village de l'Attique, près duquel Miltiade remporta une victoire sur les Perses (490 av. J.-C.).
Marc (*saint*), un des quatre évangélistes.
Marceau (François-Séverin), général français (1769-1796), tué à Altenkirchen.
Marcel (*saint*), évêque de Paris de 417 à 430.
Marcel (Etienne), prévôt des marchands de Paris; adversaire du futur Charles V, il fut assassiné en 1358.
Marchand (Jean-Baptiste), général et explorateur français (1863-1934).
Marche, anc. prov. du centre de la France.
Marchienne-au-Pont, centre métallurgique de Belgique (Hainaut).
Marconi (Guglielmo), physicien italien (1874-1937) qui réalisa les premières liaisons par T.S.F.
Marcoule, centre atomique français (Gard).
Marcq-en-Barœul, centre industriel du Nord, sur la Marcq.
Mardochée, oncle et tuteur d'Esther.
Marèges, installation hydro-électrique sur la Dordogne.
Maremme, région marécageuse de l'Italie (Toscane), près de la mer Tyrrhénienne.
Marengo, village du Piémont; victoire de Bonaparte sur les Autrichiens (1800).
Marguerite d'Angoulême (1492-1549), épouse d'Henri II d'Albret, roi de Navarre, auteur de poésies et de nouvelles.
Marguerite d'Autriche (1480-1530), fille de Maximilien Ier et de Marie de Bourgogne, gouvernante des Pays-Bas.
Marguerite de Valois (1553-1615), fille d'Henri II et de Catherine de Médicis, première femme du futur Henri IV.
Marguerite Valdemarsdotter, dite *la Sémiramis du Nord* (1353-1412), fille d'un roi de Danemark; elle réunit les couronnes de Norvège, de Suède et de Danemark.
Mariannes (*îles*), archipel du Pacifique.
Marie (*sainte*) ou **la Sainte Vierge,** mère du Christ, épouse de saint Joseph.
Marie d'Angleterre (1497-1534), fille d'Henri VII Tudor, femme de Louis XII.
Marie d'Anjou (1404-1463), fille de Louis II, duc d'Anjou, roi de Sicile, femme de Charles VII.
Marie de Bourgogne (1457-1482), fille de Charles le Téméraire, femme de Maximilien d'Autriche.
Marie Leszcynska (1703-1768), fille de Stanislas Leszcynski, femme de Louis XV.
Marie de Médicis (1573-1642), seconde femme d'Henri IV, régente pendant la minorité de Louis XIII (1610-1614).
Marie Ire Stuart (1542-1587), reine d'Ecosse de 1542 à 1567; veuve de François II, roi de France, décapitée par ordre d'Elisabeth d'Angleterre.
Marie Ire Tudor (1510-1558), fille d'Henri VIII et de Catherine d'Aragon, femme de Philippe II d'Espagne; elle régna en Angleterre de 1553 à 1558.
Marie-Antoinette (1755-1793), fille de l'empereur François Ier, femme de Louis XVI; elle mourut guillotinée.
Marie-Christine d'Autriche (1858-1929), régente d'Espagne de 1885 à 1906.
Marie-Galante, une des Petites Antilles françaises, près de la Guadeloupe.
Marie-Louise (1791-1847), fille de l'empereur François II, seconde femme de Napoléon Ier.
Marie-Thérèse d'Autriche (1638-1683), fille de Philippe IV d'Espagne, femme de Louis XIV.
Marie-Thérèse d'Autriche (1717-1780), reine de Hongrie et de Bohême de 1740 à 1780, épouse de l'empereur François Ier, adversaire de Frédéric II de Prusse.
Marignan, v. d'Italie du Nord; victoire des Français sur les Suisses (1515).
Marignane, aéroport et base d'hydravions de Marseille (Bouches-du-Rhône).
Marini ou **Marino** (Giambattista), dit *le Cavalier Marin,* poète italien (1569-1625), un des maîtres de la préciosité.
Mariotte (*abbé* Edme), physicien français (vers 1620-1684), qui énonça la loi de compressibilité des gaz.
Maritza ou **Marica,** fl. des Balkans (mer Egée); 437 km.
Marius (Caius), général et homme d'Etat romain (157-86 av. J.-C.), chef du parti populaire, adversaire de Sylla.
Marivaux (Pierre *de*), écrivain français (1688-1763), auteur de comédies.
Marlborough (John CHURCHILL, *duc de*), général anglais (1650-1722), chef de l'armée des Pays-Bas.
Marles-les-Mines, centre houiller du Pas-de-Calais; centrale thermique.
Marlowe (Christopher), poète dramatique (1563-1593).
Marly-le-Roi, v. des Yvelines; château construit sous Louis XIV et détruit pendant la Révolution.
Marmande, ch.-l. d'arr. du Lot-et-Garonne, sur la Garonne; cultures maraîchères.
Marmara (*mer de*), mer intérieure entre la Turquie d'Europe et la Turquie d'Asie.
Marmont (Louis *de*), maréchal d'Empire (1774-1852).

Marmontel (Jean-François), écrivain français (1723-1799).

Marne, riv. de la France, affl. de la Seine; 525 km. Le *canal latéral de la Marne* remonte la rivière; il est prolongé par le *canal de la Marne au Rhin* et par le *canal de la Marne à la Saône.*

Marne (*batailles de la*), ensemble des combats dirigés par Joffre, en 1914, et qui arrêtèrent l'invasion allemande. Foch y remporta une seconde victoire en 1918.

Marne, dép. de l'est du Bassin parisien; préf. *Châlons;* s.-préf. *Epernay, Reims, Sainte-Menehould, Vitry-le-François.*

Marne (*Haute-*), dép. de l'est du Bassin parisien; préf. *Chaumont;* s.-préf. *Langres, Saint-Dizier.*

Maroc, Etat de l'Afrique du Nord-Ouest; 447 000 km^2; 12 959 000 h. Capit. *Rabat.*

Marot (Clément), poète français (1496-1544), auteur d'épîtres.

Marquises (*îles*), archipel de la Polynésie française.

Marrakech, v. du Maroc; 242 000 h.

Mars, dieu romain de la Guerre.

Mars, planète du système solaire.

Marsaille (*La*), village d'Italie (Piémont), où Catinat vainquit le duc de Savoie (1693).

Marsala, v. et port de Sicile; vins.

Marseillaise (*la*), hymne national français, composé en 1792 par Rouget de Lisle.

Marseille, ch.-l., port et centre industriel des Bouches-du-Rhône, sur la Méditerranée; 783 000 h.

Marshall, archipel de l'Océanie, sous tutelle américaine.

Marshall (George), général et homme politique américain (1880-1959).

Marsyas, jeune Phrygien, habile joueur de flûte, qu'Apollon écorcha vif.

Marthe (*sainte*), sœur de Marie et de Lazare.

Martial (*saint*), évêque de Limoges (IIIe s.).

Martial, poète latin du Ier s.

Martigues, port sur l'étang de Berre (Bouches-du-Rhône).

Martin (*saint*), évêque de Tours (IVe s.).

Martin, nom de cinq papes.

Martin (Pierre), ingénieur français (1824-1915), inventeur d'un procédé de fabrication de l'acier.

Martin du Gard (Roger), écrivain français (1881-1958), auteur des *Thibault.*

Martinique (*la*), dép. français des Petites Antilles; 1 100 km^2; 292 000 h. Ch.-l. *Fort-de-France.*

Marx (Karl), philosophe socialiste allemand (1818-1883), auteur du *Manifeste du parti communiste* (avec Engels) et du *Capital,* ouvrage de base du *marxisme.*

Maryland, un des Etats unis de l'Amérique du Nord (Atlantique); capit. *Annapolis.*

Masaccio (Tomaso), peintre florentin (1401-1428), auteur de fresques.

Masaryk (Tomas), homme d'Etat tchèque (1850-1937).

Mascara, ch.-l. d'arr. d'Algérie.

Mascareignes (*îles*), archipel de l'océan Indien (îles de la Réunion, Maurice et Rodrigues).

Mascaron (Jules *de*), prédicateur français (1634-1703).

Mascate, port d'Arabie, capit. d'un sultanat, sous protectorat indo-britannique.

Mas-d'Azil (*Le*), localité de l'Ariège. Station préhistorique.

Masinissa (238-148 av. J.-C.), roi de Numidie, allié des Romains.

Massa, v. d'Italie (Toscane); marbre.

Massachusetts, un des Etats unis de l'Amérique du Nord; capit. *Boston.*

Masséna (André), maréchal d'Empire (1756-1817).

Massenet (Jules), compositeur français (1842-1912), auteur de *Manon.*

Massif central ou **Plateau central,** massif ancien qui s'étend entre le Bassin parisien, le Bassin aquitain et le couloir rhodanien.

Massillon (Jean-Baptiste), prédicateur français (1663-1742).

Matapan (*cap*), promontoire au sud du Péloponnèse.

Mathias Ier Corvin (1440-1490), roi de Hongrie de 1458 à 1490.

Mathilde ou **Mahaut de Flandre,** femme de Guillaume Ier le Conquérant.

Mathusalem, patriarche qui aurait vécu 969 ans, grand-père de Noé.

Matisse (Henri), peintre français (1869-1954), l'un des meilleurs représentants du fauvisme.

Mato Grosso, plateau de l'ouest du Brésil.

Matthieu (*saint*), apôtre et évangéliste, martyrisé vers 70.

Maubeuge, centre industriel du Nord.

Maupassant (Guy *de*), écrivain français (1850-1893), auteur de romans, de contes et de nouvelles.

Maupeou (René-Nicolas *de*), magistrat français (1714-1792).

Maupertuis (Pierre-Louis *Moreau de*), mathématicien français (1698-1759).

Maur (*saint*), disciple de saint Benoît.

Maures (*montagnes des*), chaîne côtière du Var (Méditerranée).

Maures, habitants de la Mauritanie. Ce nom fut étendu au Moyen Age aux conquérants arabes du Maghreb et de l'Espagne.

Mauriac (François), écrivain français, né en 1885.

Maurice (*île*), anc. *île de France,* île britannique de l'océan Indien.

Maurice (*saint*), chef de la légion Thébaine, martyr au IIIe s.

Maurienne, vallée de l'Arc.

Mauritanie (*république islamique de*), Etat d'Afrique occidentale, indépendant depuis 1960; 900 000 h.; capit. *Nouakchott.*

Maurois (André), écrivain français, né en 1885.

Maurras (Charles), écrivain français (1868-1952), directeur de *l'Action française.*

Mausole, roi de Carie de 377 à 353 av. J.-C., au tombeau célèbre (le Mausolée).

Maximilien Ier (1459-1519), empereur germanique de 1493 à 1519.

Maximilien (Ferdinand), archiduc d'Autriche (1832-1867), empereur du Mexique en 1864, fusillé.

Maxwell (James Clerk), physicien écossais (1831-1879), auteur de la théorie électromagnétique de la lumière.

Mayas, Indiens de l'Amérique centrale.

Mayence, centre industriel d'Allemagne occidentale, sur le Rhin; cathédrale.

Mayenne, riv. de France, qui se joint à la Sarthe pour former la Maine; 195 km.

Mayenne, dép. de l'ouest de la France; préf. *Laval;* s.-préf. *Château-Gontier, Mayenne.*

Mayenne, ch.-l. d'arr. de la Mayenne, sur la Mayenne.

Mayenne (Charles DE LORRAINE, *duc de*) [1554-1611], chef de la Ligue à la mort de son frère Henri de Guise.

Mayotte, une des Comores.

Mazagan, port du Maroc.

Mazamet, v. du Tarn. Délainage.

Mazarin (Jules), cardinal et homme d'Etat français (1602-1661); il termina la guerre de Trente Ans, triompha de la Fronde et imposa à l'Espagne le traité des Pyrénées.

Mazeppa, hetman des cosaques de l'Ukraine (1644-1709).

Méandre, fl. d'Anatolie, qui se jette dans la mer Egée après avoir décrit de nombreuses sinuosités; 380 km.

Meaux, ch.-l. d'arr. de la Seine-et-Marne, sur la Marne.

Mécène, chevalier romain (69-8 av. J.-C.), conseiller d'Auguste.

Méched, v. de l'Iran; 242 000 h.

Mecklembourg, pays d'Allemagne.

Mecque (*La*). v. sainte de l'Arabie Saoudite, capit. du Hedjaz.

Medan, v. d'Indonésie (Sumatra).

Médéa, ch.-l. de dép. d'Algérie.

Médée, magicienne, qui, abandonnée par Jason, son mari, se vengea en égorgeant ses enfants.

Medellin, v. de Colombie; 732 000 h.

Médicis, famille florentine, dont les principaux membres furent : LAURENT, *le Magnifique* (1449-1492), protecteur des lettres et des arts; — ALEXANDRE (mort en 1537), premier duc de Florence, assassiné par Lorenzaccio; — COSME Ier, *le Grand* (1519-1574), premier grand-duc de Toscane. V. également LÉON X, CLÉMENT VII, CATHERINE et MARIE.

Médie, anc. royaume d'Asie, que Cyrus réunit à la Perse (VIe s.).

Médine, v. sainte d'Arabie Saoudite.

Médiques (*guerres*), nom de trois guerres qui eurent lieu au Ve s. av. J.-C., entre les Grecs et les Perses.

Méditerranée, mer limitée par l'Europe au nord, l'Asie à l'est, et l'Afrique au sud.

Medjerda, fl. d'Afrique du Nord (golfe de Tunis) ; 420 km.

Médoc, région viticole du Bordelais.

Méduse, une des Gorgones.

Mégare, v. de Grèce, sur l'isthme de Corinthe.

Mégère, une des trois Furies.

Megève, station de sports d'hiver de la Haute-Savoie.

Méhémet Ali (1769-1849), pacha d'Egypte de 1811 à 1849, qui assura l'indépendance de son pays.

Meije (la), massif des Alpes françaises (Dauphiné) ; 3 987 m.

Meknès, v. du Maroc; 177 100 h.

Mékong, fl. d'Indochine (mer de Chine) ; 4 200 km.

Mélanchthon, théologien allemand (1497-1560), ami de Luther.

Mélanésie, division de l'Océanie.

Melbourne, port et centre industriel d'Australie; 1 912 000 h.

Méliès (Georges), illusionniste et cinéaste français (1861-1938).

Melilla, v. et port du Maroc.

Melun, ch.-l. de Seine-et-Marne, sur la Seine, au sud-est de Paris; 28 800 h.

Memel, v. et port de l'U.R.S.S. (Lituanie), sur la Baltique.

Memling (Hans), peintre flamand (vers 1433-1494).

Memphis, anc. v. d'Egypte.

Memphis, v. des Etats-Unis (Tennessee), sur le Mississippi.

Ménam, fl. de la Thaïlande (golfe de Siam) ; 1 200 km.

Ménandre, poète comique grec (vers 340-292 av. J.-C.).

Mende, ch.-l. de la Lozère; 10 100 h.

Mendel (Johann Gregor), botaniste autrichien (1822-1884), auteur d'études sur l'hérédité.

Mendéléiev (Dmitri), chimiste russe (1834-1907), qui a établi la classification périodique des éléments.

Mendelssohn-Bartholdy (Félix), compositeur allemand (1809-1847).

Mendoza, v. de l'Argentine.

Ménélas, roi de Sparte, frère d'Agamemnon et mari d'Hélène.

Meng-Tseu, philosophe chinois du IVe s. av. J.-C.

Ménilmontant, quartier de Paris.

Menin, centre industriel de Belgique, à la frontière française.

Ménippée (*Satire*), pamphlet politique contre la Ligue (1594).

Menteur (*le*), comédie de Corneille (1643).

Menton, v. et station balnéaire des Alpes-Maritimes, sur la Méditerranée.

Mentor, ami d'Ulysse et gouverneur de Télémaque, conseiller sûr et prudent.

Méphistophélès, le Diable.

Mercator, géographe flamand (1512-1594), inventeur d'un système de projection cartographique.

Mercure, dieu latin du Commerce et de l'Eloquence, messager des dieux.

Mercure, planète du système solaire.

Mérida, v. du Mexique, capit. du Yucatan.

Mérignac, aéroport de la Gironde, près de Bordeaux.

Mérimée (Prosper), écrivain français (1803-1870), auteur de *Colomba,* de *Carmen* et de pièces de théâtre.

Merlebach, centre houiller de Moselle.

Mermoz (Jean), aviateur français (1901-1936), qui traversa l'Atlantique Sud.

Mérovée, roi franc de 448 à 458, qui combattit Attila aux champs Catalauniques.

Mérovingiens, dynastie franque, issue de *Mérovée;* elle a régné sur la Gaule de 481 à 751.

Mers el-Kébir, port d'Algérie (Oran).

Mersey, fl. d'Angleterre (mer d'Irlande) ; 113 km.

Merveilles du monde (*les Sept*), nom donné par les Anciens à sept chefs-d'œuvre d'architecture et de sculpture : les jardins suspendus de Babylone, les Pyramides d'Egypte, le Zeus olympien de Grèce, le mausolée d'Halicarnasse, le phare d'Alexandrie, le colosse de Rhodes et le temple d'Artémis à Ephèse.

Mésie, contrée de l'Europe danubienne ancienne.

Mesmer (Franz), médecin allemand (1734-1815), fondateur de la théorie du magnétisme animal.

Mésopotamie, région de l'Asie ancienne, entre l'Euphrate et le Tigre.

Messaline (15-48), épouse de l'empereur Claude et mère de Britannicus.

Messénie, contrée du Péloponnèse.

Messine, v. de Sicile, sur le détroit qui sépare l'île de l'Italie continentale.

Métastase (Pietro), poète tragique italien (1698-1782).

Métaure, fl. de l'Italie centrale; sur ses bords, Asdrubal fut vaincu par les Romains (207 av. J.-C.).

Metchnikov (Elie), zoologiste et microbiologiste russe (1845-1916).

Méthode (*saint*), frère de saint Cyrille, apôtre des Slaves; m. en 885.

Méthode (*Discours de la*), ouvrage philosophique de Descartes (1637).

Metternich (Clément, *prince de*), homme d'Etat autrichien (1773-1859), défenseur de l'absolutisme.

Metz, ch.-l. de la Moselle, sur la Moselle; anc. place forte; 109 700 h.

Metzu ou **Metsu** (Gabriel), peintre hollandais (vers 1629-1667).

Metzys ou **Metsys** (Quentin), peintre flamand (1466-1530).

Meudon, v. des Hauts-de-Seine, au sud-ouest de Paris; observatoire.

Meursault, bourg de la Côte-d'Or; vins.

Meurthe, riv. de l'est de la France, affl. de la Moselle; 170 km.

Meurthe-et-Moselle, dép. de l'est de la France; préf. *Nancy;* s.-préf. *Briey, Lunéville, Toul.*

Meuse, fl. de l'Europe nord-occidentale (mer du Nord); 950 km.

Meuse, dép. de l'est de la France; préf. *Bar-le-Duc;* s.-préf. *Commercy, Verdun.*

Mexico, capit. du Mexique; 4 636 000 h.

Mexique, république de l'Amérique du Nord; 1 969 000 km²; 40 913 000 h. Capit. *Mexico.*

Mexique (*golfe du*), golfe à l'extrémité occidentale de l'Atlantique, entre les Etats-Unis, le Mexique et les Antilles.

Meyerbeer (Giacomo), compositeur allemand (1791-1864), auteur d'opéras.

Mézières, ch.-l. et centre métallurgique des Ardennes, sur la Meuse; 12 400 h.

Miami, station balnéaire des Etats-Unis (Floride).

Michel (*saint*), archange, chef de la milice céleste.

Michel, nom de neuf empereurs byzantins, dont : MICHEL VIII PALÉOLOGUE, empereur de 1258 à 1282, qui reprit Constantinople aux Latins.

Michel Ier, roi de Roumanie, né en 1921, il a régné de 1927 à 1930 et de 1940 à 1947.

Michel-Ange Buonarroti, peintre, sculpteur, architecte et poète italien (1475-1564), auteur de la coupole de Saint-Pierre de Rome, du tombeau de Jules II, des statues de David et de Moïse, des fresques de la chapelle Sixtine.

Michelet (Jules), historien français (1798-1874), auteur d'une *Histoire de France.*

Michigan, un des Grands Lacs américains. — Un des Etats unis d'Amérique (Centre-Nord); capit. *Lansing.*

Mickiewicz (Adam), poète polonais (1798-1855), auteur de *Messire Thadée.*

Micronésie, division de l'Océanie.

Midas, roi de Phrygie, qui avait des oreilles d'âne et changeait en or les objets qu'il touchait.

Middlesbrough, v. d'Angleterre (York).

Middlewest ou **Midwest,** partie centrale des Etats-Unis.

Midi (*pic du*), nom de deux sommets des Pyrénées : le *pic du Midi de Bigorre* (2 877 m), et le *pic du Midi d'Ossau* (2 887 m).

Midi (*canal du*), canal reliant l'océan Atlantique à la mer Méditerranée.

Midou, riv. du sud-ouest de la France, affl. de la Midouze; 105 km.

Midouze, riv. du sud-ouest de la France, affl. de l'Adour; 43 km.

Midway, archipel du Pacifique.

Mignard (Pierre), peintre portraitiste français (1612-1695).

Milan, v. et centre industriel de l'Italie du Nord, capit. de la Lombardie; 1 581 000 h.

Milet, anc. v. de l'Asie Mineure, port sur la mer Egée.

Miliana, ch.-l. d'arr. d'Algérie.

Millau, ch.-l. d'arr. de l'Aveyron, sur le Tarn; ganterie.

Mille et Une Nuits (*les*), recueil de contes arabes, d'origine persane.

Millerand (Alexandre), homme politique français (1859-1943), président de la République de 1920 à 1924.

Millet (François), peintre paysagiste français (1814-1875).

Millevaches, plateau du Limousin.

Milo, une des Cyclades, où fut découverte, en 1820, la *Vénus de Milo.*

Milon, athlète légendaire du VIe s. av. J.-C né à Crotone.

Miltiade, général athénien, vainqueur des Perses à Marathon, m. en 489 av. J.-C.

Milton (John), poète anglais (1608-1674), auteur du *Paradis perdu.*

Milwaukee, v. et centre industriel des Etats-Unis (Wisconsin), sur le lac Michigan.

Mimizan, station balnéaire des Landes.

Minas Gerais, Etat du Brésil. Capit. *Belo Horizonte.*

Mindanao, île des Philippines.

Minerve, déesse latine de la Sagesse et des Arts, fille de Jupiter.

Minervois, anc. pays du Languedoc.

Minho, fl. de la péninsule Ibérique (Atlantique); 275 km.

Minneapolis, centre industriel des Etats-Unis (Minnesota), sur le Mississippi.

Minnesota, un des Etats unis d'Amérique (Centre-Nord-Ouest); capit. *Saint-Paul.*

Minorque, une des îles Baléares.

Minos, roi de Crète, juge des Enfers.

Minotaure, monstre moitié homme et moitié taureau, fils de Pasiphaé; il fut tué par Thésée.

Minsk, centre industriel de l'U. R. S. S., capit. de la Biélorussie.

Miquelon (*Grande* et *Petite*), îles françaises de l'Atlantique, au sud de Terre-Neuve.

Mirabeau (Honoré, *comte de*), orateur et homme politique français (1749-1791).

Mirande, ch.-l. d'arr. du Gers.

Mirecourt, centre industriel des Vosges.
Misanthrope (*le*), comédie de Molière (1666).
Miskolc, v. de la Hongrie du Nord.
Mississippi, fl. des Etats-Unis (golfe du Mexique) ; 3 780 km.
Mississippi, un des Etats unis de l'Amérique du Nord (Centre-Sud-Est) ; capit. *Jackson.*
Missolonghi, v. de la Grèce, sur la mer Ionienne, qui opposa une courageuse défense aux Turcs en 1822-1823 et en 1825.
Missouri, riv. des Etats-Unis, affl. du Mississippi ; 4 370 km.
Missouri, un des Etats unis de l'Amérique du Nord (Centre-Nord-Ouest) ; capit. *Jefferson.*
Mistral (Frédéric), poète provençal (1830-1914), auteur de *Mireille.*
Mitchourine (Ivan Vladimir), biologiste russe (1855-1935).
Mithra, l'esprit de la lumière divine dans la religion mazdéenne.
Mithridate, nom de sept rois de Pont, dont : MITHRIDATE VII EUPATOR, roi de 111 à 63 av. J.-C., adversaire des Romains.
Mithridate, tragédie de Racine (1673).
Mitidja, plaine d'Algérie (Alger).
Mnémosyne, déesse grecque de la Mémoire et mère des Muses.
Moab, fils de Loth, ancêtre des Moabites.
Modane, centre industriel de la Savoie, à l'entrée du tunnel du Mont-Cenis.
Modène, centre industriel d'Italie (Emilie), capit. d'un ancien duché.
Mogadiscio, capit. et port de la Somalie ; 86 000 h.
Mogador, auj. **Essaouira,** port du Maroc.
Mohicans, Indiens des Etats-Unis.
Moïse, guerrier, homme d'Etat, historien, poète, moraliste et législateur des Hébreux ; il conduisit son peuple d'Egypte en Palestine et reçut les tables de la Loi.
Moissac, v. du Tarn-et-Garonne, sur le Tarn ; chasselas ; cloître et portail romans (XIIe s.).
Moissan (Henri), chimiste français (1852-1907), inventeur du four électrique.
Moka, port d'Arabie (Yémen).
Molay (Jacques *de*) [vers 1243-1314], dernier grand maître des Templiers.
Moldau, nom allem. de la *Vltava.*
Moldavie, république fédérée de l'U.R.S.S. ; capit. *Kichinev.*
Molenbeek-Saint-Jean, v. de Belgique (Brabant), faubourg de Bruxelles.
Molière (Jean-Baptiste POQUELIN, dit), auteur comique et acteur français (1622-1673), auteur de : *les Précieuses ridicules, l'Ecole des femmes, Dom Juan, le Misanthrope, l'Avare, le Tartuffe, Monsieur de Pourceaugnac, le Bourgeois gentilhomme, les Fourberies de Scapin, les Femmes savantes, le Malade imaginaire.*
Moloch, divinité sanguinaire des anciens Chananéens.
Molosses, peuple de l'anc. Epire.
Molotov. V. PERM.
Molsheim, ch.-l. d'arr. du Bas-Rhin.
Moltke (Helmuth, *comte de*), maréchal prussien (1800-1891), vainqueur de l'Autriche (1866) et de la France (1871) ; — Son neveu, HELMUTH (1848-1916), fut vaincu à la Marne.
Moluques (*îles*), archipel de l'Indonésie.
Mombasa ou **Mombassa,** port du Kenya.
Monaco, petite principauté enclavée dans les Alpes-Maritimes ; 1,5 km^2 ; 25 000 h. Capit. *Monaco* (1 900 h.).
Mönchengladbach, v. d'Allemagne occidentale, près de Cologne ; 152 000 h.
Monet (Claude), peintre impressionniste français (1840-1926), auteur des *Nymphéas.*
Monge (Gaspard), mathématicien français (1746-1818), créateur de la géométrie descriptive.
Mongolie, plateau de l'Asie centrale, divisé en une république populaire indépendante (1 019 000 h. ; capit. *Oulan-Bator*) et un territoire autonome de la Chine.
Mongols (*empire des*), empire fondé par Gengis khan au XIIIe s.
Monique (*sainte*) [vers 331-387], mère de saint Augustin.
Monnier (Henri), écrivain et caricaturiste français (1805-1877), créateur de *Joseph Prudhomme.*
Monroe (James), homme d'Etat américain (1759-1831), président des Etats-Unis de 1817 à 1825.
Monrovia, capit. et port du Libéria.
Mons, centre minier (houille) et industriel de Belgique ; ch.-l. du Hainaut.
Mons-en-Barœul, faubourg de Lille.
Montagnards, groupe de conventionnels, qui s'opposèrent aux Girondins.
Montagne Noire, massif de la bordure méridionale du Massif central. — Hauteurs situées à l'ouest de la Bretagne.
Montaigne (Michel *Eyquem de*), écrivain et moraliste français (1533-1592), auteur des *Essais.*
Montalembert (Charles, *comte de*), écrivain et homme politique français (1810-1870), défenseur du catholicisme libéral.
Montana, un des Etats unis de l'Amérique du Nord (montagnes Rocheuses) ; capit. *Helena.*
Montargis, ch.-l. d'arr. et centre industriel du Loiret, sur le Loing ; caoutchouc.
Montataire, centre industriel de l'Oise.
Montauban, ch.-l. de Tarn-et-Garonne ; 43 400 h.
Montbard, ch.-l. d'arr. de la Côte-d'Or.
Montbéliard, ch.-l. d'arr. et centre industriel du Doubs.
Montbrison, ch.-l. d'arr. et centre métallurgique de la Loire.
Montcalm (Louis *marquis de*), général français (1712-1759), tué en défendant Québec contre les Anglais.
Montceau-les-Mines, centre houiller et métallurgique de Saône-et-Loire.
Montchanin-les-Mines, centre houiller et métallurgique de Saône-et-Loire.
Mont-de-Marsan, ch.-l. des Landes, sur la Midouze ; 23 250 h.
Montdidier, ch.-l. d'arr. de la Somme.
Mont-Dore (*massif du*) ou **monts Dore** (*les*), monts du Massif central, culminant au puy de Sancy (1 886 m).
Mont-Dore (*Le*), station thermale du Puy-de-Dôme.
Montebello, v. d'Italie du Nord ; victoire de Lannes en 1800 et de Forey en 1859.
Monte-Carlo, v. et station balnéaire de la principauté de Monaco.
Monte-Cristo, île de la Méditerranée, entre la Corse et la Toscane.

Montecuccoli (Raymond, *comte de*), général autrichien (1609-1681).
Montélimar, v. de la Drôme; nougat.
Montemayor (Jorge *de*), poète espagnol (1521-1561), auteur d'un roman pastoral.
Monténégro, une des républiques fédérées de la Yougoslavie; capit. *Titograd.*
Montenotte, v. d'Italie (Gênes), victoire de Bonaparte sur les Autrichiens (1796).
Montereau-faut-Yonne, v. et centre industriel de Seine-et-Marne, au confluent de la Seine et de l'Yonne.
Monterrey, v. du nord-est du Mexique.
Montespan (*marquise de*) [1641-1707], favorite de Louis XIV.
Montesquieu (Charles DE SECONDAT, *baron de*), écrivain et philosophe français (1689-1755), auteur des *Lettres persanes* et de *l'Esprit des lois.*
Montessori (Maria), pédagogue italienne (1870-1952), auteur de *la Maison des enfants.*
Monteverdi (Claudio), compositeur italien (1567-1643), un des créateurs de l'opéra.
Montevideo, capit. et port de l'Uruguay; 1 173 100 h.
Montfaucon, anc. gibet de Paris.
Montfort (Simon *de*) [vers 1165-1218], chef de la croisade contre les albigeois; — Son fils SIMON (vers 1213-1265) dirigea les barons révoltés contre le roi d'Angleterre Henri III.
Montgeron, v. de l'Essonne, au sud de Paris; 15 700 h.
Montgolfier (*les frères de*), inventeurs des ballons à air chaud, nommés *montgolfières :* JOSEPH (1740-1810) et JACQUES-ETIENNE (1745-1799).
Montgomery (*lord* Bernard), maréchal britannique, né en 1887.
Montherlant (Henry *de*), écrivain français, né en 1896, auteur des *Bestiaires.*
Montignies-sur-Sambre, centre métallurgique de Belgique (Hainaut).
Montlhéry, v. de l'Essonne, au sud de Paris; autodrome.
Mont-Louis, station de sports d'hiver des Pyrénées-Orientales.
Montluc ou **Monluc** (Blaise *de*), maréchal de France (1502-1577), adversaire des calvinistes.
Montluçon, ch.-l. d'arr. et centre industriel de l'Allier, sur le Cher; 58 850 h.
Montmartre, quartier de Paris, construit sur une butte.
Montmorency, ch.-l. d'arr. du Val-d'Oise.
Montmorency, famille française, à laquelle appartiennent : ANNE Ier (1493-1567), conseiller de François Ier et d'Henri II. — HENRI II (1595-1632), qui se révolta avec Gaston d'Orléans et fut décapité.
Montmorillon, ch.-l. d'arr. de la Vienne.
Montoire-sur-le-Loir, bourg de Loir-et-Cher; entrevue de Pétain avec Hitler (1940).
Montpellier, ch.-l. d'arr. de l'Hérault, sur le Lez; 123 400 h.
Montpensier (*duchesse de*), surnommée *la Grande Mademoiselle* (1627-1693), fille de Gaston d'Orléans; elle prit part aux troubles de la Fronde.
Montréal, port et centre industriel du Canada, dans la prov. de Québec, sur le Saint-Laurent; 1 200 000 h.
Montreuil ou **Montreuil-sous-Bois,** v. de la Seine-Saint-Denis, à l'est de Paris.
Montreuil ou **Montreuil-sur-Mer,** ch.-l. d'arr. du Pas-de-Calais, sur la Canche.
Montreux, station climatique de Suisse, sur le lac Léman.
Montrouge, v. des Hauts-de-Seine, au sud de Paris.
Mont-Saint-Michel (*Le*), îlot de la Manche, au fond de la *baie du Mont-Saint-Michel;* abbaye fondée au VIIIe s.
Moore (Thomas), poète irlandais (1779-1852), auteur de *Mélodies irlandaises.*
Moorea, île de l'archipel de la Société.
Morat, v. de Suisse, sur le *lac de Morat;* victoire des Suisses sur Charles le Téméraire (1476).
Moratin (Leandro), auteur dramatique espagnol (1760-1828).
Morava, riv. de Tchécoslovaquie, affl. du Danube; 319 km.
Moravie, pays de Tchécoslovaquie.
Moravska-Ostrava. V. OSTRAVA.
Morbihan (*golfe du*), golfe situé sur la côte du dép. du Morbihan.
Morbihan, dép. de l'ouest de la France; préf. *Vannes;* s.-préf. *Lorient, Pontivy.*
Moreau le Jeune (Jean-Michel), graveur français (1741-1814); — Son frère LOUIS-GABRIEL, dit *Moreau l'Aîné,* peintre paysagiste (1740-1806).
Moreau (Jean-Victor), général français (1763-1813), rival de Bonaparte.
Moreau (Gustave), peintre français (1826-1898), auteur d'*Orphée.*
Morée, autre nom du *Péloponnèse.*
Morena (*sierra*), chaîne de montagnes du sud de l'Espagne.
Morez, centre industriel du Jura. Lunetterie.
Morgan (Thomas *Hunt*), biologiste américain (1866-1945), auteur de travaux sur l'hérédité (prix Nobel).
Morgarten, petite chaîne de montagnes de la Suisse; victoire des Suisses sur Léopold d'Autriche (1315).
Morlaix, ch.-l. d'arr. et port du Finistère.
Morny (Charles, *duc de*), homme politique français (1811-1865), un des organisateurs du coup d'Etat de 1851.
Morphée, dieu des Songes.
Morse (Samuel), physicien américain (1791-1872), inventeur du télégraphe électrique et d'un alphabet.
Morte (*mer*), lac salé de Palestine.
Morteau, centre industriel du Doubs, sur le Doubs.
Mortier (Adolphe), maréchal français (1768-1835), tué par la machine infernale de Fieschi.
Morus ou **More** (*saint* Thomas), homme d'Etat anglais (1480-1535), m. décapité.
Morvan, massif montagneux boisé, au nord du Massif central.
Moscou, capit. de l'U.R.S.S. et de la rép. de Russie, sur la Moskova; 5 032 000 h. Centre industriel.
Moselle, riv. de France et d'Allemagne, affl. du Rhin; 550 km.
Moselle, dép. de l'est de la France; préf. *Metz;* s.-préf. *Boulay, Château-Salins, Forbach, Sarrebourg, Sarreguemines, Thionville.*
Moskova, riv. de Russie, affl. de l'Oka; 508 km; victoire de Napoléon sur les Russes (1812).

Mossoul ou **Mosul,** v. de l'Irak; pétrole.
Mostaganem, ch.-l. de dép. d'Algérie.
Moteczuma, souverain aztèque du Mexique, vaincu par Cortès (1520).
Moukden. V. CHEN-YANG.
Moulins, ch.-l. de l'Allier, sur l'Allier; 25 700 h.
Moulouya, fl. du Maroc oriental.
Mourad, nom de cinq sultans turcs.
Mourmansk, v. et port de l'U.R.S.S., sur l'océan Glacial Arctique.
Mouscron, v. de Belgique.
Moussorgsky (Modeste), compositeur russe (1839-1881), auteur de *Boris Godounov.*
Moyen-Congo. V. CONGO.
Moyen-Orient. V. ORIENT.
Moyeuvre-Grande, centre minier (fer) et métallurgique de la Moselle.
Mozambique (*canal de*), passage entre l'Afrique et Madagascar.
Mozambique, territoire portugais, sur la côte est de l'Afrique; capit. *Lourenço Marques.*
Mozart (Wolfgang Amadeus), compositeur autrichien (1756-1791), auteur des *Noces de Figaro,* de *Don Juan,* de *la Flûte enchantée,* d'un *Requiem,* de symphonies et de concertos.
Mulheim-sur-Ruhr, centre industriel d'Allemagne occidentale, dans la Ruhr.
Mulhouse, ch.-l. d'arr. et centre textile du Haut-Rhin, sur l'Ill; 110 700 h.
Multan, v. du Pakistan occidental.
Mun (Albert *de*), homme politique et orateur français (1841-1914).
Munich, centre industriel d'Allemagne occidentale, capit. de la Bavière; 1 192 600 h.
Münster, v. d'Allemagne occidentale.
Munster, centre textile du Haut-Rhin.
Murano, v. d'Italie (Vénétie). Verrerie.
Murat (Joachim), maréchal d'Empire (1767-1815), beau-frère de Napoléon, roi de Naples (1808-1815).
Murcie, v. d'Espagne du Sud.
Mureaux (*Les*), centre industriel des Yvelines.
Mures ou **Maros,** riv. de Roumanie et de Hongrie; affl. de la Tisza; 900 km.
Muret, ch.-l. d'arr. de la Haute-Garonne.
Murillo (Bartolomé ESTEBAN, dit), peintre espagnol (1618-1682).
Murray, fl. d'Australie (océan Indien); 2 574 km.
Muses (*les*), les neuf filles de Zeus et de Mnémosyne, qui présidaient aux Arts, aux Sciences et aux Lettres : *Clio* (histoire), *Euterpe* (musique), *Thalie* (comédie), *Melpomène* (tragédie), *Terpsichore* (danse), *Erato* (élégie), *Polymnie* (poésie lyrique), *Uranie* (astronomie), *Calliope* (éloquence et poésie héroïque).
Musset (Alfred *de*), poète romantique français (1810-1857), auteur de poésies (*les Nuits*), de drames (*Lorenzaccio*), de comédies (*les Caprices de Marianne*) et de la *Confession d'un enfant du siècle.*
Mussolini (Benito), homme d'Etat italien (1883-1945), chef (*duce*) du parti fasciste, allié d'Hitler, mis à mort après sa défaite.
Mustapha Kemal, dit *Atatürk,* général et homme d'Etat turc (1881-1938), fondateur de la Turquie moderne.
Mutsu-Hito (1852-1912), empereur du Japon de 1867 à 1912; il introduisit dans son pays la civilisation occidentale.
Mycale, promontoire de l'Asie Mineure (Ionie); victoire navale des Grecs sur les Perses (479 av. J.-C.).
Mycènes, anc. v. de l'Argolide, où se développa une brillante civilisation, au IIIe millénaire av. J.-C.
Myrmidons, anc. peuplade grecque de très petite taille.
Mysie, contrée de l'Asie Mineure.
Mysore, Etat du sud de l'Inde; capit. *Bangalore.*
Mytilène, nom usuel de *Lesbos.*

N

Nabuchodonosor Ier, un des premiers rois de Babylone (XIIe s. av. J.-C.); — NABUCHODONOSOR II, *le Grand,* roi de Babylone de 605 à 562 av. J.-C.; il détruisit le royaume de Juda.
Nagasaki, port et centre industriel du Japon (Kyu-shu).
Nagoya, port et centre textile du Japon (Honshu); 1 592 000 h.
Nagpur, v. et centre industriel de l'Inde (Etat de Maharashtra).
Nairobi, capit. du Kenya; 314 000 h.
Nam-dinh, v. et centre industriel du Nord Viet-nam, sur le fleuve Rouge.
Namur, v. et centre industriel de Belgique, ch.-l. de prov., au confluent de la Meuse et de la Sambre.
Nancy, anc. capit. de la Lorraine, ch.-l. de la Meurthe-et-Moselle, sur la Meurthe; 133 500 h.
Nankin, centre industriel de la Chine, sur le Yang-tseu-kiang; 1 455 000 h.
Nansen (Fridtjof), explorateur norvégien de l'Arctique (1861-1930).
Nan-tchang, v. de Chine, cap. du Kiang-si.
Nanterre, chef-lieu des Hauts-de-Seine.
Nantes, ch.-l. de la Loire-Atlantique, port et centre industriel sur la Loire; 246 000 h.
Nantes (*édit de*), édit de tolérance, promulgué par Henri IV en 1598, et révoqué par Louis XIV en 1685.
Nanteuil (Robert), pastelliste et graveur français (1623-1678).
Nantua, ch.-l. d'arr. et centre industriel de l'Ain, sur le *lac de Nantua.*
Naples, v. et port d'Italie (Campanie), capit. de l'anc. royaume de Naples, sur un golfe formé par la mer Tyrrhénienne; 1 million d'h.
Napoléon Ier (BONAPARTE) [1769-1821], empereur des Français de 1804 à 1815. Il s'illustra, à Toulon, en Italie et en Egypte avant d'accomplir le coup d'Etat de brumaire (1799). Empereur en 1804, il rétablit la paix intérieure. Après de brillantes victoires, l'Empire atteignit sa plus grande extension de 1809 à 1812, mais, au lendemain des campagnes de Russie, d'Allemagne et de France, Napoléon dut

abdiquer. De retour en France (les Cent-Jours), Napoléon fut vaincu à Waterloo et dut s'exiler à Sainte-Hélène.

Napoléon II (1811-1832), fils de Napoléon Ier et de Marie-Louise; roi de Rome, il vécut, à partir de 1814, auprès de l'empereur François II, sous le nom de *duc de Reichstadt.*

Napoléon III (Charles-Louis) [1808-1873], fils de Louis-Bonaparte; empereur des Français de 1852 à 1870. Elu président de la République, après la révolution de 1848, il prit le pouvoir grâce au coup d'Etat de 1851. Il combattit en Crimée, favorisa l'unité italienne et laissa faire l'unité allemande. Après la défaite de 1870, Napoléon III fut déchu.

Narbonne, ch.-l. d'arr. et marché viticole de l'Aude; 35 900 h.

Narcisse, fils du fleuve Céphise, qui s'éprit de sa propre image.

Narcisse, affranchi de l'empereur Claude, mis à mort sur l'ordre de Néron en 54.

Narvik, port minéralier de Norvège.

Nassau, famille allemande, dont les principaux membres sont : GUILLAUME Ier, *le Taciturne* (1533-1584), prince d'Orange, qui tenta de délivrer les Pays-Bas du joug espagnol; — MAURICE (1567-1625), fils du précédent, prince d'Orange, qui lutta avec succès contre les Espagnols; — FRÉDÉRIC-HENRI (1584-1647), frère du précédent, stathouder de Hollande; il participa à la guerre de Trente Ans; — GUILLAUME III (v. GUILLAUME III, roi d'Angleterre).

Nasser (Gamal Abdel), homme d'Etat égyptien (né en 1918), président de la République.

Natal, prov. de l'Afrique du Sud. — V. et port du Brésil.

Natchez, tribu indienne des Etats-Unis.

Nattier (Jean-Marc), peintre portraitiste français (1685-1766).

Nauplie, v. et port du Péloponnèse.

Naurouze (*col de*), seuil du Lauraguais, unissant le Bassin aquitain au Midi méditerranéen.

Nausicaa, fille d'Alcinos, qui accueillit Ulysse après son naufrage.

Navarin, v. du Péloponnèse; bataille navale au cours de laquelle la flotte turque fut détruite par les forces de la France, de l'Angleterre et de la Russie (1827).

Navarre, anc. royaume sur les deux versants des Pyrénées.

Navas de Tolosa (*Las*), bourg d'Espagne; victoire des rois d'Aragon, de Castille, de Léon et de Navarre sur les Musulmans (1212).

Naxos, la plus grande des Cyclades.

Nazareth, v. de Palestine (Galilée), où résida la Sainte Famille.

Neandertal, vallée de la Dussel, affl. du Rhin, où l'on a découvert des restes d'homme préhistorique.

Nebraska, un des Etats unis de l'Amérique (Centre-Nord-Ouest) ; capit. *Lincoln.*

Néchao Ier, roi d'Egypte (VIIe s. av. J.-C.) ; — NÉCHAO II, roi d'Egypte (609-594 av. J.-C.).

Neckar, riv. d'Allemagne, affl. du Rhin; 367 km.

Necker (Jacques), financier français (1732-1804), contrôleur général des finances à la veille de la Révolution.

Nedjd ou **Nadjd,** ancien royaume, aujourd'hui région de l'Arabie Saoudite.

Neerwinden, v. de Belgique (Brabant); victoire du maréchal de Luxembourg sur Guillaume III d'Orange (1693) et du prince de Cobourg sur Dumouriez (1793).

Negro (*rio*), riv. du Brésil, affl. de l'Amazone; 2 200 km. — Fl. de l'Argentine (Atlantique) ; 1 000 km.

Neguev, région désertique du sud d'Israël.

Nehru (le *pandit* Jawaharlal), homme d'Etat de l'Inde (1889-1964).

Neige (*Crêt de la*), sommet du Jura (Ain) ; 1 723 m.

Neisse ou **Nysa,** nom de deux riv. de Pologne, affl. de l'Oder, dont l'une forme en partie la frontière germano-polonaise.

Nelson (Horace), amiral anglais (1758-1805) ; il gagna la bataille d'Aboukir et celle de Trafalgar, où il fut tué.

Némée, vallée de l'Argolide, où, suivant la légende, le lion que tua Héraclès exerçait ses ravages.

Némésis, déesse grecque de la Vengeance.

Nemours, v. de Seine-et-Marne.

Nemrod, roi de la Chaldée, que l'Ecriture appelle *puissant chasseur devant l'Eternel.*

Népal, royaume de l'Asie, dans l'Himalaya; 9 388 000 h. Capit. *Khatmandou.*

Neper ou **Napier** (John), mathématicien écossais (1550-1617), inventeur des logarithmes.

Nepos (Cornelius), érudit latin (Ier s. av. J.-C.), auteur de biographies.

Neptune, dieu latin de la Mer.

Neptune, planète du système solaire.

Nérac, ch.-l. d'arr. de Lot-et-Garonne.

Nérée, un des dieux grecs de la Mer, père des *Néréides.*

Néris-les-Bains, station thermale de l'Allier.

Néron (37-68), empereur romain de 54 à 68, qui se déshonora par ses cruautés.

Nerva (26-98), empereur romain de 96 à 98.

Nerval (Gérard *de*), écrivain français (1808-1855), auteur de *Sylvie.*

Nessus ou **Nessos,** centaure tué par Hercule; celui-ci, ayant revêtu sa tunique, fut pris d'horribles douleurs et se brûla.

Neste, affl. de la Garonne.

Nestor, le plus âgé des princes qui assistèrent au siège de Troie.

Neuchâtel, v. de Suisse, ch.-l. de canton, sur le *lac de Neuchâtel;* 35 000 h.

Neufchâteau, ch.-l. d'arr. des Vosges, sur la Meuse.

Neuilly-sur-Marne, v. de la Seine-Saint-Denis.

Neuilly-sur-Seine, v. des Hauts-de-Seine, près du bois de Boulogne; 74 000 h.

Neustrie, un des quatre royaumes francs, sous les Mérovingiens.

Nevada (*sierra*), montagne du sud de l'Espagne, culminant à 3 478 m. — Chaîne de l'ouest des Etats-Unis; 4 418 m.

Nevada, un des Etats unis d'Amérique (montagnes Rocheuses); capit. *Carson City.*

Nevers, anc. capit. du Nivernais, ch.-l. de la Nièvre, sur la Loire; palais ducal; cathédrale (XIIIe-XIVe s.).

Newark, v. et port des Etats-Unis (New Jersey), sur la *baie de Newark.*

Newcastle, v., port et centre métallurgique d'Angleterre. — V., port et centre métallurgique d'Australie.
New Delhi, capit. de l'Inde, quartier de Delhi.
New Hampshire, un des Etats unis d'Amérique (Atlantique) ; capit. *Concord.*
Newhaven, v. et port d'Angleterre, sur la Manche ; tête de ligne pour Dieppe.
New Haven, v. et port des Etats-Unis (Connecticut) ; université Yale.
New Jersey, un des Etats unis d'Amérique (Atlantique) ; capit. *Trenton.*
Newman (John Henry, *cardinal*), théologien et écrivain anglais (1801-1890).
Newton (*sir* Isaac), physicien et astronome anglais (1642-1727), qui découvrit les lois de la gravitation et de la décomposition de la lumière.
New York, métropole des Etats-Unis, port sur l'estuaire de l'Hudson ; 7 781 000 h.
New York, un des Etats unis de l'Amérique (Atlantique) ; capit. *Albany.*
Ney (Michel), maréchal d'Empire (1769-1815), fusillé à la seconde Restauration.
Niagara, riv. de l'Amérique du Nord, section du Saint-Laurent séparant les Etats-Unis du Canada ; chutes de 47 m.
Niamey, capit. du Niger, sur le Niger ; 18 000 h.
Nibelungen, dans la légende germanique, nains possesseurs de richesses souterraines.
Nicaragua, république de l'Amérique centrale ; 1 597 000 h. Capit. *Managua.*
Nice, anc. capit. du comté de Nice ; ch.-l., port et station touristique des Alpes-Maritimes, sur la Méditerranée ; 295 000 h.
Nicée, anc. v. de l'Anatolie, où se réunirent deux conciles (325 et 787).
Nicolas, évêque de Myre, en Lycie (IVe s.).
Nicolas, nom de quatre papes.
Nicolas Ier (1796-1855), empereur de Russie de 1825 à 1855, vaincu lors de la guerre de Crimée (1854-1855) ; — NICOLAS II (1868-1918), empereur de Russie de 1894 à 1917, qui lutta contre le Japon (1904-1905) et contre l'Allemagne (1914). Il dut abdiquer et fut exécuté par les bolcheviks.
Nicomède, tragédie de Corneille (1651).
Nicomédie, v. de l'Asie Mineure.
Nicosie, capit. de l'île et de l'Etat de Chypre ; 100 000 h.
Nicot (Jean), diplomate français (1530-1600), qui importa le tabac en France.
Niémen, fl. de l'U. R. S. S. (Baltique) ; 880 km.
Niepce (Nicéphore), inventeur français (1765-1833), à qui l'on doit la découverte de la photographie.
Nietzsche (Friedrich), philosophe allemand (1844-1900), auteur de *Ainsi parlait Zarathoustra.*
Nièvre, riv. du centre de la France, affl. de la Loire ; 48 km.
Nièvre, dép. du centre de la France ; préf. *Nevers ;* s.-préf. *Château-Chinon, Clamecy, Cosne.*
Niger, fl. d'Afrique (Atlantique) ; 4 200 km. — Etat de l'Afrique occidentale ; 3 250 000 h. ; capit. *Niamey.*
Nigeria, Etat de l'Afrique occidentale, le plus peuplé d'Afrique, membre du Commonwealth ; 56 400 000 h. ; capit. *Lagos.*
Niigata, port et centre textile du Japon.
Nijni-Taghil, centre industriel de l'U.R.S.S. dans l'Oural.
Nikolaïev, v. et port de l'U. R. S. S. (Ukraine), sur le Bug.
Nil, fl. de l'Afrique (Méditerranée) ; 6 500 km.
Nimègue, v. des Pays-Bas (Gueldre) ; des traités y furent conclus en 1678 et en 1679 entre la France et ses ennemis.
Nîmes, ch.-l. du Gard ; 102 500 h. Monuments romains (arènes).
Ninive, cap. de l'Assyrie.
Niobé, fille de Tantale, dont les enfants furent tués à coups de flèches par Apollon et Artémis.
Niort, ch.-l. des Deux-Sèvres, sur la Sèvre Niortaise ; 39 200 h.
Nippon, autre nom du *Japon.*
Niteroi, v. du Brésil, capit. de l'Etat de Rio de Janeiro, sur la baie de Rio.
Nivelle (Jean *de*), fils aîné de Jean II de Montmorency, qui refusa de marcher contre le duc de Bourgogne.
Nivelles, v. de Belgique (Brabant).
Nivernais, anc. prov. de France.
Noailles, famille française, qui a fourni divers prélats, maréchaux, amiraux, et dont fit partie ANNE, *comtesse de Noailles,* poétesse (1876-1933).
Nobel (Alfred), industriel suédois (1833-1896), inventeur de la dynamite et fondateur des prix Nobel.
Nodier (Charles), écrivain romantique français (1780-1844), auteur de contes.
Noé, patriarche biblique, qui construisit l'arche qui devait le préserver du déluge avec sa famille.
Nœrdlingen, v. de Bavière, où Condé vainquit les Impériaux (1645), et Moreau les Autrichiens (1800).
Nœux-les-Mines, centre houiller du Pas-de-Calais.
Nogaret (Guillaume *de*), magistrat français, m. en 1313, chancelier de France sous Philippe le Bel.
Nogent-le-Rotrou, ch.-l. d'arr. d'Eure-et-Loir.
Nogent-sur-Marne, v. du Val-de-Marne.
Nogent-sur-Seine, ch.-l. d'arr. de l'Aube.
Noire (*mer*), anc. *Pont-Euxin,* mer intérieure entre l'Europe et l'Asie, communiquant par les Dardanelles avec la Méditerranée.
Noirmoutier, île de l'Atlantique (Vendée).
Noisy-le-Sec, v. de la Seine-Saint-Denis.
Nontron, ch.-l. d'arr. de la Dordogne.
Nord (*mer du*), mer, au nord-est de l'Europe, formée par l'Atlantique.
Nord (*canal du*), détroit entre l'Ecosse et l'Irlande.
Nord, dép. du nord de la France ; préf. *Lille ;* s.-préf. *Avesnes-sur-Helpe, Cambrai, Douai, Dunkerque, Valenciennes.*
Norfolk, v. des Etats-Unis (Virginie).
Normandes (*îles*), groupe d'îles anglaises, à l'O. du Cotentin : Jersey, Guernesey, etc.
Normandie, anc. prov. du nord-ouest de la France ; capit. *Rouen.*
Normands, navigateurs scandinaves, qui, au Moyen Age, firent en France de nombreuses incursions, s'établirent en Normandie, et de là conquirent l'Angleterre.
Norrköping, port de Suède.

Norvège, Etat de l'Europe septentrionale; 324 000 km²; 3 695 000 h.; capit. *Oslo.*
Nostradamus (Michel DE NOSTRE-DAME, dit), astrologue français (1503-1566).
Nottingham, centre industriel d'Angleterre, ch.-l. de comté.
Nouakchott, capit. de la République islamique de Mauritanie.
Nouméa, port et capit. de la Nouvelle-Calédonie; 22 200 h.
Nouveau-Brunswick, prov. du Canada, sur l'Atlantique; capit. *Fredericton.*
Nouveau-Mexique, un des Etats unis d'Amérique (montagnes Rocheuses); capit. *Santa Fe.*
Nouvelle-Calédonie, île française de l'Océanie; 18 653 km²; 88 800 h.; capit. *Nouméa.*
Nouvelle-Écosse, prov. du Canada, sur l'Atlantique; capit. *Halifax.*
Nouvelle-Galles du Sud, Etat d'Australie, sur le littoral est; capit. *Sydney.*
Nouvelle-Guinée, île de l'Océanie; 785 000 km²; elle comprend : la *Nouvelle-Guinée sous tutelle australienne* (capit. *Rabaul*), la *Papouasie,* partie du Commonwealth australien (capit. *Port Moresby*), et la *Nouvelle-Guinée occidentale* (capit. *Sukarnopura*), administrée par l'Indonésie.
Nouvelle-Orléans (*La*), v. des Etats-Unis (Louisiane), sur le Mississippi.
Nouvelles-Hébrides, archipel de l'Océanie; condominium franco-britannique; 14 762 km²; 65 800 h.; capit. *Vila.*
Nouvelle-Zélande, groupe de deux îles de l'Océanie, Etat membre du Commonwealth; 267 837 km²; 2 640 000 h.; capit. *Wellington.*
Nouvelle-Zemble, archipel soviétique de l'Arctique.
Novalis, poète romantique allemand (1772-1801), auteur des *Hymnes à la nuit.*
Novare, v. d'Italie (Piémont) ; victoire des Suisses sur les Français (1513) et des Autrichiens sur les Sardes (1849).
Novo-Kouznetsk, anc. *Stalinsk,* v. de l'U.R.S.S., dans le Kouzbass.
Novosibirsk, centre industriel de l'U.R.S.S., sur l'Ob.
Nowa Huta, centre sidérurgique de Pologne.
Noyon, v. de l'Oise; cathédrale de style ogival (XIIe-XIIIe s.).
Nubie, contrée de l'Afrique.
Nuits-Saint-Georges, bourg viticole de la Côte-d'Or.
Numa Pompilius, deuxième roi légendaire de Rome.
Numance, anc. v. d'Espagne, détruite par Scipion Emilien (133 av. J.-C.).
Numidie, anc. contrée de l'Afrique.
Numitor, roi légendaire d'Albe, grand-père de Romulus et de Remus.
Nuremberg, centre industriel d'Allemagne occidentale (Bavière).
Nyassa (*lac*), auj. *lac Malawi,* lac de l'Afrique orientale.
Nyassaland. V. MALAWI.
Nyons, ch.-l. d'arr. de la Drôme.

O

Oahu, île des Hawaii.
Oakland, centre industriel des Etats-Unis (Californie).
Oak Ridge, centre de l'industrie de l'énergie atomique des Etats-Unis (Tennessee).
Ob, fl. de Sibérie (océan Glacial Arctique) ; 4 000 km.
Oberhausen, centre houiller et métallurgique d'Allemagne occidentale, dans la Ruhr.
Oberkampf (Christophe-Philippe), industriel français (1738-1815), qui fonda la première manufacture de toiles peintes.
Oberland Bernois, massif des Alpes suisses.
Obéron, roi des génies aériens dans la mythologie scandinave.
Occam (Guillaume *d'*), philosophe franciscain anglais (1270-1347).
Occident (*Empire romain d'*), un des deux empires issus de l'Empire romain. Il subsista, séparé de l'Orient, de 395 à 476, fut rétabli par Charlemagne en 800 et aboli par Napoléon en 1806; à partir du XIVe s., il fut appelé *Saint Empire romain germanique.*
Océanie, une des cinq parties du monde; 9 millions de km²; 18 625 000 h. L'Océanie est formée d'Etats indépendants (Australie, Nouvelle-Zélande, Samoa occidentales), de dépendances australiennes (est de la Nouvelle-Guinée), britanniques (îles Salomon), françaises (Nouvelle-Calédonie, Polynésie française), américaines (Hawaii, l'un des Etats unis, Guam, îles Mariannes), indonésiennes (ouest de la Nouvelle-Guinée), etc. Les Nouvelles-Hébrides sont placées sous un condominium franco-britannique.
Ockeghem (Jean *d'*), musicien de l'école franco-flamande (vers 1430-1496).
Octave. V. AUGUSTE.
Octavie (42-62), femme de Néron, mise à mort par ordre de son mari.
Octavien. V. AUGUSTE.
Odense, port du Danemark.
Oder ou **Odra,** fl. d'Europe orientale, frontière partielle entre l'Allemagne orientale et la Pologne (Baltique) ; 870 km.
Odessa, port et centre industriel de l'U. R. S. S. (Ukraine), sur la mer Noire.
Odet, fl. côtier de Bretagne (Atlantique) ; 56 km.
Odyssée (*l'*), poème épique d'Homère, retraçant les voyages d'Ulysse.
Œdipe, fils de Laïos, roi de Thèbes, et de Jocaste, qui résolut les énigmes du sphinx, tua malgré lui son père et épousa sa mère.
Œrsted (Christian), physicien danois (1777-1851), qui découvrit l'électromagnétisme.
Offenbach (Jacques), compositeur français, d'origine allemande (1819-1880), auteur d'opérettes.
Oger ou **Ogier,** héros d'une chanson de geste (XIIe s.).
Ognon, riv. de l'est de la France, affl. de la Saône; 190 km.
Ogooué, fl. de l'Afrique équatoriale (Atlantique) ; 970 km.
Ohio, riv. des Etats-Unis, affl. du Mississippi; 1 066 km.

Ohio, un des Etats unis d'Amérique (Centre-Nord-Est) ; capit. *Colombus.*

Ohm (Georg), physicien allemand (1789-1854), qui découvrit les lois fondamentales des courants électriques.

Oisans, région des Alpes du Nord.

Oise, riv. du Nord de la France, affl. de la Seine ; 302 km.

Oise, dép. du nord de la France ; préf. *Beauvais ;* s.-préf. *Clermont, Compiègne, Senlis.*

Oka, riv. de Russie, affl. de la Volga ; 1 478 km.

Okayama, v. du Japon (Honshu).

Okhotsk (*mer d'*), mer formée par le Pacifique, au nord-est de l'Asie.

Okinawa, île japonaise des *Ryu-Kyu.*

Oklahoma, un des Etats unis de l'Amérique (Centre-Sud-Ouest) ; capit. *Oklahoma City.*

Öland, île de la Suède.

Oldenbourg, pays de l'Allemagne du Nord.

Oldham, v. et centre textile d'Angleterre (Lancashire).

Oléron, île de la Charente-Maritime.

Olier (Jean-Jacques), prêtre français (1608-1657), fondateur de la compagnie des prêtres de Saint-Sulpice.

Olivares (*duc d'*), homme d'Etat espagnol (1587-1645), adversaire de Richelieu.

Olivier, héros légendaire, ami de Roland.

Oliviers (*mont des*), lieu, près de Jérusalem, où Jésus alla prier la veille de sa mort.

Oloron (*gave d'*), riv. des Basses-Pyrénées, affl. du gave de Pau ; 120 km.

Oloron-Sainte-Marie, ch.-l. d'arr. des Basses-Pyrénées.

Olympe, montagne de la Grèce ; 2 917 m ; résidence des dieux grecs.

Olympie, v. du Péloponnèse, où se célébraient les *jeux Olympiques.*

Omaha, v. des Etats-Unis (Nebraska).

Oman (*mer d'*), golfe de l'océan Indien, entre l'Arabie et l'Inde.

Ombrie, contrée de l'Italie centrale.

Omeyyades ou **Omayyades,** dynastie de califes arabes, qui régna à Damas de 661 à 750, et à Cordoue de 756 à 1031.

Omphale, reine de Lydie, qui épousa Héraclès après l'avoir forcé à filer à ses pieds.

Omsk, v. de l'U.R.S.S., en Sibérie.

Onega, fl. de Russie (mer Blanche) ; 411 km. — Lac du nord de la Russie.

Onnaing, centre métallurgique du Nord.

Ontario (*lac*), lac du Canada.

Ontario, prov. du Canada ; capit. *Toronto.*

O. N. U. (*Organisation des Nations unies*), organisme créé en 1944, en vue du maintien de la paix et de la sécurité internationale.

Oradea, v. de Roumanie.

Oradour-sur-Glane, village de la Haute-Vienne, dont les habitants furent massacrés par les Allemands en 1944.

Oran, v. d'Algérie, ch.-l. de dép., port sur la Méditerranée ; 392 000 h.

Orange, v. du Vaucluse ; antiquités romaines (théâtre, arc de triomphe).

Orange, fl. de l'Afrique australe (Atlantique) ; 1 860 km.

Orange (*Etat libre d'*), Etat de l'Afrique du Sud.

Orb, fl. du sud de la France (Méditerranée) ; 115 km.

Orcades, îles au nord de l'Ecosse.

Orcagna (*L'*), peintre et sculpteur florentin (vers 1308-1369).

Ordjonikidze, anc. *Dzaoudzikaou,* v. de l'U. R. S. S., dans le Caucase.

Oregon ou **Columbia,** fl. des Etats-Unis (Pacifique) ; 2 000 km.

Oregon, un des Etats unis d'Amérique (Pacifique) ; capit. *Salem.*

Orel, v. de l'U. R. S. S., sur l'Oka.

Orenbourg, anc. *Tchkalov,* centre industriel de l'U. R. S. S., sur l'Oural.

Orénoque, fl. de l'Amérique du Sud (Atlantique) ; 2 400 km.

Oreste, fils d'Agamemnon et de Clytemnestre, qui, avec la complicité de sa sœur Electre, tua sa mère pour venger le meurtre de son père.

Orient, pays situé à l'est de l'Europe. On distingue le *Proche-Orient* (pays du Levant), le *Moyen-Orient* (Arabie, Iran, Irak, Inde), et l'*Extrême-Orient* (extrémité de l'U. R. S. S., Corée, Chine, Etats d'Indochine, Japon).

Orient (*Empire romain d'*), un des deux empires issus du partage de l'Empire romain (395-1453). Il est également connu sous le nom d'*Empire byzantin.*

Orion, chasseur, qu'Artémis tua et que Zeus changea en constellation.

Orissa, Etat de l'Inde ; capit. *Bhubaneswar.*

Orizaba, volcan du Mexique (5 700 m).

Orléans, anc. capit. de l'Orléanais, ch.-l. du Loiret, sur la Loire ; 88 100 h.

Orléans, nom de quatre familles princières de France : 1° La première est représentée par PHILIPPE Ier, cinquième fils de Philippe VI de Valois, qui obtint l'Orléanais en apanage (1344) ; — 2° La deuxième eut pour chef LOUIS Ier (1372-1407), frère de Charles VI, assassiné par les partisans de Jean sans Peur, et pour représentants : CHARLES Ier (1391-1465), poète, chef des Armagnacs, sous Charles VI ; — LOUIS II, roi de France sous le nom de LOUIS XII ; — 3° La troisième commence et finit avec GASTON (1608-1660), frère de Louis XIII, adversaire de Richelieu, lieutenant général du royaume à la mort de son frère ; — 4° La quatrième a pour représentants PHILIPPE II (1640-1701), frère de Louis XIV ; — PHILIPPE III, *le Régent* (1674-1723), qui gouverna pendant la minorité de Louis XV ; — LOUIS-PHILIPPE JOSEPH (1747-1793), connu sous le nom de *Philippe Egalité,* qui adhéra à la Révolution et périt sur l'échafaud ; — LOUIS-PHILIPPE, son fils, qui devint roi des Français sous le nom de *Louis-Philippe.*

Orléansville, auj. **El-Asnam,** ch.-l. de dép. d'Algérie.

Orly, principal aéroport de Paris.

Ormazd ou **Ormuzd,** prince du Bien dans la religion mazdéenne.

Ormuz, île à l'entrée du golfe Persique dans le *détroit d'Ormuz.*

Ornain, riv. de France, s.-affl. de la Marne.

Orne, fl. de Normandie (Manche) ; 125 km.

Orne, dép. de l'ouest de la France ; préf. *Alençon ;* s.-préf. *Argentan, Mortagne.*

Oronte, fl. de Syrie (Méditerranée).

Orphée, fils d'Œagre et de Calliope, époux

d'Eurydice: il passait pour avoir créé l'art de la musique.

Orthez, v. des Basses-Pyrénées.

Osaka, port du Japon (Honshu); 3 011 000 h.

Osiris, dieu de l'anc. Egypte.

Oslo, capit., port et centre industriel de la Norvège; 515 000 h.

Osnabrück, v. d'Allemagne occidentale (Basse-Saxe).

Ossa, montagne de Thessalie.

Ossau (*vallée d'*), vallée des Pyrénées, parcourue par le *gave d'Ossau.*

Ossian, barde écossais du IIIe s.

Ostende, port et station balnéaire de Belgique, sur la mer du Nord.

Ostie, port de la Rome antique.

Ostrava, centre métallurgique de Tchécoslovaquie.

Ostrogoths, peuple germanique, qui fonda un royaume en Italie (Ve-VIe s.).

Otaru, v. du Japon (Hokkaïdo).

Othello, drame de Shakespeare (1604).

Otrante (*canal d'*), détroit séparant la Grèce et l'Albanie de l'Italie.

Ottawa, capit. du Canada; 345 000 h.

Ottoman (*Empire*). V. TURQUIE.

Otton, nom de quatre empereurs d'Occident, dont : OTTON Ier, *le Grand* (912-973), roi de Germanie à partir de 936 et empereur d'Occident à partir de 962; — OTTON IV (1175-1216), empereur d'Occident de 1209 à 1214, vaincu à Bouvines.

Ouagadougou, capit. de la Haute-Volta; 63 000 h.

Oubangui, affl. du Congo; 1 160 km.

Oubangui - Chari, anc. territoire de l'A.-E. F., auj. *République centrafricaine.*

Ouchy, port de Lausanne.

Oudinot (Nicolas-Charles), maréchal d'Empire (1767-1847).

Oudry (Jean-Baptiste), peintre animalier français (1686-1755).

Ouen (*saint*) [609-683], évêque de Rouen, chancelier de Dagobert Ier.

Ouenza, région minière de l'Algérie.

Ouessant, île du Finistère.

Oufa, v. et centre industriel de l'U.R.S.S.; ch.-l. de la Bachkirie.

Ouganda, Etat du Commonwealth dans la région du Haut Nil; capit. *Kampala.*

Ougrée, centre industriel de la Belgique (Liège) ; métallurgie.

Ouistreham, station balnéaire du Calvados et port de Caen.

Oujda ou **Oudjda,** v. du Maroc.

Oulan-Bator, capit. de la République populaire de Mongolie.

Oulan-Oudé, v. de l'U. R. S. S., capit. de la République de Bouriato-Mongolie.

Oullins, centre industriel du Rhône.

Oum er-R'bia, fl. du Maroc central (Atlantique) ; 556 km.

Ouolofs, peuple noir du Sénégal.

Oural, fl. de Russie (mer Caspienne); 2 534 km. — Chaîne de montagnes de l'U. R. S. S., entre l'Europe et l'Asie.

Ouranos, dieu grec du Ciel.

Ourcq, riv. de France, affl. de la Marne, communiquant avec la Seine par le *canal de l'Ourcq;* 80 km.

Ours (*Grand Lac de l'*), lac du Canada septentrional. Radium et uranium.

Ourse (*Grande* et *Petite*), nom de deux constellations, voisines du pôle Nord.

Ourthe, riv. de Belgique, affl. de la Meuse; 132 km.

Ouzbékistan, rép. fédérée de l'U. R. S. S., en Asie; capit. *Tachkent.*

Overijsel, prov. des Pays-Bas.

Ovide, poète latin (43 av. J.-C.-17), auteur des *Métamorphoses.*

Oviedo, v., centre houiller et métallurgique d'Espagne, anc. capit. du royaume des Asturies.

Oxford, v. universitaire d'Angleterre, sur la Tamise.

Oyapok, fl. qui sépare la Guyane française du Brésil; 500 km.

Oyonnax, centre industriel (matières plastiques) de l'Ain.

P

Pacifique (*océan*), vaste océan, entre l'Amérique, l'Asie et l'Australie.

Pactole, petite riv. de Lydie, qui roulait des paillettes d'or.

Padang, port d'Indonésie (Sumatra).

Padirac, loc. du Lot; gouffre souterrain.

Padoue, v. d'Italie (Vénétie) ; dôme (XVIe s.) ; nombreux palais et églises du XVe s. et de la Renaissance.

Paestum, v. de l'anc. Italie, près de Naples; temple de Poséidon.

Paganini (Niccolo), violoniste italien (1782-1840), célèbre par sa virtuosité.

Paimpol, port de pêche des Côtes-du-Nord, sur la Manche.

Pakistan, Etat membre du Commonwealth, groupant les pays musulmans du nord-ouest et du nord-est de l'Inde; 947 000 km^2; 100 762 000 h. Capit. *Rawalpindi.*

Palaiseau, ch.-l. d'arr. de l'Essonne, sur l'Yvette.

Palaos (*îles*), archipel de l'Océanie, sous tutelle américaine.

Palatin, une des sept collines de Rome.

Palatinat, région de l'Allemagne occidentale, sur la rive gauche du Rhin.

Palembang, port de Sumatra.

Paléologue, famille byzantine qui, de 1259 à 1453, a donné plusieurs souverains à l'empire d'Orient.

Palerme, v. de Sicile; 600 000 h.

Palestine, région du Proche-Orient, divisée, en 1947, en un Etat juif indépendant (v. Israël) et une zone arabe, rattachée à la Jordanie.

Palestrina, compositeur italien (1524-1594), auteur de messes et de motets.

Palissy (Bernard), savant français (vers 1510-vers 1589), créateur de la céramique en France.

Pallas, un des noms d'Athéna.

Pallice (*La*), avant-port de La Rochelle.

Palma (*La*), île des Canaries.

Palma de Majorque, port et capit. des îles Baléares (Majorque).

Palmas (*Las*), v. des Canaries.

Palmerston (Henri, *lord*), homme d'Etat anglais (1784-1865).

Palmyre, v. de la Syrie; ruines du IIIe s.

Pamiers, ch.-l. d'arr. et centre industriel de l'Ariège, sur l'Ariège.
Pamir, haut plateau de l'Asie centrale.
Pampa (la), plaine d'Argentine.
Pampelune, v. d'Espagne, ch.-l. de la Navarre.
Pan, dieu grec des Troupeaux, devenu la personnification de l'Univers.
Panama, république de l'Amérique centrale; 1 210 000 h. Capit. *Panama.*
Panama (*isthme de*), langue de terre, qui unit les deux Amériques et qui est traversée par un canal.
Pandore, la première femme, selon la mythologie grecque; sa curiosité lui fit ouvrir une boîte contenant tous les maux.
Pannonie, région de l'Europe anc., entre le Danube et l'Illyrie.
Pantagruel, héros créé par Rabelais, personnage gigantesque, fils de Gargantua.
Pantin, centre industriel de la Seine-Saint-Denis, au nord-est de Paris.
Panurge, personnage du *Pantagruel* de Rabelais, rusé et beau parleur.
Pao-teou, centre sidérurgique de Chine.
Papeete, port de l'île de Tahiti; ch.-l. de la Polynésie française; 17 300 h.
Paphlagonie, anc. pays de l'Asie Mineure.
Paphos, anc. v. de Chypre.
Papin (Denis), physicien français (1647-vers 1714) ; il utilisa le premier la force de pression fournie par la vapeur d'eau.
Papouasie. V. NOUVELLE-GUINÉE.
Papous, peuple noir d'Océanie.
Pâques (*île de*), île du Pacifique, à l'ouest du Chili; curieuses statues.
Paracelse, alchimiste et médecin suisse (1493-1541).
Paraguay, riv. de l'Amérique du Sud. affl. du Parana; 2 206 km.
Paraguay, république de l'Amérique du Sud; 406 000 km²; 1 949 000 h. Capit. *Asuncion.*
Paramaribo, capit. et port du Surinam.
Paramé, station balnéaire d'Ille-et-Vilaine, sur la Manche.
Parana, fl. de l'Amérique du Sud, qui, réuni à l'Uruguay, forme le rio de La Plata; 3 300 km.
Paray-le-Monial, v. de Saône-et-Loire; église romane.
Paré (Ambroise), chirurgien français (vers 1517-1590), qui substitua la ligature des artères à la cautérisation dans l'amputation.
Parentis, bourg des Landes. Pétrole.
Paris, capit. de la France, sur la Seine, métropole économique du pays; 2 790 000 h.
Pâris, prince troyen, fils de Priam, ravisseur d'Hélène.
Parme, v. d'Italie, anc. capit. du duché de Parme; cathédrale (XIIe s.) ; baptistère.
Parmentier (Antoine-Augustin), agronome français (1737-1813), qui développa en France la culture de la pomme de terre.
Parnasse, mont de la Grèce, consacré à Apollon et aux Muses; 2 459 m.
Paros, une des Cyclades; marbre.
Parques (*les*), trois divinités des Enfers.
Parry (William Edward), navigateur anglais (1790-1855), explorateur des régions arctiques.
Parthenay, ch.-l. d'arr. des Deux-Sèvres.
Parthes, peuple scythe, qui fonda un royaume (250 av. J.-C.-228).
Pascal, nom de deux papes.
Pascal (Blaise), mathématicien, physicien et philosophe français (1623-1662), auteur de nombreuses découvertes scientifiques, des *Provinciales* et des *Pensées.*
pas de Calais. V. CALAIS (*pas de*).
Pas-de-Calais, dép. du nord de la France; préf. *Arras;* s.-préf. *Béthune, Boulogne, Lens, Calais, Montreuil, Saint-Omer.*
Pasiphaé, femme de Minos, mère d'Ariane, de Phèdre et du Minotaure.
Passy, quartier de Paris.
Pasteur (Louis), chimiste et microbiologiste français (1822-1895), dont les études sur les fermentations et les microbes ont transformé la médecine.
Patagonie, contrée de l'Amérique du Sud.
Patay, bourg du Loiret; victoire de Jeanne d'Arc sur les Anglais (1429).
Paterson, v. des Etats-Unis (New Jersey).
Pathelin (*Maître*), farce du XVe s.
Pathmos ou **Patmos,** une des Sporades.
Patna, v. de l'Inde, sur le Gange.
Patras, v. de Grèce (Péloponnèse).
Patrice ou **Patrick** (*saint*), patron de l'Irlande (377-460).
Patrocle, héros grec, ami d'Achille.
Pau, anc. cap. du Béarn, ch.-l. et station climatique des Basses-Pyrénées; 61 500 h.
Pau (*gave de*), riv. des Pyrénées françaises, affl. de l'Adour; 120 km.
Pauillac, v. de la Gironde, sur la Gironde; vins; raffinerie de pétrole.
Paul (*saint*), organisateur de la doctrine chrétienne, auteur de nombreuses épîtres, martyrisé en 67.
Paul Ier (1754-1801), empereur de Russie de 1796 à 1801, m. assassiné.
Paul VI, pape en 1963, né en 1897.
Paul-Émile, consul romain, tué à la bataille de Cannes; — Son fils, PAUL-EMILE, *le Macédonique* (230-160 av. J.-C.), vainquit Persée à Pydna.
Pausilippe, mont situé près de Naples.
Pavie, v. d'Italie, sur le Tessin; collège et chartreuse. François Ier y fut capturé par les Espagnols (1525).
Pavlov (Ivan Petrovitch), physiologiste russe (1849-1936).
Pays-Bas, royaume de l'Europe occidentale, sur la mer du Nord; 34 000 km²; 12 210 000 h. Capit. *Amsterdam.*
Paz (*La*), v. de Bolivie; 400 000 h.
Pearl Harbor, port des îles Hawaii.
Peary (Robert), explorateur américain (1856-1920), qui atteignit le pôle Nord.
Péchelbronn, ancien centre pétrolier du Bas-Rhin, dans la plaine d'Alsace.
Pecq (*Le*), v. des Yvelines.
Peel (*sir* Robert), homme d'Etat anglais (1788-1850), chef des conservateurs.
Pégase, cheval ailé.
Péguy (Charles), écrivain français (1873-1914), créateur des *Cahiers de la quinzaine.*
Peïpous (*lac*), lac de Russie.
Pékin, capit. de la Chine; 5 420 000 h.
Pelé (*mont*) ou **montagne Pelée,** volcan de la Martinique.
Pélée, père d'Achille.
Pélion, montagne de Thessalie.
Pella, capit. de l'anc. Macédoine.

Pellico (Silvio), écrivain italien (1789-1854), auteur de *Mes prisons.*

Pélopidas, général thébain, ami d'Epaminondas, tué en 364 av. J.-C.

Péloponnèse, presqu'île, au sud de la Grèce.

Pélops, fils de Tantale.

Pelvoux, massif des Alpes dauphinoises.

Pemba, île de l'océan Indien (Tanzanie).

Pendjab, Etat du nord-ouest de l'Inde; capit. *Chandigarh.*

Pénélope, femme d'Ulysse, exemple de fidélité conjugale.

Penmarch, cap du Finistère.

Pennine (*chaîne*), hauteurs de Grande-Bretagne, culminant à 881 m.

Pennsylvanie, un des Etats unis d'Amérique (Atlantique) ; capit. *Harrisburg.*

Pentélique, montagne de l'Attique; marbre.

Pépin d'Héristal, petit-fils de Pépin de Landen, maire du palais d'Austrasie, m. en 714; — PÉPIN *le Bref* (714-768), petit-fils du précédent, roi des Francs de 751 à 768, le premier souverain carolingien, père de Charlemagne.

Perche, anc. pays de l'ouest de la France.

Pergame, anc. capit. d'un royaume hellénistique d'Asie Mineure.

Pergolèse (Jean-Baptiste), compositeur italien (1710-1736).

Périclès, homme d'Etat athénien (499-429 av. J.-C.), qui établit la puissance d'Athènes.

Perier (Casimir), banquier et homme politique français (1777-1832); — Son petit-fils, Jean-Paul CASIMIR-PERIER (1847 1907), fut président de la République de 1894 à 1895.

Périgord, anc. pays du sud-ouest de la France; capit. *Périgueux.*

Périgueux, ch.-l. de la Dordogne; 41 000 h.

Perm, anc. *Molotov,* centre métallurgique de l'U. R. S. S., sur la Kama.

Péronne, ch.-l. d'arr. de la Somme, sur la Somme; entrevue entre Louis XI et Charles le Téméraire (1468).

Pérou, république de l'Amérique du Sud, sur l'océan Pacifique; 1 249 000 km²; 11 200 000 h. Capit. *Lima.*

Pérouse, v. d'Italie (Ombrie).

Perpignan, anc. capit. du Roussillon, ch.-l. des Pyrénées-Orientales, sur la Têt; 86 150 h. Marché de vins, de fruits et de légumes; cathédrale (XIVe s.).

Perrault (Claude), naturaliste et architecte français (1613-1688) ; — Son frère CHARLES (1628-1703) est l'auteur de *Contes de fées.*

Perret (Auguste), architecte français (1874-1954), adepte du ciment armé.

Perreux-sur-Marne (*Le*), v. du Val-de-Marne, à l'est de Paris.

Perros-Guirec, station balnéaire des Côtes-du-Nord, sur la Manche.

Perse. V. IRAN.

Perse, poète satirique latin (34-62).

Persée, héros grec, qui coupa la tête de Méduse et fonda Mycènes.

Persée (212-162 av. J.-C.), dernier roi de Macédoine (178-168 av. J.-C.).

Perséphone ou **Coré,** divinité grecque, reine des Enfers.

Persépolis, anc. capit. de la Perse.

Persique (*golfe*), golfe entre l'Iran et l'Arabie, dans l'océan Indien.

Perth, v. d'Australie; 431 000 h.

Pérugin (*le*), peintre italien (1445-1523).

Peshawar, v. du Pakistan.

Pessac, v. de Gironde; vins.

Pétain (Philippe), maréchal de France (1856-1951), défenseur de Verdun (1916), chef de l'Etat français (1940-1944).

Petchili ou **Po-hai** (*golfe du*), golfe chinois de la mer Jaune.

Petchora, fl. de Russie (océan Glacial Arctique) ; 1 789 km.

Petite-Rosselle, centre houiller de la Moselle.

Petitjean, centre minier (pétrole) du Maroc.

Petit-Quevilly (*Le*), centre industriel de la Seine-Maritime, près de Rouen.

Pétrarque, poète italien (1304-1374).

Pétrone (Caius), écrivain latin (Ier s.).

Phaéton, fils du Soleil.

Pharos, île de l'anc. Egypte, près d'Alexandrie, où fut érigé le premier phare.

Pharsale, anc. v. de Thessalie, où César vainquit Pompée (48 av. J.-C.).

Phébé, surnom d'Artémis, et aussi de la Lune.

Phébus, autre nom d'*Apollon.*

Phèdre, épouse de Thésée, fille de Minos et de Pasiphaé.

Phèdre, tragédie de Racine (1677).

Phèdre, fabuliste latin (30 av. J.-C.-44).

Phénicie, anc. nom du *Liban.*

Phénix, oiseau fabuleux, qui renaissait de ses cendres.

Phidias, sculpteur grec (500-431 av. J.-C.).

Philadelphie, v., port et centre industriel des Etats-Unis (Pennsylvanie), sur le Delaware; 2 002 000 h.

Philémon et Baucis, couple légendaire, modèle de l'amour conjugal.

Philippe (*saint*), apôtre et martyr.

Philippe Néri (*saint*), fondateur de la congrégation de l'Oratoire (1515-1595).

Philippe, nom de cinq rois de Macédoine, dont : PHILIPPE II (382-336 av. J.-C.), roi à partir de 356, qui soumit la Grèce; — PHILIPPE V, roi de 220 à 178 av. J.-C., vaincu par les Romains.

Philippe Ier (1052-1108), roi de France de 1068 à 1108.

Philippe II Auguste (1165-1223), roi de France de 1180 à 1223, qui agrandit considérablement le domaine royal, lutta contre Henri II, Richard Cœur de Lion et Jean sans Terre, entreprit la troisième croisade et triompha à Bouvines de l'empereur Otton IV et du comte de Flandre.

Philippe III, le Hardi (1245-1285), roi de France de 1270 à 1285.

Philippe IV, le Bel (1268-1314), roi de France de 1285 à 1314, qui entra en conflit avec le pape Boniface VIII, lutta contre les Flamands et, aidé par les légistes, favorisa le développement des institutions.

Philippe V, le Long (1294-1322), roi de France et de Navarre, de 1316 à 1322.

Philippe VI de Valois (1293-1350), roi de France de 1328 à 1350, dont le règne vit le début de la guerre de Cent Ans.

Philippe, nom de trois ducs de Bourgogne, dont : PHILIPPE II, *le Hardi* (1342-1404), duc de 1363 à 1404; — PHILIPPE III, *le Bon* (1396-1467), duc de

1419 à 1467, qui réunit sous sa domination la totalité des Pays-Bas.

Philippe, nom de cinq rois d'Espagne, dont : PHILIPPE II (1527-1598), roi d'Espagne de 1556 à 1598, qui s'employa à faire triompher le catholicisme en Europe; — PHILIPPE V (1683-1746), petit-fils de Louis XIV, roi d'Espagne de 1700 à 1746.

Philippes, v. de Macédoine, où Antoine et Octavien vainquirent Brutus et Cassius (42 av. J.-C.).

Philippeville, auj. *Skikda,* ch.-l. d'arr. et port d'Algérie (Constantine).

Philippines, archipel de l'Océanie, formant république; 31 270 000 h. Capit. *Quezon City.*

Philistins, peuple de la Palestine, vaincu par Saül et par David.

Phnom Penh, capit. du Cambodge; 403 500 h.

Phocée, anc. v. grecque d'Ionie.

Phocide, pays de l'anc. Grèce.

Phoenix, capit. de l'Arizona (Etats-Unis).

Phrygie, anc. pays de l'Asie Mineure.

Phryné, courtisane grecque (IVe s. av. J.-C.).

Piave, fl. d'Italie du Nord; 215 km.

Pic de la Mirandole (*comte* Jean), savant italien (1463-1494).

Picardie, région du nord du Bassin parisien; capit. *Amiens.*

Picasso (Pablo), peintre espagnol, né en 1881, un des créateurs du cubisme.

Pichegru (Charles), général français (1761-1804).

Picquigny, bourg de la Somme, où fut signé, en 1475, le traité qui mettait fin à la guerre de Cent Ans.

Pictes, peuple de l'anc. Ecosse.

Pie, nom de douze papes, dont : PIE Ier (*saint*), pape de 140 à 155; — PIE II (1405-1464), pape érudit de 1458 à 1464; — PIE V (*saint*) [1504-1572], pape de 1566 à 1572; — PIE VI (1717-1799), pape de 1775 à 1799, arrêté par ordre du Directoire; — PIE VII (1742-1823), pape de 1800 à 1823; il signa le Concordat et fut retenu captif, à Fontainebleau, par Napoléon; — PIE IX (1792-1878), pape de 1846 à 1878, qui promulgua les dogmes de l'Immaculée Conception et de l'infaillibilité pontificale; — PIE X (*saint*) [1835-1914], pape de 1903 à 1914, qui condamna le modernisme; — PIE XI (1857-1939), pape de 1922 à 1939, qui signa les accords de Latran (1929); — PIE XII, (1876-1958), pape en 1939, qui a promulgué le dogme de l'Assomption.

Piémont, région de l'Italie du Nord; cap. *Turin.*

Pierre (*saint*), le premier des apôtres et des papes, né vers 10 av. J.-C., martyrisé à Rome vers 67.

Pierre, nom de quatre rois d'Aragon, dont : PIERRE II (1174-1213), roi de 1196 à 1213, partisan du comte de Toulouse.

Pierre, nom de cinq rois de Portugal, dont : PIERRE Ier, *le Justicier* (1320-1367), roi de 1357 à 1367, époux d'Inès de Castro; — PIERRE IV (v. PIERRE Ier D'ALCANTARA), roi de 1826 à 1834.

Pierre Ier d'Alcantara (1798-1834), empereur du Brésil de 1821 à 1831 et roi de Portugal sous le nom de Pierre IV.

Pierre le Cruel (1334-1369), roi de Castille de 1350 à 1369, qui lutta contre son frère Henri de Trastamare.

Pierre Ier le Grand (1672-1725), tsar de Moscovie de 1682 à 1721, empereur de Russie de 1721 à 1725. Il modernisa son Etat, fonda Saint-Pétersbourg et lutta contre les Turcs et contre Charles XII de Suède; — PIERRE III (1728-1762), empereur de Russie en 1762, assassiné à l'instigation de sa femme, Catherine II.

Pierre Ier Karageorgevitch (1846-1921), roi de Serbie à partir de 1903 et de Yougoslavie de 1919 à 1921; — PIERRE II, né en 1923, roi de Yougoslavie de 1934 à 1945.

Pierre l'Ermite (vers 1050-1115), prédicateur de la première croisade.

Pierre le Vénérable, abbé et réformateur de Cluny (vers 1092-1156).

Pierrelatte, centre atomique de la Drôme.

Pigalle (Jean-Baptiste), sculpteur français (1714-1785).

Pignerol, v. d'Italie (Piémont).

Pilate (Ponce), gouverneur romain de la Judée, qui livra Jésus aux Juifs, m. en 39.

Pilon (Germain), sculpteur français (1537-1590), auteur des *Trois Grâces.*

Pilsudski (Joseph), maréchal et homme d'Etat polonais (1867-1935).

Pindare, poète lyrique grec (521-441 av. J.-C.), auteur d'odes.

Pinde, montagne de la Grèce.

Pin-kiang, anc. *Harbin* ou *Kharbine,* centre industriel de la Chine du Nord-Est.

Pinturicchio, peintre religieux italien (1454-1513).

Pirandello (Luigi), auteur dramatique italien (1867-1936).

Piranesi (Giambattista), architecte italien (1720-1778).

Pirée (*Le*), centre industriel de Grèce, port d'Athènes.

Pisano (Antonio), peintre médailleur italien (vers 1395 - vers 1450).

Pise, v. d'Italie, sur l'Arno; cathédrale, baptistère, tour penchée (XIIe s.).

Pisistrate, tyran d'Athènes (vers 600-527 av. J.-C.).

Pissarro (Camille), peintre impressionniste français (1831-1903).

Pithiviers, ch.-l. d'arr. du Loiret.

Pitt (William), homme d'Etat anglais (1708-1778); — Son fils, WILLIAM (1759-1806), fut l'adversaire de la France.

Pittsburgh, centre sidérurgique des Etats-Unis (Pennsylvanie).

Pizarre (François), aventurier espagnol (1475-1541), qui conquit le Pérou.

Plaideurs (*les*), comédie de Racine (1668).

Plaisance, v. d'Italie (Emilie).

Planck (Max), physicien allemand (1858-1947), créateur de la théorie des *quanta.*

Plantagenêt, surnom de la maison gâtinaise des comtes d'Anjou, qui occupa le trône d'Angleterre d'Henri II à Richard III.

Plata (*rio de la*), estuaire formé par l'Uruguay et le Parana.

Plata (*La*), v. de l'Argentine.

Platées, anc. v. de Béotie, où les Spartiates et les Athéniens vainquirent les Perses (479 av. J.-C.).

Platon, philosophe grec (428 - 347 av. J.-C.), disciple de Socrate, auteur de dialogues philosophiques.

Plaute, poète comique latin (vers 254-184 av. J.-C.), auteur d'*Amphitryon.*
Pléiades (les), les sept filles d'Atlas, qui furent transformées en étoiles; — On a donné le nom de *Pléiades* à un groupe de sept poètes alexandrins. Sous Henri II, il y eut une *Pléiade française,* composée de Ronsard, Du Bellay, Remy Belleau, Jodelle, Dorat, Baïf et Pontus de Tyard.
Plessis-Robinson (*Le*), v. des Hauts-de-Seine.
Pleumeur-Bodou, localité des Côtes-du-Nord. Centre de télécommunications spatiales.
Pline l'Ancien, naturaliste romain (23-79), qui périt lors de la grande éruption du Vésuve; — Son neveu, PLINE *le Jeune* (62-vers 113), est l'auteur de *Lettres.*
Ploërmel, bourg du Morbihan.
Ploeshti ou **Ploiesti,** v. de Roumanie. Pétrole.
Plombières-les-Bains, station thermale des Vosges.
Plotin, philosophe grec (204-270).
Plougastel-Daoulas, bourg du Finistère; calvaire (XVIIe s.). Fraises.
Ploumanach, station balnéaire des Côtes-du-Nord, sur la Manche.
Ploutos, dieu grec de la Richesse.
Plovdiv, v. de Bulgarie.
Plutarque, historien et moraliste grec (vers 45 - vers 125).
Pluton, dieu grec des Enfers.
Pluton, planète du système solaire.
Plymouth, port militaire d'Angleterre.
Plzen, v. et centre industriel de Tchécoslovaquie (Bohême).
Pô, fl. d'Italie (Adriatique) ; 670 km.
Poe (Edgar Allan), écrivain américain (1809-1849), auteur des *Histoires extraordinaires.*
Poincaré (Henri), mathématicien français (1854-1912) ; — Son cousin, RAYMOND (1860-1934), a été président de la République de 1913 à 1920.
Pointe-à-Pitre, v. de la Guadeloupe.
Pointe-Noire, v. de la République congolaise; 76 000 h.
Poissy, v. des Yvelines, sur la Seine.
Poitiers, anc. capit. du Poitou, ch.-l. de la Vienne; 66 200 h. Eglises romanes.
Poitou, anc. prov. de France; capit. *Poitiers.*
Polaire (*étoile*), étoile qui indique le nord dans notre hémisphère.
Polichinelle, personnage traditionnel de la farce.
Polignac (Jules-Armand, *prince de*), homme politique français (1780-1847).
Pollux. V. CASTOR.
Polo (Marco), voyageur vénitien (1254-1324), qui traversa l'Asie.
Pologne, république de l'Europe orientale; 311 730 km²; 31 161 000 h. Capit. *Varsovie.*
Poltava, v. d'Ukraine, au sud-ouest de Kharkov; Charles XII, roi de Suède, y fut vaincu par Pierre le Grand (1709).
Polybe, historien grec (IIe s. av. J.-C.).
Polyeucte, tragédie de Corneille (1643).
Polynésie, division de l'Océanie.
Polynésie française, territoire français d'outremer; 75 000 h. Ch.-l. *Papeete* (île de Tahiti).
Polyphème, un des Cyclopes.
Poméranie, région de Pologne.
Pommard, bourg viticole de la Côte-d'Or.
Pomone, déesse latine des Fruits et des Jardins, épouse du dieu du Printemps.
Pompadour (*marquise de*), favorite de Louis XV (1721-1764), protectrice des arts.
Pompée (Cneus), général et homme politique romain (107-49 av. J.-C.), vaincu par César à Pharsale.
Pompéi, anc. v. de Campanie, ensevelie sous la lave et les cendres du Vésuve (79), et dont les ruines ont été mises au jour.
Pompey, centre métallurgique de la Moselle, près de la Moselle.
Pompon (François), sculpteur animalier français (1855-1933).
Pondichéry, v. de l'Inde, autrefois sous administration française.
Pons, bourg de la Charente-Maritime.
Pont, anc. royaume d'Asie Mineure, sur le Pont-Euxin.
Pont-à-Mousson, centre métallurgique de Meurthe-et-Moselle.
Pontarlier, ch.-l. d'arr. et centre industriel du Doubs, sur le Doubs.
Pont-Audemer, bourg de l'Eure.
Pont-Aven, bourg du Finistère.
Pont-Euxin, anc. nom de la *mer Noire.*
Pontins (*marais*), plaine près de Rome.
Pontivy, ch.-l. d'arr. du Morbihan.
Pont-l'Abbé, bourg du Finistère.
Pont-l'Evêque, bourg du Calvados; beurre et fromages.
Pontoise, v. du Val-d'Oise.
Poona, v. de l'Inde (Maharashtra).
Pope (Alexander), poète et philosophe anglais (1688-1744).
Popocatepetl, volcan du Mexique: 5 452 m.
Popov (Alexandre), physicien russe (1859-1905), inventeur de l'antenne.
Poppée, femme de Néron.
Porbus, nom de deux peintres flamands du XVIe s.
Porcia, fille de Caton d'Utique, femme de Brutus.
Pornic, port et station balnéaire de la Loire-Atlantique.
Pornichet, station balnéaire de la Loire-Atlantique.
Porquerolles, une des îles d'Hyères.
Port-Arthur, v. de la Chine du Nord-Est, cédée aux Russes (1896), conquise par les Japonais en 1905.
Port-au-Prince, capit. et port de la république d'Haïti; 200 000 h.
Port-Bou, station frontière entre la France et l'Espagne (Catalogne).
Port-de-Bouc, centre industriel des Bouches-du-Rhône, sur l'étang de Berre.
Portes de Fer, nom donné à plusieurs défilés de montagnes, dans les Carpates, dans le Caucase, en Algérie.
Port-des-Barques, centre ostréicole de la Charente-Maritime.
Port-Jérôme, centre de raffinage du pétrole de la Seine-Maritime.
Portland, v. et centre industriel des Etats-Unis (Oregon).
Port-Louis, capit. de l'île Maurice; 104 000 h.
Port-Lyautey. V. KÉNITRA.
Porto, v. et port du Portugal; vins.
Porto Alegre, v. et port du Brésil.
Porto-Novo, capit. du Dahomey; 30 000 h.

Porto Rico, île des Antilles, territoire extérieur des Etats-Unis; capit. *San Juan.*
Port-Royal, abbaye, près de Chevreuse (Yvelines), foyer du jansénisme.
Port-Saïd, v. d'Egypte, sur la Méditerranée et le canal de Suez.
Portsmouth, port militaire d'Angleterre (Hampshire).
Portugal, république de l'Europe, à l'ouest de la péninsule Ibérique; 91 721 km^2; 9 268 000 h. Capit. *Lisbonne.*
Port-Vendres, port de pêche et station balnéaire des Pyrénées-Orientales.
Port Vila. V. VILA.
Poséidon, dieu grec de la Mer.
Posnanie, prov. de Pologne.
Potsdam, v. d'Allemagne orientale, anc. capit. du Brandebourg; château royal.
Pouchkine (Alexandre), écrivain russe (1799-1837).
Pouilles (*les*), pays de l'Italie du Sud.
Pouliguen (*Le*), station balnéaire de la Loire-Atlantique.
Poussin (Nicolas), peintre français (1594-1665), maître de la peinture classique française.
Poznan, v. et centre industriel de Pologne, cap. de la Posnanie.
Prades, ch.-l. d'arr. des Pyrénées-Orientales, sur la Têt.
Pradier (James), sculpteur français (1794-1852), auteur de la fontaine Molière.
Prague, capit. et centre industriel de la Tchécoslovaquie; 1 million d'h.
Praxitèle, statuaire grec, né vers 390 av. J.-C., auteur de statues d'Aphrodite.
Préalpes, massifs calcaires, situés sur le pourtour des Alpes.
Précieuses ridicules (*les*), comédie de Molière (1659).
Presbourg. V. BRATISLAVA. — Traité signé par Napoléon en 1805, après Austerlitz.
Pretoria, capit. de la république d'Afrique du Sud et du Transvaal; 416 000 h.
Prévost (abbé), romancier français (1697-1763), auteur de *Manon Lescaut.*
Priam, dernier roi de Troie.
Priape, dieu gréco-latin des Jardins, des Vignes et de la Génération.
Pribram, v. de Tchécoslovaquie.
Priestley (Joseph), chimiste anglais (1733-1804), qui isola l'oxygène.
Primatice (*le*), peintre, sculpteur et architecte italien (1504-1570), qui travailla en France (Fontainebleau, Chambord).
Prince-Edouard (*île du*), île et prov. du Canada, sur l'Atlantique.
Privas, ch.-l. de l'Ardèche; 9 200 h.
Proche-Orient. V. ORIENT.
Procuste, brigand de l'Attique, qui couchait ses victimes sur un lit de fer et les étirait ou les amputait, pour les mettre à la longueur de ce lit.
Prométhée, dieu du Feu, qui déroba le feu du ciel et fut cloué par Zeus sur le Caucase, où un vautour lui dévorait le foie.
Properce, poète latin (vers 47-vers 15 av. J.-C.), auteur d'*Elégies.*
Propontide, anc. nom de la *mer de Marmara.*
Proserpine, épouse de Pluton.
Protée, un des dieux grecs de la Mer, qui changeait de forme à volonté.
Proudhon (Pierre-Joseph), socialiste français (1809-1865).
Proust (Louis), chimiste français (1754-1826).
Proust (Marcel), romancier français (1871-1922), auteur d'*A la recherche du temps perdu.*
Provence, anc. prov. du sud de la France, capit. *Aix-en-Provence.*
Providence, v. des Etats-Unis, capit. de l'Etat de Rhode Island.
Provinces-Unies, nom donné aux sept provinces septentrionales des Pays-Bas espagnols, noyau de l'actuel royaume des Pays-Bas.
Provins, ch.-l. d'arr. de Seine-et-Marne; remparts, tour et églises du Moyen Age.
Prud'hon (Pierre), peintre et dessinateur français (1758-1823).
Prusse, anc. Etat d'Allemagne.
Prusse-Orientale, anc. prov. de Prusse, auj. partagée entre l'U.R.S.S. et la Pologne.
Prusse-Rhénane ou **Rhénanie,** région d'Allemagne, auj. partagée entre les Etats de Rhénanie-du-Nord-Westphalie et de Rhénanie-Palatinat.
Prut ou **Prout,** riv. d'Europe orientale, affl. du Danube; 811 km.
Psyché, jeune fille d'une grande beauté, aimée par le dieu de l'Amour.
Ptolémée, nom de seize rois d'Egypte (IVe-Ier s. av. J.-C.).
Ptolémée (Claude), astronome, né en Egypte (vers 90-168).
Puccini (Giacomo), compositeur italien (1858-1920), auteur de *la Bohème.*
Puebla, v. du Mexique.
Puget (Pierre), sculpteur français (1620-1694), auteur de *Milon de Crotone.*
Puniques (*guerres*), nom donné aux trois guerres qui opposèrent Romains et Carthaginois aux IIIe et IIe s. av. J.-C.
Purcell (Henry), compositeur anglais (1658-1695), auteur de *Didon et Enée.*
Pusan, port de la Corée du Sud.
Puszta (la), partie de la plaine hongroise.
Puteaux, centre industriel des Hauts-de-Seine, sur la Seine, à l'ouest de Paris.
Putiphar, officier de la cour d'Egypte, maître de Joseph.
Puvis de Chavannes (Pierre), peintre français (1824-1898).
Puy (*Le*), anc. capit. du Velay, ch.-l. de la Haute-Loire; 28 000 h. Cathédrale romane.
Puy-de-Dôme, dép. du centre de la France; préf. *Clermont-Ferrand;* s.-préf. *Ambert, Issoire, Riom, Thiers.*
Puys (*chaîne des*), hauteurs volcaniques du Massif central.
Pydna, v. de Macédoine, où Persée fut vaincu par Paul-Emile en 168 av. J.-C.
Pygmalion, sculpteur grec, qui s'éprit de la statue de Galatée, qui était son œuvre.
Pygmées, race de Noirs de petite taille, établis en Afrique.
Pylade, ami d'Oreste.
Pyongyang, capit. de la Corée du Nord.
Pyramides, monuments de l'anc. Egypte, dont les plus célèbres sont, près de Gizèh, celles de Chéops, Chéphren et Mykérinos.
Pyrénées, chaîne de montagnes, entre la France et l'Espagne, culminant au pic d'Aneto (3 404 m).

Pyrénées (*traité des*), traité conclu entre la France et l'Espagne (1659).
Pyrénées (*Basses-*), dép. du sud-ouest de la France; préf. *Pau;* s.-préf. *Bayonne, Oloron-Sainte-Marie.*
Pyrénées (*Hautes-*), dép. du sud-ouest de la France; préf. *Tarbes;* s.-préf. *Argelès-Gazost, Bagnères-de-Bigorre.*
Pyrénées-Orientales, dép. du sud de la France; préf. *Perpignan;* s.-préf. *Céret, Prades.*
Pyrrhon, philosophe grec sceptique du IVe s. av. J.-C.
Pyrrhos II ou **Pyrrhus** (vers 318-272 av. J.-C.), roi d'Epire de 298 à 272; adversaire des Romains.
Pythagore, philosophe et mathématicien grec (vers 570-vers 496 av. J.-C.).

Q

Quatre-Cantons (*lac des*), ou *lac de Lucerne,* lac de Suisse.
Quatrefages de Bréau (Armand *de*), naturaliste et anthropologiste français, de tendance spiritualiste (1810-1892).
Québec, v. du Canada, capit. de prov., sur le Saint-Laurent; 310 000 h.
Queensland, Etat du nord-est de l'Australie; capit. *Brisbane.*
Quercy, anc. pays du sud-ouest de la France.
Quesnay (François), économiste physiocrate français (1694-1774).
Quetta, v. du Pakistan, capit. du Baloutchistan.
Quezon City, capit. des Philippines.
Quiberon, port et station balnéaire du Morbihan, dans la *presqu'île de Quiberon.*
Quichés, race indigène du Guatemala, qui a laissé des monuments témoignant d'une haute civilisation.
Quichuas, race indigène du Pérou, dont une tribu, celle des *Incas,* dominait une partie de l'Amérique du Sud, avant la conquête espagnole.
Quimper, anc. capit. du comté de Cornouaille, ch.-l. du Finistère, sur l'Odet; 50 700 h. Cathédrale (XIIIe-XVe s.).
Quimperlé, v. du Finistère. Conserves.
Quinault (Philippe), poète français (1635-1688), auteur de livrets d'opéra.
Quinet (Edgar), philosophe et historien français (1803-1875).
Quinte-Curce, historien latin (Ier s.).
Quintilien, écrivain latin (Ier s.).
Quirinal, une des sept collines de Rome.
Quito, capit. de l'Equateur; 237 000 h.

R

Rabat, capit. et port du Maroc, sur l'Atlantique; 227 000 h.
Rabelais (François), écrivain et humaniste français (vers 1494-1533), auteur de *Gargantua* et de *Pantagruel.*
Racan (*marquis de*), poète français (1589-1670), auteur de *Bergeries.*
Rachel, épouse de Jacob.
Rachel (Mlle), tragédienne française (1820-1858), interprète des classiques.
Racine (Jean), poète français (1639-1699), auteur de tragédies : *Andromaque, Britannicus, Bérénice, Bajazet, Mithridate, Iphigénie, Phèdre, Esther, Athalie,* et d'une comédie : *les Plaideurs.*
Raffet (Denis), peintre et dessinateur français (1804-1860).
Raimond, nom de sept comtes de Toulouse, dont : RAIMOND IV, comte de 1088 à 1105, un des chefs de la première croisade; — RAIMOND VI (1156-1222), comte de 1194 à 1222, protecteur des albigeois.
Raincy (*Le*), v. de la Seine-Saint-Denis.
Raismes, centre métallurgique du Nord.
Rajasthan, Etat du nord-ouest de l'Inde, capit. *Jaipur.*
Rambervillers, centre industriel des Vosges.
Rambouillet, ch.-l. d'arr. des Yvelines, à la limite d'une vaste forêt; ancien château royal (XIVe-XVIIIe s.).
Rameau (Jean-Philippe), compositeur français (1683-1764), auteur d'opéras-ballets (*les Indes galantes*).
Ramsay (*sir* William), chimiste anglais (1852-1916), qui a découvert les gaz rares.
Ramsès II, roi d'Egypte de 1298 à 1232 av. J.-C., qui combattit en Syrie.
Ramsgate, station balnéaire d'Angleterre.
Ranavalo (1862-1917), reine de Madagascar de 1883 à 1894, détrônée par les Français.
Rance, fl. côtier de l'ouest de la France (Manche); 100 km. Usine marémotrice.
Rangoon, capit. et port de la Birmanie; 737 000 h.
Raoul, duc de Bourgogne de 921 à 936, et roi de France de 923 à 936.
Raphaël, archange, qui conduisit Tobie au pays des Mèdes.
Raphaël, peintre, sculpteur et architecte de l'école romaine (1483-1520), auteur de nombreux tableaux et de fresques des *Chambres* et des *Loges* du Vatican.
Raspoutine (Grégoire), aventurier russe (1864-1916).
Rastatt ou **Rastadt,** v. d'Allemagne occidentale (Bade-Wurtemberg). Il s'y tint deux congrès : le premier (1713-1714) mit fin à la guerre de la Succession d'Espagne; le second (1797-1799) devait organiser la paix entre la France et l'Empire.
Ratisbonne, v. d'Allemagne occidentale (Bavière), sur le Danube.
Ravaillac (François), assassin d'Henri IV, mort écartelé (1578-1610).
Ravel (Maurice), compositeur français (1875-1937), auteur de ballets (*Daphnis et Chloé*), d'ouvrages lyriques (*l'Enfant et les sortilèges*), de mélodies (*Histoires naturelles*) et de nombreuses pièces pour le piano.

Ravenne, v. d'Italie (Emilie) ; monuments byzantins ornés de mosaïques.
Rawalpindi, capit. du Pakistan (Pendjab).
Rayleigh (John, *lord*), physicien anglais (1842-1919).
Raymond. V. RAIMOND.
Raz (*pointe du*), cap du Finistère.
Ré (*île de*), île de la Charente-Maritime.
Rê, dieu solaire des Egyptiens.
Réaumur (René-Antoine *de*), physicien français (1683-1757).
Rébecca, femme d'Isaac.
Récamier (Mme), femme célèbre par son esprit et sa beauté (1777-1849).
Recife, anc. **Pernambouc,** v. et port du Brésil, sur l'Atlantique; 800 000 h.
Redon, ch.-l. d'arr. d'Ille-et-Vilaine, sur la Vilaine.
Reggane, centre français d'essais spatiaux, dans le Sahara algérien.
Reggio de Calabre, v. d'Italie, sur le détroit de Messine.
Reggio d'Emilie, v. d'Italie du Nord.
Regina, capit. de la Saskatchewan (Canada).
Regnard (Jean-François), poète comique français (1655-1709), auteur du *Joueur* et du *Légataire universel.*
Régnier (Mathurin), poète satirique français (1573-1613).
Régulus, consul romain en 267 et en 256 av. J.-C.
Reichschoffen, village du Bas-Rhin; combat entre Français et Prussiens, où les cuirassiers se signalèrent par une charge mémorable (1870).
Reichstadt, village de Bohême. Napoléon II porta le titre de *duc de Reichstadt* à partir de 1814.
Reims, ch.-l. d'arr. de la Marne; 138 600 h.; cathédrale; vins de champagne.
Religion (*guerres de*), nom de huit guerres entre catholiques et protestants français, de 1562 à 1598.
Rembrandt, peintre hollandais (1606-1669), auteur des *Pèlerins d'Emmaüs,* de *la Ronde de nuit,* de la *Leçon d'anatomie.*
Remi (*saint*) [437-533], archevêque de Reims, qui baptisa Clovis.
Remiremont, centre textile des Vosges.
Remus, frère de Romulus.
Renaix, v. de Belgique.
Renan (Ernest), écrivain français (1823-1892), auteur de *l'Avenir de la science* et des *Origines du christianisme.*
Renard (Jules), écrivain français (1864-1910), auteur de *Poil de Carotte.*
Renart (*le Roman de*), groupe de poèmes écrits au XIIe et au XIIIe s.
Renaudot (Théophraste), médecin français (1586-1653), fondateur du premier journal, *la Gazette de France* (1631).
René Ier d'Anjou, dit *le Bon Roi René* (1409-1480), duc d'Anjou, de Bar et de Lorraine, comte de Provence, roi de Sicile et d'Aragon.
Rennes, anc. capit. du duché de Bretagne, ch.-l. d'Ille-et-Vilaine; 157 700 h.
Renoir (Auguste), peintre impressionniste français (1841-1919).
Restif de La Bretonne (Nicolas-Edme), écrivain français (1734-1806), auteur de romans licencieux.
Rethel, ch.-l. d'arr. et centre industriel des Ardennes, sur l'Aisne.
Rethondes, loc. de l'Oise; armistices franco-allemands de 1918 et de 1940.
Retournemer, petit lac des Vosges.
Retz ou **Rais** (Gilles *de*), maréchal de France (1404-1440), célèbre par ses crimes.
Retz (Paul DE GONDI, *cardinal de*), homme politique et écrivain français (1613-1679), un des chefs de la Fronde, auteur de *Mémoires.*
Réunion, île de l'océan Indien, à l'est de l'Afrique, dép. français; 349 300 h.; ch.-l. *Saint-Denis.*
Revel, v. de la Haute-Garonne.
Revin, centre industriel des Ardennes.
Reykjavik, cap. de l'Islande; 71 000 h.
Reynolds (Josué), peintre portraitiste anglais (1723-1792).
Réza chah Pahlavi (1878-1944), empereur d'Iran de 1925 à 1941.
Rezé, v. de la Loire-Atlantique.
Rhadamante, juge des Enfers.
Rhénanie. V. PRUSSE-RHÉNANE.
Rhénanie-du-Nord-Westphalie, Etat de l'Allemagne occidentale.
Rhénanie-Palatinat ou **Palatinat rhénan,** Etat de l'Allemagne occidentale.
Rhin, fl. de l'Europe nord-occidentale, affluent de la mer du Nord; 1 320 km.
Rhin (*Bas-*), dép. de l'est de la France; préf. *Strasbourg;* s.-préf. *Erstein, Haguenau, Molsheim, Saverne, Sélestat, Wissembourg.*
Rhin (*Haut-*), dép. de l'est de la France; préf. *Colmar;* s.-préf. *Altkirch, Guebwiller, Mulhouse, Ribeauvillé, Thann.*
Rhode Island, un des Etats unis d'Amérique (Atlantique Nord); capit. *Providence.*
Rhodes, île grecque de la mer Egée.
Rhodes (Cecil), homme d'affaires et colonisateur anglais (1853-1902).
Rhodésie, anc. *Rhodésie du Sud,* Etat de l'Afrique australe; 4 140 000 h.; capit. *Salisbury.*
Rhodope, massif montagneux de Bulgarie et de Grèce; 2 925 m.
Rhône, fl. de Suisse et de France (Méditerranée); 812 km.
Rhône, dép. du sud-est de la France; préf. *Lyon;* s.-préf. *Villefranche-sur-Saône.*
Riad. V. RIYAD.
Ribeauvillé, ch.-l. d'arr. du Haut-Rhin; vignobles.
Ribera (José), dit *l'Espagnolet,* peintre espagnol (1588-1652).
Ribérac, bourg de la Dordogne.
Ricamarie (*La*), centre houiller et métallurgique de la Loire.
Richard Ier, Cœur de Lion (1157-1199), roi d'Angleterre de 1189 à 1199; il prit part à la 3e croisade et lutta contre Philippe Auguste; — RICHARD II (1367-1400), roi d'Angleterre de 1377 à 1399; il dut abdiquer; — RICHARD III (1452-1485), roi d'Angleterre de 1483 à 1485; il fut vaincu à Bosworth par Henri VII Tudor.
Richardson (Samuel), romancier anglais (1689-1761), auteur de *Clarisse Harlowe.*
Richelieu (Armand-Jean DU PLESSIS, *duc de*), cardinal et homme d'Etat français (1585-1642). Premier ministre de Louis XIII, il lutta contre les protestants, les grands et la maison d'Autriche Il a fondé l'Académie française.

Richelieu (Armand-Emmanuel, *duc de*), homme d'Etat français (1766-1822), ministre de Louis XVIII.
Richmond, v. et centre industriel des Etats-Unis, cap. de la Virginie.
Riemann (Bernhard), mathématicien allemand (1826-1866), créateur d'une géométrie non euclidienne.
Rif, massif montagneux de la côte méditerranéenne du Maroc.
Riga, v. et port de l'U. R. S. S., capit. de la Lettonie; 605 000 h.
Rigaud (Hyacinthe), peintre portraitiste français (1659-1743).
Rijeka, en ital. *Fiume,* v. et port de Yougoslavie, sur l'Adriatique.
Rille ou **Risle,** affl. de la Seine; 150 km.
Rimbaud (Arthur), poète français (1854-1891), auteur du *Bateau ivre,* des *Illuminations* et d'*Une saison en enfer.*
Rimini, v. d'Italie (Emilie).
Rimsky-Korsakov (Nicolas), musicien russe (1844-1908), auteur de *Shéhérazade.*
Rio de Janeiro, anc. capit. du Brésil; 3 307 200 h.; port sur une baie de l'Atlantique.
Riom, ch.-l. d'arr. du Puy-de-Dôme.
Riquewihr, bourg viticole du Haut-Rhin.
Rivarol (Antoine *de*), écrivain et journaliste français (1753-1801).
Rive-de-Gier, centre houiller et métallurgique de la Loire.
Rivesaltes, bourg des Pyrénées-Orientales.
Riviera (la), littoral italien du golfe de Gênes.
Rivoli, village d'Italie, où Bonaparte vainquit les Autrichiens (1797).
Riyad ou **Riad,** capit. de l'Arabie Saoudite.
Roanne, ch.-l. d'arr. et centre industriel de la Loire, sur la Loire; 53 200 h.
Robbia (Luca *della*), sculpteur florentin (1400-1482).
Robert Ier, roi de France de 922 à 923; — ROBERT II, *le Pieux,* fils de Hugues Capet (vers 970-1031), roi de France de 996 à 1031.
Robert le Fort, comte d'Anjou, duc de France, ancêtre des Capétiens; m. en 866.
Robert Ier. V. ROLLON; — ROBERT II, *le Diable,* duc de Normandie de 1028 à 1035; — ROBERT III, *Courteheuse,* duc de Normandie de 1087 à 1105, m. en 1134.
Robert Ier Guiscard (vers 1015-1085), un des Normands qui se taillèrent des possessions en Italie du Sud.
Robert (Hubert), peintre français (1733-1808).
Roberval (Gilles *de*), physicien français (1602-1675), inventeur d'une balance.
Robespierre (Maximilien *de*), conventionnel français (1758-1794). Jacobin, il dirigea, en fait, le gouvernement révolutionnaire, à partir de décembre 1793; renversé le 9-Thermidor, il périt sur l'échafaud.
Robinson Crusoé, roman de Daniel Defoe (1719).
Rocamadour, loc. du Lot. Pèlerinage.
Rochambeau (*comte de*), maréchal de France (1725-1807), commandant des volontaires, qui portèrent secours aux colons américains.
Rochechouart, ch.-l. d'arr. de la Haute-Vienne.
Rochefort, ch.-l. d'arr. et port de la Charente-Maritime, sur la Charente.
Roche-la-Molière, centre industriel de la Loire, près de Saint-Etienne.
Rochelle (*La*), anc. capit. de l'Aunis, ch.-l. de la Charente-Maritime, port sur l'Atlantique; 68 450 h.
Rochester, v. des Etats-Unis (New York).
Roche-sur-Yon (*La*), ch.-l. de la Vendée; 31 000 h.
Rocheuses (*montagnes*), système montagneux de l'ouest de l'Amérique du Nord, culminant à 6 187 m.
Rocroi, village des Ardennes; victoire du duc d'Enghien sur les Espagnols (1643).
Rodez, anc. capit. du Rouergue, ch.-l. de l'Aveyron, sur l'Aveyron; 24 400 h.
Rodin (Auguste), sculpteur français (1840-1917), auteur du *Penseur.*
Rodolphe Ier de Habsbourg (1218-1291), roi de Germanie de 1273 à 1291, fondateur de la Maison d'Autriche.
Rœntgen (Konrad *von*), physicien allemand (1845-1923), qui découvrit les rayons X.
Rohan (Edouard, *prince de*), cardinal français (1734-1803), évêque de Strasbourg, où il avait une cour fastueuse.
Roland, comte de Bretagne, un des officiers de Charlemagne, dont la *Chanson de Roland* a immortalisé les exploits.
Rolland (Romain), écrivain français (1866-1944), auteur de *Jean-Christophe.*
Rollon, chef de pirates normands, m. en 931, premier duc de Normandie, sous le nom de *Robert Ier.*
Romagne, anc. prov. d'Italie.
Romain (Jules), architecte et peintre romain (1482-1546).
Romains (Jules), écrivain français, né en 1885, auteur des *Hommes de bonne volonté.*
Romanche, torrent des Alpes françaises, affl. du Drac; 78 km.
Romanov, dynastie russe, qui régna de 1613 à 1762 et dont le nom fut repris par la maison de Holstein, renversée en 1917.
Romans-sur-Isère, v. de la Drôme, sur l'Isère; chaussures.
Rome, capit. de l'Italie et résidence du pape, sur le Tibre; 2 279 000 h. La ville abonde en richesses artistiques.
Roméo et Juliette, drame de Shakespeare (1591 et 1597).
Romilly-sur-Seine, v. de l'Aube.
Rommel (Erwin), maréchal allemand (1891-1944), qui combattit en Afrique.
Romney (George), peintre d'histoire et portraitiste anglais (1734-1802).
Romorantin-Lanthenay, ch.-l. d'arr. de Loir-et-Cher, en Sologne.
Romulus, fondateur légendaire et premier roi de Rome.
Roncevaux, bourg d'Espagne, dans les Pyrénées. En 778, l'arrière-garde de l'armée de Charlemagne y fut écrasée par les Vascons.
Ronsard (Pierre *de*), poète français (1524-1585), auteur des *Odes,* des *Amours,* de *la Franciade,* etc.
Roosebeke, auj. **Rozebeke,** village de Belgique, où Charles VI défit les Flamands (1382).
Roosevelt (Théodore), homme d'Etat américain (1859-1919), président des Etats-

Unis de 1901 à 1909; — Son cousin FRANKLIN (1882-1945), président des Etats-Unis de 1933 jusqu'à sa mort.

Roquefort-sur-Soulzon, village de l'Aveyron; fromages.

Rosa (Salvator), peintre, poète et musicien italien (1615-1673).

Rosario, v. et port de l'Argentine.

Roscoff, port de pêche et station balnéaire du Finistère.

Rose (*mont*), sommet des Alpes suisses (Valais); 4 638 m.

Rosette, v. d'Egypte, où fut trouvée la pierre hiéroglyphique qui permit à Champollion de déchiffrer les hiéroglyphes.

Rosny-sous-Bois, v. de la Seine-Saint-Denis, à l'est de Paris.

Rossbach, village de Saxe, où Frédéric II vainquit Soubise (1757).

Rossini (Gioacchino), compositeur italien (1792-1868), auteur du *Barbier de Séville.*

Rostand (Edmond), auteur dramatique français (1868-1918), auteur de *Cyrano de Bergerac* et de *l'Aiglon.*

Rostock, port d'Allemagne orientale.

Rostov-sur-le-Don, centre industriel de l'U.R.S.S., sur le Don, près de la mer d'Azov.

Rotrou (Jean *de*), poète dramatique français (1609-1650).

Rotterdam, grand port et centre industriel des Pays-Bas. sur le Leck.

Roubaix, centre textile du Nord; 113 000 h.

Rouen, anc. capit. de la Normandie, ch.-l. de la Seine-Maritime, port et centre industriel sur la Seine; 123 500 h.; cathédrale (XIIe-XIIIe s.).

Rouergue, anc. pays du midi de la France; capit. *Rodez.*

Rouge (*mer*), mer située entre l'Arabie et l'Afrique.

Rouget de Lisle, officier français (1760-1836), auteur de *la Marseillaise.*

Roulers, v. de Belgique.

Roumanie, république de l'Europe orientale; 237 000 km^{2}; 18 927 000 h. Capit. *Bucarest.*

Rousseau (Jean-Baptiste), poète lyrique français (1671-1741).

Rousseau (Jean-Jacques), écrivain français (1712-1778), auteur de *la Nouvelle Héloïse,* du *Contrat social,* de l'*Emile* et des *Confessions.*

Rousseau (Henri), dit *le Douanier,* peintre naïf français (1844-1910).

Roussel (Albert), compositeur français (1869-1937).

Roussillon, anc. prov. du sud de la France; capit. *Perpignan.*

Roux (Emile), médecin français (1853-1933), inventeur de la sérothérapie.

Royan, station balnéaire de la Charente-Maritime, sur l'estuaire de la Gironde.

Royat, station thermale du Puy-de-Dôme.

Ruanda-Urundi, anc. territoire de l'Afrique centrale, sous la tutelle de la Belgique, auj. séparé en une rép. du *Ruanda* (capit. *Kigali*) et un royaume du *Burundi.*

Rubens (Pierre-Paul), peintre flamand (1577-1640), auteur de très nombreux tableaux (*Descente de croix; Enlèvement des filles de Leucippe, Hélène Fourment,* etc.).

Rubicon, rivière qui séparait l'Italie de la Gaule cisalpine, et que César franchit malgré la défense du sénat.

Rude (François), sculpteur français (1784-1855), auteur d'un des bas-reliefs de l'arc de l'Etoile.

Rueil-Malmaison, v. des Hauts-de-Seine, à l'ouest de Paris; 56 000 h.

Rufisque, port du Sénégal.

Ruhmkorff (Heinrich), savant français d'origine allemande (1803-1877), inventeur de la bobine d'induction.

Ruhr, riv. d'Allemagne, affl. du Rhin, qui traverse un riche bassin houiller et manufacturier; 208 km.

Rummel, fl. d'Algérie (Méditerranée), qui arrose Constantine; 250 km.

Ruskin (John), écrivain et critique d'art anglais (1819-1900).

Russie, anc. nom de l'Empire des tsars; Etat le plus important de l'U.R.S.S.; capit. *Moscou.*

Russie Blanche. V. BIÉLORUSSIE.

Rutebeuf, trouvère du XIIIe s.

Ruth, femme de Booz.

Rutherford (Ernest, *lord*), physicien anglais (1871-1937).

Ruysdaël (Jacob Isaac), peintre paysagiste hollandais (1629-1682).

Ryswick, village de Hollande, où fut signé le traité de paix entre Louis XIV et les coalisés d'Augsbourg (1697).

Ryu-kyu, archipel d'Asie orientale, entre le Japon et Formose.

S

Saale, riv. d'Allemagne; 427 km.

Saba, v. de l'Arabie ancienne.

Sabah, Etat de la Malaysia (Bornéo).

Sabine, anc. pays de l'Italie centrale.

Sables-d'Olonne (*Les*), ch.-l. d'arr., port de pêche et station balnéaire de la Vendée.

Saclay, centre atomique de l'Essonne.

Sacramento, v. des Etats-Unis, capit. de la Californie; 171 700 h.

Sacré (*mont*), colline voisine de Rome.

Sacrée (*voie*), rue de Rome, qui allait du Palatin au Capitole. — Route qui, pendant la Première Guerre mondiale, resta longtemps la seule liaison entre Verdun et les arrières.

Sade (marquis *de*), écrivain français (1740-1814), auteur de romans pervers.

Sadova, bourg de Bohême; victoire des Prussiens sur les Autrichiens (1866).

Safi, v. et port du Maroc.

Sagonte, v. de l'anc. Espagne.

Sahara, désert de l'Afrique.

Sahara espagnol, possession espagnole au sud du Maroc; ch.-l. *El-Aiun.*

Saïda, v. d'Algérie, ch.-l. de dép.

Saigon, capit. du Viêt-nam du Sud; 1 431 000 h.

Saint-Affrique, v. de l'Aveyron.
Saint-Amand-les-Eaux, centre industriel du Nord, sur la Scarpe.
Saint-Amand-Mont-Rond, ch.-l. d'arr. du Cher, sur le Cher.
Saint-Amant (Marc-Antoine *Girard de*), poète français (1594-1661).
Saint-Avold, v. de la Moselle.
Saint-Barthélemy (la), massacre des protestants sous Charles IX (1572).
Saint-Benoît-sur-Loire, bourg du Loiret; église abbatiale (XIe-XIIe s.).
Saint-Bernard (*Grand-*), col des Alpes, entre la Suisse et l'Italie. Tunnel routier.
Saint-Bernard (*Petit-*), col des Alpes françaises, au sud-ouest du Grand-Saint-Bernard.
Saint-Bertrand-de-Comminges, bourg de la Haute-Garonne; cathédrale (XIIe s.).
Saint-Brieuc, ch.-l. des Côtes-du-Nord, sur la Manche; 47 300 h.
Saint-Chamond, centre industriel de la Loire; 36 800 h.
Saint-Claude, ch.-l. d'arr. et centre industriel du Jura.
Saint-Cloud, v. des Hauts-de-Seine, au sud-ouest de Paris.
Saint-Cyr-l'Ecole, v. des Yvelines, près de Versailles.
Saint-Denis, ch.-l. d'arr. et centre industriel de la Seine-Saint-Denis; 95 100 h. Abbaye (XIe-XIIIe s.).
Saint-Denis-de-la-Réunion, ch.-l. et port de la Réunion; 65 600 h.
Saint-Dié, ch.-l. d'arr. des Vosges.
Saint-Dizier, ch.-l. d'arr. de la Haute-Marne, sur la Marne; 36 400 h.
Saint-Domingue, capit. de la république Dominicaine; 478 000 h.
Sainte-Adresse, station balnéaire de la Seine-Maritime, près du Havre.
Sainte-Beuve (Charles-Augustin), écrivain et critique français (1804-1869).
Sainte-Claire Deville (Henri), chimiste français (1818-1881).
Sainte-Hélène, île et colonie britannique d'Afrique, où Napoléon Ier fut interné.
Sainte-Marie-aux-Mines, v. du Haut-Rhin.
Sainte-Maxime, station balnéaire du Var.
Sainte-Menehould, ch.-l. d'arr. de la Marne, sur l'Aisne.
Saint-Emilion, bourg viticole de la Gironde.
Saintes, ch.-l. d'arr. de la Charente-Maritime; monuments romains.
Saintes-Maries-de-la-Mer (*Les*), bourg des Bouches-du-Rhône, en Camargue.
Saint-Etienne, ch.-l. de la Loire, centre houiller, métallurgique et textile; 203 600 h.
Saint-Evremond (Charles *de*), écrivain français (vers 1615-1703).
Saint-Exupéry (Antoine *de*), aviateur et écrivain français (1900-1944), auteur de *Vol de nuit, Terre des hommes*.
Saint-Flour, ch.-l. d'arr. du Cantal.
Saint-Gall, v. de Suisse, ch.-l. de canton.
Saint-Gaudens, ch.-l. d'arr. de la Haute-Garonne, sur la Garonne.
Saint-Germain-en-Laye, ch.-l. d'arr. des Yvelines, près de la Seine; forêt; château (XVIe s.).
Saint-Gervais-les-Bains, station thermale et de sports d'hiver de la Haute-Savoie.
Saint-Gilles, faubourg de Bruxelles.
Saint-Gilles-sur-Vie, port et station balnéaire de la Vendée.
Saint-Girons, ch.-l. d'arr. de l'Ariège.
Saint-Gobain, centre industriel de l'Aisne; glaces et produits chimiques.
Saint-Gothard, massif des Alpes, traversé par un tunnel ferroviaire.
Saint-Jacques-de-Compostelle, v. d'Espagne, en Galice. Pèlerinage.
Saint-Jean-d'Angély, ch.-l. d'arr. de la Charente-Maritime.
Saint-Jean-de-Luz, station balnéaire et port de pêche des Basses-Pyrénées.
Saint-Jean-de-Maurienne, ch.-l. d'arr. et centre industriel de la Savoie.
Saint-Julien-en-Genevois, ch.-l. d'arr. de Haute-Savoie.
Saint-Just (Louis *de*), conventionnel français (1767-1794), ami de Robespierre.
Saint-Laurent, fl. de l'Amérique du Nord (Atlantique); 3 800 km.
Saint-Léonard-de-Noblat, centre industriel de la Haute-Vienne.
Saint-Lô, ch.-l. de la Manche; 16 100 h.
Saint Louis, v. et centre industriel des Etats-Unis (Missouri), sur le Mississippi.
Saint-Louis, v. du Sénégal.
Saint-Maixent-l'Ecole, v. des Deux-Sèvres; école militaire.
Saint-Malo, ch.-l. d'arr. et port d'Ille-et-Vilaine, sur l'estuaire de la Rance.
Saint-Mandé, v. du Val-de-Marne.
Saint-Marcet, bourg de Haute-Garonne; gaz naturel.
Saint-Marin, république enclavée dans l'Italie; 61 km^2; 14 000 h. Capit. *Saint-Marin*.
Saint-Maur-des-Fossés, v. du Val-de-Marne au sud-est de Paris; 70 700 h.
Saint-Mihiel, v. de la Meuse.
Saint-Moritz, station d'altitude et de sports d'hiver de la Suisse.
Saint-Nazaire, ch.-l. d'arr., port et centre industriel de la Loire-Atlantique, sur l'estuaire de la Loire; 59 200 h.
Saint-Nectaire, station thermale du Puy-de-Dôme; fromages; église romane.
Saint-Nicolas, v. de Belgique.
Saint-Nicolas-de-Port, v. de pèlerinage de Meurthe-et-Moselle.
Saint-Omer, ch.-l. d'arr. du Pas-de-Calais; cathédrale (XIIIe-XVIe s.).
Saintonge, anc. prov. du sud-ouest de la France; capit. *Saintes*.
Saint-Ouen, centre industriel de la Seine-Saint-Denis, au nord de Paris.
Saint Paul, v. des Etats-Unis; capit. du Minnesota, sur le Mississippi.
Saint-Pierre, v. de la Martinique, qui fut détruite en 1902 par l'éruption de la montagne Pelée.
Saint-Pierre (Eustache *de*), bourgeois de Calais, qui se dévoua lors de la prise de cette ville par Edouard III (1347).
Saint-Pierre de Rome (*église*), église voisine du palais du Vatican, construite à partir de 1450.
Saint-Pierre-des-Corps, centre ferroviaire d'Indre-et-Loire, près de Tours.
Saint-Pierre-et-Miquelon, archipel français, près de Terre-Neuve; 240 km^2; 5 100 h.
Saint-Pol-de-Léon, v. du Finistère: cathédrale (XIIIe-XVe s.).

Saint-Pol-sur-Mer, v. du Nord.
Saint-Quay-Portrieux, station balnéaire des Côtes-du-Nord.
Saint-Quentin, ch.-l. d'arr. de l'Aisne, sur la Somme; 62 600 h.
Saint-Quentin (*canal de*), canal entre les bassins de la Somme, de la Seine et de l'Escaut.
Saint-Raphaël, station balnéaire du Var.
Saint-Rémy, v. des Bouches-du-Rhône; monuments romains.
Saint-Saëns, compositeur français (1835-1921), auteur de *Samson et Dalila.*
Saint-Sébastien, v., port et station balnéaire de l'Espagne, ch.-l. du Guipuzcoa.
Saint-Sépulcre, édifice construit à Jérusalem au IVe s. et renfermant le tombeau du Christ.
Saint-Servan-sur-Mer, port et station balnéaire d'Ille-et-Vilaine.
Saint-Siège (*Etats du*), domaine temporel du pape en Italie.
Saint-Simon (Louis DE ROUVROY, *duc de*), écrivain français (1675-1755), auteur de *Mémoires.*
Saint-Simon (Claude-Henri, *comte de*), socialiste français (1760-1825).
Saint-Trond, v. de Belgique.
Saint-Tropez, port et station balnéaire du Var, sur la Méditerranée.
Saint-Vaast-la-Hougue, station balnéaire de la Manche.
Saint-Valery-en-Caux, port et station balnéaire de la Seine-Maritime.
Saint-Valery-sur-Somme, port et station balnéaire de la Somme, sur la Somme.
Saint-Vallier, centre houiller et métallurgique de la Saône-et-Loire.
Saint-Yrieix-la-Perche, bourg de la Haute-Vienne; kaolin.
Sakhaline, île entre les mers d'Okhotsk et du Japon (U.R.S.S.).
Saladin (1137-1193), sultan d'Egypte, adversaire des croisés.
Salamanque, v. d'Espagne (Léon) ; cathédrale (XVIe-XVIIIe s.).
Salamine, île de la côte ouest de l'Attique. Victoire de Thémistocle, sur la flotte des Perses (480 av. J.-C.).
Salat, affl. de la Garonne; 75 km.
Salazar (Antonio DE OLIVEIRA), homme d'Etat portugais, né en 1889, qui a fait de son pays un Etat corporatif.
Salé (*Grand Lac*), lac des Etats-Unis.
Salem, v. de l'Inde (Madras).
Salerne, v. d'Italie (Campanie).
Salford, v. d'Angleterre.
Saliens, tribus de Francs.
Salies-de-Béarn, station thermale des Basses-Pyrénées.
Salisbury, v. d'Angleterre; cathédrale (XIIe-XIIIe s.).
Salisbury, capit. de la Rhodésie.
Salluste, historien latin (86-35 av. J.-C.).
Salomé, princesse juive, qui fit décapiter saint Jean-Baptiste.
Salomon (*îles*), archipel de la Mélanésie.
Salomon (vers 973-930 av. J.-C.), roi d'Israël; il éleva le temple de Jérusalem et fut l'auteur de trois livres de l'ancien Testament.
Salon-de-Provence, v. des Bouches-du-Rhône; école de l'air.
Salonique ou **Thessalonique,** port de Grèce, sur le *golfe de Salonique.*
Salouen, fl. entre la Birmanie et la Thaïlande (océan Indien) ; 2 500 km.
Salt Lake City, v. des Etats-Unis, capit. de l'Utah ; communauté de mormons.
Salvador (*El*), république de l'Amérique centrale; 21 393 km²; 2 824 000 h. Capit. *San Salvador.*
Salvador, v. du Brésil (Bahia).
Salzbourg, v. d'Autriche, dans les Alpes.
Samarang, port d'Indonésie (Java).
Samarie, anc. v. de Palestine; capit. du royaume d'Israël.
Samarkand ou **Samarcande,** v. de l'U.R.S.S. (Ouzbékistan).
Sambre, riv. de France et de Belgique, affl. de la Meuse; 190 km.
Samnium, contrée de l'anc. Italie, entre la Campanie et l'Apulie.
Samoa, archipel de la Polynésie.
Samoa occidentales, partie des Samoa, Etat du Commonwealth; 116 000 h. Capit. *Apia.*
Samos, île grecque de la mer Egée.
Samothrace, île grecque de la mer Egée, où fut découverte une statue célèbre.
Samson, juge des Hébreux, célèbre par sa force, qui lutta contre les Philistins.
Samuel, juge d'Israël.
San Antonio, v. et centre industriel des Etats-Unis (Texas).
Sancho Pança, écuyer de don Quichotte.
Sancy (*puy de*), sommet de l'Auvergne, dans les monts Dore; 1 886 m.
Sand (George), romancière française (1804-1876), auteur de *la Mare au diable* et de *François le Champi.*
San Diego, v. et port des Etats-Unis (Californie), sur la *baie de San Diego.*
Sandwich. V. HAWAII.
San Francisco, v., port et centre industriel des Etats-Unis (Californie).
Sanguinaires (*îles*), groupe d'îles à l'ouest de la Corse.
San José, capit. de Costa Rica; 133 000 h.
San Juan, capit. de Porto Rico; 432 000 h.
San Luis Potosi, v. du Mexique.
San Martin (Juan José), général et homme politique argentin (1778-1850), libérateur du Chili et du Pérou.
San Remo, station balnéaire d'Italie, sur la Méditerranée.
San Salvador, capit. du Salvador; 325 000 h.
Santa Cruz, port de l'île de Ténériffe (Canaries) ; 124 000 h.
Santa Fe, v. d'Argentine; 219 000 h.
Santander, port et centre industriel d'Espagne, sur l'Atlantique.
Santiago, v. d'Espagne. V. SAINT-JACQUES-DE-COMPOSTELLE.
Santiago, capit. du Chili; 1 348 000 h.
Santorin, une des Cyclades.
Santos, port du Brésil.
Saône, riv. de l'est de la France, affl. du Rhône, à Lyon; 480 km.
Saône (*Haute-*), dép. de l'est de la France; préf. *Vesoul;* s.-préf. *Lure.*
Saône-et-Loire, dép. de l'est de la France; préf. *Mâcon;* s.-préf. *Autun, Chalon-sur-Saône, Charolles, Louhans.*
São Paulo, v. du Brésil; 3 825 000 h.
Saoud ou **Séoud** (Ibn) [1887-1953], fondateur de l'Arabie Saoudite (1932).

Sapho ou **Sappho,** poétesse grecque du début du VIe s. av. J.-C.
Sapporo, v. du Japon (Hokkaïdo).
Sara ou **Sarah,** épouse d'Abraham.
Saragosse, v. d'Espagne, anc. capit. du royaume d'Aragon; cathédrale (XVe-XVIe s.).
Saraïevo ou **Sarajevo,** v. de Yougoslavie; capit. de la Bosnie-et-Herzégovine. Le meurtre, dans cette ville, de l'archiduc François-Ferdinand et de sa femme fut le prétexte de la Première Guerre mondiale.
Saratoga Springs, v. des Etats-Unis, où capitula le général anglais Burgoyne (1777).
Saratov, centre industriel de l'U.R.S.S., sur la Volga.
Sarawak, sultanat du nord-ouest de Bornéo, membre de la Malaysia.
Sarcelles, v. du Val-d'Oise.
Sardaigne, île italienne, au sud de la Corse; v. pr. *Cagliari.*
Sardanapale, personnage légendaire d'Assyrie, type du débauché.
Sardes, anc. v. de Lydie.
Sargon II, roi d'Assyrie de 721 à 705 av. J.-C., qui détruisit le royaume d'Israël.
Sarlat-La-Canéda, ch.-l. d'arr. de la Dordogne; cathédrale (XIIe-XVe s.).
Sarrasins, nom donné, au Moyen Age, aux Arabes qui envahirent l'Europe et l'Afrique.
Sarre, riv. de l'Europe nord-occidentale, qui traverse un bassin houiller et se jette dans la Moselle; 240 km. — L'anc. *territoire de la Sarre,* aujourd'hui allemand, a 2 567 km² et 1 091 000 h. Capit. *Sarrebruck.*
Sarrebourg, ch.-l. d'arr. de la Moselle.
Sarrebruck, capit. et centre industriel de la Sarre; 129 000 h.
Sarreguemines, ch.-l. d'arr. et centre industriel de Moselle.
Sartène, ch.-l. d'arr. de Corse.
Sarthe, riv. de France, qui se joint à la Mayenne pour former la Maine; 285 km.
Sarthe, dép. de l'ouest de la France; préf. *Le Mans;* s.-préf. *La Flèche, Mamers.*
Sasebo, v. du Japon (Kyu-shu).
Saskatchewan, prov. du centre du Canada.
Satan, le chef des démons.
Satledj. V. SUTLEJ.
Saturne, dieu latin, père de Jupiter, de Neptune, de Pluton et de Junon.
Saturne, planète du système solaire.
Saül, premier roi des Hébreux (XIe s. av. J.-C.), qui fut remplacé par David.
Saumur, ch.-l. d'arr. de Maine-et-Loire, sur la Loire; école militaire. Vins.
Sauternes, bourg viticole de la Gironde.
Save, riv. de Yougoslavie, affl. du Danube; 712 km.
Save, affl. de la Garonne; 150 km.
Saverne, ch.-l. d'arr. du Bas-Rhin.
Savigny-sur-Orge, v. de l'Essonne, au sud de Paris.
Savoie, région alpestre du sud-est de la France; capit. *Chambéry.*
Savoie, dép. du sud-est de la France (Alpes); préf. *Chambéry;* s.-préf. *Albertville, Saint-Jean-de-Maurienne.*
Savoie (*Haute-*), dép. du sud-est de la France (Alpes); préf. *Annecy;* s.-préf. *Bonneville, Saint-Julien, Thonon.*
Savonarole (Jérôme), dominicain florentin (1452-1498), brûlé vif pour hérésie.
Saxe, région de l'Allemagne orientale; capit. *Dresde.*
Saxe (Maurice, *comte de*), maréchal de France (1696-1750), l'un des grands capitaines de son temps, vainqueur à Fontenoy.
Saxe (*Basse-*), région d'Allemagne du Nord; capit. *Hanovre.*
Saxe-Anhalt, pays d'Allemagne orientale.
Saxons, peuples germaniques, qui luttèrent contre Charlemagne de 772 à 803.
Scaër, bourg du Finistère.
Scaliger (Jules-César), philologue italien (1484-1558).
Scamandre, fl. de l'anc. Troade.
Scandinavie, presqu'île de l'Europe septentrionale, qui comprend les deux royaumes de Suède et de Norvège. On range également le Danemark dans la Scandinavie.
Scaramouche, acteur de l'anc. comédie italienne, m. en 1694.
Scarlatti (Alessandro), compositeur italien (1660-1725), créateur de l'ouverture italienne; — Son fils, DOMENICO, compositeur également (1685-1757), un des maîtres de la sonate pour clavecin.
Scarpe, riv. du nord de la France, affl. de l'Escaut; 100 km.
Scarron (Paul), écrivain français (1610-1660), auteur du *Roman comique.*
Sceaux, ch.-l. d'arr. des Hauts-de-Seine.
Scève (Maurice), poète français de l'école lyonnaise (XVIe s.).
Schaerbeek, faubourg de Bruxelles.
Schaffhouse, centre industriel de Suisse, ch.-l. de canton; 31 500 h.
Scharnhorst (Gerhard *von*), général prussien (1755-1813), réorganisateur de l'armée prussienne.
Schelling (Friedrich Wilhelm Joseph), philosophe idéaliste allemand (1775-1854).
Schiedam, v. des Pays-Bas.
Schiller (Friedrich), écrivain allemand (1759-1805), auteur de drames historiques et de poésies lyriques.
Schiltigheim, v. du Bas-Rhin.
Schlegel (Wilhelm *von*), écrivain et critique allemand (1767-1845).
Schleswig-Holstein, pays du nord-ouest de l'Allemagne; capit. *Kiel.*
Schopenhauer (Arthur), philosophe allemand (1788-1860).
Schubert (Franz), compositeur allemand (1797-1828), auteur de symphonies, de lieder et de pages pour le piano.
Schumann (Robert), compositeur allemand (1810-1856), un des maîtres de la mélodie et de la musique de piano.
Schwarzenberg (Charles-Philippe, *prince de*), général autrichien (1771-1820), adversaire de Napoléon Ier.
Schwyz, v. de Suisse, ch.-l. de canton; 11 000 h.
Scipion l'Africain (235-183 av. J.-C.), vainqueur d'Annibal à Zama; — SCIPION *Emilien* (185-129 av. J.-C.), destructeur de Carthage.
Scott (Walter), écrivain écossais (1771-1832), auteur de romans historiques.
Scott (Robert Falcon), explorateur anglais (1868-1912), qui atteignit le pôle Sud.
Scudéry (Madeleine *de*), écrivain français (1607-1701), auteur de romans.
Scutari ou **Uskudar,** v. de la Turquie d'Asie, sur le Bosphore.

Scyros. V. SKYROS.
Scythes, anc. peuples barbares du nord-est de l'Europe et du nord-ouest de l'Asie.
Seattle, port et centre industriel des Etats-Unis (Washington).
Sébastien (*saint*), martyr en 288.
Sébastopol, port de l'U.R.S.S., en Crimée; siège en 1855.
Sécession (*guerre de*), guerre qui opposa, aux Etats-Unis, le Nord et le Sud, à propos de la suppression de l'esclavage (1860-1865).
Seclin, centre industriel du Nord.
Sedaine (Michel-Jean), auteur dramatique français (1719-1797), auteur du *Philosophe sans le savoir.*
Sedan, ch.-l. d'arr. des Ardennes, sur la Meuse. Napoléon III y capitula en 1870.
Seeland ou Sjaelland, île du Danemark.
Ségeste, anc. v. de Sicile.
Ségovie, v. d'Espagne (Castille) ; aqueduc romain, cathédrale (XVIe s.).
Segré, ch.-l. d'arr. de Maine-et-Loire.
Séguier (Pierre) [1588-1672], chancelier de France, sous Louis XIII et Louis XIV.
Seguin (Marc), ingénieur français (1786-1875), inventeur de la chaudière tubulaire et des ponts suspendus.
Seille, riv. de l'est de la France, affl. de la Moselle; 128 km. — Riv. de l'est de la France, affl. de la Saône; 110 km.
Sein (*île de*), île du Finistère.
Seine, fl. de France (Manche) ; 776 km.
Seine, dép. du Bassin parisien, correspondant à la ville de Paris.
Seine-et-Marne, dép. du Bassin parisien; préf. *Melun;* s.-préf. *Meaux, Provins.*
Seine-et-Oise, anc. dép. du Bassin parisien; préf. *Versailles.*
Seine-Maritime, dép. de la Normandie; préf. *Rouen;* s.-préf. *Dieppe, Le Havre.*
Seine-Saint-Denis, dép. de la région parisienne; préf. *Bobigny.*
Sélestat, ch.-l. d'arr. du Bas-Rhin.
Séleucie, anc. v. d'Asie, sur le Tigre, capit. de la dynastie des Séleucides.
Sem, fils de Noé.
Semarang, v. d'Indonésie (Java).
Sémiramis, reine légendaire d'Assyrie.
Semois ou **Semoy,** riv. de Belgique, affl. de la Meuse; 200 km.
Sendaï, v. et centre industriel du Japon.
Sénégal, fl. de l'Afrique occidentale (Atlantique) ; 1 700 km.
Sénégal, république d'Afrique occidentale; 3 360 000 h.; capit. *Dakar.*
Sénèque, philosophe latin (vers 2-vers 65), précepteur de Néron.
Senlis, ch.-l. d'arr. de l'Oise; église (XIIe-XIIIe s.).
Senne, riv. de Belgique, qui arrose Bruxelles et se jette dans la Dyle; 103 km.
Sens, ch.-l. d'arr. de l'Yonne; cathédrale (XIIe-XVIe s.).
Séoul, capit. de la Corée du Sud; 2 445 000 h.
Sept Ans (*guerre de*), conflit qui opposa Louis XV et Marie-Thérèse d'Autriche à Frédéric II de Prusse et à l'Angleterre (1756-1763).
Septime Sévère, empereur romain de 193 à 211.
Seraing, v. de Belgique (Liège).
Serbie, république fédérée de Yougoslavie; capit. *Belgrade.*
Serein, riv. de France, affl. de l'Yonne; 186 km.
Serre-Ponçon, barrage sur la Durance.
Serres (Olivier *de*), agronome français (1539-1619), auteur du *Théâtre d'agriculture et mesnage des champs.*
Servandoni (Giovanni Nicolo) architecte et peintre florentin (1695-1766).
Servet (Michel), médecin et théologien aragonais (1511-1553), brûlé vif à Genève à l'instigation de Calvin.
Sète, port et centre industriel de l'Hérault.
Seth, troisième fils d'Adam et d'Eve.
Sétif, ch.-l. de dép. d'Algérie.
Severn, fl. d'Angleterre (canal de Bristol) ; 286 km.
Sévigné (Marie DE RABUTIN CHANTAL, *marquise de*), femme de lettres française (1626-1696), auteur de *Lettres.*
Séville, v. d'Espagne, anc. capit. de l'Andalousie; cathédrale hispano-mauresque.
Sèvre Nantaise, riv. de l'ouest de la France; affl. de la Loire; 126 km.
Sèvre Niortaise, fl. de l'ouest de la France; 150 km.
Sèvres, v. des Hauts-de-Seine, au sud-ouest de Paris; manufacture de porcelaines.
Sèvres (*Deux-*), dép. de l'ouest de la France; préf. *Niort;* s.-préf. *Bressuire, Parthenay.*
Seychelles, îles anglaises de l'océan Indien.
Seyne-sur-Mer (*La*), centre industriel du Var, sur la rade de Toulon.
Sézanne, v. de la Marne.
Sfax, v. et port de Tunisie.
Sforza, famille ducale de Milan, dont fut membre LUDOVIC *le More* (1452-1508).
Shakespeare (William), poète dramatique anglais (1564-1616), auteur de drames (*Roméo et Juliette, Hamlet, Othello, Macbeth, le Roi Lear, Antoine et Cléopâtre*), de comédies (*la Mégère apprivoisée*) et de féeries (*le Songe d'une nuit d'été*).
Shaw (George *Bernard*), écrivain irlandais (1856-1950).
Sheffield, centre houiller et métallurgique d'Angleterre (Yorkshire).
Shelley (Percy Bysshe), poète lyrique anglais (1792-1822).
Sheridan (Richard), auteur dramatique anglais (1751-1816).
Shetland, archipel au nord de l'Ecosse.
Shikoku, une des îles du Japon.
Shimonoseki, v. et port du Japon (Honshu).
Shizuoka, v. et port du Japon (Honshu).
Sholapur, v. de l'Inde (Maharashtra).
Siam. V. THAÏLANDE.
Siam (*golfe de*), golfe de la mer de Chine, entre les presqu'îles d'Indochine et de Malacca.
Siang-tan, v. et centre industriel de Chine (Hou-nan), sur le Siang-kiang.
Sibérie, vaste région de l'Asie septentrionale (U. R. S. S.).
Sicié (*cap*), promontoire du Var.
Sicile, île italienne de la Méditerranée; capit. *Palerme.*
Sidi-bel-Abbès, ch.-l. d'arr. d'Algérie (Oran), sur le Sig.
Sidi-Brahim, combat soutenu en Algérie par une poignée de Français, contre les troupes d'Abd el-Kader (1845).
Sidobre, plateau du Massif central.

Sidoine Apollinaire, poète latin, évêque de Clermont-Ferrand (430-vers 472).
Sidon, auj. **Sayda,** v. et port de Phénicie.
Siemens (*sir* William), ingénieur métallurgiste allemand, naturalisé anglais (1823-1883).
Sienkiewicz (Enryk), romancier polonais (1846-1916), auteur de *Quo vadis?*
Sierra Leone, Etat de l'Afrique occidentale, membre du Commonwealth, entre la Guinée et le Libéria ; 2 500 000 h.; capit. *Freetown.*
Sieyès (Emmanuel-Joseph, *abbé*), homme politique français (1748-1836).
Sig, riv. d'Algérie, affl. de la Macta; 220 km.
Sigebert, nom de trois rois d'Austrasie.
Sigismond, nom de trois rois de Pologne (XVIe-XVIIe s.).
Si-kiang, fl. de Chine (golfe de Canton) ; 2 100 km.
Sikkim, Etat de l'Himalaya; capit. *Gangtok.*
Silène, dieu phrygien des Bois.
Silésie, région industrielle de la Pologne, traversée par l'Oder.
Siméon, vieillard juif, qui vit Jésus au Temple, lors de la présentation.
Siméon Ier, tsar de Bulgarie de 893 à 927, fondateur de l'empire bulgare.
Simon (*saint*), un des douze apôtres.
Simon le Magicien, sectaire juif, qui voulait acheter de saint Pierre le don de faire des miracles (*simonie*).
Simplon, passage des Alpes suisses, entre le Valais et le Piémont, traversé par une route et un tunnel.
Sinaï, péninsule montagneuse d'Arabie.
Sind, région du Pakistan occidental.
Si-ngan, centre industriel de Chine.
Singapour, île située à l'extrémité de la péninsule de Malacca, anc. colonie britannique; 1 820 000 h. Etat membre du Commonwealth.
Sin-kiang, région de Chine occidentale.
Sion, colline de Jérusalem.
Sion, v. de Suisse, ch.-l. du Valais; 16 400 h.
Sioux, Indiens d'Amérique du Nord.
Sisley (Alfred), peintre impressionniste français (1839-1899).
Sismondi (Léonard *de*), historien et économiste suisse (1773-1842).
Sisyphe, roi de Corinthe, condamné à rouler un rocher au sommet d'une montagne, d'où il retombe sans cesse.
Sixte, nom de cinq papes, dont : SIXTE IV (*saint*) [1414-1484], pape de 1471 à 1484, qui fit construire la chapelle Sixtine ; — SIXTE V ou SIXTE QUINT (1520-1590), pape de 1585 à 1590, qui réforma les ordres religieux et intervint dans les guerres de Religion.
Skagerrak, détroit qui unit la mer du Nord et le Cattégat.
Skopjé, en turc **Uskub,** v. de Yougoslavie, capit. de la Macédoine.
Skyros, île grecque de la mer Egée.
Slesvig, anc. prov. du Danemark, dont une partie a formé, avec le Holstein, le pays allemand de *Schleswig-Holstein.*
Slovaquie, pays de Tchécoslovaquie.
Slovénie, république fédérée de la Yougoslavie; capit. *Ljubljana.*
Sluter (Claus), sculpteur bourguignon (fin XIVe-début XVe s.).
Smith (Adam), économiste écossais (1723-1790), partisan du libre-échange.
Smolensk, v. et centre industriel de l'U. R. S. S., sur le Dniepr.
Smyrne. V. IZMIR.
Snyders (François), peintre flamand (1579-1657), auteur de tableaux de chasse.
Sochaux, centre industriel du Doubs.
Société (*îles de la*). V. TAHITI.
Société des Nations (*S. D. N.*), organisme international créé après le traité de Versailles (1920-1946).
Socrate, philosophe grec (470-399 av. J.-C.), maître de Platon ; il fut condamné à boire la ciguë.
Sodome, anc. v. de Palestine, détruite avec Gomorrhe.
Sofia, capit. de la Bulgarie; 725 000 h.
Sogdiane, anc. contrée d'Asie.
Soissons, ch.-l. d'arr. de l'Aisne, sur l'Aisne; cathédrale (XIIIe s.).
Solesmes, centre industriel du Nord. — Bourg de la Sarthe; abbaye bénédictine.
Soleure, v. de Suisse; ch.-l. de canton.
Solferino, village du nord de l'Italie; victoire des Français sur les Autrichiens (1859).
Soliman II, le Magnifique (1495-1566), sultan turc de 1520 à 1566, allié de François Ier, contre Charles Quint.
Solingen, centre industriel d'Allemagne occidentale.
Sologne, région au sud de la Loire.
Solon, législateur d'Athènes (640-558 av. J.-C.), qui établit la constitution.
Solvay (Ernest), chimiste et philanthrope belge (1838-1922).
Somalie (*république de*), Etat de l'Afrique du Nord-Est, formé des anciennes Somalies britannique et italienne; 637 000 km^2; 2 030 000 h. ; capit. *Mogadishu.*
Somalis (*Côte française des*), territoire français d'Afrique orientale; 22 000 km^2; 81 000 h. ; capit. *Djibouti.*
Somme, fl. du nord-ouest de la France (Manche) ; 245 km.
Somme, dép. du nord-ouest de la France; préf. *Amiens;* s.-préf. *Abbeville, Montdidier, Péronne.*
Sonde (*archipel de la*), îles de l'Insulinde, dont font partie Java et Sumatra.
Song-koï ou **fleuve Rouge,** fl. de l'Indochine (golfe du Tonkin) ; 1 200 km.
Sophocle, poète tragique grec (495-405 av. J.-C.), auteur d'*Antigone, Electre, Œdipe roi, Ajax, Philoctète,* etc.
Sorel (Agnès), dame française (1422-1450), favorite de Charles VII.
Sotteville-lès-Rouen, centre industriel de la Seine-Maritime, près de Rouen.
Souabe, contrée de l'Allemagne.
Souaziland. V. SWAZILAND.
Soubise (*prince de*), maréchal de France (1715-1787), vaincu à Rossbach.
Soudan, Etat d'Afrique; 13 180 000 h.; capit. *Khartoum.*
Soudan français, anc. territoire correspondant au Mali.
Soufflot (Germain), architecte français (1713-1780), constructeur du Panthéon.
Soult (Nicolas), maréchal d'Empire (1769-1851), ministre sous Louis-Philippe.
Soungari, riv. de Mandchourie, affl. de l'Amour; 1 350 km.

Sous-le-Vent (*îles*), archipel des Antilles britanniques. — Archipel français de l'Océanie, au nord de Tahiti.
Sousse, v. et port de Tunisie.
Sou-tcheou, v. et port de Chine.
Southampton, v. et port d'Angleterre.
Souvorov (Alexandre), général russe (1729-1800), adversaire des Français en Italie.
Spa, station thermale de Belgique.
Spartacus, chef des esclaves révoltés contre Rome, tué en 71 av. J.-C.
Sparte ou **Lacédémone,** anc. v. de Grèce; cap. de la Laconie.
Spencer (Herbert), philosophe évolutionniste anglais (1820-1903).
Spezia (*La*), port d'Italie (Ligurie).
Spinoza (Baruch), philosophe rationaliste hollandais (1632-1677).
Spire, v. d'Allemagne occidentale, sur le Rhin; cathédrale romane.
Spitzberg. V. SVALBARD.
Split, en ital. *Spalato,* v. et port de Yougoslavie, sur l'Adriatique.
Sporades (*îles*), îles de la mer Egée.
Sprée, riv. d'Allemagne, affl. de la Havel; 315 km. Elle passe à Berlin.
Springfield, v. et centre industriel des Etats-Unis (Massachusetts).
Srinagar, capit. du Cachemire.
Sseu-tch'ouan, prov. de Chine.
Staël (Germaine NECKER, *baronne de*), écrivain français (1766-1817), auteur de romans et du livre *De l'Allemagne.*
Staline (Joseph), homme d'Etat et maréchal soviétique (1879-1953), successeur de Lénine en 1924.
Stalingrad, auj. **Volgograd,** centre industriel de l'U.R.S.S., sur la Volga. Elle résista victorieusement aux Allemands en 1942-1943.
Stalino. V. DONETSK.
Stalinsk. V. NOVO-KOUZNETSK.
Stamboul, en turc **Istanbul,** autr. *Constantinople,* v. de Turquie, sur le Bosphore.
Stanislas Ier Leczinski (1677-1766), roi de Pologne en 1704, souverain des duchés de Bar et de Lorraine.
Stanley (Henry MORTON), explorateur anglais de l'Afrique (1841-1904).
Stanley Pool, lac du fleuve Congo.
Stanleyville, v. du Congo, sur le Congo.
Steinkerque, auj. **Steenkerque,** village de Belgique (Hainaut), où le maréchal de Luxembourg battit Guillaume III (1692).
Stendhal (Henri BEYLE, dit), romancier français (1783-1842), auteur de : *le Rouge et le Noir, la Chartreuse de Parme.*
Stentor, héros de la guerre de Troie, doué d'une voix formidable.
Stephenson (George), mécanicien anglais (1781-1848), inventeur des locomotives.
Stern (Laurence), écrivain irlandais (1713-1768), auteur de *Tristram Shandy.*
Stettin. V. SZCZECIN.
Stevenson (Robert Louis BALFOUR), romancier anglais (1850-1894), auteur de *l'Ile au trésor.*
Stockholm, capit. de la Suède, sur le lac Mälar et la Baltique; 808 000 h.
Stoke-on-Trent, v. et centre industriel d'Angleterre (Stafford).
Stradivarius (Antoine), luthier de Crémone (1643-1737).
Straits Settlements ou **Etablissements du Détroit,** anc. colonie anglaise de la péninsule de Malaisie.
Stralsund, port d'Allemagne, sur la Baltique. Charles XII y soutint un siège contre les Russes et leurs alliés (1713-1715).
Strasbourg, capit. de l'Alsace, ch.-l. du Bas-Rhin, sur l'Ill et près du Rhin; port fluvial et centre industriel; 233 000 h. Cathédrale (XIIe-XIIIe s.).
Stratford on Avon, v. d'Angleterre (Warwick), patrie de Shakespeare.
Strauss (Johann), compositeur autrichien (1825-1899), auteur de valses.
Strauss (Richard), compositeur allemand (1864-1949), auteur de poèmes symphoniques (*Don Juan*) et d'opéras.
Stravinsky (Igor), compositeur russe, naturalisé américain, né en 1882, auteur de musique de ballets.
Stresa, centre touristique d'Italie, sur le lac Majeur.
Stresemann (Gustav), homme d'Etat allemand (1878-1929).
Strindberg (August), écrivain suédois (1849-1912), auteur de romans et de drames (*la Danse de mort*).
Stromboli, île volcanique du groupe des Eoliennes (mer Tyrrhénienne).
Strozzi, famille florentine, adversaire des Médicis (XVe-XVIe s.).
Stuart, famille qui a régné sur l'Ecosse, de 1370 à 1714, et sur l'Angleterre, de 1603 à 1714.
Stuttgart, centre industriel d'Allemagne occidentale, capit. du Bade-Wurtemberg; cathédrale (XIIIe-XVe s.).
Styrie, pays d'Autriche.
Styx, fl. des Enfers.
Subiaco, bourg d'Italie (prov. de Rome) où fut fondé l'ordre des Bénédictins.
Subotica, v. et centre industriel de Yougoslavie (Voïvodine).
Succession d'Autriche (*guerre de la*), guerre provoquée par les prétentions des divers princes à l'héritage de Charles VI, empereur germanique, roi de Hongrie et de Bohême, maître des Etats héréditaires de la maison d'Autriche. La France prit, comme la Prusse, le parti de l'Electeur de Bavière contre Marie-Thérèse, alliée de l'Angleterre (1740-1748).
Succession d'Espagne (*guerre de la*), guerre provoquée par la compétition au trône d'Espagne (1701-1713). Louis XIV, qui soutenait son petit-fils Philippe V, s'opposa à une coalition de l'Autriche, de l'Angleterre et des Provinces-Unies.
Succession de Pologne (*guerre de la*), guerre déterminée par la compétition au trône de Pologne de Stanislas Leczinski, soutenu par son gendre Louis XV, et de l'électeur de Saxe, Auguste III, soutenu par l'Autriche (1733-1738).
Suchet (Louis-Gabriel), maréchal d'Empire (1772-1826).
Sucre (Antonio Jose), général sud-américain (1795-1830), lieutenant de Bolivar, président de la République bolivienne.
Sucre, capit. de la Bolivie; 60 000 h. Alt. 2 700 m.
sud-africaine (*République*). V. AFRIQUE DU SUD.

Sudètes (*monts*), montagnes formant une partie de la bordure de la Bohême.
Sud-Ouest africain, dépendance de l'Afrique du Sud.
Sue (Eugène), romancier français (1804-1857), auteur des *Mystères de Paris*.
Suède, royaume de l'Europe septentrionale (Scandinavie) ; 450 000 km²; 7 661 000 h. Capit. *Stockholm*.
Suétone, historien latin (vers 75-vers 160), auteur des *Douze Césars*.
Suèves, anc. peuple de Germanie, qui passa en Espagne au ve s.
Suez (*isthme de*), isthme entre la mer Rouge et la Méditerranée, traversé par un canal de Port-Saïd à Suez.
Suffren (Pierre-André, *bailli de*), marin français (1729-1788), qui combattit aux Indes contre les Anglais.
Suger, moine et homme d'Etat français (1081-1151), abbé de Saint-Denis, ministre de Louis VI et de Louis VII.
Suisse ou **Confédération suisse,** république de l'Europe centrale; 41 295 km²; 6 000 000 d'h. Capit. *Berne*.
Sully (*duc de*), ministre et ami d'Henri IV (1559-1641), qui développa l'économie française.
Sully Prudhomme (Armand), poète français de l'école parnassienne (1839-1907).
Sully-sur-Loire, bourg du Loiret, sur la Loire; château (xve s.).
Sumatra, la plus grande des îles de la Sonde (Indonésie).
Sumer, région antique de la basse Mésopotamie.
Sund, détroit entre l'île de Seeland et la Suède.
Sun Yat-sen, homme d'Etat chinois (1866-1925), un des chefs de la Révolution de 1911, président de la République en 1921.
Superbagnères, station de sports d'hiver des Pyrénées (Haute-Garonne).
Supérieur (*lac*), un des Grands Lacs américains.
Surabaya, v. d'Indonésie (Java).
Surakarta, v. d'Indonésie (Java).
Surat, v. de l'Inde (Maharashtra).
Surcouf (Robert), corsaire français (1773-1827), qui lutta contre les Anglais.
Suresnes, v. des Hauts-de-Seine; 40 200 h.
Surinam. V. GUYANE.
Suse, capit. de l'Elam, qui fut la résidence de Darios et de ses successeurs.
Susiane. V. ELAM.
Sussex, comté d'Angleterre.
Sutlej, fl. du Pendjab; 1 500 km.
Suzanne (*sainte*), vierge et martyre, décapitée à Rome vers 295.
Suzanne, juive célèbre par sa beauté et sa vertu, injustement accusée d'adultère par deux vieillards.
Svalbard, ensemble formé par le Spitzberg, l'île aux Ours et les terres arctiques appartenant à la Norvège.
Sverdlovsk, v. de l'U.R.S.S., dans l'Oural
Swansea, port et centre industriel d'Angleterre (Galles), sur le canal de Bristol.
Swatow, v. et centre industriel de Chine.
Swaziland, auj. **Swatini,** Etat du Commonwealth, en Afrique australe; capit. *Mbabane*.
Swedenborg (Emmanuel), philosophe suédois mystique (1688-1772).
Swift (Jonathan), écrivain irlandais (1667-1745), auteur des *Voyages de Gulliver*.
Swinburne (Charles), poète anglais (1837-1909).
Sybaris, anc. v. d'Italie, célèbre par la mollesse de ses habitants.
Sydney, port d'Australie, capit. de la Nouvelle-Galles du Sud; 2 256 000 h.
Sylla (Lucius Cornelius), dictateur romain (136-78 av. J.-C.), rival de Marius, vainqueur de Mithridate; il proscrivit ses ennemis et abdiqua en 79.
Sylvain, dieu latin des Forêts et des Champs.
Sylvestre Ier (*saint*), pape de 314 à 335, qui combattit les ariens; — SYLVESTRE II (vers 940-1003), pape de 999 à 1003, qui imposa la trêve de Dieu.
Syracuse, v. et port de Sicile; théâtre grec. — V. des Etats-Unis (New York).
Syr-Daria, fl. d'Asie (mer d'Aral) ; 2 860 km.
Syrie, Etat du Proche-Orient, sur la Méditerranée, en Asie occidentale; 187 000 km²; 5 399 000 h. Capit. *Damas*.
Syrtes, nom de deux golfes, l'un en Tripolitaine, l'autre en Tunisie.
Szczecin, en allem. *Stettin,* v. et centre industriel de Pologne, sur l'Oder.

T

Tabarin (Antoine GIRARD, dit), charlatan français (vers 1584-1626).
Table ronde (*romans de la*), cycle de romans courtois du Moyen Age.
Tabriz ou **Tauris,** v. de l'Iran.
Tachkent, v. et centre industriel de l'U. R. S. S., capit. de l'Ouzbékistan.
Tacite, historien latin (vers 55-120), auteur des *Annales*.
Tadjikistan, république asiatique de l'U.R.S.S.; capit. *Douchanbe*.
Tafilelt ou **Tafilalet,** région du Maroc, au sud de l'Atlas.
Tage, fl. de la péninsule Ibérique (Atlantique) ; 1 000 km.
Tagliamento, fl. d'Italie septentrionale (golfe de Venise) ; 170 km.
Tagore (Rabindranath), poète hindou (1861-1941).
Tahiti, principale île de l'archipel de la Société (Polynésie française) ; 44 300 h. Ch.-l. *Papeete*. Coprah.
Taillebourg, loc. de la Charente-Maritime, où Louis IX vainquit les Anglais (1242).
Taine (Hippolyte), philosophe et historien français (1828-1893).
Tain-l'Hermitage, bourg viticole de la Drôme; cultures fruitières.
Tai-pei, capit. de Formose; 963 000 h.
Tai-wan, nom officiel de *Formose*.
Ta-lien ou **Dairen,** port et centre industriel de la Chine du Nord-Est; 1 500 000 h.
Tallemant des Réaux (Gédéon), mémorialiste français (1619-1692).

Talleyrand-Périgord (Charles-Maurice *de*), homme d'Etat français (1754-1838). Evêque, il adhéra aux idées nouvelles en 1789, abandonna l'état ecclésiastique et fut ministre des Affaires étrangères sous le Directoire et sous l'Empire. Il rallia la Restauration et la monarchie de Juillet.
Tallien (Jean-Lambert), conventionnel français (1767-1820). — Sa femme, Mme TALLIEN (1773-1835), était renommée pour son esprit.
Tallin ou **Tallinn,** anc. *Reval,* v. de l'U.R.S.S., capit. de l'Estonie.
Talma (François-Joseph), tragédien français (1763-1826).
Tamatave, v. et port de Madagascar.
Tamerlan ou **Timour Lenk,** conquérant mongol (1336-1405).
Tamise, fl. d'Angleterre, qui passe à Oxford et à Londres et se jette dans la mer du Nord; 336 km.
Tampico, v. et port du Mexique.
Tanagra, anc. v. de l'Attique.
Tananarive, capit. de l'île de Madagascar; 206 300 h.
Tanaro, riv. de l'Italie septentrionale, affl. du Pô; 250 km.
Tanezrouft, région désertique du Sahara.
Tanganyika, lac de l'Afrique intertropicale. — Anc. Etat de l'Afrique orientale. V. TANZANIE.
Tanger, v. et port du Maroc, anc. capit. d'une zone internationale; 142 000 h.
Tanis, v. de l'anc. Egypte.
Tannenberg, village de l'anc. Prusse-Orientale; victoire des Polonais et des Lituaniens sur les chevaliers Teutoniques (1410); victoire des Allemands sur les Russes (1914).
Tantah, v. d'Egypte (delta du Nil).
Tantale, roi de Lydie, que Zeus condamna à être en proie à la soif et à la faim.
Tanzanie, Etat de l'Afrique orientale, formé par la réunion du Tanganyika et de Zanzibar; 10 200 000 h.; capit. *Dar es-Salam.*
Tapajoz, riv. du Brésil, affl. de l'Amazone; 1 500 km.
Tarare, centre textile du Rhône.
Tarascon, v. des Bouches-du-Rhône, sur le Rhône; château (XVe s.).
Tarascon-sur-Ariège, v. et centre métallurgique de l'Ariège.
Tarbes, ch.-l. et centre industriel des Hautes-Pyrénées, sur l'Adour; 50 700 h.
Tarentaise, vallée supérieure de l'Isère.
Tarente, v. et port d'Italie (Pouilles).
Tarim, fl. du Sin-kiang; 2 700 km.
Tarn, riv. du sud-ouest de la France, affl. de la Garonne; 375 km; gorges.
Tarn, dép. du sud-ouest de la France; préf. *Albi;* s.-préf. *Castres.*
Tarn-et-Garonne, dép. du sud-ouest de la France; préf. *Montauban;* s.-préf. *Castelsarrasin.*
Tarpeia, jeune Romaine, qui livra aux Sabins la citadelle de Rome, puis fut tuée par eux.
Tarquin l'Ancien, cinquième roi de Rome. de 616 à 579 av. J.-C.
Tarquin Collatin, petit-fils de Tarquin l'Ancien et époux de Lucrèce.
Tarquin le Superbe, dernier roi de Rome, de 534 à 510 av. J.-C.
Tarragone, v. d'Espagne (Catalogne); vestiges romains; cathédrale (XIIe-XIIIe s.).
Tartare, fond des Enfers.
Tartuffe (*le*) ou **Tartufe,** comédie de Molière (1669).
Tasmanie, île au sud de l'Australie.
Tasse (*le*), poète italien (1544-1595), auteur de *la Jérusalem délivrée.*
Tatars ou **Tartares,** peuple turco-mongol.
Tatra, massif des Carpates.
Taunus, montagne de l'Allemagne rhénane.
Tauride, anc. région de Russie (Crimée).
Taurus, montagnes de l'Asie Mineure.
Taygète, mont du Péloponnèse.
Taylor (Frédéric Winslow), ingénieur américain (1856-1915), inventeur d'un système d'organisation du travail.
Tbilisi, anc. *Tiflis,* v. et centre industriel de l'U. R. S. S., capit. de la Géorgie.
Tchad, lac de l'Afrique centrale. — République, indépendante depuis 1960; 3 300 000 h.; capit. *Fort-Lamy.*
Tchaïkovsky (Pierre), compositeur russe (1840-1893), auteur d'opéras, de symphonies, de ballets et de concertos.
Tchang-cha, v. et centre industriel de la Chine centrale, cap. du Hou-nan.
Tchang Kaï-chek, maréchal chinois, né en 1888, vaincu par Mao Tsé-toung.
Tchang-tchouen, v. de la Chine du Nord-Est.
Tchécoslovaquie, république de l'Europe centrale; 128 000 km²; 13 856 000 h. Capit. *Prague.*
Tchékhov (Anton), écrivain russe (1860-1904), auteur de nouvelles et de pièces de théâtre (*Oncle Vania*).
Tchéliabinsk, centre métallurgique de l'U. R. S. S. (Russie).
Tchen-tcheou, v. de Chine, capit. du Ho-nan.
Tcheng-tou, v. et centre industriel de Chine (Sseu-tchouan).
Tchkalov. V. ORENBOURG.
Tcho-kiang, prov. de Chine.
Tchong-king, v. et centre industriel de Chine (Sseu-tchouan), sur le Yang-tseu-kiang; 2 110 000 h.
Tébessa, v. d'Algérie; ruines romaines.
Tegucigalpa, cap. de la république du Honduras; 107 000 h.
Téhéran, capit. de l'Iran; 1 500 000 h.
Tehuantepec, isthme du Mexique.
Teil (*Le*), centre industriel de l'Ardèche, sur le Rhône.
Teisserenc de Bort (Léon), météorologiste français (1855-1913).
Tel-Aviv, v. d'Israël.
Télémaque, fils d'Ulysse, parti à la recherche de son père, guidé par Mentor.
Tell, région montagneuse du Maghreb, en bordure de la Méditerranée.
Tell (Guillaume), héros légendaire, qui contribua à affranchir la Suisse du joug de l'Autriche (XIVe s.).
Tellier (Charles), ingénieur français (1828-1913), inventeur du procédé de conservation des denrées par le froid.
Tempé, vallée de la Grèce.
Tempelhof, aéroport de Berlin.
Templiers, ordre militaire et religieux (1118-1312).
Tende, loc. des Alpes-Maritimes, cédée à la France par l'Italie en 1946.
Ténériffe, la plus grande des îles Canaries.

Teniers (David), dit *le Vieux*, peintre flamand (1582-1649) ; — Son fils DAVID, dit *le Jeune*, peintre (1610-1690).
Tennessee, riv. des Etats-Unis, affl. de l'Ohio; 1 060 km. — Un des Etats unis d'Amérique (Centre-Sud-Est); capit. *Nashville;* v. pr. *Memphis.*
Tennyson (Alfred, *lord*), poète anglais (1809-1892).
Térence, poète comique latin (vers 190-159 av. J.-C.).
Terre de Feu, groupe d'îles de l'Amérique méridionale.
Terre-Neuve, île et province du Canada.
Terrenoire, centre houiller et métallurgique de la Loire, près de Saint-Etienne.
Territoires du Sud, anc. division administrative du sud de l'Algérie.
Tertullien, écrivain apologétique latin (vers 155-vers 220).
Teschen, v. de Silésie, en partie tchèque et en partie polonaise.
Tessin, riv. de Suisse et d'Italie, affl. du Pô; 260 km. Annibal battit Scipion sur ses bords (218 av. J.-C.).
Tessin, canton de Suisse.
Teste (*La*), v. de Gironde, sur le bassin d'Arcachon.
Têt, fl. du sud de la France (Méditerranée) ; 120 km.
Téthys, déesse grecque de la Mer.
Tétouan ou **Tétuan,** v. du Maroc septentrional; 101 000 h.
Teutatès, principal dieu des Gaulois.
Teutonique (*ordre*), ordre hospitalier militaire germanique (1128).
Teutons, anc. peuple de Germanie.
Texas, un des Etats unis d'Amérique, sur le golfe du Mexique; capit. *Austin.*
Thackeray (William), romancier anglais (1811-1863), auteur de *la Foire aux vanités.*
Thaïlande, anc. *Siam,* royaume de l'Asie méridionale; 514 000 km²; 30 591 000 h. Capit. *Bangkok.*
Thaïs, courtisane grecque (IVe s.).
Thalès de Milet, philosophe et mathématicien grec (vers 640-546 av. J.-C.).
Thann, ch.-l. d'arr. du Haut-Rin.
Thau (*étang de*), lagune côtière de l'Hérault, bassin industriel de Sète.
Thébaïde, désert d'Egypte, refuge des premiers ermites chrétiens.
Thèbes, v. de l'anc. Egypte. — Anc. capit. de la Béotie.
Thémis, déesse grecque de la Justice.
Thémistocle, général et homme d'Etat athénien (vers 525-vers 460 av. J.-C.), vainqueur à Salamine.
Théocrite, poète bucolique grec (IIIe s. av. J.-C.), auteur d'*Idylles* bucoliques.
Théodoric, le Grand (455-526), roi des Ostrogoths de 471 à 526; il domina l'Italie.
Théodose Ier, le Grand (347-395), empereur d'Occident de 379 à 394 et empereur de tout l'Empire romain de 394 à 395 ; — THÉODOSE II, *le Jeune* (399-450), empereur d'Orient de 408 à 450, auteur du *Code théodosien* (438).
Théophraste, philosophe grec (vers 372-287 av. J.-C.), auteur des *Caractères.*
Thérèse d'Avila (*sainte*), religieuse espagnole (1515-1582), réformatrice du Carmel et auteur d'écrits mystiques.
Thérèse de l'Enfant Jésus (*sainte*), carmélite de Lisieux (1873-1897).
Thermopyles, défilé de la Thessalie, où Léonidas, avec trois cents Spartiates, tenta d'arrêter l'armée de Xerxès (480 av. J.-C.).
Thésée, fondateur légendaire d'Athènes, qui tua le Minotaure.
Thespies, anc. v. de Béotie.
Thespis, poète grec, créateur de la tragédie (VIe s. av. J.-C.).
Thessalie, région de la Grèce.
Thessalonique. V. SALONIQUE.
Thétis, mère d'Achille.
Thierry, nom de quatre rois mérovingiens.
Thierry (Augustin), historien français (1795-1856).
Thiers, ch.-l. d'arr. du Puy-de-Dôme, sur la Durolle; coutellerie.
Thiers (Adolphe), homme d'Etat et historien français (1797-1877), premier président de la IIIe République (1871-1873). Il réprima l'insurrection de la Commune et libéra le territoire.
Thionville, ch.-l. d'arr. et centre métallurgique de la Moselle; 33 700 h.
Thomas (*saint*), un des douze apôtres.
Thomas d'Aquin (*saint*), théologien italien (1225-1274), auteur de la *Somme théologique.*
Thomas (Sidney Gilchrist), métallurgiste anglais (1850-1885).
Thomas (*sir* William), *lord Kelvin,* physicien anglais (1824-1907).
Thonon-les-Bains, ch.-l. d'arr. de Haute-Savoie, sur le lac Léman.
Thor, dieu germanique de la Guerre.
Thot, dieu de l'anc. Egypte.
Thouars, v. des Deux-Sèvres.
Thouet, riv. du Poitou, affl. de la Loire; 140 km.
Thoune, centre industriel et station climatique de la Suisse, près du *lac de Thoune.*
Thoutmès, nom de quatre pharaons égyptiens, dont THOUTMÈS III, roi de 1505 à 1450 av. J.-C., qui créa l'Empire égyptien.
Thrace, pays au nord de la Grèce.
Thrasybule, général athénien, qui chassa les Trente en 404 av. J.-C.
Thucydide, historien grec (vers 460-vers 395 av. J.-C.), auteur de l'*Histoire de la guerre du Péloponnèse.*
Thulé, nom donné par les Romains à une île de l'Europe septentrionale, considérée comme la limite du monde.
Thurgovie, canton suisse.
Thuringe, pays de l'Allemagne centrale; capit. *Erfurt.*
Tian-chan, chaîne de l'Asie centrale.
Tiaret, ch.-l. de dép. d'Algérie.
Tibère Ier (42 av. J.-C.-37), empereur romain de 14 à 37.
Tibériade (*lac de*) ou de **Génésareth,** lac de Palestine, traversé par le Jourdain.
Tibesti, massif du Sahara.
Tibet, haut plateau de l'Asie centrale, région autonome de la Chine; capit. *Lhassa.*
Tibre, fl. d'Italie, qui passe à Rome, et se jette dans la mer Tyrrhénienne; 396 km.
Tibulle, poète latin (Ier s. av. J.-C.).
Tielt, v. de Belgique (Flandre-Occidentale).
Tien-tsin, v., port et centre industriel de la Chine (Ho-pei) ; 3 220 000 h.

Tiepolo (Giovanni Battista), peintre italien (1696-1770).
Tigre, fl. de l'Asie occidentale, qui se réunit à l'Euphrate pour former le Chatt al-Arab; 2 000 km.
Tilburg, v. des Pays-Bas.
Tilly (Jean, *comte de*), général germanique (1559-1632), qui prit part à la guerre de Trente Ans.
Tilsit, v. de Lituanie; traité entre Napoléon Ier et l'empereur de Russie (1807).
Timgad, ruines romaines en Algérie.
Timishoara, v. de Roumanie.
Timor, île de la Sonde.
Tintoret (*le*), peintre vénitien (1518-1594), auteur de nombreuses compositions religieuses ou historiques à Venise.
Tirana, capit. de l'Albanie; 135 000 h.
Tirésias, devin de Thèbes.
Tirlemont, v. de Belgique.
Tirpitz (Alfred *von*), amiral allemand (1849-1930), qui dirigea la guerre sous-marine.
Tirso de Molina, auteur dramatique espagnol (1571-1648).
Tirynthe, anc. v. de l'Argolide.
Tisza, riv. d'Europe orientale, affl. du Danube; 980 km.
Titans, fils du Ciel et de la Terre, qui se révoltèrent contre les dieux.
Tite-Live, historien latin (59 av. J.-C.-19), auteur d'une *Histoire romaine.*
Titicaca, lac des Andes; alt. 3 854 m.
Titien, peintre italien (1477-1576), chef de l'école vénitienne.
Tito (Joseph Broz, dit), maréchal et homme d'Etat yougoslave, né en 1892.
Titus, empereur romain de 79 à 81.
Tivoli, v. d'Italie; jardins.
Tizi-Ouzou, ch.-l. de dép. d'Algérie.
Tlemcen, ch.-l. de dép. d'Algérie.
Tobago ou **Tabago,** une des Antilles formant un Etat du Commonwealth avec la Trinité.
Tobie, personnage biblique devenu aveugle, qui fut, sur les conseils de l'archange Raphaël, guéri par son fils.
Tobrouk, v. et port de Libye.
Tocantins, fl. du Brésil (océan Atlantique); 2 700 km.
Tocqueville (Alexis *Clérel de*), historien français (1805-1859).
Togo, Etat de l'Afrique occidentale qui fut en partie sous la tutelle de la France, auj. république indépendante (53 000 km^2; 1 642 000 h.; capit. *Lomé*) et en partie sous tutelle britannique, auj. rattachée au Ghana.
Togo (Heihahiro), amiral japonais (1847-1934), vainqueur des Russes.
Toison d'or, toison gardée par un dragon, enlevée par Jason et les Argonautes.
Tokay, v. de Hongrie; vins.
Tokyo, capit., port et centre industriel du Japon; 10 169 000 h.
Tolbiac, v. de l'anc. Gaule, où Clovis vainquit les Alamans (496).
Tolède, v. d'Espagne (Castille), sur le Tage; cathédrale (XVe s.); tableaux et maison du Greco.
Toledo, v. et centre industriel des Etats-Unis (Ohio).
Tolstoï (Léon), romancier russe (1828-1910), auteur de *Guerre et Paix.*
Tombouctou, v. du Mali.
Tomsk, v. et centre industriel de l'U.R.S.S., en Sibérie.
Tonga, archipel de Polynésie.
Tongres, v. de Belgique.
Tonkin, région du Viêt-nam du Nord; ch.-l. *Hanoï.*
Tonkin (*golfe du*), golfe formé par la mer de Chine, entre le Viet-nam et la Chine.
Tonlé-sap, lac du Cambodge.
Tonneins, bourg de Lot-et-Garonne.
Tonnerre, bourg de l'Yonne.
Toronto, v. et centre industriel du Canada; capit. de l'Ontario, sur le lac Ontario; 672 400 h.
Torquemada (Thomas *de*), moine espagnol (1420-1498), inquisiteur général en Espagne.
Torricelli (Evangelista), physicien italien (1608-1647), inventeur du baromètre
Toscane, région d'Italie centrale.
Tottenham, v. d'Angleterre.
Touareg (pl. de *Targui*), peuples nomades du Sahara.
Toucouleurs, Noirs du Sénégal.
Touggourt, v. et oasis d'Algérie.
Toul, ch.-l. d'arr. et anc. place forte de Meurthe-et-Moselle, sur la Moselle.
Toula, v. et centre métallurgique de l'U.R. S.S., au sud de Moscou.
Toulon, ch.-l. d'arr. du Var et port militaire sur la Méditerranée; 172 000 h.
Toulouse, anc. capit. du Languedoc, ch.-l. de la Haute-Garonne, sur la Garonne; 330 000 h. Cathédrale (XIIIe-XIVe s.); église Saint-Sernin (XIe-XIIe s.).
Toungouska, nom de trois rivières de la Sibérie occidentale.
Touques (la), fl. du nord-ouest de la France (Manche); 108 km.
Touquet-Paris-Plage (*Le*), station balnéaire du Pas-de-Calais.
Touraine, anc. prov. de France, sur la Loire; capit. *Tours.*
Tourane, auj. **Da Nang,** v. du Viet-nam central.
Tourcoing, centre textile du dép. du Nord; 90 100 h.
Tour-du-Pin (*La*), ch.-l. d'arr. de l'Isère.
Tourguéniev (Ivan), romancier russe (1818-1883), auteur de *Récits d'un chasseur.*
Tourmalet, col des Pyrénées.
Tournai, v. de Belgique (Hainaut); cathédrale (XIe-XIVe s.).
Tournon, ch.-l. d'arr. de l'Ardèche.
Tournus, bourg de Saône-et-Loire; église romane avec narthex (X^e^-XIe s.).
Tours, ch.-l. et centre industriel d'Indre-et-Loire, sur la Loire; 112 100 h. Cathédrale (XVe-XVIe s.).
Tourville (Anne de Cotentin, *comte de*), marin français (1642-1701).
Toutankhamon, pharaon d'Egypte (XIVe s. av. J.-C.).
Trafalgar, cap de l'Espagne méridionale; victoire de Nelson sur les flottes française et espagnole (1805).
Trajan (52-117), empereur romain de 98 à 117, vainqueur des Daces et des Parthes.
Transjordanie. V. Jordanie.
Transvaal, prov. de l'Afrique du Sud; capit. *Pretoria.*
Transylvanie, prov. de Roumanie.
Trappe (la), abbaye cistercienne, fondée en 1140, réformée en 1662.

Trappes, centre ferroviaire des Yvelines, au sud-ouest de Paris.

Trasimène (*lac*), lac de Toscane; victoire d'Annibal sur Flamininius (217 av. J.-C.).

Trébie, riv. d'Italie, affl. du Pô; victoire d'Annibal sur les Romains (218 av. J.-C.).

Trébizonde ou **Trabzon,** v. et port de Turquie, sur la mer Noire.

Trégastel, station balnéaire des Côtes-du-Nord, sur la Manche.

Trégorrois, région de Bretagne.

Tréguier, bourg des Côtes-du-Nord; cathédrale (XIVe-XVe s.).

Trélazé, v. de Maine-et-Loire; ardoises.

Trente, v. d'Italie (Vénétie), dans le *Trentin*, où se tint un concile (1545-1563).

Trente Ans (*guerre de*), guerre qui, de 1618 à 1648, opposa à la maison d'Autriche, appuyée par les catholiques, un grand nombre de protestants de l'Empire, soutenus par des souverains étrangers.

Tréport (*Le*), station balnéaire de la Seine-Maritime, sur la Manche.

Trèves, v. d'Allemagne occidentale, sur la Moselle; cathédrale (IVe-XIe s.).

Trévoux, anc. capit. de la Dombes, centre industriel de l'Ain.

Trianon (*le Grand* et *le Petit*), châteaux bâtis dans le parc de Versailles, le premier en 1687, le second en 1755.

Tribur, bourg de la Hesse, où une diète déposa Charles le Gros (887).

Trieste, v. et port d'Italie, sur le *golfe de Trieste* (Adriatique); 273 000 h.

Trinité (*île de la*), ou **Trinidad,** une des Petites Antilles formant, avec Tobago, un Etat du Commonwealth. Capit. *Port of Spain.*

Tripoli, capit. de la Tripolitaine; 184 000 h. — Port du Liban.

Tripolitaine, région du royaume de Libye.

Tristan et Iseut, un des plus beaux romans d'amour du Moyen Age.

Triton, dieu grec de la mer.

Troade, anc. pays de l'Asie Mineure; capit. *Troie.*

Trochu (Louis-Jules), général et homme politique français (1815-1896).

Troie ou **Ilion,** capit. de la Troade, qui soutint contre les Grecs un siège de dix ans.

Trois-Evêchés, anc. gouvernement de France, constitué par les trois villes de Metz, Toul et Verdun.

Tronchet (François-Denis), juriste français (1726-1806), défenseur de Louis XVI.

Trondheim, v. et port de Norvège.

Trotsky (Lev Davidovitch), révolutionnaire russe (1879-1940), collaborateur de Lénine, exilé par Staline en 1929.

Trouville-sur-Mer, station balnéaire du Calvados, sur la Manche.

Troyes, anc. capit. de la Champagne, ch.-l. de l'Aube, sur la Seine; 68 900 h. Cathédrale (XIIIe-XVIIe s.); église Sainte-Madeleine. En 1420 y fut signé un traité qui donnait à Henri V d'Angleterre la régence de France et la succession au trône.

Trucial States, anc. *Côte-des-Pirates*, protectorat britannique du golfe Persique.

Truman (Harry), homme d'Etat américain, né en 1884, président démocrate des Etats-Unis de 1945 à 1953.

Truyère, affl. du Lot; 170 km.

Tsi-nan, v. de Chine (Chan-tong).

Tsing-hai, prov. de Chine.

Tsing-tao, v., port et centre industriel de Chine (Chan-tong).

Tsoushima, archipel japonais; victoire navale des Japonais sur les Russes (1905).

Tuamotu, îles de la Polynésie française.

Tübingen, v. universitaire d'Allemagne occidentale.

Tubuaï, groupe méridional des îles de la Polynésie française (Océanie).

Tucuman, v. du nord de l'Argentine.

Tudor, dynastie galloise, qui régna sur l'Angleterre de 1485 à 1603.

Tulle, ch.-l. de la Corrèze, sur la Corrèze; 20 800 h. Manufacture d'armes.

Tullus Hostilius, troisième roi de Rome (VIIe s. av. J.-C.).

Tunis, capit. et centre industriel de la Tunisie, près de la Méditerranée; 680 000 h.

Tunisie, Etat de l'Afrique du Nord indépendant depuis 1956; 156 000 km²; 4 565 000 h. Capit. *Tunis.*

Turckheim, bourg du Haut-Rhin; victoire de Turenne sur les Impériaux (1675).

Turenne (Henri DE LA TOUR D'AUVERGNE, *vicomte de*), maréchal de France (1611-1675). Il s'illustra pendant la guerre de Trente Ans, la Fronde, et surtout par la campagne des Provinces-Unies et sa défense de l'Alsace.

Turgot (Anne-Robert-Jacques), économiste français (1727-1781), contrôleur général des Finances sous Louis XVI.

Turin, v. et centre industriel d'Italie (Piémont), sur le Pô; 1 025 800 h.

Turkestan, région de l'Asie centrale, partagée entre l'U. R. S. S. et la Chine.

Turkménistan, république de l'U. R. S. S., en Asie centrale; capit. *Achkhabad.*

Turku, port de Finlande.

Turner (William), peintre paysagiste anglais (1775-1851).

Turquie, république de la péninsule des Balkans et de l'Asie occidentale; 767 000 km²; 32 005 000 h. Capit. *Ankara.*

Twain (Mark), écrivain humoristique américain (1835-1910).

Tweed, riv. qui sépare l'Angleterre de l'Ecosse; 156 km.

Tyard ou **Thiard** (*Pontus de*), poète français de la Pléiade (1521-1605).

Tyr, v. et port de Phénicie.

Tyrol, pays alpestre partagé entre l'Autriche et l'Italie.

Tyrrhénienne (*mer*), partie de la Méditerranée située entre la péninsule italienne, la Corse, la Sardaigne et la Sicile.

Tyrtée, poète lyrique grec (VIIe s. av. J.-C.), qui ranima le courage des Spartiates.

U

Uccle, comm. de Belgique (Brabant).

Ugine, centre métallurgique de Savoie.

Ugolin, tyran de Pise, qui fut jeté dans une tour avec ses enfants et condamné à y mourir de faim.

Ukraine, république fédérée de l'U.R.S.S., au sud-ouest de la Russie; capit. *Kiev.*

Ulm, v. d'Allemagne occidentale (Wurtemberg); cathédrale (XIVe s.). Napoléon s'empara de la ville en 1805.

Ulster, anc. prov. de l'Irlande, dont la partie orientale est unie à la Grande-Bretagne et dont le reste fait partie de la République irlandaise.

Ulysse, roi d'Ithaque, un des principaux héros du siège de Troie.

U. N. E. S. C. O., organisme international, constitué pour protéger les libertés humaines et développer la culture.

Union française, ensemble formé jusqu'en 1958 par la République française d'une part (France métropolitaine, départements et territoires d'outre-mer), les territoires et les Etats associés d'autre part.

Union sud-africaine, anc. nom de la *république d'Afrique du Sud.*

Unterwald, canton suisse, divisé en deux demi-cantons.

Upsal ou **Uppsala,** v. universitaire de Suède.

Ur, anc. v. de Chaldée.

Uranus, planète du système solaire.

Urbain, nom de huit papes, dont : URBAIN II (1047-1099), pape de 1088 à 1099, promoteur de la première croisade; — URBAIN VI (1318-1389), pape de 1378 à 1389, dont l'élection marqua le début du Grand Schisme.

Urfé (Honoré *d'*), écrivain français (1567-1625), auteur de *l'Astrée.*

Urgel, v. d'Espagne (Catalogne).

Uri, canton suisse; ch.-l. *Altdorf.*

U. R. S. S. (*Union des républiques socialistes soviétiques*). Etat fédératif composé de quinze républiques; 22 271 000 km^2; 230 000 000 d'h. Capit. *Moscou.*

Uruguay, riv. de l'Amérique du Sud, affl. du rio de La Plata.

Uruguay, Etat de l'Amérique du Sud; 187 000 km^2; 2 914 000 h. Cap. *Montevideo.*

Ussel, ch.-l. d'arr. de la Corrèze.

Utah, un des Etats unis d'Amérique (montagnes Rocheuses); capit. *Salt Lake City.*

Utique, anc. v. près de Carthage.

Utrecht, v. des Pays-Bas; traités qui mirent fin à la guerre de Succession d'Espagne (1713).

Uttar Pradesh, Etat du nord de l'Inde; capit. *Lucknow.*

Uxellodunum, v. de Gaule.

Uzès, v. du Gard; cité pittoresque.

V

Vaal, rivière de l'Afrique du Sud, affl. de l'Orange; 1 125 km.

Vaccarès, étang de Camargue.

Vaduz, capit. du Liechtenstein; 3 400 h.

Vaison-la-Romaine, bourg du Vaucluse; ruines romaines.

Valachie, prov. de la Roumanie.

Valais, canton suisse; ch.-l. *Sion.*

Val-André (*Le*), station balnéaire des Côtes-du-Nord, sur la Manche.

Val-de-Marne, dép. de la région parisienne; préf. *Créteil.*

Val-d'Isère, station de sports d'hiver des Alpes, en Savoie.

Val-d'Oise, dép. de la région parisienne; préf. *Pontoise.*

Valençay, bourg de l'Indre; château de la Renaissance.

Valence, port d'Espagne, sur la Méditerranée, dans une riche région agricole.

Valence, ch.-l. de la Drôme, sur le Rhône; 55 000 h. Fruits et primeurs.

Valenciennes, ch.-l. d'arr. et centre industriel du Nord, sur l'Escaut.

Valera (Eamon *de*), homme d'Etat irlandais, né en 1882.

Valérien (*mont*), colline des environs de Paris: 162 m. Fort.

Valérien, empereur romain de 252 à 268.

Valéry (Paul), écrivain français (1871-1945), auteur d'essais et de poèmes.

Valette (*La*), capit. de Malte.

Valladolid, v. d'Espagne (Léon).

Vallauris, village des Alpes-Maritimes; poteries.

Valmy, village de la Marne, où Dumouriez et Kellerman arrêtèrent les Prussiens (1792).

Valois, anc. pays de France; ch.-l. *Crépy.*

Valois, branche des Capétiens, qui monta sur le trône de France en 1328.

Valparaiso, v. et port du Chili.

Vals-les-Bains, station thermale de l'Ardèche, sur la Volane.

Vancouver, île du Pacifique (Canada). — Port et centre industriel en face de l'île (Colombie britannique). Canadiens.

Vandales, peuple germanique, qui envahit la Gaule, l'Espagne et l'Afrique (V[e]-VIe s.).

Van der Meulen (Antoine), peintre militaire flamand (1634-1690).

Van der Weyden (Roger), peintre flamand (1400-1464).

Van Dyck (Antoine), peintre flamand (1599-1641), peintre de Charles Ier, roi d'Angleterre.

Van Eyck (Jean), peintre flamand (vers 1390-1441), auteur de *l'Agneau mystique.*

Van Gogh (Vincent), peintre hollandais (1853-1890).

Van Goyen (Jean-Joseph), peintre paysagiste hollandais (1596-1656).

Vanloo (Jean-Baptiste), peintre portraitiste français (1684-1745), ainsi que son frère CARLE (1705-1765).

Vannes, ch.-l. du Morbihan; 34 100 h.

Vanves, centre industriel des Hauts-de-Seine, au sud de Paris.
Var, fl. du sud de la France (Méditerranée) ; 135 km.
Var, dép. du sud de la France; préf. *Draguignan;* s.-préf. *Toulon.*
Vardar, fl. de Yougoslavie et de Grèce (golfe de Salonique) ; 340 km.
Varennes-en-Argonne, bourg de la Meuse, où Louis XVI fut arrêté (1791).
Varsovie, capit. et centre industriel de la Pologne, sur la Vistule; 1 203 000 h.
Varus, général romain, qui périt dans une embuscade tendue par les Germains (9).
Vatel, maître d'hôtel du Grand Condé, qui, voyant que la marée allait manquer à un souper, se perça de son épée (1671).
Vatican (*Cité du*), domaine temporel des papes, à Rome, comprenant le palais, le musée et les jardins du Vatican, Saint-Pierre, des basiliques et Castel Gandolfo.
Vauban (Sébastien LE PRESTRE, *seigneur de*), ingénieur militaire et maréchal de France (1633-1707), qui fortifia les frontières françaises.
Vaucanson (Jacques *de*), mécanicien français (1709-1782), fabricant d'automates.
Vaucluse, dép. du sud de la France; préf. *Avignon;* s.-préf. *Apt, Carpentras.*
Vaud, canton suisse; ch.-l. *Lausanne.*
Vaugelas (Claude *Favre de*), grammairien français (1585-1650).
Vaugirard, quartier de Paris.
Vauquelin de La Fresnaye (Jean), poète français (1536-1606).
Vauquois, loc. de la Meuse, sur une butte, dans la forêt de Hesse, où eurent lieu de violents combats (1914-1918).
Vauvenargues (Luc DE CLAPIERS, *marquis de*), moraliste français (1715-1747), auteur de *Maximes.*
Vaux-Devant-Damloup, loc. de la Meuse, dont le fort fut disputé par les Français et les Allemands en 1916.
Vaux-le-Vicomte, château, près de Melun, bâti par Le Vau (1653).
Védas, livre sacré des hindous.
Véies, anc. v. d'Etrurie.
Vélasquez (Diego), peintre et portraitiste espagnol (1599-1660), auteur des *Menines,* des *Fileuses,* de la *Reddition de Bréda.*
Velay, anc. pays du centre de la France; ch.-l. *Le Puy.*
Velléda, druidesse et prophétesse de Germanie, sous l'empereur Vespasien.
Velpeau (Alfred), chirurgien français (1795-1867).
Vence, bourg des Alpes-Maritimes.
Venceslas, nom de deux ducs et de quatre rois de Bohême.
Vendée, riv. de l'ouest de la France; affl. de la Sèvre Niortaise; 70 km.
Vendée, dép. de l'ouest de la France; préf. *La Roche-sur-Yon;* s.-préf. *Fontenay-le-Comte; Les Sables-d'Olonne.*
Vendôme, ch.-l. d'arr. de Loir-et-Cher, sur le Loir; église abbatiale (XIIe-XVIe s.).
Vendôme (César, *duc de*), fils naturel de Henri IV et de Gabrielle d'Estrées (1594-1665), qui participa à la Fronde; — Son petit-fils, LOUIS-JOSEPH (1654-1712), vainqueur à Villaviciosa.
Vénétie, région du nord-ouest de l'Italie.
Venezuela, république de l'Amérique du Sud; 912 000 km²; 8 722 000 h. Capit. *Caracas.*
Venise, v. d'Italie, bâtie sur les lagunes de l'Adriatique, riche en monuments et en musées.
Vent (*îles du*), îles des Petites Antilles.
Ventoux (*mont*), montagne des Alpes de Provence; 1 912 m.
Vénus, déesse latine de la Beauté.
Vénus, planète du système solaire.
Vêpres siciliennes, massacre des Français en Sicile (1282).
Veracruz, v. et port du Mexique; 138 000 h.
Vercingétorix, chef gaulois, né vers 72 av. J.-C., qui lutta contre César (Gergovie, Alésia) et fut exécuté au bout de six ans de captivité (46 av. J.-C.).
Vercors, plateau et massif calcaire des Préalpes françaises du Nord.
Verdi (Giuseppe), compositeur italien (1813-1901), auteur d'opéras.
Verdon, riv. du sud de la France, affl. de la Durance; 175 km. Gorges.
Verdun, ch.-l. d'arr. de la Meuse, sur la Meuse. Traité réglant le partage de l'empire carolingien (843). En 1916, les Français repoussèrent de violentes attaques allemandes, au nord de la ville.
Vergennes (Charles GRAVIER, *comte de*), diplomate français (1717-1787), ministre des Affaires étrangères sous Louis XVI.
Verhaeren (Emile), poète symboliste belge (1855-1916).
Verkhoiansk, un des pôles du froid, en Sibérie, sur le Iana.
Verlaine (Paul), poète français (1844-1896), auteur des *Poèmes saturniens,* de *la Bonne Chanson,* de *Sagesse,* etc.
Vermeer de Delft (Jean), peintre hollandais (1632-1675), auteur de paysages et d'intérieurs.
Vermont, un des Etats unis d'Amérique (côte nord-est) ; capit. *Montpelier.*
Verne (Jules), écrivain français (1828-1905), auteur de romans d'aventures.
Vernet (Joseph), peintre de marines français (1714-1789) ; — Son fils, CARLE (1758-1835), peintre militaire; — HORACE (1789-1813), fils du précédent, peintre de batailles.
Vernon, v. de l'Eure, sur la Seine.
Vérone, v. d'Italie, sur l'Adige; cirque romain; cathédrale et église San Zenon romanes.
Véronèse, peintre de l'école vénitienne (1528-1588), auteur des *Noces de Cana.*
Véronique, femme juive, qui, selon la tradition, essuya le visage de Jésus montant au Calvaire.
Verrès (Caius Licinius), proconsul romain, accusé de concussion par Cicéron.
Verrocchio (*del*), statuaire, peintre et architecte florentin (1436-1488).
Versailles, ch.-l. des Yvelines, au sud-ouest de Paris; 95 000 h. Château construit, pour sa plus grande part, à partir de 1661, par Le Vau et Mansart. En 1919 y fut signé l'un des traités qui mirent fin à la Première Guerre mondiale.
Verviers, v. et centre industriel de Belgique (Liège), sur la Vesdre.
Vervins, ch.-l. d'arr. de l'Aisne; traité entre Henri IV, roi de France, et Philippe II d'Espagne (1598).

Vésinet (*Le*), v. des Yvelines, sur la Seine, près de la forêt de Saint-Germain.
Vesle, riv. de France, affl. de l'Aisne; 143 km. Elle passe à Reims.
Vesoul, ch.-l. de la Haute-Saône; 15 400 h.
Vespasien (7-79), empereur romain de 69 à 79.
Vesta, déesse romaine du Feu.
Vestales, prêtresses de Vesta.
Vésuve, volcan au sud-est de Naples, célèbre par son éruption de l'an 79; 1 200 m.
Veuillot (Louis), écrivain français (1813-1883), polémiste catholique.
Vevey, v. et centre touristique de Suisse, sur le lac Léman.
Vexin, anc. pays de France, divisé en *Vexin français* et en *Vexin normand.*
Vézelay, bourg de l'Yonne; église romane.
Vézère, riv. de France, affl. de la Dordogne; 192 km. Stations préhistoriques.
Viau (Théophile *de*), poète français (1590-1626), auteur de *Pyrame et Thisbé.*
Vicence, v. d'Italie (Vénétie).
Vichnou, deuxième personnage divin de la trinité brahmanique.
Vichy, ch.-l. d'arr. et station thermale de l'Allier; siège du gouvernement présidé par Pétain (1940-1944).
Vico (Giambattista), philosophe italien (1668-1744).
Victor-Emmanuel Ier (1759-1824), roi de Sardaigne de 1802 à 1821; — VICTOR-EMMANUEL II (1820-1878), créateur, avec Cavour, de l'unité italienne, roi d'Italie en 1860; — VICTOR-EMMANUEL III (1869-1947), roi d'Italie de 1900 à 1946.
Victoria, Etat du sud de l'Australie. — Capit. de la colonie de Hong-kong. — Capit. de la Colombie britannique (Canada).
Victoria (Thomas Luis *de*), compositeur espagnol (vers 1540-1611).
Victoria (1819-1901), reine de Grande-Bretagne de 1837 à 1901. Sous son règne, l'expansion coloniale britannique connut un grand essor.
Victoria, lac de l'Afrique équatoriale, d'où sort le Nil; 68 800 km².
Vienne, cap. et centre industriel de l'Autriche, sur le Danube; 2 millions d'h. Plusieurs traités y furent signés : en 1738 (Succession de Pologne), en 1809 (après Wagram) et après le Congrès de 1814-1815.
Vienne, riv. du centre de la France, affl. de la Loire; 372 km.
Vienne, ch.-l. d'arr. et centre industriel de l'Isère, sur le Rhône.
Vienne, dép. du centre de la France; préf. *Poitiers;* s.-préf. *Châtellerault, Montmorillon.*
Vienne (*Haute-*), dép. du centre de la France; préf. *Limoges;* s.-préf. *Bellac, Rochechouart.*
Vien-tiane, capit. du Laos; 100 000 h.
Vierge (*la Sainte*), nom de la mère de Jésus-Christ.
Vierges (*îles*), îles des Antilles.
Vierzon, v. du Cher, sur le Cher.
Viète (François), mathématicien français (1540-1603), créateur de l'algèbre.
Viêt-nam, pays d'Indochine partagé en un *Viêt-nam du Nord* (17 000 000 d'h.; capit. *Hanoi*) et un *Viêt-nam du Sud* (15 715 000 h.; capit. *Saigon*).
Vigan (*Le*), ch.-l. d'arr. du Gard.
Vigny (Alfred *de*), écrivain romantique français (1797-1863), auteur de poèmes lyriques, de romans et de drames.
Vigo, port d'Espagne (Galice).
Viipuri, anc. *Viborg,* v. et port de l'U.R.S.S., sur le golfe de Finlande.
Vikings, navigateurs scandinaves, qui, aux XIe et XIIe s., ravagèrent l'Europe.
Vila ou **Port-Vila,** capit. des Nouvelles-Hébrides, dans l'île Vaté; 2 500 h.
Vilaine, fl. de l'ouest de la France (Atlantique); 225 km.
Villard-de-Lans, station d'altitude et de sports d'hiver de l'Isère.
Villars (Claude, *duc de*), maréchal de France (1653-1724), vainqueur à Friedlingen et à Kehl, pacificateur des Cévennes; il sauva la France à Denain (1712).
Villaviciosa, v. d'Espagne (Castille), où Vendôme vainquit les Impériaux en 1710.
Villefranche, port et station balnéaire des Alpes-Maritimes, sur une rade de la Méditerranée.
Villefranche-de-Rouergue, ch.-l. d'arr. de l'Aveyron, sur l'Aveyron.
Villefranche-sur-Saône, anc. capit. du Beaujolais et ch.-l. d'arr. du Rhône.
Villehardouin (Geoffroi *de*), chroniqueur français (vers 1150-vers 1212), auteur de *la Conquête de Constantinople.*
Villejuif, v. du Val-de-Marne.
Villèle (Joseph, *comte de*), homme politique français (1773-1854).
Villeneuve-Saint-Georges, centre industriel du Val-de-Marne, au sud de Paris.
Villeneuve-sur-Lot, ch.-l. d'arr. de Lot-et-Garonne; fruits et légumes.
Villeroi (François *de*), maréchal de France (1644-1730), vaincu à Ramillies.
Villers-Cotterêts, bourg de l'Aisne; ordonnance de François Ier en 1539.
Villette (*La*), quartier de Paris.
Villeurbanne, v. du Rhône, près de Lyon.
Villiers de L'Isle-Adam (Auguste, *comte de*), écrivain français (1840-1889).
Villon (François), poète français (1431-vers 1489), auteur du *Petit* et du *Grand Testament* et de l'*Epitaphe Villon.*
Vilnious, capit. de la Lituanie (U.R.S.S.).
Vilvorde, centre industriel de Belgique (Brabant).
Viminal, une des collines de Rome.
Vincennes, v. du Val-de-Marne. Château fort.
Vincent de Paul (*saint*), prêtre français (1581-1660), renommé pour sa charité.
Vinci (Léonard *de*), artiste de l'école florentine (1452-1519), à la fois peintre (*Joconde, Cène*), sculpteur, architecte, ingénieur, écrivain, musicien, anatomiste.
Vintimille, v. d'Italie (Ligurie).
Viollet-le-Duc (Eugène-Emmanuel), architecte et archéologue français (1814-1879).
Vire, fl. du nord-ouest de la France (Manche); 118 km.
Vire, ch.-l. d'arr. du Calvados.
Virgile, poète latin (71-19 av. J.-C.), auteur des *Bucoliques,* des *Géorgiques* et de l'*Enéide.*
Virginie, un des Etats unis d'Amérique, sur l'Atlantique; capit. *Richmond.*
Virginie occidentale, un des Etats unis d'Amérique (Atlantique Sud); capit. *Charleston.*

Viroflay, v. des Yvelines, au sud-ouest de Paris.
Visconti, famille d'Italie, qui régna à Milan de 1277 à 1447.
Vistule, fl. de Pologne, qui arrose Varsovie et se jette dans la Baltique; 1 090 km.
Vitebsk, v. de l'U.R.S.S. (Biélorussie), sur la Dvina.
Vitellius (15-69), empereur romain en 69; il ne régna que huit mois.
Vitoria, v. d'Espagne.
Vitré, v. d'Ille-et-Vilaine.
Vitruve, architecte romain (Ier s. av. J.-C.).
Vitry-le-François, ch.-l. d'arr. et centre industriel de la Marne, sur la Marne.
Vitry-sur-Seine, centre industriel du Val-de-Marne; 67 400 h.
Vittel, station thermale des Vosges.
Vivaldi (Antonio), violoniste et compositeur vénitien (1678-1741).
Vivarais, pays de l'est du Massif central.
Viviers, anc. capit. du Vivarais, dans l'Ardèche; ville pittoresque.
Vizille, v. de l'Isère; château (XVIIe s.).
Vladivostok, port et centre industriel de l'U. R. S. S., en Extrême-Orient.
Vltava, en allem. *Moldau,* riv. de Bohême, affl. de l'Elbe; 430 km.
Voiron, centre industriel de l'Isère.
Voiture (Vincent), écrivain français (1598-1648), auteur de lettres et de poésies.
Volga (la), fl. de l'U.R.S.S., le plus long d'Europe (mer Caspienne) ; 3 688 km.
Volgograd. V. STALINGRAD.
Volsques, anc. peuple du Latium.
Volta (Alessandro), physicien italien (1745-1827), inventeur de la pile électrique.
Voltaire (François-Marie AROUET, dit), écrivain français (1694-1778), auteur de tragédies (*Zaïre*), d'ouvrages historiques (*le Siècle de Louis XIV*), de contes philosophiques (*Candide*) et d'innombrables écrits en prose et en vers.
Volturno, fl. d'Italie (mer Tyrrhénienne); 167 km.
Vorarlberg, prov. d'Autriche.
Vorochilovgrad. V. LOUGANSK.
Voronej, v. et centre industriel de l'U. R. S. S., sur le Don.
Vosges, chaîne de montagnes à l'est de la France, culminant à 1 424 m.
Vosges, dép. de l'est de la France; préf. *Epinal;* s.-préf. *Neufchâteau, Saint-Dié.*
Vougeot, bourg viticole de la Côte-d'Or.
Vouillé, bourg de la Vienne, où Clovis vainquit Alaric (567).
Vouvray, bourg viticole d'Indre-et-Loire, sur la Loire.
Vouziers, ch.-l. d'arr. des Ardennes.
Vuillard (Edouard), peintre français (1868-1940), du groupe *nabi.*
Vulcain, dieu latin du Feu.
Vulgate, version latine de la Bible.
Vulpian (Alfred), médecin et physiologiste français (1826-1887).

W

Wagner (Richard), compositeur allemand (1813-1883), auteur de *Tannhaüser, Lohengrin, Tristan et Iseut, Parsifal, les Maîtres chanteurs,* etc.
Wagram, village d'Autriche, près de Vienne, où Napoléon Ier vainquit l'archiduc Charles (1809).
Wakayama, v. et port du Japon.
Walcheren, anc. île des Pays-Bas.
Walhalla, séjour des héros morts, dans la mythologie germanique.
Walkyries ou **Valkyries,** déesses de la mythologie germanique.
Wallenstein ou **Waldstein,** homme de guerre tchèque (1583-1634), qui participa à la guerre de Trente Ans.
Wallis, archipel français de Polynésie.
Wallons, population de la Belgique parlant le français.
Walpole (Robert), homme d'Etat anglais (1676-1745), chef des whigs.
Walpurgis (*sainte*), sainte anglaise du VIIe s., dont les reliques attiraient de nombreux pèlerins à Eichstædt (Allemagne).
Walthamstow, faubourg de Londres.
Warta, riv. de Pologne, affl. de l'Oder; 794 km.
Warwick, comté du centre de l'Angleterre.
Warwick (Richard NEVILLE, *comte de*), général anglais (vers 1423-1471), surnommé *le Faiseur de rois.*
Washington, capit. des Etats-Unis, dans le district fédéral de Columbia; 764 000 h.
Washington, un des Etats unis d'Amérique (Pacifique) ; capit. *Olympia.*
Washington (George), homme d'Etat américain (1732-1799), un des fondateurs de la république des Etats-Unis, dont il devint le premier président.
Wassy, centre métallurgique de la Haute-Marne, massacre des protestants en 1562.
Waterloo, village de Belgique, où Napoléon Ier fut vaincu par Wellington et Blücher (1815).
Watt (James), mécanicien et ingénieur écossais (1736-1819), qui perfectionna les machines à vapeur.
Watteau (Antoine), peintre français (1684-1721), auteur de scènes champêtres et galantes (*l'Embarquement pour Cythère*).
Wattignies, bourg du Nord; victoire de Jourdan sur les Autrichiens (1793).
Wattrelos, faubourg industriel de Roubaix.
Weber (Karl Maria *von*), compositeur allemand (1786-1826), auteur d'*Obéron.*
Weimar, v. d'Allemagne orientale, capit. de la Thuringe.
Wellington, capit., port et centre industriel de la Nouvelle-Zélande; 150 000 h.
Wellington (Arthur WELLESLEY, *duc de*), général anglais (1769-1852), vainqueur de Napoléon à Waterloo.
Wells (Herbert George), romancier anglais (1866-1946), auteur de romans d'anticipation.
Wen-tcheou, v. de Chine (Tche-kiang).
Weser, fl. d'Allemagne (mer du Nord) ; 480 km.

Wesley (John), théologien protestant anglais (1703-1791), fondateur de la secte des méthodistes.
Wessex, royaume anglo-saxon (Ve-XIe s.).
Westham, faubourg de Londres.
Westminster, abbaye de Londres.
Westphalie, contrée d'Allemagne.
Westphalie (*traités de*), traités conclus en 1648 entre l'Allemagne, la France et la Suède, après la guerre de Trente Ans.
West Point, v. des Etats-Unis (New York); école militaire.
Whistler (James), peintre américain (1834-1903).
Whitman (Walt), poète américain (1819-1892), auteur des *Feuilles d'herbe.*
Wichita, v. et centre industriel des Etats-Unis (Kansas) ; 255 000 h.
Wiclef (John), théologien anglais (1324-1384), précurseur de la Réforme.
Widukind ou **Witikind,** chef saxon, adversaire de Charlemagne.
Wieland (Christoph Martin), écrivain allemand (1733-1813).
Wiesbaden, station thermale d'Allemagne occidentale, capit. de la Hesse.
Wight, île anglaise de la Manche.
Wilhelmine, reine des Pays-Bas de 1890 à 1948, née en 1880.
Wilhelmshaven, port militaire d'Allemagne occidentale (mer du Nord).
Wilrijk, v. de Belgique (Anvers).
Wilson (Thomas Woodrow), homme d'Etat américain (1856-1924), président des Etats-Unis (1913-1921).
Wimbledon, faubourg de Londres; courts de tennis.
Wimereux, station balnéaire du Pas-de-Calais, sur la Manche.
Winchester, v. d'Angleterre (Hampshire) ; cathédrale gothique.
Windsor, v. d'Angleterre, sur la Tamise; château royal. — V. du Canada (Ontario) ; automobiles.
Winnipeg, lac du Canada. — V. du Canada, capit. du Manitoba.
Winterhalter (François-Xavier), peintre allemand (1805-1873), portraitiste de la cour de Napoléon III.
Winterthur, v. de Suisse (Zurich).
Wisconsin, un des Etats unis d'Amérique (Centre-Nord-Est) ; capit. *Madison.*
Wiseman (Etienne), cardinal anglais (1802-1865), auteur de *Fabiola.*
Wisigoths, nom d'une tribu des Goths, qui envahit la Gaule en 412.
Wissembourg, ch.-l. d'arr. du Bas-Rhin.
Witikind. V. WIDUKIND.
Witt (Corneille *de*), homme d'Etat hollandais (1623-1672), qui fut tué dans une émeute en même temps que son frère Jean (1625-1672).
Witwatersrand, district aurifère d'Afrique du Sud (Transvaal).
Woluwe-Saint-Lambert, v. de Belgique, près de Bruxelles.
Woluwe-Saint-Pierre, v. de Belgique, près de Bruxelles.
Wolverhampton, v. d'Angleterre (Stafford).
Woolwich, faubourg de Londres.
Worcester, v. d'Angleterre, sur la Severn.
Wordsworth (William), poète anglais (1770-1850), chef de l'école lakiste.
Worms, v. d'Allemagne (Hesse), sur le Rhin; cathédrale romane. Un concordat y fut conclu qui mit fin à la querelle des Investitures (1122); il s'y tint une diète qui mit Luther au banc de l'Empire (1521).
Wou-tchang, v. de Chine, capit. du Hou-pei.
Wroclaw, en allem. *Breslau,* centre industriel de Pologne (Silésie).
Wuppertal, centre industriel d'Allemagne occidentale, dans la Ruhr.
Wurtemberg, pays d'Allemagne du Sud-Ouest, uni aujourd'hui au pays de Bade; capit. *Stuttgart.*
Wurtzbourg, centre industriel d'Allemagne occidentale (Bavière), sur le Main.
Wyoming, un des Etats unis d'Amérique (montagnes Rocheuses) ; capit. *Cheyenne.*

X

Xanthippos ou **Xanthippe,** général athénien, père de Périclès, vainqueur des Perses à Mycale (479 av. J.-C.).
Xénophon, historien, philosophe et général athénien (vers 427-vers 355 av. J.-C.), disciple de Socrate; il dirigea la retraite des Dix-Mille.
Xerxès Ier, roi des Perses de 485 à 465 av. J.-C., qui envahit l'Attique et fut vaincu à Salamine. — **Xerxès II,** fils d'Artaxerxès Ier, roi de Perse en 425, assassiné la même année.
Xingu, riv. du Brésil, affl. de l'Amazone; 1 980 km.

Y

Yahweh, nom propre de Dieu dans la Bible.
Yalta, station balnéaire et port de l'U. R. S. S. (Crimée).
Yalu, fl. qui sépare la Corée de la Chine; 600 km.
Yanaon, v. de l'Inde, autrefois sous administration française.
Yangku ou **Taï-yuan,** v. et centre industriel de Chine, capit. du Chan-si; 1 020 000 h.
Yang-tcheou, v. de Chine (Kiang-sou).
Yang-tseu-kiang, fl. de Chine (mer de Chine) ; 5 500 km.
Yankees, nom donné aux habitants des Etats-Unis par les Anglais.
Yaoundé, capit. du Cameroun en Afrique équatoriale; 57 700 h.

Yawata, partie de Kita kyu shu (Japon).

Yellowstone, riv. des Etats-Unis, affl. du Missouri ; 1 600 km.

Yémen, Etat du sud-ouest de l'Arabie; 4 500 000 h. ; capit. *Sana.*

Yeu (*île d'*), île de la Vendée.

Yokohama, v., port et centre industriel du Japon (Honshu) ; 2 652 000 h.

Yonne, riv. de France, affl. de la Seine à Montereau; 293 km.

Yonne, dép. du sud-est du Bassin parisien; préf. *Auxerre;* s.-préf. *Avallon, Sens.*

York, v. d'Angleterre, ch.-l. de comté ; cathédrale de style flamboyant.

York, branche de la maison d'Anjou-Plantagenêt, qui eut pour tige EDMOND DE LANGLEY, *duc d'York,* cinquième fils d'Edouard III. Elle fournit trois rois à l'Angleterre : Edouard IV, Edouard V et Richard III.

Yorktown, bourg des Etats-Unis où Washington battit une armée anglaise (1781).

Yougoslavie, république fédérale d'Europe centrale et méridionale ; 257 000 km^2 ; 19 511 000 h. Capit. *Belgrade.*

Young (Edward), poète anglais (1681-1765), auteur des *Nuits.*

Young (Arthur), économiste et agronome anglais (1741-1820).

Youngstown, centre métallurgique des Etats-Unis (Ohio).

Ypres, v. de Belgique.

Yser, fl. de Belgique (mer du Nord); 86 km.

Yssingeaux, ch.-l. d'arr. de la Haute-Loire.

Yucatan, presqu'île du Mexique.

Yukon, fl. de l'Alaska (mer de Bering) ; 3 300 km.

Yun-nan, prov. de Chine.

Yvelines, dép. de la région parisienne; préf. *Versailles.*

Yverdon, station thermale et centre industriel de Suisse, sur le lac de Neuchâtel.

Yvetot, v. de la Seine-Maritime.

Z

Zabrze, centre houiller et métallurgique de Pologne (Silésie).

Zacharie, époux de sainte Elisabeth et père de saint Jean-Baptiste.

Zacharie (*saint*), pape de 741 à 752.

Zagreb, v. de Yougoslavie, capit. de la Croatie, sur la Save; 427 000 h.

Zagros, chaîne de montagnes, au sud-ouest du plateau de l'Iran.

Zama, anc. v. d'Afrique, où Scipion l'Africain vainquit Annibal (202 av. J.-C.).

Zambèze, fl. de l'Afrique australe; 2 660 km; chutes Victoria.

Zambie, anc. *Rhodésie du Nord,* Etat de l'Afrique orientale; 3 710 000 h. Capit. *Lusaka.*

Zamora, v. d'Espagne (Léon).

Zanzibar, île de l'océan Indien (Tanzanie).

Zaporojié, v. et centre industriel de l'U. R. S. S. (Ukraine).

Zarathoustra ou **Zoroastre,** réformateur de la religion iranienne (vers 660-vers 583 av. J.-C.).

Zélande, prov. des Pays-Bas.

Zénon d'Elée, philosophe grec du IVe s. av. J.-C., qui niait le mouvement.

Zénon de Citium, philosophe grec du IVe s. av. J.-C., fondateur du stoïcisme.

Zermatt, station de sports d'hiver de Suisse. au pied du Cervin.

Zeus, roi des dieux grecs.

Zizka (Jean), héros national de la Bohême (1370-1424). chef militaire des hussites.

Zoïle, sophiste grec (IVe s.).

Zola (Emile), romancier français (1840-1902), auteur des *Rougon-Macquart.*

Zomba, capit. du Malawi.

Zoroastre. V. ZARATHOUSTRA.

Zorobabel, prince de Juda de la maison de David, qui ramena les Juifs dans leur pays, après l'édit de Cyrus au VIe s. av. J.-C.

Zoug, en allem. **Zug,** v. de Suisse, ch.-l. de c., sur le *lac de Zoug;* 19 800 h.

Zoulous, peuplade de l'Afrique australe.

Zugspitze, point culminant de l'Allemagne occidentale (Bavière) ; 2 963 m.

Zuiderzée, anc. golfe de la mer du Nord (Pays-Bas), en partie asséché.

Zurbaran (Francisco *de*), peintre espagnol (1598-1664).

Zurich, centre industriel de Suisse, ch.-l. de canton; 440 200 h.

Zurich (*lac de*), lac de Suisse.

Zwickau, v. et centre industriel d'Allemagne (Saxe), sur la Mulde.

Zwingli ou **Zwingle** (Ulric), humaniste réformateur suisse (1484-1531).

Zwolle, v. des Pays-Bas, sur l'IJsel.

PRÉCIS DE GRAMMAIRE

★

LOCUTIONS LATINES ET ÉTRANGÈRES

PRÉCIS DE GRAMMAIRE

ÉLÉMENTS DU LANGAGE

Alphabet.

On appelle *alphabet* l'ensemble des lettres en usage dans une langue.

L'alphabet français se compose de vingt-six lettres :

a, b, c, d, e, f, g, h, i, j, k, l, m, n, o, p, q, r, s, t, u, v, w, x, y, z.

Dans l'écriture, on distingue les *minuscules : a, b, c, d,* etc., et les *majuscules* ou *capitales : A, B, C, D,* etc.

Les vingt-six lettres de l'alphabet se divisent en *voyelles* et en *consonnes.*

Voyelles. — Les *voyelles-lettres* représentent quelques-uns des sons que nous prononçons la bouche ouverte, en laissant libre cours à l'air qui s'échappe des voies respiratoires. Il y a six voyelles-lettres, qui sont : **a, e, i, o, u, y.**

Consonnes. — Les *consonnes-lettres* représentent quelques-unes des articulations, c'est-à-dire des obstacles que nous opposons à la colonne d'air expiré. Il y a vingt consonnes, qui sont : **b, c, d, f, g, h, j, k, l, m, n, p, q, r, s, t, v, w, x, z.**

Semi-voyelles (ou semi-consonnes). — On classe à part trois sons qui participent autant de la voyelle que de la consonne et qui ne sont transcrits dans l'alphabet par aucun signe particulier. Ils sont voisins de *i*, de *ou* et de *u;* on les perçoit dans les mots : *yeux, oui, lui.*

Diphtongues. — L'émission rapide d'une semi-voyelle et d'une voyelle constitue une *diphtongue;* exemples : *pied, violon, toile, pieu, louis.*

Signes orthographiques.

Les signes orthographiques sont : les *accents,* l'*apostrophe,* le *tréma,* la *cédille* et le *trait d'union.*

Accents. — Il y a trois sortes d'accents : l'*accent aigu,* l'*accent grave* et l'*accent circonflexe.*

L'accent aigu (´) se met sur les *e* fermés : *bonté, vérité, charité.* Il ne se met pas sur l'*e* des syllabes *er, ez : cocher, nez.*

L'accent grave (`) se met sur les *e* ouverts : *père, mère, dès.* Il se met aussi sur l'*u* dans *où* (adverbe ou pronom) et sur l'*a : à* (préposition), *là* (adverbe), *déjà, voilà, deçà,* etc. On ne met pas d'accent quand l'*e* précède un *z* ou quand il est suivi de deux consonnes ou d'une consonne double : *chez, pelle, reste, examen.*

L'accent circonflexe (^) se met généralement sur des voyelles longues : *pâte, fête, gîte, côte, flûte.* (Il indique ordinairement la suppression d'un *s* ou d'un *e : tête, âge.*) On le trouve encore :

1° Sur l'*u* du participe passé masculin singulier des verbes *devoir, croître, mouvoir : dû, crû, mû ;*

2° Sur l'*u* des adjectifs *mûr, mûre, sûr, sûre ;*

3° Sur l'*o* des pronoms possessifs : *le nôtre, le vôtre,* pour les distinguer des adjectifs *notre, votre;*

4° Sur la voyelle de l'avant-dernière syllabe des deux premières personnes du pluriel du passé simple : *nous aimâmes, vous fûtes ;*

5° Sur la voyelle de la dernière syllabe de la troisième personne du singulier de l'imparfait du subjonctif : *qu'il aimât, qu'il fît ;*

6° Sur l'*i* des verbes en *aître* et en *oître,* quand il est suivi d'un *t : il paraît, il croîtra.*

Apostrophe. — L'apostrophe (') marque la suppression d'une des voyelles *a, e, i,* dans les mots *le, la, je, me, te, se, ne, que, si,* devant un mot commençant par une voyelle ou un *h* muet : *l'amitié, s'il, l'homme,* etc. On emploie encore l'apostrophe :

1° Avec les conjonctions *lorsque, puisque, quoique,* mais seulement devant *il, elle, on, un, une ;*

2° Avec *entre, presque,* lorsqu'ils font partie d'un mot composé : *s'entr'aimer, presqu'île ;*

3° Avec *quelque,* devant *un, une : quelqu'un, quelqu'une.*

Remarque. — L'élision n'a pas lieu devant certains mots commençant par une voyelle : *onze, oui, yole, yacht, yatagan.* Pour le mot *ouate,* il y a hésitation; cependant, on dit le plus souvent *la ouate.*

Tréma. — Le tréma (¨) indique que la voyelle (*i, u, e*) sur laquelle il est porté doit se détacher, dans la prononciation, de la voyelle qui précède : *aiguë, ciguë, haïr, naïveté, Saül.*

Cédille. — La cédille ( ) se met sous le *c* pour lui donner le son de *s* dur devant les voyelles *a, o, u : façade, leçon, reçu.*

Trait d'union. — Le trait d'union (-) sert à unir plusieurs mots : *arc-en-ciel, allez-y, viens-tu?*

Dans les noms de nombre, on met le trait d'union entre les dizaines et les unités quand celles-ci s'ajoutent aux premières : *dix-huit, vingt-trois, quatre cent quarante-cinq.* Cette règle s'applique aussi au mot *quatre-vingts.* Cependant, on écrit *vingt et un, quarante et un,* etc.

Signes de ponctuation.

La *ponctuation* est destinée à mettre de la clarté en indiquant, par des signes, les rapports qui existent entre les parties constitutives du discours en général et de chaque phrase en particulier.

La ponctuation marque aussi les pauses que l'on doit faire en lisant.

Il y a six principaux signes de ponctuation : la *virgule,* le *point-virgule,* les *deux-points,* le *point,* le *point d'interrogation* et le *point d'exclamation.*

La **virgule** indique une petite pause et s'emploie :

1° Pour séparer les parties semblables d'une même phrase, c'est-à-dire les noms, les adjectifs, les verbes, etc., qui ne sont pas unies par les conjonctions *et, ou, ni : La charité est douce, patiente et bienfaisante;*

2° Avant et après toute réunion de mots que l'on peut retrancher sans changer le sens de la phrase : *Un ami, don du ciel, est un trésor précieux;*

3° Après les mots mis en apostrophe : *Mes enfants, aimez-vous les uns les autres;*

4° Pour séparer soit deux propositions de même nature, soit une principale d'une subordonnée jouant le rôle d'un complément circonstanciel : *Qu'il vente, qu'il pleuve, je sors quand même.*

Le **point-virgule** indique une pause moyenne et s'emploie pour séparer les parties semblables d'une même phrase, surtout celles qui sont déjà subdivisées par la virgule : *Fais bien, tu auras des envieux; fais mieux, tu les confondras.*

Les **deux-points** s'emploient :

1° Après un membre de phrase qui annonce une citation : *Personne ne peut dire : je suis parfaitement heureux;*

2° Avant une phrase qui développe celle qui précède : *Laissez dire les sots : le savoir a son prix;*

3° Avant ou après une énumération, suivant que celle-ci termine ou commence la phrase : *Voici notre histoire en trois mots : naître, souffrir, mourir. Naître, souffrir, mourir : voilà notre histoire en trois mots.*

Le **point** indique une longue pause et s'emploie après une phrase entièrement terminée, autrement dit, lorsqu'une idée est complètement développée : *J'ai prêté un livre à Pierre.*

Le **point d'interrogation** s'emploie à la fin de toute phrase qui exprime une interrogation directe : *Que dites-vous?*

Le **point d'exclamation** s'emploie après les interjections et à la fin des phrases qui marquent la joie, la surprise, la douleur, etc. : *Qu'un ami véritable est une douce chose! Bravo! c'est très bien!*

Outre ces six signes de ponctuation, on en distingue quatre autres, qui s'emploient dans des circonstances particulières. Ce sont : les *points de suspension*, la *parenthèse*, les *guillemets* et le *tiret*.

Les **points de suspension** indiquent une interruption, une réticence, une citation inachevée : *Quant à vous..., mais je vous le dirai demain.*

La **parenthèse** sert à isoler, au milieu d'une phrase, des mots qui ne sont pas nécessaires pour le sens général et qu'on y a insérés pour rappeler incidemment une pensée tout à fait secondaire : *La peste* (*puisqu'il faut l'appeler par son nom*) [...] *Faisait aux animaux la guerre.*

Les **guillemets** se mettent au commencement et à la fin d'une citation, et quelquefois même au commencement de chaque ligne des citations : *A Ivry, Henri IV dit à ses soldats : « Ne perdez point de vue mon panache blanc; vous le trouverez toujours au chemin de l'honneur. »*

Le **tiret** marque le changement d'interlocuteur dans le dialogue, et remplace les mots *dit-il, répondit-il,* etc. : *Qu'est-ce là? lui dit-il. — Rien. — Quoi rien? — Peu de chose.*

On emploie aussi le tiret pour remplacer la parenthèse.

LES PARTIES DU DISCOURS

On appelle traditionnellement *parties du discours* (c'est-à-dire « éléments constitutifs du langage ») neuf sortes de mots qui ont des emplois et des rôles différents. Ce sont : le *nom*, l'*article*, l'*adjectif*, le *pronom*, le *verbe*, l'*adverbe*, la *préposition*, la *conjonction* et l'*interjection*.

LE NOM

Le *nom* est un mot qui sert à désigner, d'une façon générale, les êtres et les choses : *père, mère, cheval, pensée, vertu.* On distingue deux sortes de noms : le nom *commun* et le nom *propre*.

Le nom *commun* s'applique à un être en tant qu'il appartient à une espèce, à une catégorie : un *homme*, une *maison*, un *fleuve*.

Le nom *propre* s'applique à un ou plusieurs êtres pour les distinguer des autres êtres de même espèce : la *France*, la *Seine*, *Racine*, les *Anglais*.

Le nom propre s'écrit toujours avec une majuscule initiale. Les noms propres se divisent en noms de personnes et en noms de lieux.

Remarque sur les noms.

Quant à leur nature, on distingue les noms *concrets*, les noms *abstraits*, les noms *collectifs*.

Nom concret. — Le nom concret représente un être ou un objet réel, qui tombe sous les sens, que l'on peut voir, toucher : *maison, plante, animal.*

Nom abstrait. — Le nom abstrait représente une création de l'esprit, une idée de l'intelligence : *justice, courage, charité.*

Nom collectif. — Le nom collectif évoque une pluralité, une réunion d'êtres ou de choses considérés comme formant un tout, une unité : *nation, foule, armée, troupeau.*

Quant à la forme, on distingue les noms *simples* et les noms *composés*.

Nom composé. — On appelle nom composé un nom formé de plusieurs mots ne désignant qu'un seul être, une seule chose, et réunis ou non par un trait d'union : *passeport, arc-en-ciel.*

LE GENRE

Le nom est soumis à deux catégories qui entraînent des modifications dans sa forme : le *genre* et le *nombre*.

Il y a, en français, deux genres : le genre *masculin* et le genre *féminin*. On peut dire, en général :

1° Que les noms d'hommes et d'êtres mâles sont du genre masculin : *Jean, père, lion;*

2° Que les noms de femmes et d'êtres femelles sont du genre féminin : *Jeanne, mère, chatte.*

C'est l'article qui fixe le genre du nom. On reconnaît qu'un nom est du féminin quand il est précédé de *la* ou de *une : la bergerie, une brebis.*

Formation du féminin dans les noms. — *a*) La marque la plus fréquente du féminin *dans l'écriture* est un *e* que l'on ajoute au nom masculin, soit directement : *ami, amie,* soit après avoir redoublé la consonne finale du mot masculin : *paysan, paysanne; chien, chienne;*

b) Certains noms ont un féminin tout différent du masculin : *père, mère; cheval, jument;*

c) D'autres féminins se forment en ajoutant un suffixe spécial. Les plus usités parmi ces suffixes sont :

-esse, qui s'adjoint le plus souvent à des noms masculins terminés par un *e* muet : *prince, princesse; âne, ânesse; pauvre, pauvresse;*

-trice, qui remplace au féminin le suffixe *-teur* du masculin : *instituteur, institutrice;*

-teuse, qui remplace au féminin le suffixe *-teur* du masculin : *acheteur, acheteuse; porteur, porteuse;*

-elle, qui remplace au féminin le suffixe *-eau* du masculin : *chameau, chamelle;*

-euse, qui remplace au féminin le suffixe *-eur* du masculin : *joueur, joueuse;*

-ère, qui remplace au féminin le suffixe *-er* du masculin : *boucher, bouchère; écolier, écolière;*

-eresse, qui, dans certains mots techniques et anciens, remplace au féminin le suffixe *-eur* du masculin : *bailleur, bailleresse; défendeur, défenderesse;*

d) Enfin, dans le passage du masculin au féminin, certains noms changent seulement leur terminaison, le radical ne change pas : *loup, louve.*

REMARQUES ET EXCEPTIONS. — *Drôle, ivrogne, mulâtre, pauvre, Suisse,* joints à un nom ou employés comme attributs après le verbe *être,* ne changent pas au féminin : *une femme drôle; elle est pauvre;* etc. Accompagnés d'un déterminatif, ces mots font *drôlesse, ivrognesse, mulâtresse, pauvresse, Suissesse.* Certains noms de métier (*professeur, peintre, auteur, écrivain, ingénieur, médecin, précepteur,* etc.) n'ont pas de féminin; aussi, bien qu'*avocate* soit aujourd'hui communément employé, dit-on encore *une femme peintre, une femme professeur* (mais, de préférence, *un professeur femme*).

Noms qui ont deux genres. — Il y a, en français, des noms qui prennent les deux genres, tels : *amour, couple, délice, foudre, hymne, œuvre, orge, orgue, Pâque, période.*

Genre des noms de villes. — N'ont de genre précisément marqué que les noms de villes, de villages précédés de l'article, et ils sont la minorité : LA *Flèche,* LE *Mans,* LA *Ferté-sous-Jouarre.* Pour les autres, on ne peut indiquer que les règles d'usage. 1° La prudence commande, en général, de faire précéder le nom propre incertain du mot *ville : La* VILLE *de* ROUEN *est très* CURIEUSE *à visiter;* 2° En apostrophe, les noms de villes sont ordinairement du féminin : *Chante,* HEUREUSE ORLÉANS, *le vengeur de la France* (C. Delavigne); 3° Un nom de ville précédé immédiatement du mot *tout* se met toujours au masculin, ainsi que les mots qui s'y rapportent : TOUT LISBONNE *fut* DÉTRUIT *par un tremblement de terre;* 4° Quelques noms de villes qui dérivent d'un féminin latin et certains dont les historiens ont consacré le genre sont traditionnellement du féminin : *Rome, Athènes, Jérusalem, Lacédémone, Babylone, Syracuse, Florence, Venise, Lutèce, Capoue, Pompéi, Thèbes, Grenade,* etc. Les autres sont ordinairement du masculin : *New York est* GRAND.

LE NOMBRE

Il y a deux nombres : le *singulier* et le *pluriel.*

Formation orthographique du pluriel dans les noms. — Règle générale. — On forme le pluriel dans les noms en ajoutant la lettre *s* au singulier : *le laboureur, les laboureurs; une ville, des villes.*

Exceptions. — Les noms terminés au singulier par *s, x* ou *z* ne changent pas au pluriel : *le rubis, les rubis; la noix, les noix; le nez, les nez.*

Les noms terminés au singulier par *eau, au, eu* prennent un *x* au pluriel : *l'oiseau, les oiseaux; un fléau, des fléaux; un enjeu, des enjeux.* Il faut excepter *bleu, pneu, landau,* qui prennent un *s : des bleus, des pneus, des landaus.*

Sept noms terminés par *ou : bijou, caillou, chou, genou, hibou, joujou, pou,* prennent un *x* au pluriel : *des bijoux, des cailloux, des choux, des genoux, des hiboux, des joujoux, des poux.* Tous les autres noms en *ou* prennent un *s : des trous, des verrous,* etc.

Pluriel des noms en ***al, ail.*** — Les noms terminés en *al* changent au pluriel *al* en *aux : le cheVAL, les cheVAUX; un caporAL, des caporAUX.* Il faut excepter *aval, bal, cal, carnaval, chacal, festival, narval, nopal, pal, régal, serval* et quelques autres peu employés au pluriel : *archal, bancal, santal,* qui prennent *s* au pluriel : *des bals, des cals, des carnavals,* etc.

Sept noms en *ail : bail, corail, émail, soupirail, travail, vantail, vitrail,* changent au pluriel *ail* en *aux : des* BAUX, *des* corAUX, *des* émAUX, *des* soupirAUX, *des* travAUX, *des* vantAUX, *des* vitrAUX. Les autres noms en *ail* prennent un *s : des portails, des détails... Ail* fait au pluriel *aulx : J'ai planté des* AULX. En termes de botanique, *ail* fait *ails : La famille des* AILS. *Bétail* et *bercail* n'ont pas de pluriel. *Bestiaux,* nom pluriel dont le singulier (*bestial,* bête) n'est plus usité que comme adjectif, sert de pluriel à *bétail.*

Aïeul, ciel, œil. — Les noms *aïeul, ciel, œil* ont deux pluriels différents : *aïeux, cieux, yeux,* ou *aïeuls, ciels, œils.*

Pluriel des noms propres. — Les noms propres ne prennent pas la marque du pluriel quand ils désignent : 1° des personnes qui ont porté le même nom : *les deux Corneille, les Goncourt,* ou, par emphase, un seul individu : *les Bossuet, les Racine, les La Fontaine ont illustré le règne de Louis XIV;* 2° des ouvrages produits par les personnages nommés : *des Titien, des Balzac.*

Les noms propres varient quand ils désignent : 1° des personnes semblables à celles dont on cite le nom, des espèces, des types : *Les Corneilles, les Racines sont rares;* 2° certaines familles royales ou princières : *les Bourbons, les Guises, les Condés, les Stuarts, les Tudors* (cependant restent invariables les noms qui désignent des familles entières : *les Bernadotte, les Sforza, les Thibault,* ou ceux de dynasties étrangères qui ne sont pas francisés : *les Habsbourg, les Hohenzollern, les Romanov*) ; 3° les noms propres de pays, de peuples : *les Amériques, les Guyanes, les Belges, les Italiens.*

Mots invariables. — Certains noms, en raison même de la nature de ce qu'ils désignent, ne s'emploient, en général, qu'au singulier : noms abstraits ou adjectifs substantivés : *la bonté, la beauté, le juste, le vrai;* noms de matière : *le soufre, le fer.*

D'autres, au contraire, collectifs ou désignant des objets formés de deux parties, s'emploient surtout ou exclusivement au pluriel : *les annales, les funérailles, les entrailles, les ciseaux, les tenailles,* etc.

REMARQUES. — Le pluriel d'un mot abstrait désigne ordinairement des manifestations *concrètes* de la chose en question : *Cet homme a eu des bontés pour moi* (*bontés* signifie « des actes par où se révélait sa bonté »). De même, le pluriel de certains noms de matière et de quelques adjectifs pris substantivement permet de traduire des nuances de style intéressantes : *des bronzes* veulent dire « des objets d'art en bronze »; *des blés* iront jusqu'à signifier « des champs de blé ».

Les adjectifs cardinaux, les locutions, les mots invariables de leur nature, employés accidentellement comme noms, ne prennent pas la marque du pluriel : *les quatre, les on-dit, les pourquoi, les oui...*

Noms d'origine étrangère. — Les noms tirés des langues étrangères prennent en général la marque du pluriel : *des opéras, des albums, des référendums, des sanatoriums, des ultimatums, des accessits, des pianos, des agendas, des bravos, des nazis.* Mais on écrit sans *s* : 1° les noms formés de plusieurs mots étrangers : *des in-octavo, des ecce homo, des post-scriptum,* etc.; 2° les noms latins des prières : *des Pater, des Credo, des Ave,* etc.

Noms composés. — Les mots qui peuvent entrer dans la formation d'un nom composé sont : le *nom,* l'*adjectif,* le *verbe,* la *préposition* et l'*adverbe.*

Le nom et l'adjectif peuvent seuls prendre la marque du pluriel : *un chou-fleur, des choux-fleurs; un coffre-fort, des coffres-forts.*

Si le nom composé est formé de deux noms liés par une préposition, le premier seul prend la marque du pluriel : *des chefs-d'œuvre, des arcs-en-ciel.*

Cependant, on écrit : *des coq-à-l'âne,* des discours sans suite où l'on passe *du coq à l'âne.* Les noms composés *hôtel-Dieu* et *fête-Dieu* font au pluriel : *des hôtels-Dieu, des fêtes-Dieu.*

Le verbe, la préposition et l'adverbe restent toujours invariables : *un passe-partout, des passe-partout; un avant-coureur, des avant-coureurs.*

SYNTAXE DU NOM

Le nom est susceptible d'être déterminé, c'est-à-dire d'être complété par un mot qui précise sa signification.

Complément de nom. — On appelle ainsi tout mot qui fixe, qui précise la signification d'un nom et qui est joint à lui par un article contracté ou par une préposition (*à, de, en, par, pour, sans,* etc.) suivie de l'article : *l'odeur de la* ROSE.

Complément appositif ou apposition. — Un nom peut avoir pour complément un autre nom qui, placé à côté de lui, indique une qualification précise. Sauf dans certains cas assez rares (*la ville* DE *Paris*), aucune préposition ne relie les deux noms : *Paris, capitale de la France.*

Apostrophe. — Un nom est mis en apostrophe quand il sert à nommer la personne ou la chose qu'on interpelle : PIERRE, *savez-vous votre leçon?*

Noms précédés d'une préposition. — Il est souvent difficile de savoir à quel nombre on doit employer un nom précédé d'une des prépositions *à, de, en, par, pour, sans,* etc.

Si le nom ne représente qu'un objet ou une matière ordinairement au singulier, il y a unité dans l'idée, et il faut employer le singulier : *un sac de* BLÉ; *des hommes de* TALENT; *des fruits à* NOYAU; si le nom éveille l'idée de plusieurs objets, on emploie le pluriel : *un sac de* BONBONS; *un bonnet à* RUBANS; *un fruit à* PÉPINS; *maison réduite en* CENDRES.

OBSERVATION. — Cette règle du nombre dans les noms placés après une préposition est très vague. Le moyen le plus sûr pour déterminer le nombre, quand il n'est pas indiqué par un déterminatif, c'est de consulter le sens, c'est-à-dire de voir s'il y a *unité* ou *pluralité* dans l'idée. Dans le premier cas, on met le *singulier;* dans le second, on met le *pluriel.* Ainsi, en consultant le sens, on mettra au singulier : *lit de* PLUME (lit fait avec *de la plume*); *marchande de* POISSON (marchande qui vend *du poisson*) ; et on mettra au pluriel : *paquet de* PLUMES (paquet qui contient *des plumes*) ; *marchande de* HARENGS (marchande qui vend *des harengs*).

L'ARTICLE

L'*article* est un mot qui se place devant les noms et qui en indique le nombre et le genre, du moins au singulier. L'article s'accorde toujours en nombre et en genre avec le nom auquel il se rapporte.

Il y a trois sortes d'articles : l'article *défini*, l'article *indéfini* et l'article *partitif*.

Formes de l'article défini et de l'article indéfini. — Les mots qui jouent le rôle d'articles changent de forme selon le genre et le nombre : *le père, la mère, les enfants; un frère, une sœur, des jeux.*

	ARTICLE DÉFINI		ARTICLE INDÉFINI	
	Masc.	Fém.	Masc.	Fém.
SING.	le	la	un	une
PLUR.	les		des	

Elision. — L'*élision* consiste dans la suppression des voyelles *e, a,* qui, à la fin d'un mot, sont remplacées par une apostrophe. On élide les articles *le, la* devant tout mot commençant par une voyelle ou un *h* muet; ainsi, on écrit et on prononce : *l'oiseau, l'histoire, l'amitié.* L'article *l'* est alors dit *élidé.*

Contraction. — La *contraction* est la réunion de plusieurs mots, de plusieurs sons en un seul.

Les articles contractés sont formés par la réunion des articles *le, les* avec les prépositions *à, de.* Les articles contractés sont :

au, mis pour *à le;* | *du,* mis pour *de le;*
aux, mis pour *à les;* | *des,* mis pour *de les.*

On contracte l'article : 1° devant les mots pluriels : AUX *amis,* DES *villes;* 2° devant un mot masculin singulier commençant par une consonne ou par un *h* aspiré : DU *village,* AU *hameau.*

Emplois de l'article. — Sauf dans un certain nombre d'exceptions énumérées plus bas, tout nom se fait précéder de l'*article défini* ou de l'*article indéfini.*

L'ARTICLE DÉFINI se met devant les noms dont le sens est déterminé : LE *chien du berger.*

L'ARTICLE INDÉFINI se met devant les noms dont le sens est vague, général : *Prêtez-moi* UN *livre.*

REMARQUE. — Les noms propres de personnes et de villes, qui ont par eux-mêmes un sens déterminé, complet, ne sont pas précédés de l'article: *Paul, Pierre, Paris, Lyon.*

Les noms géographiques autres que les noms de villes sont, en général, précédés de l'article défini; ainsi l'on dit : LA *France,* LE *Rhin,* LES *Alpes,* LE *Perche.*

L'emploi de l'article défini devant certains noms de familles, d'écrivains ou d'artistes italiens est traditionnel; ainsi l'on dit : LE *Tasse,* L'*Arioste;* mais on évitera de dire : LE *Dante,* car *Dante* est un prénom.

On trouve aussi l'article devant le nom de certaines grandes actrices ou cantatrices : LA *Champmeslé,* LA *Clairon,* LA *Malibran.* Mais dans les exemples suivants : LA *Pompadour,* LA *Du Barry,* l'article indique une intention de dénigrement.

Formes de l'article partitif. — L'article *partitif* est formé de la préposition *de,* pure ou combinée avec l'article défini; il a les formes suivantes :

	Masculin	Féminin
SINGULIER .	du (de l')	de la (de l')
PLURIEL . .	des (de)	

On l'emploie devant les mots pris dans un sens *partitif,* c'est-à-dire exprimant une partie des choses dont on parle : *J'ai mangé* DU *beurre,* DE LA *crème,* DES *fruits.*

Si le nom est précédé d'un adjectif, on emploie *de* au lieu de *du, de la, des : J'ai mangé* DE *bon beurre,* DE *bonne crème,* DE *bonnes poires.*

REMARQUES. — Cependant, si l'adjectif et le nom sont liés de manière à former une sorte de nom composé, comme *jeunes gens, petits pois,* on met *du, de la, des,* et non *de : J'ai mangé* DES *petits pois.*

En français moderne, l'article partitif se développe et présente des emplois nouveaux : *jouer* DU *Bach; faire* DE LA *température; une voiture qui fait* DU *cent à l'heure.*

Répétition de l'article. — Quand deux adjectifs, unis par la conjonction *et,* qualifient un même nom, l'article ne se répète pas devant le second : *Le simple et bon La Fontaine est le premier des fabulistes français.*

Si les adjectifs ne peuvent qualifier ensemble le même substantif, la répétition de l'article est nécessaire : *la haute et* LA *basse Bourgogne.* Pourtant, dans ce cas, il arrive parfois que, pour donner plus de rapidité à la pensée, on ne répète pas l'article : *César parlait les langues grecque, latine, syrienne, hébraïque, arabe.*

Règle générale. — L'article se répète devant chaque nom déterminé.

Exceptions. — L'article ne se répète pas quand les noms forment pour ainsi dire une expression indivisible ou quand on parle de personnes, de choses analogues : *Ecole des ponts et chaussées; les officiers et sous-officiers; les père et mère; journal paraissant les lundi, jeudi et samedi.* On supprime également l'article après la conjonction *ou,* devant un deuxième nom qui est le synonyme ou l'explication du premier : *le Bosphore, ou détroit de Constantinople.* Souvent, même, on le supprime dans les phrases proverbiales ou dans les énumérations : *Prudence est mère de sûreté. Prières, offres, menaces, rien ne l'a ébranlé.* On n'emploie pas l'article devant les mots mis en apostrophe : *Soldats, soyez braves!* On ne l'exprime pas non plus dans un grand nombre de locutions verbales formant image : *rendre gorge, prendre pitié, avoir pied, faire feu,* etc.

Article devant *plus, mieux, moins.* — Avec les adverbes *plus, mieux, moins,* l'article varie pour exprimer une idée de comparaison : *Cette femme est* LA *plus heureuse des mères.* (On compare le bonheur d'une mère avec celui des autres mères.) Mais on emploie l'article *le,* invariable, si l'on veut exprimer une qualité portée au plus haut degré, sans idée de comparaison : *C'est près de ses enfants que cette mère est* LE *plus heureuse* (c'est-à-dire « heureuse au plus haut degré »).

L'ADJECTIF

L'*adjectif* est un mot qui s'ajoute au nom pour le déterminer ou pour le qualifier.

On distingue : 1° les adjectifs *démonstratifs;* 2° les adjectifs *possessifs;* 3° l'adjectif *interrogatif;* 4° les adjectifs *indéfinis;* 5° les adjectifs *numéraux;* 6° les adjectifs *qualificatifs.*

Adjectifs démonstratifs.

Les adjectifs *démonstratifs* sont ceux qui déterminent le nom en ajoutant une idée d'indication objective; ils servent à distinguer les êtres et les objets dont on parle.

Formes des adjectifs démonstratifs :

	Masculin	Féminin
SINGULIER . . .	ce, cet	cette
PLURIEL	ces	

REMARQUE. — On emploie *cet* au lieu de *ce* devant une voyelle ou un *h* muet : CET *arbre,* CET *homme.*

Adjectifs possessifs.

Les adjectifs *possessifs* marquent la possession au sens strict et au sens large du mot : MON *chapeau,* MON *chien,* MA *famille,* MA *patrie.*

Ex. : *Fais* TON *devoir. Aimez bien* VOTRE *père et* VOTRE *mère.* Pour éviter un hiatus, on emploie *mon, ton, son* au lieu de *ma, ta, sa* devant un nom féminin commençant par une voyelle ou par un *h* muet : MON *amitié,* TON *histoire,* SON *épée.*

Adjectif interrogatif.

Le seul adjectif *interrogatif* est *quel,* qui s'emploie dans une interrogation avec un nom ou un pronom, et varie en genre et en nombre (*quelle* au féminin; *quels, quelles,* au pluriel) : QUEL *âge avez-vous?* QUELLE *heure est-il?* QUELS *devoirs faites-vous?* QUELLES *leçons apprenez-vous?* QUEL *est celui d'entre vous qui a fait cela?*

Employé dans une exclamation, cet adjectif est appelé adjectif *exclamatif :* QUELLE *chance!*

Adjectifs indéfinis.

Les adjectifs *indéfinis* déterminent le nom d'une manière vague, générale. Les adjectifs indéfinis sont : *certain, maint, quelque, quelconque, tel.*

Adjectifs numéraux.

Les adjectifs *numéraux* déterminent le nom en y ajoutant soit une idée de quantité : TROIS *soldats;* soit une idée de rang : TROISIÈME *chapitre.*

Il y a deux sortes d'adjectifs numéraux : les adjectifs numéraux cardinaux et les adjectifs numéraux ordinaux.

Les adjectifs numéraux *cardinaux* marquent le nombre, la quantité : *un, deux, trois, quatre, cinq, six, sept, huit, neuf, dix, vingt, cent, mille,* etc.

Les adjectifs numéraux *ordinaux* marquent l'ordre, le rang : *premier, deuxième, troisième..., dixième, vingtième, centième, millième,* etc.

On rattache désormais aux adjectifs numéraux ceux des adjectifs, dits naguère *indéfinis,* qui apportent au nom une détermination numérique : *aucun, nul, chaque, plusieurs, tout.*

Adjectifs qualificatifs.

L'adjectif *qualificatif* est un mot qui sert à exprimer une manière d'être, une qualité de l'être ou de l'objet désigné par le nom auquel il est joint : *un enfant* STUDIEUX ; *une voiture* CONFORTABLE.

Formes des adjectifs possessifs :

	UN POSSESSEUR		PLUSIEURS POSSESSEURS	
	un objet possédé	plusieurs objets possédés	un objet possédé	plusieurs objets possédés
1re personne	mon, ma	mes	notre	nos
2e personne	ton, ta	tes	votre	vos
3e personne	son, sa	ses	leur	leurs

Formation du féminin dans les adjectifs. — Ainsi qu'on l'a vu à propos des noms, le féminin s'indique, dans les adjectifs, soit par des marques orthographiques, soit par un changement de prononciation.

On forme généralement le féminin d'un adjectif en ajoutant un *e* muet au masculin : *un homme poli, une femme poli*E ; *un océan glacial, une mer glacial*E. Les adjectifs terminés au masculin par *gu* prennent au féminin un *e* surmonté d'un tréma : *son aigu, voix aigu*Ë.

REMARQUE. — La présence de l'*e* muet s'accompagne souvent d'un changement de prononciation.

1° La consonne finale, muette au masculin, se fait entendre au féminin : *long, longue ; complet, complète ; concret, concrète ; discret, discrète ; inquiet, inquiète ; replet, replète ; secret, secrète.*

2° La consonne finale, muette au masculin, se fait entendre au féminin et la voyelle précédente s'ouvre ou se dénasalise : *idiot* (O fermé), *idiote* (O ouvert) ; *léger* (E fermé), *légère* (E ouvert), *persan* (A nasal), *persane.*

3° Dans certains adjectifs, le féminin se forme en redoublant la consonne finale du masculin et en ajoutant un *e* muet. Leur prononciation demeure la même ou subit les accidents énumérés ci-dessous.

Les adjectifs terminés au masculin par *-el, -eil, -en, -et, -on*, comme *solennel, vermeil, ancien, cadet, bon,* font au féminin *-elle, -eille*, etc. : *solennelle, vermeille, ancienne, cadette, bonne.*

Nul, épais, gentil, exprès, profès font au féminin *nulle, épaisse, gentille, expresse, professe.*

De même, *bas, gras, las, sot, vieillot, pâlot, paysan, rouan* suivent la règle et font *basse, grasse, lasse, sotte, vieillotte, pâlotte, paysanne, rouanne.* Aucun des autres adjectifs en *-as, -ot, -an* ne redouble au féminin la consonne finale : *ras, rase ; idiot, idiote ; persan, persane.*

4° La finale de quelques adjectifs change complètement au cours de leur passage du masculin au féminin. Les adjectifs terminés au masculin par *f* changent au féminin *f* en *ve : vif, vive.* Les adjectifs terminés au masculin par *x* changent au féminin *x* en *se : heureux, heureuse.* Il faut excepter *doux, faux, roux, préfix, vieux,* qui font au féminin *douce, fausse, rousse, préfixe, vieille.*

Blanc, frais, franc, sec, public, caduc, turc, grec font au féminin : *blanche, fraîche, franche, sèche, publique, caduque, turque, grecque.*

Favori, coi, tiers, muscat font *favorite, coite, tierce, muscate.*

Beau, jumeau, nouveau, fou, mou font au féminin *belle, jumelle, nouvelle, folle, molle.*

Les anciennes formes masculines *bel, nouvel, fol, mol, vieil* s'emploient devant un nom commençant par une voyelle ou un *h* muet : *bel enfant, nouvel an, fol espoir, mol oreiller, le vieil homme.*

5° Les adjectifs en *-eur* et en *-teur* font leur féminin soit en *-euse : trompeur, trompeuse ; chasseur, chasseuse ; flatteur, flatteuse ;* soit en *-trice : protecteur, protectrice ; révélateur, révélatrice.*

Cependant, *enchanteur, pécheur, vengeur* et *chasseur* font au féminin *enchanteresse, pécheresse, vengeresse, chasseresse,* ce dernier dans le style poétique.

Les adjectifs *grognon, témoin, contumax, rosat, capot* conservent leur forme masculine même quand ils se rapportent à des mots féminins : *une petite fille grognon.*

Formation du pluriel dans les adjectifs. — RÈGLE GÉNÉRALE. — On forme le pluriel d'un adjectif en ajoutant la lettre *s* au singulier : *un enfant intelligent, des enfants intelligent*s.

EXCEPTIONS. — Les adjectifs terminés au singulier par *s* ou par *x* ne changent pas au pluriel : *un vin exquis, des vins exquis ; un fruit délicieux, des fruits délicieux.*

Tous les adjectifs terminés par le son *eu* ont un *x* au singulier : *heureux, courageux.*

Il faut excepter *bleu, feu* et *hébreu.*

Bleu et *feu* prennent un *s* au pluriel : *des yeux bleus, les feus princes. Hébreu* prend un *x : des livres hébreux.*

Les adjectifs *beau, jumeau, nouveau* prennent un *x* au pluriel : *de beaux livres, des frères jumeaux, des fruits nouveaux.*

Les adjectifs en *-ou* prennent un *s* au pluriel : *des prix fous.*

La plupart des adjectifs en *-al* changent au pluriel *-al* en *-aux : un homme loyal, des hommes loyaux.*

Quelques adjectifs, peu usités au masculin pluriel, font indifféremment *-als* ou *-aux :* tels sont *austral, boréal, pascal,* etc.

Mais les adjectifs *bancal, fatal, final, glacial, natal, naval, tonal* prennent un *s* au pluriel.

Comparatifs et superlatifs. — Le *comparatif* est la forme prise par l'adjectif lorsqu'il qualifie un nom comparé à lui-même ou à un autre.

Il y a trois comparatifs : 1° le comparatif d'*infériorité,* exprimé par l'adverbe *moins : Je suis* MOINS HEUREUX *que toi ;* 2° le comparatif d'*égalité,* exprimé par l'adverbe *aussi : Je suis* AUSSI HEUREUX *que toi ;* 3° le comparatif de *supériorité,* exprimé par l'adverbe *plus : Je suis* PLUS HEUREUX *que toi.*

Les trois adjectifs *bon, mauvais, petit* ont pour comparatifs *meilleur, pire, moindre.*

On dit aussi *plus mauvais, plus petit,* mais on ne dit pas *plus bon.*

Le *superlatif* est la forme prise par l'adjectif qualificatif lorsqu'il qualifie un être, un objet comparés à tous les êtres, à tous les objets semblables (*superlatif relatif*), ou lorsqu'il exprime la qualité portée à un très haut degré (*superlatif absolu*).

Le superlatif *relatif* se marque par le comparatif précédé de l'article défini : *Paris est* LA PLUS BELLE *ville du monde ;* ou par le comparatif précédé de l'adjectif possessif : *C'est* MON MEILLEUR *ami.* Le superlatif *absolu* se marque par les adverbes *très, fort, bien, extrêmement,* etc., les préfixes *extra-, super-, sur-, ultra-, archi- : très sage, fort riche, ultra-rapide, archi-faux,* etc.

SYNTAXE DES ADJECTIFS

Adjectifs possessifs.

Emploi de *son, sa, ses, leur, leurs* **et de** *en.* — Quand le possesseur et l'objet possédé appartiennent à la même proposition, on emploie toujours devant le second *son, sa, ses, leur, leurs* : *Le chien aime* SON *maître. Le soldat défend* SA *patrie.*

On se sert encore de l'adjectif possessif quand le possesseur n'étant pas dans la même proposition que l'objet possédé, celui-ci est précédé d'une préposition : *Paris est une ville magnifique; tout le monde admire la beauté de* SES *monuments.*

Il en est de même lorsque le possesseur est un nom de personne ou d'animal : *J'ai visité mes amis; j'ai partagé* LEURS *jeux.*

Quand le possesseur est un nom de chose, on emploie *son, sa, ses,* aussi bien que l'article avec *en,* si la chose peut être considérée comme susceptible de posséder : *J'ai vu la mer, j'aime* SES *aspects grandioses* ou *j'*EN *aime les aspects grandioses.* Mais on dira plutôt : *La mer était déchaînée; j'ai essayé d'*EN *faire le croquis,* parce que le croquis n'appartient pas à la mer. Toutefois, la construction avec l'adjectif possessif tend à supplanter l'autre.

Notre, votre, leur. — On met au singulier *notre, votre, leur* et les noms qu'ils déterminent :

1° Quand il n'y a qu'un objet possédé en commun. Ainsi on dira, en parlant d'enfants qui sont frères : *Ils aiment beaucoup* LEUR *mère;*

2° Lorsque chaque possesseur ne possède qu'un objet différent : *Les soldats donnent* LEUR *vie pour la patrie.*

On emploie le pluriel *nos, vos, leurs* quand chaque possesseur a ou peut avoir plusieurs de ces objets : *Toutes les mères chérissent* LEURS *enfants.*

Article au lieu du possessif. — On remplace l'adjectif possessif par l'article défini devant les noms indiquant le lieu d'une sensation : *J'ai mal à* LA *tête,* ou dépendant d'un verbe pronominal : *Elle s'est coupé* LE *doigt.*

Adjectifs indéfinis.

Quelque est adjectif ou adverbe. *Quelque* est adjectif et variable quand il est suivi d'un nom ou d'un adjectif accompagné d'un nom : *Choisissons* QUELQUES *amis,* QUELQUES *vrais amis.*

Quelque est adverbe et invariable :

1° Quand il modifie un adjectif, un participe ou un adverbe; il signifie alors « si » : QUELQUE *habiles,* QUELQUE *bons ouvriers que vous soyez,* QUELQUE *adroitement que vous vous y preniez, vous ne réussirez pas;*

2° Quand il précède un adjectif numéral et qu'il signifie « environ » : *Cet homme a* QUELQUE *cinquante ans.*

Quelque placé devant un verbe s'écrit en deux mots (*quel que*). *Quel* est alors adjectif indéfini et s'accorde en genre et en nombre avec le sujet du verbe : QUELS *que soient les dangers, affrontez-les bravement.*

Certain, maint s'accordent en genre et en nombre avec le nom auquel ils se rapportent : CERTAINS *individus;* CERTAINES *personnes. Napoléon livra* MAINTES *batailles.*

Adjectifs numéraux.

Les adjectifs numéraux cardinaux sont invariables : *les* DOUZE *mois, les* QUARANTE *de l'Académie.*

Il faut excepter *un,* qui fait au féminin *une,* et *vingt* et *cent,* qui prennent quelquefois la marque du pluriel.

Million, billion, milliard, etc., qui sont des noms, varient; il en est de même des adjectifs numéraux ordinaux, qui sont de véritables qualificatifs.

REMARQUES SUR LES AUTRES ADJECTIFS NUMÉRAUX. — **Aucun, nul,** signifiant « pas un », excluent toute idée de pluralité : *Cet homme est sans* AUCUNE *ressource,* NULLE *âme ne vient à son secours.*

Cependant, *aucun, nul* prennent la marque du pluriel : 1° lorsqu'ils sont placés devant un nom qui n'a pas de singulier : AUCUNES *funérailles n'ont été plus imposantes que celles de Victor Hugo;* 2° lorsqu'ils sont placés devant un nom qui a une signification particulière au pluriel : NULLES *troupes n'ont plus d'élan que les nôtres.*

Chaque, adjectif, doit toujours être suivi du nom auquel il se rapporte : CHAQUE *pays a ses usages.*

On ne doit pas dire : *Mes livres coûtent vingt francs* CHAQUE; mais bien : *Mes livres coûtent vingt francs* CHACUN.

Tout est adjectif ou adverbe. TOUT est adjectif, et par conséquent variable : 1° quand il détermine un nom ou un pronom : TOUS *les hivers ne sont pas rigoureux;* 2° quand il désigne l'ensemble, la totalité des parties d'une chose : *La troupe est* TOUTE *sous les armes.*

TOUT est adverbe quand il modifie un adjectif, un participe ou un autre adverbe; alors il signifie « entièrement », « tout à fait », et il est invariable : *Cette personne est* TOUT *heureuse.*

Tout, quoique adverbe, varie lorsqu'il est placé devant un adjectif féminin commençant par une consonne ou un *h* dit aspiré : *Cette personne est* TOUTE *surprise,* TOUTE *honteuse.*

Tout est invariable dans les locutions : *tout yeux, tout oreilles, tout en larmes, tout ardeur,* etc.

REMARQUES PARTICULIÈRES. — Dans une même phrase, *tout* est adjectif ou adverbe suivant qu'il exprime la totalité ou qu'il signifie « tout à fait » : *Ces fleurs sont* TOUTES *aussi fraîches qu'hier* (*toutes* sans exception). *Ces fleurs sont* TOUT *aussi fraîches qu'hier* (*tout à fait* aussi fraîches).

Tout, placé immédiatement devant un nom de ville, s'écrit au masculin, ainsi que ses corrélatifs : TOUT *Rome s'est soulevé* (c'est-à-dire : *Tout le peuple de Rome*).

Cependant, on dira : TOUTE *Rome est couverte de monuments,* parce que, ici, ce n'est plus l'idée d'un peuple, mais celle de la ville elle-même, qui est exprimée.

Tout, suivi de *autre*, varie lorsqu'il détermine le nom qui suit l'adjectif *autre* : *Demandez-moi* TOUTE AUTRE *chose* (c'est-à-dire *toute chose autre que celle que vous me demandez*).

Tout est invariable s'il modifie **l'adjectif** *autre*, et quand il est accompagné de *un*, *une*, c'est-à-dire lorsqu'il est pris adverbialement; on peut alors le remplacer par *tout à fait* : *Cela est* TOUT AUTRE *chose*. *Cela est une* TOUT AUTRE *chose* (c'est-à-dire *une chose tout à fait autre*).

Adjectif qualificatif.

Accord de l'adjectif avec le nom. — L'adjectif prend toujours le même genre et le même nombre que le nom auquel il se rapporte : *un livre* JOLI, *des fleurs* ODORANTES.

Tout adjectif qui qualifie plusieurs noms se met au pluriel. L'adjectif est du masculin si les noms qu'il qualifie sont du masculin : *L'âne et le mulet sont* TÊTUS.

L'adjectif est du féminin si les noms qu'il qualifie sont du féminin : *L'alouette et la poule sont* MATINALES.

Si l'adjectif qualifie des noms de genres différents, il se met au masculin pluriel : *La biche et le cerf sont* LÉGERS.

REMARQUE. — Lorsque l'adjectif qui se rapporte à deux noms de genres différents a une terminaison particulière pour chaque genre, l'euphonie exige qu'on rapproche le nom masculin de l'adjectif. Ainsi, on ne dira pas : *Cet acteur joue avec un art et une noblesse parfaits;* mais : *Cet acteur joue avec une noblesse et un art parfaits.*

EXCEPTIONS. — L'adjectif placé après plusieurs noms s'accorde avec le dernier :

1° Lorsque les noms sont synonymes : *La frégate vole avec une vitesse, une rapidité* PRODIGIEUSE;

2° Lorsque les noms sont placés par gradation : *Les Gaulois avaient un courage, une intrépidité* SURPRENANTE.

L'adjectif placé après deux noms réunis par la conjonction *ou* s'accorde seulement avec le dernier :

1° S'il ne qualifie que le dernier nom : *Une statue de marbre ou de bronze* DORÉ;

2° Si le dernier nom n'est que le synonyme ou l'explication du premier : *Tout homme cherche un métier ou une profession* LUCRATIVE.

Mais si le qualificatif convient à deux noms de sens différent, il se met au pluriel : *Les Samoyèdes se nourrissent de chair ou de poisson* CRUS.

L'adjectif précédé de deux noms joints par *comme, de même que, ainsi que, aussi bien que*, etc., ne s'accorde qu'avec le premier nom s'il y a comparaison : *Le lion, comme la panthère, est* CARNASSIER.

Accord de l'adjectif avec *avoir l'air*. — Il n'y a pas de règle, mais un usage. Si, pour le sens, l'adjectif se rapporte au mot *air*, il s'accorde avec lui. Ainsi l'on dira : *Cette femme a l'air* DOUX.

Si l'expression verbale *avoir l'air* est prise pour un équivalent de *sembler, paraître*, l'adjectif s'accorde avec le sujet : *Cette femme a l'air* SÉRIEUSE.

Accord de l'adjectif après deux noms joints par *de*. — Quand un adjectif est placé après deux noms joints par la préposition *de*, il s'accorde avec celui auquel il se rapporte par le sens. Ainsi on dira : *des* BAS *de coton* CHINÉS (ce sont les *bas* qui sont *chinés*); *des* BAS *de coton* ÉCRU (c'est le *coton* qui est *écru*).

Mais on dira, suivant les cas : *un jeu de* CARTES NOUVEAU OU NOUVELLES, *une serviette de* CUIR NOIR OU NOIRE, parce que ici les adjectifs peuvent être placés après l'un ou l'autre nom pris isolément, selon l'idée qu'on veut exprimer.

Remarques sur l'accord de l'adjectif.

Adjectifs composés. — Lorsqu'un *adjectif composé* est formé de deux qualificatifs, ces deux mots s'accordent avec le nom : *des pommes* AIGRES-DOUCES, *des hommes* IVRES-MORTS.

Cependant, si le premier adjectif est employé comme adverbe, le second seul varie : *des enfants* NOUVEAU-NÉS.

REMARQUES. — 1° Lorsque ces expressions sont substantives au lieu d'être adjectives, les deux mots varient : *les* NOUVEAUX VENUS, *les* NOUVEAUX MARIÉS, *des* PREMIERS-NÉS.

2° Dans certains cas, le premier adjectif, bien qu'employé adverbialement, s'accorde, suivant un ancien usage, avec l'adjectif ou le participe qui le suit : *des roses* FRAÎCHES ÉCLOSES, *des fenêtres* GRANDES OUVERTES.

Noms et adjectifs de couleurs. — Quelques noms, tels que *amarante, aurore, carmin, cerise, chocolat, garance, jonquille, marron, noisette, orange, olive, ponceau, serin, thé*, employés comme adjectifs pour désigner une couleur, sont invariables : *des rubans* PAILLE, *des jupes* MARRON.

Les mots *écarlate, mauve, pourpre, rose* sont devenus de véritables adjectifs et sont donc variables : *des robes* MAUVES.

Lorsque deux adjectifs sont réunis pour exprimer la couleur, ils sont tous les deux invariables : *des cheveux* CHÂTAIN CLAIR, *des yeux* BLEU FONCÉ.

Adjectifs sujets à hésitation. — Les adjectifs ou participes : EXCEPTÉ, PASSÉ, SUPPOSÉ, COMPRIS, Y COMPRIS, NON COMPRIS, ATTENDU, VU, APPROUVÉ, OUÏ, placés devant le nom, sont de vraies prépositions et restent invariables : EXCEPTÉ *les vieillards;* PASSÉ *huit heures.*

Placés après le nom, ils sont adjectifs et variables : *huit heures* PASSÉES; *ces motifs* SUPPOSÉS.

Pour l'accord des adjectifs *inclus, joint* (dans *ci-inclus, ci-joint*), voir ces mots à leur ordre alphabétique.

Place des adjectifs qualificatifs. — En soi, les adjectifs qualificatifs devraient pouvoir se placer indifféremment avant ou après le nom qu'ils déterminent; mais il s'est vite créé, à ce sujet, des usages auxquels on est tenu de se conformer :

1° En général, l'adjectif qualificatif placé après le nom énonce une particularité propre à le définir, à le classer, à le caractériser : *l'armée* NAVALE, *le règne* ANIMAL, *une femme* INTRIGANTE.

Placé avant le nom, l'adjectif exprime une valeur, une appréciation : *une* JOLIE *femme, une* FAUSSE *joie, un* BEAU *livre.*

2° Il y a des adjectifs qualificatifs qui changent de sens selon qu'ils précèdent ou qu'ils suivent le nom. Ainsi : *un* GRAND *homme* est un homme célèbre par ses vertus ou son génie; *un homme* GRAND est un homme de haute stature.

Offrent cette particularité : *bon, brave, certain, maigre, méchant, pauvre, propre, seul, traître, triste,* etc.

Complément de l'adjectif. — Tout mot qui complète la signification d'un adjectif est le *complément* de cet adjectif.

L'adjectif et ce mot sont liés par une des prépositions *à, de,* etc., ou par l'article contracté : *La récréation est nécessaire aux* ENFANTS.

Lorsqu'un même complément dépend de deux adjectifs, il est nécessaire que ceux-ci se construisent avec la même préposition. On dira donc : CONTENT *et* SATISFAIT *de son sort,* parce que *content* et *satisfait* se font tous deux suivre de la préposition *de.*

LE PRONOM

Le *pronom* est un mot qui tient la place non seulement du nom, dont il prend le genre et le nombre, mais encore d'un adjectif et même d'une phrase.

Le pronom remplit toutes les fonctions du nom (c'est pourquoi il est appelé *pronom*) et peut être sujet, complément, apposition, attribut.

Il y a six sortes de pronoms : les pronoms *personnels, possessifs, démonstratifs, relatifs, interrogatifs* et *indéfinis.*

Pronoms personnels et réfléchis.

Les pronoms *personnels* sont ceux qui désignent les trois *personnes* et qui indiquent le rôle que ces personnes jouent dans la phrase.

Le français distingue trois personnes : la *première* est celle qui parle : JE *chante;* la *deuxième* est celle à qui l'on parle : TU *chantes;* la *troisième* est celle dont on parle : IL ou ELLE *chante.*

Les pronoms personnels sont :

	SINGULIER	PLURIEL
1re pers.	je, me, moi	nous
2e pers.	tu, te, toi	vous
3e pers.	il, elle, lui, le, la se, soi, en, y	ils, elles, eux se, les, leur

On rattache aussi aux pronoms personnels le pronom indéfini *on.*

REMARQUES. — Les formes *se* (atone) et *soi* (tonique) sont dites *réfléchies;* elles s'emploient toujours comme compléments et rappellent le sujet de la proposition : *Il* SE *lave. On a souvent besoin d'un plus petit que* SOI. — Après un sujet pluriel, *se* marque parfois une action réciproque : *Jean et Paul* SE *battent.*

Je, tu, il, ils, formes atones, s'emploient toujours comme sujets d'un verbe dont ils font partie intégrante.

Elle, nous, vous, elles sont tantôt atones, tantôt toniques, et s'emploient dans le premier cas comme sujets, dans le second comme compléments.

Si l'on compare les phrases : IL *est sérieux; je* LE *respecte; tu* LUI *es supérieur,* on constate que le pronom de la 3e personne revêt des formes différentes suivant qu'il est sujet ou complément, et même suivant qu'il est tel ou tel complément.

Dans : IL *est beau de se sacrifier; je* LE *crois; j'*EN *suis sûr; j'*Y *compte,* les pronoms *il, le, en, y* représentent quelque chose d'indéterminé, qui ne peut être dit ni masculin ni féminin. Ils sont du genre *neutre.*

Pronoms possessifs.

Les pronoms *possessifs* tiennent la place du nom en faisant connaître à qui *appartiennent* les êtres ou les choses dont on parle : *Le Tibre a son cours en Italie, la Seine a* LE SIEN *en France.*

Les pronoms possessifs sont :

	UN POSSESSEUR		PLUSIEURS POSSESSEURS	
	Un objet possédé.	Plusieurs objets possédés.	Un objet possédé.	Plusieurs objets possédés.
1re personne	le mien la mienne	les miens les miennes	le nôtre la nôtre	les nôtres
2e personne	le tien la tienne	les tiens les tiennes	le vôtre la vôtre	les vôtres
3e personne	le sien la sienne	les siens les siennes	le leur la leur	les leurs

Remarques. — Il ne faut pas confondre les adjectifs possessifs *notre, votre,* avec les pronoms possessifs *le nôtre, le vôtre, la nôtre, la vôtre.*

Les adjectifs *notre, votre* s'écrivent sans accent et précèdent toujours un nom : NOTRE *maison,* VOTRE *jardin.*

Les pronoms *le nôtre, le vôtre, la nôtre, la vôtre* prennent un accent circonflexe sur l'*o* et ne se joignent jamais à un nom : *Chacun a ses peines et nous avons* LES NÔTRES.

Pronoms démonstratifs.

Les pronoms *démonstratifs* sont ceux qui tiennent la place du nom en *montrant* les êtres ou les choses concrètes et abstraites dont on parle : *Voici deux livres,* CELUI-CI *est le plus beau.*

Les pronoms démonstratifs sont :

SINGULIER			PLURIEL	
Masc.	Fém.	Neutre	Masc.	Fém.
celui	celle	ce	ceux	celles
celui-ci	celle-ci	ceci	ceux-ci	celles-ci
celui-là	celle-là	cela	ceux-là	celles-là

Remarque. — Les particules *ci* et *là* servent à distinguer le démonstratif « prochain » (*celui-ci*) du démonstratif « lointain » (*celui-là*).

Pronoms relatifs.

Les pronoms *relatifs,* appelés aussi *conjonctifs,* tiennent la place d'un nom qui les précède.

De même que les conjonctions de subordination, ils introduisent une proposition nouvelle et servent d'« articulation », de « charnière », entre cette proposition (*subordonnée*) et la *principale* qui la régit logiquement.

Ex. : *L'homme* QUI *a un cœur pur est heureux.*

Les pronoms relatifs *simples* ont une forme unique pour les deux genres et les deux nombres. Ce sont : *qui, que, quoi, dont, où.*

Les pronoms relatifs *composés* sont :

SINGULIER		PLURIEL	
Masc.	Fém.	Masc.	Fém.
lequel	laquelle	lesquels	lesquelles
duquel	de laquelle	desquels	desquelles
auquel	à laquelle	auxquels	auxquelles

Remarque. — Le mot ou le groupe de mots rappelé par un pronom relatif est appelé *antécédent,* parce qu'il précède ce pronom dans la phrase. Ainsi, dans l'exemple : *L'*HOMME *qui a un cœur pur est heureux,* « homme » est antécédent de « qui ».

Pronoms interrogatifs.

La plupart des pronoms relatifs peuvent être placés au commencement d'une phrase. Ils servent alors à interroger, et on les appelle pronoms *interrogatifs* : QUI *est venu?* QUE *veux-tu?* A QUOI *pense-t-il?* LAQUELLE *de ces pommes désires-tu?*

Que et *quoi* interrogatifs sont du genre neutre.

Au lieu de *qui,* on emploie la forme composée *qui est-ce qui* pour le sujet, et *qu'est-ce que* pour le complément direct : QUI EST-CE QUI *prend la parole?* QU'EST-CE QUE *vous demandez?* De même, on remplace *que* sujet par *qu'est-ce qui, que* attribut ou complément direct par *qu'est-ce que* : QU'EST-CE QUI *vous arrive?* QU'EST-CE QUE *vous faites?*

Pronoms indéfinis.

Les pronoms *indéfinis* sont ceux qui servent à désigner des êtres ou des choses indéterminés ou désignés d'une manière vague et générale.

Parmi les pronoms indéfinis, on trouve des mots de provenance et de valeur diverses :

1° Le pronom personnel indéfini : *on;*

2° Les indéfinis de valeur positive ou négative : *aucun, nul, quelque chose, personne, rien;*

3° Les indéfinis relatifs à la quantité et les distributifs : *quiconque, quelques-uns, tout, plusieurs, plus d'un, d'aucuns, certains, chacun,* etc.;

4° Les indéfinis relatifs à l'identité : *un autre, l'autre, l'un l'autre, quelqu'un, n'importe qui, n'importe quoi, tel, un tel,* etc.

SYNTAXE DU PRONOM

Emploi des pronoms en général. — Un pronom ne peut tenir la place que d'un mot déterminé, c'est-à-dire précédé de l'article ou d'un adjectif possessif, démonstratif, etc.

On ne dira pas : *Le condamné a demandé* GRÂCE *et* L'*a obtenue.* Il faut dire : *Le condamné a demandé* SA GRÂCE *et* L'*a obtenue.*

Le rapport d'un pronom à son antécédent ou au nom auquel il se réfère doit être établi de manière à ne donner lieu à aucune équivoque.

Ne dites donc pas : RACINE *a imité* SOPHOCLE *dans tout ce qu'*IL *a de beau,* parce que le pronom *il* est équivoque; on ne sait s'il se rapporte à Racine ou à Sophocle.

On doit dire : *Racine a imité tout ce qu'il y a de beau dans Sophocle.*

Quand le pronom *on* se trouve dans une phrase, il doit toujours se rapporter à la même personne : ON *énonce clairement ce que l'*ON *conçoit bien.*

Il ne serait pas correct de dire : ON *n'aime pas qu'*ON *nous critique,* parce qu'ici le premier pronom *on* représente les personnes critiquées, et le second les personnes qui critiquent.

Il faut dire : ON *n'aime pas à être critiqué,* ou : *Nous n'aimons pas qu'*ON *nous critique.*

Pronoms personnels.

Pronoms sujets. — Les pronoms sujets (*je, tu, il, nous, vous, ils*) servent à distinguer les personnes du verbe, qui, sauf à la 1re et à la 2e personne du pluriel, se confondent dans la prononciation (*aime, aimes, aime, aiment*).

Si l'on veut insister sur le sujet, on place devant la forme atone du pronom sujet la forme tonique correspondante : TOI, *tu fais cela?*

La forme tonique peut aussi se placer à la fin de la phrase : *Tu fais cela,* TOI!

On emploie encore les formes toniques (*moi, toi, lui, elle*) toutes les fois qu'un verbe ayant deux sujets, l'un de ces sujets est un nom ou un pronom : *Son frère et* LUI *viendront demain.* ELLE *et* LUI *sont heureux.*

Les pronoms *nous, vous,* employés pour *je, me, moi, tu, te, toi,* veulent au singulier tous leurs correspondants, excepté le verbe, qui se met au pluriel : *Mademoiselle, vous êtes charmante.*

RÉPÉTITION DES PRONOMS SUJETS. — Lorsque plusieurs verbes se rapportent à un sujet commun et expriment des actions liées entre elles ou dont l'une est la conclusion des précédentes, on ne répète pas, en général, le pronom sujet : IL *se leva, éteignit la lampe et partit se coucher.*

Lorsqu'il s'agit d'actions indépendantes l'une de l'autre ou qu'on veut mettre chacune d'elles en relief, on répète, de préférence, le pronom sujet : IL *s'écoute,* IL *se plaît,* IL *s'admire,* IL *s'aime.*

Pronoms attributs et compléments. — Le pronom *le* est variable quand il tient la place d'un nom ou d'un adjectif pris substantivement : « *Madame, êtes-vous la malade? — Je* LA *suis.* » (Le mot *malade* est ici un nom précédé de l'article.)

Le pronom *le* est toujours invariable quand il tient la place d'un adjectif, d'un nom pris adjectivement, d'un infinitif ou d'une proposition : « *Madame, êtes-vous malade? — Je* LE *suis.* »

Il arrive souvent que les pronoms *le, en, y,* au lieu de représenter un nom, remplacent une proposition, une phrase déjà exprimée et dont on veut éviter la répétition.

Le est mis pour *cela; en* pour *de cela; y* pour *à cela :*

Venez, je LE *désire* (je désire *cela, que vous veniez*);

*C'est vrai? J'*EN *doute* (je doute *de cela, que ce soit vrai*);

*Vous partez, je m'*Y *oppose* (je m'oppose *à cela, à ce que vous partiez*).

Emploi de *lui, elle, eux, elles, leur, en, y.* — Les pronoms *lui, elle, eux, elles,* précédés d'une préposition, et *lui, leur,* employés comme compléments, ne se disent que des personnes et des choses personnifiées : *Aimez vos parents; demandez-*LEUR *conseil.*

Quand on parle des animaux ou des choses, il faut se servir des pronoms *en, y : Ce cheval est vicieux, défaites-vous-*EN. *Cette affaire est sérieuse, pensez-*Y.

Cependant, on dira : *Pratiquez la vertu, sacrifiez pour* ELLE, parce que ici on ne peut pas faire usage des pronoms *en, y.*

REMARQUE. — Exceptionnellement, les pronoms *en* et *y* s'emploient pour représenter des personnes, mais seulement quand on veut éviter une équivoque ou une répétition : « *Que pensez-vous de lui? — Je n'*EN *pense rien de bon.* » « *Vous intéressez-vous à lui? — Je ne m'*Y *intéresse pas.* »

Cet emploi est limité à quelques verbes : *penser, songer, se fier, s'intéresser,* etc.

Place des pronoms compléments. — Quand un des pronoms *le, la, les* est le complément d'un verbe avec les pronoms *me, nous, te, vous,* il se met après ces pronoms : *Je me* LE *suis dit.*

Avec *lui* et *leur,* le pronom complément direct se met avant : *Je* LE *lui ai dit. Il* LE *leur rendra.*

A l'impératif, le pronom complément direct se place le premier : *Tu as mon chapeau, rends-*LE*-moi.*

Lorsque *moi, toi,* après un impératif, sont suivis de *en, y,* il y a élision de la diphtongue *oi,* et les pronoms *en, y* se placent les derniers : *Donnez-m'*EN.

Emploi de *soi.* — On emploie *soi* au lieu de *lui, elle :*

1o Après un des pronoms indéfinis *aucun, chacun, nul, on, personne, quiconque :* ON *doit parler franchement de* SOI. NUL *n'est prophète chez* SOI;

2o Après un infinitif ou un verbe impersonnel : ETRE *content de* SOI. *Il* FAUT *prendre garde à* SOI.

Après un nom de chose sujet, au singulier, on emploie indifféremment *soi* ou *lui, elle,* etc. : *Un* BIENFAIT *porte avec* SOI (ou *avec* LUI) *sa récompense.*

REMARQUE. — Pour éviter l'équivoque, on emploie *soi* même avec un sujet déterminé : *Un* FILS *qui travaille pour son père travaille pour* SOI.

Dans cette phrase, *lui* serait équivoque; *soi* ne l'est pas, car il se rapporte toujours au sujet de la proposition.

Pronoms possessifs.

Les pronoms *possessifs* s'emploient d'une manière absolue :

1o Au singulier, pour exprimer le talent, l'avoir de chacun : *Mettons-y chacun du* NÔTRE;

2o Au pluriel, pour désigner les parents, les amis : *Tout homme doit travailler au bonheur des* SIENS.

Pronoms démonstratifs.

***Ce,* employé ou répété par pléonasme.** — La règle du pronom *ce,* employé ou répété par pléonasme devant le verbe *être,* comprend trois cas bien distincts :

1o Quand le verbe *être* est placé entre deux membres de phrase dont chacun peut indifféremment être l'attribut de l'autre, on peut employer ou supprimer *ce : La vraie noblesse est la vertu. La vraie noblesse,* C'*est la vertu.* (Le pronom *ce* donne à la phrase plus de précision, plus de force) ;

2° Lorsque le verbe *être* est placé entre deux infinitifs, l'emploi de *ce* est de rigueur : *Espérer,* C'*est vivre.*

Cependant, on supprime *ce* s'il s'agit d'une phrase proverbiale où le verbe est accompagné d'une négation : *Abuser n'est pas user ;*

3° Quand la phrase commence par le pronom *ce,* accompagné d'un des pronoms *qui, que, quoi, dont,* et d'un verbe, l'emploi de *ce* est obligatoire devant le verbe *être* si celui-ci est suivi d'un nom ou d'un infinitif : *Ce que j'aime,* C'*est la vérité.*

On ne répète pas *ce* quand le verbe *être* est suivi d'un adjectif ou d'un nom remplissant la fonction d'adjectif : *Ce que vous soutenez est faux. Ce que vous dites est la vérité* (pour *est vrai*).

Celui, celle, ceux, celles. — Les pronoms *celui, celle, ceux, celles* ne doivent pas être immédiatement suivis d'un adjectif ou d'un participe.

Ne dites pas : *Voici votre livre et* CELUI *destiné à votre sœur.* Dites : *Voici votre livre et* CELUI QUI *est destiné à votre sœur.*

Celui-ci, celui-là. — *Celui-ci, celle-ci* servent à désigner l'objet le plus proche; *celui-là, celle-là,* l'objet le plus éloigné.

Quand on a nommé deux personnes ou deux choses et qu'on emploie ensuite les pronoms *celui-ci, celui-là* pour les désigner, CELUI-CI se rapporte au dernier terme, comme étant le plus rapproché, et CELUI-LÀ au premier, comme étant le plus éloigné : *La rose et la tulipe sont deux fleurs charmantes :* CELLE-CI *est sans odeur et* CELLE-LÀ *exhale un parfum délicieux.*

Ceci, cela. — Quand les pronoms neutres *ceci, cela* sont mis en opposition, la différence de leur signification est la même que pour *celui-ci, celui-là.*

On se sert de CECI pour une chose qui va être expliquée, et de CELA pour une chose qui vient de l'être : *Retenez bien* CECI : *le travail est un trésor.* CELA *dit, il s'en alla.*

Pronoms relatifs.

Le rapport du pronom relatif avec son antécédent doit toujours être établi de manière à ne donner lieu à aucune équivoque. Ne dites donc pas : *J'apporte des* JOUJOUX *pour mes* ENFANTS QUI *sont dans la poche de mon manteau.*

Toute équivoque disparaîtra si l'on rapproche le pronom *qui* de son antécédent *joujoux : J'apporte pour mes enfants des* JOUJOUX QUI *sont dans la poche de mon manteau.*

S'il y a ambiguïté, et que le pronom relatif ne puisse être rapproché de son antécédent, on remplace *qui, que, dont,* par *lequel, duquel, auquel,* etc. : *Tous les voyageurs parlent de la* FERTILITÉ *de ce pays,* LAQUELLE *est vraiment extraordinaire.*

Il faut éviter l'emploi des pronoms *que, qui* subordonnés les uns aux autres. Ne dites pas : *C'est un négociant* QUE *je crois* QUI *est riche,* mais : *C'est un négociant* QUE *je crois riche.*

Il en est de même de plusieurs *qui* se succédant dans une suite de propositions qui dépendent les unes des autres.

Ne dites pas : *J'ai reçu une lettre* QUI *m'a été écrite par mon frère,* QUI *habite le village* QUI *a donné son nom à ma famille,* QUI *l'a fait bâtir il y a quelques siècles.*

Dites : *J'ai reçu une lettre de mon frère,* QUI *habite le village* AUQUEL *ma famille doit son nom, et* QU'*elle a fait bâtir il y a quelques siècles.*

***Qui* employé sans antécédent.** — *Qui* peut s'employer sans antécédent, comme sujet et comme complément; comme il ne s'applique alors qu'aux personnes, il est toujours du masculin singulier : *Dis-moi* QUI *tu hantes et je te dirai* QUI *tu es.*

***Qui* précédé d'une préposition.** — *Qui,* précédé d'une préposition, ne se dit que des personnes et des choses personnifiées : *L'enfant* À QUI *les parents cèdent tout devient vite très malheureux. Rochers, je n'ai que vous* À QUI *je puisse me plaindre.*

En parlant des choses, au lieu de se servir de *qui* après une préposition, on emploie *lequel, laquelle, auquel,* etc. : *La rose est la fleur* À LAQUELLE *les poètes donnent la préférence.*

Quelquefois, on fait usage du neutre *quoi,* surtout avec un pronom indéfini comme antécédent : *Il n'y a rien* SUR QUOI *l'on ait plus écrit.*

***Que* sujet.** — L'emploi de *que* comme sujet, fréquent dans les proverbes, est un archaïsme : *Advienne* QUE *pourra.*

La langue moderne remplace *que* par *ce qui.*

Que est aujourd'hui, le plus souvent, complément d'objet : *les hommes* QUE *j'ai vus,* ou complément de temps ou de manière : *du temps* QUE *les bêtes parlaient.*

Le pronom relatif ne doit pas exprimer dans la proposition qu'il introduit le même rapport que son antécédent dans la proposition dont dépend la relative. Ne dites pas : *C'est à lui* À QUI *je parle. C'est dans cette maison* OU *je vais.* Dites : *C'est à lui* QUE *je parle. C'est dans cette maison* QUE *je vais.*

Pronoms indéfinis.

On, l'on. — Le pronom *on* est, en général, du masculin singulier; mais il peut représenter le féminin et, dans la langue familière, le pluriel, ce qui a lieu quand le sens de la phrase indique clairement que l'on parle d'une femme ou de plusieurs personnes : *Mademoiselle, est-*ON *plus gentille aujourd'hui? En France,* ON *est tous égaux devant la loi.*

On emploie *l'on* au lieu de *on* pour éviter un hiatus, une dissonance désagréable, après les mots *et, si, ou, où, que : Parlez* ET L'ON *vous répondra.* SI L'ON *pensait à tout! On travaillera* OU L'ON *sera puni. Dites* OU L'ON *va. Il faut* QUE L'ON *concoure,* et non : *Il faut* QU'ON *concoure.*

Aucun. — Le pronom *aucun* s'emploie dans les propositions négatives : AUCUN *n'est parfait.*

Au pluriel, dans les propositions affirmatives, il signifie *quelques-uns,* et on l'écrit quelquefois, mais avec quelque archaïsme, *d'aucuns* : AUCUNS ou D'AUCUNS *l'ont approuvé.*

En ce sens, *aucuns* a vieilli et ne s'emploie plus guère que dans le style naïf ou badin.

Quiconque. — *Quiconque* est du masculin et n'a point de pluriel. Cependant, *quiconque* est quelquefois féminin et peut être suivi d'un adjectif de ce genre, lorsqu'il se rapporte à une femme : *Mesdemoiselles,* QUICONQUE *de vous sera désobéissante, je la punirai.*

Quiconque équivaut à *celui qui, celle qui,* et appartient tout à la fois à deux propositions : QUICONQUE *est riche doit assister les pauvres.*

Cette phrase équivaut à : CELUI QUI *est riche doit assister les pauvres. Celui* est sujet de *doit* et *qui* est sujet de *est.*

Personne. Rien. — Ces deux noms, employés comme pronoms indéfinis, sont du masculin et ont par eux-mêmes un sens positif, qui apparaît encore dans les phrases interrogatives, dubitatives, après une principale négative, dans des propositions conditionnelles, après *sans, sans que, avant que,* etc. : *Y a-t-il* RIEN *de si ridicule? Il ne veut pas que* PERSONNE *soit lésé. Je ne veux pas qu'on en dise* RIEN. *Il est parti sans* PERSONNE *et sans* RIEN.

Le plus souvent, *personne* et *rien* sont accompagnés de *ne* et ont ainsi une valeur négative : *L'avenir* N'*est à* PERSONNE. *Qui* NE *risque* RIEN N'*a* RIEN.

L'un l'autre. — Quand les pronoms *l'un l'autre* entrent dans une phrase, le premier est sujet, et le second complément : *L'égoïsme et l'amitié s'excluent* L'UN L'AUTRE. Dans cet exemple, *l'un* remplit la fonction de sujet, *l'autre* celle de complément d'objet direct.

L'un l'autre, les uns les autres expriment une idée de réciprocité : *Aimons-nous* LES UNS LES AUTRES.

L'un et l'autre, les uns et les autres expriment une idée de pluralité : *Ils partiront* L'UN ET L'AUTRE.

L'un et l'autre, placés devant un nom, sont adjectifs : *J'ai parcouru* L'UN ET L'AUTRE *pays.*

REMARQUE. — Quand *l'autre* est complément indirect, il est précédé d'une préposition qui découle de la nature de l'action exprimée par le verbe. Ainsi l'on dira : *Ils se sont nui* L'UN À L'AUTRE. *Je les ai connus ennemis* L'UN DE L'AUTRE. *Ils ont combattu* L'UN CONTRE L'AUTRE.

Chacun. — Le pronom *chacun* veut après lui tantôt *son, sa, ses,* tantôt *leur, leurs.* Pour savoir lequel de ces adjectifs employer, on se demandera si le sens de la phrase implique l'accord avec *un* ou avec *plusieurs* possesseurs.

Ainsi l'on dira : CHACUN *doit aider* SON *prochain. Payer à* CHACUN SON *travail.*

Mais dans la phrase suivante, où *chacun* pourrait être supprimé sans nuire au sens, on emploiera de préférence *leurs* : *Ils ont offert* CHACUN LEURS *cadeaux.*

D'ailleurs, lorsque *chacun* est placé après le verbe et se rapporte à un mot pluriel sujet ou complément, on tolère indifféremment, après *chacun,* le possessif *son, sa, ses,* ou le possessif *leur, leurs* : *Ils sont sortis* CHACUN *de* SON *côté* ou *de* LEUR *côté.*

REMARQUES. — La même règle s'applique aux pronoms singuliers *le, lui,* et au pronom pluriel *leur* après *chacun* : *La loi lie tous les hommes,* CHACUN *en ce qui* LE *concerne. Ils se rendirent* CHACUN *au poste qui* LEUR *était assigné.*

Quand le verbe est à la 1re ou à la 2e personne, on se sert des adjectifs *notre, nos, votre, vos* : *Nous devons secourir les malheureux,* CHACUN *selon* NOS *moyens.*

LE VERBE

Le *verbe* est un mot qui exprime soit l'action accomplie par le sujet, soit l'état ou l'existence du sujet : *Le père* AIME *ses enfants. Cet élève* PARAÎT *intelligent, mais il ne l'*EST *pas.*

Sujet. — On nomme *sujet* d'un verbe l'être ou la chose dont le verbe exprime l'action ou l'état.

Le sujet d'un verbe peut être un *nom,* un *mot* quelconque pris substantivement, un *pronom* ou un *verbe* à l'infinitif : *Le* SOLEIL *brille.* CINQ *et* QUATRE *font neuf.* PERSONNE *n'est infaillible.* MENTIR *est honteux.*

Une *proposition* peut également être sujet d'un verbe : *Que vous ayez répondu cela me paraît incroyable* (*que vous ayez répondu cela* [proposition] est sujet de *paraît*).

Le sujet peut suivre le verbe au lieu de le précéder : *Le long d'un clair ruisseau buvait une* COLOMBE.

Compléments du verbe. — L'action faite par le sujet et exprimée par le verbe peut s'appliquer à une personne, à un animal ou à une chose.

Les *compléments du verbe* sont des mots qui complètent la signification de ce verbe. Ceux qui indiquent sur quel *objet* (personne ou chose) s'exerce l'action exprimée par le verbe s'appellent *compléments d'objet.*

Il y a deux sortes de compléments d'objet : le complément d'objet *direct* et le complément d'objet *indirect.*

Complément d'objet direct. — Le complément d'objet *direct* est le nom qui complète la signification du verbe *directement,* sans l'aide d'une préposition : *L'écureuil mange des* NOISETTES.

Le complément direct peut être encore représenté par un *pronom* ou un *verbe* à l'infinitif : *L'orgueilleux* SE *flatte. Je veux* PARTIR.

Il peut enfin être représenté par une proposition : *Je veux* QU'ON M'OBÉISSE.

Complément d'objet indirect. — Le complément d'objet *indirect* est le nom qui complète la signification du verbe *indirectement,* c'est-à-dire à l'aide d'une des prépositions *à, de* : *L'exilé songe à sa* PATRIE.

Les enfants doivent obéir à leurs PARENTS.
Le complément indirect peut être aussi un *pronom* ou un *verbe* à l'infinitif : *Contez*-MOI *l'histoire. Efforçons-nous de* RÉUSSIR.

REMARQUE. — On réserve le nom de *complément d'attribution* au mot qui exprime la personne ou la chose dans l'intérêt de laquelle s'accomplit l'action marquée par le verbe : *Charlemagne légua son empire à* SES DEUX FILS. (Certains grammairiens préfèrent donner à ce complément le nom de *complément d'objet secondaire.*)

Ces différents compléments permettent de classer les verbes français de la façon suivante :

1º Les verbes dont le sens exige un sujet, mais non un complément d'objet : *dormir, reposer, apparaître, naître, mourir,* etc. Ces verbes sont dits *intransitifs ;*

2º Les verbes dont le sens exige, outre le sujet, un complément d'objet (direct ou indirect) : *voir, aimer, se rappeler, nuire à, se souvenir de,* etc. ;

3º Les verbes dont le sens suppose ou exige deux compléments d'objet : *donner, attribuer,* etc.

Ces verbes sont dits *transitifs directs* ou *indirects,* selon que leur complément d'objet n'est pas introduit ou est introduit par une préposition.

Complément circonstanciel. — Lorsqu'un mot complète la signification du verbe en y ajoutant une *circonstance* de *temps,* de *lieu,* de *manière,* de *cause,* etc., on l'appelle complément *circonstanciel.*

Le complément circonstanciel indique dans quelle *circonstance* de *temps,* de *lieu,* de *manière,* etc., une action a lieu.

Le complément circonstanciel répond à l'une des questions *où? quand? comment? pourquoi?* etc., faite après le verbe : *Je vais à* PARIS. *Je partirai* LUNDI. *Je travaille avec* ARDEUR.

Attribut. — L'*attribut* est la qualité que l'on donne, que l'on *attribue* soit au sujet, soit à l'objet.

1º Il est ordinairement joint au sujet par le verbe *être : La mer est* VASTE. (*Vaste* est attribut de *mer.*)

Les verbes exprimant une manière d'être (*devenir, sembler, paraître, avoir l'air*) et d'autres tels que *passer pour, avoir nom, rester, demeurer, tomber, mourir,* etc., peuvent être suivis d'un attribut : *Je tombai* MALADE. *Il passe pour* SOT.

2º L'attribut peut aussi être rapporté à l'objet du verbe : *On* LE *considère comme* TRÈS SAVANT. (*Savant* est attribut du complément d'objet *le.*)

Les verbes qui introduisent un attribut de l'objet sont, en général : *regarder comme, considérer comme, compter comme, rendre, faire de,* etc.

L'attribut peut être exprimé : 1º par un adjectif : *Le renard est* RUSÉ ; 2º par un nom : *L'or est un* MÉTAL ; 3º par un pronom : *Cette chatte est* CELLE *de ma voisine;* 4º par un participe : *Cet enfant est toujours* BATTU ; 5º par un verbe à l'infinitif : *Souvent, vouloir c'est* POUVOIR ; 6º par un mot invariable : *C'est* BIEN ; 7º par une expression qui a le sens d'un adjectif : *Cet enfant est* EN COLÈRE.

Eléments du verbe. — Il faut considérer, à propos du verbe, les *éléments* dont il se compose : les *personnes,* le *nombre,* les *formes,* les *modes,* les *temps,* la *conjugaison.*

Radical. Terminaison. — Tout verbe se compose de deux parties bien distinctes : le *radical* et la *terminaison.*

Le *radical* est la partie stable du verbe, qui en exprime le sens fondamental. En principe, il ne change pas.

La *terminaison* est la partie du verbe qui varie pour exprimer les relations de personne, de nombre, de temps, etc.

Ainsi, dans *je chant-e, tu chant-ais, vous chant-eriez,* CHANT- est le radical; -E, -AIS, -ERIEZ sont les terminaisons.

Certains verbes, irréguliers, présentent des radicaux d'origine différente : *je* V*ais, nous* ALL*ons, j'*IR*ai.*

Personnes. Nombre. — La *personne* est la forme particulière que prend la terminaison du verbe suivant que le sujet joue le premier, le second ou le troisième rôle dans le discours : *je vais, tu vas, il va.*

Le *nombre* est la forme particulière que prend la terminaison du verbe selon que le sujet est du singulier ou du pluriel : *tu aimes, vous aimez.*

Il y a trois personnes dans le verbe :

PERSONNES

La 1re est celle qui parle;
La 2e est celle à qui l'on parle;
La 3e est celle de qui l'on parle.

SINGULIER	PLURIEL
Je chante.	*Nous chantons.*
Tu chantes.	*Vous chantez.*
Il chante.	*Ils chantent.*

LA CONJUGAISON

On appelle *conjugaison* l'ensemble des formes que prend un verbe pour exprimer les différences de personne, de nombre, de mode et de temps.

La conjugaison n'est pas la même pour tous les verbes. On distingue : la conjugaison *vivante* et la conjugaison *morte.*

La conjugaison *vivante* est ainsi appelée parce qu'on l'emploie pour les verbes nouvellement créés. La conjugaison *morte* ne sert que pour les verbes appartenant à l'ancien fonds de la langue.

A la conjugaison vivante appartiennent :

1º Les verbes dont la première personne du singulier du présent de l'indicatif actif se termine par *e* et dont l'infinitif est en *er* (type *chanter*) ; ils forment le 1er groupe;

2º Les verbes dont la première personne du singulier du présent de l'indicatif actif se termine par *s* (infinitif en *ir*) et dont le participe présent est en *-issant* (type *finir, finissant*) ; ils forment le 2e groupe.

A la conjugaison morte appartiennent tous les autres verbes. Leur radical, souvent variable, crée dans leur conjugaison d'apparentes irrégularités; les terminaisons d'infinitif se ramènent à trois types, représentés par les désinences *-ir* (*cueillir*), *-oir* (*recevoir*), *-re* (*rendre*) ; ils forment le 3e groupe.

Verbes auxiliaires.

On appelle ainsi des verbes qui servent à former les temps composés d'autres verbes.

On distingue deux espèces de verbes auxiliaires :

1° Les uns : *être, avoir,* combinés avec le participe passé du verbe à conjuguer, servent à former un *temps;* aussi les appelle-t-on parfois *auxiliaires de temps;*

2° Les autres, joints à l'infinitif du verbe à conjuguer, forment avec lui des *périphrases verbales,* indiquant soit le *mode,* soit le *degré d'achèvement* de l'action verbale. Tels sont *aller, faire, devoir, vouloir, pouvoir, être en train de, venir de,* etc. : *Je* VAIS *partir. Je* SUIS EN TRAIN DE *travailler.*

L'emploi de ces verbes auxiliaires permet de suppléer à l'insuffisance des formes de la conjugaison et d'exprimer des nuances délicates de la pensée.

Modes.

Le *mode* est la manière de présenter l'action ou l'état que le verbe exprime.

Il y a six modes : l'*indicatif,* le *conditionnel,* l'*impératif,* le *subjonctif,* l'*infinitif* et le *participe.*

L'INDICATIF présente l'action ou l'état comme certain : *j'*AI PARLÉ, *je* PARLE, *je* PARLERAI.

Le CONDITIONNEL présente l'action ou l'état comme susceptible de se réaliser, avec moins de certitude que ne le fait le futur de l'indicatif : *Ainsi, je vous* RETROUVERAIS *bientôt!*

Comme la réalisation de l'état ou de l'action est souvent liée à une condition, on donne à cette forme le nom de *conditionnel : Si je le voyais, je lui* DIRAIS *ce que je pense.*

L'IMPÉRATIF présente l'action ou l'état avec commandement, avec exhortation, avec prière : FAISONS *notre devoir.* AYEZ *pitié de nous.*

Le SUBJONCTIF est avant tout le mode de la subordination; il présente aussi l'action ou l'état comme douteux et incertain : *Je ne crois pas qu'il* VIENNE.

L'INFINITIF présente l'état ou l'action comme vague, sans désignation de personne ou de nombre : VOULOIR, *c'est* POUVOIR.

Le PARTICIPE, qui est un adjectif verbal, exprime à la fois l'état ou l'action et une qualité : *Je l'ai vu* MÉDITANT, ABSORBÉ *par ses pensées.*

Le participe précédé de la préposition *en* prend le nom de *gérondif* et il équivaut à un complément circonstanciel : EN JOUANT, *il s'est cassé le bras.*

Chaque mode a sous sa dépendance un certain nombre de temps.

L'*indicatif,* le *conditionnel,* l'*impératif* et le *subjonctif* sont des modes **personnels,** parce qu'ils ont une forme propre à chacune des personnes du singulier et du pluriel. L'*infinitif,* le *participe,* qui n'ont pas de formes particulières selon les personnes et qui se rapportent indifféremment à chacune des trois personnes, sont dits **impersonnels.**

Temps.

Les *temps* sont les formes particulières que prend le verbe pour indiquer à quelle époque se rapporte l'état ou l'action.

Aux trois divisions classiques du temps : *passé, présent, futur,* répondent trois séries de formes, représentées, si l'on veut, par *je chantai, je chante, je chanterai* (temps *principaux*).

En outre, grâce à d'autres séries de formes, dites *secondaires,* le verbe est susceptible de préciser encore la chronologie en marquant avec exactitude des nuances d'antériorité ou de postériorité.

Le mode *indicatif* comprend : un *présent,* un *imparfait,* un *passé simple,* un *passé composé,* un *passé antérieur,* un *plus-que-parfait,* un *futur,* un *futur antérieur,* soit en tout *huit* temps.

Le mode *impératif* en comprend deux : un *présent-futur* et un *passé.*

Le mode *conditionnel* comprend deux temps : l'un à valeur *présente* ou *future,* l'autre à valeur *passée.*

Le mode *subjonctif* comprend : un *présent,* un *imparfait,* un *passé,* un *plus-que-parfait.*

Le mode *infinitif* comporte un *présent* et un *passé,* de même que le *participe.*

Temps simples et temps composés. — Les temps se divisent en temps *simples* et en temps *composés.*

Les temps *simples* sont ceux qui se conjuguent sans le secours du verbe *avoir* ou du verbe *être : je parle, je parlais, je parlerais,* etc.

Les temps simples sont : le *présent,* l'*imparfait,* le *passé simple,* le *futur de l'indicatif,* le *présent du conditionnel,* le *présent de l'impératif,* le *présent* et l'*imparfait du subjonctif,* le *présent de l'infinitif* et le *participe présent.*

Les temps *composés* sont ceux qui se conjuguent avec l'aide des auxiliaires *avoir* et *être : j'*AI *parlé, j'*AVAIS *parlé, je* SUIS *venu,* etc.

Les temps composés sont : le *passé composé,* le *passé antérieur,* le *plus-que-parfait,* le *futur antérieur de l'indicatif,* le *passé de l'impératif,* le *passé du conditionnel,* le *passé* et le *plus-que-parfait du subjonctif,* le *passé de l'infinitif* et le *participe passé.*

Formes du verbe.

Un verbe peut être à la forme *active,* à la forme *passive,* à la forme *pronominale.*

Forme active. Forme passive. — Un verbe est à la forme (ou à la voix) *active* lorsque l'action qu'il exprime est faite par le sujet : *Le chat* MANGE *la souris.*

Un verbe est à la forme (ou à la voix) *passive* quand il exprime une action reçue, subie par le sujet : *La souris* EST MANGÉE *par le chat.*

Un verbe à la forme active est tantôt *transitif,* lorsque l'action faite par le sujet *passe* sur un complément d'objet direct ou indirect; tantôt *intransitif,* quand l'action qu'il exprime *ne passe pas* du sujet sur un complément : *Le Soleil éclaire la Terre* (tr.). *Le poisson nage* (intr.).

Certains verbes sont tantôt *transitifs*, tantôt *intransitifs*. Ainsi *descendre, courir* sont transitifs dans : *descendre un escalier, courir un danger;* ils sont intransitifs dans les phrases : « *Viens-tu? — Oui, je descends.* » « *Que fais-tu? — Je cours.* »

Verbe passif.

Le français ne forme pas son passif, comme le font certaines langues, à l'aide de terminaisons spéciales. Le verbe passif n'est autre chose que le verbe *être* suivi du participe passé d'un verbe transitif : *être aimé, être averti, être exposé.*

Le participe passé des verbes passifs est un attribut qui s'accorde toujours en genre et en nombre avec le sujet : *nous sommes aimé*S, *elles sont averti*ES.

Tous les verbes *transitifs directs* peuvent s'employer à la forme passive.

Les verbes *intransitifs,* ne comportant pas de complément direct, ne peuvent évidemment pas avoir la forme passive.

Verbe pronominal.

Le verbe *pronominal* est celui qui se conjugue avec deux pronoms de la même personne, comme *je me, tu te, il se, nous nous, vous vous, ils se :* IL SE *flatte.* Le premier pronom est sujet, le deuxième complément.

Le pronom sujet peut être remplacé par un nom à la troisième personne : *L'*ORGUEILLEUX *se flatte. Les* ENNEMIS *s'avancent.*

NOTA. — Les verbes pronominaux forment leurs temps composés avec l'auxiliaire *être : L'orgueilleux s'*ÉTAIT *flatté. Les ennemis se* SONT *avancés.*

Parmi les verbes pronominaux, il faut distinguer :

1° Les verbes pronominaux *réfléchis,* qui expriment que l'action faite par le sujet retombe sur lui : *Il se regarde, il se nuit à lui-même;*

2° Les verbes pronominaux *réciproques,* qui expriment une action mutuelle : *Ils se sont battus;*

3° Les pronominaux *faussement réfléchis : s'enorgueillir, se moquer, se repentir, s'enfuir, s'envoler,* etc., dans lesquels le pronom *se* (ou *me, te,* etc.) n'a aucune fonction grammaticale et ne doit pas être séparé du verbe dans l'analyse.

NOTA. — La forme pronominale a parfois le sens d'un passif : *Cela* SE DIT *et cela* SE FAIT.

Verbe impersonnel.

Le verbe *impersonnel* ne s'emploie qu'à la troisième personne du singulier, avec le pronom *il* (sauf à l'infinitif et au participe) : IL *pleut,* IL *a neigé,* IL *faudrait,* etc. On l'appelle aussi *unipersonnel* (une seule personne).

Les verbes impersonnels sont tous intransitifs de leur nature.

Certains verbes personnels peuvent s'employer à la forme impersonnelle : IL *fait beau;* IL *y a vingt ans;* IL *nous arrive une bonne nouvelle;* etc.

NOTA. — Dans les verbes impersonnels, le pronom *il,* sujet, est un pronom *neutre,* indéterminé.

Verbes défectifs.

On appelle verbes *défectifs* ceux qui ne s'emploient pas à certaines personnes, à certains temps ou à certains modes. Ainsi, *éclore* ne s'emploie pas à la 1re ni à la 2e personne, ni à l'imparfait, ni à l'impératif. C'est un verbe *défectif,* car sa conjugaison est *défectueuse,* incomplète.

Certains verbes défectifs complètent leur conjugaison en empruntant des formes à plusieurs radicaux différents. Par exemple, la conjugaison du verbe *aller* s'obtient à l'aide de trois radicaux : *all-, ir-, va- :* ALLER, *nous* ALLONS, *j'*ALLAIS, etc.; *j'*IRAI, *j'*IRAIS, etc.; *je* VAIS, VA.

(Pour les verbes qui présentent des particularités de conjugaison, se reporter à l'introduction.)

SYNTAXE DU VERBE

Syntaxe du sujet.

Accord du verbe avec son sujet. — Tout verbe s'accorde en nombre et en personne avec son sujet.

Si le sujet est au singulier, le verbe se met au singulier : *Le loup hurl*E.

Si le sujet est au pluriel, le verbe se met au pluriel : *Les loups hurl*ENT.

Si le sujet est à la 1re, à la 2e, à la 3e personne, le verbe se met à la 1re, à la 2e, à la 3e personne : *je chant*E, *nous chant*ONS, *tu chant*ES, *vous chant*EZ, *il* ou *elle chant*E, *ils* ou *elles chant*ENT.

Accord du verbe avec plusieurs sujets. — Quand un verbe a plusieurs sujets, il se met au pluriel : *Le bœuf et le chameau rumin*ENT.

Si les sujets sont de différentes personnes, le verbe se met au pluriel et s'accorde avec la personne qui a la priorité.

La 1re personne a la priorité sur la 2e et la 3e : *Toi, Paul et moi parti*RONS *demain.* (*Partirons* est à la 1re personne parce qu'un des sujets, *moi,* est à la 1re personne.)

La 2e personne a la priorité sur la 3e : *Toi et Paul parti*REZ *demain.* (*Partirez* est à la 2e personne parce que le sujet *toi* est à la 2e personne, tandis que l'autre sujet, *Paul,* est à la 3e.)

REMARQUES SUR L'ACCORD DU VERBE AVEC SES SUJETS.

Un verbe qui a plusieurs sujets se met au pluriel : *Sa bonté, sa douceur le* FONT *admirer.*

Cependant, le verbe se met au singulier :

1° Lorsque les sujets sont disposés par gradation : *Un seul mot, un soupir, un coup d'œil nous* TRAHIT;

2° Lorsque le dernier sujet résume tous les autres : *Un souffle, une ombre, un rien,* TOUT *lui* DONNAIT *la fièvre;*

3° Lorsque les sujets sont unis par *comme, ainsi que, aussi bien que,* etc., avec une idée de comparaison : *L'enfant, comme les jeunes plantes,* A *besoin d'un soutien.*

Si les expressions *ainsi que, comme,* etc., ont le sens de la conjonction *et,* le verbe s'accorde avec les deux sujets : *Mon frère ainsi que moi nous* PARTIRONS.

Sujets joints par les conjonctions *ni, ou.* — Lorsque le verbe a deux sujets de la 3e personne joints par les conjonctions *ni, ou,* il se met au pluriel si les deux sujets peuvent faire l'action marquée par le verbe : *Ni l'or ni la grandeur ne nous* RENDENT *heureux. Le temps ou la mort* SONT *nos plus sûrs remèdes.*

Le verbe se met au singulier si l'action ou l'état exprimé par le verbe ne peut être attribué qu'à l'un des deux sujets : *Le Soleil ou la Lune nous* ÉCLAIRE *tour à tour. Ni l'une ni l'autre n'*EST *ma mère.*

Si les sujets ne sont pas de la même personne, le verbe se met au pluriel : *Ni vous ni moi ne* PARLERONS. *Toi ou lui* PARTIREZ.

Accord du verbe avec le sujet *qui.* — Le pronom relatif *qui* prend le genre et le nombre de son antécédent (c'est-à-dire du nom qui le précède et dont il tient la place) et il est toujours sujet du verbe qui le suit.

Il s'ensuit que l'accord du verbe avec le sujet *qui* doit se faire comme il se ferait avec l'antécédent lui-même : *c'est* MOI *qui* SUIS; *c'est* TOI *qui* ES; *c'est* PAUL *et* MOI *qui* PARTIRONS; etc.

Accord du verbe précédé d'un collectif. — Un verbe qui a pour sujet un mot collectif suivi d'un complément s'accorde tantôt avec le collectif, tantôt avec le complément.

Le verbe s'accorde avec le collectif si le collectif est *général.*

Le collectif général exprime l'idée dominante; il est ordinairement précédé des articles *le, la, les : Le* NOMBRE *des malheureux* EST *immense.*

Dans cet exemple, l'idée principale porte sur le collectif *nombre.*

Le verbe s'accorde avec le complément du collectif si le collectif est *partitif.*

Le collectif est partitif quand l'idée dominante est exprimée par son complément; il est ordinairement précédé d'un des articles *un, une : Une foule de* PERSONNES ASSISTAIENT *à ce spectacle.*

Dans cet exemple, c'est sur le nom *personnes* que se porte principalement l'attention.

Avec les adverbes de quantité *beaucoup de, assez de, peu de,* et les mots *la plupart de, une infinité de, force, quantité,* etc., le verbe se met au pluriel : PEU DE *personnes* SE CONTENTENT *de leur sort.*

REMARQUE. — L'expression *plus d'un* veut le verbe au singulier : PLUS D'UN *brave y* PÉRIT.

Cependant, s'il y a idée de réciprocité, le verbe se met au pluriel : *Plus d'un fripon* SE DUPENT L'UN L'AUTRE.

Emploi de *c'est, ce sont.* — On emploie *c'est* au lieu de *ce sont* devant plusieurs noms au singulier et devant un pronom de la première ou de la deuxième personne du pluriel : C'EST *votre paresse et votre étourderie qui vous font punir.* C'EST *nous qui parlerons.*

On se sert de *ce sont* devant une troisième personne du pluriel exprimée par un nom ou un pronom : CE SONT *des amis qui arrivent.* CE SONT *eux.*

Cependant, le verbe *être,* quoique suivi d'une troisième personne du pluriel, se met au singulier :

1° Dans l'expression *si ce n'est : Il ne craint personne,* SI CE N'EST *ses parents;*

2° Pour éviter, dans l'interrogation, certaines formes désagréables à l'oreille, comme *seront-ce, furent-ce,* etc. : SERA-CE *mes amis qui viendront?*

On emploie encore *ce sont* si le pronom *ce* rappelle un pluriel précédemment énoncé : *Il y a trois sortes d'angles;* CE SONT : *l'angle aigu, l'angle droit et l'angle obtus.*

Quand le pluriel qui suit *ce* est un nom précédé d'un adjectif numéral et pouvant se tourner par un singulier, on met *c'est :* C'EST *quatre heures* (c'est-à-dire *c'est la quatrième heure*).

Syntaxe du complément.

Remarques sur les compléments du verbe. — Il ne faut pas donner à un verbe d'autre complément que celui qui lui convient.

Ne dites pas : *Le livre* QUE *je me sers. Je me rappelle* DE *ce fait.* Dites : *Le livre* DONT *je me sers. Je me rappelle ce fait.*

Quand deux verbes veulent, l'un un complément direct, l'autre un complément indirect, il faut donner à chacun d'eux le complément qui lui convient.

Ainsi, on dira bien : *Les Français assiégèrent et prirent Sébastopol,* parce que les deux verbes veulent un complément d'objet direct.

Mais on ne devra pas dire : *Les Français assiégèrent et s'emparèrent de Sébastopol,* parce que *assiéger* veut un complément d'objet direct, et *s'emparer* un complément d'objet indirect; il faudra dire : *Les Français assiégèrent Sébastopol et s'en emparèrent.*

Lorsqu'un verbe a un complément direct et un complément indirect d'égale longueur, le complément direct se place de préférence le premier : *L'avare sacrifie l'*HONNEUR (compl. dir.) *à l'*INTÉRÊT (compl. ind.).

Si les compléments sont de longueur inégale, le plus court passe de préférence le premier : *L'avare sacrifie à l'*INTÉRÊT (compl. ind.) *son* HONNEUR *et sa* VIE (compl. dir.).

REMARQUE. — Lorsque le complément d'un verbe se compose de plusieurs éléments joints par une des conjonctions *et, ou, ni,* l'usage veut que ces parties soient toutes des noms, des infinitifs ou des propositions de même nature. Ainsi :

Ne dites pas : *Je désire apprendre* À DESSINER *et* LA MUSIQUE. Dites : *Je désire apprendre* LE DESSIN *et* LA MUSIQUE.

Syntaxe d'accord du participe passé.

La variabilité du participe passé est soumise à trois cas généraux et à plusieurs cas particuliers.

Ier CAS GÉNÉRAL. **Participe passé employé sans auxiliaire.** — Le *participe* *passé* employé *sans auxiliaire* s'accorde (comme l'adjectif) en genre et en nombre avec le nom ou le pronom auquel il se rapporte : *Des fleurs* PARFUMÉES.

IIe CAS GÉNÉRAL. **Participe passé employé avec** *être*. — Le *participe passé* du verbe conjugué avec l'auxiliaire *être* s'accorde en genre et en nombre avec le sujet : *L'*AMÉRIQUE *a été* DÉCOUVERTE *par Christophe Colomb.*

IIIe CAS GÉNÉRAL. **Participe passé employé avec** *avoir*. — Le participe passé du verbe conjugué avec l'auxiliaire *avoir* s'accorde en genre et en nombre avec le complément direct, quand ce complément le précède : *Je me rappelle l'histoire* QUE *j'ai* LUE.

Le participe reste invariable :

1o Si le complément direct le suit : *Nous avons* LU *une* HISTOIRE;

2o S'il n'a pas de complément direct : *J'ai* LU.

REMARQUE. — Les verbes transitifs indirects n'ayant pas de complément direct, le participe passé de ces verbes conjugués avec *avoir* est toujours invariable : *Ces histoires nous ont* PLU. *Les enfants vous ont-ils* OBÉI? *Ils nous ont* SUCCÉDÉ.

Dans les phrases : *les nuits qu'ils ont* DORMI..., *les mois qu'il a* VÉCU, les participes passés *dormi, vécu* sont invariables parce qu'ils appartiennent à des verbes intransitifs. Le *que* représente un complément circonstanciel : *les nuits* PENDANT LESQUELLES *ils ont dormi, les mois* PENDANT LESQUELS *il a vécu.*

Toutefois, des verbes de ce genre, comme *coûter, valoir, peser, courir, vivre,* etc., peuvent devenir transitifs : *Les efforts* QUE *ce travail m'a* COÛTÉS. *La gloire* QUE *cette action lui a* VALUE. *Ces paroles,* LES *avez-vous* PESÉES? *Les dangers* QUE *j'ai* COURUS. *Les jours heureux* QU'*elle a* VÉCUS *ici.*

CAS PARTICULIERS. **Participe passé suivi d'un infinitif.** — Le *participe passé* suivi d'un infinitif est *variable* s'il a pour complément d'objet direct un pronom qui le précède; ce pronom est alors le sujet de l'action marquée par l'infinitif : *Les fruits* QUE *j'ai* VUS *mûrir.*

On peut dire : *Les fruits que j'ai vus mûrissant.* C'étaient les fruits qui mûrissaient. *Que,* mis pour *fruits,* faisant l'action de mûrir, est complément direct de *vus.*

Le participe passé est *invariable* s'il a pour complément d'objet direct l'infinitif; alors le pronom ne fait pas l'action exprimée par l'infinitif : *Les fruits que j'ai* VU CUEILLIR.

On ne peut pas dire : *Les fruits que j'ai vus cueillant.* Ce n'étaient pas les fruits qui cueillaient. *Que,* mis pour *fruits,* ne faisant pas l'action de cueillir, est complément direct de *cueillir* et non de *vu.*

En résumé, le participe passé suivi d'un infinitif s'accorde toujours avec le mot qui fait l'action marquée par l'infinitif, si ce mot le précède.

REMARQUES. — Les participes qui ont pour complément d'objet direct un infinitif sous-entendu ou une proposition sous-entendue sont toujours invariables : *Il n'a pas payé toutes les sommes qu'il aurait* DÛ (sous-entendu *payer*). *Je lui ai rendu tous les services que j'ai* PU (sous-entendu *lui rendre*). *Je lui ai chanté tous les morceaux qu'il a* VOULU (sous-entendu *que je lui chante*).

Le participe passé *fait* suivi d'un infinitif est toujours invariable : *La maison que j'ai* FAIT BÂTIR.

Participe passé des verbes pronominaux. — Les verbes pronominaux se conjuguent, dans leurs temps composés, avec l'auxiliaire *être;* mais cet auxiliaire *être* est mis pour l'auxiliaire *avoir : Je me* SUIS *consolé,* mis pour : *J'*AI *consolé moi.*

Le participe passé d'un verbe pronominal s'accorde avec le complément direct, si ce complément précède le verbe : *Les lettres* QUE *Paul et Pierre se sont* ÉCRITES *sont aimables.*

Il reste invariable si le complément direct le suit ou s'il n'a pas de complément direct : *Paul et Pierre se sont* ÉCRIT *des* LETTRES *aimables. Paul et Pierre se sont* ÉCRIT.

REMARQUE. — Les participes passés des verbes transitifs indirects employés pronominalement restent toujours invariables : *Ils* SE SONT RI *de mes efforts. Ils* SE SONT PLU *à me tourmenter.*

Participe passé des verbes impersonnels. — Le participe passé des verbes impersonnels est toujours invariable : *Les inondations qu'il y a* EU.

Les verbes *faire, avoir* sont transitifs, mais ils deviennent impersonnels quand ils sont précédés du pronom indéterminé neutre *il : Les chaleurs qu'*IL *a* FAIT.

Le participe passé et les pronoms *le, en.* — Le participe passé précédé de *le* (*l'*) a ce pronom neutre pour complément d'objet direct, et, par conséquent, reste invariable : *La chose est plus sérieuse que nous ne* L'*avions* PENSÉ *d'abord.* (C'est-à-dire *que nous n'avions pensé* CELA, *qu'elle était sérieuse.*)

Le participe passé précédé de *en* reste invariable quand il n'y a pas d'autre complément d'objet direct que ce pronom : *Tout le monde m'a offert des services, mais personne ne m'*EN *a* RENDU.

Au contraire : *J'ai écrit à Londres; voici les réponses* QUE *j'en ai* REÇUES. (*Que,* représentant *réponses,* est complément d'objet direct.)

Participe passé précédé d'une locution collective. — Lorsque le participe passé a pour complément d'objet direct une *locution collective* suivie d'un complément, il s'accorde avec la locution ou avec le mot complément, selon que l'on accorde plus d'importance à l'une ou à l'autre : *Le* GRAND NOMBRE *de* SUCCÈS *que vous avez* REMPORTÉ (ou REMPORTÉS). *Le* PEU *d'*ATTENTION *que vous avez* APPORTÉ (ou APPORTÉE) *à cette affaire.*

Syntaxe des modes.

I. L'indicatif. — L'indicatif est le mode des faits certains, ou auxquels on confère la plus grande certitude : *je marche, j'ai vécu, je mourrai.*

C'est le mode de la réalité ; il nous sert à marquer ce qui est, a été, sera, sans que notre esprit ait à intervenir entre le fait et sa constatation. Il s'oppose en cela au subjonctif, mode subjectif : *je sais qu'il viendra, je désire qu'il vienne.*

II. Le conditionnel. — Le conditionnel, caractérisé par une désinence en *-rais,* parallèle à celle du futur (en *-rai*), joue, on le verra plus loin, le rôle d'un véritable temps.

Considéré en temps que *mode,* il rejette le fait exprimé par le verbe dans le domaine de l'éventualité, c'est-à-dire de l'incertitude. Aussi s'en sert-on souvent pour atténuer ce que l'indicatif aurait de trop catégorique : *Le ministre* EFFECTUERAIT *bientôt un voyage à l'étranger.*

Précédé des conjonctions *au cas où, quand, quand même,* ou employé en tête d'une phrase, il sert à exprimer une hypothèse : AU CAS OU *vous* VIENDRIEZ, *spécifiez bien que je vous attends. Me* DIRAIT-*on cela de vous, je ne le croirais pas.*

Employé dans une proposition principale, il marque la conséquence éventuelle d'une condition précédemment exprimée : *Ne mentez pas ainsi; on* FINIRAIT *par ne plus ajouter foi à vos paroles.*

III. L'impératif. — L'impératif, très proche du subjonctif, auquel il emprunte certaines de ses formes, exprime un fait non réalisé, soit sous forme d'ordre : *Allons,* TRAVAILLEZ !, soit sous forme d'hypothèse : CHASSEZ *le naturel, il revient au galop* (= *si vous chassez le naturel*).

IV. Le subjonctif. — Le subjonctif, employé en proposition principale, exprime à peu de chose près les mêmes nuances que l'impératif. Ordre : *Qu'il* VIENNE ; supposition : *Qu'un bruit* SE FASSE *entendre, cet animal prend la fuite.*

De même que le conditionnel, il peut servir à traduire une protestation ou l'indignation. (Comparer : *Je* SERAIS *capable de cela, moi! Moi, héron, que je* FASSE *une si pauvre chère!*)

Mais le subjonctif est, par excellence, le mode qu'on emploie dans les propositions subordonnées quand on veut présenter un fait comme douteux, indéterminé, soumis à une restriction quelconque.

On emploie toujours le subjonctif :

1° Après les verbes *douter que, désirer que, craindre que, il importe que,* etc. : *Je désire qu'il* RÉUSSISSE. *Je crains qu'il* NE VIENNE ;

2° Après les locutions *afin que, bien que, pour que, pour peu que, quoique, soit que,* etc. : *J'irai le voir avant qu'il* PARTE.

Toutefois, on évitera de croire que le subjonctif des propositions subordonnées exprime *toujours* un fait non réalisé et dont la nature soit d'être incertain. Dans une phrase telle que : *Je ne comprends pas que vous* AYEZ DIT *cela, ayez dit* marque un fait réel.

V. L'infinitif. — L'infinitif a une valeur modale lorsqu'il est employé dans les narrations; on doit alors le considérer comme un substitut de l'indicatif : *Grenouilles de* SAUTER.

Par ailleurs, traduisant le fait verbal de la façon la plus simple et la moins déterminée, il sert à rendre de simples interrogations : *Que* FAIRE? *Que* DIRE *devant cette douleur?;* ou des indications d'un ordre très général : AGITER *avant de s'en servir.*

VI. Participe présent. Adjectif verbal et gérondif. — La forme verbale terminée par *-ant* est susceptible d'avoir trois emplois, qu'il importe de distinguer soigneusement.

Participe adjectif ou adjectif verbal. — La forme en *-ant* doit être considérée comme un véritable adjectif lorsqu'elle marque une qualité. Dans ce cas, elle s'accorde en genre et en nombre avec le terme (nom ou pronom) auquel elle se rapporte : *Ces réflexions sont* EXTRAVAGANTES.

On remarquera que certaines formes en *-ant,* employées comme adjectifs, diffèrent dans leur orthographe des formes de participe correspondantes :

Convaincre : part. *convainquant;* adj. *convaincant.*

Extravaguer : part. *extravaguant;* adj. *extravagant* (y joindre *fatiguer, intriguer, naviguer, suffoquer*).

Différer : part. *différant;* adj. *différent* (y joindre *précéder, équivaloir, exceller, violer*).

Négliger : part. *négligeant;* adj. *négligent* (y joindre *diverger*).

Participe présent. — Le participe en *-ant* tient du verbe quand il marque une *action* ou un *état* et qu'il est suivi d'un complément. Alors il est invariable, et on peut le remplacer par un autre temps du verbe, précédé de *qui : On aime les enfants* OBÉISSANT *à leurs parents,* c'est-à-dire : *qui obéissent à leurs parents.*

Gérondif. — On distinguera du participe présent le *gérondif,* toujours invariable lui aussi, et précédé de la préposition *en.* Il équivaut à un complément circonstanciel (cause, moyen, etc.) de sens identique : *Il a acquis sa fortune* EN TRAVAILLANT.

Syntaxe des temps.

Temps présent. — *a*) Une action ou un état fugitif est exprimé par le *présent de l'indicatif : Je* VOIS *une fumée à l'horizon.*

b) Mais notre esprit tend à élargir les limites du présent en les rejetant un peu dans le passé et en les repoussant un peu dans l'avenir. On obtient alors un *présent général,* où se situent, d'une part, des actions qui ont lieu dans tous les temps, des choses qui sont toujours vraies : *Les Anciens n'ont pas su que la Terre* TOURNE ; d'autre part, des actions et des états près d'être réalisés (*futur prochain*) : *Je* PARS *ce soir. Il* FAUT (*il faudra*) *que je* M'OCCUPE (prés. subj.) *de cette affaire.*

c) On peut enfin considérer dans le présent les résultats d'une action antérieurement accomplie. Le *passé composé* sert à rendre cette nuance : *Enfin, j'*AI ÉCRIT *cette lettre.*

REMARQUE. — Pour atténuer ce qu'un présent de l'indicatif aurait de trop vif et de trop brutal, on se sert parfois d'un imparfait de l'indicatif : *Je* VENAIS *vous présenter mes respects.*

On rapprochera cet emploi de celui du conditionnel remplaçant le futur dans des formules de politesse : SERIEZ-*vous assez aimable pour... Je vous* SERAIS *reconnaissant de...*

Temps passé. — *a*) Pour exprimer simplement qu'une action ou qu'un état s'est réalisé dans le passé, on emploie le *passé simple,* qui est proprement le temps du récit : *Le renard s'en* SAISIT *et* DIT...

Ce temps n'est plus guère employé que dans la langue écrite, littéraire. La langue parlée le remplace par le *passé composé : J'étais en train de me promener lorsque j'*AI RENCONTRÉ *mon ami; j'*AI PROFITÉ *de cette occasion pour lui dire...*

b) Si l'on veut marquer qu'une action était en cours d'accomplissement ou qu'un état se prolongeait dans le passé, on se sert de l'*imparfait de l'indicatif,* qui est proprement le temps de la description : *Louis XIV* VIVAIT *encore, que des intrigues se nouèrent autour de son successeur.*

L'imparfait est encore susceptible d'emprunter deux valeurs stylistiques assez différentes l'une de l'autre. Tantôt il indique qu'une action était près d'être réalisée : « *Vous ici? — Je n'y serai pas longtemps; je m'*EN ALLAIS. » Tantôt il marque qu'une action, qu'un état, possibles dans le passé, ne se sont ni réalisés ni produits : *Si le général avait eu plus de décision, l'ennemi* ÉTAIT BATTU. Cet imparfait donne de la vivacité au style, mais on emploie plutôt dans ce cas le *conditionnel passé : l'ennemi* AURAIT ÉTÉ BATTU.

REMARQUE. — L'*imparfait* et le *plus-que-parfait* du mode subjonctif, toujours subordonnés à un verbe principal, peuvent marquer un fait, réalisé ou non, dans le passé : *J'ai tant désiré qu'il* VÎNT. *Je ne savais pas que vous* EUSSIEZ ÉTÉ INDISPOSÉ *hier.* Mais ces formes sont en voie de disparition; on les remplace souvent par le *présent* et le *passé du subjonctif.*

c) Le *passé antérieur* a deux formes qui servent à marquer l'antériorité d'une action ou d'un état par rapport à une action ou à un état déjà passés : *Sitôt que j'*EUS REÇU *la lettre, je partis. Sitôt que j'*AI EU REÇU *la lettre, je suis parti.*

d) Le *plus-que-parfait de l'indicatif* exprime, dans le passé, une action ou un état accomplis. Avec cette nuance, il joue, à peu de chose près, les mêmes rôles que l'imparfait de l'indicatif.

e) Lorsqu'on transpose dans le passé une phrase, une pensée, un sentiment qui, dans le présent, s'exprimaient au moyen d'un futur, ce futur se rend par un *conditionnel.* Dans de tels emplois, le conditionnel doit être considéré comme un véritable temps : *Il a dit qu'il* VIENDRAIT *demain. Ce candidat pensait qu'il* SERAIT ADMIS *au concours.*

Viendrait et *serait admis* équivalent respectivement à deux futurs du style direct : *Je* VIENDRAI *demain. Je* SERAI ADMIS *au concours.*

Temps futur. — L'avenir comprend tous les états, toutes les actions *possibles,* mais ne comporte, de par sa nature même, aucune *réalité.*

a) Si nous voulons laisser entendre que telle action, tel état ont les plus grandes chances de se réaliser, nous employons le *futur* de l'indicatif : *Je m'en* IRAI *dans quelques jours.*

On comprend dès lors que le futur serve à exprimer des intentions fermes, des ordres : *Tes père et mère* HONORERAS; des prévisions juridiques : *Tout condamné à mort* AURA *la tête tranchée.*

b) Si, au contraire, nous voulons laisser à l'avenir son caractère incertain, nous employons d'autres formes :

1° L'*imparfait de l'indicatif* dans la proposition subordonnée des phrases hypothétiques : *Si tu* VENAIS *me voir, j'en serais heureux;*

2° Le *conditionnel : Comme j'*IRAIS *volontiers à la mer, cet été!;*

3° Le *présent du subjonctif,* soit dans les propositions principales : *Ah!* REVIENNE *bientôt l'âge d'or!,* soit dans les propositions subordonnées : *Je souhaite qu'il* RÉUSSISSE;

4° L'*infinitif : J'espère* RÉUSSIR.

L'ADVERBE

L'*adverbe* est un mot invariable que l'on joint à un adjectif, à un verbe ou à un autre adverbe pour en modifier le sens : *Cet enfant travaille* BIEN.

L'adverbe peut aussi modifier une proposition tout entière : *Il s'est mis à pleuvoir :* HEUREUSEMENT, *nous avions nos imperméables.*

Principaux adverbes. — Voici les principaux adverbes qui marquent ordinairement :

Le LIEU : *ailleurs, alentour, autour, ci, deçà, delà, dedans, dehors, derrière, dessus, dessous, devant, ici, là, loin, où, partout, près, y,* etc.

Le TEMPS : *alors, aujourd'hui, aussitôt, autrefois, avant, bientôt, déjà, demain, depuis, désormais, enfin, ensuite, hier, jadis, jamais, parfois, quelquefois, souvent, tantôt, toujours,* etc.

La QUANTITÉ : *assez, beaucoup, combien, davantage, encore, guère, même, moins, peu, plus, que, quelque, si, tant, tellement, tout, près, trop,* etc.

La COMPARAISON : *aussi, autant, moins, plus,* etc.

L'AFFIRMATION et la NÉGATION : *assurément, certainement, certes, oui, peut-être, sans doute, vraiment,* etc.; *ne, non, nullement, pas, point,* etc.

La MANIÈRE : Il est impossible de dénombrer les adverbes de cette catégorie, leur nombre croissant au fur et à mesure que la langue évolue.

On distingue : 1° des *adverbes héréditaires,* tels que *bien, mal, pis, mieux,* etc.; 2° des *adjectifs* employés adverbialement : *bon, beau, fort, grand, cher,* etc.; 3° des adverbes en *-ment,* en nombre considérable, formés, pour la plupart, sur le féminin des adjectifs : *sagement, bellement, cordialement, admirablement;* 4° des *locutions* *adverbiales*, composées soit d'une préposition et d'un nom ou d'un adjectif : *à l'envi, de nouveau;* soit de deux noms unis par une préposition : *nez à nez;* ou de deux adjectifs : *petit à petit;* soit d'un verbe et d'un nom : *d'arrache-pied;* soit, enfin, d'un membre de phrase : *pour ainsi dire.*

Les adjectifs qualificatifs employés comme adverbes sont invariables : *Ces fleurs sentent* BON. *Cette étoffe coûte* CHER.

Un certain nombre d'adverbes s'emploient, comme les adjectifs, au comparatif et au superlatif : *plus loin, le plus loin, très loin,* etc. *Mieux, pis, moins, plus, davantage* sont des formes spéciales employées comme comparatifs.

Beaucoup d'adverbes, tels que : *quand, combien, comment, pourquoi,* etc., sont employés dans des phrases interrogatives. On les appelle pour cette raison adverbes *interrogatifs* : QUAND *partez-vous?* AUJOURD'HUI? DEMAIN? BIENTÔT?

Complément de l'adverbe. — Les adverbes de quantité *assez, autant, beaucoup, bien, combien, guère, infiniment, moins, peu, plus, que, tant, tellement, trop,* et quelques adverbes de manière, tels que : *conformément, contrairement, indépendamment, préférablement, relativement,* peuvent avoir un complément : CONFORMÉMENT *à la loi.*

Adverbes de négation. — La négation proprement dite est l'adverbe *ne,* dont la valeur est ordinairement complétée et précisée par les adverbes *pas* ou *point.*

L'adverbe de négation, sous sa forme tonique *non,* s'emploie dans les réponses négatives : *« Liras-tu ce livre? —* NON, *je ne le lirai pas. »*

Il sert encore à opposer deux mots très fortement : *Il convient de travailler et* NON *de se laisser aller.*

Emploi de quelques adverbes.

Dedans, dehors, dessus, dessous, autrefois employés comme prépositions et comme adverbes, sont, aujourd'hui, seulement des adverbes et n'ont, sauf l'exception mentionnée plus bas, jamais de complément. Les prépositions qui leur correspondent sont : *dans, hors, sur, sous.* Cependant, ces adverbes s'emploient avec un complément quand ils sont précédés d'une préposition ou qu'ils sont opposés deux à deux : *Otez cela de* DESSUS *la table.* DEDANS *la ville.*

Davantage s'emploie ordinairement sans complément; il ne peut modifier un adjectif ni être employé dans la tournure du comparatif qui comporte un second terme (*davantage que*). Ne dites pas : *Il a* DAVANTAGE *de chance que moi.* Dites : *Il a* PLUS *de chance que moi.*

Plus tôt, en deux mots, est l'opposé de *plus tard : J'arriverai* PLUS TÔT *que vous.*

Plutôt, en un seul mot, marque la préférence : *Ils se firent tuer* PLUTÔT *que de se rendre.*

De suite signifie « l'un après l'autre, sans interruption » : *Il ne sait dire deux mots* DE SUITE. (Il est incorrect de l'employer pour *tout de suite.*)

Tout de suite signifie « sur-le-champ » : *Partez* TOUT DE SUITE.

Tout à coup veut dire « subitement » : TOUT À COUP, *le canon gronda.*

Tout d'un coup signifie « en une seule fois, du premier coup » : *Il a perdu sa fortune* TOUT D'UN COUP.

Aussitôt ne doit pas avoir pour complément un nom seul. Ne dites pas : *J'écrivis* AUSSITÔT *mon arrivée.* Dites : *J'écrivis* AUSSITÔT APRÈS *mon arrivée.*

Mais, quand le nom est suivi d'un participe passé, l'usage permet de placer ce nom après *aussitôt :* AUSSITÔT *votre lettre reçue, je suis parti.*

Très ne peut modifier qu'un adjectif ou un adverbe, ou un participe employé comme adjectif épithète ou attribut : *livre* TRÈS *utile; manger* TRÈS *peu; homme* TRÈS *occupé.*

TRÈS s'emploie quelquefois devant une préposition suivie d'un mot avec lequel elle forme une espèce de locution adjective ou adverbiale : TRÈS *en colère;* TRÈS *à craindre;* TRÈS *à propos.*

REMARQUE. — N'employez pas *très* devant un participe présent conservant la signification caractéristique du verbe, ni devant un participe passé précédé d'un auxiliaire. Ne dites pas : *On s'est* TRÈS *occupé de l'affaire.*

Remplacez *très* par un adjectif ou par *bien, beaucoup,* etc., et dites : *On s'est* FORT *occupé de l'affaire.*

Aussi, autant marquent la comparaison, l'égalité : *Il était* AUSSI *brave que modeste, et juste* AUTANT *que bon.*

Si, tant marquent l'intensité et signifient *tellement : La grenouille s'enfla* TANT *qu'elle creva.*

On peut employer *si* pour *aussi,* et *tant* pour *autant,* dans une phrase négative : *Il n'est pas* SI *heureux que vous. Il n'a jamais,* TANT *que vous, connu le bonheur.*

LA PRÉPOSITION

La *préposition* est un mot invariable qui sert à joindre deux termes en marquant le rapport qu'ils ont entre eux : *Je vais* À *Paris.*

Les prépositions expriment le plus souvent, entre le complément et le mot complété, un rapport de *lieu,* de *temps,* de *but,* de *cause,* de *moyen,* etc.

LIEU : *J'écris* SUR *le cahier.*	BUT : *Il faut manger* POUR *vivre.*
TEMPS : *Il neige* EN *hiver.*	CAUSE : *Louis IX mourut* DE *la peste.*

Toutefois, il est des cas où la préposition est complètement vide de sens : *Il est honteux* DE *mentir. Je vous prie* DE *me faire savoir votre avis.*

Dans ces phrases, il est impossible de reconnaître une signification quelconque à *de;* cette préposition n'exprime plus qu'un simple rapport grammatical.

Les principales prépositions sont :

à	*depuis*	*hormis*	*sans*
après	*derrière*	*hors*	*selon*
avant	*dès*	*malgré*	*sous*

avec	*devant*	*outre*	*suivant*
chez	*durant*	*par*	*sur*
contre	*en*	*parmi*	*vers*
dans	*entre*	*pendant*	*voici*
de	*envers*	*pour*	*voilà.*

Quelques mots tels que *attendu, considéré, étant donné, excepté, vu, concernant, joignant, plein, touchant,* etc., sont accidentellement employés comme prépositions : *Je n'ai rien appris* TOUCHANT *cette affaire. Avoir de l'encre* PLEIN *les mains.*

Locutions prépositives. — On appelle *locution prépositive* tout assemblage de mots remplissant dans la phrase le rôle de préposition.

Les principales sont :

à cause de	*au lieu de*	*faute de*
à côté de	*au milieu de*	*grâce à*
afin de	*auprès de*	*hors de*
à force de	*au prix de*	*jusqu'à*
à la faveur de	*autour de*	*le long de*
au-dessous de	*de peur de*	*loin de*
au-dessus de	*en dépit de*	*près de*
au-devant de	*en face de*	*quant à.*

Les locutions prépositives ont été créées en vue de suppléer au petit nombre de prépositions pures et d'introduire dans la phrase un élément expressif plus fort : *J'ai réussi* EN DÉPIT DE *tes menaces* est un tour plus vif que : *J'ai réussi* MALGRÉ *tes menaces.*

De la répétition des prépositions *à, de, en.* — Les prépositions *à, de, en* se répètent avant chaque complément : *Il est* À *Paris,* À *Lyon et* À *Marseille. Il est comblé* D'*honneurs et* DE *gloire. Il a voyagé* EN *Europe,* EN *Afrique et* EN *Amérique.*

Quant aux autres prépositions, on les répète lorsque les compléments ont des sens différents : *Soyez poli* ENVERS *vos parents,* ENVERS *vos maîtres,* ENVERS *tout le monde.* On ne les répète pas lorsque les compléments sont à peu près synonymes : *Les Sybarites vivaient* DANS *la mollesse et l'oisiveté.*

La préposition ne se répète jamais avant deux noms formant une seule et même expression : *La fable* DE *« l'Hirondelle et les Petits Oiseaux » est très jolie.*

Sans. — *Sans* ne se répète pas quand le dernier complément est précédé de *ni : Le malheureux a passé deux jours* SANS *boire ni manger.*

Hormis ce cas, on répète généralement *sans,* surtout devant les mots qui ne sont pas précédés de l'article : *Il est* SANS *biens,* SANS *métier,* SANS *génie.*

Le même mot peut servir de complément à deux prépositions simples : *Il y a des raisons* POUR *et* CONTRE *ce projet.*

Mais, lorsqu'une préposition simple est suivie d'une locution prépositive, chacune d'elles doit avoir son complément spécial.

Ne dites pas : *Il a parlé* POUR *et* EN FAVEUR DE *mon ami.*

Dites : *Il a parlé* POUR *mon ami et* EN *sa faveur.*

Remarques sur les prépositions *voici, voilà.* — *Voici* annonce ce qu'on va dire : VOICI *ce qu'il faut faire : travailler d'abord, jouer ensuite.*

Voilà a rapport à ce que l'on vient de dire : *Sage et studieux,* VOILÀ *ce qu'un enfant doit être.*

Voici, voilà peuvent être aussi considérés comme adverbes dans des expressions telles que : *La Fayette, nous* VOICI. *Me* VOILÀ.

Au travers, à travers. — *Au travers* est toujours suivi de la préposition *de : Il s'ouvrit un passage* AU TRAVERS DES *ennemis.*

A TRAVERS est suivi directement de son complément : *Je vais* À TRAVERS *champs.*

LA CONJONCTION

La *conjonction* est un mot invariable qui sert à joindre deux propositions ou deux parties semblables d'une proposition : *On ne croit plus un enfant* QUAND *il a menti.*

Les principales conjonctions sont :

ainsi	*donc*
aussi	*et*
car	*lorsque*
cependant	*mais*
comme	*néanmoins*
ni	*que*
or	*quoique*
ou	*si*
puisque	*soit*
quand	*toutefois,* etc.

On distingue deux catégories de conjonctions : les conjonctions de *coordination* et les conjonctions de *subordination.*

Les conjonctions de *coordination* (*et, ni, ou, mais, or, car,* etc.) unissent les termes d'une proposition ou des propositions de même nature : *Il est sage* ET *heureux.*

Les conjonctions de *subordination* (*que, lorsque, parce que,* etc.) servent à introduire une proposition subordonnée : *Je crois* QUE *vous vous trompez.*

Locutions conjonctives. — On appelle *locutions conjonctives* des groupes de mots remplissant le rôle de conjonctions. Les principales sont :

à condition que	*attendu que*
afin que	*aussitôt que*
ainsi que	*autant que*
alors que	*avant que*
à mesure que	*bien que*
à moins que	*c'est-à-dire*
après que	*de même que*

depuis que
de sorte que
dès que
jusqu'à ce que
parce que
quand même
tandis que, etc.

REMARQUES. — Les conjonctions et les locutions conjonctives de coordination marquent dans la phrase une progression *logique,* et ont, en conséquence, un rôle essentiel dans l'ordonnance des idées. Les unes expriment une *conséquence* (*ainsi, donc*), d'autres une opposition (*mais, néanmoins, toutefois*), d'autres une *disjonction* (*ou, ou bien, sinon*), d'autres encore une *progression* (*et*), etc.

Emploi de quelques conjonctions. — Et. — La conjonction *et* se répète quelquefois avant chaque terme d'une énumération :

ET *le pauvre* ET *le riche,* ET *le faible* ET *le fort,*
Vont tous également de la vie à la mort.

Mais, le plus souvent, *et* s'emploie seulement avant le dernier terme de l'énumération : *Le lion, la panthère, l'hyène, le buffle, l'éléphant, le rhinocéros* ET *le zèbre habitent l'Afrique.*

On supprime *et :*

1° Quand on veut rendre une énumération plus rapide : *Femmes, moine, vieillards, tout était descendu;*

2° Quand les termes de l'énumération sont synonymes ou placés par gradation : *La fierté, la hauteur, l'arrogance caractérise l'hidalgo;*

3° Entre deux propositions commençant chacune par *plus, mieux, moins, autant : Mieux vous écouterez, mieux vous comprendrez.*

Ni. — La conjonction *ni* sert à joindre :

1° Deux propositions principales négatives dont la seconde est elliptique : *Il ne boit* NI *ne mange;*

2° Deux propositions subordonnées dépendant d'une même principale négative : *Je ne crois pas qu'il vienne,* NI *même qu'il pense à venir;*

3° Les parties semblables d'une proposition négative : *Elle n'est pas belle* NI *riche.*

Dans cette phrase et ses analogues, on remplace élégamment *pas* par *ni : Elle n'est* NI *belle* NI *riche.*

Si, pourtant, les parties semblables pouvaient être regardées comme synonymes ou si elles exprimaient des choses considérées comme allant ensemble, elles devraient être unies par la conjonction *et : Le savoir* ET *l'habileté ne mènent pas toujours à la fortune.*

Souvent, *ni* se répète pour donner plus d'énergie à l'expression : NI *l'or* NI *la grandeur ne nous rendent heureux.*

Remarques sur les conjonctions. — Parce que, en deux mots, signifie « attendu que, par la raison que » : *Pépin fut surnommé le Bref,* PARCE QU'*il était petit.*

Par ce que, en trois mots, signifie « par la chose que » : PAR CE QUE *vous dites, je vois que vous avez tort.*

Que. — La conjonction *que* a un grand nombre d'usages en dehors de son emploi purement grammatical.

Elle s'emploie pour éviter la répétition d'une locution conjonctive composée avec *que* et des conjonctions *comme, quand, lorsque, puisque, si : Quand on est jeune et* QU'*on se porte bien, on doit travailler.*

Elle remplace quelquefois les conjonctions *afin que, sans que, lorsque, depuis que, avant que : Approchez,* QUE *je vous parle.*

Elle sert à unir les termes d'une comparaison déjà indiquée par *aussi, autant, même : Il est aussi grand* QUE *son père.*

Quoique, en un mot, signifie « bien que » : *On ne croit plus un menteur* QUOIQU'*il dise la vérité.*

Quoi que, en deux mots, signifie « quelle que soit la chose que » : *On ne croit plus un menteur* QUOI QU'*il dise.*

L'INTERJECTION

L'*interjection* est un mot invariable qui sert à exprimer un mouvement de l'âme : l'admiration, la joie, la douleur, la surprise, etc.

L'interjection est un mot isolé, complet par lui-même, qui n'a aucune espèce de relation avec les autres mots, entre lesquels il est comme *jeté* pour exprimer les mouvements vifs et subits de l'âme.

Nous classons ici, avec les interjections proprement dites, des bruits imitatifs appelés *onomatopées,* qui servent moins à exprimer un sentiment qu'à traduire d'une façon plaisante le son produit par un objet familier.

Les principales interjections et onomatopées sont :

Ah!	*Eh!*	*Heu!*	*Ouf!*
Aïe!	*Fi!*	*Ho!*	*Parbleu!*
Bah!	*Gare!*	*Holà!*	*Pif!*
Bravo!	*Ha!*	*Hop!*	*Paf!*
Chut!	*Hé!*	*Hum!*	*Pouah!*
Clic!	*Hein!*	*O!*	*Pouf!*
Clac!	*Hélas!*	*Oh!*	*Sus!* etc.

Certains mots peuvent accidentellement devenir interjections; ce sont notamment :

Alerte!	*Ciel!*
Allons!	*Comment!*
Bon!	*Courage!*
Çà!	*Dame!*

Diable!	*Paix!*
Halte!	*Peste!*
Malheur!	*Silence!*
Miséricorde!	*Tiens!* etc.

On donne le nom de *locution interjective* à tout groupe de mots remplissant le rôle d'interjection :

Ah! bah!	*En avant!*
Dieu du ciel!	*Grand Dieu!*
Dieu me pardonne!	*Hé quoi!*
Eh bien!	*Ma foi!*

Mon Dieu!
Oui da!
Qui vive?
Tout beau! etc.

LOCUTIONS LATINES ET ÉTRANGÈRES

Ab urbe condita
Depuis la fondation de la ville.

Les Romains dataient les années de la fondation de Rome, **ab urbe condita** ou **urbis conditae,** qui correspond à 753 av. J.-C. Ces mots se marquent souvent par les initiales **U. C.** : *L'an 532* **U. C.,** c'est-à-dire *l'an 532 de la fondation de Rome.*

Acta est fabula
La pièce est jouée.

C'est ainsi que, dans le théâtre antique, on annonçait la fin de la représentation. **Acta est fabula,** dit Auguste sur son lit de mort, et ce furent ses dernières paroles. *La farce est jouée,* aurait dit aussi Rabelais.

Ad hominem
Contre l'homme.

Ne s'emploie que dans l'expression *argument* **ad hominem,** argument par lequel on confond un adversaire en lui opposant ses propres paroles ou ses propres actes.

Ad libitum
Au choix; A volonté.

Jouer un passage d'un morceau de musique **ad libitum,** c'est le jouer dans le mouvement que l'on veut.

Ad majorem Dei gloriam
Pour la plus grande gloire de Dieu.

Devise de l'ordre des Jésuites. Les initiales **A. M. D. G.** servent d'épigraphe à la plupart des livres émanés de cette Compagnie.

Ad patres
Vers les ancêtres.

Aller **ad patres,** mourir; *Envoyer* **ad patres,** tuer. — *Le lion furieux envoya l'ours* **ad patres.** S'emploie toujours familièrement.

Ad usum Delphini
A l'usage du Dauphin.

Expression appliquée aux excellentes éditions des classiques latins entreprises pour le Dauphin, fils de Louis XIV, mais dont on avait retranché quelques passages trop crus. On emploie ironiquement cette formule à propos de publications expurgées ou arrangées pour les besoins de la cause.

Ad vitam aeternam
Pour la vie éternelle.

Pour jamais; Pour toujours.

A latere
Du côté; D'auprès.

Se dit de certains cardinaux choisis par le pape dans son entourage, *à son côté,* pour remplir des missions diplomatiques : *Un légat* **a latere.**

Alea jacta est
Le sort en est jeté.

Paroles fameuses qu'on attribue à César (Suétone, *Caesar,* 32) se préparant à franchir le Rubicon, parce qu'une loi ordonnait à tout général entrant en Italie par le nord de licencier ses troupes avant de passer ce fleuve. Cette phrase s'emploie quand on prend une décision importante, après avoir longtemps hésité.

All right [ôl ra-itt]
Tout [est] *droit.*

Locution anglaise : *Tout va bien, tout est en état, vous pouvez aller de l'avant* : **all right.**

Alma mater ou **Alma parens**
Mère nourricière.

Expressions souvent employées par les poètes latins pour désigner la patrie, et quelquefois par les écrivains de nos jours pour désigner l'Université.

Alter ego
Un autre moi-même.

Fiez-vous à lui, c'est mon **alter ego.** — *Ephestion était l'***alter ego** *d'Alexandre.*

Aperto libro
A livre ouvert.

Traduire **aperto libro.**

Asinus asinum fricat *L'âne frotte l'âne.*	Se dit de deux personnes qui s'adressent mutuellement des éloges outrés.
At home [at'hôm'] *A la maison.*	Locution anglaise : *Se trouver bien* **at home.**
Audaces fortuna juvat *La fortune favorise les audacieux.*	Locution imitée de l'hémistiche de Virgile (*Enéide,* X, 284) : *Audentes fortuna juvat...*
Austriae est imperare orbi universo *Il appartient à l'Autriche de commander à tout l'univers.*	Ambitieuse devise de la maison d'Autriche. Elle s'écrit par abréviation **A. E. I. O. U.** Elle est composée sur les cinq voyelles de l'alphabet, et a été traduite par des mots allemands qui commencent par les mêmes lettres : *Alles Erdreich ist österreich unterthan.*
Ave Caesar (ou **Imperator), morituri te salutant** *Salut César* (ou *Empereur*), *ceux qui vont mourir te saluent.*	Paroles que, suivant Suétone (*Claude,* 21), prononçaient les gladiateurs romains en défilant, avant le combat, devant la loge impériale.
Beati pauperes spiritu *Bienheureux les pauvres en esprit.*	C'est-à-dire ceux qui savent se détacher des biens du monde. Paroles qui se trouvent au début du *Sermon sur la montagne* (Evangile selon saint Matthieu, V, 3), et qui, par un travestissement du sens, s'emploient ironiquement pour désigner ceux qui réussissent avec peu d'intelligence.
Bis repetita placent *Les choses répétées, redemandées, plaisent.*	Aphorisme imaginé d'après un vers de l'*Art poétique* d'Horace (365), où le poète dit que telle œuvre ne plaira qu'une fois, tandis que telle autre répétée dix fois plaira toujours (*Haec decies repetita placebit*).
Carpe diem *Mets à profit le jour présent.*	Mots d'Horace (*Odes,* I, XI, 8), qui aime à rappeler que la vie est courte, et qu'il faut se hâter d'en jouir.
Castigat ridendo mores *Elle corrige les mœurs en riant.*	Devise de la comédie, imaginée par le poète Santeul, et donnée à l'arlequin Dominique pour qu'il la mît sur la toile de son théâtre.
Chi [ki] **lo sa ?** *Qui le sait?*	Locution italienne fréquemment employée.
Chi [ki] **va piano, va sano** *Qui va doucement va sûrement.*	Proverbe italien. Il se complète par **chi va sano, va lontano** (*qui va sûrement va loin*). Racine a dit (*Plaideurs,* I, I) : *Qui veut voyager loin ménage sa monture.*
Cogito, ergo sum *Je pense, donc je suis.*	Constatation fondamentale de son existence par le sujet pensant, sur laquelle *Descartes* (*Discours de la méthode*), après avoir révoqué en doute toutes les assertions et tous les raisonnements des philosophes, construit son propre système.
Commedia dell' arte *Comédie de fantaisie.*	Locution italienne appliquée à un genre particulier de pièces, dans lesquelles le scénario seul était réglé ; les auteurs improvisaient le dialogue.
Confer *Comparez, rapprochez.*	Mot latin. S'écrit en abrégé : **cf.**
Consensus omnium *Le consentement universel.*	*Prouver une chose par le* **consensus omnium.**
Cujus regio, ejus religio *De tel pays, de telle religion.*	Maxime latine par laquelle on indique que l'homme est généralement de la religion qui domine dans son pays.

De auditu
Par ouï-dire.

Ne savoir une chose que **de auditu.**

De commodo et incommodo
De l'avantage et de l'inconvénient.

Cette locution est presque exclusivement administrative : *Ordonner une enquête* **de commodo et incommodo** *sur des travaux publics.*

De cujus
Celui, celle de qui...

Premiers mots de la locution juridique latine *De cujus successione agitur* (celui ou celle de la succession de qui il s'agit), et que l'on emploie par abréviation : *Les dernières volontés du* **de cujus.**

De facto
De fait.

On l'oppose à **de jure,** *de droit : Pour les légitimistes, Louis-Philippe était le roi* **de facto,** *et Henri V le roi* **de jure.**

Delenda Carthago
Il faut détruire Carthage.

Paroles par lesquelles Caton l'Ancien (Florus, *Hist. rom.,* II, 15) terminait tous ses discours, sur quelque sujet que ce fût. S'emploient pour rendre une idée fixe que l'on a dans l'esprit, dont on poursuit avec acharnement la réalisation, et à laquelle on revient toujours.

Deo gratias
Grâces soient rendues à Dieu.

Mots qui reviennent fréquemment dans les prières liturgiques. Ils s'emploient familièrement pour faire entendre qu'on est content qu'une chose, qu'un discours, qui duraient depuis fort longtemps, soient finis.

Deus ex machina
Un dieu [descendu] *au moyen d'une machine.*

Expression désignant l'intervention, dans une pièce de théâtre, d'un dieu, d'un être surnaturel descendu sur la scène au moyen d'une machine, et, au figuré, le dénouement plus heureux que vraisemblable d'une situation tragique.

De viris
Des hommes.

Premiers mots d'un livre élémentaire, le *De viris illustribus urbis Romae* (Des hommes illustres de la ville de Rome), par Lhomond, où, dans les lycées et collèges, on commence à apprendre le latin.

De visu
Pour l'avoir vu.

Parler d'une chose **de visu.**

Dies irae
Jour de la colère.

Premiers mots et titre d'une des cinq proses du missel romain, qu'on chante à l'office des morts.

Doctus cum libro
Savant avec le livre.

Se dit de ceux qui, incapables de penser par eux-mêmes, étalent une science d'emprunt, et puisent leurs idées dans les ouvrages des autres.

Dominus vobiscum
Le Seigneur soit avec vous.

Paroles que le prêtre prononce plusieurs fois au cours de la célébration de la messe.

Dura lex, sed lex
La loi est dure, mais c'est la loi.

Maxime que l'on rappelle en parlant d'une règle pénible à laquelle on est forcé de se soumettre.

Ecce homo
Voici l'homme.

Paroles de Pilate aux Juifs (saint Jean, XIX, 5), lorsqu'il leur montra Jésus-Christ ayant à la main un roseau pour sceptre et une couronne d'épines sur la tête. On s'en sert pour s'annoncer soi-même, ou pour annoncer quelqu'un.

Eli, Eli, lamma sabacthani
Mon Dieu, mon Dieu, pourquoi m'avez-vous abandonné?

C'est le cri du Christ mourant sur la Croix (saint Matthieu, XXVII, 46; saint Marc, XV, 34).

English spoken
On parle anglais.

Phrase que l'on inscrit sur la devanture d'une boutique, etc., pour indiquer qu'on peut y trouver une personne parlant l'anglais.

Errare humanum est *Il est de la nature de l'homme de se tromper.*	S'emploie pour expliquer, pour pallier une faute, une chute morale.
Eurêka ! *J'ai trouvé !*	Mot grec devenu proverbial. C'est l'exclamation d'Archimède découvrant tout d'un coup, au bain, la loi de la pesanteur spécifique des corps.
Ex ou **Ab abrupto** *Brusquement ; Sans préparation.*	*Monter à la tribune et parler* **ex abrupto.**
Ex cathedra *Du haut de la chaire.*	En vertu de l'autorité enseignante que l'on tient de son titre : *Quand le pape parle* **ex cathedra,** *c'est comme chef de l'Eglise universelle.* — *Par extens.* D'un ton doctoral : *Parler* **ex cathedra.**
Fluctuat nec mergitur *Il est battu par les flots, mais ne sombre pas.*	Devise de la Ville de Paris, qui a pour emblème un vaisseau.
Furia francese [fou-ri-a fran'-tché-sé] *La furie française.*	Expression dont les Italiens, avec Machiavel, se servirent, à partir de la bataille de Fornoue, pour caractériser l'impétuosité des Français.
Gloria victis ! *Gloire aux vaincus !*	Antithèse de la locution **Vae victis !**
Gnôthi seauton [ghnôti sé-ô-ton'] *Connais-toi toi-même.*	Inscription gravée au fronton de Delphes et que Socrate avait choisie pour devise.
God save the king ! *Dieu protège le roi !*	Chant national des Anglais : *A l'arrivée du roi, la musique entonne le* **God save the king.** (Si c'est la reine, on dit *God save the* **queen.**)
Gratis pro Deo *Gratuitement pour l'amour de Dieu.*	*Travailler* **gratis pro Deo.**
Habeas corpus *Que tu aies le corps* (sous-entendu : *ad subjiciendum,* pour le produire devant la cour).	Nom d'une loi célèbre qui, en Angleterre, garantit la liberté individuelle des citoyens anglais, en ce qu'elle ordonne de produire le corps du détenu devant la cour, pour qu'elle statue sur la validité de l'arrestation.
Hic et nunc *Ici et maintenant.*	*Vous allez me payer* **hic et nunc,** c'est-à-dire tout de suite.
Hic jacet *Ci-gît.*	Premiers mots d'une inscription tumulaire.
Honoris causa *Pour l'honneur.*	Se dit de grades conférés sans examen et à titre honorifique à des personnages de distinction.
Horresco referens *Je frémis en le racontant.*	Exclamation d'Enée racontant la mort de Laocoon (Virgile, *Enéide,* II, 204). Ces mots s'emploient quelquefois d'une manière plaisante.
In aeternum *Pour toujours.*	*S'engager* **in aeternum** *par des vœux religieux.* On dit aussi **in perpetuum.**
In cauda venenum *Dans la queue le venin.*	Comme le venin du scorpion est renfermé dans sa queue, les Romains tirèrent de cette circonstance le proverbe **In cauda venenum,** qu'ils appliquaient à la dernière partie d'une lettre, d'un discours, débutant sur un ton inoffensif, mais pour montrer ensuite plus de malice.
In fine *A la fin.*	A la fin d'un paragraphe ou d'un chapitre : *Cette disposition se trouve dans tel titre du Code,* **in fine.**

In hoc signo vinces
Tu vaincras par ce signe.

Les historiens rapportent que, Constantin allant combattre contre Maxence, une croix se montra dans les airs à son armée, avec ces mots : **« In hoc signo vinces. »** Il fit peindre ce signe sur son étendard, ou *labarum.* S'emploie pour désigner ce qui, dans une circonstance quelconque, nous fera surmonter une difficulté ou remporter un avantage.

In partibus (infidelium)
Dans les pays [occupés par les infidèles].

Se dit de l'évêque dont le titre est purement honorifique et ne donne droit à aucune juridiction. On dit par ironie : *ministre, ambassadeur,* etc., **in partibus,** pour désigner un fonctionnaire sans fonction.

In saecula saeculorum
Dans les siècles des siècles.

S'emploie figurément pour marquer la longue durée d'une chose. Cette locution, ainsi que *ad vitam aeternam,* qui a le même sens, est empruntée à la liturgie latine.

In situ
Dans l'endroit même.

Locution employée spécialement en minéralogie : *On a découvert des diamants* **in situ,** *dans la roche même où ils s'étaient formés.*

In vitro
Dans le verre.

Expression désignant toute réaction physiologique qui se fait en dehors de l'organisme (dans des tubes, des éprouvettes, etc.) : *Constatations faites* **in vitro.**

In vivo
Dans l'être vivant.

Expression désignant toute réaction physiologique qui se fait dans l'organisme : *Expérimentation* **in vivo.**

Ipso facto
Par le fait même.

Celui qui frappe un prêtre est excommunié **ipso facto.**

Is fecit cui prodest
Celui-là a fait à qui la chose faite est utile.

Le coupable est presque toujours celui à qui le délit ou le crime profite. (On ne doit se servir qu'avec circonspection de ce vieil adage de droit.)

Is pater est, quem nuptiae demonstrant
Celui-là est le père que le mariage légal désigne.

Principe du droit romain, reproduit par notre Code : « L'enfant conçu pendant le mariage est réputé avoir pour père le mari. »

Jure et facto
De droit et de fait.

Henri IV ne fut roi **jure et facto** *qu'après son entrée solennelle dans Paris.*

Lato sensu
Au sens large.

Locution latine signifiant « Au sens large, Par extension », et qui s'oppose à l'expression : **Stricto sensu** (dans le sens strict).

Loco citato
A l'endroit cité.

S'emploie dans un livre pour renvoyer *à l'endroit cité précédemment.* (En abrégé : *loc. cit.*)

Mane, thecel, pharès
Compté, pesé, divisé.

Menace prophétique qu'une main invisible écrivit sur les murs de la salle dans laquelle Balthazar se livrait à sa dernière orgie, au moment où Cyrus pénétrait dans Babylone (Livre de Daniel, ch. V).

Man spricht deutsch
On parle allemand.

Phrase que l'on inscrit sur la devanture d'une boutique, etc., pour indiquer qu'on peut y trouver une personne parlant l'allemand.

Manu militari
Par la main militaire.

Locution usitée surtout dans le langage juridique, et qui équivaut à « Par l'emploi de la force armée, de la gendarmerie » : *Expulser quelqu'un* **manu militari.**

Mens sana in corpore sano
Une âme saine dans un corps sain.

Maxime de Juvénal (*Satires,* X, 356). L'homme vraiment sage, dit le poète, ne demande au ciel que *la santé de l'âme avec la santé du corps.* Dans l'application, ces vers sont souvent détournés de leur sens, pour exprimer que la santé du corps est une condition importante de la santé de l'esprit.

Modus vivendi
Manière de vivre.

Accommodement, transaction moyennant laquelle il soit possible à deux parties en litige de se supporter mutuellement : *Adopter un* **modus vivendi.**

Motu proprio
De son propre mouvement.

Substantivement, Acte volontaire que l'on fait en pleine liberté. — Se dit de certaines bulles du pape.

Mutatis mutandis
En changeant ce qui doit être changé.

En faisant les changements nécessaires : *Reprendre un projet de loi* **mutatis mutandis.**

Ne varietur
Afin qu'il n'y soit rien changé.

Faire parapher un acte, un document, **ne varietur.** — *Une édition* **ne varietur.**

Nihil (ou **nil**) **obstat**
Rien n'empêche.

Formule employée par la censure ecclésiastique pour autoriser l'impression d'un ouvrage contre lequel aucune objection doctrinale ne peut être retenue : *Le* **nihil obstat** *précède l'imprimatur.*

Opere citato
Dans l'ouvrage cité.

S'emploie dans un livre pour indiquer l'ouvrage cité précédemment. (En abrégé : *op. cit.*)

Panem et circenses
Du pain et les jeux du cirque.

Mots d'amer mépris adressés par Juvénal (*Satires,* X, 81) aux Romains de la décadence, qui ne demandaient plus, au Forum, que du blé et des spectacles gratuits.

Quid novi ?
Quoi de nouveau?

Interrogation familière que deux personnes s'adressent volontiers quand elles se rencontrent.

Quo non ascendet ?
Où ne montera-t-il pas?

(Et non *Quo non ascendam?,* malgré une tradition constante.) Devise de Fouquet. Elle figurait, dans ses armes, au-dessous d'un écureuil.

Quousque tandem
Jusques à quand...

Premiers mots du premier discours de Cicéron contre Catilina, lorsque celui-ci osa se présenter au sénat après qu'on eut découvert le complot qu'il tramait contre la République.

Remember! [ri-mèm-beur']
Souvenez-vous!

Dernier mot de Charles Ier, roi d'Angleterre, sur l'échafaud, adressé à l'évêque Juxon.

Requiescat in pace !
Qu'il repose en paix!

Paroles qu'on chante à l'office des morts, et qu'on grave souvent sur les pierres tumulaires.

Res nullius
La chose de personne.

Ce qui n'appartient en propre à personne : *La terre n'est jamais considérée comme* **res nullius.**

Rule, Britannia [roul']
Gouverne, Angleterre.

Premiers mots d'un chant patriotique des Anglais, dans lequel ils se glorifient de posséder l'empire des mers.

Se habla español
On parle espagnol.

Phrase que l'on inscrit sur la devanture d'une boutique, etc., pour indiquer qu'on peut y trouver une personne parlant l'espagnol.

Self-made man [sèlf méd' mann]
Homme qui s'est fait lui-même.

Expression anglaise servant à désigner un homme arrivé par ses propres moyens.

Shocking [chok'-in'-gh]
Choquant.

Exclamation dont se servent souvent les Anglais, et qu'on a transportée dans la langue française un peu par ironie.

Sic transit gloria mundi
Ainsi passe la gloire du monde.

Paroles (peut-être tirées de l'*Imitation*, I, III, 6) adressées au souverain pontife lors de son élévation, pour lui rappeler la fragilité de toute puissance humaine.

Si parla italiano
On parle italien.

Phrase que l'on inscrit sur la devanture d'une boutique, etc., pour indiquer qu'on peut y trouver une personne parlant l'italien.

Si vis pacem, para bellum
Si tu veux la paix, prépare la guerre.

Locution signifiant que, pour éviter d'être attaqué, le meilleur moyen est de se mettre en état de se défendre. Végèce (*Instit. rei milit.*, III, Prol.) dit : *Qui desiderat pacem, praeparet bellum.*

Struggle for life [streu-ghl' for la-if']
Lutte pour la vie.

Locution anglaise, mise à la mode par Darwin. Elle équivaut à *Concurrence vitale : La sélection dans les espèces animales s'explique par le* **struggle for life.**

Sursum corda
Haut les cœurs.

Paroles que prononce le prêtre à la messe, au commencement de la préface. On cite ces mots pour faire appel ou signifier que quelqu'un fait appel à des sentiments élevés.

Sustine et abstine
Supporte et abstiens-toi.

Maxime des stoïciens (en grec : *Anekhou kai apekhou*). *Supporte* tous les maux sans que ton âme en soit troublée; *abstiens-toi* de tous les plaisirs qui peuvent nuire à ta liberté morale.

Thalassa ! thalassa !
La mer! la mer!

Exclamation de joie que firent entendre les dix mille Grecs conduits par Xénophon (*Anabase*, IV, 8), quand, accablés de fatigue après une retraite de seize mois, ils aperçurent le rivage du Pont-Euxin.

That is the question [zat is ze kouèss-tcheun']
Cela est la question.

Expression de Shakespeare au premier vers du monologue d'Hamlet (III, I) : *Etre ou ne pas être, voilà la question.* S'emploie pour exprimer un cas douteux.

The right man in the right place [ze ra-it' man' in' ze ra-it' plés']
L'homme qu'il faut dans la place qu'il faut.

Expression anglaise, qu'on applique à tout homme qui convient tout à fait à l'emploi auquel on le destine.

Time is money [ta-im' iz mo-nè]
Le temps, c'est de l'argent.

Proverbe anglais, maxime d'un peuple pratique qui sait que le temps bien employé est un profit.

To be or not to be [tou bi or not' tou bi]
Etre ou ne pas être.

Commencement du premier vers du monologue d'Hamlet (III, I), dans le drame de Shakespeare. Caractérise une situation où l'existence même d'un individu, d'une nation, est en jeu.

Tu quoque, fili !
Toi aussi, mon fils!

Cri de douleur de César lorsqu'il aperçut au nombre de ses assassins Brutus, qui passait pour être son fils.

Tutti quanti
Tous, tant qu'ils sont.

Mots italiens que l'on emploie pour compléter une énumération, pour exprimer cette idée : *tous sans exception.*

Up to date [eup tou dét']
Jusqu'à la date [où l'on est].

Expression anglaise qui signifie *à jour* et, par extension, *au goût du jour.*

Urbi et orbi
A la Ville [Rome] *et à l'univers.*

Paroles qui font partie de la bénédiction du souverain pontife, pour marquer qu'elle s'étend sur l'univers entier. On dit de même, par extension, *publier une nouvelle* **urbi et orbi,** c'est-à-dire partout.

Vade retro, Satana
Retire-toi, Satan.

Paroles de Jésus, qu'on trouve dans l'Evangile sous une forme un peu différente (saint Matthieu, IV, 10, et saint Marc, VIII, 33). On les applique en repoussant quelqu'un, en rejetant ses propositions.

Vae victis !
Malheur aux vaincus!

Paroles adressées par Brennus aux Romains, au moment où il jetait son épée dans la balance avec laquelle on pesait l'or destiné à acheter le départ des Gaulois (Tite-Live, V, 48). Elles se rappellent pour faire entendre que le vaincu est à la merci du vainqueur.

Variorum
De divers.

Abréviation de la formule **Cum notis variorum scriptorum** (*Avec des notes de divers auteurs*), qui est la marque d'anciennes éditions classiques estimées : *L'édition* **variorum** *de Virgile.*

Veni, vidi, vici
Je suis venu, j'ai vu, j'ai vaincu.

Mots célèbres par lesquels César annonça au sénat la rapidité de la victoire qu'il venait de remporter près de Zéla sur Pharnace, roi de Pont. Phrase d'une application toujours familière, pour exprimer la facilité et la rapidité d'un succès quelconque.

Verba volant, scripta manent
Les paroles s'envolent, les écrits restent.

Ce proverbe latin conseille la circonspection dans les circonstances où il serait imprudent de laisser des preuves matérielles d'une opinion, d'un fait, etc.

Video lupum
Je vois un loup.

Se dit lorsque l'on aperçoit une personne que l'on craint et dont on parle. Cette locution rappelle un peu le dicton : *Quand on parle du loup on en voit la queue.*

Vis comica
La force comique; Le pouvoir de faire rire.

Mots extraits d'une épigramme de César sur Térence (Suétone, *Vie de Térence*). En réalité, dans l'épigramme latine, l'adjectif *comica* ne se rapporte probablement pas à *vis,* mais à un autre mot de la phrase.

Vive valeque
Vis et porte-toi bien.

Formule dont on fait quelquefois usage à la fin d'une lettre (Horace, *Satires*, II, 5, 110). — On écrit aussi : **Vive et me ama,** *Vis et aime-moi bien.*

Vixit
Il a vécu.

Formule par laquelle les Romains annonçaient la mort de quelqu'un; on l'emploie encore familièrement. André Chénier l'a transplantée en français :

Elle a vécu, Myrto, la jeune Tarentine!

Vox clamantis in deserto
La voix de celui qui crie dans le désert.

Paroles de saint Jean-Baptiste aux Juifs qui lui demandaient s'il était le Christ, Elie ou un prophète : « *Je suis,* répondit-il, *la voix de celui qui crie dans le désert : Rendez droites les voies du Seigneur.* » (Evangile selon saint Matthieu, III, 3.) Il faisait allusion à ses prédications devant la foule, dans le désert. C'est abusivement qu'on dit, de quiconque n'est pas écouté, qu'il prêche dans le désert.

Vox populi, vox Dei
Voix du peuple, voix de Dieu.

Adage suivant lequel on établit la vérité d'un fait, la justice d'une chose, sur l'accord unanime des opinions du vulgaire.

BRODARD ET TAUPIN — IMPRIMEUR - RELIEUR
Paris-Coulommiers. — Imprimé en France.
53/8040/2 - Dépôt légal n° 7405, 2e trimestre 1968.
LE LIVRE DE POCHE - 6, avenue Pierre 1er de Serbie - Paris.
30-46-2288-03.

30/2288/6